Федор ДОСТОЕВСКИЙ

ПОЛНОЕ СОБРАНИЕ
РОМАНОВ
В ДВУХ ТОМАХ

ТОМ ПЕРВЫЙ

Издательство
АЛЬФА-КНИГА
Москва
2010

УДК 821.161.1
ББК 84.(2Рос-Рус)6-5
Д70

Серия основана
в 2007 году

Достоевский Ф. М.
Д70   Полное собрание романов в двух томах. Том 1./ — М.: «Издательство
АЛЬФА-КНИГА», 2010. — 1279 с.: ил. — (Полное собрание в двух
томах).

ISBN 978-5-9922-0320-2 (т. 1)
ISBN 978-5-9922-0319-6

В первый том вошли романы «Бедные люди», «Игрок», «Идиот», «Бесы», «Униженные и оскорбленные», а в Приложение — рассказ «Роман в девяти письмах» и повесть «Белые ночи. Сентиментальный роман».

УДК 821.161.1
ББК 84.(2Рос-Рус)6-5

ISBN 978-5-9922-0320-2 (т. 1)
ISBN 978-5-9922-0319-6

БЕДНЫЕ ЛЮДИ

Ох уж эти мне сказочники! Нет чтобы написать что-нибудь полезное, приятное, усладительное, а то всю подноготную в земле вырывают!.. Вот уж запретил бы им писать! Ну, на что это похоже: читаешь ... невольно задумаешься, — а там всякая дребедень и пойдет в голову; право бы, запретил им писать; так-таки просто вовсе бы запретил.

Кн. В. Ф. Одоевский

Апреля 8.

Бесценная моя Варвара Алексеевна!

Вчера я был счастлив, чрезмерно счастлив, донельзя счастлив! Вы хоть раз в жизни, упрямица, меня послушались. Вечером, часов в восемь, просыпаюсь (вы знаете, маточка, что я часочек-другой люблю поспать после должности), свечку достал, приготовляю бумаги, чиню перо, вдруг, невзначай, подымаю глаза, — право, у меня сердце вот так и запрыгало! Так вы-таки поняли, чего мне хотелось, чего сердчишку моему хотелось! Вижу, уголочек занавески у окна вашего загнут и прицеплен к горшку с бальзамином, точнехонько так, как я вам тогда намекал; тут же показалось мне, что и личико ваше мелькнуло у окна, что и вы ко мне из комнатки вашей смотрели, что и вы обо мне думали. И как же мне досадно было, голубчик мой, что миловидного личика-то вашего я не мог разглядеть хорошенько! Было время, когда и мы светло видели, маточка. Не радость старость, родная моя! Вот и теперь всё как-то рябит в глазах; чуть поработаешь вечером, попишешь что-нибудь, наутро и глаза раскраснеются, и слезы текут так, что даже совестно перед чужими бывает. Однако же в воображении моем так и засветлела ваша улыбочка, ангельчик, ваша добренькая, приветливая улыбочка; и на сердце моем было точно такое ощущение, как тогда, как я поцеловал вас, Варенька, — помните ли, ангельчик? Знаете ли, голубчик мой, мне даже показалось, что вы там мне пальчиком погрозили? Так ли, шалунья? Непременно вы это всё опишите подробнее в вашем письме.

Ну а какова наша придумочка насчет занавески вашей, Варенька? Премило, не правда ли? Сижу ли за работой, ложусь ли спать, просыпаюсь ли, уж знаю, что и вы там обо мне думаете, меня помните, да и сами-то здоровы и веселы. Опустите занавеску — значит, прощайте, Макар Алексеевич, спать пора! Подымете — значит, с добрым утром, Макар Алексеевич, каково-то вы спали, или: каково-то вы в вашем здоровье, Макар Алексеевич? Что же до меня касается, то я, слава творцу, здорова и благополучна! Видите ли, душечка моя, как это ловко придумано; и писем не нужно! Хитро, не правда ли? А ведь придумочка-то моя! А что, каков я на эти дела, Варвара Алексеевна?

Доложу я вам, маточка моя, Варвара Алексеевна, что спал я сию ночь добрым порядком, вопреки ожиданий, чем и весьма доволен; хотя на новых квартирах, с новоселья, и всегда как-то не спится; всё что-то так, да не так! Встал я сегодня таким ясным соколом — любо-весело! Что это какое утро сегодня хорошее, маточка! У нас растворили окошко; солнышко светит, птички чирикают, воздух дышит весенними ароматами, и вся природа оживляется — ну и остальное там всё было тоже соответственное; всё в порядке, по-весеннему. Я даже и помечтал сегодня довольно приятно, и всё об вас были мечтания мои, Варенька. Сравнил я вас с птичкой небесной, на утеху людям и для украшения природы созданной.

Тут же подумал я, Варенька, что и мы, люди, живущие в заботе и треволнении, должны тоже завидовать беззаботному и невинному счастию небесных птиц, — ну и остальное всё такое же, сему же подобное; то есть я всё такие сравнения отдаленные делал. У меня там книжка есть одна, Варенька, так в ней то же самое, всё такое же весьма подробно описано. Я к тому пишу, что ведь разные бывают мечтания, маточка. А вот теперь весна, так и мысли всё такие приятные, острые, затейливые, и мечтания приходят нежные; всё в розовом цвете. Я к тому и написал это всё; а впрочем, я это всё взял из книжки. Там сочинитель обнаруживает такое же желание в стишках и пишет —

>   Зачем я не птица, не хищная птица!

ну и т. д. Там и еще есть разные мысли, да бог с ними! А вот куда это вы утром ходили сегодня, Варвара Алексеевна? Я еще и в должность не сбирался, а вы, уж подлинно как пташка весенняя, порхнули из комнаты и по двору прошли такая веселенькая. Как мне-то было весело, на вас глядя! Ах, Варенька, Варенька! вы не грустите; слезами горю помочь нельзя; это я знаю, маточка моя, это я на опыте знаю. Теперь же вам так покойно, да и здоровьем вы немного поправились. Ну, что ваша Федора? Ах, какая же она добрая женщина! Вы мне, Варенька, напишите, как вы с нею там живете теперь и всем ли вы довольны? Федора-то немного ворчлива; да вы на это не смотрите, Варенька. Бог с нею! Она такая добрая.

Я уже вам писал о здешней Терезе, — тоже и добрая и верная женщина. А уж как я беспокоился об наших письмах! Как они передаваться-то будут? А вот как тут послал господь на наше счастие Терезу. Она женщина добрая, кроткая, бессловесная. Но наша хозяйка просто безжалостная. Затирает ее в работу словно ветошку какую-нибудь.

Ну, в какую же я трущобу попал, Варвара Алексеевна! Ну, уж квартира! Прежде ведь я жил таким глухарем, сами знаете: смирно, тихо; у меня, бывало, муха летит, так и муху слышно. А здесь шум, крик, гвалт! Да ведь вы еще и не знаете, как это все здесь устроено. Вообразите, примерно, длинный коридор, совершенно темный и нечистый. По правую его руку будет глухая стена, а по левую всё двери да двери, точно нумера, всё так в ряд простираются. Ну, вот и нанимают эти нумера, а в них по одной комнатке в каждом; живут в одной и по двое, и по трое. Порядку не спрашивайте — Ноев ковчег! Впрочем, кажется, люди хорошие, всё такие образованные, ученые. Чиновник один есть (он где-то по литературной части), человек начитанный: и о Гомере, и о Брамбеусе, и о разных у них там сочинителях говорит, обо всем говорит, — умный человек! Два офицера живут и всё в карты играют. Мичман живет; англичанин-учитель живет. Постойте, я вас потешу, маточка; опишу их в будущем письме сатирически, то есть как они там сами по себе, со всею подробностию. Хозяйка наша, — очень маленькая и нечистая старушонка, — целый день в туфлях да в шлафроке ходит и целый день всё кричит на Терезу. Я живу в кухне, или гораздо правильнее будет сказать вот как: тут подле кухни есть одна комната (а у нас, нужно вам заметить, кухня чистая, светлая, очень хорошая), комнатка небольшая, уголок такой скромный... то есть, или еще лучше сказать, кухня большая в три окна, так у меня вдоль поперечной стены перегородка, так что и выходит как бы еще комната, нумер сверхштатный; всё просторное, удобное, и окно есть, и всё, — одним словом, всё удобное. Ну, вот это мой уголочек. Ну, так вы и не думайте, маточка, чтобы тут что-нибудь такое иное и таинственный смысл какой был; что вот, дескать, кухня! — то есть я, пожалуй, и в самой этой комнате за перегородкой живу, но это ничего; я себе ото всех особняком, помаленьку живу, втихомолочку живу. Поставил я у себя кровать, стол, комод, стульев парочку, образ повесил. Правда, есть квартиры и лучше, — может быть, есть и гораздо лучшие, — да удобство-то главное; ведь это я всё для удобства, и вы не думайте, что для другого чего-нибудь. Ваше окошко напротив, через двор; и двор-то узенький, вас мимоходом увидишь — всё веселее мне, горемычному, да и дешевле. У нас здесь самая последняя комната, со столом, тридцать пять рублей ассигнациями стоит. Не по карману! А моя квартира стоит мне семь рублей ассигнациями, да стол пять целковых: вот двадцать четыре с полтиною, а прежде ровно тридцать платил, зато во многом себе отказывал; чай пивал не всегда, а теперь вот и на чай и на сахар выгадал. Оно, знаете ли, родная моя, чаю не пить как-то стыдно; здесь всё народ достаточный, так и стыдно. Ради чужих и пьешь его, Варенька, для вида, для тона; а по мне всё равно, я не прихотлив. Положите так, для карманных денег — всё сколько-нибудь требуется — ну, сапожишки какие-нибудь, платьишко — много ль останется? Вот и всё мое жалованье. Я-то не ропщу и доволен. Оно достаточно. Вот уже несколько лет достаточно; награждения тоже бывают. Ну, прощайте, мой ангельчик. Я там купил парочку горшков с бальзаминчиком и геранью — недорого. А вы, может быть, и резеду любите? Так и резеда есть, вы напишите; да, знаете ли, всё как можно подробнее напишите. Вы, впрочем, не думайте чего-нибудь и не сомневайтесь, маточка, обо мне, что я такую комнату нанял. Нет, это удобство заставило, и одно удобство соблазнило меня. Я ведь, маточка, деньги коплю, откладываю; у меня денежка водится. Вы не смотрите на то, что я такой тихонький, что, кажется, муха меня крылом перешибет. Нет, маточка, я про себя не промах, и характера совершенно такого, как прилично твердой и безмятежной души человеку. Прощайте, мой ангельчик! Расписался я вам чуть не на двух листах, а на службу давно пора. Целую ваши пальчики, маточка, и пребываю

вашим нижайшим слугою и вернейшим другом

Макаром Девушкиным.

P. S. Об одном прошу: отвечайте мне, ангельчик мой, как можно подробнее. Я вам при сем посылаю, Варенька, фунтик конфет; так вы их скушайте на здоровье, да, ради бога, обо мне не заботьтесь и не будьте в претензии. Ну, так прощайте же, маточка.

Апреля 8.

Милостивый государь, Макар Алексеевич!

Знаете ли, что придется наконец совсем поссориться с вами? Клянусь вам, добрый Макар Алексеевич, что мне даже тяжело принимать ваши подарки. Я знаю, чего они вам стоят, каких лишений и отказов в необходимейшем себе самому. Сколько раз я вам говорила, что мне не нужно ничего, совершенно ничего; что я не в силах вам воздать и за те благодеяния, которыми вы доселе осыпали меня. И зачем мне эти горшки? Ну, бальзаминчики еще ничего, а геранька зачем? Одно словечко стоит неосторожно сказать, как, например, об этой герани, уж вы тотчас и купите; ведь, верно, дорого? Что за прелесть на ней цветы! Пунсовые крестиками. Где это вы достали такую хорошенькую гераньку? Я ее посредине окна поставила, на самом видном месте; на полу же поставлю скамейку, а на скамейку еще цветов поставлю; вот только дайте мне самой разбогатеть! Федора не нарадуется; у нас теперь словно рай в комнате, — чисто, светло! Ну а конфеты зачем? И право, я сейчас же по письму угадала, что у вас что-нибудь да не так — и рай, и весна, и благоухания летают, и птички чирикают. Что это, я думаю, уж нет ли тут и стихов? Ведь, право, одних стихов и недостает в письме вашем, Макар Алексеевич! И ощущения нежные, и мечтания в розовом цвете — всё здесь есть! Про занавеску и не думала; она, верно, сама зацепилась, когда я горшки переставляла; вот вам!

Ах, Макар Алексеевич! Что вы там ни говорите, как ни рассчитывайте свои доходы, чтоб обмануть меня, чтобы показать, что они все сплошь идут на вас одного, но от меня не утаите и не скроете ничего. Ясно, что вы необходимого лишаетесь из-за меня. Что это вам вздумалось, например, такую квартиру нанять? Ведь вас беспокоят, тревожат; вам тесно, неудобно. Вы любите уединение, а тут и чего-чего нет около вас! А вы бы могли гораздо лучше жить, судя по жалованью вашему. Федора говорит, что вы прежде и не в пример лучше теперешнего жили. Неужели ж вы так всю свою жизнь прожили, в одиночестве, в лишениях, без радости, без дружеского приветливого слова, у чужих людей углы нанимая? Ах, добрый друг, как мне жаль вас! Щадите хоть здоровье свое, Макар Алексеевич! Вы говорите, что у вас глаза слабеют, так не пишите при свечах; зачем писать? Ваша ревность к службе и без того, вероятно, известна начальникам вашим.

Еще раз умоляю вас, не тратьте на меня столько денег. Знаю, что вы меня любите, да сами-то вы не богаты... Сегодня я тоже весело встала. Мне было так хорошо; Федора давно уже работала, да и мне работу достала. Я так обрадовалась; сходила только шелку купить, да и принялась за работу. Целое утро мне было так легко на душе, я так была весела! А теперь опять всё черные мысли, грустно; всё сердце изныло.

Ах, что-то будет со мною, какова-то будет моя судьба! Тяжело то, что я в такой неизвестности, что я не имею будущности, что я и предугадывать не могу о том, что со мной станется. Назад и посмотреть страшно. Там всё такое горе, что сердце пополам рвется при одном воспоминании. Век буду я плакаться на злых людей, меня погубивших!

Смеркается. Пора за работу. Я вам о многом хотела бы написать, да некогда, к сроку работа. Нужно спешить. Конечно, письма хорошее дело; всё не так скучно. А зачем вы сами к нам никогда не зайдете? Отчего это, Макар Алексеевич? Ведь теперь вам близко, да и время иногда у вас выгадывается свободное. Зайдите, пожалуйста! Я видела вашу Терезу. Она, кажется, такая больная; жалко было ее; я ей дала двадцать копеек. Да! чуть было не забыла: непременно напишите всё, как можно подробнее, о вашем житье-бытье. Что за люди такие кругом вас, и ладно ли вы с ними живете? Мне очень хочется всё это знать. Смотрите же, непременно напишите! Сегодня уж я нарочно угол загну. Ложитесь пораньше; вчера я до полуночи у вас огонь видела. Ну, прощайте. Сегодня и тоска, и скучно, и грустно! Знать, уж день такой! Прощайте.

Ваша Варвара Доброселова.

Апреля 8.

Милостивая государыня,
Варвара Алексеевна!

Да, маточка, да, родная моя, знать, уж денек такой на мою долю горемычную выдался! Да; подшутили вы надо мной, стариком, Варвара Алексеевна! Впрочем, сам виноват, кругом виноват! Не пускаться бы на старости лет с клочком волос в амуры да в экивоки... И еще скажу, маточка: чуден иногда человек, очень чуден. И, святые вы мои! о чем заговорит, занесет подчас! А что выходит-то, что следует-то из этого? Да ровно ничего не следует, а выходит такая дрянь, что убереги меня, господи! Я, маточка, я не сержусь, а так досадно только очень вспоминать обо всем, досадно, что я вам написал так фигурно и глупо. И в должность-то я пошел сегодня таким гоголем-щеголем; сияние такое было на сердце. На душе ни с того ни с сего такой праздник был; весело было! За бумаги принялся рачительно — да что вышло-то потом из этого! Уж потом только как осмотрелся, так всё стало по-прежнему — и серенько и темненько. Всё те же чернильные пятна, всё те же столы и бумаги, да и я всё такой же; так, каким был, совершенно таким же и остался, — так чего же тут было на Пегасе-то ездить? Да из чего это вышло-то всё? Что солнышко проглянуло да небо полазоревело! от этого, что ли? Да и что за ароматы такие, когда на нашем дворе под окнами и чему-чему не случается быть! Знать, это мне всё сдуру так показалось. А ведь случается же иногда заблудиться так человеку в собственных чувствах своих да занести околесную. Это ни от чего иного происходит, как от излишней, глупой горячности сердца. Домой-то я не пришел, а приплелся; ни с того ни с сего голова у меня разболелась; уж это, знать, всё одно к одному. (В спину, что ли, надуло мне.) Я весне-то обрадовался, дурак дураком, да в холодной шинели пошел. И в чувствах-то вы моих ошиблись, родная моя! Излияние-то их совершенно в другую сторону приняли. Отеческая приязнь одушевляла меня, единственно чистая отеческая приязнь, Варвара Алексеевна; ибо я занимаю у вас место отца родного, по горькому сиротству вашему; говорю это от души, от чистого сердца, по-родственному. Уж как бы там ни было, а я вам хоть дальний родной, хоть, по пословице, и седьмая вода на киселе, а все-таки родственник, и теперь ближайший родственник и покровитель; ибо там, где вы ближе всего имели право искать покровительства и защиты, нашли вы предательство и обиду. А насчет стишков скажу я вам, маточка, что неприлично мне на старости лет в составлении стихов упражняться. Стихи вздор! За стишки и в школах теперь ребятишек секут... вот оно что, родная моя.

Что это вы пишете мне, Варвара Алексеевна, про удобства, про покой и про разные разности? Маточка моя, я не брюзглив и не требователен, никогда лучше теперешнего не жил; так чего же на старости-то лет привередничать? Я сыт, одет, обут; да и куда нам затеи затевать! Не графского рода! Родитель мой был не из дворянского звания и со всей-то семьей своей был беднее меня по доходу. Я не неженка! Впрочем, если на правду пошло, то на старой квартире моей всё было не в пример лучше; попривольнее было, маточка. Конечно, и теперешняя моя квартира хороша, даже в некотором отношении веселее и, если хотите, разнообразнее; я против этого ничего не говорю, да всё старой жаль. Мы, старые, то есть пожилые люди, к старым вещам, как к родному чему, привыкаем. Квартирка-то была, знаете, маленькая такая; стены были... ну, да что говорить! — стены были, как и все стены, не в них и дело, а старое воспоминания-то обо всем моем прежнем на меня тоску нагоняют... Странное дело — тяжело, а воспоминания как будто приятные. Даже что дурно было, на что подчас и досадовал, и то в воспоминаниях как-то очищается от дурного и предстает воображению моему в привлекательном виде. Тихо жили мы, Варенька; я да хозяйка моя, старушка, покойница. Вот и старушку-то мою с грустным чувством припоминаю теперь! Хорошая была она женщина и недорого брала за квартиру. Она, бывало, всё вязала из лоскутков разных одеяла на аршинных спицах; только этим и занималась. Огонь-то мы с нею вместе держали, так за одним столом и работали. Внучка у ней Маша была — ребенком еще помню ее — лет тринадцати теперь будет девочка. Такая шалунья была, веселенькая, всё нас смешила; вот мы втроем так и жили. Бывало, в длинный зимний вечер присядем к круглому столу, выпьем чайку, а потом и за дело примемся. А старушка, чтоб Маше не скучно было да чтоб не шалила шалунья, сказки, бывало, начнет сказывать. И какие сказки-то были! Не то что дитя, и толковый и умный человек заслушается. Чего! сам я, бывало, закурю себе трубочку, да так заслушаюсь, что и про дело забуду. А дитя-то, шалунья-то наша, призадумается; подопрет ручонкой розовую щечку, ротик свой раскроет хорошенький и, чуть страшная сказка, так жмется, жмется к старушке. А нам-то любо было смотреть на нее; и не увидишь, как свечка нагорит, не слышишь, как на дворе подчас и вьюга злится и метель метет. Хорошо было нам жить, Варенька; и вот так-то мы чуть ли не двадцать лет вместе прожили. Да что я тут заболтался! Вам, может быть, такая материя не нравится, да и мне вспоминать не так-то легко, особливо теперь: время сумерки. Тереза с чем-то возится, у меня болит голова, да и спина немного болит, да и мысли-то такие чудные, как будто и они тоже болят; грустно мне сегодня, Варенька! Что же это вы пишете, родная моя? Как же я к вам приду? Голубчик мой, что люди-то скажут? Ведь вот через двор перейти нужно будет, наши заметят, расспрашивать станут, — толки пойдут, сплетни пойдут, делу дадут другой смысл. Нет, ангельчик мой, я уж вас лучше завтра у всенощной увижу; это будет благоразумнее и для обоих нас безвреднее. Да не взыщите на мне, маточка, за то, что я вам такое письмо написал; как перечел, так и вижу, что всё такое бессвязное. Я, Варенька, старый, неученый человек; смолоду не выучился, а теперь и в ум ничего не пойдет, коли снова учиться начинать. Сознаюсь, маточка, не мастер описывать, и знаю, без чужого иного указания и пересмеивания, что если захочу что-нибудь написать позатейливее, так вздору нагорожу. Видел вас у окна сегодня, видел, как вы стору опустили. Прощайте, прощайте, храни вас Господь! Прощайте, Варвара Алексеевна.

Ваш бескорыстный друг

Макар Девушкин.

P. S. Я, родная моя, сатиры-то ни об ком не пишу теперь. Стар я стал, матушка, Варвара Алексеевна, чтоб попусту зубы скалить! и надо мной засмеются, по русской пословице: кто, дескать, другому яму роет, так тот... и сам туда же.

Апреля 9.

Милостивый государь,
Макар Алексеевич!

Ну, как вам не стыдно, друг мой и благодетель, Макар Алексеевич, так закручиниться и закапризничать. Неужели вы обиделись! Ах, я часто бываю неосторожна, но не думала, что вы слова мои примете за колкую шутку. Будьте уверены, что я никогда не осмелюсь шутить над вашими годами и над вашим характером. Случилось же это всё по моей ветрености, а более потому, что ужасно скучно, а от скуки и за что не возьмешься? Я же полагала, что вы сами в своем письме хотели посмеяться. Мне ужасно грустно стало, когда я увидела, что вы недовольны мною. Нет, добрый друг мой и благодетель, вы ошибетесь, если будете подозревать меня в нечувствительности и неблагодарности. Я умею оценить в моем сердце всё, что вы для меня сделали, защитив меня от злых людей, от их гонения и ненависти. Я вечно буду за вас Бога молить, и если моя молитва доходна к Богу и небо внемлет ей, то вы будете счастливы.

Я сегодня чувствую себя очень нездоровою. Во мне жар и озноб попеременно. Федора за меня очень беспокоится. Вы напрасно стыдитесь ходить к нам,

Макар Алексеевич. Какое другим дело! Вы с нами знакомы, и дело с концом!.. Прощайте, Макар Алексеевич. Более писать теперь не о чем, да и не могу: ужасно нездоровится. Прошу вас еще раз не сердиться на меня и быть уверену в том всегдашнем почтении и в той привязанности,

с каковыми честь имею пребыть наипреданнейшею

и покорнейшею услужницей вашей

Варварой Доброселовой.

Апреля 12.

Милостивая государыня,
Варвара Алексеевна!

Ах, маточка моя, что это с вами! Ведь вот каждый-то раз вы меня так пугаете. Пишу вам в каждом письме, чтоб вы береглись, чтоб вы кутались, чтоб не выходили в дурную погоду, осторожность во всем наблюдали бы, — а вы, ангельчик мой, меня и не слушаетесь. Ах, голубчик мой, ну, словно вы дитя какое-нибудь! Ведь вы слабенькие, как соломинка слабенькие, это я знаю. Чуть ветерочек какой, так уж вы и хвораете. Так остерегаться нужно, самой о себе стараться, опасностей избегать и друзей своих в горе и в уныние не вводить.

Изъявляете желание, маточка, в подробности узнать о моем житье-бытье и обо всем меня окружающем. С радостию спешу исполнить ваше желание, родная моя. Начну сначала, маточка: больше порядку будет. Во-первых, в доме у нас, на чистом входе, лестницы весьма посредственные; особливо парадная — чистая, светлая, широкая, всё чугун да красное дерево. Зато уж про черную и не спрашивайте: винтовая, сырая, грязная, ступеньки поломаны, и стены такие жирные, что рука прилипает, когда на них опираешься. На каждой площадке стоят сундуки, стулья и шкафы поломанные, ветошки развешаны, окна повыбиты; лоханки стоят со всякою нечистью, с грязью, с сором, с яичною скорлупою да с рыбьими пузырями; запах дурной... одним словом, нехорошо.

Я уже описывал вам расположение комнат; оно, нечего сказать, удобно, это правда, но как-то в них душно, то есть не то чтобы оно пахло дурно, а так, если можно выразиться, немного гнилой, остро-услащенный запах какой-то. На первый раз впечатление невыгодное, но это всё ничего; стоит только минуты две побыть у нас, так и пройдет, и не почувствуешь, как всё пройдет, потому что и сам как-то дурно пропахнешь, и платье пропахнет, и руки пропахнут, и всё пропахнет, — ну и привыкнешь. У нас чижики так и мрут. Мичман уж пятого покупает, — не живут в нашем воздухе, да и только. Кухня у нас большая, обширная, светлая. Правда, по утрам чадно немного, когда рыбу или говядину жарят, да и нальют и намочат везде, зато уж вечером рай. В кухне у нас на веревках всегда белье висит старое; а так как моя комната недалеко, то есть почти примыкает к кухне, то запах от белья меня беспокоит немного; но ничего: поживешь и попривыкнешь.

С самого раннего утра, Варенька, у нас возня начинается, встают, ходят, стучат, — это поднимаются все, кому надо, кто в службе или так, сам по себе; все пить чай начинают. Самовары у нас хозяйские, большею частию, мало их, ну так мы все очередь держим; а кто попадет не в очередь со своим чайником, так сейчас тому голову вымоют. Вот я было попал в первый раз, да... впрочем, что же писать! Тут-то я со всеми и познакомился. С мичманом с первым познакомился; откровенный такой, всё мне рассказал: про батюшку, про матушку, про сестрицу, что за тульским заседателем, и про город Кронштадт. Обещал мне во всем покровительствовать и тут же меня к себе на чай пригласил. Отыскал я его в той самой комнате, где у нас обыкновенно в карты играют. Там мне дали чаю и непременно хотели, чтоб я в азартную игру с ними играл. Смеялись ли они, нет ли надо мною, не знаю; только сами они всю ночь напролет проиграли, и когда я вошел, так тоже играли. Мел, карты, дым такой ходил по всей комнате, что глаза ело. Играть я не стал, и мне сейчас заметили, что я про философию говорю. Потом уж никто со мною и не говорил всё время; да я, по правде, рад был тому. Не пойду к ним теперь; азарт у них, чистый азарт! Вот у чиновника по литературной части бывают также собрания по вечерам. Ну, у того хорошо, скромно, невинно и деликатно; всё на тонкой ноге.

Ну, Варенька, замечу вам еще мимоходом, что прегадкая женщина наша хозяйка, к тому же сущая ведьма. Вы видели Терезу. Ну, что она такое на самом-то деле? Худая, как общипанный, чахлый цыпленок. В доме и людей-то всего двое: Тереза да Фальдони, хозяйский слуга. Я не знаю, может быть, у него есть и другое какое имя, только он и на это откликается; все его так зовут. Он рыжий, чухна какая-то, кривой, курносый, грубиян: всё с Терезой бранится, чуть не дерутся. Вообще сказать, жить мне здесь не так чтобы совсем было хорошо... Чтоб этак разом ночью заснуть и успокоиться — этого никогда не бывает. Уж вечно где-нибудь сидят да играют, а иногда и такое делается, что зазорно рассказывать. Теперь уж я все-таки пообвык, а вот удивляюсь, как в таком содоме семейные люди уживаются. Целая семья бедняков каких-то у нашей хозяйки комнату нанимает, только не рядом с другими нумерами, а по другую сторону, в углу, отдельно. Люди смирные! Об них никто ничего и не слышит. Живут они в одной комнатке, огородясь в ней перегородкою. Он какой-то чиновник без места, из службы лет семь тому исключенный за что-то. Фамилья его Горшков; такой седенький, маленький; ходит в таком засаленном, в таком истертом платье, что больно смотреть; куда хуже моего! Жалкий, хилый такой (встречаемся мы с ним иногда в коридоре); коленки у него дрожат, руки дрожат, голова дрожит, уж от болезни, что ли, какой, бог его знает; робкий, боится всех, ходит стороночкой; уж я застенчив подчас, а этот еще хуже. Семейства у него — жена и трое детей. Старший, мальчик, весь в отца, тоже такой чахлый. Жена была когда-то собою весьма недурна, и теперь заметно; ходит, бедная, в таком жалком отребье. Они, я слышал, задолжали хозяйке; она с ними что-то не слишком ласкова. Слышал тоже, что у самого-то Горшкова неприятности есть какие-то, по которым он и места лишился... процесс не процесс, под судом не под судом, под следствием каким-то, что ли, — уж истинно не могу вам сказать. Бедны-то они, бедны — господи, бог мой! Всегда у них в комнате тихо и смирно, словно и не живет никто. Даже детей не слышно. И не бывает этого, чтобы когда-нибудь порезвились, поиграли дети, а уж это худой знак. Как-то мне раз, вечером, случилось мимо их дверей пройти; на ту пору в доме стало что-то не по-обычному тихо; слышу всхлипывание, потом шепот, потом опять всхлипывание, точно как будто плачут, да так тихо, так жалко, что у меня всё сердце надорвалось, и потом всю ночь мысль об этих бедняках меня не покидала, так что и заснуть не удалось хорошенько.

Ну, прощайте, дружочек бесценный мой, Варенька! Описал я вам всё, как умел. Сегодня я весь день всё только об вас и думаю. У меня за вас, родная моя, все сердце изныло. Ведь вот, душечка моя, я вот знаю, что у вас теплого салопа нет. Уж эти мне петербургские весны, ветры да дождички со снежочком, — уж это смерть моя, Варенька! Такое благорастворение воздухов, что убереги меня, господи! Не взыщите, душечка, на писании; слогу нет, Варенька, слогу нет никакого. Хоть бы какой-нибудь был! Пишу, что на ум взбредет, так, чтобы вас только поразвеселить чем-нибудь. Ведь вот если б я учился как-нибудь, дело другое; а то ведь как я учился? даже и не на медные деньги.

Ваш всегдашний и верный друг

Макар Девушкин.

Апреля 25.

Милостивый государь,
Макар Алексеевич!

Сегодня я двоюродную сестру мою Сашу встретила! Ужас! и она погибнет, бедная! Услышала я тоже со стороны, что Анна Федоровна всё обо мне выведывает. Она, кажется, никогда не перестанет меня преследовать. Она говорит, что хочет *простить меня*, забыть всё прошедшее и что непременно сама навестит меня. Говорит, что вы мне вовсе не родственник, что она ближе мне родственница, что в семейные отношения наши вы не имеете никакого права входить и что мне стыдно и неприлично жить вашей милостыней и на вашем содержании... говорит, что я забыла ее хлеб-соль, что она меня с матушкой, может быть, от голодной смерти избавила, что она нас поила-кормила и с лишком два с половиною года на нас убыточилась, что она нам сверх всего этого долг простила. И матушку-то она пощадить не хотела! А если бы знала бедная матушка, что они со мною сделали! Бог видит!.. Анна Федоровна говорит, что я по глупости моей своего счастия удержать не умела, что она сама меня на счастие наводила, что она ни в чем остальном не виновата и что я сама за честь свою не умела, а может быть, и не хотела вступиться. А кто же тут виноват, боже великий! Она говорит, что господин Быков прав совершенно и что не на всякой же жениться, которая... да что писать! Жестоко слышать такую неправду, Макар Алексеевич! Я не знаю, что со мной теперь делается. Я дрожу, плачу, рыдаю; это письмо я вам два часа писала. Я думала, что она по крайней мере сознает свою вину предо мною; а она вот как теперь! Ради бога, не тревожьтесь, друг мой, единственный доброжелатель мой! Федора всё преувеличивает: я не больна. Я только простудилась немного вчера, когда ходила на Волково к матушке панихиду служить. Зачем вы не пошли вместе со мною; я вас так просила. Ах, бедная, бедная моя матушка, если б ты встала из гроба, если б ты знала, если б ты видела, что они со мною сделали!..

В. Д.

Мая 20.

Голубчик мой, Варенька!

Посылаю вам винограду немного, душечка; для выздоравливающей это, говорят, хорошо, да и доктор рекомендует для утоления жажды, так только единственно для жажды. Вам розанчиков намедни захотелось, маточка; так вот я вам их теперь посылаю. Есть ли у вас аппетит, душечка? — вот что главное. Впрочем, слава богу, что всё прошло и кончилось и что несчастия наши тоже совершенно оканчиваются. Воздадим благодарение небу! А что до книжек касается, то достать покамест нигде не могу. Есть тут, говорят, хорошая книжка одна и весьма высоким слогом написанная; говорят, что хороша, я сам не читал, а здесь очень хвалят. Я просил ее для себя; обещались препроводить. Только будете ли вы-то читать? Вы у меня на этот счет привередница; трудно угодить на ваш вкус, уж я вас знаю, голубчик вы мой; вам, верно, всё стихотворство надобно, воздыханий, амуров, — ну и стихов достану, всего достану; там есть тетрадка одна переписанная.

Я-то живу хорошо. Вы, маточка, обо мне не беспокойтесь, пожалуйста. А что Федора вам насказала на меня, так всё это вздор; вы ей скажите, что она налгала, непременно скажите ей, сплетнице!.. Я нового вицмундира совсем не продавал. Да и зачем, сами рассудите, зачем продавать? Вот, говорят, мне сорок рублей серебром награждения выходит, так зачем же продавать? Вы, маточка, не беспокойтесь; она мнительна, Федора-то, она мнительна. Заживем мы, голубчик мой! Только вы-то, ангельчик, выздоравливайте, ради бога, выздоравливайте, не огорчите старика. Кто это говорит вам, что я похудел? Клевета, опять клевета! здоровехонек и растолстел так, что самому становится совестно, сыт и доволен по горло; вот только бы вы-то выздоравливали! Ну, прощайте, мой ангельчик; целую все ваши пальчики и пребываю

вашим вечным, неизменным другом

Макаром Девушкиным.

P. S. Ах, душенька моя, что это вы опять в самом деле стали писать?.. о чем вы блажите-то! да как же мне ходить к вам так часто, маточка, как? я вас спрашиваю. Разве темнотою ночною пользуясь; да вот теперь и ночей-то почти не бывает: время такое. Я и то, маточка моя, ангельчик, вас почти совсем не покидал во всё время болезни вашей, во время беспамятства-то вашего; но и тут я и сам уж не знаю, как я все эти дела обделывал; да и то потом перестал ходить; ибо любопытствовать и расспрашивать начали. Здесь уж и без того сплетня заплелась какая-то. Я на Терезу надеюсь; она не болтлива; но всё же, сами рассудите вы, маточка, каково это будет, когда они всё узнают про нас? Что-то они подумают и что они скажут тогда? Так вот вы скрепите сердечко, маточка, да переждите до выздоровления; а мы потом уж так, вне дома, где-нибудь рандеву дадим.

Июня 1.

Любезнейший Макар Алексеевич!

Мне так хочется сделать вам что-нибудь угодное и приятное за все ваши хлопоты и старания обо мне, за всю вашу любовь ко мне, что я решилась наконец на скуку порыться в моем комоде и отыскать мою тетрадь, которую теперь и посылаю вам. Я начала ее еще в счастливое время жизни моей. Вы часто с любопытством расспрашивали о моем прежнем житье-бытье, о матушке, о Покровском, о моем пребывании у Анны Федоровны и, наконец, о недавних несчастиях моих и так нетерпеливо желали прочесть эту тетрадь, где мне вздумалось, бог знает для чего, отметить кое-какие мгновения из моей жизни, что я не сомневаюсь принести вам большое удовольствие моею посылкою. Мне же как-то грустно было перечитывать это. Мне кажется, что я уже вдвое постарела с тех пор, как написала в этих записках последнюю строчку. Всё это писано в разные сроки. Прощайте, Макар Алексеевич! Мне ужасно скучно теперь, и меня часто мучит бессонница. Прескучное выздоровление!

В. Д.

I

Мне было только четырнадцать лет, когда умер батюшка. Детство мое было самым счастливым временем моей жизни. Началось оно не здесь, но далеко отсюда, в провинции, в глуши. Батюшка был управителем огромного имения князя П—го, в Т—й губернии. Мы жили в одной из деревень князя, и жили тихо, неслышно, счастливо... Я была такая резвая маленькая; только и делаю, бывало, что бегаю по полям, по рощам, по саду, а обо мне никто и не заботился. Батюшка беспрерывно был занят делами, матушка занималась хозяйством; меня ничему не учили, а я тому и рада была. Бывало, с самого раннего утра убегу или на пруд, или в рощу, или на сенокос, или к жнецам — и нужды нет, что солнце печет, что забежишь сама не знаешь куда от селенья, исцарапаешься об кусты, разорвешь свое платье, — дома после бранят, а мне и ничего.

И мне кажется, я бы так была счастлива, если б пришлось хоть всю жизнь мою не выезжать из деревни и жить на одном месте. А между тем я еще дитею принуждена была оставить родные места. Мне было еще только двенадцать лет, когда мы в Петербург переехали. Ах, как я грустно помню наши печальные сборы! Как я плакала, когда прощалась со всем, что так было мило мне. Я помню, что я бросилась на шею батюшке и со слезами умоляла остаться хоть немножко в деревне. Батюшка закричал на меня, матушка плакала; говорила, что надобно, что дела этого требовали. Старый князь П—й умер. Наследники отказали батюшке от должности. У батюшки были кой-какие деньги в оборотах в руках частных лиц в Петербурге. Надеясь поправить свои обстоятельства, он почел необходимым свое личное здесь присутствие. Всё это я узнала после от матушки. Мы здесь поселились на Петербургской стороне и прожили на одном месте до самой кончины батюшки.

Как тяжело было мне привыкать к новой жизни! Мы въехали в Петербург осенью. Когда мы оставляли деревню, день был такой светлый, теплый, яркий; сельские работы кончались; на гумнах уже громоздились огромные скирды хлеба и толпились крикливые стаи птиц; всё было так ясно и весело, а здесь, при въезде нашем в город, дождь, гнилая осенняя изморозь, непогода, слякоть и толпа новых, незнакомых лиц, негостеприимных, недовольных, сердитых! Кое-как мы устроились. Помню, все так суетились у нас, всё хлопотали, обзаводились новым хозяйством. Батюшки всё не было дома, у матушки не было покойной минуты — меня позабыли совсем. Грустно мне было вставать поутру, после первой ночи на нашем новоселье. Окна наши выходили на какой-то желтый забор. На улице постоянно была грязь. Прохожие были редки, и все они так плотно кутались, всем так было холодно.

А дома у нас по целым дням была страшная тоска и скука. Родных и близких знакомых у нас почти не было. С Анной Федоровной батюшка был в ссоре. (Он был ей что-то должен.) Ходили к нам довольно часто люди по делам. Обыкновенно спорили, шумели, кричали. После каждого посещения батюшка делался таким недовольным, сердитым; по целым часам ходит, бывало, из угла в угол, нахмурясь, и ни с кем слова не вымолвит. Матушка не смела тогда и заговорить с ним и молчала. Я садилась куда-нибудь в уголок за книжку — смирно, тихо, пошевелиться, бывало, не смею.

Три месяца спустя по приезде нашем в Петербург меня отдали в пансион. Вот грустно-то было мне сначала в чужих людях! Всё так сухо, неприветливо было, — гувернантки такие крикуньи, девицы такие насмешницы, а я такая дикарка. Строго, взыскательно! Часы на всё положенные, общий стол, скучные учителя — всё это меня сначала истерзало, измучило. Я там и спать не могла. Плачу, бывало, целую ночь, длинную, скучную, холодную ночь. Бывало, по вечерам все повторяют или учат уроки; я сижу себе за разговорами или вокабулами, шевельнуться не смею, а сама всё думаю про домашний наш угол, про батюшку, про матушку, про мою старушку няню, про нянины сказки... ах, как сгрустнется! Об самой пустой вещице в доме, и о той с удовольствием вспоминаешь. Дума-

ешь-думаешь: вот как бы хорошо теперь было дома! Сидела бы я в маленькой
комнатке нашей, у самовара, вместе с нашими; было бы так тепло, хорошо, зна-
комо. Как бы, думаешь, обняла теперь матушку, крепко-крепко, горячо-горячо!
Думаешь-думаешь, да и заплачешь тихонько с тоски, давя в груди слезы, и нейдут на ум вокабулы. Как к завтра урока не выучишь; всю ночь снятся учитель, мадам, девицы; всю ночь во сне уроки твердишь, а на другой день ничего не знаешь. Поставят на колени, дадут одно кушанье. Я была такая невеселая, скучная.
Сначала все девицы надо мной смеялись, дразнили меня, сбивали, когда я говорила уроки, щипали, когда мы в рядах шли к обеду или к чаю, жаловались на
меня ни за что ни про что гувернантке. Зато какой рай, когда няня придет, бывало, за мной в субботу вечером. Так и обниму, бывало, мою старушку в исступлении радости. Она меня оденет, укутает, дорогою не поспевает за мной, а я ей всё
болтаю, болтаю, рассказываю. Домой приду веселая, радостная, крепко обниму
наших, как будто после десятилетней разлуки. Начнутся толки, разговоры, рассказы; со всеми здороваешься, смеешься, хохочешь, бегаешь, прыгаешь. С батюшкой начнутся разговоры серьезные, о науках, о наших учителях, о французском языке, о грамматике Ломонда — и все мы так веселы, так довольны. Мне и
теперь весело вспоминать об этих минутах. Я всеми силами старалась учиться и
угождать батюшке. Я видела, что он последнее на меня отдавал, а сам бился бог
знает как. С каждым днем он становился всё мрачнее, недовольнее, сердитее; характер его совсем испортился: дела не удавались, долгов было пропасть. Матушка, бывало, и плакать боялась, слова сказать боялась, чтобы не рассердить батюшку; сделалась больная такая; всё худела, худела и стала дурно кашлять. Я,
бывало, приду из пансиона — всё такие грустные лица; матушка потихоньку плачет, батюшка сердится. Начнутся упреки, укоры. Батюшка начнет говорить, что
я ему не доставляю никаких радостей, никаких утешений; что они из-за меня последнего лишаются, а я до сих пор не говорю по-французски; одним словом, все
неудачи, все несчастия, всё, всё вымещалось на мне и на матушке. А как можно
было мучить бедную матушку? Глядя на нее, сердце разрывалось, бывало: щеки
ее ввалились, глаза впали, в лице был такой чахоточный цвет. Мне доставалось
больше всех. Начиналось всегда из пустяков, а потом уж бог знает до чего доходило; часто я даже не понимала, о чем идет дело. Чего не причиталось!.. И французский язык, и что я большая дура, и что содержательница нашего пансиона не-
радивая, глупая женщина; что она об нашей нравственности не заботится; что
батюшка службы себе до сих пор не может найти и что грамматика Ломонда
скверная грамматика, а Запольского гораздо лучше; что на меня денег много
бросили по-пустому; что я, видно, бесчувственная, каменная, — одним словом,
я, бедная, из всех сил билась, твердя разговоры и вокабулы, а во всем была виновата, за всё отвечала! И это совсем не оттого, чтобы батюшка не любил меня: во
мне и матушке он души не слышал. Но уж это так, характер был такой.

Заботы, огорчения, неудачи измучили бедного батюшку до крайности: он
стал недоверчив, желчен; часто был близок к отчаянию, начал пренебрегать своим здоровьем, простудился и вдруг заболел, страдал недолго и скончался так
внезапно, так скоропостижно, что мы все несколько дней были вне себя от удара. Матушка была в каком-то оцепенении; я даже боялась за ее рассудок. Только
что скончался батюшка, кредиторы явились к нам как из земли, нахлынули гурьбою. Всё, что у нас ни было, мы отдали. Наш домик на Петербургской стороне,
который батюшка купил полгода спустя после переселения нашего в Петербург,
был также продан. Не знаю, как уладили остальное, но сами мы остались без
крова, без пристанища, без пропитания. Матушка страдала изнурительною болезнию, прокормить мы себя не могли, жить было нечем, впереди была гибель.

Мне тогда только минуло четырнадцать лет. Вот тут-то нас и посетила Анна Федоровна. Она всё говорит, что она какая-то помещица и нам доводится какою-то
роднёю. Матушка тоже говорила, что она нам родня, только очень дальняя. При
жизни батюшки она к нам никогда не ходила. Явилась она со слезами на глазах,
говорила, что принимает в нас большое участие; соболезновала о нашей потере,
о нашем бедственном положении, прибавила, что батюшка был сам виноват: что
он не по силам жил, далеко забирался и что уж слишком на свои силы надеялся.
Обнаружила желание сойтись с нами короче, предложила забыть обоюдные неприятности; а когда матушка объявила, что никогда не чувствовала к ней непри-
язни, то она прослезилась, повела матушку в церковь и заказала панихиду по го-
лубчике (так она выразилась о батюшке). После этого она торжественно поми-
рилась с матушкой.

После долгих вступлений и предуведомлений Анна Федоровна, изобразив в
ярких красках наше бедственное положение, сиротство, безнадежность, беспо-
мощность, пригласила нас, как она сама выразилась, у ней приютиться. Матушка благодарила, но долго не решалась; но так как делать было нечего и иначе распорядиться никак нельзя, то и объявила наконец Анне Федоровне, что ее предложение мы принимаем с благодарностию. Как теперь помню утро, в которое
мы перебирались с Петербургской стороны на Васильевский остров. Утро было
осеннее, ясное, сухое, морозное. Матушка плакала; мне было ужасно грустно;
грудь у меня разрывалась, душу томило от какой-то неизъяснимой, страшной
тоски... Тяжкое было время...
....

II

Сначала, покамест еще мы, то есть я и матушка, не обжились на нашем новоселье, нам обеим было как-то жутко, дико у Анны Федоровны. Анна Федоровна
жила в собственном доме, в Шестой линии. В доме всего было пять чистых комнат. В трех из них жила Анна Федоровна и двоюродная сестра моя, Саша, которая у ней воспитывалась, — ребенок, сиротка, без отца и матери. Потом в одной
комнате жили мы, и, наконец, в последней комнате, рядом с нами, помещался
один бедный студент Покровский, жилец у Анны Федоровны. Анна Федоровна
жила очень хорошо, богаче, чем бы можно было предполагать; но состояние ее
было загадочно, так же как и ее занятия. Она всегда суетилась, всегда была озабочена, выезжала и выходила по нескольку раз в день; но что она делала, о чем
заботилась и для чего заботилась, этого я никак не могла угадать. Знакомство у
ней было большое и разнообразное. К ней всё, бывало, гости ездили, и всё бог
знает какие люди, всегда по каким-то делам и на минутку. Матушка всегда уво-
дила меня в нашу комнату, бывало, только что зазвенит колокольчик. Анна Федоровна ужасно сердилась за это на матушку и беспрерывно твердила, что уж мы
слишком горды, что не по силам горды, что было бы чем гордиться, и по целым часам не умолкала. Я не понимала тогда этих упреков в гордости; точно так
же я только теперь узнала или по крайней мере предугадываю, почему матушка
не решалась жить у Анны Федоровны. Злая женщина была Анна Федоровна; она
беспрерывно нас мучила. До сих пор для меня тайна, зачем именно она приглашала нас к себе? Сначала она была с нами довольно ласкова, — а потом уж и выказала свой настоящий характер вполне, как увидала, что мы совершенно беспо-
мощны и что нам идти некуда. Впоследствии со мной она сделалась весьма ласкова, даже как-то грубо ласкова, до лести, но сначала и я терпела заодно с
матушкой. Поминутно попрекала она нас; только и делала, что твердила о своих

благодеяниях. Посторонним людям рекомендовала нас как своих бедных родственниц, вдовицу и сироту беспомощных, которых она из милости, ради любви христианской, у себя приютила. За столом каждый кусок, который мы брали, следила глазами, а если мы не ели, так опять начиналась история: дескать, мы гнушаемся; не взыщите, чем богата, тем и рада; было ли бы еще у нас самих лучше. Батюшку поминутно бранила: говорила, что лучше других хотел быть, да худо и вышло; дескать, жену с дочерью пустил по миру, и что не нашлось бы родственницы благодетельной, христианской души, сострадательной, так еще бог знает пришлось бы, может быть, среди улицы с голоду сгнить. Чего-чего она не говорила! Не так горько, как отвратительно было ее слушать. Матушка поминутно плакала; здоровье ее становилось день от дня хуже, она видимо чахла, а между тем мы с нею работали с утра до ночи, доставали заказную работу, шили, что очень не нравилось Анне Федоровне; она поминутно говорила, что у нее не модный магазин в доме. Но нужно было одеваться, нужно было на непредвиденные расходы откладывать, нужно было непременно свои деньги иметь. Мы на всякий случай копили, надеялись, что можно будет со временем переехать куда-нибудь. Но матушка последнее здоровье свое потеряла на работе: она слабела с каждым днем. Болезнь, как червь, видимо подтачивала жизнь ее и близила к гробу. Я всё видела, всё чувствовала, всё выстрадала; всё это было на глазах моих!

Дни проходили за днями, и каждый день был похож на предыдущий. Мы жили тихо, как будто и не в городе. Анна Федоровна мало-помалу утихала, по мере того как сама стала вполне сознавать свое владычество. Ей, впрочем, никогда и никто не думал прекословить. В нашей комнате мы были отделены от ее половины коридором, а рядом с нами, как я уже упоминала, жил Покровский. Он учил Сашу французскому и немецкому языкам, истории, географии — всем наукам, как говорила Анна Федоровна, и за то получал от нее квартиру и стол; Саша была препонятливая девочка, хотя резвая и шалунья; ей было тогда лет тринадцать. Анна Федоровна заметила матушке, что недурно бы было, если бы я стала учиться, затем что в пансионе меня недоучили. Матушка с радостию согласилась, и я целый год училась у Покровского вместе с Сашей.

Покровский был бедный, очень бедный молодой человек; здоровье его не позволяло ему ходить постоянно учиться, и его так, по привычке только, звали у нас студентом. Жил он скромно, смирно, тихо, так что и не слышно бывало его из нашей комнаты. С виду он был такой странный; так неловко ходил, так неловко раскланивался, так чудно говорил, что я сначала на него без смеху и смотреть не могла. Саша беспрерывно над ним проказничала, особенно когда он нам уроки давал. А он вдобавок был раздражительного характера, беспрестанно сердился, за каждую малость из себя выходил, кричал на нас, жаловался на нас и часто, не докончив урока, рассерженный уходил в свою комнату. У себя же он по целым дням сидел за книгами. У него было много книг, и всё такие дорогие, редкие книги. Он кое-где еще учил, получал кое-какую плату, так что чуть, бывало, у него заведутся деньги, так он тотчас идет себе книг покупать.

Со временем я узнала его лучше, короче. Он был добрейший, достойнейший человек, наилучший из всех, которых мне встречать удавалось. Матушка его весьма уважала. Потом он и для меня был лучшим из друзей, — разумеется, после матушки.

Сначала я, такая большая девушка, шалила заодно с Сашей, и мы, бывало, по целым часам ломаем головы, как бы раздразнить и вывесть его из терпения. Он ужасно смешно сердился, а нам это было чрезвычайно забавно. (Мне даже и вспоминать это стыдно.) Раз мы раздразнили его чем-то чуть не до слез, и я слышала ясно, как он прошептал: «Злые дети». Я вдруг смутилась; мне стало и стыд-

но, и горько, и жалко его. Я помню, что я покраснела до ушей и чуть не со слезами на глазах стала просить его успокоиться и не обижаться нашими глупыми ша-
лостями, но он закрыл книгу, не докончил нам урока и ушел в свою комнату. Я
целый день надрывалась от раскаяния. Мысль о том, что мы, дети, своими жестокостями довели его до слез, была для меня нестерпима. Мы, стало быть, ждали
его слез. Нам, стало быть, их хотелось; стало быть, мы успели его из последнего
терпения вывесть; стало быть, мы насильно заставили его, несчастного, бедного,
о своем лютом жребии вспомнить! Я всю ночь не спала от досады, от грусти, от
раскаянья. Говорят, что раскаянье облегчает душу, — напротив. Не знаю, как
примешалось к моему горю и самолюбие. Мне не хотелось, чтобы он считал
меня за ребенка. Мне тогда было уже пятнадцать лет.

С этого дня я начала мучить воображение мое, создавая тысячи планов, каким бы образом вдруг заставить Покровского изменить свое мнение обо мне. Но
я была подчас робка и застенчива; в настоящем положении моем я ни на что не
могла решиться и ограничивалась одними мечтаниями (и бог знает какими мечтаниями!). Я перестала только проказничать вместе с Сашей; он перестал на нас
сердиться; но для самолюбия моего этого было мало.

Теперь скажу несколько слов об одном самом странном, самом любопытном
и самом жалком человеке из всех, которых когда-либо мне случалось встречать.
Потому говорю о нем теперь, именно в этом месте моих записок, что до самой
этой эпохи я почти не обращала на него никакого внимания, — так всё, касавше-
еся Покровского, стало для меня вдруг занимательно!

У нас в доме являлся иногда старичок, запачканный, дурно одетый, маленький, седенький, мешковатый, неловкий, одним словом, странный донельзя. С
первого взгляда на него можно было подумать, что он как будто чего-то стыдится, как будто ему себя самого совестно. Оттого он всё как-то ежился, как-то
кривлялся; такие ухватки, ужимки были у него, что можно было, почти не ошибаясь, заключить, что он не в своем уме. Придет, бывало, к нам, да стоит в сенях
у стеклянных дверей и в дом войти не смеет. Кто из нас мимо пройдет — я или
Саша, или из слуг, кого он знал подобрее к нему, — то он сейчас машет, манит к
себе, делает разные знаки, и разве только когда кивнешь ему головою и позовешь его — условный знак, что в доме нет никого постороннего и что ему можно
войти, когда ему угодно, — только тогда старик тихонько отворял дверь, радостно улыбался, потирал руки от удовольствия и на цыпочках прямо отправлялся в
комнату Покровского. Это был его отец.

Потом я узнала подробно всю историю этого бедного старика. Он когда-то
где-то служил, был без малейших способностей и занимал самое последнее, самое незначительное место на службе. Когда умерла первая его жена (мать студента Покровского), то он вздумал жениться во второй раз и женился на мещан-
ке. При новой жене в доме всё пошло вверх дном; никому житья от нее не стало;
она всех к рукам прибрала. Студент Покровский был тогда еще ребенком, лет десяти. Мачеха его возненавидела. Но маленькому Покровскому благоприятство-
вала судьба. Помещик Быков, знавший чиновника Покровского и бывший некогда его благодетелем, принял ребенка под свое покровительство и поместил
его в какую-то школу. Интересовался же он им потому, что знал его покойную
мать, которая еще в девушках была облагодетельствована Анной Федоровной и
выдана ею замуж за чиновника Покровского. Господин Быков, друг и короткий
знакомый Анны Федоровны, движимый великодушием, дал за невестой пять
тысяч рублей приданого. Куда эти деньги пошли — неизвестно. Так мне рассказывала всё это Анна Федоровна; сам же студент Покровский никогда не любил
говорить о своих семейных обстоятельствах. Говорят, что его мать была очень

хороша собою, и мне странно кажется, почему она так неудачно вышла замуж, за такого незначительного человека... Она умерла еще в молодых летах, года четыре спустя после замужества.

Из школы молодой Покровский поступил в какую-то гимназию и потом в университет. Господин Быков, весьма часто приезжавший в Петербург, и тут не оставил его своим покровительством. За расстроенным здоровьем своим Покровский не мог продолжать занятий своих в университете. Господин Быков познакомил его с Анной Федоровной, сам рекомендовал его, и таким образом молодой Покровский был принят на хлебы, с уговором учить Сашу всему, чему ни потребуется.

Старик же Покровский, с горя от жестокостей жены своей, предался самому дурному пороку и почти всегда бывал в нетрезвом виде. Жена его бивала, сослала жить в кухню и до того довела, что он наконец привык к побоям и дурному обхождению и не жаловался. Он был еще не очень старый человек, но от дурных наклонностей почти из ума выжил. Единственным же признаком человеческих благородных чувств была в нем неограниченная любовь к сыну. Говорили, что молодой Покровский похож как две капли воды на покойную мать свою. Не воспоминания ли о прежней доброй жене породили в сердце погибшего старика такую беспредельную любовь к нему? Старик и говорить больше ни о чем не мог, как о сыне, и постоянно два раза в неделю навещал его. Чаще же приходить он не смел, потому что молодой Покровский терпеть не мог отцовских посещений. Из всех его недостатков, бесспорно, первым и важнейшим было неуважение к отцу. Впрочем, и старик был подчас пренесноснейшим существом на свете. Во-первых, он был ужасно любопытен, во-вторых, разговорами и расспросами, самыми пустыми и бестолковыми, он поминутно мешал сыну заниматься и, наконец, являлся иногда в нетрезвом виде. Сын понемногу отучал старика от пороков, от любопытства и от поминутного болтания и наконец довел до того, что тот слушал его во всем, как оракула, и рта не смел разинуть без его позволения.

Бедный старик не мог надивиться и нарадоваться на своего Петеньку (так он называл сына). Когда он приходил к нему в гости, то почти всегда имел какой-то озабоченный, робкий вид, вероятно от неизвестности, как-то его примет сын, обыкновенно долго не решался войти, и если я тут случалась, так он меня минут двадцать, бывало, расспрашивал — что, каков Петенька? здоров ли он? в каком именно расположении духа и не занимается ли чем-нибудь важным? Что он именно делает? Пишет ли или размышлениями какими занимается? Когда я его достаточно ободряла и успокоивала, то старик наконец решался войти и тихо-тихо, осторожно-осторожно отворял двери, просовывал сначала одну голову, и если видел, что сын не сердится и кивнул ему головой, то тихонько проходил в комнату, снимал свою шинельку, шляпу, которая вечно у него была измятая, дырявая, с оторванными полями, — всё вешал на крюк, всё делал тихо, неслышно; потом садился где-нибудь осторожно на стул и с сына глаз не спускал, все движения его ловил, желая угадать расположение духа своего Петеньки. Если сын чуть-чуть был не в духе и старик примечал это, то тотчас приподымался с места и объяснял, «что, дескать, я так, Петенька, я на минутку. Я вот далеко ходил, проходил мимо и отдохнуть зашел». И потом безмолвно, покорно брал свою шинельку, шляпенку, опять потихоньку отворял дверь и уходил, улыбаясь через силу, чтобы удержать в душе накипевшее горе и не выказать его сыну.

Но когда сын примет, бывало, отца хорошо, то старик себя не слышит от радости. Удовольствие проглядывало в его лице, в его жестах, в его движениях. Если сын с ним заговаривал, то старик всегда приподымался немного со стула и отвечал тихо, подобострастно, почти с благоговением и всегда стараясь употреблять отборнейшие, то есть самые смешные выражения. Но дар слова ему не давался: всегда смешается и сробеет, так что не знает, куда руки девать, куда себя девать, и после еще долго про себя ответ шепчет, как бы желая поправиться. Если же удавалось отвечать хорошо, то старик охорашивался, оправлял на себе жилетку, галстух, фрак и принимал вид собственного достоинства. А бывало, до того ободрялся, до того простирал свою смелость, что тихонько вставал со стула, подходил к полке с книгами, брал какую-нибудь книжку и даже тут же прочитывал что-нибудь, какая бы ни была книга. Всё это он делал с видом притворного равнодушия и хладнокровия, как будто бы он и всегда мог так хозяйничать с сыновними книгами, как будто ему и не в диковину ласка сына. Но мне раз случилось видеть, как бедняк испугался, когда Покровский попросил его не трогать книг. Он смешался, заторопился, поставил книгу вверх ногами, потом хотел поправиться, перевернул и поставил обрезом наружу, улыбался, краснел и не знал, чем загладить свое преступление. Покровский своими советами отучал понемногу старика от дурных наклонностей, и как только видел его раза три сряду в трезвом виде, то при первом посещении давал ему на прощанье по четвертачку, по полтинничку или больше. Иногда покупал ему сапоги, галстух или жилетку. Зато старик в своей обнове был горд, как петух. Иногда он заходил к нам. Приносил мне и Саше пряничных петушков, яблоков и всё, бывало, толкует с нами о Петеньке. Просил нас учиться внимательно, слушаться, говорил, что Петенька добрый сын, примерный сын и вдобавок ученый сын. Тут он так, бывало, смешно нам подмигивал левым глазком, так забавно кривлялся, что мы не могли удержаться от смеха и хохотали над ним от души. Маменька его очень любила. Но старик ненавидел Анну Федоровну, хотя был пред нею тише воды, ниже травы.

Скоро я перестала учиться у Покровского. Меня он по-прежнему считал ребенком, резвой девочкой, на одном ряду с Сашей. Мне было это очень больно, потому что я всеми силами старалась загладить мое прежнее поведение. Но меня не замечали. Это раздражало меня более и более. Я никогда почти не говорила с Покровским вне классов, да и не могла говорить. Я краснела, мешалась и потом где-нибудь в уголку плакала от досады.

Я не знаю, чем бы это всё кончилось, если б сближению нашему не помогло одно странное обстоятельство. Однажды вечером, когда матушка сидела у Анны Федоровны, я тихонько вошла в комнату Покровского. Я знала, что его не было дома, и, право, не знаю, отчего мне вздумалось войти к нему. До сих пор я никогда и не заглядывала к нему, хотя мы прожили рядом уже с лишком год. В этот раз сердце у меня билось так сильно, так сильно, что, казалось, из груди хотело выпрыгнуть. Я осмотрелась кругом с каким-то особенным любопытством. Комната Покровского была весьма бедно убрана; порядка было мало. На стенах прибито было пять длинных полок с книгами. На столе и на стульях лежали бумаги. Книги да бумаги! Меня посетила странная мысль, и вместе с тем какое-то неприятное чувство досады овладело мною. Мне казалось, что моей дружбы, моего любящего сердца было мало ему. Он был учен, а я была глупа и ничего не знала, ничего не читала, ни одной книги... Тут я завистливо поглядела на длинные полки, которые ломились под книгами. Мною овладела досада, тоска, какое-то бешенство. Мне захотелось, и я тут же решилась прочесть его книги, все до одной, и как можно скорее. Не знаю, может быть, я думала, что, научившись всему, что он знал, буду достойнее его дружбы. Я бросилась к первой полке; не думая, не останавливаясь, схватила в руки первый попавшийся запыленный, старый том и, краснея, бледнея, дрожа от волнения и страха, утащила к себе краденую книгу, решившись прочесть ее ночью, у ночника, когда заснет матушка.

Но как же мне стало досадно, когда я, придя в нашу комнату, торопливо развернула книгу и увидала какое-то старое, полусгнившее, всё изъеденное червями латинское сочинение. Я воротилась, не теряя времени. Только что я хотела поставить книгу на полку, послышался шум в коридоре и чьи-то близкие шаги. Я заспешила, заторопилась, но несносная книга была так плотно поставлена в ряд, что, когда я вынула одну, все остальные раздались сами собою и сплотнились так, что теперь для прежнего их товарища не оставалось более места. Втиснуть книгу у меня недоставало сил. Однако ж я толкнула книги как только могла сильнее. Ржавый гвоздь, на котором крепилась полка и который, кажется, нарочно ждал этой минуты, чтоб сломаться, — сломался. Полка полетела одним концом вниз. Книги с шумом посыпались на пол. Дверь отворилась, и Покровский вошел в комнату.

Нужно заметить, что он терпеть не мог, когда кто-нибудь хозяйничал в его владениях. Беда тому, кто дотрогивался до книг его! Судите же о моем ужасе, когда книги, маленькие, большие, всевозможных форматов, всевозможной величины и толщины, ринулись с полки, полетели, запрыгали под столом, под стульями, по всей комнате. Я было хотела бежать, но было поздно. «Кончено, думаю, кончено! Я пропала, погибла! Я балую, резвлюсь, как десятилетний ребенок; я глупая девчонка! Я большая дура!!» Покровский рассердился ужасно. «Ну вот, этого недоставало еще! — закричал он. — Ну, не стыдно ли вам так шалить!.. Уйметесь ли вы когда-нибудь?» И сам бросился подбирать книги. Я было нагнулась помогать ему. «Не нужно, не нужно, — закричал он. — Лучше бы вы сделали, если б не ходили туда, куда вас не просят». Но, впрочем, немного смягченный моим покорным движением, он продолжал уже тише, в недавнем наставническом тоне, пользуясь недавним правом учителя: «Ну, когда вы остепенитесь, когда вы одумаетесь? Ведь вы на себя посмотрите, ведь уж вы не ребенок, не маленькая девочка, ведь вам уже пятнадцать лет!» И тут, вероятно, желая поверить, справедливо ли то, что я уж не маленькая, он взглянул на меня и покраснел до ушей. Я не понимала; я стояла перед ним и смотрела на него во все глаза в изумлении. Он привстал, подошел с смущенным видом ко мне, смешался ужасно, что-то заговорил, кажется, в чем-то извинялся, может быть, в том, что только теперь заметил, что я такая большая девушка. Наконец я поняла. Я не помню, что со мной тогда сталось; я смешалась, потерялась, покраснела еще больше Покровского, закрыла лицо руками и выбежала из комнаты.

Я не знала, что мне оставалось делать, куда было деваться от стыда. Одно то, что он застал меня в своей комнате! Целых три дня я на него взглянуть не могла. Я краснела до слез. Мысли самые странные, мысли смешные вертелись в голове моей. Одна из них, самая сумасбродная, была та, что я хотела идти к нему, объясниться с ним, признаться ему во всем, откровенно рассказать ему всё и уверить его, что я поступила не как глупая девочка, но с добрым намерением. Я было и совсем решилась идти, но, слава богу, смелости недостало. Воображаю, что бы я наделала! Мне и теперь обо всем этом вспоминать совестно.

Несколько дней спустя матушка вдруг сделалась опасно больна. Она уже два дня не вставала с постели и на третью ночь была в жару и в бреду. Я уже не спала одну ночь, ухаживая за матушкой, сидела у ее кровати, подносила ей питье и давала в определенные часы лекарства. На вторую ночь я измучилась совершенно. По временам меня клонил сон, в глазах зеленело, голова шла кругом, и я каждую минуту готова была упасть от утомления, но слабые стоны матери пробуждали меня, я вздрагивала, просыпалась на мгновение, а потом дремота опять одолевала меня. Я мучилась. Я не знаю — я не могу припомнить себе, — но какой-то страшный сон, какое-то ужасное видение посетило мою расстроенную голову в томительную минуту борьбы сна с бдением. Я проснулась в ужасе. В комнате было темно, ночник погасал, полосы света то вдруг обливали всю комнату, то чуть-чуть мелькали по стене, то исчезали совсем. Мне стало отчего-то страшно, какой-то ужас напал на меня; воображение мое взволновано было ужасным сном; тоска сдавила мое сердце... Я вскочила со стула и невольно вскрикнула от какого-то мучительного, страшно тягостного чувства. В это время отворилась дверь, и Покровский вошел к нам в комнату.

Я помню только то, что я очнулась на его руках. Он бережно посадил меня в кресла, подал мне стакан воды и засыпал вопросами. Не помню, что я ему отвечала. «Вы больны, вы сами очень больны, — сказал он, взяв меня за руку, — у вас жар, вы себя губите, вы своего здоровья не щадите; успокойтесь, лягте, засните. Я вас разбужу через два часа, успокойтесь немного... Ложитесь же, ложитесь!» — продолжал он, не давая мне выговорить ни одного слова в возражение. Усталость отняла у меня последние силы; глаза мои закрывались от слабости. Я прилегла в кресла, решившись заснуть только на полчаса, и проспала до утра. Покровский разбудил меня только тогда, когда пришло время давать матушке лекарство.

На другой день, когда я, отдохнув немного днем, приготовилась опять сидеть в креслах у постели матушки, твердо решившись в этот раз не засыпать, Покровский часов в одиннадцать постучался в нашу комнату. Я отворила. «Вам скучно сидеть одной, — сказал он мне, — вот вам книга; возьмите; всё не так скучно будет». Я взяла; я не помню, какая эта была книга; вряд ли я тогда в нее заглянула, хоть всю ночь не спала. Странное внутреннее волнение не давало мне спать; я не могла оставаться на одном месте; несколько раз вставала с кресел и начинала ходить по комнате. Какое-то внутреннее довольство разливалось по всему существу моему. Я так была рада вниманию Покровского. Я гордилась беспокойством и заботами его обо мне. Я продумала и промечтала всю ночь. Покровский не заходил более; и я знала, что он не придет, и загадывала о будущем вечере.

В следующий вечер, когда в доме уж все улеглись, Покровский отворил свою дверь и начал со мной разговаривать, стоя у порога своей комнаты. Я не помню теперь ни одного слова из того, что мы сказали тогда друг другу; помню только, что я робела, мешалась, досадовала на себя и с нетерпением ожидала окончания разговора, хотя сама всеми силами желала его, целый день мечтала о нем и сочиняла мои вопросы и ответы... С этого вечера началась первая завязка нашей дружбы. Во всё продолжение болезни матушки мы каждую ночь по нескольку часов проводили вместе. Я мало-помалу победила свою застенчивость, хотя, после каждого разговора нашего, всё еще было за что на себя подосадовать. Впрочем, я с тайною радостию и с гордым удовольствием видела, что он из-за меня забывал свои несносные книги. Случайно, в шутку, разговор зашел раз о падении их с полки. Минута была странная, я как-то *слишком* была откровенна и чистосердечна; горячность, странная восторженность увлекли меня, и я призналась ему во всем... в том, что мне хотелось учиться, что-нибудь знать, что мне досадно было, что меня считают девочкой, ребенком... Повторяю, что я была в престранном расположении духа; сердце мое было мягко, в глазах стояли слезы, — я не утаила ничего и рассказала всё, всё — про мою дружбу к нему, про желание любить его, жить с ним заодно сердцем, утешить его, успокоить его. Он посмотрел на меня как-то странно, с замешательством, с изумлением и не сказал мне ни слова. Мне стало вдруг ужасно больно, грустно. Мне показалось, что он меня не понимает, что он, может быть, надо мною смеется. Я заплакала вдруг, как дитя, зарыдала, сама себя удержать не могла; точно я была в каком-то припадке. Он схватил мои руки, целовал их, прижимал к груди своей, уговаривал, утешал меня; он был сильно тронут; не помню, что он мне говорил, но только я и плакала, и смеялась, и опять плакала, краснела, не могла слова вымолвить от радости. Впрочем, несмотря на волнение мое, я заметила, что в Покровском все-таки оставалось какое-то смущение и принуждение. Кажется, он не мог надивиться моему увлечению, моему восторгу, такой внезапной, горячей, пламенной дружбе. Может быть, ему было только любопытно сначала; впоследствии нерешительность его исчезла, и он, с таким же простым, прямым чувством, как и я, принимал мою привязанность к нему, мои приветливые слова, мое внимание и отвечал на всё это тем же вниманием, так же дружелюбно и приветливо, как искренний друг мой, как родной брат мой. Моему сердцу было так тепло, так хорошо!.. Я не скрывалась, не таилась ни в чем; он всё это видел и с каждым днем всё более и более привязывался ко мне.

И право, не помню, о чем мы не переговорили с ним в эти мучительные и вместе сладкие часы наших свиданий, ночью, при дрожащем свете лампадки и почти у самой постели моей бедной больной матушки?.. Обо всем, что на ум приходило, что с сердца срывалось, что просилось высказаться, — и мы почти были счастливы... Ох, это было и грустное и радостное время — всё вместе; и мне и грустно и радостно теперь вспоминать о нем. Воспоминания, радостные ли, горькие ли, всегда мучительны; по крайней мере так у меня; но и мучение это сладостно. И когда сердцу становится тяжело, больно, томительно, грустно, тогда воспоминания свежат и живят его, как капли росы в влажный вечер, после жаркого дня, свежат и живят бедный, чахлый цветок, сгоревший от зноя дневного.

Матушка выздоравливала, но я еще продолжала сидеть по ночам у ее постели. Часто Покровский давал мне книги; я читала, сначала чтоб не заснуть, потом внимательнее, потом с жадностию; передо мной внезапно открылось много нового, доселе неведомого, незнакомого мне. Новые мысли, новые впечатления разом, обильным потоком прихлынули к моему сердцу. И чем более волнения, чем более смущения и труда стоил мне прием новых впечатлений, тем милее они были мне, тем сладостнее потрясали всю душу. Разом, вдруг, втолпились они в мое сердце, не давая ему отдохнуть. Какой-то странный хаос стал возмущать всё существо мое. Но это духовное насилие не могло и не в силах было расстроить меня совершенно. Я была слишком мечтательна, и это спасло меня.

Когда кончилась болезнь матушки, наши вечерние свидания и длинные разговоры прекратились; нам удавалось иногда меняться словами, часто пустыми и малозначащими, но мне любо было давать всему свое значение, свою цену особую, подразумеваемую. Жизнь моя была полна, я была счастлива, покойно, тихо счастлива. Так прошло несколько недель...

Как-то раз зашел к нам старик Покровский. Он долго с нами болтал, был не по-обыкновенному весел, бодр, разговорчив; смеялся, острил по-своему и наконец разрешил загадку своего восторга и объявил нам, что ровно через неделю будет день рождения Петеньки и что по сему случаю он непременно придет к сыну; что он наденет новую жилетку и что жена обещалась купить ему новые сапоги. Одним словом, старик был счастлив вполне и болтал обо всем, что ему на ум попадалось.

День его рождения! Этот день рождения не давал мне покоя ни днем, ни ночью. Я непременно решилась напомнить о своей дружбе Покровскому и что-нибудь подарить ему. Но что? Наконец я выдумала подарить ему книг. Я знала, что ему хотелось иметь полное собрание сочинений Пушкина, в последнем издании, и я решила купить Пушкина. У меня своих собственных денег было рублей тридцать, заработанных рукодельем. Эти деньги были отложены у меня на новое платье. Тотчас я послала нашу кухарку, старуху Матрену, узнать, что стоит весь Пушкин. Беда! Цена всех одиннадцати книг, присовокупив сюда издержки на переплет, была по крайней мере рублей шестьдесят. Где взять денег? Я думала-думала и не знала, на что решиться. У матушки просить не хотелось. Конечно, матушка мне непременно бы помогла; но тогда все бы в доме узнали о нашем подарке; да к тому же этот подарок обратился бы в благодарность, в плату за целый год трудов Покровского. Мне хотелось подарить одной, тихонько от всех. А за труды его со мною я хотела быть ему навсегда одолженною без какой бы то ни было уплаты, кроме дружбы моей. Наконец я выдумала, как выйти из затруднения.

Я знала, что у букинистов в Гостином дворе можно купить книгу иногда в полцены дешевле, если только поторговаться, часто малоподержанную и почти совершенно новую. Я положила непременно отправиться в Гостиный двор. Так и случилось; назавтра же встретилась какая-то надобность и у нас и у Анны Федоровны. Матушке понездоровилось, Анна Федоровна очень кстати поленилась, так что пришлось все поручения возложить на меня, и я отправилась вместе с Матреной.

К моему счастию, я нашла весьма скоро Пушкина, и в весьма красивом переплете. Я начала торговаться. Сначала запросили дороже, чем в лавках; но потом, впрочем не без труда, уходя несколько раз, я довела купца до того, что он сбавил цену и ограничил свои требования только десятью рублями серебром. Как мне весело было торговаться!.. Бедная Матрена не понимала, что со мной делается и зачем я вздумала покупать столько книг. Но ужас! Весь мой капитал был в тридцать рублей ассигнациями, а купец никак не соглашался уступить дешевле. Наконец я начала упрашивать, просила-просила его, наконец упросила. Он уступил, но только два с полтиною, и побожился, что и эту уступку он только ради меня делает, что я такая барышня хорошая, а что для другого кого он ни за что бы не уступил. Двух с половиною рублей недоставало! Я готова была заплакать с досады. Но самое неожиданное обстоятельство помогло мне в моем горе.

Недалеко от меня, у другого стола с книгами, я увидала старика Покровского. Вокруг него столпились четверо или пятеро букинистов; они его сбили с последнего толку, затормошили совсем. Всякий из них предлагал ему свой товар, и чего-чего не предлагали они ему, и чего-чего не хотел он купить! Бедный старик стоял посреди их, как будто забитый какой-нибудь, и не знал, за что взяться из того, что ему предлагали. Я подошла к нему и спросила — что он здесь делает? Старик мне очень обрадовался; он любил меня без памяти, может быть, не менее Петеньки. «Да вот книжки покупаю, Варвара Алексеевна, — отвечал он мне, — Петеньке покупаю книжки. Вот его день рождения скоро будет, а он любит книжки, так вот я и покупаю их для него...» Старик и всегда смешно изъяснялся, а теперь вдобавок был в ужаснейшем замешательстве. К чему ни прицениться, всё рубль серебром, два рубля, три рубля серебром; уж он к большим книгам и не приценивался, а так только завистливо на них посматривал, перебирал пальцами листочки, вертел в руках и опять их ставил на место. «Нет, нет, это дорого, — говорил он вполголоса, — а вот разве отсюдова что-нибудь», — и тут он начинал перебирать тоненькие тетрадки, песенники, альманахи; это всё было очень дешево. «Да зачем вы это всё покупаете, — спросила я его, — это всё ужасные пустяки». — «Ах, нет, — отвечал он, — нет, вы посмотрите только, какие здесь есть хорошие книжки; очень, очень хорошие есть книжки!» И последние слова он так жалобно протянул нараспев, что мне показалось, что он заплакать готов от досады, зачем книжки хорошие дороги, и что вот сейчас капнет слезинка с его бледных щек на красный нос. Я спросила, много ли у него денег? «Да вот, — тут бедненький вынул все свои деньги, завернутые в засаленную газетную бумажку, — вот полтинничек, двугривенничек, меди копеек двадцать».

Я его тотчас потащила к моему букинисту. «Вот целых одиннадцать книг стоит всего-то тридцать два рубля с полтиною; у меня есть тридцать; приложите два с полтиною, и мы купим все эти книги и подарим вместе». Старик обезумел от радости, высыпал все свои деньги, и букинист навьючил на него всю нашу общую библиотеку. Мой старичок наложил книг во все карманы, набрал в обе руки, под мышки и унес всё к себе, дав мне слово принести все книги на другой день тихонько ко мне.

На другой день старик пришел к сыну, с часочек посидел у него по обыкновению, потом зашел к нам и подсел ко мне с прекомическим таинственным видом. Сначала с улыбкой, потирая руки от гордого удовольствия владеть какой-нибудь тайной, он объявил мне, что книжки все пренезаметно перенесены к нам и стоят в уголку, в кухне, под покровительством Матрены. Потом разговор естественно перешел на ожидаемый праздник; потом старик распространился о том, как мы будем дарить, и чем далее углублялся он в свой предмет, чем более о нем говорил, тем приметнее мне становилось, что у него есть что-то на душе, о чем он не может, не смеет, даже боится выразиться. Я всё ждала и молчала. Тайная радость, тайное удовольствие, что я легко читала доселе в его странных ухватках, гримасничанье, подмигиванье левым глазком, исчезли. Он делался поминутно всё беспокойнее и тоскливее; наконец он не выдержал.

— Послушайте, — начал он робко, вполголоса, — послушайте, Варвара Алексеевна... знаете ли что, Варвара Алексеевна?.. — Старик был в ужасном замешательстве. — Видите: вы, как придет день его рождения, возьмите десять книжек и подарите их ему сами, то есть от себя, с своей стороны; я же возьму тогда одну одиннадцатую и уж тоже подарю от себя, то есть, собственно, с своей стороны. Так вот, видите ли — и у вас будет что-нибудь подарить, и у меня будет что-нибудь подарить; у нас обоих будет что-нибудь подарить. — Тут старик смешался и замолчал. Я взглянула на него; он с робким ожиданием ожидал моего приговора. «Да зачем же вы хотите, чтоб мы не вместе дарили, Захар Петрович?» — «Да так, Варвара Алексеевна, уж это так... я ведь, оно, того...» — одним словом, старик замешался, покраснел, завяз в своей фразе и не мог сдвинуться с места.

— Видите ли, — объяснился он наконец. — Я, Варвара Алексеевна, балуюсь подчас... то есть я хочу доложить вам, что я почти и всё балуюсь и всегда балуюсь... придерживаюсь того, что нехорошо... то есть, знаете, этак на дворе такие холода бывают, также иногда неприятности бывают разные, или там как-нибудь грустно сделается, или что-нибудь из нехорошего случится, так я и не удержусь подчас, и забалуюсь, и выпью иногда лишнее. Петруше это очень неприятно. Он вот, видите ли, Варвара Алексеевна, сердится, бранит меня и мне морали разные читает. Так вот бы мне и хотелось теперь самому доказать ему подарком моим, что я исправляюсь и начинаю вести себя хорошо. Что вот я копил, чтобы книжку купить, долго копил, потому что у меня и денег-то почти никогда не бывает, разве, случится, Петруша кое-когда даст. Он это знает. Следовательно, вот он увидит употребление денег моих и узнает, что всё это я для него одного делаю.

Мне стало ужасно жаль старика. Я думала недолго. Старик смотрел на меня с беспокойством. «Да слушайте, Захар Петрович, — сказала я, — вы подарите их ему все!» — «Как все? то есть книжки все?..» — «Ну да, книжки все». — «И от себя?» — «От себя». — «От одного себя? то есть от своего имени?» — «Ну да, от своего имени...» Я, кажется, очень ясно толковала, но старик очень долго не мог понять меня.

«Ну да, — говорил он, задумавшись, — да! это будет очень хорошо, это было бы весьма хорошо, только вы-то как же, Варвара Алексеевна?» — «Ну, да я ничего не подарю». — «Как! — закричал старик, почти испугавшись, — так вы ничего Петеньке не подарите, так вы ему ничего дарить не хотите?» Старик испугался; в эту минуту он, кажется, готов был отказаться от своего предложения затем, чтобы и я могла чем-нибудь подарить его сына. Добряк был этот старик! Я уверила его, что я бы рада была подарить что-нибудь, да только у него не хочу отнимать удовольствия. «Если сын ваш будет доволен, — прибавила я, — и вы будете рады, то и я буду рада, потому что втайне-то, в сердце-то моем, буду чувствовать, как будто и на самом деле я подарила». Этим старик совершенно успокоился. Он пробыл у нас еще два часа, но всё это время на месте не мог усидеть, вставал, возился, шумел, шалил с Сашей, целовал меня украдкой, щипал меня за руку и делал тихонько гримасы Анне Федоровне. Анна Федоровна прогнала его наконец из дома. Одним словом, старик от восторга так расходился, как, может быть, никогда еще не бывало с ним.

В торжественный день он явился ровно в одиннадцать часов, прямо от обедни, во фраке, прилично заштопанном, и действительно в новом жилете и в новых сапогах. В обеих руках было у него по связке книг. Мы все сидели тогда в зале у Анны Федоровны и пили кофе (было воскресенье). Старик начал, кажется, с того, что Пушкин был весьма хороший стихотворец; потом, сбиваясь и мешаясь, перешел вдруг на то, что нужно вести себя хорошо и что если человек не ведет себя хорошо, то значит, что он балуется; что дурные наклонности губят и уничтожают человека; исчислил даже несколько пагубных примеров невоздержания и заключил тем, что он с некоторого времени совершенно исправился и что теперь ведет себя примерно хорошо. Что он и прежде чувствовал справедливость сыновних наставлений, что он всё это давно чувствовал и всё на сердце слагал, но теперь и на деле стал удерживаться. В доказательство чего дарит книги на скопленные им, в продолжение долгого времени, деньги.

Я не могла удержаться от слез и смеха, слушая бедного старика; ведь умел же налгать, когда нужда пришла! Книги были перенесены в комнату Покровского и поставлены на полку. Покровский тотчас угадал истину. Старика пригласили обедать. Этот день мы все были так веселы. После обеда играли в фанты, в карты; Саша резвилась, я от нее не отставала. Покровский был ко мне внимателен и всё искал случая поговорить со мною наедине, но я не давалась. Это был лучший день в целые четыре года моей жизни.

А теперь всё пойдут грустные, тяжелые воспоминания; начнется повесть о моих черных днях. Вот отчего, может быть, перо мое начинает двигаться медленнее и как будто отказывается писать далее. Вот отчего, может быть, я с таким увлечением и с такою любовью переходила в памяти моей малейшие подробности моего маленького житья-бытья в счастливые дни мои. Эти дни были так недолги; их сменило горе, черное горе, которое бог один знает когда кончится.

Несчастия мои начались болезнию и смертию Покровского.

Он заболел два месяца спустя после последних происшествий, мною здесь описанных. В эти два месяца он неутомимо хлопотал о способах жизни, ибо до сих пор он еще не имел определенного положения. Как и все чахоточные, он не расставался до последней минуты своей с надеждою жить очень долго. Ему выходило куда-то место в учителя; но к этому ремеслу он имел отвращение. Служить где-нибудь в казенном месте он не мог за нездоровьем. К тому же долго бы нужно было ждать первого оклада жалованья. Короче, Покровский видел везде только одни неудачи; характер его портился. Здоровье его расстраивалось; он этого не примечал. Подступила осень. Каждый день выходил он в своей легкой шинельке хлопотать по своим делам, просить и вымаливать себе где-нибудь места — что его внутренно мучило; промачивал ноги, мок под дождем и, наконец, слег в постель, с которой не вставал уже более... Он умер в глубокую осень, в конце октября месяца.

Я почти не оставляла его комнаты во всё продолжение его болезни, ухаживала за ним и прислуживала ему. Часто не спала целые ночи. Он редко был в памяти; часто был в бреду; говорил бог знает о чем: о своем месте, о своих книгах, обо мне, об отце... и тут-то я услышала многое из его обстоятельств, чего прежде не знала и о чем даже не догадывалась. В первое время болезни его все наши смотрели на меня как-то странно; Анна Федоровна качала головою. Но я посмотрела всем прямо в глаза, и за участие мое к Покровскому меня не стали осуждать более — по крайней мере матушка.

Иногда Покровский узнавал меня, но это было редко. Он был почти всё время в беспамятстве. Иногда по целым ночам он говорил с кем-то долго-долго, неясными темными словами, и хриплый голос его глухо отдавался в тесной его комнате, словно в гробу; мне тогда становилось страшно. Особенно в последнюю ночь он был как исступленный; он ужасно страдал, тосковал; стоны его терзали мою душу. Все в доме были в каком-то испуге. Анна Федоровна всё молилась, чтоб Бог его прибрал поскорее. Призвали доктора. Доктор сказал, что больной умрет к утру непременно.

Старик Покровский целую ночь провел в коридоре, у самой двери в комнату сына; тут ему постлали какую-то рогожку. Он поминутно входил в комнату; на него страшно было смотреть. Он был так убит горем, что казался совершенно бесчувственным и бессмысленным. Голова его тряслась от страха. Он сам весь дрожал и всё что-то шептал про себя, о чем-то рассуждал сам с собою. Мне казалось, что он с ума сойдет с горя.

Перед рассветом старик, усталый от душевной боли, заснул на своей рогожке как убитый. В восьмом часу сын стал умирать; я разбудила отца. Покровский был в полной памяти и простился со всеми нами. Чудно! Я не могла плакать; но душа моя разрывалась на части.

Но всего более истерзали и измучили меня его последние мгновения. Он чего-то всё просил долго-долго коснеющим языком своим, а я ничего не могла разобрать из слов его. Сердце мое надрывалось от боли! Целый час он был беспокоен, об чем-то всё тосковал, силился сделать какой-то знак охолоделыми руками своими и потом опять начинал просить жалобно, хриплым, глухим голосом; но слова его были одни бессвязные звуки, и я опять ничего понять не могла. Я подводила ему всех наших, давала ему пить; но он всё грустно качал головою. Наконец я поняла, чего он хотел. Он просил поднять занавес у окна и открыть ставни. Ему, верно, хотелось взглянуть в последний раз на день, на свет божий, на солнце. Я отдернула занавес; но начинающийся день был печальный и грустный, как угасающая бедная жизнь умирающего. Солнца не было. Облака застилали небо туманною пеленою; оно было такое дождливое, хмурое, грустное. Мелкий дождь дробил в стекла и омывал их струями холодной, грязной воды; было тускло и темно. В комнату чуть-чуть проходили лучи бледного дня и едва оспаривали дрожащий свет лампадки, затепленной перед образом. Умирающий взглянул на меня грустно-грустно и покачал головою. Через минуту он умер.

Похоронами распорядилась сама Анна Федоровна. Купили гроб простой-простой и наняли ломового извозчика. В обеспечение издержек Анна Федоровна захватила все книги и все вещи покойного. Старик с ней спорил, шумел, отнял у ней книг сколько мог, набил ими все свои карманы, наложил их в шляпу, куда мог, носился с ними все три дня и даже не расстался с ними и тогда, когда нужно было идти в церковь. Все эти дни он был как беспамятный, как одурелый

и с какою-то странною заботливостию всё хлопотал около гроба: то оправлял венчик на покойнике, то зажигал и снимал свечи. Видно было, что мысли его ни на чем не могли остановиться порядком. Ни матушка, ни Анна Федоровна не были в церкви на отпевании. Матушка была больна, а Анна Федоровна совсем было уж собралась, да поссорилась со стариком Покровским и осталась. Была только одна я да старик. Во время службы на меня напал какой-то страх — словно предчувствие будущего. Я едва могла выстоять в церкви. Наконец гроб закрыли, заколотили, поставили на телегу и повезли. Я проводила его только до конца улицы. Извозчик поехал рысью. Старик бежал за ним и громко плакал; плач его дрожал и прерывался от бега. Бедный потерял свою шляпу и не остановился поднять ее. Голова его мокла от дождя; поднимался ветер; изморозь секла и колола лицо. Старик, кажется, не чувствовал непогоды и с плачем перебегал с одной стороны телеги на другую. Полы его ветхого сюртука развевались по ветру, как крылья. Из всех карманов торчали книги; в руках его была какая-то огромная книга, за которую он крепко держался. Прохожие снимали шапки и крестились. Иные останавливались и дивились на бедного старика. Книги поминутно падали у него из карманов в грязь. Его останавливали, показывали ему на потерю; он поднимал и опять пускался вдогонку за гробом. На углу улицы увязалась с ним вместе провожать гроб какая-то нищая старуха. Телега поворотила наконец за угол и скрылась от глаз моих. Я пошла домой. Я бросилась в страшной тоске на грудь матушки. Я сжимала ее крепко-крепко в руках своих, целовала ее и навзрыд плакала, боязливо прижимаясь к ней, как бы стараясь удержать в своих объятиях последнего друга моего и не отдавать его смерти... Но смерть уже стояла над бедной матушкой!...
....

Июня 11.

Как я благодарна вам за вчерашнюю прогулку на острова, Макар Алексеевич! Как там свежо, хорошо, какая там зелень! Я так давно не видала зелени; когда я была больна, мне всё казалось, что я умереть должна и что умру непременно; судите же, что́ я должна была вчера ощущать, как чувствовать! Вы не сердитесь на меня за то, что я была вчера такая грустная; мне было очень хорошо, очень легко, но в самые лучшие минуты мои мне всегда отчего-то грустно. А что я плакала, так это пустяки; я и сама не знаю, отчего я всё плачу. Я больно, раздражительно чувствую; впечатления мои болезненны. Безоблачное, бледное небо, закат солнца, вечернее затишье — всё это, — я уж не знаю, — но я как-то настроена была вчера принимать все впечатления тяжело и мучительно, так что сердце переполнялось и душа просила слез. Но зачем я вам всё это пишу? Всё это трудно сердцу сказывается, а пересказывать еще труднее. Но вы меня, может быть, и поймете. И грусть и смех! Какой вы, право, добрый, Макар Алексеевич! Вчера вы так и смотрели мне в глаза, чтоб прочитать в них то, что я чувствую, и восхищались восторгом моим. Кусточек ли, аллея, полоса воды — уж вы тут; так и стоите передо мной, охорашиваясь, и всё в глаза мне заглядываете, точно мне свои владения показывали. Это доказывает, что у вас доброе сердце, Макар Алексеевич. За это-то я вас и люблю. Ну, прощайте. Я сегодня опять больна; вчера я ноги промочила и оттого простудилась; Федора тоже чем-то больна, так что мы обе теперь хворые. Не забывайте меня, заходите почаще.

Ваша

В. Д.

Июня 12.

Голубчик мой, Варвара Алексеевна!

А я-то думал, маточка, что вы мне всё вчерашнее настоящими стихами опишете, а у вас и всего-то вышел один простой листик. Я к тому говорю, что вы хотя и мало мне в листке вашем написали, но зато необыкновенно хорошо и сладко описали. И природа, и разные картины сельские, и всё остальное про чувства — одним словом, всё это вы очень хорошо описали. А вот у меня так нет таланту. Хоть десять страниц намарай, никак ничего не выходит, ничего не опишешь. Я уж пробовал. Пишете вы мне, родная моя, что я человек добрый, незлобивый, ко вреду ближнего неспособный и благость Господню, в природе являемую, разумеющий, и разные, наконец, похвалы воздаете мне. Всё это правда, маточка, всё это совершенная правда; я и действительно таков, как вы говорите, и сам это знаю; но как прочтешь такое, как вы пишете, так поневоле умилится сердце, а потом разные тягостные рассуждения придут. А вот прислушайте меня, маточка, я кое-что расскажу вам, родная моя.

Начну с того, что было мне всего семнадцать годочков, когда я на службу явился, и вот уже скоро тридцать лет стукнет моему служебному поприщу. Ну, нечего сказать, износил я вицмундиров довольно; возмужал, поумнел, людей посмотрел; пожил, могу сказать, что пожил на свете, так, что меня хотели даже раз к получению креста представить. Вы, может быть, не верите, а я вам, право, не лгу. Так что же, маточка, — нашлись на всё это злые люди! А скажу я вам, родная моя, что я хоть и темный человек, глупый человек, пожалуй, но сердце-то у меня такое же, как и у другого кого. Так знаете ли, Варенька, что сделал мне злой человек? А срамно сказать, что он сделал; спро́сите — отчего сделал? А оттого, что я смирненький, а оттого, что я тихонький, а оттого, что добренький! Не пришелся им по нраву, так вот и пошло на меня. Сначала началось тем, что, «дескать, вы, Макар Алексеевич, того да сего»; а потом стало — «что, дескать, у Макара Алексеевича и не спрашивайте». А теперь заключили тем, что, «уж конечно, это Макар Алексеевич!» Вот, маточка, видите ли, как дело пошло: всё на Макара Алексеевича; они только и умели сделать, что в пословицу ввели Макара Алексеевича в целом ведомстве нашем. Да мало того, что из меня пословицу и чуть ли не бранное слово сделали, — до сапогов, до мундира, до волос, до фигуры моей добрались: всё не по них, всё переделать нужно! И ведь это всё с незапамятных времен каждый божий день повторяется. Я привык, потому что я ко всему привыкаю, потому что я смирный человек, потому что я маленький человек; но, однако же, за что это всё? Что я кому дурного сделал? Чин перехватил у кого-нибудь, что ли? Перед высшими кого-нибудь очернил? Награждение перепросил! Кабалу стряпал, что ли, какую-нибудь? Да грех вам и подумать-то такое, маточка! Ну куда мне всё это? Да вы только рассмотрите, родная моя, имею ли я способности, достаточные для коварства и честолюбия? Так за что же напасти такие на меня, прости господи? Ведь вы же находите меня человеком достойным, а вы не в пример лучше всех их. Ведь какая самая наибольшая гражданская добродетель? Отнеслись намедни в частном разговоре Евстафий Иванович, что наиважнейшая добродетель гражданская — деньгу уметь зашибить. Говорили они шуточкой (я знаю, что шуточкой), нравоучение же то, что не нужно быть никому в тягость собою; а я никому не в тягость! У меня кусок хлеба есть свой; правда, простой кусок хлеба, подчас даже черствый; но он есть, трудами добытый, законно и безукоризненно употребляемый. Ну что ж делать! Я ведь и сам знаю, что я немного делаю тем, что переписываю; да все-таки я этим горжусь: я работаю, я пот проливаю. Ну что ж тут в самом деле такого, что переписываю!

Что, грех переписывать, что ли? «Он, дескать, переписывает!» «Эта, дескать, крыса чиновник переписывает!» Да что же тут бесчестного такого? Письмо такое четкое, хорошее, приятно смотреть, и его превосходительство довольны; я для них самые важные бумаги переписываю. Ну, слогу нет, ведь я это сам знаю, что нет его, проклятого; вот потому-то я и службой не взял, и даже вот к вам теперь, родная моя, пишу спроста, без затей и так, как мне мысль на сердце ложится... Я это всё знаю; да, однако же, если бы все сочинять стали, так кто же бы стал переписывать? Я вот какой вопрос делаю и вас прошу отвечать на него, маточка. Ну, так я и сознаю теперь, что я нужен, что я необходим и что нечего вздором человека с толку сбивать. Ну, пожалуй, пусть крыса, коли сходство нашли! Да крыса-то эта нужна, да крыса-то пользу приносит, да за крысу-то эту держатся, да крысе-то этой награждение выходит, — вот она крыса какая! Впрочем, довольно об этой материи, родная моя; я ведь и не о том хотел говорить, да так, погорячился немного. Все-таки приятно от времени до времени себе справедливость воздать. Прощайте, родная моя, голубчик мой, утешительница вы моя добренькая! Зайду, непременно к вам зайду, проведаю вас, моя ясочка. А вы не скучайте покамест. Книжку вам принесу. Ну, прощайте же, Варенька.

Ваш сердечный доброжелатель

Макар Девушкин.

Июня 20.

Милостивый государь, Макар Алексеевич!

Пишу я к вам наскоро, спешу, работу к сроку кончаю. Видите ли, в чем дело: можно покупку сделать хорошую. Федора говорит, что продается у ее знакомого какого-то вицмундир форменный, совершенно новехонький, нижнее платье, жилетка и фуражка, и, говорят, всё весьма дешево; так вот вы бы купили. Ведь вы теперь не нуждаетесь, да и деньги у вас есть; вы сами говорите, что есть. Полноте, пожалуйста, не скупитесь; ведь это всё нужное. Посмотрите-ка на себя, в каком вы старом платье ходите. Срам! всё в заплатках. Нового-то у вас нет; это я знаю, хоть вы и уверяете, что есть. Уж бог знает, куда вы его с рук сбыли. Так послушайтесь же меня, купите, пожалуйста. Для меня это сделайте; коли меня любите, так купите.

Вы мне прислали белья в подарок; но послушайте, Макар Алексеевич, ведь вы разоряетесь. Шутка ли, сколько вы на меня истратили, — ужас сколько денег! Ах, как же вы любите мотать! Мне не нужно; всё это было совершенно лишнее. Я знаю, я уверена, что вы меня любите; право, лишнее напоминать мне это подарками; а мне тяжело их принимать от вас; я знаю, чего они вам стоят. Единожды навсегда — полноте; слышите ли? Прошу вас, умоляю вас. Просите вы меня, Макар Алексеевич, прислать продолжение записок моих; желаете, чтоб я их докончила. Я не знаю, как написалось у меня и то, что у меня написано! Но у меня сил недостанет говорить теперь о моем прошедшем; я и думать об нем не желаю; мне страшно становится от этих воспоминаний. Говорить же о бедной моей матушке, оставившей свое бедное дитя в добычу этим чудовищам, мне тяжелее всего. У меня сердце кровью обливается при одном воспоминании. Всё это еще так свежо; я не успела одуматься, не только успокоиться, хотя всему этому уже с лишком год. Но вы знаете всё.

Я вам говорила о теперешних мыслях Анны Федоровны; она меня же винит в неблагодарности и отвергает всякое обвинение о сообществе ее с господином Быковым! Она зовет меня к себе; говорит, что я христарадничаю, что я по худой дороге пошла. Говорит, что если я ворочусь к ней, то она берется уладить всё дело с господином Быковым и заставит его загладить всю вину его передо мною. Она говорит, что господин Быков хочет мне дать приданое. Бог с ними! Мне хорошо и здесь с вами, у доброй моей Федоры, которая своею привязанностию ко мне напоминает мне мою покойницу няню. Вы хоть дальний родственник мой, но защищаете меня своим именем. А их я не знаю; я позабуду их, если смогу. Чего еще они хотят от меня? Федора говорит, что это всё сплетни, что они оставят наконец меня. Дай-то бог!

В. Д.

Июня 21.

Голубушка моя, маточка!

Хочу писать, а не знаю, с чего и начать. Ведь вот как же это странно, маточка, что мы теперь так с вами живем. Я к тому говорю, что я никогда моих дней не проводил в такой радости. Ну, точно домком и семейством меня благословил Господь! Деточка вы моя, хорошенькая! да что это вы там толкуете про четыре рубашечки-то, которые я вам послал. Ведь надобно же вам их было, — я от Федоры узнал. Да мне, маточка, это особое счастие вас удовлетворять; уж это мое удовольствие, уж вы меня оставьте, маточка; не троньте меня и не прекословьте мне. Никогда со мною не бывало такого, маточка. Я вот в свет пустился теперь. Во-первых, живу вдвойне, потому что и вы тоже живете весьма близко от меня и на утеху мне; а во-вторых, пригласил меня сегодня на чай один жилец, сосед мой, Ратазяев, тот самый чиновник, у которого сочинительские вечера бывают. Сегодня собрание; будем литературу читать. Вот мы теперь как, маточка, — вот! Ну, прощайте. Я ведь это всё так написал, безо всякой видимой цели и единственно для того, чтоб уведомить вас о моем благополучии. Приказали вы, душенька, через Терезу сказать, что вам шелчку цветного для вышиванья нужно; куплю, маточка, куплю, и шелчку куплю. Завтра же буду иметь наслаждение удовлетворить вас вполне. Я и купить-то где знаю. А сам теперь пребываю

другом вашим искренним

Макаром Девушкиным.

Июня 22.

Милостивая государыня, Варвара Алексеевна!

Уведомляю вас, родная моя, что у нас в квартире случилось прежалостное происшествие, истинно-истинно жалости достойное! Сегодня, в пятом часу утра, умер у Горшкова маленький. Я не знаю только от чего, скарлатина, что ли, была какая-то, господь его знает! Навестил я этих Горшковых. Ну, маточка, вот бедно-то у них! И какой беспорядок! Да и не диво: всё семейство живет в одной комнате, только что ширмочками для благопристойности разгороженной. У них уж и гробик стоит — простенький, но довольно хорошенький гробик; готовый купили, мальчик-то был лет девяти; надежды, говорят, подавал. А жалость смотреть на них, Варенька! Мать не плачет, но такая грустная, бедная. Им, может быть, и легче, что вот уж один с плеч долой; а у них еще двое осталось, грудной да девочка маленькая, так лет шести будет с небольшим. Что за приятность, в самом деле, видеть, что вот де страдает ребенок, да еще детище родное, а ему и помочь даже нечем! Отец сидит в старом, засаленном фраке, на изломанном стуле.

Слезы текут у него, да, может быть, и не от горести, а так, по привычке, глаза гноятся. Такой он чудной! Всё краснеет, когда с ним заговоришь, смешается и не знает, что отвечать. Маленькая девочка, дочка, стоит прислонившись к гробу, да такая, бедняжка, скучная, задумчивая! А не люблю я, маточка, Варенька, когда ребенок задумывается; смотреть неприятно! Кукла какая-то из тряпок на полу возле нее лежит, — не играет; на губах пальчик держит; стоит себе — не пошевелится. Ей хозяйка конфетку дала; взяла, а не ела. Грустно, Варенька, — а?

Макар Девушкин.

Июня 25.

Любезнейший Макар Алексеевич! Посылаю вам вашу книжку обратно. Это пренегодная книжонка! — и в руки брать нельзя. Откуда выкопали вы такую драгоценность? Кроме шуток, неужели вам нравятся такие книжки, Макар Алексеевич? Вот мне так обещались на днях достать чего-нибудь почитать. Я и с вами поделюсь, если хотите. А теперь до свидания. Право, некогда писать более.

В. Д.

Июня 26.

Милая Варенька! Дело-то в том, что я действительно не читал этой книжонки, маточка. Правда, прочел несколько, вижу, что блажь, так, ради смехотворства одного написано, чтобы людей смешить; ну, думаю, оно, должно быть, и в самом деле весело; авось и Вареньке понравится; взял да и послал ее вам.

А вот обещался мне Ратазяев дать почитать чего-нибудь настоящего литературного, ну, вот вы и будете с книжками, маточка. Ратазяев-то смекает, — дока; сам пишет, ух как пишет! Перо такое бойкое и слогу пропасть; то есть этак в каждом слове, — чего-чего, — в самом пустом, вот-вот в самом обыкновенном, подлом слове, что хоть бы и я иногда Фальдони или Терезе сказал, вот и тут у него слог есть. Я и на вечерах у него бываю. Мы табак курим, а он нам читает, часов по пяти читает, а мы всё слушаем. Объедение, а не литература! Прелесть такая, цветы, просто цветы; со всякой страницы букет вяжи! Он обходительный такой, добрый, ласковый. Ну, что я перед ним, ну что? Ничего. Он человек с репутацией, а я что? Просто — не существую; а и ко мне благоволит. Я ему кое-что переписываю. Вы только не думайте, Варенька, что тут проделка какая-нибудь, что он вот именно оттого и благоволит ко мне, что я переписываю. Вы сплетням-то не верьте, маточка, вы сплетням-то подлым не верьте! Нет, это я сам от себя, по своей воле, для его удовольствия делаю, а что он ко мне благоволит, так это уж он для моего удовольствия делает. Я деликатность-то поступка понимаю, маточка. Он добрый, очень добрый человек и бесподобный писатель.

А хорошая вещь литература, Варенька, очень хорошая; это я от них третьего дня узнал. Глубокая вещь! Сердце людей укрепляющая, поучающая, и — разное там еще обо всем об этом в книжке у них написано. Очень хорошо написано! Литература — это картина, то есть в некотором роде картина и зеркало; страсти выраженье, критика такая тонкая, поучение к назидательности и документ. Это я всё у них нанатся. Откровенно скажу вам, маточка, что ведь сидишь между ними, слушаешь (тоже, как и они, трубку куришь, пожалуй), — а как начнут они состязаться да спорить об разных материях, так уж тут я просто пасую, тут, маточка, нам с вами чисто пасовать придется. Тут я просто болван болваном оказываюсь, самого себя стыдно, так что целый вечер приискиваешь, как бы в общую-то материю хоть полсловечка ввернуть, да вот этого-то полсловечка как нарочно и нет! И пожалеешь, Варенька, о себе, что сам-то не того да не так; что, по пословице — вырос, а ума не вынес. Ведь что я теперь в свободное время делаю? Сплю, дурак дураком. А то бы вместо спанья-то ненужного можно было бы и приятным заняться; этак сесть бы да и пописать. И себе полезно и другим хорошо. Да что, маточка, вы посмотрите-ка только, сколько берут они, прости им Господь! Вот хоть бы и Ратазяев, — как берет! Что ему лист написать? Да он в иной день и по пяти писывал, а по триста рублей, говорит, за лист берет. Там анекдотец какой-нибудь или из любопытного что-нибудь — пятьсот, дай не дай, хоть тресни, да дай! а нет — так мы и по тысяче другой раз в карман кладем! Каково, Варвара Алексеевна? Да что! Там у него стишков тетрадочка есть, и стишок всё такой небольшой, — семь тысяч, маточка, семь тысяч просит, подумайте. Да ведь это имение недвижимое, дом капитальный! Говорит, что пять тысяч дают ему, да он не берет. Я его урезониваю, говорю — возьмите, дескать, батюшка, пять-то тысяч от них, да и плюньте им, — ведь деньги пять тысяч! Нет, говорит, семь дадут, мошенники. Увертливый, право, такой!

А что, маточка, уж если на то пошло, так я вам, так и быть, выпишу из «Итальянских страстей» местечко. Это у него сочинение так называется. Вот прочтите-ка, Варенька, да посудите сами.

«...Владимир вздрогнул, и страсти бешено заклокотали в нем, и кровь вскипела...

— Графиня, — вскричал он, — графиня! Знаете ли вы, как ужасна эта страсть, как беспредельно это безумие? Нет, мои мечты меня не обманывали! Я люблю, люблю восторженно, бешено, безумно! Вся кровь твоего мужа не зальет бешеного, клокочущего восторга души моей! Ничтожные препятствия не остановят всеразрывающего, адского огня, бороздящего мою истомленную грудь. О Зинаида, Зинаида!..

— Владимир!.. — прошептала графиня вне себя, склоняясь к нему на плечо...

— Зинаида! — закричал восторженный Смельский.

Из груди его испарился вздох. Пожар вспыхнул ярким пламенем на алтаре любви и взбороздил грудь несчастных страдальцев.

— Владимир!.. — шептала в упоении графиня. Грудь ее вздымалась, щеки ее багровели, очи горели...

Новый, ужасный брак был совершен!
. . . .
. . . .
Через полчаса старый граф вошел в будуар жены своей.

— А что, душечка, не приказать ли для дорогого гостя самоварчик поставить? — сказал он, потрепав жену по щеке».

Ну вот, я вас спрошу, маточка, после этого — ну, как вы находите? Правда, немножко вольно, в этом спору нет, но зато хорошо. Уж что хорошо, так хорошо! А вот, позвольте, я вам еще отрывочек выпишу из повести «Ермак и Зюлейка».

Представьте себе, маточка, что казак Ермак, дикий и грозный завоеватель Сибири, влюблен в Зюлейку, дочь сибирского царя Кучума, им в полон взятую. Событие прямо из времен Ивана Грозного, как вы видите. Вот разговор Ермака и Зюлейки:

«— Ты любишь меня, Зюлейка! О, повтори, повтори!..

— Я люблю тебя, Ермак, — прошептала Зюлейка.

— Небо и земля, благодарю вас! я счастлив!.. Вы дали мне всё, всё, к чему с отроческих лет стремился взволнованный дух мой. Так вот куда вела ты меня, моя звезда путеводная; так вот для чего ты привела меня сюда, за Каменный Пояс! Я покажу всему свету мою Зюлейку, и люди, бешеные чудовища, не посмеют обвинять меня! О, если им понятны эти тайные страдания ее нежной души, если они способны видеть целую поэму в одной слезинке моей Зюлейки! О, дай мне стереть поцелуями эту слезинку, дай мне выпить ее, эту небесную слезинку... неземная!

— Ермак, — сказала Зюлейка, — свет зол, люди несправедливы! Они будут гнать, они осудят нас, мой милый Ермак! Что будет делать бедная дева, взросшая среди родных снегов Сибири, в юрте отца своего, в вашем холодном, ледяном, бездушном, самолюбивом свете? Люди не поймут меня, желанный мой, мой возлюбленный!

— Тогда казацкая сабля взовьется над ними и свистнет! — вскричал Ермак, дико блуждая глазами».

Каков же теперь Ермак, Варенька, когда он узнает, что его Зюлейка зарезана. Слепой старец Кучум, пользуясь темнотою ночи, прокрался, в отсутствие Ермака, в его шатер и зарезал дочь свою, желая нанесть смертельный удар Ермаку, лишившему его скипетра и короны.

«— Любо мне шаркать железом о камень! — закричал Ермак в диком остервенении, точа булатный нож свой о шаманский камень. — Мне нужно их крови, крови! Их нужно пилить, пилить, пилить!!!»

И после всего этого Ермак, будучи не в силах пережить свою Зюлейку, бросается в Иртыш, и тем всё кончается.

Ну а это, например, так, маленький отрывочек, в шуточно-описательном роде, собственно для смехотворства написанный:

«Знаете ли вы Ивана Прокофьевича Желтопуза? Ну, вот тот самый, что укусил за ногу Прокофия Ивановича. Иван Прокофьевич человек крутого характера, но зато редких добродетелей; напротив того, Прокофий Иванович чрезвычайно любит редьку с медом. Вот когда еще была с ним знакома Пелагея Антоновна... А вы знаете Пелагею Антоновну? Ну, вот та самая, которая всегда юбку надевает наизнанку».

Да ведь это умора, Варенька, просто умора! Мы со смеху катались, когда он читал нам это. Этакой он, прости его господи! Впрочем, маточка, оно хоть и немного затейливо и уж слишком игриво, но зато невинно, без малейшего вольнодумства и либеральных мыслей. Нужно заметить, маточка, что Ратазяев прекрасного поведения и потому превосходный писатель, не то что другие писатели.

А что, в самом деле, ведь вот иногда придет же мысль в голову... ну что, если б я написал что-нибудь, ну что тогда будет? Ну вот, например, положим, что вдруг, ни с того ни с сего, вышла бы в свет книжка под титулом — «Стихотворения Макара Девушкина»! Ну что бы вы тогда сказали, мой ангельчик? Как бы вам это представилось и подумалось? А я про себя скажу, маточка, что как моя книжка-то вышла бы в свет, так я бы решительно тогда на Невский не смел бы показаться. Ведь каково это было бы, когда бы всякий сказал, что вот де идет сочинитель литературы и пиита Девушкин, что вот, дескать, это и есть сам Девушкин! Ну что бы я тогда, например, с моими сапогами стал делать? Они у меня, замечу вам мимоходом, маточка, почти всегда в заплатках, да и подметки, по правде сказать, отстают иногда весьма неблагопристойно. Ну что тогда б было, когда бы все узнали, что вот у сочинителя Девушкина сапоги в заплатках! Какая-нибудь там контесса-дюшесса узнала бы, ну что бы она-то, душка, сказала? Она-то, может быть, и не заметила бы; ибо, как я полагаю, контессы не занимаются сапогами, к тому же чиновничьими сапогами (потому что ведь сапоги сапогам рознь), да ей бы рассказали про всё, свои бы приятели меня выдали. Да вот Ратазяев бы первый выдал; он к графине В. ездит; говорит, что каждый раз бывает у ней, и за-просто бывает. Говорит, душка такая она, литературная, говорит, дама такая. Петля этот Ратазяев!

Да, впрочем, довольно об этой материи; я ведь это всё так пишу, ангельчик мой, ради баловства, чтобы вас потешить. Прощайте, голубчик мой! Много я вам тут настрочил, но это, собственно, оттого, что я сегодня в самом веселом душевном расположении. Обедали-то мы все вместе сегодня у Ратазяева, так (шалуны они, маточка!) пустили в ход такой романеи... ну да уж что вам писать об этом! Вы только смотрите не придумайте там чего про меня, Варенька. Я ведь это всё так. Книжек пришлю, непременно пришлю... Ходит здесь по рукам Поль де Кока одно сочинение, только Поль де Кока-то вам, маточка, и не будет... Ни-ни! для вас Поль де Кок не годится. Говорят про него, маточка, что он всех критиков петербургских в благородное негодование приводит. Посылаю вам фунтик конфеток, — нарочно для вас купил. Скушайте, душечка, да при каждой конфетке меня поминайте. Только леденец-то вы не грызите, а так пососите его только, а то зубки разболятся. А вы, может быть, и цукаты любите? — вы напишите. Ну, прощайте же, прощайте. Христос с вами, голубчик мой. А я пребуду навсегда

вашим вернейшим другом

Макаром Девушкиным.

Июня 27.

Милостивый государь,
Макар Алексеевич!

Федора говорит, что если я захочу, то некоторые люди с удовольствием примут участие в моем положении и выхлопочут мне очень хорошее место в один дом, в гувернантки. Как вы думаете, друг мой, — идти или нет? Конечно, я вам тогда не буду в тягость, да и место, кажется, выгодное; но, с другой стороны, как-то жутко идти в незнакомый дом. Они какие-то помещики. Станут обо мне узнавать, начнут расспрашивать, любопытствовать — ну что я скажу тогда? К тому же я такая нелюдимка, дикарка; люблю пообжиться в привычном угле надолго. Как-то лучше там, где привыкнешь: хоть и с горем пополам живешь, а все-таки лучше. К тому же на выезд; да еще бог знает, какая должность будет; может быть, просто детей нянчить заставят. Да и люди-то такие: меняют уж третью гувернантку в два года. Посоветуйте же мне, Макар Алексеевич, ради бога, идти или нет? Да что вы никогда сами не зайдете ко мне? изредка только глаза покажете. Почти только по воскресеньям у обедни и видимся. Экой же вы нелюдим какой! Вы точно как я! А ведь я вам почти родная. Не любите вы меня, Макар Алексеевич, а мне иногда одной очень грустно бывает. Иной раз, особенно в сумерки, сидишь себе одна-одинешенька. Федора уйдет куда-нибудь. Сидишь, думаешь-думаешь, — вспоминаешь всё старое, и радостное, и грустное, — всё идет перед глазами, всё мелькает, как из тумана. Знакомые лица являются (я почти наяву начинаю видеть), — матушку вижу чаще всего... А какие бывают сны у меня! Я чувствую, что здоровье мое расстроено; я так слаба; вот и сегодня, когда вставала утром с постели, мне дурно сделалось; сверх того, у меня такой дурной кашель! Я чувствую, я знаю, что скоро умру. Кто-то меня похоронит? Кто-то за гробом моим пойдет? Кто-то обо мне пожалеет?.. И вот придется, может быть, умереть в чужом месте, в чужом доме, в чужом угле!.. Боже мой, как грустно жить, Макар Алексеевич! Что вы меня, друг мой, всё конфетами кормите? Я, право, не знаю, откудова вы денег столько берете? Ах, друг мой, берегите деньги, ради бога, берегите их. Федора продает ковер, который я вышила; дают пятьдесят рублей ассигнациями. Это очень хорошо: я думала, меньше будет. Я Федоре дам три целковых да себе сошью платьице, так, простенькое, потеплее. Вам жилетку сделаю, сама сделаю и материи хорошей выберу.

Федора мне достала книжку — «Повести Белкина», которую вам посылаю, если захотите читать. Пожалуйста, только не запачкайте и не задержите: книга чужая; это Пушкина сочинение. Два года тому назад мы читали эти повести вместе с матушкой, и теперь мне так грустно было их перечитывать. Если у вас есть какие-нибудь книги, то пришлите мне, — только в таком случае, когда вы их не от Ратазяева получили. Он, наверно, даст своего сочинения, если он что-нибудь напечатал. Как это вам нравятся его сочинения, Макар Алексеевич? Такие пустяки... Ну, прощайте! как я заболталась! Когда мне грустно, так я рада болтать, хоть об чем-нибудь. Это лекарство: тотчас легче сделается, а особливо если выскажешь всё, что лежит на сердце. Прощайте, прощайте, мой друг!

Ваша

В. Д.

Июня 28.

Маточка, Варвара Алексеевна!

Полно кручиниться! Как же это не стыдно вам! Ну полноте, ангельчик мой; как это вам такие мысли приходят? Вы не больны, душечка, вовсе не больны; вы цветете, право цветете; бледненьки немножко, а все-таки цветете. И что это у вас за сны да за видения такие! Стыдно, голубчик мой, полноте; вы плюньте на сны-то эти, просто плюньте. Отчего же я сплю хорошо? Отчего же мне ничего не делается? Вы посмотрите-ка на меня, маточка. Живу себе, сплю покойно, здоровехонек, молодец молодцом, любо смотреть. Полноте, полноте, душечка, стыдно. Исправьтесь. Я ведь головку-то вашу знаю, маточка, чуть что-нибудь найдет, вы уж и пошли мечтать да тосковать о чем-то. Ради меня перестаньте, душенька. В люди идти? — никогда! Нет, нет и нет! Да и что это вам думается такое, что это находит на вас? Да еще и на выезд! Да нет же, маточка, не позволю, вооружаюсь всеми силами против такого намерения. Мой фрак старый продам и в одной рубашке стану ходить по улицам, а уж вы у нас нуждаться не будете. Нет, Варенька, нет; уж я знаю вас! Это блажь, чистая блажь! А что верно, так это то, что во всем Федора одна виновата: она, видно, глупая баба, вас на всё надоумила. А вы ей, маточка, не верьте. Да вы еще, верно, не знаете всего-то, душенька?.. Она баба глупая, сварливая, вздорная; она и мужа своего покойника со свету выжила. Или она, верно, вас рассердила там как-нибудь? Нет, нет, маточка, ни за что! И я-то как же буду тогда, что мне-то останется делать? Нет, Варенька, душенька, вы это из головки-то выкиньте. Чего вам недостает у нас? Мы на вас не нарадуемся, вы нас любите — так и живите себе там смирненько; шейте или читайте, а пожалуй, и не шейте, — всё равно, только с нами живите. А то вы сами посудите, ну на что это будет похоже тогда?.. Вот я вам книжек достану, а потом, пожалуй, и опять куда-нибудь гулять соберемся. Только вы-то полноте, маточка, полноте, наберитесь ума и из пустяков не блажите! Я к вам приду, и в весьма скором времени, только вы за это мое прямое и откровенное признание примите: нехорошо, душенька, право нехорошо! Я, конечно, неученый человек и сам знаю, что неученый, что на медные деньги учился, да я и не к тому и речь клоню, не во мне тут и дело-то, а за Ратазяева заступлюсь, воля ваша. Он мне друг, потому я за него и заступлюсь. Он хорошо пишет, очень, очень и опять-таки очень хорошо пишет. Не соглашаюсь я с вами и никак не могу согласиться. Писано цветисто, отрывисто, с фигурами, разные мысли есть; очень хорошо! Вы, может быть, без чувства читали, Варенька, или не в духе были, когда читали, на Федору за что-нибудь рассердились, или что-нибудь у вас там нехорошее вышло. Нет, вы прочтите-ка это с чувством, получше, когда вы довольны и веселы и в расположении духа приятном находитесь, вот, например, когда конфетку во рту держите, — вот когда прочтите. Я не спорю (кто же против этого), есть и лучше Ратазяева писатели, есть даже и очень лучшие, но и они хороши, и Ратазяев хорош; они хорошо пишут, и он хорошо пишет. Он себе особо, он так себе пописывает, и очень хорошо делает, что пописывает. Ну, прощайте, маточка; писать более не могу; нужно спешить, дело есть. Смотрите же, маточка, ясочка ненаглядная, успокойтесь, и Господь да пребудет с вами, а я пребываю

вашим верным другом

Макаром Девушкиным.

P. S. Спасибо за книжку, родная моя, прочтем и Пушкина; а сегодня я, повечеру, непременно зайду к вам.

Июля 1.

Дорогой мой Макар Алексеевич!

Нет, друг мой, нет, мне не житье между вами. Я раздумала и нашла, что очень дурно делаю, отказываясь от такого выгодного места. Там будет у меня по крайней мере хоть верный кусок хлеба; я буду стараться, я заслужу ласку чужих людей, даже постараюсь переменить свой характер, если будет надобно. Оно, конечно, больно и тяжело жить между чужими, искать чужой милости, скрываться и принуждать себя, да бог мне поможет. Не оставаться же век нелюдимкой. Со мною уж бывали такие же случаи. Я помню, когда я, бывало, еще маленькая, в пансион хаживала. Бывало, всё воскресенье дома резвишься, прыгаешь, иной раз и побранит матушка, — всё ничего, всё хорошо на сердце, светло на душе. Станет подходить вечер, и грусть нападет смертельная, нужно в девять часов в пансион идти, а там всё чужое, холодное, строгое, гувернантки по понедельникам такие сердитые, так и щемит, бывало, за душу, плакать хочется; пойдешь в уголок и поплачешь одна-одинешенька, слезы скрываешь, — скажут, ленивая; а я вовсе не о том и плачу, бывало, что учиться надобно. Ну, что ж? я привыкла, и потом, когда выходила из пансиона, так тоже плакала, прощаясь с подружками. Да и нехорошо я делаю, что живу в тягость обоим вам. Эта мысль — мне мученье. Я вам откровенно говорю всё это, потому что привыкла быть с вами откровенною. Разве я не вижу, как Федора встает каждый день раным-ранехонько, да за стирку свою принимается и до поздней ночи работает? — а старые кости любят покой. Разве я не вижу, что вы на меня разоряетесь, последнюю копейку ребром ставите да на меня ее тратите? не с вашим состоянием, мой друг! Пишете вы, что последнее продадите, а меня в нужде не оставите. Верю, друг мой, я верю в ваше доброе сердце — но это вы теперь так говорите. Теперь у вас есть деньги неожиданные, вы получили награждение; но потом что будет, потом? Вы знаете сами — я больная всегда; я не могу так же, как и вы, работать, хотя бы душою рада была, да и работа не всегда бывает. Что же мне остается? Надрываться с тоски, глядя на вас обоих, сердечных. Чем я могу оказать вам хоть малейшую пользу? И отчего я вам так необходима, друг мой? Что я вам хорошего сделала? Я только привязана к вам всею душою, люблю вас крепко, сильно, всем сердцем, но — горька судьба моя! — я умею любить и могу любить, но только, а не творить добро, не платить вам за ваши благодеяния. Не держите же меня более, подумайте и скажите ваше последнее мнение. В ожидании пребываю

вас любящая

В. Д.

Июля 1.

Блажь, блажь, Варенька, просто блажь! Оставь вас так, так вы там головкой своей и чего-чего не передумаете. И то не так и это не так! А я вижу теперь, что это всё блажь. Да чего же вам недостает у нас, маточка, вы только это скажите! Вас любят, вы нас любите, мы все довольны и счастливы — чего же более? Ну а что вы в чужих-то людях будете делать? Ведь вы, верно, еще не знаете, что такое чужой человек?.. Нет, вы меня извольте-ка порасспросить, так я вам скажу, что такое чужой человек. Знаю я его, маточка, хорошо знаю; случалось хлеб его есть. Зол он, Варенька, зол, уж так зол, что сердечка твоего недостанет, так он его истерзает укором, попреком да взглядом дурным. У нас вам тепло, хорошо, — словно в гнездышке приютились. Да и нас-то вы как без головы оставите. Ну что мы будем делать без вас; что я, старик, буду делать тогда? Вы нам не нужны? Не полезны? Как не полезны? Нет, вы, маточка, сами рассудите, как же вы не полезны? Вы мне очень полезны, Варенька. Вы этакое влияние имеете благотворное... Вот я об вас думаю теперь, и мне весело... Я вам иной раз письмо напишу и все чувства в нем изложу, на что подробный ответ от вас получаю. Гардеробцу вам накупил, шляпку сделал; от вас комиссия подчас выходит какая-нибудь, я и комиссию... Нет, как же вы не полезны? Да и что я один буду делать на старости, на что годиться буду? Вы, может быть, об этом и не подумали, Варенька; нет, вы именно об этом подумайте — что вот, дескать, на что он будет без меня-то годиться? Я привык к вам, родная моя. А то что из этого будет? Пойду к Неве, да и дело с концом. Да, право же, будет такое, Варенька; что же мне без вас делать останется! Ах, душечка моя, Варенька! Хочется, видно, вам, чтобы меня ломовой извозчик на Волково свез; чтобы какая-нибудь там нищая старуха-пошлепница одна мой гроб провожала, чтобы меня там песком засыпали, да прочь пошли, да одного там оставили. Грешно, грешно, маточка! Право, грешно, ей-богу, грешно! Отсылаю вам вашу книжку, дружочек мой, Варенька, и если вы, дружочек мой, спросите мнения моего насчет вашей книжки, то я скажу, что в жизнь мою не случалось мне читать таких славных книжек. Спрашиваю я теперь себя, маточка, как же это я жил до сих пор таким олухом, прости господи? Что делал? Из каких я лесов? Ведь ничего-то я не знаю, маточка, ровно ничего не знаю! совсем ничего не знаю! Я вам, Варенька, спроста скажу, — я человек неученый; читал я до сей поры мало, очень мало читал, да почти ничего: «Картину человека», умное сочинение, читал; «Мальчика, наигрывающего разные штучки на колокольчиках» читал да «Ивиковы журавли», — вот только и всего, а больше ничего никогда не читал. Теперь я «Станционного смотрителя» здесь в вашей книжке прочел; ведь вот скажу я вам, маточка, случается же так, что живешь, а не знаешь, что под боком там у тебя книжка есть, где вся-то жизнь твоя как по пальцам разложена. Да и что самому прежде невдогад было, так вот здесь, как начнешь читать в такой книжке, так сам всё помаленьку и припомнишь, и разыщешь, и разгадаешь. И наконец, вот отчего еще я полюбил вашу книжку: иное творение, какое там ни есть, читаешь-читаешь, иной раз хоть тресни — так хитро, что как будто бы его и не понимаешь. Я, например, — я туп, я от природы моей туп, так я не могу слишком важных сочинений читать; а это читаешь, — словно сам написал, точно это, примерно говоря, мое собственное сердце, какое уж оно там ни есть, взял его, людям выворотил изнанкой, да и описал всё подробно — вот как! Да и дело-то простое, бог мой; да чего! право, и я так же бы написал; отчего же бы и не написал? Ведь я то же самое чувствую, вот совершенно так, как и в книжке, да я и сам в таких же положениях подчас находился, как, примерно сказать, этот Самсон-то Вырин, бедняга. Да и сколько между нами-то ходит Самсонов Выриных, таких же горемык сердечных! И как ловко описано всё! Меня чуть слезы не прошибли, маточка, когда я прочел, что он спился, грешный, так, что память потерял, горьким сделался и спит себе целый день под овчинным тулупом, да горе пуншиком захлебывает, да плачет жалостно, грязной полою глаза утирая, когда вспоминает о заблудшей овечке своей, об дочке Дуняше! Нет, это натурально! Вы прочтите-ка; это натурально! это живет! Я сам это видал, — это вот всё около меня живет; вот хоть Тереза — да чего далеко ходить! — вот хоть бы и наш бедный чиновник, — ведь он, может быть, такой же Самсон Вырин, только у него другая фамилия, *Горшков*. Дело-то оно общее, маточка, и над вами и надо мной может случиться. И граф, что на Невском или на набережной живет, и он будет то же самое, так только казаться будет другим, потому что у них всё по-своему, по высшему тону, но и он будет-то же самое, всё может случиться, и со мною то же самое может случиться. Вот оно что, маточка, а вы тут от нас отходить хотите; да ведь грех, Варенька, может застигнуть меня. И себя и меня сгубить можете, родная моя. Ах, ясочка вы моя, выкиньте, ради бога, из головки своей все эти вольные мысли и не терзайте меня напрасно. Ну где же, птенчик вы мой слабенький, неоперившийся, где же вам самое себя прокормить, от погибели себя удержать, от злодеев защититься! Полноте, Варенька, поправьтесь; вздорных советов и наговоров не слушайте, а книжку вашу еще раз прочтите, со вниманием прочтите: вам это пользу принесет.

Говорил я про «Станционного смотрителя» Ратазяеву. Он мне сказал, что это всё старое и что теперь всё пошли книжки с картинками и с разными описаниями; уж я, право, в толк не взял хорошенько, что он тут говорил такое. Заключил же, что Пушкин хорош и что он святую Русь прославил, и много еще мне про него говорил. Да, очень хорошо, Варенька, очень хорошо; прочтите-ка книжку еще раз со вниманием, советам моим последуйте и послушанием своим меня, старика, осчастливьте. Тогда сам Господь наградит вас, моя родная, непременно наградит.

Ваш искренний друг

Макар Девушкин.

Июля 6.

Милостивый государь, Макар Алексеевич!

Федора принесла мне сегодня пятнадцать рублей серебром. Как она была рада, бедная, когда я ей три целковых дала! Пишу вам наскоро. Я теперь крою вам жилетку, — прелесть какая материя, — желтенькая с цветочками. Посылаю вам одну книжку; тут всё разные повести; я прочла кое-какие; прочтите одну из них под названием «Шинель». Вы меня уговариваете в театр идти вместе с вами; не дорого ли это будет? Разве уж куда-нибудь в галерею. Я уж очень давно была в театре, да и, право, не помню когда. Только опять всё боюсь, не дорого ли будет стоить эта затея? Федора только головой покачивает. Она говорит, что вы совсем не по достаткам жить начали; да я и сама это вижу; сколько вы на меня одну истратили! Смотрите, друг мой, не было бы беды. Федора и так мне говорила про какие-то слухи — что вы имели, кажется, спор с вашей хозяйкой за неуплату ей денег; я очень боюсь за вас. Ну, прощайте; я спешу. Дело есть маленькое; я переменяю ленты на шляпке.

В. Д.

P. S. Знаете ли, если мы пойдем в театр, то я надену мою новенькую шляпку, а на плеча черную мантилью. Хорошо ли это будет?

Июля 7.

Милостивая государыня, Варвара Алексеевна!

...Так вот я всё про вчерашнее. Да, маточка, и на нас в оно время блажь находила. Врезался в эту актрисочку, по уши врезался, да это бы еще ничего; а самое-то чудное то, что я ее почти совсем не видал и в театре был всего один раз, а при всем том врезался. Жили тогда со мною стенка об стенку человек пятеро молодого, раззадорного народу. Сошелся я с ними, поневоле сошелся, хотя всегда был от них в пристойных границах. Ну, чтобы не отстать, я и сам им во всем поддакиваю. Насказали они мне об этой актриске! Каждый вечер, как только театр идет, вся компания — на нужное у них никогда гроша не бывало — вся компания отправлялась в театр, в галерею, и уж хлопают-хлопают, вызывают-вызывают эту актриску — просто беснуются! А потом и заснуть не дадут; всю ночь напролет об ней толкуют, всякий ее своей Глашей зовет, все в одну в нее влюблены, у всех одна канарейка на сердце. Раззадорили они и меня, беззащитного; я тогда еще молоденек был. Сам не знаю, как очутился я с ними в театре, в четвертом ярусе, в галерее. Видеть-то я один только краешек занавески видел, зато всё слышал. У актрисочки, точно, голосок был хорошенький, — звонкий, соловьиный, медовый! Мы все руки у себя отхлопали, кричали-кричали, — одним словом, до нас чуть не добрались, одного уж и вывели, правда. Пришел я домой, — как в чаду хожу! в кармане только один целковый рубль оставался, а до жалованья еще добрых дней десять. Так как бы вы думали, маточка? На другой день, прежде чем на службу идти, завернул я к парфюмеру-французу, купил у него духов каких-то да мыла благовонного на весь капитал — уж и сам не знаю, зачем я тогда накупил всего этого? Да и не обедал дома, а всё мимо ее окон ходил. Она жила на Невском, в четвертом этаже. Пришел домой, часочек какой-нибудь там отдохнул и опять на Невский пошел, чтобы только мимо ее окошек пройти. Полтора месяца я ходил таким образом, волочился за нею; извозчиков-лихачей нанимал поминутно и всё мимо ее окон концы давал; замотался совсем, задолжал, а потом уж и разлюбил ее: наскучило! Так вот что актриска из порядочного человека сделать в состоянии, маточка! Впрочем, молоденек-то я, молоденек был тогда!..

М. Д.

Июля 8.

Милостивая государыня моя,
Варвара Алексеевна!

Книжку вашу, полученную мною 6-го сего месяца, спешу возвратить вам и вместе с тем спешу в сем письме моем объясниться с вами. Дурно, маточка, дурно то, что вы меня в такую крайность поставили. Позвольте, маточка: всякое состояние определено Всевышним на долю человеческую. Тому определено быть в генеральских эполетах, этому служить титулярным советником; такому-то повелевать, а такому-то безропотно и в страхе повиноваться. Это уже по способности человека рассчитано; иной на одно способен, а другой на другое, а способности устроены самим Богом. Состою я уже около тридцати лет на службе; служу безукоризненно, поведения трезвого, в беспорядках никогда не замечен. Как гражданин, считаю себя, собственным сознанием моим, как имеющего свои недостатки, но вместе с тем и добродетели. Уважаем начальством, и сами его превосходительство мною довольны; и хотя еще они доселе не оказывали мне особенных знаков благорасположения, но я знаю, что они довольны. Дожил до седых волос; греха за собою большого не знаю. Конечно, кто же в малом не грешен? Всякий грешен, и даже вы грешны, маточка! Но в больших проступках и продерзостях никогда не замечен, чтобы этак против постановлений что-нибудь или в нарушении общественного спокойствия, в этом я никогда не замечен, этого не было — даже крестик выходил — ну да уж что! Всё это вы по совести должны бы были знать, маточка, и он должен бы был знать; уж как взялся описывать, так должен бы был всё знать. Нет, я этого не ожидал от вас, маточка; нет, Варенька! Вот от вас-то именно такого и не ожидал.

Как! Так после этого и жить себе смирно нельзя, в уголочке своем, — каков уж он там ни есть, — жить водой не замутя, по пословице, никого не трогая, зная страх Божий да себя самого, чтобы и тебя не затронули, чтобы и в твою конуру не пробрались да не подсмотрели — что, дескать, как ты себе там по-домашнему, что вот есть ли, например, у тебя жилетка хорошая, водится ли у тебя что следует из нижнего платья; есть ли сапоги, да и чем подбиты они; что ешь, что пьешь, что переписываешь?.. Да и что же тут такого, маточка, что вот хоть бы и я, где мостовая плоховата, пройду иной раз на цыпочках, что я сапоги берегу! Зачем писать про другого, что вот де он иной раз нуждается, что чаю не пьет? А точно все и должны уж так непременно чай пить! Да разве я смотрю в рот каждому, что, дескать, какой он там кусок жует? Кого же я обижал таким образом? Нет, маточка, зачем же других обижать, когда тебя не затрогивают! Ну и вот вам пример, Варвара Алексеевна, вот что значит оно: служишь-служишь, ревностно, усердно, — чего! — и начальство само тебя уважает (уж как бы там ни было, а все-таки уважает), — и вот кто-нибудь под самым носом твоим, безо всякой видимой причины, ни с того ни с сего, испечет тебе пасквиль. Конечно, правда, иногда сошьешь себе что-нибудь новое, — радуешься, не спишь, а радуешься, сапоги новые, например, с таким сладострастием надеваешь — это правда, я ощущал, потому что приятно видеть свою ногу в тонком щегольском сапоге, — это верно описано! Но я все-таки истинно удивляюсь, как Федор-то Федорович без внимания книжку такую пропустили и за себя не вступились. Правда, что он еще молодой сановник и любит подчас покричать; но отчего же и не покричать? Отчего же и не распечь, коли нужно нашего брата распечь. Ну да положим и так, например, для тона распечь — ну и для тона можно; нужно приучать; нужно острастку давать; потому что — между нами будь это, Варенька, — наш брат ничего без острастки не сделает, всякий норовит только где-нибудь числиться, что вот, дескать, я там-то и там-то, а от дела-то бочком да стороночкой. А так как разные чины бывают и каждый чин требует совершенно соответственной по чину распеканции, то естественно, что после этого и тон распеканции выходит разночинный, — это в порядке вещей! Да ведь на том и свет стоит, маточка, что все мы один перед другим тону задаем, что всяк из нас один другого распекает. Без этой предосторожности и свет бы не стоял, и порядка бы не было. Истинно удивляюсь, как Федор Федорович такую обиду пропустили без внимания!

И для чего же такое писать? И для чего оно нужно? Что мне за это шинель кто-нибудь из читателей сделает, что ли? Сапоги, что ли, новые купит? Нет, Варенька, прочтет да еще продолжения потребует. Прячешься иногда, прячешься, скрываешься в том, чем не взял, боишься нос подчас показать — куда бы там ни было, потому что пересуда трепещешь, потому что из всего, что ни есть на свете, из всего тебе пасквиль сработают, и вот уж вся гражданская и семейная жизнь твоя по литературе ходит, всё напечатано, прочитано, осмеяно, пересужено! Да тут и на улицу нельзя показаться будет; ведь тут это всё так доказано, что нашего брата по одной походке узнаешь теперь. Ну, добро бы он под концом-то хоть исправился, что-нибудь бы смягчил, поместил бы, например, хоть после того пункта, как ему бумажки на голову сыпали: что вот, дескать, при всем этом он был добродетелен, хороший гражданин, такого обхождения от своих товарищей не заслуживал, послушествовал старшим (тут бы пример можно какой-нибудь), никому зла не желал, верил в Бога и умер (если ему хочется, чтобы он уж непременно умер) — оплаканный. А лучше всего было бы не оставлять его умирать, беднягу, а сделать бы так, чтобы шинель его отыскалась, чтобы тот генерал, узнавши подробнее об его добродетелях, перепросил бы его в свою канцелярию, повысил чином и дал бы хороший оклад жалованья, так что, видите ли, как бы это было: зло было бы наказано, а добродетель восторжествовала бы, и канцеляристы-товарищи все бы ни с чем и остались. Я бы, например, так сделал; а то что тут у него особенного, что у него тут хорошего? Так, пустой какой-то пример из вседневного, подлого быта. Да и как вы-то решились мне такую книжку прислать, родная моя. Да ведь это злонамеренная книжка, Варенька; это просто неправдоподобно, потому что и случиться не может, чтобы был такой чиновник. Да ведь после такого надо жаловаться, Варенька, формально жаловаться.

Покорнейший слуга ваш

Макар Девушкин.

Июля 27.

Милостивый государь, Макар Алексеевич!

Последние происшествия и письма ваши испугали, поразили меня и повергли в недоумение, а рассказы Федоры объяснили мне всё. Но зачем же было так отчаиваться и вдруг упасть в такую бездну, в какую вы упали, Макар Алексеевич? Ваши объяснения вовсе не удовольствовали меня. Видите ли, была ли я права, когда настаивала взять то выгодное место, которое мне предлагали? К тому же и последнее мое приключение пугает меня не на шутку. Вы говорите, что любовь ваша ко мне заставила вас таиться от меня. Я и тогда уже видела, что многим обязана вам, когда вы уверяли, что издерживаете на меня только запасные деньги свои, которые, как говорили, у вас в ломбарде на всякий случай лежали. Теперь же, когда я узнала, что у вас вовсе не было никаких денег, что вы, случайно узнавши о моем бедственном положении и тронувшись им, решились издержать свое жалованье, забрав его вперед, и продали даже свое платье, когда я больна была, — теперь я, открытием всего этого, поставлена в такое мучительное положение, что до сих пор не знаю, как принять всё это и что думать об этом. Ах! Макар Алексеевич! вы должны были остановиться на первых благодеяниях своих, внушенных вам состраданием и родственною любовью, а не расточать деньги впоследствии на ненужное. Вы изменили дружбе нашей, Макар Алексеевич, потому что не были откровенны со мною, и теперь, когда я вижу, что ваше последнее пошло мне на наряды, на конфеты, на прогулки, на театр и на книги, — то за всё это я теперь дорого плачу сожалением о своей непростительной ветрености (ибо я принимала от вас всё, не заботясь о вас самих); и всё то, чем вы хотели доставить мне удовольствие, обратилось теперь в горе для меня и оставило по себе одно бесполезное сожаление. Я заметила вашу тоску в последнее время, и хотя сама тоскливо ожидала чего-то, но то, что случилось теперь, мне и в ум не входило. Как! вы до такой уже степени могли упасть духом, Макар Алексеевич! Но что теперь о вас подумают, что теперь скажут о вас все, кто вас знает? Вы, которого я и все уважали за доброту души, скромность и благоразумие, вы теперь вдруг впали в такой отвратительный порок, в котором, кажется, никогда не были замечены прежде. Что со мною было, когда Федора рассказала мне, что вас нашли на улице в нетрезвом виде и привезли на квартиру с полицией! Я остолбенела от изумления, хотя и ожидала чего-то необыкновенного, потому что вы четыре дня пропадали. Но подумали ли вы, Макар Алексеевич, что скажут ваши начальники, когда узнают настоящую причину вашего отсутствия? Вы говорите, что над вами смеются все; что все узнали о нашей связи и что и меня упоминают в насмешках своих соседи ваши. Не обращайте внимания на это, Макар Алексеевич, и, ради бога, успокойтесь. Меня пугает еще ваша история с этими офицерами; я об ней темно слышала. Растолкуйте мне, что это всё значит? Пишете вы, что боялись открыться мне, боялись потерять вашим признанием мою дружбу, что были в отчаянии, не зная, чем помочь мне в моей болезни, что продали всё, чтобы поддержать меня и не пускать в больницу, что задолжали сколько возможно задолжать и имеете каждый день неприятности с хозяйкой, — но, скрывая всё это от меня, вы выбрали худшее. Но ведь теперь же я всё узнала. Вы совестились заставить меня сознаться, что я была причиною вашего несчастного положения, а теперь вдвое более принесли мне горя своим поведением. Всё это меня поразило, Макар Алексеевич. Ах, друг мой! несчастие — заразительная болезнь. Несчастным и бедным нужно сторониться друг от друга, чтоб еще более не заразиться. Я принесла вам такие несчастия, которых вы и не испытывали прежде в вашей скромной и уединенной жизни. Всё это мучит и убивает меня.

Напишите мне теперь всё откровенно, что с вами было и как вы решились на такой поступок. Успокойте меня, если можно. Не самолюбие заставляет меня писать теперь о моем спокойствии, но моя дружба и любовь к вам, которые ничем не изгладятся из моего сердца. Прощайте. Жду ответа вашего с нетерпением. Вы худо думали обо мне, Макар Алексеевич.

Вас сердечно любящая

Варвара Доброселова.

Июля 28.

Бесценная моя Варвара Алексеевна!

Ну уж, как теперь всё кончено и всё мало-помалу приходит в прежнее положение, то вот что скажу я вам, маточка: вы беспокоитесь об том, что обо мне подумают, на что спешу объявить вам, Варвара Алексеевна, что амбиция моя мне дороже всего. Вследствие чего и донося вам об несчастиях моих и всех этих беспорядках, уведомляю вас, что из начальства еще никто ничего не знает, да и не будет знать, так что они все будут питать ко мне уважение по-прежнему. Одного боюсь: сплетен боюсь. Дома у нас хозяйка кричит, а теперь, когда я с помощию ваших десяти рублей уплатил ей часть долга, только ворчит, а более ничего. Что же касается до прочих, то и они ничего; у них только не нужно денег взаймы просить, а то и они ничего. А в заключение объяснений моих скажу вам, маточка, что ваше уважение ко мне считаю я выше всего на свете и тем утешаюсь теперь во временных беспорядках моих. Слава богу, что первый удар и первые передряги миновали и вы приняли это так, что не считаете меня вероломным другом и себялюбцем за то, что я вас у себя держал и обманывал вас, не в силах будучи с вами расстаться и любя вас, как моего ангельчика. Рачительно теперь принялся за службу и должность свою стал исправлять хорошо. Евстафий Иванович хоть бы слово сказал, когда я мимо их вчера проходил. Не скрою от вас, маточка, что убивают меня долги мои и худое положение моего гардероба, но это опять ничего, и об этом тоже, молю вас — не отчаивайтесь, маточка. Посылаете мне еще полтинничек, Варенька, и этот полтинничек мне мое сердце пронзил. Так так-то оно теперь стало, так вот оно как! то есть это не я, старый дурак, вам, ангельчику, помогаю, а вы, сироточка моя бедненькая, мне! Хорошо сделала Федора, что достала денег. Я покамест не имею надежд никаких, маточка, на получение, а если чуть возродятся какие-нибудь надежды, то отпишу вам обо всем подробно. Но сплетни, сплетни меня беспокоят более всего. Прощайте, мой ангельчик. Целую вашу ручку и умоляю вас выздоравливать. Пишу оттого не подробно, что в должность спешу, ибо старанием и рачением хочу загладить все вины мои в упущении по службе; дальнейшее же повествование о всех происшествиях и о приключении с офицерами откладываю до вечера.

Вас уважающий и вас сердечно любящий

Макар Девушкин.

Июля 28.

Эх, Варенька, Варенька! Вот именно-то теперь грех на вашей стороне и на совести вашей останется. Письмецом-то своим вы меня с толку последнего сбили, озадачили, да уж только теперь, как я на досуге во внутренность сердца моего проник, так и увидел, что прав был, совершенно был прав. Я не про дебош мой говорю (ну его, маточка, ну его!), а про то, что я люблю вас и что вовсе не неблагоразумно мне было любить вас, вовсе не неблагоразумно. Вы, маточка, не знаете ничего; а вот если бы знали только, отчего это всё, отчего это я должен вас любить, так вы бы не то сказали. Вы это всё резонное-то только так говорите, а я уверен, что на сердце-то у вас вовсе не то.

Маточка моя, я и сам-то не знаю и не помню хорошо всего, что было у меня с офицерами. Нужно вам заметить, ангельчик мой, что до того времени я был в смущении ужаснейшем. Вообразите себе, что уже целый месяц, так сказать, на одной ниточке крепился. Положение было пребедственное. От вас-то я скрывался, да и дома тоже, но хозяйка моя шуму и крику наделала. Оно бы мне и ничего. Пусть бы кричала баба негодная, да одно то, что срам, а второе то, что она, господь ее знает как, об нашей связи узнала и такое про нее на весь дом кричала, что я обомлел да и уши заткнул. Да дело-то в том, что другие своих ушей не затыкали, а, напротив, развесили их. Я и теперь, маточка, куда мне деваться, не знаю...

И вот, ангельчик мой, всё-то это, весь-то этот сброд всяческого бедствия и доконал меня окончательно. Вдруг странные вещи слышу я от Федоры, что в дом к вам явился недостойный искатель и оскорбил вас недостойным предложением; что он вас оскорбил, глубоко оскорбил, я по себе сужу, маточка, потому что и я сам глубоко оскорбился. Тут-то я, ангельчик вы мой, и свихнулся, тут-то я и потерялся и пропал совершенно. Я, друг вы мой, Варенька, выбежал в бешенстве каком-то неслыханном, я к нему хотел идти, греховоднику; я уж и не знал, что я делать хотел, потому что я не хочу, чтобы вас, ангельчика моего, обижали! Ну, грустно было! а на ту пору дождь, слякоть, тоска была страшная!.. Я было уж воротиться хотел... Тут-то я и пал, маточка. Я Емелю встретил, Емельяна Ильича, он чиновник, то есть был чиновник, а теперь уж не чиновник, потому что его от нас выключили. Он уж я и не знаю, что делает, как-то там мается; вот мы с ним и пошли. Тут — ну, да что вам, Варенька, ну, весело, что ли, про несчастия друга своего читать, бедствия его и историю искушений, им претерпенных? На третий день, вечером, уж это Емеля подбил меня, я и пошел к нему, к офицеру-то. Адрес-то я у нашего дворника спросил. Я, маточка, уж если к слову сказать пришлось, давно за этим молодцом примечал; следил его, когда еще он в доме у нас квартировал. Теперь-то я вижу, что я неприличие сделал, потому что я не в своем виде был, когда обо мне ему доложили. Я, Варенька, ничего, по правде, и не помню; помню только, что у него было очень много офицеров, или это двоилось у меня — бог знает. Я не помню также, что я говорил, только я знаю, что я много говорил в благородном негодовании моем. Ну, тут-то меня и выгнали, тут-то меня и с лестницы сбросили, то есть оно не то чтобы совсем сбросили, а только так вытолкали. Вы уж знаете, Варенька, как я воротился; вот оно и всё. Конечно, я себя уронил и амбиция моя пострадала, но ведь этого никто не знает из посторонних-то, никто, кроме вас, не знает; ну а в таком случае это всё равно что как бы его и не было. Может быть, это и так, Варенька, как вы думаете? Что мне только достоверно известно, так это то, что прошлый год у нас Аксентий Осипович таким же образом дерзнул на личность Петра Петровича, но по секрету, он это сделал по секрету. Он его зазвал в сторожевскую комнату, я это всё в щелочку видел; да уж там он как надобно было и распорядился, но благородным образом, потому что этого никто не видал, кроме меня; ну а я ничего, то есть я хочу сказать, что я не объявлял никому. Ну а после этого Петр Петрович и Аксентий Осипович ничего. Петр Петрович, знаете, амбиционный такой, так он и никому не сказал, так что они теперь и кланяются и руки жмут. Я не спорю, я, Варенька, с вами спорить не смею, я глубоко упал и, что всего ужаснее, в собственном мнении своем проиграл, но уж это, верно, мне так на роду было написано, уж это, верно, судьба, — а от судьбы не убежишь, сами знаете. Ну, вот и подробное объяснение несчастий моих и бедствий, Варенька, вот — всё такое, что хоть бы и не читать, так в ту же пору. Я немного нездоров, маточка моя, и всей игривости чувств лишился. Посему теперь, свидетельствуя вам мою привязанность, любовь и уважение, пребываю, милостивая государыня моя, Варвара Алексеевна,

покорнейшим слугою вашим

Макаром Девушкиным.

Июля 20.

Милостивый государь,
Макар Алексеевич!

Я прочла ваши оба письма, да так и ахнула! Послушайте, друг мой, вы или от меня умалчиваете что-нибудь и написали мне только часть всех неприятностей ваших, или... право, Макар Алексеевич, письма ваши еще отзываются каким-то расстройством... Приходите ко мне, ради бога, приходите сегодня; да послушайте, вы знаете, уж так прямо приходите к нам обедать. Я уж и не знаю, как вы там живете и как с хозяйкой вашей уладились. Вы об этом обо всем ничего не пишете и как будто с намерением умалчиваете. Так до свидания, друг мой; заходите к нам непременно сегодня; да уж лучше бы вы сделали, если б и всегда приходили к нам обедать. Федора готовит очень хорошо. Прощайте.

Ваша

Варвара Доброселова.

Августа 1.

Матушка, Варвара Алексеевна!

Рады вы, маточка, что Бог вам случай послал в свою очередь за добро добром отслужить и меня отблагодарить. Я этому верю, Варенька, и в доброту ангельского сердечка вашего верю, и не в укор вам говорю, — только не попрекайте меня, как тогда, что я на старости лет замотался. Ну, уж был грех такой, что ж делать! — если уж хотите непременно, чтобы тут грех какой был; только вот от вас-то, дружочек мой, слушать такое мне многого стоит! А вы на меня не сердитесь, что я это говорю; у меня в груди-то, маточка, всё изныло. Бедные люди капризны, — это уж так от природы устроено. Я это и прежде чувствовал, а теперь еще больше почувствовал. Он, бедный-то человек, он взыскателен; он и на свет-то божий иначе смотрит, и на каждого прохожего косо глядит, да вокруг себя смущенным взором поводит, да прислушивается к каждому слову, — дескать, не про него ли там что говорят? Что вот, дескать, что же он такой неказистый? что бы он такое именно чувствовал? что вот, например, каков он будет с этого боку, каков будет с того боку? И ведомо каждому, Варенька, что бедный человек хуже ветошки и никакого ни от кого уважения получить не может, что уж там ни пиши! они-то, пачкуны-то эти, что уж там ни пиши! — всё будет в бедном человеке так, как и было. А отчего же так и будет по-прежнему? А оттого, что уж у бедного человека, по-ихнему, всё наизнанку должно быть; что уж у него ничего не должно быть заветного, там амбиции какой-нибудь ни-ни-ни! Вон Емеля говорил намедни, что ему где-то подписку делали, так ему за каждый гривенник, в некотором роде, официальный осмотр делали. Они думали, что они даром свои гривенники ему дают — ан нет: они заплатили за то, что им бедного человека показывали. Нынче, маточка, и благодеяния-то как-то чудно делаются... а может быть, и всегда так делались, кто их знает! Или не умеют они делать, или уж мастера большие — одно из двух. Вы, может быть, этого не знали, ну, так вот вам! В чем другом мы пас, а уж в этом известны! А почему бедный человек знает всё это да думает всё такое? А почему? — ну, по опыту! А оттого, например, что он знает, что есть под боком у него такой господин, что вот идет куда-нибудь к ресторану да говорит сам с собой: что вот, дескать, эта голь чиновник что будет есть сегодня? а я соте-папильдьот буду есть, а он, может быть, кашу без масла есть будет. А какое ему дело, что я буду кашу без масла есть? Бывает такой человек, Варенька, бывает, что только об таком и думает. И они ходят, пасквилянты неприличные, да смотрят, что, дескать, всей ли ногой на камень ступаешь али носочком одним; что-де вот у такого-то чиновника, такого-то ведомства, титулярного советника, из сапога голые пальцы торчат, что вот у него локти продраны — и потом там себе это всё и описывают и дрянь такую печатают... А какое тебе дело, что у меня локти продраны? Да уж если вы мне простите, Варенька, грубое слово, так я вам скажу, что у бедного человека на этот счет тот же самый стыд, как и у вас, примером сказать, девический. Ведь вы перед всеми — грубое-то словцо мое простите — разоблачаться не станете; вот так точно и бедный человек не любит, чтобы в его конуру заглядывали, что, дескать, каковы-то там его отношения будут семейные, — вот. А то что было тогда обижать меня, Варенька, купно со врагами моими, на честь и амбицию честного человека посягающими!

Да и в присутствии-то я сегодня сидел таким медвежонком, таким воробьем ощипанным, что чуть сам за себя со стыда не сгорел. Стыдненько мне было, Варенька! Да уж натурально робеешь, когда сквозь одежду голые локти светятся да пуговки на ниточках мотаются. А у меня, как нарочно, всё это было в таком беспорядке! Поневоле упадаешь духом. Чего!.. сам Степан Карлович сегодня начал было по делу со мной говорить, говорил-говорил, да как будто невзначай и прибавил: «Эх вы, батюшка Макар Алексеевич!» — да и не договорил остального-то, об чем он думал, а только я уж сам обо всем догадался да так покраснел, что даже лысина моя покраснела. Оно в сущности-то и ничего, да все-таки беспокойно, на размышления наводит тяжкие. Уж не проведали ли чего они! А боже сохрани, ну, как об чем-нибудь проведали! Я, признаюсь, подозреваю, сильно подозреваю одного человечка. Ведь этим злодеям нипочем! выдадут! всю частную твою жизнь ни за грош выдадут; святого ничего не имеется.

Я знаю теперь, чья это штука: это Ратазяева штука. Он с кем-то знаком в нашем ведомстве, да, верно, так, между разговором, и передал ему всё с прибавлениями; или, пожалуй, рассказал в своем ведомстве, а оно выползло в наше ведомство. А в квартире у нас все всё до последнего знают и к вам в окно пальцем показывают; это уж я знаю, что показывают. А как я вчера к вам обедать пошел, то все они из окон повысовывались, а хозяйка сказала, что вот, дескать, черт с младенцем связались, да и вас она назвала потом неприлично. Но всё же это ничто перед гнусным намерением Ратазяева нас с вами в литературу свою поместить и в тонкой сатире нас описать: он это сам говорил, а мне добрые люди из наших пересказали. Я уж и думать ни о чем не могу, маточка, и решиться не знаю на что. Нечего греха таить, прогневили мы Господа Бога, ангельчик мой! Вы, маточка, мне книжку какую-то хотели, ради скуки, прислать. А ну ее, книжку, маточка! Что она, книжка? Она небылица в лицах! И роман вздор, и для вздора написан, так, праздным людям читать: поверьте мне, маточка, опытности моей многолетней поверьте. И что там, если они вас заговорят Шекспиром каким-нибудь, что, дескать, видишь ли, в литературе Шекспир есть, — так и Шекспир вздор, всё это сущий вздор, и всё для одного пасквиля сделано!

Ваш

Макар Девушкин.

Августа 2.

Милостивый государь, Макар Алексеевич!

Не беспокойтесь ни об чем; даст Господь Бог, всё уладится. Федора достала и себе и мне кучу работы, и мы превесело принялись за дело; может быть, и всё поправим. Подозревает она, что все мои последние неприятности не чужды Анны Федоровны; но теперь мне всё равно. Мне сегодня как-то необыкновенно весело. Вы хотите занимать деньги, — сохрани вас господи! после не оберетесь беды, когда отдавать будет нужно. Лучше живите-ка с нами покороче, приходите к нам почаще и не обращайте внимания на вашу хозяйку. Что же касается до остальных врагов и недоброжелателей ваших, то я уверена, что вы мучаетесь напрасными сомнениями, Макар Алексеевич! Смотрите, ведь я вам говорила прошедший раз, что у вас слог чрезвычайно неровный. Ну, прощайте, до свиданья. Жду вас непременно к себе.

Ваша

В. Д.

Ангельчик мой, Варвара Алексеевна!

Спешу вам сообщить, жизнёночек вы мой, что у меня надежды родились кое-какие. Да позвольте, дочечка вы моя, — пишете, ангельчик, чтоб мне займов не делать? Голубчик вы мой, невозможно без них; уж и мне-то худо, да и с вами-то, чего доброго, что-нибудь вдруг да не так! ведь вы слабенькие; так вот я к тому пишу, что занять-то непременно нужно. Ну, так я и продолжаю.

Замечу вам, Варвара Алексеевна, что в присутствии я сижу рядом с Емельяном Ивановичем. Это не с тем Емельяном, которого вы знаете. Этот, так же как и я, титулярный советник, и мы с ним во всем нашем ведомстве чуть ли не самые старые, коренные служивые. Он добрая душа, бескорыстная душа, да неразговорчивый такой и всегда настоящим медведем смотрит. Зато деловой, перо у него — чистый английский почерк, и если уж всю правду сказать, то не хуже меня пишет, — достойный человек! Коротко мы с ним никогда не сходились, а так только, по обычаю, прощайте да здравствуйте; да если подчас мне ножичек надобился, то, случалось, попрошу — дескать, дайте, Емельян Иванович, ножичка, одним словом, было только то, что общежитием требуется. Вот он и говорит мне сегодня: Макар Алексеевич, что, дескать, вы так призадумались? Я вижу, что добра желает мне человек, да и открылся ему — дескать, так и так, Емельян Иванович, то есть всего не сказал, да и, боже сохрани, никогда не скажу, потому что сказать-то нет духу, а так кое в чем открылся ему, что вот, дескать, стеснен и тому подобное. «А вы бы, батюшка, — говорит Емельян Иванович, — вы бы заняли; вот хоть бы у Петра Петровича заняли, он дает на проценты; я занимал; и процент берет пристойный — неотягчительный». Ну, Варенька, вспрыгнуло у меня сердечко. Думаю-думаю, авось господь ему на душу положит, Петру Петровичу благодетелю, да и даст он мне взаймы. Сам уж и рассчитываю, что вот бы де и хозяйке-то заплатил, и вам бы помог, да и сам бы кругом обчинился, а то такой срам: жутко даже на месте сидеть, кроме того, что вот зубоскалы-то наши смеются, бог с ними! Да и его-то превосходительство мимо нашего стола иногда проходят; ну, сохрани боже, бросят взор на меня да приметят, что я одет неприлично! А у них главное — чистота и опрятность. Они-то, пожалуй, и ничего не скажут, да я-то от стыда умру, — вот как это будет. Вследствие чего я, скрепившись и спрятав свой стыд в дырявый карман, направился к Петру Петровичу и надежды-то полн и ни жив ни мертв от ожидания — всё вместе. Ну, что же, Варенька, ведь всё вздором и кончилось! Он что-то был занят, говорил с Федосеем Ивановичем. Я к нему подошел сбоку, да и дернул его за рукав: дескать, Петр Петрович, а Петр Петрович! Он оглянулся, а я продолжаю: то, дескать, вот так и так, рублей тридцать и т. д. Он сначала было не понял меня, а потом, когда я объяснил ему всё, так он и засмеялся, да и ничего, замолчал. Я опять к нему с тем же. А он мне — заклад у вас есть? А сам уткнулся в свою бумагу, пишет и на меня не глядит. Я немного оторопел. Нет, говорю, Петр Петрович, заклада нет, да и объясняю ему — что вот, дескать, как будет жалованье, так я и отдам, непременно отдам, первым долгом почту. Тут его кто-то позвал, я подождал его, он воротился, да и стал перо чинить, а меня как будто не замечает. А я всё про свое — что, дескать, Петр Петрович, нельзя ли как-нибудь? Он молчит и как будто не слышит, я постоял-постоял, ну, думаю, попробую в последний раз, да и дернул его за рукав. Он хоть бы что-нибудь вымолвил, очинил перо, да и стал писать; я и отошел. Они, маточка, видите ли, может быть, и достойные люди все, да гордые, очень гордые, — что мне! Куда нам до них, Варенька! Я к тому вам и писал всё это. Емельян Иванович тоже засмеялся да головой покачал, зато обнадежил

меня, сердечный. Емельян Иванович достойный человек. Обещал он меня рекомендовать одному человеку; человек-то этот, Варенька, на Выборгской живет,
тоже дает на проценты, 14-го класса какой-то. Емельян Иванович говорит, что
этот уже непременно даст; я завтра, ангельчик мой, пойду, — а? Как вы думаете?
Ведь беда не занять! Хозяйка меня чуть с квартиры не гонит и обедать мне давать
не соглашается. Да и сапоги-то у меня больно худы, маточка, да и пуговок нет...
да того ли еще нет у меня! а ну как из начальства-то кто-нибудь заметит подобное
неприличие? Беда, Варенька, беда, просто беда!

Макар Девушкин.

Августа 4.

Любезный Макар Алексеевич!

Ради бога, Макар Алексеевич, как только можно скорее займите сколько-нибудь денег; я бы ни за что не попросила у вас помощи в теперешних обстоятельствах, но если бы вы знали, каково мое положение! В этой квартире нам никак
нельзя оставаться. У меня случились ужаснейшие неприятности, и если бы вы
знали, в каком я теперь расстройстве и волнении! Вообразите, друг мой: сегодня
утром входит к нам человек незнакомый, пожилых лет, почти старик, с ордена-
ми. Я изумилась, не понимая, чего ему нужно у нас? Федора вышла в это время в
лавочку. Он стал меня расспрашивать, как я живу и что делаю, и, не дождавшись
ответа, объявил мне, что он дядя того офицера; что он очень сердит на племянника за его дурное поведение и за то, что он ославил нас на весь дом; сказал, что
племянник его мальчишка и ветрогон и что он готов взять меня под свою защиту; не советовал мне слушать молодых людей, прибавил, что он соболезнует обо
мне, как отец, что он питает ко мне отеческие чувства и готов мне во всем помогать. Я вся краснела, не знала что и подумать, но не спешила благодарить. Он
взял меня насильно за руку, потрепал меня по щеке, сказал, что я прехорошенькая и что он чрезвычайно доволен тем, что у меня есть на щеках ямочки (бог знает, что он говорил!), и, наконец, хотел меня поцеловать, говоря, что он уже старик (он был такой гадкий!). Тут вошла Федора. Он немного смутился и опять заговорил, что чувствует ко мне уважение за мою скромность и благонравие и что
очень желает, чтобы я его не чуждалась. Потом отозвал в сторону Федору и под
каким-то странным предлогом хотел дать ей сколько-то денег. Федора, разумеется, не взяла. Наконец он собрался домой, повторил еще раз все свои уверения,
сказал, что еще раз ко мне приедет и привезет мне сережки (кажется, он сам был
очень смущен); советовал мне переменить квартиру и рекомендовал мне одну
прекрасную квартиру, которая у него на примете и которая мне ничего не будет
стоить; сказал, что он очень полюбил меня, затем что я честная и благоразумная
девушка, советовал остерегаться развратной молодежи и, наконец, объявил, что
знает Анну Федоровну и что Анна Федоровна поручила ему сказать мне, что она
сама навестит меня. Тут я всё поняла. Я не знаю, что со мною сталось; в первый
раз в жизни я испытывала такое положение; я из себя вышла; я застыдила его совсем. Федора помогла мне и почти выгнала его из квартиры. Мы решили, что это
всё дело Анны Федоровны: иначе с какой стороны ему знать о нас?

Теперь я к вам обращаюсь, Макар Алексеевич, и молю вас о помощи. Не
оставляйте меня, ради бога, в таком положении! Займите, пожалуйста, хоть сколько-нибудь достаньте денег, нам не на что съехать с квартиры, а оставаться
здесь никак нельзя более: так и Федора советует. Нам нужно по крайней мере
рублей двадцать пять; я вам эти деньги отдам; я их заработаю; Федора мне на

днях еще работы достанет, так что если вас будут останавливать большие проценты, то вы не смотрите на них и согласитесь на всё. Я вам всё отдам, только, ради бога, не оставьте меня помощию. Мне многого стоит беспокоить вас теперь, когда вы в таких обстоятельствах, но на вас одного вся надежда моя! Прощайте, Макар Алексеевич, подумайте обо мне, и дай вам бог успеха!

В. Д.

Августа 4.

Голубчик мой, Варвара Алексеевна!

Вот эти-то все удары неожиданные и потрясают меня! Вот такие-то бедствия страшные и убивают дух мой! Кроме того, что сброд этих лизоблюдников разных и старикашек негодных вас, моего ангельчика, на болезненный одр свести хочет, кроме этого всего — они и меня, лизоблюды-то эти, извести хотят. И изведут, клятву кладу, что изведут! Ведь вот и теперь скорее умереть готов, чем вам не помочь! Не помоги я вам, так уж тут смерть моя, Варенька, тут уж чистая, настоящая смерть, а помоги, так вы тогда у меня улетите, как пташка из гнездышка, которую совы-то эти, хищные птицы заклевать собрались. Вот это-то меня и мучает, маточка. Да и вы-то, Варенька, вы-то какие жестокие! Как же вы это? Вас мучают, вас обижают, вы, птенчик мой, страдаете, да еще горюете, что меня беспокоить нужно, да еще обещаетесь долг заработать, то есть, по правде сказать, убиваться будете с вашим здоровьем слабеньким, чтоб меня к сроку выручить. Да ведь вы, Варенька, только подумайте, о чем вы толкуете! Да зачем же вам шить, зачем же работать, головку свою бедную заботою мучить, ваши глазки хорошенькие портить и здоровье свое убивать? Ах, Варенька, Варенька, видите ли, голубчик мой, я никуда не гожусь, и сам знаю, что никуда не гожусь, но я сделаю так, что буду годиться! Я всё превозмогу, я сам работы посторонней достану, переписывать буду разные бумаги разным литераторам, пойду к ним, сам пойду, навяжусь на работу; потому что ведь они, маточка, ищут хороших писцов, я это знаю, что ищут, а вам себя изнурять не дам; пагубного такого намерения не дам вам исполнить. Я, ангельчик мой, непременно займу, и скорее умру, чем не займу. И пишете, голубушка вы моя, чтобы я проценту не испугался большого, — и не испугаюсь, маточка, не испугаюсь, ничего теперь не испугаюсь. Я, маточка, попрошу сорок рублей ассигнациями; ведь не много, Варенька, как вы думаете? Можно ли сорок-то рублей мне с первого слова поверить? то есть, я хочу сказать, считаете ли вы меня способным внушить с первого взгляда вероятие и доверенность? По физиономии-то, по первому взгляду, можно ли судить обо мне благоприятным образом? Вы припомните, ангельчик, способен ли я ко внушению-то? Как вы там от себя полагаете? Знаете ли, страх такой чувствуется, — болезненно, истинно сказать болезненно! Из сорока рублей двадцать пять отлагаю на вас, Варенька; два целковых хозяйке, а остальное назначено для собственной траты. Видите ли, хозяйке-то следовало бы дать и побольше, даже необходимо; но вы сообразите всё дело, маточка, перечтите-ка все мои нужды, так и увидите, что уж никак нельзя более дать, следовательно, нечего и говорить об этом, да и упоминать не нужно. На рубль серебром куплю сапоги; я уж и не знаю, способен ли я буду в старых-то завтра в должность явиться. Платочек шейный тоже был бы необходим, ибо старому скоро год минет; но так как вы мне из старого фартучка вашего не только платок, но и манишку выкроить обещались, то я о платке и думать больше не буду. Так вот, сапоги и платок есть. Теперь пуговки, дружок мой! Ведь вы согласитесь, крошечка моя, что мне без пуговок быть нельзя; а у меня чуть ли не половина борта обсыпалась! Я трепещу, когда подумаю, что его пре-восходительство могут такой беспорядок заметить да скажут — да что скажут! Я, маточка, и не услышу, что скажут; ибо умру, умру, на месте умру, так-таки возь-му да и умру от стыда, от мысли одной! Ох, маточка! Да вот еще останется от всех необходимостей трехрублевик; так вот это на жизнь и на полфунтика табачку; потому что, ангельчик мой, я без табаку-то жить не могу, а уж вот девятый день трубки в рот не брал. Я бы, по совести говоря, купил бы, да и вам ничего не ска-зал, да совестно. Вот у вас там беда, вы последнего лишаетесь, а я здесь разными удовольствиями наслаждаюсь; так вот для того и говорю вам всё это, чтобы угры-зения совести не мучили. Я вам откровенно признаюсь, Варенька, я теперь в крайне бедственном положении, то есть решительно ничего подобного никогда со мной не бывало. Хозяйка презирает меня, уважения ни от кого нет никакого; недостатки страшнейшие, долги; а в должности, где от своего брата чиновника и прежде мне не было Масленицы, — теперь, маточка, и говорить нечего. Я скры-ваю, я тщательно от всех всё скрываю, и сам скрываюсь, и в должность-то вхожу когда, так бочком-бочком, сторонюсь от всех. Ведь это вам только признаться достает у меня силы душевной... А ну, как не даст! Ну, нет, лучше, Варенька, и не думать об этом и такими мыслями заранее не убивать души своей. К тому и пишу это, чтобы предостеречь вас, чтобы сами вы об этом не думали и мыслию злою не мучились. Ах, боже мой, что это с вами-то будет тогда! Оно правда и то, что вы тогда с этой квартиры не съедете, и я буду с вами, — да нет, уж я и не ворочусь тогда, я просто сгину куда-нибудь, пропаду. Вот я вам здесь расписался, а побри-ться бы нужно, оно всё благообразнее, а благообразие всегда умеет найти. Ну, дай-то господи! Помолюсь, да и в путь!

М. Девушкин.

Августа 5.

Любезнейший Макар Алексеевич!

Уж хоть вы-то бы не отчаивались! И так горя довольно. Посылаю вам три-дцать копеек серебром; больше никак не могу. Купите себе там, что вам более нужно, чтобы хоть до завтра прожить как-нибудь. У нас у самих почти ничего не осталось, а завтра уж и не знаю, что будет. Грустно, Макар Алексеевич! Впрочем, не грустите; не удалось, так что ж делать! Федора говорит, что еще не беда, что можно до времени и на этой квартире остаться, что если бы и переехали, так всё бы немного выгадали, и что если захотят, так везде нас найдут. Да только всё как-то нехорошо здесь оставаться теперь. Если бы не грустно было, я бы вам кое-что написала.

Какой у вас странный характер, Макар Алексеевич! Вы уж слишком сильно всё принимаете к сердцу; от этого вы всегда будете несчастнейшим человеком. Я внимательно читаю все ваши письма и вижу, что в каждом письме вы обо мне так мучаетесь и заботитесь, как никогда о себе не заботились. Все, конечно, скажут, что у вас доброе сердце, но я скажу, что оно уж слишком доброе. Я вам даю дру-жеский совет, Макар Алексеевич. Я вам благодарна, очень благодарна за всё, что вы для меня сделали, я всё это очень чувствую; так судите же, каково мне видеть, что вы и теперь, после всех ваших бедствий, которых я была невольною причи-ною, — что и теперь живете только тем, что я живу: моими радостями, моими го-рестями, моим сердцем! Если принимать всё чужое так к сердцу и если так силь-но всему сочувствовать, то, право, есть отчего быть несчастнейшим человеком. Сегодня, когда вы вошли ко мне после должности, я испугалась, глядя на вас. Вы были такой бледный, перепуганный, отчаянный: на вас лица не было, — и всё оттого, что вы боялись мне рассказать о своей неудаче, боялись меня огорчить, меня испугать, а как увидели, что я чуть не засмеялась, то у вас почти всё отлегло от сердца. Макар Алексеевич! вы не печальтесь, не отчаивайтесь, будьте благоразумнее, — прошу вас, умоляю вас об этом. Ну, вот вы увидите, что всё будет хорошо, всё переменится к лучшему; а то вам тяжело будет жить, вечно тоскуя и болея чужим горем. Прощайте, мой друг; умоляю вас, не беспокойтесь слишком обо мне.

В. Д.

Августа 5.

Голубчик мой, Варенька!

Ну, хорошо, ангельчик мой, хорошо! Вы решили, что еще не беда оттого, что я денег не достал. Ну, хорошо, я спокоен, я счастлив на ваш счет. Даже рад, что вы меня, старика, не покидаете и на этой квартире останетесь. Да уж если всё говорить, так и сердце-то мое всё радостию переполнилось, когда я увидел, что вы обо мне в своем письмеце так хорошо написали и чувствам моим должную похвалу воздали. Я это не от гордости говорю, но оттого, что вижу, как вы меня любите, когда об сердце моем так беспокоитесь. Ну, хорошо; что уж теперь об сердце-то моем говорить! Сердце само по себе; а вот вы наказываете, маточка, чтобы я малодушным не был. Да, ангельчик мой, пожалуй, и сам скажу, что не нужно его, малодушия-то; да при всем этом, решите сами, маточка моя, в каких сапогах я завтра на службу пойду! Вот оно что, маточка; а ведь подобная мысль погубить человека может, совершенно погубить. А главное, родная моя, что я не для себя и тужу, не для себя и страдаю; по мне всё равно, хоть бы и в трескучий мороз без шинели и без сапогов ходить, я перетерплю и всё вынесу, мне ничего; человек-то я простой, маленький, — но что люди скажут? Враги-то мои, злые-то языки эти все что заговорят, когда без шинели пойдешь? Ведь для людей и в шинели ходишь, да и сапоги, пожалуй, для них же носишь. Сапоги в таком случае, маточка, душечка вы моя, нужны мне для поддержки чести и доброго имени; в дырявых же сапогах и то и другое пропало, — поверьте, маточка, опытности моей многолетней поверьте; меня, старика, знающего свет и людей, послушайте, а не пачкунов каких-нибудь и марателей.

А я вам еще и не рассказывал в подробности, маточка, как это в сущности всё было сегодня, чего я натерпелся сегодня. А того я натерпелся, столько тяготы душевной в одно утро вынес, чего иной и в целый год не вынесет. Вот оно было как: пошел, во-первых, я раным-ранешенько, чтобы и его-то застать да и на службу поспеть. Дождь был такой, слякоть такая была сегодня! Я, ясочка моя, в шинель-то закутался, иду-иду да всё думаю: «Господи! прости, дескать, мои согрешения и пошли исполнение желаний». Мимо—ской церкви прошел, перекрестился, во всех грехах покаялся да вспомнил, что недостойно мне с Господом Богом уговариваться. Погрузился я в себя самого, и глядеть ни на что не хотелось; так уж, не разбирая дороги, пошел. На улицах было пусто, а кто встречался, так всё такие занятые, озабоченные, да и не диво: кто в такую пору раннюю и в такую погоду гулять пойдет! Артель работников испачканных повстречалась со мною; затолкали меня, мужичье! Робость нашла на меня, жутко становилось, уж я об деньгах-то и думать, по правде, не хотел, — на авось, так на авось! У самого Воскресенского моста у меня подошва отстала, так что уж и сам не знаю, на чем я пошел. А тут наш писарь Ермолаев повстречался со мною, вытянулся, стоит, глазами провожает, словно на водку просит; эх, братец, подумал я, на водку, уж какая тут водка! Устал я ужасно, приостановился, отдохнул немного, да и потянулся дальше. Нарочно разглядывал, к чему бы мыслями прилепиться, развлечься, приободриться: да нет — ни одной мысли ни к чему не мог прилепить, да и загрязнился вдобавок так, что самого себя стыдно стало. Увидел наконец я издали дом деревянный, желтый, с мезонином вроде бельведера — ну, так, думаю, так оно и есть, так и Емельян Иванович говорил, — Маркова дом. (Он и есть этот Марков, маточка, что на проценты дает.) Я уж и себя тут не вспомнил, и ведь знал, что Маркова дом, а спросил-таки будочника — чей, дескать, это, братец, дом? Будочник такой грубиян, говорит нехотя, словно сердится на кого-то, слова сквозь зубы цедит, — да уж так, говорит, это Маркова дом. Будочники эти все такие нечувствительные, — а что мне будочник? А вот всё как-то было впечатление дурное и неприятное, словом, всё одно к одному; изо всего что-нибудь выведешь сходное с своим положением, и это всегда так бывает. Мимо дома-то я три конца дал по улице, и чем больше хожу, тем хуже становится, — нет, думаю, не даст, ни за что не даст! И человек-то я незнакомый, и дело-то мое щекотливое, и фигурой я не беру, — ну, думаю, как судьба решит; чтобы после только не каяться, за попытку не съедят же меня, — да и отворил потихоньку калитку. А тут другая беда: навязалась на меня дрянная, глупая собачонка дворная; лезет из кожи, заливается! И вот такие-то подлые, мелкие случаи и взбесят всегда человека, маточка, и робость на него наведут, и всю решимость, которую заране обдумал, уничтожат; так что я вошел в дом ни жив ни мертв, вошел да прямо еще на беду — не разглядел, что такое внизу впотьмах у порога, ступил да и споткнулся об какую-то бабу, а баба молоко из подойника в кувшины цедила и всё молоко пролила. Завизжала, затрещала глупая баба, — дескать, куда ты, батюшка, лезешь, чего тебе надо? да и пошла причитать про нелегкое. Я, маточка, это к тому замечаю, что всегда со мной такое же случалось в подобного рода делах; знать, уж мне написано так; вечно-то я зацеплюсь за что-нибудь постороннее. Высунулась на шум старая ведьма и чухонка хозяйка, я прямо к ней, — здесь, дескать, Марков живет? Нет, говорит; постояла, оглядела меня хорошенько. «А вам что до него?» Я объясняю ей, что, дескать, так и так, Емельян Иванович, — ну и про остальное, — говорю, дельце есть. Старуха кликнула дочку — вышла и дочка, девочка в летах, босоногая, — «кликни отца; он наверху у жильцов, — пожалуйте». Вошел я. Комната ничего, на стенах картинки висят, всё генералов каких-то портреты, диван стоит, стол круглый, резеда, бальзаминчики, — думаю-думаю, не убраться ли, полно, мне подобру-поздорову, уйти или нет? и ведь, ей-ей, маточка, хотел убежать! Я лучше, думаю, завтра приду; и погода лучше будет, и я-то пережду, — а сегодня вон и молоко пролито, и генералы-то смотрят такие сердитые... Я уж и к двери, да он-то вошел — так себе, седенький, глазки такие вороватенькие, в халате засаленном и веревкой подпоясан. Осведомился к чему и как, а я ему: дескать, так и так, вот Емельян Иванович, — рублей сорок, говорю; дело такое, — да и не договорил. Из глаз его увидал, что проиграно дело. «Нет, уж что, говорит, дело, у меня денег нет; а что у вас заклад, что ли, какой?» Я было стал объяснять, что, дескать, заклада нет, а вот Емельян Иванович, — объясняю, одним словом, что нужно. Выслушав всё, — нет, говорит, что Емельян Иванович! у меня денег нет. Ну, думаю, так, всё так; знал я про это, предчувствовал — ну, просто, Варенька, лучше бы было, если бы земля подо мной расступилась; холод такой, ноги окоченели, мурашки по спине пробежали. Я на него смотрю, а он на меня смотрит да чуть не говорит — что, дескать, ступай-ка ты, брат, здесь тебе нечего делать, — так что, если б в другом случае было бы такое же, так совсем бы засовестился. Да что вам, зачем деньги надобны? (Ведь вот про что спросил, маточка!)

Я было рот разинул, чтобы только так не стоять даром, да он и слушать не стал — нет, говорит, денег нет; я бы, говорит, с удовольствием. Уж я ему представлял, представлял, говорю, что ведь я немножко, я, дескать, говорю, вам отдам, в срок отдам, и что я еще до срока отдам, что и процент пусть какой угодно берет и что я, ей-богу, отдам. Я, маточка, в это мгновение вас вспомнил, все ваши несчастия и нужды вспомнил, ваш полтинничек вспомнил, — да нет, говорит, что проценты, вот если б заклад! А то у меня денег нет, ей-богу нет; я бы, говорит, с удовольствием, — еще и побожился, разбойник!

Ну, тут уж, родная моя, я и не помню, как вышел, как прошел Выборгскую, как на Воскресенский мост попал, устал ужасно, прозяб, продрог и только в десять часов в должность успел явиться. Хотел было себя пообчистить от грязи, да Снегирев, сторож, сказал, что нельзя, что щетку испортишь, а щетка, говорит, барин, казенная. Вот они как теперь, маточка, так что я и у этих господ чуть ли не хуже ветошки, об которую ноги обтирают. Ведь меня что, Варенька, убивает? Не деньги меня убивают, а все эти тревоги житейские, все эти шепоты, улыбочки, шуточки. Его превосходительство невзначай как-нибудь могут отнестись на мой счет, — ох, маточка, времена-то мои прошли золотые! Сегодня перечитал я все ваши письма; грустно, маточка! Прощайте, родная, Господь вас храни!

М. Девушкин.

P. S. Горе-то, мое, Варенька, хотел я вам описать пополам с шуточкой, только, видно, она не дается мне, шуточка-то. Вам хотелось угодить. Я к вам зайду, маточка, непременно зайду, завтра зайду.

Августа 11.

Варвара Алексеевна! голубчик мой, маточка! Пропал я, пропали мы оба, оба вместе, безвозвратно пропали. Моя репутация, амбиция — всё потеряно! Я погиб, и вы погибли, маточка, и вы, вместе со мной, безвозвратно погибли! Это я, я вас в погибель ввел! Меня гонят, маточка, презирают, на смех подымают, а хозяйка просто меня бранить стала; кричала, кричала на меня сегодня, распекала, распекала меня, ниже щепки поставила. А вечером у Ратазяева кто-то из них стал вслух читать одно письмо черновое, которое я вам написал, да выронил невзначай из кармана. Матушка моя, какую они насмешку подняли! Величали, величали нас, хохотали, хохотали, предатели! Я вошел к ним и уличил Ратазяева в вероломстве; сказал ему, что он предатель! А Ратазяев отвечал мне, что я сам предатель, что я конкетами разными занимаюсь; говорит, — вы скрывались от нас, вы, дескать, Ловелас; и теперь все меня Ловеласом зовут, и имени другого нет у меня! Слышите ли, ангельчик мой, слышите ли, — они теперь всё знают, обо всем известны, и об вас, родная моя, знают, и обо всем, что ни есть у вас, обо всем знают! Да чего! и Фальдони туда же, и он заодно с ними; послал я его сегодня в колбасную, так, принести кой-чего; не идет да и только, дело есть, говорит! «Да ведь ты ж обязан», — я говорю. «Да нет же, говорит, не обязан, вы вон моей барыне денег не платите, так я вам и не обязан». Я не вытерпел от него, от необразованного мужика, оскорбления, да и сказал ему дурака; а он мне — «от дурака слышал». Я думаю, что он с пьяных глаз мне такую грубость сказал — да и говорю, ты, дескать, пьян, мужик ты этакой! а он мне: «Вы, что ли, мне поднесли-то? У самих-то есть ли на что опохмелиться; сами у какой-то по гривенничку христарадничаете, — да еще прибавил: — Эх, дескать, а еще барин!» Вот, маточка, вот до чего дошло дело! Жить, Варенька, совестно! точно оглашенный какой-нибудь; хуже чем беспаспортному бродяге какому-нибудь. Бедствия тяжкие! — погиб я, просто погиб! безвозвратно погиб.

М. Д.

Августа 13.

Любезнейший Макар Алексеевич! Над нами всё беды да беды, я уж и сама не знаю, что делать! Что с вами-то будет теперь, а на меня надежда плохая; я сегодня обожгла себе утюгом левую руку; уронила нечаянно, и ушибла и обожгла, всё вместе. Работать никак нельзя, а Федора уж третий день хворает. Я в мучительном беспокойстве. Посылаю вам тридцать копеек серебром; это почти всё последнее наше, а я, бог видит, как желала бы вам помочь теперь в ваших нуждах. До слез досадно! Прощайте, друг мой! Весьма бы вы утешили меня, если б пришли к нам сегодня.

В. Д.

Августа 14.

Макар Алексеевич! что это с вами? Бога вы не боитесь, верно! Вы меня просто с ума сведете. Не стыдно ли вам! Вы себя губите, вы подумайте только о своей репутации! Вы человек честный, благородный, амбиционный — ну, как все узнают про вас! Да вы просто со стыда должны будете умереть! Или не жаль вам седых волос ваших? Ну, боитесь ли вы Бога! Федора сказала, что уже теперь не будет вам более помогать, да и я тоже вам денег давать не буду. До чего вы меня довели, Макар Алексеевич! Вы думаете, верно, что мне ничего, что вы так дурно ведете себя; вы еще не знаете, что я из-за вас терплю! Мне по нашей лестнице и пройти нельзя: все на меня смотрят, пальцем на меня указывают и такие страшные вещи говорят; да, прямо говорят, что *связалась я с пьяницей*. Каково это слышать! Когда вас привозят, то на вас все жильцы с презрением указывают: вот, говорят, того чиновника привезли. А мне-то за вас мочи нет как совестно. Клянусь вам, что я перееду отсюда. Пойду куда-нибудь в горничные, в прачки, а здесь не останусь. Я вам писала, чтоб вы зашли ко мне, а вы не зашли. Знать, вам ничего мои слезы и просьбы, Макар Алексеевич! И откуда вы денег достали? Ради создателя, поберегитесь. Ведь пропадете, ни за что пропадете! И стыд-то и срам-то какой! Вас хозяйка и впустить вчера не хотела, вы в сенях ночевали: я всё знаю. Если б вы знали, как мне тяжело было, когда я всё это узнала. Приходите ко мне, вам будет у нас весело: мы будем вместе читать, будем старое вспоминать. Федора о своих богомольных странствиях рассказывать будет. Ради меня, голубчик мой, не губите себя и меня не губите. Ведь я для вас одного и живу, для вас и остаюсь с вами. Так-то вы теперь! Будьте благородным человеком, твердым в несчастиях; помните, что бедность не порок. Да и чего отчаиваться: это всё временное! Даст Бог — всё поправится, только вы-то удержитесь теперь. Посылаю вам двугривенный, купите себе табаку или всего, что вам захочется, только, ради бога, на дурное не тратьте. Приходите к нам, непременно приходите. Вам, может быть, как и прежде, стыдно будет, но вы не стыдитесь: это ложный стыд. Только бы вы искреннее раскаяние принесли. Надейтесь на Бога. Он всё устроит к лучшему.

В. Д.

Варвара Алексеевна, маточка!

Стыдно мне, ясочка моя, Варвара Алексеевна, совсем застыдился. Впрочем, что ж тут такого, маточка, особенного? Отчего же сердца своего не поразвеселить? Я тогда про подошвы мои и не думаю, потому что подошва вздор и всегда останется простой, подлой, грязной подошвой. Да и сапоги тоже вздор! И мудрецы греческие без сапог хаживали, так чего же нашему-то брату с таким недостойным предметом нянчиться? За что ж обижать, за что ж презирать меня в таком случае? Эх! маточка, маточка, нашли что писать! А Федоре скажите, что она баба вздорная, беспокойная, буйная и вдобавок глупая, невыразимо глупая! Что же касается до седины моей, то и в этом вы ошибаетесь, родная моя, потому что я вовсе не такой старик, как вы думаете. Емеля вам кланяется. Пишете вы, что сокрушались и плакали; а я вам пишу, что я тоже сокрушался и плакал. В заключение желаю вам всякого здоровья и благополучия, а что до меня касается, то я тоже здоров и благополучен и пребываю вашим, ангельчик мой, другом

Макаром Девушкиным.

Милостивая государыня и любезный друг,
Варвара Алексеевна!

Чувствую, что я виноват, чувствую, что я провинился пред вами, да и, по-моему, выгоды-то из этого нет никакой, маточка, что я всё это чувствую, уж что вы там ни говорите. Я и прежде проступка моего всё это чувствовал, но вот упал же духом, с сознанием вины упал. Маточка моя, я не зол и не жестокосерден; а для того чтобы растерзать сердечко ваше, голубка моя, нужно быть не более, не менее как кровожадным тигром, ну а у меня сердце овечье, и я, как и вам известно, не имею позыва к кровожадности; следственно, ангельчик мой, я и не совсем виноват в проступке моем, так же как и ни сердце, ни мысли мои не виноваты; а уж так, я и не знаю, что виновато. Уж такое дело темное, маточка! Тридцать копеек серебром мне прислали, а потом прислали двугривенничек; у меня сердце и заныло, глядя на ваши сиротские денежки. Сами ручку свою обожгли, голодать скоро будете, а пишете, чтоб я табаку купил. Ну, как же мне было поступить в таком случае? Или уж так, без зазрения совести, подобно разбойнику, вас, сироточку, начать грабить! Тут-то я и упал духом, маточка, то есть сначала, чувствуя поневоле, что никуда не гожусь и что я сам немногим разве получше подошвы своей, счел неприличным принимать себя за что-нибудь значащее, а напротив, самого себя стал считать чем-то неприличным и в некоторой степени неблагопристойным. Ну а как потерял к себе самому уважение, как предался отрицанию добрых качеств своих и своего достоинства, так уж тут и всё пропадай, тут уж и падение! Это так уже судьбою определено, и я в этом не виноват. Я сначала вышел немножко поосвежиться. Тут уж всё пришлось одно к одному: и природа была такая слезливая, и погода холодная, и дождь, ну и Емеля тут же случился. Он, Варенька, уже всё заложил что имел, всё у него пошло в свое место, и как я его встретил, так он уже двое суток маковой росинки во рту не видал, так что уж хотел такое закладывать, чего никак и заложить нельзя, затем что и закладов таких не бывает. Ну, что же, Варенька, уступил я более из сострадания к человечеству, чем по собственному влечению. Так вот как грех этот произошел, маточка! Мы уж как вместе с ним плакали! Вас вспоминали. Он предобрый, он очень добрый человек, и весьма чувствительный человек. Я, маточка, сам всё это чувствую; со мной потому и случается-то всё такое, что я очень всё это чувствую. Я знаю, чем я вам, голубчик вы мой, обязан! Узнав вас, я стал, во-первых, и самого себя лучше знать и вас стал любить; а до вас, ангельчик мой, я был одинок и как будто спал, а не жил на свете. Они, злодеи-то мои, говорили, что даже и фигура моя неприличная, и гнушались мною, ну и я стал гнушаться собою; говорили, что я туп, я и в самом деле думал, что я туп, а как вы мне явились, то вы всю мою жизнь осветили темную, так что и сердце и душа моя осветились, и я обрел душевный покой и узнал, что и я не хуже других; что только так, не блещу ничем, лоску нет, тону нет, но все-таки я человек, что сердцем и мыслями я человек. Ну а теперь, почувствовав, что я гоним судьбою, что, униженный ею, предался отрицанию собственного своего достоинства, я, удрученный моими бедствиями, и упал духом. И так как вы теперь всё знаете, маточка, то я умоляю вас слезно не любопытствовать более об этой материи, ибо сердце мое разрывается, и горько, тягостно.

Свидетельствую, маточка, вам почтение мое и пребываю вашим верным

Макаром Девушкиным.

Сентября 3.

Я не докончила прошлого письма, Макар Алексеевич, потому что мне было тяжело писать. Иногда бывают со мной минуты, когда я рада быть одной, одной грустить, одной тосковать, без раздела, и такие минуты начинают находить на меня всё чаще и чаще. В воспоминаниях моих есть что-то такое необъяснимое для меня, что увлекает меня так безотчетно, так сильно, что я по нескольку часов бываю бесчувственна ко всему меня окружающему и забываю всё, всё настоящее. И нет впечатления в теперешней жизни моей, приятного ль, тяжелого, грустного, которое бы не напоминало мне чего-нибудь подобного же в прошедшем моем, и чаще всего мое детство, мое золотое детство! Но мне становится всегда тяжело после подобных мгновений. Я как-то слабею, моя мечтательность изнуряет меня, а здоровье мое и без того всё хуже и хуже становится.

Но сегодня свежее, яркое, блестящее утро, каких мало здесь осенью, оживило меня, и я радостно его встретила. Итак, у нас уже осень! Как я любила осень в деревне! Я еще ребенком была, но и тогда уже много чувствовала. Осенний вечер я любила больше, чем утро. Я помню, в двух шагах от нашего дома, под горой, было озеро. Это озеро, — я как будто вижу его теперь, — это озеро было такое широкое, светлое, чистое, как хрусталь! Бывало, если вечер тих, — озеро покойно; на деревах, что по берегу росли, не шелохнет, вода неподвижна, словно зеркало. Свежо! холодно! Падает роса на траву, в избах на берегу засветятся огоньки, стадо пригонят — тут-то я и ускользну тихонько из дому, чтобы посмотреть на мое озеро, и засмотрюсь, бывало. Какая-нибудь вязанка хворосту горит у рыбаков у самой воды, и свет далеко-далеко по воде льется. Небо такое холодное, синее и по краям разведено всё красными, огненными полосами, и эти полосы всё бледнее и бледнее становятся; выходит месяц; воздух такой звонкий, порхнет ли испуганная пташка, камыш ли зазвенит от легонького ветерка, или рыба всплеснется в воде, — всё, бывало, слышно. По синей воде встает белый пар, тонкий, прозрачный. Даль темнеет; всё как-то тонет в тумане, а вблизи так всё резко обточено, словно резцом обрезано, — лодка, берег, острова; бочка какая-нибудь, брошенная, забытая у самого берега, чуть-чуть колышется на воде, ветка ракитовая с пожелтелыми листьями путается в камыше, — вспорхнет чайка запоздалая, то окунется в холодной воде, то опять вспорхнет и утонет в тумане. Я засматривалась, заслушивалась, — чудно хорошо было мне! А я еще была ребенок, дитя!..

Я так любила осень, — позднюю осень, когда уже уберут хлеба, окончат все работы, когда уже в избах начнутся посиделки, когда уже все ждут зимы. Тогда всё становится мрачнее, небо хмурится облаками, желтые листья стелются тропами по краям обнаженного леса, а лес синеет, чернеет, — особенно вечером, когда спустится сырой туман и деревья мелькают из тумана, как великаны, как безобразные, страшные привидения. Запоздаешь, бывало, на прогулке, отстанешь от других, идешь одна, спешишь, — жутко! Сама дрожишь как лист; вот, думаешь, того и гляди выглянет кто-нибудь страшный из-за этого дупла; между тем ветер пронесется по лесу, загудит, зашумит, завоет так жалобно, сорвет тучу листьев с чахлых веток, закрутит ими по воздуху, и за ними длинною, широкою, шумною стаей, с диким пронзительным криком, пронесутся птицы, так что небо чернеет и всё застилается ими. Страшно станет, а тут, — точно как будто заслышишь кого-то, — чей-то голос, как будто кто-то шепчет: «Беги, беги, дитя, не опаздывай; страшно здесь будет тотчас, беги, дитя!» — ужас пройдет по сердцу, и бежишь-бежишь так, что дух занимается. Прибежишь, запыхавшись, домой; дома шумно, весело; раздадут нам, всем детям, работу: горох или мак шелушить. Сырые дрова трещат в печи; матушка весело смотрит за нашей веселой работой; старая няня Ульяна рассказывает про старое время или страшные сказки про колдунов и мертвецов. Мы, дети, жмемся подружка к подружке, а улыбка у всех на губах. Вот вдруг замолчим разом... чу! шум! как будто кто-то стучит! Ничего не бывало; это гудит самопрялка у старой Фроловны; сколько смеху бывало! А потом ночью не спим от страха; находят такие страшные сны. Проснешься, бывало, шевельнуться не смеешь и до рассвета дрогнешь под одеялом. Утром встанешь свежа, как цветочек. Посмотришь в окно: морозом прохватило всё поле; тонкий, осенний иней повис на обнаженных сучьях; тонким, как лист, льдом подернулось озеро; встает белый пар по озеру; кричат веселые птицы. Солнце светит кругом яркими лучами, и лучи разбивают, как стекло, тонкий лед. Светло, ярко, весело! В печке опять трещит огонь; подсядем все к самовару, а в окна посматривает продрогшая ночью черная наша собака Полкан и приветливо махает хвостом. Мужичок проедет мимо окон на бодрой лошадке в лес за дровами. Все так довольны, так веселы!.. Ах, какое золотое было детство мое!..

Вот я и расплакалась теперь, как дитя, увлекаясь моими воспоминаниями. Я так живо, так живо всё припомнила, так ярко стало передо мною всё прошедшее, а настоящее так тускло, так темно!.. Чем это кончится, чем это всё кончится? Знаете ли, у меня есть какое-то убеждение, какая-то уверенность, что я умру нынче осенью. Я очень, очень больна. Я часто думаю о том, что умру, но всё бы мне не хотелось так умереть, — в здешней земле лежать. Может быть, я опять слягу в постель, как и тогда, весной, а я еще оправиться не успела. Вот и теперь мне очень тяжело. Федора сегодня ушла куда-то на целый день, и я сижу одна. А с некоторого времени я боюсь оставаться одной; мне всё кажется, что со мной в комнате кто-то бывает другой, что кто-то со мной говорит; особенно когда я о чем-нибудь задумаюсь и вдруг очнусь от задумчивости, так что мне страшно становится. Вот почему я вам такое большое письмо написала; когда я пишу, это проходит. Прощайте: кончаю письмо, потому что и бумаги и времени нет. Из вырученных денег за платья мои да за шляпку остался у меня только рубль серебром. Вы дали хозяйке два рубля серебром; это очень хорошо; она замолчит теперь на время.

Поправьте себе как-нибудь платье. Прощайте; я так устала; не понимаю, отчего я становлюсь такая слабая; малейшее занятие меня утомляет. Случится работа — как работать? Вот это-то и убивает меня.

В. Д.

Сентября 5.

Голубчик мой, Варенька!

Я сегодня, ангельчик мой, много испытал впечатлений. Во-первых, у меня голова целый день болела. Чтобы как-нибудь освежиться, вышел я походить по Фонтанке. Вечер был такой темный, сырой. В шестом часу уж смеркается, — вот как теперь! Дождя не было, зато был туман, не хуже доброго дождя. По небу ходили длинными, широкими полосами тучи. Народу ходила бездна по набережной, и народ-то как нарочно был с такими страшными, уныние наводящими лицами, пьяные мужики, курносые бабы-чухонки, в сапогах и простоволосые, артельщики, извозчики, наш брат по какой-нибудь надобности; мальчишки, какой-нибудь слесарский ученик в полосатом халате, испитой, чахлый, с лицом, выкупанным в копченом масле, с замком в руке; солдат отставной, в сажень ростом, — вот какова была публика. Час-то, видно, был такой, что другой публики и быть не могло. Судоходный канал Фонтанка! Барок такая бездна, что не понимаешь, где всё это могло поместиться. На мостах сидят бабы с мокрыми пряниками да с гнилыми яблоками, и всё такие грязные, мокрые бабы. Скучно по Фонтанке гулять! Мокрый гранит под ногами, по бокам дома высокие, черные, закоптелые; под ногами туман, над головой тоже туман. Такой грустный, такой темный был вечер сегодня.

Когда я поворотил в Гороховую, так уж смерклось совсем и газ зажигать стали. Я давненько-таки не был в Гороховой, — не удавалось. Шумная улица! Какие лавки, магазины богатые; всё так и блестит и горит, материя, цветы под стеклами, разные шляпки с лентами. Подумаешь, что это всё так, для красы разложено — так нет же: ведь есть люди, что всё это покупают и своим женам дарят. Богатая улица! Немецких булочников очень много живет в Гороховой; тоже, должно быть, народ весьма достаточный. Сколько карет поминутно ездит; как это всё мостовая выносит! Пышные экипажи такие, стекла, как зеркало, внутри бархат и шелк; лакеи дворянские, в эполетах, при шпаге. Я во все кареты заглядывал, всё дамы сидят, такие разодетые, может быть и княжны и графини. Верно, час был такой, что все на балы и в собрания спешили. Любопытно увидеть княгиню и вообще знатную даму вблизи; должно быть, очень хорошо; я никогда не видал; разве вот так, как теперь, в карету заглянешь. Про вас я тут вспомнил. Ах, голубчик мой, родная моя! как вспомню теперь про вас, так всё сердце изныває! Отчего вы, Варенька, такая несчастная? Ангельчик мой! да чем же вы-то хуже их всех? Вы у меня добрая, прекрасная, ученая; отчего же вам такая злая судьба выпадает на долю? Отчего это так всё случается, что вот хороший-то человек в запустенье находится, а к другому кому счастие само напрашивается? Знаю, знаю, маточка, что нехорошо это думать, что это вольнодумство; но по искренности, по правде-истине, зачем одному еще во чреве матери прокаркнула счастье ворона-судьба, а другой из дома воспитательного на свет божий выходит? И ведь бывает же так, что счастье-то часто Иванушке-дурачку достается. Ты, дескать, Иванушка-дурачок, ройся в мешках дедовских, пей, ешь, веселись, а ты, такой-сякой, только облизывайся; ты, дескать, на то и годишься, ты, братец, вот какой! Грешно, маточка, оно грешно этак думать, да тут поневоле как-то грех в душу лезет. Ездили бы и вы в карете такой же, родная моя, ясочка. Взгляда благосклонного вашего генералы ловили бы, — не то что наш брат; ходили бы вы не в холстинковом ветхом платьице, а в шелку да в золоте. Были бы вы не худенькие, не чахленькие, как теперь, а как фигурка сахарная, свеженькая, румяная, полная. А уж я бы тогда и тем одним счастлив был, что хоть бы с улицы на вас в ярко освещенные окна взглянул, что хоть бы тень вашу увидал; от одной мысли, что вам там счастливо и весело, птичка вы моя хорошенькая, и я бы повеселел. А теперь что! Мало того, что злые люди вас погубили, какая-нибудь там дрянь, забулдыга вас обижает. Что фрак-то на нем сидит гоголем, что в лорнетку-то золотую он на вас смотрит, бесстыдник, так уж ему всё с рук сходит, так уж и речь его непристойную снисходительно слушать надо! Полно, так ли, голубчики! А отчего же это всё? А оттого, что вы сирота, оттого, что вы беззащитная, оттого, что нет у вас друга сильного, который бы вам опору пристойную дал. А ведь что это за человек, что это за люди, которым сироту оскорбить нипочем? Это какая-то дрянь, а не люди, просто дрянь; так себе, только числятся, а на деле их нет, и в этом я уверен. Вот они каковы, эти люди! А по-моему, родная моя, вот тот шарманщик, которого я сегодня в Гороховой встретил, скорее к себе почтение внушит, чем они. Он хоть целый день ходит да мается, ждет залежалого, негодного гроша на пропитание, да зато он сам себе господин, сам себя кормит. Он милостыни просить не хочет; зато он для удовольствия людского трудится, как заведенная машина, — вот, дескать, чем могу, принесу удовольствие. Нищий, нищий он, правда, всё тот же нищий; но зато благородный нищий; он устал, он прозяб, но всё трудится, хоть по-своему, а все-таки трудится. И много есть честных людей, маточка, которые хоть немного зарабатывают по мере и полезности труда своего, но никому не кланяются, ни у кого хлеба не просят. Вот и я точно так же, как и этот шарманщик, то есть я не то, вовсе не так, как он, но в своем смысле, в благородном-то, в дворянском-то отношении точно так же, как и он, по мере сил тружусь, чем могу, дескать. Большего нет от меня; ну, да на нет и суда нет.

Я к тому про шарманщика этого заговорил, маточка, что случилось мне бедность свою вдвойне испытать сегодня. Остановился я посмотреть на шарманщика. Мысли такие лезли в голову, — так я, чтобы рассеяться, остановился. Стою я, стоят извозчики, девка какая-то, да еще маленькая девочка, вся такая запачканная. Шарманщик расположился перед чьими-то окнами. Замечаю малютку, мальчика, так себе лет десяти; был бы хорошенький, да на вид больной такой, чахленький, в одной рубашонке да еще в чем-то, чуть ли не босой стоит, разиня рот музыку слушает — детский возраст! загляделся, как у немца куклы танцуют, а у самого и руки и ноги окоченели, дрожит да кончик рукава грызет. Примечаю, что в руках у него бумажечка какая-то. Прошел один господин и бросил шарманщику какую-то маленькую монетку; монетка прямо упала в тот ящик с огородочкой, в котором представлен француз, танцующий с дамами. Только что звякнула монетка, встрепенулся мой мальчик, робко осмотрелся кругом да, видно, на меня подумал, что я деньги дал. Подбежал он ко мне, ручонки дрожат у него, голосенок дрожит, протянул он ко мне бумажку и говорит: записка! Развернул я записку — ну что, всё известное: дескать, благодетели мои, мать у детей умирает, трое детей голодают, так вы нам теперь помогите, а вот, как я умру, так за то, что птенцов моих теперь не забыли, на том свете вас, благодетели мои, не забуду. Ну, что тут; дело ясное, дело житейское, а что мне им дать? Ну и не дал ему ничего. А как было жаль! Мальчик бедненький, посинелый от холода, может быть и голодный, и не врет, ей-ей, не врет; я это дело знаю. Но только то дурно, что зачем эти гадкие матери детей не берегут и полуголых с записками на такой холод посылают. Она, может быть, глупая баба, характера не имеет; да за нее и постараться, может быть, некому, так она и сидит, поджав ноги, может быть, и вправду больная. Ну, да всё обратиться бы, куда следует; а впрочем, может быть, и просто мошенница, нарочно голодного и чахлого ребенка обманывать народ посылает, на болезнь наводит. И чему научится бедный мальчик с этими записками? Только сердце его ожесточается; ходит он, бегает, просит. Ходят люди, да некогда им. Сердца у них каменные; слова их жестокие. «Прочь! убирайся! шалишь!» Вот что слышит он от всех, и ожесточается сердце ребенка, и дрожит напрасно на холоде бедненький, запуганный мальчик, словно птенчик, из разбитого гнездышка выпавший. Зябнут у него руки и ноги; дух занимается. Посмотришь, вот он уж и кашляет; тут недалеко ждать, и болезнь, как гад нечистый, заползет ему в грудь, а там, глядишь, и смерть уж стоит над ним, где-нибудь в смрадном углу, без ухода, без помощи — вот и вся его жизнь! Вот какова она, жизнь-то бывает! Ох, Варенька, мучительно слышать Христа ради, и мимо пройти, и не дать ничего, сказать ему: «Бог подаст». Иное Христа ради еще ничего. (И Христа ради-то разные бывают, маточка.) Иное долгое, протяжное, привычное, заученное, прямо нищенское; этому еще не так мучительно не подать, это долгий нищий, давнишний, по ремеслу нищий, этот привык, думаешь, он перемежет и знает, как перемочь. А иное Христа ради непривычное, грубое, страшное, — вот как сегодня, когда я было от мальчика записку взял, тут же у забора какой-то стоял, не у всех и просил, говорит мне: «Дай, барин, грош ради Христа!» — да таким отрывистым, грубым голосом, что я вздрогнул от какого-то страшного чувства, а не дал гроша: не было. А еще люди богатые не любят, чтобы бедняки на худой жребий вслух жаловались, — дескать, они беспокоят, они-де назойливы! Да и всегда бедность назойлива, — спать, что ли, мешают их стоны голодные!

Признательно вам сказать, родная моя, начал я вам описывать это всё частию, чтоб сердце отвести, а более для того, чтоб вам образец хорошего слогу моих сочинений показать. Потому что вы, верно, сами сознаетесь, маточка, что у меня с недавнего времени слог формируется. Но теперь на меня такая тоска нашла, что я сам моим мыслям до глубины души стал сочувствовать, и хотя я сам знаю, маточка, что этим сочувствием не возьмешь, но все-таки некоторым образом справедливость воздашь себе. И подлинно, родная моя, часто самого себя безо всякой причины уничтожаешь, в грош не ставишь и ниже щепки какой-нибудь сортируешь. А если сравнением выразиться, так это, может быть, оттого происходит, что я сам запуган и загнан, как хоть бы и этот бедненький мальчик, что милостыни у меня просил. Теперь я вам, примерно, иносказательно буду говорить, маточка; вот послушайте-ка меня: случается мне, моя родная, рано утром, на службу спеша, заглядеться на город, как он там пробуждается, встает, дымится, кипит, гремит, — тут иногда так перед таким зрелищем умалишься, что как будто бы щелчок какой получил от кого-нибудь по любопытному носу, да и поплетешься тише воды, ниже травы своею дорогою и рукой махнешь! Теперь же разглядите-ка, что в этих черных, закоптелых, больших, капитальных домах делается, вникните в это, и тогда сами рассудите, справедливо ли было без толку сортировать себя и в недостойное смущение входить. Заметьте, Варенька, что я иносказательно говорю, не в прямом смысле. Ну, посмотрим, что там такое в этих домах? Там в каком-нибудь дымном углу, в конуре сырой какой-нибудь, которая, по нужде, за квартиру считается, мастеровой какой-нибудь от сна пробудился; а во сне-то ему, примерно говоря, всю ночь сапоги снились, что вчера он подрезал нечаянно, как будто имен-

но такая дрянь и должна человеку сниться! Ну да ведь он мастеровой, он сапожник: ему простительно всё об одном предмете своем думать. У него там дети пи-
щат и жена голодная; и не одни сапожники встают иногда так, родная моя. Это
бы и ничего, и писать бы об этом не стоило, но вот какое выходит тут обстоятельство, маточка: тут же, в этом же доме, этажом выше или ниже, в позлащен-
ных палатах, и богатейшему лицу всё те же сапоги, может быть, ночью снились,
то есть на другой манер сапоги, фасона другого, но все-таки сапоги; ибо в
смысле-то, здесь мною подразумеваемом, маточка, все мы, родная моя, выхо-
дим немного сапожники. И это бы всё ничего, но только то дурно, что нет никого подле этого богатейшего лица, нет человека, который бы шепнул ему на
ухо, что «полно, дескать, о таком думать, о себе одном думать, для себя одного
жить, ты, дескать, не сапожник, у тебя дети здоровы и жена есть не просит;
оглянись кругом, не увидишь ли для забот своих предмета более благородного,
чем свои сапоги!» Вот что хотел я сказать вам иносказательно, Варенька. Это,
может быть, слишком вольная мысль, родная моя, но эта мысль иногда бывает,
иногда приходит и тогда поневоле из сердца горячим словом выбивается. И потому не от чего было в грош себя оценять, испугавшись одного шума и грома!
Заключу же тем, маточка, что вы, может быть, подумаете, что я вам клевету говорю, или что это так, хандра на меня нашла, или что я это из книжки какой
выписал? Нет, маточка, вы разуверьтесь, — не то: клеветою гнушаюсь, хандра
не находила и ни из какой книжки ничего не выписывал, — вот что!

Пришел я в грустном расположении духа домой, присел к столу, нагрел себе
чайник, да и приготовился стаканчик-другой чайку хлебнуть. Вдруг, смотрю,
входит ко мне Горшков, наш бедный постоялец. Я еще утром заметил, что он всё
что-то около жильцов шныряет и ко мне хотел подойти. А мимоходом скажу, маточка, что их житье-бытье не в пример моего хуже. Куда! жена, дети! Так что если
бы я был Горшков, так уж я не знаю, что бы я на его месте сделал! Ну, так вот, вошел мой Горшков, кланяется, слезинка у него, как и всегда, на ресницах гноит-
ся, шаркает ногами, а сам слова не может сказать. Я его посадил на стул, правда
на изломанный, да другого не было. Чайку предложил. Он извинялся, долго извинялся, наконец, однако же, взял стакан. Хотел было без сахару пить, начал
опять извиняться, когда я стал уверять его, что нужно взять сахару, долго спорил,
отказываясь, наконец положил в свой стакан самый маленький кусочек и стал
уверять, что чай необыкновенно сладок. Эк, до уничижения какого доводит людей нищета! «Ну, как же, что, батюшка»? — сказал я ему. «Да вот так и так, дескать, благодетель вы мой, Макар Алексеевич, явите милость Господню, окажите
помощь семейству несчастному; дети и жена, есть нечего; отцу-то, мне-то, говорит, каково!» Я было хотел говорить, да он меня прервал: «Я, дескать, всех боюсь
здесь, Макар Алексеевич, то есть не то что боюсь, а так, знаете, совестно; люди-то они всё гордые и кичливые. Я бы, говорю, вас, батюшка и благодетель
мой, и утруждать бы не стал: знаю, что у вас самих неприятности были, знаю, что
вы многого и не можете дать, но хоть что-нибудь взаймы одолжите; и потому, говорит, просить вас осмелился, что знаю ваше доброе сердце, знаю, что вы сами
нуждались, что сами и теперь бедствия испытываете — и что сердце-то ваше потому и чувствует сострадание». Заключил же он тем, что, дескать, простите мою
дерзость и мое неприличие, Макар Алексеевич. Я отвечаю ему, что рад бы душой, да что нет у меня ничего, ровно нет ничего. «Батюшка, Макар Алексеевич, — говорит он мне, — я многого и не прошу, а вот так и так (тут он весь покраснел), жена, говорит, дети, — голодно — хоть гривенничек какой-нибудь».
Ну, тут уж мне самому сердце защемило. Куда, думаю, меня перещеголяли! А
всего-то у меня и оставалось двадцать копеек, да я на них рассчитывал: хотел зав-

тра на свои крайние нужды истратить. «Нет, голубчик мой, не могу; вот так и так», — говорю. «Батюшка, Макар Алексеевич, хоть что хотите, говорит, хоть десять копеечек». Ну, я ему и вынул из ящика и отдал свои двадцать копеек, маточка, всё доброе дело! Эк, нищета-то! Разговорился я с ним: да как же вы, батюшка, спрашиваю, так зануждались, да еще при таких нуждах комнату в пять рублей серебром нанимаете? Объяснил он мне, что полгода назад нанял и деньги внес вперед за три месяца; да потом обстоятельства такие сошлись, что ни туда ни сюда ему, бедному. Ждал он, что дело его к этому времени кончится. А дело у него неприятное. Он, видите ли, Варенька, за что-то перед судом в ответе находится. Тягается он с купцом каким-то, который сплутовал подрядом с казною; обман открыли, купца под суд, а он в дело-то свое разбойничье и Горшкова запутал, который тут как-то также случился. А по правде-то Горшков виновен только в нерадении, в неосмотрительности и в непростительном упущении из вида казенного интереса. Уж несколько лет дело идет: всё препятствия разные встречаются против Горшкова. «В бесчестии же, на меня вводимого, — говорит мне Горшков, — неповинен, нисколько неповинен, в плутовстве и грабеже неповинен». Дело это его замарало немного; его исключили из службы, и хотя не нашли, что он капитально виновен, но, до совершенного своего оправдания, он до сих пор не может выправить с купца какой-то знатной суммы денег, ему следуемой и перед судом у него оспариваемой. Я ему верю, да суд-то ему на слово не верит; дело-то оно такое, что всё в крючках да в узлах таких, что во сто лет не распутаешь. Чуть немного распутают, а купец еще крючок да еще крючок. Я принимаю сердечное участие в Горшкове, родная моя, соболезную ему. Человек без должности; за ненадежность никуда не принимается; что было запасу, проели; дело запутано, а между тем жить было нужно; а между тем ни с того ни с сего, совершенно некстати, ребенок родился, — ну, вот издержки; сын заболел — издержки, умер — издержки; жена больна; он нездоров застарелой болезнью какой-то: одним словом, пострадал, вполне пострадал. Впрочем, говорит, что ждет на днях благоприятного решения своего дела и что уж в этом теперь и сомнения нет никакого. Жаль, жаль, очень жаль его, маточка! Я его обласкал. Человек-то он затерянный, запутанный; покровительства ищет, так вот я его и обласкал. Ну, прощайте же, маточка, Христос с вами, будьте здоровы. Голубчик вы мой! Как вспомню об вас, так точно лекарство приложу к больной душе моей, и хоть страдаю за вас, но и страдать за вас мне легко.

Ваш истинный друг

Макар Девушкин.

Сентября 9.

Матушка, Варвара Алексеевна!

Пишу вам вне себя. Я весь взволнован страшным происшествием. Голова моя вертится кругом. Я чувствую, что всё кругом меня вертится. Ах, родная моя, что я расскажу вам теперь! Вот мы и не предчувствовали этого. Нет, я не верю, чтобы я не предчувствовал; я всё это предчувствовал. Всё это заранее слышалось моему сердцу! Я даже намедни во сне что-то видел подобное.

Вот что случилось! Расскажу вам без слога, а так, как мне на душу господь положит. Пошел я сегодня в должность. Пришел, сижу, пишу. А нужно вам знать, маточка, что я и вчера писал тоже. Ну, так вот, вчера подходит ко мне Тимофей Иванович и лично изволит наказывать, что — вот, дескать, бумага нужная, спешная. Перепишите, говорит, Макар Алексеевич, почище, поспешно и тщательно: сегодня к подписанию идет. Заметить вам нужно, ангельчик, что вчерашнего дня я был сам не свой, ни на что и глядеть не хотелось; грусть, тоска такая напала! На сердце холодно, на душе темно; в памяти всё вы были, моя бедная ясочка. Ну, вот я принялся переписывать; переписал чисто, хорошо, только уж не знаю, как вам точнее сказать, сам ли нечистый меня попутал, или тайными судьбами какими определено было, или просто так должно было сделаться, — только пропустил я целую строчку; смысл-то и вышел господь его знает какой, просто никакого не вышло. С бумагой-то вчера опоздали и подали ее на подписание его превосходительству только сегодня. Я как ни в чем не бывало являюсь сегодня в обычный час и располагаюсь рядком с Емельяном Ивановичем. Нужно вам заметить, родная, что я с недавнего времени стал вдвое более прежнего совеститься и в стыд приходить. Я в последнее время и не глядел ни на кого. Чуть стул заскрипит у кого-нибудь, так уж я и ни жив ни мертв. Вот точно так сегодня, приник, присмирел, ежом сижу, так что Ефим Акимович (такой задирала, какого и на свете до него не было) сказал во всеуслышание: что, дескать, вы, Макар Алексеевич, сидите таким у-у-у? да тут такую гримасу скорчил, что все, кто около него и меня ни были, так и покатились со смеху, и, уж разумеется, на мой счет. И пошли, и пошли! Я и уши прижал и глаза зажмурил, сижу себе, не пошевелюсь. Таков уж обычай мой; они этак скорей отстанут. Вдруг слышу шум, беготня, суетня; слышу — не обманываются ли уши мои? зовут меня, требуют меня, зовут Девушкина. Задрожало у меня сердце в груди, и уж сам не знаю, чего я испугался; только знаю то, что я так испугался, как никогда еще в жизни со мной не было. Я прирос к стулу, — и как ни в чем не бывало, точно и не я. Но вот опять начали, ближе и ближе. Вот уж над самым ухом моим: дескать, Девушкина! Девушкина! где Девушкин? Подымаю глаза: передо мною Евстафий Иванович; говорит: «Макар Алексеевич, к его превосходительству, скорее! Беды вы с бумагой наделали!» Только это одно и сказал, да довольно, не правда ли, маточка, довольно сказано было? Я помертвел, оледенел, чувств лишился, иду — ну, да уж просто ни жив ни мертв отправился. Ведут меня через одну комнату, через другую комнату, через третью комнату, в кабинет — предстал! Положительного отчета, об чем я тогда думал, я вам дать не могу. Вижу, стоят его превосходительство, вокруг него все они. Я, кажется, не поклонился; позабыл. Оторопел так, что и губы трясутся и ноги трясутся. Да и было отчего, маточка. Во-первых, совестно; я взглянул направо в зеркало, так просто было от чего с ума сойти от того, что я там увидел. А во-вторых, я всегда делал так, как будто бы меня и на свете не было. Так что едва ли его превосходительство были известны о существовании моем. Может быть, слышали, так, мельком, что есть у них в ведомстве Девушкин, но в кратчайшие сего сношения никогда не входили.

Начали гневно: «Как же это вы, сударь! Чего вы смотрите? нужная бумага, нужно к спеху, а вы ее портите. И как же вы это», — тут его превосходительство обратились к Евстафию Ивановичу. Я только слышу, как до меня звуки слов долетают: «Нераденье! неосмотрительность! Вводите в неприятности!» Я раскрыл было рот для чего-то. Хотел было прощения просить, да не мог, убежать — покуситься не смел, и тут... тут, маточка, такое случилось, что я и теперь едва перо держу от стыда. Моя пуговка — ну ее к бесу — пуговка, что висела у меня на ниточке, — вдруг сорвалась, отскочила, запрыгала (я, видно, задел ее нечаянно), зазвенела, покатилась и прямо, так-таки прямо, проклятая, к стопам его превосходительства, и это посреди всеобщего молчания! Вот и всё было мое оправдание, всё извинение, весь ответ, всё, что я собирался сказать его превосходительству! Последствия были ужасны! Его превосходительство тотчас обратили внимание на фигуру мою и на мой костюм. Я вспомнил, что я видел в зеркале: я бросился ловить пуговку! Нашла на меня дурь! Нагнулся, хочу взять пуговку, — катается, вертится, не могу поймать, словом, и в отношении ловкости отличился. Тут уж я чувствую, что и последние силы меня оставляют, что уж всё, всё потеряно! Вся репутация потеряна, весь человек пропал! А тут в обоих ушах ни с того ни с сего и Тереза, и Фальдони, и пошло перезванивать. Наконец поймал пуговку, приподнялся, вытянулся, да уж, коли дурак, так стоял бы себе смирно, руки по швам! Так нет же: начал пуговку к оторванным ниткам прилаживать, точно оттого она и пристанет; да еще улыбаюсь, да еще улыбаюсь. Его превосходительство отвернулись сначала, потом опять на меня взглянули — слышу, говорят Евстафию Ивановичу: «Как же?.. посмотрите, в каком он виде!.. как он!.. что он!..» Ах, родная моя, что уж тут — как он? Да что он? отличился! Слышу, Евстафий Иванович говорит: «Не замечен, ни в чем не замечен, поведения примерного, жалованья достаточно, по окладу...» — «Ну, облегчить его как-нибудь, — говорит его превосходительство. — Выдать ему вперед...» — «Да забрал, говорят, забрал, вот за столько-то времени вперед забрал. Обстоятельства, верно, такие, а поведения хорошего и не замечен, никогда не замечен». Я, ангельчик мой, горел, я в адском огне горел! Я умирал! «Ну, — говорят его превосходительство громко, — переписать же вновь поскорее; Девушкин, подойдите сюда, перепишите опять вновь без ошибки; да послушайте...» Тут его превосходительство обернулись к прочим, роздали приказания разные, и все разошлись. Только что разошлись они, его превосходительство поспешно вынимают книжник и из него сторублевую. «Вот, — говорят они, — чем могу, считайте, как хотите...» — да и всунул мне в руку. Я, ангел мой, вздрогнул, вся душа моя потряслась; не знаю, что было со мною; я было схватить их ручку хотел. А он-то весь покраснел, мой голубчик, да — вот уж тут ни на волосок от правды не отступаю, родная моя: взял мою руку недостойную, да и потряс ее, так-таки взял да потряс, словно ровне своей, словно такому же, как сам, генералу. «Ступайте, говорит, чем могу... Ошибок не делайте, а теперь грех пополам».

Теперь, маточка, вот как я решил: вас и Федору прошу, и если бы дети у меня были, то и им бы повелел, чтобы Богу молились, то есть вот как: за родного отца не молились бы, а за его превосходительство каждодневно и вечно бы молились! Еще скажу, маточка, и это торжественно говорю — слушайте меня, маточка, хорошенько — клянусь, что как ни погибал я от скорби душевной в лютые дни нашего злополучия, глядя на вас, на ваши бедствия, и на себя, на унижение мое и мою неспособность, несмотря на всё это, клянусь вам, что не так мне сто рублей дороги, как то, что его превосходительство сами мне, соломе, пьянице, руку мою недостойную пожать изволили! Этим они меня самому себе возвратили. Этим поступком они мой дух воскресили, жизнь мне слаще навеки сделали, и я твердо уверен, что я как ни грешен перед Всевышним, но молитва о счастии и благополучии его превосходительства дойдет до престола его!..

Маточка! Я теперь в душевном расстройстве ужасном, в волнении ужасном! Мое сердце бьется, хочет из груди выпрыгнуть. И я сам как-то весь как будто ослаб. Посылаю вам сорок пять рублей ассигнациями, двадцать рублей хозяйке даю, у себя тридцать пять оставляю: на двадцать платье поправлю, а пятнадцать оставлю на житье-бытье. А только теперь все эти впечатления-то утренние потрясли всё существование мое. Я прилягу. Мне, впрочем, покойно, очень покойно. Только душу ломит, и слышно там, в глубине, душа моя дрожит, трепещет, шевелится. Я приду к вам; а теперь я просто хмелен от всех ощущений этих... Бог видит всё, маточка вы моя, голубушка вы моя бесценная!

Ваш достойный друг

Макар Девушкин.

Сентября 10.

Любезный мой Макар Алексеевич!

Я несказанно рада вашему счастию и умею ценить добродетели вашего начальника, друг мой. Итак, теперь вы отдохнете от горя! Но только, ради бога, не тратьте опять денег попусту. Живите тихонько, как можно скромнее, и с этого же дня начинайте всегда хоть что-нибудь откладывать, чтоб несчастия не застали вас опять внезапно. Об нас, ради бога, не беспокойтесь. Мы с Федорой кое-как проживем. К чему вы нам денег столько прислали, Макар Алексеевич? Нам вовсе не нужно. Мы довольны и тем, что у нас есть. Правда, нам скоро понадобятся деньги на переезд с этой квартиры, но Федора надеется получить с кого-то давнишний, старый долг. Оставляю, впрочем, себе двадцать рублей на крайние надобности. Остальные посылаю вам назад. Берегите, пожалуйста, деньги, Макар Алексеевич. Прощайте. Живите теперь покойно, будьте здоровы и веселы. Я писала бы вам более, но чувствую ужасную усталость, вчера я целый день не вставала с постели. Хорошо сделали, что обещались зайти. Навестите меня, пожалуйста, Макар Алексеевич.

В. Д.

Сентября 11.

Милая моя Варвара Алексеевна!

Умоляю вас, родная моя, не разлучайтесь со мною теперь, теперь, когда я совершенно счастлив и всем доволен. Голубчик мой! Вы Федору не слушайте, а я буду всё, что вам угодно, делать; буду вести себя хорошо, из одного уважения к его превосходительству буду вести себя хорошо и отчетливо; мы опять будем писать друг другу счастливые письма, будем поверять друг другу наши мысли, наши радости, наши заботы, если будут заботы; будем жить вдвоем согласно и счастливо. Займемся литературою... Ангельчик мой! В моей судьбе всё переменилось, и всё к лучшему переменилось. Хозяйка стала сговорчивее, Тереза умнее, даже сам Фальдони стал какой-то проворный. С Ратазяевым я помирился. Сам, на радостях, пошел к нему. Он, право, добрый малый, маточка, и что про него говорили дурного, то всё это был вздор. Я открыл теперь, что всё это была гнусная клевета. Он вовсе и не думал нас описывать: он мне это сам говорил. Читал мне новое сочинение. А что тогда Ловеласом-то он меня назвал, так это всё не брань или название какое неприличное: он мне объяснил. Это слово в слово с иностранного взято и значит *проворный малый*, и если покрасивее сказать, политературнее, так значит *парень — плохо не клади* — вот! а не что-нибудь там такое. Шутка невинная была, ангельчик мой. Я-то, неуч, сдуру и обиделся. Да уж я теперь перед ним извинился... И погода-то такая замечательная сегодня, Варенька, хорошая такая. Правда, утром была небольшая изморось, как будто сквозь сито сеяло. Ничего! Зато воздух стал посвежее немножко. Ходил я покупать сапоги и купил удивительные сапоги. Прошелся по Невскому. «Пчелку» прочел. Да! про главное я и забываю вам рассказать.

Видите ли что:

Сегодня поутру разговорился я с Емельяном Ивановичем и с Аксентием Михайловичем об его превосходительстве. Да, Варенька, они не с одним мною так обошлись милостиво. Они не одного меня облагодетельствовали и добротою сердца своего всему свету известны. Из многих мест в честь ему хвалы воссылаются и слезы благодарности льются. У них сирота одна воспитывалась. Изволили пристроить ее: выдали за человека известного, за чиновника одного, который по особым поручениям при их же превосходительстве находился. Сына одной вдовы в какую-то канцелярию пристроили и много еще благодеяний разных оказали. Я, маточка, почел за обязанность тут же и мою лепту положить, всем во всеуслышание поступок его превосходительства рассказал; я всё им рассказал и ничего не утаил. Я стыд-то в карман спрятал. Какой тут стыд, что за амбиция такая при таком обстоятельстве! Так-таки вслух — да будут славны дела его превосходительства! Я говорил увлекательно, с жаром говорил и не краснел, напротив, гордился, что пришлось такое рассказывать. Я про всё рассказал (про вас только благоразумно умолчал, маточка), и про хозяйку мою, и про Фальдони, и про Ратазяева, и про сапоги, и про Маркова — всё рассказал. Кое-кто там пересмеивались, да, правда, и все они пересмеивались. Только это в моей фигуре, верно, они что-нибудь смешное нашли или насчет сапогов моих — именно насчет сапогов. А с дурным каким-нибудь намерением они не могли этого сделать. Это так, молодость, или оттого, что они люди богатые, но с дурным, с злым намерением они никак не могли мою речь осмеивать. То есть что-нибудь насчет его превосходительства — этого они никак не могли сделать. Не правда ли, Варенька?

Я всё до сих пор не могу как-то опомниться, маточка. Все эти происшествия так смутили меня! Есть ли у вас дрова? Не простудитесь, Варенька; долго ли простудиться. Ох, маточка моя, вы с вашими грустными мыслями меня убиваете. Я уж Бога молю, как молю его за вас, маточка! Например, есть ли у вас шерстяные чулочки, или так, из одежды что-нибудь, потеплее. Смотрите, голубчик мой. Если вам что-нибудь там нужно будет, так уж вы, ради создателя, старика не обижайте. Так-таки прямо и ступайте ко мне. Теперь дурные времена прошли. Насчет меня вы не беспокойтесь. Впереди всё так светло, хорошо!

А грустное было время, Варенька! Ну да уж всё равно, прошло! Года пройдут, так и про это время вздохнем. Помню я свои молодые годы. Куда! Копейки иной раз не бывало. Холодно, голодно, а весело, да и только. Утром пройдешься по Невскому, личико встретишь хорошенькое, и на целый день счастлив. Славное, славное было время, маточка! Хорошо жить на свете, Варенька! Особенно в Петербурге. Я со слезами на глазах вчера каялся перед Господом Богом, чтобы простил мне Господь все грехи мои в это грустное время: ропот, либеральные мысли, дебош и азарт. Об вас вспоминал с умилением в молитве. Вы одни, ангельчик, укрепляли меня, вы одни утешали меня, напутствовали советами благими и наставлениями. Я этого, маточка, никогда забыть не могу. Ваши записочки все перецеловал сегодня, голубчик мой! Ну, прощайте, маточка. Говорят, есть где-то здесь недалеко платье продажное. Так вот я немножко наведаюсь. Прощайте же, ангельчик. Прощайте.

Вам душевно преданный

Макар Девушкин.

Сентября 15.

Милостивый государь,
Макар Алексеевич!

Я вся в ужасном волнении. Послушайте-ка, что у нас было. Я что-то роковое предчувствую. Вот посудите сами, мой бесценный друг: господин Быков в Петербурге. Федора его встретила. Он ехал, приказал остановить дрожки, подошел сам к Федоре и стал наведываться, где она живет. Та сначала не сказывала. Потом он сказал, усмехаясь, что он знает, кто у ней живет. (Видно, Анна Федоровна всё ему рассказала.) Тогда Федора не вытерпела и тут же на улице стала его упрекать, укорять, сказала ему, что он человек безнравственный, что он причина всех несчастий моих. Он отвечал, что когда гроша нет, так, разумеется, человек несчастлив. Федора сказала ему, что я бы сумела прожить работою, могла бы выйти замуж, а не то так сыскать место какое-нибудь, а что теперь счастие мое навсегда потеряно, что я к тому же больна и скоро умру. На это он заметил, что я еще слишком молода, что у меня еще в голове бродит и *что и наши добродетели потускнели* (его слова). Мы с Федорой думали, что он не знает нашей квартиры, как вдруг вчера, только что я вышла для закупок в Гостиный двор, он входит к нам в комнату; ему, кажется, не хотелось застать меня дома. Он долго расспрашивал Федору о нашем житье-бытье; всё рассматривал у нас; мою работу смотрел, наконец спросил: «Какой же это чиновник, который с вами знаком?» На ту пору вы чрез двор проходили; Федора ему указала на вас; он взглянул и усмехнулся; Федора упрашивала его уйти, сказала ему, что я и так уже нездорова от огорчений и что видеть его у нас мне будет весьма неприятно. Он промолчал; сказал, что он так приходил, от нечего делать, и хотел дать Федоре двадцать пять рублей; та, разумеется, не взяла. Что бы это значило? Зачем это он приходил к нам? Я понять не могу, откуда он всё про нас знает! Я теряюсь в догадках. Федора говорит, что Аксинья, ее золовка, которая ходит к нам, знакома с прачкой Настасьей, а Настасьин двоюродный брат сторожем в том департаменте, где служит знакомый племянник Анны Федоровны, так вот не переползла ли как-нибудь сплетня? Впрочем, очень может быть, что Федора и ошибается; мы не знаем, что придумать. Неужели он к нам опять придет! Одна мысль эта ужасает меня! Когда Федора рассказала всё это вчера, так я так испугалась, что чуть было в обморок не упала от страха. Чего еще им надобно? Я теперь их знать не хочу! Что им за дело до меня, бедной! Ах! в каком я страхе теперь; так вот и думаю, что войдет сию минуту Быков. Что со мною будет! Что еще мне готовит судьба? Ради Христа, зайдите ко мне теперь же, Макар Алексеевич. Зайдите, ради бога, зайдите.

В. Д.

Сентября 18.

Маточка, Варвара Алексеевна!

Сего числа случилось у нас в квартире донельзя горестное, ничем не объяснимое и неожиданное событие. Наш бедный Горшков (заметить вам нужно, маточка) совершенно оправдался. Решение-то уж давно как вышло, а сегодня он ходил слушать окончательную резолюцию. Дело для него весьма счастливо кончилось. Какая там была вина на нем за нерадение и неосмотрительность — на всё вышло полное отпущение. Присудили выправить в его пользу с купца знатную сумму денег, так что он и обстоятельствами-то сильно поправился, и честь-то его от пятна избавилась, и всё стало лучше, — одним словом, вышло самое полное исполнение желания. Пришел он сегодня в три часа домой. На нем лица не было, бледный как полотно, губы у него трясутся, а сам улыбается — обнял жену, детей. Мы все гурьбою ходили к нему поздравлять его. Он был весьма растроган нашим поступком, кланялся на все стороны, жал у каждого из нас руку по несколько раз. Мне даже показалось, что он и вырос-то, и выпрямился-то, и что у него и слезинки-то нет уже в глазах. В волнении был таком, бедный. Двух минут на месте не мог простоять; брал в руки всё, что ему ни попадалось, потом опять бросал, беспрестанно улыбался и кланялся, садился, вставал, опять садился, говорил бог знает что такое — говорит: «Честь моя, честь, доброе имя, дети мои», — и как говорил-то! даже заплакал. Мы тоже большею частию прослезились. Ратазяев, видно, хотел его ободрить и сказал: «Что, батюшка, честь, когда нечего есть; деньги, батюшка, деньги главное; вот за что Бога благодарите!» — и тут же его по плечу потрепал. Мне показалось, что Горшков обиделся, то есть не то чтобы прямо неудовольствие высказал, а только посмотрел как-то странно на Ратазяева да руку его с плеча своего снял. А прежде бы этого не было, маточка! Впрочем, различные бывают характеры. Вот я, например, на таких радостях гордецом бы не выказался; ведь чего, родная моя, иногда и поклон лишний и унижение изъявляешь не от чего иного, как от припадка доброты душевной и от излишней мягкости сердца... но, впрочем, не во мне тут и дело! «Да, говорит, и деньги хорошо; слава богу, слава богу!» — и потом всё время, как мы у него были, твердил: «Слава богу, слава богу!..» Жена его заказала обед поделикатнее и пообильнее. Хозяйка наша сама для них стряпала. Хозяйка наша отчасти добрая женщина. А до обеда Горшков на месте не мог усидеть. Заходил ко всем в комнаты, звали ль, не звали его. Так себе войдет, улыбнется, присядет на стул, скажет что-нибудь, а иногда и ничего не скажет — и уйдет. У мичмана даже карты в руки взял; его и усадили играть за четвертого. Он поиграл, поиграл, напутал в игре какого-то вздора, сделал три-четыре хода и бросил играть. «Нет, говорит, ведь я так, я, говорит, это только так», — и ушел от них. Меня встретил в коридоре, взял меня за обе руки, посмотрел мне прямо в глаза, только так чудно; пожал мне руку и отошел, и всё улыбаясь, но как-то тяжело, странно улыбаясь, словно мертвый. Жена его плакала от радости; весело так всё у них было, по-праздничному. Пообедали они скоро. Вот после обеда он и говорит жене: «Послушайте, душенька, вот я немного прилягу», — да и пошел на постель. Подозвал к себе дочку, положил ей на головку руку и долго, долго гладил по головке ребенка. Потом опять оборотился к жене: «А что ж Петенька? Петя наш, говорит, Петенька?..» Жена перекрестилась, да и отвечает, что ведь он же умер. «Да, да, знаю, всё знаю, Петенька теперь в царстве небесном». Жена видит, что он сам не свой, что происшествие-то его потрясло совершенно, и говорит ему: «Вы бы, душенька, заснули». — «Да, хорошо, я сейчас... я немножко», — тут он отвернулся, полежал немного, потом оборотился, хотел сказать что-то. Жена не расслышала, спросила его: «Что, мой друг?» А он не отвечает. Она подождала немножко — ну, думает, уснул, и вышла на часок к хозяйке. Через час времени воротилась — видит, муж еще не проснулся и лежит себе, не шелохнется. Она думала, что спит, села и стала работать что-то. Она рассказывает, что она работала с полчаса и так погрузилась в размышление, что даже не помнит, о чем она думала, говорит только, что она позабыла об муже. Только вдруг она очнулась от какого-то тревожного ощущения, и гробовая тишина в комнате поразила ее прежде всего. Она посмотрела на кровать и видит, что муж лежит всё в одном положении. Она подошла к нему, сдернула одеяло, смотрит — а уж он холодехонек — умер, маточка, умер Горшков, внезапно умер, словно его громом убило! А отчего умер — бог его знает. Меня это так сразило, Варенька, что я до сих пор опомниться не могу. Не верится что-то, чтобы так просто мог умереть человек. Этакой бедняга, горемыка этот Горшков! Ах, судьба-то, судьба какая! Жена в слезах, такая испуганная. Девочка куда-то в угол забилась. У них там суматоха такая идет; следствие медицинское будут делать... уж не могу вам наверно сказать. Только жалко, ох как жалко! Грустно подумать, что этак в самом деле ни дня, ни часа не ведаешь... Погибаешь этак ни за что...

Ваш

Макар Девушкин.

Сентября 19.

Милостивая государыня,
Варвара Алексеевна!
Спешу вас уведомить, друг мой, что Ратазяев нашел мне работу у одного сочинителя. Приезжал какой-то к нему, привез к нему такую толстую рукопись — слава богу, много работы. Только уж так неразборчиво писано, что не знаю, как и за дело приняться; требуют поскорее. Что-то всё об таком писано, что как будто и не понимаешь... По сорок копеек с листа уговорились. Я к тому всё это пишу вам, родная моя, что будут теперь посторонние деньги. Ну а теперь прощайте, маточка. Я уж прямо и за работу.
Ваш верный друг

Макар Девушкин.

Сентября 23.

Дорогой друг мой,
Макар Алексеевич!
Я вам уже третий день, мой друг, ничего не писала, а у меня было много, много забот, много тревоги.
Третьего дня был у меня Быков. Я была одна, Федора куда-то ходила. Я отворила ему и так испугалась, когда его увидела, что не могла тронуться с места. Я чувствовала, что я побледнела. Он вошел по своему обыкновению с громким смехом, взял стул и сел. Я долго не могла опомниться, наконец села в угол за работу. Он скоро перестал смеяться. Кажется, мой вид поразил его. Я так похудела в последнее время; щеки и глаза мои ввалились, я была бледна, как платок... действительно, меня трудно узнать тому, кто знал меня год тому назад. Он долго и пристально смотрел на меня, наконец опять развеселился. Сказал что-то такое; я не помню, что отвечала ему, и он опять засмеялся. Он сидел у меня целый час; долго говорил со мной; кой о чем расспрашивал. Наконец, перед прощанием, он взял меня за руку и сказал (я вам пишу от слова и до слова): «Варвара Алексеевна! Между нами сказать, Анна Федоровна, ваша родственница, а моя короткая знакомая и приятельница, преподлая женщина». (Тут он еще назвал ее одним неприличным словом.) «Совратила она и двоюродную вашу сестрицу с пути, и вас погубила. С моей стороны и я в этом случае подлецом оказался, да ведь что, дело житейское». Тут он захохотал что есть мочи. Потом заметил, что он красно говорить не мастер, и что главное, что объяснить было нужно и об чем обязанности благородства повелевали ему не умалчивать, уж он объявил, и что в коротких словах приступает к остальному. Тут он объявил мне, что ищет руки моей, что долгом своим почитает возвратить мне честь, что он богат, что он увезет меня после свадьбы в свою степную деревню, что он хочет там зайцев травить; что он более в Петербург никогда не приедет, потому что в Петербурге гадко, что у него есть здесь в Петербурге, как он сам выразился, негодный племянник, которого он присягнул лишить наследства, и собственно для этого случая, то есть желая иметь законных наследников, ищет руки моей, что это главная причина его сватовства. Потом он заметил, что я весьма бедно живу, что не диво, если я больна, проживая в такой лачуге, предрек мне неминуемую смерть, если я хоть месяц еще так останусь, сказал, что в Петербурге квартиры гадкие и, наконец, что не надо ли мне чего?

Я так была поражена его предложением, что, сама не знаю отчего, заплакала. Он принял мои слезы за благодарность и сказал мне, что он всегда был уверен, что я добрая, чувствительная и ученая девица, но что он не прежде, впрочем, решился на сию меру, как разузнав со всею подробностию о моем теперешнем поведении. Тут он расспрашивал о вас, сказал, что про всё слышал, что вы благородных правил человек, что он с своей стороны не хочет быть у вас в долгу и что довольно ли вам будет пятьсот рублей за всё, что вы для меня сделали? Когда же я ему объяснила, что вы для меня то сделали, чего никакими деньгами не заплатишь, то он сказал мне, что всё вздор, что всё это романы, что я еще молода и стихи читаю, что романы губят молодых девушек, что книги только нравственность портят и что он терпеть не может никаких книг; советовал прожить его годы и тогда об людях говорить; «тогда, — прибавил он, — и людей узнаете». Потом он сказал, чтобы я поразмыслила хорошенько об его предложениях, что ему весьма будет неприятно, если я такой важный шаг сделаю необдуманно, прибавил, что необдуманность и увлечение губят юность неопытную, но что он чрезвычайно желает с моей стороны благоприятного ответа, что, наконец, в противном случае, он принужден будет жениться в Москве, на купчихе, потому что, говорит он, я присягнул негодяя племянника лишить наследства. Он оставил насильно у меня на пяльцах пятьсот рублей, как он сказал, на конфеты; сказал, что в деревне я растолстею, как лепешка, что буду у него как сыр в масле кататься, что у него теперь ужасно много хлопот, что он целый день по делам протаскался и что теперь между делом забежал ко мне. Тут он ушел. Я долго думала, я много передумала, я мучилась, думая, друг мой, наконец я решилась. Друг мой, я выйду за него, я должна согласиться на его предложение. Если кто может избавить меня от моего позора, возвратить мне честное имя, отвратить от меня бедность, лишения и несчастия в будущем, так это единственно он. Чего же мне ожидать от грядущего, чего еще спрашивать у судьбы? Федора говорит, что своего счастия терять не нужно; говорит — что же в таком случае и называется счастием? Я по крайней мере не нахожу другого пути для себя, бесценный друг мой. Что мне делать? Работою я и так всё здоровье испортила; работать постоянно я не могу. В люди идти? — я с тоски исчахну, к тому же я никому не угожа. Я хворая от природы и потому всегда буду бременем на чужих руках. Конечно, я и теперь не в рай иду, но что же мне делать, друг мой, что же мне делать? Из чего выбирать мне?

Я не просила у вас советов. Я хотела обдумать одна. Решение, которое вы прочли сейчас, неизменно, и я немедленно объявляю его Быкову, который и без того торопит меня окончательным решением. Он сказал, что у него дела не ждут, что ему нужно ехать и что не откладывать же их из-за пустяков. Знает Бог, буду ли я счастлива, в его святой, неисповедимой власти судьбы мои, но я решилась. Говорят, что Быков человек добрый; он будет уважать меня; может быть, и я также буду уважать его. Чего же ждать более от нашего брака?

Уведомляю вас обо всем, Макар Алексеевич. Я уверена, вы поймете всю тоску мою. Не отвлекайте меня от моего намерения. Усилия ваши будут тщетны. Взвесьте в своем собственном сердце всё, что принудило меня так поступить. Я очень тревожилась сначала, но теперь я спокойнее. Что впереди, я не знаю. Что будет, то будет; как бог пошлет!..

Пришел Быков; я бросаю письмо неоконченным. Много еще хотела сказать вам. Быков уж здесь!

В. Д.

Маточка, Варвара Алексеевна!

Я, маточка, спешу вам отвечать; я, маточка, спешу вам объявить, что я изумлен. Всё это как-то не того... Вчера мы похоронили Горшкова. Да, это так, Варенька, это так; Быков поступил благородно; только вот, видите ли, родная моя, так вы и соглашаетесь. Конечно, во всем воля Божия; это так, это непременно должно быть так, то есть тут воля-то Божия непременно должна быть; и Промысл Творца Небесного, конечно, и благ и неисповедим, и судьбы тоже, и они то же самое. Федора тоже в вас участие принимает. Конечно, вы счастливы теперь будете, маточка, в довольстве будете, моя голубочка, ясочка моя, ненаглядная вы моя, ангельчик мой, — только вот, видите ли, Варенька, как же это так скоро?.. Да, дела... у господина Быкова есть дела — конечно, у кого нет дел, и у него тоже они могут случиться... видел я его, как он от вас выходил. Видный, видный мужчина; даже уж и очень видный мужчина. Только всё это как-то не так, дело-то не в том именно, что он видный мужчина, да и я-то теперь как-то сам не свой. Только вот как же мы будем теперь письма-то друг к другу писать? Я-то, я-то как же один останусь? Я, ангельчик мой, всё взвешиваю, всё взвешиваю, как вы писали-то мне там, в сердце-то моем всё это взвешиваю, причины-то эти. Я уже двадцатый лист оканчивал переписывать, а между тем эти происшествия-то нашли! Маточка, ведь вот вы едете, так и закупки-то вам различные сделать нужно, башмачки разные, платьице, а вот у меня, кстати, и магазин есть знакомый в Гороховой; помните, как я вам еще его всё описывал. Да нет же! Как же вы, маточка, что вы! ведь вам нельзя теперь ехать, совершенно невозможно, никак невозможно. Ведь вам нужно покупки большие делать, да и экипаж заводить. К тому же и погода теперь дурная; вы посмотрите-ка, дождь как из ведра льет, и такой мокрый дождь, да еще... еще то, что вам холодно будет, мой ангельчик; сердечку-то вашему будет холодно! Ведь вот вы боитесь чужого человека, а едете. А я-то на кого здесь один останусь? Да вот Федора говорит, что вас счастие ожидает большое... да ведь она баба буйная и меня погубить желает. Пойдете ли вы ко всенощной сегодня, маточка? Я бы вас пошел посмотреть. Оно, правда, маточка, совершенная правда, что вы девица ученая, добродетельная и чувствительная, только пусть уж он лучше женится на купчихе! Как вы думаете, маточка? пусть уж лучше на купчихе-то женится! Я к вам, Варенька вы моя, как смеркнется, так и забегу на часок. Нынче ведь рано смеркается, так я и забегу. Я, маточка, к вам непременно на часочек приду сегодня. Вот вы теперь ждете Быкова, а как он уйдет, так тогда... Вот подождите, маточка, я забегу...

Макар Девушкин.

Друг мой, Макар Алексеевич!

Господин Быков сказал, что у меня непременно должно быть на три дюжины рубашек голландского полотна. Так нужно как можно скорее приискать белошвеек для двух дюжин, а времени у нас очень мало. Господин Быков сердится, говорит, что с этими тряпками ужасно много возни. Свадьба наша через пять дней, а на другой день после свадьбы мы едем. Господин Быков торопится, говорит, что на вздор много времени не нужно терять. Я измучилась от хлопот и чуть на ногах стою. Дела страшная куча, а, право, лучше, если б этого ничего не было. Да еще: у нас недостает блонд и кружева, так вот нужно бы прикупить, потому что господин

Быков говорит, что он не хочет, чтобы жена его как кухарка ходила, и что я непременно должна «утереть нос всем помещицам». Так он сам говорит. Так вот, Макар Алексеевич, адресуйтесь, пожалуйста, к мадам Шифон в Гороховую и попросите, во-первых, прислать к нам белошвеек, а во-вторых, чтоб и сама потрудилась заехать. Я сегодня больна. На новой квартире у нас так холодно и беспорядки ужасные. Тетушка господина Быкова чуть-чуть дышит от старости. Я боюсь, чтобы не умерла до нашего отъезда, но господин Быков говорит, что ничего, очнется. В доме у нас беспорядки ужасные. Господин Быков с нами не живет, так люди все разбегаются, бог знает куда. Случается, что одна Федора нам прислуживает: а камердинер господина Быкова, который смотрит за всем, уже третий день неизвестно где пропадает. Господин Быков заезжает каждое утро, всё сердится и вчера побил приказчика дома, за что имел неприятности с полицией... Не с кем было к вам и письма-то послать. Пишу по городской почте. Да! Чуть было не забыла самого важного. Скажите мадам Шифон, чтобы блонды она непременно переменила, сообразуясь со вчерашним образчиком, и чтобы сама заехала ко мне показать новый выбор. Да скажите еще, что я раздумала насчет канзу; что его нужно вышивать крошью. Да еще: буквы для вензелей на платках вышивать тамбуром; слышите ли? тамбуром, а не гладью. Смотрите же не забудьте, что тамбуром! Вот еще чуть было не забыла! Передайте ей, ради бога, чтобы листики на пелерине шить возвышенно, усики и шипы кордонне, а потом обшить воротник кружевом или широкой фальбалой. Пожалуйста, передайте, Макар Алексеевич.

Ваша

В. Д.

P. S. Мне так совестно, что я всё вас мучаю моими комиссиями. Вот и третьего дня вы целое утро бегали. Но что делать! У нас в доме нет никакого порядка, а я сама нездорова. Так не досадуйте на меня, Макар Алексеевич. Такая тоска! Ах, что это будет, друг мой, милый мой, добрый мой Макар Алексеевич! Я и заглянуть боюсь в мое будущее. Я всё что-то предчувствую и точно в чаду в каком-то живу.

P. S. Ради бога, мой друг, не позабудьте чего-нибудь из того, что я вам теперь говорила. Я всё боюсь, чтобы вы как-нибудь не ошиблись. Помните же, тамбуром, а не гладью.

В. Д.

Сентября 27.

Милостивая государыня,
Варвара Алексеевна!
Комиссии ваши все исполнил рачительно. Мадам Шифон говорит, что она уже сама думала обшивать тамбуром; что это приличнее, что ли, уж не знаю, в толк не взял хорошенько. Да еще, вы там фальбалу написали, так она и про фальбалу говорила. Только я, маточка, и позабыл, что она мне про фальбалу говорила. Только помню, очень много говорила; такая скверная баба! Что бишь такое? Да вот она вам сама всё расскажет. Я, маточка моя, совсем замотался. Сегодня я и в должность не ходил. Только вы-то, родная моя, напрасно отчаиваетесь. Для вашего спокойствия я готов все магазины обегать. Вы пишете, что в будущее заглянуть боитесь. Да ведь сегодня в седьмом часу всё узнаете. Мадам Шифон сама к вам приедет. Так вы и не отчаивайтесь; надейтесь, маточка; авось и все-то устроится к лучшему — вот. Так того-то, я всё фальбалу-то проклятую — эх, мне

эта фальбала, фальбала! Я бы к вам забежал, ангельчик, забежал бы, непременно бы забежал; я уж и так к воротам вашего дома раза два подходил. Да всё Быков, то есть, я хочу сказать, что господин Быков всё сердитый такой, так вот оно и не того... Ну, да уж что!

Макар Девушкин.

Сентября 28.

Милостивый государь,
Макар Алексеевич!
Ради бога, бегите сейчас к брильянтщику. Скажите ему, что серьги с жемчугом и изумрудами делать не нужно. Господин Быков говорит, что слишком богато, что это кусается. Он сердится; говорит, что ему и так в карман стало и что мы его грабим, а вчера сказал, что если бы вперед знал да ведал про такие расходы, так и не связывался бы. Говорит, что только нас повенчают, так сейчас и уедем, что гостей не будет и чтобы я вертеться и плясать не надеялась, что еще далеко до праздников. Вот он как говорит! А Бог видит, нужно ли мне всё это! Сам же господин Быков всё заказывал. Я и отвечать ему ничего не смею: он горячий такой. Что со мною будет!

В. Д.

Сентября 28.

Голубчик мой, Варвара Алексеевна!
Я — то есть брильянтщик говорит — хорошо; а я про себя хотел сначала сказать, что я заболел и встать не могу с постели. Вот теперь, как время пришло хлопотливое, нужное, так и простуды напали, враг их возьми! Тоже уведомляю вас, что к довершению несчастий моих и его превосходительство изволили быть строгими, и на Емельяна Ивановича много сердились и кричали, и под конец совсем измучились, бедненькие. Вот я вас и уведомляю обо всем. Да еще хотел вам написать что-нибудь, только вас утруждать боюсь. Ведь я, маточка, человек глупый, простой, пишу себе что ни попало, так, может быть, вы там чего-нибудь и такого — ну, да уж что!
Ваш

Макар Девушкин.

Сентября 29.

Варвара Алексеевна, родная моя!
Я сегодня Федору видел, голубчик мой. Она говорит, что вас уже завтра венчают, а послезавтра вы едете и что господин Быков уже лошадей нанимает. Насчет его превосходительства я уже уведомлял вас, маточка. Да еще: счеты из магазина я в Гороховой проверил; всё верно, да только очень дорого. Только за что же господин-то Быков на вас сердится? Ну, будьте счастливы, маточка! Я рад; да, я буду рад, если вы будете счастливы. Я бы пришел в церковь, маточка, да не могу, болит поясница. Так вот я всё насчет писем: ведь вот кто же теперь их передавать-то нам будет, маточка? Да! Вы Федору-то облагодетельствовали, родная моя! Это доброе дело вы сделали, друг мой; это вы очень хорошо сделали. Доброе дело! А за каждое

доброе дело вас Господь благословлять будет. Добрые дела не остаются без награды, и добродетель всегда будет увенчана венцом справедливости Божией, рано ли, поздно ли. Маточка! Я бы вам много хотел написать, так, каждый час, каждую минуту всё бы писал, всё бы писал! У меня еще ваша книжка осталась одна, «Белкина повести», так вы ее, знаете, маточка, не берите ее у меня, подарите ее мне, мой голубчик. Это не потому, что уж мне так ее читать хочется. Но сами вы знаете, маточка, подходит зима; вечера будут длинные; грустно будет, так вот бы и почитать. Я, маточка, перееду с моей квартиры на вашу старую и буду нанимать у Федоры. Я с этой честной женщиной теперь ни за что не расстанусь; к тому же она такая работящая. Я вашу квартиру опустевшую вчера подробно осматривал. Там, как были ваши пялечки, а на них шитье, так они и остались нетронутые: в углу стоят. Я ваше шитье рассматривал. Остались еще тут лоскуточки разные. На одно письмецо мое вы ниточки начали было наматывать. В столике нашел бумажки листочек, а на бумажке написано: «Милостивый государь, Макар Алексеевич, спешу» — и только. Видно, вас кто-нибудь прервал на самом интересном месте. В углу за ширмочками ваша кроватка стоит... Голубчик вы мой!!! Ну, прощайте, прощайте; ради бога, отвечайте мне что-нибудь на это письмецо поскорее.

Макар Девушкин.

Сентября 30.

Бесценный друг мой, Макар Алексеевич!

Всё совершилось! Выпал мой жребий; не знаю какой, но я воле Господа покорна. Завтра мы едем. Прощаюсь с вами в последний раз, бесценный мой, друг мой, благодетель мой, родной мой! Не горюйте обо мне, живите счастливо, помните обо мне, и да снизойдет на вас благословение Божие! Я буду вспоминать вас часто в мыслях моих, в молитвах моих. Вот и кончилось это время! Я мало отрадного унесу в новую жизнь из воспоминаний прошедшего; тем драгоценнее будет воспоминание об вас, тем драгоценнее будете вы моему сердцу. Вы единственный друг мой; вы только одни здесь любили меня. Ведь я всё видела, я ведь знала, как вы любили меня! Улыбкой одной моей вы счастливы были, одной строчкой письма моего. Вам нужно будет теперь отвыкать от меня! Как вы одни здесь останетесь! На кого вы здесь останетесь, добрый, бесценный, единственный друг мой! Оставляю вам книжку, пяльцы, начатое письмо; когда будете смотреть на эти начатые строчки, то мыслями читайте дальше всё, что бы хотелось вам услышать или прочесть от меня, всё, что я ни написала бы вам; а чего бы я ни написала теперь! Вспоминайте о бедной вашей Вареньке, которая вас так крепко любила. Все ваши письма остались в комоде у Федоры, в верхнем ящике. Вы пишете, что вы больны, а господин Быков меня сегодня никуда не пускает. Я буду вам писать, друг мой, я обещаюсь, но ведь один Бог знает, что может случиться. Итак, простимся теперь навсегда, друг мой, голубчик мой, родной мой, навсегда!.. Ох, как бы я теперь обняла вас! Прощайте, мой друг, прощайте, прощайте. Живите счастливо; будьте здоровы. Моя молитва будет вечно об вас. О! Как мне грустно, как давит всю мою душу. Господин Быков зовет меня. Вас вечно любящая

В.

P. S. Моя душа так полна, так полна теперь слезами...
Слезы теснят меня, рвут меня. Прощайте.
Боже! как грустно!
Помните, помните вашу бедную Вареньку!

Маточка, Варенька, голубчик мой, бесценная моя! Вас увозят, вы едете! Да теперь лучше бы сердце они из груди моей вырвали, чем вас у меня! Как же вы это! Вот вы плачете, и вы едете?! Вот я от вас письмецо сейчас получил, всё слезами закапанное. Стало быть, вам не хочется ехать; стало быть, вас насильно увозят, стало быть, вам жаль меня, стало быть, вы меня любите! Да как же, с кем же вы теперь будете? Там вашему сердечку будет грустно, тошно и холодно. Тоска его высосет, грусть его пополам разорвет. Вы там умрете, вас там в сыру землю положат; об вас и поплакать будет некому там! Господин Быков будет всё зайцев травить... Ах, маточка, маточка! на что же вы это решились, как же вы на такую меру решиться могли? Что вы сделали, что вы сделали, что вы над собой сделали! Ведь вас там в гроб сведут; они заморят вас там, ангельчик. Ведь вы, маточка, как перышко слабенькие! И я-то где был? Чего я тут, дурак, глазел! Вижу, дитя блажит, у дитяти просто головка болит! Чем бы тут попросту — так нет же, дурак дураком, и не думаю ничего, и не вижу ничего, как будто и прав, как будто и дело до меня не касается; и еще за фальбалой бегал!.. Нет, я, Варенька, встану; я к завтрашнему дню, может быть, выздоровлю, так вот я и встану!.. Я, маточка, под колеса брошусь; я вас не пущу уезжать! Да нет, что же это в самом деле такое? По какому праву всё это делается? Я с вами уеду; я за каретой вашей побегу, если меня не возьмете, и буду бежать что есть мочи, покамест дух из меня выйдет. Да вы знаете ли только, что там такое, куда вы едете-то, маточка? Вы, может быть, этого не знаете, так меня спросите! Там степь, родная моя, там степь, голая степь; вот как моя ладонь голая! Там ходит баба бесчувственная да мужик необразованный, пьяница ходит. Там теперь листья с дерев осыпались, там дожди, там холодно, — а вы туда едете! Ну, господину Быкову там есть занятие: он там будет с зайцами; а вы что? Вы помещицей хотите быть, маточка? Но, херувимчик вы мой! Вы поглядите-ка на себя, похожи ли вы на помещицу?.. Да как же может быть такое, Варенька! К кому же я письма буду писать, маточка? Да! вот вы возьмите-ка в соображение, маточка, — дескать, к кому же он письма будет писать? Кого же я маточкой называть буду; именем-то любезным таким кого называть буду? Где мне вас найти потом, ангельчик мой? Я умру, Варенька, непременно умру; не перенесет мое сердце такого несчастия! Я вас, как свет господень, любил, как дочку родную любил, я всё в вас любил, маточка, родная моя! и сам для вас только и жил одних! Я и работал, и бумаги писал, и ходил, и гулял, и наблюдения мои бумаге передавал в виде дружеских писем, всё оттого, что вы, маточка, здесь, напротив, поблизости жили. Вы, может быть, этого и не знали, а это всё было именно так! Да, послушайте, маточка, вы рассудите, голубчик мой миленький, как же это может быть, чтобы вы от нас уехали? Родная моя, ведь вам ехать нельзя, невозможно; просто решительно никакой возможности нет! Ведь вот дождь идет, а вы слабенькие, вы простудитесь. Ваша карета промокнет; она непременно промокнет. Она, только что вы за заставу выедете, и сломается; нарочно сломается. Ведь здесь в Петербурге прескверно кареты делают! Я и каретников этих всех знаю; они только чтоб фасончик, игрушечку там какую-нибудь смастерить, а непрочно! присягну, что непрочно делают! Я, маточка, на колени перед господином Быковым брошусь; я ему докажу, всё докажу! И вы, маточка, докажите; резоном докажите ему! Скажите, что вы остаетесь и что вы не можете ехать!.. Ах, зачем это он в Москве на купчихе не женился? Уж пусть бы он там на ней-то женился! Ему купчихе лучше, ему она гораздо лучше бы шла; уж это я знаю почему! А я бы вас здесь у себя держал. Да что он вам-то, маточка, Быков-то? Чем он для вас вдруг мил сделался? Вы, может быть, оттого, что он вам фальбалу-то всё закупает, вы, может быть, от этого! Да ведь что же фальбала? зачем фальбала? Ведь она, маточка, вздор! Тут речь идет о жизни человеческой, а ведь она, маточка, тряпка — фальбала; она, маточка, фальбала-то — тряпица. Да я вот вам сам, вот только что жалованье получу, фальбалы накуплю; я вам ее накуплю, маточка; у меня там вот и магазинчик знакомый есть; вот только жалованья дайте дождаться мне, херувимчик мой, Варенька! Ах, господи, господи! Так вы это непременно в степь с господином Быковым уезжаете, безвозвратно уезжаете! Ах, маточка!.. Нет, вы мне еще напишите, еще мне письмецо напишите обо всем, и когда уедете, так и оттуда письмо напишите. А то ведь, ангел небесный мой, это будет последнее письмо; а ведь никак не может так быть, чтобы письмо это было последнее. Ведь вот как же, так вдруг, именно, непременно последнее! Да нет же, я буду писать, да и вы-то пишите... А то у меня и слог теперь формируется... Ах, родная моя, что слог! Ведь вот я теперь и не знаю, что это я пишу, никак не знаю, ничего не знаю, и не перечитываю, и слогу не выправляю, а пишу только бы писать, только бы вам написать побольше... Голубчик мой, родная моя, маточка вы моя!

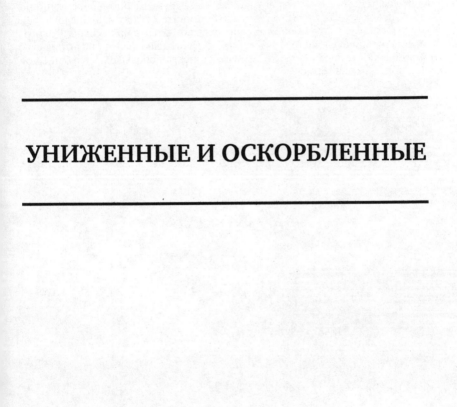

УНИЖЕННЫЕ И ОСКОРБЛЕННЫЕ

ЧАСТЬ ПЕРВАЯ

ГЛАВА I

Прошлого года, двадцать второго марта, вечером, со мной случилось пре-странное происшествие. Весь этот день я ходил по городу и искал себе квартиру. Старая была очень сыра, а я тогда уже начинал дурно кашлять. Еще с осени хотел переехать, а дотянул до весны. В целый день я ничего не мог найти порядочного. Во-первых, хотелось квартиру особенную, не от жильцов, а во-вторых, хоть одну комнату, но непременно большую, разумеется вместе с тем и как можно деше-вую. Я заметил, что в тесной квартире даже и мыслям тесно. Я же, когда обдумы-вал свои будущие повести, всегда любил ходить взад и вперед по комнате. Кста-ти: мне всегда приятнее было обдумывать мои сочинения и мечтать, как они у меня напишутся, чем в самом деле писать их, и, право, это было не от лености. Отчего же?

Еще с утра я чувствовал себя нездоровым, а к закату солнца мне стало даже и очень нехорошо: начиналось что-то вроде лихорадки. К тому же я целый день был на ногах и устал. К вечеру, перед самыми сумерками, проходил я по Возне-сенскому проспекту. Я люблю мартовское солнце в Петербурге, особенно закат, разумеется, в ясный, морозный вечер. Вся улица вдруг блеснет, облитая ярким светом. Все дома как будто вдруг засверкают. Серые, желтые и грязно-зеленые цвета их потеряют на миг всю свою угрюмость; как будто на душе прояснеет, как будто вздрогнешь или кто-то подтолкнет тебя локтем. Новый взгляд, новые мысли... Удивительно, что может сделать один луч солнца с душой человека!

Но солнечный луч потух; мороз крепчал и начинал пощипывать за нос; су-мерки густели; газ блеснул из магазинов и лавок. Поровнявшись с кондитер-ской Миллера, я вдруг остановился как вкопанный и стал смотреть на ту сторо-ну улицы, как будто предчувствуя, что вот сейчас со мной случится что-то нео-быкновенное, и в это-то самое мгновение на противоположной стороне я увидел старика и его собаку. Я очень хорошо помню, что сердце мое сжалось от какого-то неприятнейшего ощущения и я сам не мог решить, какого рода было это ощущение.

Я не мистик; в предчувствия и гаданья почти не верю; однако со мною, как, может быть, и со всеми, случилось в жизни несколько происшествий, довольно необъяснимых. Например, хоть этот старик: почему при тогдашней моей встрече с ним, я тотчас почувствовал, что в тот же вечер со мной случится что-то не со-всем обыденное? Впрочем, я был болен; а болезненные ощущения почти всегда бывают обманчивы.

Старик своим медленным, слабым шагом, переставляя ноги, как будто пал-ки, как будто не сгибая их, согбившись и слегка ударяя тростью о плиты тротуа-ра, приближался к кондитерской. В жизнь мою не встречал я такой странной, нелепой фигуры. И прежде, до этой встречи, когда мы сходились с ним у Миллера, он всегда болезненно поражал меня. Его высокий рост, сгорбленная спина, мертвенное восьмидесятилетнее лицо, старое пальто, разорванное по швам, изломанная круглая двадцатилетняя шляпа, прикрывавшая его обнаженную голову, на которой уцелел, на самом затылке, клочок уже не седых, а бело-желтых волос; все движения его, делавшиеся как-то бессмысленно, как будто по заведенной пружине, — всё это невольно поражало всякого, встречавшего его в первый раз. Действительно, как-то странно было видеть такого отжившего свой век старика одного, без присмотра, тем более что он был похож на сумасшедшего, убежавшего от своих надзирателей. Поражала меня тоже его необыкновенная худоба: тела на нем почти не было, и как будто на кости его была наклеена только одна кожа. Большие, но тусклые глаза его, вставленные в какие-то синие круги, всегда глядели прямо перед собою, никогда в сторону и никогда ничего не видя, — я в этом уверен. Он хоть и смотрел на вас, но шел прямо на вас же, как будто перед ним пустое пространство. Я это несколько раз замечал. У Миллера он начал являться недавно, неизвестно откуда и всегда вместе с своей собакой. Никто никогда не решался с ним говорить из посетителей кондитерской, и он сам ни с кем из них не заговаривал.

«И зачем он таскается к Миллеру, и что ему там делать? — думал я, стоя по другую сторону улицы и непреодолимо к нему приглядываясь. Какая-то досада — следствие болезни и усталости — закипала во мне. — Об чем он думает? — продолжал я про себя, — что у него в голове? Да и думает ли еще он о чем-нибудь? Лицо его до того умерло, что уж решительно ничего не выражает. И откуда он взял эту гадкую собаку, которая не отходит от него, как будто составляет с ним что-то целое, неразъединимое, и которая так на него похожа?»

Этой несчастной собаке, кажется, тоже было лет восемьдесят; да, это непременно должно было быть. Во-первых, с виду она была так стара, как не бывают никакие собаки, а во-вторых, отчего же мне, с первого раза, как я ее увидал, тотчас же пришло в голову, что эта собака не может быть такая, как все собаки; что она — собака необыкновенная; что в ней непременно должно быть что-то фантастическое, заколдованное; что это, может быть, какой-нибудь Мефистофель в собачьем виде и что судьба ее какими-то таинственными, неведомыми путями соединена с судьбою ее хозяина. Глядя на нее, вы бы тотчас же согласились, что, наверно, прошло уже лет двадцать, как она в последний раз ела. Худа она была, как скелет, или (чего же лучше?) как ее господин. Шерсть на ней почти вся вылезла, тоже и на хвосте, который висел, как палка, всегда крепко поджатый. Длинноухая голова угрюмо свешивалась вниз. В жизнь мою я не встречал такой противной собаки. Когда оба они шли по улице — господин впереди, а собака за ним следом, — то ее нос прямо касался полы его платья, как будто к ней приклеенный. И походка их и весь их вид чуть не проговаривали тогда с каждым шагом:

Стары-то мы, стары, господи, как мы стары!

Помню, мне еще пришло однажды в голову, что старик и собака как-нибудь выкарабкались из какой-нибудь страницы Гофмана, иллюстрированного Гаварни, и разгуливают по белому свету в виде ходячих афишек к изданью. Я перешел через улицу и вошел вслед за стариком в кондитерскую.

В кондитерской старик аттестовал себя престранно, и Миллер, стоя за своим прилавком, начал уже в последнее время делать недовольную гримасу при входе незваного посетителя. Во-первых, странный гость никогда ничего не спрашивал. Каждый раз он прямо проходил в угол к печке и там садился на стул. Если же его место у печки бывало занято, то он, постояв несколько времени в бессмысленном недоумении против господина, занявшего его место, уходил, как будто озадаченный, в другой угол к окну. Там выбирал какой-нибудь стул, медленно усаживался на нем, снимал шляпу, ставил ее подле себя на пол, трость клал возле шляпы и затем, откинувшись на спинку стула, оставался неподвижен в продолжение трех или четырех часов. Никогда он не взял в руки ни одной газеты, не произнес ни одного слова, ни одного звука; а только сидел, смотря перед собою во все глаза, но таким тупым, безжизненным взглядом, что можно было побиться об заклад, что он ничего не видит из всего окружающего и ничего не слышит. Собака же, покружившись раза два или три на одном месте, угрюмо укладывалась у ног его, втыкала свою морду между его сапогами, глубоко вздыхала и, вытянувшись во всю свою длину на полу, тоже оставалась неподвижною на весь вечер, точно умирала на это время. Казалось, эти два существа целый день лежат где-нибудь мертвые и, как зайдет солнце, вдруг оживают единственно для того, чтоб дойти до кондитерской Миллера и тем исполнить какую-то таинственную, никому не известную обязанность. Насидевшись часа три-четыре, старик наконец вставал, брал свою шляпу и отправлялся куда-то домой. Поднималась и собака и, опять поджав хвост и свесив голову, медленным прежним шагом машинально следовала за ним. Посетители кондитерской наконец начали всячески обходить старика и даже не садились с ним рядом, как будто он внушал им омерзение. Он же ничего этого не замечал.

Посетители этой кондитерской большею частию немцы. Они собираются сюда со всего Вознесенского проспекта — всё хозяева различных заведений: слесаря, булочники, красильщики, шляпные мастера, седельники — всё люди патриархальные в немецком смысле слова. У Миллера вообще наблюдалась патриархальность. Часто хозяин подходил к знакомым гостям и садился вместе с ними за стол, причем осушалось известное количество пунша. Собаки и маленькие дети хозяина тоже выходили иногда к посетителям, и посетители ласкали детей и собак. Все были между собою знакомы, и все взаимно уважали друг друга. И когда гости углублялись в чтение немецких газет, за дверью, в квартире хозяина, трещал августин, наигрываемый на дребезжащих фортепьянах старшей хозяйской дочкой, белокуренькой немочкой в локонах, очень похожей на белую мышку. Вальс принимался с удовольствием. Я ходил к Миллеру в первых числах каждого месяца читать русские журналы, которые у него получались.

Войдя в кондитерскую, я увидел, что старик уже сидит у окна, а собака лежит, как и прежде, растянувшись у ног его. Молча сел я в угол и мысленно задал себе вопрос: «Зачем я вошел сюда, когда мне тут решительно нечего делать, когда я болен и нужнее было бы спешить домой, выпить чаю и лечь в постель? Неужели в самом деле я здесь только для того, чтоб разглядывать этого старика?» Досада взяла меня. «Что мне за дело до него, — думал я, припоминая то странное, болезненное ощущение, с которым я глядел на него еще на улице. — И что мне за дело до всех этих скучных немцев? К чему это фантастическое настроение духа? К чему эта дешевая тревога из пустяков, которую я замечаю в себе в последнее время и которая мешает жить и глядеть ясно на жизнь, о чем уже заметил мне один глубокомысленный критик, с негодованием разбирая мою последнюю повесть?» Но, раздумывая и сетуя, я все-таки оставался на месте, а между тем болезнь одолевала меня всё более и более, и мне наконец стало жаль оставить теплую комнату. Я взял франкфуртскую газету, прочел две строки и задремал. Немцы мне не мешали. Они читали, курили и только изредка, в полчаса раз, сообщали друг другу, отрывочно и вполголоса, какую-нибудь новость из Франкфурта да еще какой-нибудь виц или шарфзин знаменитого немецкого остроумца

Сафира; после чего с удвоенною национальною гордостью вновь погружались в чтение.

Я дремал с полчаса и очнулся от сильного озноба. Решительно надо было идти домой. Но в ту минуту одна немая сцена, происходившая в комнате, еще раз остановила меня. Я сказал уже, что старик, как только усаживался на своем стуле, тотчас же упирался куда-нибудь своим взглядом и уже не сводил его на другой предмет во весь вечер. Случалось и мне попадаться под этот взгляд, бессмысленно упорный и ничего не различающий: ощущение было пренеприятное, даже невыносимое, и я обыкновенно как можно скорее переменял место. В эту минуту жертвой старика был один маленький, кругленький и чрезвычайно опрятный немчик, со стоячими, туго накрахмаленными воротничками и с необыкновенно красным лицом, приезжий гость, купец из Риги, Адам Иваныч Шульц, как узнал я после, короткий приятель Миллеру, но не знавший еще старика и многих из посетителей. С наслаждением почитывая «Dorfbarbiei»[1] и попивая свой пунш, он вдруг, подняв голову, заметил над собой неподвижный взгляд старика. Это его озадачило. Адам Иваныч был человек очень обидчивый и щекотливый, как и вообще все «благородные» немцы. Ему показалось странным и обидным, что его так пристально и бесцеремонно рассматривают. С подавленным негодованием отвел он глаза от неделикатного гостя, пробормотал себе что-то под нос и молча закрылся газетой. Однако не вытерпел и минуты через две подозрительно выглянул из-за газеты: тот же упорный взгляд, то же бессмысленное рассматривание. Смолчал Адам Иваныч и в этот раз. Но когда то же обстоятельство повторилось и в третий, он вспыхнул и почел своею обязанностию защитить свое благородство и не уронить перед благородной публикой прекрасный город Ригу, которого, вероятно, считал себя представителем. С нетерпеливым жестом бросил он газету на стол, энергически стукнув палочкой, к которой она была прикреплена, и, пылая собственным достоинством, весь красный от пунша и от амбиции, в свою очередь уставился своими маленькими, воспаленными глазками на досадного старика. Казалось, оба они, и немец и его противник, хотели пересилить друг друга магнетическою силою своих взглядов и выжидали, кто раньше сконфузится и опустит глаза. Стук палочки и эксцентрическая позиция Адама Иваныча обратили на себя внимание всех посетителей. Все тотчас же отложили свои занятия и с важным, безмолвным любопытством наблюдали обоих противников. Сцена становилась очень комическою. Но магнетизм вызывающих глазок красненького Адама Ивановича совершенно пропал даром. Старик, не заботясь ни о чем, продолжал прямо смотреть на взбесившегося господина Шульца и решительно не замечал, что сделался предметом всеобщего любопытства, как будто голова его была на луне, а не на земле. Терпение Адама Иваныча наконец лопнуло, и он разразился.

— Зачем вы на меня так внимательно смотрите? — прокричал он по-немецки резким, пронзительным голосом и с угрожающим видом.

Но противник его продолжал молчать, как будто не понимал и даже не слыхал вопроса. Адам Иваныч решился заговорить по-русски.

— Я вас спросит, зачем ви на мне так прилежно взирайт? — прокричал он с удвоенною яростию. — Я ко двору известен, а ви неизвестен ко двору! — прибавил он, вскочив со стула.

Но старик даже и не пошевелился. Между немцами раздался ропот негодования. Сам Миллер, привлеченный шумом, вошел в комнату. Вникнув в дело, он подумал, что старик глух, и нагнулся к самому его уху.

---

[1] «Деревенский брадобрей» (*нем.*).

— Каспадин Шульц вас просил прилежно не взирайт на него, — проговорил он как можно громче, пристально всматриваясь в непонятного посетителя.

Старик машинально взглянул на Миллера, и вдруг в лице его, доселе неподвижном, обнаружились признаки какой-то тревожной мысли, какого-то беспокойного волнения. Он засуетился, нагнулся, кряхтя, к своей шляпе, торопливо схватил ее вместе с палкой, поднялся со стула и с какой-то жалкой улыбкой — униженной улыбкой бедняка, которого гонят с занятого им по ошибке места, — приготовился выйти из комнаты. В этой смиренной, покорной торопливости бедного, дряхлого старика было столько вызывающего на жалость, столько такого, отчего иногда сердце точно перевертывается в груди, что вся публика, начиная с Адама Иваныча, тотчас же переменила свой взгляд на дело. Было ясно, что старик не только не мог кого-нибудь обидеть, но сам каждую минуту понимал, что его могут отовсюду выгнать как нищего.

Миллер был человек добрый и сострадательный.

— Нет, нет, — заговорил он, ободрительно трепля старика по плечу, — сидитт! Aber[1] гер Шульц очень просил вас прилежно не взирайт на него. Он у двора известен.

Но бедняк и тут не понял; он засуетился еще больше прежнего, нагнулся поднять свой платок, старый, дырявый синий платок, выпавший из шляпы, и стал кликать свою собаку, которая лежала не шевелясь на полу и, по-видимому, крепко спала, заслонив свою морду обеими лапами.

— Азорка, Азорка! — прошамкал он дрожащим, старческим голосом, — Азорка!

Азорка не пошевельнулся.

— Азорка, Азорка! — тоскливо повторял старик и пошевелил собаку палкой, но та оставалась в прежнем положении.

Палка выпала из рук его. Он нагнулся, стал на оба колена и обеими руками приподнял морду Азорки. Бедный Азорка! Он был мертв. Он умер неслышно, у ног своего господина, может быть от старости, а может быть и от голода. Старик с минуту глядел на него, как пораженный, как будто не понимая, что Азорка уже умер; потом тихо склонился к бывшему слуге и другу и прижал свое бледное лицо к его мертвой морде. Прошла минута молчанья. Все мы были тронуты... Наконец бедняк приподнялся. Он был очень бледен и дрожал, как в лихорадочном ознобе.

— Можно шушель сделать, — заговорил сострадательный Миллер, желая хоть чем-нибудь утешить старика. (Шушель означало чучелу.) — Можно кароши сделать шушель; Федор Карлович Кригер отлично сделает шушель; Федор Карлович Кригер велики мастер сделать шушель, — твердил Миллер, подняв с земли палку и подавая ее старику.

— Да, я отлично сделает шушель, — скромно подхватил сам гер Кригер, выступая на первый план. Это был длинный, худощавый и добродетельный немец с рыжими клочковатыми волосами и очками на горбатом носу.

— Федор Карлович Кригер имеет велики талант, чтоб сделать всяки превосходны шушель, — прибавил Миллер, начиная приходить в восторг от своей идеи.

— Да, я имею велики талант, чтоб сделать всяки превосходны шушель, — снова подтвердил гер Кригер, — и я вам даром сделайт из ваша собачка шушель, — прибавил он в припадке великодушного самоотвержения.

---

[1] Но (нем.).

— Нет, я вам заплатит за то, что ви сделайт шушель! — неистово вскричал Адам Иваныч Шульц, вдвое раскрасневшийся, в свою очередь сгорая великодушием и невинно считая себя причиною всех несчастий.

Старик слушал всё это, видимо не понимая и по-прежнему дрожа всем телом.

— Погодитт! Выпейте одну рюмку кароши коньяк! — вскричал Миллер, видя, что загадочный гость порывается уйти.

Подали коньяк. Старик машинально взял рюмку, но руки его тряслись, и, прежде чем он донес ее к губам, он расплескал половину и, не выпив ни капли, поставил ее обратно на поднос. Затем, улыбнувшись какой-то странной, совершенно не подходящей к делу улыбкой, ускоренным, неровным шагом вышел из кондитерской, оставив на месте Азорку. Все стояли в изумлении; послышались восклицания.

— Швернот! вас-фюр-эйне-гешихте! — говорили немцы, выпуча глаза друг на друга.

А я бросился вслед за стариком. В нескольких шагах от кондитерской, поворотя от нее направо, есть переулок, узкий и темный, обставленный огромными домами. Что-то подтолкнуло меня, что старик непременно повернул сюда. Тут второй дом направо строился и весь был обставлен лесами. Забор, окружавший дом, выходил чуть не на средину переулка, к забору была прилажена деревянная настилка для проходящих. В темном углу, составленном забором и домом, я нашел старика. Он сидел на приступке деревянного тротуара и обеими руками, опершись локтями на колена, поддерживал свою голову. Я сел подле него.

— Послушайте, — сказал я, почти не зная, с чего и начать, — не горюйте об Азорке. Пойдемте, я вас отвезу домой. Успокойтесь. Я сейчас схожу за извозчиком. Где вы живете?

Старик не отвечал. Я не знал, на что решиться. Прохожих не было. Вдруг он начал хватать меня за руку.

— Душно! — проговорил он хриплым, едва слышным голосом, — душно!

— Пойдемте к вам домой! — вскричал я, приподымаясь и насильно приподымая его, — вы выпьете чаю и ляжете в постель... Я сейчас приведу извозчика. Я позову доктора... мне знаком один доктор...

Я не помню, что я еще говорил ему. Он было хотел приподняться, но, поднявшись немного, опять упал на землю и опять начал что-то бормотать тем же хриплым, удушливым голосом. Я нагнулся к нему еще ближе и слушал.

— На Васильевском острове, — хрипел старик, — в Шестой линии... в Ше-стой ли-нии...

Он замолчал.

— Вы живете на Васильевском? Но вы не туда пошли; это будет налево, а не направо. Я вас сейчас довезу...

Старик не двигался. Я взял его за руку; рука упала, как мертвая. Я взглянул ему в лицо, дотронулся до него — он был уже мертвый. Мне казалось, что всё это происходит во сне.

Это приключение стоило мне больших хлопот, в продолжение которых прошла сама собою моя лихорадка. Квартиру старика отыскали. Он, однако же, жил не на Васильевском острову, а в двух шагах от того места, где умер, в доме Клугена, под самою кровлею, в пятом этаже, в отдельной квартире, состоящей из одной маленькой прихожей и одной большой, очень низкой комнаты, с тремя щелями наподобие окон. Жил он ужасно бедно. Мебели было всего стол, два стула и старый-старый диван, твердый, как камень, и из которого со всех сторон высовывалась мочала; да и то оказалось хозяйское. Печь, по-видимому, уже давно не топилась; свечей тоже не отыскалось. Я серьезно теперь думаю, что старик выдумал ходить к Миллеру единственно для того, чтоб посидеть при свечах и погреться. На столе стояла пустая глиняная кружка и лежала старая, черствая корка хлеба. Денег не нашлось ни копейки. Даже не было другой перемены белья, чтоб похоронить его; кто-то дал уж свою рубашку. Ясно, что он не мог жить таким образом, совершенно один, и, верно, кто-нибудь, хоть изредка, навещал его. В столе отыскался его паспорт. Покойник был из иностранцев, но русский подданный, Иеремия Смит, машинист, семидесяти восьми лет от роду. На столе лежали две книги: краткая география и Новый Завет в русском переводе, исчерченный карандашом на полях и с отметками ногтем. Книги эти я приобрел себе. Спрашивали жильцов, хозяина дома, — никто об нем почти ничего не знал. Жильцов в этом доме множество, почти всё мастеровые и немки, содержательницы квартир со столом и прислугою. Управляющий домом, из благородных, тоже немного мог сказать о бывшем своем постояльце, кроме разве того, что квартира ходила по шести рублей в месяц, что покойник жил в ней четыре месяца, но за два последних месяца не заплатил ни копейки, так что приходилось его сгонять с квартиры. Спрашивали: не ходил ли к нему кто-нибудь? Но никто не мог дать об этом удовлетворительного ответа. Дом большой: мало ли людей ходит в такой Ноев ковчег, всех не запомнишь. Дворник, служивший в этом доме лет пять и, вероятно, могший хоть что-нибудь разъяснить, ушел две недели перед этим к себе на родину, на побывку, оставив вместо себя своего племянника, молодого парня, еще не узнавшего лично и половины жильцов. Не знаю наверно, чем именно кончились тогда все эти справки, но наконец старика похоронили. В эти дни между другими хлопотами я ходил на Васильевский остров, в Шестую линию, и, только придя туда, усмехнулся сам над собою: что мог я увидать в Шестой линии, кроме ряда обыкновенных домов? «Но зачем же, — думал я, — старик, умирая, говорил про Шестую линию и про Васильевский остров? Не в бреду ли?»

Я осмотрел опустевшую квартиру Смита, и мне она понравилась. Я оставил ее за собою. Главное, была большая комната, хоть и очень низкая, так что мне в первое время всё казалось, что я задену потолок головою. Впрочем, я скоро привык. За шесть рублей в месяц и нельзя было достать лучше. Особняк соблазнял меня; оставалось только похлопотать насчет прислуги, так как совершенно без прислуги нельзя было жить. Дворник на первое время обещался приходить хоть по разу в день, прислужить мне в каком-нибудь крайнем случае. «А кто знает, — думал я, — может быть, кто-нибудь и наведается о старике!» Впрочем, прошло уже пять дней, как он умер, а еще никто не приходил.

ГЛАВА II

В то время, именно год назад, я еще сотрудничал по журналам, писал статейки и твердо верил, что мне удастся написать какую-нибудь большую, хорошую вещь. Я сидел тогда за большим романом; но дело все-таки кончилось тем, что я — вот засел теперь в больнице и, кажется, скоро умру. А коли скоро умру, то к чему бы, кажется, и писать записки?

Вспоминается мне невольно и беспрерывно весь этот тяжелый, последний год моей жизни. Хочу теперь всё записать, и, если б я не изобрел себе этого занятия, мне кажется, я бы умер с тоски. Все эти прошедшие впечатления волнуют иногда меня до боли, до муки. Под пером они примут характер более успокоительный, более стройный; менее будут походить на бред, на кошмар. Так мне кажется. Один механизм письма чего стоит: он успокоит, расхолодит, расшевелит во мне прежние авторские привычки, обратит мои воспоминания и больные мечты в дело, в занятие... Да, я хорошо выдумал. К тому ж и наследство фельдшеру; хоть окна облепит моими записками, когда будет зимние рамы вставлять.

Но, впрочем, я начал мой рассказ, неизвестно почему, из средины. Коли уж всё записывать, то надо начинать сначала. Ну, и начнем сначала. Впрочем, не велика будет моя автобиография.

Родился я не здесь, а далеко отсюда, в—ской губернии. Должно полагать, что родители мои были хорошие люди, но оставили меня сиротой еще в детстве, и вырос я в доме Николая Сергеича Ихменева, мелкопоместного помещика, который принял меня из жалости. Детей у него была одна только дочь, Наташа, ребенок тремя годами моложе меня. Мы росли с ней как брат с сестрой. О мое милое детство! Как глупо тосковать и жалеть о тебе на двадцать пятом году жизни и, умирая, вспомнуть только об одном тебе с восторгом и благодарностию! Тогда на небе было такое ясное, такое непетербургское солнце и так резво, весело бились наши маленькие сердца. Тогда кругом были поля и леса, а не груда мертвых камней, как теперь. Что за чудный был сад и парк в Васильевском, где Николай Сергеич был управляющим; в этот сад мы с Наташей ходили гулять, а за садом был большой, сырой лес, где мы, дети, оба раза заблудились... Золотое, прекрасное время! Жизнь сказывалась впервые, таинственно и заманчиво, и так сладко было знакомиться с нею. Тогда за каждым кустом, за каждым деревом как будто еще кто-то жил, для нас таинственный и неведомый; сказочный мир сливался с действительным; и, когда, бывало, в глубоких долинах густел вечерний пар и седыми извилистыми космами цеплялся за кустарник, лепившийся по каменистым ребрам нашего большого оврага, мы с Наташей, на берегу, держась за руки, с боязливым любопытством заглядывали вглубь и ждали, что вот-вот выйдет кто-нибудь к нам или откликнется из тумана с овражьего дна и нянины сказки окажутся настоящей, законной правдой. Раз, потом, уже долго спустя, я как-то напомнил Наташе, как достали нам тогда однажды «Детское чтение», как мы тотчас же убежали в сад, к пруду, где стояла под старым густым кленом наша любимая зеленая скамейка, уселись там и начали читать «Альфонса и Далинду» — волшебную повесть. Еще и теперь я не могу вспомнить эту повесть без какого-то странного сердечного движения, и когда я, год тому назад, припомнил Наташе две первые строчки: «Альфонс, герой моей повести, родился в Португалии; дон Рамир, его отец» и т. д., я чуть не заплакал. Должно быть, это вышло ужасно глупо, и потому-то, вероятно, Наташа так странно улыбнулась тогда моему восторгу. Впрочем, тотчас же спохватилась (я помню это) и для моего утешения сама принялась вспоминать про старое. Слово за словом, и сама расчувствовалась. Славный был этот вечер; мы всё перебрали: и то, когда меня отсылали в губернский город в пансион, — Господи, как она тогда плакала! — и нашу последнюю разлуку, когда я уже навсегда расставался с Васильевским. Я уже кончил тогда с моим пансионом и отправлялся в Петербург готовиться в университет. Мне было тогда семнадцать лет, ей пятнадцатый. Наташа говорит, что я был тогда такой нескладный, такой долговязый и что на меня без смеху смотреть нельзя было. В минуту прощанья я отвел ее в сторону, чтоб сказать ей что-то ужасно важное; но язык мой как-то вдруг онемел и завяз. Она припоминает, что я был в большом волнении. Разумеется, наш разговор не клеился. Я не знал, что сказать, а она, пожалуй, и не поняла бы меня. Я только горько заплакал, да так и уехал, ничего не сказавши. Мы свиделись уже долго спустя, в Петербурге. Это было года два тому назад. Старик Ихменев приехал сюда хлопотать по своей тяжбе, а я только что выскочил тогда в литераторы.

ГЛАВА III

Николай Сергеич Ихменев происходил из хорошей фамилии, но давно уже обедневшей. Впрочем, после родителей ему досталось полтораста душ хорошего имения. Лет двадцати от роду он распорядился поступить в гусары. Всё шло хорошо; но на шестом году его службы случилось ему в один несчастный вечер проиграть всё свое состояние. Он не спал всю ночь. На следующий вечер он снова явился к карточному столу и поставил на карту свою лошадь — последнее, что у него осталось. Карта взяла, за ней другая, третья, и через полчаса он отыграл одну из деревень своих, сельцо Ихменевку, в котором числилось пятьдесят душ по последней ревизии. Он забастовал и на другой же день подал в отставку. Сто душ погибло безвозвратно. Через два месяца он был уволен поручиком и отправился в свое сельцо. Никогда в жизни он не говорил потом о своем проигрыше и, несмотря на известное свое добродушие, непременно бы рассорился с тем, кто бы решился ему об этом напомнить. В деревне он прилежно занялся хозяйством и тридцати пяти лет от роду женился на бедной дворяночке, Анне Андреевне Шумиловой, совершенной бесприданнице, но получившей образование в губернском благородном пансионе у эмигрантки Мон-Ревеш, чем Анна Андреевна гордилась всю жизнь, хотя никто никогда не мог догадаться: в чем именно состояло это образование. Хозяином сделался Николай Сергеич превосходным. У него учились хозяйству соседи-помещики. Прошло несколько лет, как вдруг в соседнее имение, село Васильевское, в котором считалось девятьсот душ, приехал из Петербурга помещик, князь Петр Александрович Валковский. Его приезд произвел во всём околодке довольно сильное впечатление. Князь был еще молодой человек, хотя и не первой молодости, имел немалый чин, значительные связи, был красив собою, имел состояние и, наконец, был вдовец, что особенно было интересно для дам и девиц всего уезда. Рассказывали о блестящем приеме, сделанном ему в губернском городе губернатором, которому он приходился как-то сродни; о том, как все губернские дамы «сошли с ума от его любезностей», и проч., и проч. Одним словом, это был один из блестящих представителей высшего петербургского общества, которые редко появляются в губерниях и, появляясь, производят чрезвычайный эффект. Князь, однако же, был не из любезных, особенно с теми, в ком не нуждался и кого считал хоть немного ниже себя. С своими соседями по имению он не заблагорассудил познакомиться, чем тотчас же нажил себе много врагов. И потому все чрезвычайно удивились, когда вдруг ему вздумалось сделать визит к Николаю Сергеичу. Правда, что Николай Сергеич был одним из самых ближайших его соседей. В доме Ихменевых князь произвел сильное впечатление. Он тотчас же очаровал их обоих; особенно в восторге от него была Анна Андреевна. Немного спустя он был уже у них совершенно запросто, ездил каждый день, приглашал их к себе, острил, рассказывал анекдоты, играл на скверном их фортепьяно, пел. Ихменевы не могли надивиться: как можно было про такого дорогого, милейшего человека говорить, что он гордый, спесивый, сухой эгоист, о чем в один голос кричали все соседи? Надобно думать, что князю действительно понравился Николай Сергеич, человек простой, прямой, бескорыстный, благородный. Впрочем, вскоре всё объяснилось. Князь приехал в Васильевское, чтоб прогнать своего управляющего, одного блудного немца, человека амбиционного, агронома, одаренного почтенной сединой, очками и горбатым носом, но, при всех этих преимуществах, кравшего без стыда и цензуры и, сверх того, замучившего нескольких мужиков. Иван Карлович был наконец пойман и уличен на деле, очень обиделся, много говорил про немецкую честность; но, несмотря на всё это, был прогнан и даже с некоторым бесславием. Князю нужен был управитель, и выбор его пал на Николая Сергеича, отличнейшего хозяина и честнейшего человека, в чем, конечно, не могло быть и малейшего сомнения. Кажется, князю очень хотелось, чтоб Николай Сергеич сам предложил себя в управляющие; но этого не случилось, и князь в одно прекрасное утро сделал предложение сам, в форме самой дружеской и покорнейшей просьбы. Ихменев сначала отказывался; но значительное жалованье соблазнило Анну Андреевну, а удвоенные любезности просителя рассеяли и все остальные недоумения. Князь достиг своей цели. Надо думать, что он был большим знатоком людей. В короткое время своего знакомства с Ихменевым он совершенно узнал, с кем имеет дело, и понял, что Ихменева надо очаровать дружеским, сердечным образом, надобно привлечь к себе его сердце, и что без этого деньги не много сделаешь. Ему же нужен был такой управляющий, которому он мог бы слепо и навсегда довериться, чтоб уж и не заезжать никогда в Васильевское, как и действительно он рассчитывал. Очарование, которое он произвел в Ихменеве, было так сильно, что тот искренно поверил в его дружбу. Николай Сергеич был один из тех добрейших и наивно-романтических людей, которые так хороши у нас на Руси, что бы ни говорили о них, и которые, если уж полюбят кого (иногда бог знает за что), то отдаются ему всей душой, простирая иногда свою привязанность до комического.

Прошло много лет. Имение князя процветало. Сношения между владетелем Васильевского и его управляющим совершались без малейших неприятностей с обеих сторон и ограничивались сухой деловой перепиской. Князь, не вмешиваясь нисколько в распоряжения Николая Сергеича, давал ему иногда такие советы, которые удивляли Ихменева своею необыкновенною практичностью и деловитостью. Видно было, что он не только не любил тратить лишнего, но даже умел наживать. Лет пять после посещения Васильевского он прислав Николаю Сергеичу доверенность на покупку другого превосходнейшего имения в четыреста душ, в той же губернии. Николай Сергеич был в восторге; успехи князя, слухи об его удачах, о его возвышении он принимал к сердцу, как будто дело шло о родном его брате. Но восторг его дошел до последней степени, когда князь действительно показал ему в одном случае свою чрезвычайную доверенность. Вот как это произошло... Впрочем, здесь я нахожу необходимым упомянуть о некоторых особенных подробностях из жизни этого князя Валковского, отчасти одного из главнейших лиц моего рассказа.

ГЛАВА IV

Я упомянул уже прежде, что он был вдов. Женат был он еще в первой молодости и женился на деньгах. От родителей своих, окончательно разорившихся в Москве, он не получил почти ничего. Васильевское было заложено и перезаложено; долги на нем лежали огромные. У двадцатидвухлетнего князя, принужденного тогда служить в Москве, в какой-то канцелярии, не оставалось ни копейки, и он вступал в жизнь как «голяк — потомок отрасли старинной». Брак на перезрелой дочери какого-то купца-откупщика спас его. Откупщик, конечно, обманул его на приданом, но все-таки на деньги жены можно было выкупить родовое именье и подняться на ноги. Купеческая дочка, доставшаяся князю, едва умела писать, не могла склеить двух слов, была дурна лицом и имела только одно важное достоинство: была добра и безответна. Князь воспользовался этим достоинством вполне: после первого года брака он оставил жену свою, родившую ему в это время сына, на руках ее отца-откупщика в Москве, а сам уехал служить в—ю губернию, где выхлопотал, через покровительство одного знатного петербургского родственника, довольно видное место. Душа его жаждала отличий, возвышений, карьеры, и, рассчитав, что с своею женой он не может жить ни в Петербурге, ни в Москве, он решился, в ожидании лучшего, начать свою карьеру с провинции. Говорят, что еще в первый год своего сожительства с женою он чуть не замучил ее своим грубым с ней обхождением. Этот слух всегда возмущал Николая Сергеича, и он с жаром стоял за князя, утверждая, что князь неспособен к неблагородному поступку. Но лет через семь умерла наконец княгиня, и овдовевший супруг ее немедленно переехал в Петербург. В Петербурге он произвел даже некоторое впечатление. Еще молодой, красавец собою, с состоянием, одаренный многими блестящими качествами, несомненным остроумием, вкусом, неистощимою веселостью, он явился не как искатель счастья и покровительства, а довольно самостоятельно. Рассказывали, что в нем действительно было что-то обаятельное, что-то покоряющее, что-то сильное. Он чрезвычайно нравился женщинам, и связь с одной из светских красавиц доставила ему скандалезную славу. Он сыпал деньгами, не жалея их, несмотря на врожденную расчетливость, доходившую до скупости, проигрывал кому нужно в карты и не морщился даже от огромных проигрышей. Но не развлечений он приехал искать в Петербурге: ему надо было окончательно стать на дорогу и упрочить свою карьеру. Он достиг этого. Граф Наинский, его знатный родственник, который не обратил бы и внимания на него, если б он явился обыкновенным просителем, пораженный его успехами в обществе, нашел возможным и приличным обратить на него свое особенное внимание и даже удостоил взять в свой дом на воспитание его семилетнего сына. К этому-то времени относится и поездка князя в Васильевское и знакомство его с Ихменевыми. Наконец получив через посредство графа значительное место при одном из важнейших посольств, он отправился за границу. Далее слухи о нем становились несколько темными: говорили о каком-то неприятном происшествии, случившемся с ним за границей, но никто не мог объяснить, в чем оно состояло. Известно было только, что он успел прикупить четыреста душ, о чем уже я упоминал. Воротился он из-за границы уже много лет спустя, в важном чине, и немедленно занял в Петербурге весьма значительное место. В Ихменевке носились слухи, что он вступает во второй брак и роднится с каким-то знатным, богатым и сильным домом. «Смотрит в вельможи!» — говорил Николай Сергеич, потирая руки от удовольствия. Я был тогда в Петербурге в университете, и помню, что Ихменев нарочно писал ко мне и просил меня справиться: справедливы ли слухи о браке? Он писал тоже князю, прося у него для меня покровительства; но князь оставил письмо его без ответа. Я знал только, что сын его, воспитывавшийся сначала у графа, а потом в лицее, окончил тогда курс наук девятнадцати лет от роду. Я написал об этом к Ихменевым, а также и о том, что князь очень любит своего сына, балует его, рассчитывает уже и теперь его будущность. Всё это я узнал от товарищей-студентов, знакомых молодому князю. В это-то время Николай Сергеич в одно прекрасное утро получил от князя письмо, чрезвычайно его удивившее...

Князь, который до сих пор, как уже упомянул я, ограничивался в сношениях с Николаем Сергеичем одной сухой, деловой перепиской, писал к нему теперь самым подробным, откровенным и дружеским образом о своих семейных обстоятельствах: он жаловался на своего сына, писал, что сын огорчает его дурным своим поведением; что, конечно, на шалости такого мальчика нельзя еще смотреть слишком серьезно (он видимо старался оправдать его), но что он решился наказать сына, попугать его, а именно: сослать его на некоторое время в деревню, под присмотр Ихменева. Князь писал, что вполне полагается на «своего добрейшего, благороднейшего Николая Сергеевича и в особенности на Анну Андреевну», просил их обоих принять его ветрогона в их семейство, поучить в уединении уму-разуму, полюбить его, если возможно, а главное, исправить его легкомысленный характер и «внушить спасительные и строгие правила, столь необходимые в человеческой жизни». Разумеется, старик Ихменев с восторгом принялся за дело. Явился и молодой князь; они приняли его как родного сына. Вскоре Николай Сергеич горячо полюбил его, не менее чем свою Наташу; даже потом, уже после окончательного разрыва между князем-отцом и Ихменевым, старик с веселым духом вспоминал иногда о своем Алеше — так привык он называть князя Алексея Петровича. В самом деле, это был премилейший мальчик: красавчик собою, слабый и нервный, как женщина, но вместе с тем веселый и простодушный, с душою отверстою и способною к благороднейшим ощущениям, с сердцем любящим, правдивым и признательным, — он сделался идолом в доме Ихменевых. Несмотря на свои девятнадцать лет, он был еще совершенный ребенок. Трудно было представить, за что его мог сослать отец, который, как говорили, очень любил его. Говорили, что молодой человек в Петербурге жил праздно и ветрено, служить не хотел и огорчал этим отца. Николай Сергеич не расспрашивал Алешу, потому что князь Петр Александрович, видимо, умалчивал в своем письме о настоящей причине изгнания сына. Впрочем, носились слухи про какую-то непростительную ветреность Алеши, про какую-то связь с одной дамой, про какой-то вызов на дуэль, про какой-то невероятный проигрыш в карты; доходили даже до каких-то чужих денег, им будто бы растраченных. Был тоже слух, что князь решился удалить сына вовсе не за вину, а вследствие каких-то особенных, эгоистических соображений. Николай Сергеич с негодованием отвергал этот слух, тем более что Алеша чрезвычайно любил своего отца, которого не знал в продолжение всего своего детства и отрочества; он говорил о нем с восторгом, с увлечением; видно было, что он вполне подчинился его влиянию. Алеша болтал тоже иногда про какую-то графиню, за которой волочились и он и отец вместе, но что он, Алеша, одержал верх, а отец на него за это ужасно рассердился. Он всегда рассказывал эту историю с восторгом, с детским простодушием, с звонким, веселым смехом; но Николай Сергеич тотчас же его останавливал. Алеша подтверждал тоже слух, что отец его хочет жениться.

Он выжил уже почти год в изгнании, в известные сроки писал к отцу почтительные и благоразумные письма и наконец до того сжился с Васильевским, что когда князь на лето сам приехал в деревню (о чем заранее уведомил Ихменевых), то изгнанник сам стал просить отца позволить ему как можно долее остаться в Васильевском, уверяя, что сельская жизнь — настоящее его назначение. Все решения и увлечения Алеши происходили от его чрезвычайной, слабонервной восприимчивости, от горячего сердца, от легкомыслия, доходившего иногда до бессмыслицы; от чрезвычайной способности подчиняться всякому внешнему влиянию и от совершенного отсутствия воли. Но князь как-то подозрительно выслушал его просьбу... Вообще Николай Сергеич с трудом узнавал своего прежнего «*друга*»: князь Петр Александрович чрезвычайно изменился. Он сделался вдруг особенно придирчив к Николаю Сергеичу; в проверке счетов по именью выказал какую-то отвратительную жадность, скупость и непонятную мнительность. Всё это ужасно огорчило добрейшего Ихменева; он долго старался не верить самому себе. В этот раз всё делалось обратно в сравнении с первым посещением Васильевского, четырнадцать лет тому назад: в этот раз князь перезнакомился со всеми соседями, разумеется из важнейших; к Николаю же Сергеичу он никогда не ездил и обращался с ним как будто с своим подчиненным. Вдруг случилось непонятное происшествие: без всякой видимой причины последовал ожесточенный разрыв между князем и Николаем Сергеичем. Подслушаны были горячие, обидные слова, сказанные с обеих сторон. С негодованием удалился Ихменев из Васильевского, но история еще этим не кончилась. По всему околотку вдруг распространилась отвратительная сплетня. Уверяли, что Николай Сергеич, разгадав характер молодого князя, имел намерение употребить все недостатки его в свою пользу; что дочь его Наташа (которой уже было тогда семнадцать лет) сумела влюбить в себя двадцатилетнего юношу; что и отец и мать этой любви покровительствовали, хотя и делали вид, что ничего не замечают; что хитрая и «безнравственная» Наташа околдовала наконец совершенно молодого человека, не видавшего в целый год, ее стараниями, почти ни одной настоящей благородной девицы, которых так много зреет в почтенных домах соседних помещиков. Уверяли, наконец, что между любовниками уже было условлено обвенчаться, в пятнадцати верстах от Васильевского, в селе Григорьеве, по-видимому тихонько от родителей Наташи, но которые, однако же, знали всё до малейшей подробности и руководили дочь гнусными своими советами. Одним словом, в целой книге не уместить всего, что уездные кумушки обоего пола успели насплетничать по поводу этой истории. Но удивительнее всего, что князь поверил всему этому совершенно и даже приехал в Васильевское единственно по этой причине, вследствие какого-то анонимного доноса, присланного к нему в Петербург из провинции. Конечно, всякий, кто знал хоть сколько-нибудь Николая Сергеича, не мог бы, кажется, и одному слову поверить из всех взводимых на него обвинений; а между тем, как водится, все суетились, все говорили, все оговаривались, все покачивали головами и... осуждали безвозвратно. Ихменев же был слишком горд, чтоб оправдывать дочь свою пред кумушками, и настрого запретил своей Анне Андреевне вступать в какие бы то ни было объяснения с соседями. Сама же Наташа, так оклеветанная, даже еще целый год спустя, не знала почти ни одного слова из всех этих наговоров и сплетней: от нее тщательно скрывали всю историю, и она была весела и невинна, как двенадцатилетний ребенок.

Тем временем ссора шла всё дальше и дальше. Услужливые люди не дремали. Явились доносчики и свидетели, и князя успели наконец уверить, что долголетнее управление Николая Сергеича Васильевским далеко не отличалось образцовою честностью. Мало того: что три года тому назад при продаже рощи Николай Сергеич утаил в свою пользу двенадцать тысяч серебром, что на это можно представить самые ясные, законные доказательства перед судом, тем более что на продажу рощи он не имел от князя никакой законной доверенности, а действовал по собственному соображению, убедив уже потом князя в необходимости продажи и предъявив за рощу сумму несравненно меньше действительно полученной. Разумеется, всё это были одни клеветы, как и оказалось впоследствии, но князь поверил всему и при свидетелях назвал Николая Сергеича вором. Ихменев не стерпел и отвечал равносильным оскорблением; произошла ужасная сцена. Немедленно начался процесс. Николай Сергеич, за неимением кой-каких бумаг, а главное, не имея ни покровителей, ни опытности в хождении по таким делам, тотчас же стал проигрывать в своей тяжбе. На имение его было наложено запрещение. Раздраженный старик бросил всё и решился наконец переехать в Петербург, чтобы лично хлопотать о своем деле, а в губернии оставил за себя опытного поверенного. Кажется, князь скоро стал понимать, что он напрасно оскорбил Ихменева. Но оскорбление с обеих сторон было так сильно, что не оставалось и слова на мир, и раздраженный князь употреблял все усилия, чтоб повернуть дело в свою пользу, то есть, в сущности, отнять у бывшего своего управляющего последний кусок хлеба.

ГЛАВА V

Итак, Ихменевы переехали в Петербург. Не стану описывать мою встречу с Наташей после такой долгой разлуки. Во все эти четыре года я не забывал ее никогда. Конечно, я сам не понимал вполне того чувства, с которым вспоминал о ней; но когда мы вновь свиделись, я скоро догадался, что она суждена мне судьбою. Сначала, в первые дни после их приезда, мне всё казалось, что она как-то мало развилась в эти годы, совсем как будто не переменилась и осталась такой же девочкой, как и была до нашей разлуки. Но потом каждый день я угадывал в ней что-нибудь новое, до тех пор мне совсем незнакомое, как будто нарочно скрытое от меня, как будто девушка нарочно от меня пряталась, — и что за наслаждение было это отгадывание! Старик, переехав в Петербург, первое время был раздражен и желчен. Дела его шли худо; он негодовал, выходил из себя, возился с деловыми бумагами, и ему было не до нас. Анна же Андреевна ходила как потерянная и сначала ничего сообразить не могла. Петербург ее пугал. Она вздыхала и трусила, плакала о прежнем житье-бытье, об Ихменевке, о том, что Наташа на возрасте, а об ней и подумать некому, и пускалась со мной в престранные откровенности, за неимением кого другого, более способного к дружеской доверенности.

Вот в это-то время, незадолго до их приезда, я кончил мой первый роман, тот самый, с которого началась моя литературная карьера, и, как новичок, сначала не знал, куда его сунуть. У Ихменевых я об этом ничего не говорил; они же чуть со мной не поссорились за то, что я живу праздно, то есть не служу и не стараюсь приискать себе места. Старик горько и даже желчно укорял меня, разумеется из отеческого ко мне участия. Я же просто стыдился сказать им, чем занимаюсь. Ну как, в самом деле, объявить прямо, что не хочу служить, а хочу сочинять романы, а потому до времени их обманывал, говорил, что места мне не дают, а что я ищу из всех сил. Ему некогда было поверять меня. Помню, как однажды Наташа, наслушавшись наших разговоров, таинственно отвела меня в сторону и со слезами умоляла подумать о моей судьбе, допрашивала меня, выпытывала: что я именно делаю, и, когда я перед ней не открылся, взяла с меня клятву, что я не сгублю себя как лентяй и празднушатайка. Правда, я хоть не признался и ей, чем занимаюсь, но помню, что за одно одобрительное слово ее о труде моем, о моем первом романе, я бы отдал все самые лестные для меня отзывы критиков и ценителей, которые потом о себе слышал. И вот вышел наконец мой роман. Еще задолго до появления его поднялся шум и гам в литературном мире. Б. обрадовался как ребенок, прочитав мою рукопись. Нет! Если я был счастлив когда-нибудь, то это даже и не во время первых упоительных минут моего успеха, а тогда, когда еще я не читал и не показывал никому моей рукописи: в те долгие ночи, среди восторженных надежд и мечтаний и страстной любви к труду; когда я сжился с моей фантазией, с лицами, которых сам создал, как с родными, как будто с действительно существующими; любил их, радовался и печалился с ними, а подчас даже и плакал самыми искренними слезами над незатейливым героем моим. И описать не могу, как обрадовались старики моему успеху, хотя сперва ужасно удивились: так странно их это поразило! Анна Андреевна, например, никак не хотела поверить, что новый, прославляемый всеми писатель — тот самый Ваня, который и т. д., и т. д., и всё качала головою. Старик долго не сдавался и сначала, при первых слухах, даже испугался; стал говорить о потерянной служебной карьере, о беспорядочном поведении всех вообще сочинителей. Но беспрерывные новые слухи, объявления в журналах и наконец несколько похвальных слов, услышанных им обо мне от таких лиц, которым он с благоговением верил, заставили его изменить свой взгляд на дело. Когда же он увидел, что я вдруг очутился с деньгами, и узнал, какую плату можно получать за литературный труд, то и последние сомнения его рассеялись. Быстрый в переходах от сомнения к полной, восторженной вере, радуясь как ребенок моему счастью, он вдруг ударился в самые необузданные надежды, в самые ослепительные мечты о моей будущности. Каждый день создавал он для меня новые карьеры и планы, и чего-чего не было в этих планах! Он начал выказывать мне какое-то особенное, до тех пор небывалое ко мне уважение. Но все-таки, помню, случалось, сомнения вдруг опять осаждали его, часто среди самого восторженного фантазирования, и снова сбивали его с толку.

«Сочинитель, поэт! Как-то странно... Когда же поэты выходили в люди, в чины? Народ-то всё такой щелкопер, ненадежный!»

Я заметил, что подобные сомнения и все эти щекотливые вопросы приходили к нему всего чаще в сумерки (так памятны мне все подробности и всё то золотое время!). В сумерки наш старик всегда становился как-то особенно нервен, впечатлителен и мнителен. Мы с Наташей уж знали это и заранее посмеивались. Помню, я ободрял его анекдотами про генеральство Сумарокова, про то, как Державину прислали табакерку с червонцами, как сама императрица посетила Ломоносова; рассказывал про Пушкина, про Гоголя.

— Знаю, братец, всё знаю, — возражал старик, может быть, слышавший первый раз в жизни все эти истории. — Гм! Послушай, Ваня, а ведь я все-таки рад, что твоя стряпня не стихами писана. Стихи, братец, вздор; уж ты не спорь, а мне поверь, старику; я добра желаю тебе; чистый вздор, праздное употребление времени! Стихи гимназистам писать; стихи до сумасшедшего дома вашу братью, молодежь, доводят... Положим, что Пушкин велик, кто об этом! А все-таки стишки, и ничего больше; так, эфемерное что-то... Я, впрочем, его и читал-то мало... Проза другое дело! Тут сочинитель даже поучать может, — ну, там о любви к отечеству упомянуть или так, вообще про добродетели... да! Я, брат, только не умею выразиться, но ты меня понимаешь; любя говорю. А ну-ка, ну-ка прочти! — заключил он с некоторым видом покровительства, когда я наконец принес книгу и все мы после чаю уселись за круглый стол, — прочти-ка, что ты там настрочил; много кричат о тебе! Посмотрим, посмотрим!

Я развернул книгу и приготовился читать. В тот вечер только что вышел мой роман из печати, и я, достав наконец экземпляр, прибежал к Ихменевым читать свое сочинение.

Как я горевал и досадовал, что не мог им прочесть его ранее, по рукописи, которая была в руках у издателя! Наташа даже плакала с досады, ссорилась со мной, попрекала меня, что чужие прочтут мой роман раньше, чем она... Но вот наконец мы сидим за столом. Старик состроил физиономию необыкновенно серьезную и критическую. Он хотел строго, строго судить, «сам увериться». Старушка тоже смотрела необыкновенно торжественно; чуть ли она не надела к чтению нового чепчика. Она давно уже приметила, что я смотрю с бесконечной любовью на ее бесценную Наташу; что у меня дух занимается и темнеет в глазах, когда я с ней заговариваю, и что и Наташа тоже как-то яснее, чем прежде, на меня поглядывает. Да! пришло наконец это время, пришло в минуту удач, золотых надежд и самого полного счастья, всё вместе, всё разом пришло! Приметила тоже старушка, что и старик ее как-то уж слишком начал хвалить меня и как-то особенно взглядывает на меня и на дочь... и вдруг испугалась: всё же я был не граф, не князь, не владетельный принц или по крайней мере коллежский советник из правоведов, молодой, в орденах и красивый собою! Анна Андреевна не любила желать вполовину.

«Хвалят человека, — думала она обо мне, — а за что — неизвестно. Сочинитель, поэт... Да ведь что ж такое сочинитель?»

ГЛАВА VI

Я прочел им мой роман в один присест. Мы начали сейчас после чаю, а просидели до двух часов пополуночи. Старик сначала нахмурился. Он ожидал чего-то непостижимо высокого, такого, чего бы он, пожалуй, и сам не мог понять, но только непременно высокого; а вместо того вдруг такие будни и всё такое известное — вот точь-в-точь как то самое, что обыкновенно кругом совершается. И добро бы большой или интересный человек был герой, или из исторического что-нибудь, вроде Рославлева или Юрия Милославского; а то выставлен какой-то маленький, забитый и даже глуповатый чиновник, у которого и пуговицы на вицмундире обсыпались; и всё это таким простым слогом описано, ни дать ни взять, как мы сами говорим... Странно! Старушка вопросительно взглядывала на Николая Сергеича и даже немного надулась, точно чем-то обиделась: «Ну стоит, право, такой вздор печатать и слушать, да еще и деньги за это дают», — написано было на лице ее. Наташа была вся внимание, с жадностью слушала, не сводила с меня глаз, всматриваясь в мои губы, как я произношу каждое слово, и сама шевелила своими хорошенькими губками. И что ж? Прежде чем я дочел до половины, у всех моих слушателей текли из глаз слезы. Анна Андреевна искренно плакала, от всей души сожалея моего героя и пренаивно желая хоть чем-нибудь помочь ему в его несчастиях, что понял я из ее восклицаний. Старик уже отбросил все мечты о высоком: «С первого шага видно, что далеко кулику до Петрова дня; так себе, просто рассказец; зато сердце захватывает, — говорил он, — зато становится понятно и памятно, что кругом происходит; зато познается, что самый забитый, последний человек есть тоже человек и называется брат мой!» Наташа слушала, плакала и под столом, украдкой, крепко пожимала мою руку. Кончилось чтение. Она встала; щечки ее горели, слезинки стояли в глазах; вдруг она схватила мою руку, поцеловала ее и выбежала вон из комнаты. Отец и мать переглянулись между собою.

— Гм! вот она какая восторженная, — проговорил старик, пораженный поступком дочери, — это ничего, впрочем, это хорошо, хорошо, благородный порыв! Она добрая девушка... — бормотал он, смотря вскользь на жену, как будто желая оправдать Наташу, а вместе с тем почему-то желая оправдать и меня.

Но Анна Андреевна, несмотря на то что во время чтения сама была в некотором волнении и тронута, смотрела теперь так, как будто хотела выговорить: «Оно конечно, Александр Македонский герой, но зачем же стулья ломать?» и т. д.

Наташа воротилась скоро, веселая и счастливая, и, проходя мимо, потихоньку ущипнула меня. Старик принялся было опять «серьезно» оценивать мою повесть, но от радости не выдержал характера и увлекся:

— Ну, брат Ваня, хорошо, хорошо! Утешил! Так утешил, что я даже и не ожидал. Не высокое, не великое, это видно... Вон у меня там «Освобождение Москвы» лежит, в Москве же и сочинили, — ну так оно с первой строки, братец, видно, что, так сказать, орлом воспарил человек... Но знаешь ли, Ваня, у тебя оно как-то проще, понятнее. Вот именно за то и люблю, что понятнее! Роднее как-то оно; как будто со мной самим всё это случилось. А то что высокое-то? И сам бы не понимал. Слог бы я выправил: я ведь хвалю, а что ни говори, все-таки мало возвышенного... Ну да уж теперь поздно: напечатано. Разве во втором издании? А что, брат, ведь и второе издание, чай, будет? Тогда опять деньги... Гм!

— И неужели вы столько денег получили, Иван Петрович? — заметила Анна Андреевна. — Гляжу на вас, и всё как-то не верится. Ах ты, Господи, вот ведь за что теперь деньги стали давать!

— Знаешь, Ваня? — продолжал старик, увлекаясь всё более и более, — это хоть не служба, зато все-таки карьера. Прочтут и высокие лица. Вот ты говорил, Гоголь вспоможение ежегодное получает и за границу послан. А что если бы и ты? А? Или еще рано? Надо еще что-нибудь сочинить? Так сочиняй, брат, сочиняй поскорее! Не засыпай на лаврах. Чего глядеть-то!

И он говорил это с таким убежденным видом, с таким добродушием, что недоставало решимости остановить и расхолодить его фантазию.

— Или вот, например, табакерку дадут... Что ж? На милость ведь нет образца. Поощрить захотят. А кто знает, может, и ко двору попадешь, — прибавил он полушепотом и с значительным видом, прищурив свой левый глаз, — или нет? Или еще рано ко двору-то?

— Ну, уж и ко двору! — сказала Анна Андреевна, как будто обидевшись.

— Еще немного, и вы произведете меня в генералы, — отвечал я, смеясь от души.

Старик тоже засмеялся. Он был чрезвычайно доволен.

— Ваше превосходительство, не хотите ли кушать? — закричала резвая Наташа, которая тем временем собрала нам поужинать.

Она захохотала, подбежала к отцу и крепко обняла его своими горячими ручками:

— Добрый, добрый папаша!

Старик расчувствовался.

— Ну, ну, хорошо, хорошо! Я ведь так, спроста говорю. Генерал не генерал, а пойдемте-ка ужинать. Ах ты чувствительная! — прибавил он, потрепав свою Наташу по раскрасневшейся щечке, что любил делать при всяком удобном случае, — я, вот видишь ли, Ваня, любя говорил. Ну, хоть и не генерал (далеко до генерала!), а все-таки известное лицо, сочинитель!

— Нынче, папаша, говорят: писатель.

— А не сочинитель? Не знал я. Ну, положим, хоть и писатель; а я вот что хотел сказать: камергером, конечно, не сделают за то, что роман сочинил; об этом и думать нечего; а все-таки можно в люди пройти; ну сделаться каким-нибудь там атташе. За границу могут послать, в Италию, для поправления здоровья или там для усовершенствования в науках, что ли; деньгами помогут. Разумеется, надо, чтобы всё это и с твоей стороны было благородно; чтоб за дело, за настоящее дело деньги и почести брать, а не так, чтоб как-нибудь там, по протекции...

— Да ты не загордись тогда, Иван Петрович, — прибавила, смеясь, Анна Андреевна.

— Да уж поскорей ему звезду, папаша, а то что в самом деле, атташе да атташе!

И она опять ущипнула меня за руку.

— А эта всё надо мной подсмеивается! — вскричал старик, с восторгом смотря на Наташу, у которой разгорелись щечки, а глазки весело сияли, как звездочки. — Я, детки, кажется, и вправду далеко зашел, в Альнаскары записался; и всегда-то я был такой... а только знаешь, Ваня, смотрю я на тебя: какой-то ты у нас совсем простой...

— Ах, Боже мой! Да какому же ему быть, папочка?

— Ну нет, я не то. А только все-таки, Ваня, у тебя какое-то эдак лицо... то есть совсем как будто не поэтическое... Эдак, знаешь, бледные они, говорят, бывают, поэты-то, ну и с волосами такими, и в глазах эдак что-то... Знаешь, там Гете какой-нибудь или проч. ...я это в «Аббаддонне» читал... а что? Опять соврал что-нибудь? Ишь, шалунья, так и заливается надо мной! Я, друзья мои, не ученый, только чувствовать могу. Ну, лицо не лицо, — это ведь не велика беда, лицо-то; для меня и твое хорошо, и очень нравится... Я ведь не к тому говорил... А только будь честен, Ваня, будь честен, это главное; живи честно, не возмечтай! Перед тобой дорога широкая. Служи честно своему делу; вот что я хотел сказать, вот именно это-то я и хотел сказать!

Чудное было время! Все свободные часы, все вечера проводил я у них. Старику приносил вести о литературном мире, о литераторах, которыми он вдруг, неизвестно почему, начал чрезвычайно интересоваться; даже начал читать критические статьи Б., про которого я много наговорил ему и которого он почти не понимал, но хвалил до восторга и горько жаловался на врагов его, писавших в «Северном трутне». Старушка зорко следила за мной и Наташей; но не уследила она за нами! Между нами уже было сказано одно словечко, и я услышал наконец, как Наташа, потупив головку и полураскрыв свои губки, почти шепотом сказала мне: *да.* Но узнали и старики; погадали, подумали; Анна Андреевна долго качала головою. Странно и жутко ей было. Не верила она мне.

— Ведь вот хорошо удача, Иван Петрович, — говорила она, — а вдруг не будет удачи или там что-нибудь; что тогда? Хоть бы служили вы где!

— А вот что я скажу тебе, Ваня, — решил старик, надумавшись, — я и сам это видел, заметил и, признаюсь, даже обрадовался, что ты и Наташа... ну, да чего тут! Видишь, Ваня: оба вы еще очень молоды, и моя Анна Андреевна права. Подождем. Ты, положим, талант, даже замечательный талант... ну, не гений, как об тебе там сперва прокричали, а так, просто талант (я еще вот сегодня читал на тебя эту критику в «Трутне»; слишком уж там тебя худо третируют; ну да ведь это что ж за газета!). Да! так видишь: ведь это еще не деньги в ломбарде, талант-то; а вы оба бедные. Подождем годика эдак полтора или хоть год: пойдешь хорошо, утвердишься крепко на своей дороге — твоя Наташа; не удастся тебе — сам рассуди!.. Ты человек честный; подумай!..

На этом и остановились. А через год вот что было.

Да, это было почти ровно через год! В ясный сентябрьский день, перед вечером, вошел я к моим старикам больной, с замиранием в душе и упал на стул чуть не в обмороке, так что даже они перепугались, на меня глядя. Но не оттого закружилась у меня тогда голова и тосковало сердце так, что я десять раз подходил к их дверям и десять раз возвращался назад, прежде чем вошел, — не оттого, что не удалась мне моя карьера и что не было у меня еще ни славы, ни денег; не оттого, что я еще не какой-нибудь «атташе» и далеко было до того, чтоб меня послали для поправления здоровья в Италию; а оттого, что можно прожить десять лет в один год, и прожила в этот год десять лет и моя Наташа. Бесконечность легла между нами... И вот, помню, сидел я перед стариком, молчал и доламывал рассеянной рукой и без того уже обломанные поля моей шляпы; сидел и ждал, неизвестно зачем, когда выйдет Наташа. Костюм мой был жалок и худо на мне сидел; лицом я осунулся, похудел, пожелтел, — а все-таки далеко не похож был я на поэта и в глазах моих все-таки не было ничего великого, о чем так хлопотал когда-то добрый Николай Сергеич. Старушка смотрела на меня с непритворным и уж слишком торопливым сожалением, а сама про себя думала: «Ведь вот эдакой-то чуть не стал женихом Наташи, Господи помилуй и сохрани!»

— Что, Иван Петрович, не хотите ли чаю? (самовар кипел на столе), да каково, батюшка, поживаете? Больные вы какие-то вовсе, — спросила она меня жалобным голосом, как теперь ее слышу.

И как теперь вижу: говорит она мне, а в глазах ее видна и другая забота, та же самая забота, от которой затуманился и ее старик и с которой он сидел теперь над простывающей чашкой и думал свою думу. Я знал, что их очень озабочивает в эту минуту процесс с князем Валковским, повернувшийся для них не совсем хорошо, и что у них случились еще новые неприятности, расстроившие Николая Сергеича до болезни. Молодой князь, из-за которого началась вся история этого процесса, месяцев пять тому назад нашел случай побывать у Ихменевых. Старик, любивший своего милого Алешу как родного сына, почти каждый день вспоминавший о нем, принял его с радостию. Анна Андреевна вспомнила про Васильевское и расплакалась. Алеша стал ходить к ним чаще и чаще, потихоньку от отца; Николай Сергеич, честный, открытый, прямодушный, с негодованием отверг все предосторожности. Из благородной гордости он не хотел и думать: что скажет князь, если узнает, что его сын опять принят в доме Ихменевых, и мысленно презирал все его нелепые подозрения. Но старик не знал, достанет ли у него сил вынести новые оскорбления. Молодой князь начал бывать у них почти каждый день. Весело было с ним старикам. Целые вечера и далеко за полночь просиживал он у них. Разумеется, отец узнал наконец обо всем. Вышла гнуснейшая сплетня. Он оскорбил Николая Сергеича ужасным письмом, всё на ту же тему, как и прежде, а сыну положительно запретил посещать Ихменевых. Это случилось за две недели до моего к ним прихода. Старик загрустил ужасно. Как! Его Наташу, невинную, благородную, замешивать опять в эту грязную клевету, в эту низость! Ее имя было оскорбительно произнесено уже и прежде обидевшим его человеком... И оставить всё это без удовлетворения! В первые дни он слег в постель от отчаяния. Всё это я знал. Вся история дошла до меня в подробности, хотя и больной и убитый, всё это последнее время, недели три, у них не показывался и лежал у себя на квартире. Но я знал еще... нет! я тогда еще только предчувствовал, знал, да не верил, что, кроме этой истории, есть и у них теперь что-то, что должно беспокоить их больше всего на свете, и с мучительной тоской к ним приглядывался. Да, я мучился; я боялся угадать, боялся верить и всеми силами желал удалить роковую минуту. А между тем и пришел для нее. Меня точно тянуло к ним в этот вечер!

— Да, Ваня, — спросил вдруг старик, как будто опомнившись, — уж не был ли болен? Что долго не ходил? Я виноват перед тобой: давно хотел тебя навестить, да всё как-то того... — И он опять задумался.

— Я был нездоров, — отвечал я.

— Гм! нездоров! — повторил он пять минут спустя. — То-то нездоров! Говорил я тогда, предостерегал, — не послушался! Гм! Нет, брат Ваня: муза, видно, испокон веку сидела на чердаке голодная, да и будет сидеть. Так-то!

Да, не в духе был старик. Не было б у него своей раны на сердце, не заговорил бы он со мной о голодной музе. Я всматривался в его лицо: оно пожелтело, в глазах его выражалось какое-то недоумение, какая-то мысль в форме вопроса, которого он не в силах был разрешить. Был он как-то порывист и непривычно желчен. Жена взглядывала на него с беспокойством и покачивала головою. Когда он раз отвернулся, она кивнула мне на него украдкой.

— Как здоровье Натальи Николаевны? Она дома? — спросил я озабоченную Анну Андреевну.

— Дома, батюшка, дома, — отвечала она, как будто затрудняясь моим вопросом. — Сейчас сама выйдет на вас поглядеть. Шутка ли! Три недели не видались! Да чтой-то она у нас какая-то стала такая, — не сообразишь с ней никак: здоровая ли, больная ли, Бог с ней!

И она робко посмотрела на мужа.

— А что? Ничего с ней, — отозвался Николай Сергеич неохотно и отрывисто, — здорова. Так, в лета входит девица, перестала младенцем быть, вот и всё. Кто их разберет, эти девичьи печали да капризы?

— Ну, уж и капризы! — подхватила Анна Андреевна обидчивым голосом.

Старик смолчал и забарабанил пальцами по столу. «Боже, неужели уж было что-нибудь между ними?» — подумал я в страхе.

— Ну, а что, как там у вас? — начал он снова. — Что Б., всё еще критику пишет?

— Да, пишет, — отвечал я.

— Эх, Ваня, Ваня! — заключил он, махнув рукой. — Что уж тут критика! Дверь отворилась, и вошла Наташа.

ГЛАВА VII

Она несла в руках свою шляпку и, войдя, положила ее на фортепиано; потом подошла ко мне и молча протянула мне руку. Губы ее слегка пошевелились; она как будто хотела мне что-то сказать, какое-то приветствие, но ничего не сказала.

Три недели как мы не видались. Я глядел на нее с недоумением и страхом. Как переменилась она в три недели! Сердце мое защемило тоской, когда я разглядел эти впалые бледные щеки, губы, запекшиеся, как в лихорадке, и глаза, сверкавшие из-под длинных, темных ресниц горячечным огнем и какой-то страстной решимостью.

Но Боже, как она была прекрасна! Никогда, ни прежде, ни после, не видал я ее такою, как в этот роковой день. Та ли, та ли это Наташа, та ли это девочка, которая, еще только год тому назад, не спускала с меня глаз и, шевеля за мною губками, слушала мой роман и которая так весело, так беспечно хохотала и шутила в тот вечер с отцом и со мною за ужином? Та ли это Наташа, которая там, в той комнате, наклонив головку и вся загоревшись румянцем, сказала мне: *да.*

Раздался густой звук колокола, призывавшего к вечерне. Она вздрогнула, старушка перекрестилась.

— Ты к вечерне собиралась, Наташа, а вот уж и благовестят, — сказала она. — Сходи, Наташенька, сходи, помолись, благо близко! Да и прошлась бы заодно. Что взаперти-то сидеть? Смотри, какая ты бледная; ровно сглазили.

— Я... может быть... не пойду сегодня, — проговорила Наташа медленно и тихо, почти шепотом. — Я... нездорова, — прибавила она и побледнела как полотно.

— Лучше бы пойти, Наташа; ведь ты же хотела давеча и шляпку вот принесла. Помолись, Наташенька, помолись, чтоб тебе Бог здоровья послал, — уговаривала Анна Андреевна, робко смотря на дочь, как будто боялась ее.

— Ну да; сходи; а к тому ж и пройдешься, — прибавил старик, тоже с беспокойством всматриваясь в лицо дочери, — мать правду говорит. Вот Ваня тебя и проводит.

Мне показалось, что горькая усмешка промелькнула на губах Наташи. Она подошла к фортепиано, взяла шляпку и надела ее; руки ее дрожали. Все движения ее были как будто бессознательны, точно она не понимала, что делала. Отец и мать пристально в нее всматривались.

— Прощайте! — чуть слышно проговорила она.

— И, ангел мой, что прощаться, далекий ли путь! На тебя хоть ветер подует; смотри, какая ты бледненькая. Ах! да ведь я и забыла (всё-то я забываю!) — ладонку я тебе кончила; молитву зашила в нее, ангел мой; монашенка из Киева научила прошлого года; пригодная молитва; еще давеча зашила. Надень, Наташа. Авось Господь Бог тебе здоровья пошлет. Одна ты у нас.

И старушка вынула из рабочего ящика нательный золотой крестик Наташи; на той же ленточке была привешена только что сшитая ладонка.

— Носи на здоровье! — прибавила она, надевая крест и крестя дочь, — когда-то я тебя каждую ночь так крестила на сон грядущий, молитву читала, а ты за мной причитала. А теперь ты не та стала, и не дает тебе Господь спокойного духа. Ах, Наташа, Наташа! Не помогают тебе и молитвы мои материнские! — И старушка заплакала.

Наташа молча поцеловала ее руку и ступила шаг к дверям; но вдруг быстро воротилась назад и подошла к отцу. Грудь ее глубоко волновалась.

— Папенька! Перекрестите и вы... свою дочь, — проговорила она задыхающимся голосом и опустилась перед ним на колени.

Мы все стояли в смущении от неожиданного, слишком торжественного ее поступка. Несколько мгновений отец смотрел на нее, совсем потерявшись.

— Наташенька, деточка моя, дочка моя, милочка, что с тобою! — вскричал он наконец, и слезы градом хлынули из глаз его. — Отчего ты тоскуешь? Отчего плачешь и день и ночь? Ведь я всё вижу; я ночей не сплю, встаю и слушаю у твоей комнаты!.. Скажи мне всё, Наташа, откройся мне во всем, старику, и мы...

Он не договорил, поднял ее и крепко обнял. Она судорожно прижалась к его груди и скрыла на его плече свою голову.

— Ничего, ничего, это так... я нездорова... — твердила она, задыхаясь от внутренних, подавленных слез.

— Да благословит же тебя Бог, как я благословляю тебя, дитя мое милое, бесценное дитя! — сказал отец. — Да пошлет он тебе навсегда мир души и оградит тебя от всякого горя. Помолись Богу, друг мой, чтоб грешная молитва моя дошла до него.

— И мое, и мое благословение над тобою! — прибавила старушка, заливаясь слезами.

— Прощайте! — прошептала Наташа.

У дверей она остановилась, еще раз взглянула на них, хотела было еще что-то сказать, но не могла и быстро вышла из комнаты. Я бросился вслед за нею, предчувствуя недоброе.

ГЛАВА VIII

Она шла молча, скоро, потупив голову и не смотря на меня. Но, пройдя улицу и ступив на набережную, вдруг остановилась и схватила меня за руку.

— Душно! — прошептала она, — сердце теснит... душно!

— Воротись, Наташа! — вскричал я в испуге.

— Неужели ж ты не видишь, Ваня, что я вышла *совсем*, ушла от них и никогда не возвращусь назад? — сказала она, с невыразимой тоской смотря на меня.

Сердце упало во мне. Всё это я предчувствовал, еще идя к ним; всё это уже представлялось мне, как в тумане, еще, может быть, задолго до этого дня; но теперь слова ее поразили меня как громом.

Мы печально шли по набережной. Я не мог говорить; я соображал, размышлял и потерялся совершенно. Голова у меня закружилась. Мне казалось это так безобразно, так невозможно!

— Ты винишь меня, Ваня? — сказала она наконец.

— Нет, но... но я не верю; этого быть не может!.. — отвечал я, не помня, что говорю.

— Нет, Ваня, это уж есть! Я ушла от них и не знаю, что с ними будет... не знаю, что будет и со мною!

— Ты к *нему*, Наташа? Да?

— Да! — отвечала она.

— Но это невозможно! — вскричал я в исступлении, — знаешь ли, что это невозможно, Наташа, бедная ты моя! Ведь это безумие. Ведь ты их убьешь и себя погубишь! Знаешь ли ты это, Наташа?

— Знаю; но что же мне делать, не моя воля, — сказала она, и в словах ее слышалось столько отчаяния, как будто она шла на смертную казнь.

— Воротись, воротись, пока не поздно, — умолял я ее, и тем горячее, тем настойчивее умолял, чем больше сам сознавал всю бесполезность моих увещаний и всю нелепость их в настоящую минуту. — Понимаешь ли ты, Наташа, что ты сделаешь с отцом? Обдумала ль ты это? Ведь *его* отец враг твоему; ведь князь оскорбил твоего отца, заподозрил его в грабеже денег; ведь он его вором назвал. Ведь они тягаются... Да что! Это еще последнее дело, а знаешь ли ты, Наташа... (о Боже, да ведь ты всё это знаешь!) знаешь ли, что князь заподозрил твоего отца и мать, что они сами, нарочно, сводили тебя с Алешей, когда Алеша гостил у вас в деревне? Подумай, представь себе только, каково страдал тогда твой отец от этой клеветы. Ведь он весь поседел в эти два года, — взгляни на него! А главное: ты ведь это всё знаешь, Наташа, Господи Боже мой! Ведь уж я не говорю, чего стоит им обоим тебя потерять навеки! Ведь ты их сокровище, всё, что у них осталось на старости. Я уж и говорить об этом не хочу: сама должна знать; припомни, что отец считает тебя напрасно оклеветанною, обиженною этими гордецами, неотомщенною! Теперь же, именно теперь, всё это вновь разгорелось, усилилась вся эта старая, наболевшая вражда из-за того, что вы принимали к себе Алешу. Князь опять оскорбил твоего отца, в старике еще злоба кипит от этой новой обиды, и вдруг всё, всё это, все эти обвинения окажутся теперь справедливыми! Все, кому дело известно, оправдают теперь князя и обвинят тебя и твоего отца. Ну, что теперь будет с ним? Ведь это убьет его сразу! Стыд, позор, и от кого же? Через тебя, его дочь, его единственное, бесценное дитя! А мать? Да ведь она не переживет старика... Наташа, Наташа! Что ты делаешь? Воротись! Опомнись!

Она молчала; наконец взглянула на меня как будто с упреком, и столько пронзительной боли, столько страдания было в ее взгляде, что я понял, какою кровью и без моих слов обливается теперь ее раненое сердце. Я понял, чего стоило ей ее решение и как я мучил, резал ее моими бесполезными, поздними словами; я всё это понимал и все-таки не мог удержать себя и продолжал говорить:

— Да ведь ты же сама говорила сейчас Анне Андреевне, *может быть*, не пойдешь из дому... ко всенощной. Стало быть, ты хотела и остаться; стало быть, не решилась еще совершенно?

Она только горько улыбнулась в ответ. И к чему я это спросил? Ведь я мог понять, что всё уже было решено невозвратно. Но я тоже был вне себя.

— Неужели ж ты так его полюбила? — вскричал я, с замиранием сердца смотря на нее и почти сам не понимая, что спрашиваю.

— Что мне отвечать тебе, Ваня? Ты видишь! Он велел мне прийти, и я здесь, жду его, — проговорила она с той же горькой улыбкой.

— Но послушай, послушай только, — начал я опять умолять ее, хватаясь за соломинку, — всё это еще можно поправить, еще можно обделать другим образом, совершенно другим каким-нибудь образом! Можно не уходить из дому. Я тебя научу, как сделать, Наташечка. Я берусь вам всё устроить, всё, и свидания, и всё... Только из дому-то не уходи!.. Я буду переносить ваши письма; отчего же не переносить? Это лучше, чем теперешнее. Я сумею это сделать; я вам угожу обоим; вот увидите, что угожу... И ты не погубишь себя, Наташечка, как теперь... А то ведь ты совсем себя теперь губишь, совсем! Согласись, Наташа: всё пойдет и прекрасно и счастливо, и любить вы будете друг друга сколько захотите... А когда отцы перестанут ссориться (потому что они непременно перестанут ссориться) — тогда...

— Полно, Ваня, оставь, — прервала она, крепко сжав мою руку и улыбнувшись сквозь слезы. — Добрый, добрый Ваня! Добрый, честный ты человек! И ни слова-то о себе! Я же тебя оставила первая, а ты всё простил, только об моем счастье и думаешь. Письма нам переносить хочешь...

Она заплакала.

— Я ведь знаю, Ваня, как ты любил меня, как до сих пор еще любишь, и ни одним-то упреком, ни одним горьким словом ты не упрекнул меня во всё это время! А я, я... Боже мой, как я перед тобой виновата! Помнишь, Ваня, помнишь и наше время с тобою? Ох, лучше б я не знала, не встречала *его* никогда!.. Жила б я с тобой, Ваня, с тобой, добренький ты мой, голубчик ты мой!.. Нет, я тебя не стою! Видишь, я какая: в такую минуту тебе же напоминаю о нашем прошлом счастии, а ты и без того страдаешь! Вот ты три недели не приходил: клянусь же тебе, Ваня, ни одного разу не приходила мне в голову мысль, что ты меня проклял и ненавидишь. Я знала, отчего ты ушел: ты не хотел нам мешать и быть нам живым укором. А самому тебе разве не было тяжело на нас смотреть? А как я ждала тебя, Ваня, уж как ждала! Ваня, послушай, если я и люблю Алешу как безумная, как сумасшедшая, то тебя, может быть, еще больше, как друга моего, люблю. Я уж слышу, знаю, что без тебя я не проживу; ты мне надобен, мне твое сердце надобно, твоя душа золотая... Ох, Ваня! Какое горькое, какое тяжелое время наступает!

Она залилась слезами. Да, тяжело ей было!

— Ах, как мне хотелось тебя видеть! — продолжала она, подавив свои слезы. — Как ты похудел, какой ты больной, бледный; ты в самом деле был нездоров, Ваня? Что ж я, и не спрошу! Всё о себе говорю; ну, как же теперь твои дела с журналистами? Что твой новый роман, подвигается ли?

— До романов ли, до меня ли теперь, Наташа! Да и что мои дела! Ничего; так себе, да и Бог с ними! А вот что, Наташа: это он сам потребовал, чтоб ты шла к нему?

— Нет, не он один, больше я. Он, правда, говорил, да я и сама... Видишь, голубчик, я тебе всё расскажу: ему сватают невесту, богатую и очень знатную; очень знатным людям родня. Отец непременно хочет, чтоб он женился на ней, а отец, ведь ты знаешь, — ужасный интриган; он все пружины в ход пустил: и в десять лет такого случая не нажить. Связи, деньги... А она, говорят, очень хороша собою; да и образованием и сердцем — всем хороша; уж Алеша увлекается ею. Да к тому же отец и сам его хочет поскорей с плеч долой сбыть, чтоб самому жениться, а потому непременно и во что бы то ни стало положил расторгнуть нашу связь. Он боится меня и моего влияния на Алешу...

— Да разве князь, — прервал я ее с удивлением, — про вашу любовь знает? Ведь он только подозревал, да и то не наверно.

— Знает, всё знает.

— Да ему кто сказал?

— Алеша же всё и рассказал, недавно. Он мне сам говорил, что всё это рассказал отцу.

— Господи! Что ж это у вас происходит! Сам же всё и рассказал, да еще в такое время?..

— Не вини его, Ваня, — перебила Наташа, — не смейся над ним! Его судить нельзя, как всех других. Будь справедлив. Ведь он не таков, как вот мы с тобой. Он ребенок; его и воспитали не так. Разве он понимает, что делает? Первое впечатление, первое чужое влияние способно его отвлечь от всего, чему он за минуту перед тем отдавался с клятвою. У него нет характера. Он вот поклянется тебе, да в тот же день, так же правдиво и искренно, другому отдастся; да еще сам первый к тебе придет рассказать об этом. Он и дурной поступок, пожалуй, сделает; да обвинить-то его за этот дурной поступок нельзя будет, а разве что пожалеть. Он и на самопожертвование способен и даже знаешь на какое! Да только до какого-нибудь нового впечатления: тут уж он опять всё забудет. *Так и меня забудет, если я не буду постоянно при нем.* Вот он какой!

— Ах, Наташа, да, может быть, это всё неправда, только слухи одни. Ну, где ему, такому еще мальчику, жениться.

— Соображения какие-то у отца особенные, говорю тебе.

— А почему ж ты знаешь, что невеста его так хороша и что он и ею уж увлекается?

— Да ведь он мне сам говорил.

— Как! Сам же и сказал тебе, что может другую любить, а от тебя потребовал теперь такой жертвы?

— Нет, Ваня, нет! Ты не знаешь его, ты мало с ним был; его надо короче узнать и уж потом судить. Нет сердца на свете правдивее и чище его сердца! Что ж? Лучше, что ль, если б он лгал? А что он увлекся, так ведь стоит только мне неделю с ним не видаться, он и забудет меня и полюбит другую, а потом как увидит меня, то и опять у ног моих будет. Нет! Это еще и хорошо, что я знаю, что не скрыто от меня это; а то бы я умерла от подозрений. Да, Ваня! Я уж решилась: *если я не буду при нем всегда, постоянно, каждое мгновение, он разлюбит меня, забудет и бросит.* Уж он такой: его всякая другая за собой увлечь может. А что же я тогда буду делать? Я тогда умру... да что умереть! Я бы и рада теперь умереть! А вот каково жить-то мне без него? Вот что хуже самой смерти, хуже всех мук! О Ваня, Ваня! Ведь есть же что-нибудь, что я вот бросила теперь для него и мать и отца! Не уговаривай меня: всё решено! Он должен быть подле меня каждый час, каждое мгновение; я не могу воротиться. Я знаю, что погибла и других погубила... Ах, Ваня! — вскричала она вдруг и вся задрожала, — что если он в самом деле уж не любит меня! Что если ты правду про него сейчас говорил (я никогда этого не говорил), что он только обманывает меня и только кажется таким правдивым и искренним, а сам злой и тщеславный! Я вот теперь защищаю его перед тобой; а он, может быть, в эту же минуту с другою и смеется про себя... а я, я, низкая, бросила всё и хожу по улицам, ищу его... Ох, Ваня!

Этот стон с такою болью вырвался из ее сердца, что вся душа моя заныла в тоске. Я понял, что Наташа потеряла уже всякую власть над собой. Только слепая, безумная ревность в последней степени могла довести ее до такого сумасбродного решения. Но во мне самом разгорелась ревность и прорвалась из сердца. Я не выдержал: гадкое чувство увлекло меня.

— Наташа, — сказал я, — одного только я не понимаю: как ты можешь любить его после того, что сама про него сейчас говорила? Не уважаешь его, не веришь даже в любовь его и идешь к нему без возврата, и всех для него губишь? Что ж это такое? Измучает он тебя на всю жизнь, да и ты его тоже. Слишком уж любишь ты его, Наташа, слишком! Не понимаю я такой любви.

— Да, люблю как сумасшедшая, — отвечала она, побледнев, как будто от боли. — Я тебя никогда так не любила, Ваня. Я ведь и сама знаю, что с ума сошла и не так люблю, как надо. Нехорошо я люблю его... Слушай, Ваня: я ведь и прежде знала и даже в самые счастливые минуты наши предчувствовала, что он даст мне одни только муки. Но что же делать, если мне теперь даже муки от него — счастье? Я разве на радость иду к нему? Разве я не знаю вперед, что меня у него ожидает и что я перенесу от него? Ведь вот он клялся мне любить меня, все обещания давал; а ведь я ничему не верю из его обещаний, ни во что их не ставлю и прежде не ставила, хоть и знала, что он мне не лгал, да и солгать не может. Я сама ему сказала, сама, что не хочу его ничем связывать. С ним это лучше: привязи никто не любит, я первая. А все-таки я рада быть его рабой, добровольной рабой; переносить от него всё, всё, только бы он был со мной, только б я глядела на него! Кажется, пусть бы он и другую любил, только бы при мне это было, чтоб и я тут подле была... Экая низость, Ваня? — спросила она вдруг, смотря на меня каким-то горячечным, воспаленным взглядом. Одно мгновение мне казалось, будто она в бреду. — Ведь это низость, такие желания? Что ж? Сама говорю, что низость, а если он бросит меня, я побегу за ним на край света, хоть и отталкивать, хоть и прогонять меня будет. Вот ты уговариваешь теперь меня воротиться, — а что будет из этого? Ворочусь, а завтра же опять уйду, прикажет — и уйду; свистнет, кликнет меня, как собачку, и я побегу за ним... Муки! Не боюсь я от него никаких мук! Я буду знать, что *от него* страдаю... Ох, да ведь этого не расскажешь, Ваня!

«А отец, а мать?» — подумал я. Она как будто уж и забыла про них.

— Так он и не женится на тебе, Наташа?

— Обещал, всё обещал. Он ведь для того меня и зовет теперь, чтоб завтра же обвенчаться потихоньку, за городом; да ведь он не знает, что делает. Он, может быть, как и венчаются-то, не знает. И какой он муж! Смешно, право. А женится, так несчастлив будет, попрекать начнет... Не хочу я, чтоб он когда-нибудь в чем-нибудь попрекнул меня. Всё ему отдам, а он мне пускай ничего. Что ж, коль он несчастлив будет от женитьбы, зачем же его несчастным делать?

— Нет, это какой-то чад, Наташа, — сказал я. — Что ж, ты теперь прямо к нему?

— Нет, он обещался сюда прийти, взять меня; мы условились...

И она жадно посмотрела вдаль, но никого еще не было.

— И его еще нет! И ты *первая* пришла! — вскричал я с негодованием. Наташа как будто пошатнулась от удара. Лицо ее болезненно исказилось.

— Он, может быть, и совсем не придет, — проговорила она с горькой усмешкой. — Третьего дня он писал, что если я не дам ему слова прийти, то он поневоле должен отложить свое решение — ехать и обвенчаться со мною; а отец увезет его к невесте. И так просто, так натурально написал, как будто это и совсем ничего... Что если он и вправду поехал к *ней*, Ваня?

Я не отвечал. Она крепко стиснула мне руку — и глаза ее засверкали.

— Он у ней, — проговорила она чуть слышно. — Он надеялся, что я не приду сюда, чтоб поехать к ней, а потом сказать, что он прав, что он заранее уведомлял, а я сама не пришла. Я ему надоела, вот он и отстает... Ох, Боже! Сумасшедшая я! Да ведь он мне сам в последний раз сказал, что я ему надоела... Чего ж я жду!

— Вот он! — закричал я, вдруг завидев его вдали на набережной.

Наташа вздрогнула, вскрикнула, вгляделась в приближавшегося Алешу и вдруг, бросив мою руку, пустилась к нему. Он тоже ускорил шаги, и через минуту она была уже в его объятиях. На улице, кроме нас, никого почти не было. Они целовались, смеялись; Наташа смеялась и плакала, всё вместе, точно они встретились после бесконечной разлуки. Краска залила ее бледные щеки; она была как исступленная... Алеша заметил меня и тотчас же ко мне подошел.

ГЛАВА IX

Я жадно в него всматривался, хоть и видел его много раз до этой минуты; я смотрел в его глаза, как будто его взгляд мог разрешить все мои недоумения, мог разъяснить мне: чем, как этот ребенок мог очаровать ее, мог зародить в ней такую безумную любовь — любовь до забвения самого первого долга, до безрассудной жертвы всем, что было для Наташи до сих пор самой полной святыней? Князь взял меня за обе руки, крепко пожал их, и его взгляд, кроткий и ясный, проник в мое сердце.

Я почувствовал, что мог ошибаться в заключениях моих на его счет уж по тому одному, что он был враг мой. Да, я не любил его, и, каюсь, я никогда не мог его полюбить, — только один я, может быть, из всех его знавших. Многое в нем мне упорно не нравилось, даже изящная его наружность и, может быть, именно потому, что она была как-то уж слишком изящна. Впоследствии я понял, что и в этом судил пристрастно. Он был высок, строен, тонок; лицо его было продолговатое, всегда бледное; белокурые волосы, большие голубые глаза, кроткие и задумчивые, в которых вдруг, порывами, блистала иногда самая простодушная, самая детская веселость. Полные небольшие пунцовые губы его, превосходно обрисованные, почти всегда имели какую-то серьезную складку; тем неожиданнее и тем очаровательнее была вдруг появлявшаяся на них улыбка, до того наивная и простодушная, что вы сами, вслед за ним, в каком бы вы ни были настроении духа, ощущали немедленную потребность, в ответ ему, точно так же как и он, улыбнуться. Одевался он неизысканно, но всегда изящно; видно было, что ему не стоило ни малейшего труда это изящество во всем, что оно ему прирожденно. Правда, и в нем было несколько нехороших замашек, несколько дурных привычек хорошего тона: легкомыслие, самодовольство, вежливая дерзость. Но он был слишком ясен и прост душою и сам, первый, обличал в себе эти привычки, каялся в них и смеялся над ними. Мне кажется, этот ребенок никогда, даже и в шутку, не мог бы солгать, а если б и солгал, то, право, не подозревая в этом дурного. Даже самый эгоизм был в нем как-то привлекателен, именно потому, может быть, что был откровенен, а не скрыт. В нем ничего не было скрытного. Он был слаб, доверчив и робок сердцем; воли у него не было никакой. Обидеть, обмануть его было бы и грешно и жалко, так же как грешно обмануть и обидеть ребенка. Он был не по летам наивен и почти ничего не понимал из действительной жизни; впрочем, и в сорок лет ничего бы, кажется, в ней не узнал. Такие люди как бы осуждены на вечное несовершеннолетие. Мне кажется, не было человека, который бы мог не полюбить его; он заласкался бы к вам, как дитя. Наташа сказала правду: он мог бы сделать и дурной поступок, принужденный к тому чьим-нибудь сильным влиянием; но, сознав последствия такого поступка, я думаю, он бы умер от раскаяния. Наташа инстинктивно чувствовала, что будет его госпожой, владычицей; что он будет даже жертвой ее. Она предвкушала наслаждение любить без памяти и мучить до боли того, кого любишь, именно за то, что любишь, и потому-то, может быть, и поспешила отдаться ему в жертву первая. Но и в его глазах сияла любовь, и он с восторгом смотрел на нее. Она с торжеством взглянула на меня. Она забыла в это мгновение всё — и родителей, и прощанье, и подозрения... Она была счастлива.

— Ваня! — вскричала она, — я виновата перед ним и не стою его! Я думала, что ты уже и не придешь, Алеша. Забудь мои дурные мысли, Ваня. Я заглажу это! — прибавила она, с бесконечною любовью смотря на него. Он улыбнулся, поцеловал у ней руку и, не выпуская ее руки, сказал, обращаясь ко мне:

— Не вините и меня. Как давно хотел я вас обнять как родного брата; как много она мне про вас говорила! Мы с вами до сих пор едва познакомились и как-то не сошлись. Будем друзьями и... простите нас, — прибавил он вполголоса и немного покраснев, но с такой прекрасной улыбкой, что я не мог не отозваться всем моим сердцем на его приветствие.

— Да, да, Алеша, — подхватила Наташа, — он наш, он наш брат, он уже простил нас, и без него мы не будем счастливы. Я уже тебе говорила... Ох, жестокие мы дети, Алеша! Но мы будем жить втроем... Ваня! — продолжала она, и губы ее задрожали, — вот ты воротишься теперь к *ним*, домой; у тебя такое золотое сердце, что хоть они и не простят меня, но, видя, что и ты простил, может быть, хоть немного смягчатся надо мной. Расскажи им всё, всё, *своими* словами из сердца; найди такие слова... Защити меня, спаси; передай им все причины, всё, как сам понял. Знаешь ли, Ваня, что я бы, может быть, и не решилась на *это*, если б *тебя* не случилось сегодня со мною! Ты спасение мое: я тотчас же на тебя понадеялась, что ты сумеешь им так передать, что по крайней мере этот первый-то ужас смягчишь для них. О Боже мой, Боже!.. Скажи им от меня, Ваня, что я знаю, простить меня уж нельзя теперь: они простят, Бог не простит; но что если они и проклянут меня, то я все-таки буду благословлять их и молиться за них всю мою жизнь. Всё мое сердце у них! Ах, зачем мы не все счастливы! Зачем, зачем!.. Боже! Что это я такое сделала! — вскричала она вдруг, точно опомнившись, и, вся задрожав от ужаса, закрыла лицо руками. Алеша обнял ее и молча крепко прижал к себе. Прошло несколько минут молчания.

— И вы могли потребовать такой жертвы! — сказал я, с упреком смотря на него.

— Не вините меня! — повторил он, — уверяю вас, что теперь все эти несчастья, хоть они и очень сильны, — только на одну минуту. Я в этом совершенно уверен. Нужна только твердость, чтоб перенести эту минуту; то же самое и она мне говорила. Вы знаете: всему причиною эта семейная гордость, эти совершенно ненужные ссоры, какие-то там еще тяжбы!.. Но... (я об этом долго размышлял, уверяю вас) всё это должно прекратиться. Мы все соединимся опять и тогда уже будем совершенно счастливы, так что даже и старики помирятся, на нас глядя. Почему знать, может быть, именно наш брак послужит началом к их примирению! Я думаю, что даже и не может быть иначе. Как вы думаете?

— Вы говорите: брак. Когда же вы обвенчаетесь? — спросил я, взглянув на Наташу.

— Завтра или послезавтра; по крайней мере, послезавтра — наверно. Вот видите, я и сам еще не хорошо знаю и, по правде, ничего еще там не устроил. Я думал, что Наташа, может быть, еще и не придет сегодня. К тому же отец непременно хотел меня везти сегодня к невесте (ведь мне сватают невесту; Наташа вам сказывала? да я не хочу). Ну, так я еще и не мог рассчитать всего наверное. Но все-таки мы, наверное, обвенчаемся послезавтра. Мне, по крайней мере, так кажется, потому что ведь нельзя же иначе. Завтра же мы выезжаем по Псковской дороге. Тут у меня недалеко, в деревне, есть товарищ, лицейский, очень хороший человек; я вас, может быть, познакомлю. Там в селе есть и священник, а, впрочем, наверно не знаю, есть или нет. Надо было заранее справиться, да я не успел... А, впрочем, по-настоящему, всё это мелочи. Было бы главное-то в виду. Можно ведь из соседнего какого-нибудь села пригласить священника; как вы думаете? Ведь есть же там соседние села! Одно жаль, что я до сих пор не успел ни строчки написать туда; предупредить бы надо. Пожалуй, моего приятеля нет теперь и дома... Но — это последняя вещь! Была бы решимость, а там всё само собою устроится, не правда ли? А покамест, до завтра или хоть до послезавтра, она пробудет здесь у меня. Я нанял особую квартиру, в которой мы и воротясь будем жить. Я уж не пойду жить к отцу, не правда ли? Вы к нам придете; я премило устроился. Ко мне будут ходить наши лицейские; я заведу вечера...

Я с недоумением и тоскою смотрел на него. Наташа умоляла меня взглядом не судить его строго и быть снисходительнее. Она слушала его рассказы с какою-то грустною улыбкой, а вместе с тем как будто и любовалась им, так же как любуются милым, веселым ребенком, слушая его неразумную, но милую болтовню. Я с упреком поглядел на нее. Мне стало невыносимо тяжело.

— Но ваш отец? — спросил я, — твердо ли вы уверены, что он вас простит?

— Непременно; что ж ему останется делать? То есть он, разумеется, проклянет меня сначала; я даже в этом уверен. Он уж такой; и такой со мной строгий. Пожалуй, еще будет кому-нибудь жаловаться, употребит, одним словом, отцовскую власть... Но ведь всё это не серьезно. Он меня любит без памяти; посердится и простит. Тогда все помирятся, и все мы будем счастливы. Ее отец тоже.

— А если не простит? подумали ль вы об этом?

— Непременно простит, только, может быть, не так скоро. Ну что ж? Я докажу ему, что и у меня есть характер. Он всё бранит меня, что у меня нет характера, что я легкомысленный. Вот и увидит теперь, легкомыслен ли я или нет? Ведь сделаться семейным человеком не шутка; тогда уж я буду не мальчик... то есть я хотел сказать, что я буду такой же, как и другие... ну, там семейные люди. Я буду жить своими трудами. Наташа говорит, что это гораздо лучше, чем жить на чужой счет, как мы все живем. Если б вы только знали, сколько она мне говорит хорошего! Я бы сам этого никогда не выдумал; — не так я рос, не так меня воспитали. Правда, я и сам знаю, что я легкомыслен и почти ни к чему не способен; но, знаете ли, у меня третьего дня явилась удивительная мысль. Теперь хоть и не время, но я вам расскажу, потому что надо же и Наташе услышать, а вы нам дадите совет. Вот видите: я хочу писать повести и продавать в журналы, так же как и вы. Вы мне поможете с журналистами, не правда ли? Я рассчитывал на вас и вчера всю ночь обдумывал один роман, так, для пробы, и знаете ли: могла бы выйти премиленькая вещица. Сюжет я взял из одной комедии Скриба... Но я вам потом расскажу. Главное, за него дадут денег... ведь вам же платят!

Я не мог не усмехнуться.

— Вы смеетесь, — сказал он, улыбаясь вслед за мною. — Нет, послушайте, — прибавил он с непостижимым простодушием, — вы не смотрите на меня, что я такой кажусь; право, у меня чрезвычайно много наблюдательности; вот вы увидите сами. Почему же не попробовать? Может, и выйдет что-нибудь... А впрочем, вы, кажется, и правы: я ведь ничего не знаю в действительной жизни; так мне и Наташа говорит; это, впрочем, мне и все говорят; какой же я буду писатель? Смейтесь, смейтесь, поправляйте меня; ведь это для нее же вы сделаете, а вы ее любите. Я вам правду скажу: я не стою ее; я это чувствую; мне это очень тяжело, и я не знаю, за что это она меня так полюбила? А я бы, кажется, всю жизнь за нее отдал! Право, я до этой минуты ничего не боялся, а теперь боюсь: что это мы затеваем! Господи! Неужели же в человеке, когда он вполне предан своему долгу, как нарочно, недостанет уменья и твердости исполнить свой долг? Помогайте нам хоть вы, друг наш! вы один только друг у нас и остались. А ведь я что понимаю один-то! Простите, что я на вас так рассчитываю; я вас считаю слишком благородным человеком и гораздо лучше меня. Но я исправлюсь, будьте уверены, и буду достоин вас обоих.

Тут он опять пожал мне руку, и в прекрасных глазах его просияло доброе, прекрасное чувство. Он так доверчиво протягивал мне руку, так верил, что я ему друг!

— Она мне поможет исправиться, — продолжал он. — Вы, впрочем, не думайте чего-нибудь очень худого, не сокрушайтесь слишком об нас. У меня все-таки много надежд, а в материальном отношении мы будем совершенно обеспечены. Я, например, если не удастся роман (я, по правде, еще и давеча подумал, что роман глупость, а теперь только так про него рассказал, чтоб выслушать ваше решение), — если не удастся роман, то я ведь в крайнем случае могу давать уроки музыки. Вы не знали, что я знаю музыку? Я не стыжусь жить и таким трудом. Я совершенно новых идей в этом случае. Да, кроме того, у меня есть много дорогих безделушек, туалетных вещиц; к чему они? Я продам их, и мы, знаете, сколько времени проживем на это! Наконец, в самом крайнем случае, я, может быть, действительно займусь службой. Отец даже будет рад; он всё гонит меня служить, а я всё отговариваюсь нездоровьем. (Я, впрочем, куда-то уж записан.) А вот как он увидит, что женитьба принесла мне пользу, остепенила меня и что я действительно начал служить, — обрадуется и простит меня...

— Но, Алексей Петрович, подумали ль вы, какая история выйдет теперь между вашим и ее отцом? Как вы думаете, что сегодня будет вечером у них в доме?

И я указал ему на помертвевшую от моих слов Наташу. Я был безжалостен.

— Да, да, вы правы, это ужасно! — отвечал он. — Я уже думал об этом и душевно страдал... Но что же делать? Вы правы: хотя только бы ее-то родители нас простили! А как я их люблю обоих, если б вы знали! Ведь они мне всё равно что родные, и вот чем я им плачу!.. Ох, уж эти ссоры, эти процессы! Вы не поверите, как это нам теперь неприятно! И за что они ссорятся! Все мы так друг друга любим, а ссоримся! Помирились бы, да и дело с концом! Право, я бы так поступил на их месте... Страшно мне от ваших слов. Наташа, это ужас, что мы с тобой затеваем! Я это и прежде говорил... Ты сама настаиваешь... Но послушайте, Иван Петрович, может быть, всё это уладится к лучшему; как вы думаете? Ведь помирятся же они наконец! Мы их помирим. Это так, это непременно; они не устоят против нашей любви... Пусть они нас проклинают, а мы их все-таки будем любить; и они не устоят. Вы не поверите, какое иногда бывает доброе сердце у моего старика! Он ведь это так только смотрит исподлобья, а ведь в других случаях он прерассудительный. Если б вы знали, как он мягко со мной говорил сегодня, убеждал меня! А я вот сегодня же против него иду; это мне очень грустно. А всё из-за этих негодных предрассудков! Просто — сумасшествие! Ну что если б он на нее посмотрел хорошенько и пробыл с нею хоть полчаса? Ведь он тотчас же всё бы нам позволил. — Говоря это, Алеша нежно и страстно взглянул на Наташу.

— Я тысячу раз с наслаждением воображал себе, — продолжал он свою болтовню, — как он полюбит ее, когда узнает, и как он их всех изумит. Ведь они все и не видывали никогда такой девушки! Отец убежден, что она просто какая-то интриганка. Моя обязанность восстановить ее честь, и я это сделаю! Ах, Наташа! тебя все полюбят, все; нет такого человека, который бы мог тебя не любить, — прибавил он в восторге. — Хоть я не стою тебя совсем, но ты люби меня, Наташа, а уж я... ты ведь знаешь меня! Да и много ль нужно нам для нашего счастья! Нет, я верю, верю, что этот вечер должен принесть нам всем и счастье, и мир, и согласие! Будь благословен этот вечер! Так ли, Наташа? Но что с тобой? Боже мой, что с тобой?

Она была бледна как мертвая. Всё время, как разглагольствовал Алеша, она пристально смотрела на него; но взгляд ее становился всё мутнее и неподвижнее, лицо всё бледнее и бледнее. Мне казалось, что она, наконец, уж и не слушала, а была в каком-то забытьи. Восклицание Алеши как будто вдруг разбудило ее. Она очнулась, осмотрелась и вдруг — бросилась ко мне. Наскоро, точно торопясь и как будто прячась от Алеши, она вынула из кармана письмо и подала его мне. Письмо было к старикам и еще накануне писано. Отдавая мне его, она пристально смотрела на меня, точно приковалась ко мне своим взглядом. Во взгляде этом было отчаяние; я никогда не забуду этого страшного взгляда. Страх охватил и меня; я видел, что она теперь только вполне почувствовала весь ужас своего поступка. Она силилась мне что-то сказать; даже начала говорить и вдруг упала в обморок. Я успел поддержать ее. Алеша побледнел от испуга; он тер ей виски, целовал руки, губы. Минуты через две она очнулась. Невдалеке стояла извозчичья карета, в которой приехал Алеша; он подозвал ее. Садясь в карету, Наташа как безумная схватила мою руку, и горячая слезинка обожгла мои пальцы. Карета тронулась. Я еще долго стоял на месте, провожая ее глазами. Всё мое счастье погибло в эту минуту, и жизнь переломилась надвое. Я больно это почувствовал... Медленно пошел я назад, прежней дорогой, к старикам. Я не знал, что скажу им, как войду к ним? Мысли мои мертвели, ноги подкашивались...

И вот вся история моего счастия; так кончилась и разрешилась моя любовь. Буду теперь продолжать прерванный рассказ.

ГЛАВА X

Дней через пять после смерти Смита я переехал на его квартиру. Весь тот день мне было невыносимо грустно. Погода была ненастная и холодная; шел мокрый снег, пополам с дождем. Только к вечеру, на одно мгновение, проглянуло солнце и какой-то заблудший луч, верно из любопытства, заглянул и в мою комнату. Я стал раскаиваться, что переехал сюда. Комната, впрочем, была большая, но такая низкая, закопченная, затхлая и так неприятно пустая, несмотря на кой-какую мебель. Тогда же подумал я, что непременно сгублю в этой квартире и последнее здоровье свое. Так оно и случилось.

Всё это утро я возился с своими бумагами, разбирая их и приводя в порядок. За неимением портфеля я перевез их в подушечной наволочке; всё это скомкалось и перемешалось. Потом я засел писать. Я всё еще писал тогда мой большой роман; но дело опять повалилось из рук; не тем была полна голова...

Я бросил перо и сел у окна. Смеркалось, а мне становилось всё грустнее и грустнее. Разные тяжелые мысли осаждали меня. Всё казалось мне, что в Петербурге я, наконец, погибну. Приближалась весна; так бы и ожил, кажется, думал я, вырвавшись из этой скорлупы на свет Божий, дохнув запахом свежих полей и лесов: а я так давно не видал их!.. Помню, пришло мне тоже на мысль, как бы хорошо было, если б каким-нибудь волшебством или чудом совершенно забыть всё, что было, что прожилось в последние годы; всё забыть, освежить голову и опять начать с новыми силами. Тогда еще я мечтал об этом и надеялся на воскресение. «Хоть бы в сумасшедший дом поступить, что ли, — решил я наконец, — чтоб перевернулся как-нибудь весь мозг в голове и расположился по-новому, а потом опять вылечиться». Была же жажда жизни и вера в нее!.. Но, помню, я тогда же засмеялся. «Что же бы делать пришлось после сумасшедшего-то дома? Неужели опять романы писать?..»

Так я мечтал и горевал, а между тем время уходило. Наступала ночь. В этот вечер у меня было условлено свидание с Наташей; она убедительно звала меня к себе запиской еще накануне. Я вскочил и стал собираться. Мне и без того хотелось вырваться поскорей из квартиры хоть куда-нибудь, хоть на дождь, на слякоть.

По мере того как наступала темнота, комната моя становилась как будто просторнее, как будто она всё более и более расширялась. Мне вообразилось, что я каждую ночь в каждом углу буду видеть Смита: он будет сидеть и неподвижно глядеть на меня, как в кондитерской на Адама Ивановича, а у ног его будет Азорка. И вот в это-то мгновение случилось со мной происшествие, которое сильно поразило меня.

Впрочем, надо сознаться во всем откровенно: от расстройства ли нерв, от новых ли впечатлений в новой квартире, от недавней ли хандры, но я мало-помалу и постепенно, с самого наступления сумерек, стал впадать в то состояние души, которое так часто приходит ко мне теперь, в моей болезни, по ночам, и которое я называю *мистическим ужасом*. Это — самая тяжелая, мучительная боязнь чего-то, чего я сам определить не могу, чего-то непостигаемого и несуществующего в порядке вещей, но что непременно, может быть сию же минуту, осуществится, как бы в насмешку всем доводам разума придет ко мне и станет передо мною как неотразимый факт, ужасный, безобразный и неумолимый. Боязнь эта возрастает обыкновенно всё сильнее и сильнее, несмотря ни на какие доводы рассудка, так что наконец ум, несмотря на то что приобретает в эти минуты, может быть, еще бóльшую ясность, тем не менее лишается всякой возможности противодействовать ощущениям. Его не слушаются, он становится бесполезен, и это раздвоение еще больше усиливает пугливую тоску ожидания. Мне кажется, такова отчасти тоска людей, боящихся мертвецов. Но в моей тоске неопределенность опасности еще более усиливает мучения.

Помню, я стоял спиной к дверям и брал со стола шляпу, и вдруг в это самое мгновение мне пришло на мысль, что когда я обернусь назад, то непременно увижу Смита: сначала он тихо растворит дверь, станет на пороге и оглядит комнату; потом тихо, склонив голову, войдет, станет передо мной, уставится на меня своими мутными глазами и вдруг засмеется мне прямо в глаза долгим, беззубым и неслышным смехом, и всё тело его заколышется и долго будет колыхаться от этого смеха. Всё это привидение чрезвычайно ярко и отчетливо нарисовалось внезапно в моем воображении, а вместе с тем вдруг установилась во мне самая полная, самая неотразимая уверенность, что всё это непременно, неминуемо случится, что это уж и случилось, но только я не вижу, потому что стою задом к двери, и что именно в это самое мгновение, может быть, уже отворяется дверь. Я быстро оглянулся, и что же? — дверь действительно отворялась, тихо, неслышно, точно так, как мне представлялось минуту назад. Я вскрикнул. Долго никто не показывался, как будто дверь отворялась сама собой; вдруг на пороге явилось какое-то странное существо; чьи-то глаза, сколько я мог различить в темноте, разглядывали меня пристально и упорно. Холод пробежал по всем моим членам. К величайшему моему ужасу, я увидел, что это ребенок, девочка, и если б это был даже сам Смит, то и он бы, может быть, не так испугал меня, как это странное, неожиданное появление незнакомого ребенка в моей комнате в такой час и в такое время.

Я уже сказал, что дверь она отворяла так неслышно и медленно, как будто боялась войти. Появившись, она стала на пороге и долго смотрела на меня с изумлением, доходившим до столбняка; наконец тихо, медленно ступила два шага вперед и остановилась передо мною, всё еще не говоря ни слова. Я разглядел ее ближе. Это была девочка лет двенадцати или тринадцати, маленького роста, худая, бледная, как будто только что встала от жестокой болезни. Тем ярче сверкали ее большие черные глаза. Левой рукой она придерживала у груди старый, дырявый платок, которым прикрывала свою, еще дрожавшую от вечернего холода, грудь. Одежду на ней можно было вполне назвать рубищем; густые черные волосы были неприглажены и всклочены. Мы простояли так минуты две, упорно рассматривая друг друга.

— Где дедушка? — спросила она наконец едва слышным и хриплым голосом, как будто у ней болела грудь или горло.

Весь мой мистический ужас соскочил с меня при этом вопросе. Спрашивали Смита; неожиданно проявлялись следы его.

— Твой дедушка? да ведь он уже умер! — сказал я вдруг, совершенно не приготовившись отвечать на ее вопрос, и тотчас раскаялся. С минуту стояла она в прежнем положении и вдруг вся задрожала, но так сильно, как будто в ней приготовлялся какой-нибудь опасный нервический припадок. Я схватился было поддержать ее, чтоб она не упала. Через несколько минут ей стало лучше, и я ясно видел, что она употребляет над собой неестественные усилия, скрывая передо мною свое волнение.

— Прости, прости меня, девочка! Прости, дитя мое! — говорил я, — я так вдруг объявил тебе, а может быть, это еще и не то... бедненькая!.. Кого ты ищешь? Старика, который тут жил?

— Да, — прошептала она с усилием и с беспокойством смотря на меня.

— Его фамилия была Смит? Да?

— Д-да!

— Так он... ну да, так это он и умер... Только ты не печалься, голубчик мой. Что ж ты не приходила? Ты теперь откуда? Его похоронили вчера; он умер вдруг, скоропостижно... Так ты его внучка?

Девочка не отвечала на мои скорые и беспорядочные вопросы. Молча отвернулась она и тихо пошла из комнаты. Я был так поражен, что уж и не удерживал и не расспрашивал ее более. Она остановилась еще раз на пороге и, полуоборотившись ко мне, спросила:

— Азорка тоже умер?

— Да, и Азорка тоже умер, — отвечал я, и мне показался странным ее вопрос: точно и она была уверена, что Азорка непременно должен был умереть вместе со стариком. Выслушав мой ответ, девочка неслышно вышла из комнаты, осторожно притворив за собою дверь.

Через минуту я выбежал за ней в погоню, ужасно досадуя, что дал ей уйти! Она так тихо вышла, что я не слыхал, как отворила она другую дверь на лестницу. С лестницы она еще не успела сойти, думал я, и остановился в сенях прислушаться. Но всё было тихо, и не слышно было ничьих шагов. Только хлопнула где-то дверь в нижнем этаже, и опять всё стало тихо.

Я стал поспешно сходить вниз. Лестница прямо от моей квартиры, с пятого этажа до четвертого, шла винтом; с четвертого же начиналась прямая. Это была грязная, черная и всегда темная лестница, из тех, какие обыкновенно бывают в капитальных домах с мелкими квартирами. В ту минуту на ней уже было совершенно темно. Ощупью сойдя в четвертый этаж, я остановился, и вдруг меня как будто подтолкнуло, что здесь, в сенях, кто-то был и прятался от меня. Я стал ощупывать руками; девочка была тут, в самом углу, и, оборотившись к стене лицом, тихо и неслышно плакала.

— Послушай, чего ж ты боишься? — начал я. — Я так испугал тебя; я виноват. Дедушка, когда умирал, говорил о тебе; это были последние его слова... У меня и книги остались; верно, твои. Как тебя зовут? где ты живешь? Он говорил, что в Шестой линии...

Но я не докончил. Она вскрикнула в испуге, как будто оттого, что я знаю, где она живет, оттолкнула меня своей худенькой, костлявой рукой и бросилась вниз по лестнице. Я за ней; ее шаги еще слышались мне внизу. Вдруг они прекратились... Когда я выскочил на улицу, ее уже не было. Пробежав вплоть до Вознесенского проспекта, я увидел, что все мои поиски тщетны: она исчезла. «Вероятно, где-нибудь спряталась от меня, — подумал я, — когда еще сходила с лестницы».

ГЛАВА XI

Но только что я ступил на грязный, мокрый тротуар проспекта, как вдруг столкнулся с одним прохожим, который шел, по-видимому, в глубокой задумчивости, наклонив голову, скоро и куда-то торопясь. К величайшему моему изумлению, я узнал старика Ихменева. Это был для меня вечер неожиданных встреч. Я знал, что старик дня три тому назад крепко прихворнул, и вдруг я встречаю его в такую сырость на улице. К тому же он и прежде почти никогда не выходил в вечернее время, а с тех пор, как ушла Наташа, то есть почти уже с полгода, сделался настоящим домоседом. Он как-то не по-обыкновенному мне обрадовался, как человек, нашедший наконец друга, с которым он может разделить свои мысли, схватил меня за руку, крепко сжал ее и, не спросив, куда я иду, потащил меня за собою. Был он чем-то встревожен, тороплив и порывист. «Куда же это он ходил?» — подумал я про себя. Спрашивать его было излишне; он сделался страшно мнителен и иногда в самом простом вопросе или замечании видел обидный намек, оскорбление.

Я оглядел его искоса: лицо у него было больное; в последнее время он очень похудел; борода его была с неделю небритая. Волосы, совсем поседевшие, в беспорядке выбивались из-под скомканной шляпы и длинными космами лежали на воротнике его старого, изношенного пальто. Я еще прежде заметил, что в иные минуты он как будто забывался; забывал, например, что он не один в комнате, разговаривал сам с собою, жестикулировал руками. Тяжело было смотреть на него.

— Ну что, Ваня, что? — заговорил он. — Куда шел? А я вот, брат, вышел: дела. Здоров ли?

— Вы-то здоровы ли? — отвечал я, — так еще недавно были больны, а выходите.

Старик не отвечал, как будто не расслышал меня.

— Как здоровье Анны Андреевны?

— Здорова, здорова... Немножко, впрочем, и она хворает. Загрустила она у меня что-то... о тебе поминала: зачем не приходишь. Да ты ведь теперь-то к нам, Ваня? Аль нет? Я, может, тебе помешал, отвлекаю тебя от чего-нибудь? — спросил он вдруг, как-то недоверчиво и подозрительно в меня всматриваясь. Мнительный старик стал до того чуток и раздражителен, что, отвечай я ему теперь, что шел не к ним, он бы непременно обиделся и холодно расстался со мной. Я поспешил отвечать утвердительно, что я именно шел проведать Анну Андреевну, хоть и знал, что опоздаю, а может, и совсем не успею попасть к Наташе.

— Ну вот и хорошо, — сказал старик, совершенно успокоенный моим ответом, — это хорошо... — и вдруг замолчал и задумался, как будто чего-то не договаривая.

— Да, это хорошо! — машинально повторил он минут через пять, как бы очнувшись после глубокой задумчивости. — Гм... видишь, Ваня, ты для нас был всегда как бы родным сыном; Бог не благословил нас с Анной Андреевной... сыном... и послал нам тебя; я так всегда думал. Старуха тоже... да! и ты всегда вел себя с нами почтительно, нежно, как родной, благодарный сын. Да благословит тебя Бог за это, Ваня, как и мы оба, старики, благословляем и любим тебя... да!

Голос его задрожал; он переждал с минуту.

— Да... ну, а что? Не хворал ли? Что же долго у нас не был?

Я рассказал ему всю историю с Смитом, извиняясь, что смитовское дело меня задержало, что, кроме того, я чуть не заболел и что за всеми этими хлопотами к ним, на Васильевский (они жили тогда на Васильевском), было далеко идти. Я чуть было не проговорился, что все-таки нашел случай быть у Наташи и в это время, но вовремя замолчал.

История Смита очень заинтересовала старика. Он сделался внимательнее. Узнав, что новая моя квартира сыра и, может быть, еще хуже прежней, а стоит шесть рублей в месяц, он даже разгорячился. Вообще он сделался чрезвычайно порывист и нетерпелив. Только Анна Андреевна умела еще ладить с ним в такие минуты, да и то не всегда.

— Гм... это все твоя литература, Ваня! — вскричал он почти со злобою, — довела до чердака, доведет и до кладбища! Говорил я тебе тогда, предрекал!.. А что Б. всё еще критику пишет?

— Да ведь он уже умер, в чахотке. Я вам, кажется, уж и говорил об этом.

— Умер, гм... умер! Да так и следовало. Что ж, оставил что-нибудь жене и детям? Ведь ты говорил, что у него там жена, что ль, была... И на что эти люди женятся!

— Нет, ничего не оставил, — отвечал я.

— Ну, так и есть! — вскричал он с таким увлечением, как будто это дело близко, родственно до него касалось и как будто умерший Б. был его брат родной. — Ничего! То-то ничего! А знаешь, Ваня, я ведь это заранее предчувствовал, что так с ним кончится, еще тогда, когда, помнишь, ты мне его всё расхваливал. Легко сказать: ничего не оставил! Гм... славу заслужил. Положим, может быть, и бессмертную славу, но ведь слава не накормит. Я, брат, и о тебе тогда же всё предугадал, Ваня; хвалил тебя, а про себя всё предугадал. Так умер Б.? Да и как не умереть! И житье хорошо и... место хорошее, смотри!

И он быстрым, невольным жестом руки указал мне на туманную перспективу улицы, освещенную слабо мерцающими в сырой мгле фонарями, на грязные дома, на сверкающие от сырости плиты тротуаров, на угрюмых, сердитых и промокших прохожих, на всю эту картину, которую обхватывал черный, как будто залитый тушью, купол петербургского неба. Мы выходили уж на площадь; перед нами во мраке вставал памятник, освещенный снизу газовыми рожками, и еще далее подымалась темная, огромная масса Исакия, неясно отделявшаяся от мрачного колорита неба.

— Ты ведь говорил, Ваня, что он был человек хороший, великодушный, симпатичный, с чувством, с сердцем. Ну, так вот они все таковы, люди-то с сердцем,

симпатичные-то твои! Только и умеют, что сирот размножать! Гм... да и уми-
рать-то, я думаю, ему было весело!.. Э-э-эх! Уехал бы куда-нибудь отсюда, хоть в
Сибирь!.. Что ты, девочка? — спросил он вдруг, увидев на тротуаре ребенка, про-
сившего милостыню.

Это была маленькая, худенькая девочка, лет семи-восьми, не больше, одетая
в грязные отрепья; маленькие ножки ее были обуты на босу ногу в дырявые башмаки. Она силилась прикрыть свое дрожащее от холоду тельце каким-то ветхим
подобием крошечного капота, из которого она давно уже успела вырасти. То-
щее, бледное и больное ее личико было обращено к нам; она робко и безмолвно
смотрела на нас и с каким-то покорным страхом отказа протягивала нам свою
дрожащую ручонку. Старик так и задрожал весь, увидя ее, и так быстро к ней
оборотился, что даже ее испугал. Она вздрогнула и отшатнулась от него.

— Что, что тебе, девочка? — вскричал он. — Что? Просить? Да? Вот, вот
тебе... возьми, вот!

И он, суетясь и дрожа от волнения, стал искать у себя в кармане и вынул две
или три серебряные монетки. Но ему показалось мало; он достал портмоне и,
вынув из него рублевую бумажку, — всё, что там было, — положил деньги в руку
маленькой нищей.

— Христос тебя да сохранит, маленькая... дитя ты мое! Ангел Божий да будет
с тобою!

И он несколько раз дрожавшею рукою перекрестил бедняжку; но вдруг, увидав, что и я тут и смотрю на него, нахмурился и скорыми шагами пошел далее.

— Это я, видишь, Ваня, смотреть не могу, — начал он после довольно про-
должительного сердитого молчания, — как эти маленькие, невинные создания
дрогнут от холоду на улице... из-за проклятых матерей и отцов. А впрочем, какая же мать и вышлет такого ребенка на такой ужас, если уж не самая несчастная!.. Должно быть, там в углу у ней еще сидят сироты, а это старшая; сама больна, старуха-то; и... гм! Не княжеские дети! Много, Ваня, на свете... не княже-
ских детей! гм!

Он помолчал с минуту, как бы затрудняясь чем-то.

— Я, видишь, Ваня, обещал Анне Андреевне, — начал он, немного путаясь и
сбиваясь, — обещал ей... то есть, мы согласились вместе с Анной Андреевной сиротку какую-нибудь на воспитание взять... так, какую-нибудь; бедную то есть и
маленькую, в дом, совсем; понимаешь? А то скучно нам, старикам, одним-то,
гм... только, видишь: Анна Андреевна что-то против этого восставать стала. Так
ты поговори с ней, эдак знаешь, не от меня, а как бы с своей стороны... урезонь
ее... понимаешь? Я давно тебя собирался об этом попросить... чтоб ты уговорил
ее согласиться, а мне как-то неловко очень-то просить самому... ну, да что о пустяках толковать! Мне что девочка? и не нужна; так, для утехи... чтоб голос
чей-нибудь детский слышать... а впрочем, по правде, я ведь для старухи это делаю; ей же веселее будет, чем с одним со мной. Но всё это вздор! Знаешь, Ваня,
эдак мы долго не дойдем: возьмем-ка извозчика; идти далеко, а Анна Андреевна
нас заждалась...

Было половина восьмого, когда мы приехали к Анне Андреевне.

ГЛАВА XII

Старики очень любили друг друга. И любовь, и долговременная свычка свя-
зали их неразрывно. Но Николай Сергеич не только теперь, но даже и прежде, в
самые счастливые времена, был как-то несообщителен с своей Анной Андреев-

ной, даже иногда суров, особливо при людях. В иных натурах, нежно и тонко чувствующих, бывает иногда какое-то упорство, какое-то целомудренное нежелание высказываться и выказывать даже милому себе существу свою нежность не только при людях, но даже и наедине; наедине еще больше; только изредка прорывается в них ласка, и прорывается тем горячее, тем порывистее, чем дольше она была сдержана. Таков отчасти был и старик Ихменев с своей Анной Андреевной, даже смолоду. Он уважал ее и любил беспредельно, несмотря на то что это была женщина только добрая и ничего больше не умевшая, как только любить его, и ужасно досадовал на то, что она в свою очередь была с ним, по простоте своей, даже иногда слишком и неосторожно наружу. Но после ухода Наташи они как-то нежнее стали друг к другу; они болезненно почувствовали, что остались одни на свете. И хотя Николай Сергеич становился иногда чрезвычайно угрюм, тем не менее оба они, даже на два часа, не могли расстаться друг с другом без тоски и без боли. О Наташе они как-то безмолвно условились не говорить ни слова, как будто ее и на свете не было. Анна Андреевна не осмеливалась даже намекать о ней ясно при муже, хотя это было для нее очень тяжело. Она давно уже простила Наташу в сердце своем. Между нами как-то установилось, чтоб с каждым приходом моим я приносил ей известие о ее милом, незабвенном дитяти.

Старушка становилась больна, если долго не получала известий, а когда я приходил с ними, интересовалась самою малейшею подробностию, расспрашивала с судорожным любопытством, «отводила душу» на моих рассказах и чуть не умерла от страха, когда Наташа однажды заболела, даже чуть было не пошла к ней сама. Но это был крайний случай. Сначала она даже и при мне не решалась выражать желание увидеться с дочерью и почти всегда после наших разговоров, когда, бывало, уже всё у меня выспросит, считала необходимостью как-то сжаться передо мною и непременно подтвердить, что хоть она и интересуется судьбою дочери, но все-таки Наташа такая преступница, которую и простить нельзя. Но всё это было напускное. Бывали случаи, когда Анна Андреевна тосковала до изнеможения, плакала, называла при мне Наташу самыми милыми именами, горько жаловалась на Николая Сергеича, а при нем начинала *намекать*, хоть и с большою осторожностью, на людскую гордость, на жестокосердие, на то, что мы не умеем прощать обид и что Бог не простит непрощающих, но дальше этого при нем не высказывалась. В такие минуты старик тотчас же черствел и угрюмел, молчал, нахмурившись, или вдруг, обыкновенно чрезвычайно неловко и громко, заговаривал о другом, или, наконец, уходил *к себе*, оставляя нас одних и давая таким образом Анне Андреевне возможность вполне излить передо мной свое горе в слезах и сетованиях. Точно так же он уходил к себе всегда при моих посещениях, бывало только что успеет со мною поздороваться, чтоб дать мне время сообщить Анне Андреевне все последние новости о Наташе. Так сделал он и теперь.

— Я промок, — сказал он ей, только что ступив в комнату, — пойду-ка к себе, а ты, Ваня, тут посиди. Вот с ним история случилась, с квартирой; расскажи-ка ей. А я сейчас и ворочусь...

И он поспешил уйти, стараясь даже и не глядеть на нас, как будто совестясь, что сам же нас сводил вместе. В таких случаях, и особенно когда возвращался к нам, он становился всегда суров и желчен и со мной и с Анной Андреевной, даже придирчив, точно сам на себя злился и досадовал за свою мягкость и уступчивость.

— Вот он какой, — сказала старушка, оставившая со мной в последнее время всю чопорность и все свои задние мысли, — всегда-то он такой со мной; а ведь знает, что мы все его хитрости понимаем. Чего ж бы передо мной виды-то на себя напускать! Чужая я ему, что ли? Так он и с дочерью. Ведь простить-то бы мог, даже, может быть, и желает простить, Господь его знает. По ночам плачет, сама слышала! А наружу крепится. Гордость его обуяла... Батюшка, Иван Петрович, рассказывай поскорее: куда он ходил?

— Николай Сергеич? Не знаю; я у вас хотел спросить.

— А я так и обмерла, как он вышел. Больной ведь он, в такую погоду, на ночь глядя; ну, думаю, верно, за чем-нибудь важным; а чему ж и быть-то важнее известного вам дела? Думаю я это про себя, а спросить-то и не смею. Ведь я теперь его ни о чем не смею расспрашивать. Господи Боже, ведь так и обомлела и за него и за нее. Ну как, думаю, к ней пошел; уж не простить ли решился? Ведь он всё узнал, все последние известия об ней знает; я наверное полагаю, что знает, а откуда ему вести приходят, не придумаю. Больно уж тосковал он вчера, да и сегодня тоже. Да что же вы молчите! Говорите, батюшка, что там еще случилось? Как ангела Божия ждала вас, все глаза высмотрела. Ну, что же, оставляет злодей-то Наташу?

Я тотчас же рассказал Анне Андреевне всё, что сам знал. С ней я был всегда и вполне откровенен. Я сообщил ей, что у Наташи с Алешей действительно как будто идет на разрыв и что это серьезнее, чем прежние их несогласия; что Наташа прислала мне вчера записку, в которой умоляла меня прийти к ней сегодня вечером, в девять часов, а потому я даже и не предполагал сегодня заходить к ним; завел же меня сам Николай Сергеич. Рассказал и объяснил ей подробно, что положение теперь вообще критическое; что отец Алеши, который недели две как воротился из отъезда, и слышать ничего не хочет, строго взялся за Алешу; но важнее всего, что Алеша, кажется, и сам не прочь от невесты и, слышно, что даже влюбился в нее. Прибавил я еще, что записка Наташи, сколько можно угадывать, написана ею в большом волнении; пишет она, что сегодня вечером всё решится, а что? — неизвестно; странно тоже, что пишет от вчерашнего дня, а назначает прийти сегодня, и час определила: девять часов. А потому я непременно должен идти, да и поскорее.

— Иди, иди, батюшка, непременно иди, — захлопотала старушка, — вот только он выйдет, ты чайку выпей... Ах, самовар-то не несут! Матрена! Что ж ты самовар? Разбойница, а не девка!.. Ну, так чайку-то выпьешь, найди предлог благовидный, да и ступай. А завтра непременно ко мне и всё расскажи; да пораньше забеги. Господи! Уж не вышло ли еще какой беды! Уж чего бы, кажется, хуже теперешнего! Ведь Николай-то Сергеич всё уж узнал, сердце мне говорит, что узнал. Я-то вот через Матрену много узнаю, а та через Агашу, а Агаша-то крестница Марьи Васильевны, что у князя в доме проживает... ну, да ведь ты сам знаешь. Сердит был сегодня ужасно мой, Николай-то. Я было то да се, а он чуть было не закричал на меня, а потом словно жалко ему стало, говорит: денег мало. Точно бы он из-за денег кричал. После обеда пошел было спать. Я заглянула к нему в щелку (щелка такая есть в дверях; он и не знает про нее), а он-то, голубчик, на коленях перед киотом Богу молится. Как увидала я это, у меня и ноги подкосились. И чаю не пил и не спал, взял шапку и пошел. В пятом вышел. Я и спросить не посмела: закричал бы он на меня. Часто он кричать начал, всё больше на Матрену, а то и на меня; а как закричит, у меня тотчас ноги мертвеют и от сердца отрывается. Ведь только блажит, знаю, что блажит, а всё страшно. Богу целый час молилась, как он ушел, чтоб на благую мысль его навел. Где же записка-то ее, покажи-ка!

Я показал. Я знал, что у Анны Андреевны была одна любимая, заветная мысль, что Алеша, которого она звала то злодеем, то бесчувственным, глупым мальчишкой, женится наконец на Наташе и что отец его, князь Петр Александрович, ему это позволит. Она даже и проговаривалась передо мной, хотя в другие разы раскаивалась и отпиралась от слов своих. Но ни за что не посмела бы она высказать свои надежды при Николае Сергеиче, хотя и знала, что старик их подозревает в ней и даже не раз попрекал ее косвенным образом. Я думаю, он окончательно бы проклял Наташу и вырвал ее из своего сердца навеки, если б узнал про возможность этого брака.

Все мы так тогда думали. Он ждал дочь всеми желаниями своего сердца, но он ждал ее одну, раскаявшуюся, вырвавшую из своего сердца даже воспоминание о своем Алеше. Это было единственным условием прощения, хотя и не высказанным, но, глядя на него, понятным и несомненным.

— Бесхарактерный он, бесхарактерный мальчишка, бесхарактерный и жестокосердый, я всегда это говорила, — начала опять Анна Андреевна. — И воспитывать его не умели, так, ветрогон какой-то вышел; бросает ее за такую любовь, Господи Боже мой! Что с ней будет, с бедняжкой! И что он в новой-то нашел, удивляюсь!

— Я слышал, Анна Андреевна, — возразил я, — что эта невеста очаровательная девушка, да и Наталья Николаевна про нее то же говорила...

— А ты не верь! — перебила старушка. — Что за очаровательная? Для вас, щелкоперов, всякая очаровательная, только бы юбка болталась. А что Наташа ее хвалит, так это она по благородству души делает. Не умеет она удержать его, всё ему прощает, а сама страдает. Сколько уж раз он ей изменял! Злодеи жестокосердые! А на меня, Иван Петрович, просто ужас находит. Гордость всех обуяла. Смирил бы хоть мой-то себя, простил бы ее, мою голубку, да и привел бы сюда. Обняла б ее, посмотрела б на нее! Похудела она?

— Похудела, Анна Андреевна.

— Голубчик мой! А у меня, Иван Петрович, беда! Всю ночь да весь день сегодня проплакала... да что! После расскажу! Сколько раз я заикалась говорить ему издалека, чтоб простил-то; прямо-то не смею, так издалека, ловким этаким манером заговаривала. А у самой сердце так и замирает: рассердится, думаю, да и проклянет ее совсем! Проклятия-то я еще от него не слыхала... так вот и боюсь, чтоб проклятия не наложил. Тогда ведь что будет? Отец проклял, и Бог покарает. Так и живу, каждый день дрожу от ужаса. Да и тебе, Иван Петрович, стыдно; кажется, в нашем доме взрос и отеческие ласки от всех у нас видел: тоже выдумал, очаровательная! А вот Марья Васильевна ихняя лучше говорит. (Я ведь согрешила, да ее раз на кофей и позвала, когда мой на всё утро по делам уезжал.) Она мне всю подноготную объяснила. Князь-то, отец-то Алешин, с графиней-то в непозволительной связи находился. Графиня давно, говорят, попрекала его: что он на ней не женится, а тот всё отлынивал. А графиня-то эта, когда еще муж ее был жив, зазорным поведением отличалась. Умер муж-то — она за границу: всё итальянцы да французы пошли, баронов каких-то у себя завела; там и князя Петра Александровича подцепила. А падчерица ее, первого ее мужа, откупщика, дочь меж тем росла да росла. Графиня-то, мачеха-то, всё прожила, а Катерина Федоровна меж тем подросла, да и два миллиона, что ей отец-откупщик в ломбарде оставил, подросли. Теперь, говорят, у ней три миллиона; князь-то и смекнул: вот бы Алешу женить! (не промах! своего не пропустит). Граф-то, придворный-то, знатный-то, помнишь, родственник-то ихний, тоже согласен; три миллиона не шутка. Хорошо, говорит, поговорите с этой графиней. Князь и сообщает графине свое желание. Та и руками и ногами: без правил, говорят, женщина, буянка такая! Ее уже здесь не все, говорят, принимают; не то что за границей. Нет, говорит, ты, князь, сам на мне женись, а не бывать моей падчерице за Алешей. А девица-то, падчерица-то, души, говорят, в своей мачехе не слышит; чуть на нее не молится и во всем ей послушна. Кроткая, говорят, такая, ангельская душа! Князь-то видит, в чем дело, да и говорит: ты, графиня, не беспокойся. Именье-то свое прожила, и долги на тебе неоплатные. А как твоя падчерица выйдет за Алешу, так их будет пара: и твоя невинная, и Алеша мой дурачок; мы их и возьмем под начало и будем сообща опекать; тогда и у тебя деньги будут. А то что, говорит, за меня замуж тебе идти? Хитрый человек! Масон! Так полгода тому назад было, графиня не решалась, а теперь, говорят, в Варшаву ездили, там и согласились. Вот как я слышала. Всё это Марья Васильевна мне рассказала, всю подноготную, от верного человека сама она слышала. Ну, так вот что тут: денежки, миллионы, а то что — очаровательная!

Рассказ Анны Андреевны меня поразил. Он совершенно согласовался со всем тем, что я сам недавно слышал от самого Алеши. Рассказывая, он храбрился, что ни за что не женится на деньгах. Но Катерина Федоровна поразила и увлекла его. Я слышал тоже от Алеши, что отец его сам, может быть, женится, хоть и отвергает эти слухи, чтоб не раздражить до времени графини. Я сказал уже, что Алеша очень любил отца, любовался и хвалился им и верил в него как в оракула.

— Ведь не графского же рода и она, твоя очаровательная-то! — продолжала Анна Андреевна, крайне раздраженная моей похвалой будущей невесте молодого князя. — А Наташа ему еще лучше была бы партия. Та откупщица, а Наташа-то из старинного дворянского дома, высокоблагородная девица. Старик-то мой вчера (я забыла вам рассказать) сундучок свой отпер, кованый, — знаете? — да целый вечер против меня сидел да старые грамоты наши разбирал. Да серьезный такой сидит. Я чулок вяжу, да и не гляжу на него, боюсь. Так он видит, что я молчу, рассердился да сам и окликнул меня и целый-то вечер мне нашу родословную толковал. Так вот и выходит, что мы-то, Ихменевы-то, еще при Иване Васильевиче Грозном дворянами были, а что мой род, Шумиловых, еще при Алексее Михайловиче известен был, и документы есть у нас, и в истории Карамзина упомянуто. Так вот как, батюшка, мы, видно, тоже не хуже других с этой черты. Как начал мне старик толковать, я и поняла, что у него на уме. Знать, и ему обидно, что Наташей пренебрегают. Богатством только и взяли перед нами. Ну, да пусть тот, разбойник-то, Петр-то Александрович, о богатстве хлопочет; всем известно: жестокосердая, жадная душа. В иезуиты, говорят, тайно в Варшаве записался? Правда ли это?

— Глупый слух, — отвечал я, невольно заинтересованный устойчивостью этого слуха. Но известие о Николае Сергеиче, разбиравшем свои грамоты, было любопытно. Прежде он никогда не хвалился своею родословною.

— Всё злодеи жестокосердые! — продолжала Анна Андреевна, — ну, что же она, мой голубчик, горюет, плачет? Ах, пора тебе идти к ней! Матрена, Матрена! Разбойник, а не девка!.. Не оскорбляли ее? Говори же, Ваня.

Что было ей отвечать? Старушка заплакала. Я спросил, какая у ней еще случилась беда, про которую она мне давеча собиралась рассказать?

— Ах, батюшка, мало было одних бед, так, видно, еще не вся чаша выпита! Помнишь, голубчик, или не помнишь? был у меня медальончик, в золото оправленный, так для сувенира сделано, а в нем портрет Наташечки, в детских летах; восьми лет она тогда была, ангельчик мой. Еще тогда мы с Николаем Сергеичем его проезжему живописцу заказывали, да ты забыл, видно, батюшка! Хороший был живописец, купидоном ее изобразил: волосики светленькие такие у ней тогда были, взбитые; в рубашечке кисейной представил ее, так что и тельце просвечивает, и такая она вышла хорошенькая, что и наглядеться нельзя. Просила я живописца, чтоб крылышки ей подрисовал, да не согласился живописец. Так вот, батюшка, я, после ужасов-то наших тогдашних, медальончик из шкатулки и вынула, да на грудь себе и повесила на шнурке, так и носила возле креста, а сама-то боюсь, чтоб мой не увидал. Ведь он тогда же все ее вещи приказал из дому выкинуть или сжечь, чтоб ничто и не напоминало про нее у нас. А мне-то хоть бы на портрет ее поглядеть; иной раз поплачу, на него глядя, — всё легче станет, а в другой раз, когда одна остаюсь, не нацелую, как будто ее самое целую; имена нежные ей прибираю да и на ночь-то каждый раз перекрещу. Говорю с ней вслух, когда одна остаюся, спрошу что-нибудь и представляю, как будто она мне ответила, и еще спрошу. Ох, голубчик Ваня, тяжело и рассказывать-то! Ну, вот я и рада, что хоть про медальон-то он не знает и не заметил; только хвать вчера утром, а медальона и нет, только шнурочек болтается, перетерся, должно быть, а я и обронила. Так и замерла. Искать; искала-искала, искала-искала — нет! Сгинул да пропал! И куда ему сгинуть? Наверно, думаю, в постели обронила; всё перерыла — нет! Коли сорвался да упал куда-нибудь, так, может, кто и нашел его, а кому найти, кроме *него* али Матрены? Ну, на Матрену и думать нельзя; она мне всей душой предана... (Матрена, да ты скоро ли самовар-то?) Ну, думаю, если он найдет, что тогда будет? Сижу себе, грущу, да и плачу-плачу, слез удержать не могу. А Николай Сергеич всё ласковей да ласковей со мной; на меня глядя, грустит, как будто и он знает, о чем я плачу, и жалеет меня. Вот и думаю про себя: почему он может знать? Не сыскал ли он и в самом деле медальон, да и выбросил в форточку. Ведь в сердцах он на это способен; выбросил, а сам теперь и грустит — жалеет, что выбросил. Уж я и под окошко, под форточкой, искать ходила с Матреной — ничего не нашла. Как в воду канула. Всю ночь проплакала. Первый раз я ее на ночь не перекрестила. Ох, к худу это, к худу, Иван Петрович, не предвещает добра; другой день, глаз не осушая, плачу. Вас-то ждала, голубчика, как ангела Божия, хоть душу отвести...

И старушка горько заплакала.

— Ах, да, и забыла вам сообщить! — заговорила она вдруг, обрадовавшись, что вспомнила, — слышали вы от него что-нибудь про сиротку?

— Слышал, Анна Андреевна, говорил он мне, что будто вы оба надумались и согласились взять бедную девочку, сиротку, на воспитание. Правда ли это?

— И не думала, батюшка, и не думала! И никакой сиротки не хочу! Напоминать она мне будет горькую долю нашу, наше несчастье. Кроме Наташи, никого не хочу. Одна была дочь, одна и останется. А только что ж это значит, батюшка, что он сиротку-то выдумал? Как ты думаешь, Иван Петрович? Мне в утешение, что ль, на мои слезы глядя, аль чтоб родную дочь даже совсем из воспоминания изгнать да к другому детищу привязаться? Что он обо мне дорогой говорил с вами? Каков он вам показался — суровый, сердитый? Тс! Идет! После, батюшка, доскажете, после!.. Завтра-то прийти не забудь...

ГЛАВА XIII

Вошел старик. Он с любопытством и как будто чего-то стыдясь оглядел нас, нахмурился и подошел к столу.

— Что ж самовар, — спросил он, — неужели до сих пор не могли подать?

— Несут, батюшка, несут; ну, вот и принесли, — захлопотала Анна Андреевна.

Матрена тотчас же, как увидала Николая Сергеича, и явилась с самоваром, точно ждала его выхода, чтоб подать. Это была старая, испытанная и преданная служанка, но самая своенравная ворчунья из всех служанок в мире, с настойчивым и упрямым характером. Николая Сергеича она боялась и при нем всегда прикусывала язык. Зато вполне вознаграждала себя перед Анной Андреевной, грубила ей на каждом шагу и показывала явную претензию господствовать над своей госпожой, хотя в то же время душевно и искренно любила ее и Наташу. Эту Матрену я знал еще в Ихменевке.

— Гм... ведь неприятно, когда промокнешь; а тут тебе и чаю *не хотят* приготовить, — ворчал вполголоса старик.

Анна Андреевна тотчас же подмигнула мне на него. Он терпеть не мог этих таинственных подмигиваний и хоть в эту минуту и старался не смотреть на нас, но по лицу его можно было заметить, что Анна Андреевна именно теперь мне на него подмигнула и что об этом вполне это знает.

— По делам ходил, Ваня, — заговорил он вдруг. — Дрянь такая завелась. Говорил я тебе? Меня совсем осуждают. Доказательств, вишь, нет; бумаг нужных нет; справки неверны выходят... Гм...

Он говорил про свой процесс с князем; этот процесс всё еще тянулся, но принимал самое худое направление для Николая Сергеича. Я молчал, не зная, что ему отвечать. Он подозрительно взглянул на меня.

— А что ж! — подхватил он вдруг, как будто раздраженный нашим молчанием, — чем скорей, тем лучше. Подлецом меня не сделают, хоть и решат, что я должен заплатить. Со мной моя совесть, и пусть решают. По крайней мере дело кончено; развяжут, разорят... Брошу всё и уеду в Сибирь.

— Господи, куда ехать! Да зачем бы это в такую даль! — не утерпела не сказать Анна Андреевна.

— А здесь от чего близко? — грубо спросил он, как бы обрадовавшись возражению.

— Ну, все-таки... от людей... — проговорила было Анна Андреевна и с тоскою взглянула на меня.

— От каких людей? — вскричал он, переводя горячий взгляд от меня на нее и обратно, — от каких людей? От грабителей, от клеветников, от предателей? Таких везде много; не беспокойся, и в Сибири найдем. А не хочешь со мной ехать, так, пожалуй, и оставайся; я не насилую.

— Батюшка, Николай Сергеич! Да на кого ж я без тебя останусь! — закричала бедная Анна Андреевна. — Ведь у меня, кроме тебя, в целом свете нет ник...

Она заикнулась, замолчала и обратила ко мне испуганный взгляд, как бы прося заступления и помощи. Старик был раздражен, ко всему придирался; противоречить ему было нельзя.

— Полноте, Анна Андреевна, — сказал я, — в Сибири совсем не так дурно, как кажется. Если случится несчастье и вам надо будет продать Ихменевку, то намерение Николая Сергеевича даже и очень хорошо. В Сибири можно найти порядочное частное место, и тогда...

— Ну, вот по крайней мере, хоть ты, Иван, дело говоришь. Я так и думал. Брошу всё и уеду.

— Ну, вот уж и не ожидала! — вскрикнула Анна Андреевна, всплеснув руками, — и ты, Ваня, туда же! Уж от тебя-то, Иван Петрович, не ожидала... Кажется, кроме ласки, вы от нас ничего не видали, а теперь...

— Ха-ха-ха! А ты чего ожидала! Да чем же мы жить-то здесь будем, подумай! Деньги прожиты, последнюю копейку добиваем! Уж не прикажешь ли к князю Петру Александровичу пойти да прощения просить?

Услышав про князя, старушка так и задрожала от страха. Чайная ложечка в ее руке звонко задребезжала о блюдечко.

— Нет, в самом деле, — подхватил Ихменев, разгорячая сам себя с злобною, упорною радостию, — как ты думаешь, Ваня, ведь, право, пойти! На что в Сибирь ехать! А лучше я вот завтра разоденусь, причешусь да приглажусь; Анна Андреевна манишку новую приготовит (к такому лицу уж нельзя иначе!), перчатки для полного бонтону купить да и пойти к его сиятельству: батюшка, ваше сиятельство, кормилец, отец родной! Прости и помилуй, дай кусок хлеба, — жена, дети маленькие!.. Так ли, Анна Андреевна? Этого ли хочешь?

— Батюшка... я ничего не хочу! Так, сдуру сказала; прости, коли в чем досадила, да только не кричи, — проговорила она, всё больше и больше дрожа от страха.

Я уверен, что в душе его всё ныло и перевертывалось в эту минуту, глядя на слезы и страх своей бедной подруги; я уверен, что ему было гораздо больнее, чем ей; но он не мог удержаться. Так бывает иногда с добрейшими, но слабонервными людьми, которые, несмотря на всю свою доброту, увлекаются до самонаслаждения собственным горем и гневом, ища высказаться во что бы то ни стало, даже до обиды другому, невиноватому и преимущественно всегда самому ближнему к себе человеку. У женщины, например, бывает иногда потребность чувствовать себя несчастною, обиженною, хотя бы не было ни обид, ни несчастий. Есть много мужчин, похожих в этом случае на женщин, и даже мужчин не слабых, в которых вовсе не так много женственного. Старик чувствовал потребность ссоры, хотя сам страдал от этой потребности.

Помню, у меня тут же мелькнула мысль: уж и в самом деле не сделал ли он перед этим какой-нибудь выходки, вроде предположений Анны Андреевны! Чего доброго, не надоумил ли его Господь и не ходил ли он в самом деле к Наташе, да одумался дорогой, или что-нибудь не удалось, сорвалось в его намерении, — как и должно было случиться, — и вот он воротился домой, рассерженный и уничтоженный, стыдясь своих недавних желаний и чувств, ища, на ком сорвать сердце за свою же *слабость*, и выбирая именно тех, кого наиболее подозревал в таких же желаниях и чувствах. Может быть, желая простить дочь, он именно воображал себе восторг и радость своей бедной Анны Андреевны, и, при неудаче, *разумеется*, ей же первой и доставалось за это.

Но убитый вид ее, дрожавшей перед ним от страха, тронул его. Он как будто устыдился своего гнева и на минуту сдержал себя. Мы все молчали; я старался не глядеть на него. Но добрая минута тянулась недолго. Во что бы ни стало надо было высказаться, хотя бы взрывом, хотя бы проклятием.

— Видишь, Ваня, — сказал он вдруг, — мне жаль, мне не хотелось бы говорить, но пришло такое время, и я должен объясниться откровенно, без закорючек, как следует всякому прямому человеку... понимаешь, Ваня? Я рад, что ты пришел, и потому хочу громко сказать при тебе же, так, чтоб и *другие* слышали, что весь этот вздор, все эти слезы, вздохи, несчастья мне наконец надоели. То, что я вырвал из сердца моего, может быть с кровью и болью, никогда опять не воротится в мое сердце. Да! Я сказал и сделаю. Я говорю про то, что было полгода назад, понимаешь, Ваня! И говорю про это так откровенно, так прямо именно для того, чтоб ты никак не мог ошибиться в словах моих, — прибавил он, воспаленными глазами смотря на меня и, видимо, избегая испуганных взглядов жены. — Повторяю: это вздор; я не желаю!.. Меня именно бесит, что меня, как дурака, как самого низкого подлеца, *все* считают способным иметь такие низкие, такие слабые чувства... думают, что я с ума схожу от горя... Вздор! Я отбросил, я забыл старые чувства! Для меня нет воспоминаний... да! да! да! и да!..

Он вскочил со стула и ударил кулаком по столу так, что чашки зазвенели.

— Николай Сергеич! Неужели вам не жаль Анну Андреевну? Посмотрите, что вы над ней делаете, — сказал я, не в силах удержаться и почти с негодованием смотря на него. Но я только к огню подлил масла.

— Не жаль! — закричал он, задрожав и побледнев, — не жаль, потому что и меня не жалеют! Не жаль, потому что в моем же доме составляются заговоры против поруганной моей головы, за развратную дочь, достойную проклятия и всех наказаний!..

— Батюшка, Николай Сергеич, не проклинай!.. всё, что хочешь, только дочь не проклинай! — вскричала Анна Андреевна.

— Прокляну! — кричал старик вдвое громче, чем прежде, — потому что от меня же, обиженного, поруганного, требуют, чтоб я шел к этой проклятой и у ней же просил прощения! Да, да, это так! Этим мучат меня каждодневно, денно и нощно, у меня же в доме, слезами, вздохами, глупыми намеками! Хотят меня разжалобить... Смотри, смотри, Ваня, — прибавил он, поспешно вынимая дрожащими руками из бокового своего кармана бумаги, — вот тут выписки из нашего дела! По этому делу выходит теперь, что я вор, что я обманщик, что я обокрал моего благодетеля!.. Я ошельмован, опозорен из-за нее! Вот, вот, смотри, смотри!..

И он начал выбрасывать из бокового кармана своего сюртука разные бумаги, одну за другою, на стол, нетерпеливо отыскивая между ними ту, которую хотел мне показать; но нужная бумага, как нарочно, не отыскивалась. В нетерпении он рванул из кармана всё, что захватил в нем рукой, и вдруг — что-то звонко и тяжело упало на стол... Анна Андреевна вскрикнула. Это был потерянный медальон.

Я едва верил глазам своим. Кровь бросилась в голову старика и залила его щеки; он вздрогнул. Анна Андреевна стояла, сложив руки, и с мольбою смотрела на него. Лицо ее просияло светлою, радостною надеждою. Эта краска в лице, это смущение старика перед нами... да, она не ошиблась, она понимала теперь, как пропал ее медальон!

Она поняла, что он нашел его, обрадовался своей находке и, может быть, дрожа от восторга, ревниво спрятал его у себя от всех глаз; что где-нибудь один, тихонько от всех, он с беспредельною любовью смотрел на личико своего возлюбленного дитяти, — смотрел и не мог насмотреться, что, может быть, он так же, как и бедная мать, запирался один от всех разговаривать с своей бесценной Наташей, выдумывать ее ответы, отвечать на них самому, а ночью, в мучительной тоске, с подавленными в груди рыданиями, ласкал и целовал милый образ и вместо проклятий призывал прощение и благословение на ту, которую не хотел видеть и проклинал перед всеми.

— Голубчик мой, так ты ее еще любишь! — вскричала Анна Андреевна, не удерживаясь более перед суровым отцом, за минуту проклинавшим ее Наташу.

Но лишь только он услышал ее крик, безумная ярость сверкнула в глазах его. Он схватил медальон, с силою бросил его на пол и с бешенством начал топтать ногою.

— Навеки, навеки будь проклята мною! — хрипел он, задыхаясь. — Навеки, навеки!

— Господи! — закричала старушка, — ее, ее! Мою Наташу! ее личико... топчет ногами! ногами!.. тиран! бесчувственный, жестокосердый гордец!

Услышав вопль жены, безумный старик остановился в ужасе от того, что сделалось. Вдруг он схватил с полу медальон и бросился вон из комнаты, но, сделав два шага, упал на колена, уперся руками на стоявший перед ним диван и в изнеможении склонил свою голову.

Он рыдал как дитя, как женщина. Рыдания теснили грудь его, как будто хотели ее разорвать. Грозный старик в одну минуту стал слабее ребенка. О, теперь уж он не мог проклинать; он уже не стыдился никого из нас и, в судорожном порыве любви, опять покрывал, при нас, бесчисленными поцелуями портрет, который за минуту назад топтал ногами. Казалось, вся нежность, вся любовь его к дочери, так долго в нем сдержанная, стремилась теперь вырваться наружу с неудержимою силою и силою порыва разбивала всё существо его.

— Прости, прости ее! — восклицала, рыдая, Анна Андреевна, склонившись над ним и обнимая его. — Вороти ее в родительский дом, голубчик, и сам Бог на Страшном суде своем зачтет тебе твое смирение и милосердие!..

— Нет, нет! Ни за что, никогда! — восклицал он хриплым, задушаемым голосом. — Никогда! Никогда!

ГЛАВА XIV

Я пришел к Наташе уже поздно, в десять часов. Она жила тогда на Фонтанке, у Семеновского моста, в грязном «капитальном» доме купца Колотушкина, в четвертом этаже. В первое время после ухода из дому она и Алеша жили в прекрасной квартире, небольшой, но красивой и удобной, в третьем этаже, на Литейной. Но скоро ресурсы молодого князя истощились. Учителем музыки он не сделался, но начал занимать и вошел в огромные для него долги. Деньги он употреблял на украшение квартиры, на подарки Наташе, которая восставала против его мотовства, журила его, иногда даже плакала. Чувствительный и проницательный сердцем, Алеша, иногда целую неделю обдумывавший с наслаждением, как бы ей что подарить и как-то она примет подарок, делавший из этого для себя настоящие праздники, с восторгом сообщавший мне заранее свои ожидания и мечты, впадал в уныние от ее журьбы и слез, так что его становилось жалко, а впоследствии между ними бывали из-за подарков упреки, огорчения и ссоры. Кроме того, Алеша много проживал денег тихонько от Наташи; увлекался за товарищами, изменял ей; ездил к разным Жозефинам и Миннам; а между тем он все-таки очень любил ее. Он любил ее как-то с мучением; часто он приходил ко мне расстроенный и грустный, говоря, что не стоит мизинчика своей Наташи; что он груб и зол, не в состоянии понимать ее и недостоин ее любви. Он был отчасти прав; между ними было совершенное неравенство; он чувствовал себя перед нею ребенком, да и она всегда считала его за ребенка. Со слезами каялся он мне в знакомстве с Жозефиной, в то же время умоляя не говорить об этом Наташе; и когда, робкий и трепещущий, он отправлялся, бывало, после всех этих откровенностей, со мною к ней (непременно со мною, уверяя, что боится взглянуть на нее после своего преступления и что я один могу поддержать его), то Наташа с первого же взгляда на него уже знала, в чем дело. Она была очень ревнива и, не понимаю каким образом, всегда прощала ему все его ветрености. Обыкновенно так случалось: Алеша войдет со мною, робко заговорит с ней, с робкою нежностью смотрит ей в глаза. Она тотчас же угадает, что он виноват, но не покажет и вида, никогда не заговорит об этом первая, ничего не выпытывает, напротив, тотчас же удвоит к нему свои ласки, станет нежнее, веселее, — и это не была какая-нибудь игра или обдуманная хитрость с ее стороны. Нет; для этого прекрасного создания было какое-то бесконечное наслаждение прощать и миловать; как будто в самом процессе прощения Алеши она находила какую-то особенную, утонченную прелесть. Правда, тогда еще дело касалось одних Жозефин. Видя ее кроткую и прощающую, Алеша уже не мог утерпеть и тотчас же сам во всем каялся, без всякого спроса, — чтоб облегчить сердце и «быть по-прежнему», говорил он. Получив прощение, он приходил в восторг, иногда даже плакал от радости и умиления, целовал, обнимал ее. Потом тотчас же развеселялся и начинал с ребяческою откровенностью рассказывать все подробности своих похождений с Жозефиной, смеялся, хохотал, благословлял и восхвалял Наташу, и вечер кончался счастливо и весело. Когда прекратились у него все деньги, он начал продавать вещи. По настоянию Наташи отыскана была маленькая, но дешевая квартира на Фонтанке. Вещи продолжали продаваться, Наташа продала даже свои платья и стала искать работы; когда Алеша узнал об этом, отчаянию его не было пределов: он проклинал себя, кричал, что сам себя презирает, а между тем ничем не поправил дела. В настоящее время прекратились даже и эти последние ресурсы; оставалась только одна работа, но плата за нее была самая ничтожная.

С самого начала, когда они еще жили вместе, Алеша сильно поссорился за это с отцом. Тогдашние намерения князя женить сына на Катерине Федоровне Филимоновой, падчерице графини, были еще только в проекте, но он сильно настаивал на этом проекте; он возил Алешу к будущей невесте, уговаривал его стараться ей понравиться, убеждал и строгостями и резонами; но дело расстроилось из-за графини. Тогда и отец стал смотреть на связь сына с Наташей сквозь пальцы, предоставляя всё времени, и надеялся, зная ветреность и легкомыслие Алеши, что любовь его скоро пройдет. О том же, что он может жениться на Наташе, князь, до самого последнего времени, почти перестал заботиться. Что же касается до любовников, то у них дело отлагалось до формального примирения с отцом и вообще до перемены обстоятельств. Впрочем, Наташа, видимо, не хотела заводить об этом разговоров. Алеша проговорился мне тайком, что отец как будто немножко и рад был всей этой истории: ему нравилось во всем этом деле унижение Ихменева. Для формы же он продолжал изъявлять свое неудовольствие сыну: уменьшил и без того небогатое содержание его (он был чрезвычайно с ним скуп), грозил отнять всё; но вскоре уехал в Польшу, за графиней, у которой были там дела, всё еще без устали преследуя свой проект сватовства. Правда, Алеша был еще слишком молод для женитьбы; но невеста была слишком богата, и упустить такой случай было невозможно. Князь добился наконец цели. До нас дошли слухи, что дело о сватовстве пошло наконец на лад. В то время, которое я описываю, князь только что воротился в Петербург. Сына он встретил ласково, но упорность его связи с Наташей неприятно изумила его. Он стал сомневаться, трусить. Строго и настоятельно потребовал он разрыва; но скоро догадался употребить гораздо лучшее средство и повез Алешу к графине. Ее падчерица была почти красавица, почти еще девочка, но с редким сердцем, с ясной, непорочной душой, весела, умна, нежна. Князь рассчитал, что все-таки полгода должны были взять свое, что Наташа уже не имела для его сына прелести новизны и что теперь он уже не такими глазами будет смотреть на будущую свою невесту, как полгода назад. Он угадал только отчасти... Алеша действительно увлекся. Прибавлю еще, что отец вдруг стал необыкновенно ласков к сыну (хотя все-таки не давал ему денег). Алеша чувствовал, что под этой лаской скрывается непреклонное, неизменное решение, и тосковал, — не так, впрочем, как бы он тосковал, если б не видал ежедневно Катерины Федоровны. Я знал, что он уже пятый день не показывался к Наташе. Идя к ней от Ихменевых, я тревожно угадывал, что бы такое она хотела сказать мне? Еще издали я различил свет в ее окне. Между нами уже давно было условлено, чтоб она ставила свечку на окно, если ей очень и непременно надо меня видеть, так что если мне случалось проходить близко (а это случалось почти каждый вечер), то я все-таки, по необыкновенному свету в окне, мог догадаться, что меня ждут и что я ей нужен. В последнее время она часто выставляла свечу...

ГЛАВА XV

Я застал Наташу одну. Она тихо ходила взад и вперед по комнате, сложа руки на груди, в глубокой задумчивости. Потухавший самовар стоял на столе и уже давно ожидал меня. Молча и с улыбкою протянула она мне руку. Лицо ее было бледно, с болезненным выражением. В улыбке ее было что-то страдальческое, нежное, терпеливое. Голубые ясные глаза ее стали как будто больше, чем прежде, волосы как будто гуще, — всё это так казалось от худобы и болезни.

— А я думала, ты уж не придешь, — сказала она, подавая мне руку, — хотела даже Мавру послать к тебе узнать; думала, не заболел ли опять?

— Нет, не заболел, меня задержали, сейчас расскажу. Ну что с тобой, Наташа? Что случилось?

— Ничего не случилось, — отвечала она, как бы удивленная. — А что?

— Да ты писала... вчера написала, чтоб пришел, да еще назначила час, чтоб не раньше, не позже; это как-то не по-обыкновенному.

— Ах, да! Это я *его* вчера ждала.

— Что ж он, всё еще не был?

— Нет. Я и думала: если не придет, так с тобой надо будет переговорить, — прибавила она, помолчав.

— А сегодня вечером ожидала его?

— Нет, не ждала; он вечером *там*.

— Что же ты думаешь, Наташа, он уж совсем никогда не придет?

— Разумеется, придет, — отвечала она, как-то особенно серьезно взглянув на меня.

Ей не нравилась скорость моих вопросов. Мы замолчали, продолжая ходить по комнате.

— Я всё тебя ждала, Ваня, — начала она вновь с улыбкой, — и знаешь, что делала? Ходила здесь взад и вперед и стихи наизусть читала; помнишь, — колокольчик, зимняя дорога: «Самовар мой кипит на дубовом столе...», мы еще вместе читали:

> Улеглася метелица; путь озарен,
> Ночь глядит миллионами тусклых очей...
> . . . .

И потом:

> То вдруг слышится мне — страстный голос поет,
> С колокольчиком дружно звеня:
> «Ах, когда-то, когда-то мой милый придет,
> Отдохнуть на груди у меня!
> У меня ли не жизнь! Чуть заря на стекле
> Начинает лучами с морозом играть,
> Самовар мой кипит на дубовом столе,
> И трещит моя печь, озаряя в угле
> За цветной занавеской кровать...»

— Как это хорошо! Какие это мучительные стихи, Ваня, и какая фантастическая, раздающаяся картина. Канва одна, и только намечен узор, — вышивай что хочешь. Два ощущения: прежнее и последнее. Этот самовар, этот ситцевый занавес, — так это всё родное... Это как в мещанских домиках в уездном нашем городке; я и дом этот как будто вижу: новый, из бревен, еще досками не обшитый... А потом другая картина:

> То вдруг слышится мне — тот же голос поет,
> С колокольчиком грустно звеня:
> «Где-то старый мой друг? Я боюсь, он войдет
> И, ласкаясь, обнимет меня!
> Что за жизнь у меня! — И тесна, и темна,
> И скучна моя горница; дует в окно...
> За окошком растет только вишня одна,
> Да и та за промерзлым стеклом не видна
> И, быть может, погибла давно.
> Что за жизнь! Полинял пестрый полога цвет;
> Я больная брожу и не еду к родным,
> Побранить меня некому — милого нет...
> Лишь старуха ворчит...»

— «Я больная брожу»... эта «больная», как тут хорошо поставлено! *Побранить меня некому*, — сколько нежности, неги в этом стихе и мучений от воспоминаний, да еще мучений, которые сам вызвал, да и любуешься ими... Господи, как это хорошо! Как это бывает!

Она замолчала, как будто подавляя начинавшуюся горловую спазму.

— Голубчик мой, Ваня! — сказала она мне через минуту и вдруг опять замолчала, как будто сама забыла, что хотела сказать, или сказала так, без мысли, от какого-то внезапного ощущения.

Между тем мы всё прохаживались по комнате. Перед образом горела лампадка. В последнее время Наташа становилась всё набожнее и набожнее и не любила, когда об этом с ней заговаривали.

— Что, завтра праздник? — спросил я, — у тебя лампадка горит.

— Нет, не праздник... да что ж, Ваня, садись, должно быть устал. Хочешь чаю? Ведь ты еще не пил?

— Сядем, Наташа. Чай я пил.

— Да ты откуда теперь?

— От *них*. — Мы с ней всегда так называли родной дом.

— От них? Как ты успел? Сам зашел? Звали?..

Она засыпала меня вопросами. Лицо ее сделалось еще бледнее от волнения. Я рассказал ей подробно мою встречу с стариком, разговор с матерью, сцену с медальоном, — рассказал подробно и со всеми оттенками. Я никогда ничего не скрывал от нее. Она слушала жадно, ловя каждое мое слово. Слезы блеснули на ее глазах. Сцена с медальоном сильно ее взволновала.

— Постой, постой, Ваня, — говорила она, часто прерывая мой рассказ, — говори подробнее, всё, всё, как можно подробнее, ты не так подробно рассказываешь!..

Я повторил второй и третий раз, поминутно отвечая на ее беспрерывные вопросы о подробностях.

— И ты в самом деле думаешь, что он ходил ко мне?

— Не знаю, Наташа, и мнения даже составить не могу. Что грустит о тебе и любит тебя, это ясно; но что он ходил к тебе, это... это...

— И он целовал медальон? — перебила она, — что он говорил, когда целовал?

— Бессвязно, одни восклицания; называл тебя самыми нежными именами, звал тебя...

— Звал?

— Да.

Она тихо заплакала.

— Бедные! — сказала она. — А если он всё знает, — прибавила она после некоторого молчания, — так это не мудрено. Он и об отце Алеши имеет большие известия.

— Наташа, — сказал я робко, — пойдем к ним...

— Когда? — спросила она, побледнев и чуть-чуть привстав с кресел. Она думала, что я зову ее сейчас.

— Нет, Ваня, — прибавила она, положив мне обе руки на плечи и грустно улыбаясь, — нет, голубчик; это всегдашний твой разговор, но... не говори лучше об этом.

— Так неужели ж никогда, никогда не кончится этот ужасный раздор! — вскричал я грустно. — Неужели ж ты до того горда, что не хочешь сделать первый шаг! Он за тобою; ты должна его первая сделать. Может быть, отец только того и ждет, чтоб простить тебя... Он отец; он обижен тобою! Уважь его гордость; она законна, она естественна! Ты должна это сделать. Попробуй, и он простит тебя без всяких условий!

— Без условий! Это невозможно; и не упрекай меня, Ваня, напрасно. Я об этом дни и ночи думала и думаю. После того как я их покинула, может быть, не было дня, чтоб я об этом не думала. Да и сколько раз мы с тобой же об этом говорили! Ведь ты знаешь сам, что это невозможно!

— Попробуй!

— Нет, друг мой, нельзя. Если и попробую, то еще больше ожесточу его против себя. Безвозвратного не воротишь, и знаешь, чего именно тут воротить нельзя? Не воротишь этих детских, счастливых дней, которые я прожила вместе с ними. Если б отец и простил, то все-таки он бы не узнал меня теперь. Он любил еще девочку, большого ребенка. Он любовался моим детским простодушием; лаская, он еще гладил меня по голове, так же как когда я была еще семилетней девочкой и, сидя у него на коленях, пела ему мои детские песенки. С первого детства моего до самого последнего дня он приходил к моей кровати и крестил меня на ночь. За месяц до нашего несчастья он купил мне серьги, тихонько от меня (а я всё узнала), и радовался как ребенок, воображая, как я буду рада подарку, и ужасно рассердился на всех и на меня первую, когда узнал от меня же, что мне давно уже известно о покупке серег. За три дня до моего ухода он приметил, что я грустна, тотчас же и сам загрустил до болезни, и — как ты думаешь? — чтоб развеселить меня, он придумал взять билет в театр!.. Ей-богу, он хотел этим излечить меня! Повторяю тебе, он знал и любил девочку и не хотел и думать о том, что я когда-нибудь тоже стану женщиной... Ему это и в голову не приходило. Теперь же, если б я воротилась домой, он бы меня и не узнал. Если он и простит, то кого же встретит теперь? Я уж не та, уж не ребенок, я много прожила. Если я и угожу ему, он все-таки будет вздыхать о прошедшем счастье, тосковать, что я совсем не та, как прежде, когда еще он любил меня ребенком; а старое всегда лучше кажется! С мучениями вспоминается! О, как хорошо прошедшее, Ваня! — вскричала она, сама увлекаясь и прерывая себя этим восклицанием, с болью вырвавшимся из ее сердца.

— Это всё правда, — сказал я, — что ты говоришь, Наташа. Значит, ему надо теперь узнать и полюбить тебя вновь. А главное: узнать. Что ж? Он и полюбит тебя. Неужели ж ты думаешь, что он не в состоянии узнать и понять тебя, он, он такое сердце!

— Ох, Ваня, не будь несправедлив! И что особенного во мне понимать? Я не про то говорила. Видишь, что еще: отеческая любовь тоже ревнива. Ему обидно, что без него всё это началось и разрешилось с Алешей, а он не знал, проглядел. Он знает, что и не предчувствовал этого, и несчастные последствия нашей любви, мой побег, приписывает именно моей «неблагодарной» скрытности. Я не пришла к нему с самого начала, я не каялась потом перед ним в каждом движении моего сердца, с самого начала моей любви; напротив, я затаила всё в себе, я пряталась от него, и, уверяю тебя, Ваня, втайне ему это обиднее, оскорбительнее, чем самые последствия любви, — то, что я ушла от них и вся отдалась моему любовнику. Положим, он встретил бы меня теперь как отец, горячо и ласково, но семя вражды останется. На второй, на третий день начнутся огорчения, недоумения, попреки. К тому же он не простит без условий. Я, положим, скажу, и скажу правду, из глубины сердца, что понимаю, как его оскорбила, до какой степени перед ним виновата. И хоть мне и больно будет, если он не захочет понять, чего мне самой стоило всё это *счастье* с Алешей, какие я сама страдания перенесла, то я подавлю свою боль, всё перенесу, — но ему и этого будет мало. Он потребует от меня невозможного вознаграждения: он потребует, чтоб я прокляла мое прошедшее, прокляла Алешу и раскаялась в моей любви к нему. Он захочет невозможного — воротить прошедшее и вычеркнуть из нашей жизни последние полгода. Но я не прокляну никого, я не могу раскаяться... Уж так оно пришлось, так случилось... Нет, Ваня, теперь нельзя. Время еще не пришло.

— Когда же придет время?

— Не знаю... Надо как-нибудь выстрадать вновь наше будущее счастье; купить его какими-нибудь новыми муками. Страданием всё очищается... Ох, Ваня, сколько в жизни боли!

Я замолчал и задумчиво смотрел на нее.

— Что ты так смотришь на меня, Алеша, то бишь — Ваня? — проговорила она, ошибаясь и улыбнувшись своей ошибке.

— Я смотрю теперь на твою улыбку, Наташа. Где ты взяла ее? У тебя прежде не было такой.

— А что же в моей улыбке?

— Прежнее детское простодушие, правда, в ней еще есть... Но когда ты улыбаешься, точно в то же время у тебя как-нибудь сильно заболит на сердце. Вот ты похудела, Наташа, а волосы твои стали как будто гуще... Что это у тебя за платье? Это еще у них было сделано?

— Как ты меня любишь, Ваня! — отвечала она, ласково взглянув на меня. — Ну, а ты, что ты теперь делаешь? Как твои-то дела?

— Не изменились; всё роман пишу; да тяжело, не дается. Вдохновение выдохлось. Сплеча-то и можно бы написать, пожалуй, и занимательно бы вышло; да хорошую идею жаль портить. Эта из любимых. А к сроку непременно надо в журнал. Я даже думаю бросить роман и придумать повесть поскорее, так, что-нибудь легонькое и грациозное и отнюдь без мрачного направления... Это уж отнюдь... Все должны веселиться и радоваться!..

— Бедный ты труженик! А что Смит?

— Да Смит умер.

— Не приходил к тебе? Я серьезно говорю тебе, Ваня: ты болен, у тебя нервы расстроены, такие всё мечты. Когда ты мне рассказывал про наем этой квартиры, я всё это в тебе заметила. Что, квартира сыра, нехороша?

— Да! У меня еще случилась история, сегодня вечером... Впрочем, я потом расскажу.

Она меня уже не слушала и сидела в глубокой задумчивости.

— Не понимаю, как я могла уйти тогда от *них*; я в горячке была, — проговорила она наконец, смотря на меня таким взглядом, которым не ждала ответа.

Заговори я с ней в эту минуту, она бы и не слыхала меня.

— Ваня, — сказала она чуть слышным голосом, — я просила тебя за делом.

— Что такое?

— Я расстаюсь с ним.

— Рассталась или расстаешься?

— Надо кончить с этой жизнью. Я и звала тебя, чтоб выразить всё, всё, что накопилось теперь и что я скрывала от тебя до сих пор. — Она всегда так начинала со мной, поверяя мне свои тайные намерения, и всегда почти выходило, что все эти тайны я знал от нее же.

— Ах, Наташа, я тысячу раз это от тебя слышал! Конечно, вам жить вместе нельзя; ваша связь какая-то странная; между вами нет ничего общего. Но... достанет ли сил у тебя?

— Прежде были только намерения, Ваня; теперь же я решилась совсем. Я люблю его бесконечно, а между тем выходит, что я ему первый враг; я гублю его будущность. Надо освободить его. Жениться он на мне не может; он не в силах пойти против отца. Я тоже не хочу его связывать. И потому я даже рада, что он влюбился в невесту, которую ему сватают. Ему легче будет расстаться со мной. Я это должна! Это долг... Если я люблю его, то должна всем для него пожертвовать, должна доказать ему любовь мою, это долг! Не правда ли?

— Но ведь ты не уговоришь его.

— Я и не буду уговаривать. Я буду с ним по-прежнему, войди он хоть сейчас. Но я должна приискать средство, чтоб ему было легко оставить меня без угрызений совести. Вот что меня мучит, Ваня; помоги. Не присоветуешь ли чего-нибудь?

— Такое средство одно, — сказал я, — разлюбить его совсем и полюбить другого. Но вряд ли это будет средством. Ведь ты знаешь его характер? Вот он к тебе пять дней не ездит. Предположи, что он совсем оставил тебя; тебе стоит только написать ему, что ты сама его оставляешь, а он тотчас же прибежит к тебе.

— За что ты его не любишь, Ваня?

— Я!

— Да, ты, ты! Ты ему враг, тайный и явный! Ты не можешь говорить о нем без мщения. Я тысячу раз замечала, что тебе первое удовольствие унижать и чернить его! Именно чернить, я правду говорю!

— И тысячу раз уже говорила мне это. Довольно, Наташа; оставим этот разговор.

— Я бы хотела переехать на другую квартиру, — заговорила она опять после некоторого молчания. — Да ты не сердись, Ваня...

— Что ж, он придет и на другую квартиру, а я, ей-богу, не сержусь.

— Любовь сильна; новая любовь может удержать его. Если и воротится к мне, так только разве на минуту, как ты думаешь?

— Не знаю, Наташа, в нем всё в высшей степени ни с чем не сообразно, он хочет и на той жениться и тебя любить. Он как-то может всё это вместе делать.

— Если б я знала наверно, что он любит ее, я бы решилась... Ваня! Не таи от меня ничего! Знаешь ты что-нибудь, чего мне не хочешь сказать, или нет?

Она смотрела на меня беспокойным, выпытывающим взглядом.

— Ничего не знаю, друг мой, даю тебе честное слово; с тобой я был всегда откровенен. Впрочем, я вот что еще думаю: может быть, он вовсе не влюблен в падчерицу графини так сильно, как мы думаем. Так, увлечение...

— Ты думаешь, Ваня? Боже, если б я это знала наверное! О, как бы я желала его видеть в эту минуту, только взглянуть на него. Я бы по лицу его всё узнала! И нет его! Нет его!

— Да разве ты ждешь его, Наташа?

— Нет, он у *ней*; я знаю; я посылала узнавать. Как бы я желала взглянуть и на нее... Послушай, Ваня, я скажу вздор, но неужели же мне никак нельзя ее увидеть, нигде нельзя с нею встретиться? Как ты думаешь?

Она с беспокойством ожидала, что я скажу.

— Увидать еще можно. Но ведь только увидать — мало.

— Довольно бы того хоть увидать, а там я бы и сама угадала. Послушай: я ведь так глупа стала; хожу-хожу здесь, всё одна, всё одна, — всё думаю; мысли как какой-то вихрь, так тяжело! Я и выдумала, Ваня: нельзя ли тебе с ней познакомиться? Ведь графиня (тогда ты сам рассказывал) хвалила твой роман; ты ведь ходишь иногда на вечера к князю Р ***; она там бывает. Сделай, чтоб тебя ей там представили. А то, пожалуй, и Алеша мог бы тебя с ней познакомить. Вот ты бы мне всё и рассказал про нее.

— Наташа, друг мой, об этом после. А вот что: неужели ты серьезно думаешь, что у тебя достанет сил на разлуку? Посмотри теперь на себя: неужели ты покойна?

— Дос-та-нет! — отвечала она чуть слышно. — Всё для него! Вся жизнь моя для него! Но знаешь, Ваня, не могу я перенести, что он теперь у нее, обо мне позабыл, сидит возле нее, рассказывает, смеется, помнишь, как здесь, бывало, сидел... Смотрит ей прямо в глаза; он всегда так смотрит; и в мысль ему не приходит теперь, что я вот здесь... с тобой.

Она не докончила и с отчаянием взглянула на меня.

— Как же ты, Наташа, еще сейчас, только сейчас говорила...

— Пусть мы вместе, все вместе расстанемся! — перебила она с сверкающим взглядом. — Я сама его благословлю на это. Но тяжело, Ваня, когда он сам, первый, забудет меня? Ах, Ваня, какая это мука! Я сама не понимаю себя: умом выходит так, а на деле не так! Что со мною будет!

— Полно, полно, Наташа, успокойся!..

— И вот уже пять дней, каждый час, каждую минуту... Во сне ли, сплю ли — всё об нем, об нем! Знаешь, Ваня: пойдем туда, проводи меня!

— Полно, Наташа.

— Нет, пойдем! Я тебя только ждала, Ваня! Я уже три дня об этом думаю. Об этом-то деле я и писала к тебе... Ты меня должен проводить; ты не должен отказать мне в этом... Я тебя ждала... Три дня... Там сегодня вечер... он там... пойдем!

Она была как в бреду. В прихожей раздался шум; Мавра как будто спорила с кем-то.

— Стой, Наташа, кто это? — спросил я, — слушай!

Она прислушалась с недоверчивою улыбкою и вдруг страшно побледнела.

— Боже мой! Кто там? — проговорила она чуть слышным голосом.

Она хотела было удержать меня, но я вышел в прихожую к Мавре. Так и есть! Это был Алеша. Он об чем-то расспрашивал Мавру; та сначала не пускала его.

— Откудова такой явился? — говорила она, как власть имеющая. — Что? Где рыскал? Ну уж иди, иди! А меня тебе не подмаслить! Ступай-ка; что-то ответишь?

— Я никого не боюсь! Я войду! — говорил Алеша, немного, впрочем, сконфузившись.

— Ну ступай! Прыток ты больно!

— И пойду! А! И вы здесь! — сказал он, увидев меня, — как это хорошо, что и вы здесь! Ну вот и я; видите; как же мне теперь...

— Да просто войдите, — отвечал я, — чего вы боитесь?

— Я ничего не боюсь, уверяю вас, потому что я, ей-богу, не виноват. Вы думаете, я виноват? Вот увидите, я сейчас оправдаюсь. Наташа, можно к тебе? — вскрикнул он с какой-то выделанною смелостию, остановясь перед затворенною дверью.

Никто не отвечал.

— Что ж это? — спросил он с беспокойством.

— Ничего, она сейчас там была, — отвечал я, — разве что-нибудь...

Алеша осторожно отворил дверь и робко окинул глазами комнату. Никого не было.

Вдруг он увидал ее в углу, между шкафом и окном. Она стояла там, как будто спрятавшись, ни жива ни мертва. Как вспомню об этом, до сих пор не могу не улыбнуться. Алеша тихо и осторожно подошел к ней.

— Наташа, что ты? Здравствуй, Наташа, — робко проговорил он, с каким-то испугом смотря на нее.

— Ну что ж, ну... ничего!.. — отвечала она в ужасном смущении, как будто она же и была виновата. — Ты... хочешь чаю?

— Наташа, послушай... — говорил Алеша, совершенно потерявшись. — Ты, может быть, уверена, что я виноват... Но я не виноват; я нисколько не виноват! Вот видишь ли, я тебе сейчас расскажу.

— Да зачем же это? — прошептала Наташа, — нет, нет, не надо... лучше дай руку и... кончено... как всегда... — И она вышла из угла; румянец стал показываться на щеках ее.

Она смотрела вниз, как будто боясь взглянуть на Алешу.

— О Боже мой! — вскрикнул он в восторге, — если б только был виноват, я бы не смел, кажется, и взглянуть на нее после этого! Посмотрите, посмотрите! — кричал он, обращаясь ко мне, — вот: она считает меня виноватым; всё против меня, все видимости против меня! Я пять дней не езжу! Есть слухи, что я у невесты, — и что ж? Она уж прощает меня! Она уж говорит: «Дай руку, и кончено!» Наташа, голубчик мой, ангел мой, ангел мой! Я не виноват, и ты знай это! Я не виноват ни настолечко! Напротив! Напротив!

— Но... Но ведь ты теперь *там*... Тебя теперь *туда* звали... Как же ты здесь? Ко... который час?..

— Половина одиннадцатого! Я и был там... Но я сказался больным и уехал и — это первый, первый раз в эти пять дней, что я свободен, что я был в состоянии урваться от них, и приехал к тебе, Наташа. То есть я мог и прежде приехать, но я нарочно не ехал! А почему? ты сейчас узнаешь, объясню; я затем и приехал, чтоб объяснить; только, ей-богу, в этот раз я ни в чем перед тобой не виноват, ни в чем! Ни в чем!

Наташа подняла голову и взглянула на него... Но ответный взгляд его сиял такою правдивостью, лицо его было так радостно, так честно, так весело, что не было возможности ему не поверить. Я думал, они вскрикнут и бросятся друг другу в объятия, как это уже несколько раз прежде бывало при подобных же примирениях. Но Наташа, как будто подавленная счастьем, опустила на грудь голову и вдруг... тихо заплакала. Тут уж Алеша не мог выдержать. Он бросился к ногам ее. Он целовал ее руки, ноги; он был как в исступлении. Я придвинул ей кресла. Она села. Ноги ее подкашивались.

ЧАСТЬ ВТОРАЯ

ГЛАВА I

Через минуту мы все смеялись как полуумные.

— Да дайте же, дайте мне рассказать, — покрывал нас всех Алеша своим звонким голосом. — Они думают, что всё это, как и прежде... что я с пустяками приехал... Я вам говорю, что у меня самое интересное дело. Да замолчите ли вы когда-нибудь!

Ему чрезвычайно хотелось рассказать. По виду его можно было судить, что у него важные новости. Но его приготовленная важность от наивной гордости владеть такими новостями тотчас же рассмешила Наташу. Я невольно засмеялся вслед за ней. И чем больше он сердился на нас, тем больше мы смеялись. Досада и потом детское отчаяние Алеши довели наконец нас до той степени, когда стоит только показать пальчик, как гоголевскому мичману, чтоб тотчас же и покатиться со смеху. Мавра, вышедшая из кухни, стояла в дверях и с серьезным негодованием смотрела на нас, досадуя, что не досталось Алеше хорошей головомойки от Наташи, как ожидала она с наслаждением все эти пять дней, и что вместо того все так веселы.

Наконец Наташа, видя, что наш смех обижает Алешу, перестала смеяться.

— Что же ты хочешь рассказать? — спросила она.

— А что, поставить, что ль, самовар? — спросила Мавра, без малейшего уважения перебивая Алешу.

— Ступай, Мавра, ступай, — отвечал он, махая на нее руками и торопясь прогнать ее. — Я буду рассказывать всё, что было, всё, что есть, и всё, что будет, потому что я всё это знаю. Вижу, друзья мои, вы хотите знать, где я был эти пять дней, — это-то я и хочу рассказать; а вы мне не даете. Ну, и, во-первых, я тебя всё время обманывал, Наташа, всё это время, давным-давно уж обманывал, и это-то и есть самое главное.

— Обманывал?

— Да, обманывал, уже целый месяц; еще до приезда отца начал; теперь пришло время полной откровенности. Месяц тому назад, когда еще отец не приезжал, я вдруг получил от него огромнейшее письмо и скрыл это от вас обоих. В письме он прямо и просто — и заметьте себе, таким серьезным тоном, что я даже испугался, — объявлял мне, что дело о моем сватовстве уже кончилось, что невеста моя совершенство; что я, разумеется, ее не стою, но что все-таки непременно должен на ней жениться. И потому, чтоб приготовлялся, чтоб выбил из головы все мои вздоры и так далее, и так далее, — ну, уж известно, какие это вздоры. Вот это-то письмо я от вас и утаил.

— Совсем не утаил! — перебила Наташа, — вот чем хвалится! А выходит, что всё тотчас же нам рассказал. Я еще помню, как ты вдруг сделался такой послушный, такой нежный и не отходил от меня, точно провинился в чем-нибудь, и всё письмо нам по отрывкам и рассказал.

— Не может быть, главного, наверно, не рассказал. Может быть, вы оба угадали что-нибудь, это уж ваше дело, а я не рассказывал. Я скрыл и ужасно страдал.

— Я помню, Алеша, вы со мной тогда поминутно советовались и всё мне рассказали, отрывками, разумеется, в виде предположений, — прибавил я, смотря на Наташу.

— Всё рассказал! Уж не хвастайся, пожалуйста! — подхватила она. — Ну, что ты можешь скрыть? Ну, тебе ли быть обманщиком? Даже Мавра всё узнала. Знала ты, Мавра?

— Ну, как не знать! — отозвалась Мавра, просунув к нам свою голову, — всё в три же первые дня рассказал. Не тебе бы хитрить!

— Фу, какая досада с вами разговаривать! Ты всё это из злости делаешь, Наташа! А ты, Мавра, тоже ошибаешься. Я, помню, был тогда как сумасшедший; помнишь, Мавра?

— Как не помнить. Ты и теперь как сумасшедший.

— Нет, нет, я не про то говорю. Помнишь! Тогда еще у нас денег не было, и ты ходила мою сигарочницу серебряную закладывать; а главное, позволь тебе заметить, Мавра, ты ужасно передо мной забываешься. Это всё тебя Наташа приучила. Ну, положим, я действительно всё вам рассказал тогда же, отрывками (я это теперь припоминаю). Но тона, тона письма вы не знаете, а ведь в письме главное тон. Про это я и говорю.

— Ну, а какой же тон? — спросила Наташа.

— Послушай, Наташа, ты спрашиваешь — точно шутишь. Не *шути*. Уверяю тебя, это очень важно. Такой тон, что я и руки опустил. Никогда отец так со мной не говорил. То есть скорее Лиссабон провалится, чем не сбудется по его желанию; вот какой тон!

— Ну-ну, рассказывай; зачем же тебе надо было скрывать от меня?

— Ах, Боже мой! да чтоб тебя не испугать. Я надеялся всё сам уладить. Ну, так вот, после этого письма, как только отец приехал, пошли мои муки. Я приготовился ему отвечать твердо, ясно, серьезно, да всё как-то не удавалось. А он даже и не расспрашивал; хитрец! Напротив, показывал такой вид, как будто уже всё дело решено и между нами уже не может быть никакого спора и недоумения. Слышишь, не может быть даже; такая самонадеянность! Со мной же стал такой ласковый, такой милый. Я просто удивлялся. Как он умен, Иван Петрович, если б вы знали! Он всё читал, всё знает; вы на него только один раз посмотрите, а уж он все ваши мысли, как свои, знает. Вот за это-то, верно, и прозвали его иезуитом. Наташа не любит, когда я его хвалю. Ты не сердись, Наташа. Ну, так вот... а кстати! Он мне денег сначала не давал, а теперь дал, вчера. Наташа! Ангел мой! Кончилась теперь наша бедность! Вот, смотри! Всё, что уменьшил мне в наказание, за все эти полгода, всё вчера додал; смотрите сколько; я еще не сосчитал. Мавра, смотри, сколько денег! Теперь уж не будем ложки да запонки закладывать!

Он вынул из кармана довольно толстую пачку денег, тысячи полторы серебром, и положил на стол. Мавра с удовольствием на нее посмотрела и похвалила Алешу. Наташа сильно торопила его.

— Ну, так вот — что мне делать, думаю? — продолжал Алеша, — ну как против него пойти? То есть, клянусь вам обоим, будь он зол со мной, а не такой добрый, я бы и не думал ни о чем. Я прямо бы сказал ему, что не хочу, что я уж сам вырос и стал человеком, и теперь — кончено! И, поверьте, настоял бы на своем.

А тут — что я ему скажу? Но не вините и меня. Я вижу, ты как будто недовольна, Наташа. Чего вы оба переглядываетесь? Наверно, думаете: вот уж его сейчас и оплели и ни капли в нем твердости нет. Есть твердость, есть, и еще больше, чем вы думаете! А доказательство, что, несмотря на мое положение, я тотчас же сказал себе: это мой долг; я должен всё, всё высказать отцу, и стал говорить, и высказал, и он меня выслушал.

— Да что же, что именно ты высказал? — с беспокойством спросила Наташа.

— А то, что не хочу никакой другой невесты, а что у меня есть своя, — это ты. То есть я прямо этого еще до сих пор не высказал, но я его приготовил к этому, а завтра скажу; так уж я решил. Сначала я стал говорить о том, что жениться на деньгах стыдно и неблагородно и что нам считать себя какими-то аристократами — просто глупо (я ведь с ним совершенно откровенно, как брат с братом). Потом объяснил ему тут же, что я tiers état и что tiers état c'est l'essentiel;[1] что я горжусь тем, что похож на всех, и не хочу ни от кого отличаться... Я говорил горячо, увлекательно. Я сам себе удивлялся. Я доказал ему наконец и с его точки зрения, я прямо сказал: какие мы князья? Только по роду; а в сущности что в нас княжеского? Особенного богатства, во-первых, нет, а богатство — главное. Нынче самый главный князь — Ротшильд. Во-вторых, в настоящем-то большом свете об нас уж давно не слыхивали. Последний был дядя, Семен Валковский, да тот только в Москве был известен, да и то тем, что последние триста душ прожил, и если б отец не нажил сам денег, то его внуки, может быть, сами бы землю пахали, как и есть такие князья. Так нечего и нам заноситься. Одним словом, я всё высказал, что у меня накипело, — всё, горячо и откровенно, даже еще прибавил кой-что. Он даже и не возражал, а просто начал меня упрекать, что я бросил дом графа Наинского, а потом сказал, что надо подмазаться к княгине К., моей крестной матери, и что если княгиня К. меня хорошо примет, так, значит, и везде примут и карьера сделана, и пошел, и пошел расписывать! Это всё намеки на то, что я, как сошелся с тобой, Наташа, то всех их бросил; что это, стало быть, твое влияние. Но прямо он до сих пор не говорил про тебя, даже, видимо, избегает. Мы оба хитрим, выжидаем, ловим друг друга, и будь уверена, что и на нашей улице будет праздник.

— Да хорошо уж; чем же кончилось, как он-то решил? Вот что главное. И какой ты болтун, Алеша...

— А Господь его знает, совсем и не разберешь, как он решил; а я вовсе не болтун, я дело говорю: он даже и не решал, а только на все мои рассуждения улыбался, но такой улыбкой, как будто ему жалко меня. Я ведь понимаю, что это унизительно, да я не стыжусь. Я, говорит, совершенно с тобой согласен, а вот поедем-ка к графу Наинскому, да смотри, там этого ничего не говори. Я-то тебя понимаю, да они-то тебя не поймут. Кажется, и его самого они все не совсем хорошо принимают; за что-то сердятся. Вообще в свете отца теперь что-то не любят! Граф сначала принимал меня чрезвычайно величаво, совсем свысока, даже совсем как будто забыл, что я вырос в его доме, припоминать начал, ей-богу! Он просто сердится на меня за неблагодарность, а, право, тут не было никакой от меня неблагодарности; в его доме ужасно скучно — ну, я и не ездил. Он и отца принял ужасно небрежно; так небрежно, так небрежно, что я даже не понимаю, как он туда ездит. Всё это меня возмутило. Бедный отец должен перед ним чуть не спину гнуть; я понимаю, что всё это для меня, да мне-то ничего не нужно. Я было хотел потом высказать отцу все мои чувства да удержался. Да и зачем! Убеждений его я не переменю, а только его раздосадую; а ему и без того

---

[1] третье сословие... третье сословие — это главное (*франц.*).

тяжело. Ну, думаю, пущусь на хитрости, перехитрю их всех, заставлю графа уважать себя — и что ж? Тотчас же всего достиг, в какой-нибудь один день всё переменилось! Граф Наинский не знает теперь, куда меня посадить. И всё это я сделал, один я, через свою собственную хитрость, так что отец только руки расставил!..

— Послушай, Алеша, ты бы лучше рассказывал о деле! — вскричала нетерпеливая Наташа. — Я думала, ты что-нибудь про наше расскажешь, а тебе только хочется рассказать, как ты там отличился у графа Наинского. Какое мне дело до твоего графа!

— Какое дело! Слышите, Иван Петрович, какое дело? Да в этом-то и самое главное дело. Вот ты увидишь сама; всё под конец объяснится. Только дайте мне рассказать... А наконец (почему же не сказать откровенно!), вот что, Наташа, да и вы тоже, Иван Петрович, я, может быть, действительно иногда очень, очень нерассудителен; ну, да, положим даже (ведь иногда и это бывало), просто глуп. Но тут, уверяю вас, я выказал много хитрости... ну... и, наконец, даже ума; так что я думал, вы сами будете рады, что я не всегда же... неумен.

— Ах, что ты, Алеша, полно! Голубчик ты мой!..

Наташа сносить не могла, когда Алешу считали неумным. Сколько раз, бывало, она дулась на меня, не высказывая на словах, если я, не слишком церемонясь, доказывал Алеше, что он сделал какую-нибудь глупость; это было больное место в ее сердце. Она не могла снести унижения Алеши и, вероятно, тем более, что про себя сознавалась в его ограниченности. Но своего мнения отнюдь ему не высказывала и боялась этого, чтоб не оскорбить его самолюбия. Он же в этих случаях был как-то особенно проницателен и всегда угадывал ее тайные чувства. Наташа это видела и очень печалилась, тотчас же ласкала ему, ласкала его. Вот почему теперь слова его больно отозвались в ее сердце...

— Полно, Алеша, ты только легкомыслен, а ты вовсе не такой, — прибавила она, — с чего ты себя унижаешь?

— Ну, и хорошо; ну, так вот и дайте мне досказать. После приема у графа отец даже разозлился на меня. Думаю, постой! Мы тогда ехали к княгине; я давно уже слышал, что она от старости почти из ума выжила и вдобавок глухая, и ужасно любит собачонок. У ней целая стая, и она души в них не слышит. Несмотря на всё это, она с огромным влиянием в свете, так что даже граф Наинский, le superbe[1], у ней antichambre делает[2]. Вот я дорогою и основал план всех дальнейших действий, и как вы думаете, на чем основал? На том, что меня все собаки любят, ей-богу! Я это заметил. Или во мне магнетизм какой-нибудь сидит, или потому, что я сам очень люблю всех животных, уж не знаю, только любят собаки, да и только! Кстати о магнетизме, я тебе еще не рассказывал, Наташа, мы на днях духов вызывали, я был у одного вызывателя; это ужасно любопытно, Иван Петрович, даже поразило меня. Я Юлия Цезаря вызывал.

— Ах, Боже мой! Ну, зачем тебе Юлия Цезаря? — вскричала Наташа, заливаясь смехом. — Этого недоставало!

— Да почему же... точно я какой-нибудь... Почему же я не имею права вызвать Юлия Цезаря? Что ему сделается? Вот смеется!

— Да ничего, конечно, не сделается... ах, голубчик ты мой! Ну, что ж тебе сказал Юлий Цезарь?

— Да ничего не сказал. Я только держал карандаш, а карандаш сам ходил по бумаге и писал. Это, говорят, Юлий Цезарь пишет. Я этому не верю.

---

[1] гордец (*франц.*).
[2] является на поклон (*франц.*).

— Да что ж написал-то?

— Да написал что-то вроде «обмокни», как у Гоголя... да полно смеяться!

— Да рассказывай про княгиню-то!

— Ну, да вот вы всё меня перебиваете. Приехали мы к княгине, и я начал с того, что стал куртизанить с Мими. Эта Мими — старая, гадкая, самая мерзкая собачонка, к тому же упрямая и кусака. Княгиня без ума от нее, не надышит; она, кажется, ей ровесница. Я начал с того, что стал Мими конфетами прикармливать и в какие-нибудь десять минут выучил подавать лапку, чему во всю жизнь не могли ее выучить. Княгиня пришла просто в восторг; чуть не плачет от радости: «Мими! Мими! Мими лапку дает!» Приехал кто-то: «Мими лапку дает! Вот выучил крестник!» Граф Наинский вошел: «Мими лапку дает!» На меня смотрит чуть не со слезами умиления. Предобрейшая старушка; даже жалко ее. Я не промах, тут опять ей польстил: у ней на табакерке ее собственный портрет, когда еще она невестой была, лет шестьдесят назад. Вот и урони она табакерку, я подымаю да и говорю, точно не знаю: Quelle charmante peinture![1] Это идеальная красота! Ну, тут она уж совсем растаяла; со мной и о том и о сем, и где я учился, и у кого бываю, и какие у меня славные волосы, и пошла, и пошла. Я тоже: рассмешил ее, историю скандалезную ей рассказал. Она это любит; только пальцем мне погрозила, а впрочем, очень смеялась. Отпускает меня — целует и крестит, требует, чтоб каждый день я приезжал ее развлекать. Граф мне руку жмет, глаза у него стали масленые; а отец, хоть он и добрейший, и честнейший, и благороднейший человек, но верьте или не верьте, а чуть не плакал от радости, когда мы вдвоем домой приехали; обнимал меня, в откровенности пустился, в какие-то таинственные откровенности, насчет карьеры, связей, денег, браков, так что я многого и не понял. Тут-то он и денег мне дал. Это вчера было. Завтра я опять к княгине, но отец все-таки благороднейший человек — не думайте чего-нибудь, и хоть отдаляет меня от тебя, Наташа, но это потому, что он ослеплен, потому что ему миллионов Катиных хочется, а у тебя их нет; и хочет он их для одного меня, и только по незнанию несправедлив к тебе. А какой отец не хочет счастья своему сыну? Ведь он не виноват, что привык считать в миллионах счастье. Так уж они все. Ведь смотреть на него нужно только с этой точки, не иначе, — вот он тотчас же и выйдет прав. Я нарочно спешил к тебе, Наташа, уверить тебя в этом, потому, я знаю, ты предубеждена против него и, разумеется, в этом не виновата. Я тебя не виню...

— Так только-то и случилось с тобой, что ты карьеру у княгини сделал? В этом и вся хитрость? — спросила Наташа.

— Какое! Что ты! Это только начало... я потому рассказал про княгиню, что, понимаешь, я через нее отца в руки возьму, а главная моя история еще и не начиналась.

— Ну, так рассказывай же!

— Со мной сегодня случилось еще происшествие, и даже очень странное, и я до сих пор еще поражен, — продолжал Алеша. — Надо вам заметить, что хоть у отца с графиней и порешено наше сватовство, но официально еще до сих пор решительно ничего не было, так что мы хоть сейчас разойдемся и никакого скандала; один только граф Наинский знает, но ведь это считается родственник и покровитель. Мало того, хоть я в эти две недели и очень сошелся с Катей, но до самого сегодняшнего вечера мы ни слова не говорили с ней о будущем, то есть о браке и... ну, и о любви. Кроме того, положено сначала испросить согласие княгини К., от которой ждут у нас всевозможного покровительства и золотых дож-

---

[1] Какое прелестное изображение! (*франц.*).

дей. Что скажет она, то скажет и свет; у ней такие связи... А меня непременно хотят вывести в свет и в люди. Но особенно на всех этих распоряжениях настаивает графиня, мачеха Кати. Дело в том, что княгиня, за все ее заграничные штуки, пожалуй, еще ее и не примет, а княгиня не примет, так и другие, пожалуй, не примут; так вот и удобный случай — сватовство мое с Катей. И потому графиня, которая прежде была против сватовства, страшно обрадовалась сегодня моему успеху у княгини, но это в сторону, а вот что главное: Катерину Федоровну я знал еще с прошлого года; но ведь я был тогда еще мальчиком и ничего не мог понимать, а потому ничего и не разглядел тогда в ней...

— Просто ты тогда любил меня больше, — прервала Наташа, — оттого и не разглядел, а теперь...

— Ни слова, Наташа, — вскричал с жаром Алеша, — ты совершенно ошибаешься и меня оскорбляешь!.. Я даже не возражаю тебе; выслушай дальше, и ты всё увидишь... Ох, если б ты знала Катю! Если б ты знала, что это за нежная, ясная, голубиная душа! Но ты узнаешь; только дослушай до конца! Две недели тому назад, когда по приезде их отец повез меня к Кате, я стал в нее пристально вглядываться. Я заметил, что и она в меня вглядывается. Это завлекло мое любопытство вполне; уж я не говорю про то, что у меня было свое особенное намерение узнать ее поближе, — намерение еще с того самого письма от отца, которое меня так поразило. Не буду ничего говорить, не буду хвалить ее, скажу только одно: она яркое исключение из всего круга. Это такая своеобразная натура, такая сильная и правдивая душа, сильная именно своей чистотой и правдивостью, что я перед ней просто мальчик, младший брат ее, несмотря на то что ей всего только семнадцать лет. Одно еще я заметил: в ней много грусти, точно тайны какой-то; она неговорлива; в доме почти всегда молчит, точно запугана... Она как будто что-то обдумывает. Отца моего как будто боится. Мачеху не любит — я догадался об этом; это сама графиня распускает, для каких-то целей, что падчерица ее ужасно любит; всё это неправда: Катя только слушается ее беспрекословно и как будто уговорилась с ней в этом; четыре дня тому назад, после всех моих наблюдений, я решился исполнить мое намерение и сегодня вечером исполнил его. Это: рассказать всё Кате, признаться ей во всем, склонить ее на нашу сторону и тогда разом покончить дело...

— Как! Что рассказать, в чем признаться? — спросила с беспокойством Наташа.

— Всё, решительно всё, — отвечал Алеша, — и благодарю Бога, который внушил мне эту мысль; но слушайте, слушайте! Четыре дня тому назад я решил так: удалиться от вас и кончить всё самому. Если б я был с вами, я бы всё колебался, я бы слушал вас и никогда бы не решился. Один же, поставив именно себя в такое положение, что каждую минуту должен был твердить себе, что надо кончить и что я *должен* кончить, я собрался с духом и — кончил! Я положил воротиться к вам с решением и воротился с решением!

— Что же, что же? Как было дело? Рассказывай поскорее!

— Очень просто! Я подошел к ней прямо, честно и смело... Но, во-первых, я должен вам рассказать один случай перед этим, который ужасно поразил меня. Перед тем как нам ехать, отец получил какое-то письмо. Я в это время входил в его кабинет и остановился у двери. Он не видал меня. Он до того был поражен этим письмом, что говорил сам с собою, восклицал что-то, вне себя ходил по комнате и наконец вдруг захохотал, а в руках письмо держит. Я даже побоялся войти, переждал еще и потом вошел. Отец был так рад чему-то, так рад; заговорил со мной как-то странно; потом вдруг прервал и велел мне тотчас же собираться ехать, хотя еще было очень рано. У них сегодня никого не было, только мы одни, и ты напрасно думала, Наташа, что там был званый вечер. Тебе не так передали...

— Ах, не отвлекайся, Алеша, пожалуйста; говори, как ты рассказывал всё Кате!

— Счастье в том, что мы с ней целых два часа оставались одни. Я просто объявил ей, что хоть нас и хотят сосватать, но брак наш невозможен; что в сердце моем все симпатии к ней и что она одна может спасти меня. Тут я открыл ей всё. Представь себе, она ничего не знала из нашей истории, про нас с тобой, Наташа! Если б ты могла видеть, как она была тронута; сначала даже испугалась. Побледнела вся. Я рассказал ей всю нашу историю: как ты бросила для меня свой дом, как мы жили одни, как мы теперь мучаемся, боимся всего и что теперь мы прибегаем к ней (я и от твоего имени говорил, Наташа), чтоб она сама взяла нашу сторону и прямо сказала бы мачехе, что не хочет идти за меня, что в этом всё наше спасение и что нам более нечего ждать ниоткуда. Она с таким любопытством слушала, с такой симпатией. Какие у ней были глаза в ту минуту! Кажется, вся душа ее перешла в ее взгляд. У ней совсем голубые глаза. Она благодарила меня, что я не усомнился в ней, и дала слово помогать нам всеми силами. Потом о тебе стала расспрашивать, говорила, что очень хочет познакомиться с тобой, просила передать, что уже любит тебя как сестру и чтоб и ты ее любила как сестру, а когда узнала, что я уже пятый день тебя не видал, тотчас же стала гнать меня к тебе...

Наташа была тронута.

— И ты прежде этого мог рассказывать о своих подвигах у какой-то глухой княгини! Ах, Алеша, Алеша! — вскрикнула она, с упреком на него глядя. — Ну что ж Катя? Была рада, весела, когда отпускала тебя?

— Да, она была рада, что удалось ей сделать благородное дело, а сама плакала. Потому что она ведь тоже любит меня, Наташа! Она призналась, что начинала уже любить меня; что она людей не видит и что я понравился ей уже давно; она отличила меня особенно потому, что кругом всё хитрость и ложь, а я показался ей человеком искренним и честным. Она встала и сказала: «Ну, Бог с вами, Алексей Петрович, а я думала...» Не договорила, заплакала и ушла. Мы решили, что завтра же она и скажет мачехе, что не хочет за меня, и что завтра же я должен всё сказать отцу и высказать твердо и смело. Она упрекала меня, зачем я раньше ему не сказал: «Честный человек ничего не должен бояться!» Она такая благородная. Отца моего она тоже не любит; говорит, что он хитрый и ищет денег. Я защищал его; она мне не поверила. Если же не удастся завтра у отца (а она наверное думает, что не удастся), тогда и она соглашается, чтоб я прибегнул к покровительству княгини К. Тогда уже никто из них не осмелится идти против. Мы с ней дали друг другу слово быть как брат с сестрой. О, если б ты знала и ее историю, как она несчастна, с каким отвращением смотрит на свою жизнь у мачехи, на всю эту обстановку... Она прямо не говорила, точно и меня боялась, но я по некоторым словам угадал. Наташа, голубчик мой! Как бы залюбовалась она на тебя, если б увидала! И какое у ней сердце доброе! С ней так легко! Вы обе созданы быть одна другой сестрами и должны любить друг друга. Я всё об этом думал. И право: я бы свел вас обеих вместе, а сам бы стоял возле да любовался на вас. Не думай же чего-нибудь, Наташечка, и позволь мне про нее говорить. Мне именно с тобой хочется про нее говорить, а с ней про тебя. Ты ведь знаешь, что я тебя больше всех люблю, больше ее... Ты мое всё!

Наташа молча смотрела на него, ласково и как-то грустно. Его слова как будто ласкали и как будто чем-то мучили ее.

— И давно, еще две недели назад, я оценил Катю, — продолжал он. — Я ведь каждый вечер к ним ездил. Ворочусь, бывало, домой и всё думаю, всё думаю о вас обеих, всё сравниваю вас между собою.

— Которая же из нас выходила лучше? — спросила, улыбаясь, Наташа.

— Иной раз ты, другой она. Но ты всегда лучше оставалась. Когда же я говорю с ней, я всегда чувствую, что сам лучше становлюсь, умнее, благороднее как-то. Но завтра, завтра всё решится!

— И не жаль ее тебе? Ведь она любит тебя; ты говоришь, что сам это заметил?

— Жаль, Наташа! Но мы будем все трое любить друг друга, и тогда...

— А тогда и прощай! — проговорила тихо Наташа как будто, про себя. Алеша с недоумением посмотрел на нее.

Но разговор наш вдруг был прерван самым неожиданным образом. В кухне, которая в то же время была и переднею, послышался легкий шум, как будто кто-то вошел. Через минуту Мавра отворила дверь и украдкой стала кивать Алеше, вызывая его. Все мы оборотились к ней.

— Там вот спрашивают тебя, пожалуй-ка, — сказала она каким-то таинственным голосом.

— Кто меня может теперь спрашивать? — проговорил Алеша, с недоумением глядя на нас. — Пойду!

В кухне стоял ливрейный лакей князя, его отца. Оказалось, что князь, возвращаясь домой, остановил свою карету у квартиры Наташи и послал узнать, у ней ли Алеша? Объявив это, лакей тотчас же вышел.

— Странно! Этого еще никогда не было, — говорил Алеша, в смущении нас оглядывая, — что это?

Наташа с беспокойством смотрела на него. Вдруг Мавра опять отворила к нам дверь.

— Сам идет, князь! — сказала она ускоренным шепотом и тотчас же спряталась.

Наташа побледнела и встала с места. Вдруг глаза ее загорелись. Она стала, слегка опершись на стол, и в волнении смотрела на дверь, в которую должен был войти незваный гость.

— Наташа, не бойся, ты со мной! Я не позволю обидеть тебя, — прошептал смущенный, но не потерявшийся Алеша.

Дверь отворилась, и на пороге явился сам князь Валковский своею собственною особою.

ГЛАВА II

Он окинул нас быстрым, внимательным взглядом. По этому взгляду еще нельзя было угадать: явился он врагом или другом? Но опишу подробно его наружность. В этот вечер он особенно поразил меня.

Я видел его и прежде. Это был человек лет сорока пяти, не больше, с правильными и чрезвычайно красивыми чертами лица, которого выражение изменялось судя по обстоятельствам; но изменялось резко, вполне, с необыкновенною быстротою, переходя от самого приятного до самого угрюмого или недовольного, как будто внезапно была передернута какая-то пружинка. Правильный овал лица несколько смуглого, превосходные зубы, маленькие и довольно тонкие губы, красиво обрисованные, прямой, несколько продолговатый нос, высокий лоб, на котором еще не видно было ни малейшей морщинки, серые, довольно большие глаза — всё это составляло почти красавца, а между тем лицо его не производило приятного впечатления. Это лицо именно отвращало от себя тем, что выражение его было как будто не свое, а всегда напускное, обдуманное, заимствованное, и какое-то слепое убеждение зарождалось в вас, что вы никогда и не добьетесь до настоящего его выражения. Вглядываясь пристальнее, вы начинали подозревать под всегдашней маской что-то злое, хитрое и в высочайшей степени эгоистическое. Особенно останавливали ваше внимание его прекрасные с виду глаза, серые, открытые. Они одни как будто не могли вполне подчиняться его воле. Он бы и хотел смотреть мягко и ласково, но лучи его взглядов как будто раздваивались и между мягкими, ласковыми лучами мелькали жесткие, недоверчивые, пытливые, злые... Он был довольно высокого роста, сложен изящно, несколько худощаво и казался несравненно моложе своих лет. Темно-русые мягкие волосы его почти еще и не начинали седеть. Уши, руки, оконечности ног его были удивительно хороши. Это была вполне породистая красивость. Одет он был с утонченною изящностию и свежестию, но с некоторыми замашками молодого человека, что, впрочем, к нему шло. Он казался старшим братом Алеши. По крайней мере его никак нельзя было принять за отца такого взрослого сына.

Он подошел прямо к Наташе и сказал ей, твердо смотря на нее:

— Мой приход к вам в такой час и без доклада — странен и вне принятых правил; но я надеюсь, вы поверите, что, по крайней мере, я в состоянии сознать всю эксцентричность моего поступка. Я знаю тоже, с кем имею дело; знаю, что вы проницательны и великодушны. Подарите мне только десять минут, и я надеюсь, вы сами меня поймете и оправдаете.

Он выговорил всё это вежливо, но с силой и с какой-то настойчивостью.

— Садитесь, — сказала Наташа, еще не освободившаяся от первого смущения и некоторого испуга.

Он слегка поклонился и сел.

— Прежде всего позвольте мне сказать два слова ему, — начал он, указывая на сына. — Алеша, только что ты уехал, не дождавшись меня и даже не простясь с нами, графине доложили, что с Катериной Федоровной дурно. Она бросилась было к ней, но Катерина Федоровна вдруг вошла к нам сама, расстроенная и в сильном волнении. Она сказала нам прямо, что не может быть твоей женой. Она сказала еще, что пойдет в монастырь, что ты просил ее помощи и сам признался ей, что любишь Наталью Николаевну... Такое невероятное признание от Катерины Федоровны и, наконец, в такую минуту, разумеется, было вызвано чрезвычайною странностью твоего объяснения с нею. Она была почти вне себя. Ты понимаешь, как я был поражен и испуган. Проезжая теперь мимо, я заметил в ваших окнах огонь, — продолжал он, обращаясь к Наташе. — Тогда мысль, которая преследовала меня уже давно, до того вполне овладела мною, что я не в состоянии был противиться первому влечению и вошел к вам. Зачем? Скажу сейчас, но прошу наперед, не удивляйтесь некоторой резкости моего объяснения. Всё это так внезапно...

— Я надеюсь, что пойму и как должно... оценю то, что вы скажете, — проговорила, запинаясь, Наташа.

Князь пристально в нее всматривался, как будто спешил *разучить* ее вполне в одну какую-нибудь минуту.

— Я и надеюсь на вашу проницательность, — продолжал он, — и если позволил себе прийти к вам теперь, то именно потому, что знал, с кем имею дело. Я давно уже знаю вас, несмотря на то что когда-то был так несправедлив и виноват перед вами. Выслушайте: вы знаете, между мной и отцом вашим — давнишние неприятности. Не оправдываю себя; может быть, я более виноват перед ним, чем сколько полагал до сих пор. Но если так, то я сам был обманут. Я мнителен и сознаюсь в том. Я склонен подозревать дурное прежде хорошего — черта несчастная, свойственная сухому сердцу. Но я не имею привычки скрывать свои недостатки. Я поверил всем наговорам и, когда вы оставили ваших родителей, я ужаснулся за Алешу. Но я вас еще не знал. Справки, сделанные мною мало-помалу, ободрили меня совершенно. Я наблюдал, изучал и наконец убедился, что подозрения мои неосновательны. Я узнал, что вы рассорились с вашим семейством, знаю тоже, что ваш отец всеми силами против вашего брака с моим сыном. И уж одно то, что вы, имея такое влияние, такую, можно сказать, власть над Алешей, не воспользовались до сих пор этою властью и не заставили его жениться на себе, уж одно это выказывает вас со стороны слишком хорошей. И все-таки, сознаюсь перед вами вполне, я всеми силами решился тогда препятствовать всякой возможности вашего брака с моим сыном. Я знаю, я выражаюсь слишком откровенно, но в эту минуту откровенность с моей стороны нужнее всего; вы сами согласитесь с этим, когда меня дослушаете. Скоро после того, как вы оставили ваш дом, я уехал из Петербурга; но, уезжая, я уже не боялся за Алешу. Я надеялся на благородную гордость вашу. Я понял, что вы сами не хотели брака прежде окончания наших фамильных неприятностей; не хотели нарушать согласия между Алешей и мною, потому что я никогда бы не простил ему его брака с вами; не хотели тоже, чтоб сказали про вас, что вы искали жениха-князя и связей с нашим домом. Напротив, вы даже показали пренебрежение к нам и, может быть, ждали той минуты, когда я сам приду просить вас сделать нам честь отдать вашу руку моему сыну. Но все-таки я упорно оставался вашим недоброжелателем. Оправдывать себя не стану, но причин моих от вас не скрою. Вот они: вы не знатны и не богаты. Я хоть и имею состояние, но нам надо больше. Наша фамилия в упадке. Нам нужно связей и денег. Падчерица графини Зинаиды Федоровны хоть и без связей, но очень богата. Промедлить немного, и явились бы искатели и отбили бы у нас невесту; а нельзя было терять такой случай, и, несмотря на то что Алеша еще слишком молод, я решился его сватать. Видите, я не скрываю ничего. Вы можете с презрением смотреть на отца, который сам сознается в том, что наводил сына, из корысти и из предрассудков, на дурной поступок; потому что бросить великодушную девушку, пожертвовавшую ему всем и перед которой он так виноват, — это дурной поступок. Но не оправдываю себя. Вторая причина предполагавшегося брака моего сына с падчерицею графини Зинаиды Федоровны та, что эта девушка в высшей степени достойна любви и уважения. Она хороша собой, прекрасно воспитана, с превосходным характером и очень умна, хотя во многом еще ребенок. Алеша без характера, легкомыслен, чрезвычайно нерассудителен, в двадцать два года еще совершенно ребенок и разве только с одним достоинством, с добрым сердцем, — качество даже опасное при других недостатках. Уже давно я заметил, что мое влияние на него начинает уменьшаться: пылкость, юношеские увлечения берут свое и даже берут верх над некоторыми настоящими обязанностями. Я его, может быть, слишком горячо люблю, но убеждаюсь, что ему уже мало одного меня руководителем. А между тем он непременно должен быть под чьим-нибудь постоянным, благодетельным влиянием. Его натура подчиняющаяся, слабая, любящая, предпочитающая любить и повиноваться, чем повелевать. Так он и останется на всю свою жизнь. Можете себе представить, как я обрадовался, встретив в Катерине Федоровне идеал девушки, которую бы я желал в жены своему сыну. Но я обрадовался поздно; над ним уже неразрушимо царило другое влияние — ваше. Я зорко наблюдал его, воротясь месяц тому назад в Петербург, и с удивлением заметил в нем значительную перемену к лучшему. Легкомыслие, детскость — в нем почти еще те же, но в нем укрепились некоторые благородные внушения; он начинает интересоваться не одними игрушками, а тем, что возвышенно, благородно, честно. Идеи его странны, неустойчивы, иногда нелепы; но желания, влечения, но сердце — лучше, а это фундамент для всего; и всё это лучшее в нем — бесспорно от вас. Вы перевоспитали его. Признаюсь вам, у меня тогда же промелькнула мысль, что вы, более чем кто-нибудь, могли бы составить его счастье. Но я прогнал эту мысль, я не хотел этих мыслей. Мне надо было отвлечь его от вас во что бы то ни стало; я стал действовать и думал, что достиг своей цели. Еще час тому назад я думал, что победа на моей стороне. Но происшествие в доме графини разом перевернуло все мои предположения, и прежде всего меня поразил неожиданный факт: странная в Алеше серьезность, строгость привязанности к вам, упорство, живучесть этой привязанности. Повторяю вам: вы перевоспитали его окончательно. Я вдруг увидел, что перемена в нем идет еще дальше, чем даже я полагал. Сегодня он вдруг выказал передо мною признак ума, которого я отнюдь не подозревал в нем, и в то же время необыкновенную тонкость, догадливость сердца. Он выбрал самую верную дорогу, чтоб выйти из положения, которое считал затруднительным. Он затронул и возбудил самые благороднейшие способности человеческого сердца, именно — способность прощать и отплачивать за зло великодушием. Он отдался во власть обиженного им существа и прибег к нему же с просьбою об участии и помощи. Он затронул всю гордость женщины, уже любившей его, прямо признавшись ей, что у нее есть соперница, и в то же время возбудил в ней симпатию к ее сопернице, а для себя прощение и обещание бескорыстной братской дружбы. Идти на такое объяснение и в то же время не оскорбить, не обидеть — на это иногда не способны даже самые ловкие мудрецы, а способны именно сердца свежие, чистые и хорошо направленные, как у него. Я уверен, что вы, Наталья Николаевна, не участвовали в его сегодняшнем поступке ни словом, ни советом. Вы, может быть, только сейчас узнали обо всем от него же. Я не ошибаюсь? Не правда ли?

— Вы не ошибаетесь, — повторила Наташа, у которой пылало всё лицо и глаза сияли каким-то странным блеском, точно вдохновением. Диалектика князя начинала производить свое действие. — Я пять дней не видала Алеши, — прибавила она. — Всё это он сам выдумал, сам и исполнил.

— Непременно так, — подтвердил князь, — но, несмотря на то, вся эта неожиданная его прозорливость, вся эта решимость, сознание долга, наконец вся эта благородная твердость — всё это вследствие вашего влияния над ним. Всё это я окончательно сообразил и обдумал сейчас, едучи домой, а обдумав, вдруг ощутил в себе силу решиться. Сватовство наше с домом графини разрушено и восстановиться не может; но если б и могло — ему не бывать уже более. Что ж, если я сам убедился, что вы одна только можете составить его счастие, что вы — настоящий руководитель его, что вы уже положили начало его будущему счастью! Я не скрыл от вас ничего, не скрываю и теперь; я очень люблю карьеры, деньги, знатность, даже чины; сознательно считаю многое из этого предрассудком, но люблю эти предрассудки и решительно не хочу попирать их. Но есть обстоятельства, когда надо допустить и другие соображения, когда нельзя всё мерить на одну мерку... Кроме того, я люблю моего сына горячо. Одним словом, я пришел к заключению, что Алеша не должен разлучаться с вами, потому что без вас он погибнет. И признаться ли? Я, может быть, целый месяц как решил это и только теперь сам узнал, что я решил справедливо. Конечно, чтоб высказать вам всё это, я бы мог посетить вас и завтра, а не беспокоить вас почти в полночь. Но теперешняя поспешность моя, может быть, покажет вам, как горячо и, главное, как искренно я берусь за это дело. Я не мальчик; я не мог бы в мои лета решиться на шаг необдуманный. Когда я входил сюда, уже всё было решено и обдумано. Но я чувствую, что мне еще долго надо будет ждать, чтоб убедить вас вполне в моей искренности... Но к делу! Объяснять ли мне теперь вам, зачем я пришел сюда? Я пришел, чтоб исполнить мой долг перед вами и — торжественно, со всем беспредельным моим к вам уважением, прошу вас осчастливить моего сына и отдать ему вашу руку. О, не считайте, что я явился как грозный отец, решившийся наконец простить моих детей и милостиво согласиться на их счастье. Нет! Нет! Вы унизите меня, предположив во мне такие мысли. Не сочтите тоже, что я был заранее уверен в вашем согласии, основываясь на том, чем вы пожертвовали для моего сына; опять нет! Я первый скажу вслух, что он вас не стоит и... (он добр и чистосердечен) — он сам подтвердит это. Но этого мало. Меня влекло сюда, в такой час, не одно это... я пришел сюда... (и он почтительно и с некоторою торжественностью приподнялся с своего места) я пришел сюда для того, чтоб стать вашим другом! Я знаю, я не имею на это ни малейшего права, напротив! Но — позвольте мне заслужить это право! Позвольте мне надеяться!

Почтительно наклонясь перед Наташей, он ждал ее ответа. Всё время, как он говорил, я пристально наблюдал его. Он заметил это.

Проговорил он свою речь холодно, с некоторыми притязаниями на диалектику, а в иных местах даже с некоторою небрежностью. Тон всей его речи даже иногда не соответствовал порыву, привлекшему его к нам в такой неурочный час для первого посещения и особенно при таких отношениях. Некоторые выражения его были приметно выделаны, а в иных местах его длинной и странной своею длиннотою речи он как бы искусственно напускал на себя вид чудака, силящегося скрыть пробивающееся чувство под видом юмора, небрежности и шутки. Но всё это я сообразил потом; тогда же было другое дело. Последние слова он проговорил так одушевленно, с таким чувством, с таким видом самого искреннего уважения к Наташе, что победил нас всех. Даже что-то вроде слезы промелькнуло на его ресницах. Благородное сердце Наташи было побеждено совершенно. Она, вслед за ним, приподнялась с своего места и молча, в глубоком волнении протянула ему свою руку. Он взял ее и нежно, с чувством поцеловал. Алеша был вне себя от восторга.

— Что я говорил тебе, Наташа! — вскричал он. — Ты не верила мне! Ты не верила, что это благороднейший человек в мире! Видишь, видишь сама!..

Он бросился к отцу и горячо обнял его. Тот отвечал ему тем же, но поспешил сократить чувствительную сцену, как бы стыдясь выказать свои чувства.

— Довольно, — сказал он и взял свою шляпу, — я еду. Я просил у вас только десять минут, а просидел целый час, — прибавил он, усмехаясь. — Но я ухожу в самом горячем нетерпении свидеться с вами опять как можно скорее. Позволите ли мне посещать вас как можно чаще?

— Да, да! — отвечала Наташа, — как можно чаще! Я хочу поскорей... полюбить вас... — прибавила она в замешательстве.

— Как вы искренни, как вы честны! — сказал князь, улыбаясь словам ее. — Вы даже не хотите схитрить, чтоб сказать простую вежливость. Но ваша искренность дороже всех этих поддельных вежливостей. Да! Я сознаю, что я долго, долго еще должен заслуживать любовь вашу!

— Полноте, не хвалите меня... довольно! — шептала в смущении Наташа. Как хороша она была в эту минуту!

— Пусть так! — решил князь, — но еще два слова о деле. Можете ли вы представить, как я несчастлив! Ведь завтра я не могу быть у вас, ни завтра, ни послезавтра. Сегодня вечером я получил письмо, до того для меня важное (требующее немедленного моего участия в одном деле), что никаким образом я не могу избежать его. Завтра утром я уезжаю из Петербурга. Пожалуйста, не подумайте, что я зашел к вам так поздно именно потому, что завтра было бы некогда, ни завтра, ни послезавтра. Вы, разумеется, этого не подумаете, но вот вам образчик моей мнительности! Почему мне показалось, что вы непременно должны были это подумать? Да, много помешала мне эта мнительность в моей жизни, и весь раздор мой с семейством вашим, может быть, только последствия моего жалкого характера!.. Сегодня у нас вторник. В среду, в четверг, в пятницу меня не будет в Петербурге. В субботу же я непременно надеюсь воротиться и в тот же день буду у вас. Скажите, я могу прийти к вам на целый вечер?

— Непременно, непременно! — вскричала Наташа, — в субботу вечером я вас жду! С нетерпением жду!

— А как я-то счастлив! Я более и более буду узнавать вас! но... иду! И все-таки я не могу уйти, чтоб не пожать вашу руку, — продолжал он, вдруг обращаясь ко мне. — Извините! Мы все теперь говорим так бессвязно... Я имел уже несколько раз удовольствие встречаться с вами, и даже раз мы были представлены друг другу. Не могу выйти отсюда, не выразив, как бы мне приятно было возобновить с вами знакомство.

— Мы с вами встречались, это правда, — отвечал я, принимая его руку, — но, виноват, не помню, чтоб мы с вами знакомились.

— У князя Р. прошлого года.

— Виноват, забыл. Но, уверяю вас, в этот раз не забуду. Этот вечер для меня особенно памятен.

— Да, вы правы, мне тоже. Я давно знаю, что вы настоящий, искренний друг Натальи Николаевны и моего сына. Я надеюсь быть между вами троими четвертым. Не так ли? — прибавил он, обращаясь к Наташе.

— Да, он наш искренний друг, и мы должны быть все вместе! — отвечала с глубоким чувством Наташа. Бедненькая! Она так и засияла от радости, когда увидела, что князь не забыл подойти ко мне. Как она любила меня!

— Я встречал много поклонников вашего таланта, — продолжал князь, — и знаю двух самых искренних ваших почитательниц. Им так приятно будет узнать вас лично. Это графиня, мой лучший друг, и ее падчерица, Катерина Федоровна Филимонова. Позвольте мне надеяться, что вы не откажете мне в удовольствии представить вас этим дамам.

— Мне очень лестно, хотя теперь я мало имею знакомств...

— Но мне вы дадите ваш адрес! Где вы живете? Я буду иметь удовольствие...

— Я не принимаю у себя, князь, по крайней мере в настоящее время.

— Но я, хоть и не заслужил исключения... но...

— Извольте, если вы требуете, и мне очень приятно. Я живу в—м переулке, в доме Клугена.

— В доме Клугена! — вскричал он, как будто чем-то пораженный. — Как! Вы... давно там живете?

— Нет, недавно, — отвечал я, невольно в него всматриваясь. — Моя квартира сорок четвертый номер.

— В сорок четвертом? Вы живете... один?

— Совершенно один.

— Д-да! Я потому... что, кажется, знаю этот дом. Тем лучше... Я непременно буду у вас, непременно! Мне о многом нужно переговорить с вами, и я многого ожидаю от вас. Вы во многом можете обязать меня. Видите, я прямо начинаю с просьбы. Но до свидания! Еще раз вашу руку!

Он пожал руку мне и Алеше, еще раз поцеловал ручку Наташи и вышел, не пригласив Алешу следовать за собою.

Мы трое остались в большом смущении. Всё это случилось так неожиданно, так нечаянно. Все мы чувствовали, что в один миг всё изменилось и начинается что-то новое, неведомое. Алеша молча присел возле Наташи и тихо целовал ее руку. Изредка он заглядывал ей в лицо, как бы ожидая, что она скажет?

— Голубчик Алеша, поезжай завтра же к Катерине Федоровне, — проговорила наконец она.

— Я сам это думал, — отвечал он, — непременно поеду.

— А может быть, ей и тяжело будет тебя видеть... как сделать?

— Не знаю, друг мой. И про это я тоже думал. Я посмотрю... увижу... так и решу. А что, Наташа, ведь у нас всё теперь переменилось, — не утерпел не заговорить Алеша.

Она улыбнулась и посмотрела на него долгим и нежным взглядом.

— И какой он деликатный. Видел, какая у тебя бедная квартира, и ни слова...

— О чем?

— Ну... чтоб переехать на другую... или что-нибудь, — прибавил он, закрасневшись.

— Полно, Алеша, с какой же бы стати!

— То-то я и говорю, что он такой деликатный. А как хвалил тебя! Я ведь говорил тебе... говорил! Нет, он может всё понимать и чувствовать! А про меня как про ребенка говорил; все-то они меня так почитают! Да что ж, я ведь и в самом деле такой.

— Ты ребенок, да проницательнее нас всех. Добрый ты, Алеша!

— А он сказал, что мое доброе сердце вредит мне. Как это? Не понимаю. А знаешь что, Наташа. Не поехать ли мне поскорей к нему? Завтра чем свет у тебя буду.

— Поезжай, поезжай, голубчик. Это ты хорошо придумал. И непременно покажись ему, слышишь? А завтра приезжай как можно раньше. Теперь уж не будешь от меня по пяти дней бегать? — лукаво прибавила она, лаская его взглядом.

Все мы были в какой-то тихой, в какой-то полной радости.

— Со мной, Ваня? — крикнул Алеша, выходя из комнаты.

— Нет, он останется; мы еще поговорим с тобой, Ваня. Смотри же, завтра чем свет!

— Чем свет! Прощай, Мавра!

Мавра была в сильном волнении. Она всё слышала, что говорил князь, всё подслушала, но многого не поняла. Ей бы хотелось угадать и расспросить. А покамест она смотрела так серьезно, даже гордо. Она тоже догадывалась, что многое изменилось.

Мы остались одни. Наташа взяла меня за руку и несколько времени молчала, как будто ища, что сказать.

— Устала я! — проговорила она наконец слабым голосом. — Слушай: ведь ты пойдешь завтра к нашим?

— Непременно.

— Маменьке скажи, а *ему* не говори.

— Да я ведь и без того никогда об тебе с ним не говорю.

— То-то; он и без того узнает. А ты замечай, что он скажет? Как примет? Господи, Ваня! Что, неужели ж он в самом деле проклянет меня за этот брак? Нет, не может быть!

— Всё должен уладить князь, — подхватил я поспешно. — Он должен непременно с ним помириться, а тогда и всё уладится.

— О боже мой! Если б! Если б! — с мольбою вскричала она.

— Не беспокойся, Наташа, всё уладится. На то идет.

Она пристально поглядела на меня.

— Ваня! Что ты думаешь о князе?

— Если он говорил искренно, то, по-моему, он человек вполне благородный.

— Если он говорил искренно? Что это значит? Да разве он мог говорить неискренно?

— И мне тоже кажется, — отвечал я. «Стало быть, у ней мелькает какая-то мысль, — подумал я про себя. — Странно!»

— Ты всё смотрел на него... так пристально...

— Да, он немного странен; мне показалось.

— И мне тоже. Он как-то всё так говорит... Устала я, голубчик. Знаешь что? Ступай и ты домой. А завтра приходи ко мне как можно пораньше от них. Да слушай еще: это не обидно было, когда я сказала ему, что хочу поскорее полюбить его?

— Нет... почему ж обидно?

— И... не глупо? То есть ведь это значило, что покамест я еще не люблю его.

— Напротив, это было прекрасно, наивно, быстро. Ты так хороша была в эту минуту! Глуп будет он, если не поймет этого с своей великосветскостью.

— Ты как будто на него сердишься, Ваня? А какая, однако ж, я дурная, мнительная и какая тщеславная! Не смейся; я ведь перед тобой ничего не скрываю. Ах, Ваня, друг ты мой дорогой! Вот если я буду опять несчастна, если опять горе придет, ведь уж ты, верно, будешь здесь подле меня; один, может быть, и будешь! Чем заслужу я тебе за всё! Не проклинай меня никогда, Ваня!..

Воротясь домой, я тотчас же разделся и лег спать. В комнате у меня было сыро и темно, как в погребе. Много странных мыслей и ощущений бродило во мне, и я еще долго не мог заснуть.

Но как, должно быть, смеялся в эту минуту один человек, засыпая в комфортной своей постели, — если, впрочем, он еще удостоил усмехнуться над нами! Должно быть, не удостоил!

ГЛАВА III

На другое утро часов в десять, когда я выходил из квартиры, торопясь на Васильевский остров к Ихменевым, чтоб пройти от них поскорее к Наташе, я вдруг столкнулся в дверях со вчерашней посетительницей моей, внучкой Смита. Она входила ко мне. Не знаю почему, но, помню, я ей очень обрадовался. Вчера я еще и разглядеть не успел ее, и днем она еще более удивила меня. Да и трудно было встретить более странное, более оригинальное существо, по крайней мере по наружности. Маленькая, с сверкающими, черными, какими-то нерусскими глазами, с густейшими черными всклоченными волосами и с загадочным, немым и упорным взглядом, она могла остановить внимание даже всякого прохожего на улице. Особенно поражал ее взгляд: в нем сверкал ум, а вместе с тем и какая-то инквизиторская недоверчивость и даже подозрительность. Ветхое и грязное ее платьице при дневном свете еще больше вчерашнего походило на рубище. Мне казалось, что она больна в какой-нибудь медленной, упорной и постоянной болезни, постепенно, но неумолимо разрушающей ее организм. Бледное и худое ее лицо имело какой-то ненатуральный смугло-желтый, желчный оттенок. Но вообще, несмотря на всё безобразие нищеты и болезни, она была даже недурна собою. Брови ее были резкие, тонкие и красивые; особенно был хорош ее широкий лоб, немного низкий, и губы, прекрасно обрисованные, с какой-то гордой, смелой складкой, но бледные, чуть-чуть только окрашенные.

— Ах, ты опять! — вскричал я, — ну, я так и думал, что ты придешь. Войди же!

Она вошла, медленно переступив через порог, как и вчера, и недоверчиво озираясь кругом. Она внимательно осмотрела комнату, в которой жил ее дедушка, как будто отмечая, насколько изменилась комната от другого жильца. «Ну, каков дедушка, такова и внучка, — подумал я. — Уж не сумасшедшая ли она?» Она всё еще молчала; я ждал.

— За книжками! — прошептала она наконец, опустив глаза в землю.

— Ах, да! Твои книжки; вот они, возьми! Я нарочно их сберег для тебя.

Она с любопытством на меня посмотрела и как-то странно искривила рот, как будто хотела недоверчиво улыбнуться. Но позыв улыбки прошел и сменился тотчас же прежним суровым и загадочным выражением.

— А разве дедушка вам говорил про меня? — спросила она, иронически оглядывая меня с ног до головы.

— Нет, про тебя он не говорил, но он...

— А почему ж вы знали, что я приду? Кто вам сказал? — спросила она, быстро перебивая меня.

— Потому, мне казалось, твой дедушка не мог жить один, всеми оставленный. Он был такой старый, слабый; вот я и думал, что кто-нибудь ходил к нему. Возьми, вот твои книги. Ты по ним учишься?

— Нет.

— Зачем же они тебе?

— Меня учил дедушка, когда я ходила к нему.

— А разве потом не ходила?

— Потом не ходила... я больна сделалась, — прибавила она, как бы оправдываясь.

— Что ж у тебя, семья, мать, отец?

Она вдруг нахмурила свои брови и даже с каким-то испугом взглянула на меня. Потом потупилась, молча повернулась и тихо пошла из комнаты, не удостоив меня ответом, совершенно как вчера. Я с изумлением провожал ее глазами. Но она остановилась на пороге.

— Отчего он умер? — отрывисто спросила она, чуть-чуть оборотясь ко мне, совершенно с тем же жестом и движением, как и вчера, когда, тоже выходя и стоя лицом к дверям, спросила об Азорке.

Я подошел к ней и начал ей наскоро рассказывать. Она молча и пытливо слушала, потупив голову и стоя ко мне спиной. Я рассказал ей тоже, как старик, умирая, говорил про Шестую линию. «Я и догадался, — прибавил я, — что там, верно, кто-нибудь живет из дорогих ему, оттого и ждал, что придут о нем наведаться. Верно, он тебя любил, когда в последнюю минуту о тебе поминал».

— Нет, — прошептала она как бы невольно, — не любил.

Она была сильно взволнована. Рассказывая, я нагибался к ней и заглядывал в ее лицо. Я заметил, что она употребляла ужасные усилия подавить свое волнение, точно из гордости передо мной. Она всё больше и больше бледнела и крепко закусила свою нижнюю губу. Но особенно поразил меня странный стук ее сердца. Оно стучало всё сильнее и сильнее, так что, наконец, можно было слышать его за два, за три шага, как в аневризме. Я думал, что она вдруг разразится слезами, как и вчера; но она преодолела себя.

— А где забор?

— Какой забор?

— Под которым он умер.

— Я тебе покажу его... когда выйдем. Да, послушай, как тебя зовут?

— Не надо...

— Чего не надо?

— Не надо; ничего... никак не зовут, — отрывисто и как будто с досадой проговорила она и сделала движение уйти. Я остановил ее.

— Подожди, странная ты девочка! Ведь я тебе добра желаю; мне тебя жаль со вчерашнего дня, когда ты там в углу на лестнице плакала. Я вспомнить об этом не могу... К тому же твой дедушка у меня на руках умер, и, верно, он об тебе вспоминал, когда про Шестую линию говорил, значит, как будто тебя мне на руки оставлял. Он мне во сне снится... Вот и книжки я тебе сберег, а ты такая дикая, точно боишься меня. Ты, верно, очень бедна и сиротка, может быть, на чужих руках; так или нет?

Я убеждал ее горячо и сам не знаю, чем влекла она меня так к себе. В чувстве моем было еще что-то другое, кроме одной жалости. Таинственность ли всей обстановки, впечатление ли, произведенное Смитом, фантастичность ли моего собственного настроения, — не знаю, но что-то непреодолимо влекло меня к ней. Мои слова, казалось, ее тронули; она как-то странно поглядела на меня, но уж не сурово, а мягко и долго; потом опять потупилась как бы в раздумье.

— Елена, — вдруг прошептала она, неожиданно и чрезвычайно тихо.

— Это тебя зовут Елена?

— Да...

— Что же, ты будешь приходить ко мне?

— Нельзя... не знаю... приду, — прошептала она как бы в борьбе и раздумье. В эту минуту вдруг где-то ударили стенные часы. Она вздрогнула и, с невыразимой болезненной тоскою смотря на меня, прошептала: — Это который час?

— Должно быть, половина одиннадцатого.

Она вскрикнула от испуга.

— Господи! — проговорила она и вдруг бросилась бежать. Но я остановил ее еще раз в сенях.

— Я тебя так не пущу, — сказал я. — Чего ты боишься? Ты опоздала?

— Да, да, я тихонько ушла! Пустите! Она будет бить меня! — закричала она, видимо проговорившись и вырываясь из моих рук.

— Слушай же и не рвись; тебе на Васильевский, и я туда же, в Тринадцатую линию. Я тоже опоздал и хочу взять извозчика. Хочешь со мной? Я довезу. Скорее, чем пешком-то...

— Ко мне нельзя, нельзя, — вскричала она еще в сильнейшем испуге. Даже черты ее исказились от какого-то ужаса при одной мысли, что я могу прийти туда, где она живет.

— Да говорю тебе, что я в Тринадцатую линию, по своему делу, а не к тебе! Не пойду я за тобою. На извозчике скоро доедем. Пойдем!

Мы поспешно сбежали вниз. Я взял первого попавшегося ваньку, на скверной гитаре. Видно, Елена очень торопилась, коли согласилась сесть со мною. Всего загадочнее было то, что я даже и расспрашивать ее не смел. Она так и замахала руками и чуть не соскочила с дрожек, когда я спросил, кого она дома так боится? «Что за таинственность?» — подумал я.

На дрожках ей было очень неловко сидеть. При каждом толчке она, чтоб удержаться, схватывалась за мое пальто левой рукой, грязной, маленькой, в каких-то цыпках. В другой руке она крепко держала свои книги; видно было по всему, что книги эти ей очень дороги. Поправляясь, она вдруг обнажила свою

ногу, и, к величайшему удивлению моему, я увидел, что она была в одних дырявых башмаках, без чулок. Хоть я и решился было ни о чем ее не расспрашивать,
но тут опять не мог утерпеть.

— Неужели ж у тебя нет чулок? — спросил я. — Как можно ходить на босу
ногу в такую сырость и в такой холод?

— Нет, — отвечала она отрывисто.

— Ах, Боже мой, да ведь ты живешь же у кого-нибудь! Ты бы попросила у
других чулки, коли надо было выйти.

— Я так сама хочу.

— Да ты заболеешь, умрешь.

— Пускай умру.

Она, видимо, не хотела отвечать и сердилась на мои вопросы.

— Вот здесь он и умер, — сказал я, указывая ей на дом, у которого умер старик.

Она пристально посмотрела и вдруг, с мольбою обратившись ко мне, сказала:

— Ради Бога не ходите за мной. А я приду, приду! Как только можно будет,
так и приду!

— Хорошо, я сказал уже, что не пойду к тебе. Но чего ты боишься! Ты, верно,
какая-то несчастная. Мне больно смотреть на тебя...

— Я никого не боюсь, — отвечала она с каким-то раздражением в голосе.

— Но ты давеча сказала: «Она прибьет меня!»

— Пусть бьет! — отвечала она, и глаза ее засверкали. — Пусть бьет! Пусть
бьет! — горько повторяла она, и верхняя губка ее как-то презрительно приподнялась и задрожала.

Наконец мы приехали на Васильевский. Она остановила извозчика в начале
Шестой линии и спрыгнула с дрожек, с беспокойством озираясь кругом.

— Поезжайте прочь; я приду, приду! — повторяла она в страшном беспокойстве, умоляя меня не ходить за ней. — Ступайте же скорее, скорее!

Я поехал. Но, проехав по набережной несколько шагов, отпустил извозчика
и, воротившись назад в Шестую линию, быстро перебежал на другую сторону
улицы. Я увидел ее; она не успела еще много отойти, хотя шла очень скоро и всё
оглядывалась; даже остановилась было на минутку, чтоб лучше высмотреть: иду
ли я за ней или нет? Но я притаился в попавшихся мне воротах, и она меня не заметила. Она пошла далее, я за ней, всё по другой стороне улицы.

Любопытство мое было возбуждено в последней степени. Я хоть и решил не
входить за ней, но непременно хотел узнать тот дом, в который она войдет, на
всякий случай. Я был под влиянием тяжелого и странного впечатления, похожего на то, которое произвел во мне в кондитерской ее дедушка, когда умер
Азорка...

ГЛАВА IV

Мы шли долго, до самого Малого проспекта. Она чуть не бежала; наконец
вошла в лавочку. Я остановился подождать ее. «Ведь не живет же она в лавочке», — подумал я.

Действительно, через минуту она вышла, но уже книг с ней не было. Вместо
книг в ее руках была какая-то глиняная чашка. Пройдя немного, она вошла в ворота одного невзрачного дома. Дом был небольшой, но каменный, старый, двухэтажный, окрашенный грязно-желтою краской. В одном из окон нижнего эта-

жа, которых было всего три, торчал маленький красный гробик, — вывеска незначительного гробовщика. Окна верхнего этажа были чрезвычайно малые и совершенно квадратные, с тусклыми, зелеными и надтреснувшими стеклами, сквозь которые просвечивали розовые коленкоровые занавески. Я перешел через улицу, подошел к дому и прочел на железном листе, над воротами дома: дом мещанки Бубновой.

Но только что я успел разобрать надпись, как вдруг на дворе у Бубновой раздался пронзительный женский визг и затем ругательства. Я заглянул в калитку; на ступеньке деревянного крылечка стояла толстая баба, одетая как мещанка, в головке и в зеленой шали. Лицо ее было отвратительно-багрового цвета; маленькие, заплывшие и налитые кровью глаза сверкали от злости. Видно было, что она нетрезвая, несмотря на дообеденное время. Она визжала на бедную Елену, стоявшую перед ней в каком-то оцепенении с чашкой в руках. С лестницы из-за спины багровой бабы выглядывало полурастрепанное, набеленное и нарумяненное женское существо. Немного погодя отворилась дверь с подвальной лестницы в нижний этаж, и на ступеньках ее показалась, вероятно привлеченная криком, бедно одетая средних лет женщина, благообразной и скромной наружности. Из полуотворенной же двери выглядывали и другие жильцы нижнего этажа, дряхлый старик и девушка. Рослый и дюжий мужик, вероятно дворник, стоял посреди двора, с метлой в руке, и лениво посматривал на всю сцену.

— Ах ты, проклятая, ах ты, кровопивица, гнида ты эдакая! — визжала баба, залпом выпуская из себя все накопившиеся ругательства, большею частию без запятых и без точек, но с каким-то захлебыванием, — так-то ты за мое попеченье воздаешь, лохматая! За огурцами только послали ее, а она уж и улизнула! Сердце мое чувствовало, что улизнет, когда посылала. Ныло сердце мое, ныло! Вчера ввечеру все вихры ей за это же оттаскала, а она и сегодня бежать! Да куда тебе ходить, распутница, куда ходить! К кому ты ходишь, идол проклятый, лупоглазая гадина, яд, к кому! Говори, гниль болотная, или тут же тебя задушу!

И разъяренная баба бросилась на бедную девочку, но, увидав смотревшую с крыльца женщину, жилицу нижнего этажа, вдруг остановилась и, обращаясь к ней, завопила еще визгливее прежнего, размахивая руками, как будто беря ее в свидетельницы чудовищного преступления ее бедной жертвы.

— Мать издохла у ней! Сами знаете, добрые люди: одна ведь осталась как шиш на свете. Вижу у вас, бедных людей, на руках, самим есть нечего; дай, думаю, хоть для Николая-то угодника потружусь, приму сироту. Приняла. Что ж бы вы думали? Вот уж два месяца содержу, — кровь она у меня в эти два месяца выпила, белое тело мое поела! Пиявка! Змей гремучий! Упорная сатана! Молчит, хоть бей, хоть брось, всё молчит; словно себе воды в рот наберет, — всё молчит! Сердце мое надрывает — молчит! Да за кого ты себя почитаешь, фря ты эдакая, облизьяна зеленая? Да без меня ты бы на улице с голоду померла. Ноги мои должна мыть да воду эту пить, изверг, черная ты шпага французская. Околела бы без меня!

— Да что вы, Анна Трифоновна, так себя надсаждаете? Чем она вам опять досадила? — почтительно спросила женщина, к которой обращалась разъяренная мегера.

— Как чем, добрая ты женщина, как чем? Не хочу, чтоб против меня шли! Не делай своего хорошего, а делай мое дурное, — вот я какова! Да она меня чуть в гроб сегодня не уходила! За огурцами в лавочку ее послала, а она через три часа воротилась! Сердце мое предчувствовало, когда посылала; ныло оно, ныло; ныло-ныло! Где была? Куда ходила? Каких себе покровителей нашла? Я ль ей не благодетельствовала! Да я ее поганке-матери четырнадцать целковых долгу простила, на свой счет похоронила, чертенка ее на воспитание взяла, милая ты женщина, знаешь, сама знаешь! Что ж, не вправе я над ней после этого? Она бы чувствовала, а вместо чувствия она супротив идет! Я ей счастья хотела. Я ее, поганку, в кисейных платьях водить хотела, в Гостином ботинки купила, как паву нарядила, — душа у праздника! Что ж бы вы думали, добрые люди! В два дня всё платье изорвала, в кусочки изорвала да в клочочки, да так и ходит, так и ходит! Да ведь что вы думаете, нарочно изорвала, — не хочу лгать, сама подглядела; хочу, дескать, в затрапезном ходить, не хочу в кисейном! Ну, отвела тогда душу над ней, исколотила ее, так ведь я лекаря потом призывала, ему деньги платила. А ведь задавить тебя, гнида ты эдакая, так только неделю молока не пить, — всего-то наказанья за тебя только положено! За наказание полы мыть ее заставила; что ж бы вы думали: моет! Моет, стерьва, моет! Горячит мое сердце, — моет! Ну, думаю: бежит она от меня! Да только подумала, глядь — она и бежала вчера! Сами слышали, добрые люди, как я вчера ее за это била, руки обколотила все об нее, чулки, башмаки отняла — не уйдет на босу ногу, думаю; а она и сегодня туда ж! Где была? Говори! Кому, семя крапивное, жаловалась, кому на меня доносила? Говори, цыганка, маска привозная, говори!

И в исступлении она бросилась на обезумевшую от страха девочку, вцепилась ей в волосы и грянула ее оземь. Чашка с огурцами полетела в сторону и разбилась; это еще более усилило бешенство пьяной мегеры. Она била свою жертву по лицу, по голове; но Елена упорно молчала, и ни одного звука, ни одного крика, ни одной жалобы не проронила она, даже и под побоями. Я бросился на двор, почти не помня себя от негодования, прямо к пьяной бабе.

— Что вы делаете? как смеете вы так обращаться с бедной сиротой! — вскричал я, хватая эту фурию за руку.

— Это что! Да ты кто такой? — завизжала она, бросив Елену и подпершись руками в боки. — Вам что в моем доме угодно?

— То угодно, что вы безжалостная! — кричал я. — Как вы смеете так тиранить бедного ребенка? Она не ваша; я сам слышал, что она только ваш приемыш, бедная сирота...

— Господи Иисусе! — завопила фурия, — да ты кто таков навязался! Ты с ней пришел, что ли? Да я сейчас к частному приставу! Да меня сам Андрон Тимофеич как благородную почитает! Что она, к тебе, что ли, ходит? Кто такой? В чужой дом буянить пришел. Караул!

И она бросилась на меня с кулаками. Но в эту минуту вдруг раздался пронзительный, нечеловеческий крик. Я взглянул, — Елена, стоявшая как без чувств, вдруг с страшным, неестественным криком ударилась оземь и билась в страшных судорогах. Лицо ее исказилось. С ней был припадок падучей болезни. Растрепанная девка и женщина снизу подбежали, подняли ее и поспешно понесли наверх.

— А хоть издохни, проклятая! — завизжала баба вслед за ней. — В месяц уж третий припадок... Вон, маклак! — и она снова бросилась на меня.

— Чего, дворник, стоишь? За что жалованье получаешь?

— Пошел! Пошел! Хочешь, чтоб шею нагладили, — лениво пробасил дворник, как бы для одной только проформы. — Двоим любо, третий не суйся. Поклон, да и вон!

Нечего делать, я вышел за ворота, убедившись, что выходка моя была совершенно бесполезна. Но негодование кипело во мне. Я стал на тротуаре против ворот и глядел в калитку. Только что я вышел, баба бросилась наверх, а дворник, сделав свое дело, тоже куда-то скрылся. Через минуту женщина, помогавшая снести Елену, сошла с крыльца, спеша к себе вниз. Увидев меня, она остановилась и с любопытством на меня поглядела. Ее доброе и смирное лицо ободрило меня. Я снова ступил на двор и прямо подошел к ней.

— Позвольте спросить, — начал я, — что такое здесь эта девочка и что делает с ней эта гадкая баба? Не думайте, пожалуйста, что я из простого любопытства расспрашиваю. Эту девочку я встречал и по одному обстоятельству очень ею интересуюсь.

— А коль интересуетесь, так вы бы лучше ее к себе взяли али место какое ей нашли, чем ей тут пропадать, — проговорила как бы нехотя женщина, делая движение уйти от меня.

— Но если вы меня не научите, что ж я сделаю? Говорю вам, я ничего не знаю. Это, верно, сама Бубнова, хозяйка дома?

— Сама хозяйка.

— Так как же девочка-то к ней попала? У ней здесь мать умерла?

— А так и попала... Не наше дело. — И она опять хотела уйти.

— Да сделайте же одолжение; говорю вам, меня это очень интересует. Я, может быть, что-нибудь и в состоянии сделать. Кто ж эта девочка? Кто была ее мать, — вы знаете?

— А словно из иностранок каких-то, приезжая; у нас внизу и жила; да больная такая; в чахотке и померла.

— Стало быть, была очень бедная, коли в углу в подвале жила?

— Ух, бедная! Всё сердце на нее изныло. Мы уж на што перебиваемся, а и нам шесть рублей в пять месяцев, что у нас прожила, задолжала. Мы и похоронили; муж и гроб делал.

— А как же Бубнова говорит, что она похоронила?

— Какое похоронила!

— А как была ее фамилия?

— А и не выговорю, батюшка; мудрено; немецкая, должно быть.

— Смит?

— Нет, что-то не так. А Анна Трифоновна сироту-то к себе и забрала; на воспитание, говорит. Да нехорошо оно вовсе...

— Верно, для целей каких-нибудь забрала?

— Нехорошие за ней дела, — отвечала женщина, как бы в раздумье и колеблясь: говорить или нет? — Нам что, мы посторонние...

— А ты бы лучше язык-то на привязи подержала! — раздался сзади нас мужской голос. Это был пожилых лет человек в халате и в кафтане сверх халата, с виду мещанин — мастеровой, муж моей собеседницы.

— Ей, батюшка, с вами нечего разговаривать; не наше это дело... — промолвил он, искоса оглядев меня. — А ты пошла! Прощайте, сударь; мы гробовщики. Коли что по мастерству надоть, с нашим полным удовольствием... А окромя того нечего нам с вами происходить...

Я вышел из этого дома в раздумье и в глубоком волнении. Сделать я ничего не мог, но чувствовал, что мне тяжело оставить всё это так. Некоторые слова гробовщицы особенно меня возмутили. Тут скрывалось какое-то нехорошее дело: я это предчувствовал.

Я шел, потупив голову и размышляя, как вдруг резкий голос окликнул меня по фамилии. Гляжу — передо мной стоит хмельной человек, чуть не покачиваясь, одетый довольно чисто, но в скверной шинели и в засаленном картузе. Лицо очень знакомое. Я стал всматриваться. Он подмигнул мне и иронически улыбнулся.

— Не узнаешь?

ГЛАВА V

— А! Да это ты, Маслобоев! — вскричал я, вдруг узнав в нем прежнего школьного товарища, еще по губернской гимназии, — ну, встреча!

— Да, встреча! Лет шесть не встречались. То есть и встречались, да ваше превосходительство не удостоивали взглядом-с. Ведь вы генералы-с, литературные
то есть-с!.. — Говоря это, он насмешливо улыбался.

— Ну, брат Маслобоев, это ты врешь, — прервал я его. — Во-первых, генералы, хоть бы и литературные, и с виду не такие бывают, как я, а второе, позволь
тебе сказать, я действительно припоминаю, что раза два тебя на улице встретил,
да ты сам видимо избегал меня, а мне что ж подходить, коли вижу, человек избегает. И знаешь, что я думаю? Не будь ты теперь хмелен, ты бы и теперь меня не
окликнул. Не правда ли? Ну, здравствуй! Я, брат, очень, очень рад, что тебя
встретил.

— Право! А не компрометирую я тебя моим... *не тем видом*? Ну, да нечего об
этом расспрашивать; не суть важное; я, брат Ваня, всегда помню, какой ты был
славный мальчуга. А помнишь, тебя за меня высекли? Ты смолчал, а меня не выдал, а я, вместо благодарности, над тобой же неделю трунил. Безгрешная ты
душа! Здравствуй, душа моя, здравствуй! (Мы поцеловались.) Ведь я уж сколько
лет один маюсь, — день да ночь — сутки прочь, а старого не забыл. Не забывает-
ся! А ты-то, ты-то?

— Да что я-то, и я один маюсь...

Он долго глядел на меня с сильным чувством расслабленного от вина человека. Впрочем, он и без того был чрезвычайно добрый человек.

— Нет, Ваня, ты не то, что я! — проговорил он наконец трагическим тоном. — Я ведь читал; читал, Ваня, читал!.. Да послушай: поговорим по душе!
Спешишь?

— Спешу; и, признаюсь тебе, ужасно расстроен одним делом. А вот что лучше: где ты живешь?

— Скажу. Но это не лучше; а сказать ли, что лучше?

— Ну, что?

— А вот что! Видишь? — И он указал мне на вывеску в десяти шагах от того
места, где мы стояли, — видишь: кондитерская и ресторан, то есть попросту ре-
сторация, но место хорошее. Предупрежу, помещение приличное, а водка, и не
говори! Из Киева пешком пришла! Пил, многократно пил, знаю; а мне худого
здесь и не смеют подать. Знают Филиппа Филиппыча. Я ведь Филипп Филиппыч. Что? Гримасничаешь? Нет, ты дай мне договорить. Теперь четверть двенадцатого, сейчас смотрел; ну, так ровно в тридцать пять минут двенадцатого я
тебя и отпущу. А тем временем муху задавим. Двадцать минут на старого друга, — идет?

— Если только двадцать минут, то идет; потому, душа моя, ей-богу, дело...

— А идет, так идет. Только вот что, два слова прежде всего: лицо у тебя нехорошее, точно сейчас тебе чем надосадили, правда?

— Правда.

— То-то я и угадал. Я, брат, теперь в физиономистику пустился, тоже занятие! Ну, так пойдем, поговорим. В двадцать минут, во-первых, успею вздушить
адмирала Чаинского и пропущу березовки, потом зорной, потом померанцевой,
потом parfait amour[1], а потом еще что-нибудь изобрету. Пью, брат! Только по
праздникам перед обедней и хорош. А ты хоть и не пей. Мне просто тебя одного

---

[1] Букв.: прекрасная любовь (*франц.*).

надо. А выпьешь, особенное благородство души докажешь. Пойдем! Сболтнем слова два, да и опять лет на десять врозь. Я, брат, тебе, Ваня, не пара!

— Ну, да ты не болтай, а поскорей пойдем. Двадцать минут твои, а там и пусти.

В ресторацию надо было попасть, поднявшись по деревянной двухколенчатой лестнице с крылечком во второй этаж. Но на лестнице мы вдруг столкнулись с двумя сильно выпившими господами. Увидя нас, они, покачиваясь, посторонились.

Один из них был очень молодой и моложавый парень, еще безбородый, с едва пробивающимися усиками и с усиленно глуповатым выражением лица. Одет он был франтом, но как-то смешно: точно он был в чужом платье, с дорогими перстнями на пальцах, с дорогой булавкой в галстухе и чрезвычайно глупо причесанный, с каким-то коком. Он всё улыбался и хихикал. Товарищ его был уже лет пятидесяти, толстый, пузатый, одетый довольно небрежно, тоже с большой булавкой в галстухе, лысый и плешивый, с обрюзглым, пьяным и рябым лицом и в очках на носу, похожем на пуговку. Выражение этого лица было злое и чувственное. Скверные, злые и подозрительные глаза заплыли жиром и глядели как из щелочек. По-видимому, они оба знали Маслобоева, но пузан при встрече с нами скорчил досадную, хоть и мгновенную гримасу, а молодой так и ушел в какую-то подобострастно-сладкую улыбку. Он даже снял картуз. Он был в картузе.

— Простите, Филипп Филиппыч, — пробормотал он, умильно смотря на него.

— А что?

— Виноват-с... того-с... (он щелкнул по воротнику). Там Митрошка сидит-с. Так он, выходит, Филипп Филиппыч-с, подлец-с.

— Да что такое?

— Да уж так-с... А ему вот (он кивнул на товарища) на прошлой неделе, через того самого Митрошку-с, в неприличном месте рожу в сметане вымазали-с... кхи!

Товарищ с досадой подтолкнул его локтем.

— А вы бы с нами, Филипп Филиппыч, полдюжинки распили-с, у Дюссо-с, прикажете надеяться-с?

— Нет, батюшка, теперь нельзя, — отвечал Маслобоев. — Дело есть.

— Кхи! И у меня дельце есть, до вас-с... — Товарищ опять подтолкнул его локтем.

— После, после!

Маслобоев как-то видимо старался не смотреть на них. Но только что мы вошли в первую комнату, через которую, по всей длине ее, тянулся довольно опрятный прилавок, весь уставленный закусками, подовыми пирогами, расстегаями и графинами с настойками разных цветов, как Маслобоев быстро отвел меня в угол и сказал:

— Молодой — это купеческий сын Сизобрюхов, сын известного лабазника, получил полмиллиона после отца и теперь кутит. В Париж ездил, денег там видимо-невидимо убил, там бы, может, и всё просадил, да после дяди еще наследство получил и вернулся из Парижа; так здесь уж и добивает остальное. Через год-то он, разумеется, пойдет по миру. Глуп как гусь — и по первым ресторанам, и в подвалах и кабаках, и по актрисам, и в гусары просился — просьбу недавно подавал. Другой, пожилой, — Архипов, тоже что-то вроде купца или управляющего, шлялся и по откупам; бестия, шельма и теперешний товарищ Сизобрюхова, Иуда и Фальстаф, всё вместе, двукратный банкрот и отвратительно чувственная тварь, с разными вычурами. В этом роде я знаю за ним одно уголовное дело; вывернулся. По одному случаю я очень теперь рад, что его здесь встретил; я его ждал... Архипов, разумеется, обирает Сизобрюхова. Много разных закоулков знает, тем и драгоценен для этаких вьюношей. Я, брат, на него уже давно зубы точу. Точит на него зубы и Митрошка, вот тот молодцеватый парень, в богатой поддевке, — там, у окна стоит, цыганское лицо. Он лошадьми барышничает и со всеми здешними гусарами знаком. Я тебе скажу, такой плут, что в глазах у тебя будет фальшивую бумажку делать, а ты хоть и видел, а все-таки ему ее разменяешь. Он в поддевке, правда в бархатной, и похож на славянофила (да это, по-моему, к нему и идет), а наряди его сейчас в великолепнейший фрак и тому подобное, отведи его в английский клуб да скажи там: такой-то, дескать, владетельный граф Барабанов, так там его два часа за графа почитать будут, — и в вист сыграет, и говорить по-графски будет, и не догадаются; надует. Он плохо кончит. Так вот этот Митрошка на пузана крепко зубы точит, потому у Митрошки теперь тонко, а пузан у него Сизобрюхова отбил, прежнего приятеля, с которого он не успел еще шерсточку обстричь. Если они сошлись теперь в ресторации, так тут, верно, какая-нибудь штука была. Я даже знаю какая и предугадываю, что Митрошка, а не кто другой, известил меня, что Архипов с Сизобрюховым будут здесь и шныряют по этим местам за каким-то скверным делом. Ненавистью Митрошки к Архипову я хочу воспользоваться, потому что имею свои причины; да и явился я здесь почти по этой причине. Виду же Митрошке не хочу показывать, да и ты на него не засматривайся. А когда будем выходить отсюда, то он, наверно, сам ко мне подойдет и скажет то, что мне надо... А теперь пойдем, Ваня, вон в ту комнату, видишь? Ну, Степан, — продолжал он, обращаясь к половому, — понимаешь, чего мне надо?

— Понимаю-с.

— И удовлетворишь?

— Удовлетворю-с.

— Удовлетвори. Садись, Ваня. Ну, что ты так на меня смотришь? Я вижу ведь, ты на меня смотришь. Удивляешься? Не удивляйся. Всё может с человеком случиться, что даже и не снилось ему никогда, и уж особенно тогда... ну, да хоть тогда, когда мы с тобой зубрили Корнелия Непота! Вот что, Ваня, верь одному: Маслобоев хоть и сбился с дороги, но сердце в нем то же осталось, а обстоятельства только переменились. Я хоть и в саже, да никого не гаже. И в доктора поступал, и в учителя отечественной словесности готовился, и об Гоголе статью написал, и в золотопромышленники хотел, и жениться собирался — жива-душа калачика хочет, и *она* соглашалась, хотя в доме такая благодать, что нечем кошки из избы было выманить. Я было уж к свадебной церемонии и сапоги крепкие занимать хотел, потому у самого были уж полтора года в дырьях... Да и не женился. Она за учителя вышла, а я стал в конторе служить, то есть не в коммерческой конторе, а так, просто в конторе. Ну, тут пошла музыка не та. Протекли годы, и я теперь хоть и не служу, но денежки наживаю удобно: взятки беру и за правду стою; молодец против овец, а против молодца и сам овца. Правила имею: знаю, например, что один в поле не воин, и — дело делаю. Дело же мое больше по подноготной части... понимаешь?

— Да ты уж не сыщик ли какой-нибудь?

— Нет, не то чтобы сыщик, а делами некоторыми занимаюсь, отчасти и официально, отчасти и по собственному призванию. Вот что, Ваня: водку пью. А так как ума я никогда не пропивал, то знаю и мою будущность. Время мое прошло, черного кобеля не отмоешь добела. Одно скажу: если б во мне не откликался еще человек, не подошел бы я сегодня к тебе, Ваня. Правда твоя, встречал я тебя, видал и прежде, много раз хотел подойти, да всё не смел, всё откладывал. Не стою я тебя. И правду ты сказал, Ваня, что если и подошел, так только потому, что хмельной. И хоть всё это сильнейшая ерунда, но мы обо мне покончим. Давай лучше о тебе говорить. Ну, душа: читал! Читал, ведь и я прочел! Я, дружище, про твоего первенца говорю. Как прочел — я, брат, чуть порядочным человеком не сделался! Чуть было; да только пораздумал и предпочел лучше остаться непорядочным человеком. Так-то...

И много еще он мне говорил. Он хмелел всё больше и больше и начал крепко умиляться, чуть не до слез. Маслобоев был всегда славный малый, но всегда себе на уме и развит как-то не по силам; хитрый, пронырливый, пролаз и крючок еще с самой школы, но в сущности человек не без сердца; погибший человек. Таких людей между русскими людьми много. Бывают они часто с большими способностями; но всё это в них как-то перепутывается, да сверх того они в состоянии сознательно идти против своей совести из слабости на известных пунктах, и не только всегда погибают, но и сами заранее знают, что идут к погибели. Маслобоев, между прочим, потонул в вине.

— Теперь, друг, еще одно слово, — продолжал он. — Слышал я, как твоя слава сперва прогремела; читал потом на тебя разные критики (право, читал; ты думаешь, я уж ничего не читаю); встречал тебя потом в худых сапогах, в грязи без калош, в обломанной шляпе и кой о чем догадался. По журналистам теперь промышляешь?

— Да, Маслобоев.

— Значит, в почтовые клячи записался?

— Похоже на то.

— Ну, так на это я, брат, вот что скажу: пить лучше! Я вот напьюсь, лягу себе на диван (а у меня диван славный, с пружинами) и думаю, что вот я, например, какой-нибудь Гомер или Дант, или какой-нибудь Фридрих Барбаруса, — ведь всё можно себе представить. Ну, а тебе нельзя представлять себе, что ты Дант или Фридрих Барбаруса, во-первых, потому что ты хочешь быть сам по себе, а во-вторых, потому что тебе всякое хотение запрещено, ибо ты почтовая кляча. У меня воображение, а у тебя действительность. Послушай же откровенно и прямо, по-братски (не то на десять лет обидишь и унизишь меня), — не надо ли денег? Есть. Да ты не гримасничай. Деньги возьми, расплатись с антрепренерами, скинь хомут, потом обеспечь себе целый год жизни и садись за любимую мысль, пиши великое произведение! А? Что скажешь?

— Слушай, Маслобоев! Братское твое предложение ценю, но ничего не могу теперь отвечать — а почему — долго рассказывать. Есть обстоятельства. Впрочем, обещаюсь: всё расскажу тебе потом, по-братски. За предложение благодарю: обещаюсь, что приду к тебе и приду много раз. Но вот в чем дело: ты со мной откровенен, а потому и я решаюсь спросить у тебя совета, тем более что ты в этих делах мастак.

И я рассказал ему всю историю Смита и его внучки, начиная с самой кондитерской. Странное дело: когда я рассказывал, мне по глазам его показалось, что он кой-что знает из этой истории. Я спросил его об этом.

— Нет, не то, — отвечал он. — Впрочем, так кой-что о Смите я слышал, что умер какой-то старик в кондитерской. А об мадам Бубновой я действительно кой-что знаю. С этой дамы я уж взял два месяца тому назад взятку. Je prends mon bien, oú je le trouve[1] и только в этом смысле похож на Мольера. Но хотя я и

---

[1] Я беру свое добро там, где нахожу его (*франц.*).

содрал с нее сто рублей, все-таки я тогда же дал себе слово скрутить ее уже не на сто, а на пятьсот рублей. Скверная баба! Непозволительными делами занимается. Оно бы ничего, да иногда уж слишком до худого доходит. Ты не считай меня, пожалуйста, Дон-Кихотом. Дело всё в том, что может крепко мне перепасть, и когда я, полчаса тому назад, Сизобрюхова встретил, то очень обрадовался. Сизобрюхова, очевидно, сюда привели, и привел его пузан, а так как я знаю, по какого рода делам пузан особенно промышляет, то и заключаю... Ну, да уж я его накрою! Я очень рад, что от тебя про эту девочку услыхал; теперь я на другой след попал. Я ведь, брат, разными частными комиссиями занимаюсь, да еще с какими людьми знаком! Разыскивал я недавно одно дельце, для одного князя, так я тебе скажу — такое дельце, что от этого князя и ожидать нельзя было. А то, хочешь, другую историю про мужнюю жену расскажу? Ты, брат, ко мне ходи, я тебе таких сюжетов наготовил, что, опиши их, так не поверят тебе...

— А как фамилия того князя? — перебил я его, предчувствуя что-то.

— А тебе на что? Изволь: Валковский.

— Петр?

— Он. Ты знаком?

— Знаком, да не очень. Ну, Маслобоев, я об этом господине к тебе не раз понаведаюсь, — сказал я, вставая, — ты меня ужасно заинтересовал.

— Вот видишь, старый приятель, наведывайся сколько хочешь. Сказки я умею рассказывать, но ведь до известных пределов, — понимаешь? Не то кредит и честь потеряешь, деловую то есть, ну и так далее.

— Ну, насколько честь позволит.

Я был даже в волнении. Он это заметил.

— Ну, что ж теперь скажешь мне про ту историю, которую я сейчас тебе рассказал. Придумал ты что или нет?

— Про твою историю? А вот подожди меня две минутки; я расплачусь.

Он пошел к буфету и там, как бы нечаянно, вдруг очутился вместе с тем парнем в поддевке, которого так бесцеремонно звали Митрошкой. Мне показалось, что Маслобоев знал его несколько ближе, чем сам признавался мне. По крайней мере, видно было, что сошлись они теперь не в первый раз. Митрошка был с виду парень довольно оригинальный. В своей поддевке, в шелковой красной рубашке, с резкими, но благообразными чертами лица, еще довольно моложавый, смуглый, с смелым сверкающим взглядом, он производил и любопытное и не отталкивающее впечатление. Жест его был как-то выделанно удалой, а вместе с тем в настоящую минуту он, видимо, сдерживал себя, всего более желая себе придать вид чрезвычайной деловитости и солидности.

— Вот что, Ваня, — сказал Маслобоев, воротясь ко мне, — наведайся-ка ты сегодня ко мне в семь часов, так я, может, кой-что и скажу тебе. Один-то я, видишь ли, ничего не значу; прежде значил, а теперь только пьяница и удалился от дел. Но у меня остались прежние сношения; могу кой о чем разведать, с разными тонкими людьми перенюхаться; этим и беру; правда, в свободное, то есть трезвое, время и сам кой-что делаю, тоже через знакомых... больше по разведкам... Ну, да что тут! Довольно... Вот и адрес мой: в Шестилавочной. А теперь, брат, я уж слишком прокис. Пропущу еще золотую, да и домой. Полежу. Придешь — с Александрой Семеновной познакомлю, а будет время, о поэзии поговорим.

— Ну, а о том-то?

— Ну, и о том, может быть.

— Пожалуй, приду, наверно приду...

ГЛАВА VI

Анна Андреевна уже давно дожидалась меня. То, что я вчера сказал ей о записке Наташи, сильно завлекло ее любопытство, и она ждала меня гораздо раньше утром, по крайней мере часов в десять. Когда же я явился к ней во втором часу пополудни, то муки ожидания достигли в бедной старушке последней степени своей силы. Кроме того, ей очень хотелось объявить мне о своих новых надеждах, возродившихся в ней со вчерашнего дня, и об Николае Сергеиче, который со вчерашнего дня прихворнул, стал угрюм, а между тем и как-то особенно с нею нежен. Когда я появился, она приняла было меня с недовольной и холодной складкой в лице, едва цедила сквозь зубы и не показывала ни малейшего любопытства, как будто чуть не проговорила: «Зачем пришел? Охота тебе, батюшка, каждый день шляться». Она сердилась за поздний приход. Но я спешил и потому без дальнейших проволочек рассказал ей всю вчерашнюю сцену у Наташи. Как только старушка услышала о посещении старшего князя и о торжественном его предложении, как тотчас же соскочила с нее вся напускная хандра. Недостает у меня слов описать, как она обрадовалась, даже как-то потерялась, крестилась, плакала, клала перед образом земные поклоны, обнимала меня и хотела тотчас же бежать к Николаю Сергеичу и объявить ему свою радость.

— Помилуй, батюшка, ведь это он всё от разных унижений и оскорблений хандрит, а вот теперь узнает, что Наташе полное удовлетворение сделано, так мигом всё позабудет.

Насилу я отговорил ее. Добрая старушка, несмотря на то что двадцать пять лет прожила с мужем, еще плохо знала его. Ей ужасно тоже захотелось тотчас же поехать со мной к Наташе. Я представил ей, что Николай Сергеич не только, может быть, не одобрит ее поступка, но еще мы этим повредим всему делу. Насилу-то она одумалась, но продержала меня еще полчаса лишних и всё время говорила только сама. «С кем же я-то теперь останусь, — говорила она, — с такой радостью да сидя одна в четырех стенах?» Наконец я убедил ее отпустить меня, представив ей, что Наташа теперь ждет меня не дождется. Старушка перекрестила меня несколько раз на дорогу, послала особое благословение Наташе и чуть не заплакала, когда я решительно отказался прийти в тот же день еще раз, вечером, если с Наташей не случится чего особенного. Николая Сергеича в этот раз я не видал: он не спал всю ночь, жаловался на головную боль, на озноб и теперь спал в своем кабинете.

Тоже и Наташа прождала меня всё утро. Когда я вошел, она, по обыкновению своему, ходила по комнате, сложа руки и о чем-то раздумывая. Даже и теперь, когда я вспоминаю о ней, я не иначе представляю ее, как всегда одну в бедной комнатке, задумчивую, оставленную, ожидающую, с сложенными руками, с опущенными вниз глазами, расхаживающую бесцельно взад и вперед.

Она тихо, всё еще продолжая ходить, спросила, почему я так поздно? Я рассказал ей вкратце все мои похождения, но она меня почти и не слушала. Заметно было, что она чем-то очень озабочена. «Что нового?» — спросил я. «Нового ничего», — отвечала она, но с таким видом, по которому я тотчас догадался, что новое у ней есть и что она для того и ждала меня, чтоб рассказать это новое, но, по обыкновению своему, расскажет не сейчас, а когда я буду уходить. Так всегда у нас было. Я уж применился к ней и ждал.

Мы, разумеется, начали разговор о вчерашнем. Меня особенно поразило то, что мы совершенно сходимся с ней в впечатлении нашем о старом князе: ей он решительно не нравился, гораздо больше не нравился, чем вчера. И когда мы перебрали по черточкам весь его вчерашний визит, Наташа вдруг сказала:

— Послушай, Ваня, а ведь так всегда бывает, что вот если сначала человек не понравится, то уж это почти признак, что он непременно понравится потом. По крайней мере, так всегда бывало со мною.

— Дай Бог так, Наташа. К тому же вот мое мнение, и окончательное: я всё перебрал и вывел, что хоть князь, может быть, и иезуитничает, но соглашается он на ваш брак вправду и серьезно.

Наташа остановилась среди комнаты и сурово взглянула на меня. Всё лицо ее изменилось; даже губы слегка вздрогнули.

— Да как же бы он мог в *таком* случае начать хитрить и... лгать? — спросила она с надменным недоумением.

— То-то, то-то! — поддакнул я скорее.

— Разумеется, не лгал. Мне кажется, и думать об этом нечего. Нельзя даже предлога приискать к какой-нибудь хитрости. И, наконец, что ж я такое в глазах его, чтоб до такой степени смеяться надо мной? Неужели человек может быть способен на такую обиду?

— Конечно, конечно! — подтверждал я, а про себя подумал: «Ты, верно, об этом только и думаешь теперь, ходя по комнате, моя бедняжка, и, может, еще больше сомневаешься, чем я».

— Ах, как бы я желала, чтоб он поскорее воротился! — сказала она. — Целый вечер хотел просидеть у меня, и тогда... Должно быть, важные дела, коль всё бросил да уехал. Не знаешь ли, какие, Ваня? Не слыхал ли чего-нибудь?

— А Господь его знает. Ведь он всё деньги наживает. Я слышал, участок в каком-то подряде здесь в Петербурге берет. Мы, Наташа, в делах ничего не смыслим.

— Разумеется, не смыслим. Алеша говорил про какое-то письмо вчера.

— Известие какое-нибудь. А был Алеша?

— Был.

— Рано?

— В двенадцать часов: да ведь он долго спит. Посидел. Я прогнала его к Катерине Федоровне; нельзя же, Ваня.

— А разве сам он не собирался туда?

— Нет, и сам собирался...

Она хотела что-то еще прибавить и замолчала. Я глядел на нее и выжидал. Лицо у ней было грустное. Я бы и спросил ее, да она очень иногда не любила расспросов.

— Странный этот мальчик, — сказала она наконец, слегка искривив рот и как будто стараясь не глядеть на меня.

— А что! Верно, что-нибудь у вас было?

— Нет, ничего; так... Он был, впрочем, и милый... Только уж...

— Вот теперь все его горести и заботы кончились, — сказал я.

Наташа пристально и пытливо взглянула на меня. Ей, может быть, самой хотелось бы ответить мне: «Немного-то было у него горестей и забот и прежде»; но ей показалось, что в моих словах та же мысль, она и надулась.

Впрочем, тотчас же опять стала и приветлива, и любезна. В этот раз она была чрезвычайно кротка. Я просидел у ней более часу. Она очень беспокоилась. Князь пугал ее. Я заметил по некоторым ее вопросам, что ей очень бы хотелось узнать наверно, какое именно произвела она на него вчера впечатление? Так ли она себя держала? Не слишком ли она выразила перед ним свою радость? Не была ли слишком обидчива? Или, наоборот, уж слишком снисходительна? Не подумал бы он чего-нибудь? Не просмеял бы? Не почувствовал бы презрения к ней?.. От этой мысли щеки ее вспыхнули как огонь.

— Неужели можно так волноваться из-за того только, что дурной человек что-нибудь подумает? Да пусть его думает! — сказал я.

— Почему же он дурной? — спросила она.

Наташа была мнительна, но чиста сердцем и прямодушна. Мнительность ее происходила из чистого источника. Она была горда, и благородно горда, и не могла перенести, если то, что считала выше всего, предалось бы на посмеяние в ее же глазах. На презрение человека низкого она, конечно, отвечала бы только презрением, но все-таки болела бы сердцем за насмешку над тем, что считала святынею, кто бы ни смеялся. Не от недостатка твердости происходило это. Происходило отчасти и от слишком малого знания света, от непривычки к людям, от замкнутости в своем угле. Она всю жизнь прожила в своем угле, почти не выходя из него. И, наконец, свойство самых добродушных людей, может быть перешедшее к ней от отца, — захвалить человека, упорно считать его лучше, чем он в самом деле, сгоряча преувеличивать в нем всё доброе — было в ней развито в сильной степени. Тяжело таким людям потом разочаровываться; еще тяжеле, когда чувствуешь, что сам виноват. Зачем ожидал более, чем могут дать? А таких людей поминутно ждет такое разочарование. Всего лучше, если они спокойно сидят в своих углах и не выходят на свет; я даже заметил, что они действительно любят свои углы до того, что даже дичают в них. Впрочем, Наташа перенесла много несчастий, много оскорблений. Это было уже больное существо, и ее нельзя винить, если только в моих словах есть обвинение.

Но я спешил и встал уходить. Она изумилась и чуть не заплакала, что я ухожу, хотя всё время, как я сидел, не показывала мне никакой особенной нежности, напротив, даже была со мной как будто холоднее обыкновенного. Она горячо поцеловала меня и как-то долго посмотрела мне в глаза.

— Послушай, — сказала она, — Алеша был пресмешной сегодня и даже удивил меня. Он был очень мил, очень счастлив с виду, но влетел таким мотыльком, таким фатом, всё перед зеркалом вертелся. Уж он слишком как-то без церемонии теперь... да и сидел-то недолго. Представь: мне конфет привез.

— Конфет? Что ж, это очень мило и простодушно. Ах, какие вы оба! Вот уж и пошли теперь наблюдать друг за другом, шпионить, лица друг у друга изучать, тайные мысли на них читать (а ничего-то вы в них и не понимаете!). Еще он ничего. Он веселый и школьник по-прежнему. А ты-то, ты-то!

И всегда, когда Наташа переменяла тон и подходила, бывало, ко мне или с жалобой на Алешу, или для разрешения каких-нибудь щекотливых недоумений, или с каким-нибудь секретом и с желанием, чтоб я понял его с полслова, то, помню, она всегда смотрела на меня, оскаля зубки или как будто вымаливая, чтоб я непременно решил как-нибудь так, чтоб ей тотчас же стало легче на сердце. Но помню тоже, я в таких случаях всегда как-то принимал суровый и резкий тон, точно распекая кого-то, и делалось это у меня совершенно нечаянно, но всегда *удавалось*. Суровость и важность моя были кстати, казались авторитетнее, а ведь иногда человек чувствует непреодолимую потребность, чтоб его кто-нибудь пораспек. По крайней мере, Наташа уходила от меня иногда совершенно утешенная.

— Нет, видишь, Ваня, — продолжала она, держа одну свою ручку на моем плече, другою сжимая мне руку, а глазками заискивая в моих глазах, — мне показалось, что он был как-то мало проникнут... он показался мне таким уж mari[1], — знаешь, как будто десять лет женат, но всё еще любезный с женой че-

---

[1] мужем (*франц.*).

ловек. Не рано ли уж очень?.. Смеялся, вертелся, но как будто это всё ко мне только так, только уж отчасти относится, а не так, как прежде... Очень торопился к Катерине Федоровне... Я ему говорю, а он не слушает или об другом заговаривает, знаешь, эта скверная, великосветская привычка, от которой мы оба его так отучали. Одним словом, был такой... даже как будто равнодушный... Но что я! Вот и пошла, вот и начала! Ах, какие мы все требовательные, Ваня, какие капризные деспоты! Только теперь вижу! Пустой перемены в лице человеку не простим, а у него еще бог знает отчего переменилось лицо! Ты прав, Ваня, что сейчас укорял меня! Да я одна во всем виновата! Сами себе горести создаем, да еще жалуемся... Спасибо, Ваня, ты меня совершенно утешил. Ах, кабы он сегодня приехал! Да чего! Пожалуй, еще рассердится за давешнее.

— Да неужели вы уж поссорились! — вскричал я с удивлением.

— И виду не подала! Только я была немного грустна, а он из веселого стал вдруг задумчивым и, мне показалось, сухо со мной простился. Да я пошлю за ним... Приходи и ты, Ваня, сегодня.

— Непременно, если только не задержит одно дело.

— Ну вот, какое там дело?

— Да навязал себе! А впрочем, кажется, непременно приду.

ГЛАВА VII

Ровно в семь часов я был у Маслобоева. Он жил в Шестилавочной, в небольшом доме, во флигеле, в довольно неопрятной квартире о трех комнатах, впрочем не бедно меблированных. Виден был даже некоторый достаток и в то же время чрезвычайная нехозяйственность. Мне отворила прехорошенькая девушка лет девятнадцати, очень просто, но очень мило одетая, очень чистенькая и с предобрыми, веселыми глазками. Я тотчас догадался, что это и есть та самая Александра Семеновна, о которой он упомянул вскользь давеча, подманивая меня с ней познакомиться. Она спросила: кто я, и, услышав фамилию, сказала, что он ждет меня, но что теперь спит в своей комнате, куда меня и повела. Маслобоев спал на прекрасном, мягком диване, накрытый своею грязною шинелью, с кожаной истертой подушкой в головах. Сон у него был очень чуткий; только что мы вошли, он тотчас же окликнул меня по имени.

— А! Это ты? Жду. Сейчас во сне видел, что ты пришел и меня будишь. Значит, пора. Едем.

— Куда едем?

— К даме.

— К какой? Зачем?

— К мадам Бубновой, затем чтобы ее раскассировать. А какая красотка-то! — протянул он, обращаясь к Александре Семеновне, и даже поцеловал кончики пальцев при воспоминании о мадам Бубновой.

— Ну уж пошел, выдумал! — проговорила Александра Семеновна, считая непременным долгом немного рассердиться.

— Незнаком? Познакомься, брат: вот, Александра Семеновна, рекомендую тебе, это литературный генерал; их только раз в год даром осматривают, а в прочее время за деньги.

— Ну, вот дуру нашел. Вы его, пожалуйста, не слушайте, всё смеется надо мной. Какие они генералы?

— Я про то вам и говорю, что особенные. А ты, ваше превосходительство, не думай, что мы глупы; мы гораздо умнее, чем с первого взгляда кажемся.

— Да не слушайте его! Вечно-то застыдит при хороших людях, бесстыдник. Хоть бы в театр когда свез.

— Любите, Александра Семеновна, домашние свои... А не забыли, что любить-то надо? Словечко-то не забыли? Вот которому я вас учил?

— Конечно, не забыла. Вздор какой-нибудь значит.

— Ну, да какое ж словечко-то?

— Вот стану я страмиться при госте. Оно, может быть, страм какой значит. Язык отсохни, коли скажу.

— Значит, забыли-с?

— А вот и не забыла: пенаты! Любите свои пенаты... ведь вот что выдумает! Может, никаких пенатов и не было; и за что их любить-то? Всё врет!

— Зато у мадам Бубновой...

— Тьфу ты с своей Бубновой! — и Александра Семеновна выбежала в величайшем негодовании.

— Пора! идем! Прощайте, Александра Семеновна!

Мы вышли.

— Видишь, Ваня, во-первых, сядем на этого извозчика. Так. А во-вторых, я давеча, как с тобой простился, кой-что еще узнал и узнал уж не по догадкам, а в точности. Я еще на Васильевском целый час оставался. Этот пузан — страшная каналья, грязный, гадкий, с вычурами и с разными подлыми вкусами. Эта Бубнова давно уж известна кой-какими проделками в этом же роде. Она на днях с одной девочкой из честного дома чуть не попалась. Эти кисейные платья, в которые она рядила эту сиротку (вот ты давеча рассказывал), не давали мне покоя; потому что я кой-что уже до этого слышал. Давеча я кой-что еще разузнал, правда совершенно случайно, но, кажется, наверно. Сколько лет девочке?

— По лицу лет тринадцать.

— А по росту меньше. Ну, так она и сделает. Коли надо, скажет одиннадцать, а то пятнадцать. И так как у бедняжки ни защиты, ни семейства, то...

— Неужели?

— А ты что думал? Да уж мадам Бубнова из одного сострадания не взяла бы к себе сироту. А уж если пузан туда повадился, так уж так. Он с ней давеча утром виделся. А болвану Сизобрюхову обещана сегодня красавица, мужняя жена, чиновница и штаб-офицерка. Купецкие дети из кутящих до этого падки; всегда про чин спросят. Это как в латинской грамматике, помнишь: значение предпочитается окончанию. А впрочем, я еще, кажется, с давешнего пьян. Ну, а Бубнова такими делами заниматься не смей. Она и полицию надуть хочет; да врешь! А потому я и пугну, так как она знает, что я по старой памяти... ну и прочее — понимаешь?

Я был страшно поражен. Все эти известия взволновали мою душу. Я всё боялся, что мы опоздаем, и погонял извозчика.

— Не беспокойся; меры приняты, — говорил Маслобоев. — Там Митрошка. Сизобрюхов ему поплатится деньгами, а пузатый подлец — натурой. Это еще давеча решено было. Ну, а Бубнова на мой пай приходится... Потому она не смей...

Мы приехали и остановились у рестрации; но человека, называвшегося Митрошкой, там не было. Приказав извозчику нас дожидаться у крыльца рестрации, мы пошли к Бубновой. Митрошка поджидал нас у ворот. В окнах разливался яркий свет, и слышался пьяный, раскатистый смех Сизобрюхова.

— Там они все, с четверть часа будет, — известил Митрошка. — Теперь самое время.

— Да как же мы войдем? — спросил я.

— Как гости, — возразил Маслобоев. — Она меня знает; да и Митрошку знает. Правда, всё на запоре, да только не для нас.

Он тихо постучал в ворота, и они тотчас же отворились. Отворил дворник и перемигнулся с Митрошкой. Мы вошли тихо; в доме нас не слыхали. Дворник провел нас по лесенке и постучался. Его окликнули; он отвечал, что один: «дескать, надоть». Отворили, и мы все вошли разом. Дворник скрылся.

— Ай, кто это? — закричала Бубнова, пьяная и растрепанная, стоявшая в крошечной передней со свечою в руках.

— Кто? — подхватил Маслобоев. — Как же вы это, Анна Трифоновна, дорогих гостей не узнаете? Кто же, как не мы?.. Филипп Филиппыч.

— Ах, Филипп Филиппыч! это вы-с... дорогие гости... Да как же вы-с... я-с... ничего-с... пожалуйте сюда-с.

И она совсем заметалась.

— Куда сюда? Да тут перегородка... Нет, вы нас принимайте получше. Мы у вас холодненького выпьем, да машерочек нет ли?

Хозяйка мигом ободрилась.

— Да для таких дорогих гостей из-под земли найду; из китайского государства выпишу.

— Два слова, голубушка Анна Трифоновна: здесь Сизобрюхов?

— З...здесь.

— Так его-то мне и надобно. Как же он смел, подлец, без меня кутить!

— Да он вас, верно, не позабыл. Всё кого-то поджидал, верно, вас.

Маслобоев толкнул дверь, и мы очутились в небольшой комнате, в два окна, с геранями, плетеными стульями и с сквернейшими фортепианами; всё как следовало. Но еще прежде, чем мы вошли, еще когда мы разговаривали в передней, Митрошка стушевался. Я после узнал, что он и не входил, а пережидал за дверью. Ему было кому потом отворить. Растрепанная и нарумяненная женщина, выглядывавшая давеча утром из-за плеча Бубновой, приходилась ему кума.

Сизобрюхов сидел на тоненьком диванчике под красное дерево, перед круглым столом, покрытым скатертью. На столе стояли две бутылки теплого шампанского, бутылка скверного рому; стояли тарелки с кондитерскими конфетами, пряниками и орехами трех сортов. За столом, напротив Сизобрюхова, сидело отвратительное существо лет сорока и рябое, в черном тафтяном платье и с бронзовыми браслетами и брошками. Это была штаб-офицерка, очевидно поддельная. Сизобрюхов был пьян и очень доволен. Пузатого его спутника с ним не было.

— Так-то люди делают! — заревел во всё горло Маслобоев, — а еще к Дюссо приглашает!

— Филипп Филиппыч, осчастливили-с! — пробормотал Сизобрюхов, с блаженным видом подымаясь нам навстречу.

— Пьешь?

— Извините-с.

— Да ты не извиняйся, а приглашай гостей. С тобой погулять приехали. Вот привел еще гостя: приятель! — Маслобоев указал на меня.

— Рады-с, то есть осчастливили-с... Кхи!

— Ишь, шампанское называется! На кислые щи похоже.

— Обижаете-с.

— Знать, ты к Дюссо-то и показываться не смеешь; а еще приглашает!

— Он сейчас рассказывал, что в Париже был, — подхватила штаб-офицерка, — вот врет-то, должно быть!

— Федосья Титишна, не обижайте-с. Были-с. Ездили-с.

— Ну, такому ли мужику в Париже быть?

— Были-с. Могли-с. Мы там с Карпом Васильичем отличались. Карпа Васильича изволите знать-с?

— А на что мне знать твоего Карпа Васильича?

— Да уж так-с... из политики дело-с. А мы с ним там, в местечке Париже-с, у мадам Жубер-с, англицкую трюму разбили-с.

— Что разбили?

— Трюму-с. Трюма такая была, во всю стену до потолка простиралась; а уж Карп Васильич так пьян, что уж с мадам Жубер-с по-русски заговорил. Он это у трюмы стал, да и облокотился. А Жуберта-то и кричит ему, по-свойски то есть: «Трюма семьсот франков стоит (по-нашему четвертаков), разобьешь!» Он ухмыляется да на меня смотрит; а я супротив сижу на канапе, и красота со мной, да не такое рыло, как вот ефта-с, а с киксом, словом сказать-с. Он и кричит: «Степан Терентьич, а Степан Терентьич! Пополам идет, что ли?» Я говорю: «Идет!» — как он кулачищем-то по трюме-то стукнет — дзынь! Только осколки посыпались. Завизжала Жуберта, так в рожу ему прямо и лезет: «Что ты, разбойник, куда пришел?» (по-ихнему то есть). А он ей: «Ты, говорит, мадам Жубер-с, деньги бери, а ндраву моему не препятствуй», да тут же ей шестьсот пятьдесят франков и отвалил. Полсотни выторговали-с.

В эту минуту страшный, пронзительный крик раздался где-то за несколькими дверями, за две или за три комнатки от той, в которой мы были. Я вздрогнул и тоже закричал. Я узнал этот крик: это был голос Елены. Тотчас же вслед за этим жалобным криком раздались другие крики, ругательства, возня и наконец ясные, звонкие, отчетливые удары ладонью руки по лицу. Это, вероятно, расправлялся Митрошка по своей части. Вдруг с силой отворилась дверь и Елена, бледная, с помутившимися глазами, в белом кисейном, но совершенно измятом и изорванном платье, с расчесанными, но разбившимися, как бы в борьбе, волосами, ворвалась в комнату. Я стоял против дверей, а она бросилась прямо ко мне и обхватила меня руками. Все вскочили, все переполошились. Визги и крики раздались при ее появлении. Вслед за ней показался в дверях Митрошка, волоча за волосы своего пузатого недруга в самом растерзанном виде. Он доволок его до порога и вбросил к нам в комнату.

— Вот он! Берите его! — произнес Митрошка с совершенно довольным видом.

— Слушай, — проговорил Маслобоев, спокойно подходя ко мне и стукнув меня по плечу, — бери нашего извозчика, бери девочку и поезжай к себе, а здесь тебе больше нечего делать. Завтра уладим и остальное.

Я не заставил себе повторять два раза. Схватив за руку Елену, я вывел ее из этого вертепа. Уж не знаю, как там у них кончилось. Нас не останавливали: хозяйка была поражена ужасом. Всё произошло так скоро, что она и помешать не могла. Извозчик нас дожидался, и через двадцать минут я был уже на своей квартире.

Елена была как полумертвая. Я расстегнул крючки у ее платья, спрыснул ее водой и положил на диван. С ней начался жар и бред. Я глядел на ее бледное личико, на бесцветные ее губы, на ее черные, сбившиеся на сторону, но расчесанные волосок к волоску и напомаженные волосы, на весь ее туалет, на эти розовые бантики, еще уцелевшие кой-где на платье, — и понял окончательно всю эту отвратительную историю. Бедная! Ей становилось всё хуже и хуже. Я не отходил от нее и решился не ходить этот вечер к Наташе. Иногда Елена подымала свои длинные ресницы и взглядывала на меня, и долго и пристально глядела, как бы узнавая меня. Уже поздно, часу в первом ночи, она заснула. Я заснул подле нее на полу.

ГЛАВА VIII

Я встал очень рано. Всю ночь я просыпался почти каждые полчаса, подходил к моей бедной гостье и внимательно к ней присматривался. У нее был жар и легкий бред. Но к утру она заснула крепко. Добрый знак, подумал я, но, проснувшись утром, решился поскорей, покамест бедняжка еще спала, сбегать к доктору. Я знал одного доктора, холостого и добродушного старичка, с незапамятных времен жившего у Владимирской вдвоем с своей экономкой-немкой. К нему-то я и отправился. Он обещал быть у меня в десять часов. Было восемь, когда я приходил к нему. Мне ужасно хотелось зайти по дороге к Маслобоеву, но я раздумал: он, верно, еще спал со вчерашнего, да к тому же Елена могла проснуться и, пожалуй, без меня испугалась бы, увидя себя в моей квартире. В болезненном своем состоянии она могла забыть: как, когда и каким образом попала ко мне.

Она проснулась в ту самую минуту, когда я входил в комнату. Я подошел к ней и осторожно спросил: как она себя чувствует? Она не отвечала, но долго-долго и пристально на меня смотрела своими выразительными черными глазами. Мне показалось из ее взгляда, что она всё понимает и в полной памяти. Не отвечала же она мне, может быть, по своей всегдашней привычке. И вчера и третьего дня, как приходила ко мне, она на иные мои вопросы не проговаривала ни слова, а только начинала вдруг смотреть мне в глаза своим длинным, упорным взглядом, в котором вместе с недоумением и диким любопытством была еще какая-то странная гордость. Теперь же я заметил в ее взгляде суровость и даже как будто недоверчивость. Я было приложил руку к ее лбу, чтоб пощупать, есть ли жар, но она молча и тихо своей маленькой ручкой отвела мою и отвернулась от меня лицом к стене. Я отошел, чтоб уж и не беспокоить ее.

У меня был большой медный чайник. Я уже давно употреблял его вместо самовара и кипятил в нем воду. Дрова у меня были, дворник разом носил мне их дней на пять. Я затопил печь, сходил за водой и наставил чайник. На столе же приготовил мой чайный прибор. Елена повернулась ко мне и смотрела на всё с любопытством. Я спросил ее, не хочет ли и она чего? Но она опять от меня отвернулась и ничего не ответила.

«На меня-то за что ж она сердится? — подумал я. — Странная девочка!»

Мой старичок доктор пришел, как сказал, в десять часов. Он осмотрел больную со всей немецкой внимательностью и сильно обнадежил меня, сказав, что хоть и есть лихорадочное состояние, но особенной опасности нет никакой. Он прибавил, что у ней должна быть другая, постоянная болезнь, что-нибудь вроде неправильного сердцебиения, «но что этот пункт будет требовать особенных наблюдений, теперь же она вне опасности». Он прописал ей микстуру и каких-то порошков, более для обычая, чем для надобности, и тотчас же начал меня расспрашивать: каким образом она у меня очутилась? В то же время он с удивлением рассматривал мою квартиру. Этот старичок был ужасный болтун.

Елена же его поразила; она вырвала у него свою руку, когда он щупал ее пульс, и не хотела показать ему язык. На все вопросы его не отвечала ни слова, но всё время только пристально смотрела на его огромный Станислав, качавшийся у него на шее. «У нее, верно, голова очень болит, — заметил старичок, —

но только как она глядит!» Я не почел за нужное ему рассказывать о Елене и отговорился тем, что это длинная история.

— Дайте мне знать, если надо будет, — сказал он, уходя. — А теперь нет опасности.

Я решился на весь день остаться с Еленой и, по возможности, до самого выздоровления оставлять ее как можно реже одну. Но зная, что Наташа и Анна Андреевна могут измучиться, ожидая меня понапрасну, решился хоть Наташу уведомить по городской почте письмом, что сегодня у ней не буду. Анне же Андреевне нельзя было писать. Она сама просила меня, чтоб я, раз навсегда, не присылал ей писем, после того как я однажды послал было ей известие во время болезни Наташи. «И старик хмурится, как письмо твое увидит, — говорила она, — узнать-то ему очень хочется, сердечному, что́ в письме, да и спросить-то нельзя, не решается. Вот и расстроится на весь день. Да к тому же, батюшка, письмом-то ты меня только раздразнишь. Ну что десять строк! Захочется подробнее расспросить, а тебя-то и нет». И потому я написал одной Наташе и, когда относил в аптеку рецепт, отправил зараз и письмо.

Тем временем Елена опять заснула. Во сне она слегка стонала и вздрагивала. Доктор угадал: у ней сильно болела голова. Порой она слегка вскрикивала и просыпалась. На меня она взглядывала даже с досадою, как будто ей особенно тяжело было мое внимание. Признаюсь, мне было это очень больно.

В одиннадцать часов пришел Маслобоев. Он был озабочен и как будто рассеян; зашел он только на минутку и очень куда-то торопился.

— Ну, брат, я ожидал, что ты живешь неказисто, — заметил он, осматриваясь, — но, право, не думал, что найду тебя в таком сундуке. Ведь это сундук, а не квартира. Ну, да это-то, положим, ничего, а главная беда в том, что тебя все эти посторонние хлопоты только отвлекают от работы. Я об этом думал еще вчера, когда мы ехали к Бубновой. Я ведь, брат, по натуре моей и по социальному моему положению принадлежу к тем людям, которые сами путного ничего не делают, а другим наставления читают, чтоб делали. Теперь слушай: я, может быть, завтра или послезавтра зайду к тебе, а ты непременно побывай у меня в воскресенье утром. К тому времени дело этой девочки, надеюсь, совсем кончится; в тот же раз с тобой серьезно переговорю, потому что за тебя надо серьезно приняться. Эдак жить нельзя. Я тебе вчера только намекнул, а теперь логически представлять буду. Да и, наконец, скажи: что ж ты за бесчестье, что ли, считаешь взять у меня денег на время?..

— Да не ссорься! — прервал я его. — Лучше скажи, чем у вас там вчера-то кончилось?

— Да что, кончилось благополучнейшим образом, и цель достигнута, понимаешь? Теперь же мне некогда. На минутку зашел только уведомить, что мне некогда и не до тебя; да, кстати, узнать: что, ты ее поместишь куда-нибудь или у себя держать хочешь? Потому это надо обдумать и решить.

— Этого я еще наверно не знаю и, признаюсь, ждал тебя, чтоб с тобой посоветоваться. Ну на каком, например, основании я буду ее у себя держать?

— Э, чего тут, да хоть в виде служанки...

— Прошу тебя только, говори тише. Она хоть и больна, но совершенно в памяти, и как тебя увидела, я заметил, как будто вздрогнула. Значит, вчерашнее вспомнила...

Тут я ему рассказал об ее характере и всё, что я в ней заметил. Слова мои заинтересовали Маслобоева. Я прибавил, что, может быть, помещу ее в один дом, и слегка рассказал ему про моих стариков. К удивлению моему, он уже отчасти знал историю Наташи и на вопрос мой: откуда он знает?

— Так; давно, как-то мельком слышал, к одному делу приходилось. Ведь я уже говорил тебе, что знаю князя Валковского. Это ты хорошо делаешь, что хочешь отправить ее к тем старикам. А то стеснит она тебя только. Да вот еще что: ей нужен какой-нибудь вид. Об этом не беспокойся; на себя беру. Прощай, заходи чаще. Что она теперь, спит?

— Кажется, — отвечал я.

Но только что он ушел, Елена тотчас же меня окликнула.

— Кто это? — спросила она. Голос ее дрожал, но смотрела она на меня всё тем же пристальным и как будто надменным взглядом. Иначе я не умею выразиться.

Я назвал ей фамилию Маслобоева и прибавил, что через него-то я и вырвал ее от Бубновой и что Бубнова его очень боится. Щеки ее вдруг загорелись как будто заревом, вероятно от воспоминаний.

— И она теперь никогда не придет сюда? — спросила Елена, пытливо смотря на меня.

Я поспешил ее обнадежить. Она замолчала, взяла было своими горячими пальчиками мою руку, но тотчас же отбросила ее, как будто опомнившись. «Не может быть, чтоб она в самом деле чувствовала ко мне такое отвращение, — подумал я. — Это ее манера, или... или просто бедняжка видела столько горя, что уж не доверяет никому на свете».

В назначенное время я сходил за лекарством и вместе с тем в знакомый трактир, в котором я иногда обедал и где мне верили в долг. В этот раз, выходя из дому, я захватил с собой судки и взял в трактире порцию супу из курицы для Елены. Но она не хотела есть, и суп до времени остался в печке.

Дав ей лекарство, я сел за свою работу. Я думал, что она спит, но, нечаянно взглянув на нее, вдруг увидел, что она приподняла голову и пристально следила, как я пишу. Я притворился, что не заметил ее.

Наконец она и в самом деле заснула и, к величайшему моему удовольствию, спокойно, без бреду и без стонов. На меня напало раздумье; Наташа не только могла, не зная, в чем дело, рассердиться на меня за то, что я не приходил к ней сегодня, но даже, думал я, наверно будет огорчена моим невниманием именно в такое время, когда, может быть, я ей наиболее нужен. У нее даже наверно могли случиться теперь какие-нибудь хлопоты, какое-нибудь дело препоручить мне, а меня, как нарочно, и нет.

Что же касается до Анны Андреевны, то я совершенно не знал, как завтра отговорюсь перед нею. Я думал-думал и вдруг решился сбегать и туда и сюда. Всё мое отсутствие могло продолжаться всего только два часа. Елена же спит и не услышит, как я схожу. Я вскочил, накинул пальто, взял фуражку, но только было хотел уйти, как вдруг Елена позвала меня. Я удивился: неужели ж она притворялась, что спит?

Замечу кстати: хоть Елена и показывала вид, что как будто не хочет говорить со мною, но эти оклики, довольно частые, эта потребность обращаться ко мне со всеми недоумениями, доказывали противное и, признаюсь, были мне даже приятны.

— Куда вы хотите отдать меня? — спросила она, когда я к ней подошел. Вообще она задавала свои вопросы как-то вдруг, совсем для меня неожиданно. В этот раз я даже не сейчас ее понял.

— Давеча вы говорили с вашим знакомым, что хотите отдать меня в какой-то дом. Я никуда не хочу.

Я нагнулся к ней: она была опять вся в жару; с ней был опять лихорадочный кризис. Я начал утешать ее и обнадеживать; уверял ее, что если она хочет остаться у меня, то я никуда ее не отдам. Говоря это, я снял пальто и фуражку. Оставить ее одну в таком состоянии я не решился.

— Нет, ступайте! — сказала она, тотчас догадавшись, что я хочу остаться. — Я спать хочу; я сейчас засну.

— Да как же ты одна будешь?.. — говорил я в недоумении. — Я, впрочем, наверно через два часа назад буду...

— Ну, и ступайте. А то целый год больна буду, так вам целый год из дому не уходить, — и она попробовала улыбнуться и как-то странно взглянула на меня, как будто борясь с каким-то добрым чувством, отозвавшимся в ее сердце. Бедняжка! Добренькое, нежное ее сердце выглядывало наружу, несмотря на всю ее нелюдимость и видимое ожесточение.

Сначала я сбегал к Анне Андреевне. Она ждала меня с лихорадочным нетерпением и встретила упреками; сама же была в страшном беспокойстве: Николай Сергеич сейчас после обеда ушел со двора, а куда — неизвестно. Я предчувствовал, что старушка не утерпела и рассказала ему всё, по своему обыкновению, *намеками*. Она, впрочем, мне почти что призналась в этом сама, говоря, что не могла утерпеть, чтоб не поделиться с ним такою радостью, но что Николай Сергеич стал, по ее собственному выражению, чернее тучи, ничего не сказал, «всё молчал, даже на вопросы мои не отвечал», и вдруг после обеда собрался и был таков. Рассказывая это, Анна Андреевна чуть не дрожала от страху и умоляла меня подождать с ней вместе Николая Сергеича. Я отговорился и сказал ей почти наотрез, что, может быть, и завтра не приду и что я собственно потому и забежал теперь, чтобы об этом предуведомить. В этот раз мы чуть было не поссорились. Она заплакала; резко и горько упрекала меня, и только когда я уже выходил из двери, она вдруг бросилась ко мне на шею, крепко обняла меня обеими руками и сказала, чтоб я не сердился на нее, «сироту», и не принимал в обиду слов ее.

Наташу, против ожидания, я застал опять одну, и — странное дело, мне показалось, что она вовсе не так была мне в этот раз рада, как вчера и вообще в другие разы. Как будто я ей в чем-нибудь досадил или помешал. На мой вопрос: был ли сегодня Алеша? — она отвечала: разумеется, был, но недолго. Обещался сегодня вечером быть, — прибавила она, как бы в раздумье.

— А вчера вечером был?

— Н-нет. Его задержали, — прибавила она скороговоркой. — Ну, что, Ваня, как твои дела?

Я видел, что она хочет зачем-то замять наш разговор и свернуть на другое. Я оглядел ее пристальнее: она была видимо расстроена. Впрочем, заметив, что я пристально слежу за ней и в нее вглядываюсь, она вдруг быстро и как-то гневно взглянула на меня и с такою силою, что как будто обожгла меня взглядом. «У нее опять горе, — подумал я, — только она говорить мне не хочет».

В ответ на ее вопрос о моих делах я рассказал ей всю историю Елены, со всеми подробностями. Ее чрезвычайно заинтересовал и даже поразил мой рассказ.

— Боже мой! И ты мог ее оставить одну, больную! — вскричала она.

Я объяснил, что хотел было совсем не приходить к ней сегодня, но думал, что она на меня рассердится и что во мне могла быть какая-нибудь нужда.

— Нужда, — проговорила она про себя, что-то обдумывая, — нужда-то, пожалуй, есть в тебе, Ваня, но лучше уж в другой раз. Был у наших?

Я рассказал ей.

— Да; бог знает, как отец примет теперь все эти известия. А впрочем, что и принимать-то...

— Как что принимать? — спросил я, — такой переворот!

— Да уж так... Куда ж это он опять пошел? В тот раз вы думали, что он ко мне ходил. Видишь, Ваня, если можешь, зайди ко мне завтра. Может быть, я кой-что и скажу тебе... Совестно мне только тебя беспокоить; а теперь шел бы ты домой к своей гостье. Небось часа два прошло, как ты вышел из дома?

— Прошло. Прощай, Наташа. Ну, а каков был сегодня с тобой Алеша?

— Да что Алеша, ничего... Удивляюсь даже твоему любопытству.

— До свидания, друг мой.

— Прощай. — Она подала мне руку как-то небрежно и отвернулась от моего последнего прощального взгляда. Я вышел от нее несколько удивленный. «А впрочем, — подумал я, — есть же ей об чем и задуматься. Дела не шуточные. А завтра всё первая же мне и расскажет».

Возвратился я домой грустный и был страшно поражен, только что вошел в дверь. Было уже темно. Я разглядел, что Елена сидела на диване, опустив на грудь голову, как будто в глубокой задумчивости. На меня она и не взглянула, точно была в забытьи. Я подошел к ней; она что-то шептала про себя. «Уж не в бреду ли?» — подумал я.

— Елена, друг мой, что с тобой? — спросил я, садясь подле нее и охватив ее рукою.

— Я хочу отсюда... Я лучше хочу к ней, — проговорила она, не подымая ко мне головы.

— Куда? К кому? — спросил я в удивлении.

— К ней, к Бубновой. Она всё говорит, что я ей должна много денег, что она маменьку на свои деньги похоронила... Я не хочу, чтобы она бранила маменьку, я хочу у ней работать и всё ей заработаю... Тогда от нее сама и уйду. А теперь я опять к ней пойду.

— Успокойся, Елена, к ней нельзя, — говорил я. — Она тебя замучает; она тебя погубит...

— Пусть погубит, пусть мучает, — с жаром подхватила Елена, — не я первая; другие и лучше меня, да мучаются. Это мне нищая на улице говорила. Я бедная и хочу быть бедная. Всю жизнь буду бедная; так мне мать велела, когда умирала. Я работать буду... Я не хочу это платье носить...

— Я завтра же тебе куплю другое. Я и книжки твои тебе принесу. Ты будешь у меня жить. Я тебя никому не отдам, если сама не захочешь; успокойся...

— Я в работницы наймусь.

— Хорошо, хорошо! Только успокойся, ляг, засни!

Но бедная девочка залилась слезами. Мало-помалу слезы ее обратились в рыдания. Я не знал, что с ней делать; подносил ей воды, мочил ей виски, голову. Наконец она упала на диван в совершенном изнеможении, и с ней опять начался лихорадочный озноб. Я окутал ее, чем нашлось, и она заснула, но беспокойно, поминутно вздрагивая и просыпаясь. Хоть я и не много ходил в этот день, но устал ужасно и рассудил сам лечь как можно раньше. Мучительные заботы роились в моей голове. Я предчувствовал, что с этой девочкой мне будет много хлопот. Но более всего заботила меня Наташа и ее дела. Вообще, вспоминаю теперь, я редко был в таком тяжелом расположении духа, как засыпая в эту несчастную ночь.

ГЛАВА IX

Проснулся я больной, поздно, часов в десять утра. У меня кружилась и болела голова. Я взглянул на постель Елены: постель была пуста. В то же время из правой моей комнатки долетали до меня какие-то звуки, как будто кто-то шуркал по полу веником. Я вышел посмотреть. Елена, держа в руке веник и придерживая другой рукой свое нарядное платьице, которое она еще и не снимала с того самого вечера, мела пол. Дрова, приготовленные в печку, были сложены в уголку; со стола стерто, чайник вычищен; одним словом, Елена хозяйничала.

— Послушай, Елена, — закричал я, — кто же тебя заставляет пол мести? Я этого не хочу, ты больна; разве ты в работницы пришла ко мне?

— Кто ж будет здесь пол мести? — отвечала она, выпрямляясь и прямо смотря на меня. — Теперь я не больна.

— Но я не для работы взял тебя, Елена. Ты как будто боишься, что я буду попрекать тебя, как Бубнова, что ты у меня даром живешь? И откуда ты взяла этот гадкий веник? У меня не было веника, — прибавил я, смотря на нее с удивлением.

— Это мой веник. Я его сама сюда принесла. Я и дедушке здесь пол мела. А веник вот тут, под печкой с того времени и лежал.

Я воротился в комнату в раздумье. Могло быть, что я грешил; но мне именно казалось, что ей как будто тяжело было мое гостеприимство и что она всячески хотела доказать мне, что живет у меня не даром. «В таком случае какой же это озлобленный характер?» — подумал я. Минуты две спустя вошла и она и молча села на свое вчерашнее место на диване, пытливо на меня поглядывая. Между тем я вскипятил чайник, заварил чай, налил ей чашку и подал с куском белого хлеба. Она взяла молча и беспрекословно. Целые сутки она почти ничего не ела.

— Вот и платьице хорошенькое запачкала веником, — сказал я, заметив большую грязную полосу на подоле ее юбки.

Она осмотрелась и вдруг, к величайшему моему удивлению, отставила чашку, ущипнула обеими руками, по-видимому хладнокровно и тихо, кисейное полотнище юбки и одним взмахом разорвала его сверху донизу. Сделав это, она молча подняла на меня свой упорный, сверкающий взгляд. Лицо ее было бледно.

— Что ты делаешь, Елена? — закричал я, уверенный, что вижу перед собою сумасшедшую.

— Это нехорошее платье, — проговорила она, почти задыхаясь от волнения. — Зачем вы сказали, что это хорошее платье? Я не хочу его носить, — вскричала она вдруг, вскочив с места. — Я его изорву. Я не просила ее рядить меня. Она меня нарядила сама, насильно. Я уж разорвала одно платье, разорву и это, разорву! Разорву! Разорву!..

И она с яростью накинулась на свое несчастное платьице. В один миг она изорвала его чуть не в клочки. Когда она кончила, она была так бледна, что едва стояла на месте. Я с удивлением смотрел на такое ожесточение. Она же смотрела на меня каким-то вызывающим взглядом, как будто и я был тоже в чем-нибудь виноват перед нею. Но я уже знал, что мне делать.

Я положил, не откладывая, сегодня же утром купить ей новое платье. На это дикое, ожесточенное существо нужно было действовать добротой. Она смотрела так, как будто никогда и не видывала добрых людей. Если она уж раз, несмотря на жестокое наказание, изорвала в клочки свое первое, такое же платье, то с каким же ожесточением она должна была смотреть на него теперь, когда оно напоминало ей такую ужасную недавнюю минуту.

На Толкучем можно было очень дешево купить хорошенькое и простенькое платьице. Беда была в том, что у меня в ту минуту почти совсем не было денег. Но я еще накануне, ложась спать, решил отправиться сегодня в одно место, где была надежда достать их, и как раз приходилось идти в ту самую сторону, где Толкучий. Я взял шляпу. Елена пристально следила за мной, как будто чего-то ждала.

— Вы опять запрете меня? — спросила она, когда я взялся за ключ, чтоб запереть за собой квартиру, как вчера и третьего дня.

— Друг мой, — сказал я, подходя к ней, — не сердись за это. Я потому запираю, что может кто-нибудь прийти. Ты же больная, пожалуй испугаешься. Да и бог знает, кто еще придет; может быть, Бубнова вздумает прийти...

Я нарочно сказал ей это. Я запирал ее, потому что не доверял ей. Мне казалось, что она вдруг вздумает уйти от меня. До времени я решился быть осторожнее. Елена промолчала, и я таки запер ее и в этот раз.

Я знал одного антрепренера, издававшего уже третий год одну многотомную книгу. У него я часто доставал работу, когда нужно было поскорей заработать сколько-нибудь денег. Платил он исправно. Я отправился к нему, и мне удалось получить двадцать пять рублей вперед, с обязательством доставить через неделю компилятивную статью. Но я надеялся выгадать время на моем романе. Это я часто делал, когда приходила крайняя нужда.

Добыв денег, я отправился на Толкучий. Там скоро я отыскал знакомую мне старушку торговку, продававшую всякое тряпье. Я ей рассказал примерно рост Елены, и она мигом выбрала мне светленькое ситцевое, совершенно крепкое и не более одного раза мытое платьице за чрезвычайно дешевую цену. Кстати уж я захватил и шейный платочек. Расплачиваясь, я подумал, что надо же Елене какую-нибудь шубейку, мантильку или что-нибудь в этом роде. Погода стояла холодная, а у ней ровно ничего не было. Но я отложил эту покупку до другого раза. Елена была такая обидчивая, гордая. Господь знает, как примет она и это платье, несмотря на то что я нарочно выбирал как можно проще и неказистее, самое буднишнее, какое только можно было выбрать. Впрочем, я все-таки купил две пары чулок нитяных и одни шерстяные. Это я мог отдать ей под предлогом того, что она больна, а в комнате холодно. Ей надо было тоже белья. Но всё это я оставил до тех пор, пока поближе с ней познакомлюсь. Зато я купил старые занавески к кровати — вещь необходимую и которая могла принесть Елене большое удовольствие.

Со всем этим я воротился домой уже в час пополудни. Замок мой отпирался почти неслышно, так что Елена не сейчас услыхала, что я воротился. Я заметил, что она стояла у стола и перебирала мои книги и бумаги. Услышав же меня, она быстро захлопнула книгу, которую читала, и отошла от стола, вся покраснев. Я взглянул на эту книгу: это был мой первый роман, изданный отдельной книжкой и на заглавном листе которого выставлено было мое имя.

— А сюда кто-то без вас стучался, — сказала она таким тоном, как будто поддразнивая меня: зачем, дескать, запирал?

— Уж не доктор ли, — сказал я, — ты не окликнула его, Елена?

— Нет.

Я не отвечал, взял узелок, развязал его и вынул купленное платье.

— Вот, друг мой Елена, — сказал я, подходя к ней, — в таких клочьях, как ты теперь, ходить нельзя. Я и купил тебе платье, буднишнее, самое дешевое, так что тебе нечего беспокоиться; оно всего рубль двадцать копеек стоит. Носи на здоровье.

Я положил платье подле нее. Она вспыхнула и смотрела на меня некоторое время во все глаза.

Она была чрезвычайно удивлена, и вместе с тем мне показалось, ей было чего-то ужасно стыдно. Но что-то мягкое, нежное засветилось в глазах ее. Видя, что она молчит, я отвернулся к столу. Поступок мой, видимо, поразил ее. Но она с усилием превозмогала себя и сидела, опустив глаза в землю.

Голова моя болела и кружилась всё более и более. Свежий воздух не принес мне ни малейшей пользы. Между тем надо было идти к Наташе. Беспокойство мое об ней не уменьшалось со вчерашнего дня, напротив — возрастало всё более и более. Вдруг мне показалось, что Елена меня окликнула. Я оборотился к ней.

— Вы, когда уходите, не запирайте меня, — проговорила она, смотря в сторону и пальчиком теребя на диване покромку, как будто бы вся была погружена в это занятие. — Я от вас никуда не уйду.

— Хорошо, Елена, я согласен. Но если кто-нибудь придет чужой? Пожалуй, еще бог знает кто?

— Так оставьте ключ мне, я и запрусь изнутри; а будут стучать, я и скажу: нет дома. — И она с лукавством посмотрела на меня, как бы приговаривая: «Вот ведь как это просто делается!»

— Вам кто белье моет? — спросила она вдруг, прежде чем я успел ей отвечать что-нибудь.

— Здесь, в этом доме, есть женщина.

— Я умею мыть белье. А где вы кушанье вчера взяли?

— В трактире.

— Я и стряпать умею. Я вам кушанье буду готовить.

— Полно, Елена; ну что ты можешь уметь стряпать? Всё это ты не к делу говоришь...

Елена замолчала и потупилась. Ее, видимо, огорчило мое замечание. Прошло по крайней мере минут десять; мы оба молчали.

— Суп, — сказала она вдруг, не поднимая головы.

— Как суп? Какой суп? — спросил я, удивляясь.

— Суп умею готовить. Я для маменьки готовила, когда она была больна. Я и на рынок ходила.

— Вот видишь, Елена, вот видишь, какая ты гордая, — сказал я, подходя к ней и садясь с ней на диван рядом. — Я с тобой поступаю, как мне велит мое сердце. Ты теперь одна, без родных, несчастная. Я тебе помочь хочу. Так же бы и ты мне помогла, когда бы мне было худо. Но ты не хочешь так рассудить, и вот тебе тяжело от меня самый простой подарок принять. Ты тотчас же хочешь за него заплатить, заработать, как будто я Бубнова и тебя попрекаю. Если так, то это стыдно, Елена.

Она не отвечала, губы ее вздрагивали. Кажется, ей хотелось что-то сказать мне; но она скрепилась и смолчала. Я встал, чтоб идти к Наташе. В этот раз я оставил Елене ключ, прося ее, если кто придет и будет стучаться, окликнуть и спросить: кто такой? Я совершенно был уверен, что с Наташей случилось что-нибудь очень нехорошее, а что она до времени таит от меня, как это и не раз бывало между нами. Во всяком случае, я решился зайти к ней только на одну минутку, иначе я мог раздражить ее моею назойливостью.

Так и случилось. Она опять встретила меня недовольным, жестким взглядом. Надо было тотчас же уйти; а у меня ноги подкашивались.

— Я к тебе на минутку, Наташа, — начал я, — посоветоваться: что мне делать с моей гостьей? — И я начал поскорей рассказывать всё про Елену. Наташа выслушала меня молча.

— Не знаю, что тебе посоветовать, Ваня, — отвечала она. — По всему видно, что это престранное существо. Может быть, она была очень обижена, очень напугана. Дай ей по крайней мере выздороветь. Ты ее хочешь к нашим?

— Она всё говорит, что никуда от меня не пойдет. Да и бог знает, как там ее примут, так что я и не знаю. Ну что, друг мой, как ты? Ты вчера была как будто нездорова! — спросил я ее робея.

— Да... у меня и сегодня что-то голова болит, — отвечала она рассеянно. — Не видал ли кого из наших?

— Нет. Завтра схожу. Ведь вот завтра суббота...

— Так что же?

— Вечером будет князь...

— Так что же? Я не забыла.

— Нет, я ведь только так...

Она остановилась прямо передо мной и долго и пристально посмотрела мне в глаза. В ее взгляде была какая-то решимость, какое-то упорство; что-то лихорадочное, горячечное.

— Знаешь что, Ваня, — сказала она, — будь добр, уйди от меня, ты мне очень мешаешь...

Я встал с кресел и с невыразимым удивлением смотрел на нее.

— Друг мой, Наташа! Что с тобой? Что случилось? — вскричал я в испуге.

— Ничего не случилось! Всё, всё завтра узнаешь, а теперь я хочу быть одна. Слышишь, Ваня: уходи сейчас. Мне так тяжело, так тяжело смотреть на тебя!

— Но скажи мне по крайней мере...

— Всё, всё завтра узнаешь! О боже мой! Да уйдешь ли ты?

Я вышел. Я был так поражен, что едва помнил себя. Мавра выскочила за мной в сени.

— Что, сердится? — спросила она меня. — Я уж и подступиться к ней боюсь.

— Да что с ней такое?

— А то, что *наш*-то третий день носу к нам не показывал!

— Как третий день? — спросил я в изумлении, — да она сама вчера говорила, что он вчера утром был да еще вчера вечером хотел приехать...

— Какое вечером! Он и утром совсем не был! Говорю тебе, с третьего дня глаз не кажет. Неужто сама вчера сказывала, что утром был?

— Сама говорила.

— Ну, — сказала Мавра в раздумье, — значит, больно ее задело, когда уж перед тобой признаться не хочет, что не был. Ну, молодец!

— Да что ж это такое! — вскричал я.

— А то такое, что и я не знаю, что с ней делать, — продолжала Мавра, разводя руками. — Вчера еще было меня к нему посылала, да два раза с дороги воротила. А сегодня так уж и со мной говорить не хочет. Хоть бы ты его повидал. Я уж и отойти от нее не смею.

Я бросился вне себя вниз по лестнице.

— К вечеру-то будешь у нас? — закричала мне вслед Мавра.

— Там увидим, — отвечал я с дороги. — Я, может, только к тебе забегу и спрошу: что и как? Если только сам жив буду.

Я действительно почувствовал, что меня как будто что ударило в самое сердце.

ГЛАВА X

Я отправился прямо к Алеше. Он жил у отца в Малой Морской. У князя была довольно большая квартира, несмотря на то что он жил один. Алеша занимал в этой квартире две прекрасные комнаты. Я очень редко бывал у него, до этого раза всего, кажется, однажды. Он же заходил ко мне чаще, особенно сначала, в первое время его связи с Наташей.

Его не было дома. Я прошел прямо в его половину и написал ему такую записку:

«Алеша, вы, кажется, сошли с ума. Так как вечером во вторник ваш отец сам просил Наташу сделать вам честь быть вашей женою, вы же этой просьбе были рады, чему я свидетель, то, согласитесь сами, ваше поведение в настоящем случае несколько странно. Знаете ли, что вы делаете с Наташей? Во всяком случае, моя записка вам напомнит, что поведение ваше перед вашей будущей женою в высшей степени недостойно и легкомысленно. Я очень хорошо знаю, что не имею никакого права вам читать наставления, но не обращаю на это никакого внимания.

P. S. О письме этом она ничего не знает, и даже не она мне говорила про вас».

Я запечатал записку и оставил у него на столе. На вопрос мой слуга отвечал, что Алексей Петрович почти совсем не бывает дома и что и теперь воротится не раньше, как ночью, перед рассветом.

Я едва дошел домой. Голова моя кружилась, ноги слабели и дрожали. Дверь ко мне была отворена. У меня сидел Николай Сергеич Ихменев и дожидался меня. Он сидел у стола и молча, с удивлением смотрел на Елену, которая тоже с неменьшим удивлением его рассматривала, хотя упорно молчала. «То-то, — думал я, — она должна ему показаться странною».

— Вот, брат, целый час жду тебя и, признаюсь, никак не ожидал... тебя так найти, — продолжал он, осматриваясь в комнате и неприметно мигая мне на Елену. В глазах его изображалось изумление. Но, вглядевшись в него ближе, я заметил в нем тревогу и грусть. Лицо его было бледнее обыкновенного.

— Садись-ка, садись, — продолжал он с озабоченным и хлопотливым видом, — вот спешил к тебе, дело есть; да что с тобой? На тебе лица нет.

— Нездоровится. С самого утра кружится голова.

— Ну, смотри, этим нечего пренебрегать. Простудился, что ли?

— Нет, просто нервный припадок. У меня это иногда бывает. Да вы-то здоровы ли?

— Ничего, ничего! Это так, сгоряча. Есть дело. Садись.

Я придвинул стул и уселся лицом к нему у стола. Старик слегка нагнулся ко мне и начал полушепотом:

— Смотри не гляди на нее и показывай вид, как будто мы говорим о постороннем. Это что у тебя за гостья такая сидит?

— После вам всё объясню, Николай Сергеич. Это бедная девочка, совершенная сирота, внучка того самого Смита, который здесь жил и умер в кондитерской.

— А, так у него была и внучка! Ну, братец, чудак же она! Как глядит, как глядит! Просто говорю: еще бы ты минут пять не пришел, я бы здесь не высидел. Насилу отперла и до сих пор ни слова; просто жутко с ней, на человеческое существо не похожа. Да как она здесь очутилась? А, понимаю, верно, к деду пришла, не зная, что он умер.

— Да. Она была очень несчастна. Старик, еще умирая, об ней вспоминал.

— Гм! каков дед, такова и внучка. После всё это мне расскажешь. Может быть, можно будет и помочь чем-нибудь, так чем-нибудь, коль уж она такая несчастная... Ну, а теперь нельзя ли, брат, ей сказать, чтоб она ушла, потому что поговорить с тобой надо серьезно.

— Да уйти-то ей некуда. Она здесь и живет.

Я объяснил старику, что мог, в двух словах, прибавив, что можно говорить и при ней, потому что она дитя.

— Ну да... конечно, дитя. Только ты, брат, меня ошеломил. С тобой живет, Господи Боже мой!

И старик в изумлении посмотрел на нее еще раз. Елена, чувствуя, что про нее говорят, сидела молча, потупив голову и щипала пальчиками покромку дивана. Она уже успела надеть на себя новое платьице, которое вышло ей совершенно впору. Волосы ее были приглажены тщательнее обыкновенного, может быть, по поводу нового платья. Вообще если б не странная дикость ее взгляда, то она была бы премиловидная девочка.

— Коротко и ясно, вот в чем, брат, дело, — начал опять старик, — длинное дело, важное дело...

Он сидел потупившись, с важным и соображающим видом и, несмотря на свою торопливость и на «коротко и ясно», не находил слов для начала речи. «Что-то будет?» — подумал я.

— Видишь, Ваня, пришел я к тебе с величайшей просьбой. Но прежде... так как я сам теперь соображаю, надо бы тебе объяснить некоторые обстоятельства... чрезвычайно щекотливые обстоятельства...

Он откашлянулся и мельком взглянул на меня; взглянул и покраснел; покраснел и рассердился на себя за свою ненаходчивость; рассердился и решился:

— Ну, да что тут еще объяснять! Сам понимаешь. Просто-запросто я вызываю князя на дуэль, а тебя прошу устроить это дело и быть моим секундантом.

Я отшатнулся на спинку стула и смотрел на него вне себя от изумления.

— Ну что смотришь! Я ведь не сошел с ума.

— Но, позвольте, Николай Сергеич! Какой же предлог, какая цель? И, наконец, как это можно...

— Предлог! цель! — вскричал старик, — вот прекрасно!..

— Хорошо, хорошо, знаю, что вы скажете; но чему же вы поможете вашей выходкой! Какой выход представляет дуэль? Признаюсь, ничего не понимаю.

— Я так и думал, что ты ничего не поймешь. Слушай: тяжба наша кончилась (то есть кончится на днях; остаются только одни пустые формальности); я осужден. Я должен заплатить до десяти тысяч; так присудили. За них отвечает Ихменевка. Следственно, теперь уж этот подлый человек обеспечен в своих деньгах, а я, предоставив Ихменевку, заплатил и делаюсь человеком посторонним. Тут-то я и поднимаю голову. Так и так, почтеннейший князь, вы меня оскорбляли два года; вы позорили мое имя, честь моего семейства, и я должен был всё это переносить! Я не мог тогда вас вызвать на поединок. Вы бы мне прямо сказали тогда: «А, хитрый человек, ты хочешь убить меня, чтоб не платить мне денег, которые, ты предчувствуешь, присудят тебя мне заплатить, рано ли, поздно ли! Нет, сначала посмотрим, как решится тяжба, а потом вызывай». Теперь, почтенный князь, процесс решен, вы обеспечены, следовательно, нет никаких затруднений, и потому не угодно ли сюда, к барьеру. Вот в чем дело. Что ж, по-твоему, я не вправе, наконец, отмстить за себя, за всё, за всё!

Глаза его сверкали. Я долго смотрел на него молча. Мне хотелось проникнуть в его тайную мысль.

— Послушайте, Николай Сергеич, — отвечал я наконец, решившись сказать главное слово, без которого мы бы не понимали друг друга. — Можете ли вы быть со мною совершенно откровенны?

— Могу, — отвечал он с твердостью.

— Скажите же прямо: одно ли чувство мщения побуждает вас к вызову или у вас в виду и другие цели?

— Ваня, — отвечал он, — ты знаешь, что я не позволяю никому в разговорах со мною касаться некоторых пунктов; но для теперешнего раза делаю исключение, потому что ты своим ясным умом тотчас же догадался, что обойти этот пункт невозможно. Да, у меня есть другая цель. Эта цель: спасти мою погибшую дочь и избавить ее от пагубного пути, на который ставят ее теперь последние обстоятельства.

— Но как же вы спасете ее этой дуэлью, вот вопрос?

— Помешав всему тому, что там теперь затевается. Слушай: не думай, что во мне говорит какая-нибудь там отцовская нежность и тому подобные слабости. Всё это вздор! Внутренность сердца моего я никому не показываю. Не знаешь его и ты. Дочь оставила меня, ушла из моего дома с любовником, и я вырвал ее из моего сердца, вырвал раз навсегда, в тот самый вечер — помнишь? Если ты видел меня рыдающим над ее портретом, то из этого еще не следует, что я желаю простить ее. Я не простил и тогда. Я плакал о потерянном счастии, о тщетной мечте, но не о *ней*, как она теперь. Я, может быть, и часто плачу; я не стыжусь в этом признаться, так же как и не стыжусь признаться, что любил прежде дитя мое больше всего на свете. Всё это, по-видимому, противоречит моей теперешней выходке. Ты можешь сказать мне: если так, если вы равнодушны к судьбе той, которую уже не считаете вашей дочерью, то для чего же вы вмешиваетесь в то, что там теперь затевается? Отвечаю: во-первых, для того, что не хочу дать восторжествовать низкому и коварному человеку, а во-вторых, из чувства самого обыкновенного человеколюбия. Если она мне уже не дочь, то она все-таки слабое, незащищенное и обманутое существо, которое обманывают еще больше, чтоб погубить окончательно. Ввязаться в дело прямо я не могу, а косвенно, дуэлью, могу. Если меня убьют или прольют мою кровь, неужели она перешагнет через наш барьер, а может быть, через мой труп и пойдет с сыном моего убийцы к венцу, как дочь того царя (помнишь, у нас была книжка, по которой ты учился читать), которая переехала через труп своего отца в колеснице? Да и, наконец, если пойдет на дуэль, так князья-то наши и сами свадьбы не захотят. Одним словом, я не хочу этого брака и употреблю все усилия, чтоб его не было. Понял меня теперь?

— Нет. Если вы желаете Наташе добра, то каким образом вы решаетесь помешать ее браку, то есть именно тому, что может восстановить ее доброе имя? Ведь ей еще долго жить на свете; ей нужно доброе имя.

— А плевать на все светские мнения, вот как она должна думать! Она должна сознать, что главнейший позор заключается для нее в этом браке, именно в связи с этими подлыми людьми, с этим жалким светом. Благородная гордость — вот ответ ее свету. Тогда, — может быть, и я соглашусь протянуть ей руку, и увидим, кто тогда осмелится опозорить дитя мое!

Такой отчаянный идеализм изумил меня. Но я тотчас догадался, что он был сам не в себе и говорил сгоряча.

— Это слишком идеально, — отвечал я ему, — следственно, жестоко. Вы требуете от нее силы, которой, может быть, вы не дали ей при рождении. И разве она соглашается на брак потому, что хочет быть княгиней? Ведь она любит; ведь это страсть, это фатум. И наконец: вы требуете от нее презрения к светскому мнению, а сами перед ним преклоняетесь. Князь вас обидел, публично заподозрил вас в низком побуждении обманом породниться с его княжеским домом, и вот вы теперь рассуждаете: если она сама откажет им теперь, после формального предложения с их стороны, то, разумеется, это будет самым полным и явным опровержением прежней клеветы. Вот вы чего добиваетесь, вы преклоняетесь перед мнением самого князя, вы добиваетесь, чтоб он сам сознался в своей ошибке. Вас тянет осмеять его, отмстить ему, и для этого вы жертвуете счастьем дочери. Разве это не эгоизм?

Старик сидел мрачный и нахмуренный и долго не отвечал ни слова.

— Ты несправедлив ко мне, Ваня, — проговорил он наконец, и слеза заблистала на его ресницах, — клянусь тебе, несправедлив, но оставим это! Я не могу выворотить перед тобой мое сердце, — продолжал он, приподнимаясь и берясь за шляпу, — одно скажу: ты заговорил сейчас о счастье дочери. Я решительно и буквально не верю этому счастью, кроме того, что этот брак и без моего вмешательства никогда не состоится.

— Как так! Почему вы думаете? Вы, может быть, знаете что-нибудь? — вскричал я с любопытством.

— Нет, особенного ничего не знаю. Но эта проклятая лисица не могла решиться на такое дело. Всё это вздор, одни козни. Я уверен в этом, и помяни мое слово, что так и сбудется. Во-вторых: если б этот брак и сбылся, то есть в таком только случае, если у того подлеца есть свой особый, таинственный, никому не известный расчет, по которому этот брак ему выгоден, — расчет, которого я решительно не понимаю, то реши сам, спроси свое собственное сердце: будет ли она счастлива в этом браке? Попреки, унижения, подруга мальчишки, который уж и теперь тяготится ее любовью, а как женится — тотчас же начнет ее не уважать, обижать, унижать; в то же время сила страсти с ее стороны, по мере охлаждения с другой; ревность, муки, ад, развод, может быть, само преступление... нет, Ваня! Если вы там это стряпаете, а ты еще помогаешь, то, предрекаю тебе, дашь ответ Богу, но уж будет поздно! Прощай!

Я остановил его.

— Послушайте, Николай Сергеич, решим так: подождем. Будьте уверены, что не одни глаза смотрят за этим делом, и, может быть, оно разрешится самым лучшим образом, само собою, без насильственных и искусственных разрешений, как например эта дуэль. Время — самый лучший разрешитель! А наконец, позвольте вам сказать, что весь ваш проект совершенно невозможен. Неужели ж вы могли хоть одну минуту думать, что князь примет ваш вызов?

— Как не примет? Что ты, опомнись!

— Клянусь вам, не примет, и поверьте, что найдет отговорку совершенно достаточную; сделает всё это с педантскою важностью, а между тем вы будете совершенно осмеяны...

— Помилуй, братец, помилуй! Ты меня просто сразил после этого! Да как же это он не примет? Нет, Ваня, ты просто какой-то поэт; именно, настоящий поэт! Да что ж, по-твоему, неприлично, что ль, со мной драться? Я не хуже его. Я старик, оскорбленный отец; ты — русский литератор, и потому лицо тоже почетное, можешь быть секундантом и... и... Я уж и не понимаю, чего ж тебе еще надобно...

— Вот увидите. Он такие предлоги подведет, что вы сами, вы, первый, найдете, что вам с ним драться — в высшей степени невозможно.

— Гм... хорошо, друг мой, пусть будет по-твоему! Я пережду, до известного времени, разумеется. Посмотрим, что сделает время. Но вот что, друг мой: дай мне честное слово, что ни там, ни Анне Андреевне ты не объявишь нашего разговора?

— Даю.

— Второе, Ваня, сделай милость, не начинай больше никогда со мной говорить об этом.

— Хорошо, даю слово.

— И, наконец, еще просьба: я знаю, мой милый, тебе у нас, может быть, и скучно, но ходи к нам почаще, если только можешь. Моя бедная Анна Андреевна так тебя любит и... и... так без тебя скучает... понимаешь, Ваня?

И он крепко сжал мою руку. Я от всего сердца дал ему обещание.

— А теперь, Ваня, последнее щекотливое дело: есть у тебя деньги?

— Деньги! — повторил я с удивлением.

— Да (и старик покраснел и опустил глаза); смотрю я, брат, на твою квартиру... на твои обстоятельства... и как подумаю, что у тебя могут быть другие экстренные траты (и именно теперь могут быть), то... вот, брат, сто пятьдесят рублей, на первый случай...

— Сто пятьдесят, да еще на *первый случай*, тогда как вы сами проиграли тяжбу!

— Ваня, ты, как я вижу, меня совсем не понимаешь! Могут быть *экстренные* надобности, пойми это. В иных случаях деньги способствуют независимости положения, независимости решения. Может быть, тебе теперь и не нужно, но не надо ль на что-нибудь в будущем? Во всяком случае, я у тебя их оставлю. Это всё, что я мог собрать. Не истратишь, так воротишь. А теперь прощай! Боже мой, какой ты бледный! Да ты весь больной...

Я не возражал и взял деньги. Слишком ясно было, на что он их оставлял у меня.

— Я едва стою на ногах, — отвечал я ему.

— Не пренебрегай этим, Ваня, голубчик, не пренебрегай! Сегодня никуда не ходи. Анне Андреевне так и скажу, в каком ты положении. Не надо ли доктора? Завтра навещу тебя; по крайней мере всеми силами постараюсь, если только сам буду ноги таскать. А теперь лег бы ты... Ну, прощай. Прощай, девочка; отворотилась! Слушай, друг мой! Вот еще пять рублей; это девочке. Ты, впрочем, ей не говори, что я дал, а так, просто истрать на нее, ну там башмачонки какие-нибудь, белье... мало ль что понадобится! Прощай, друг мой...

Я проводил его до ворот. Мне нужно было попросить дворника сходить за кушаньем. Елена до сих пор не обедала...

ГЛАВА XI

Но только что я воротился к себе, голова моя закружилась, и я упал посреди комнаты. Помню только крик Елены: она всплеснула руками и бросилась ко мне поддержать меня. Это было последнее мгновение, уцелевшее в моей памяти...

Помню потом себя уже на постели. Елена рассказывала мне впоследствии, что она вместе с дворником, принесшим в это время нам кушанье, перенесла меня на диван. Несколько раз я просыпался и каждый раз видел склонившееся надо мной сострадательное, заботливое личико Елены. Но всё это я помню как сквозь сон, как в тумане, и милый образ бедной девочки мелькал передо мной среди забытья, как виденье, как картинка; она подносила мне пить, оправляла меня на постели или сидела передо мной, грустная, испуганная, и приглаживала своими пальчиками мои волосы. Один раз вспоминаю ее тихий поцелуй на моем лице. В другой раз, вдруг очнувшись ночью, при свете нагоревшей свечи, стоявшей передо мной на придвинутом к дивану столике, я увидел, что Елена прилегла лицом на мою подушку и пугливо спала, полураскрыв свои бледные губки и приложив ладонь к своей теплой щечке. Но очнулся я хорошо уже только рано утром. Свеча догорела вся; яркий, розовый луч начинавшейся зари уже играл на стене. Елена сидела на стуле перед столом и, склонив свою усталую головку на левую руку, улегшуюся на столе, крепко спала, и, помню, я загляделся на ее детское личико, полное и во сне как-то не детски грустного выражения и какой-то странной, болезненной красоты; бледное, с длинными ресницами на худеньких щеках, обрамленное черными как смоль волосами, густо и тяжело ниспадавшими небрежно завязанным узлом на сторону. Другая рука ее лежала на моей подушке. Я тихо-тихо поцеловал эту худенькую ручку, но бедное дитя не проснулось, только как будто улыбка проскользнула на ее бледных губках. Я смотрел-смотрел на нее и тихо заснул покойным, целительным сном. В этот раз я проспал чуть не до полудня. Проснувшись, я почувствовал себя почти выздоровевшим. Только слабость и тягость во всех членах свидетельствовали о недавней болезни. Подобные нервные и быстрые припадки бывали со мною и прежде; я знал их хорошо. Болезнь обыкновенно почти совсем проходила в сутки, что, впрочем, не мешало ей действовать в эти сутки сурово и круто.

Был уже почти полдень. Первое, что я увидел, это протянутые в углу, на снурке, занавесы, купленные мною вчера. Распорядилась Елена и отмежевала себе в комнате особый уголок. Она сидела перед печкой и кипятила чайник. Заметив, что я проснулся, она весело улыбнулась и тотчас же подошла ко мне.

— Друг ты мой, — сказал я, взяв ее за руку, — ты целую ночь за мной смотрела. Я не знал, что ты такая добрая.

— А вы почему знаете, что я за вами смотрела; может быть, я всю ночь проспала? — спросила она, смотря на меня с добродушным и стыдливым лукавством и в то же время застенчиво краснея от своих слов.

— Я просыпался и видел всё. Ты заснула только перед рассветом...

— Хотите чаю? — перебила она, как бы затрудняясь продолжать этот разговор, что бывает со всеми целомудренными и сурово честными сердцами, когда об них им же заговорят с похвалою.

— Хочу, — отвечал я. — Но обедала ли ты вчера?

— Не обедала, а ужинала. Дворник принес. Вы, впрочем, не разговаривайте, а лежите покойно: вы еще не совсем здоровы, — прибавила она, поднося мне чаю и садясь на мою постель.

— Какое лежите! До сумерек, впрочем, буду лежать, а там пойду со двора. Непременно надо, Леночка.

— Ну, уж и надо! К кому вы пойдете? Уж не к вчерашнему ли гостю?

— Нет, не к нему.

— Вот и хорошо, что не к нему. Это он вас расстроил вчера. Так к его дочери?

— А ты почему знаешь про его дочь?

— Я всё вчера слышала, — отвечала она потупившись.

Лицо ее нахмурилось. Брови сдвинулись над глазами.

— Он дурной старик, — прибавила она потом.

— Разве ты знаешь его? Напротив, он очень добрый человек.

— Нет, нет; он злой; я слышала, — отвечала она с увлечением.

— Да что же ты слышала?

— Он свою дочь не хочет простить...

— Но он любит ее. Она перед ним виновата, а он об ней заботится, мучается.

— А зачем не прощает? Теперь, как простит, дочь и не шла бы к нему.

— Как так? Почему же?

— Потому что он не стоит, чтоб его дочь любила, — отвечала она с жаром. — Пусть она уйдет от него навсегда и лучше пусть милостыню просит, а он пусть видит, что дочь просит милостыню, да мучается.

Глаза ее сверкали, щечки загорелись. «Верно, она неспроста так говорит», — подумал я про себя.

— Это вы меня к нему-то в дом хотели отдать? — прибавила она, помолчав.

— Да, Елена.

— Нет, я лучше в служанки наймусь.

— Ах, как не хорошо это всё, что ты говоришь, Леночка. И какой вздор: ну кому ты можешь наняться?

— Ко всякому мужику, — нетерпеливо отвечала она, всё более и более потупляясь. Она была приметно вспыльчива.

— Да мужику и не надо такой работницы, — сказал я усмехаясь.

— Ну к господам.

— С твоим ли характером жить у господ?

— С моим. — Чем более раздражалась она, тем отрывистее отвечала.

— Да ты не выдержишь.

— Выдержу. Меня будут бранить, а я буду нарочно молчать. Меня будут бить, а я буду всё молчать, всё молчать, пусть бьют, ни за что не заплачу. Им же хуже будет от злости, что я не пла́чу.

— Что ты, Елена! Сколько в тебе озлобления; и гордая ты какая! Много, знать, ты видала горя...

Я встал и подошел к моему большому столу. Елена осталась на диване, задумчиво смотря в землю, и пальчиками щипала покромку. Она молчала. «Рассердилась, что ли, она на мои слова?» — думал я.

Стоя у стола, я машинально развернул вчерашние книги, взятые мною для компиляции, и мало-помалу завлекся чтением. Со мной это часто случается: подойду, разверну книгу на минутку справиться и зачитаюсь так, что забуду всё.

— Что вы тут всё пишете? — с робкой улыбкой спросила Елена, тихонько подойдя к столу.

— А так, Леночка, всякую всячину. За это мне деньги дают.

— Просьбы?

— Нет, не просьбы. — И я объяснил ей сколько мог, что описываю разные истории про разных людей: из этого выходят книги, которые называются повестями и романами. Она слушала с большим любопытством.

— Что же, вы тут всё правду описываете?

— Нет, выдумываю.

— Зачем же вы неправду пишете?

— А вот прочти, вот видишь, вот эту книжку; ты уж раз ее смотрела. Ты ведь умеешь читать?

— Умею.

— Ну вот и увидишь. Эту книжку я написал.

— Вы? прочту...

Ей что-то очень хотелось мне сказать, но она, очевидно, затруднялась и была в большом волнении. Под ее вопросами что-то крылось.

— А вам много за это платят? — спросила она наконец.

— Да как случится. Иногда много, а иногда и ничего нет, потому что работа не работается. Эта работа трудная, Леночка.

— Так вы не богатый?

— Нет, не богатый.

— Так я буду работать и вам помогать...

Она быстро взглянула на меня, вспыхнула, опустила глаза и, ступив ко мне два шага, вдруг обхватила меня обеими руками, а лицом крепко-крепко прижалась к моей груди. Я с изумлением смотрел на нее.

— Я вас люблю... я не гордая, — проговорила она. — Вы сказали вчера, что я гордая. Нет, нет... я не такая... я вас люблю. Вы только один меня любите...

Но уже слезы задушили ее. Минуту спустя они вырвались из ее груди с такою силою, как вчера во время припадка. Она упала передо мной на колени, целовала мои руки, ноги...

— Вы любите меня!.. — повторяла она, — вы только один, один!..

Она судорожно сжимала мои колени своими руками. Всё чувство ее, сдерживаемое столько времени, вдруг разом вырвалось наружу в неудержимом порыве, и мне стало понятно это странное упорство сердца, целомудренно таящего себя до времени и тем упорнее, тем суровее, чем сильнее потребность излить себя, высказаться, и всё это до того неизбежного порыва, когда всё существо вдруг до самозабвения отдается этой потребности любви, благодарности, ласкам, слезам...

Она рыдала до того, что с ней сделалась истерика. Насилу я развел ее руки, обхватившие меня. Я поднял ее и отнес на диван. Долго еще она рыдала, укрыв лицо в подушки, как будто стыдясь смотреть на меня, но крепко стиснув мою руку в своей маленькой ручке и не отнимая ее от своего сердца.

Мало-помалу она утихла, но всё еще не подымала ко мне своего лица. Раза два, мельком, ее глаза скользнули по моему лицу, и в них было столько мягкости и какого-то пугливого и снова прятавшегося чувства. Наконец она покраснела и улыбнулась.

— Легче ли тебе? — спросил я, — чувствительная ты моя Леночка, больное ты мое дитя?

— Не Леночка, нет... — прошептала она, всё еще пряча от меня свое личико.

— Не Леночка? Как же?

— Нелли.

— Нелли? Почему же непременно Нелли? Пожалуй, это очень хорошенькое имя. Так я тебя и буду звать, коли ты сама хочешь.

— Так меня мамаша звала... И никто так меня не звал, никогда, кроме нее... И я не хотела сама, чтоб меня кто звал так, кроме мамаши... А вы зовите; я хочу... Я вас буду всегда любить, всегда любить...

«Любящее и гордое сердечко, — подумал я, — а как долго надо мне было заслужить, чтоб ты для меня стала... Нелли». Но теперь я уже знал, что ее сердце предано мне навеки.

— Нелли, послушай, — спросил я, как только она успокоилась. — Ты вот говоришь, что тебя любила только одна мамаша и никто больше. А разве твой дедушка и вправду не любил тебя?

— Не любил...

— А ведь ты плакала здесь о нем, помнишь, на лестнице.

Она на минуту задумалась.

— Нет, не любил... Он был злой. — И какое-то больное чувство выдавилось на ее лице.

— Да ведь с него нельзя было и спрашивать, Нелли. Он, кажется, совсем уже выжил из ума. Он и умер как безумный. Ведь я тебе рассказывал, как он умер.

— Да; но он только в последний месяц стал совсем забываться. Сидит, бывало, здесь целый день, и, если б я не приходила к нему, он бы и другой, и третий день так сидел, не пивши, не евши. А прежде он был гораздо лучше.

— Когда же прежде?

— Когда еще мамаша не умирала.

— Стало быть, это ты ему приносила пить и есть, Нелли?

— Да, и я приносила.

— Где ж ты брала, у Бубновой?

— Нет, я никогда ничего не брала у Бубновой, — настойчиво проговорила она каким-то вздрогнувшим голосом.

— Где же ты брала, ведь у тебя ничего не было?

Нелли помолчала и страшно побледнела; потом долгим-долгим взглядом посмотрела на меня.

— Я на улицу милостыню ходила просить... Напрошу пять копеек и куплю ему хлеба и табаку нюхального...

— И он позволял! Нелли! Нелли!

— Я сначала сама пошла и ему не сказала. А он, как узнал, потом уж сам стал меня прогонять просить. Я стою на мосту, прошу у прохожих, а он ходит около моста, дожидается; и как увидит, что мне дали, так и бросится на меня и отнимет деньги, точно я утаить от него хочу, не для него собираю.

Говоря это, она улыбнулась какою-то едкою, горькою улыбкою.

— Это всё было, когда мамаша умерла, — прибавила она. — Тут он уж совсем стал как безумный.

— Стало быть, он очень любил твою мамашу? Как же он не жил с нею?

— Нет, не любил... Он был злой и ее не прощал... как вчерашний злой старик, — проговорила она тихо, совсем почти шепотом и бледнея всё больше и больше.

Я вздрогнул. Завязка целого романа так и блеснула в моем воображении. Эта бедная женщина, умирающая в подвале у гробовщика, сиротка дочь ее, навещавшая изредка дедушку, проклявшего ее мать; обезумевший чудак старик, умирающий в кондитерской после смерти своей собаки!..

— А ведь Азорка-то был прежде маменькин, — сказала вдруг Нелли, улыбаясь какому-то воспоминанию. — Дедушка очень любил прежде маменьку, и когда мамаша ушла от него, у него и остался мамашин Азорка. Оттого-то он и любил так Азорку... Мамашу не простил, а когда собака умерла, так сам умер, — сурово прибавила Нелли, и улыбка исчезла с лица ее.

— Нелли, кто ж он был такой прежде? — спросил я, подождав немного.

— Он был прежде богатый... Я не знаю, кто он был, — отвечала она. — У него был какой-то завод... Так мамаша мне говорила. Она сначала думала, что я маленькая, и всего мне не говорила. Всё, бывало, целует меня, а сама говорит: всё узнаешь; придет время, узнаешь, бедная, несчастная! И всё меня бедной и несчастной звала. И когда ночью, бывало, думает, что я сплю (а я нарочно, не сплю, притворюсь, что сплю), она всё плачет надо мной, целует меня и говорит: бедная, несчастная!

— Отчего же умерла твоя мамаша?

— От чахотки; теперь шесть недель будет.

— А ты помнишь, когда дедушка был богат?

— Да ведь я еще тогда не родилась. Мамаша еще прежде, чем я родилась, ушла от дедушки.

— С кем же ушла?

— Не знаю, — отвечала Нелли, тихо и как бы задумываясь. — Она за границу ушла, а я там и родилась.

— За границей? Где же?

— В Швейцарии. Я везде была, и в Италии была, и в Париже была.

Я удивился.

— И ты помнишь, Нелли?

— Многое помню.

— Как же ты так хорошо по-русски знаешь, Нелли?

— Мамаша меня еще и там учила по-русски. Она была русская, потому что ее мать была русская, а дедушка был англичанин, но тоже как русский. А как мы сюда с мамашей воротились полтора года назад, я и научилась совсем. Мамаша была уже тогда больная. Тут мы стали всё беднее и беднее. Мамаша всё плакала. Она сначала долго отыскивала здесь в Петербурге дедушку и всё говорила, что перед ним виновата, и всё плакала... Так плакала, так плакала! А как узнала, что дедушка бедный, то еще больше плакала. Она к нему и письма часто писала, он всё не отвечал.

— Зачем же мамаша воротилась сюда? Только к отцу?

— Не знаю. А там нам так хорошо было жить, — и глаза Нелли засверкали. — Мамаша жила одна, со мной. У ней был один друг, добрый, как вы... Он ее еще здесь знал. Но он там умер, мамаша и воротилась...

— Так с ним-то мамаша твоя и ушла от дедушки?

— Нет, не с ним. Мамаша ушла с другим от дедушки, а тот ее и оставил...

— С кем же, Нелли?

Нелли взглянула на меня и ничего не отвечала. Она, очевидно, знала, с кем ушла ее мамаша и кто, вероятно, был и ее отец. Ей было тяжело даже и мне назвать его имя...

Я не хотел ее мучить расспросами. Это был характер странный, неровный и пылкий, но подавлявший в себе свои порывы; симпатичный, но замыкавшийся в гордость и недоступность. Всё время, как я ее знал, она, несмотря на то что любила меня всем сердцем своим, самою светлою и ясною любовью, почти наравне с своею умершею матерью, о которой даже не могла вспоминать без боли, — несмотря на то, она редко была со мной наружу и, кроме этого дня, редко чувствовала потребность говорить со мной о своем прошедшем; даже, напротив, как-то сурово таилась от меня. Но в этот день, в продолжение нескольких часов, среди мук и судорожных рыданий, прерывавших рассказ ее, она передала мне всё, что наиболее волновало и мучило ее в ее воспоминаниях, и никогда не забуду я этого страшного рассказа. Но главная история ее еще впереди...

Это была страшная история; это история покинутой женщины, пережившей свое счастье; больной, измученной и оставленной всеми; отвергнутой последним существом, на которое она могла надеяться, — отцом своим, оскорбленным когда-то ею и в свою очередь выжившим из ума от нестерпимых страданий и унижений. Это история женщины, доведенной до отчаяния; ходившей с своею девочкой, которую она считала еще ребенком, по холодным, грязным петербургским улицам и просившей милостыню; женщины, умиравшей потом целые месяцы в сыром подвале и которой отец отказывал в прощении до последней минуты ее жизни и только в последнюю минуту опомнившийся и прибежавший простить ее, но уже заставший один холодный труп вместо той, которую он любил больше всего на свете. Это был странный рассказ о таинственных, даже едва понятных отношениях выжившего из ума старика с его маленькой внучкой, уже понимавшей его, уже понимавшей, несмотря на свое детство, многое из того, до чего не развивается иной в целые годы своей обеспеченной и гладкой жизни. Мрачная это была история, одна из тех мрачных и мучительных историй, которые так часто и неприметно, почти таинственно, сбываются под тяжелым петербургским небом, в темных, потаенных закоулках огромного города, среди взбалмошного кипения жизни, тупого эгоизма, сталкивающихся интересов, угрюмого разврата, сокровенных преступлений, среди всего этого кромешного ада бессмысленной и ненормальной жизни...

Но эта история еще впереди...

ЧАСТЬ ТРЕТЬЯ

ГЛАВА I

Давно уже наступили сумерки, настал вечер, и только тогда я очнулся от мрачного кошмара и вспомнил о настоящем.

— Нелли, — сказал я, — вот ты теперь больна, расстроена, а я должен тебя оставить одну, взволнованную и в слезах. Друг мой! Прости меня и узнай, что тут есть тоже одно любимое и непрощенное существо, несчастное, оскорбленное и покинутое. Она ждет меня. Да и меня самого влечет теперь после твоего рассказа так, что я, кажется, не перенесу, если не увижу ее сейчас, сию минуту...

Не знаю, поняла ли Нелли всё, что я ей говорил. Я был взволнован и от рассказа и от недавней болезни; но я бросился к Наташе. Было уже поздно, час девятый, когда я вошел к ней.

Еще на улице, у ворот дома, в котором жила Наташа, я заметил коляску, и мне показалось, что это коляска князя. Вход к Наташе был со двора. Только что я стал входить на лестницу, я заслышал перед собой, одним всходом выше, человека, взбиравшегося ощупью, осторожно, очевидно незнакомого с местностью. Мне вообразилось, что это должен быть князь; но вскоре я стал разуверяться. Незнакомец, взбираясь наверх, ворчал и проклинал дорогу и все сильнее и энергичнее, чем выше он подымался. Конечно, лестница была узкая, грязная, крутая, никогда не освещенная; но таких ругательств, какие начались в третьем этаже, я бы никак не мог приписать князю: взбиравшийся господин ругался, как извозчик. Но с третьего этажа начался свет; у Наташиных дверей горел маленький фонарь. У самой двери я нагнал моего незнакомца, и каково же было мое изумление, когда я узнал в нем князя. Кажется, ему чрезвычайно было неприятно так нечаянно столкнуться со мною. Первое мгновение он не узнал меня; но вдруг всё лицо его преобразилось. Первый, злобный и ненавистный взгляд его на меня сделался вдруг приветливым и веселым, и он с какою-то необыкновенною радостью протянул мне обе руки.

— Ах, это вы! А я только что хотел было стать на колена и молить Бога о спасении моей жизни. Слышали, как я ругался?

И он захохотал простодушнейшим образом. Но вдруг лицо его приняло серьезное и заботливое выражение.

— И Алеша мог поместить Наталью Николаевну в такой квартире! — сказал он, покачивая головою. — Вот эти-то так называемые *мелочи* и обозначают человека. Я боюсь за него. Он добр, у него благородное сердце, но вот вам пример: любит без памяти, а помещает ту, которую любит, в такой конуре. Я даже слышал, что иногда хлеба не было, — прибавил он шепотом, отыскивая ручку колокольчика. — У меня голова трещит, когда подумаю о его будущности, а главное, о будущности *Анны* Николаевны, когда она будет его женой...

Он ошибся именем и не заметил того, с явною досадою не находя колокольчика. Но колокольчика и не было. Я подергал ручку замка, и Мавра тотчас же нам отворила, суетливо встречая нас. В кухне, отделявшейся от крошечной передней деревянной перегородкой, сквозь отворенную дверь заметны были некоторые приготовления: всё было как-то не по-всегдашнему, вытерто и вычищено; в печи горел огонь; на столе стояла какая-то новая посуда. Видно было, что нас ждали. Мавра бросилась снимать наши пальто.

— Алеша здесь? — спросил я ее.

— Не бывал, — шепнула она мне как-то таинственно.

Мы вошли к Наташе. В ее комнате не было никаких особенных приготовлений; всё было по-старому. Впрочем, у нее всегда было всё так чисто и мило, что нечего было и прибирать. Наташа встретила нас, стоя перед дверью. Я поражен был болезненной худобой и чрезвычайной бледностью ее лица, хотя румянец и блеснул на одно мгновение на ее помертвевших щеках. Глаза были лихорадочные. Она молча и торопливо протянула князю руку, приметно суетясь и теряясь. На меня же она и не взглянула. Я стоял и ждал молча.

— Вот и я! — дружески и весело заговорил князь, — только несколько часов как воротился. Всё это время вы не выходили из моего ума (он нежно поцеловал ее руку), — и сколько, сколько я передумал о вас! Сколько выдумал вам сказать, передать... Ну, да мы наговоримся! Во-первых, мой ветрогон, которого, я вижу, еще здесь нет...

— Позвольте, князь, — перебила его Наташа, покраснев и смешавшись, — мне надо сказать два слова Ивану Петровичу. Ваня, пойдем... два слова...

Она схватила меня за руку и повела за ширмы.

— Ваня, — сказала она шепотом, заведя меня в самый темный угол, — простишь ты меня или нет?

— Наташа, полно, что ты!

— Нет, нет, Ваня, ты слишком часто и слишком много прощал мне, но ведь есть же конец всякому терпению. Ты меня никогда не разлюбишь, я знаю, но ты меня назовешь неблагодарною, а я вчера и третьего дня была пред тобой неблагодарная, эгоистка, жестокая...

Она вдруг залилась слезами и прижалась лицом к моему плечу.

— Полно, Наташа, — спешил я разуверить ее. — Ведь я был очень болен всю ночь: даже и теперь едва стою на ногах, оттого и не заходил ни вечером вчера, ни сегодня, а ты и думаешь, что я рассердился... Друг ты мой дорогой, да разве я не знаю, что теперь в твоей душе делается?

— Ну и хорошо... значит, простил, как всегда, — сказала она, улыбаясь сквозь слезы и сжимая до боли мою руку. — Остальное после. Много надо сказать тебе, Ваня. А теперь к нему...

— Поскорей, Наташа; мы так его вдруг оставили...

— Вот ты увидишь, увидишь, что будет, — наскоро шепнула она мне. — Я теперь знаю всё, всё угадала. Виноват всему *он*. Этот вечер много решит. Пойдем!

Я не понял, но спросить было некогда. Наташа вышла к князю с светлым лицом. Он всё еще стоял со шляпой в руках. Она весело перед ним извинилась, взяла у него шляпу, сама придвинула ему стул, и мы втроем уселись кругом ее столика.

— Я начал о моем ветренике, — продолжал князь, — я видел его только одну минуту и то на улице, когда он садился ехать к графине Зинаиде Федоровне. Он ужасно спешил и, представьте, даже не хотел встать, чтоб войти со мной в комнаты после четырех дней разлуки. И, кажется, я в том виноват, Наталья Николаевна, что он теперь не у вас и что мы пришли прежде него; я воспользовался случаем, и так как сам не мог быть сегодня у графини, то дал ему одно поручение. Но он явится сию минуту.

— Он вам наверно обещал приехать сегодня? — спросила Наташа с самым простодушным видом, смотря на князя.

— Ах, Боже мой, еще бы он не приехал; как это вы спрашиваете! — воскликнул он с удивлением, всматриваясь в нее. — Впрочем, понимаю: вы на него сердитесь. Действительно, как будто дурно с его стороны прийти всех позже. Но, повторяю, виноват в этом я. Не сердитесь и на него. Он легкомысленный, ветреник; я его не защищаю, но некоторые особенные обстоятельства требуют, чтоб он не только не оставлял теперь дома графини и некоторых других связей, но, напротив, как можно чаще являлся туда. Ну, а так как он, вероятно, не выходит теперь от вас и забыл всё на свете, то, пожалуйста, не сердитесь, если я буду иногда брать его часа на два, не больше, по моим поручениям. Я уверен, что он еще ни разу не был у княгини К. с того вечера, и так досадую, что не успел давеча расспросить его!..

Я взглянул на Наташу. Она слушала князя с легкой полунасмешливой улыбкой. Но он говорил так прямо, так натурально. Казалось, не было возможности в чем-нибудь подозревать его.

— И вы вправду не знали, что он у меня во все эти дни ни разу не был? — спросила Наташа тихим и спокойным голосом, как будто говоря о самом обыкновенном для нее происшествии.

— Как! Ни разу не был? Позвольте, что вы говорите! — сказал князь, по-видимому в чрезвычайном изумлении.

— Вы были у меня во вторник, поздно вечером; на другое утро он заезжал ко мне на полчаса, и с тех пор я его не видала ни разу.

— Но это невероятно! (Он изумлялся всё более и более.) Я именно думал, что он не выходит от вас. Извините, это так странно... просто невероятно.

— Но, однако ж, верно, и как жаль: я нарочно ждала вас, думала от вас-то и узнать, где он находится?

— Ах, Боже мой! Да ведь он сейчас же будет здесь! Но то, что вы мне сказали, меня до того поразило, что я... признаюсь, я всего ожидал от него, но этого... этого!

— Как вы изумляетесь! А я так думала, что вы не только не станете изумляться, но даже заранее знали, что так и будет.

— Знал! Я? Но уверяю же вас, Наталья Николаевна, что видел его только одну минуту сегодня и больше никого об нем не расспрашивал; и мне странно, что вы мне как будто не верите, — продолжал он, оглядывая нас обоих.

— Сохрани Бог, — подхватила Наташа, — совершенно уверена, что вы сказали правду.

И она засмеялась снова, прямо в глаза князю, так, что его как будто передернуло.

— Объяснитесь, — сказал он в замешательстве.

— Да тут нечего и объяснять. Я говорю очень просто. Вы ведь знаете, какой он ветреный, забывчивый. Ну вот, как ему дана теперь полная свобода, он и увлекся.

— Но так увлекаться невозможно, тут что-нибудь да есть, и только что он приедет, я заставлю его объяснить это дело. Но более всего меня удивляет, что вы как будто и меня в чем-то обвиняете, тогда как меня даже здесь и не было. А впрочем, Наталья Николаевна, я вижу, вы на него очень сердитесь, — и это понятно! Вы имеете на то все права, и... и... разумеется, я первый виноват, ну хоть потому только, что я первый подвернулся; не правда ли? — продолжал он, обращаясь ко мне с раздражительною усмешкою.

Наташа вспыхнула.

— Позвольте, Наталья Николаевна, — продолжал он с достоинством, — соглашаюсь, что я виноват, но только в том, что уехал на другой день после нашего знакомства, так что вы, при некоторой мнительности, которую я замечаю в вашем характере, уже успели изменить обо мне ваше мнение, тем более что тому способствовали обстоятельства. Не уезжал бы я — вы бы меня узнали лучше, да и Алеша не ветреничал бы под моим надзором. Сегодня же вы услышите, что я наговорю ему.

— То есть сделаете, что он мною начнет тяготиться. Невозможно, чтоб, при вашем уме, вы вправду думали, что такое средство мне поможет.

— Так уж не хотите ли вы намекнуть, что я нарочно хочу так устроить, чтоб он вами тяготился? Вы обижаете меня, Наталья Николаевна.

— Я стараюсь как можно меньше употреблять намеков, с кем бы я ни говорила, — отвечала Наташа, — напротив, всегда стараюсь говорить как можно прямее, и вы, может быть, сегодня же убедитесь в этом. Обижать я вас не хочу, да и незачем, хоть уж потому только, что вы моими словами не обидитесь, что бы я вам ни сказала. В этом я совершенно уверена, потому что совершенно понимаю наши взаимные отношения: ведь вы на них не можете смотреть серьезно, не правда ли? Но если я в самом деле вас обидела, то готова просить прощения, чтоб исполнить перед вами все обязанности... гостеприимства.

Несмотря на легкий и даже шутливый тон, с которым Наташа произнесла эту фразу, со смехом на губах, никогда еще я не видал ее до такой степени раздраженною. Теперь только я понял, до чего наболело у нее в сердце в эти три дня. Загадочные слова ее, что она уже всё знает и обо всем догадалась, испугали меня; они прямо относились к князю. Она изменила о нем свое мнение и смотрела на него как на своего врага, — это было очевидно. Она, видимо, приписывала его влиянию все свои неудачи с Алешей и, может быть, имела на это какие-нибудь данные. Я боялся между ними внезапной сцены. Шутливый тон ее был слишком обнаружен, слишком не закрыт. Последние же слова ее князю о том, что он не может смотреть на их отношения серьезно, фраза об извинении по обязанности гостеприимства, ее обещание, в виде угрозы, доказать ему в этот же вечер, что она умеет говорить прямо, — всё это было до такой степени язвительно и немаскировано, что не было возможности, чтоб князь не понял всего этого. Я видел, что он изменился в лице, но он умел владеть собою. Он тотчас же показал вид, что не заметил этих слов, не понял их настоящего смысла, и, разумеется, отделался шуткой.

— Боже меня сохрани требовать извинений! — подхватил он смеясь. — Я вовсе не того хотел, да и не в моих правилах требовать извинения от женщины. Еще в первое наше свидание я отчасти предупредил вас о моем характере, а потому вы, вероятно, не рассердитесь на меня за одно замечание, тем более что оно будет вообще о всех женщинах; вы тоже, вероятно, согласитесь с этим замечанием, — продолжал он, с любезностью обращаясь ко мне. — Именно, я заметил, в женском характере есть такая черта, что если, например, женщина в чем виновата, то скорей она согласится потом, впоследствии, загладить свою вину тысячью ласк, чем в настоящую минуту, во время самой очевидной улики в проступке, сознаться в нем и попросить прощения. Итак, если только предположить, что я вами обижен, то теперь, в настоящую минуту, я нарочно не хочу извинения; мне выгоднее будет впоследствии, когда вы сознаете вашу ошибку и захотите ее загладить передо мной... тысячью ласк. А вы так добры, так чисты, свежи, так нару-

жу, что минута, когда вы будете раскаиваться, предчувствую это, будет очарова-
тельна. А лучше, вместо извинения, скажите мне теперь, не могу ли я сегодня же
чем-нибудь доказать вам, что я гораздо искреннее и прямее поступаю с вами,
чем вы обо мне думаете?

Наташа покраснела. Мне тоже показалось, что в ответе князя слышится какой-то уж слишком легкий, даже небрежный тон, какая-то нескромная шутли-
вость.

— Вы хотите мне доказать, что вы со мной прямы и простодушны? — спросила Наташа, с вызывающим видом смотря на него.

— Да.

— Если так, исполните мою просьбу.

— Заранее даю слово.

— Вот она: ни одним словом, ни одним намеком обо мне не беспокоить
Алешу ни сегодня, ни завтра. Ни одного упрека за то, что он забыл меня; ни одного наставления. Я именно хочу встретить его так, как будто ничего между
нами не было, чтоб он и заметить ничего не мог. Мне это надо. Дадите вы мне
такое слово?

— С величайшим удовольствием, — отвечал князь, — и позвольте мне прибавить от всей души, что я редко в ком встречал более благоразумного и ясного
взгляда на такие дела... Но вот, кажется, и Алеша.

Действительно, в передней послышался шум. Наташа вздрогнула и как будто к чему-то приготовилась. Князь сидел с серьезною миною и ожидал, что-то
будет; он пристально следил за Наташей. Но дверь отворилась, и к нам влетел
Алеша.

ГЛАВА II

Он именно влетел с каким-то сияющим лицом, радостный, веселый. Видно
было, что он весело и счастливо провел эти четыре дня. На нем как будто написано было, что он хотел нам что-то сообщить.

— Вот и я! — провозгласил он на всю комнату. — Тот, которому бы надо быть
раньше всех. Но сейчас узнаете всё, всё, всё! Давеча, папаша, мы с тобой двух
слов не успели сказать, а мне много надо было сказать тебе. Это он мне только в
добрые свои минуты позволяет говорить себе: *ты*, — прервал он, обращаясь ко
мне, — ей-богу, в иное время запрещает! И какая у него является тактика: начинает сам говорить мне *вы*. Но с этого дня я хочу, чтоб у него всегда были добрые
минуты, и сделаю так! Вообще я весь переменился в эти четыре дня, совершенно, совершенно переменился и всё вам расскажу. Но это впереди. А главное теперь: вот она! вот она! опять! Наташа, голубчик, здравствуй, ангел ты мой! — говорил он, усаживаясь подле нее и жадно целуя ее руку, — тосковал-то я по тебе в
эти дни! Но что хочешь — не мог! Управиться не мог. Милая ты моя! Как будто
ты похудела немножко, бледненькая стала какая...

Он в восторге покрывал ее руки поцелуями, жадно смотрел на нее своими
прекрасными глазами, как будто не мог наглядеться. Я взглянул на Наташу и по
лицу ее угадал, что у нас были одни мысли: он был вполне невинен. Да и когда,
как этот *невинный* мог бы сделаться виноватым? Яркий румянец прилил вдруг к
бледным щекам Наташи, точно вся кровь, собравшаяся в ее сердце, отхлынула
вдруг в голову. Глаза ее засверкали, и она гордо взглянула на князя.

— Но где же... ты был... столько дней? — проговорила она сдержанным и прерывающимся голосом. Она тяжело и неровно дышала. Боже мой, как она любила его!

— То-то и есть, что я в самом деле как будто виноват перед тобой; да что: *как будто*! разумеется, виноват, и сам это знаю, и приехал с тем, что знаю. Катя вчера и сегодня говорила мне, что не может женщина простить такую небрежность (ведь она всё знает, что было у нас здесь во вторник; я на другой же день рассказал). Я с ней спорил, доказывал ей, говорил, что эта женщина называется *Наташа* и что во всем свете, может быть, только одна есть равная ей: это Катя; и я приехал сюда, разумеется зная, что я выиграл в споре. Разве такой ангел, как ты, может не простить? «Не был, стало быть, непременно что-нибудь помешало, а не то что разлюбил», — вот как будет думать моя Наташа! Да и как тебя разлюбить? Разве возможно? Всё сердце наболело у меня по тебе. Но я все-таки виноват! А когда узнаешь всё, меня же первая оправдаешь! Сейчас всё расскажу, мне надобно излить душу пред всеми вами; с тем и приехал. Хотел было сегодня (было полминутки свободной) залететь к тебе, чтоб поцеловать тебя на лету, но и тут неудача: Катя немедленно потребовала к себе по важнейшим делам. Это еще до того времени, когда я на дрожках сидел, папа, и ты меня видел; это я другой раз, по другой записке к Кате тогда ехал. У нас ведь теперь целые дни скороходы с записками из дома в дом бегают. Иван Петрович, вашу записку я только вчера ночью успел прочесть, и вы совершенно правы во всем, что вы там написали. Но что же делать: физическая невозможность! Так и подумал: завтра вечером во всем оправдаюсь; потому что уж сегодня вечером невозможно мне было не приехать к тебе, Наташа.

— Какая это записка? — спросила Наташа.

— Он у меня был, не застал, разумеется, и сильно разругал в письме, которое мне оставил, за то, что к тебе не хожу. И он совершенно прав. Это было вчера.

Наташа взглянула на меня.

— Но если у тебя доставало времени бывать с утра до вечера у Катерины Федоровны... — начал было князь.

— Знаю, знаю, что ты скажешь, — перебил Алеша: — «Если мог быть у Кати, то у тебя должно быть вдвое причин быть здесь». Совершенно с тобой согласен и даже прибавлю от себя: не вдвое причин, а в миллион больше причин! Но, во-первых, бывают же странные, неожиданные события в жизни, которые всё перемешивают и ставят вверх дном. Ну, вот и со мной случились такие события. Говорю же я, что в эти дни я совершенно изменился, весь до конца ногтей; стало быть, были же важные обстоятельства!

— Ах, Боже мой, да что же с тобой было! Не томи, пожалуйста! — вскричала Наташа, улыбаясь на горячку Алеши.

В самом деле, он был немного смешон: он торопился; слова вылетали у него быстро, часто, без порядка, какой-то стукотней. Ему всё хотелось говорить, говорить, рассказать. Но, рассказывая, он все-таки не покидал руки Наташи и беспрерывно подносил ее к губам, как будто не мог нацеловаться.

— В том-то и дело, что со мной было, — продолжал Алеша. — Ах, друзья мои! Что я видел, что делал, каких людей узнал! Во-первых, Катя: это такое совершенство! Я ее совсем, совсем не знал до сих пор! И тогда, во вторник, когда я говорил тебе об ней, Наташа, — помнишь, я еще с таким восторгом говорил, ну, так и тогда даже я ее совсем почти не знал. Она сама таилась от меня до самого теперешнего времени. Но теперь мы совершенно узнали друг друга. Мы с ней уж теперь на *ты*. Но начну сначала: во-первых, Наташа, если б ты могла только слышать, что она говорила мне про тебя, когда я на другой день, в среду, рассказал ей, что здесь между нами было... А кстати: припоминаю, каким я был глупцом перед тобой, когда я приехал к тебе тогда утром, в среду! Ты встречаешь меня с восторгом, ты вся проникнута новым положением нашим, ты хочешь говорить со мной обо всем этом; ты грустна и в то же время шалишь и играешь со мной, а я — такого солидного человека из себя корчу! О глупец! Глупец! Ведь, ей-богу же, мне хотелось порисоваться, похвастаться, что я скоро буду мужем, солидным человеком, и нашел же перед кем хвастаться, — перед тобой! Ах, как, должно быть, ты тогда надо мной смеялась и как я стоил твоей насмешки!

Князь сидел молча и с какой-то торжествующе иронической улыбкой смотрел на Алешу. Точно он рад был, что сын выказывает себя с такой легкомысленной и даже смешной точки зрения. Весь этот вечер я прилежно наблюдал его и совершенно убедился, что он вовсе не любит сына, хотя и говорили про слишком горячую отцовскую любовь его.

— После тебя я поехал к Кате, — сыпал свой рассказ Алеша. — Я уже сказал, что мы только в это утро совершенно узнали друг друга, и странно как-то это произошло... не помню даже... Несколько горячих слов, несколько ощущений, мыслей, прямо высказанных, и мы — сблизились навеки. Ты должна, должна узнать ее, Наташа! Как она рассказала, как она растолковала мне тебя! Как объяснила мне, какое ты сокровище для меня! Мало-помалу она объяснила мне все свои идеи и свой взгляд на жизнь; это такая серьезная, такая восторженная девушка! Она говорила о долге, о назначении нашем, о том, что мы все должны служить человечеству, и так как мы совершенно сошлись, в какие-нибудь пять-шесть часов разговора, то кончили тем, что поклялись друг другу в вечной дружбе и в том, что во всю жизнь нашу будем действовать вместе!

— В чем же действовать? — с удивлением спросил князь.

— Я так изменился, отец, что всё это, конечно, должно удивлять тебя; даже заранее предчувствую все твои возражения, — отвечал торжественно Алеша. — Все вы люди практические, у вас столько выжитых правил, серьезных, строгих; на всё новое, на всё молодое, свежее вы смотрите недоверчиво, враждебно, насмешливо. Но теперь уж я не тот, каким ты знал меня несколько дней тому назад. Я другой! Я смело смотрю в глаза всему и всем на свете. Если я знаю, что мое убеждение справедливо, я преследую его до последней крайности; и если я не собьюсь с дороги, то я честный человек. С меня довольно. Говорите после того, что хотите, я в себе уверен.

— Ого! — сказал князь насмешливо.

Наташа с беспокойством оглядела нас. Она боялась за Алешу. Ему часто случалось очень невыгодно для себя увлекаться в разговоре, и она знала это. Ей не хотелось, чтоб Алеша выказал себя с смешной стороны перед нами и особенно перед отцом.

— Что ты, Алеша! Ведь это уж философия какая-то, — сказала она, — тебя, верно, кто-нибудь научил... ты бы лучше рассказывал.

— Да я и рассказываю! — вскричал Алеша. — Вот видишь: у Кати есть два дальние родственника, какие-то кузены, Левенька и Боренька, один студент, другой просто молодой человек. Она с ними имеет сношения, а те — просто необыкновенные люди! К графине они почти не ходят, по принципу. Когда мы говорили с Катей о назначении человека, о призвании и обо всем этом, она указала мне на них и немедленно дала мне к ним записку; я тотчас же полетел с ними знакомиться. В тот же вечер мы сошлись совершенно. Там было человек двенадцать разного народу — студентов, офицеров, художников; был

один писатель... они все вас знают, Иван Петрович, то есть читали ваши сочинения и много ждут от вас в будущем. Так они мне сами сказали. Я говорил
им, что с вами знаком, и обещал им вас познакомить с ними. Все они приняли
меня по-братски, с распростертыми объятиями. Я с первого же разу сказал
им, что буду скоро женатый человек; так они и принимали меня за женатого
человека. Живут они в пятом этаже, под крышами; собираются, как можно
чаще, но преимущественно по средам, к Левеньке и Бореньке. Это всё молодежь свежая; все они с пламенной любовью ко всему человечеству; все мы говорили о нашем настоящем, будущем, о науках, о литературе и говорили так
хорошо, так прямо и просто... Туда тоже ходит один гимназист. Как они обращаются между собой, как они благородны! Я не видал еще до сих пор таких
Где я бывал до сих пор? Что я видал? На чем я вырос? Одна ты только, Наташа,
и говорила мне что-нибудь в этом роде. Ах, Наташа, ты непременно должна
познакомиться с ними; Катя уже знакома. Они говорят об ней чуть не с благоговением, и Катя уже говорила Левеньке и Бореньке, что когда она войдет в
права над своим состоянием, то непременно тотчас же пожертвует миллион
на общественную пользу.

— И распорядителями этого миллиона, верно, будут Левенька и Боренька и
их вся компания? — спросил князь.

— Неправда, неправда; стыдно, отец, так говорить! — с жаром вскричал Алеша, — я подозреваю твою мысль! А об этом миллионе действительно был у нас
разговор, и долго решали: как его употребить? Решили наконец, что прежде всего на общественное просвещение...

— Да, я действительно не совсем знал до сих пор Катерину Федоровну, — заметил князь как бы про себя, всё с той же насмешливой улыбкой. — Я, впрочем
многого от нее ожидал, но этого...

— Чего этого! — прервал Алеша, — что тебе так странно? Что это выходит
несколько из вашего порядка? Что никто до сих пор не жертвовал миллиона, а
она пожертвует? Это, что ли? Но, что ж, если она не хочет жить на чужой счет
потому что жить этими миллионами значит жить на чужой счет (я только теперь это узнал). Она хочет быть полезна отечеству и всем и принесть на общую пользу свою лепту. Про лепту-то еще мы в прописях читали, а как эта
лепта запахла миллионом, так уж тут и не то? И на чем держится всё это хваленое благоразумие, в которое я так верил! Что ты так смотришь на меня, отец?
Точно ты видишь перед собой шута, дурачка! Ну, что ж что дурачок! Послуша-
ла бы ты, Наташа, что говорила об этом Катя: «Не ум главное, а то, что направляет его, — натура, сердце, благородные свойства, развитие». Но главное
на этот счет есть гениальное выражение Безмыгина. Безмыгин — это знакомый Левеньки и Бореньки и, между нами, голова, и действительно гениальная голова! Не далее как вчера он сказал к разговору: дурак, сознавшийся, что
он дурак, есть уже не дурак! Какова правда! Такие изречения у него поминутно. Он сыплет истинами.

— Действительно гениально! — заметил князь.

— Ты всё смеешься. Но ведь я от тебя ничего никогда не слыхал такого; и о
всего вашего общества тоже никогда не слыхал. У вас, напротив, всё это как-то
прячут, всё бы пониже к земле, чтоб все росты, все носы выходили непременно
по каким-то меркам, по каким-то правилам — точно это возможно! Точно это н
в тысячу раз невозможнее, чем то, об чем мы говорим и что думаем. А еще называют нас утопистами! Послушал бы ты, как они мне вчера говорили...

— Но что же, об чем вы говорите и думаете? Расскажи, Алеша, я до сих пор
как-то не понимаю, — сказала Наташа.

— Вообще обо всем, что ведет к прогрессу, к гуманности, к любви; всё это говорится по поводу современных вопросов. Мы говорим о гласности, о начинающихся реформах, о любви к человечеству, о современных деятелях; мы их разбираем, читаем. Но главное, мы дали друг другу слово быть совершенно между собой откровенными и прямо говорить друг другу всё о самих себе, не стесняясь. Только откровенность, только прямота могут достигнуть цели. Об этом особенно старается Безмыгин. Я рассказал об этом Кате, и она совершенно сочувствует Безмыгину. И потому мы все, под руководством Безмыгина, дали себе слово действовать честно и прямо всю жизнь, и что бы ни говорили о нас, как бы ни судили о нас, — не смущаться ничем, не стыдиться нашей восторженности, наших увлечений, наших ошибок и идти напрямки. Коли ты хочешь, чтоб тебя уважали, во-первых и главное, уважай сам себя; только этим, только самоуважением ты заставишь и других уважать себя. Это говорит Безмыгин, и Катя совершенно с ним согласна. Вообще мы теперь уговариваемся в наших убеждениях и положили заниматься изучением самих себя порознь, а все вместе толковать друг другу друг друга...

— Что за галиматья! — вскричал князь с беспокойством, — и кто этот Безмыгин? Нет, это так оставить нельзя...

— Чего нельзя оставить? — подхватил Алеша, — слушай, отец, почему я говорю всё это теперь, при тебе? Потому что хочу и надеюсь ввести и тебя в наш круг. Я дал уже там и за тебя слово. Ты смеешься, ну, я так и знал, что ты будешь смеяться! Но выслушай! Ты добр, благороден; ты поймешь. Ведь ты не знаешь, ты не видал никогда этих людей, не слыхал их самих. Положим, что ты обо всем этом слышал, всё изучил, ты ужасно учен; но самих-то их ты не видал, у них не был, а потому как же ты можешь судить о них верно! Ты только воображаешь, что знаешь. Нет, ты побудь у них, послушай их и тогда, — и тогда я даю слово за тебя, что ты будешь наш! А главное, я хочу употребить все средства, чтоб спасти тебя от гибели в твоем обществе, к которому ты так прилепился, и от твоих убеждений.

Князь молча и с ядовитейшей насмешкой выслушал эту выходку; злость была в лице его. Наташа следила за ним с нескрываемым отвращением. Он видел это, но показывал, что не замечает. Но как только Алеша кончил, князь вдруг разразился смехом. Он даже упал на спинку стула, как будто был не в силах сдержать себя. Но смех этот был решительно выделанный. Слишком заметно было, что он смеялся единственно для того, чтоб как можно сильнее обидеть и унизить своего сына. Алеша действительно огорчился; всё лицо его изобразило чрезвычайную грусть. Но он терпеливо переждал, когда кончится веселость отца.

— Отец, — начал он грустно, — для чего же ты смеешься надо мной? Я шел к тебе прямо и откровенно. Если, по твоему мнению, я говорю глупости, вразуми меня, а не смейся надо мною. Да и над чем смеяться? Над тем, что для меня теперь свято, благородно? Ну, пусть я заблуждаюсь, пусть это всё неверно, ошибочно, пусть я дурачок, как ты несколько раз называл меня; но если я и заблуждаюсь, то искренно, честно; я не потерял своего благородства. Я восторгаюсь высокими идеями. Пусть они ошибочны, но основание их свято. Я ведь сказал тебе, что ты и все ваши ничего еще не сказали мне такого же, что направило бы меня, увлекло бы за собой. Опровергни их, скажи мне что-нибудь лучше ихнего, и я пойду за тобой, но не смейся надо мной, потому что это очень огорчает меня.

Алеша произнес это чрезвычайно благородно и с каким-то строгим достоинством. Наташа с сочувствием следила за ним. Князь даже с удивлением выслушал сына и тотчас же переменил свой тон.

— Я вовсе не хотел оскорбить тебя, друг мой, — отвечал он, — напротив, я о тебе сожалею. Ты приготовляешься к такому шагу в жизни, при котором пора бы уже перестать быть таким легкомысленным мальчиком. Вот моя мысль. Я смеялся невольно и совсем не хотел оскорблять тебя.

— Почему же так показалось мне? — продолжал Алеша с горьким чувством. — Почему уже давно мне кажется, что ты смотришь на меня враждебно, с холодной насмешкой, а не как отец на сына? Почему мне кажется, что если б я был на твоем месте, я б не осмеял так оскорбительно своего сына, как ты теперь меня. Послушай: объяснимся откровенно, сейчас, навсегда, так, чтоб уж не оставалось больше никаких недоумений. И... я хочу говорить всю правду: когда я вошел сюда, мне показалось, что и здесь произошло какое-то недоумение; не так как-то ожидал я вас встретить здесь вместе. Так или нет? Если так, то не лучше ли каждому высказать свои чувства? Сколько зла можно устранить откровенностью!

— Говори, говори, Алеша! — сказал князь. — То, что ты предлагаешь нам, очень умно. Может быть, с этого и надо было начать, — прибавил он, взглянув на Наташу.

— Не рассердись же за полную мою откровенность, — начал Алеша, — ты сам ее хочешь, сам вызываешь. Слушай. Ты согласился на мой брак с Наташей; ты дал нам это счастье и для этого победил себя самого. Ты был великодушен, и мы все оценили твой благородный поступок. Но почему же теперь ты с какой-то радостью беспрерывно намекаешь мне, что я еще смешной мальчик и вовсе не гожусь быть мужем; мало того, ты как будто хочешь осмеять, унизить, даже как будто очернить меня в глазах Наташи. Ты очень рад всегда, когда можешь хоть чем-нибудь меня выказать с смешной стороны; это я заметил не теперь, а уже давно. Как будто ты именно стараешься для чего-то доказать нам, что брак наш смешон, нелеп и что мы не пара. Право, как будто ты сам не веришь в то, что для нас предназначаешь; как будто смотришь на всё это как на шутку, на забавную выдумку, на какой-то смешной водевиль... Я ведь не из сегодняшних только слов твоих это вывожу. Я в тот же вечер, во вторник же, как воротился к тебе отсюда, слышал от тебя несколько странных выражений, изумивших, даже огорчивших меня. И в среду, уезжая, ты тоже сделал несколько каких-то намеков на наше теперешнее положение, сказал и о ней — не оскорбительно, напротив, но как-то не так, как бы я хотел слышать от тебя, как-то слишком легко, как-то без любви, без такого уважения к ней... Это трудно рассказать, но тон ясен; сердце слышит. Скажи же мне, что я ошибаюсь. Разуверь меня, ободри меня и... и ее, потому что ты и ее огорчил. Я это угадал с первого же взгляда, как вошел сюда...

Алеша высказал это с жаром и с твердостью. Наташа с какою-то торжественностью его слушала и вся в волнении, с пылающим лицом, раза два проговорила про себя в продолжение его речи: «Да, да, это так!» Князь смутился.

— Друг мой, — отвечал он, — я, конечно, не могу припомнить всего, что говорил тебе; но очень странно, если ты принял мои слова в такую сторону. Готов разуверить тебя всем, чем только могу. Если я теперь смеялся, то и это понятно. Скажу тебе, что моим смехом я даже хотел прикрыть мое горькое чувство. Когда соображу теперь, что ты скоро собираешься быть мужем, то это мне теперь кажется совершенно несбыточным, нелепым, извини меня, даже смешным. Ты меня укоряешь за этот смех, а я говорю, что всё это через тебя.

Винюсь и я: может быть, я сам мало следил за тобой в последнее время и потому только теперь, в этот вечер, узнал, на что ты можешь быть способен. Теперь уже я трепещу, когда подумаю о твоей будущности с Натальей Николаевной: я поторопился; я вижу, что вы очень несходны между собою. Всякая любовь проходит, а несходство навсегда остается. Я уж и не говорю о твоей судьбе, но подумай, если только в тебе честные намерения, вместе с собой ты губишь и Наталью Николаевну, решительно губишь! Вот ты говорил теперь целый час о любви к человечеству, о благородстве убеждений, о благородных людях, с которыми познакомился; а спроси Ивана Петровича, что говорил я ему давеча, когда мы поднялись в четвертый этаж, по здешней отвратительной лестнице, и оставались здесь у дверей, благодаря Бога за спасение наших жизней и ног? Знаешь ли, какая мысль мне невольно тотчас же пришла в голову? Я удивился, как мог ты, при такой любви к Наталье Николаевне, терпеть, чтоб она жила в такой квартире? Как ты не догадался, что если не имеешь средств, если не имеешь способностей исполнять свои обязанности, то не имеешь права и быть мужем, не имеешь права брать на себя никаких обязательств. Одной любви мало; любовь оказывается делами; а ты как рассуждаешь: «Хоть и страдай со мной, но живи со мной», — ведь это не гуманно, это не благородно! Говорить о всеобщей любви, восторгаться общечеловеческими вопросами и в то же время делать преступления против любви и не замечать их — непонятно! Не перебивайте меня, Наталья Николаевна, дайте мне кончить; мне слишком горько, и я должен высказаться. Ты говорил, Алеша, что в эти дни увлекался всем, что благородно, прекрасно, честно, и укорял меня, что в нашем обществе нет таких увлечений, а только одно сухое благоразумие. Посмотри же: увлекаться высоким и прекрасным и после того, что было здесь во вторник, четыре дня пренебрегать тою, которая, кажется бы, должна быть для тебя дороже всего на свете! Ты даже признался о твоем споре с Катериной Федоровной, что Наталья Николаевна так любит тебя, так великодушна, что простит тебе твой проступок. Но какое право ты имеешь рассчитывать на такое прощение и предлагать об этом пари? И неужели ты ни разу не подумал, сколько горьких мыслей, сколько сомнений, подозрений послал ты в эти дни Наталье Николаевне? Неужели, потому что ты там увлекся какими-то новыми идеями, ты имел право пренебречь самою первейшею своею обязанностью? Простите меня, Наталья Николаевна, что я изменил моему слову. Но теперешнее дело серьезнее этого слова: вы сами поймете это... Знаешь ли ты, Алеша, что я застал Наталью Николаевну среди таких страданий, что понятно, в какой ад ты обратил для нее эти четыре дня, которые, напротив, должны бы быть лучшими днями ее жизни. Такие поступки, с одной стороны, и — слова, слова и слова — с другой... неужели я не прав? И ты можешь после этого обвинять меня, когда сам кругом виноват?

Князь кончил. Он даже увлекся своим красноречием и не мог скрыть от нас своего торжества. Когда Алеша услышал о страданиях Наташи, то с болезненной тоской взглянул на нее, но Наташа уже решилась.

— Полно, Алеша, не тоскуй, — сказала она, — другие виноватее тебя. Садись и выслушай, что я скажу сейчас твоему отцу. Пора кончить!

— Объяснитесь, Наталья Николаевна, — подхватил князь, — убедительно прошу вас! Я уже два часа слышу об этом загадки. Это становится невыносимо, и, признаюсь, не такой ожидал я здесь встречи.

— Может быть; потому что думали очаровать нас словами, так что мы и не заметим ваших тайных намерений. Что вам объяснять! Вы сами всё знаете и всё понимаете. Алеша прав. Самое первое желание ваше — разлучить нас. Вы заранее почти наизусть знали всё, что здесь случится, после того вечера, во вторник, и рассчитали всё как по пальцам. Я уже сказала вам, что вы смотрите и на меня и на сватовство, вами затеянное, не серьезно. Вы шутите с нами; вы играете и имеете вам известную цель. Игра ваша верная. Алеша был прав, когда укорял вас, что вы смотрите на всё это как на водевиль. Вы бы, напротив, должны были радоваться, а не упрекать Алешу, потому что он, не зная ничего, исполнил всё, что вы от него ожидали; может быть, даже и больше.

Я остолбенел от изумления. Я и ожидал, что в этот вечер случится какая-нибудь катастрофа. Но слишком резкая откровенность Наташи и нескрываемый презрительный тон ее слов изумили меня до последней крайности. Стало быть, она действительно что-то знала, думал я, и безотлагательно решилась на разрыв. Может быть, даже с нетерпением ждала князя, чтобы разом всё прямо в глаза ему высказать. Князь слегка побледнел. Лицо Алеши изображало наивный страх и томительное ожидание.

— Вспомните, в чем вы меня сейчас обвинили! — вскричал князь, — и хоть немножко обдумайте ваши слова... я ничего не понимаю.

— А! Так вы не хотите понять с двух слов, — сказала Наташа, — даже он, даже вот Алеша вас понял так же, как и я, а мы с ним не сговаривались, даже не видались! И ему тоже показалось, что вы играете с нами недостойную, оскорбительную игру, а он любит вас и верит в вас, как в божество. Вы не считали за нужное быть с ним поосторожнее, похитрее; рассчитывали, что он не догадается. Но у него чуткое, нежное, впечатлительное сердце, и ваши слова, ваш *тон*, как он говорит, у него остались на сердце...

— Ничего, ничего не понимаю! — повторил князь, с видом величайшего изумления обращаясь ко мне, точно брал меня в свидетели. Он был раздражен и разгорячился. — Вы мнительны, вы в тревоге, — продолжал он, обращаясь к ней, — просто-запросто вы ревнуете к Катерине Федоровне и потому готовы обвинить весь свет и меня первого, и... и позвольте уж всё сказать: странное мнение можно получить о вашем характере... Я не привык к таким сценам; я бы ни минуты не остался здесь после этого, если б не интересы моего сына... Я всё еще жду, не благоволите ли вы объясниться?

— Так вы все-таки упрямитесь и не хотите понять с двух слов, несмотря на то что всё это наизусть знаете? Вы непременно хотите, чтоб я вам всё прямо высказала?

— Я только этого и добиваюсь.

— Хорошо же, слушайте же, — вскричала Наташа, сверкая глазами от гнева, — я выскажу всё, всё!

ГЛАВА III

Она встала и начала говорить стоя, не замечая того от волнения. Князь слушал, слушал и тоже встал с места. Вся сцена становилась слишком торжественною.

— Припомните сами свои слова во вторник, — начала Наташа. — Вы сказали: мне нужны деньги, торные дороги, значение в свете, — помните?

— Помню.

— Ну, так для того-то, чтобы добыть эти деньги, чтобы добиться всех этих успехов, которые у вас ускользали из рук, вы и приезжали сюда во вторник и выдумали это сватовство, считая, что эта шутка вам поможет поймать то, что от вас ускользало.

— Наташа, — вскричал я, — подумай, что ты говоришь!

— Шутка! Расчет! — повторял князь с видом крайне оскорбленного достоинства.

Алеша сидел убитый горем и смотрел, почти ничего не понимая.

— Да, да, не останавливайте меня, я поклялась всё высказать, — продолжала раздраженная Наташа. — Вы помните сами: Алеша не слушался вас. Целые полгода вы трудились над ним, чтоб отвлечь его от меня. Он не поддавался вам. И вдруг у вас настала минута, когда время уже не терпело. Упустить его, и невеста, деньги, главное — деньги, целых три миллиона приданого, ускользнут у вас из-под пальцев. Оставалось одно: чтоб Алеша полюбил ту, которую вы назначили ему в невесты; вы думали: если полюбит, то, может быть, и отстанет от меня...

— Наташа, Наташа! — с тоскою вскричал Алеша. — Что ты говоришь!

— Вы так и сделали, — продолжала она, не останавливаясь на крик Алеши, — но — и тут опять та же, прежняя история! Всё бы могло уладиться, да я-то опять мешаю! Одно только могло вам подать надежду: вы, как опытный и хитрый человек, может быть, уж и тогда заметили, что Алеша иногда как будто тяготится своей прежней привязанностью. Вы не могли не заметить, что он начинает мною пренебрегать, скучать, по пяти дней ко мне не ездит. Авось наскучит совсем и бросит, как вдруг, во вторник, решительный поступок Алеши поразил вас совершенно. Что вам делать!..

— Позвольте, — вскричал князь, — напротив, этот факт...

— Я говорю, — настойчиво перебила Наташа, — вы спросили себя в тот вечер: «Что теперь делать?» — и решили: позволить ему жениться на мне, не в самом деле, а только так, *на словах*, чтоб только его успокоить. Срок свадьбы, думали вы, можно отдалять сколько угодно; а между тем новая любовь началась; вы это заметили. И вот на этом-то начале новой любви вы всё и основали.

— Романы, романы, — произнес князь вполголоса, как будто про себя, — уединение, мечтательность и чтение романов!

— Да, на этой-то новой любви вы всё и основали, — повторила Наташа, не слыхав и не обратив внимания на слова князя, вся в лихорадочном жару и всё более и более увлекаясь, — и какие шансы для этой новой любви! Ведь она началась еще тогда, когда он еще не узнал всех совершенств этой девушки! В ту самую минуту, когда он, в тот вечер, открывается этой девушке, что не может ее любить, потому что долг и другая любовь запрещают ему, — эта девушка вдруг выказывает пред ним столько благородства, столько сочувствия к нему и к своей сопернице, столько сердечного прощения, что он хоть и верил в ее красоту, но и не думал до этого мгновения, чтоб она была так прекрасна! Он и ко мне тогда приехал, — только и говорил, что о ней; она слишком поразила его. Да, он назавтра же непременно должен был почувствовать неотразимую потребность увидеть опять это прекрасное существо, хоть из одной только благодарности. Да и почему ж к ней не ехать? Ведь та, прежняя, уже не страдает, судьба ее решена, ведь той целый век отдается, а тут одна какая-нибудь минутка... И что за неблагодарная была бы Наташа, если б она ревновала даже к этой минуте? И вот незаметно отнимается у этой Наташи, вместо минуты, день, другой, третий. А между тем в это время эта девушка выказывается перед ним в совершенно неожиданном, новом виде; она такая благородная, энтузиастка и в то же время такой наивный ребенок, и в этом так сходна с ним характером. Они клянутся друг другу в дружбе, в братстве, хотят не разлучаться всю жизнь. *В какие-нибудь пять-шесть часов разговора* вся душа его открывается для новых ощущений, и сердце его отдается всё... Придет наконец время, думаете вы, он сравнит свою прежнюю любовь с своими новыми, свежими ощущениями: там всё знакомое, всегдашнее; там так серьезны, требовательны; там его ревнуют, бранят; там слезы... А если и начинают с ним шалить, играть, то как будто не с ровней, а с ребенком... а главное: всё такое прежнее, известное...

Слезы и горькая спазма душили ее, но Наташа скрепилась еще на минуту.

— Что ж дальше? А дальше время; ведь не сейчас же назначена свадьба с Наташей; времени много, и всё изменится... А тут ваши слова, намеки, толкования, красноречие... Можно даже и поклеветать на эту досадную Наташу; можно выставить ее в таком невыгодном свете и... как это всё разрешится — неизвестно, но победа ваша! Алеша! Не вини меня, друг мой! Не говори, что я не понимаю твоей любви и мало ценю ее. Я ведь знаю, что ты и теперь любишь меня и что в эту минуту, может быть, и не понимаешь моих жалоб. Я знаю, что я очень-очень худо сделала, что теперь это всё высказала. Но что же мне делать, если я это всё понимаю и всё больше и больше люблю тебя... совсем... без памяти!

Она закрыла лицо руками, упала в кресла и зарыдала как ребенок. Алеша с криком бросился к ней. Он никогда не мог видеть без слез ее слезы.

Ее рыдания, кажется, очень помогли князю: все увлечения Наташи в продолжение этого длинного объяснения, все резкости ее выходок против него, которыми уж из одного приличия надо было обидеться, всё это теперь, очевидно, можно было свести на безумный порыв ревности, на оскорбленную любовь, даже на болезнь. Даже следовало выказать сочувствие...

— Успокойтесь, утешьтесь, Наталья Николаевна, — утешал князь, — всё это исступление, мечты, уединение... Вы так были раздражены его легкомысленным поведением... Но ведь это только одно легкомыслие с его стороны. Самый главный факт, про который вы особенно упоминали, происшествие во вторник, скорей бы должно доказать вам всю безграничность его привязанности к вам, а вы, напротив, подумали...

— О, не говорите мне, не мучайте меня хоть теперь! — прервала Наташа, горько плача, — мне всё уже сказало сердце, и давно сказало! Неужели вы думаете, что я не понимаю, что прежняя любовь его вся прошла... Здесь, в этой комнате, одна... когда он оставлял, забывал меня... я всё это пережила... всё передумала... Что ж мне и делать было! Я тебя не виню, Алеша... Что вы меня обманываете? Неужели ж вы думаете, что я не пробовала сама себя обманывать!.. О, сколько раз, сколько раз! Разве я не вслушивалась в каждый звук его голоса? Разве я не научилась читать по его лицу, по его глазам?.. Всё, всё погибло, всё схоронено... О, я несчастная!

Алеша плакал перед ней на коленях.

— Да, да, это я виноват! Всё от меня!.. — повторял он среди рыданий.

— Нет, не вини себя, Алеша... тут есть другие... враги наши. Это они... они!

— Но позвольте же наконец, — начал князь с некоторым нетерпением, — на каком основании приписываете вы мне все эти... преступления? Ведь это одни только ваши догадки, ничем не доказанные...

— Доказательств! — вскричала Наташа, быстро приподымаясь с кресел, — вам доказательств, коварный вы человек! Вы не могли, не могли действовать иначе, когда приходили сюда с вашим предложением! Вам надо было успокоить вашего сына, усыпить его угрызения, чтоб он свободнее и спокойнее отдался весь Кате; без этого он всё бы вспоминал обо мне, не поддавался бы вам, а вам наскучило дожидаться. Что, разве это неправда?

— Признаюсь, — отвечал князь с саркастической улыбкой, — если б я хотел вас обмануть, я бы действительно так рассчитал; вы очень... остроумны, но ведь это надобно доказать и тогда уже оскорблять людей такими упреками...

— Доказать! А ваше всё прежнее поведение, когда вы отбивали его от меня? Тот, который научает сына пренебрегать и играть такими обязанностями из-за светских выгод, из-за денег, — развращает его! Что вы говорили давеча о лестнице и о дурной квартире? Не вы ли отняли у него жалованье, которое прежде давали ему, чтоб принудить нас разойтись через нужду и голод? Через вас и эта квартира, и эта лестница, а вы же его теперь попрекаете, двуличный вы человек! И откуда у вас вдруг явился тогда, в тот вечер, такой жар, такие новые, вам не свойственные убеждения? И для чего я вам так понадобилась? Я ходила здесь эти четыре дня; я всё обдумала, всё взвесила, каждое слово ваше, выражение вашего лица и убедилась, что всё это было напускное, шутка, комедия, оскорбительная, низкая и недостойная... Я ведь знаю вас, давно знаю! Каждый раз, когда Алеша приезжал от вас, я по лицу его угадывала всё, что вы ему говорили, внушали; все влияния ваши на него изучила! Нет, вам не обмануть меня! Может быть, у вас есть и еще какие-нибудь расчеты, может быть, я и не самое главное теперь высказала; но всё равно! Вы меня обманывали — это главное! Это вам и надо было сказать прямо в лицо!..

— Только-то? Это все доказательства? Но подумайте, исступленная вы женщина: этой выходкой (как вы называете мое предложение во вторник) я слишком себя связывал. Это было бы слишком легкомысленно для меня.

— Чем, чем вы себя связывали? Что значит в ваших глазах обмануть меня? Да и что такое обида какой-то девушке! Ведь она несчастная беглянка, отверженная отцом, беззащитная, *замаравшая* себя, *безнравственная*! Стоит ли с ней церемониться, коли эта *шутка* может принесть хоть какую-нибудь, хоть самую маленькую выгоду!

— В какое же положение вы сами ставите себя, Наталья Николаевна, подумайте! Вы непременно настаиваете, что с моей стороны было вам оскорбление. Но ведь это оскорбление так важно, так унизительно, что я не понимаю, как можно даже предположить его, тем более настаивать на нем. Нужно быть уж слишком ко всему приученной, чтоб так легко допускать это, извините меня. Я вправе упрекать вас, потому что вы вооружаете против меня сына: если он не восстал теперь на меня за вас, то сердце его против меня...

— Нет, отец, нет, — вскричал Алеша, — если я не восстал на тебя, то верю, что ты не мог оскорбить, да и не могу я поверить, чтоб можно было так оскорблять!

— Слышите? — вскричал князь.

— Наташа, во всем виноват я, не обвиняй его. Это грешно и ужасно!

— Слышишь, Ваня? Он уж против меня! — вскричала Наташа.

— Довольно! — сказал князь, — надо кончить эту тяжелую сцену. Этот слепой и яростный порыв ревности вне всяких границ рисует ваш характер совершенно в новом для меня виде. Я предупрежден. Мы поторопились, действительно поторопились. Вы даже и не замечаете, как оскорбили меня; для вас это ничего. Поторопились... поторопились... конечно, слово мое должно быть свято, но... я отец и желаю счастья моему сыну...

— Вы отказываетесь от своего слова, — вскричала Наташа вне себя, — вы обрадовались случаю! Но знайте, что я сама, еще два дня тому, здесь, одна, решилась освободить его от его слова, а теперь подтверждаю при всех. Я отказываюсь!

— То есть, может быть, вы хотите воскресить в нем все прежние беспокойства, чувство долга, всю «тоску по своим обязанностям» (как вы сами давеча выразились), для того чтоб этим снова привязать его к себе по-старому. Ведь это выходит по вашей же теории; я потому так и говорю; но довольно; решит время. Я буду ждать минуты более спокойной, чтоб объясниться с вами. Надеюсь, мы не прерываем отношений наших окончательно. Надеюсь тоже, вы научитесь лучше ценить меня. Я еще сегодня хотел было вам сообщить мой проект насчет ваших родных, из которого бы вы увидали... но довольно! Иван Петрович! — прибавил он, подходя ко мне, — теперь более чем когда-нибудь мне будет драгоценно познакомиться с вами ближе, не говоря уже о давнишнем желании моем. Надеюсь, вы поймете меня. На днях я буду у вас; вы позволите?

Я поклонился. Мне самому казалось, что теперь я уже не мог избежать его знакомства. Он пожал мне руку, молча поклонился Наташе и вышел с видом оскорбленного достоинства.

ГЛАВА IV

Несколько минут мы все не говорили ни слова. Наташа сидела задумавшись, грустная и убитая. Вся ее энергия вдруг ее оставила. Она смотрела прямо перед собой, ничего не видя, как бы забывшись и держа руку Алеши в своей руке. Тот тихо доплакивал свое горе, изредка взглядывая на нее с боязливым любопытством.

Наконец он робко начал утешать ее, умолял не сердиться, винил себя; видно было, что ему очень хотелось оправдать отца и что это особенно у него лежало на сердце; он несколько раз заговаривал об этом, но не смел ясно высказаться, боясь снова возбудить гнев Наташи. Он клялся ей во всегдашней, неизменной любви и с жаром оправдывался в своей привязанности к Кате; беспрерывно повторял, что он любит Катю только как сестру, как милую, добрую сестру, которую не может оставить совсем, что это было бы даже грубо и жестоко с его стороны, и всё уверял, что если Наташа узнает Катю, то они обе тотчас же подружатся, так что никогда не разойдутся, и тогда уже никаких не будет недоразумений. Эта мысль ему особенно нравилась. Бедняжка не лгал нисколько. Он не понимал опасений Наташи, да и вообще не понял хорошо, что она давеча говорила его отцу. Понял только, что они поссорились, и это-то особенно лежало камнем на его сердце.

— Ты меня винишь за отца? — спросила Наташа.

— Могу ль я винить, — отвечал он с горьким чувством, — когда сам всему причиной и во всем виноват? Это я довел тебя до такого гнева, а ты в гневе и его обвинила, потому что хотела меня оправдать; ты меня всегда оправдываешь, а я не стою того. Надо было сыскать виноватого, вот ты и подумала, что он. А он, право, право, не виноват! — воскликнул Алеша, одушевляясь. — И с тем ли он приезжал сюда! Того ли ожидал!

Но, видя, что Наташа смотрит на него с тоской и упреком, тотчас оробел.

— Ну не буду, не буду, прости меня, — сказал он. — Я всему причиною!

— Да, Алеша, — продолжала она с тяжким чувством. — Теперь он прошел между нами и нарушил весь наш мир, на всю жизнь. Ты всегда в меня верил больше, чем во всех; теперь же он влил в твое сердце подозрение против меня, недоверие, ты винишь меня, он взял у меня половину твоего сердца. Черная *кошка* пробежала между нами.

— Не говори так, Наташа. Зачем ты говоришь: «черная кошка»? — Он огорчился выражением.

— Он фальшивою добротою, ложным великодушием привлек тебя к себе, — продолжала Наташа, — и теперь всё больше и больше будет восстановлять тебя против меня.

— Клянусь тебе, что нет! — вскричал Алеша еще с большим жаром. — Он был раздражен, когда сказал, что «поторопились», — ты увидишь сама, завтра же, на днях, он спохватится, и если он до того рассердился, что в самом деле не захочет нашего брака, то я, клянусь тебе, его не послушаюсь. У меня, может быть, достанет на это силы... И знаешь, кто нам поможет, — вскричал он вдруг с восторгом от своей идеи, — Катя нам поможет! И ты увидишь, ты увидишь, что за прекрасное это созданье! Ты увидишь, хочет ли она быть твоей соперницей и разлучить нас! И как ты несправедлива была давеча, когда говорила, что я из таких, которые могут разлюбить на другой день после свадьбы! Как это мне горько было слышать! Нет, я не такой, и если я часто ездил к Кате...

— Полно, Алеша, будь у ней, когда хочешь. Я не про то давеча говорила. Ты не понял всего. Будь счастлив с кем хочешь. Не могу же я требовать у твоего сердца больше, чем оно может мне дать...

Вошла Мавра.

— Что ж, Подавать чай, что ли? Шутка ли, два часа самовар кипит; одиннадцать часов.

Она спросила грубо и сердито; видно было, что она очень не в духе и сердилась на Наташу. Дело в том, что она все эти дни, со вторника, была в таком восторге, что ее барышня (которую она очень любила) выходит замуж, что уже успела разгласить это по всему дому, в околотке, в лавочке, дворнику. Она хвалилась и с торжеством рассказывала, что князь, важный человек, генерал и ужасно богатый, сам приезжал просить согласия ее барышни, и она, Мавра, собственными ушами это слышала, и вдруг, теперь, всё пошло прахом. Князь уехал рассерженный, и чаю не подавали, и, уж разумеется, всему виновата барышня. Мавра слышала, как она говорила с ним непочтительно.

— Что ж... подай, — отвечала Наташа.

— Ну, а закуску-то подавать, что ли?

— Ну, и закуску, — Наташа смешалась.

— Готовили, готовили! — продолжала Мавра, — со вчерашнего дня без ног. За вином на Невский бегала, а тут... — И она вышла, сердито хлопнув дверью.

Наташа покраснела и как-то странно взглянула на меня. Между тем подали чай, тут же и закуску; была дичь, какая-то рыба, две бутылки превосходного вина от Елисеева. «К чему ж это все наготовили?» — подумал я.

— Это я, видишь, Ваня, вот какая, — сказала Наташа, подходя к столу и конфузясь даже передо мной. — Ведь предчувствовала, что всё это сегодня так выйдет, как вышло, а все-таки думала, что авось, может быть, и не так кончится. Алеша приедет, начнет мириться, мы помиримся; все мои подозрения окажутся несправедливыми, меня разуверят, и... на всякий случай я и приготовила закуску. Что ж, думала, мы заговоримся, засидимся...

Бедная Наташа! Она так покраснела, говоря это. Алеша пришел в восторг.

— Вот видишь, Наташа! — вскричал он. — Сама ты себе не верила; два часа тому назад еще не верила своим подозрениям! Нет, это надо всё поправить; я виноват, я всему причиной, я всё и поправлю. Наташа, позволь мне сейчас же к отцу! Мне надо его видеть; он обижен, он оскорблен; его надо утешить, я ему выскажу всё, всё от себя, только от одного себя; ты тут не будешь замешана. И я всё улажу... Не сердись на меня, что я так хочу к нему и что тебя хочу оставить. Совсем не то: мне жаль его; он оправдается перед тобой; увидишь... Завтра, чем свет, я у тебя, и весь день у тебя, к Кате не поеду...

Наташа его не останавливала, даже сама посоветовала ехать. Она ужасно боялась, что Алеша будет теперь нарочно, *через силу*, просиживать у нее целые дни и наскучит ею. Она просила только, чтоб он от ее имени ничего не говорил, и старалась повеселее улыбнуться ему на прощание. Он уже хотел было выйти, но вдруг подошел к ней, взял ее за обе руки и сел подле нее. Он смотрел на нее с невыразимою нежностью.

— Наташа, друг мой, ангел мой, не сердись на меня, и не будем никогда ссориться. И дай мне слово, что будешь всегда во всем верить мне, а я тебе. Вот что, мой ангел, я тебе расскажу теперь: были мы раз с тобой в ссоре, не помню за что; я был виноват. Мы не говорили друг с другом. Мне не хотелось просить прощения первому, а было мне ужасно грустно. Я ходил по городу, слонялся везде, заходил к приятелям, а в сердце было так тяжело, так тяжело... И пришло мне тогда на ум: что если б ты, например, от чего-нибудь заболела и умерла. И когда я вообразил себе это, на меня вдруг нашло такое отчаяние, точно я в самом деле навеки потерял тебя. Мысли всё шли тяжелее, ужаснее. И вот мало-помалу я стал воображать себе, что пришел будто я к тебе на могилу, упал на нее без памяти, обнял ее и замер в тоске. Вообразил я себе, как бы я целовал эту могилу, звал бы тебя из нее, хоть на одну минуту, и молил бы у Бога чуда, чтоб ты хоть на одно мгновение воскресла бы передо мною; представилось мне, как бы я бросился обнимать тебя, прижал бы к себе, целовал и, кажется, умер бы тут от блаженства, что хоть одно мгновение мог еще раз, как прежде, обнять тебя. И когда я воображал себе это, мне вдруг подумалось: вот я на одно мгновение буду просить тебя у Бога, а между тем была же ты со мною шесть месяцев и в эти шесть месяцев сколько раз мы поссорились, сколько дней мы не говорили друг с другом! Целые дни мы были в ссоре и пренебрегали нашим счастьем, а тут только на одну минуту вызываю тебя из могилы и за эту минуту готов заплатить всею жизнью!.. Как вообразил я это всё, я не мог выдержать и бросился к тебе скорей, прибежал сюда, а ты уж ждала меня, и, когда мы обнялись после ссоры, помню, я так крепко прижал тебя к груди, как будто и в самом деле лишаюсь тебя. Наташа! не будем никогда ссориться! Это так мне всегда тяжело! И можно ли, Господи! подумать, чтоб я мог оставить тебя!

Наташа плакала. Они крепко обнялись друг с другом, и Алеша еще раз поклялся ей, что никогда ее не оставит. Затем он полетел к отцу. Он был в твердой уверенности, что всё уладит, всё устроит.

— Всё кончено! Всё пропало! — сказала Наташа, судорожно сжав мою руку. — Он меня любит и никогда не разлюбит; но он и Катю любит и через несколько времени будет любить ее больше меня. А эта ехидна князь не будет дремать, и тогда...

— Наташа! Я сам верю, что князь поступает не чисто, но...

— Ты не веришь всему, что я ему высказала! Я заметила это по твоему лицу. Но погоди, сам увидишь, права была я или нет? Я ведь еще только вообще говорила, а бог знает, что у него еще в мыслях! Это ужасный человек! Я ходила эти четыре дня здесь по комнате и догадалась обо всем. Ему именно надо было освободить, облегчить сердце Алеши от его грусти, мешавшей ему жить, от обязанностей любви ко мне. Он выдумал это сватовство и для того еще, чтоб втереться между нами своим влиянием и очаровать Алешу благородством и великодушием. Это правда, правда, Ваня! Алеша именно такого характера. Он бы успокоился на мой счет; тревога бы у него прошла за меня. Он бы думал: что ведь теперь уж она жена моя, навеки со мной, и невольно бы обратил больше внимания на Катю. Князь, видно, изучил эту Катю и угадал, что она пара ему, что она может его сильней увлечь, чем я. Ох, Ваня! На тебя вся моя надежда теперь: он для чего-то хочет с тобой сойтись, знакомиться. Не отвергай этого и старайся, голубчик, ради Бога поскорее попасть к графине. Познакомься с этой Катей, разгляди ее лучше и скажи мне: что она такое? Мне надо, чтоб там был твой взгляд. Никто так меня не понимает, как ты, и ты поймешь, что мне надо. Разгляди еще, в какой степени они дружны, что между ними, об чем они говорят; Катю, Катю, главное, рассмотри... Докажи мне еще этот раз, милый, возлюбленный мой Ваня, докажи мне еще раз свою дружбу! На тебя, только на тебя теперь и надежда моя!..

. . . .

Когда я воротился домой, был уже первый час ночи. Нелли отворила мне с заспанным лицом. Она улыбнулась и светло посмотрела на меня. Бедняжка очень досадовала на себя, что заснула. Ей всё хотелось меня дождаться. Она сказала, что меня кто-то приходил спрашивать, сидел с ней и оставил на столе записку. Записка была от Маслобоева. Он звал меня к себе завтра, в первом часу. Мне хотелось расспросить Нелли, но я отложил до завтра, настаивая, чтоб она непременно шла спать; бедняжка и без того устала, ожидая меня, и заснула только за полчаса до моего прихода.

ГЛАВА V

Наутро Нелли рассказала мне про вчерашнее посещение довольно странные вещи. Впрочем, уж и то было странно, что Маслобоев вздумал в этот вечер прийти: он наверно знал, что я не буду дома; я сам предуведомил его об этом при последнем нашем свидании и очень хорошо это помнил. Нелли рассказывала, что сначала она было не хотела отпирать, потому что боялась: было уж восемь часов вечера. Но он упросил ее через запертую дверь, уверяя, что если он не оставит мне теперь записку, то завтра мне почему-то будет очень худо. Когда она его впустила, он тотчас же написал записку, подошел к ней и уселся подле нее на диване. «Я встала и не хотела с ним говорить, — рассказывала Нелли, — я его очень боялась; он начал говорить про Бубнову, как она теперь сердится, что она уж не смеет меня теперь взять, и начал вас хвалить; сказал, что он с вами большой друг и вас маленьким мальчиком знал. Тут я стала с ним говорить. Он вынул конфеты и просил, чтоб и я взяла; я не хотела; он стал меня уверять тогда, что он добрый человек, умеет петь песни и плясать; вскочил и начал плясать. Мне стало смешно. Потом сказал, что посидит еще немножко, — дождусь Ваню, авось воротится, — и очень просил меня, чтоб я не боялась и села подле него. Я села; но говорить с ним ничего не хотела. Тогда он сказал мне, что знал мамашу и дедушку и... тут я стала говорить. И он долго сидел».

— А об чем же вы говорили?

— О мамаше... о Бубновой... о дедушке. Он сидел часа два.

Нелли как будто не хотелось рассказывать, об чем они говорили. Я не расспрашивал, надеясь узнать всё от Маслобоева. Мне показалось только, что Маслобоев нарочно заходил без меня, чтоб застать Нелли одну. «Для чего ему это?» — подумал я.

Она показала мне три конфетки, которые он ей дал. Это были леденцы в зеленых и красных бумажках, прескверные и, вероятно, купленные в овощной лавочке. Нелли засмеялась, показывая мне их.

— Что ж ты их не ела? — спросил я.

— Не хочу, — отвечала она серьезно, нахмурив брови. — Я и не брала у него; он сам на диване оставил...

В этот день мне предстояло много ходьбы. Я стал прощаться с Нелли.

— Скучно тебе одной? — спросил я ее, уходя.

— И скучно и не скучно. Скучно потому, что вас долго нет.

И она с такою любовью взглянула на меня, сказав это. Всё это утро она смотрела на меня таким же нежным взглядом и казалась такою веселенькою, такою ласковою, и в то же время что-то стыдливое, даже робкое было в ней, как будто она боялась чем-нибудь досадить мне, потерять мою привязанность и... и слишком высказаться, точно стыдясь этого.

— А чем же не скучно-то? Ведь ты сказала, что тебе «и скучно и не скучно»? — спросил я, невольно улыбаясь ей, так становилась она мне мила и дорога.

— Уж я сама знаю чем, — отвечала она, усмехнувшись, и чего-то опять застыдилась. Мы говорили на пороге, у растворенной двери. Нелли стояла передо мной, потупив глазки, одной рукой схватившись за мое плечо, а другою пощипывая мне рукав сюртука.

— Что ж это, секрет? — спросил я.

— Нет... ничего... я — я вашу книжку без вас читать начала, — проговорила она вполголоса и, подняв на меня нежный, проницающий взгляд, вся закраснелась.

— А, вот как! Что ж, нравится тебе? — я был в замешательстве автора, которого похвалили в глаза, но я бы бог знает что дал, если б мог в эту минуту поцеловать ее. Но как-то нельзя было поцеловать. Нелли помолчала.

— Зачем, зачем он умер? — спросила она с видом глубочайшей грусти, мельком взглянув на меня и вдруг опять опустив глаза.

— Кто это?

— Да вот этот, молодой, в чахотке... в книжке-то?

— Что ж делать, так надо было, Нелли.

— Совсем не надо, — отвечала она почти шепотом, но как-то вдруг, отрывисто, чуть не сердито, надув губки и еще упорнее уставившись глазами в пол.

Прошла еще минута.

— А она... ну, вот и они-то... девушка и старичок, — шептала она, продолжая как-то усиленнее пощипывать меня за рукав, — что ж, они будут жить вместе? И не будут бедные?

— Нет, Нелли, она уедет далеко; выйдет замуж за помещика, а он один останется, — отвечал я с крайним сожалением, действительно сожалея, что не могу ей сказать чего-нибудь утешительнее.

— Ну, вот... Вот! Вот как это! У, какие!.. Я и читать теперь не хочу!

И она сердито оттолкнула мою руку, быстро отвернулась от меня, ушла к столу и стала лицом к углу, глазами в землю. Она вся покраснела и неровно дышала, точно от какого-то ужасного огорчения.

— Полно, Нелли, ты рассердилась! — начал я, подходя к ней, — ведь это всё неправда, что написано, — выдумка; ну, чего ж тут сердиться! Чувствительная ты девочка!

— Я не сержусь, — проговорила она робко, подняв на меня такой светлый, такой любящий взгляд; потом вдруг схватила мою руку, прижала к моей груди лицо и отчего-то заплакала.

Но в ту же минуту и засмеялась, — и плакала и смеялась — всё вместе. Мне тоже было и смешно и как-то... сладко. Но она ни за что не хотела поднять ко мне голову, и когда я стал было отрывать ее личико от моего плеча, она всё крепче приникала к нему и всё сильнее и сильнее смеялась.

Наконец кончилась эта чувствительная сцена. Мы простились; я спешил. Нелли, вся разрумянившаяся и всё еще как будто пристыженная и с сияющими, как звездочки, глазками, выбежала за мной на самую лестницу и просила воротиться скорее. Я обещал, что непременно ворочусь к обеду и как можно пораньше.

Сначала я пошел к старикам. Оба они хворали. Анна Андреевна была совсем больная; Николай Сергеич сидел у себя в кабинете. Он слышал, что я пришел, но я знал, что по обыкновению своему он выйдет не раньше, как через четверть часа, чтоб дать нам наговориться. Я не хотел очень расстраивать Анну Андреевну и потому смягчал по возможности мой рассказ о вчерашнем вечере, но высказал правду; к удивлению моему, старушка хоть и огорчилась, но как-то без удивления приняла известие о возможности разрыва.

— Ну, батюшка, так я и думала, — сказала она. — Вы ушли тогда, а я долго продумала и надумалась, что не бывать этому. Не заслужили мы у Господа Бога, да и человек-то такой подлый; можно ль от него добра ожидать. Шутка ль, десять тысяч с нас задаром берет, знает ведь, что задаром, и все-таки берет. Последний кусок хлеба отнимает; продадут Ихменевку. А Наташечка справедлива и умна, что им не поверила. Да знаете ль вы еще, батюшка, — продолжала она, понизив голос, — мой-то, мой-то! Совсем напротив этой свадьбы идет. Проговариваться стал: не хочу, говорит! Я сначала думала, что он блажит; нет, взаправду. Что ж тогда с ней-то будет, с голубушкой? Ведь он ее тогда совсем проклянет. Ну, а тот-то, Алеша-то, он-то что?

И долго еще она меня расспрашивала и по обыкновению своему охала и сетовала с каждым моим ответом. Вообще я заметил, что она в последнее время как-то совсем потерялась. Всякое известие потрясало ее. Скорбь об Наташе убивала ее сердце и здоровье.

Вошел старик, в халате, в туфлях; он жаловался на лихорадку, но с нежностью посмотрел на жену и всё время, как я у них был, ухаживал за ней, как нянька, смотрел ей в глаза, даже робел перед нею. Во взглядах его было столько нежности. Он был испуган ее болезнью; чувствовал, что лишится всего в жизни, если и ее потеряет.

Я просидел у них с час. Прощаясь, он вышел за мною до передней и заговорил о Нелли. У него была серьезная мысль принять ее к себе в дом вместо дочери. Он стал советоваться со мной, как склонить на то Анну Андреевну. С особенным любопытством расспрашивал меня о Нелли и не узнал ли я о ней еще чего нового? Я наскоро рассказал ему. Рассказ мой произвел на него впечатление.

— Мы еще поговорим об этом, — сказал он решительно, — а покамест... а впрочем, я сам к тебе приду, вот только немножко поправлюсь здоровьем. Тогда и решим.

Ровно в двенадцать часов я был у Маслобоева. К величайшему моему изумлению, первое лицо, которое я встретил, войдя к нему, был князь. Он в передней надевал свое пальто, а Маслобоев суетливо помогал ему и подавал ему его трость. Он уж говорил мне о своем знакомстве с князем, но все-таки эта встреча чрезвычайно изумила меня.

Князь как будто смешался, увидев меня.

— Ах, это вы! — вскрикнул он как-то уж слишком с жаром, — представьте, какая встреча! Впрочем, я сейчас узнал от господина Маслобоева, что вы с ним знакомы. Рад, рад, чрезвычайно рад, что вас встретил; я именно желал вас видеть и надеюсь как можно скорее заехать к вам, вы позволите? У меня просьба до вас: помогите мне, разъясните теперешнее положение наше. Вы, верно, поняли, что я говорю про вчерашнее... Вы там знакомы дружески, вы следили за всем ходом этого дела: вы имеете влияние... Ужасно жалею, что не могу с вами теперь же... Дела! Но на днях и даже, может быть, скорее я буду иметь удовольствие быть у вас. А теперь...

Он как-то уж слишком крепко пожал мне руку, перемигнулся с Маслобоевым и вышел.

— Скажи ты мне, ради Бога... — начал было я, входя в комнату.

— Ровно-таки ничего тебе не скажу, — перебил Маслобоев, поспешно хватая фуражку и направляясь в переднюю, — дела! Я, брат, сам бегу, опоздал!..

— Да ведь ты сам написал, что в двенадцать часов.

— Что ж такое, что написал? Вчера тебе написал, а сегодня мне написали, да так, что лоб затрещал, — такие дела! Ждут меня. Прости, Ваня. Всё, что могу предоставить тебе в удовлетворение, это исколотить меня за то, что напрасно тебя потревожил. Если хочешь удовлетвориться, то колоти, но только ради Христа поскорее! Не задержи, дела, ждут...

— Да зачем мне тебя колотить? Дела, так спеши, у всякого бывает свое непредвиденное. А только...

— Нет, про *только-то* уж я скажу, — перебил он, выскакивая в переднюю и надевая шинель (за ним и я стал одеваться). — У меня и до тебя дело; очень важное дело, за ним-то я и звал тебя; прямо до тебя касается и до твоих интересов. А так как в одну минуту, теперь, рассказать нельзя, то дай ты, ради Бога, слово, что придешь ко мне сегодня ровно в семь часов, ни раньше, ни позже. Буду дома.

— Сегодня, — сказал я в нерешимости, — ну, брат, я сегодня вечером хотел было зайти...

— Зайди, голубчик, сейчас туда, куда ты хотел вечером зайти, а вечером ко мне. Потому, Ваня, и вообразить не можешь, какие я вещи тебе сообщу.

— Да изволь, изволь; что бы такое? Признаюсь, ты завлек мое любопытство. Между тем мы вышли из ворот дома и стояли на тротуаре.

— Так будешь? — спросил он настойчиво.

— Сказал, что буду.

— Нет, дай честное слово.

— Фу, какой! Ну, честное слово.

— Отлично и благородно. Тебе куда?

— Сюда, — отвечал я, показывая направо.

— Ну, а мне сюда, — сказал он, показывая налево. — Прощай, Ваня! Помни, семь часов.

«Странно», — подумал я, смотря ему вслед.

Вечером я хотел быть у Наташи. Но так как теперь дал слово Маслобоеву, то и рассудил отправиться к ней сейчас. Я был уверен, что застану у ней Алешу. Действительно, он был там и ужасно обрадовался, когда я вошел.

Он был очень мил, чрезвычайно нежен с Наташей и даже развеселился с моим приходом. Наташа хоть и старалась казаться веселою, но видно было, что через силу. Лицо ее было больное и бледное; плохо спала ночью. К Алеше она была как-то усиленно ласкова.

Алеша хоть и много говорил, много рассказывал, по-видимому желая развеселить ее и сорвать улыбку с ее невольно складывавшихся не в улыбку губ, но заметно обходил в разговоре Катю и отца. Вероятно, вчерашняя его попытка примирения не удалась.

— Знаешь что? Ему ужасно хочется уйти от меня, — шепнула мне наскоро Наташа, когда он вышел на минуту что-то сказать Мавре, — да и боится. А я сама боюсь ему сказать, чтоб он уходил, потому что он тогда, пожалуй, нарочно не уйдет, а пуще всего боюсь, что он соскучится и за это совсем охладеет ко мне! Как сделать?

— Боже, в какое положение вы сами себя ставите! И какие вы мнительные, как вы следите друг за другом! Да просто объясниться, ну и кончено. Вот через это-то положение он, может быть, и действительно соскучится.

— Как же быть? — вскричала она, испуганная.

— Постой, я вам всё улажу... — и я вышел в кухню под предлогом попросить Мавру обтереть одну очень загрязнившуюся мою калошу.

— Осторожнее, Ваня! — закричала она мне вслед.

Только что я вошел к Мавре, Алеша так и бросился ко мне, точно меня ждал:

— Иван Петрович, голубчик, что мне делать? Посоветуйте мне: я еще вчера дал слово быть сегодня, именно теперь, у Кати. Не могу же я манкировать! Я люблю Наташу как не знаю что, готов просто в огонь, но, согласитесь сами, там совсем бросить, ведь это нельзя...

— Ну что ж, поезжайте...

— Да как же Наташа-то? Ведь я огорчу ее, Иван Петрович, выручите как-нибудь...

— По-моему, лучше поезжайте. Вы знаете, как она вас любит; ей всё будет казаться, что вам с ней скучно и что вы с ней сидите насильно. Непринужденнее лучше. Впрочем, пойдемте, я вам помогу.

— Голубчик, Иван Петрович! Какой вы добрый!

Мы вошли; через минуту я сказал ему:

— А я видел сейчас вашего отца.

— Где? — вскричал он, испуганный.

— На улице, случайно. Он остановился со мной на минуту, опять просил быть знакомым. Спрашивал об вас: не знаю ли я, где теперь вы? Ему очень надо было вас видеть, что-то сказать вам.

— Ах, Алеша, съезди, покажись ему, — подхватила Наташа, понявшая, к чему я клоню.

— Но... где ж я его теперь встречу? Он дома?

— Нет, помнится, он сказал, что он у графини будет.

— Ну, так как же... — наивно произнес Алеша, печально смотря на Наташу.

— Ах, Алеша, так что же! — сказала она. — Неужели ж ты вправду хочешь оставить это знакомство, чтоб меня успокоить. Ведь это по-детски. Во-первых, это невозможно, а во-вторых, ты просто будешь неблагороден перед Катей. Вы друзья; разве можно так грубо разрывать связи. Наконец, ты меня просто обижаешь, коли думаешь, что я так тебя ревную. Поезжай, немедленно поезжай, я прошу тебя! Да и отец твой успокоится.

— Наташа, ты ангел, а я твоего пальчика не стою! — вскричал Алеша с восторгом и с раскаянием. — Ты так добра, а я... я... ну узнай же! Я сейчас же просил, там, в кухне, Ивана Петровича, чтоб он помог мне уехать от тебя. Он это и выдумал. Но не суди меня, ангел Наташа! Я не совсем виноват, потому что люблю тебя в тысячу раз больше всего на свете и потому выдумал новую мысль: открыться во всем Кате и немедленно рассказать ей всё наше теперешнее положение и всё, что вчера было. Она что-нибудь выдумает для нашего спасения, она нам всею душою предана...

— Ну и ступай, — отвечала Наташа, улыбаясь, — и вот что, друг мой, я сама хотела бы очень познакомиться с Катей. Как бы это устроить?

Восторгу Алеши не было пределов. Он тотчас же пустился в предположения, как познакомиться. По его выходило очень легко: Катя выдумает. Он развивал свою идею с жаром, горячо. Сегодня же обещался и ответ принести, через два же часа, и вечер просидеть у Наташи.

— Вправду приедешь? — спросила Наташа, отпуская его.

— Неужели ты сомневаешься? Прощай, Наташа, прощай, возлюбленная ты моя, — вечная моя возлюбленная! Прощай, Ваня! Ах, Боже мой, я вас нечаянно назвал Ваней; послушайте, Иван Петрович, я вас люблю — зачем мы не на *ты*. Будем на *ты*.

— Будем на *ты*.

— Слава Богу! Ведь мне это сто раз в голову приходило. Да я всё как-то не смел вам сказать. Вот и теперь *вы* говорю. А ведь это очень трудно *ты* говорить. Это, кажется, где-то у Толстого хорошо выведено: двое дали друг другу слово говорить *ты*, да и никак не могут и всё избегают такие фразы, в которых местоимения. Ах, Наташа! Перечтем когда-нибудь «Детство и отрочество»; ведь как хорошо!

— Да уж ступай, ступай, — прогоняла Наташа, смеясь, — заболтался от радости...

— Прощай! Через два часа у тебя!

Он поцеловал у ней руку и поспешно вышел.

— Видишь, видишь, Ваня! — проговорила она и залилась слезами.

Я просидел с ней часа два, утешал ее и успел убедить во всем. Разумеется, она была во всем права, во всех своих опасениях. У меня сердце ныло в тоске, когда я думал о теперешнем ее положении; боялся я за нее. Но что ж было делать?

Странен был для меня и Алеша: он любил ее не меньше, чем прежде, даже, может быть, и сильнее, мучительнее, от раскаяния и благодарности. Но в то же время новая любовь крепко вселялась в его сердце. Чем это кончится — невозможно было предвидеть. Мне самому ужасно любопытно было посмотреть на Катю. Я снова обещал Наташе познакомиться с нею.

Под конец она даже как будто развеселилась. Между прочим, я рассказал ей всё о Нелли, о Маслобоеве, о Бубновой, о сегодняшней встрече моей у Маслобоева с князем и о назначенном свидании в семь часов. Всё это ужасно ее заинтересовало. О стариках я говорил с ней немного, а о посещении Ихменева умолчал, до времени; предполагаемая дуэль Николая Сергеича с князем могла испугать ее. Ей тоже показались очень странными сношения князя с Маслобоевым и чрезвычайное его желание познакомиться со мною, хотя всё это и довольно объяснялось теперешним положением...

Часа в три я воротился домой. Нелли встретила меня с своим светлым личиком...

ГЛАВА VI

Ровно в семь часов вечера я уже был у Маслобоева. Он встретил меня с громкими криками и с распростертыми объятиями. Само собою разумеется, он был вполпьяна. Но более всего меня удивили чрезвычайные приготовления к моей встрече. Видно было, что меня ожидали. Хорошенький томпаковый самовар кипел на круглом столике, накрытом прекрасною и дорогою скатертью. Чайный прибор блистал хрусталем, серебром и фарфором. На другом столе, покрытом другого рода, но не менее богатой скатертью, стояли на тарелках конфеты, очень хорошие, варенья киевские, жидкие и сухие, мармелад, пастила, желе, французские варенья, апельсины, яблоки и трех или четырех сортов орехи, — одним словом, целая фруктовая лавка. На третьем столе, покрытом белоснежною скатертью, стояли разнообразнейшие закуски: икра, сыр, пастет, колбасы, копченый окорок, рыба и строй превосходных хрустальных графинов с водками многочисленных сортов и прелестнейших цветов — зеленых, рубиновых, коричневых, золотых. Наконец, на маленьком столике, в стороне, тоже накрытом белою скатертью, стояли две вазы с шампанским. На столе перед диваном красовались три бутылки: сотерн, лафит и коньяк, — бутылки елисеевские и предорогие. За чайным столиком сидела Александра Семеновна хоть и в простом платье и уборе, но, видимо, изысканном и обдуманном, правда, очень удачно. Она понимала, что к ней идет, и, видимо, этим гордилась; встречая меня, она привстала с некоторою торжественностью. Удовольствие и веселость сверкали на ее свеженьком личике. Маслобоев сидел в прекрасных китайских туфлях, в дорогом халате и в свежем щегольском белье. На рубашке его были везде, где только можно было прицепить, модные запонки и пуговки. Волосы были расчесаны, напомажены и с косым пробором, по-модному.

Я так был озадачен, что остановился среди комнаты и смотрел, раскрыв рот, то на Маслобоева, то на Александру Семеновну, самодовольство которой доходило до блаженства.

— Что это, Маслобоев? Разве у тебя сегодня званый вечер? — вскричал я наконец с беспокойством.

— Нет, ты один, — отвечал он торжественно.

— Да что же это (я указал на закуски), ведь тут можно накормить целый полк?

— И напоить — главное забыл: напоить! — прибавил Маслобоев.

— И это всё для одного меня?

— И для Александры Семеновны. Всё это ей угодно было так сочинить.

— Ну, вот уж! Я так и знала! — воскликнула, закрасневшись, Александра Семеновна, но нисколько не потеряв своего довольного вида. — Гостя прилично принять нельзя: тотчас я виновата!

— С самого утра, можешь себе представить, с самого утра, только что узнала, что ты придешь на вечер, захлопотала; в муках была...

— И тут солгал! Вовсе не с самого утра, а со вчерашнего вечера. Ты вчера вечером, как пришел, так и сказал мне, что они в гости на целый вечер придут...

— Это вы ослышались-с.

— Вовсе не ослышалась, а так было. Я никогда не лгу. А почему ж гостя не встретить? Живем-живем, никто-то к нам не ходит, а всё-то у нас есть. Пусть же хорошие люди видят, что и мы умеем, как люди, жить.

— И, главное, узнают, какая вы великолепная хозяйка и распорядительница, — прибавил Маслобоев. — Представь, дружище, я-то, я-то за что тут попался. Рубашку голландскую на меня напялили, запонки натыкали, туфли, халат китайский, волосы расчесала мне сама и распомадила: бергамот-с; духами какими-то попрыскать хотела: крем-брюле, да уж тут я не вытерпел, восстал, супружескую власть показал...

— Вовсе не бергамот, а самая лучшая французская помада, из фарфоровой расписной баночки! — подхватила, вся вспыхнув, Александра Семеновна. — Посудите сами, Иван Петрович, ни в театр, ни танцевать никуда не пускает, только платья дарит, а что мне в платье-то? Наряжусь да и хожу одна по комнате. Намедни упросила, совсем уж было собрались в театр; только что отвернулась брошку прицепить, а он к шкапику: одну, другую, да и накатился. Так и остались. Никто-то, никто-то, никто-то не ходит к нам в гости; а только по утрам, по делам какие-то люди ходят; меня и прогонят. А между тем и самовары, и сервиз есть, и чашки хорошие — всё это есть, всё дареное. И съестное-то нам носят, почти одно вино покупаем да какую-нибудь помаду, да вот там закуски, — пастет, окорока да конфеты для вас купили... Хоть бы посмотрел кто, как мы живем! Целый год думала: вот придет гость, настоящий гость, мы всё это и покажем, и угостим: и люди похвалят, и самим любо будет; а что его, дурака, напомадила, так он и не стоит того; ему бы всё в грязном ходить. Вон какой халат на нем: подарили, да стоит ли он такого халата? Ему бы только нализаться прежде всего. Вот увидите, что он вас будет прежде чаю водкой просить.

— А что! Ведь и вправду дело: выпьем-ка, Ваня, золотую и серебряную, а потом, с освеженной душой и к другим напиткам приступим.

— Ну, так я и знала!

— Не беспокойтесь, Сашенька, и чайку выпьем, с коньячком, за ваше здоровье-с.

— Ну, так и есть! — вскричала она, всплеснув руками. — Чай ханский, по шести целковых, третьего дня купец подарил, а он его с коньяком хочет пить. Не слушайте, Иван Петрович, вот я вам сейчас налью... увидите, сами увидите, какой чай!

И она захлопотала у самовара.

Было понятно, что рассчитывали меня продержать весь вечер. Александра Семеновна целый год ожидала гостя и теперь готовилась отвести на мне душу. Всё это было не в моих расчетах.

— Послушай, Маслобоев, — сказал я, усаживаясь, — ведь я к тебе вовсе не в гости; я по делам; ты сам меня звал что-то сообщить...

— Ну, так ведь дело делом, а приятельская беседа своим чередом.

— Нет, душа моя, не рассчитывай. В половину девятого — и прощай. Дело есть; я дал слово...

— Не думаю. Помилуй, что ж ты со мной делаешь? Что ж ты с Александрой-то Семеновной делаешь? Ты взгляни на нее: обомлела. За что ж меня напомадила-то: ведь на мне бергамот; подумай!

— Ты всё шутишь, Маслобоев. Я Александре Семеновне поклянусь, что на будущей неделе, ну хоть в пятницу, приду к вам обедать; а теперь, брат, я дал слово, или, лучше сказать, мне просто надобно быть в одном месте. Лучше объясни мне: что ты хотел сообщить?

— Так неужели ж вы только до половины девятого! — вскричала Александра Семеновна робким и жалобным голосом, чуть не плача и подавая мне чашку превосходного чаю.

— Не беспокойтесь, Сашенька; всё это вздор, — подхватил Маслобоев. — Он останется; это вздор. А вот что ты лучше скажи мне, Ваня, куда это ты всё уходишь? Какие у тебя дела? Можно узнать? Ведь ты каждый день куда-то бегаешь, не работаешь...

— А зачем тебе? Впрочем, может быть, скажу после. А вот объясни-ка ты лучше, зачем ты приходил ко мне вчера, когда я сам сказал тебе, помнишь, что меня не будет дома?

— Потом вспомнил, а вчера забыл. Об деле действительно хотел с тобою поговорить, но пуще всего надо было утешить Александру Семеновну. «Вот, говорит, есть человек, оказался приятель, зачем не позовешь?» И уж меня, брат, четверо суток за тебя продергивают. За бергамот мне, конечно, на том свете сорок грехов простят, но, думаю, отчего же не посидеть вечерок по-приятельски? Я и употребил стратагему: написал, что, дескать, такое дело, что если не придешь, то все наши корабли потонут.

Я попросил его вперед так не делать, а лучше прямо предуведомить. Впрочем, это объяснение меня не совсем удовлетворило.

— Ну, а давеча-то зачем бежал от меня? — спросил я.

— А давеча действительно было дело, настолечко не солгу.

— Не с князем ли?

— А вам нравится наш чай? — спросила медовым голоском Александра Семеновна.

Вот уж пять минут она ждала, что я похвалю их чай, а я и не догадался.

— Превосходный, Александра Семеновна, великолепный! Я еще и не пивал такого.

Александра Семеновна так и зарделась от удовольствия и бросилась наливать мне еще.

— Князь! — вскричал Маслобоев, — этот князь, брат, такая шельма, такой плут... ну! Я, брат, вот что тебе скажу: я хоть и сам плут, но из одного целомудрия не захотел бы быть в его коже! Но довольно; молчок! Только это одно об нем и могу сказать.

— А я, как нарочно, пришел к тебе, чтобы и об нем расспросить между прочим. Но это после. А зачем ты вчера без меня моей Елене леденцов давал да плясал перед ней? И об чем ты мог полтора часа с ней говорить!

— Елена, это маленькая девочка, лет двенадцати или одиннадцати, живет до времени у Ивана Петровича, — объяснил Маслобоев, вдруг обращаясь к Александре Семеновне. — Смотри, Ваня, смотри, — продолжал он, показывая на нее пальцем, — так вся и вспыхнула, как услышала, что я незнакомой девушке леденцы носил, так и зарделась, так и вздрогнула, точно мы вдруг из пистолета выстрелили... ишь глазенки-то, так и сверкают, как угольки. Да уж нечего, Александра Семеновна, нечего скрывать! Ревнивы-с. Не растолкуй я, что это одиннадцатилетняя девочка, так меня тотчас же за вихры оттаскала бы: и бергамот бы не спас!

— Он и теперь не спасет!

И с этими словами Александра Семеновна одним прыжком прыгнула к нам из-за чайного столика, и прежде чем Маслобоев успел заслонить свою голову, она схватила его за клочок волос и порядочно продернула.

— Вот тебе, вот тебе! Не смей говорить перед гостем, что я ревнива, не смей, не смей, не смей!

Она даже раскраснелась и хоть смеялась, но Маслобоеву досталось порядочно.

— Про всякий стыд рассказывает! — серьезно прибавила она, обратясь ко мне.

— Ну, Ваня, таково-то житье мое! По этой причине непременно водочки! — решил Маслобоев, оправляя волосы и чуть не бегом направляясь к графину. Но Александра Семеновна предупредила его: подскочила к столу, налила сама, подала и даже ласково потрепала его по щеке. Маслобоев с гордостью подмигнул мне глазом, щелкнул языком и торжественно выпил свою рюмку.

— Насчет леденцов трудно сообразить, — начал он, усаживаясь подле меня на диване. — Я их купил третьего дня, в пьяном виде, в овощной лавочке, — не знаю для чего. Впрочем, может быть, для того, чтоб поддержать отечественную торговлю и промышленность, — не знаю наверно; помню только, что я шел тогда по улице пьяный, упал в грязь, рвал на себе волосы и плакал о том, что ни к чему не способен. Я, разумеется, об леденцах забыл, так они и остались у меня в кармане до вчерашнего дня, когда я сел на них, садясь на твой диван. Насчет танцев же опять тот же нетрезвый вид: вчера я был достаточно пьян, а в пьяном виде я, когда бываю доволен судьбою, иногда танцую. Вот и всё; кроме разве того, что эта сиротка возбудила во мне жалость; да, кроме того, она и говорить со мной не хотела, как будто сердилась. Я и ну танцевать, чтоб развеселить ее, и леденчиками попотчевал.

— А не подкупал ее, чтоб у ней кое-что выведать, и, признайся откровенно: нарочно ты зашел ко мне, зная, что меня дома не будет, чтоб поговорить с ней между четырех глаз и что-нибудь выведать, или нет? Ведь я знаю, ты с ней часа полтора просидел, уверил ее, что ее мать покойницу знаешь, и что-то выспрашивал.

Маслобоев прищурился и плутовски усмехнулся.

— А ведь идея-то была бы недурна, — сказал он. — Нет, Ваня, это не то. То есть почему не расспросить при случае; но это не то. Слушай, старинный приятель, я хоть теперь и довольно пьян, по обыкновению, но знай, что с *злым умыслом* Филипп тебя никогда не обманет, с *злым то есть* умыслом.

— Ну, а без злого умысла?

— Ну... и без злого умысла. Но к черту это, выпьем, и об деле! Дело-то пустое, — продолжал он, выпив. — Эта Бубнова не имела никакого права держать эту девочку; я всё разузнал. Никакого тут усыновления или прочего не было. Мать должна была ей денег, та и забрала к себе девчонку. Бубнова хоть и плутовка, хоть и злодейка, но баба-дура, как и все бабы. У покойницы был хороший паспорт; следственно, всё чисто. Елена может жить у тебя, хотя бы очень хорошо было, если б какие-нибудь люди семейные и благодетельные взяли ее серьезно на воспитание. Но покамест пусть она у тебя. Это ничего; я тебе всё обделаю: Бубнова и пальцем пошевелить не смеет. О покойнице же матери я почти ничего не узнал точного. Она чья-то вдова, по фамилии Зальцман.

— Так, мне так и Нелли говорила.

— Ну, так и кончено. Теперь же, Ваня, — начал он с некоторою торжественностью, — я имею к тебе одну просьбицу. Ты же исполни. Расскажи мне по возможности подробнее, что у тебя за дела, куда ты ходишь, где бываешь по целым дням? Я хоть отчасти и слышал и знаю, но мне надобно знать гораздо подробнее.

Такая торжественность удивила меня и даже обеспокоила.

— Да что такое? Для чего тебе это знать? Ты так торжественно спрашиваешь...

— Вот что, Ваня, без лишних слов: я тебе хочу оказать услугу. Видишь, дружище, если б я с тобой хитрил, я бы у тебя и без торжественности умел выпытать. А ты подозреваешь, что я с тобой хитрю: давеча, леденцы-то; я ведь понял. Но так как я с торжественностью говорю, значит, не для себя интересуюсь, а для тебя. Так ты не сомневайся и говори напрямик, правду — истинную...

— Да какую услугу? Слушай, Маслобоев, для чего ты не хочешь мне рассказать что-нибудь о князе? Мне это нужно. Вот это будет услуга.

— О князе! гм... Ну, так и быть, прямо скажу: я и выспрашиваю теперь тебя по поводу князя.

— Как?

— А вот как: я, брат, заметил, что он как-то в твои дела замешался; между прочим, он расспрашивал меня об тебе. Уж как он узнал, что мы знакомы, — это не твое дело. А только главное в том: берегись ты этого князя. Это Иуда-предатель и даже хуже того. И потому, когда я увидал, что он отразился в твоих делах, то вострепетал за тебя. Впрочем, я ведь ничего не знаю; для того-то и прошу тебя рассказать, чтоб я мог судить... И даже для того тебя сегодня к себе призвал. Вот это-то и есть то важное дело; прямо объясняю.

— По крайней мере ты мне скажешь хоть что-нибудь, хоть то, почему именно я должен опасаться князя.

— Хорошо, так и быть; я, брат, вообще употребляюсь иногда по иным делам. Но рассуди: мне ведь иные и доверяются-то потому, что я не болтун. Как же я тебе буду рассказывать? Так и не взыщи, если расскажу вообще, слишком вообще, для того только, чтоб показать: какой, дескать, он выходит подлец. Ну, начинай же сначала ты, про свое.

Я рассудил, что в моих делах мне решительно нечего было скрывать от Маслобоева. Дело Наташи было не секретное; к тому же я мог ожидать для нее некоторой пользы от Маслобоева. Разумеется, в моем рассказе я, по возможности, обошел некоторые пункты. Маслобоев в особенности внимательно слушал всё, что касалось князя; во многих местах меня останавливал, многое вновь переспрашивал, так что я рассказал ему довольно подробно. Рассказ мой продолжался с полчаса.

— Гм! умная голова у этой девицы, — решил Маслобоев. — Если, может быть, и не совсем верно догадалась она про князя, то уж то одно хорошо, что с первого шагу узнала, с кем имеет дело, и прервала все сношения. Молодец Наталья Николаевна! Пью за ее здоровье! (Он выпил.) Тут не только ум, тут сердца надо было, чтоб не дать себя обмануть. И сердце не выдало. Разумеется, ее дело проиграно: князь настоит на своем, и Алеша ее бросит. Жаль одного, Ихменева, — десять тысяч платить этому подлецу! Да кто у него по делу-то ходил, кто хлопотал? Небось сам! Э-эх! То-то все эти горячие и благородные! Никуда не годится народ! С князем не так надо было действовать. Я бы такого адвокатика достал Ихменеву — э-эх! — И он с досадой стукнул по столу.

— Ну, теперь что же князь-то?

— А ты всё о князе. Да что об нем говорить; и не рад, что вызвался. Я ведь, Ваня, только хотел тебя насчет этого мошенника предуведомить, чтобы, так сказать, оградить тебя от его влияния. Кто с ним связывается, тот не безопасен. Так ты держи ухо востро; вот и всё. А ты уж и подумал, что я тебе бог знает какие парижские тайны хочу сообщить. И видно, что романист! Ну, что говорить о подлеце? Подлец так и есть подлец... Ну, вот, например, расскажу тебе одно его дельце, разумеется без мест, без городов, без лиц, то есть без календарской точности. Ты знаешь, что он еще в первой молодости, когда принужден был жить канцелярским жалованьем, женился на богатой купчихе. Ну, с этой купчихой он не совсем вежливо обошелся, и хоть не в ней теперь дело, но замечу, друг Ваня, что он всю жизнь наиболее по таким делам любил промышлять. Вот еще случай: поехал он за границу. Там...

— Постой, Маслобоев, про которую ты поездку говоришь? В котором году?

— Ровно девяносто девять лет тому назад и три месяца. Ну-с, там он и сманил одну дочь у одного отца да и увез с собой в Париж. Да ведь как сделал-то! Отец был вроде какого-то заводчика или участвовал в каком-то эдаком предприятии. Наверно не знаю. Я ведь если и рассказываю тебе, то по собственным умозаключениям и соображениям из других данных. Вот князь его и надул, тоже в предприятие с ним вместе залез. Надул вполне и деньги с него взял. Насчет взятых денег у старика были, разумеется, кой-какие документы. А князю хотелось так взять, чтоб и не отдать, по-нашему — просто украсть. У старика была дочь, и дочь-то была красавица, а у этой красавицы был влюбленный в нее идеальный человек, братец Шиллеру, поэт, в то же время купец, молодой мечтатель, одним словом — вполне немец, Феферкухен какой-то.

— То есть это фамилия его Феферкухен?

— Ну, может, и не Феферкухен, черт его дери, не в нем дело. Только князь-то и подлез к дочери, да так подлез, что она влюбилась в него как сумасшедшая. Князю и захотелось тогда двух вещей: во-первых, овладеть дочкой, а во-вторых, документами во взятой у старика сумме. Ключи от всех ящиков стариковых были у его дочери. Старик же любил дочь без памяти, до того, что замуж ее отдавать не хотел. Серьезно. Ко всякому жениху ревновал, не понимал, как можно расстаться с нею, и Феферкухена прогнал, чудак какой-то англичанин...

— Англичанин? Да где же всё это происходило?

— Я только так сказал: англичанин, для сравнения, а ты уж и подхватил. Было ж это в городе Санта-фе-де-Богота, а может, и в Кракове, но вернее всего, что в фюрстентум Нассау, вот что на зельтерской воде написано, именно в Нассау; довольно с тебя? Ну-с, вот-с князь девицу-то сманил, да и увез от отца, да по настоянию князя девица захватила с собой и кой-какие документики. Ведь бывает же такая любовь, Ваня! Фу ты, Боже мой, а ведь девушка была честная, благородная, возвышенная! Правда, может, толку-то большого в бумагах не знала. Ее заботило одно: отец проклянет. Князь и тут нашелся; дал ей форменное, законное обязательство, что на ней женится. Таким образом и уверил ее, что они так только поедут, на время, прогуляются, а когда гнев старика поутихнет, они и воротятся к нему обвенчанные и будут втроем век жить, добра наживать и так далее до бесконечности. Бежала она, старик-то ее проклял да и обанкрутился. За нею в Париж потащился и Фрауенмильх, всё бросил и торговлю бросил; влюблен был уж очень.

— Стой! Какой Фрауенмильх?

— Ну тот, как его! Фейербах-то... тьфу, проклятый: Феферкухен! Ну-с, князю, разумеется, жениться нельзя было: что, дескать, графиня Хлестова скажет? Как барон Помойкин об этом отзовется? Следовательно, надо было надуть. Ну, надул-то он слишком нагло. Во-первых, чуть ли не бил ее, во-вторых, нарочно пригласил к себе Феферкухена, тот и ходил, другом ее сделался, ну, хныкали вместе, по целым вечерам одни сидели, несчастья свои оплакивали, тот утешал: известно, Божьи души. Князь-то нарочно так подвел: раз застает их поздно да и выдумал, что они в связи, придрался к чему-то: своими глазами, говорит, видел. Ну и вытолкал их обоих за ворота, а сам на время в Лондон уехал. А та была уж на сносях; как выгнали ее, она и родила дочь... то есть не дочь, а сына, именно сынишку, Володькой и окрестили. Феферкухен восприемником был. Ну вот и поехала она с Феферкухеном. У того маленькие деньжонки были. Объехала она Швейцарию, Италию... во всех то есть поэтических землях была, как и следует. Та всё плакала, а Феферкухен хныкал, и много лет таким образом прошло, и девочка выросла. И для князя-то всё бы хорошо было, да одно нехорошо: обязательство жениться он у ней назад не выхлопотал. «Низкий ты человек, — сказала она ему при прощании, — ты меня обокрал, ты меня обесчестил и теперь оставляешь. Прощай! Но обязательства тебе не отдам. Не потому, что я когда-нибудь хотела за тебя выйти, а потому, что ты этого документа боишься. Так пусть он и будет у меня вечно в руках». Погорячилась, одним словом, но князь, впрочем, остался покоен. Вообще эдаким подлецам превосходно иметь дело с так называемыми возвышенными существами. Они так благородны, что их весьма легко обмануть, а во-вторых, они всегда отделываются возвышенным и благородным презрением вместо практического применения к делу закона, если только можно его применить. Ну, вот хоть бы эта мать: отделалась гордым презрением и хоть оставила у себя документ, но ведь князь знал, что она скорее повесится, чем употребит его в дело: ну, и был покоен до времени. А она хоть и плюнула ему в его подлое лицо, да ведь у ней Володька на руках оставался: умри она, что с ним будет? Но об этом не рассуждалось. Брудершафт тоже ободрял ее и не рассуждал; Шиллера читали. Наконец, Брудершафт отчего-то скиснул и умер...

— То есть Феферкухен?

— Ну да, черт его дери! А она...

— Постой! Сколько лет они странствовали?

— Ровнешенько двести. Ну-с, она и воротилась в Краков. Отец-то не принял, проклял, она умерла, а князь перекрестился от радости. Я там был, мед пил, по усам текло, а в рот не попало, дали мне шлык, а я в подворотню шмыг... выпьем, брат Ваня!

— Я подозреваю, что ты у него по этому делу хлопочешь, Маслобоев.

— Тебе непременно этого хочется?

— Но не понимаю только, что ты-то тут можешь сделать!

— А видишь, она как воротилась в Мадрид-то после десятилетнего отсутствия, под чужим именем, то надо было всё это разузнать и о Брудершафте, и о старике, и действительно ли она воротилась, и о птенце, и умерла ли она, и нет ли бумаг, и так далее до бесконечности. Да еще кой о чем. Сквернейший человек, берегись его, Ваня, а об Маслобоеве вот что думай: никогда, ни за что не называй его подлецом! Он хоть и подлец (по-моему, так нет человека не подлеца), но не против тебя. Я крепко пьян, но слушай: если когда-нибудь, близко ли, далеко ли, теперь ли, или на будущий год, тебе покажется, что Маслобоев против тебя в чем-нибудь схитрил (и, пожалуйста, не забудь этого слова *схитрил*), — то знай, что без злого умысла. Маслобоев над тобой наблюдает. И потому не верь подозрениям, а лучше приди и объяснись откровенно и по-братски с самим Маслобоевым. Ну, теперь хочешь пить?

— Нет.

— Закусить?

— Нет, брат, извини...

— Ну, так и убирайся, без четверти девять, а ты спесив. Теперь тебе уже пора.

— Как? Что? Напился пьян да и гостя гонит! Всегда-то он такой! Ах, бесстыдник! — вскричала чуть не плача Александра Семеновна.

— Пеший конному не товарищ! Александра Семеновна, мы остаемся вместе и будем обожать друг друга. А это генерал! Нет, Ваня, я соврал; ты не генерал, а я — подлец! Посмотри, на что я похож теперь? Что я перед тобой? Прости, Ваня, не осуди и дай излить...

Он обнял меня и залился слезами. Я стал уходить.

— Ах, Боже мой! А у нас и ужинать приготовлено, — говорила Александра Семеновна в ужаснейшем горе. — А в пятницу-то придете к нам?

— Приду, Александра Семеновна, честное слово, приду.

— Да вы, может быть, побрезгаете, что он вот такой... пьяный. Не брезгайте, Иван Петрович, он добрый, очень добрый, а уж вас как любит! Он про вас мне и день и ночь теперь говорит, всё про вас. Нарочно ваши книжки купил для меня; я еще не прочла; завтра начну. А уж мне-то как хорошо будет, когда вы придете! Никого-то не вижу, никто-то не ходит к нам посидеть. Всё у нас есть, а сидим одни. Теперь вот я сидела, всё слушала, всё слушала, как вы говорили, и как это хорошо... Так до пятницы...

ГЛАВА VII

Я шел и торопился домой: слова Маслобоева слишком меня поразили. Мне бог знает что приходило в голову... Как нарочно, дома меня ожидало одно происшествие, которое меня потрясло, как удар электрической машины.

Против самых ворот дома, в котором я квартировал, стоял фонарь. Только что я стал под ворота, вдруг от самого фонаря бросилась на меня какая-то странная фигура, так что я даже вскрикнул, какое-то живое существо, испуганное, дрожащее, полусумасшедшее, и с криком уцепилось за мои руки. Ужас охватил меня. Это была Нелли!

— Нелли! Что с тобой? — закричал я. — Что ты!

— Там, наверху... он сидит... у нас...

— Кто такой? Пойдем; пойдем вместе со мной.

— Не хочу, не хочу! Я подожду, пока он уйдет... в сенях... не хочу.

Я поднялся к себе с каким-то странным предчувствием, отворил дверь и — увидел князя. Он сидел у стола и читал роман. По крайней мере, книга была раскрыта.

— Иван Петрович! — вскричал он с радостью. — Я так рад, что вы наконец воротились. Только что хотел было уезжать. Более часу вас ждал. Я дал сегодня слово, по настоятельнейшей и убедительнейшей просьбе графини, приехать к ней сегодня вечером с вами. Она так просила, так хочет с вами познакомиться! Так как уж вы дали мне обещание, то я рассудил заехать к вам самому, пораньше, покамест вы еще не успели никуда отправиться, и пригласить вас с собою. Представьте же мою печаль; приезжаю: ваша служанка объявляет, что вас нет дома. Что делать! Я ведь дал честное слово явиться с вами; а потому сел вас подождать, решив, что прожду четверть часа. Но вот они, четверть часа: развернул ваш роман и зачитался. Иван Петрович! Ведь это совершенство! Ведь вас не понимают после этого! Ведь вы у меня слезы исторгли. Ведь я плакал, а я не очень часто плачу...

— Так вы хотите, чтоб я ехал? Признаюсь вам, теперь... хоть я вовсе не прочь, но...

— Ради бога, поедемте! Что же со мной-то вы сделаете? Ведь я вас ждал полтора часа!.. Притом же мне с вами так надо, так надо поговорить — вы понимаете о чем? Вы всё это дело знаете лучше меня... Мы, может быть, решим что-нибудь, остановимся на чем-нибудь, подумайте! Ради Бога, не отказывайте.

Я рассудил, что рано ли, поздно ли надо будет ехать. Положим, Наташа теперь одна, я ей нужен, но ведь она же сама поручила мне как можно скорей узнать Катю. К тому же, может быть, и Алеша там... Я знал, что Наташа не будет покойна, прежде чем я не принесу ей известий о Кате, и решился ехать. Но меня смущала Нелли.

— Погодите, — сказал я князю и вышел на лестницу. Нелли стояла тут, в темном углу.

— Почему ты не хочешь идти, Нелли? Что он тебе сделал? Что с тобой говорил?

— Ничего... Я не хочу, не хочу... — повторяла она, — я боюсь...

Как я ее ни упрашивал — ничто не помогало. Я уговорился с ней, чтоб как только я выйду с князем, она бы вошла в комнату и заперлась.

— И не пускай к себе никого, Нелли, как бы тебя ни упрашивали.

— А вы с ним едете?

— С ним.

Она вздрогнула и схватила меня за руки, точно хотела упросить, чтоб я не ехал, но не сказала ни слова. Я решил расспросить ее подробно завтра.

Попросив извинения у князя, я стал одеваться. Он начал уверять меня, что туда не надо никаких гардеробов, никаких туалетов. «Так, разве посвежее что-нибудь! — прибавил он, инквизиторски оглядев меня с головы до ног, — знаете, все-таки эти светские предрассудки... ведь нельзя же совершенно от них избавиться. Этого совершенства вы в нашем свете долго не найдете», — заключил он, с удовольствием увидав, что у меня есть фрак.

Мы вышли. Но я оставил его на лестнице, вошел в комнату, куда уже проскользнула Нелли, и еще раз простился с нею. Она была ужасно взволнована. Лицо ее посинело. Я боялся за нее; мне тяжко было ее оставить.

— Странная это у вас служанка, — говорил мне князь, сходя с лестницы. — Ведь эта маленькая девочка ваша служанка?

— Нет... она так... живет у меня покамест.

— Странная девочка. Я уверен, что она сумасшедшая. Представьте себе, сначала отвечала мне хорошо, но потом, когда разглядела меня, бросилась ко мне, вскрикнула, задрожала, вцепилась в меня... что-то хочет сказать — не может. Признаюсь, я струсил, хотел уж бежать от нее, но она, слава Богу, сама от меня убежала. Я был в изумлении. Как это вы уживаетесь?

— У нее падучая болезнь, — отвечал я.

— А, вот что! Ну, это не так удивительно... если она с припадками.

Мне тут же показалось одно: что вчерашний визит ко мне Маслобоева, тогда как он знал, что я не дома, что сегодняшний мой визит к Маслобоеву, что сегодняшний рассказ Маслобоева, который он рассказал в пьяном виде и нехотя, что приглашение быть у него сегодня в семь часов, что его убеждения не верить в его хитрость и, наконец, что князь, ожидающий меня полтора часа и, может быть, знавший, что я у Маслобоева, тогда как Нелли выскочила от него на улицу, — что всё это имело между собой некоторую связь. Было о чем задуматься.

У ворот дожидалась его коляска. Мы сели и поехали.

ГЛАВА VIII

Ехать было недолго, к Торговому мосту. Первую минуту мы молчали. Я всё думал: как-то он со мной заговорит? Мне казалось, что он будет меня пробовать, ощупывать, выпытывать. Но он заговорил без всяких изворотов и прямо приступил к делу.

— Меня чрезвычайно заботит теперь одно обстоятельство, Иван Петрович, — начал он, — о котором я хочу прежде всего переговорить с вами и попросить у вас совета: я уж давно решил отказаться от выигранного мною процесса и уступить спорные десять тысяч Ихменеву. Как поступить?

«Не может быть, чтоб ты не знал, как поступить, — промелькнуло у меня в мыслях. — Уж не на смех ли ты меня подымаешь?»

— Не знаю, князь, — отвечал я как можно простодушнее, — в чем другом, то есть что касается Натальи Николаевны, я готов сообщить вам необходимые для вас и для нас всех сведения, но в этом деле вы, конечно, знаете больше моего.

— Нет, нет, конечно, меньше. Вы с ними знакомы, и, может быть, даже сама Наталья Николаевна вам не раз передавала свои мысли на этот счет; а это для меня главное руководство. Вы можете мне много помочь; дело же крайне затруднительное. Я готов уступить и даже непременно положил уступить, как бы ни кончились все прочие дела; вы понимаете? Но как, в каком виде сделать эту уступку, вот в чем вопрос? Старик горд, упрям; пожалуй, меня же обидит за мое же добродушие и швырнет мне эти деньги назад.

— Но позвольте, вы как считаете эти деньги: своими или его?

— Процесс выигран мною, следственно, моими.

— Но по совести?

— Разумеется, считаю моими, — отвечал он, несколько пикированный моею бесцеремонностью, — впрочем, вы, кажется, не знаете всей сущности этого дела. Я не виню старика в умышленном обмане и, признаюсь вам, никогда не винил. Вольно ему было самому напустить на себя обиду. Он виноват в недосмотре, в нерачительности о вверенных ему делах, а, по бывшему уговору нашему, за некоторые из подобных дел он должен был отвечать. Но знаете ли вы, что даже и не в этом дело: дело в нашей ссоре, во взаимных тогдашних оскорблениях; одним словом, в обоюдно уязвленном самолюбии. Я, может быть, и внимания не обратил бы тогда на эти дрянные десять тысяч; но вам, разумеется, известно, из-за чего и как началось тогда всё это дело. Соглашаюсь, был мнителен, я был, пожалуй, неправ (то есть тогда неправ), но я не замечал этого и, в досаде, оскорбленный его грубостями, не хотел упустить случая и начал дело. Вам всё это, пожалуй, покажется с моей стороны не совсем благородным. Я не оправдываюсь; замечу вам только, что гнев и, главное, раздраженное самолюбие — еще не есть отсутствие благородства, а есть дело естественное, человеческое, и, признаюсь, повторяю вам, я ведь почти вовсе не знал Ихменева и совершенно верил всем этим слухам насчет Алеши и его дочери, а следственно, мог поверить и умышленной краже денег... Но это в сторону. Главное в том: что мне теперь делать? Отказаться от денег; но если я тут же скажу, что считаю и теперь свой иск правым, то ведь это значит: я их дарю ему. А тут прибавьте еще щекотливое положение насчет Натальи Николаевны... Он непременно швырнет мне эти деньги назад.

— Вот видите, сами же вы говорите: *швырнет*; следовательно, считаете его человеком честным, а поэтому и можете быть совершенно уверены, что он не крал ваших денег. А если так, почему бы вам не пойти к нему и не объявить прямо, что считаете свой иск незаконным? Это было бы благородно, и Ихменев, может быть, не затруднился бы тогда взять *свои* деньги.

— Гм... *свои* деньги; вот в том-то и дело; что же вы со мной-то делаете? Идти и объявить ему, что считаю свой иск незаконным. Да зачем же ты искал, коли знал, что ищешь незаконно? — так мне все в глаза скажут. А я этого не заслужил, потому что искал законно; я нигде не говорил и не писал, что он у меня крал; но в его неосмотрительности, в легкомыслии, в неуменье вести дела и теперь уверен. Эти деньги положительно мои, и потому больно взводить самому на себя поклеп, и, наконец, повторяю вам, старик сам взвел на себя обиду, а вы меня заставляете в этой обиде у него прощения просить, — это тяжело.

— Мне кажется, если два человека хотят помириться, то...

— То это легко, вы думаете?

— Да.

— Нет, иногда очень нелегко, тем более...

— Тем более если с этим связаны другие обстоятельства. Вот в этом я с вами согласен, князь. Дело Натальи Николаевны и вашего сына должно быть разрешено вами во всех тех пунктах, которые от вас зависят, и разрешено вполне удовлетворительно для Ихменевых. Только тогда вы можете объясниться с Ихменевым и о процессе совершенно искренно. Теперь же, когда еще ничего не решено, у вас один только путь: признаться в несправедливости вашего иска, и признаться открыто, а если надо, так и публично, — вот мое мнение; говорю вам прямо, потому что вы же сами спрашивали моего мнения и, вероятно, не желали, чтоб я с вами хитрил. Это же дает мне смелость спросить вас: для чего вы беспокоитесь об отдаче этих денег Ихменеву? Если вы считаете себя в этом иске правым, то для чего отдавать? Простите мое любопытство, но это так связано с другими обстоятельствами...

— А как вы думаете? — спросил он вдруг, как будто совершенно не слыхал моего вопроса, — уверены ли вы, что старик Ихменев откажется от десяти тысяч, если б даже вручить ему деньги безо всяких оговорок и... и... и всяких этих смягчений?

— Разумеется, откажется!

Я весь так и вспыхнул и даже вздрогнул от негодования. Этот нагло скептический вопрос произвел на меня такое же впечатление, как будто князь мне плюнул прямо в глаза. К моему оскорблению присоединилось и другое: грубая, великосветская манера, с которою он, не отвечая на мой вопрос и как будто не заметив его, перебил его другим, вероятно давая мне заметить, что я слишком увлекся и зафамильярничал, осмелившись предлагать ему такие вопросы. Я до ненависти не любил этого великосветского маневра и всеми силами еще прежде отучал от него Алешу.

— Гм... вы слишком пылки, и на свете некоторые дела не так делаются, как вы воображаете, — спокойно заметил князь на мое восклицание. — Я, впрочем, думаю, что об этом могла бы отчасти решить Наталья Николаевна; вы ей передайте это. Она могла бы посоветовать.

— Ничуть, — отвечал я грубо. — Вы не изволили выслушать, что я начал вам говорить давеча, и перебили меня. Наталья Николаевна поймет, что если вы возвращаете деньги неискренно и без всяких этих, как вы говорите, *смягчений*, то, значит, вы платите отцу за дочь, а ей за Алешу, — одним словом, награждаете деньгами...

— Гм... вот вы как меня понимаете, добрейший мой Иван Петрович. — Князь засмеялся. Для чего он засмеялся? — А между тем, — продолжал он, — нам еще столько, столько надо вместе переговорить. Но теперь некогда. Прошу вас только, поймите *одно*: дело касается прямо Натальи Николаевны и всей ее будущности, и всё это зависит отчасти от того, как мы с вами это решим и на чем остановимся. Вы тут необходимы, — сами увидите. И потому, если вы продолжаете быть привязанным к Наталье Николаевне, то и не можете отказаться от объяснений со мною, как бы мало ни чувствовали ко мне симпатии. Но мы приехали... A bientôt[1].

ГЛАВА IX

Графиня жила прекрасно. Комнаты были убраны комфортно и со вкусом, хотя вовсе не пышно. Всё, однако же, носило на себе характер временного пребывания; это была только приличная квартира на время, а не постоянное, утвердившееся жилье богатой фамилии со всем размахом барства и со всеми его прихотями, принимаемыми за необходимость. Носился слух, что графиня на лето едет в свое имение (разоренное и перезаложенное), в Симбирскую губернию, и что князь сопровождает ее. Я уже слышал про это и с тоскою подумал: как поступит Алеша, когда Катя уедет с графиней? С Наташей я еще не заговаривал об этом, боялся; но по некоторым признакам успел заметить, что, кажется, и ей этот слух известен. Но она молчала и страдала про себя.

Графиня приняла меня прекрасно, приветливо протянула мне руку и подтвердила, что давно желала меня у себя видеть. Она сама разливала чай из прекрасного серебряного самовара, около которого мы и уселись: я, князь и еще какой-то очень великосветский господин пожилых лет и со звездой, несколько на-

---

[1] До скорого свидания (*франц.*).

крахмаленный, с дипломатическими приемами. Этого гостя, кажется, очень уважали. Графиня, воротясь из-за границы, не успела еще в эту зиму завести в Петербурге больших связей и основать свое положение, как хотела и рассчитывала. Кроме этого гостя, никого не было, и никто не являлся во весь вечер. Я искал глазами Катерину Федоровну; она была в другой комнате с Алешей, но, услышав о нашем приезде, тотчас же вышла к нам. Князь с любезностию поцеловал у ней руку, а графиня указала ей на меня. Князь тотчас же нас познакомил. Я с нетерпеливым вниманием в нее вглядывался: это была нежная блондиночка, одетая в белое платье, невысокого роста, с тихим и спокойным выражением лица, с совершенно голубыми глазами, как говорил Алеша, с красотой юности и только. Я ожидал встретить совершенство красоты, но красоты не было. Правильный, нежно очерченный овал лица, довольно правильные черты, густые и действительно прекрасные волосы, обыденная домашняя их прическа, тихий, пристальный взгляд; при встрече с ней где-нибудь я бы прошел мимо нее, не обратив на нее никакого особенного внимания; но это было только с первого взгляда, и я успел несколько лучше разглядеть ее потом, в этот вечер. Уж одно то, как она подала мне руку, с каким-то наивно усиленным вниманием продолжая смотреть мне в глаза и не говоря мне ни слова, поразило меня своею странностию, и я отчего-то невольно улыбнулся ей. Видно, я тотчас же почувствовал перед собой существо чистое сердцем. Графиня пристально следила за нею. Пожав мне руку, Катя с какою-то поспешностию отошла от меня и села в другом конце комнаты, вместе с Алешей. Здороваясь со мной, Алеша шепнул мне: «Я здесь только на минутку, но сейчас *туда*».

«Дипломат» — не знаю его фамилии и называю его дипломатом, чтобы как-нибудь назвать, — говорил спокойно и величаво, развивая какую-то идею. Графиня внимательно его слушала. Князь одобрительно и льстиво улыбался; оратор часто обращался к нему, вероятно ценя в нем достойного слушателя. Мне дали чаю и оставили меня в покое, чему я был очень рад. Между тем я всматривался в графиню. По первому впечатлению она мне как-то нехотя понравилась. Может быть, она была уже не молода, но мне казалось, что ей не более двадцати восьми лет. Лицо ее было еще свежо и когда-то, в первой молодости, должно быть, было очень красиво. Темно-русые волосы были еще довольно густы; взгляд был чрезвычайно добрый, но какой-то ветреный и шаловливо насмешливый. Но теперь она для чего-то видимо себя сдерживала. В этом взгляде выражалось тоже много ума, но более всего доброты и веселости. Мне показалось, что преобладающее ее качество было некоторое легкомыслие, жажда наслаждений и какой-то добродушный эгоизм, может быть даже и большой. Она была под началом у князя, который имел на нее чрезвычайное влияние. Я знал, что они были в связи, слышал также, что он был уж слишком не ревнивый любовник во время их пребывания за границей; но мне всё казалось — кажется и теперь, — что их связывало, кроме бывших отношений, еще что-то другое, отчасти таинственное, что-нибудь вроде взаимного обязательства, основанного на каком-нибудь расчете... одним словом, что-то такое должно было быть. Знал я тоже, что князь в настоящее время тяготился ею, а между тем отношения их не прерывались. Может быть, их тогда особенно связывали виды на Катю, которые, разумеется, в инициативе своей должны были принадлежать князю. На этом основании князь и отделался от брака с графиней, которая этого действительно требовала, убедив ее содействовать браку Алеши с ее падчерицей. Так, по крайней мере, я заключал по прежним простодушным рассказам Алеши, который хоть что-нибудь да мог же заметить. Мне всё казалось тоже, отчасти из тех же рассказов, что князь, несмотря на то что графиня была в его полном повиновении, имел какую-то причину бояться ее. Даже Алеша это заметил. Я узнал потом, что князю очень хотелось выдать графиню за кого-нибудь замуж и что отчасти с этою целью он и отсылал ее в Симбирскую губернию, надеясь приискать ей приличного мужа в провинции.

Я сидел и слушал, не зная, как бы мне поскорее поговорить глаз на глаз с Катериной Федоровной. Дипломат отвечал на какой-то вопрос графини о современном положении дел, о начинающихся реформах и о том, следует ли их бояться или нет? Он говорил много и долго, спокойно и как власть имеющий. Он развивал свою идею тонко и умно, но идея была отвратительная. Он именно настаивал на том, что весь этот дух реформ и исправлений слишком скоро принесет известные плоды; что, увидя эти плоды, возьмутся за ум и что не только в обществе (разумеется, в известной его части) пройдет этот новый дух, но увидят по опыту ошибку и тогда с удвоенной энергией начнут поддерживать старое. Что опыт, хоть бы и печальный, будет очень выгоден, потому что научит, как поддерживать это спасительное старое, принесет для этого новые данные; а следственно, даже надо желать, чтоб теперь поскорее дошло до последней степени неосторожности. «Без *нас* нельзя, — заключил он, — без нас ни одно общество еще никогда не стояло. Мы не потеряем, а напротив, еще выиграем; мы всплывем, всплывем, и девиз наш в настоящую минуту должен быть: «Pire ça va, mieux ça est»[1]. Князь улыбнулся ему с отвратительным сочувствием. Оратор был совершенно доволен собою. Я был так глуп, что хотел было возражать; сердце кипело во мне. Но меня остановил ядовитый взгляд князя; он мельком скользнул в мою сторону, и мне показалось, что князь именно ожидает какой-нибудь странной и юношеской выходки с моей стороны; ему, может быть, даже хотелось этого, чтоб насладиться тем, как я себя скомпрометирую. Вместе с тем я был твердо уверен, что дипломат непременно не заметит моего возражения, а может быть, даже и самого меня. Мне скверно стало сидеть с ними; но выручил Алеша.

Он тихонько подошел ко мне, тронул меня за плечо и попросил на два слова. Я догадался, что он послом от Кати. Так и было. Через минуту я уже сидел рядом с нею. Сначала она всего меня пристально оглядела, как будто говоря про себя: «вот ты какой», и в первую минуту мы оба не находили слов для начала разговора. Я, однако ж, был уверен, что ей стоит только заговорить, чтоб уж и не останавливаться, хоть до утра. «Какие-нибудь пять-шесть часов разговора», о которых рассказывал Алеша, мелькнули у меня в уме. Алеша сидел тут же и с нетерпением ждал, как-то мы начнем.

— Что ж вы ничего не говорите? — начал он, с улыбкою смотря на нас. — Сошлись и молчат.

— Ах, Алеша, какой ты... мы сейчас, — отвечала Катя. — Нам ведь так много надо переговорить вместе, Иван Петрович, что не знаю, с чего и начать. Мы очень поздно знакомимся; надо бы раньше, хоть я вас и давным-давно знаю. И так мне хотелось вас видеть. Я даже думала вам письмо написать...

— О чем? — спросил я, невольно улыбаясь.

— Мало ли о чем, — отвечала она серьезно. — Вот хоть бы о том, правду ли он рассказывает про Наталью Николаевну, что она не оскорбляется, когда он ее в такое время оставляет одну? Ну, можно ли так поступать, как он? Ну, зачем ты теперь здесь, скажи, пожалуйста?

---

[1] Чем хуже, тем лучше (*франц.*).

— Ах, боже мой, да я сейчас и поеду. Я ведь сказал, что здесь только одну минутку пробуду, на вас обоих посмотрю, как вы вместе будете говорить, а там и туда.

— Да что мы вместе, ну вот и сидим, — видел? И всегда-то он такой, — прибавила она, слегка краснея и указывая мне на него пальчиком. — «Одну минутку, говорит, только одну минутку», а смотришь, и до полночи просидел, а там уж и поздно. «Она, говорит, не сердится, она добрая», — вот он как рассуждает! Ну, хорошо ли это, ну, благородно ли?

— Да я, пожалуй, поеду, — жалобно отвечал Алеша, — только мне бы очень хотелось побыть с вами...

— А что тебе с нами? Нам, напротив, надо о многом наедине переговорить. Да послушай, ты не сердись; это необходимость — пойми хорошенько.

— Если необходимость, то я сейчас же... чего же тут сердиться. Я только на минуточку к Левеньке, а там тотчас и к ней. Вот что, Иван Петрович, — продолжал он, взяв свою шляпу, — вы знаете, что отец хочет отказаться от денег, которые выиграл по процессу с Ихменева.

— Знаю, он мне говорил.

— Как благородно он это делает. Вот Катя не верит, что он делает благородно. Поговорите с ней об этом. Прощай, Катя, и, пожалуйста, не сомневайся, что я люблю Наташу. И зачем вы все навязываете мне эти условия, упрекаете меня, следите за мной, — точно я у вас под надзором! Она знает, как я ее люблю, и уверена во мне, и я уверен, что она во мне уверена. Я люблю ее безо всего, безо всяких обязательств. Я не знаю, как я ее люблю. Просто люблю. И потому нечего меня допрашивать, как виноватого. Вот спроси Ивана Петровича, теперь уж он здесь и подтвердит тебе, что Наташа ревнива и хоть очень любит меня, но в любви ее много эгоизма, потому что она ничем не хочет для меня пожертвовать.

— Как это? — спросил я в удивлении, не веря ушам своим.

— Что ты это, Алеша? — чуть не вскрикнула Катя, всплеснув своими руками.

— Ну да; что ж тут удивительного? Иван Петрович знает. Она всё требует, чтоб я с ней был. Она хоть и не требует этого, но видно, что ей этого хочется.

— И не стыдно, не стыдно это тебе! — сказала Катя, вся загоревшись от гнева.

— Да что же стыдно-то? Какая ты, право, Катя! Я ведь люблю ее больше, чем она думает, а если б она любила меня настоящим образом, так, как я ее люблю, то, наверно, пожертвовала бы мне своим удовольствием. Она, правда, и сама отпускает меня, да ведь я вижу по лицу, что это ей тяжело, стало быть, для меня всё равно что и не отпускает.

— Нет, это неспроста! — вскричала Катя, снова обращаясь ко мне с сверкающим гневным взглядом. — Признавайся, Алеша, признавайся сейчас, это всё наговорил тебе отец? Сегодня наговорил? И, пожалуйста, не хитри со мной: я тотчас узнаю! Так или нет?

— Да, говорил, — отвечал смущенный Алеша, — что ж тут такого? Он говорил со мной сегодня так ласково, так по-дружески, а ее всё мне хвалил, так что я даже удивился: она его так оскорбила, а он ее же так хвалит.

— А вы, вы и поверили, — сказал я, — вы, которому она отдала всё, что могла отдать, и даже теперь, сегодня же всё ее беспокойство было об вас, чтоб вам не было как-нибудь скучно, чтоб как-нибудь не лишить вас возможности видеться с Катериной Федоровной! Она сама мне это говорила сегодня. И вдруг вы поверили фальшивым наговорам! Не стыдно ли вам?

— Неблагодарный! Да что, ему никогда ничего не стыдно! — проговорила Катя, махнув на него рукой, как будто на совершенно потерянного человека.

— Да что вы в самом деле! — продолжал Алеша жалобным голосом. — И всегда-то ты такая, Катя! Всегда ты во мне одно худое подозреваешь... Уж не говорю про Ивана Петровича! Вы думаете, я не люблю Наташу. Я не к тому сказал, что она эгоистка. Я хотел только сказать, что она меня уж слишком любит, так что уж из меры выходит, а от этого и мне и ей тяжело. А отец меня никогда не проведет, хоть бы и хотел. Не дамся. Он вовсе не говорил, что она эгоистка, в дурном смысле слова; я ведь понял. Он именно сказал точь-в-точь так же, как я теперь передал: что она до того уж слишком меня любит, до того сильно, что уж это выходит просто эгоизм, так что и мне и ей тяжело, а впоследствии и еще тяжелее мне будет. Что ж, ведь это он правду сказал, меня любя, и это вовсе не значит, что он обижал Наташу; напротив, он видел в ней самую сильную любовь, любовь без меры, до невозможности...

Но Катя прервала его и не дала ему кончить. Она с жаром начала укорять его, доказывать, что отец для того и начал хвалить Наташу, чтоб обмануть его видимою добротою, и всё это с намерением расторгнуть их связь, чтоб невидимо и неприметно вооружить против нее самого Алешу. Она горячо и умно вывела, как Наташа любила его, как никакая любовь не простит того, что он с ней делает, — и что настоящий-то эгоист и есть он сам, Алеша. Мало-помалу Катя довела его до ужасной печали и до полного раскаяния; он сидел подле нас, смотря в землю, уже ничего не отвечая, совершенно уничтоженный и с страдальческим выражением в лице. Но Катя была неумолима. Я с крайним любопытством всматривался в нее. Мне хотелось поскорее узнать эту странную девушку. Она была совершенный ребенок, но какой-то странный, *убежденный* ребенок, с твердыми правилами и с страстной, врожденной любовью к добру и к справедливости. Если ее действительно можно было назвать еще ребенком, то она принадлежала к разряду *задумывающихся* детей, довольно многочисленному в наших семействах. Видно было, что она уже много рассуждала. Любопытно было бы заглянуть в эту рассуждающую головку и подсмотреть, как смешивались там совершенно детские идеи и представления с серьезно выжитыми впечатлениями и наблюдениями жизни (потому что Катя уже жила), а вместе с тем и с идеями, еще ей не знакомыми, не выжитыми ею, но поразившими ее отвлеченно, книжно, которых уже должно было быть очень много и которые она, вероятно, принимала за выжитые ею самой. Во весь этот вечер и впоследствии, мне кажется, я довольно хорошо изучил ее. Сердце в ней было пылкое и восприимчивое. Она в иных случаях как будто пренебрегала уменьем владеть собою, ставя прежде всего истину, а всякую жизненную выдержку считала за условный предрассудок и, кажется, тщеславилась таким убеждением, что случается со многими пылкими людьми, даже и не в очень молодых годах. Но это-то и придавало ей какую-то особенную прелесть. Она очень любила мыслить и добиваться истины, но была до того не педант, до того с ребяческими, детскими выходками, что вы с первого взгляда начинали любить в ней все ее оригинальности и мириться с ними. Я вспомнил Левеньку и Бореньку, и мне показалось, что всё это совершенно в порядке вещей. И странно: лицо ее, в котором я не заметил ничего особенно прекрасного с первого взгляда, в этот же вечер поминутно становилось для меня всё прекраснее и привлекательнее. Это наивное раздвоение ребенка и размышляющей женщины, эта детская и в высшей степени правдивая жажда истины и справедливости и непоколебимая вера в свои стремления — всё это освещало ее лицо каким-то прекрасным светом искренности, придавало ему какую-то высшую, духовную красоту, и вы начинали понимать, что не так скоро можно исчерпать всё значение этой красоты, которая не поддается вся сразу каждому обыкновенному, безучастному взгляду. И я понял, что Алеша должен был страстно привязаться к ней.

Если он не мог сам мыслить и рассуждать, то любил именно тех, которые за него мыслили и даже желали, — а Катя уже взяла его под опеку. Сердце его было благородно и неотразимо, разом покорялось всему, что было честно и прекрасно, а Катя уже много и со всею искренностью детства и симпатии перед ним высказалась. У него не было ни капли собственной воли; у ней было очень много настойчивой, сильно и пламенно настроенной воли, а Алеша мог привязаться только к тому, кто мог им властвовать и даже повелевать. Этим отчасти привязала его к себе Наташа в начале их связи, но в Кате было большое преимущество перед Наташей — то, что она сама была еще дитя и, кажется, еще долго должна была оставаться ребенком. Эта детскость ее, ее яркий ум и в то же время некоторый недостаток рассудка — всё это было как-то более сродни для Алеши. Он чувствовал это, и потому Катя влекла его к себе всё сильней и сильней. Я уверен, что когда они говорили между собой наедине, то рядом с серьезными «пропагандными» разговорами Кати дело, может быть, доходило у них и до игрушек. И хоть Катя, вероятно, очень часто журила Алешу и уже держала его в руках, но ему, очевидно, было с ней легче, чем с Наташей. Они были более *пара* друг другу, а это было главное.

— Полно, Катя, полно, довольно; ты всегда права выходишь, а я нет. Это потому, что в тебе душа чище моей, — сказал Алеша, вставая и подавая ей на прощанье руку. — Сейчас же и к ней, и к Левеньке не заеду...

— И нечего тебе у Левеньки делать; а что теперь слушаешься и едешь, то в этом ты очень мил.

— А ты в тысячу раз всех милее, — отвечал грустный Алеша. — Иван Петрович, мне нужно вам два слова сказать.

Мы отошли на два шага.

— Я сегодня бесстыдно поступил, — прошептал он мне, — я низко поступил, я виноват перед всеми на свете, а перед ними обеими больше всего. Сегодня отец после обеда познакомил меня с Александриной (одна француженка) — очаровательная женщина. Я... увлекся и... ну, уж что тут говорить, я недостоин быть вместе с ними... Прощайте, Иван Петрович!

— Он добрый, он благородный, — поспешно начала Катя, когда я уселся опять подле нее, — но мы об нем потом будем много говорить; а теперь нам прежде всего нужно условиться: вы как считаете князя?

— Очень нехорошим человеком.

— И я тоже. Следственно, мы в этом согласны, а потому нам легче будет судить. Теперь о Наталье Николаевне... Знаете, Иван Петрович, я теперь как впотьмах, я вас ждала, как света. Вы мне всё это разъясните, потому что в самом-то главном пункте я сужу по догадкам, из того, что мне рассказывал Алеша. А больше не от кого было узнать. Скажите же, во-первых (это главное), как по вашему мнению: будут Алеша и Наташа вместе счастливы или нет? Это мне прежде всего нужно знать для окончательного моего решения, чтоб уж самой знать, как поступать.

— Как же можно об этом сказать наверно?..

— Да, разумеется, не наверно, — перебила она, — а как вам кажется? — потому что вы очень умный человек.

— По-моему, они не могут быть счастливы.

— Почему же?

— Они не пара.

— Я так и думала! — И она сложила ручки, как бы в глубокой тоске.

— Расскажите подробнее. Слушайте: я ужасно желаю видеть Наташу, потому что мне много надо с ней переговорить, и мне кажется, что мы с ней всё решим.

А теперь я всё ее представляю себе в уме: она должна быть ужасно умна, серьезная, правдивая и прекрасная собой. Ведь так?

— Так.

— Так и я была уверена. Ну, так если она такая, как же она могла полюбить Алешу, такого мальчика? Объясните мне это; я часто об этом думаю.

— Этого нельзя объяснить, Катерина Федоровна; трудно представить, за что и как можно полюбить. Да, он ребенок. Но знаете ли, как можно полюбить ребенка? (Сердце мое размягчилось, глядя на нее и на ее глазки, пристально, с глубоким, серьезным и нетерпеливым вниманием устремленные на меня.) И чем больше Наташа сама не похожа на ребенка, — продолжал я, — чем серьезнее она, тем скорее она могла полюбить его. Он правдив, искренен, наивен ужасно, а иногда грациозно наивен. Она, может быть, полюбила его — как бы это сказать?.. Как будто из какой-то жалости. Великодушное сердце может полюбить из жалости... Впрочем, я чувствую, что я вам ничего не могу объяснить, но зато спрошу вас самих: ведь вы его любите?

Я смело задал ей этот вопрос и чувствовал, что поспешностью такого вопроса я не могу смутить беспредельной, младенческой чистоты этой ясной души.

— Ей-богу, еще не знаю, — тихо отвечала она мне, светло смотря мне в глаза, — но, кажется, очень люблю...

— Ну, вот видите. А можете ли изъяснить, за что его любите?

— В нем лжи нет, — отвечала она, подумав, — и когда он посмотрит прямо в глаза и что-нибудь говорит мне при этом, то мне это очень нравится... Послушайте, Иван Петрович, вот я с вами говорю об этом, я девушка, а вы мужчина; хорошо ли я это делаю или нет?

— Да что же тут такого?

— То-то. Разумеется, что же тут такого? А вот они (она указала глазами на группу, сидевшую за самоваром), они, наверно, сказали бы, что это нехорошо. Правы они или нет?

— Нет! Ведь вы не чувствуете в сердце, что поступаете дурно, стало быть...

— Так я и всегда делаю, — перебила она, очевидно спеша как можно больше наговориться со мною, — как только я в чем смущаюсь, сейчас спрошу свое сердце, и коль оно спокойно, то и я спокойна. Так и всегда надо поступать. И я потому с вами говорю так совершенно откровенно, как будто сама с собою, что, во-первых, вы прекрасный человек, и я знаю вашу прежнюю историю с Наташей до Алеши, и я плакала, когда слушала.

— А вам кто рассказывал?

— Разумеется, Алеша, и сам со слезами рассказывал: это было очень хорошо с его стороны, и мне очень понравилось. Мне кажется, он вас больше любит, чем вы его, Иван Петрович. Вот эдакими-то вещами он мне и нравится. Ну, а во-вторых, я потому с вами так прямо говорю, как сама с собою, что вы очень умный человек и много можете мне дать советов и научить меня.

— Почему же вы знаете, что я до того умен, что могу вас учить?

— Ну вот; что это вы! — Она задумалась.

— Я ведь только так об этом заговорила; будемте говорить о самом главном. Научите меня, Иван Петрович: вот я чувствую теперь, что я Наташина соперница, я ведь это знаю, как же мне поступать? Я потому и спросила вас: будут ли они счастливы. Я об этом день и ночь думаю. Положение Наташи ужасно, ужасно! Ведь он совсем ее перестал любить, а меня всё больше и больше любит. Ведь так?

— Кажется, так.

— И ведь он ее не обманывает. Он сам не знает, что перестает любить, а она наверно это знает. Каково же она мучается!

— Что же вы хотите делать, Катерина Федоровна?

— Много у меня проектов, — отвечала она серьезно, — а между тем я всё путаюсь. Потому-то и ждала вас с таким нетерпением, чтоб вы мне всё это разрешили. Вы всё это гораздо лучше меня знаете. Ведь вы для меня теперь как будто какой-то бог. Слушайте, я сначала так рассуждала: если они любят друг друга, то надобно, чтоб они были счастливы, и потому я должна собой пожертвовать и им помогать. Ведь так!

— Я знаю, что вы и пожертвовали собой.

— Да, пожертвовала, а потом как он начал приезжать ко мне и всё больше и больше меня любить, так я стала задумываться про себя и всё думаю: пожертвовать или нет? Ведь это очень худо, не правда ли?

— Это естественно, — отвечал я, — так должно быть... и вы не виноваты.

— Не думаю; это вы потому говорите, что очень добры. А я так думаю, что у меня сердце не совсем чистое. Если б было чистое сердце, я бы знала, как решить. Но оставим это! Потом я узнала побольше об их отношениях от князя, от maman, от самого Алеши и догадалась, что они не ровня; вы вот теперь подтвердили. Я и задумалась еще больше: как же теперь? Ведь если они будут несчастливы, так ведь им лучше разойтись; а потом и положила: расспросить вас подробнее обо всем и поехать самой к Наташе, а уж с ней и решить всё дело.

— Но как же решить-то, вот вопрос?

— Я так и скажу ей: «Ведь вы его любите больше всего, а потому и счастье его должны любить больше своего; следственно, должны с ним расстаться».

— Да, но каково же ей будет это слышать? А если она согласится с вами, то в силах ли она будет это сделать?

— Вот об этом-то я и думаю день и ночь и... и...

И она вдруг заплакала.

— Вы не поверите, как мне жалко Наташу, — прошептала она дрожавшими от слез губками.

Нечего было тут прибавлять. Я молчал, и мне самому хотелось заплакать, смотря на нее, так, от любви какой-то. Что за милый был это ребенок! Я уж не спрашивал ее, почему она считает себя способною сделать счастье Алеши.

— Вы ведь любите музыку? — спросила она, несколько успокоившись, еще задумчивая от недавних слез.

— Люблю, — отвечал я с некоторым удивлением.

— Если б было время, я бы вам сыграла Третий концерт Бетховена. Я его теперь играю. Там все эти чувства... точно так же, как я теперь чувствую. Так мне кажется. Но это в другой раз; а теперь надо говорить.

Начались у нас переговоры о том, как ей видеться с Наташей и как это всё устроить. Она объявила мне, что за ней присматривают, хотя мачеха ее добрая и любит ее, но ни за что не позволит ей познакомиться с Натальей Николаевной; а потому она и решилась на хитрость. Поутру она иногда ездит гулять, почти всегда с графиней. Иногда же графиня не ездит с нею, а отпускает ее одну с француженкой, которая теперь больна. Бывает же это, когда у графини болит голова; а потому и ждать надо, когда у ней заболит голова. А до этого она уговорит свою француженку (что-то вроде компаньонки, старушка), потому что француженка очень добра. В результате выходило, что никак нельзя было определить заранее дня, назначенного для визита к Наташе.

— С Наташей вы познакомитесь и не будете раскаиваться, — сказал я. — Она вас сама очень хочет узнать, и это нужно хоть для того только, чтоб ей знать, кому она передает Алешу. О деле же этом не тоскуйте очень. Время и без ваших забот решит. Ведь вы едете в деревню?

— Да, скоро, может быть через месяц, — отвечала она, — и я знаю, что на этом настаивает князь.

— Как вы думаете, поедет с вами Алеша?

— Вот и я об этом думала! — проговорила она, пристально смотря на меня. — Ведь он поедет.

— Поедет.

— Боже мой, что из этого всего выйдет — не знаю. Послушайте, Иван Петрович. Я вам обо всем буду писать, буду часто писать и много. Уж я теперь пошла вас мучить. Вы часто будете к нам приходить?

— Не знаю, Катерина Федоровна: это зависит от обстоятельств. Может быть, и совсем не буду ходить.

— Почему же?

— Это будет зависеть от разных причин, а главное, от отношений моих с князем.

— Это нечестный человек, — сказала решительно Катя. — А знаете, Иван Петрович, что если б я к вам приехала! Это хорошо бы было или не хорошо?

— Как вы сами думаете?

— Я думаю, что хорошо. Так, навестила бы вас... — прибавила она, улыбнувшись. — Я ведь к тому говорю, что я, кроме того, что вас уважаю, — я вас очень люблю... И у вас научиться многому можно. А я вас люблю... И ведь это не стыдно, что я вам про всё это говорю?

— Чего же стыдно? Вы сами мне уже дороги, как родная.

— Ведь вы хотите быть моим другом?

— О да, да! — отвечал я.

— Ну, а они непременно бы сказали, что стыдно и не следует так поступать молодой девушке, — заметила она, снова указав мне на собеседников у чайного стола. Замечу здесь, что князь, кажется, нарочно оставил нас одних вдоволь наговориться.

— Я ведь знаю очень хорошо, — прибавила она, — князю хочется моих денег. Про меня они думают, что я совершенный ребенок, и даже мне прямо это говорят. Я же не думаю этого. Я уж не ребенок. Странные они люди: сами ведь они точно дети; ну, из чего хлопочут?

— Катерина Федоровна, я забыл спросить: кто эти Левенька и Боренька, к которым так часто ездит Алеша?

— Это мне дальняя родня. Они очень умные и очень честные, но уж много говорят... Я их знаю...

И она улыбнулась.

— Правда ли, что вы хотите им подарить со временем миллион?

— Ну, вот видите, ну хоть бы этот миллион, уж они так болтают о нем, что уж и несносно становится. Я, конечно, с радостию пожертвую на всё полезное, к чему ведь такие огромные деньги, не правда ли? Но ведь когда еще я его пожертвую; а они уж там теперь делят, рассуждают, кричат, спорят: куда лучше употребить его, даже ссорятся из-за этого, — так что уж это и странно. Слишком торопятся. Но все-таки они такие искренние и... умные. Учатся. Это всё же лучше, чем как другие живут. Ведь так?

И много еще мы говорили с ней. Она мне рассказала чуть не всю свою жизнь и с жадностью слушала мои рассказы. Всё требовала, чтоб я всего более рассказывал ей про Наташу и про Алешу. Было уже двенадцать часов, когда князь подошел ко мне и дал знать, что пора откланиваться. Я простился. Катя горячо пожала мне руку и выразительно на меня взглянула. Графиня просила меня бывать; мы вышли вместе с князем.

Не могу удержаться от странного и, может быть, совершенно не идущего к делу замечания. Из трехчасового моего разговора с Катей я вынес, между прочим, какое-то странное, но вместе с тем глубокое убеждение, что она до того еще вполне ребенок, что совершенно не знает всей тайны отношений мужчины и женщины. Это придавало необыкновенную комичность некоторым ее рассуждениям и вообще серьезному тону, с которым она говорила о многих очень важных вещах...

ГЛАВА X

— А знаете ли что, — сказал мне князь, садясь вместе со мною в коляску, — что если б нам теперь поужинать, а? Как вы думаете?

— Право, не знаю, князь, — отвечал я, колеблясь, — я никогда не ужинаю...

— Ну, разумеется, и *поговорим* за ужином, — прибавил он, пристально и хитро смотря мне прямо в глаза.

Как было не понять! «Он хочет высказаться, — подумал я, — а мне ведь того и надо». Я согласился.

— Дело в шляпе. В Большую Морскую, к Б.

— В ресторан? — спросил я с некоторым замешательством.

— Да. А что ж? Я ведь редко ужинаю дома. Неужели ж вы мне не позволите пригласить вас?

— Но я вам сказал уже, что я никогда не ужинаю.

— Что за дело один раз. К тому же ведь это я вас приглашаю...

То есть заплачу за тебя; я уверен, что он прибавил это нарочно. Я позволил везти себя, но в ресторане решился платить за себя сам. Мы приехали. Князь взял особую комнату и со вкусом и знанием дела выбрал два-три блюда. Блюда были дорогие, равно как и бутылка тонкого столового вина, которую он велел принести. Всё это было не по моему карману. Я посмотрел на карту и велел принести себе полрябчика и рюмку лафиту. Князь взбунтовался.

— Вы не хотите со мной ужинать! Ведь это даже смешно. Pardon, mon ami[1], но ведь это... возмутительная щепетильность. Это уж самое мелкое самолюбие. Тут замешались чуть ли не сословные интересы, и бьюсь об заклад, что это так. Уверяю вас, что вы меня обижаете.

Но я настоял на своем.

— Впрочем, как хотите, — прибавил он. — Я вас не принуждаю... скажите, Иван Петрович, можно мне с вами говорить вполне дружелюбно?

— Я вас прошу об этом.

— Ну так, по-моему, такая щепетильность вам же вредит. Так же точно вредят себе и все ваши этим же самым. Вы литератор, вам нужно знать свет, а вы всего чуждаетесь. Я не про рябчиков теперь говорю, но ведь вы готовы отказываться совершенно от всякого сообщения с нашим кругом, а это положительно вредно. Кроме того, что вы много теряете, — ну, одним словом, карьеру, — кроме того, хоть одно то, что надобно самому узнать, что вы описываете, а у вас там, в повестях, и графы, и князья, и будуары... впрочем, что ж я? У вас там теперь всё нищета, потерянные шинели, ревизоры, задорные офицеры, чиновники, старые годы и раскольничий быт, знаю, знаю.

---

[1] Извините, мой друг (*франц.*).

— Но вы ошибаетесь, князь; если я не хожу в так называемый вами «высший круг», то это потому, что там, во-первых, скучно, а во-вторых, нечего делать! Но и, наконец, я все-таки бываю...

— Знаю, у князя Р., раз в год; я там вас и встретил. А остальное время года вы коснеете в демократической гордости и чахнете на ваших чердаках, хотя и не все так поступают из ваших. Есть такие искатели приключений, что даже меня тошнит...

— Я просил бы вас, князь, переменить этот разговор и не возвращаться к нам на чердаки.

— Ах, боже мой, вот вы и обиделись. Впрочем, сами же вы позволили мне говорить с вами дружелюбно. Но, виноват, я ничем еще не заслужил вашей дружбы. Вино порядочное. Попробуйте.

Он налил мне полстакана из своей бутылки.

— Вот видите, мой милый Иван Петрович, я ведь очень хорошо понимаю, что навязываться на дружбу неприлично. Ведь не все же мы грубы и наглы с вами, как вы о нас воображаете; ну, я тоже очень хорошо понимаю, что вы сидите здесь со мной не из расположения ко мне, а оттого, что я обещался с вами *поговорить*. Не правда ли?

Он засмеялся.

— А так как вы наблюдаете интересы известной особы, то вам и хочется послушать, что я буду говорить. Так ли? — прибавил он с злою улыбкою.

— Вы не ошиблись, — прервал я с нетерпением (я видел, что он был из тех, которые, видя человека хоть капельку в своей власти, сейчас же дают ему это почувствовать. Я же был в его власти; я не мог уйти, не выслушав всего, что он намерен был сказать, и он знал это очень хорошо. Его тон вдруг изменился и всё больше и больше переходил в нагло фамильярный и насмешливый). — Вы не ошиблись, князь; я именно за этим и приехал, иначе, право, не стал бы сидеть... так поздно.

Мне хотелось сказать: иначе ни за что бы не остался с вами, но я не сказал и перевернул по-другому, не из боязни, а из проклятой моей слабости и деликатности. Ну как в самом деле сказать человеку грубость прямо в глаза, хотя он и стоил того и хотя я именно и хотел сказать ему грубость? Мне кажется, князь это приметил по моим глазам и с насмешкою смотрел на меня во всё продолжение моей фразы, как бы наслаждаясь моим малодушием и точно подзадоривая меня своим взглядом: «А что, не посмел, сбрендил, то-то, брат!» Это наверно так было, потому что он, когда я кончил, расхохотался и с какой-то протежирующей лаской потрепал меня по колену.

«Смешишь же ты, братец», — прочитал я в его взгляде. «Постой же!» — подумал я про себя.

— Мне сегодня очень весело! — вскричал он, — и, право, не знаю почему. Да, да, мой друг, да! Я именно об этой особе и хотел говорить. Надо же окончательно высказаться, *договориться* до чего-нибудь, и надеюсь, что в этот раз вы меня совершенно поймете. Давеча я с вами заговорил об этих деньгах и о этом колпаке-отце, шестидесятилетнем младенце... Ну! Не стоит теперь и поминать. Я ведь это *так* говорил! Ха-ха-ха, ведь вы литератор, должны же были догадаться...

Я с изумлением смотрел на него. Кажется, он был еще не пьян.

— Ну, а что касается до этой девушки, то, право, я ее уважаю, даже люблю, уверяю вас; капризна она немножко, но ведь «нет розы без шипов», как говорили пятьдесят лет назад, и хорошо говорили: шипы колются, но ведь это-то и заманчиво, и хоть мой Алексей дурак, но я ему отчасти уже простил — за хороший вкус. Короче, мне эти девицы нравятся, и у меня — он многознаменательно сжал губы — даже виды особенные... Ну, да это после...

— Князь! Послушайте, князь! — вскричал я, — я не понимаю в вас этой быстрой перемены, но... перемените разговор, прошу вас!

— Вы опять горячитесь! Ну, хорошо... переменю, переменю! Только вот что хочу спросить у вас, мой добрый друг: очень вы ее уважаете?

— Разумеется, — отвечал я с грубым нетерпением.

— Ну, ну и любите? — продолжал он, отвратительно скаля зубы и прищурив глаза.

— Вы забываетесь! — вскричал я.

— Ну, не буду, не буду! Успокойтесь! В удивительнейшем расположении духа я сегодня. Мне так весело, как давно не бывало. Не выпить ли нам шампанского! Как думаете, мой поэт?

— Я не буду пить, не хочу!

— И не говорите! Вы непременно должны мне составить сегодня компанию. Я чувствую себя прекрасно, и так как я добр до сентиментальности, то и не могу быть счастливым один. Кто знает, мы, может быть, еще дойдем до того, что выпьем на ты, ха-ха-ха! Нет, молодой мой друг, вы меня еще не знаете! Я уверен, что вы меня полюбите. Я хочу, чтоб вы разделили сегодня со мною и горе и радость, и веселье и слезы, хотя, надеюсь, что я-то, по крайней мере, не заплачу. Ну как же, Иван Петрович? Ведь вы сообразите только, что если не будет того, что мне хочется, то всё мое вдохновение пройдет, пропадет, улетучится, и вы ничего не услышите; ну, а ведь вы здесь единственно для того, чтоб что-нибудь услышать. Не правда ли? — прибавил он, опять нагло мне подмигивая, — ну так и выбирайте.

Угроза была важная. Я согласился. «Уж не хочет ли он меня напоить пьяным?» — подумал я. Кстати, здесь место упомянуть об одном слухе про князя, слухе, который уже давно дошел до меня. Говорили про него, что он — всегда такой приличный и изящный в обществе — любит иногда по ночам пьянствовать, напиваться как стелька и потаенно развратничать, гадко и таинственно развратничать... Я слыхал о нем ужасные слухи... Говорят, Алеша знал о том, что отец иногда пьет, и старался скрывать это перед всеми и особенно перед Наташей. Однажды было он мне проговорился, но тотчас же замял разговор и не отвечал на мои расспросы. Впрочем, я не от него и слышал и, признаюсь, прежде не верил; теперь же ждал, что будет.

Подали вино; князь налил два бокала, себе и мне.

— Милая, милая девочка, хоть и побранила меня! — продолжал он, с наслаждением смакуя вино, — но эти милые существа именно тут-то и милы, в такие именно моменты... А ведь она, наверно, думала, что меня пристыдила, помните в тот вечер, разбила в прах! Ха-ха-ха! И как к ней идет румянец! Знаток вы в женщинах? Иногда внезапный румянец ужасно идет к бледным щекам, заметили вы это? Ах, Боже мой! Да вы, кажется, опять сердитесь?

— Да, сержусь! — вскричал я, уже не сдерживая себя, — и не хочу, чтоб вы говорили теперь о Наталье Николаевне... то есть говорили в таком тоне. Я... я не позволю вам этого!

— Ого! Ну, извольте, сделаю вам удовольствие, переменю тему. Я ведь уступчив и мягок, как тесто. Будем говорить об вас. Я вас люблю, Иван Петрович, если б вы знали, какое дружеское, какое искреннее я беру в вас участие...

— Князь, не лучше ли говорить о деле, — прервал я его.

— То есть о *нашем деле*, хотите вы сказать. Я вас понимаю с полуслова, mon ami, но вы и не подозреваете, как близко мы коснемся к делу, если заговорим теперь об вас и если, разумеется, вы меня не прервете. Итак, продолжаю: я хотел вам сказать, мой бесценный Иван Петрович, что жить так, как вы живете, значит просто губить себя. Уж вы позвольте мне коснуться этой деликатной материи; я из дружбы. Вы бедны, вы берете у вашего антрепренера вперед, платите свои должишки, на остальное питаетесь полгода одним чаем и дрожите на своем чердаке в ожидании, когда напишется ваш роман в журнал вашего антрепренера; ведь так?

— Хоть и так, но всё же это...

— Почетнее, чем воровать, низкопоклонничать, брать взятки, интриговать, ну и прочее и прочее. Знаю, знаю, что вы хотите сказать; всё это давно напечатано.

— А следовательно, вам нечего и говорить о моих делах. Неужели я вас должен, князь, учить деликатности.

— Ну, уж конечно, не вы. Только что же делать, если мы именно касаемся этой деликатной струны. Ведь не обходить же ее. Ну, да впрочем, оставим чердаки в покое. Я и сам до них не охотник, разве в известных случаях (и он отвратительно захохотал). А вот что меня удивляет: что за охота вам играть роль второго лица? Конечно, один ваш писатель даже, помнится, сказал где-то: что, может быть, самый великий подвиг человека в том, если он сумеет ограничиться в жизни ролью второго лица... Кажется, что-то эдакое! Об этом я еще где-то разговор слышал, но ведь Алеша отбил у вас невесту, я ведь это знаю, а вы, как какой-нибудь Шиллер, за них же распинаетесь, им же прислуживаете и чуть ли у них не на побегушках... Вы уж извините меня, мой милый, но ведь это какая-то гаденькая игра в великодушные чувства... Как это вам не надоест, в самом деле! Даже стыдно. Я бы, кажется, на вашем месте умер с досады; а главное: стыдно, стыдно!

— Князь! Вы, кажется, нарочно привезли меня сюда, чтоб оскорбить! — вскричал я вне себя от злости.

— О нет, мой друг, нет, я в эту минуту просто-запросто деловой человек и хочу вашего счастья. Одним словом, я хочу уладить всё дело. Но оставим на время *всё дело*, а вы меня дослушайте до конца, постарайтесь не горячиться, хоть две какие-нибудь минутки. Ну, как вы думаете, что если б вам жениться? Видите, я ведь теперь совершенно говорю о *постороннем*; что ж вы на меня с таким удивлением смотрите?

— Жду, когда вы всё кончите, — отвечал я, действительно смотря на него с удивлением.

— Да высказывать-то нечего. Мне именно хотелось знать, что бы вы сказали, если б вам кто-нибудь из друзей ваших, желающий вам основательного, истинного счастья, не эфемерного какого-нибудь, предложил девушку, молоденькую, хорошенькую, но... уже кое-что испытавшую; я говорю аллегорически, но вы меня понимаете, ну, вроде Натальи Николаевны, разумеется с приличным вознаграждением... (Заметьте, я говорю о постороннем, а не о *нашем* деле); ну, что бы вы сказали?

— Я скажу вам, что вы... сошли с ума.

— Ха-ха-ха! Ба! Да вы чуть ли не бить меня собираетесь?

Я действительно готов был на него броситься. Дальше я не мог выдержать. Он производил на меня впечатление какого-то гада, какого-то огромного паука, которого мне ужасно хотелось раздавить. Он наслаждался своими насмешками надо мною; он играл со мной, как кошка с мышью, предполагая, что я весь в его власти. Мне казалось (и я понимал это), что он находил какое-то удовольствие, какое-то, может быть, даже сладострастие в своей низости и в этом нахальстве, в этом цинизме, с которым он срывал, наконец, передо мной свою маску. Он хотел насладиться моим удивлением, моим ужасом. Он меня искренно презирал и смеялся надо мною.

Я предчувствовал еще с самого начала, что всё это преднамеренно и к чему-нибудь клонится; но я был в таком положении, что во что бы то ни стало должен был его дослушать. Это было в интересах Наташи, и я должен был решиться на всё и всё перенести, потому что в эту минуту, может быть, решалось всё дело. Но как можно было слушать эти цинические, подлые выходки на ее счет, как можно было это переносить хладнокровно? А он, вдобавок к тому, сам очень хорошо понимал, что я не могу его не выслушать, и это еще усугубляло обиду. «Впрочем, он ведь сам нуждается во мне», — подумал я и стал отвечать ему резко и бранчиво. Он понял это.

— Вот что, молодой мой друг, — начал он, серьезно смотря на меня, — нам с вами эдак продолжать нельзя, а потому лучше уговоримся. Я, видите ли, намерен был вам кое-что высказать, ну, а вы уж должны быть так любезны, чтобы согласиться выслушать, что бы я ни сказал. Я желаю говорить, как хочу и как мне нравится, да по-настоящему так и надо. Ну, так как же, молодой мой друг, будете вы терпеливы?

Я скрепился и смолчал, несмотря на то что он смотрел на меня с такою едкою насмешкою, как будто сам вызывал меня на самый резкий протест. Но он понял, что я уже согласился не уходить, и продолжал:

— Не сердитесь на меня, друг мой. Вы ведь на что рассердились? На одну наружность, не правда ли? Ведь вы от меня, в самой сущности дела, ничего другого и не ожидали, как бы я ни говорил с вами: с раздушенною ли вежливостью, или как теперь; следовательно, смысл все-таки был бы тот же, как и теперь. Вы меня презираете, не правда ли? Видите ли, сколько во мне этой милой простоты, откровенности, этой bonhomie[1]. Я вам во всем признаюсь, даже в моих детских капризах. Да, mon cher[2], да, побольше bonhomie и с вашей стороны, и мы сладимся, сговоримся совершенно и наконец поймем друг друга окончательно. А на меня не дивитесь: мне до того, наконец, надоели все эти невинности, все эти Алешины пасторали, вся эта шиллеровщина, все эти возвышенности в этой проклятой связи с этой Наташей (впрочем, очень миленькой девочкой), что я, так сказать, поневоле рад случаю над всем этим погримасничать. Ну, случай и вышел. К тому же я и хотел перед вами излить мою душу. Ха-ха-ха!

— Вы меня удивляете, князь, и я вас не узнаю. Вы впадаете в тон полишинеля; эти неожиданные откровенности...

— Ха-ха-ха, а ведь это верно отчасти! Премиленькое сравнение! ха-ха-ха! Я *кучу*, мой друг, я *кучу*, я рад и доволен, ну, а вы, мой поэт, должны уж оказать мне всевозможное снисхождение. Но давайте-ка лучше пить, — решил он, совершенно довольный собою и подливая в бокал. — Вот что, друг мой, уж один тот глупый вечер, помните, у Наташи, доконал меня окончательно. Правда, сама она была очень мила, но я вышел оттуда с ужасной злобой и не хочу этого забыть. Ни забыть, ни скрывать. Конечно, будет и наше время и даже быстро приближается, но теперь мы это оставим. А между прочим, я хотел объяснить вам, что у меня именно есть черта в характере, которую вы еще не знали, — это ненависть ко всем этим пошлым, ничего не стоящим наивностям и пасторалям, и одно из самых пикантных для меня наслаждений всегда было прикинуться сначала самому на этот лад, войти в этот тон, обласкать, ободрить како-

---

[1] добродушия (*франц.*).
[2] мой дорогой (*франц.*).

го-нибудь вечно юного Шиллера и потом вдруг, сразу огорошить его; вдруг поднять перед ним маску и из восторженного лица сделать ему гримасу, показать ему язык именно в ту минуту, когда он менее всего ожидает этого сюрприза. Что? Вы этого не понимаете, вам это кажется гадким, нелепым, неблагородным, может быть, так ли?

— Разумеется, так.

— Вы откровенны. Ну, да что же делать, если самого меня мучат! Глупо и я откровенен, но уж таков мой характер. Впрочем, мне хочется рассказать кой-какие черты из моей жизни. Вы меня поймете лучше, и это будет очень любопытно. Да, я действительно, может быть, сегодня похож на полишинеля; а ведь полишинель откровенен, не правда ли?

— Послушайте, князь, теперь поздно, и, право...

— Что? Боже, какая нетерпимость! Да и куда спешить? Ну, посидим, поговорим по-дружески, искренно, знаете, эдак за бокалом вина, как добрые приятели. Вы думаете, я пьян: ничего, это лучше. Ха-ха-ха! Право, эти дружеские сходки всегда так долго потом памятны, с таким наслаждением об них вспоминается. Вы недобрый человек, Иван Петрович. Сентиментальности в вас нет, чувствительности. Ну, что вам часик для такого друга, как я? К тому же ведь это тоже касается к делу... Ну, как этого не понять? А еще литератор; да вы бы должны были случай благословлять. Ведь вы можете с меня тип писать, ха-ха-ха! Боже, как я мило откровенен сегодня!

Он видимо хмелел. Лицо его изменилось и приняло какое-то злобное выражение. Ему, очевидно, хотелось язвить, колоть, кусать, насмехаться. «Это отчасти и лучше, что он пьян, — подумал я, — пьяный всегда разболтает». Но он был себе на уме.

— Друг мой, — начал он, видимо наслаждаясь собою, — я сделал вам сейчас одно признание, может быть даже и неуместное, о том, что у меня иногда является непреодолимое желание показать кому-нибудь в известном случае язык. За эту наивную и простодушную откровенность мою вы сравнили меня с полишинелем, что меня искренно рассмешило. Но если вы упрекаете меня или дивитесь на меня, что я с вами теперь груб и, пожалуй, еще неблагопристоен, как мужик, — одним словом, вдруг переменил с вами тон, то вы в этом случае совершенно несправедливы. Во-первых, мне так угодно, во-вторых, я не у себя, а *с вами*... то есть я хочу сказать, что мы теперь *кутим*, как добрые приятели, а в-третьих, я ужасно люблю капризы. Знаете ли, что когда-то я из каприза даже был метафизиком и филантропом и вращался чуть ли не в таких же идеях, как вы? Это, впрочем, было ужасно давно, в златые дни моей юности. Помню, я еще тогда приехал к себе в деревню с гуманными целями и, разумеется, скучал на чем свет стоит; и вы не поверите, что тогда случилось со мною? От скуки я начал знакомиться с хорошенькими девочками... Да уж вы не гримасничаете ли? О молодой мой друг! Да ведь мы теперь в дружеской сходке. Когда ж и покутить, когда ж и распахнуться! Я ведь русская натура, неподдельная русская натура, патриот, люблю распахнуться, да и к тому же надо ловить минуту и наслаждаться жизнью. Умрем и — что там! Ну, так вот-с я и волочился. Помню, еще у одной пастушки был муж, красивый молодой мужичок. Я его больно наказал и в солдаты хотел отдать (прошлые проказы, мой поэт!), да и не отдал в солдаты. Умер он у меня в больнице... У меня ведь в селе больница была, на двенадцать кроватей, — великолепно устроенная; чистота, полы паркетные. Я, впрочем, ее давно уж уничтожил, а тогда гордился ею: филантропом был; ну, а мужичка чуть не засек за жену... Ну, что вы опять гримасу состроили? Вам отвратительно слушать? Возмущает ваши благородные чувства? Ну, ну, успокойтесь! Всё это прошло. Это я

сделал, когда романтизировал, хотел быть благодетелем человечества, филант-
ропическое общество основать... в такую тогда колею попал. Тогда и сек. Теперь
не высеку; теперь надо гримасничать; теперь мы все гримасничаем — такое
время пришло... Но более всего меня смешит теперь дурак Ихменев. Я уверен,
что он знал весь этот пассаж с мужичком... и что ж? Он из доброты своей души,
созданной, кажется, из патоки, и оттого, что влюбился тогда в меня и сам же за-
хвалил меня самому себе, — решился ничему не верить и не поверил; то есть
факту не поверил и двенадцать лет стоял за меня горой до тех пор, пока до самого
не коснулось. Ха-ха-ха! Ну, да всё это вздор! Выпьем, мой юный друг. Послушайте: любите вы женщин?

Я ничего не отвечал. Я только слушал его. Он уж начал вторую бутылку.

— А я люблю о них говорить за ужином. Познакомил бы я вас после ужина с
одной mademoiselle Phileberte — а? Как вы думаете? Да что с вами? Вы и смотреть
на меня не хотите... гм!

Он было задумался. Но вдруг поднял голову, как-то значительно взглянул на
меня и продолжал:

— Вот что, мой поэт, хочу я вам открыть одну тайну природы, которая, кажется, вам совсем неизвестна. Я уверен, что вы меня называете в эту минуту
грешником, может быть, даже подлецом, чудовищем разврата и порока. Но вот
что я вам скажу! Если б только могло быть (чего, впрочем, по человеческой натуре никогда быть не может), если б могло быть, чтоб каждый из нас описал
всю свою подноготную, но так, чтоб не побоялся изложить не только то, что он
боится сказать и ни за что не скажет людям, не только то, что он боится сказать
своим лучшим друзьям, но даже и то, в чем боится подчас признаться самому
себе, — то ведь на свете поднялся бы тогда такой смрад, что нам бы всем надо
было задохнуться. Вот почему, говоря в скобках, так хороши наши светские
условия и приличия. В них глубокая мысль — не скажу, нравственная, но просто предохранительная, комфортная, что, разумеется, еще лучше, потому что
нравственность в сущности тот же комфорт, то есть изобретена единственно
для комфорта. Но о приличиях после, я теперь сбиваюсь, напомните мне о них
потом. Заключу же так: вы меня обвиняете в пороке, разврате, безнравственно-
сти, а я, может быть, только тем и виноват теперь, что *откровеннее* других и больше ничего; что не утаиваю того, что другие скрывают даже от самих себя, как
сказал я прежде... Это я скверно делаю, но я теперь так хочу. Впрочем, не беспокойтесь, — прибавил он с насмешливою улыбкой, — я сказал «виноват», но
ведь я вовсе не прошу прощения. Заметьте себе еще: я не конфужу вас, не спрашиваю о том: нет ли у вас у самого каких-нибудь таких же тайн, чтоб вашими
тайнами оправдать и себя... Я поступаю прилично и благородно. Вообще я всегда поступаю благородно...

— Вы просто заговариваетесь, — сказал я, с презрением смотря на него.

— Заговариваетесь, ха-ха-ха! А сказать, об чем вы теперь думаете? Вы думаете: зачем я завез вас сюда и вдруг, ни с того ни с сего, так перед вами разо-
ткровенничался? Так или нет?

— Так.

— Ну, это вы после узнаете.

— А проще всего, выпили чуть не две бутылки и... охмелели.

— То есть просто пьян. И это может быть. «Охмелели!» — то есть это понежнее, чем пьян. О преисполненный деликатностей человек! Но... мы, кажется,
опять начали браниться, а заговорили было о таком интересном предмете. Да,
мой поэт, если еще есть на свете что-нибудь хорошенькое и сладенькое, так это
женщины.

— Знаете ли, князь, я все-таки не понимаю, почему вам вздумалось выбрать именно меня конфидентом ваших тайн и любовных... стремлений.

— Гм... да ведь я вам сказал, что узнаете после. Не беспокойтесь; а впрочем, хоть бы и так, без всяких причин; вы поэт, вы меня поймете, да я уж и говорил вам об этом. Есть особое сладострастие в этом внезапном срыве маски, в этом цинизме, с которым человек вдруг выказывается перед другим в таком виде, что даже не удостоивает и постыдиться перед ним. Я вам расскажу анекдот: был в Париже один сумасшедший чиновник; его потом посадили в сумасшедший дом, когда вполне убедились, что он сумасшедший. Ну так когда он сходил с ума, то вот что выдумал для своего удовольствия: он раздевался у себя дома, совершенно, как Адам, оставлял на себе одну обувь, накидывал на себя широкий плащ до пят, закутывался в него и с важной, величественной миной выходил на улицу. Ну, сбоку посмотреть — человек, как и все, прогуливается себе в широком плаще для своего удовольствия. Но лишь только случалось ему встретить какого-нибудь прохожего, где-нибудь наедине, так чтоб кругом никого не было, он молча шел на него, с самым серьезным и глубокомысленным видом, вдруг останавливался перед ним, развертывал свой плащ и показывал себя во всем... чистосердечии. Это продолжалось одну минуту, потом он завертывался опять и молча, не пошевелив ни одним мускулом лица, проходил мимо остолбеневшего от изумления зрителя важно, плавно, как тень в Гамлете. Так он поступал со всеми, с мужчинами, женщинами и детьми, и в этом состояло всё его удовольствие. Вот часть-то этого самого удовольствия и можно находить, внезапно огорошив какого-нибудь Шиллера и высунув ему язык, когда он всего менее ожидает этого. «Огорошив» — каково словечко? Я его вычитал где-то в вашей же современной литературе.

— Ну, так то был сумасшедший, а вы...

— Себе на уме?

— Да.

Князь захохотал.

— Вы справедливо судите, мой милый, — прибавил он с самым наглым выражением лица.

— Князь, — сказал я, разгорячившись от его нахальства, — вы нас ненавидите, в том числе и меня, и мстите мне теперь за всё и за всех. Всё это в вас из самого мелкого самолюбия. Вы злы и мелочно злы. Мы вас разозлили, и, может быть, больше всего вы сердитесь за тот вечер. Разумеется, вы ничем так сильно не могли отплатить мне, как этим окончательным презрением ко мне; вы избавляете себя даже от обыденной и всем обязательной вежливости, которою мы все друг другу обязаны. Вы ясно хотите показать мне, что даже не удостоиваете постыдиться меня, срывая передо мной так откровенно и так неожиданно вашу гадкую маску и выставляясь в таком нравственном цинизме...

— Для чего ж вы это мне всё говорите? — спросил он, грубо и злобно смотря на меня. — Чтоб показать свою проницательность?

— Чтоб показать, что я вас понимаю, и заявить это перед вами.

— Quelle idée, mon cher[1], — продолжал он, вдруг переменив свой тон на прежний веселый и болтливо-добродушный. — Вы только отбили меня от предмета. Buvons, mon ami[2], позвольте мне налить. А я только что было хотел рассказать одно прелестнейшее и чрезвычайно любопытное приключение. Расскажу его вам в общих чертах. Был я знаком когда-то с одной барыней; была

---

[1] Что за мысль, мой дорогой (*франц.*).

[2] Выпьем, мой друг (*франц.*).

она не первой молодости, а так лет двадцати семи-восьми; красавица первосте-
пенная, что за бюст, что за осанка, что за походка! Она глядела пронзительно,
как орлица, но всегда сурово и строго; держала себя величаво и недоступно.
Она слыла холодной, как крещенская зима, и запугивала всех своею недосягае-
мою, своею грозною добродетелью. Именно грозною. Не было во всем ее круге
такого нетерпимого судьи, как она. Она карала не только порок, но даже малейшую слабость в других женщинах, и карала безвозвратно, без апелляции. В
своем кругу она имела огромное значение. Самые гордые и самые страшные по
своей добродетели старухи почитали ее, даже заискивали в ней. Она смотрела
на всех бесстрастно-жестоко, как абесса средневекового монастыря. Молодые
женщины трепетали ее взгляда и суждения. Одно ее замечание, один намек ее
уже могли погубить репутацию, — уж так она себя поставила в обществе; боялись ее даже мужчины. Наконец она бросилась в какой-то созерцательный ми-
стицизм, впрочем тоже спокойный и величавый... И что ж? Не было развратни-
цы развратнее этой женщины, и я имел счастье заслужить вполне ее доверенность. Одним словом — я был ее тайным и таинственным любовником.
Сношения были устроены до того ловко, до того мастерски, что даже никто из
ее домашних не мог иметь ни малейшего подозрения; только одна ее прехорошенькая камеристка, француженка, была посвящена во все ее тайны, но на эту
камеристку можно было вполне положиться; она тоже брала участие в деле, —
каким образом? Я это теперь опущу. Барыня моя была сладострастна до того,
что сам маркиз де Сад мог бы у ней поучиться. Но самое сильное, самое прон-
зительное и потрясающее в этом наслаждении — была его таинственность и наглость обмана. Эта насмешка над всем, о чем графиня проповедовала в обществе как о высоком, недоступном и ненарушимом, и, наконец, этот внутренний дьявольский хохот и сознательное попирание всего, чего нельзя
попирать, — и всё это без пределов, доведенное до самой последней степени,
до такой степени, о которой самое горячечное воображение не смело бы и помыслить, — вот в этом-то, главное, и заключалась самая яркая черта этого наслаждения. Да, это был сам дьявол во плоти, но он был непобедимо очаровате-
лен. Я и теперь не могу припомнить о ней без восторга. В пылу самых горячих
наслаждений она вдруг хохотала, как исступленная, и я понимал, вполне понимал этот хохот и сам хохотал... Я еще и теперь задыхаюсь при одном воспоминании, хотя тому уже много лет. Через год она переменила меня. Если б я и хотел, я бы не мог повредить ей. Ну, кто бы мог мне поверить? Каков характер?
Что скажете, молодой мой друг?

— Фу, какая низость! — отвечал я, с отвращением выслушав это признание.

— Вы бы не были молодым моим другом, если б отвечали иначе! Я так и знал,
что вы это скажете. Ха-ха-ха! Подождите, mon ami, поживете и поймете, а теперь
вам еще нужно пряничка. Нет, вы не поэт после этого: эта женщина понимала
жизнь и умела ею воспользоваться.

— Да зачем же доходить до такого зверства?

— До какого зверства?

— До которого дошла эта женщина и вы с нею.

— А, вы называете это зверством, — признак, что вы всё еще на помочах и на
веревочке. Конечно, я признаю, что самостоятельность может явиться и совершенно в противоположном, но... будем говорить попроще, mon ami... согласитесь сами, ведь всё это вздор.

— Что же не вздор?

— Не вздор — это личность, это я сам. Всё для меня, и весь мир для меня создан. Послушайте, мой друг, я еще верую в то, что на свете можно хорошо по-

жить. А это самая лучшая вера, потому что без нее даже и худо-то жить нельзя: пришлось бы отравиться. Говорят, так и сделал какой-то дурак. Он зафилософствовался до того, что разрушил всё, всё, даже законность всех нормальных и естественных обязанностей человеческих, и дошел до того, что ничего у него не осталось; остался в итоге нуль, вот он и провозгласил, что в жизни самое лучшее — синильная кислота. Вы скажете: это Гамлет, это грозное отчаяние, — одним словом, что-нибудь такое величавое, что нам и не приснится никогда. Но вы поэт, а я простой человек и потому скажу, что надо смотреть на дело с самой простой, практической точки зрения. Я, например, уже давно освободил себя от всех пут и даже обязанностей. Я считаю себя обязанным только тогда, когда это мне принесет какую-нибудь пользу. Вы, разумеется, не можете так смотреть на вещи; у вас ноги спутаны и вкус больной. Вы тоскуете по идеалу, по добродетелям. Но, мой друг, я ведь сам готов признавать всё, что прикажете; но что же мне делать, если я наверно знаю, что в основании всех человеческих добродетелей лежит глубочайший эгоизм. И чем добродетельнее дело — тем более тут эгоизма. Люби самого себя — вот одно правило, которое я признаю. Жизнь — коммерческая сделка; даром не бросайте денег, но, пожалуй, платите за угождение, и вы исполните все свои обязанности к ближнему, — вот моя нравственность, если уж вам ее непременно нужно, хотя, признаюсь вам, по-моему, лучше и не платить своему ближнему, а суметь заставить его делать даром. Идеалов я не имею и не хочу иметь; тоски по ним никогда не чувствовал. В свете можно так весело, так мило прожить и без идеалов... и en somme[1], я очень рад, что могу обойтись без синильной кислоты. Ведь будь я именно *добродетельнее*, я бы, может быть, без нее и не обошелся, как тот дурак философ (без сомнения, немец). Нет! В жизни так много еще хорошего. Я люблю значение, чин, отель, огромную ставку в карты (ужасно люблю карты). Но главное, главное — женщины... и женщины во всех видах; я даже люблю потаенный, темный разврат, постраннее и оригинальнее, даже немножко с грязнотцой для разнообразия... Ха-ха-ха! Смотрю я на ваше лицо: с каким презрением смотрите вы на меня теперь!

— Вы правы, — отвечал я.

— Ну, положим, что и вы правы, но ведь во всяком случае лучше грязнотца, чем синильная кислота. Не правда ли?

— Нет, уж синильная кислота лучше.

— Я нарочно спросил вас: «не правда ли?», чтоб насладиться вашим ответом; я его знал заранее. Нет, мой друг: если вы истинный человеколюбец, то пожелайте всем умным людям такого же вкуса, как у меня, даже и с грязнотцой, иначе ведь умному человеку скоро нечего будет делать на свете и останутся одни только дураки. То-то им счастье будет! Да ведь и теперь есть пословица: дуракам счастье, и, знаете ли, нет ничего приятнее, как жить с дураками и поддакивать им: выгодно! Вы не смотрите на меня, что я дорожу предрассудками, держусь известных условий, добиваюсь значения; ведь я вижу, что я живу в обществе пустом; но в нем покамест тепло, и я ему поддакиваю, показываю, что за него горой, а при случае я первый же его и оставлю. Я ведь все ваши новые идеи знаю, хотя и никогда не страдал от них, да и не от чего. Угрызений совести у меня не было ни о чем. Я на всё согласен, было бы мне хорошо, и нас таких легион, и нам действительно хорошо. Всё на свете может погибнуть, одни мы никогда не погибнем. Мы существуем с тех пор, как мир существует. Весь мир может куда-нибудь провалиться, но мы всплывем наверх. Кстати: посмотрите

---

[1] в общем (*франц.*).

хоть уж на одно то, как живучи такие люди, как мы. Ведь мы примерно, феноменально живучи; поражало вас это когда-нибудь? Значит, сама природа нам покровительствует, хе-хе-хе! Я хочу непременно жить до девяноста лет. Я смерти не люблю и боюсь ее. Ведь черт знает еще как придется умереть! Но к чему говорить об этом! Это меня отравившийся философ раззадорил. К черту философию! Buvons, mon cher! Ведь мы начали было говорить о хорошеньких девушках... Куда это вы!

— Я иду, да и вам пора...

— Полноте, полноте! Я, так сказать, открыл перед вами всё мое сердце, а вы даже и не чувствуете такого яркого доказательства дружбы. Хе-хе-хе! В вас мало любви, мой поэт. Но постойте, я хочу еще бутылку.

— Третью?

— Третью. Про добродетель, мой юный питомец (вы мне позволите назвать вас этим сладким именем: кто знает, может быть, мои поучения пойдут и впрок)... Итак, мой питомец, про добродетель я уж сказал вам: «чем добродетель добродетельнее, тем больше в ней эгоизма». Хочу вам рассказать на эту тему один премиленький анекдот: я любил однажды девушку и любил почти искренно. Она даже многим для меня пожертвовала...

— Это та, которую вы обокрали? — грубо спросил я, не желая более сдерживаться.

Князь вздрогнул, переменился в лице и уставился на меня своими воспаленными глазами; в его взгляде было недоумение и бешенство.

— Постойте, — проговорил он как бы про себя, — постойте, дайте мне сообразить. Я действительно пьян, и мне трудно сообразить...

Он замолчал и пытливо, с той же злобой смотрел на меня, придерживая мою руку своей рукой, как бы боясь, чтоб я не ушел. Я уверен, что в эту минуту он соображал и доискивался, откуда я могу знать это дело, почти никому не известное, и нет ли во всём этом какой-нибудь опасности? Так продолжалось с минуту; но вдруг лицо его быстро изменилось; прежнее насмешливое, пьяно-веселое выражение появилось снова в его глазах. Он захохотал.

Ха-ха-ха! Талейран, да и только! Ну что ж, я действительно стоял перед ней как оплеванный, когда она брякнула мне в глаза, что я обокрал ее! Как она визжала тогда, как ругалась! Бешеная была женщина и... без всякой выдержки. Но, посудите сами: во-первых, я вовсе не обокрал ее, как вы сейчас выразились. Она подарила мне свои деньги сама, и они уже были мои. Ну, положим, вы мне дарите ваш лучший фрак (говоря это, он взглянул на мой единственный и довольно безобразный фрак, шитый года три назад портным Иваном Скорнягиным), я вам благодарен, ношу его, вдруг через год вы поссорились со мной и требуете его назад, а я его уж износил. Это неблагородно; зачем же дарить? Во-вторых, я, несмотря на то что деньги были мои, непременно бы возвратил их назад, но согласитесь сами: где же я вдруг мог собрать такую сумму? А главное, я терпеть не могу пасторалей и шиллеровщины, я уж вам говорил, — ну, это-то и было всему причиною. Вы не поверите, как она рисовалась передо мною, крича, что дарит мне (впрочем, мои же) деньги. Злость взяла меня, и я вдруг сумел рассудить совершенно правильно, потому что присутствие духа никогда не оставляет меня: я рассудил, что, отдав ей деньги, сделаю ее, может быть, даже несчастною. Я бы отнял у ней наслаждение быть несчастной вполне *из-за меня* и проклинать меня за это всю свою жизнь. Поверьте, мой друг, в несчастии такого рода есть даже какое-то высшее упоение сознавать себя вполне правым и великодушным и иметь полное право назвать своего обидчика подлецом. Это упоение злобы встречается у шиллеровских натур, разумеется; может быть, потом ей было нечего есть, но я уверен, что она была счастлива. Я и не хотел лишить ее этого счастья и не отослал ей денег. Таким образом и оправдано вполне мое правило, что чем громче и крупней человеческое великодушие, тем больше в нем самого отвратительного эгоизма... Неужели вам это неясно? Но... вы хотели поддеть меня, ха-ха-ха!.. ну, признайтесь, хотели поддеть?.. О Талейран!

— Прощайте! — сказал я, вставая.

— Минутку! Два заключительных слова, — вскричал он, изменяя вдруг свой гадкий тон на серьезный. — Выслушайте мое последнее: из всего, что я сказал вам, следует ясно и ярко (думаю, что и вы сами это заметили), что я никогда и ни для кого не хочу упускать мою выгоду. Я люблю деньги, и мне они надобны. У Катерины Федоровны их много; ее отец десять лет содержал винный откуп. У ней три миллиона, и эти три миллиона мне очень пригодятся. Алеша и Катя — совершенная пара: оба дураки в последней степени; мне того и надо. И потому я непременно желаю и хочу, чтоб их брак устроился, и как можно скорее. Недели через две, через три графиня и Катя едут в деревню. Алеша должен сопровождать их. Предуведомьте Наталью Николаевну, чтоб не было пасторалей, чтоб не было шиллеровщины, чтоб против меня не восставали. Я мстителен и зол, я за свое постою. Ее я не боюсь: всё, без сомнения, будет по-моему, и потому если предупреждаю теперь, то почти для нее же самой. Смотрите же, чтоб не было глупостей и чтоб вела она себя благоразумно. Не то ей будет плохо, очень плохо. Уж она за то только должна быть мне благодарна, что я не поступил с нею как следует, по законам. Знайте, мой поэт, что законы ограждают семейное спокойствие, они гарантируют отца в повиновении сына и что те, которые отвлекают детей от священных обязанностей к их родителям, законами не поощряются. Сообразите, наконец, что у меня есть связи, что у ней никаких и... неужели вы не понимаете, что я бы мог с ней сделать?.. Но я не сделал, потому что до сих пор она вела себя благоразумно. Не беспокойтесь: каждую минуту, за каждым движением их присматривали зоркие глаза все эти полгода, и я знал всё до последней мелочи. И потому я спокойно ждал, пока Алеша сам ее бросит, что уж и начинается; а покамест ему милое развлечение. Я же остался в его понятиях гуманным отцом, а мне надо, чтоб он так обо мне думал. Ха-ха-ха! Как вспомню я, что чуть не комплименты ей делал, тогда вечером, что она была так великодушна и бескорыстна, что не вышла за него замуж; желал бы я знать, как бы она вышла! Что же касается до моего тогдашнего к ней приезда, то всё это было единственно для того, что уж пора было кончить их связь. Но мне надобно было увериться во всём своими глазами, своим собственным опытом... Ну, довольно ли с вас? Или вы, может быть, хотите узнать еще: для чего я завез вас сюда, для чего я перед вами так ломался и так спроста откровенничал, тогда как всё это можно было высказать без всяких откровенностей, — да?

— Да. — Я скрепился и жадно слушал. Мне нечего было отвечать ему более.

— Единственно потому, мой друг, что в вас я заметил несколько более благоразумия и ясного взгляда на вещи, чем в обоих наших дурачках. Вы могли и раньше знать, кто я, предугадывать, составлять предположения обо мне, но я хотел вас избавить от всего этого труда и решился вам наглядно показать, *с кем* вы имеете дело. Действительное впечатление великая вещь. Поймите же меня, mon ami. Вы знаете, с кем имеете дело, ее вы любите, и потому я надеюсь теперь, что вы употребите всё ваше влияние (а вы-таки имеете на нее влияние), чтоб избавить ее от *некоторых* хлопот. Иначе будут хлопоты, и уверяю, уверяю вас, что не шуточные. Ну-с, наконец, третья причина моих с вами откровенностей это... (да ведь вы угадали же, мой милый), да, мне действительно хотелось поплевать немножко на всё это дело, и поплевать именно в ваших глазах...

— И вы достигли вашей цели, — сказал я, дрожа от волнения. — Я согласен, что ничем вы не могли так выразить передо мной всей вашей злобы и всего презрения вашего ко мне и ко всем нам, как этими откровенностями. Вы не только не опасались, что ваши откровенности могут вас передо *мной* компрометировать, но даже и не стыдились меня... Вы действительно походили на того сумасшедшего в плаще. Вы меня за человека не считали.

— Вы угадали, мой юный друг, — сказал он, вставая, — вы всё угадали: недаром же вы литератор. Надеюсь, что мы расстаемся дружелюбно. Брудершафт ведь не будем пить?

— Вы пьяны, и единственно потому я не отвечаю вам, как бы следовало...

— Опять фигура умолчания, — не договорили, как следовало бы отвечать, ха-ха-ха! Заплатить за вас вы мне не позволяете.

— Не беспокойтесь, я сам заплачу.

— Ну, уж без сомнения. Ведь нам не по дороге?

— Я с вами не поеду.

— Прощайте, мой поэт. Надеюсь, вы меня поняли...

Он вышел, шагая несколько нетвердо и не оборачиваясь ко мне. Лакей усадил его в коляску. Я пошел своею дорогою. Был третий час утра. Шел дождь, ночь была темная...

ЧАСТЬ ЧЕТВЕРТАЯ

ГЛАВА I

Не стану описывать моего озлобления. Несмотря на то что можно было всего ожидать, я был поражен; точно он предстал передо мной во всем своем безобразии совсем неожиданно. Впрочем, помню, ощущения мои были смутны: как будто я был чем-то придавлен, ушиблен, и черная тоска всё больше и больше сосала мне сердце; я боялся за Наташу. Я предчувствовал ей много мук впереди и смутно заботился, как бы их обойти, как бы облегчить эти последние минуты перед окончательной развязкой всего дела. В развязке же сомнения не было никакого. Она приближалась, и как было не угадать, какова она будет!

Я и не заметил, как дошел домой, хотя дождь мочил меня всю дорогу. Было уже часа три утра. Не успел я стукнуть в дверь моей квартиры, как послышался стон, и дверь торопливо начала отпираться, как будто Нелли и не ложилась спать, а всё время сторожила меня у самого порога. Свечка горела. Я взглянул в лицо Нелли и испугался: оно всё изменилось; глаза горели, как в горячке, и смотрели как-то дико, точно она не узнавала меня. С ней был сильный жар.

— Нелли, что с тобой, ты больна? — спросил я, наклоняясь к ней и обняв ее рукой.

Она трепетно прижалась ко мне, как будто боялась чего-то, что-то заговорила, скоро, порывисто, как будто только и ждала меня, чтоб поскорей мне это рассказать. Но слова ее были бессвязны и странны; я ничего не понял, она была в бреду.

Я повел ее поскорей на постель. Но она всё бросалась ко мне и прижималась крепко, как будто в испуге, как будто прося защитить себя от кого-то, и когда уже легла в постель, всё еще хваталась за мою руку и крепко держала ее, боясь, чтоб я опять не ушел. Я был до того потрясен и расстроен нервами, что, глядя на нее, даже заплакал. Я сам был болен. Увидя мои слезы, она долго и неподвижно вглядывалась в меня с усиленным, напряженным вниманием, как будто стараясь что-то осмыслить и сообразить. Видно было, что ей стоило это больших усилий. Наконец что-то похожее на мысль прояснилось в лице ее; после сильного припадка падучей болезни она обыкновенно некоторое время не могла соображать свои мысли и внятно произносить слова. Так было и теперь: сделав над собой чрезвычайное усилие, чтоб выговорить мне что-то, и догадавшись, что я не понимаю, она протянула свою ручонку и начала отирать мои слезы, потом обхватила мою шею, нагнула меня к себе и поцеловала.

Было ясно: с ней без меня был припадок, и случился он именно в то мгновение, когда она стояла у самой двери. Очнувшись от припадка, она, вероятно, долго не могла прийти в себя. В это время действительность смешивается с бредом, и ей, верно, вообразилось что-нибудь ужасное, какие-нибудь страхи. В то же время она смутно сознавала, что я должен воротиться и буду стучаться у дверей, а потому, лежа у самого порога на полу, чутко ждала моего возвращения и приподнялась на мой первый стук.

«Но для чего ж она как раз очутилась у дверей?» — подумал я и вдруг с удивлением заметил, что она была в шубейке (я только что купил ей у знакомой старухи торговки, зашедшей ко мне на квартиру и уступавшей мне иногда свой товар в долг); следовательно, она собиралась куда-то идти со двора и, вероятно, уже отпирала дверь, как вдруг эпилепсия поразила ее. Куда ж она хотела идти? Уж не была ли она и тогда в бреду?

Между тем жар не проходил, и она скоро опять впала в бред и беспамятство. С ней был уже два раза припадок на моей квартире, но всегда оканчивался благополучно, а теперь она была точно в горячке. Посидев над ней с полчаса, я примостил к дивану стулья и лег, как был, одетый, близ нее, чтобы скорей проснуться, если б она меня позвала. Свечки я не тушил. Много раз еще я взглядывал на нее прежде, чем сам заснул. Она была бледна; губы — запекшиеся от жару и окровавленные, вероятно, от падения; с лица не сходило выражение страха и какой-то мучительной тоски, которая, казалось, не покидала ее даже во сне. Я решился назавтра как можно раньше сходить к доктору, если б ей стало хуже. Боялся я, чтоб не приключилось настоящей горячки.

«Это ее князь напугал!» — подумал я с содроганием и вспомнил рассказ его о женщине, бросившей ему в лицо свои деньги.

ГЛАВА II

...Прошло две недели; Нелли выздоравливала. Горячки с ней не было, но была она сильно больна. Она встала с постели уже в конце апреля, в светлый, ясный день. Была Страстная неделя.

Бедное создание! Я не могу продолжать рассказа в прежнем порядке. Много прошло уже времени до теперешней минуты, когда я записываю всё это прошлое, но до сих пор с такой тяжелой, пронзительной тоской вспоминается мне это бледное, худенькое личико, эти пронзительные долгие взгляды ее черных глаз, когда, бывало, мы оставались вдвоем, и она смотрит на меня с своей постели, смотрит, долго смотрит, как бы вызывая меня угадать, что у ней на уме; но видя, что я не угадываю и всё в прежнем недоумении, тихо и как будто про себя улыбнется и вдруг ласково протянет мне свою горячую ручку с худенькими, высохшими пальчиками. Теперь всё прошло, уж всё известно, а до сих пор я не знаю всей тайны этого больного, измученного и оскорбленного маленького сердца.

Я чувствую, что я отвлекусь от рассказа, но в эту минуту мне хочется думать об одной только Нелли. Странно: теперь, когда я лежу на больничной койке один, оставленный всеми, кого я так много и сильно любил, — теперь иногда одна какая-нибудь мелкая черта из того времени, тогда часто для меня не приметная и скоро забываемая, вдруг приходя на память, внезапно получает в моем уме совершенно другое значение, цельное и объясняющее мне теперь то, чего я даже до сих пор не умел понять.

Первые четыре дня ее болезни мы, я и доктор, ужасно за нее боялись, но на пятый день доктор отвел меня в сторону и сказал мне, что бояться нечего и она непременно выздоровеет. Это был тот самый доктор, давно знакомый мне старый холостяк, добряк и чудак, которого я призывал еще в первую болезнь Нелли и который так поразил ее своим Станиславом на шее, чрезвычайных размеров.

— Стало быть, совсем нечего бояться! — сказал я, обрадовавшись.

— Да, она теперь выздоровеет, но потом она весьма скоро умрет.

— Как умрет! Да почему же! — вскричал я, ошеломленный таким приговором.

— Да, она непременно весьма скоро умрет. У пациентки органический порок в сердце, и при малейших неблагоприятных обстоятельствах она сляжет снова. Может быть, снова выздоровеет, но потом опять сляжет снова и наконец умрет.

— И неужели ж нельзя никак спасти ее? Нет, этого быть не может!

— Но это должно быть. И однако, при удалении неблагоприятных обстоятельств, при спокойной и тихой жизни, когда будет более удовольствий, пациентка еще может быть отдалена от смерти, и даже бывают случаи... неожиданные... ненормальные и странные... одним словом, пациентка даже может быть спасена, при совокуплении многих благоприятных обстоятельств, но радикально спасена — никогда.

— Но Боже мой, что же теперь делать?

— Следовать советам, вести покойную жизнь и исправно принимать порошки. Я заметил, что эта девица капризна, неровного характера и даже насмешлива; она очень не любит исправно принимать порошки и вот сейчас решительно отказалась.

— Да, доктор. Она действительно странная, но я всё приписываю болезненному раздражению. Вчера она была очень послушна; сегодня же, когда я ей подносил лекарство, она пихнула ложку как будто нечаянно, и всё пролилось. Когда же я хотел развести новый порошок, она вырвала у меня всю коробку и ударила ее об пол, а потом залилась слезами... Только, кажется, не оттого, что ее заставляли принимать порошки, — прибавил я, подумав.

— Гм! ирритация. Прежние большие несчастия (я подробно и откровенно рассказал доктору многое из истории Нелли, и рассказ мой очень поразил его), всё это в связи, и вот от этого и болезнь. Покамест единственное средство — принимать порошки, и она должна принять порошок. Я пойду и еще раз постараюсь внушить ей ее обязанность — слушаться медицинских советов и... то есть говоря вообще... принимать порошки.

Мы оба вышли из кухни (в которой и происходило наше свидание), и доктор снова приблизился к постели больной. Но Нелли, кажется, нас слышала: по крайней мере, она приподняла голову с подушек и, обратив в нашу сторону ухо, всё время чутко прислушивалась. Я заметил это в щель полуотворенной двери; когда же мы пошли к ней, плутовка юркнула вновь под одеяло и поглядывала на нас с насмешливой улыбкой. Бедняжка очень похудела в эти четыре дня болезни: глаза ввалились, жар всё еще не проходил. Тем страннее шел к ее лицу шаловливый вид и задорные блестящие взгляды, очень удивлявшие доктора, самого добрейшего из всех немецких людей в Петербурге.

Он серьезно, но стараясь как можно смягчить свой голос, ласковым и нежнейшим тоном изложил необходимость и спасительность порошков, а следственно, и обязанность каждого больного принимать их. Нелли приподняла было голову, но вдруг, по-видимому совершенно нечаянным движением руки, задела ложку, и всё лекарство пролилось опять на пол. Я уверен, она это сделала нарочно.

— Это очень неприятная неосторожность, — спокойно сказал старичок, — и я подозреваю, что вы сделали это нарочно, что очень непохвально. Но... можно всё исправить и еще развести порошок.

Нелли засмеялась ему прямо в глаза.

Доктор методически покачал головою.

— Это очень нехорошо, — сказал он, разводя́ новый порошок, — очень, очень непохвально.

— Не сердитесь на меня, — отвечала Нелли, тщетно стараясь не засмеяться снова, — я непременно приму... А любите вы меня?

— Если вы будете вести себя похвально, то очень буду любить.

— Очень?

— Очень.

— А теперь не любите?

— И теперь люблю.

— А поцелуете меня, если я захочу вас поцеловать?

— Да, если вы будете того заслуживать.

Тут Нелли опять не могла вытерпеть и снова засмеялась.

— У пациентки веселый характер, но теперь — это нервы и каприз, — прошептал мне доктор с самым серьезным видом.

— Ну, хорошо, я выпью порошок, — вскрикнула вдруг своим слабым голоском Нелли, — но когда я вырасту и буду большая, вы возьмете меня за себя замуж?

Вероятно, выдумка этой новой шалости очень ей нравилась; глаза ее так и горели, а губки так и подергивало смехом в ожидании ответа несколько изумленного доктора.

— Ну да, — отвечал он, улыбаясь невольно этому новому капризу, — ну да, если вы будете добрая и благовоспитанная девица, будете послушны и будете...

— Принимать порошки? — подхватила Нелли.

— Ого! ну да, принимать порошки. Добрая девица, — шепнул он мне снова, — в ней много, много... доброго и умного, но, однако ж... замуж... какой странный каприз...

И он снова поднес ей лекарство. Но в этот раз она даже и не схитрила, а просто снизу вверх подтолкнула рукой ложку, и всё лекарство выплеснулось прямо на манишку и на лицо бедному старичку. Нелли громко засмеялась, но не прежним простодушным и веселым смехом. В лице ее промелькнуло что-то жестокое, злое. Во всё это время она как будто избегала моего взгляда, смотрела на одного доктора и с насмешкою, сквозь которую проглядывало, однако же, беспокойство, ждала, что-то будет теперь делать «смешной» старичок.

— О! вы опять... Какое несчастие! Но... можно еще развести порошок, — проговорил старик, отирая платком лицо и манишку.

Это ужасно поразило Нелли. Она ждала нашего гнева, думала, что ее начнут бранить, упрекать, и, может быть, ей, бессознательно, того только и хотелось в эту минуту, — чтоб иметь предлог тотчас же заплакать, зарыдать, как в истерике, разбросать опять порошки, как давеча, и даже разбить что-нибудь с досады, и всем этим утолить свое капризное, наболевшее сердечко. Такие капризы бывают и не у одних больных, и не у одной Нелли. Как часто, бывало, я ходил взад и вперед по комнате с бессознательным желанием, чтоб поскорей меня кто-нибудь обидел или сказал слово, которое бы можно было принять за обиду, и поскорей сорвать на чем-нибудь сердце. Женщины же, «срывая» таким образом сердце, начинают плакать самыми искренними слезами, а самые чувствительные из них даже доходят до истерики. Дело очень простое и самое житейское и бывающее чаще всего, когда есть другая, часто никому не известная печаль в сердце и которую хотелось бы, да нельзя никому высказать.

Но вдруг пораженная ангельской добротою обиженного ею старичка и терпением, с которым он снова разводил ей третий порошок, не сказав ей ни одного слова упрека, Нелли вдруг притихла. Насмешка слетела с ее губок, краска ударила ей в лицо, глаза повлажнели; она мельком взглянула на меня и тотчас же отворотилась. Доктор поднес ей лекарство. Она смирно и робко выпила его, схватив красную пухлую руку старика, и медленно поглядела ему в глаза.

— Вы... сердитесь... что я злая, — сказала было она, но не докончила, юркнула под одеяло, накрылась с головой и громко, истерически зарыдала.

— О дитя мое, не плачьте... Это ничего... Это нервы; выпейте воды.

Но Нелли не слушала.

— Утешьтесь... не расстраивайте себя, — продолжал он, чуть сам не хныча над нею, потому что был очень чувствительный человек, — я вас прощаю и замуж возьму, если вы, при хорошем поведении честной девицы, будете...

— Принимать порошки! — послышалось из-под одеяла с тоненьким, как колокольчик, нервическим смехом, прерываемым рыданиями, — очень мне знакомым смехом.

— Доброе, признательное дитя, — сказал доктор торжественно и чуть не со слезами на глазах. — Бедная девица!

И с этих пор между ним и Нелли началась какая-то странная, удивительная симпатия. Со мной же, напротив, Нелли становилась всё угрюмее, нервичнее и раздражительнее. Я не знал, чему это приписать, и дивился на нее, тем более что эта перемена произошла в ней как-то вдруг. В первые дни болезни она была со мной чрезвычайно нежна и ласкова; казалось, не могла наглядеться на меня, не отпускала от себя, схватывала мою руку своею горячею рукой и садила меня возле себя, и если замечала, что я угрюм и встревожен, старалась развеселить меня, шутила, играла со мной и улыбалась мне, видимо подавляя свои собственные страдания. Она не хотела, чтоб я работал по ночам или сидел, сторожил ее, и печалилась, видя, что я ее не слушаюсь. Иногда я замечал в ней озабоченный вид; она начинала расспрашивать и выпытывать от меня, почему я печалюсь, что у меня на уме; но странно, когда доходило до Наташи, она тотчас же умолкала или начинала заговаривать о другом. Она как будто избегала говорить о Наташе, и это поразило меня. Когда я приходил, она радовалась. Когда же я брался за шляпу, она смотрела уныло и как-то странно, как будто с упреком, провожала меня глазами.

На четвертый день ее болезни я весь вечер и даже далеко за полночь просидел у Наташи. Нам было тогда о чем говорить. Уходя же из дому, я сказал моей больной, что ворочусь очень скоро, на что и сам рассчитывал. Оставшись у Наташи почти нечаянно, я был спокоен насчет Нелли: она оставалась не одна. С ней сидела Александра Семеновна, узнавшая от Маслобоева, зашедшего ко мне на минуту, что Нелли больна и я в больших хлопотах и один-одинехонек. Боже мой, как захлопотала добренькая Александра Семеновна:

— Так, стало быть, он и обедать к нам теперь не придет!.. Ах, Боже мой! И один-то он, бедный, один. Ну, так покажем же мы теперь ему наше радушие. Вот случай выдался, так и не надо его упускать.

Тотчас же она явилась у нас, привезя с собой на извозчике целый узел. Объявив с первого слова, что теперь и не уйдет от меня, и приехала, чтоб помогать мне в хлопотах, она развязала узел. В нем были сиропы, варенья для больной, цыпля-та и курица, в случае если больная начнет выздоравливать, яблоки для печенья, апельсины, киевские сухие варенья (на случай если доктор позволит), наконец, белье, простыни, салфетки, женские рубашки, бинты, компрессы — точно на целый лазарет.

— Всё-то у нас есть, — говорила она мне, скоро и хлопотливо выговаривая каждое слово, как будто куда-то торопясь, — ну, а вот вы живете по-холосту. У вас ведь этого всего мало. Так уж позвольте мне... и Филипп Филиппыч так приказал. Ну, что же теперь... поскорей, поскорей! Что же теперь надо делать? Что она? В памяти? Ах, так ей нехорошо лежать, надо поправить подушку, чтоб ниже лежала голова, да знаете ли... не лучше ли кожаную подушку? От кожаной-то холодит. Ах, какая я дура! И на ум не пришло привезть. Я поеду за ней... Не нужно ли огонь развести? Я свою старуху вам пришлю. У меня есть знакомая старуха. У вас ведь никого нет из женской прислуги... Ну, что же теперь делать? Это что? Трава... доктор прописал? Верно, для грудного чаю? Сейчас пойду разведу огонь.

Но я ее успокоил, и она очень удивилась и даже опечалилась, что дела-то оказывается вовсе не так много. Это, впрочем, не обескуражило ее совершенно. Она тотчас же подружилась с Нелли и много помогала мне во всё время ее болезни, навещала нас почти каждый день и всегда, бывало, приедет с таким видом, как будто что-нибудь пропало или куда-то уехало и надо поскорее ловить. Она всегда прибавляла, что так и Филипп Филиппыч приказал. Нелли она очень понравилась. Они полюбили одна другую, как две сестры, и я думаю, что Александра Семеновна во многом была такой же точно ребенок, как и Нелли. Она рассказывала ей разные истории, смешила ее, и Нелли потом часто скучала, когда Александра Семеновна уезжала домой. Первое же ее появление у нас удивило мою больную, но она тотчас же догадалась, зачем приехала незваная гостья, и, по обыкновению своему, даже нахмурилась, сделалась молчалива и нелюбезна.

— Она зачем к нам приезжала? — спросила Нелли как будто с недовольным видом, когда Александра Семеновна уехала.

— Помочь тебе, Нелли, и ходить за тобой.

— Да что ж?.. За что же? Ведь я ей ничего такого не сделала.

— Добрые люди и не ждут, чтоб им прежде делали, Нелли. Они и без этого любят помогать тем, кто нуждается. Полно, Нелли; на свете очень много добрых людей. Только твоя-то беда, что ты их не встречала и не встретила, когда было надо.

Нелли замолчала; я отошел от нее. Но четверть часа спустя она сама подозвала меня к себе слабым голосом, попросила было пить и вдруг крепко обняла меня, припала к моей груди и долго не выпускала меня из своих рук. На другой день, когда приехала Александра Семеновна, она встретила ее с радостной улыбкой, но как будто все еще стыдясь ее отчего-то.

ГЛАВА III

Вот в этот-то день я и был у Наташи весь вечер. Я пришел уже поздно. Нелли спала. Александре Семеновне тоже хотелось спать, но она всё сидела над больною и ждала меня. Тотчас же торопливым шепотом начала она мне рассказывать, что Нелли сначала была очень весела, даже много смеялась, но потом стала скучна и, видя, что я не прихожу, замолчала и задумалась. «Потом стала жаловаться, что у ней голова болит, заплакала и так разрыдалась, что уж я и не знала, что с нею делать, — прибавила Александра Семеновна. — Заговорила было со мной о Наталье Николаевне, но я ей ничего не могла сказать; она и перестала расспрашивать и всё потом плакала, так и уснула в слезах. Ну, прощайте же, Иван Петрович; ей все-таки легче, как я заметила, а мне надо домой, так и Филипп Филиппыч приказал. Уж я признаюсь вам, ведь он меня этот раз только на два часа отпустил, а я уж сама осталась. Да что, ничего, не беспокойтесь обо мне; не смеет он сердиться... Только вот разве... Ах, Боже мой, голубчик Иван Петрович, что мне делать: всё-то он теперь домой хмельной приходит! Занят он чем-то очень, со мной не говорит, тоскует, дело у него важное на уме; я уж это вижу; а вечером все-таки пьян... Подумаю только: воротился он теперь домой, кто-то его там уложит? Ну, еду, еду, прощайте. Прощайте, Иван Петрович. Книги я у вас тут смотрела: сколько книг-то у вас, и всё, должно быть, умные; а я-то дура, ничего-то я никогда не читала... Ну, до завтра...»

Но назавтра же Нелли проснулась грустная и угрюмая, нехотя отвечала мне. Сама же ничего со мной не заговаривала, точно сердилась на меня. Я заметил только несколько взглядов ее, брошенных на меня вскользь, как бы украдкой; в этих взглядах было много какой-то затаенной сердечной боли, но все-таки в них проглядывала нежность, которой не было, когда она прямо глядела на меня. В этот-то день и происходила сцена при приеме лекарства с доктором; я не знал, что подумать.

Но Нелли переменилась ко мне окончательно. Ее странности, капризы, иногда чуть не ненависть ко мне — всё это продолжалось вплоть до самого того дня, когда она перестала жить со мной, вплоть до самой той катастрофы, которая развязала весь наш роман. Но об этом после.

Случалось иногда, впрочем, что она вдруг становилась на какой-нибудь час ко мне по-прежнему ласкова. Ласки ее, казалось, удвоивались в эти мгновения; чаще всего в эти же минуты она горько плакала. Но часы эти проходили скоро, и она впадала опять в прежнюю тоску и опять враждебно смотрела на меня, или капризилась, как при докторе, или вдруг, заметив, что мне неприятна какая-нибудь не новая шалость, начинала хохотать и всегда почти кончала слезами.

Она поссорилась даже раз с Александрой Семеновной, сказала ей, что ничего не хочет от нее. Когда же я стал пенять ей, при Александре же Семеновне, она разгорячилась, отвечала с какой-то порывчатой, накопившейся злобой, но вдруг замолчала и ровно два дня ни одного слова не говорила со мной, не хотела принять ни одного лекарства, даже не хотела пить и есть, и только старичок доктор сумел уговорить и усовестить ее.

Я сказал уже, что между доктором и ею, с самого дня приема лекарства, началась какая-то удивительная симпатия. Нелли очень полюбила его и всегда встречала его с веселой улыбкой, как бы ни была грустна перед его приходом. С своей стороны, старичок начал ездить к нам каждый день, а иногда и по два раза в день, даже и тогда, когда Нелли стала ходить и уже совсем выздоравливала, и казалось, она заворожила его так, что он не мог прожить дня, не слыхав ее смеху и шуток над ним, нередко очень забавных. Он стал возить ей книжки с картинками, всё назидательного свойства. Одну он нарочно купил для нее. Потом стал возить ей сласти, конфет в хорошеньких коробочках. В такие разы он входил обыкновенно с торжественным видом, как будто был именинник, и Нелли тотчас же догадывалась, что он приехал с подарком. Но подарка он не показывал, а только хитро смеялся, усаживался подле Нелли, намекал, что если одна молодая девица умела вести себя хорошо и заслужить в его отсутствие уважение, то такая молодая девица достойна хорошей награды. При этом он так простодушно и добродушно на нее поглядывал, что Нелли хоть и смеялась над ним самым откровенным смехом, но вместе с тем искренняя, ласкающая привязанность просвечивалась в эту минуту в ее прояснневших глазках. Наконец старик торжественно подымался со стула, вынимал коробочку с конфетами и, вручая ее Нелли, непременно прибавлял: «Моей будущей и любезной супруге». В эту минуту он сам был, наверно, счастливее Нелли.

После этого начинались разговоры, и каждый раз он серьезно и убедительно уговаривал ее беречь здоровье и давал ей убедительные медицинские советы.

— Более всего надо беречь свое здоровье, — говорил он догматическим тоном, — и во-первых, и главное, для того чтоб остаться в живых, а во-вторых, чтобы всегда быть здоровым и, таким образом, достигнуть счастия в жизни. Если вы имеете, мое милое дитя, какие-нибудь горести, то забывайте их или лучше всего старайтесь о них не думать. Если же не имеете никаких горестей, то... также о них не думайте, а старайтесь думать об удовольствиях... о чем-нибудь веселом, игривом...

— А об чем же это веселом, игривом думать? — спрашивала Нелли.

Доктор немедленно становился в тупик.

— Ну, там... об какой-нибудь невинной игре, приличной вашему возрасту; или там... ну, что-нибудь эдакое...

— Я не хочу играть; я не люблю играть, — говорила Нелли. — А вот я люблю лучше новые платья.

— Новые платья! Гм. Ну, это уже не так хорошо. Надо во всём удовольствоваться скромною долей в жизни. А впрочем... пожалуй... можно любить и новые платья.

— А вы много мне сошьете платьев, когда я за вас замуж выйду?

— Какая идея! — говорил доктор и уж невольно хмурился. Нелли плутовски улыбалась и даже раз, забывшись, с улыбкою взглянула и на меня. — А впрочем... я вам сошью платье, если вы его заслужите своим поведением, — продолжал доктор.

— А порошки нужно будет каждый день принимать, когда я за вас замуж выйду?

— Ну, тогда можно будет и не всегда принимать порошки, — и доктор начинал улыбаться.

Нелли прерывала разговор смехом. Старичок смеялся вслед за ней и с любовью следил за ее веселостью.

— Игривый ум! — говорил он, обращаясь ко мне. — Но всё еще виден каприз и некоторая прихотливость и раздражительность.

Он был прав. Я решительно не знал, что делалось с нею. Она как будто совсем не хотела говорить со мной, точно я перед ней в чем-нибудь провинился. Мне это было очень горько. Я даже сам нахмурился и однажды целый день не заговаривал с нею, но на другой день мне стало стыдно. Часто она плакала, и я решительно не знал, чем ее утешить. Впрочем, она однажды прервала со мной свое молчание.

Раз я воротился домой перед сумерками и увидел, что Нелли быстро спрятала под подушку книгу. Это был мой роман, который она взяла со стола и читала в мое отсутствие. К чему же было его прятать от меня? Точно она стыдится, — подумал я, но не показал виду, что заметил что-нибудь. Четверть часа спустя, когда я вышел на минутку в кухню, она быстро вскочила с постели и положила роман на прежнее место: воротясь, я увидал уже его на столе. Через минуту она позвала меня к себе; в голосе ее отзывалось какое-то волнение. Уже четыре дня как она почти не говорила со мной.

— Вы... сегодня... пойдете к Наташе? — спросила она меня прерывающимся голосом.

— Да, Нелли; мне очень нужно ее видеть сегодня.

Нелли замолчала.

— Вы... очень ее любите? — спросила она опять слабым голосом.

— Да, Нелли, очень люблю.

— И я ее люблю, — прибавила она тихо. Затем опять наступило молчание.

— Я хочу к ней и с ней буду жить, — начала опять Нелли, робко взглянув на меня.

— Это нельзя, Нелли, — отвечал я, несколько удивленный. — Разве тебе дурно у меня?

— Почему ж нельзя? — и она вспыхнула. — Ведь уговариваете же вы меня, чтоб я пошла жить к ее отцу; а я не хочу идти. У ней есть служанка?

— Есть.

— Ну, так пусть она отошлет свою служанку, а я ей буду служить. Всё буду ей делать и ничего с нее не возьму; я любить ее буду и кушанье буду варить. Вы так и скажите ей сегодня.

— Но к чему же, что за фантазия, Нелли? И как же ты о ней судишь: неужели ты думаешь, что она согласится взять тебя вместо кухарки? Уж если возьмет она тебя, то как свою ровную, как младшую сестру свою.

— Нет, я не хочу как ровная. Так я не хочу...

— Почему же?

Нелли молчала. Губки ее подергивало: ей хотелось плакать.

— Ведь тот, которого она теперь любит, уедет от нее и ее одну бросит? — спросила она наконец.

Я удивился.

— Да почему ты это знаешь, Нелли?

— Вы и сами говорили мне всё, и третьего дня, когда муж Александры Семеновны приходил утром, я его спрашивала: он мне всё и сказал.

— Да разве Маслобоев приходил утром?

— Приходил, — отвечала она, потупив глазки.

— А зачем же ты мне не сказала, что он приходил?

— Так...

Я подумал с минуту. Бог знает, зачем этот Маслобоев шляется, с своею таинственностью. Что за сношения завел? Надо бы его увидать.

— Ну, так что ж тебе, Нелли, если он ее бросит?

— Ведь вы ее любите же очень, — отвечала Нелли, не подымая на меня глаз. — А коли любите, стало быть, замуж ее возьмете, когда тот уедет.

— Нет, Нелли, она меня не любит так, как я ее люблю, да и я... Нет, не будет этого, Нелли.

— А я бы вам обоим служила, как служанка ваша, а вы бы жили и радовались, — проговорила она чуть не шепотом, не смотря на меня.

«Что с ней, что с ней?» — подумал я, и вся душа перевернулась во мне. Нелли замолчала и более во весь вечер не сказала ни слова. Когда же я ушел, она заплакала, плакала весь вечер, как донесла мне Александра Семеновна, и так и уснула в слезах. Даже ночью, во сне, она плакала и что-то ночью говорила в бреду.

Но с этого дня она сделалась еще угрюмее и молчаливее и совсем уж не говорила со мной. Правда, я заметил два-три взгляда ее, брошенные на меня украдкой, и в этих взглядах было столько нежности! Но это проходило вместе с мгновением, вызвавшим эту внезапную нежность, и, как бы в отпор этому вызову, Нелли чуть не с каждым часом делалась всё мрачнее, даже с доктором, удивлявшимся перемене ее характера. Между тем она уже совсем почти выздоровела, и доктор позволил ей наконец погулять на свежем воздухе, но только очень немного. Погода стояла светлая, теплая. Была Страстная неделя, приходившаяся в этот раз очень поздно; я вышел поутру; мне надо было непременно быть у Наташи, но я положил раньше воротиться домой, чтоб взять Нелли и идти с нею гулять; дома же покамест оставил ее одну.

Но не могу выразить, какой удар ожидал меня дома. Я спешил домой. Прихожу и вижу, что ключ торчит снаружи у двери. Вхожу: никого нет. Я обмер. Смотрю: на столе бумажка, и на ней написано карандашом крупным, неровным почерком:

«Я ушла от вас и больше к вам никогда не приду. Но я вас очень люблю.
Ваша верная *Нелли*».

Я вскрикнул от ужаса и бросился вон из квартиры.

ГЛАВА IV

Я еще не успел выбежать на улицу, не успел сообразить, что и как теперь делать, как вдруг увидел, что у наших ворот останавливаются дрожки и с дрожек сходит Александра Семеновна, ведя за руку Нелли. Она крепко держала ее, точно боялась, чтоб она не убежала другой раз. Я так и бросился к ним.

— Нелли, что с тобой! — закричал я, — куда ты уходила, зачем?

— Постойте, не торопитесь; пойдемте-ка поскорее к вам, там всё и узнаете, — защебетала Александра Семеновна, — какие вещи-то я вам расскажу, Иван Петрович, — шептала она наскоро дорогою. — Дивиться только надо... Вот пойдемте, сейчас узнаете.

На лице ее было написано, что у ней были чрезвычайно важные новости.

— Ступай, Нелли, ступай, приляг немножко, — сказала она, когда мы вошли в комнаты, — ведь ты устала; шутка ли, сколько обегала; а после болезни-то тяжело; приляг, голубчик, приляг. А мы с вами уйдемте-ка пока отсюда, не будем ей мешать, пусть уснет. — И она мигнула мне, чтоб я вышел с ней в кухню.

Но Нелли не прилегла, она села на диван и закрыла обеими руками лицо.

Мы вышли, и Александра Семеновна наскоро рассказала мне, в чем дело. Потом я узнал еще более подробностей. Вот как это всё было.

Уйдя от меня часа за два до моего возвращения и оставив мне записку, Нелли побежала сперва к старичку доктору. Адрес его она успела выведать еще прежде. Доктор рассказывал мне, что он так и обмер, когда увидел у себя Нелли, и всё время, пока она была у него, «не верил глазам своим». «Я и теперь не верю, — прибавил он в заключение своего рассказа, — и никогда этому не поверю». И однако ж, Нелли действительно была у него. Он сидел спокойно в своем кабинете, в креслах, в шлафроке и за кофеем, когда она вбежала и бросилась к нему на шею, прежде чем он успел опомниться. Она плакала, обнимала и целовала его, целовала ему руки и убедительно, хотя и бессвязно, просила его, чтоб он взял ее жить к себе; говорила, что не хочет и не может более жить со мной, потому и ушла от меня; что ей тяжело; что она уже не будет более смеяться над ним и говорить об новых платьях и будет вести себя хорошо, будет учиться, выучится «манишки ему стирать и гладить» (вероятно, она сообразила всю свою речь дорогою, а может быть, и раньше) и что, наконец, будет послушна и хоть каждый день будет принимать какие угодно порошки. А что если она говорила тогда, что замуж хотела за него выйти, так ведь это она шутила, что она и не думает об этом. Старый немец был так ошеломлен, что сидел всё время, разинув рот, подняв свою руку, в которой держал сигару, и забыв о сигаре, так что она и потухла.

— Мадмуазель, — проговорил он наконец, получив кое-как употребление языка, — мадмуазель, сколько я вас понял, вы просите, чтоб я вам дал место у себя. Но это — невозможно! Вы видите, я очень стеснен и не имею значительного дохода... И, наконец, так прямо, не подумав... Это ужасно! И, наконец, вы, сколько я вижу, бежали из своего дома. Это очень непохвально и невозможно... И, наконец, я вам позволил только немного гулять, в ясный день, под надзором вашего благодетеля, а вы бросаете своего благодетеля и бежите ко мне, тогда как вы должны беречь себя и... и... принимать лекарство. И, наконец... наконец, я ничего не понимаю...

Нелли не дала ему договорить. Она снова начала плакать, снова упрашивать его, но ничего не помогло. Старичок всё более и более впадал в изумление и всё более и более ничего не понимал. Наконец Нелли бросила его, вскрикнула: «Ах, боже мой!» — и выбежала из комнаты. «Я был болен весь этот день, — прибавил доктор, заключая свой рассказ, — и на ночь принял декокт...»

А Нелли бросилась к Маслобоевым. Она запаслась и их адресом и отыскала их, хотя и не без труда. Маслобоев был дома. Александра Семеновна так и всплеснула руками, когда услышала просьбу Нелли взять ее к ним. На ее же расспросы: почему ей так хочется, что ей тяжело, что ли, у меня? — Нелли ничего не отвечала и бросилась, рыдая, на стул. «Она так рыдала, так рыдала, — рассказывала мне Александра Семеновна, — что я думала, она умрет от этого». Нелли просилась хоть в горничные, хоть в кухарки, говорила, что будет пол мести и научится белье стирать. (На этом мытье белья она основывала какие-то особенные надежды и почему-то считала это самым сильным прельщением, чтоб ее взяли.) Мнение Александры Семеновны было оставить ее у себя до разъяснения дела, а мне дать знать. Но Филипп Филиппыч решительно этому воспротивился и тотчас же приказал отвезти беглянку ко мне. Дорогою Александра Семеновна обнимала и целовала ее, отчего Нелли еще больше начинала плакать. Смотря на нее, расплакалась и Александра Семеновна. Так обе всю дорогу и плакали.

— Да почему же, почему же, Нелли, ты не хочешь у него жить; что он, обижает тебя, что ли? — спрашивала, заливаясь слезами, Александра Семеновна.

— Нет, не обижает.

— Ну, так отчего же?

— Так, не хочу у него жить... не могу... я такая с ним всё злая... а он добрый... а у вас я не буду злая, я буду работать, — проговорила она, рыдая как в истерике.

— Отчего же ты с ним такая злая, Нелли?..

— Так...

— И только я от нее это «так» и выпытала, — заключила Александра Семеновна, отирая свои слезы, — что это она за горемычная такая? Родимец, что ли, это? Как вы думаете, Иван Петрович?

Мы вошли к Нелли; она лежала, скрыв лицо в подушках, и плакала. Я стал перед ней на колени, взял ее руки и начал целовать их. Она вырвала у меня руки и зарыдала еще сильнее. Я не знал, что и говорить. В эту минуту вошел старик Ихменев.

— А я к тебе по делу, Иван, здравствуй! — сказал он, оглядывая нас всех и с удивлением видя меня на коленях. Старик был болен всё последнее время. Он был бледен и худ, но, как будто храбрясь перед кем-то, презирал свою болезнь, не слушал увещаний Анны Андреевны, не ложился, а продолжал ходить по своим делам.

— Прощайте покамест, — сказала Александра Семеновна, пристально посмотрев на старика. — Мне Филипп Филиппыч приказал как можно скорее воротиться. Дело у нас есть. А вечером, в сумерки, приеду к вам, часика два посижу.

— Кто такая? — шепнул мне старик, по-видимому думая о другом. Я объяснил.

— Гм. А вот я по делу, Иван...

Я знал, по какому он делу, и ждал его посещения. Он пришел переговорить со мной и с Нелли и перепросить ее у меня. Анна Андреевна соглашалась наконец взять в дом сиротку. Случилось это вследствие наших тайных разговоров: я убедил Анну Андреевну и сказал ей, что вид сиротки, которой мать была тоже проклята своим отцом, может быть, повернет сердце нашего старика на другие мысли. Я так ярко разъяснил ей свой план, что она теперь сама уже стала приставать к мужу, чтоб взять сиротку. Старик с готовностью принялся за дело: ему хотелось, во-первых, угодить своей Анне Андреевне, а во-вторых, у него были свои особые соображения... Но всё это я объясню потом подробнее...

Я сказал уже, что Нелли не любила старика еще с первого его посещения. Потом я заметил, что даже какая-то ненависть проглядывала в лице ее, когда произносили при ней имя Ихменева. Старик начал дело тотчас же, без околичностей. Он прямо подошел к Нелли, которая всё еще лежала, скрыв лицо свое в подушках, и, взяв ее за руку, спросил: хочет ли она перейти к нему жить вместо дочери?

— У меня была дочь, я ее любил больше самого себя, — заключил старик, — но теперь ее нет со мной. Она умерла. Хочешь ли ты заступить ее место в моем доме и... в моем сердце?

И в его глазах, сухих и воспаленных от лихорадочного жара, накипела слеза.

— Нет, не хочу, — отвечала Нелли, не подымая головы.

— Почему же, дитя мое? У тебя нет никого. Иван не может держать тебя вечно при себе, а у меня ты будешь как в родном доме.

— Не хочу, потому что вы злой. Да, злой, злой, — прибавила она, подымая голову и садясь на постели против старика. — Я сама злая, и злее всех, но вы еще злее меня!.. — Говоря это, Нелли побледнела, глаза ее засверкали; даже дрожавшие губы ее побледнели и искривились от прилива какого-то сильного ощущения. Старик в недоумении смотрел на нее.

— Да, злее меня, потому что вы не хотите простить свою дочь; вы хотите забыть ее совсем и берете к себе другое дитя, а разве можно забыть свое родное дитя? Разве вы будете любить меня? Ведь как только вы на меня взглянете, так и вспомните, что я вам чужая и что у вас была своя дочь, которую вы сами забыли, потому что вы жестокий человек. А я не хочу жить у жестоких людей, не хочу, не хочу!.. — Нелли всхлипнула и мельком взглянула на меня.

— Послезавтра Христос воскрес, все целуются и обнимаются, все мирятся, все вины прощаются... Я ведь знаю... Только вы один, вы... у! Жестокий! Подите прочь!

Она залилась слезами. Эту речь она, кажется, давно уже сообразила и вытвердила, на случай если старик еще раз будет ее приглашать к себе. Старик был поражен и побледнел. Болезненное ощущение выразилось в лице его.

— И к чему, к чему, зачем обо мне все так беспокоятся? Я не хочу, не хочу! — вскрикнула вдруг Нелли в каком-то исступлении, — я милостыню пойду просить!

— Нелли, что с тобой? Нелли, друг мой! — вскрикнул я невольно, но восклицанием моим только подлил к огню масла.

— Да, я буду лучше ходить по улицам и милостыню просить, а здесь не останусь, — кричала она, рыдая. — И мать моя милостыню просила, а когда умирала, сама сказала мне: будь бедная и лучше милостыню проси, чем... Милостыню не стыдно просить: я не у одного человека прошу, я у всех прошу, а все не один человек; у одного стыдно, а у всех не стыдно; так мне одна нищенка говорила; ведь я маленькая, мне негде взять. Я у всех и прошу. А здесь я не хочу, не хочу, не хочу, я злая; я злее всех; вот какая я злая!

И Нелли вдруг совершенно неожиданно схватила со столика чашку и бросила ее об пол.

— Вот теперь и разбилась, — прибавила она, с каким-то вызывающим торжеством смотря на меня. — Чашек-то всего две, — прибавила она, — я и другую разобью... Тогда из чего будете чай-то пить?

Она была как взбешенная и как будто сама ощущала наслаждение в этом бешенстве, как будто сама сознавала, что это и стыдно и нехорошо, и в то же время как будто поджигала себя на дальнейшие выходки.

— Она больна у тебя, Ваня, вот что, — сказал старик, — или... я уж и не понимаю, что это за ребенок. Прощай!

Он взял свою фуражку и пожал мне руку. Он был как убитый; Нелли страшно оскорбила его; всё поднялось во мне:

— И не пожалела ты его, Нелли! — вскричал я, когда мы остались одни, — и не стыдно, не стыдно тебе! Нет, ты не добрая, ты и вправду злая! — и как был без шляпы, так и побежал я вслед за стариком. Мне хотелось проводить его до ворот и хоть два слова сказать ему в утешение. Сбегая с лестницы, я как будто еще видел перед собой лицо Нелли, страшно побледневшее от моих упреков.

Я скоро догнал моего старика.

— Бедная девочка оскорблена, и у ней свое горе, верь мне, Иван; а я ей о своем стал расписывать, — сказал он, горько улыбаясь. — Я растравил ее рану. Говорят, сытый голодного не разумеет; а я, Ваня, прибавлю, что и голодный голодного не всегда поймет. Ну, прощай!

Я было заговорил о чем-то постороннем, но старик только рукой махнул.

— Полно меня-то утешать; лучше смотри, чтоб твоя-то не убежала от тебя; она так и смотрит, — прибавил он с каким-то озлоблением и пошел от меня скорыми шагами, помахивая и постукивая своей палкой по тротуару.

Он и не ожидал, что будет пророком.

Что сделалось со мной, когда, воротясь к себе, я, к ужасу моему, опять не нашел дома Нелли! Я бросился в сени, искал ее на лестнице, кликал, стучался даже у соседей и спрашивал о ней; поверить я не мог и не хотел, что она опять бежала. И как она могла убежать? Ворота в доме одни; она должна была пройти мимо нас, когда я разговаривал с стариком. Но скоро, к большому моему унынию, я сообразил, что она могла прежде спрятаться где-нибудь на лестнице и выждать, пока я пройду обратно домой, а потом бежать, так что я никак не мог ее встретить. Во всяком случае, она не могла далеко уйти.

В сильном беспокойстве выбежал я опять на поиски, оставив на всякий случай квартиру отпертою.

Прежде всего я отправился к Маслобоевым. Маслобоевых я не застал дома, ни его, ни Александры Семеновны. Оставив у них записку, в которой извещал их о новой беде, и прося, если к ним придет Нелли, немедленно дать мне знать, я пошел к доктору; того тоже не было дома, служанка объявила мне, что, кроме давешнего посещения, другого не было. Что было делать? Я отправился к Бубновой и узнал от знакомой мне гробовщицы, что хозяйка со вчерашнего дня сидит за что-то в полиции, а Нелли там *с тех пор* и не видали. Усталый, измученный, я побежал опять к Маслобоевым; тот же ответ: никого не было, да и они сами еще не возвращались. Записка моя лежала на столе. Что было мне делать?

В смертельной тоске возвращался я к себе домой поздно вечером. Мне надо было в этот вечер быть у Наташи; она сама звала меня еще утром. Но я даже и не ел ничего в этот день; мысль о Нелли возмущала всю мою душу. «Что же это такое? — думал я. — Неужели ж это такое мудреное следствие болезни? Уж не сумасшедшая ли она или сходит с ума? Но, боже мой, где она теперь, где я сыщу ее!»

Только что я это воскликнул, как вдруг увидел Нелли, в нескольких шагах от меня, на В—м мосту. Она стояла у фонаря и меня не видела. Я хотел бежать к ней, но остановился. «Что ж это она здесь делает?» — подумал я в недоумении и, уверенный, что теперь уж не потеряю ее, решился ждать и наблюдать за ней. Прошло минут десять, она всё стояла, посматривая на прохожих. Наконец прошел один старичок, хорошо одетый, и Нелли подошла к нему: тот, не останавливаясь, вынул что-то из кармана и подал ей. Она ему поклонилась. Не могу выразить, что почувствовал я в это мгновение. Мучительно сжалось мое сердце; как будто что-то дорогое, что я любил, лелеял и миловал, было опозорено и оплевано передо мной в эту минуту, но вместе с тем и слезы потекли из глаз моих.

Да, слезы о бедной Нелли, хотя я в то же время чувствовал непримиримое негодование: она не от нужды просила; она была не брошенная, не оставленная кем-нибудь на произвол судьбы; бежала не от жестоких притеснителей, а от друзей своих, которые ее любили и лелеяли. Она как будто хотела кого-то изумить или испугать своими подвигами; точно она хвасталась перед кем-то? Но что-то тайное зрело в ее душе... Да, старик был прав; она оскорблена, рана ее не могла зажить, и она как бы нарочно старалась растравлять свою рану этой таинственностью, этой недоверчивостью ко всем нам; точно она наслаждалась сама своей болью, этим *эгоизмом страдания*, если так можно выразиться. Это растравление боли и это наслаждение ею было мне понятно: это наслаждение многих обиженных и оскорбленных, пригнетенных судьбою и сознающих в себе ее несправедливость. Но на какую же несправедливость нашу могла пожаловаться Нелли? Она как будто хотела нас удивить и испугать своими капризами и дикими выходками, точно она в самом деле перед нами хвалилась... Но нет! Она теперь одна, никто не видит из нас, что она просила милостыню. Неужели ж она сама про себя находила в этом наслаждение? Для чего ей милостыня, для чего ей деньги?

Получив подаяние, она сошла с моста и подошла к ярко освещенным окнам одного магазина. Тут она принялась считать свою добычу; я стоял в десяти шагах. Денег в руке ее было уже довольно; видно, что она с самого утра просила. Зажав их в руке, она перешла через улицу и вошла в мелочную лавочку. Я тотчас же подошел к дверям лавочки, отворенным настежь, и смотрел: что она там будет делать?

Я видел, что она положила на прилавок деньги и ей подали чашку, простую чайную чашку, очень похожую на ту, которую она давеча разбила, чтоб показать мне и Ихменеву, какая она злая. Чашка эта стоила, может быть, копеек пятнадцать, может быть, даже и меньше. Купец завернул ее в бумагу, завязал и отдал Нелли, которая торопливо с довольным видом вышла из лавочки.

— Нелли! — вскрикнул я, когда она поравнялась со мною, — Нелли!

Она вздрогнула, взглянула на меня, чашка выскользнула из ее рук, упала на мостовую и разбилась. Нелли была бледна; но, взглянув на меня и уверившись, что я всё видел и знаю, вдруг покраснела; этой краской сказывался нестерпимый, мучительный стыд. Я взял ее за руку и повел домой; идти было недалеко. Мы ни слова не промолвили дорогою. Придя домой, я сел; Нелли стояла передо мной, задумчивая и смущенная, бледная по-прежнему, опустив в землю глаза. Она не могла смотреть на меня.

— Нелли, ты просила милостыню?

— Да! — прошептала она и еще больше потупилась.

— Ты хотела набрать денег, чтоб купить разбитую давеча чашку?

— Да...

— Но разве я попрекал тебя, разве я бранил тебя за эту чашку? Неужели ж ты не видишь, Нелли, сколько злого, самодовольно злого в твоем поступке? Хорошо ли это? Неужели тебе не стыдно? Неужели...

— Стыдно... — прошептала она чуть слышным голосом, и слезинка покатилась по ее щеке.

— Стыдно... — повторил я за ней. — Нелли, милая, если я виноват перед тобой, прости меня и помиримся.

Она взглянула на меня, слезы брызнули из ее глаз, и она бросилась ко мне на грудь.

В эту минуту влетела Александра Семеновна.

— Что! Она дома? Опять? Ах, Нелли, Нелли, что это с тобой делается? Ну да хорошо, что по крайней мере дома... где вы отыскали ее, Иван Петрович?

Я мигнул Александре Семеновне, чтоб она не расспрашивала, и она поняла меня. Я нежно простился с Нелли, которая всё еще горько плакала, и упросил добренькую Александру Семеновну посидеть с ней до моего возвращения, а сам побежал к Наташе. Я опоздал и торопился.

В этот вечер решалась наша судьба: нам было много о чем говорить с Наташей, но я все-таки ввернул словечко о Нелли и рассказал всё, что случилось, со всеми подробностями. Рассказ мой очень заинтересовал и даже поразил Наташу.

— Знаешь что, Ваня, — сказала она, подумав, — мне кажется, она тебя любит.

— Что... как это? — спросил я в удивлении.

— Да, это начало любви, женской любви...

— Что ты, Наташа, полно! Ведь она ребенок!

— Которому скоро четырнадцать лет. Это ожесточение оттого, что ты не понимаешь ее любви, да и она-то, может быть, сама не понимает себя; ожесточение, в котором много детского, но серьезное, мучительное. Главное — она ревнует тебя ко мне. Ты так меня любишь, что, верно, и дома только обо мне одной заботишься, говоришь и думаешь, а потому на нее обращаешь мало внимания. Она заметила это, и ее это уязвило. Она, может быть, хочет говорить с тобой, чувствует потребность раскрыть перед тобой свое сердце, не умеет, стыдится, сама не понимает себя, ждет случая, а ты, вместо того чтоб ускорить этот случай, отдаляешься от нее, убегаешь от нее ко мне и даже, когда она была больна, по целым дням оставлял ее одну. Она и плачет об этом: ей тебя недостает, и пуще всего ей больно, что ты этого не замечаешь. Ты вот и теперь, в такую минуту, оставил ее одну для меня. Да она больна будет завтра от этого. И как ты мог оставить ее? Ступай к ней скорее...

— Я и не оставил бы ее, но...

— Ну да, я сама тебя просила прийти. А теперь ступай.

— Пойду, но только, разумеется, я ничему этому не верю.

— Оттого что всё это на других не похоже. Вспомни ее историю, сообрази всё и поверишь. Она росла не так, как мы с тобой...

Воротился я все-таки поздно. Александра Семеновна рассказала мне, что Нелли опять, как в тот вечер, очень много плакала «и так и уснула в слезах», как тогда. «А уж теперь я уйду, Иван Петрович, так и Филипп Филиппыч приказал. Ждет он меня, бедный».

Я поблагодарил ее и сел у изголовья Нелли. Мне самому было тяжело, что я мог оставить ее в такую минуту. Долго, до глубокой ночи сидел я над нею, задумавшись... Роковое это было время.

Но надо рассказать, что случилось в эти две недели...

ГЛАВА V

После достопамятного для меня вечера, проведенного много с князем в ресторане у Б., я несколько дней сряду был в постоянном страхе за Наташу. «Чем грозил ей этот проклятый князь и чем именно хотел отмстить ей?» — спрашивал я сам себя поминутно и терялся в разных предположениях. Я пришел наконец к заключению, что угрозы его были не вздор, не фанфаронство и что, покамест она живет с Алешей, князь действительно мог наделать ей много неприятностей. Он мелочен, мстителен, зол и расчетлив, думал я. Трудно, чтоб он мог забыть оскорбление и не воспользоваться каким-нибудь случаем к отмщению. Во всяком случае, он указал мне на один пункт во всем этом деле и высказался насчет этого пункта довольно ясно: он настоятельно требовал разрыва Алеши с Наташей и ожидал от меня, чтоб я приготовил ее к близкой разлуке и так приготовил, чтоб не было «сцен, пасторалей и шиллеровщины». Разумеется, он хлопотал всего более о том, чтоб Алеша остался им доволен и продолжал его считать нежным отцом; а это ему было очень нужно для удобнейшего овладения впоследствии Катиными деньгами. Итак, мне предстояло приготовить Наташу к близкой разлуке. Но в Наташе я заметил сильную перемену: прежней откровенности ее со мною и помину не было; мало того, она как будто стала со мной недоверчива. Утешения мои ее только мучили; мои расспросы всё более и более досаждали ей, даже сердили ее. Сижу, бывало, у ней, гляжу на нее! Она ходит, скрестив руки, по комнате из угла в угол, мрачная, бледная, как будто в забытьи, забыв даже, что и я тут, подле нее. Когда же ей случалось взглянуть на меня (а она даже и взглядов моих избегала), то нетерпеливая досада вдруг проглядывала в ее лице и она быстро отворачивалась. Я понимал, что она сама обдумывала, может быть, какой-нибудь свой собственный план о близком, предстоящем разрыве, и могла ли она его без боли, без горечи обдумывать? А я был убежден, что она уже решилась на разрыв. Но все-таки меня мучило и пугало ее мрачное отчаяние. К тому же говорить с ней, утешать ее я иногда и не смел, а потому со страхом ожидал, чем это всё разрешится.

Что же касается до ее сурового и неприступного вида со мной, то это меня хоть и беспокоило, хоть и мучило, но я был уверен в сердце моей Наташи: я видел, что ей очень тяжело и что она была слишком расстроена. Всякое постороннее вмешательство возбуждало в ней только досаду, злобу. В таком случае особенно вмешательство близких друзей, знающих наши тайны, становится нам всего досаднее. Но я знал тоже очень хорошо, что в последнюю минуту Наташа придет же ко мне снова и в моем же сердце будет искать себе облегчения.

О моем разговоре с князем я, разумеется, ей умолчал: рассказ мой только бы взволновал и расстроил ее еще более. Я сказал ей только так, мимоходом, что был с князем у графини и убедился, что он ужасный подлец. Но она и не расспрашивала про него, чему я был очень рад; зато жадно выслушала всё, что я рассказал ей о моем свидании с Катей. Выслушав, она тоже ничего не сказала и о ней, но краска покрыла ее бледное лицо, и весь почти этот день она была в особенном волнении. Я не скрыл ничего о Кате и прямо признался, что даже и на меня Катя произвела прекрасное впечатление. Да и к чему было скрывать? Ведь Наташа угадала бы, что я скрываю, и только рассердилась бы на меня за это. А потому я нарочно рассказывал как можно подробнее, стараясь предупредить все ее вопросы, тем более что ей самой в ее положении трудно было меня расспрашивать: легко ли в самом деле, под видом равнодушия, выпытывать о совершенствах своей соперницы?

Я думал, что она еще не знает, что Алеша, по непременному распоряжению князя, должен был сопровождать графиню и Катю в деревню, и затруднялся, как открыть ей это, чтоб по возможности смягчить удар. Но каково же было мое изумление, когда Наташа с первых же слов остановила меня и сказала, что нечего ее *утешать*, что она уже пять дней, как знает про это.

— Боже мой! — вскричал я. — Да кто же тебе сказал?

— Алеша.

— Как? Он уже сказал?

— Да, и я на всё решилась, Ваня, — прибавила она с таким видом, который ясно и как-то нетерпеливо предупреждал меня, чтоб я и не продолжал этого разговора.

Алеша довольно часто бывал у Наташи, но всё на минутку; один раз только просидел у ней несколько часов сряду; но это было без меня. Входил он обыкновенно грустный, смотрел на нее робко и нежно; но Наташа так нежно, так ласково встречала его, что он тотчас же всё забывал и развеселялся. Ко мне он тоже начал ходить очень часто, почти каждый день. Правда, он очень мучился, но не мог и минуты пробыть один с своей тоской и поминутно прибегал ко мне за утешением.

Что мог я сказать ему? Он упрекал меня в холодности, в равнодушии, даже в злобе к нему; тосковал, плакал, уходил к Кате и уж там утешался.

В тот день, когда Наташа объявила мне, что знает про отъезд (это было с неделю после разговора моего с князем), он вбежал ко мне в отчаянии, обнял меня, упал ко мне на грудь и зарыдал как ребенок. Я молчал и ждал, что он скажет.

— Я низкий, я подлый человек, Ваня, — начал он мне, — спаси меня от меня самого. Я не оттого плачу, что я низок и подл, но оттого, что через меня Наташа будет несчастна. Ведь я оставляю ее на несчастье... Ваня, друг мой, скажи мне, реши за меня, кого я больше люблю из них: Катю или Наташу?

— Этого я не могу решить, Алеша, — отвечал я, — тебе лучше знать, чем мне...

— Нет, Ваня, не то; ведь я не так глуп, чтоб задавать такие вопросы; но в том-то и дело, что я тут сам ничего не знаю. Я спрашиваю себя и не могу ответить. А ты смотришь со стороны и, может, больше моего знаешь... Ну, хоть и не знаешь, то скажи, как тебе кажется?

— Мне кажется, что Катю ты больше любишь.

— Тебе так кажется! Нет, нет, совсем нет! Ты совсем не угадал. Я беспредельно люблю Наташу. Я ни за что, никогда не могу ее оставить; я это и Кате сказал, и Катя совершенно со мною согласна. Что ж ты молчишь? Вот, я видел, ты сейчас улыбнулся. Эх, Ваня, ты никогда не утешал меня, когда мне было слишком тяжело, как теперь... Прощай!

Он выбежал из комнаты, оставив чрезвычайное впечатление в удивленной Нелли, молча выслушавшей наш разговор. Она тогда была еще больна, лежала в постели и принимала лекарство. Алеша никогда не заговаривал с нею и при посещениях своих почти не обращал на нее никакого внимания.

Через два часа он явился снова, и я удивился его радостному лицу. Он опять бросился ко мне на шею и обнял меня.

— Кончено дело! — вскричал он, — все недоумения разрешены. От вас я прямо пошел к Наташе: я был расстроен, я не мог быть без нее. Войдя, я упал перед ней на колени и целовал ее ноги: мне это нужно было, мне хотелось этого; без этого я бы умер с тоски. Она молча обняла меня и заплакала. Тут я прямо ей сказал, что Катю люблю больше ее...

— Что ж она?

— Она ничего не отвечала, а только ласкала и утешала меня, — меня, который ей это сказал! Она умеет утешать, Иван Петрович! О, я выплакал перед ней всё горе, всё ей высказал. Я прямо сказал, что люблю очень Катю, но что как бы я ее ни любил и кого бы я ни любил, я все-таки без нее, без Наташи, обойтись не могу и умру. Да, Ваня, дня не проживу без нее, я это чувствую, да! и потому мы решили немедленно с ней обвенчаться; а так как до отъезда нельзя этого сделать, потому что теперь Великий пост и венчать не станут, то уж по приезде моем, а это будет к первому июня. Отец позволит, в этом нет и сомнения. Что же касается до Кати, то что ж такое! Я ведь не могу жить без Наташи... Обвенчаемся и тоже туда с ней поедем, где Катя...

Бедная Наташа! Каково было ей утешать этого мальчика, сидеть над ним, выслушать его признание и выдумать ему, наивному эгоисту, для спокойствия его, сказку о скором браке. Алеша действительно на несколько дней успокоился. Он и бегал к Наташе, собственно, из того, что слабое сердце его не в силах было одно перенесть печали. Но все-таки, когда время начало приближаться к разлуке, он опять впал в беспокойство, в слезы и опять прибегал ко мне и выплакивал свое горе. В последнее время он так привязался к Наташе, что не мог ее оставить и на день, не только на полтора месяца. Он вполне был, однако ж, уверен до самой последней минуты, что оставляет ее только на полтора месяца и что по возвращении его будет их свадьба. Что же касается до Наташи, то она в свою очередь вполне понимала, что вся судьба ее меняется, что Алеша уж никогда теперь к ней не воротится и что так тому и следует быть.

День разлуки их наступил. Наташа была больна, — бледная, с воспаленным взглядом, с запекшимися губами, изредка разговаривала сама с собою, изредка быстро и пронзительно взглядывала на меня, не плакала, не отвечала на мои вопросы и вздрагивала, как листок на дереве, когда раздавался звонкий голос входившего Алеши. Она вспыхивала, как зарево, и спешила к нему; судорожно обнимала его, целовала его, смеялась... Алеша вглядывался в нее, иногда с беспокойством расспрашивал, здорова ли она, утешал, что уезжает ненадолго, что потом их свадьба. Наташа делала видимые усилия, перемогала себя и давила свои слезы. Она не плакала перед ним.

Один раз он заговорил, что надо оставить ей денег на всё время его отъезда и чтоб она не беспокоилась, потому что отец обещал ему дать много на дорогу. Наташа нахмурилась. Когда же мы остались вдвоем, я объявил, что у меня есть для нее *сто пятьдесят рублей*, на всякий случай. Она не расспрашивала, откуда эти деньги. Это было за два дня до отъезда Алеши и накануне первого и последнего свидания Наташи с Катей. Катя прислала с Алешей записку, в которой просила Наташу позволить посетить себя завтра; причем писала и ко мне: она просила и меня присутствовать при их свидании.

Я непременно решился быть в двенадцать часов (назначенный Катей час) у Наташи, несмотря ни на какие задержки; а хлопот и задержек было много. Не говоря уже о Нелли, в последнее время мне было много хлопот у Ихменевых.

Эти хлопоты начались еще неделю назад. Анна Андреевна прислала в одно утро за мною с просьбой бросить всё и немедленно спешить к ней по очень важному делу, не терпящему ни малейшего отлагательства. Придя к ней, я застал ее одну: она ходила по комнате вся в лихорадке от волнения и испуга, с трепетом ожидая возвращения Николая Сергеича. По обыкновению, я долго не мог добиться от нее, в чем дело и чего она так испугалась, а между тем, очевидно, каждая минута была дорога. Наконец, после горячих и ненужных делу попреков: «зачем я не хожу и оставляю их, как сирот, одних в горе», так что уж «бог знает что без меня происходит», — она объявила мне, что Николай Сергеич в последние три дня был в таком волнении, «что и описать невозможно».

— Просто на себя не похож, — говорила она, — в лихорадке, по ночам, тихонько от меня, на коленках перед образом молится, во сне бредит, а наяву как полоумный: стали вчера есть щи, а он ложку подле себя отыскать не может, спросишь его про одно, а он отвечает про другое. Из дому стал поминутно уходить: «всё по делам, говорит, ухожу, адвоката видеть надо»; наконец, сегодня утром заперся у себя в кабинете: «мне, говорит, нужную бумагу по тяжебному делу надо писать». Ну, какую, думаю про себя, тебе бумагу писать, когда ложку подле прибора не мог отыскать? Однако в замочную щелку я подсмотрела: сидит, пишет, а сам так и заливается-плачет. Какую же такую, думаю, деловую бумагу так пишут? Али, может, ему уж так Ихменевку нашу жалко; стало быть, уж совсем пропала наша Ихменевка! Вот думаю я это, а он вдруг вскочил из-за стола да как ударит пером по столу, раскраснелся, глаза сверкают, схватился за фуражку и выходит ко мне. «Я, говорит, Анна Андреевна, скоро приду». Ушел он, а я тотчас же к его столику письменному; бумаг у него по нашей тяжбе там пропасть такая лежит, что уж он мне и прикасаться к ним не позволяет. Сколько раз, бывало, прошу: «Дай ты мне хоть раз бумаги поднять, я бы пыль со столика стерла». Куды, закричит, замашет руками: нетерпеливый он такой стал здесь в Петербурге, крикун. Так вот я к столику-то подошла и ищу: которая это бумага, что он сейчас-то писал? Потому доподлинно знаю, что он ее с собой не взял, а когда вставал из-за стола, то под другие бумаги сунул. Ну вот, батюшка, Иван Петрович, что я нашла, посмотри-ка.

И она подала мне лист почтовой бумаги, вполовину исписанный, но с такими помарками, что в иных местах разобрать было невозможно.

Бедный старик! С первых строк можно было догадаться, что и к кому он писал. Это было письмо к Наташе, к возлюбленной его Наташе. Он начинал горячо и нежно: он обращался к ней с прощением и звал ее к себе. Трудно было разобрать всё письмо, написанное нескладно и порывисто, с бесчисленными помарками. Видно только было, что горячее чувство, заставившее его схватить перо и написать первые, задушевные строки, быстро, после этих первых строк, переродилось в другое: старик начинал укорять дочь, яркими красками описывал ей ее преступление, с негодованием напоминал ей о ее упорстве, упрекал в бесчувственности, в том, что она ни разу, может быть, и не подумала, что сделала с отцом и матерью. За ее гордость он грозил ей наказанием и проклятием и кончал требованием, чтоб она немедленно и покорно возвратилась домой, и тогда, только тогда, может быть, после покорной и примерной новой жизни «в недрах семейства», мы решимся простить тебя, писал он. Видно было, что первоначальное, великодушное чувство свое он, после нескольких строк, принял за слабость, стал стыдиться ее и, наконец, почувствовав муки оскорбленной гордости, кончал гневом и угрозами. Старушка стояла передо мной, сложа руки и в страхе ожидая, что я скажу по прочтении письма.

Я высказал ей всё прямо, как мне казалось. Именно: что старик не в силах более жить без Наташи и что положительно можно сказать о необходимости скорого их примирения; но что, однако же, всё зависит от обстоятельств. Я объяснил при этом мою догадку, что, во-первых, вероятно, дурной исход процесса сильно расстроил и потряс его, не говоря уже о том, насколько было уязвлено его самолюбие торжеством над ним князя и сколько негодования возродилось в нем при таком решении дела. В такие минуты душа не может не искать себе сочувствия, и он еще сильнее вспомнил о той, которую всегда любил больше всего на свете. Наконец, может быть и то: он, наверно, слышал (потому что он следит и всё знает про Наташу), что Алеша скоро оставляет ее. Он мог понять, каково было ей теперь, и по себе почувствовал, как необходимо было ей утешение. Но все-таки он не мог преодолеть себя, считая себя оскорбленным и униженным дочерью. Ему, верно, приходило на мысль, что все-таки не она идет к нему первая; что, может быть, даже она и не думает об них и потребности не чувствует к примирению. Так он должен был думать, заключил я мое мнение, и вот почему не докончил письма, и, может быть, из всего этого произойдут еще новые оскорбления, которые еще сильнее почувствуются, чем первые, и, кто знает, примирение, может быть, еще надолго отложится...

Старушка плакала, меня слушая. Наконец, когда я сказал, что мне необходимо сейчас же к Наташе и что я опоздал к ней, она встрепенулась и объявила, что и забыла о *главном*. Вынимая письмо из-под бумаг, она нечаянно опрокинула на него чернильницу. Действительно, целый угол был залит чернилами, и старушка ужасно боялась, что старик по этому пятну узнает, что без него перерыли бумаги и что Анна Андреевна прочла письмо к Наташе. Ее страх был очень основателен: уж из одного того, что мы знаем его тайну, он со стыда и досады мог продлить свою злобу и из гордости упорствовать в прощении.

Но, рассмотрев дело, я уговорил старушку не беспокоиться. Он встал из-за письма в таком волнении, что мог и не помнить всех мелочей, и теперь, вероятно, подумает, что сам запачкал письмо и забыл об этом. Утешив таким образом Анну Андреевну, мы осторожно положили письмо на прежнее место, а я вздумал, уходя, переговорить с нею серьезно о Нелли. Мне казалось, что бедная брошенная сиротка, у которой мать была тоже проклята своим отцом, могла бы грустным, трагическим рассказом о прежней своей жизни и о смерти своей матери тронуть старика и подвигнуть его на великодушные чувства. Всё готово, всё созрело в его сердце; тоска по дочери стала уже пересиливать его гордость и оскорбленное самолюбие. Недоставало только толчка, последнего удобного случая, и этот удобный случай могла бы заменить Нелли. Старушка слушала меня с чрезвычайным вниманием: всё лицо ее оживилось надеждой и восторгом. Она тотчас же стала меня упрекать: зачем я давно ей этого не сказал? нетерпеливо начала меня расспрашивать о Нелли и кончила торжественным обещанием, что сама теперь будет просить старика, чтоб взял в дом сиротку. Она уже начала искренно любить Нелли, жалела о том, что она больна, расспрашивала о ней, принудила меня взять для Нелли банку варенья, за которым сама побежала в чулан; принесла мне пять целковых, предполагая, что у меня нет денег для доктора, и когда я их не взял, едва успокоилась и утешилась тем, что Нелли нуждается в платье и белье и что, стало быть, можно еще ей быть полезною, вследствие чего стала тотчас же перерывать свой сундук и раскладывать все свои платья, выбирая из них те, которые можно было подарить «сиротке».

А я пошел к Наташе. Подымаясь на последнюю лестницу, которая, как я уже сказал прежде, шла винтом, я заметил у ее дверей человека, который хотел уже было постучаться, но, заслышав мои шаги, приостановился. Наконец, вероятно после некоторого колебания, вдруг оставил свое намерение и пустился вниз. Я столкнулся с ним на последней забежной ступеньке, и каково было мое изумление, когда я узнал Ихменева. На лестнице и днем было очень темно. Он прислонился к стене, чтобы дать мне пройти, и помню странный блеск его глаз, пристально меня рассматривавших. Мне казалось, что он ужасно покраснел; по крайней мере он ужасно смешался и даже потерялся.

— Эх, Ваня, да это ты! — проговорил он неровным голосом, — а я здесь к одному человеку... к писарю... всё по делу... недавно переехал... куда-то сюда... да не здесь, кажется, живет. Я ошибся. Прощай.

И он быстро пустился вниз по лестнице.

Я решился до времени не говорить Наташе об этой встрече, но непременно сказать ей тотчас же, когда она останется одна, по отъезде Алеши. В настоящее же время она была так расстроена, что хотя бы и поняла и осмыслила вполне всю силу этого факта, но не могла бы его так принять и прочувствовать, как впоследствии, в минуту подавляющей последней тоски и отчаяния. Теперь же минута была не та.

В тот день я бы мог сходить к Ихменевым, и подмывало меня на это, но я не пошел. Мне казалось, что старику будет тяжело смотреть на меня; он даже мог подумать, что я нарочно прибежал вследствие встречи. Пошел я к ним уже на третий день; старик был грустен, но встретил меня довольно развязно и всё говорил о делах.

— А что, к кому это ты тогда ходил, так высоко, вот помнишь, мы встретились, когда бишь это? — третьего дня, кажется, — спросил он вдруг довольно небрежно, но все-таки как-то отводя от меня свои глаза в сторону.

— Приятель один живет, — отвечал я, тоже отводя глаза в сторону.

— А! А я писаря моего искал, Астафьева; на тот дом указали... да ошибся... Ну, так вот я тебе про дело-то говорил: в сенате решили... — и т. д., и т. д.

Он даже покраснел, когда начал говорить *о деле*.

Я рассказал всё в тот же день Анне Андреевне, чтоб обрадовать старушку, умоляя ее, между прочим, не заглядывать ему теперь в лицо с особенным видом, не вздыхать, не делать намеков и одним словом, ни под каким видом не показывать, что ей известна эта последняя его выходка. Старушка до того удивилась и обрадовалась, что даже сначала мне не поверила. С своей стороны, она рассказала мне, что уже намекала Николаю Сергеичу о сиротке, но что он промолчал, тогда как прежде сам всё упрашивал взять в дом девочку. Мы решили, что завтра она попросит его об этом прямо, без всяких предисловий и намеков. Но назавтра оба мы были в ужасном испуге и беспокойстве.

Дело в том, что Ихменев виделся утром с чиновником, хлопотавшим по его делу. Чиновник объявил ему, что видел князя и что князь хоть и оставляет Ихменевку за собой, но *«вследствие некоторых семейных обстоятельств»* решается вознаградить старика и выдать ему десять тысяч. От чиновника старик прямо прибежал ко мне, ужасно расстроенный; глаза его сверкали бешенством. Он вызвал меня, неизвестно зачем, из квартиры на лестницу и настоятельно стал требовать, чтоб я немедленно шел к князю и передал ему вызов на дуэль. Я был так поражен, что долго не мог ничего сообразить. Начал было его уговаривать. Но старик пришел в такое бешенство, что с ним сделалось дурно. Я бросился к себе за стаканом воды; но, воротясь, уже не застал Ихменева на лестнице.

На другой день я отправился к нему, но его уже не было дома; он исчез на целых три дня.

На третий день мы узнали всё. От меня он кинулся прямо к князю, не застал его дома и оставил ему записку; в записке он писал, что знает о словах его, сказанных чиновнику, что считает их себе смертельным оскорблением, а князя низким человеком и вследствие всего этого вызывает его на дуэль, предупреждая при этом, чтоб князь не смел уклоняться от вызова, иначе будет обесчещен публично.

Анна Андреевна рассказывала мне, что он воротился домой в таком волнении и расстройстве, что даже слег. С ней был очень нежен, но на расспросы ее отвечал мало, и видно было, что он чего-то ждал с лихорадочным нетерпением. На другое утро пришло по городской почте письмо; прочтя его, он вскрикнул и схватил себя за голову. Анна Андреевна обмерла от страха. Но он тотчас же схватил шляпу, палку и выбежал вон.

Письмо было от князя. Сухо, коротко и вежливо он извещал Ихменева, что в словах своих, сказанных чиновнику, он никому не обязан никаким отчетом. Что хотя он очень сожалеет Ихменева за проигранный процесс, но при всем своем сожалении никак не может найти справедливым, чтоб проигравший в тяжбе имел право, из мщения, вызывать своего соперника на дуэль. Что же касается до «публичного бесчестия», которым ему грозили, то князь просил Ихменева не беспокоиться об этом, потому что никакого публичного бесчестия не будет, да и быть не может; что письмо его немедленно будет передано куда следует и что предупрежденная полиция, наверно, в состоянии принять надлежащие меры к обеспечению порядка и спокойствия.

Ихменев с письмом в руке тотчас же бросился к князю. Князя опять не было дома; но старик успел узнать от лакея, что князь теперь, верно, у графа N. Долго не думая, он побежал к графу. Графский швейцар остановил его, когда уже он подымался на лестницу. Взбешенный до последней степени старик ударил его палкой. Тотчас же его схватили, вытащили на крыльцо и передали полицейским, которые препроводили его в часть. Доложили графу. Когда же случившийся тут князь объяснил сластолюбивому старичку, что этот самый Ихменев — отец той самой Натальи Николаевны (а князь не раз прислуживал графу по *этим делам*), то вельможный старичок только засмеялся и переменил гнев на милость: сделано было распоряжение отпустить Ихменева на все четыре стороны; но выпустили его только на третий день, причем (наверно, по распоряжению князя) объявили старику, что сам князь упросил графа его помиловать.

Старик воротился домой как безумный, бросился на постель и целый час лежал без движения; наконец приподнялся и, к ужасу Анны Андреевны, объявил торжественно, что *навеки* проклинает свою дочь и лишает ее своего родительского благословения.

Анна Андреевна пришла в ужас, но надо было помогать старику, и она, сама чуть не без памяти, весь этот день и почти всю ночь ухаживала за ним, примачивала ему голову уксусом, обкладывала льдом. С ним был жар и бред. Я оставил их уже в третьем часу ночи. Но наутро Ихменев встал и в тот же день пришел ко мне, чтоб окончательно взять к себе Нелли. Но о сцене его с Нелли я уже рассказывал; эта сцена потрясла его окончательно. Воротясь домой, он слег в постель. Всё это происходило в Страстную пятницу, когда было назначено свидание Кати и Наташи, накануне отъезда Алеши и Кати из Петербурга. На этом свидании я был: оно происходило рано утром, еще до прихода ко мне старика и до первого побега Нелли.

ГЛАВА VI

Алеша приехал еще за час до свидания предупредить Наташу. Я же пришел именно в то мгновение, когда коляска Кати остановилась у наших ворот. С Катей была старушка француженка, которая, после долгих упрашиваний и колебаний, согласилась наконец сопровождать ее и даже отпустить ее наверх к Наташе одну, но не иначе, как с Алешей; сама же осталась дожидаться в коляске. Катя подозвала меня и, не выходя из коляски, просила вызвать к ней Алешу. Наташу я застал в слезах; и Алеша и она — оба плакали. Услышав, что Катя уже здесь, она встала со стула, отерла слезы и с волнением стала против дверей. Одета она была в это утро вся в белом. Темно-русые волосы ее были зачесаны гладко и назади связывались густым узлом. Эту прическу я очень любил. Увидав, что я остался с нею, Наташа попросила и меня пойти тоже навстречу гостям.

— До сих пор я не могла быть у Наташи, — говорила мне Катя, подымаясь на лестницу. — Меня так шпионили, что ужас. Madame Albert я уговаривала целых две недели, наконец-то согласилась. А вы, а вы, Иван Петрович, ни разу ко мне не зашли! Писать я вам тоже не могла, да и охоты не было, потому что письмом ничего не разъяснишь. А как мне надо было вас видеть... Боже мой, как у меня теперь сердце бьется...

— Лестница крутая, — отвечал я.

— Ну да... и лестница... а что, как вы думаете: не будет сердиться на меня Наташа?

— Нет, за что же?

— Ну да... конечно, за что же; сейчас сама увижу; к чему же и спрашивать?..

Я вел ее под руку. Она даже побледнела и, кажется, очень боялась. На последнем повороте она остановилась перевести дух, но взглянула на меня и решительно поднялась наверх.

Еще раз она остановилась в дверях и шепнула мне: «Я просто войду и скажу
ей, что я так в нее верила, что приехала не опасаясь... впрочем, что ж я разговари-
ваю; ведь я уверена, что Наташа благороднейшее существо. Не правда ли?»

Она вошла робко, как виноватая, и пристально взглянула на Наташу, которая тотчас же улыбнулась ей. Тогда Катя быстро подошла к ней, схватила ее за
руки и прижалась к ее губам своими пухленькими губками. Затем, еще ни слова
не сказав Наташе, серьезно и даже строго обратилась к Алеше и попросила его
оставить нас на полчаса одних.

— Ты не сердись, Алеша, — прибавила она, — это я потому, что мне много
надо переговорить с Наташей, об очень важном и о серьезном, чего ты не должен
слышать. Будь же умен, поди. А вы, Иван Петрович, останьтесь. Вы должны выслушать весь наш разговор.

— Сядем, — сказала она Наташе по уходе Алеши, — я так, против вас сяду.
Мне хочется сначала на вас посмотреть.

Она села почти прямо против Наташи и несколько мгновений пристально на
нее смотрела. Наташа отвечала ей невольной улыбкой.

— Я уже видела вашу фотографию, — сказала Катя, — мне показывал Алеша.

— Что ж, похожа я на портрете?

— Вы лучше, — ответила Катя решительно и серьезно. — Да я так и думала,
что вы лучше.

— Право? А вот засматриваюсь на вас. Какая вы хорошенькая!

— Что вы! Куды мне!.. голубчик вы мой! — прибавила она, дрожавшей рукой
взяв руку Наташи, и обе опять примолкли, всматриваясь друг в друга. — Вот что,
мой ангел, — прервала Катя, — нам всего полчаса быть вместе; madame Albert и
на это едва согласилась, а нам много надо переговорить... Я хочу... я должна... ну
я вас просто спрошу, очень вы любите Алешу?

— Да, очень.

— А если так... если вы очень любите Алешу... то... вы должны любить и его
счастье... — прибавила она робко и шепотом.

— Да, я хочу, чтоб он был счастлив...

— Это так... но вот, в чем вопрос: составлю ли я его счастье? Имею ли я право
так говорить, потому что я его у вас отнимаю. Если вам кажется и мы решим теперь, что с вами он будет счастливее, то... то...

— Это уже решено, милая Катя, ведь вы же сами видите, что всё решено, —
отвечала тихо Наташа и склонила голову. Ей было, видимо, тяжело продолжать
разговор.

Катя приготовилась, кажется, на длинное объяснение на тему: кто лучше составит счастье Алеши и кому из них придется уступить? Но после ответа Наташи
тотчас же поняла, что всё уже давно решено и говорить больше не об чем. Полураскрыв свои хорошенькие губки, она с недоумением и с печалью смотрела на
Наташу, всё еще держа ее руку в своей.

— А вы его очень любите? — спросила вдруг Наташа.

— Да; и вот я тоже хотела вас спросить и ехала с тем: скажите мне, за что
именно вы его любите?

— Не знаю, — отвечала Наташа, и как будто горькое нетерпение послышалось в ее ответе.

— Умен он, как вы думаете? — спросила Катя.

— Нет, я так его, просто люблю.

— И я тоже. Мне его всё как будто жалко.

— И мне тоже, — отвечала Наташа.

— Что с ним делать теперь! И как он мог оставить вас для меня, не понимаю! — воскликнула Катя. — Вот как теперь увидала вас и не понимаю! — Наташа не отвечала и смотрела в землю. Катя помолчала немного и вдруг, поднявшись со стула, тихо обняла ее. Обе, обняв одна другую, заплакали. Катя села на ручку кресел Наташи, не выпуская ее из своих объятий, и начала целовать ее руки.

— Если б вы знали, как я вас люблю! — проговорила она плача. — Будем сестрами, будем всегда писать друг другу... а я вас буду вечно любить... я вас буду так любить, так любить...

— Он вам о нашей свадьбе, в июне месяце, говорил? — спросила Наташа.

— Говорил. Он говорил, что и вы согласны. Ведь это всё только *так*, чтоб его утешить, не правда ли?

— Конечно.

— Я так и поняла. Я буду его очень любить, Наташа, и вам обо всем писать. Кажется, он будет теперь скоро моим мужем; на то идет. И они все так говорят. Милая Наташечка, ведь вы пойдете теперь... в ваш дом?

Наташа не отвечала ей, но молча и крепко поцеловала ее.

— Будьте счастливы! — сказала она.

— И... и вы... и вы тоже, — проговорила Катя. В это мгновение отворилась дверь, и вошел Алеша. Он не мог, он не в силах был переждать эти полчаса и, увидя их обеих в объятиях друг у друга и плакавших, весь изнеможенный, страдающий, упал на колена перед Наташей и Катей.

— Чего же ты-то плачешь? — сказала ему Наташа, — что разлучаешься со мной? Да надолго ли? В июне приедешь?

— И свадьба ваша будет тогда, — поспешила сквозь слезы проговорить Катя, тоже в утешение Алеше.

— Но я не могу, я не могу тебя и на день оставить, Наташа. Я умру без тебя... ты не знаешь, как ты мне теперь дорога! Именно теперь!..

— Ну, так вот как ты сделай, — сказала, вдруг оживляясь, Наташа, — ведь графиня останется хоть сколько-нибудь в Москве?

— Да, почти неделю, — подхватила Катя.

— Неделю! Так чего ж лучше: ты завтра проводишь их до Москвы, это всего один день, и тотчас же приезжай сюда. Как им надо будет выезжать из Москвы, мы уж тогда совсем, на месяц, простимся, и ты воротишься в Москву их провожать.

— Ну, так, так... А вы все-таки лишних четыре дня пробудете вместе, — вскрикнула восхищенная Катя, обменявшись многозначительным взглядом с Наташей.

Не могу выразить восторга Алеши от этого нового проекта. Он вдруг совершенно утешился; его лицо засияло радостию, он обнимал Наташу, целовал руки Кати, обнимал меня. Наташа с грустною улыбкою смотрела на него, но Катя не могла вынести. Она переглянулась со мной горячим, сверкающим взглядом, обняла Наташу и встала со стула, чтоб ехать. Как нарочно, в эту минуту французенка прислала человека с просьбою окончить свидание поскорее и что условленные полчаса уже прошли.

Наташа встала. Обе стояли одна против другой, держась за руки и как будто силясь передать взглядом всё, что скопилось в душе.

— Ведь мы уж больше никогда не увидимся, — сказала Катя.

— Никогда, Катя, — отвечала Наташа.

— Ну, так простимся. — Обе обнялись.

— Не проклинайте меня, — прошептала наскоро Катя, — а я... всегда... будьте уверены... он будет счастлив... Пойдем, Алеша, проводи меня! — быстро произнесла она, схватывая его руку.

— Ваня! — сказала мне Наташа, взволнованная и измученная, когда они вышли, — ступай за ними и ты и... не приходи назад: у меня будет Алеша до вечера, до восьми часов; а вечером ему нельзя, он уйдет. Я останусь одна... Приходи часов в девять. Пожалуйста!

Когда в девять часов, оставив Нелли (после разбитой чашки) с Александрой Семеновной, я пришел к Наташе, она уже была одна и с нетерпением ждала меня. Мавра подала нам самовар; Наташа налила мне чаю, села на диван и подозвала меня поближе к себе.

— Вот и кончилось всё, — сказала она, пристально взглянув на меня. Никогда не забуду я этого взгляда.

— Вот и кончилась наша любовь. Полгода жизни! И на всю жизнь, — прибавила она, сжимая мне руку. Ее рука горела. Я стал уговаривать ее одеться потеплее и лечь в постель.

— Сейчас, Ваня, сейчас, мой добрый друг. Дай мне поговорить и припомнить немного... Я теперь как разбитая... Завтра в последний раз его увижу, в десять часов... *в последний!*

— Наташа, у тебя лихорадка, сейчас будет озноб; пожалей себя...

— Что же? Ждала я тебя теперь, Ваня, эти полчаса, как он ушел, и как ты думаешь, о чем думала, о чем себя спрашивала? Спрашивала: любила я его иль не любила и что это такое была наша любовь? Что, тебе смешно, Ваня, что я об этом только теперь себя спрашиваю?

— Не тревожь себя, Наташа...

— Видишь, Ваня: ведь я решила, что я его не любила как ровню, так, как обыкновенно женщина любит мужчину. Я любила его как... почти как мать. Мне даже кажется, что совсем и не бывает на свете такой любви, чтоб оба друг друга любили как ровные, а? Как ты думаешь?

Я с беспокойством смотрел на нее и боялся, не начинается ли с ней горячка. Как будто что-то увлекало ее; она чувствовала какую-то особенную потребность говорить; иные слова ее были как будто без связи, и даже иногда она плохо выговаривала их. Я очень боялся.

— Он был мой, — продолжала она. — Почти с первой встречи с ним у меня явилось тогда непреодолимое желание, чтоб он был *мой,* поскорей *мой,* и чтоб он ни на кого не глядел, никого не знал, кроме меня, одной меня... Катя давеча хорошо сказала: я именно любила его так, как будто чем всё время было отчего-то его жалко... Было у меня всегда непреодолимое желание, даже мучение, когда я оставалась одна, о том, чтоб он был ужасно и вечно счастлив. На его лицо (ты ведь знаешь выражение его лица, Ваня) я спокойно смотреть не могла: такого выражения ни *у кого не бывает,* а засмеется он, так у меня холод и дрожь была... Право!..

— Наташа, послушай...

— Вот говорили, — перебила она, — да и ты, впрочем, говорил, что он без характера и... и умом недалек, как ребенок. Ну, а я это-то в нем и любила больше всего... веришь ли этому? Не знаю, впрочем, любила ли именно одно это: так, просто, всего его любила, и будь он хоть чем-нибудь другой, с характером иль умнее, я бы, может, и не любила его так. Знаешь, Ваня, я тебе признаюсь в одном: помнишь, у нас была ссора, три месяца назад, когда он был у той, как ее, у этой Минны... я узнала, выследила, и веришь ли: мне ужасно было больно, а в то же время как будто и приятно... не знаю, почему... одна уж мысль, что он тоже, как *большой* какой-нибудь, вместе с другими *большими* по красавицам разъезжает, тоже к Минне поехал! Я... Какое наслаждение было мне тогда в этой ссоре; а потом простить его... о милый!

Она взглянула мне в лицо и как-то странно рассмеялась. Потом как будто задумалась, как будто всё еще припоминала. И долго сидела она так, с улыбкой на губах, вдумываясь в прошедшее.

— Я ужасно любила его прощать, Ваня, — продолжала она, — знаешь что, когда он оставлял меня одну, я хожу, бывало, по комнате, мучаюсь, плачу, а сама иногда подумаю: чем виноватее он передо мной, тем ведь лучше... да! И знаешь: мне всегда представлялось, что он как будто такой маленький мальчик: я сижу, а он положил ко мне на колени голову, заснул, а я его тихонько по голове глажу, ласкаю... Всегда так воображала о нем, когда его со мной не было... Послушай, Ваня, — прибавила она вдруг, — какая это прелесть Катя!

Мне показалось, что она сама нарочно растравляет свою рану, чувствуя в этом какую-то потребность, — потребность отчаяния, страданий... И так часто бывает это с сердцем, много потерявшим!

— Катя, мне кажется, может его сделать счастливым, — продолжала она. — Она с характером и говорит, как будто такая убежденная, и с ним она такая серьезная, важная, — всё об умных вещах говорит, точно большая. А сама-то, сама-то — настоящий ребенок! Милочка, милочка! О! пусть они будут счастливы! Пусть, пусть, пусть!..

И слезы, рыдания вдруг разом так и хлынули из ее сердца. Целых полчаса она не могла прийти в себя и хоть сколько-нибудь успокоиться.

Милый ангел Наташа! Еще в этот же вечер, несмотря на свое горе, она смогла-таки принять участие и в моих заботах, когда я, видя, что она немножко успокоилась, или, лучше сказать, устала, и думая развлечь ее, рассказал ей о Нелли... Мы расстались в этот вечер поздно; я дождался, пока она заснула, и, уходя, просил Мавру не отходить от своей больной госпожи всю ночь.

— О, поскорее, поскорее! — восклицал я, возвращаясь домой, — поскорее конец этим мукам! Хоть чем-нибудь, хоть как-нибудь, но только скорее, скорее!

Наутро, ровно в десять часов, я уже был у нее. В одно время со мной приехал и Алеша... прощаться. Не буду говорить, не хочу вспоминать об этой сцене. Наташа как будто дала себе слово скрепить себя, казаться веселее, равнодушнее, но не могла. Она обняла Алешу судорожно, крепко. Мало говорила с ним, но глядела на него долго, пристально, мученическим и словно безумным взглядом. Жадно вслушивалась в каждое слово его и, кажется, ничего не понимала из того, что он ей говорил. Помню, он просил простить ему, простить ему и любовь эту и всё, чем он оскорблял ее в это время, свои измены, свою любовь к Кате, отъезд... Он говорил бессвязно, слезы душили его. Иногда он вдруг принимался утешать ее, говорил, что едет только на месяц или много что на пять недель, что приедет летом, тогда будет их свадьба, и отец согласится, и, наконец, главное, что ведь он послезавтра приедет из Москвы, и тогда целых четыре дня они еще пробудут вместе и что, стало быть, теперь расстаются на один только день...

Странное дело: сам он был вполне уверен, что говорит правду и что непременно послезавтра воротится из Москвы... Чего же сам он так плакал и мучился?

Наконец часы пробили одиннадцать. Я насилу мог уговорить его ехать. Московский поезд отправлялся ровно в двенадцать. Оставался один час. Наташа мне сама потом говорила, что не помнит, как последний раз взглянула на него. Помню, что она перекрестила его, поцеловала и, закрыв руками лицо, бросилась назад в комнату. Мне же надо было проводить Алешу до самого экипажа, иначе он непременно бы воротился и никогда бы не сошел с лестницы.

— Вся надежда на вас, — говорил он мне, сходя вниз. — Друг мой, Ваня! Я перед тобой виноват и никогда не мог заслужить твоей любви, но будь мне до конца братом: люби ее, не оставляй ее, пиши мне обо всем как можно подробнее и мельче, как можно мельче пиши, чтоб больше уписалось. Послезавтра я здесь опять, непременно, непременно! Но потом, когда я уеду, пиши!

Я посадил его на дрожки.

— До послезавтра! — закричал он мне с дороги. — Непременно!

С замиравшим сердцем воротился я наверх к Наташе. Она стояла посреди комнаты, скрестив руки, и в недоумении на меня посмотрела, точно не узнавала меня. Волосы ее сбились как-то на сторону; взгляд был мутный и блуждающий. Мавра, как потерянная, стояла в дверях, со страхом смотря на нее.

Вдруг глаза Наташи засверкали:

— А! Это ты! Ты! — вскричала она на меня. — Только ты один теперь остался. Ты его ненавидел! Ты никогда ему не мог простить, что я его полюбила... Теперь ты опять при мне! Что ж? Опять *утешать* пришел меня, уговаривать, чтоб я шла к отцу, который меня бросил и проклял. Я так и знала еще вчера, еще за два месяца!.. Не хочу, не хочу! Я сама проклинаю их!.. Поди прочь, я не могу тебя видеть! Прочь, прочь!

Я понял, что она в исступлении и что мой вид возбуждает в ней гнев до безумия, понял, что так и должно было быть, и рассудил лучше выйти. Я сел на лестнице, на первую ступеньку и — ждал. Иногда я подымался, отворял дверь, подзывал к себе Мавру и расспрашивал ее; Мавра плакала.

Так прошло часа полтора. Не могу изобразить, что я вынес в это время. Сердце замирало во мне и мучилось от беспредельной боли. Вдруг дверь отворилась, и Наташа выбежала на лестницу, в шляпке и бурнусе. Она была как в беспамятстве и сама потом говорила мне, что едва помнит это и не знает, куда и с каким намерением она хотела бежать.

Я не успел еще вскочить с своего места и куда-нибудь от нее спрятаться, как вдруг она меня увидала и, как пораженная, остановилась передо мной без движения. «Мне вдруг припомнилось, — говорила она мне потом, — что я, безумная, жестокая, могла выгнать тебя, тебя, моего друга, моего брата, моего спасителя! И как увидела, что ты, бедный, обиженный мною, сидишь у меня на лестнице, не уходишь и ждешь, пока я тебя опять позову, — боже! — если б ты знал, Ваня, что тогда со мной сталось! Как будто в сердце мне что-то вонзили...»

— Ваня! Ваня! — закричала она, протягивая мне руки, — ты здесь!.. — и упала в мои объятия.

Я подхватил ее и понес в комнату. Она была в обмороке! «Что делать? — думал я. — С ней будет горячка, это наверно!»

Я решился бежать к доктору; надо было захватить болезнь. Съездить же можно было скоро; до двух часов мой старик немец обыкновенно сидел дома. Я побежал к нему, умоляя Мавру ни на минуту, ни на секунду не уходить от Наташи и не пускать ее никуда. Бог мне помог: еще бы немного, и я бы не застал моего старика дома. Он встретился уже мне на улице, когда выходил из квартиры. Мигом я посадил его на моего извозчика, так что он еще не успел удивиться, и мы пустились обратно к Наташе.

Да, Бог мне помог! В полчаса моего отсутствия случилось у Наташи такое происшествие, которое бы могло совсем убить ее, если б мы с доктором не подоспели вовремя. Не прошло и четверти часа после моего отъезда, как вошел князь. Он только что проводил своих и явился к Наташе прямо с железной дороги. Этот визит, вероятно, уже давно был решен и обдуман им. Наташа сама рассказывала мне потом, что в первое мгновение она даже и не удивилась князю. «Мой ум помешался», — говорила она.

Он сел против нее, глядя на нее ласковым, соболезнующим взглядом.

— Милая моя, — сказал он, вздохнув, — я понимаю ваше горе; я знал, как будет тяжела вам эта минута, и положил себе за долг посетить вас. Утешьтесь, если можете, хоть тем, что, отказавшись от Алеши, вы составили его счастье. Но вы лучше меня это понимаете, потому что решились на великодушный подвиг...

«Я сидела и слушала, — рассказывала мне Наташа, — но я сначала, право, как будто не понимала его. Помню только, что пристально, пристально глядела на него. Он взял мою руку и начал пожимать ее в своей. Это ему, кажется, было очень приятно. Я же до того была не в себе, что и не подумала вырвать у него руку».

— Вы поняли, — продолжал он, — что, став женою Алеши, могли возбудить в нем впоследствии к себе ненависть, и у вас достало благородной гордости, чтоб сознать это и решиться... но — ведь не хвалить же я вас приехал. Я хотел только заявить перед вами, что никогда и нигде не найдете вы лучшего друга, как я. Я вам сочувствую и жалею вас. Во всем этом деле я принимал невольное участие, но — я исполнял свой долг. Ваше прекрасное сердце поймет это и примирится с моим... А мне было тяжелее вашего, поверьте!

— Довольно, князь, — сказала Наташа. — Оставьте меня в покое.

— Непременно, я уйду скоро, — отвечал он, — но я люблю вас, как дочь свою, и вы позволите мне посещать себя. Смотрите на меня теперь как на вашего отца и позвольте мне быть вам полезным.

— Мне ничего не надо, оставьте меня, — прервала опять Наташа.

— Знаю, вы горды... Но я говорю искренно, от сердца. Что намерены вы теперь делать? Помириться с родителями? Доброе бы оно дело, но ваш отец несправедлив, горд и деспот; простите меня, но это так. В вашем доме вы встретите теперь одни попреки и новые мучения... Но, однако же, надо, чтоб вы были независимы, а моя обязанность, мой священный долг — заботиться теперь о вас и помогать вам. Алеша умолял меня не оставлять вас и быть вашим другом. Но и кроме меня есть люди, вам глубоко преданные. Вы мне, вероятно, позволите представить вам графа N. Он с превосходным сердцем, родственник наш и даже, можно сказать, благодетель всего нашего семейства; он многое делал для Алеши. Алеша очень уважал и любил его. Он очень сильный человек, с большим влиянием, уже старичок, и принимать его вам, девице, можно. Я уж говорил ему про вас. Он может пристроить вас и, если захотите, доставит вам превосходное место... у одной из своих родственниц. Я давно уже, прямо и откровенно, объяснил ему всё *наше* дело, и он до того увлекся своим добрым и благороднейшим чувством, что даже сам упрашивает меня теперь как можно скорее представиться вам... Это человек, сочувствующий всему прекрасному, поверьте мне, — щедрый, почтенный старичок, способный ценить достоинство и еще даже недавно благороднейшим образом обошелся с вашим отцом в одной истории.

Наташа приподнялась, как уязвленная. Теперь она уж понимала его.

— Оставьте меня, оставьте сейчас же! — закричала она.

— Но, мой друг, вы забываете: граф может быть полезен и вашему отцу...

— Мой отец ничего не возьмет от вас. Оставите ли вы меня! — закричала еще раз Наташа.

— О боже, как вы нетерпеливы и недоверчивы! Чем заслужил я это, — произнес князь, с некоторым беспокойством осматриваясь кругом, — во всяком случае вы позволите мне, — продолжал он, вынимая большую пачку из кармана, — вы позволите мне оставить у вас это доказательство моего к вам участия и в особенности участия графа N, побудившего меня своим советом. Здесь, в этом пакете, десять тысяч рублей. Подождите, мой друг, — подхватил он, видя, что Наташа с гневом поднялась с своего места, — выслушайте терпеливо всё: вы знаете, отец ваш проиграл мне тяжбу, и эти десять тысяч послужат вознаграждением, которое...

— Прочь, — закричала Наташа, — прочь с этими деньгами! Я вас вижу насквозь... о низкий, низкий, низкий человек!

Князь поднялся со стула, бледный от злости.

Вероятно, он приехал с тем, чтоб оглядеть местность, разузнать положение и, вероятно, крепко рассчитывал на действие этих десяти тысяч рублей перед нищею и оставленною всеми Наташей... Низкий и грубый, он не раз подслуживался графу N, сластолюбивому старику, в такого рода делах. Но он ненавидел Наташу и, догадавшись, что дело не пошло на лад, тотчас же переменил тон и с злою радостию поспешил оскорбить ее, чтоб *не уходить по крайней мере даром.*

— Вот уж это и нехорошо, моя милая, что вы так горячитесь, — произнес он несколько дрожащим голосом от нетерпеливого наслаждения видеть поскорее эффект своей обиды, — вот уж это и нехорошо. Вам предлагают покровительство, а вы поднимаете носик... А того и не знаете, что должны быть мне благодарны; уже давно мог бы я посадить вас в смирительный дом, как отец развращаемого вами молодого человека, которого вы обирали, да ведь не сделал же этого... хе-хе-хе-хе!

Но мы уже входили. Услышав еще из кухни голоса, я остановил на одну секунду доктора и вслушался в последнюю фразу князя. Затем раздался отвратительный хохот его и отчаянное восклицание Наташи: «О боже мой!» В эту минуту я отворил дверь и бросился на князя.

Я плюнул ему в лицо и изо всей силы ударил его по щеке. Он хотел было броситься на меня, но, увидав, что нас двое, пустился бежать, схватив сначала со стола свою пачку с деньгами. Да, он сделал это; я сам видел. Я бросил ему вдогонку скалкой, которую схватил в кухне, на столе... Вбежав опять в комнату, я увидел, что доктор удерживал Наташу, которая билась и рвалась у него из рук, как в припадке. Долго мы не могли успокоить ее; наконец нам удалось уложить ее в постель; она была как в горячечном бреду.

— Доктор! Что с ней? — спросил я, замирая от страха.

— Подождите, — отвечал он, — надо еще приглядеться к болезни и потом уже сообразить... но, вообще говоря, дело очень нехорошо. Может кончиться даже горячкой... Впрочем, мы примем меры...

Но меня уже осенила другая мысль. Я умолил доктора остаться с Наташей еще на два или на три часа и взял с него слово не уходить от нее ни на одну минуту. Он дал мне слово, и я побежал домой.

Нелли сидела в углу, угрюмая и встревоженная, и странно поглядывала на меня. Должно быть, я и сам был странен.

Я схватил ее на руки, сел на диван, посадил к себе на колени и горячо поцеловал ее. Она вспыхнула.

— Нелли, ангел! — сказал я, — хочешь ли ты быть нашим спасением? Хочешь ли спасти всех нас?

Она с недоумением посмотрела на меня.

— Нелли! Вся надежда теперь на тебя! Есть один отец: ты его видела и знаешь; он проклял свою дочь и вчера приходил просить тебя к себе вместо дочери. Теперь ее, Наташу (а ты говорила, что любишь ее!), оставил тот, которого она любила и для которого ушла от отца. Он сын того князя, который приезжал, помнишь, вечером ко мне и застал еще тебя одну, а ты убежала от него и потом была больна... Ты ведь знаешь его? Он злой человек!

— Знаю, — отвечала Нелли, вздрогнула и побледнела.

— Да, он злой человек. Он ненавидел Наташу за то, что его сын, Алеша, хотел на ней жениться. Сегодня уехал Алеша, а через час его отец уже был у ней и оскорбил ее, и грозил ее посадить в смирительный дом, и смеялся над ней. Понимаешь меня, Нелли?

Черные глаза ее сверкнули, но она тотчас же их опустила.

— Понимаю, — прошептала она чуть слышно.

— Теперь Наташа одна, больная; я оставил ее с нашим доктором, а сам прибежал к тебе. Слушай, Нелли: пойдем к отцу Наташи; ты его не любишь, ты к нему не хотела идти, но теперь пойдем к нему вместе. Мы войдем, и я скажу, что ты теперь хочешь быть у них вместо дочери, вместо Наташи. Старик теперь болен, потому что проклял Наташу и потому что отец Алеши еще на днях смертельно оскорбил его. Он не хочет и слышать теперь про дочь, но он ее любит, любит, Нелли, и хочет с ней примириться; я знаю это, я всё знаю! Это так!.. Слышишь ли, Нелли?

— Слышу, — произнесла она тем же шепотом.

Я говорил ей, обливаясь слезами. Она робко взглядывала на меня.

— Веришь ли этому?

— Верю.

— Ну так я войду с тобой, посажу тебя, и тебя примут, обласкают и начнут расспрашивать. Тогда я сам так подведу разговор, что тебя начнут расспрашивать о том, как ты жила прежде: о твоей матери и о твоем дедушке. Расскажи им, Нелли, всё так, как ты мне рассказывала. Всё, всё расскажи, просто и ничего не утаивая. Расскажи им, как твою мать оставил злой человек, как она умирала в подвале у Бубновой, как вы с матерью вместе ходили по улицам и просили милостыню; что говорила она тебе и о чем просила тебя, умирая... Расскажи тут же и про дедушку. Расскажи, как он не хотел прощать твою мать, и как она посылала тебя к нему в свой предсмертный час, чтоб он пришел к ней простить ее, и как он не хотел... и как она умерла. Всё, всё расскажи! И как расскажешь всё это, то старик почувствует все это и в своем сердце. Он ведь знает, что сегодня бросил ее Алеша и она осталась, униженная и поруганная, одна, без помощи и без защиты, на поругание своему врагу. Он всё это знает... Нелли! спаси Наташу! Хочешь ли ехать?

— Да, — отвечала она, тяжело переводя дух и каким-то странным взглядом, пристально и долго, посмотрев на меня; что-то похожее на укор было в этом взгляде, и я почувствовал это в моем сердце.

Но я не мог оставить мою мысль. Я слишком верил в нее. Я схватил за руку Нелли, и мы вышли. Был уже третий час пополудни. Находила туча. Всё последнее время погода стояла жаркая и удушливая, но теперь послышался где-то далеко первый, ранний весенний гром. Ветер пронесся по пыльным улицам.

Мы сели на извозчика. Всю дорогу Нелли молчала, изредка только взглядывала на меня всё тем же странным и загадочным взглядом. Грудь ее волновалась, и, придерживая ее на дрожках, я слышал, как в моей ладони колотилось ее маленькое сердечко, как будто хотело выскочить вон.

ГЛАВА VII

Дорога мне казалась бесконечною. Наконец мы приехали, и я вошел к моим старикам с замиранием сердца. Я не знал, как выйду из их дома, но знал, что мне во что бы то ни стало надо выйти с прощением и примирением.

Был уже четвертый час. Старики сидели одни, по обыкновению. Николай Сергеич был очень расстроен и болен и полулежал, протянувшись в своем покойном кресле, бледный и изнеможенный, с головой, обвязанной платком. Анна Андреевна сидела возле него, изредка примачивала ему виски уксусом и беспрестанно, с пытливым и страдальческим видом, заглядывала ему в лицо, что, кажется, очень беспокоило старика и даже досаждало ему. Он упорно молчал, она не смела говорить. Наш внезапный приезд поразил их обоих. Анна Андреевна чего-то вдруг испугалась, увидя меня с Нелли, и в первые минуты смотрела на нас так, как будто в чем-нибудь вдруг почувствовала себя виноватою.

— Вот я привез к вам мою Нелли, — сказал я, входя. — Она надумалась и теперь сама захотела к вам. Примите и полюбите...

Старик подозрительно взглянул на меня, и уже по одному взгляду можно было угадать, что ему всё известно, то есть что Наташа теперь уже одна, оставлена, брошена и, может быть, уже оскорблена. Ему очень хотелось проникнуть в тайну нашего прибытия, и он вопросительно смотрел на меня и на Нелли. Нелли дрожала, крепко сжимая своей рукой мою, смотрела в землю и изредка только бросала кругом себя пугливый взгляд, как пойманный зверок. Но скоро Анна Андреевна опомнилась и догадалась: она так и кинулась к Нелли, поцеловала ее, приласкала, даже заплакала и с нежностью усадила ее возле себя, не выпуская из своей руки ее руку. Нелли с любопытством и с каким-то удивлением оглядела ее искоса.

Но, обласкав и усадив Нелли подле себя, старушка уже и не знала больше, что делать, и с наивным ожиданием стала смотреть на меня. Старик поморщился, чуть ли не догадавшись, для чего я привел Нелли. Увидев, что я замечаю его недовольную мину и нахмуренный лоб, он поднес к голове свою руку и сказал мне отрывисто:

— Голова болит, Ваня.

Мы всё еще сидели и молчали; я обдумывал, что начать. В комнате было сумрачно; надвигалась черная туча, и вновь послышался отдаленный раскат грома.

— Гром-то как рано в эту весну, — сказал старик. — А вот в тридцать седьмом году, помню, в наших местах был еще раньше.

Анна Андреевна вздохнула.

— Не поставить ли самоварчик? — робко спросила она; но никто ей не ответил, и она опять обратилась к Нелли.

— Как тебя, моя голубушка, звать? — спросила она ее.

Нелли слабым голосом назвала себя и еще больше потупилась. Старик пристально поглядел на нее.

— Это Елена, что ли? — продолжала, оживляясь, старушка.

— Да, — отвечала Нелли, и опять последовало минутное молчание.

— У сестрицы Прасковьи Андреевны была племянница Елена, — проговорил Николай Сергеич, — тоже Нелли звали. Я помню.

— Что ж у тебя, голубушка, ни родных, ни отца, ни матери нету? — спросила опять Анна Андреевна.

— Нет, — отрывисто и пугливо прошептала Нелли.

— Слышала я это, слышала. А давно ли матушка твоя померла?

— Недавно.

— Голубчик ты мой, сироточка, — продолжала старушка, жалостливо на нее поглядывая. Николай Сергеич в нетерпении барабанил по столу пальцами.

— Матушка-то твоя из иностранок, что ли, была? Так, что ли, вы рассказывали, Иван Петрович? — продолжались робкие расспросы старушки.

Нелли бегло взглянула на меня своими черными глазами, как будто призывая меня на помощь. Она как-то неровно и тяжело дышала.

— У ней, Анна Андреевна, — начал я, — мать была дочь англичанина и русской, так что скорее была русская; Нелли же родилась за границей.

— Как же ее матушка-то с супругом своим за границу поехала?

Нелли вдруг вся вспыхнула. Старушка мигом догадалась, что обмолвилась, и вздрогнула под гневным взглядом старика. Он строго посмотрел на нее и отворотился было к окну.

— Ее мать была дурным и подлым человеком обманута, — произнес он, вдруг обращаясь к Анне Андреевне. — Она уехала с ним от отца и передала отцовские деньги любовнику; а тот выманил их у нее обманом, завез за границу, обокрал и бросил. Один добрый человек ее не оставил и помогал ей до самой своей смерти. А когда он умер, она, два года тому назад, воротилась назад к отцу. Так, что ли, ты рассказывал, Ваня? — спросил он отрывисто.

Нелли в величайшем волнении встала с места и хотела было идти к дверям.

— Поди сюда, Нелли, — сказал старик, протягивая наконец ей руку. — Сядь здесь, сядь возле меня, вот тут, — сядь! — Он нагнулся, поцеловал ее в лоб и тихо начал гладить ее по головке.

Нелли так вся и затрепетала... но сдержала себя. Анна Андреевна в умилении, с радостною надеждою смотрела, как ее Николай Сергеич приголубил наконец сиротку.

— Я знаю, Нелли, что твою мать погубил злой человек, злой и безнравственный, но знаю тоже, что она отца своего любила и почитала, — с волнением произнес старик, продолжая гладить Нелли по головке и не стерпев, чтоб не бросить нам в эту минуту этот вызов. Легкая краска покрыла его бледные щеки; он старался не взглядывать на нас.

— Мамаша любила дедушку больше, чем ее дедушка любил, — робко, но твердо проговорила Нелли, тоже стараясь ни на кого не взглянуть.

— А ты почему знаешь? — резко спросил старик, не выдержав, как ребенок, и как будто сам стыдясь своего нетерпения.

— Знаю, — отрывисто отвечала Нелли. — Он не принял матушку и... прогнал ее...

Я видел, что Николаю Сергеичу хотелось было что-то сказать, возразить, сказать, например, что старик за дело не принял дочь, но он поглядел на нас и смолчал.

— Как же, где же вы жили-то, когда дедушка вас не принял? — спросила Анна Андреевна, в которой вдруг родилось упорство и желание продолжать именно на эту тему.

— Когда мы приехали, то долго отыскивали дедушку, — отвечала Нелли, — но никак не могли отыскать. Мамаша мне и сказала тогда, что дедушка был прежде очень богатый и фабрику хотел строить, а что теперь он очень бедный, потому что тот, с кем мамаша уехала, взял у ней все дедушкины деньги и не отдал ей. Она мне это сама сказала.

— Гм... — отозвался старик.

— И она говорила мне еще, — продолжала Нелли, всё более и более оживляясь и как будто желая возразить Николаю Сергеичу, но обращаясь к Анне Андреевне, — она мне говорила, что дедушка на нее очень сердит, и что она сама во всем перед ним виновата, и что нет у ней теперь на всей земле никого, кроме дедушки. И когда говорила мне, то плакала... «Он меня не простит, — говорила она, еще когда мы сюда ехали, — но, может быть, тебя увидит и тебя полюбит, а за тебя и меня простит». Мамаша очень любила меня, и когда это говорила, то всегда меня целовала, а к дедушке идти очень боялась. Меня же учила молиться за дедушку, и сама молилась и много мне еще рассказывала, как она прежде жила с дедушкой и как дедушка ее очень любил, больше всех. Она ему на фортепьяно играла и книги читала по вечерам, а дедушка ее целовал и много ей дарил... всё дарил, так что один раз они и поссорились, в мамашины именины; потому что дедушка думал, что мамаша еще не знает, какой будет подарок, а мамаша уже давно узнала какой. Мамаше хотелось серьги, а дедушка всё нарочно обманывал ее и говорил, что подарит не серьги, а брошку; и когда он принес серьги и как увидел, что мамаша уж знает, что будут серьги, а не брошка, то рассердился за то, что мамаша узнала, и половину дня не говорил с ней, а потом сам пришел ее целовать и прощенья просить...

Нелли рассказывала с увлечением, и даже краска заиграла на ее бледных больных щечках.

Видно было, что ее *мамаша* не раз говорила с своей маленькой Нелли о своих прежних счастливых днях, сидя в своем угле, в подвале, обнимая и целуя свою девочку (всё, что у ней осталось отрадного в жизни) и плача над ней, а в то же время и не подозревая, с какою силою отзовутся эти рассказы ее в болезненно впечатлительном и рано развившемся сердце больного ребенка.

Но увлекшаяся Нелли как будто вдруг опомнилась, недоверчиво осмотрелась кругом и притихла. Старик наморщил лоб и снова забарабанил по столу; у Анны Андреевны показалась на глазах слезинка, и она молча отерла ее платком.

— Мамаша приехала сюда очень больная, — прибавила Нелли тихим голосом, — у ней грудь очень болела. Мы долго искали дедушку и не могли найти, а сами нанимали в подвале, в углу.

— В углу, больная-то! — вскричала Анна Андреевна.

— Да... в углу... — отвечала Нелли. — Мамаша была бедная. Мамаша мне говорила, — прибавила она, оживляясь, — что не грех быть бедной, а что грех быть богатым и обижать... и что ее Бог наказывает.

— Что же вы на Васильевском нанимали? Это там у Бубновой, что ли? — спросил старик, обращаясь ко мне и стараясь выказать некоторую небрежность в своем вопросе. Спросил же, как будто ему неловко было сидеть молча.

— Нет, не там... а сперва в Мещанской. — отвечала Нелли. — Там было очень темно и сыро, — продолжала она, помолчав, — и матушка очень заболела, но еще тогда ходила. Я ей белье мыла, а она плакала. Там тоже жила одна старушка, капитанша, и жил отставной чиновник, и всё приходил пьяный, и всякую ночь кричал и шумел. Я очень боялась его. Матушка брала меня к себе на постель и обнимала меня, а сама вся, бывало, дрожит, а чиновник кричит и бранится. Он хотел один раз прибить капитаншу, а та была старая старушка и ходила с палочкой. Мамаше стало жаль ее, и она за нее заступилась; чиновник и ударил мамашу, а я чиновника...

Нелли остановилась. Воспоминание взволновало ее; глазки ее засверкали.

— Господи боже мой! — вскричала Анна Андреевна, до последней степени заинтересованная рассказом и не спускавшая глаз с Нелли, которая преимущественно обращалась к ней.

— Тогда мамаша вышла, — продолжала Нелли, — и меня увела с собой. Это было днем. Мы всё ходили по улицам, до самого вечера, и мамаша всё плакала и всё ходила, а меня вела за руку. Я очень устала; мы и не ели этот день. А мамаша всё сама с собой говорила и мне всё говорила: «Будь бедная, Нелли, и когда я умру, не слушай никого и ничего. Ни к кому не ходи; будь одна, бедная, и работай, а нет работы, так милостыню проси, а *к ним* не ходи». Только в сумерки мы переходили через одну большую улицу; вдруг мамаша закричала: «Азорка! Азорка!» — и вдруг большая собака, без шерсти, подбежала к мамаше, завизжала и бросилась к ней, а мамаша испугалась, стала бледная, закричала и бросилась на колени перед высоким стариком, который шел с палкой и смотрел в землю. А этот высокий старик и был дедушка, и такой сухощавый, в дурном платье. Тут-то я в первый раз и увидала дедушку. Дедушка тоже очень испугался и весь побледнел, и как увидал, что мамаша лежит подле него и обхватила его ноги, — он вырвался, толкнул мамашу, ударил по камню палкой и пошел скоро от нас. Азорка еще остался и всё выл и лизал мамашу, потом побежал к дедушке, схватил его за полу и потащил назад, а дедушка его ударил палкой. Азорка опять к нам было побежал, да дедушка кликнул его, он и побежал за дедушкой и всё выл. А мамаша лежала как мертвая, кругом народ собрался, полицейские пришли. Я всё кричала и подымала мамашу. Она и встала, огляделась кругом и пошла за мной. Я ее повела домой. Люди на нас долго смотрели и всё головой качали...

Нелли приостановилась перевести дух и скрепить себя. Она была очень бледна, но решительность сверкала в ее взгляде. Видно было, что она решилась наконец *всё* говорить. В ней было даже что-то вызывающее в эту минуту.

— Что ж, — заметил Николай Сергеич неровным голосом, с какою-то раздражительною резкостью, — что ж, твоя мать оскорбила своего отца, и он за дело отверг ее...

— Матушка мне то же говорила, — резко подхватила Нелли, — и, как мы шли домой, всё говорила: это твой дедушка, Нелли, а я виновата перед ним, вот он и проклял меня, за это меня теперь Бог и наказывает, и весь вечер этот и все следующие дни всё это же говорила. А говорила, как будто себя не помнила...

Старик смолчал.

— А потом как же вы на другую-то квартиру перебрались? — спросила Анна Андреевна, продолжавшая тихо плакать.

— Мамаша в ту же ночь заболела, а капитанша отыскала квартиру у Бубновой, а на третий день мы и переехали, и капитанша с нами; и как переехали, мамаша совсем слегла и три недели лежала больная, а я ходила за ней. Деньги у нас совсем все вышли, и нам помогла капитанша и Иван Александрыч.

— Гробовщик, хозяин, — сказал я в пояснение.

— А когда мамаша встала с постели и стала ходить, тогда мне про Азорку и рассказала.

Нелли приостановилась. Старик как будто обрадовался, что разговор перешел на Азорку.

— Что ж она про Азорку тебе рассказывала? — спросил он, еще более нагнувшись в своих креслах, точно чтоб еще больше скрыть свое лицо и смотреть вниз.

— Она всё мне говорила про дедушку, — отвечала Нелли, — и больная всё про него говорила, и когда в бреду была, тоже говорила. Вот она как стала выздоравливать, то и начала мне опять рассказывать, как она прежде жила... тут и про Азорку рассказала, потому что раз где-то на реке, за городом, мальчишки тащили Азорку на веревке топить, а мамаша дала им денег и купила у них Азорку. Дедушка, как увидел Азорку, стал над ним очень смеяться. Только Азорка и убежал. Мамаша стала плакать; дедушка испугался и сказал, что даст сто рублей тому, кто приведет Азорку. На третий день его и привели; дедушка сто рублей отдал и с этих пор стал любить Азорку. А мамаша так его стала любить, что даже на постель с собой брала. Она мне рассказывала, что Азорка прежде с комедиантами по улицам ходил, и служить умел, и обезьяну на себе возил, и ружьем умел делать, и много еще умел... А когда мамаша уехала от дедушки, то дедушка и оставил Азорку у себя и всё с ним ходил, так что на улице, как только мамаша увидала Азорку, тотчас же и догадалась, что тут же и дедушка...

Старик, видимо, ожидал не того об Азорке и всё больше и больше хмурился. Он уж не расспрашивал более ничего.

— Так как же, вы так больше и не видали дедушку? — спросила Анна Андреевна.

— Нет, когда мамаша стала выздоравливать, тогда я встретила опять дедушку. Я ходила в лавочку за хлебом; вдруг увидела человека с Азоркой, посмотрела и узнала дедушку. Я посторонилась и прижалась к стене. Дедушка посмотрел на меня, долго смотрел и такой был страшный, что я его очень испугалась, и прошел мимо; Азорка же меня припомнил и начал скакать подле меня и мне руки лизать. Я поскорей пошла домой, посмотрела назад, а дедушка зашел в лавочку. Тут я подумала: верно, расспрашивает, и испугалась еще больше, и когда пришла домой, то мамаше ничего не сказала, чтоб мамаша опять не сделалась больна. Сама же в лавочку на другой день не ходила; сказала, что у меня голова болит; а когда пошла на третий день, то никого не встретила и ужасно боялась, так что бегом бежала. А еще через день вдруг я иду, только что за угол зашла, а дедушка передо мной и Азорка. Я побежала и поворотила в другую улицу и с другой стороны в лавочку зашла; только вдруг прямо на него опять и наткнулась и так испугалась, что тут же и остановилась и не могу идти. Дедушка стал передо мною и опять долго смотрел на меня, а потом погладил меня по головке, взял за руку и повел меня, а Азорка за нами и хвостом махает. Тут я и увидала, что дедушка и ходить прямо уж не может и всё на палку упирается, а руки у него совсем дрожат. Он меня привел к разносчику, который на углу сидел и продавал пряники и яблоки. Дедушка купил пряничного петушка и рыбку, и одну конфетку, и яблоко, и когда вынимал деньги из кожаного кошелька, то руки у него очень тряслись, и он уронил пятак, а я подняла ему. Он мне этот пятак подарил, и пряники отдал, и погладил меня по голове, но опять ничего не сказал, а пошел от меня домой.

Тогда я пришла к мамаше и рассказала ей всё про дедушку, и как я сначала его боялась и пряталась от него. Мамаша мне сперва не поверила, а потом так обрадовалась, что весь вечер меня расспрашивала, целовала и плакала, и когда я уж ей всё рассказала, то она мне вперед приказала: чтоб я никогда не боялась дедушку и что, стало быть, дедушка любит меня, коль нарочно приходил ко мне. И велела, чтоб я ласкалась к дедушке и говорила с ним. А на другой день всё меня высылала несколько раз поутру, хотя я и сказала ей, что дедушка приходил всегда только перед вечером. Сама же она за мной издали шла и за углом пряталась и на другой день также, но дедушка не пришел, а в эти дни шел дождь, и матушка очень простудилась, потому что всё со мной выходила за ворота, и опять слегла.

Дедушка же пришел через неделю и опять мне купил одну рыбку и яблоко и опять ничего не сказал. А когда уж он пошел от меня, я тихонько пошла за ним, потому что заранее так вздумала, чтоб узнать, где живет дедушка, и сказать мамаше. Я шла издали по другой стороне улицы, так чтоб дедушка меня не видал. А жил он очень далеко, не там, где после жил и умер, а в Гороховой, тоже в большом доме, в четвертом этаже. Я всё это узнала и поздно воротилась домой. Мамаша очень испугалась, потому что не знала, где я была. Когда же я рассказала, то мамаша опять очень обрадовалась и тотчас же хотела идти к дедушке, на другой же день; но на другой день стала думать и бояться и всё боялась, целых три дня; так и не ходила. А потом позвала меня и сказала: вот что, Нелли, я теперь больна и не могу идти, а я написала письмо твоему дедушке, поди к нему и отдай письмо. И смотри, Нелли, как он его прочтет, что скажет и что будет делать; а ты стань на колени, целуй его и проси его, чтоб он простил твою мамашу... И мамаша очень плакала, и всё меня целовала, и крестила в дорогу, и Богу молилась, и меня с собой на колени перед образом поставила и хоть очень была больна, но

вышла меня провожать к воротам, и когда я оглядывалась, она всё стояла и глядела на меня, как я иду...

Я пришла к дедушке и отворила дверь, а дверь была без крючка. Дедушка сидел за столом и кушал хлеб с картофелем, а Азорка стоял перед ним, смотрел, как
он ест, и хвостом махал. У дедушки тоже и в той квартире были окна низкие, темные и тоже только один стол и стул. А жил он один. Я вошла, и он так испугался,
что весь побледнел и затрясся. Я тоже испугалась и ничего не сказала, а только
подошла к столу и положила письмо. Дедушка как увидал письмо, то так рассердился, что вскочил, схватил палку и замахнулся на меня, но не ударил, а только
вывел меня в сени и толкнул меня. Я еще не успела и с первой лестницы сойти,
как он отворил опять дверь и выбросил мне назад письмо нераспечатанное. Я
пришла домой и всё рассказала. Тут матушка слегла опять...

ГЛАВА VIII

В эту минуту раздался довольно сильный удар грома, и дождь крупным лив-
нем застучал в стекла; в комнате стемнело. Старушка словно испугалась и перекрестилась. Мы все вдруг остановились.

— Сейчас пройдет, — сказал старик, поглядывая на окна; затем встал и прошелся взад и вперед по комнате.

Нелли искоса следила за ним взглядом. Она была в чрезвычайном, болезненном волнении. Я видел это; но на меня она как-то избегала глядеть.

— Ну, что ж дальше? — спросил старик, снова усевшись в свои кресла.

Нелли пугливо огляделась кругом.

— Так ты уж больше и не видала своего дедушку?

— Нет, видела...

— Да, да! Рассказывай, голубчик мой, рассказывай, — подхватила Анна Андреевна.

— Я его три недели не видала, — начала Нелли, — до самой зимы. Тут зима
стала, и снег выпал. Когда же я встретила дедушку опять, на прежнем месте, то
очень обрадовалась... потому что мамаша тосковала, что он не ходит. Я, как
увидела его, нарочно побежала на другую сторону улицы, чтоб он видел, что я
бегу от него. Только я оглянулась и вижу, что дедушка сначала скоро пошел за
мной, а потом и побежал, чтоб меня догнать, и стал кричать мне: «Нелли, Нелли!» И Азорка бежал за ним. Мне жалко стало, я и остановилась. Дедушка подошел, и взял меня за руку, и повел, а когда увидел, что я плачу, остановился,
посмотрел на меня, нагнулся и поцеловал. Тут он увидел, что у меня башмаки
худые, и спросил: разве у меня нет других. Я тотчас же сказала ему поскорей,
что у мамаши совсем нет денег и что нам хозяева из одной жалости есть дают.
Дедушка ничего не сказал, но повел меня на рынок и купил мне башмаки и велел тут же их надеть, а потом повел меня к себе, в Гороховую, а прежде зашел в
лавочку и купил пирог и две конфетки, и когда мы пришли, сказал, чтоб я ела
пирог, и смотрел на меня, когда я ела, а потом дал мне конфетки. А Азорка положил лапы на стол и тоже просил пирога, я ему и дала, и дедушка засмеялся.
Потом взял меня, поставил подле себя, начал по голове гладить и спрашивать:
училась ли я чему-нибудь и что я знаю? Я ему сказала, а он велел мне, как только мне можно будет, каждый день, в три часа, ходить к нему, и что он сам будет
учить меня. Потом сказал мне, чтоб я отвернулась и смотрела в окно, покамест
он скажет, чтоб я опять повернулась к нему. Я так и стояла, но тихонько обернулась назад и увидела, что он распорол свою подушку, с нижнего уголка, и вы-

нул четыре целковых. Когда вынул, принес их мне и сказал: «Это тебе одной». Я было взяла, но потом подумала и сказала: «Коли мне одной, так не возьму»! Дедушка вдруг рассердился и сказал мне: «Ну, бери как знаешь, ступай». Я вышла, а он и не поцеловал меня.

Как я пришла домой, всё мамаше и рассказала. А мамаше всё становилось хуже и хуже. К гробовщику ходил один студент; он лечил мамашу и велел ей лекарства принимать.

А я ходила к дедушке часто; мамаша так приказывала. Дедушка купил Новый Завет и географию и стал меня учить; а иногда рассказывал, какие на свете есть земли, и какие люди живут, и какие моря, и что было прежде, и как Христос нас всех простил. Когда я его сама спрашивала, то он был очень рад; потому я и стала часто его спрашивать, и он всё рассказывал и про Бога много говорил. А иногда мы не учились и с Азоркой играли: Азорка меня очень стал любить, и я его выучила через палку скакать, и дедушка смеялся и всё меня по головке гладил. Только дедушка редко смеялся. Один раз много говорит, а то вдруг замолчит и сидит, как будто заснул, а глаза открыты. Так и досидит до сумерек, а в сумерки он такой становится страшный, старый такой... А то, бывало, приду к нему, а он сидит на своем стуле, думает и ничего не слышит, и Азорка подле него лежит. Я жду, жду и кашляю; дедушка всё не оглядывается. Я так и уйду. А дома мамаша так уж и ждет меня: она лежит, а я ей рассказываю всё, всё, так и ночь придет, а я всё говорю, и она всё слушает про дедушку: что он делал сегодня и что мне рассказывал, какие истории, и что на урок мне задал. А как начну про Азорку, что я его через палку заставляла скакать и что дедушка смеялся, то и она вдруг начнет смеяться и долго, бывало, смеется и радуется и опять заставляет повторить, а потом молиться начнет. А я всё думала: что ж мамаша так любит дедушку, а он ее не любит, и когда пришла к дедушке, то нарочно стала ему рассказывать, как мамаша его любит. Он всё слушал, такой сердитый, а всё слушал и ни слова не говорил; тогда я и спросила, отчего мамаша его так любит, что всё об нём спрашивает, а он никогда про мамашу не спрашивает. Дедушка рассердился и выгнал меня за дверь; я немножко постояла за дверью, а он вдруг опять отворил и позвал меня назад, и всё сердился и молчал. А когда потом мы начали Закон Божий читать, я опять спросила: отчего же Иисус Христос сказал: любите друг друга и прощайте обиды, а он не хочет простить мамашу? Тогда он вскочил и закричал, что это мамаша меня научила, вытолкнул меня в другой раз вон и сказал, чтоб я никогда не смела теперь к нему приходить. А я сказала, что я и сама теперь к нему не приду, и ушла от него... А дедушка на другой день из квартиры переехал...

— Я сказал, что дождь скоро пройдет, вот и прошел, вот и солнышко... смотри, Ваня, — сказал Николай Сергеич, оборотись к окну.

Анна Андреевна поглядела на него в чрезвычайном недоумении, и вдруг негодование засверкало в глазах доселе смирной и напуганной старушки. Молча взяла она Нелли за руку и посадила к себе на колени.

— Рассказывай мне, ангел мой, — сказала она, — я буду тебя слушать. Пусть те, у кого жестокие сердца...

Она не договорила и заплакала. Нелли вопросительно взглянула на меня как бы в недоумении и в испуге. Старик посмотрел на меня, пожал плечами было, но тотчас же отвернулся.

— Продолжай, Нелли, — сказал я.

— Я три дня не ходила к дедушке, — начала опять Нелли, — а в это время мамаше стало худо. Деньги у нас все вышли, а лекарства не на что было купить, да и не ели мы ничего, потому что у хозяев тоже ничего не было, и они стали нас попрекать, что мы на их счет живем. Тогда я на третий день утром встала и начала одеваться. Мамаша спросила: куда я иду? Я и сказала: к дедушке, просить денег, и она обрадовалась, потому что я уже рассказала мамаше всё, как он прогнал меня от себя, и сказала ей, что не хочу больше ходить к дедушке, хоть она и плакала и уговаривала меня идти. Я пришла и узнала, что дедушка переехал, и пошла искать его в новый дом. Как только я пришла к нему в новую квартиру, он вскочил, бросился на меня и затопал ногами, и я ему тотчас сказала, что мамаша очень больна, что на лекарство надо денег, пятьдесят копеек, а нам есть нечего. Дедушка закричал и вытолкал меня на лестницу и запер за мной дверь на крючок. Но когда он толкал меня, я ему сказала, что я на лестнице буду сидеть и до тех пор не уйду, покамест он денег не даст. Я и сидела на лестнице. Немного спустя он отворил дверь и увидел, что я сижу, и опять затворил. Потом долго прошло, он опять отворил, опять увидал меня и опять затворил. И потом много раз отворял и смотрел. Наконец вышел с Азоркой, запер дверь и прошел мимо меня со двора и ни слова мне не сказал. И я ни слова не сказала, и так и осталась сидеть, и сидела до сумерек.

— Голубушка моя, — вскричала Анна Андреевна, — да ведь холодно, знать, на лестнице-то было!

— Я была в шубке, — отвечала Нелли.

— Да что ж в шубке... голубчик ты мой, сколько ты натерпелась! Что ж он, дедушка-то твой?

Губки у Нелли начало было потрогивать, но она сделала чрезвычайное усилие и скрепила себя.

— Он пришел, когда уже стало совсем темно, и, входя, наткнулся на меня и закричал: кто тут? Я сказала, что это я. А он, верно, думал, что я давно ушла, и как увидал, что я всё еще тут, то очень удивился и долго стоял передо мной. Вдруг ударил по ступенькам палкой, побежал, отпер свою дверь и через минуту вынес мне медных денег, всё пятаки, и бросил их в меня на лестницу. «Вот тебе, закричал, возьми, это у меня всё, что было, и скажи твоей матери, что я ее проклинаю», — а сам захлопнул дверь. А пятаки покатились по лестнице. Я начала подбирать их в темноте, и дедушка, видно, догадался, что он разбросал пятаки и что в темноте мне их трудно собрать, отворил дверь и вынес свечу, и при свечке я скоро их собрала. И дедушка сам сбирал вместе со мной, и сказал мне, что тут всего должно быть семь гривен, и сам ушел. Когда я пришла домой, я отдала деньги и всё рассказала мамаше, и мамаше сделалось хуже, а сама я всю ночь была больна и на другой день тоже вся в жару была, но я только об одном думала, потому что сердилась на дедушку, и когда мамаша заснула, пошла на улицу, к дедушкиной квартире, и, не доходя, стала на мосту. Тут и прошел *тот*...

— Это Архипов, — сказал я, — тот, об котором я говорил, Николай Сергеич, вот что с купцом у Бубновой был и которого там отколотили. Это в первый раз Нелли его тогда увидала... Продолжай, Нелли.

— Я остановила его и попросила денег, рубль серебром. Он посмотрел на меня и спросил: «Рубль серебром?» Я сказала: «Да». Тогда он засмеялся и сказал мне: «Пойдем со мной». Я не знала, идти ли, вдруг подошел один старичок, в золотых очках, — а он слышал, как я спрашивала рубль серебром, — нагнулся ко мне и спросил, для чего я непременно столько хочу. Я сказала ему, что мамаша больна и что нужно столько на лекарство. Он спросил, где мы живем, и записал, и дал мне бумажку, рубль серебром. А *тот*, как увидал старика в очках, ушел и не звал меня больше с собой. Я пошла в лавочку и разменяла рубль на медные; тридцать копеек завернула в бумажку и отложила мамаше, а семь гривен не завернула в бумажку, а нарочно зажала в руках и пошла к дедушке. Как пришла к нему, то отворила дверь, стала на пороге, размахнулась и бросила ему с размаху все деньги, так они и покатились по полу.

— Вот, возьмите ваши деньги! — сказала я ему. — Не надо их от вас мамаше, потому что вы ее проклинаете, — хлопнула дверью и тотчас же убежала прочь.

Ее глаза засверкали, и она с наивно вызывающим видом взглянула на старика.

— Так и надо, — сказала Анна Андреевна, не смотря на Николая Сергеича и крепко прижимая к себе Нелли, — так и надо с ним; твой дедушка был злой и жестокосердый...

— Гм! — отозвался Николай Сергеич.

— Ну, так как же, как же? — с нетерпением спрашивала Анна Андреевна.

— Я перестала ходить больше к дедушке, и он перестал ходить ко мне, — отвечала Нелли.

— Что ж, как же вы остались с мамашей-то? Ох, бедные вы, бедные!

— А мамаше стало еще хуже, и она уже редко вставала с постели, — продолжала Нелли, и голос ее задрожал и прервался. — Денег у нас уж ничего больше не было, я и стала ходить с капитаншей. А капитанша по домам ходила, тоже и на улице людей хороших останавливала и просила, тем и жила. Она говорила мне, что она не нищая, а что у ней бумаги есть, где ее чин написан и написано тоже, что она бедная. Эти бумаги она и показывала, и ей за это деньги давали. Она и говорила мне, что у всех просить не стыдно. Я и ходила с ней, и нам подавали, тем мы и жили. Мамаша узнала про это, потому что жильцы стали попрекать, что она нищая, а Бубнова сама приходила к мамаше и говорила, что лучше б она меня к ней отпустила, а не просить милостыню. Она и прежде к мамаше приходила и ей денег носила; а когда мамаша не брала от нее, то Бубнова говорила: зачем вы такие гордые, и кушанье присылала. А как сказала она это теперь про меня, то мамаша заплакала, испугалась, а Бубнова начала ее бранить, потому что была пьяна, и сказала, что я и без того нищая и с капитаншей хожу, и в тот же вечер выгнала капитаншу из дому. Мамаша как узнала про всё, то стала плакать, потом вдруг встала с постели, оделась, схватила меня за руку и повела за собой. Иван Александрыч стал ее останавливать, но она не слушала, и мы вышли. Мамаша едва могла ходить и каждую минуту садилась на улице, а я ее придерживала. Мамаша всё говорила, что идет к дедушке и чтоб я вела ее, а уж давно стала ночь. Вдруг мы пришли в большую улицу; тут перед одним домом останавливались кареты и много выходило народу, а в окнах везде был свет, и слышна была музыка. Мамаша остановилась, схватила меня и сказала мне тогда: «Нелли, будь бедная, будь всю жизнь бедная, не ходи к ним, кто бы тебя ни позвал, кто бы ни пришел. И ты бы могла там быть, богатая и в хорошем платье, да я этого не хочу. Они злые и жестокие, и вот тебе мое приказание: оставайся бедная, работай и милостыню проси, а если кто придет за тобой, скажи: не хочу к вам!..» Это мне говорила мамаша, когда больна была, и я всю жизнь хочу ее слушаться, — прибавила Нелли, дрожа от волнения, с разгоревшимся личиком, — и всю жизнь буду служить и работать, и к вам пришла тоже служить и работать, а не хочу быть как дочь...

— Полно, полно, голубка моя, полно! — вскрикнула старушка, крепко обнимая Нелли. — Ведь матушка твоя была в это время больна, когда говорила.

— Безумная была, — резко заметил старик.

— Пусть безумная! — подхватила Нелли, резко обращаясь к нему, — пусть безумная, но она мне так приказала, так я и буду всю жизнь. И когда она мне это сказала, то даже в обморок упала.

— Господи боже! — вскрикнула Анна Андреевна, — больная-то, на улице, зимой?..

— Нас хотели взять в полицию, но один господин вступился, расспросил у меня квартиру, дал мне десять рублей и велел отвезти мамашу к нам домой на своих лошадях. После этого мамаша уж и не вставала, а через три недели умерла...

— А отец-то что ж? Так и не простил? — вскрикнула Анна Андреевна.

— Не простил! — отвечала Нелли, с мучением пересиливая себя. — За неделю до смерти мамаша подозвала меня и сказала: «Нелли, сходи еще раз к дедушке, в последний раз, и попроси, чтоб он пришел ко мне и простил меня; скажи ему, что я через несколько дней умру и тебя одну на свете оставляю. И скажи ему еще, что мне тяжело умирать...» Я и пошла, постучалась к дедушке, он отворил и, как увидел меня, тотчас хотел было передо мной дверь затворить, но я ухватилась за дверь обеими руками и закричала ему: «Мамаша умирает, вас зовет, идите!..» Но он оттолкнул меня и захлопнул дверь. Я воротилась к мамаше, легла подле нее, обняла ее и ничего не сказала... Мамаша тоже обняла меня и ничего не расспрашивала...

Тут Николай Сергеич тяжело оперся рукой на стол и встал, но, обведя нас всех каким-то странным, мутным взглядом, как бы в бессилии опустился в кресла. Анна Андреевна уже не глядела на него, но, рыдая, обнимала Нелли...

— Вот в последний день, перед тем как ей умереть, перед вечером, мамаша подозвала меня к себе, взяла меня за руку и сказала: «Я сегодня умру, Нелли», хотела было еще говорить, но уж не могла. Я смотрю на нее, а она уж как будто меня и не видит, только в руках мою руку крепко держит. Я тихонько вынула руку и побежала из дому, и всю дорогу бежала бегом и прибежала к дедушке. Как он увидел меня, то вскочил со стула и смотрит, и так испугался, что совсем стал такой бледный и весь задрожал. Я схватила его за руку и только одно выговорила: «Сейчас умрет». Тут он вдруг так и заметался; схватил свою палку и побежал за мной; даже и шляпу забыл, а было холодно. Я схватила шляпу и надела ее ему, и мы вместе выбежали. Я торопила его и говорила, чтоб он нанял извозчика, потому что мамаша сейчас умрет; но у дедушки было только семь копеек всех денег. Он останавливал извозчиков, торговался, но они только смеялись, и над Азоркой смеялись, а Азорка с нами бежал, и мы всё дальше и дальше бежали. Дедушка устал и дышал трудно, но всё торопился и бежал. Вдруг он упал, и шляпа с него соскочила. Я подняла его, надела ему опять шляпу и стала его рукой вести, и только перед самой ночью мы пришли домой... Но матушка уже лежала мертвая. Как увидел ее дедушка, всплеснул руками, задрожал и стал над ней, а сам ничего не говорит. Тогда я подошла к мертвой мамаше, схватила дедушку за руку и закричала ему: «Вот, жестокий и злой человек, вот, смотри!.. смотри!» — тут дедушка закричал и упал на пол как мертвый...

Нелли вскочила, высвободилась из объятий Анны Андреевны и стала посреди нас, бледная, измученная и испуганная. Но Анна Андреевна бросилась к ней и, снова обняв ее, закричала как будто в каком-то вдохновении:

— Я, я буду тебе мать теперь, Нелли, а ты мое дитя! Да, Нелли, уйдем, бросим их всех, жестоких и злых! Пусть потешаются над людьми, Бог, Бог зачтет им... Пойдем, Нелли, пойдем отсюда, пойдем!..

Я никогда, ни прежде, ни после, не видал ее в таком состоянии, да и не думал, чтоб она могла быть когда-нибудь так взволнована. Николай Сергеич выпрямился в креслах, приподнялся и прерывающимся голосом спросил:

— Куда ты, Анна Андреевна?

— К ней, к дочери, к Наташе! — закричала она и потащила Нелли за собой к дверям.

— Постой, постой, подожди!..

— Нечего ждать, жестокосердый и злой человек! Я долго ждала, и она долго ждала, а теперь прощай!..

Ответив это, старушка обернулась, взглянула на мужа и остолбенела: Николай Сергеич стоял перед ней, захватив свою шляпу, и дрожавшими бессильными руками торопливо натягивал на себя свое пальто.

— И ты... и ты со мной! — вскрикнула она, с мольбою сложив руки и недоверчиво смотря на него, как будто не смея и поверить такому счастью.

— Наташа, где моя Наташа! Где она! Где дочь моя! — вырвалось наконец из груди старика. — Отдайте мне мою Наташу! Где, где она! — и, схватив костыль, который я ему подал, он бросился к дверям.

— Простил! Простил! — вскричала Анна Андреевна.

Но старик не дошел до порога. Дверь быстро отворилась, и в комнату вбежала Наташа, бледная, с сверкающими глазами, как будто в горячке. Платье ее было измято и смочено дождем. Платочек, которым она накрыла голову, сбился у ней на затылок, и на разбившихся густых прядях ее волос сверкали крупные капли дождя. Она вбежала, увидала отца и с криком бросилась перед ним на колена, простирая к нему руки.

ГЛАВА IX

Но он уже держал ее в своих объятиях!..

Он схватил ее и, подняв как ребенка, отнес в свои кресла, посадил ее, а сам упал перед ней на колена. Он целовал ее руки, ноги; он торопился целовать ее, торопился наглядеться на нее, как будто еще не веря, что она опять вместе с ним, что он опять ее видит и слышит, — ее, свою дочь, свою Наташу! Анна Андреевна, рыдая, охватила ее, прижала голову ее к своей груди и так и замерла в этом объятии, не в силах произнесть слова.

— Друг мой!.. жизнь моя!.. радость моя!.. — бессвязно восклицал старик, схватив руки Наташи и, как влюбленный, смотря в бледное, худенькое, но прекрасное личико ее, в глаза ее, в которых блистали слезы. — Радость моя, дитя мое! — повторял он и опять смолкал и с благоговейным упоением глядел на нее. — Что же, что же мне сказали, что она похудела! — проговорил он с торопливою, как будто детскою улыбкою, обращаясь к нам и всё еще стоя перед ней на коленах. — Худенькая, правда, бледненькая, но посмотри на нее, какая хорошенькая! Еще лучше, чем прежде была, да, лучше! — прибавил он, невольно умолкая под душевной болью, радостною болью, от которой как будто душу ломит надвое.

— Встаньте, папаша! Да встаньте же, — говорила Наташа, — ведь мне тоже хочется вас целовать...

— О милая! Слышишь, слышишь, Аннушка, как она это хорошо сказала, — и он судорожно обнял ее.

— Нет, Наташа, мне, мне надо у твоих ног лежать до тех пор, пока сердце мое услышит, что ты простила меня, потому что никогда, никогда не могу заслужить я теперь от тебя прощения! Я отверг тебя, я проклинал тебя, слышишь, Наташа, я проклинал тебя, и я мог это сделать!.. А ты, а ты, Наташа: и могла ты поверить, что я тебя проклял! И поверила — ведь поверила! Не надо было верить! Не верила бы, просто бы не верила! Жестокое сердечко! Что же ты не шла ко мне? Ведь ты знала, как я приму тебя!.. О Наташа, ведь ты помнишь, как я прежде тебя любил: ну, а теперь и во всё это время я тебя вдвое, в тысячу раз больше любил, чем прежде! Я тебя с кровью любил! Душу бы из себя с кровью вынул, сердце свое располосовал да к ногам твоим положил бы!.. О радость моя!

— Да поцелуйте же меня, жестокий вы человек, в губы, в лицо поцелуйте, как мамаша целует! — воскликнула Наташа больным, расслабленным, полным слезами радости голосом.

— И в глазки тоже! И в глазки тоже! Помнишь, как прежде, — повторял старик после долгого, сладкого объятия с дочерью. — О Наташа! Снилось ли тебе когда про нас? А мне ты снилась чуть не каждую ночь, и каждую ночь ты ко мне приходила, и я над тобой плакал, а один раз ты, как маленькая, пришла, помнишь, когда еще тебе только десять лет было и ты на фортепьяно только что начинала учиться, — пришла в коротеньком платьице, в хорошеньких башмачках и с ручками красненькими... ведь у ней красненькие такие ручки были тогда, помнишь, Аннушка? — пришла ко мне, на колени села и обняла меня... И ты, и ты, девочка ты злая! И ты могла думать, что я проклял тебя, что я не приму тебя, если б ты пришла!.. Да ведь я... слушай, Наташа: да ведь я часто к тебе ходил, и мать не знала, и никто не знал; то под окнами у тебя стою, то жду: полсутки иной раз жду где-нибудь на тротуаре у твоих ворот! Не выйдешь ли ты, чтоб издали только посмотреть на тебя! А то у тебя по вечерам свеча на окошке часто горела; так сколько раз я, Наташа, по вечерам к тебе ходил, хоть на свечку твою посмотреть, хоть тень твою в окне увидать, благословить тебя на ночь. А ты благословляла ли меня на ночь? Думала ли обо мне? Слышало ли твое сердечко, что я тут под окном? А сколько раз зимой я поздно ночью на твою лестницу подымусь и в темных сенях стою, сквозь дверь прислушиваюсь: не услышу ли твоего голоска? Не засмеешься ли ты? Проклял? Да ведь я в этот вечер к тебе приходил, простить тебя хотел и только от дверей воротился... О Наташа!

Он встал, он приподнял ее из кресел и крепко-крепко прижал ее к сердцу.

— Она здесь опять, у моего сердца! — вскричал он, — о, благодарю тебя, Боже, за всё, за всё, и за гнев твой и за милость твою!.. И за солнце твое, которое просияло теперь, после грозы, на нас! За всю эту минуту благодарю! О! пусть мы униженные, пусть мы оскорбленные, но мы опять вместе, и пусть, пусть теперь торжествуют эти гордые и надменные, унизившие и оскорбившие нас! Пусть они бросят в нас камень! Не бойся, Наташа... Мы пойдем рука в руку, и я скажу им: это моя дорогая, это возлюбленная дочь моя, это безгрешная дочь моя, которую вы оскорбили и унизили, но которую я, я люблю и которую благословляю во веки веков!..

— Ваня! Ваня!.. — слабым голосом проговорила Наташа, протягивая мне из объятий отца свою руку.

О! никогда я не забуду, что в эту минуту она вспомнила обо мне и позвала меня!

— Где же Нелли? — спросил старик, озираясь.

— Ах, где же она? — вскрикнула старушка, — голубчик мой! Ведь мы так ее и оставили!

Но ее не было в комнате; она незаметно проскользнула в спальню. Все пошли туда. Нелли стояла в углу, за дверью, и пугливо пряталась от нас.

— Нелли, что с тобой, дитя мое! — воскликнул старик, желая обнять ее. Но она как-то долго на него посмотрела...

— Мамаша, где мамаша? — проговорила она, как в беспамятстве, — где, где моя мамаша? — вскрикнула она еще раз, протягивая свои дрожащие руки к нам; и вдруг страшный, ужасный крик вырвался из ее груди; судороги пробежали по лицу ее, и она в страшном припадке упала на пол...

ЭПИЛОГ
Последние воспоминания

Половина июня. День жаркий и удушливый; в городе невозможно оставаться: пыль, известь, перестройки, раскаленные камни, отравленный испарениями воздух... Но вот, о радость! загремел где-то гром; мало-помалу небо нахмурилось; повеял ветер, гоня перед собою клубы городской пыли. Несколько крупных капель тяжело упало на землю, а за ними вдруг как будто разверзлось всё небо, и целая река воды пролилась над городом. Когда чрез полчаса снова просияло солнце, я отворил окно моей каморки и жадно, всею усталою грудью, дохнул свежим воздухом. В упоении я было хотел уже бросить перо, и все дела мои, и самого антрепренера, и бежать к *нашим* на Васильевский. Но хоть и велик был соблазн, я-таки успел побороть себя и с какою-то яростию снова напал на бумагу: во что бы то ни стало нужно было кончить! Антрепренер велит и иначе не даст денег. Меня *там* ждут, но зато я вечером буду свободен, совершенно свободен, как ветер, и сегодняшний вечер вознаградит меня за эти последние два дня и две ночи, в которые я написал три печатных листа с половиною.

И вот наконец кончена и работа; бросаю перо и подымаюсь, ощущаю боль в спине и в груди и дурман в голове. Знаю, что в эту минуту нервы мои расстроены в сильной степени, и как будто слышу последние слова, сказанные мне моим старичком доктором: «Нет, никакое здоровье не выдержит подобных напряжений, потому что это невозможно!» Однако ж покамест это возможно! Голова моя кружится; я едва стою на ногах, но радость, беспредельная радость наполняет мое сердце. Повесть моя совершенно кончена, и антрепренер, хотя я ему и много теперь должен, все-таки даст мне хоть сколько-нибудь, увидя в своих руках добычу, — хоть пятьдесят рублей, а я давным-давно не видал у себя в руках таких денег. Свобода и деньги!.. В восторге я схватил шляпу, рукопись под мышку и бегу стремглав, чтоб застать дома нашего драгоценнейшего Александра Петровича.

Я застаю его, но уже на выходе. Он, в свою очередь, только что кончил одну не литературную, но зато очень выгодную спекуляцию и, выпроводив наконец какого-то черномазенького жидка, с которым просидел два часа сряду в своем кабинете, приветливо подает мне руку и своим мягким, милым баском спрашивает о моем здоровье. Это добрейший человек, и я, без шуток, многим ему обязан. Чем же он виноват, что в литературе он всю жизнь был *только* антрепренером? Он смекнул, что литературе надо антрепренера, и смекнул очень вовремя, честь ему и слава за это — антрепренерская, разумеется.

Он с приятной улыбкой узнаёт, что повесть кончена и что следующий номер книжки, таким образом, обеспечен в главном отделе, и удивляется, как это я мог хоть что-нибудь *кончить*, и при этом премило острит. Затем идет к своему железному сундуку, чтоб выдать мне обещанные пятьдесят рублей, а мне между тем протягивает другой, враждебный, толстый журнал и указывает на несколько строк в отделе критики, где говорится два слова и о последней моей повести.

Смотрю: это статья «переписчика». Меня не то чтоб ругают, но и не то чтоб хвалят, и я очень доволен. Но «переписчик» говорит, между прочим, что от сочинений моих вообще «пахнет потом», то есть я до того над ними потею, тружусь, до того их обделываю и отделываю, что становится приторно.

Мы с антрепренером хохочем. Я докладываю ему, что прошлая повесть моя была написана в две ночи, а теперь в два дня и две ночи написано мною три с половиной печатных листа, — и если б знал это «переписчик», упрекающий меня в излишней копотливости и в тугой медленности моей работы!

— Однако ж вы сами виноваты, Иван Петрович. Зачем же вы так запаздываете, что приходится вот работать по ночам?

Александр Петрович, конечно, милейший человек, хотя у него есть особенная слабость — похвастаться своим литературным суждением именно перед теми, которые, как и сам он подозревает, понимают его насквозь. Но мне не хочется рассуждать с ним об литературе, я получаю деньги и берусь за шляпу. Александр Петрович едет на Острова на свою дачу и, услышав, что я на Васильевский, благодушно предлагает довезти меня в своей карете.

— У меня ведь новая каретка; вы не видали? Премиленькая.

Мы сходим к подъезду. Карета действительно премиленькая, и Александр Петрович на первых порах своего владения ею ощущает чрезвычайное удовольствие и даже некоторую душевную потребность *подвозить* в ней своих знакомых.

В карете Александр Петрович опять несколько раз пускается в рассуждения о современной литературе. При мне он не конфузится и преспокойно повторяет разные чужие мысли, слышанные им на днях от кого-нибудь из литераторов, которым он верит и чье суждение уважает. При этом ему случается иногда уважать удивительные вещи. Случается ему тоже перевирать чужое мнение или вставлять его не туда, куда следует, так что выходит бурда. Я сижу, молча слушаю и дивлюсь разнообразию и прихотливости страстей человеческих. «Ну, вот человек, — думаю я про себя, — сколачивал бы себе деньги да сколачивал; нет, ему еще нужно славы, литературной славы, славы хорошего издателя, критика!»

В настоящую минуту он силится подробно изложить мне одну литературную мысль, слышанную им дня три тому назад от меня же, и против которой он, три дня тому назад, со мной же спорил, а теперь выдает ее за свою. Но с Александром Петровичем такая забывчивость поминутно случается, и он известен этой невинной слабостью между всеми своими знакомыми. Как он рад теперь, ораторствуя в *своей* карете, как доволен судьбой, как благодушен! Он ведет учено-литературный разговор, и даже мягкий, приличный его басок отзывается ученостью. Мало-помалу он *залиберальничался* и переходит к невинно-скептическому убеждению, что в литературе нашей, да и вообще ни в какой и никогда, не может быть ни у кого честности и скромности, а есть только одно «взаимное битье друг друга по мордасам» — особенно при начале подписки. Я думаю про себя, что Александр Петрович наклонен даже всякого честного и искреннего литератора за его честность и искренность считать если не дураком, то по крайней мере простофилей. Разумеется, такое суждение прямо выходит из чрезвычайной невинности Александра Петровича.

Но я уже его не слушаю. На Васильевском острове он выпускает меня из кареты, и я бегу к нашим. Вот и Тринадцатая линия, вот и их домик. Анна Андреевна, увидя меня, грозит мне пальцем, махает на меня руками и *шикает* на меня чтоб я не шумел.

— Нелли только что заснула, бедняжка! — шепчет она мне поскорее, — ради бога, не разбудите! Только уж очень она, голубушка, слаба. Боимся мы за нее. Доктор говорит, что это покамест ничего. Да что от него путного-то добьешься от *вашего* доктора! И не грех вам это, Иван Петрович? Ждали вас, ждали к обеду-то... ведь двое суток не были!..

— Но ведь я объявил еще третьего дня, что не буду двое суток, — шепчу я Анне Андреевне. — Надо было работу кончать...

— Да ведь к обеду сегодня обещался же прийти! Что ж не приходил? Нелли нарочно с постельки встала, ангельчик мой, в кресло покойное ее усадили, да и вывезли к обеду: «Хочу, дескать, с вами вместе Ваню ждать», а наш Ваня и не бывал. Ведь шесть часов скоро! Где протаскался-то? Греховодники вы эдакие! Ведь ее вы так расстроили, что уж я не знала, как и уговорить... благо заснула, голубушка. А Николай Сергеич к тому же в город ушел (к чаю-то будет!); одна и бьюсь... Место-то ему, Иван Петрович, выходит; только как подумаю, что в Перми, так и захолонет у меня на душе...

— А где Наташа?

— В садике, голубка, в садике! Сходите к ней... Что-то она тоже у меня такая... Как-то и не соображу... Ох, Иван Петрович, тяжело мне душой! Уверяет, что весела и довольна, да не верю я ей... Сходи-ка к ней, Ваня, да мне и расскажи ужо потихоньку, что с ней... Слышишь?

Но я уже не слушаю Анну Андреевну, а бегу в садик. Этот садик принадлежит к дому; он шагов в двадцать пять длиною и столько же в ширину и весь зарос зеленью. В нем три высоких старых, раскидистых дерева, несколько молодых березок, несколько кустов сирени, жимолости, есть уголок малинника, две грядки с клубникой и две узеньких извилистых дорожки, вдоль и поперек садика. Старик от него в восторге и уверяет, что в нем скоро будут расти грибы. Главное же в том, что Нелли полюбила этот садик, и ее часто вывозят в креслах на садовую дорожку, а Нелли теперь идол всего дома. Но вот и Наташа; она с радостью встречает меня и протягивает мне руку. Как она худа, как бледна! Она тоже едва оправилась от болезни.

— Совсем ли кончил, Ваня? — спрашивает она меня.

— Совсем, совсем! И на весь вечер совершенно свободен.

— Ну, слава богу! Торопился? Портил?

— Что ж делать! Впрочем, это ничего. У меня вырабатывается, такую напряженную работу, какое-то особенное раздражение нервов; я яснее соображаю, живее и глубже чувствую, и даже слог мне вполне подчиняется, так что в напряженной-то работе и лучше выходит. Всё хорошо...

— Эх, Ваня, Ваня!

Я замечаю, что Наташа в последнее время стала страшно ревнива к моим литературным успехам, к моей славе. Она перечитывает всё, что я в последний год напечатал, поминутно расспрашивает о дальнейших планах моих, интересуется каждой критикой, на меня написанной, сердится на иные и непременно хочет, чтоб я высоко поставил себя в литературе. Желания ее выражаются до того сильно и настойчиво, что я даже удивляюсь теперешнему ее направлению.

— Ты только испишешься, Ваня, — говорит она мне, — изнасилуешь себя и испишешься; а кроме того, и здоровье погубишь. Вон С ***, тот в два года по одной повести пишет, а N * в десять лет всего только один роман написал. Зато как у них отчеканено, отделано! Ни одной небрежности не найдешь!

— Да, они обеспечены и пишут не на срок; а я — почтовая кляча! Ну, да это всё вздор! Оставим это, друг мой. Что, нет ли нового?

— Много. Во-первых, от *него* письмо.

— Еще?

— Еще. — И она подала мне письмо от Алеши. Это уже третье после разлуки. Первое он написал еще из Москвы и написал точно в каком-то припадке. Он уведомлял, что обстоятельства так сошлись, что ему никак нельзя воротиться из Москвы в Петербург, как было проектировано при разлуке. Во втором письме он спешил известить, что приезжает к нам на днях, чтоб поскорей обвенчаться с Наташей, что это решено и никакими силами не может быть остановлено. А между тем по тону всего письма было ясно, что он в отчаянии, что посторонние влияния уже вполне отяготели над ним и что он уже сам себе не верил. Он упоминал, между прочим, что Катя — его провидение и что она одна утешает и поддерживает его. Я с жадностью раскрыл его теперешнее, *третье* письмо.

Оно было на двух листах, написано отрывочно, беспорядочно, наскоро и неразборчиво, закапано чернилами и слезами. Начиналось тем, что Алеша отрекался от Наташи и уговаривал ее забыть его. Он силился доказать, что союз их невозможен, что посторонние, враждебные влияния сильнее всего и что, наконец, так и должно быть: и он и Наташа вместе будут несчастны, потому что они неровня. Но он не выдержал и вдруг, бросив свои рассуждения и доказательства, тут же, прямо, не разорвав и не отбросив первой половины письма, признавался, что он преступник перед Наташей, что он погибший человек и не в силах восстать против желаний отца, приехавшего в деревню. Писал он, что не в силах выразить своих мучений; признавался, между прочим, что вполне сознает в себе возможность составить счастье Наташи, начинал вдруг доказывать, что они вполне ровня; с упорством, со злобою опровергал доводы отца; в отчаянии рисовал картину блаженства всей жизни, которое готовилось бы им обоим, ему и Наташе, в случае их брака, проклинал себя за свое малодушие и — прощался навеки! Письмо было написано с мучением; он, видимо, писал вне себя; у меня навернулись слезы... Наташа подала мне другое письмо, от Кати. Это письмо пришло в одном конверте с Алешиным, но особо запечатанное. Катя довольно кратко, в нескольких строках, уведомляла, что Алеша действительно очень грустит, много плачет и как будто в отчаянии, даже болен немного, но что *она* с ним и что он будет счастлив. Между прочим, Катя силилась растолковать Наташе, чтоб она не подумала, что Алеша так скоро мог утешиться и что будто грусть его несерьезна. «Он вас не забудет никогда, — прибавляла Катя, — да и не может забыть никогда, потому что у него не такое сердце; любит он вас беспредельно, будет всегда любить, так что если разлюбит вас хоть когда-нибудь, если хоть когда-нибудь перестанет тосковать при воспоминании о вас, то я сама разлюблю его за это тотчас же...»

Я возвратил Наташе оба письма; мы переглянулись с ней и не сказали ни слова. Так было и при первых двух письмах, да и вообще о прошлом мы теперь избегали говорить, как будто между нами это было условлено. Она страдала невыносимо, я это видел, но не хотела высказываться даже и передо мной. После возвращения в родительский дом она три недели вылежала в горячке и теперь едва оправилась. Мы даже мало говорили и о близкой перемене нашей, хотя она и знала, что старик получает место и что нам придется скоро расстаться. Несмотря на то, она до того была ко мне нежна, внимательна, до того занималась всем, что касалось до меня, во всё это время; с таким настойчивым, упорным вниманием выслушивала всё, что я должен был ей рассказывать о себе, что сначала мне это было даже тяжело: мне казалось, что она хотела меня вознаградить за прошлое. Но эта тягость быстро исчезла: я понял, что в ней совсем другое желание, что она *просто* любит меня, любит бесконечно, не может жить без меня и не заботиться о всем, что до меня касается, и я думаю, никогда сестра не любила до такой степени своего брата, как Наташа любила меня. Я очень хорошо знал, что предстоявшая нам разлука давила ее сердце, что Наташа мучилась; она знала тоже, что и я не могу без нее жить; но мы об этом не говорили, хотя и подробно разговаривали о предстоящих событиях...

Я спросил о Николае Сергеиче.

— Он скоро, я думаю, воротится, — отвечала Наташа, — обещал к чаю.

— Это он всё о месте хлопочет?

— Да; впрочем, место уж теперь без сомнения будет; да и уходить ему было сегодня, кажется, незачем, — прибавила она в раздумье, — мог бы и завтра.

— Зачем же он ушел?

— А потому что я письмо получила... Он до того *болен* мной, — прибавила Наташа, помолчав, — что мне это даже тяжело, Ваня. Он, кажется, и во сне только одну меня видит. Я уверена, что он, кроме того: что со мной, как живу я, о чем теперь думаю? — ни о чем более и не помышляет. Всякая тоска моя отзывается в нем. Я ведь вижу, как он неловко иногда старается пересилить себя и показать вид, что обо мне не тоскует, напускает на себя веселость, старается смеяться и нас смешить. Маменька тоже в эти минуты сама не своя, и тоже не верит его смеху, и вздыхает... Такая она неловкая... Прямая душа! — прибавила она со смехом. — Вот как я получила сегодня письма, ему и понадобилось сейчас убежать, чтоб не встречаться со мной глазами... Я его больше себя, больше всех на свете люблю, Ваня, — прибавила она, потупив голову и сжав мою руку, — даже больше тебя...

Мы прошли два раза по саду, прежде чем она начала говорить.

— У нас сегодня Маслобоев был и вчера тоже был, — сказала она.

— Да, он в последнее время очень часто повадился к вам.

— И знаешь ли, зачем он здесь? Маменька в него верует, как не знаю во что. Она думает, что он до того всё это знает (ну там законы и всё это), что всякое дело может обделать. Как ты думаешь, какая у ней теперь мысль бродит? Ей, про себя, очень больно и жаль, что я не сделалась княгиней. Эта мысль ей жить не дает, и, кажется, она вполне открылась Маслобоеву. С отцом она боится говорить об этом и думает: не поможет ли ей в чем-нибудь Маслобоев, нельзя ли как хоть по законам? Маслобоев, кажется, ей не противоречит, а она его вином потчует, — прибавила с усмешкой Наташа.

— От этого проказника станется. Да почему же ты знаешь?

— Да ведь маменька мне сама проговорилась... намеками...

— Что Нелли? Как она? — спросил я.

— Я даже удивляюсь тебе, Ваня: до сих пор ты об ней не спросил! — с упреком сказала Наташа.

Нелли была идолом у всех в этом доме. Наташа ужасно полюбила ее, и Нелли отдалась ей наконец всем своим сердцем. Бедное дитя! Она и не ждала, что сыщет когда-нибудь таких людей, что найдет столько любви к себе, и я с радостию видел, что озлобленное сердце размягчилось и душа отворилась для нас всех. Она с каким-то болезненным жаром откликнулась на всеобщую любовь, которою была окружена, в противоположность всему своему прежнему, развившему в ней недоверие, злобу и упорство. Впрочем, и теперь Нелли долго упорствовала, долго намеренно таила от нас слезы примирения, накипавшие в ней, и наконец отдалась нам совсем. Она сильно полюбила Наташу, затем старика. Я же сделался ей чем-то до того необходимым, что болезнь ее усиливалась, если я долго не приходил. В последний раз, расставаясь на два дня, чтоб кончить наконец запущенную мною работу, я должен был много уговаривать ее... конечно, обиняками. Нелли всё еще стыдилась слишком прямого, слишком беззаветного проявления своего чувства...

Она всех нас очень беспокоила. Молча и безо всяких разговоров решено было, что она останется навеки в доме Николая Сергеича, а между тем отъезд приближался, а ей становилось всё хуже и хуже. Она заболела с того самого дня, как мы пришли с ней тогда к старикам, в день примирения их с Наташей. Впрочем, что ж? Она и всегда была больна. Болезнь постепенно росла в ней и прежде, но теперь начала усиливаться с чрезвычайною быстротою. Я не знаю и не могу определить в точности ее болезни. Припадки, правда, повторялись с ней несколько чаще прежнего; но, главное, какое-то изнурение и упадок всех сил, беспрерывное лихорадочное и напряженное состояние — всё это довело ее в последние дни до того, что она уже не вставала с постели. И странно: чем более одолевала ее болезнь, тем мягче, тем ласковее, тем открытее к нам становилась Нелли. Три дня тому назад она поймала меня за руку, когда я проходил мимо ее кроватки, и потянула меня к себе. В комнате никого не было. Лицо ее было в жару (она ужасно похудела), глаза сверкали огнем. Она судорожно-страстно потянулась ко мне, и когда я наклонился к ней, она крепко обхватила мою шею своими смуглыми худенькими ручками и крепко поцеловала меня, а потом тотчас же потребовала к себе Наташу; я позвал ее; Нелли непременно хотелось, чтоб Наташа присела к ней на кровать и смотрела на нее...

— Мне самой на вас смотреть хочется, — сказала она. — Я вас вчера во сне видела и сегодня ночью увижу... вы мне часто снитесь... всякую ночь...

Ей, очевидно, хотелось что-то высказать, чувство давило ее; но она и сама не понимала своих чувств и не знала, как их выразить...

Николая Сергеича она любила почти более всех, кроме меня. Надо сказать, что и Николай Сергеич чуть ли не так же любил ее, как и Наташу. Он имел удивительное свойство развеселять и смешить Нелли. Только что он, бывало, придет к ней, тотчас же и начинается смех и даже шалости. Больная девочка развеселялась как ребенок, кокетничала с стариком, подсмеивалась над ним, рассказывала ему свои сны и всегда что-нибудь выдумывала, заставляла рассказывать и его, и старик до того был рад, до того был доволен, смотря на свою «маленькую дочку Нелли», что каждый день всё более и более приходил от нее в восторг.

— Ее нам всем Бог послал в награду за наши страдания, — сказал он мне раз, уходя от Нелли и перекрестив ее по обыкновению на ночь.

Каждый день, по вечерам, когда мы все собирались вместе (Маслобоев тоже приходил почти каждый вечер), приезжал иногда и старик доктор, привязавшийся всею душою к Ихменевым; вывозили и Нелли в ее кресле к нам за круглый стол. Дверь на балкон отворялась. Зеленый садик, освещенный заходящим солнцем, был весь на виду. Из него пахло свежей зеленью и только что распустившеюся сиренью. Нелли сидела в своем кресле, ласково на всех нас посматривала и прислушивалась к нашему разговору. Иногда же оживлялась и сама и неприметно начинала тоже что-нибудь говорить... Но в такие минуты мы все слушали ее обыкновенно даже с беспокойством, потому что в ее воспоминаниях были темы, которых нельзя было касаться. И я, и Наташа, и Ихменевы чувствовали и сознавали всю нашу вину перед ней, в тот день, когда она, трепещущая и измученная, *должна* была рассказать нам свою историю. Доктор особенно был против этих воспоминаний, и разговор обыкновенно старались переменить. В таких случаях Нелли старалась не показать нам, что понимает наши усилия, и начинала смеяться с доктором или с Николаем Сергеичем...

И однако ж, ей делалось всё хуже и хуже. Она стала чрезвычайно впечатлительна. Сердце ее билось неправильно. Доктор сказал мне даже, что она может умереть очень скоро.

Я не говорил этого Ихменевым, чтоб не растревожить их. Николай Сергеич был вполне уверен, что она выздоровеет к дороге.

— Вот и папенька воротился, — сказала Наташа, заслышав его голос. — Пойдем, Ваня.

Николай Сергеич, едва переступив за порог, по обыкновению своему, громко заговорил. Анна Андреевна так и замахала на него руками. Старик тотчас же присмирел и, увидя меня и Наташу, шепотом и с уторопленным видом стал нам рассказывать о результате своих похождений: место, о котором он хлопотал, было за ним, и он очень был рад.

— Через две недели можно и ехать, — сказал он, потирая руки, и заботливо, искоса взглянул на Наташу. Но та ответила ему улыбкой и обняла его, так что сомнения его мигом рассеялись.

— Поедем, поедем, друзья мои, поедем! — заговорил он, обрадовавшись. — Вот только ты, Ваня, только с тобой расставаться больно... (Замечу, что он ни разу не предложил мне ехать с ними вместе, что, судя по его характеру, непременно бы сделал... при других обстоятельствах, то есть если б не знал моей любви к Наташе.)

— Ну, что ж делать, друзья, что ж делать! Больно мне, Ваня; но перемена места нас всех оживит... Перемена места — значит перемена *всего*! — прибавил он, еще раз взглянув на дочь.

Он верил в это и был рад своей вере.

— А Нелли? — сказала Анна Андреевна.

— Нелли? Что ж... она, голубчик мой, больна немножко, но к тому-то времени уж наверно выздоровеет. Ей и теперь лучше: как ты думаешь, Ваня? — проговорил он, как бы испугавшись, и с беспокойством смотрел на меня, точно я-то и должен был разрешить его недоумения.

— Что она? Как спала? Не было ли с ней чего? Не проснулась ли она теперь? Знаешь что, Анна Андреевна: мы столик-то придвинем поскорей на террасу, принесут самовар, придут наши, мы все усядемся, и Нелли к нам выйдет... Вот и прекрасно. Да уж не проснулась ли она? Пойду я к ней. Только посмотрю на нее... не разбужу, не беспокойся! — прибавил он, видя, что Анна Андреевна снова замахала на него руками.

Но Нелли уж проснулась. Через четверть часа мы все, по обыкновению, сидели вокруг стола за вечерним самоваром.

Нелли вывезли в креслах. Явился доктор, явился и Маслобоев. Он принес для Нелли большой букет сирени; но сам был чем-то озабочен и как будто раздосадован.

Кстати: Маслобоев ходил чуть не каждый день. Я уже говорил, что все, и особенно Анна Андреевна, чрезвычайно его полюбили, но никогда ни слова не упоминалось у нас вслух об Александре Семеновне; не упоминал о ней и сам Маслобоев. Анна Андреевна, узнав от меня, что Александра Семеновна еще не успела сделаться его *законной* супругой, решила про себя, что и принимать ее и говорить об ней в доме нельзя. Так и наблюдалось, и этим очень обрисовывалась и сама Анна Андреевна. Впрочем, не будь у ней Наташи и, главное, не случись того, что случилось, она бы, может быть, и не была так разборчива.

Нелли в этот вечер была как-то особенно грустна и даже чем-то озабочена. Как будто она видела дурной сон и задумалась о нем. Но подарку Маслобоева она очень обрадовалась и с наслаждением поглядывала на цветы, которые поставили перед ней в стакане.

— Так ты очень любишь цветочки, Нелли? — сказал старик. — Постой же! — прибавил он с одушевлением, — завтра же... ну, да вот увидишь сама!..

— Люблю, — отвечала Нелли, — и помню, как мы мамашу с цветами встречали. Мамаша, еще когда мы были *там* (*там* значило теперь за границей), была один раз целый месяц очень больна. Я и Генрих сговорились, что когда она встанет и первый раз выйдет из своей спальни, откуда она целый месяц не выходила, то мы и уберем все комнаты цветами. Вот мы так и сделали. Мамаша сказала с вечера, что завтра утром она непременно выйдет вместе с нами завтракать. Мы встали рано-рано. Генрих принес много цветов, и мы всю комнату убрали зелеными листьями и гирляндами. И плющ был и еще такие широкие листья, — уж не знаю, как они называются, — и еще другие листья, которые за всё цепляются, и белые цветы большие были, и нарциссы были, а я их больше всех цветов люблю, и розаны были, такие славные розаны, и много-много было цветов. Мы их все развесили в гирляндах и в горшках расставили, и такие цветы тут были, что как целые деревья, в больших кадках; их мы по углам расставили и у кресел мамаши, и как мамаша вышла, то удивилась и очень обрадовалась, а Генрих был рад... Я это теперь помню...

В этот вечер Нелли была как-то особенно слаба и слабонервна. Доктор с беспокойством взглядывал на нее. Но ей очень хотелось говорить. И долго, до самых сумерек, рассказывала она о своей прежней жизни *там*; мы ее не прерывали. *Там* с мамашей и с Генрихом они много ездили, и прежние воспоминания ярко восставали в ее памяти. Она с волнением рассказывала о голубых небесах, о высоких горах, со снегом и льдами, которые она видела и проезжала, о горных водопадах; потом об озерах и долинах Италии, о цветах и деревьях, об сельских жителях, об их одежде и об их смуглых лицах и черных глазах; рассказывала про разные встречи и случаи, бывшие с ними. Потом о больших городах и дворцах, о высокой церкви с куполом, который весь вдруг иллюминовался разноцветными огнями; потом об жарком, южном городе с голубыми небесами и с голубым морем... Никогда еще Нелли не рассказывала нам так подробно воспоминаний своих. Мы слушали ее с напряженным вниманием. Мы все знали только до сих пор другие ее воспоминания — в мрачном, угрюмом городе, с давящей, одуряющей атмосферой, с зараженным воздухом, с драгоценными палатами, всегда запачканными грязью; с тусклым, бедным солнцем и с злыми, полусумасшедшими людьми, от которых так много и она, и мамаша ее вытерпели. И мне представилось, как они обе в грязном подвале, в сырой сумрачный вечер, обнявшись на бедной постели своей, вспоминали о своем прошедшем, о покойном Генрихе и о чудесах других земель... Представилась мне и Нелли, вспоминавшая всё это уже одна, без мамаши своей, когда Бубнова побоями и зверскою жестокостью хотела сломить ее и принудить на недоброе дело...

Но наконец с Нелли сделалось дурно, и ее отнесли назад. Старик очень испугался и досадовал, что ей дали так много говорить. С ней был какой-то припадок, вроде обмирания. Этот припадок повторялся с ней уже несколько раз. Когда он кончился, Нелли настоятельно потребовала меня видеть. Ей надо было что-то сказать мне одному. Она так упрашивала об этом, что в этот раз доктор сам настоял, чтоб исполнили ее желание, и все вышли из комнаты.

— Вот что, Ваня, — сказала Нелли, когда мы остались вдвоем, — я знаю, они думают, что я с ними поеду; но я не поеду, потому что не могу, и останусь пока у тебя, и мне это надо было сказать тебе.

Я стал было ее уговаривать; сказал, что у Ихменевых ее все так любят, что ее за родную дочь почитают. Что все будут очень жалеть о ней. Что у меня, напротив, ей тяжело будет жить и что хоть я и очень ее люблю, но что, нечего делать, расстаться надо.

— Нет, нельзя! — настойчиво ответила Нелли, — потому что я вижу часто мамашу во сне, и она говорит мне, чтоб я не ездила с ними и осталась здесь; она говорит, что я очень много согрешила, что дедушку одного оставила, и всё плачет, когда это говорит. Я хочу остаться здесь и ходить за дедушкой, Ваня.

— Но ведь твой дедушка уж умер, Нелли, — сказал я, выслушав ее с удивлением.

Она подумала и пристально посмотрела на меня.

— Расскажи мне, Ваня, еще раз, — сказала она, — как дедушка умер. Всё расскажи и ничего не пропускай.

Я был изумлен ее требованием, но, однако ж, принялся рассказывать во всей подробности. Я подозревал, что с нею бред или, по крайней мере, что после припадка голова ее еще не совсем свежа.

Она внимательно выслушала мой рассказ, и помню, как ее черные, сверкающие больным, лихорадочным блеском глаза пристально и неотступно следили за мной во всё продолжение рассказа. В комнате было уже темно.

— Нет, Ваня, он не умер! — сказала она решительно, всё выслушав и еще раз подумав. — Мамаша мне часто говорит о дедушке, и когда я вчера сказала ей: «Да ведь дедушка умер», она очень огорчилась, заплакала и сказала мне, что нет, что мне нарочно так сказали, а что он ходит теперь и милостыню просит, «так же как мы с тобой прежде просили, — говорила мамаша, — и всё ходит по тому месту, где мы с тобой его в первый раз встретили, когда я упала перед ним и Азорка узнал меня...»

— Это сон, Нелли, сон больной, потому что ты теперь сама больна, — сказал я ей.

— Я и сама всё думала, что это только сон, — сказала Нелли, — и не говорила никому. Только тебе одному всё рассказать хотела. Но сегодня, когда я заснула после того, как ты не пришел, то увидела во сне и самого дедушку. Он сидел у себя дома и ждал меня, и был такой страшный, худой, и сказал, что он два дня ничего не ел и Азорка тоже, и очень на меня сердился и упрекал меня. Он мне тоже сказал, что у него совсем нет нюхательного табаку, а что без этого табаку он и жить не может. Он и в самом деле, Ваня, мне прежде это один раз говорил, уж после того как мамаша умерла, когда я приходила к нему. Тогда он был совсем больной и почти ничего уж не понимал. Вот как я услышала это от него сегодня, и думаю: пойду я, стану на мосту и буду милостыню просить, напрошу и куплю ему и хлеба, и вареного картофелю, и табаку. Вот будто я стою прошу и вижу, что дедушка около ходит, помедлит немного и подойдет ко мне, и смотрит, сколько я набрала, и возьмет себе. Это, говорит, на хлеб, теперь на табак сбирай. Я сбираю, а он подойдет и отнимет у меня. Я ему и говорю, что я и без того всё отдам ему и ничего себе не спрячу. «Нет, говорит, ты у меня воруешь; мне и Бубнова говорила, что ты воровка, оттого-то я тебя к себе никогда не возьму. Куды ты еще пятак дела?» Я заплакала тому, что он мне не верит, а он меня не слушает и всё кричит: «Ты украла один пятак!» — и стал бить меня, тут же на мосту, и больно бил. И я очень плакала... Вот я и подумала теперь, Ваня, что он непременно жив и где-нибудь один ходит и ждет, чтоб я к нему пришла...

Я снова начал ее уговаривать и разуверять и наконец, кажется, разуверил. Она отвечала, что боится теперь заснуть, потому что дедушку увидит. Наконец крепко обняла меня...

— А все-таки я не могу тебя покинуть, Ваня! — сказала она мне, прижимаясь к моему лицу своим личиком. — Если б и дедушки не было, я всё с тобой не расстанусь.

В доме все были испуганы припадком Нелли. Я потихоньку пересказал доктору все ее грезы и спросил у него окончательно, как он думает о ее болезни?

— Ничего еще неизвестно, — отвечал он, соображая, — я покамест догадываюсь, размышляю, наблюдаю, но... ничего неизвестно. Вообще выздоровление невозможно. Она умрет. Я им не говорю, потому что вы так просили, но мне жаль, и я предложу завтра же консилиум. Может быть, болезнь примет после консилиума другой оборот. Но мне очень жаль эту девочку, как дочь мою... Милая, милая девочка! И с таким игривым умом!

Николай Сергеич был в особенном волнении.

— Вот что, Ваня, я придумал, — сказал он, — она очень любит цветы. Знаешь что? Устроим-ка ей завтра, как она проснется, такой же прием, с цветами, как она с этим Генрихом для своей мамаши устроила, вот что сегодня рассказывала... Она это с таким волнением рассказывала...

— То-то с волнением, — отвечал я. — Волнения-то ей теперь вредны...

— Да, но приятные волнения — другое дело! Уж поверь, голубчик, опытности моей поверь, приятные волнения ничего; приятные волнения даже излечить могут, на здоровье подействовать...

Одним словом, выдумка старика до того прельщала его самого, что он уже пришел от нее в восторг. Невозможно было и возражать ему. Я спросил совета у доктора, но прежде чем тот собрался сообразить, старик уже схватил свой картуз и побежал обделывать дело.

— Вот что, — сказал он мне, уходя, — тут неподалеку есть одна оранжерея; богатая оранжерея. Садовники распродают цветы, можно достать, и предешево!.. Удивительно даже, как дешево! Ты внуши это Анне Андреевне, а то она сейчас рассердится за расходы... Ну, так вот... Да! вот что еще, дружище: куда ты теперь? Ведь отделался, кончил работу, так чего ж тебе домой-то спешить? Ночуй у нас, наверху, в светелке: помнишь, как прежде бывало. И тюфяк твой и кровать — всё там на прежнем месте стоит и не тронуто. Заснешь, как французский король. А? останься-ка. Завтра проснемся пораньше, принесут цветы, и к восьми часам мы вместе всю комнату уберем. И Наташа поможет: у ней вкусу-то ведь больше, чем у нас с тобой... Ну, соглашаешься? Ночуешь?

Решили, что я останусь ночевать. Старик обделал дело. Доктор и Маслобоев простились и ушли. У Ихменевых ложились спать рано, в одиннадцать часов. Уходя, Маслобоев был в задумчивости и хотел мне что-то сказать, но отложил до другого раза. Когда же я, простясь со стариками, поднялся в свою светелку, то, к удивлению моему, увидел его опять. Он сидел в ожидании меня за столиком и перелистывал какую-то книгу.

— Воротился с дороги, Ваня, потому лучше уж теперь рассказать. Садись-ка. Видишь, дело-то всё такое глупое, досадно даже...

— Да что такое?

— Да подлец твой князь разозлил еще две недели тому назад; да так разозлил, что я до сих пор злюсь.

— Что, что такое? Разве ты всё еще с князем в сношениях?

— Ну, вот уж ты сейчас: «что, что такое?», точно и бог знает что случилось. Ты, брат Ваня, ни дать ни взять, моя Александра Семеновна, и вообще всё это несносное бабье... Терпеть не могу бабья!.. Ворона каркнет — сейчас и «что, что такое?»

— Да ты не сердись.

— Да я вовсе не сержусь, а на всякое дело надо смотреть обыкновенными глазами, не преувеличивая... вот что.

Он немного помолчал, как будто всё еще сердясь на меня. Я не прерывал его.

— Видишь, брат, — начал он опять, — напал я на один след... то есть в сущности вовсе не напал и не было никакого следа, а так мне показалось... то есть из некоторых соображений я было вывел, что Нелли... может быть... Ну, одним словом, князева законная дочь.

— Что ты!

— Ну, и заревел сейчас: «что ты!» То есть ровно ничего говорить нельзя с этими людьми! — вскричал он, неистово махнув рукой. — Я разве говорил тебе что-нибудь положительно, легкомысленная ты голова? Говорил я тебе, что она *доказанная законная* князева дочь? Говорил или нет?..

— Послушай, душа моя, — прервал я его в сильном волнении, — ради Бога, не кричи и объясняйся точно и ясно. Ей-богу, пойму тебя. Пойми, до какой степени это важное дело и какие последствия...

— То-то последствия, а из чего? Где доказательства? Дела не так делаются, и я тебе под секретом теперь говорю. А зачем я об этом с тобой заговорил — потом объясню. Значит, так надо было. Молчи и слушай и знай, что всё это секрет...

Видишь, как было дело. Еще зимой, еще прежде, чем Смит умер, только что князь воротился из Варшавы, и начал он это дело. То есть начато оно было и гораздо раньше, еще в прошлом году. Но тогда он одно разыскивал, а теперь начал разыскивать другое. Главное дело в том, что он нитку потерял. Тринадцать лет, как он расстался в Париже со Смитихой и бросил ее, но все эти тринадцать лет он неуклонно следил за нею, знал, что она живет с Генрихом, про которого сегодня рассказывали, знал, что у ней Нелли, знал, что сама она больна; ну, одним словом, всё знал, только вдруг и потерял нитку. А случилось это, кажется, вскоре по смерти Генриха, когда Смитиха собралась в Петербург. В Петербурге он, разумеется, скоро бы ее отыскал, под каким бы именем она ни воротилась в Россию; да дело в том, что заграничные его агенты его ложным свидетельством обманули: уверили его, что она живет в одном каком-то заброшенном городишке в южной Германии; сами они обманулись по небрежности: одну приняли за другую. Так и продолжалось год или больше. По прошествии года князь начал сомневаться: по некоторым фактам ему еще прежде стало казаться, что это не та. Теперь вопрос: куда делась настоящая Смитиха? И пришло ему в голову (так, даже безо всяких данных): не в Петербурге ли она? Покамест за границей шла одна справка, он уже здесь затеял другую, но, видно, не хотел употреблять слишком официального пути и познакомился со мной. Ему меня рекомендовали: так и так, дескать, занимается делами, любитель, — ну и так далее, и так далее...

Ну, так вот и разъяснил он мне дело; только темно, чертов сын, разъяснил, темно и двусмысленно. Ошибок было много, повторялся несколько раз, факты в различных видах в одно и то же время передавал... Ну, известно, как ни хитри, всех ниток не спрячешь. Я, разумеется, начал с подобострастия и простоты душевной, — словом, рабски предан; а по правилу, раз навсегда мною принятому, а вместе с тем и по закону природы (потому что это закон природы) сообразил, во-первых: ту ли надобность мне высказали? Во-вторых: не скрывается ли под высказанной надобностью какой-нибудь другой, недосказанной? Ибо в последнем случае, как, вероятно, и ты, милый сын, можешь понять поэтической своей головой, — он меня обкрадывал: ибо одна надобность, положим, рубль стоит, а другая вчетверо стоит; так дурак же я буду, если за рубль передам ему то, что четырех стоит. Начал я вникать и догадываться и мало-помалу стал нападать на следы; одно у него самого выпытал, другое — кой от кого из посторонних, насчет третьего своим умом дошел. Спросишь ты неравно: почему именно я так вздумал действовать? Отвечу: хоть бы по тому одному, что князь слишком уж что-то захлопотал, чего-то уж очень испугался. Потому в сущности — чего бы, кажется, пугаться? Увез от отца любовницу, она забеременела, а он ее бросил. Ну, что тут удивительного? Милая, приятная шалость и больше ничего. Не такому человеку, как князь, этого бояться! Ну, а он боялся... Вот мне и сомнительно стало. Я, брат, на некоторые прелюбопытные следы напал, между прочим через Генриха. Он, конечно, умер; но от одной из кузин его (теперь за одним булочником здесь, в Петербурге), страстно влюбленной в него прежде и продолжавшей любить его лет пятнадцать сряду, несмотря на толстого фатера-булочника, с которым невзначай прижила восьмерых детей, — от этой-то кузины, говорю, я и успел, через посредство разных многосложных маневров, узнать важную вещь: Генрих писал ей по-немецкому обыкновению письма и дневники, а перед смертью прислал ей кой-какие свои бумаги. Она, дура, важного-то в этих письмах не понимала, а понимала в них только те места, где говорится о луне, о мейн либер Августине и о Виланде еще, кажется. Но я-то сведения нужные получил, и через эти письма на новый след напал. Узнал я, например, о господине Смите, о капитале, у него похищенном дочкой, о князе, забравшем в свои руки капитал; наконец, среди разных восклицаний, обиняков и аллегорий проглянула мне в письмах и настоящая суть: то есть, Ваня, понимаешь! Ничего положительного. Дурачина Генрих нарочно об этом скрывал и только намекал, ну, а из этих намеков, из всего-то вместе взятого, стала выходить для меня небесная гармония: князь ведь был на Смитихе-то женат! Где женился, как, когда именно, за границей или здесь, где документы? — ничего неизвестно. То есть, брат Ваня, я волосы рвал с досады и отыскивал-отыскивал, то есть дни и ночи разыскивал!

Разыскал я наконец и Смита, а он вдруг и умри. Я даже на него живого-то и не успел посмотреть. Тут, по одному случаю, узнаю я вдруг, что умерла одна подозрительная для меня женщина на Васильевском острове, справляюсь — и нападаю на след. Стремлюсь на Васильевский, и, помнишь, мы тогда встретились. Много я тогда почерпнул. Одним словом, помогла мне тут во многом и Нелли...

— Послушай, — прервал я его, — неужели ты думаешь, что Нелли знает...

— Что?

— Что она дочь князя?

— Да ведь ты сам знаешь, что она дочь князя, — отвечал он, глядя на меня с какою-то злобною укоризною, — ну, к чему такие праздные вопросы делать, пустой ты человек? Главное не в этом, а в том, что она знает, что она не просто дочь князя, а *законная* дочь князя, — понимаешь ты это?

— Быть не может! — вскричал я.

— Я и сам говорил себе «быть не может» сначала, даже и теперь иногда говорю себе «быть не может»! Но в том-то и дело, что это *быть может* и, по всей вероятности, *есть.*

— Нет, Маслобоев, это не так, ты увлекся, — вскричал я. — Она не только не знает этого, но она и в самом деле незаконная дочь. Неужели мать, имея хоть какие-нибудь документы в руках, могла выносить такую злую долю, как здесь в Петербурге, и, кроме того, оставить свое дитя на такое сиротство? Полно! Этого быть не может.

— Я и сам это думал, то есть это даже до сих пор стоит передо мной недоумением. Но опять-таки дело в том, что ведь Смитиха была сама по себе безумнейшая и сумасброднейшая женщина в мире. Необыкновенная она женщина была; ты сообрази только все обстоятельства: ведь это романтизм, — всё это надзвездные глупости в самом диком и сумасшедшем размере. Возьми одно: с самого начала она мечтала только о чем-то вроде неба на земле и об ангелах, влюбилась беззаветно, поверила безгранично и, я уверен, с ума сошла потом не оттого, что он ее разлюбил и бросил, а оттого, что в нем она обманулась, что он *способен был* ее обмануть и бросить; оттого, что ее ангел превратился в грязь, оплевал и унизил ее. Ее романтическая и безумная душа не вынесла этого превращения. А сверх того и обида: понимаешь, какая обида! В ужасе и, главное, в гордости она отшатнулась от него с безграничным презрением. Она разорвала все связи, все документы; плюнула на деньги, даже забыла, что они не ее, а отцовы, и отказалась от них, как от грязи, как от пыли, чтоб подавить своего обманщика душевным величием, чтоб считать его своим вором и иметь право всю жизнь презирать его, и тут же, вероятно, сказала, что бесчестием себе почитает называться и женой его. У нас развода нет, но de facto[1] они развелись, и ей ли было после умолять его о помощи! Вспомни, что она, сумасшедшая, говорила Нелли уже на смертном одре: не ходи к ним, работай, погибни, но не ходи к ним, кто бы *ни звал тебя* (то есть она и тут мечтала еще, что ее позовут, а следовательно, будет случай отмстить еще раз, подавить презрением *зовущего*, — одним словом, кормила себя вместо хлеба злобной мечтой). Много, брат, я выпытал и у Нелли; даже и теперь иногда выпытываю. Конечно, мать ее была больна, в чахотке; эта болезнь особенно развивает озлобление и всякого рода раздражения; но, однако ж, я наверно знаю, через одну куму у Бубновой, что она писала к князю, да, к князю, к самому князю...

— Писала! И дошло письмо? — вскричал я с нетерпением.

— Вот то-то и есть, не знаю, дошло ли оно. Раз Смитиха сошлась с этой кумой (помнишь, у Бубновой девка-то набеленная? — теперь она в смирительном доме), ну и посылала с ней это письмо и написала уж его, да и не отдала, назад взяла; это было за три недели до ее смерти... Факт значительный: если раз уж решалась послать, так всё равно, хоть и взяла обратно: могла другой раз послать. Итак, посылала ли она письмо или не посылала — не знаю; но есть одно основание предположить, что не посылала, потому что князь узнал *наверно*, что она в Петербурге и где именно, кажется, уже после смерти ее. То-то, должно быть, обрадовался!

— Да, я помню, Алеша говорил о каком-то письме, которое его очень обрадовало, но это было очень недавно, всего каких-нибудь два месяца. Ну, что ж дальше, дальше, как же ты-то с князем?

— Да что я-то с князем? Пойми: полнейшая нравственная уверенность и ни одного положительного доказательства, — *ни одного*, как я ни бился. Положение критическое! Надо было за границей справки делать, а где за границей? — неизвестно. Я, разумеется, понял, что предстоит мне бой, что я только могу его испугать намеками, прикинуться, что знаю больше, чем в самом деле знаю...

— Ну, и что ж?

— Не дался в обман, а, впрочем, струсил, до того струсил, что трусит и теперь. У нас было несколько сходок; каким он Лазарем было прикинулся! Раз, по дружбе, сам мне всё принялся рассказывать. Это когда думал, что я *всё* знаю. Хорошо рассказывал, с чувством, откровенно — разумеется, бессовестно лгал. Вот тут я и измерил, до какой степени он меня боялся. Прикидывался я перед ним одно время ужаснейшим простофилей, а наружу показывал, что хитрю. Неловко его запугивал, то есть нарочно неловко; грубостей ему нарочно наделал, грозить ему было начал, — ну, всё для того, чтоб он меня за простофилю принял и как-нибудь да проговорился. Догадался, подлец! Другой раз я пьяным прикинулся, тоже толку не вышло: хитер! Ты, брат, можешь ли это понять, Ваня, мне всё надо было узнать, в какой степени он меня опасается, и второе: представить ему, что я больше знаю, чем знаю в самом деле...

— Ну, что ж наконец-то?

— Да ничего не вышло. Надо было доказательств, фактов, а их у меня не было. Одно только он понял, что я все-таки могу сделать скандал. Конечно, он только скандала одного и боялся, тем более что здесь связи начал заводить. Ведь ты знаешь, что он женится?

— Нет...

— В будущем году! Невесту он себе еще в прошлом году приглядел; ей было тогда всего четырнадцать лет, теперь ей уж пятнадцать, кажется, еще в фартучке ходит, бедняжка. Родители рады! Понимаешь, как ему надо было, чтоб жена умерла? Генеральская дочка, денежная девочка — много денег! Мы, брат Ваня, с тобой никогда так не женимся... Только чего я себе во всю жизнь не прощу, — вскричал Маслобоев, крепко стукнув кулаком по столу, — это — что он оплел меня, две недели назад... подлец!

— Как так?

— Да так. Я вижу, он понял, что у меня нет ничего *положительного*, и, наконец, чувствую про себя, что чем больше дело тянуть, тем скорее, значит, поймет он мое бессилие. Ну, и согласился принять от него две тысячи.

— Ты взял две тысячи!..

— Серебром, Ваня; скрепя сердце взял. Ну, двух ли тысяч такое дело могло стоить! С унижением взял. Стою перед ним, как оплеванный; он говорит: я вам, Маслобоев, за ваши прежние труды еще не заплатил (а за прежние он давно заплатил сто пятьдесят рублей, по условию), ну, так вот я еду; тут две тысячи, и потому, надеюсь, *всё наше* дело совершенно теперь кончено. Ну, я и отвечал ему: «Совершенно кончено, князь», а сам и взглянуть в его рожу не смею; думаю: так и написано теперь на ней: «Что, много взял? Так только, из благодушия одного дураку даю!» Не помню, как от него и вышел!

— Да ведь это подло, Маслобоев! — вскричал я, — что ж ты сделал с Нелли?

— Это не просто подло, это каторжно, это пакостно... Это... это... да тут и слов нет, чтобы выразить!

— Боже мой! Да ведь он по крайней мере должен бы хоть обеспечить Нелли!

— То-то должен. А чем принудить? Запугать? Небось не испугается; ведь я деньги взял. Сам, сам перед ним признался, что всего страху-то у меня на две тысячи рублей серебром, сам себя оценил в эту сумму! Чем его теперь напугаешь?

— И неужели, неужели дело Нелли так и пропало? — вскричал я почти в отчаянии.

— Ни за что! — вскричал с жаром Маслобоев и даже как-то весь встрепенулся. — Нет, я ему этого не спущу! Я опять начну новое дело, Ваня: я уж решился! Что ж, что я взял две тысячи? Наплевать. Я, выходит, за обиду взял, потому что он, бездельник, меня надул, стало быть, насмеялся надо мною. Надул, да еще насмеялся! Нет, я не позволю над собой смеяться... Теперь я, Ваня, уж с самой Нелли начну. По некоторым наблюдениям, я вполне уверен, что в ней заключается вся развязка этого дела. Она *всё* знает, *всё*... Ей сама мать рассказала. В горячке, в тоске могла рассказать. Некому было жаловаться, подвернулась Нелли, она ей и рассказала. А может быть, и на документики какие-нибудь нападем, — прибавил он в сладком восторге, потирая руки. — Понимаешь теперь, Ваня, зачем я сюда шляюсь? Во-первых, из дружбы к тебе, это само собою; но главное — наблюдаю Нелли, а в-третьих, друг Ваня, хочешь не хочешь, а ты должен мне помогать, потому что ты имеешь влияние на Нелли!..

— Непременно, клянусь тебе, — вскричал я, — и надеюсь, Маслобоев, что ты, главное, для Нелли будешь стараться — для бедной, обиженной сироты, а не для одной только собственной выгоды...

— Да тебе-то какое дело, для чьей выгоды я буду стараться, блаженный ты человек? Только бы сделать — вот что главное! Конечно, главное для сиротки, это и человеколюбие велит. Но ты, Ванюша, не осуждай меня безвозвратно, если я и о себе позабочусь. Я человек бедный, а он бедных людей не смей обижать. Он у меня мое отнимает, да еще и надул, подлец, вдобавок. Так я, по-твоему, такому мошеннику должен в зубы смотреть? Морген-фри!

Но цветочный праздник наш на другой день не удался. Нелли сделалось хуже, и она уже не могла выйти из комнаты.

И уж никогда больше она не выходила из этой комнаты.

Она умерла две недели спустя. В эти две недели своей агонии она уже ни разу не могла совершенно прийти в себя и избавиться от своих странных фантазий. Рассудок ее как будто помутился. Она твердо была уверена, до самой смерти своей, что дедушка зовет ее к себе и сердится на нее, что она не приходит, стучит на нее палкою и велит ей идти просить у добрых людей на хлеб и на табак. Часто она начинала плакать во сне и, просыпаясь, рассказывала, что видела мамашу.

Иногда только рассудок как будто возвращался к ней вполне. Однажды мы оставались одни: она потянулась ко мне и схватила мою руку своей худенькой, воспаленной от горячечного жару ручкой.

— Ваня, — сказала она мне, — когда я умру, женись на Наташе!

Это, кажется, была постоянная и давнишняя ее идея. Я молча улыбнулся ей. Увидя мою улыбку, она улыбнулась сама, с шаловливым видом погрозила мне своим худеньким пальчиком и тотчас же начала меня целовать.

За три дня до своей смерти, в прелестный летний вечер, она попросила, чтоб подняли штору и отворили окно в ее спальне. Окно выходило в садик; она долго смотрела на густую зелень, на заходящее солнце и вдруг попросила, чтоб нас оставили одних.

— Ваня, — сказала она едва слышным голосом, потому что была уже очень слаба, — я скоро умру. Очень скоро, и хочу тебе сказать, чтоб ты меня помнил. На память я тебе оставлю вот это (и она показала мне большую ладонку, которая висела у ней на груди вместе с крестом). Это мне мамаша оставила, умирая. Так вот, когда я умру, ты и сними эту ладонку, возьми себе и прочти, что в ней есть. Я и всем им сегодня скажу, чтоб они одному тебе отдали эту ладонку. И когда ты прочтешь, что в ней написано, то поди к *нему* и скажи, что я умерла, а *его* не простила. Скажи ему тоже, что я Евангелие недавно читала. Там сказано: прощайте всем врагам своим. Ну, так я это читала, а *его* все-таки не простила, потому что когда мамаша умирала и еще могла говорить, то последнее, что она сказала, было: «*Проклинаю его*», ну так и я *его* проклинаю, не за себя, а за мамашу проклинаю... Расскажи же ему, как умирала мамаша, как я осталась одна у Бубновой; расскажи, как ты видел меня у Бубновой, всё, всё расскажи и скажи тут же, что я лучше хотела быть у Бубновой, а к нему не пошла...

Говоря это, Нелли побледнела, глаза ее сверкали и сердце начало стучать так сильно, что она опустилась на подушки и минуты две не могла проговорить слова.

— Позови их, Ваня, — сказала она наконец слабым голосом, — я хочу с ними со всеми проститься. Прощай, Ваня!..

Она крепко-крепко обняла меня в последний раз. Вошли все наши. Старик не мог понять, что она умирает; допустить этой мысли не мог. Он до последнего времени спорил со всеми нами и уверял, что она выздоровеет непременно. Он весь высох от заботы, он просиживал у кровати Нелли по целым дням и даже ночам... Последние ночи он буквально не спал. Он старался предупредить малейшую прихоть, малейшее желание Нелли и, выходя от нее к нам, горько плакал, но через минуту опять начинал надеяться и уверять нас, что она выздоровеет. Он заставил цветами всю ее комнату. Один раз купил он целый букет прелестнейших роз, белых и красных, куда-то далеко ходил за ними и принес своей Нелличке... Всем этим он очень волновал ее. Она не могла не отзываться всем сердцем своим на такую всеобщую любовь. В этот вечер, в вечер прощанья ее с нами, старик никак не хотел прощаться с ней навсегда. Нелли улыбнулась ему и весь вечер старалась казаться веселою, шутила с ним, даже смеялась... Мы все вышли от нее почти в надежде, но на другой день она уже не могла говорить. Через два дня она умерла.

Помню, как старик убирал ее гробик цветами и с отчаянием смотрел на ее исхудалое мертвое личико, на ее мертвую улыбку, на руки ее, сложенные крестом на груди. Он плакал над ней, как над своим родным ребенком. Наташа, я, мы все утешали его, но он был неутешен и серьезно заболел после похорон Нелли.

Анна Андреевна сама отдала мне ладонку, которую сняла с ее груди. В этой ладонке было письмо матери Нелли к князю. Я прочитал его в день смерти Нелли. Она обращалась к князю с проклятием, говорила, что не может простить ему, описывала всю последнюю жизнь свою, все ужасы, на которые оставляет Нелли, и умоляла его сделать хоть что-нибудь для ребенка. «Он ваш, — писала она, — это дочь *ваша*, и *вы сами знаете*, что она *ваша, настоящая дочь*. Я велела ей идти к вам, когда я умру, и отдать вам в руки это письмо. Если вы не отвергнете Нелли, то, может быть, *там* я прощу вас, и в день Суда сама стану перед престолом Божиим и буду умолять Судию простить вам грехи ваши. Нелли знает содержание письма моего; я читала его ей; я разъяснила ей *всё*, она знает всё, *всё*...»

Но Нелли не исполнила завещания: она знала всё, но не пошла к князю и умерла непримиренная.

Когда мы воротились с похорон Нелли, мы с Наташей пошли в сад. День был жаркий, сияющий светом. Через неделю они уезжали. Наташа взглянула на меня долгим, странным взглядом.

— Ваня, — сказала она, — Ваня, ведь это был сон!

— Что было сон? — спросил я.

— Всё, всё, — отвечала она, — всё, за весь этот год. Ваня, зачем я разрушила твое счастье?

И в глазах ее я прочел:

«Мы бы могли быть навеки счастливы вместе!»

ИГРОК

БЛОК

ГЛАВА 1

Наконец я возвратился из моей двухнедельной отлучки. Наши уже три дня как были в Рулетенбурге. Я думал, что они и бог знает как ждут меня, однако ж ошибся. Генерал смотрел чрезвычайно независимо, поговорил со мной свысока и отослал меня к сестре. Было ясно, что они где-нибудь перехватили денег. Мне показалось даже, что генералу несколько совестно глядеть на меня. Марья Филипповна была в чрезвычайных хлопотах и поговорила со мною слегка; деньги, однако ж, приняла, сосчитала и выслушала весь мой рапорт. К обеду ждали Мезенцова, французика и еще какого-то англичанина: как водится, деньги есть, так тотчас и званый обед, по-московски. Полина Александровна, увидев меня, спросила, что я так долго? и, не дождавшись ответа, ушла куда-то. Разумеется, она сделала это нарочно. Нам, однако ж, надо объясниться. Много накопилось.

Мне отвели маленькую комнатку, в четвертом этаже отеля. Здесь известно, что я принадлежу *к свите генерала*. По всему видно, что они успели-таки дать себя знать. Генерала считают здесь все богатейшим русским вельможей. Еще до обеда он успел, между другими поручениями, дать мне два тысячефранковых билета разменять. Я разменял их в конторе отеля. Теперь на нас будут смотреть, как на миллионеров, по крайней мере целую неделю. Я хотел было взять Мишу и Надю и пойти с ними гулять, но с лестницы меня позвали к генералу; ему заблагорассудилось осведомиться, куда я их поведу. Этот человек решительно не может смотреть мне прямо в глаза; он бы и очень хотел, но я каждый раз отвечаю ему таким пристальным, то есть непочтительным взглядом, что он как будто конфузится. В весьма напыщенной речи, насаживая одну фразу на другую и наконец совсем запутавшись, он дал мне понять, чтоб я гулял с детьми где-нибудь, подальше от воксала, в парке. Наконец он рассердился совсем и круто прибавил:

— А то вы, пожалуй, их в воксал, на рулетку, поведете. Вы меня извините, — прибавил он, — но я знаю, вы еще довольно легкомысленны и способны, пожалуй, играть. Во всяком случае, хоть я и не ментор ваш, да и роли такой на себя брать не желаю, но по крайней мере имею право пожелать, чтобы вы, так сказать, меня-то не окомпрометировали...

— Да ведь у меня и денег нет, — отвечал я спокойно; — чтобы проиграться, нужно их иметь.

— Вы их немедленно получите, — ответил генерал, покраснев немного, порылся у себя в бюро, справился в книжке, и оказалось, что за ним моих денег около ста двадцати рублей.

— Как же мы сосчитаемся, — заговорил он, — надо переводить на талеры. Да вот возьмите сто талеров, круглым счетом, — остальное, конечно, не пропадет.

Я молча взял деньги.

— Вы, пожалуйста, не обижайтесь моими словами, вы так обидчивы... Если я вам заметил, то я, так сказать, вас предостерег и уж, конечно, имею на то некоторое право...

Возвращаясь пред обедом с детьми домой, я встретил целую кавалькаду. Наши ездили осматривать какие-то развалины. Две превосходные коляски, великолепные лошади! Mademoiselle Blanche в одной коляске с Марьей Филипповной и Полиной; француз, англичанин и наш генерал верхами. Прохожие останавливались и смотрели; эффект был произведен; только генералу несдобровать. Я рассчитал, что с четырьмя тысячами франков, которые я привез, да прибавив сюда то, что они, очевидно, успели перехватить, у них теперь есть семь или восемь тысяч франков; этого слишком мало для mademoiselle Blanche.

Mademoiselle Blanche стоит тоже в нашем отеле, вместе с матерью; где-то тут же и наш француз. Лакеи называют его «monsieur le comte»[1], мать mademoiselle Blanche называется «madame la comtesse»;[2] что ж, может быть, и в самом деле они comte et comtesse.

Я так и знал, что monsieur le comte меня не узнает, когда мы соединимся за обедом. Генерал, конечно, и не подумал бы нас знакомить или хоть меня ему отрекомендовать; а monsieur le comte сам бывал в России и знает, как невелика птица — то, что они называют *outchitel*. Он, впрочем, меня очень хорошо знает. Но, признаться, я и к обеду-то явился непрошеным; кажется, генерал позабыл распорядиться, а то бы, наверно, послал меня обедать за table d'hôt'ом[3]. Я явился сам, так что генерал посмотрел на меня с неудовольствием. Добрая Марья Филипповна тотчас же указала мне место; но встреча с мистером Астлеем меня выручила, и я поневоле оказался принадлежащим к их обществу.

Этого странного англичанина я встретил сначала в Пруссии, в вагоне, где мы сидели друг против друга, когда я догонял наших; потом я столкнулся с ним, въезжая во Францию, наконец — в Швейцарии; в течение этих двух недель — два раза, и вот теперь я вдруг встретил его уже в Рулетенбурге. Я никогда в жизни не встречал человека более застенчивого; он застенчив до глупости и сам, конечно, знает об этом, потому что он вовсе не глуп. Впрочем, он очень милый и тихий. Я заставил его разговориться при первой встрече в Пруссии. Он объявил мне, что был нынешним летом на Норд-Капе и что весьма хотелось ему быть на Нижегородской ярмарке. Не знаю, как он познакомился с генералом; мне кажется, что он беспредельно влюблен в Полину. Когда она вошла, он вспыхнул, как зарево. Он был очень рад, что за столом я сел с ним рядом, и, кажется, уже считает меня своим закадычным другом.

За столом француз тонировал необыкновенно; он со всеми небрежен и важен. А в Москве, я помню, пускал мыльные пузыри. Он ужасно много говорил о финансах и о русской политике. Генерал иногда осмеливался противоре-

---

[1] господин граф (*франц.*).
[2] госпожа графиня (*франц.*).
[3] табльдот — общий стол (*франц.*).

чить, но скромно, единственно настолько, чтобы не уронить окончательно своей важности.

Я был в странном настроении духа; разумеется, я еще до половины обеда успел задать себе мой обыкновенный и всегдашний вопрос: зачем я валандаюсь с этим генералом и давным-давно не отхожу от них? Изредка я взглядывал на Полину Александровну; она совершенно не примечала меня. Кончилось тем, что я разозлился и решился грубить.

Началось тем, что я вдруг, ни с того ни с сего, громко и без спросу ввязался в чужой разговор. Мне, главное, хотелось поругаться с французиком. Я оборотился к генералу и вдруг совершенно громко и отчетливо, и, кажется, перебив его, заметил, что нынешним летом русским почти совсем нельзя обедать в отелях за табльдотами. Генерал устремил на меня удивленный взгляд.

— Если вы человек себя уважающий, — пустился я далее, — то непременно напроситесь на ругательства и должны выносить чрезвычайные щелчки. В Париже и на Рейне, даже в Швейцарии, за табльдотами так много полячишек и им сочувствующих французиков, что нет возможности вымолвить сло́ва, если вы только русский.

Я проговорил это по-французски. Генерал смотрел на меня в недоумении, не зная, рассердиться ли ему или только удивиться, что я так забылся.

— Значит, вас кто-нибудь и где-нибудь проучил, — сказал французик небрежно и презрительно.

— Я в Париже сначала поругался с одним поляком, — ответил я, — потом с одним французским офицером, который поляка поддерживал. А затем уж часть французов перешла на мою сторону, когда я им рассказал, как я хотел плюнуть в кофе монсиньора.

— Плюнуть? — спросил генерал с важным недоумением и даже осматриваясь. Французик оглядывал меня недоверчиво.

— Точно так-с, — отвечал я. — Так как я целых два дня был убежден, что придется, может быть, отправиться по нашему делу на минутку в Рим, то и пошел в канцелярию посольства святейшего отца в Париже, чтоб визировать паспорт. Там меня встретил аббатик, лет пятидесяти, сухой и с морозом в физиономии, и, выслушав меня вежливо, но чрезвычайно сухо, просил подождать. Я хоть и спешил, но, конечно, сел ждать, вынул «Opinion nationale»[1] и стал читать страшнейшее ругательство против России. Между тем я слышал, как чрез соседнюю комнату кто-то прошел к монсиньору; я видел, как мой аббат раскланивался. Я обратился к нему с прежнею просьбою; он еще суше попросил меня опять подождать. Немного спустя вошел кто-то еще незнакомый, но за делом, — какой-то австриец, его выслушали и тотчас же проводили наверх. Тогда мне стало очень досадно; я встал, подошел к аббату и сказал ему решительно, что так как монсиньор принимает, то может кончить и со мною. Вдруг аббат отшатнулся от меня с необычайным удивлением. Ему просто непонятно стало, каким это образом смеет ничтожный русский равнять себя с гостями монсиньора? Самым нахальным тоном, как бы радуясь, что может меня оскорбить, обмерил он меня с ног до головы и вскричал: «Так неужели ж вы думаете, что монсиньор бросит для вас свой кофе?» Тогда и я закричал, но еще сильнее его:

---

[1] «Народное мнение» (*франц.*).

«Так знайте ж, что мне наплевать на кофе вашего монсиньора! Если вы сию же минуту не кончите с моим паспортом, то я пойду к нему самому».

«Как! в то же время, когда у него сидит кардинал!» — закричал аббатик, с ужасом от меня отстраняясь, бросился к дверям и расставил крестом руки, показывая вид, что скорее умрет, чем меня пропустит.

Тогда я ответил ему, что я еретик и варвар, «que je suis hérétique et barbare», и что мне все эти архиепископы, кардиналы, монсиньоры и проч., и проч. — всё равно. Одним словом, я показал вид, что не отстану. Аббат поглядел на меня с бесконечною злобою, потом вырвал мой паспорт и унес его наверх. Чрез минуту он был уже визирован. Вот-с, не угодно ли посмотреть? — Я вынул паспорт и показал римскую визу.

— Вы это, однако же, — начал было генерал...

— Вас спасло, что вы объявили себя варваром и еретиком, — заметил, усмехаясь, французик. — «Cela n'était pas si bête»[1].

— Так неужели смотреть на наших русских? Они сидят здесь — пикнуть не смеют и готовы, пожалуй, отречься от того, что они русские. По крайней мере в Париже в моем отеле со мною стали обращаться гораздо внимательнее, когда я всем рассказал о моей драке с аббатом. Толстый польский пан, самый враждебный ко мне человек за табльдотом, стушевался на второй план. Французы даже перенесли, когда я рассказал, что года два тому назад видел человека, в которого французский егерь в двенадцатом году выстрелил — единственно только для того, чтоб разрядить ружье. Этот человек был тогда еще десятилетним ребенком, и семейство его не успело выехать из Москвы.

— Этого быть не может, — вскипел французик, — французский солдат не станет стрелять в ребенка!

— Между тем это было, — отвечал я. — Это мне рассказал почтенный отставной капитан, и я сам видел шрам на его щеке от пули.

Француз начал говорить много и скоро. Генерал стал было его поддерживать, но я рекомендовал ему прочесть хоть, например, отрывки из «Записок» генерала Перовского, бывшего в двенадцатом году в плену у французов. Наконец, Марья Филипповна о чем-то заговорила, чтоб перебить разговор. Генерал был очень недоволен мною, потому что мы с французом уже почти начали кричать. Но мистеру Астлею мой спор с французом, кажется, очень понравился; вставая из-за стола, он предложил мне выпить с ним рюмку вина. Вечером, как и следовало, мне удалось с четверть часа поговорить с Полиной Александровной. Разговор наш состоялся на прогулке. Все пошли в парк к воксалу. Полина села на скамейку против фонтана, а Наденьку пустила играть недалеко от себя с детьми. Я тоже отпустил к фонтану Мишу, и мы остались наконец одни.

Сначала начали, разумеется, о делах. Полина просто рассердилась, когда я передал ей всего только семьсот гульденов. Она была уверена, что я ей привезу из Парижа, под залог ее бриллиантов, по крайней мере две тысячи гульденов или даже более.

— Мне во что бы ни стало нужны деньги, — сказала она, — и их надо добыть; иначе я просто погибла.

Я стал расспрашивать о том, что сделалось в мое отсутствие.

---

[1] Это было не так глупо (*франц.*).

— Больше ничего, что получены из Петербурга два известия: сначала, что бабушке очень плохо, а через два дня, что, кажется, она уже умерла. Это известие от Тимофея Петровича, — прибавила Полина, — а он человек точный. Ждем последнего, окончательного известия.

— Итак, здесь все в ожидании? — спросил я.

— Конечно: все и всё; целые полгода на одно это только и надеялись.

— И вы надеетесь? — спросил я.

— Ведь я ей вовсе не родня, я только генералова падчерица. Но я знаю наверно, что она обо мне вспомнит в завещании.

— Мне кажется, вам очень много достанется, — сказал я утвердительно.

— Да, она меня любила; но почему *вам* это кажется?

— Скажите, — отвечал я вопросом, — наш маркиз, кажется, тоже посвящен во все семейные тайны?

— А вы сами к чему об этом интересуетесь? — спросила Полина, поглядев на меня сурово и сухо.

— Еще бы; если не ошибаюсь, генерал успел уже занять у него денег.

— Вы очень верно угадываете.

— Ну, так дал ли бы он денег, если бы не знал про бабуленьку? Заметили ли вы, за столом: он раза три, что-то говоря о бабушке, назвал ее бабуленькой: «*la baboulinka*». Какие короткие и какие дружественные отношения!

— Да, вы правы. Как только он узнает, что и мне что-нибудь по завещанию досталось, то тотчас же ко мне и посватается. Это, что ли, вам хотелось узнать?

— Еще только посватается? Я думал, что он давно сватается.

— Вы отлично хорошо знаете, что нет! — с сердцем сказала Полина. — Где вы встретили этого англичанина? — прибавила она после минутного молчания.

— Я так и знал, что вы о нем сейчас спросите.

Я рассказал ей о прежних моих встречах с мистером Астлеем по дороге.

— Он застенчив и влюбчив и уж, конечно, влюблен в вас?

— Да, он влюблен в меня, — отвечала Полина.

— И уж, конечно, он в десять раз богаче француза. Что, у француза действительно есть что-нибудь? Не подвержено это сомнению?

— Не подвержено. У него есть какой-то château[1]. Мне еще вчера генерал говорил об этом решительно. Ну что, довольно с вас?

— Я бы, на вашем месте, непременно вышла замуж за англичанина.

— Почему? — спросила Полина.

— Француз красивее, но он подлее; а англичанин, сверх того, что честен, еще в десять раз богаче, — отрезал я.

— Да; но зато француз — маркиз и умнее, — ответила она наиспокойнейшим образом.

— Да верно ли? — продолжал я по-прежнему.

— Совершенно так.

Полине ужасно не нравились мои вопросы, и я видел, что ей хотелось разозлить меня тоном и дикостию своего ответа; я об этом ей тотчас же сказал.

— Что ж, меня действительно развлекает, как вы беситесь. Уж за одно то, что я позволяю вам делать такие вопросы и догадки, следует вам расплатиться.

---

[1] за́мок (*франц.*).

— Я действительно считаю себя вправе делать вам всякие вопросы, — отвечал я спокойно, — именно потому, что готов как угодно за них расплатиться, и свою жизнь считаю теперь ни во что.

Полина захохотала:

— Вы мне в последний раз, на Шлангенберге, сказали, что готовы по первому моему слову броситься вниз головою, а там, кажется, до тысячи футов. Я когда-нибудь произнесу это слово единственно затем, чтоб посмотреть, как вы будете расплачиваться, и уж будьте уверены, что выдержу характер. Вы мне ненавистны, — именно тем, что я так много вам позволила, и еще ненавистнее тем, что так мне нужны. Но покамест вы мне нужны — мне надо вас беречь.

Она стала вставать. Она говорила с раздражением. В последнее время она всегда кончала со мною разговор со злобою и раздражением, с настоящею злобою.

— Позвольте вас спросить, что такое mademoiselle Blanche? — спросил я, не желая отпустить ее без объяснения.

— Вы сами знаете, что такое mademoiselle Blanche. Больше ничего с тех пор не прибавилось. Mademoiselle Blanche, наверно, будет генеральшей, — разумеется, если слух о кончине бабушки подтвердится, потому что и mademoiselle Blanche, и ее матушка, и троюродный cousin маркиз — все очень хорошо знают, что мы разорились.

— А генерал влюблен окончательно?

— Теперь не в этом дело. Слушайте и запомните: возьмите эти семьсот флоринов и ступайте играть, выиграйте мне на рулетке сколько можете больше; мне деньги во что бы ни стало теперь нужны.

Сказав это, она кликнула Наденьку и пошла к воксалу, где и присоединилась ко всей нашей компании. Я же свернул на первую попавшуюся дорожку влево, обдумывая и удивляясь. Меня точно в голову ударило после приказания идти на рулетку. Странное дело: мне было о чем раздуматься, а между тем я весь погрузился в анализ ощущений моих чувств к Полине. Право, мне было легче в эти две недели отсутствия, чем теперь, в день возвращения, хотя я, в дороге, и тосковал как сумасшедший, метался как угорелый, и даже во сне поминутно видел ее пред собою. Раз (это было в Швейцарии), заснув в вагоне, я, кажется, заговорил вслух с Полиной, чем рассмешил всех сидевших со мной проезжих. И еще раз теперь я задал себе вопрос: люблю ли я ее? И еще раз не сумел на него ответить, то есть, лучше сказать, я опять, в сотый раз, ответил себе, что я ее ненавижу. Да, она была мне ненавистна. Бывали минуты (а именно каждый раз при конце наших разговоров), что я отдал бы полжизни, чтоб задушить ее! Клянусь, если б возможно было медленно погрузить в ее грудь острый нож, то я, мне кажется, схватился бы за него с наслаждением. А между тем, клянусь всем, что есть святого, если бы на Шлангенберге, на модном пуанте, она действительно сказала мне: «бросьтесь вниз», то я бы тотчас же бросился, и даже с наслаждением. Я знал это. Так или эдак, но это должно было разрешиться. Всё это она удивительно понимает, и мысль о том, что я вполне верно и отчетливо сознаю всю ее недоступность для меня, всю невозможность исполнения моих фантазий, — эта мысль, я уверен, доставляет ей чрезвычайное наслаждение; иначе могла ли бы она, осторожная и умная, быть со мною в таких короткостях и откровенностях? Мне кажется, она до сих пор смотрела на меня как та древняя императрица, которая стала раздеваться при своем невольнике, считая его не за человека. Да, она много раз считала меня не за человека...

Однако ж у меня было ее поручение — выиграть на рулетке во что бы ни стало. Мне некогда было раздумывать: для чего и как скоро надо выиграть и какие новые соображения родились в этой вечно рассчитывающей голове? К тому же в эти две недели, очевидно, прибавилась бездна новых фактов, об которых я еще не имел понятия. Всё это надо было угадать, во всё проникнуть, и как можно скорее. Но покамест теперь было некогда: надо было отправляться на рулетку.

ГЛАВА II

Признаюсь, мне это было неприятно; я хоть и решил, что буду играть, но вовсе не располагал начинать для других. Это даже сбивало меня несколько с толку, и в игорные залы я вошел с предосадным чувством. Мне там, с первого взгляда, всё не понравилось. Терпеть я не могу этой лакейщины в фельетонах целого света и преимущественно в наших русских газетах, где почти каждую весну наши фельетонисты рассказывают о двух вещах: во-первых, о необыкновенном великолепии и роскоши игорных зал в рулеточных городах на Рейне, а во-вторых, о грудах золота, которые будто бы лежат на столах. Ведь не платят же им за это; это так просто рассказывается из бескорыстной угодливости. Никакого великолепия нет в этих дрянных залах, а золота не только нет грудами на столах, но и чуть-чуть-то едва ли бывает. Конечно, кой-когда, в продолжение сезона, появится вдруг какой-нибудь чудак, или англичанин, или азиат какой-нибудь, турок, как нынешним летом, и вдруг проиграет или выиграет очень много; остальные же все играют на мелкие гульдены, и средним числом на столе всегда лежит очень мало денег. Как только я вошел в игорную залу (в первый раз в жизни), я некоторое время еще не решался играть. К тому же теснила толпа. Но если б я был и один, то и тогда бы, я думаю, скорее ушел, а не начал играть. Признаюсь, у меня стукало сердце, и я был не хладнокровен; я наверное знал и давно уже решил, что из Рулетенбурга так не выеду; что-нибудь непременно произойдет в моей судьбе радикальное и окончательное. Так надо, и так будет. Как это ни смешно, что я так много жду для себя от рулетки, но мне кажется, еще смешнее рутинное мнение, всеми признанное, что глупо и нелепо ожидать чего-нибудь от игры. И почему игра хуже какого бы то ни было способа добывания денег, например, хоть торговли? Оно правда, что выигрывает из сотни один. Но — какое мне до того дело?

Во всяком случае, я определил сначала присмотреться и не начинать ничего серьезного в этот вечер. В этот вечер, если б что и случилось, то случилось бы нечаянно и слегка, — и я так и положил. К тому же надо было и самую игру изучить; потому что, несмотря на тысячи описаний рулетки, которые я читал всегда с такою жадностию, я решительно ничего не понимал в ее устройстве до тех пор, пока сам не увидел.

Во-первых, мне всё показалось так грязно — как-то нравственно скверно и грязно. Я отнюдь не говорю про эти жадные и беспокойные лица, которые десятками, даже сотнями, обступают игорные столы. Я решительно не вижу ничего грязного в желании выиграть поскорее и побольше; мне всегда казалось очень глупою мысль одного отъевшегося и обеспеченного моралиста, который на чье-то оправдание, что «ведь играют по маленькой», — отвечал: тем хуже, потому что мелкая корысть. Точно: мелкая корысть и крупная корысть — не всё равно. Это дело пропорциональное. Что для Ротшильда мелко, то для меня очень богато, а насчет наживы и выигрыша, так люди и не на рулетке, а и везде только и делают, что друг у друга что-нибудь отбивают или выигрывают. Гадки ли вообще нажива и барыш — это другой вопрос. Но здесь я его не решаю. Так как я и сам был в высшей степени одержан желанием выигрыша, то вся эта корысть и вся эта корыстная грязь, если хотите, была мне, при входе в залу, как-то сподручнее, родственнее. Самое милое дело, когда друг друга не церемонятся, а действуют открыто и нараспашку. Да и к чему самого себя обманывать? Самое пустое и нерасчетливое занятие! Особенно некрасиво, на первый взгляд, во всей этой рулеточной сволочи было то уважение к занятию, та серьезность и даже почтительность, с которыми все обступали столы. Вот почему здесь резко различено, какая игра называется mauvais genr'ом[1] и какая позволительна порядочному человеку. Есть две игры, одна — джентльменская, а другая плебейская, корыстная, игра всякой сволочи. Здесь это строго различено и — как это различие, в сущности, подло! Джентльмен, например, может поставить пять или десять луидоров, редко более, впрочем, может поставить и тысячу франков, если очень богат, но собственно для одной игры, для одной только забавы, собственно для того, чтобы посмотреть на процесс выигрыша или проигрыша; но отнюдь не должен интересоваться своим выигрышем. Выиграв, он может, например, вслух засмеяться, сделать кому-нибудь из окружающих свое замечание, даже может поставить еще раз и еще раз удвоить, но единственно только из любопытства, для наблюдения над шансами, для вычислений, а не из плебейского желания выиграть. Одним словом, на все эти игорные столы, рулетки и trente et quarante[2] он должен смотреть не иначе, как на забаву, устроенную единственно для его удовольствия. Корысти и ловушки, на которых основан и устроен банк, он должен даже и не подозревать. Очень и очень недурно было бы даже, если б ему, например, показалось, что и все эти остальные игроки, вся эта дрянь, дрожащая над гульденом, — совершенно такие же богачи и джентльмены, как и он сам, и играют единственно для одного только развлечения и забавы. Это совершенное незнание действительности и невинный взгляд на людей были бы, конечно, чрезвычайно аристократичными. Я видел, как многие маменьки выдвигали вперед невинных и изящных, пятнадцати- и шестнадцатилетних мисс, своих дочек, и, давши им несколько золотых монет, учили их, как играть. Барышня выигрывала или проигрывала, непременно улыбалась и отходила очень довольная. Наш генерал солидно и важно подошел к столу; лакей бросился было подать ему стул, но он не заметил лакея; очень долго вынимал кошелек, очень долго вынимал из кошелька триста франков золотом, поставил их на черную и выиграл. Он не взял выигрыша и оставил его на столе. Вышла опять черная; он и на этот раз не взял, и когда в третий раз вышла красная, то потерял разом тысячу двести франков. Он отошел с улыбкою и выдержал характер. Я

---

[1] дурным тоном (*франц.*).
[2] тридцать и сорок (*франц.*).

убежден, что кошки у него скребли на сердце, и будь ставка вдвое или втрое больше — он не выдержал бы характера и выказал бы волнение. Впрочем, при мне один француз выиграл и потом проиграл тысяч до тридцати франков весело и без всякого волнения. Настоящий джентльмен, если бы проиграл и всё свое состояние, не должен волноваться. Деньги до того должны быть ниже джентльменства, что почти не стоит об них заботиться. Конечно, весьма аристократично совсем бы не замечать всю эту грязь всей этой сволочи и всей обстановки. Однако же иногда не менее аристократичен и обратный прием, замечать, то есть присматриваться, даже рассматривать, например хоть в лорнет, всю эту сволочь: но не иначе, как принимая всю эту толпу и всю эту грязь за своего рода развлечение, как бы за представление, устроенное для джентльменской забавы. Можно самому тесниться в этой толпе, но смотреть кругом с совершенным убеждением, что собственно вы сами наблюдатель и уж нисколько не принадлежите к ее составу. Впрочем, и очень пристально наблюдать опять-таки не следует: опять уже это будет не по-джентльменски, потому что это во всяком случае зрелище не стоит большого и слишком пристального наблюдения. Да и вообще мало зрелищ, достойных слишком пристального наблюдения для джентльмена. А между тем мне лично показалось, что всё это и очень стоит весьма пристального наблюдения, особенно для того, кто пришел не для одного наблюдения, а сам искренно и добросовестно причисляет себя ко всей этой сволочи. Что же касается до моих сокровеннейших нравственных убеждений, то в настоящих рассуждениях моих им, конечно, нет места. Пусть уж это будет так; говорю для очистки совести. Но вот что я замечу: что во всё последнее время мне как-то ужасно противно было прикидывать поступки и мысли мои к какой бы то ни было нравственной мерке. Другое управляло мною...

Сволочь действительно играет очень грязно. Я даже не прочь от мысли, что тут у стола происходит много самого обыкновенного воровства. Круперам, которые сидят по концам стола, смотрят за ставками и рассчитываются, ужасно много работы. Вот еще сволочь-то! это большею частью французы. Впрочем, я здесь наблюдаю и замечаю вовсе не для того, чтобы описывать рулетку; я приноравливаюсь для себя, чтобы знать, как себя вести на будущее время. Я заметил, например, что нет ничего обыкновеннее, когда из-за стола протягивается вдруг чья-нибудь рука и берет себе то, что вы выиграли. Начинается спор, нередко крик, и — прошу покорно доказать, сыскать свидетелей, что ставка ваша!

Сначала вся эта штука была для меня тарабарскою грамотою; я только догадывался и различал кое-как, что ставки бывают на числа, на чет и нечет и на цвета. Из денег Полины Александровны я в этот вечер решился попытать сто гульденов. Мысль, что я приступаю к игре не для себя, как-то сбивала меня с толку. Ощущение было чрезвычайно неприятное, и мне захотелось поскорее развязаться с ним. Мне всё казалось, что, начиная для Полины, я подрываю собственное счастье. Неужели нельзя прикоснуться к игорному столу, чтобы тотчас же не заразиться суеверием? Я начал с того, что вынул пять фридрихсдоров, то есть пятьдесят гульденов, и поставил их на четку. Колесо обернулось, и вышло тринадцать — я проиграл. С каким-то болезненным ощущением, единственно чтобы как-нибудь развязаться и уйти, я поставил еще пять фридрихсдоров на красную. Вышла красная. Я поставил все десять фридрихсдоров — вышла опять красная. Я поставил опять всё за раз, вышла опять красная. Получив сорок фридрихсдоров, я поставил двадцать на двенадцать средних цифр, не зная, что из этого выйдет. Мне заплатили втрое. Таким образом, из десяти фридрихсдоров у меня появилось вдруг восемьдесят. Мне стало до того невыносимо от какого-то необыкновенного и странного ощущения, что я решился уйти. Мне показалось, что я вовсе бы не так играл, если б играл для себя. Я, однако ж, поставил все восемьдесят фридрихсдоров еще раз на четку. На этот раз вышло четыре; мне отсыпали еще восемьдесят фридрихсдоров, и, захватив всю кучу в сто шестьдесят фридрихсдоров, я отправился отыскивать Полину Александровну.

Они все где-то гуляли в парке, и я успел увидеться с нею только за ужином. На этот раз француза не было, и генерал развернулся: между прочим, он почел нужным опять мне заметить, что он бы не желал меня видеть за игорным столом. По его мнению, его очень скомпрометирует, если я как-нибудь слишком проиграюсь; «но если б даже вы и выиграли очень много, то и тогда я буду тоже скомпрометирован, — прибавил он значительно. — Конечно, я не имею права располагать вашими поступками, но согласитесь сами...» Тут он по обыкновению своему не докончил. Я сухо ответил ему, что у меня очень мало денег и что, следовательно, я не могу слишком приметно проиграться, если б даже и стал играть. Придя к себе наверх, я успел передать Полине ее выигрыш и объявил ей, что в другой раз уже не буду играть для нее.

— Почему же? — спросила она тревожно.

— Потому что хочу играть для себя, — отвечал я, рассматривая ее с удивлением, — а это мешает.

— Так вы решительно продолжаете быть убеждены, что рулетка ваш единственный исход и спасение? — спросила она насмешливо. Я отвечал опять очень серьезно, что да; что же касается до моей уверенности непременно выиграть, то пускай это будет смешно, я согласен, «но чтоб оставили меня в покое».

Полина Александровна настаивала, чтоб я непременно разделил с нею сегодняшний выигрыш пополам, и отдавала мне восемьдесят фридрихсдоров, предлагая и впредь продолжать игру на этом условии. Я отказался от половины решительно и окончательно и объявил, что для других не могу играть не потому, чтоб не желал, а потому, что наверное проиграю.

— И, однако ж, я сама, как ни глупо это, почти тоже надеюсь на одну рулетку, — сказала она задумываясь. — А потому вы непременно должны продолжать игру со мною вместе пополам, и — разумеется — будете. — Тут она ушла от меня, не слушая дальнейших моих возражений.

ГЛАВА III

И, однако ж, вчера целый день она не говорила со мной об игре ни слова. Да и вообще она избегала со мной говорить вчера. Прежняя манера ее со мною не изменилась. Та же совершенная небрежность в обращении при встречах, и даже что-то презрительное и ненавистное. Вообще она не желает скрывать своего ко мне отвращения; я это вижу. Несмотря на это, она не скрывает тоже от меня, что я ей для чего-то нужен и что она для чего-то меня бережет. Между нами установились какие-то странные отношения, во многом для меня непонятные, — взяв в соображение ее гордость и надменность со всеми. Она знает, например, что я люблю ее до безумия, допускает меня даже говорить о моей страсти — и уж, конечно, ничем она не выразила бы мне более своего презрения, как этим позволением говорить ей беспрепятственно и бесцензурно о моей любви. «Значит, дескать, до того считаю ни во что твои чувства, что мне решительно всё равно, об чем бы ты ни говорил со мною и что бы ко мне ни чувствовал». Про свои собственные дела она разговаривала со мною много и прежде, но никогда не была вполне откровенна. Мало того, в пренебрежении ее ко мне были, например, вот какие утонченности: она знает, положим, что мне известно какое-нибудь обстоятельство ее жизни или что-нибудь о том, что сильно ее тревожит; она даже сама расскажет мне что-нибудь из ее обстоятельств, если надо употребить меня как-нибудь для своих целей, вроде раба, или на побегушки; но расскажет всегда ровно столько, сколько надо знать человеку, употребляющемуся на побегушки, и если мне еще неизвестна целая связь событий, если она и сама видит, как я мучусь и тревожусь ее же мучениями и тревогами, то никогда не удостоит меня успокоить вполне своей дружеской откровенностью, хотя, употребляя меня нередко по поручениям не только хлопотливым, но даже опасным, она, по моему мнению, обязана быть со мной откровенною. Да и стоит ли заботиться о моих чувствах, о том, что я тоже тревожусь и, может быть, втрое больше забочусь и мучусь ее же заботами и неудачами, чем она сама!

Я недели за три еще знал об ее намерении играть на рулетке. Она меня даже предуведомила, что я должен буду играть вместо нее, потому что ей самой играть неприлично. По тону ее слов я тогда же заметил, что у ней какая-то серьезная забота, а не просто желание выиграть деньги. Что ей деньги сами по себе! Тут есть цель, тут какие-то обстоятельства, которые я могу угадывать, но которых я до сих пор не знаю. Разумеется, то унижение и рабство, в которых она меня держит, могли бы мне дать (весьма часто дают) возможность грубо и прямо самому ее расспрашивать. Так как я для нее раб и слишком ничтожен в ее глазах, то нечего ей и обижаться грубым моим любопытством. Но дело в том, что она, позволяя мне делать вопросы, на них не отвечает. Иной раз и вовсе их не замечает. Вот как у нас!

Вчерашний день у нас много говорилось о телеграмме, пущенной еще четыре дня назад в Петербург и на которую не было ответа. Генерал видимо волнуется и задумчив. Дело идет, конечно, о бабушке. Волнуется и француз. Вчера, например, после обеда они долго и серьезно разговаривали. Тон француза со всеми нами необыкновенно высокомерный и небрежный. Тут именно по пословице: посади за стол, и ноги на стол. Он даже с Полиной небрежен до грубости; впрочем, с удовольствием участвует в общих прогулках в воксале или в кавалькадах и поездках за город. Мне известны давно кой-какие из обстоятельств, связавших француза с генералом: в России они затевали вместе завод; я не знаю, лопнул ли их проект, или всё еще об нем у них говорится. Кроме того, мне случайно известна часть семейной тайны: француз действительно выручил прошлого года генерала и дал ему тридцать тысяч для пополнения недостающего в казенной сумме при сдаче должности. И уж разумеется, генерал у него в тисках; но теперь, собственно теперь, главную роль во всем этом играет все-таки mademoiselle Blanche, и я уверен, что и тут не ошибаюсь.

Кто такая mademoiselle Blanche? Здесь у нас говорят, что она знатная француженка, имеющая с собой свою мать и колоссальное состояние. Известно тоже, что она какая-то родственница нашему маркизу, только очень дальняя, какая-то кузина или троюродная сестра. Говорят, что до моей поездки в Париж француз и mademoiselle Blanche сносились между собой как-то гораздо церемоннее, были как будто на более тонкой и деликатной ноге; теперь же знакомство их, дружба и родственность выглядывают как-то грубее, как-то короче. Может быть, наши дела кажутся им до того уж плохими, что они и не считают нужным слишком с нами церемониться и скрываться. Я еще третьего дня заметил, как мистер Астлей разглядывал mademoiselle Blanche и ее матушку. Мне показалось, что он их знает. Мне показалось даже, что и наш француз встречался прежде с мистером Астлеем. Впрочем, мистер Астлей до того застенчив, стыдлив и молчалив, что на него почти можно понадеяться, — из избы сора не вынесет. По крайней мере француз едва ему кланяется и почти не глядит на него; а — стало быть, не боится. Это еще понятно; но почему mademoiselle Blanche тоже почти не глядит на него? Тем более что маркиз вчера проговорился: он вдруг сказал в общем разговоре, не помню по какому поводу, что мистер Астлей колоссально богат и что он про это знает; тут-то бы и глядеть mademoiselle Blanche на мистера Астлея! Вообще генерал находится в беспокойстве. Понятно, что может значить для него теперь телеграмма о смерти тетки!

Мне хоть и показалось наверное, что Полина избегает разговора со мною, как бы с целью, но я и сам принял на себя вид холодный и равнодушный: всё думал, что она нет-нет, да и подойдет ко мне. Зато вчера и сегодня я обратил всё мое внимание преимущественно на mademoiselle Blanche. Бедный генерал, он погиб окончательно! Влюбиться в пятьдесят пять лет, с такою силою страсти, — конечно, несчастие. Прибавьте к тому его вдовство, его детей, совершенно разоренное имение, долги и, наконец, женщину, в которую ему пришлось влюбиться. Mademoiselle Blanche красива собою. Но я не знаю, поймут ли меня, если я выражусь, что у ней одно из тех лиц, которых можно испугаться. По крайней мере я всегда боялся таких женщин. Ей, наверно, лет двадцать пять. Она рослая и широкоплечая, с крутыми плечами; шея и грудь у нее роскошны; цвет кожи смугло-желтый, цвет волос черный, как тушь, и волос ужасно много, достало бы на две куафюры. Глаза черные, белки глаз желтоватые, взгляд нахальный, зубы белейшие, губы всегда напомажены; от нее пахнет мускусом. Одевается она эффектно, богато, с шиком, но с большим вкусом. Ноги и руки удивительные. Голос ее — сиплый контральто. Она иногда расхохочется и при этом покажет все свои зубы, но обыкновенно смотрит молчаливо и нахально — по крайней мере при Полине и при Марье Филипповне. (Странный слух: Марья Филипповна уезжает в Россию.) Мне кажется, mademoiselle Blanche безо всякого образования, может быть даже и не умна, но зато подозрительна и хитра. Мне кажется, ее жизнь была-таки не без приключений. Если уж говорить всё, то может быть, что маркиз вовсе ей не родственник, а мать совсем не мать. Но есть сведения, что в Берлине, где мы с ними съехались, она и мать ее имели несколько порядочных знакомств. Что касается до самого маркиза, то хоть я и до сих пор сомневаюсь, что он маркиз, но принадлежность его к порядочному обществу, как у нас, например, в Москве и кое-где и в Германии, кажется, не подвержена сомнению. Не знаю, что он такое во Франции? Говорят, у него есть шато́. Я думал, что в эти две недели много воды уйдет, и, однако ж, я всё еще не знаю наверно, сказано ли у mademoiselle Blanche с генералом что-нибудь решительное? Вообще всё зависит теперь от нашего состояния, то есть от того, много ли может генерал показать им денег. Если бы, например, пришло известие, что бабушка не умерла, то я уверен, mademoiselle Blanche тотчас бы исчезла. Удивительно и смешно мне самому, какой я, однако ж, стал сплетник. О, как мне всё это противно! С каким наслаждением я бросил бы всех и всё! Но разве я могу уехать от Полины, разве я могу не шпионить кругом нее? Шпионство, конечно, подло, но — какое мне до этого дело!

Любопытен мне тоже был вчера и сегодня мистер Астлей. Да, я убежден, что он влюблен в Полину! Любопытно и смешно, сколько иногда может выразить взгляд стыдливого и болезненно-целомудренного человека, тронутого любовью, и именно в то время, когда человек уж, конечно, рад бы скорее сквозь землю провалиться, чем что-нибудь высказать или выразить, словом или взглядом. Мистер Астлей весьма часто встречается с нами на прогулках. Он снимает шляпу и проходит мимо, умирая, разумеется, от желания к нам присоединиться. Если же его приглашают, то он тотчас отказывается. На местах отдыха, в воксале, на музыке или пред фонтаном он уже непременно останавливается где-нибудь недалеко от нашей скамейки, и где бы мы ни были: в парке ли, в лесу ли, или на Шлангенберге, — стоит только вскинуть глазами, посмотреть кругом, и непременно где-нибудь, или на ближайшей тропинке, или из-за куста, покажется уголок мистера Астлея. Мне кажется, он ищет случая со мной говорить особенно. Сегодня утром мы встретились и перекинули два слова. Он говорит иной раз как-то чрезвычайно отрывисто. Еще не сказав «здравствуйте», он начал с того, что проговорил:

— А, mademoiselle Blanche!.. Я много видел таких женщин, как mademoiselle Blanche!

Он замолчал, знаменательно смотря на меня. Что он этим хотел сказать, не знаю, потому что на вопрос мой: что это значит? — он с хитрой улыбкой кивнул головою и прибавил:

— Уж это так. Mademoiselle Pauline очень любит цветы?

— Не знаю, совсем не знаю, — отвечал я.

— Как! Вы и этого не знаете! — вскричал он с величайшим изумлением.

— Не знаю, совсем не заметил, — повторил я смеясь.

— Гм, это дает мне одну особую мысль. — Тут он кивнул головою и прошел далее. Он, впрочем, имел довольный вид. Говорим мы с ним на сквернейшем французском языке.

ГЛАВА IV

Сегодня был день смешной, безобразный, нелепый. Теперь одиннадцать часов ночи. Я сижу в своей каморке и припоминаю. Началось с того, что утром принужден-таки был идти на рулетку, чтоб играть для Полины Александровны. Я взял все ее сто шестьдесят фридрихсдоров, но под двумя условиями: первое — что я не хочу играть в половине, то есть если выиграю, то ничего не возьму себе, второе — что вечером Полина разъяснит мне, для чего именно ей так нужно выиграть и сколько именно денег. Я все-таки никак не могу предположить, чтобы это было просто для денег. Тут, видимо, деньги необходимы, и как можно скорее, для какой-то особенной цели. Она обещалась разъяснить, и я отправился. В игорных залах толпа была ужасная. Как нахальны они и как все они жадны! Я протеснился к середине и стал возле самого крупера; затем стал робко пробовать игру, ставя по две и по три монеты. Между тем я наблюдал и замечал; мне показалось, что собственно расчет довольно мало значит и вовсе не имеет той важности, которую ему придают многие игроки. Они сидят с разграфленными бумажками, замечают удары, считают, выводят шансы, рассчитывают, наконец ставят и — проигрывают точно так же, как и мы, простые смертные, играющие без расчету. Но зато я вывел одно заключение, которое, кажется, верно: действительно, в течении случайных шансов бывает хоть и не система, но как будто какой-то порядок, что, конечно, очень странно. Например, бывает, что после двенадцати средних цифр наступают двенадцать последних; два раза, положим, удар ложится на эти двенадцать последних и переходит на двенадцать первых. Упав на двенадцать первых, переходит опять на двенадцать средних, ударяет сряду три, четыре раза по средним и опять переходит на двенадцать последних, где, опять после двух раз, переходит к первым, на первых опять бьет один раз и опять переходит на три удара средних, и таким образом продолжается в течение полутора или двух часов. Один, три и два, один, три и два. Это очень забавно. Иной день или иное утро идет, например, так, что красная сменяется черною и обратно почти без всякого порядка, поминутно, так что больше двух-трех ударов сряду на красную или на черную не ложится. На другой же день или на другой вечер бывает сряду одна красная; доходит, например, больше чем до двадцати двух раз сряду и так идет непременно в продолжение некоторого времени, например в продолжение целого дня. Мне много в этом объяснил мистер Астлей, который целое утро простоял у игорных столов, но сам не поставил ни разу. Что же касается до меня, то я весь проигрался дотла и очень скоро. Я прямо сразу поставил на четку двадцать фридрихсдоров и выиграл, поставил пять и опять выиграл и таким образом еще раза два или три. Я думаю, у меня сошлось в руках около четырехсот фридрихсдоров в какие-нибудь пять минут. Тут бы мне и отойти, но во мне родилось какое-то странное ощущение, какой-то вызов судьбе, какое-то желание дать ей щелчок, выставить ей язык. Я поставил самую большую позволенную ставку, в четыре тысячи гульденов, и проиграл. Затем, разгорячившись, вынул всё, что у меня оставалось, поставил на ту же ставку и проиграл опять, после чего отошел от стола, как оглушенный. Я даже не понимал, что это со мною было, и объявил о моем проигрыше Полине Александровне только пред самым обедом. До того времени я всё шатался в парке.

За обедом я был опять в возбужденном состоянии, так же как и три дня тому назад. Француз и mademoiselle Blanche опять обедали с нами. Оказалось, что mademoiselle Blanche была утром в игорных залах и видела мои подвиги. В этот раз она заговорила со мною как-то внимательнее. Француз пошел прямее и просто спросил меня, неужели я проиграл свои собственные деньги? Мне кажется, он подозревает Полину. Одним словом, тут что-то есть. Я тотчас же солгал и сказал, что свои.

Генерал был чрезвычайно удивлен: откуда я взял такие деньги? Я объяснил, что начал с десяти фридрихсдоров, что шесть или семь ударов сряду, надвое, довели меня до пяти или до шести тысяч гульденов и что потом я всё спустил с двух ударов.

Всё это, конечно, было вероятно. Объясняя это, я посмотрел на Полину, но ничего не мог разобрать в ее лице. Однако ж она мне дала солгать и не поправила меня; из этого я заключил, что мне и надо было солгать и скрыть, что я играл за нее. Во всяком случае, думал я про себя, она обязана мне объяснением и давеча обещала мне кое-что открыть.

Я думал, что генерал сделает мне какое-нибудь замечание. но он промолчал; зато я заметил в лице его волнение и беспокойство. Может быть, при крутых его обстоятельствах ему просто тяжело было выслушать, что такая почтительная груда золота пришла и ушла в четверть часа у такого нерасчетливого дурака, как я.

Я подозреваю, что у него вчера вечером вышла с французом какая-то жаркая контра. Они долго и с жаром говорили о чем-то, запершись. Француз ушел как будто чем-то раздраженный, а сегодня рано утром опять приходил к генералу — и, вероятно, чтоб продолжать вчерашний разговор.

Выслушав о моем проигрыше, француз едко и даже злобно заметил мне, что надо было быть благоразумнее. Не знаю, для чего он прибавил, что хоть русских и много играет, но, по его мнению, русские даже и играть не способны.

— А по моему мнению, рулетка только и создана для русских, — сказал я, и когда француз на мой отзыв презрительно усмехнулся, я заметил ему, что, уж конечно, правда на моей стороне, потому что, говоря о русских как об игроках, я гораздо более ругаю их, чем хвалю, и что мне, стало быть, можно верить.

— На чем же вы основываете ваше мнение? — спросил француз.

— На том, что в катехизис добродетелей и достоинств цивилизованного западного человека вошла исторически и чуть ли не в виде главного пункта способность приобретения капиталов. А русский не только не способен приобретать капиталы, но даже и расточает их как-то зря и безобразно. Тем не менее нам, русским, деньги тоже нужны, — прибавил я, — а следовательно, мы очень рады и очень падки на такие способы, как например рулетки, где можно разбогатеть вдруг, в два часа, не трудясь. Это нас очень прельщает; а так как мы и играем зря, без труда, то и проигрываемся!

— Это отчасти справедливо, — заметил самодовольно француз.

— Нет, это несправедливо, и вам стыдно так отзываться о своем отечестве, — строго и внушительно заметил генерал.

— Помилуйте, — отвечал я ему, — ведь, право, неизвестно еще, что гаже: русское ли безобразие или немецкий способ накопления честным трудом?

— Какая безобразная мысль! — воскликнул генерал.

— Какая русская мысль! — воскликнул француз.

Я смеялся, мне ужасно хотелось их раздадорить.

— А я лучше захочу всю жизнь прокочевать в киргизской палатке, — вскричал я, — чем поклоняться немецкому идолу.

— Какому идолу? — вскричал генерал, уже начиная серьезно сердиться.

— Немецкому способу накопления богатств. Я здесь недолго, но, однако ж, все-таки, что я здесь успел подметить и проверить, возмущает мою татарскую породу. Ей-богу, не хочу таких добродетелей! Я здесь успел уже вчера обойти верст на десять кругом. Ну, точь-в-точь то же самое, как в нравоучительных немецких книжечках с картинками: есть здесь везде у них в каждом доме свой фатер, ужасно добродетельный и необыкновенно честный. Уж такой честный, что подойти к нему страшно. Терпеть не могу честных людей, к которым подходить страшно. У каждого эдакого фатера есть семья, и по вечерам все они вслух поучительные книги читают. Над домиком шумят вязы и каштаны. Закат солнца, на крыше аист, и всё необыкновенно поэтическое и трогательное...

Уж вы не сердитесь, генерал, позвольте мне рассказать потрогательнее. Я сам помню, как мой отец, покойник, тоже под липками, в палисаднике, по вечерам вслух читал мне и матери подобные книжки... Я ведь сам могу судить об этом как следует. Ну, так всякая эдакая здешняя семья в полнейшем рабстве и повиновении у фатера. Все работают, как волы, и все копят деньги, как жиды. Положим, фатер скопил уже столько-то гульденов и рассчитывает на старшего сына, чтобы ему ремесло аль землишку передать; для этого дочери приданого не дают, и она остается в девках. Для этого же младшего сына продают в кабалу аль в солдаты и деньги приобщают к домашнему капиталу. Право, это здесь делается; я расспрашивал. Всё это делается не иначе, как от честности, от усиленной честности, до того, что и младший проданный сын верует, что его не иначе, как от честности, продали, — а уж это идеал, когда сама жертва радуется, что ее на заклание ведут. Что же дальше? Дальше то, что и старшему тоже не легче: есть там у него такая Амальхен, с которою он сердцем соединился, — но жениться нельзя, потому что гульденов еще столько не накоплено. Тоже ждут благонравно и искренно и с улыбкой на заклание идут. У Амальхен уж щеки ввалились, сохнет. Наконец, лет через двадцать, благосостояние умножилось; гульдены честно и добродетельно скоплены. Фатер благословляет сорокалетнего старшего и тридцатипятилетнюю Амальхен, с иссохшей грудью и красным носом... При этом плачет, мораль читает и умирает. Старший превращается сам в добродетельного фатера, и начинается опять та же история. Лет эдак чрез пятьдесят или чрез семьдесят внук первого фатера действительно уже осуществляет значительный капитал и передает своему сыну, тот своему, тот своему, и поколений чрез пять или шесть выходит сам барон Ротшильд или Гоппе и Комп., или там черт знает кто. Ну-с, как же не величественное зрелище: столетний или двухсотлетний преемственный труд, терпение, ум, честность, характер, твердость, расчет, аист на крыше! Чего же вам еще, ведь уж выше этого нет ничего, и с этой точки они сами начинают весь мир судить и виновных, то есть чуть-чуть на них не похожих, тотчас же казнить. Ну-с, так вот в чем дело: я уж лучше хочу дебоширить по-русски или разживаться на рулетке. Не хочу я быть Гоппе и Комп. чрез пять поколений. Мне деньги нужны для меня самого, а я не считаю всего себя чем-то необходимым и придаточным к капиталу. Я знаю, что я ужасно наврал, но пусть так оно и будет. Таковы мои убеждения.

— Не знаю, много ли правды в том, что вы говорили, — задумчиво заметил генерал, — но знаю наверное, что вы нестерпимо начинаете форсить, чуть лишь вам капельку позволят забыться...

По обыкновению своему, он не договорил. Если наш генерал начинал о чем-нибудь говорить, хотя капельку позначительнее обыкновенного обыденного разговора, то никогда не договаривал. Француз небрежно слушал, немного выпучив глаза. Он почти ничего не понял из того, что я говорил. Полина смотрела с каким-то высокомерным равнодушием. Казалось, она не только меня, но и ничего не слыхала из сказанного в этот раз за столом.

ГЛАВА V

Она была в необыкновенной задумчивости, но тотчас по выходе из-за стола велела мне сопровождать себя на прогулку. Мы взяли детей и отправились в парк к фонтану.

Так как я был в особенно возбужденном состоянии, то и брякнул глупо и грубо вопрос: почему наш маркиз Де-Грие, французик, не только не сопровождает ее теперь, когда она выходит куда-нибудь, но даже и не говорит с нею по целым дням?

— Потому что он подлец, — странно ответила она мне. Я никогда еще не слышал от нее такого отзыва о Де-Грие и замолчал, побоявшись понять эту раздражительность.

— А заметили ли вы, что он сегодня не в ладах с генералом?

— Вам хочется знать, в чем дело, — сухо и раздражительно отвечала она. — Вы знаете, что генерал весь у него в закладе, всё имение — его, и если бабушка не умрет, то француз немедленно войдет во владение всем, что у него в закладе.

— А, так это действительно правда, что всё в закладе? Я слышал, но не знал, что решительно всё.

— А то как же?

— И при этом прощай mademoiselle Blanche, — заметил я. — Не будет она тогда генеральшей! Знаете ли что: мне кажется, генерал так влюбился, что, пожалуй, застрелится, если mademoiselle Blanche его бросит. В его лета так влюбляться опасно.

— Мне самой кажется, что с ним что-нибудь будет, — задумчиво заметила Полина Александровна.

— И как это великолепно, — вскричал я, — грубее нельзя показать, что она согласилась выйти только за деньги. Тут даже приличий не соблюдалось, совсем без церемонии происходило. Чудо! А насчет бабушки, что комичнее и грязнее, как посылать телеграмму за телеграммою и спрашивать: умерла ли, умерла ли? А? как вам это нравится, Полина Александровна?

— Это всё вздор, — сказала она с отвращением, перебивая меня. — Я, напротив того, удивляюсь, что вы в таком развеселом расположении духа. Чему вы рады? Неужели тому, что мои деньги проиграли?

— Зачем вы давали их мне проигрывать? Я вам сказал, что не могу играть для других, тем более для вас. Я послушаюсь, что бы вы мне ни приказали; но результат не от меня зависит. Я ведь предупредил, что ничего не выйдет. Скажите, вы очень убиты, что потеряли столько денег? Для чего вам столько?

— К чему эти вопросы?

— Но ведь вы сами обещали мне объяснить... Слушайте: я совершенно убежден, что когда начну играть для себя (а у меня есть двенадцать фридрихсдоров), то я выиграю. Тогда сколько вам надо, берите у меня.

Она сделала презрительную мину.

— Вы не сердитесь на меня, — продолжал я, — за такое предложение. Я до того проникнут сознанием того, что я нуль пред вами, то есть в ваших глазах, что вам можно даже принять от меня и деньги. Подарком от меня вам нельзя обижаться. Притом же я проиграл ваши.

Она быстро поглядела на меня и, заметив, что я говорю раздражительно и саркастически, опять перебила разговор:

— Вам нет ничего интересного в моих обстоятельствах. Если хотите знать, я просто должна. Деньги взяты мною взаймы, и я хотела бы их отдать. У меня была безумная и странная мысль, что я непременно выиграю, здесь, на игорном столе. Почему была эта мысль у меня — не понимаю, но я в нее верила. Кто знает, может быть, потому и верила, что у меня никакого другого шанса при выборе не оставалось.

— Или потому, что уж слишком *надо* было выиграть. Это точь-в-точь, как утопающий, который хватается за соломинку. Согласитесь сами, что если б он не утопал, то он не считал бы соломинку за древесный сук.

Полина удивилась.

— Как же, — спросила она, — вы сами-то на то же самое надеетесь? Две недели назад вы сами мне говорили однажды, много и долго, о том, что вы вполне уверены в выигрыше здесь на рулетке, и убеждали меня, чтоб я не смотрела на вас как на безумного; или вы тогда шутили? Но я помню, вы говорили так серьезно, что никак нельзя было принять за шутку.

— Это правда, — отвечал я задумчиво, — я до сих пор уверен вполне, что выиграю. Я даже вам признаюсь, что вы меня теперь навели на вопрос: почему именно мой сегодняшний, бестолковый и безобразный проигрыш не оставил во мне никакого сомнения? Я все-таки вполне уверен, что чуть только я начну играть для себя, то выиграю непременно.

— Почему же вы так наверно убеждены?

— Если хотите — не знаю. Я знаю только, что мне *надо* выиграть, что это тоже единственный мой исход. Ну вот потому, может быть, мне и кажется, что я непременно должен выиграть.

— Стало быть, вам тоже слишком *надо*, если вы фанатически уверены?

— Бьюсь об заклад, что вы сомневаетесь, что я в состоянии ощущать серьезную надобность?

— Это мне всё равно, — тихо и равнодушно ответила Полина. — Если хотите — *да*, я сомневаюсь, чтоб вас мучило что-нибудь серьезно. Вы можете мучиться, но не серьезно. Вы человек беспорядочный и неустановившийся. Для чего вам деньги? Во всех резонах, которые вы мне тогда представили, я ничего не нашла серьезного.

— Кстати, — перебил я, — вы говорили, что вам долг нужно отдать. Хорош, значит, долг! Не французу ли?

— Что за вопросы? Вы сегодня особенно резки. Уж не пьяны ли?

— Вы знаете, что я всё себе позволяю говорить, и спрашиваю иногда очень откровенно. Повторяю, я ваш раб, а рабов не стыдятся, и раб оскорбить не может.

— Всё это вздор! И терпеть я не могу этой вашей «рабской» теории.

— Заметьте себе, что я не потому говорю про мое рабство, чтоб желал быть вашим рабом, а просто — говорю, как о факте, совсем не от меня зависящем.

— Говорите прямо, зачем вам деньги?

— А вам зачем это знать?

— Как хотите, — ответила она и гордо повела головой.

— Рабской теории не те́рпите, а рабства требуете: «Отвечать и не рассуждать!» Хорошо, пусть так. Зачем деньги, вы спрашиваете? Как зачем? Деньги — всё!

— Понимаю, но не впадать же в такое сумасшествие, их желая! Вы ведь тоже доходите до исступления, до фатализма. Тут есть что-нибудь, какая-то особая цель. Говорите без извилин, я так хочу.

Она как будто начинала сердиться, и мне ужасно понравилось, что она так с сердцем допрашивала.

— Разумеется, есть цель, — сказал я, — но я не сумею объяснить — какая. Больше ничего, что с деньгами я стану и для вас другим человеком, а не рабом.

— Как? как вы этого достигнете?

— Как достигну? как, вы даже не понимаете, как могу я достигнуть, чтоб вы взглянули на меня иначе, как на раба! Ну вот этого-то я и не хочу, таких удивлений и недоумений.

— Вы говорили, что вам это рабство наслаждение. Я так и сама думала.

— Вы так думали, — вскричал я с каким-то странным наслаждением. — Ах, как эдакая наивность от вас хороша! Ну да, да, мне от вас рабство — наслаждение. Есть, есть наслаждение в последней степени приниженности и ничтожества! — продолжал я бредить. — Черт знает, может быть, оно есть и в кнуте, когда кнут ложится на спину и рвет в клочки мясо... Но я хочу, может быть, попытать и других наслаждений. Мне давеча генерал при вас за столом наставление читал за семьсот рублей в год, которых я, может быть, еще и не получу от него. Меня маркиз Де-Грие, поднявши брови, рассматривает и в то же время не замечает. А я, с своей стороны, может быть, желаю страстно взять маркиза Де-Грие при вас за нос?

— Речи молокососа. При всяком положении можно поставить себя с достоинством. Если тут борьба, то она еще возвысит, а не унизит.

— Прямо из прописи! Вы только предположите, что я, может быть, не умею поставить себя с достоинством. То есть я, пожалуй, и достойный человек, а поставить себя с достоинством не умею. Вы понимаете, что так может быть? Да все русские таковы, и знаете почему: потому что русские слишком богато и многосторонне одарены, чтоб скоро приискать себе приличную форму. Тут дело в форме. Большею частью мы, русские, так богато одарены, что для приличной формы нам нужна гениальность. Ну, а гениальности-то всего чаще и не бывает, потому что она и вообще редко бывает. Это только у французов и, пожалуй, у некоторых других европейцев так хорошо определилась форма, что можно глядеть с чрезвычайным достоинством и быть самым недостойным человеком. Оттого так много форма у них и значит. Француз перенесет оскорбление, настоящее, сердечное оскорбление и не поморщится, но щелчка в нос ни за что не перенесет, потому что это есть нарушение принятой и увековеченной формы приличий. Оттого-то так и падки наши барышни до французов, что форма у них хороша. По-моему, впрочем, никакой формы и нет, а один только петух, le coq gaulois[1]. Впрочем, этого я понимать не могу, я не женщина. Может

[1] галльский петух (*франц.*).

быть, петухи и хороши. Да и вообще я заврался, а вы меня не останавливаете. Останавливайте меня чаще; когда я с вами говорю, мне хочется высказать всё, всё, всё. Я теряю всякую форму. Я даже согласен, что я не только формы, но и достоинств никаких не имею. Объявляю вам об этом. Даже не забочусь ни о каких достоинствах. Теперь всё во мне остановилось. Вы сами знаете отчего. У меня ни одной человеческой мысли нет в голове. Я давно уж не знаю, что на свете делается, ни в России, ни здесь. Я вот Дрезден проехал и не помню, какой такой Дрезден. Вы сами знаете, что меня поглотило. Так как я не имею никакой надежды и в глазах ваших нуль, то и говорю прямо: я только вас везде вижу, а остальное мне всё равно. За что и как я вас люблю — не знаю. Знаете ли, что, может быть, вы вовсе не хороши? Представьте себе, я даже не знаю, хороши ли вы или нет, даже лицом? Сердце, наверное, у вас нехорошее; ум неблагородный; это очень может быть.

— Может быть, вы потому и рассчитываете закупить меня деньгами, — сказала она, — что не верите в мое благородство?

— Когда я рассчитывал купить вас деньгами? — вскричал я.

— Вы зарапортовались и потеряли вашу нитку. Если не меня купить, то мое уважение вы думаете купить деньгами.

— Ну нет, это не совсем так. Я вам сказал, что мне трудно объясняться. Вы подавляете меня. Не сердитесь на мою болтовню. Вы понимаете, почему на меня нельзя сердиться: я просто сумасшедший. А, впрочем, мне всё равно, хоть и сердитесь. Мне у себя наверху, в каморке, стоит вспомнить и вообразить только шум вашего платья, и я руки себе искусать готов. И за что вы на меня сердитесь? За то, что я называю себя рабом? Пользуйтесь, пользуйтесь моим рабством, пользуйтесь! Знаете ли вы, что я когда-нибудь вас убью? Не потому убью, что разлюблю иль приревную, а — так, просто убью, потому что меня иногда тянет вас съесть. Вы смеетесь...

— Совсем не смеюсь, — сказала она с гневом. — Я приказываю вам молчать.

Она остановилась, едва переводя дух от гнева. Ей-богу, я не знаю, хороша ли она была собой, но я всегда любил смотреть, когда она так предо мною останавливалась, а потому и любил часто вызывать ее гнев. Может быть, она заметила это и нарочно сердилась. Я ей это высказал.

— Какая грязь! — воскликнула она с отвращением.

— Мне всё равно, — продолжал я. — Знаете ли еще, что нам вдвоем ходить опасно: меня много раз непреодолимо тянуло прибить вас, изуродовать, задушить. И что вы думаете, до этого не дойдет? Вы доведете меня до горячки. Уж не скандала ли я побоюсь? Гнева вашего? Да что мне ваш гнев? Я люблю без надежды и знаю, что после этого в тысячу раз больше буду любить вас. Если я вас когда-нибудь убью, то надо ведь и себя убить будет; ну так — я себя как можно дольше буду не убивать, чтоб эту нестерпимую боль без вас ощутить. Знаете ли вы невероятную вещь: я вас с каждым днем люблю *больше*, а ведь это почти невозможно. И после этого мне не быть фаталистом? Помните, третьего дня, на Шлангенберге, я прошептал вам, вызванный вами: скажите слово, и я соскочу в эту бездну. Если б вы сказали это слово, я бы тогда соскочил. Неужели вы не верите, что я бы соскочил?

— Какая глупая болтовня! — вскричала она.

— Мне никакого дела нет до того, глупа ли она иль умна, — вскричал я. — Я знаю, что при вас мне надо говорить, говорить, говорить — и я говорю. Я всё самолюбие при вас теряю, и мне всё равно.

— К чему мне заставлять вас прыгать с Шлангенберга? — сказала она сухо и как-то особенно обидно. — Это совершенно для меня бесполезно.

— Великолепно! — вскричал я, — вы нарочно сказали это великолепное «бесполезно», чтоб меня придавить. Я вас насквозь вижу. Бесполезно, говорите вы? Но ведь удовольствие всегда полезно, а дикая, беспредельная власть — хоть над мухой — ведь это тоже своего рода наслаждение. Человек — деспот от природы и любит быть мучителем. Вы ужасно любите.

Помню, она рассматривала меня с каким-то особенно пристальным вниманием. Должно быть, лицо мое выражало тогда все мои бестолковые и нелепые ощущения. Я припоминаю теперь, что и действительно у нас почти слово в слово так шел тогда разговор, как я здесь описал. Глаза мои налились кровью. На окраинах губ запекалась пена. А что касается Шлангенберга, то клянусь честью, даже и теперь: если б она тогда приказала мне броситься вниз, я бы бросился! Если б для шутки одной сказала, если б с презрением, с плевком на меня сказала, — я бы и тогда соскочил!

— Нет, почему ж, я вам верю, — произнесла она, но так, как она только умеет иногда выговорить, с таким презрением и ехидством, с таким высокомерием, что, ей-богу, я мог убить ее в эту минуту. Она рисковала. Про это я тоже не солгал, говоря ей.

— Вы не трус? — спросила она меня вдруг.

— Не знаю, может быть, и трус. Не знаю... я об этом давно не думал.

— Если б я сказала вам: убейте этого человека, вы бы убили его?

— Кого?

— Кого я захочу.

— Француза?

— Не спрашивайте, а отвечайте, — кого я укажу. Я хочу знать, серьезно ли вы сейчас говорили? — Она так серьезно и нетерпеливо ждала ответа, что мне как-то странно стало.

— Да скажете ли вы мне, наконец, что такое здесь происходит! — вскричал я. — Что вы, боитесь, что ли, меня? Я сам вижу все здешние беспорядки. Вы падчерица разорившегося и сумасшедшего человека, зараженного страстью к этому дьяволу — Blanche; потом тут — этот француз, с своим таинственным влиянием на вас и — вот теперь вы мне так серьезно задаете... такой вопрос. По крайней мере чтоб я знал; иначе я здесь помешаюсь и что-нибудь сделаю. Или вы стыдитесь удостоить меня откровенности? Да разве вам можно стыдиться меня?

— Я с вами вовсе не о том говорю. Я вас спросила и жду ответа.

— Разумеется, убью, — вскричал я, — кого вы мне только прикажете, но разве вы можете... разве вы это прикажете?

— А что вы думаете, вас пожалею? Прикажу, а сама в стороне останусь. Перенесете вы это? Да нет, где вам! Вы, пожалуй, и убьете по приказу, а потом и меня придете убить за то, что я смела вас посылать.

Мне как бы что-то в голову ударило при этих словах. Конечно, я и тогда считал ее вопрос наполовину за шутку, за вызов; но все-таки она слишком серьезно проговорила. Я все-таки был поражен, что она так высказалась, что она удерживает такое право надо мной, что она соглашается на такую власть надо мною и так прямо говорит: «Иди на погибель, а я в стороне останусь». В этих словах было что-то такое циническое и откровенное, что, по-моему, было уж слишком много. Так, стало быть, как же смотрит она на меня после этого? Это уж перешло за черту рабства и ничтожества. После такого взгляда человека возносят до себя. И как ни нелеп, как ни невероятен был весь наш разговор, но сердце у меня дрогнуло.

Вдруг она захохотала. Мы сидели тогда на скамье, пред игравшими детьми, против самого того места, где останавливались экипажи и высаживали публику в аллею, пред воксалом.

— Видите вы эту толстую баронессу? — вскричала она. — Это баронесса Вурмергельм. Она только три дня как приехала. Видите ее мужа: длинный, сухой пруссак, с палкой в руке. Помните, как он третьего дня нас оглядывал? Ступайте сейчас, подойдите к баронессе, снимите шляпу и скажите ей что-нибудь по-французски.

— Зачем?

— Вы клялись, что соскочили бы с Шлангенберга; вы клянетесь, что вы готовы убить, если я прикажу. Вместо всех этих убийств и трагедий я хочу только посмеяться. Ступайте без отговорок. Я хочу посмотреть, как барон вас прибьет палкой.

— Вы вызываете меня; вы думаете, что я не сделаю?

— Да, вызываю, ступайте, я так хочу!

— Извольте, иду, хоть это и дикая фантазия. Только вот что: чтобы не было неприятности генералу, а от него вам? Ей-богу, я не о себе хлопочу, а об вас ну — и об генерале. И что за фантазия идти оскорблять женщину?

— Нет, вы только болтун, как я вижу, — сказала она презрительно. — У вас только глаза кровью налились давеча, — впрочем, может быть, оттого, что вы вина много выпили за обедом. Да разве я не понимаю сама, что это и глупо, и пошло, и что генерал рассердится? Я просто смеяться хочу. Ну, хочу да и только! И зачем вам оскорблять женщину? Скорее вас прибьют палкой.

Я повернулся и молча пошел исполнять ее поручение. Конечно, это было глупо, и, конечно, я не сумел вывернуться, но когда я стал подходить к баронессе, помню, меня самого как будто что-то подзадорило, именно школьничество подзадорило. Да и раздражен я был ужасно, точно пьян.

ГЛАВА VI

Вот уже два дня прошло после того глупого дня. И сколько крику, шуму, толку, стуку! И какая всё это беспорядица, неурядица, глупость и пошлость, и я всему причиною. А впрочем, иногда бывает смешно — мне по крайней мере. Я не умею себе дать отчета, что со мной сделалось, в исступленном ли я состоянии нахожусь, в самом деле, или просто с дороги соскочил и безобразничаю, пока не свяжут. Порой мне кажется, что у меня ум мешается. А порой кажется, что я еще не далеко от детства, от школьной скамейки, и просто грубо школьничаю.

Это Полина, это всё Полина! Может быть, не было бы и школьничества, если бы не она. Кто знает, может быть, я это всё с отчаяния (как ни глупо, впрочем, так рассуждать). И не понимаю, не понимаю, что в ней хорошего! Хороша-то она, впрочем, хороша; кажется, хороша. Ведь она и других с ума сводит. Высокая и стройная. Очень тонкая только. Мне кажется, ее можно всю в узел завязать или перегнуть надвое. Следок ноги у ней узенький и длинный — мучительный. Именно мучительный. Волосы с рыжим оттенком. Глаза — настоящие кошачьи, но как она гордо и высокомерно умеет ими смотреть. Месяца четыре тому назад, когда я только что поступил, она, раз вечером, в зале с Де-Грие долго и горячо разговаривала. И так на него смотрела... что потом я, когда к себе пришел ложиться спать, вообразил, что она дала ему пощечину, — только что дала, стоит перед ним и на него смотрит... Вот с этого-то вечера я ее и полюбил.

Впрочем, к делу.

Я спустился по дорожке в аллею, стал посредине аллеи и выжидал баронессу и барона. В пяти шагах расстояния я снял шляпу и поклонился.

Помню, баронесса была в шелковом необъятной окружности платье, светло-серого цвета, с оборками, в кринолине и с хвостом. Она мала собой и толстоты необычайной, с ужасно толстым и отвислым подбородком, так что совсем не видно шеи. Лицо багровое. Глаза маленькие, злые и наглые. Идет — точно всех чести удостаивает. Барон сух, высок. Лицо, по немецкому обыкновению, кривое и в тысяче мелких морщинок; в очках; сорока пяти лет. Ноги у него начинаются чуть ли не с самой груди; это, значит, порода. Горд, как павлин. Мешковат немного. Что-то баранье в выражении лица, по-своему заменяющее глубокомыслие.

Всё это мелькнуло мне в глаза в три секунды.

Мой поклон и моя шляпа в руках сначала едва-едва остановили их внимание. Только барон слегка насупил брови. Баронесса так и плыла прямо на меня.

— Madame la baronne, — проговорил я отчетливо вслух, отчеканивая каждое слово, — j'ai l'honneur d'être votre esclave[1].

Затем поклонился, надел шляпу и прошел мимо барона, вежливо обращая к нему лицо и улыбаясь.

Шляпу снять велела мне она, но поклонился и сошкольничал я уж сам от себя. Черт знает, что меня подтолкнуло? Я точно с горы летел.

— Гейн! — крикнул, или лучше сказать, крякнул барон, оборачиваясь ко мне с сердитым удивлением.

Я обернулся и остановился в почтительном ожидании, продолжая на него смотреть и улыбаться. Он, видимо, недоумевал и подтянул брови до nec plus ultra[2]. Лицо его всё более и более омрачалось. Баронесса тоже повернулась в мою сторону и тоже посмотрела в гневном недоумении. Из прохожих стали засматриваться. Иные даже приостанавливались.

— Гейн! — крякнул опять барон с удвоенным кряктом и с удвоенным гневом.

— Jawohl[3], — протянул я, продолжая смотреть ему прямо в глаза.

---

[1] Госпожа баронесса... честь имею быть вашим рабом (*франц.*).

[2] до крайнего предела (*лат.*).

[3] Да (*нем.*).

— Sind Sie rasend?[1] — крикнул он, махнув своей палкой и, кажется, немного начиная трусить. Его, может быть, смущал мой костюм. Я был очень прилично, даже щегольски одет, как человек, вполне принадлежащий к самой порядочной публике.

— Jawo-o-ohl! — крикнул я вдруг изо всей силы, протянув *о*, как протягивают берлинцы, поминутно употребляющие в разговоре фразу «jawohl» и при этом протягивающие букву *о* более или менее, для выражения различных оттенков мыслей и ощущений.

Барон и баронесса быстро повернулись и почти побежали от меня в испуге. Из публики иные заговорили, другие смотрели на меня в недоумении. Впрочем, не помню хорошо.

Я оборотился и пошел обыкновенным шагом к Полине Александровне. Но еще не доходя шагов сотни до ее скамейки, я увидел, что она встала и отправилась с детьми к отелю.

Я настиг ее у крыльца.

— Исполнил... дурачество, — сказал я, поравнявшись с нею.

— Ну, так что ж? Теперь и разделывайтесь, — ответила она, даже и не взглянув на меня, и пошла по лестнице.

Весь этот вечер я проходил в парке. Чрез парк и потом чрез лес я прошел даже в другое княжество. В одной избушке ел яичницу и пил вино: за эту идиллию с меня содрали целых полтора талера.

Только в одиннадцать часов я воротился домой. Тотчас же за мною прислали от генерала.

Наши в отеле занимают два номера; у них четыре комнаты. Первая, большая, — салон, с роялем. Рядом с нею тоже большая комната — кабинет генерала. Здесь ждал он меня, стоя среди кабинета в чрезвычайно величественном положении. Де-Грие сидел, развалясь на диване.

— Милостивый государь, позвольте спросить, что вы наделали? — начал генерал, обращаясь ко мне.

— Я бы желал, генерал, чтобы вы приступили прямо к делу, — сказал я. — Вы, вероятно, хотите говорить о моей встрече сегодня с одним немцем?

— С одним немцем?! Этот немец — барон Вурмергельм и важное лицо-с! Вы наделали ему и баронессе грубостей.

— Никаких.

— Вы испугали их, милостивый государь, — крикнул генерал.

— Да совсем же нет. Мне еще в Берлине запало в ухо беспрерывно повторяемое ко всякому слову «jawohl», которое они так отвратительно протягивают. Когда я встретился с ним в аллее, мне вдруг это «jawohl», не знаю почему, вскочило на память, ну и подействовало на меня раздражительно... Да к тому же баронесса вот уж три раза, встречаясь со мною, имеет обыкновение идти прямо на меня, как будто бы я был червяк, которого можно ногою давить. Согласитесь, я тоже могу иметь свое самолюбие. Я снял шляпу и вежливо (уверяю вас, что вежливо) сказал: «Madame, j'ai l'honneur d'être votre esclave». Когда барон обернулся и закричал «гейн!» — меня вдруг так и подтолкнуло тоже закричать: «Ja-

---

[1] Вы что, взбесились? (*нем.*).

wohl!» Я и крикнул два раза: первый раз обыкновенно, а второй — протянув изо всей силы. Вот и всё.

Признаюсь, я ужасно был рад этому в высшей степени мальчишескому объяснению. Мне удивительно хотелось размазывать всю эту историю как можно нелепее.

И чем далее, тем я более во вкус входил.

— Вы смеетесь, что ли, надо мною, — крикнул генерал. Он обернулся к французу и по-французски изложил ему, что я решительно напрашиваюсь на историю. Де-Грие презрительно усмехнулся и пожал плечами.

— О, не имейте этой мысли, ничуть не бывало! — вскричал я генералу, — мой поступок, конечно, нехорош, я в высшей степени откровенно вам сознаюсь в этом. Мой поступок можно назвать даже глупым и неприличным школьничеством, но — не более. И знаете, генерал, я в высшей степени раскаиваюсь. Но тут есть одно обстоятельство, которое в моих глазах почти избавляет меня даже и от раскаяния. В последнее время, эдак недели две, даже три, я чувствую себя нехорошо: больным, нервным, раздражительным, фантастическим и, в иных случаях, теряю совсем над собою волю. Право, мне иногда ужасно хотелось несколько раз вдруг обратиться к маркизу Де-Грие и... А впрочем, нечего договаривать; может, ему будет обидно. Одним словом, это признаки болезни. Не знаю, примет ли баронесса Вурмергельм во внимание это обстоятельство, когда я буду просить у нее извинения (потому что я намерен просить у нее извинения)? Я полагаю, не примет, тем более что, сколько известно мне, этим обстоятельством начали в последнее время злоупотреблять в юридическом мире: адвокаты при уголовных процессах стали весьма часто оправдывать своих клиентов, преступников, тем, что они в момент преступления ничего не помнили и что это будто бы такая болезнь. «Прибил, дескать, и ничего не помнит». И представьте себе, генерал, медицина им поддакивает — действительно подтверждает, что бывает такая болезнь, такое временное помешательство, когда человек почти ничего не помнит, или полупомнит, или четверть помнит. Но барон и баронесса — люди поколения старого, притом прусские юнкеры и помещики. Им, должно быть, этот прогресс в юридически-медицинском мире еще неизвестен, а потому они и не примут моих объяснений. Как вы думаете, генерал?

— Довольно, сударь! — резко и с сдержанным негодованием произнес генерал, — довольно! Я постараюсь раз навсегда избавить себя от вашего школьничества. Извиняться перед баронессою и бароном вы не будете. Всякие сношения с вами, даже хотя бы они состояли единственно в вашей просьбе о прощении, будут для них слишком унизительны. Барон, узнав, что вы принадлежите к моему дому, объяснялся уж со мною в воксале и, признаюсь вам, еще немного, и он потребовал бы у меня удовлетворения. Понимаете ли вы, чему подвергали вы меня — меня, милостивый государь? Я, я принужден был просить у барона извинения и дал ему слово, что немедленно, сегодня же, вы не будете принадлежать к моему дому...

— Позвольте, позвольте, генерал, так это он сам непременно потребовал, чтоб я не принадлежал к вашему дому, как вы изволите выражаться?

— Нет; но я сам почел себя обязанным дать ему это удовлетворение, и, разумеется, барон остался доволен. Мы расстаемся, милостивый государь. Вам следует дополучить с меня эти четыре фридрихсдора и три флорина на здешний расчет. Вот деньги, а вот и бумажка с расчетом; можете это проверить. Прощайте. С этих пор мы чужие. Кроме хлопот и неприятностей, я не видал от вас ничего. Я позову сейчас кельнера и объявлю ему, что с завтрашнего дня не отвечаю за ваши расходы в отеле. Честь имею пребыть вашим слугою.

Я взял деньги, бумажку, на которой был карандашом написан расчет, поклонился генералу и весьма серьезно сказал ему:

— Генерал, дело так окончиться не может. Мне очень жаль, что вы подвергались неприятностям от барона, но — извините меня — виною этому вы сами. Каким образом взяли вы на себя отвечать за меня барону? Что значит выражение, что я принадлежу к вашему дому? Я просто учитель в вашем доме, и только. Я не сын родной, не под опекой у вас, и за поступки мои вы не можете отвечать. Я сам — лицо юридически компетентное. Мне двадцать пять лет, я кандидат университета, я дворянин, я вам совершенно чужой. Только одно мое безграничное уважение к вашим достоинствам останавливает меня потребовать от вас теперь же удовлетворения и дальнейшего отчета в том, что вы взяли на себя право за меня отвечать.

Генерал был до того поражен, что руки расставил, потом вдруг оборотился к французу и торопливо передал ему, что я чуть не вызвал его сейчас на дуэль. Француз громко захохотал.

— Но барону я спустить не намерен, — продолжал я с полным хладнокровием, нимало не смущаясь смехом мсье Де-Грие, — и так как вы, генерал, согласившись сегодня выслушать жалобы барона и войдя в его интерес, поставили сами себя как бы участником во всем этом деле, то я честь имею вам доложить, что не позже как завтра поутру потребую у барона, от своего имени, формального объяснения причин, по которым он, имея дело со мною, обратился мимо меня к другому лицу, точно я не мог или был недостоин отвечать ему сам за себя.

Что я предчувствовал, то и случилось. Генерал, услышав эту новую глупость, струсил ужасно.

— Как, неужели вы намерены еще продолжать это проклятое дело! — вскричал он, — но что ж со мной-то вы делаете, о господи! Не смейте, не смейте, милостивый государь, или, клянусь вам!.. здесь есть тоже начальство, и я... я... одним словом, по моему чину... и барон тоже... одним словом, вас заарестуют и вышлют отсюда с полицией, чтоб вы не буянили! Понимаете это-с! — И хоть ему захватило дух от гнева, но все-таки он трусил ужасно.

— Генерал, — отвечал я с нестерпимым для него спокойствием, — заарестовать нельзя за буйство прежде совершения буйства. Я еще не начинал моих объяснений с бароном, а вам еще совершенно неизвестно, в каком виде и на каких основаниях я намерен приступить к этому делу. Я желаю только разъяснить обидное для меня предположение, что я нахожусь под опекой у лица, будто бы имеющего власть над моей свободной волею. Напрасно вы так себя тревожите и беспокоите.

— Ради бога, ради бога, Алексей Иванович, оставьте это бессмысленное намерение! — бормотал генерал, вдруг изменяя свой разгневанный тон на умоляющий и даже схватив меня за руки. — Ну, представьте, что из этого выйдет? опять неприятность! Согласитесь сами, я должен здесь держать себя особенным образом, особенно теперь!.. особенно теперь!.. О, вы не знаете, не знаете всех моих обстоятельств!.. Когда мы отсюда поедем, я готов опять принять вас к себе. Я теперь только так, ну, одним словом, — ведь вы понимаете же причины! — вскричал он отчаянно, — Алексей Иванович, Алексей Иванович!..

Ретируясь к дверям, я еще раз усиленно просил его не беспокоиться, обещал, что всё обойдется хорошо и прилично, и поспешил выйти.

Иногда русские за границей бывают слишком трусливы и ужасно боятся того, что скажут и как на них поглядят, и будет ли прилично вот то-то и то-то? — одним словом, держат себя точно в корсете, особенно претендующие на значение. Самое любое для них — какая-нибудь предвзятая, раз установленная форма, которой они рабски следуют — в отелях, на гуляньях, в собраниях, в дороге... Но генерал проговорился, что у него, сверх того, были какие-то особые обстоятельства, что ему надо как-то «особенно держаться». Оттого-то он так вдруг малодушно и струсил и переменил со мной тон. Я это принял к сведению и заметил. И конечно, он мог сдуру обратиться завтра к каким-нибудь властям, так что мне надо было в самом деле быть осторожным.

Мне, впрочем, вовсе не хотелось сердить собственно генерала; но мне захотелось теперь посердить Полину. Полина обошлась со мною так жестоко и сама толкнула меня на такую глупую дорогу, что мне очень хотелось довести ее до того, чтобы она сама попросила меня остановиться. Мое школьничество могло, наконец, и ее компрометировать. Кроме того, во мне сформировались кой-какие другие ощущения и желания; если я, например, исчезаю пред нею самовольно в ничто, то это вовсе ведь не значит, что пред людьми я мокрая курица и уж, конечно, не барону «бить меня палкой». Мне захотелось над всеми ними насмеяться, а самому выйти молодцом. Пусть посмотрят. Небось! она испугается скандала и кликнет меня опять. А и не кликнет, так все-таки увидит, что я не мокрая курица...

(Удивительное известие: сейчас только услышал от нашей няни, которую встретил на лестнице, что Марья Филипповна отправилась сегодня, одна-одинешенька, в Карлсбад, с вечерним поездом, к двоюродной сестре. Это что за известие? Няня говорит, что она давно собиралась; но как же этого никто не знал? Впрочем, может, я только не знал. Няня проговорилась мне, что Марья Филипповна с генералом еще третьего дня крупно поговорила. Понимаю-с. Это, наверное, — mademoiselle Blanche. Да, у нас наступает что-то решительное.)

ГЛАВА VII

Наутро я позвал кельнера и объявил, чтобы счет мне писали особенно. Номер мой был не так еще дорог, чтоб очень пугаться и совсем выехать из отеля. У меня было шестнадцать фридрихсдоров, а там... там, может быть, богатство! Странное дело, я еще не выиграл, но поступаю, чувствую и мыслю, как богач, и не могу представлять себя иначе.

Я располагал, несмотря на ранний час, тотчас же отправиться к мистеру Астлею в отель d'Angleterre, очень недалеко от нас, как вдруг вошел ко мне Де-Грие. Этого никогда еще не случалось, да, сверх того, с этим господином во

всё последнее время мы были в самых чуждых и в самых натянутых отношениях. Он явно не скрывал своего ко мне пренебрежения, даже старался не скрывать; а я — я имел свои собственные причины его не жаловать. Одним словом, я
его ненавидел. Приход его меня очень удивил. Я тотчас же смекнул, что тут
что-нибудь особенное заварилось.

Вошел он очень любезно и сказал мне комплимент насчет моей комнаты.
Видя, что я со шляпой в руках, он осведомился, неужели я так рано выхожу гулять. Когда же услышал, что я иду к мистеру Астлею по делу, подумал, сообразил, и лицо его приняло чрезвычайно озабоченный вид.

Де-Грие был, как все французы, то есть веселый и любезный, когда это надо
и выгодно, и нестерпимо скучный, когда быть веселым и любезным переставала необходимость. Француз редко натурально любезен; он любезен всегда как
бы по приказу, из расчета. Если, например, видит необходимость быть фанта-
стичным, оригинальным, понеобыденнее, то фантазия его, самая глупая и неестественная, слагается из заранее принятых и давно уже опошлившихся форм.
Натуральный же француз состоит из самой мещанской, мелкой, обыденной по-
ложительности, — одним словом, скучнейшее существо в мире. По-моему, только новички и особенно русские барышни прельщаются французами. Всякому же порядочному существу тотчас же заметна и нестерпима эта казенщина
раз установившихся форм салонной любезности, развязности и веселости.

— Я к вам по делу, — начал он чрезвычайно независимо, хотя, впрочем,
вежливо, — и не скрою, что к вам послом или, лучше сказать, посредником от
генерала. Очень плохо зная русский язык, я ничего почти вчера не понял; но генерал мне подробно объяснил, и признаюсь...

— Но послушайте, monsieur Де-Грие, — перебил я его, — вы вот и в этом
деле взялись быть посредником. Я, конечно, «un outchitel» и никогда не претен-
довал на честь быть близким другом этого дома или на какие-нибудь особенно
интимные отношения, а потому и не знаю всех обстоятельств; но разъясните
мне: неужели вы уж теперь совсем принадлежите к членам этого семейства?
Потому что вы, наконец, во всем берете такое участие, непременно, сейчас же
во всем посредником...

Вопрос мой ему не понравился. Для него он был слишком прозрачен, а проговариваться он не хотел.

— Меня связывают с генералом отчасти дела, отчасти *некоторые особенные*
обстоятельства, — сказал он сухо. — Генерал прислал меня просить вас оставить ваши вчерашние намерения. Всё, что вы выдумали, конечно, очень остроумно; но он именно просил меня представить вам, что вам совершенно не удастся; мало того — вас барон не примет, и, наконец, во всяком случае он ведь
имеет все средства избавиться от дальнейших неприятностей с вашей стороны.
Согласитесь сами. К чему же, скажите, продолжать? Генерал же вам обещает,
наверное, принять вас опять в свой дом, при первых удобных обстоятельствах, а
до того времени зачесть ваше жалованье, vos appointements[1]. Ведь это довольно
выгодно, не правда ли?

Я возразил ему весьма спокойно, что он несколько ошибается; что, может
быть, меня от барона и не прогонят, а, напротив, выслушают, и попросил его

---

[1] ваше жалованье (*франц.*).

признаться, что, вероятно, он затем и пришел, чтоб выпытать: как именно я примусь за всё это дело?

— О боже, если генерал так заинтересован, то, разумеется, ему приятно будет узнать, что и как вы будете делать? Это так естественно!

Я принялся объяснять, а он начал слушать, развалясь, несколько склонив ко мне набок голову, с явным, нескрываемым ироническим оттенком в лице. Вообще он держал себя чрезвычайно свысока. Я старался всеми силами притвориться, что смотрю на дело с самой серьезной точки зрения. Я объяснил, что так как барон обратился к генералу с жалобою на меня, точно на генеральскую слугу, то, во-первых, лишил меня этим места, а во-вторых, третировал меня как лицо, которое не в состоянии за себя ответить и с которым не стоит и говорить. Конечно, я чувствую себя справедливо обиженным; однако, понимая разницу лет, положения в обществе и прочее, и прочее (я едва удерживался от смеха в этом месте), не хочу брать на себя еще нового легкомыслия, то есть прямо потребовать от барона или даже только предложить ему об удовлетворении. Тем не менее я считаю себя совершенно вправе предложить ему, и особенно баронессе, мои извинения, тем более что действительно в последнее время я чувствую себя нездоровым, расстроенным и, так сказать, фантастическим и прочее, и прочее. Однако ж сам барон вчерашним обидным для меня обращением к генералу и настоянием, чтобы генерал лишил меня места, поставил меня в такое положение, что теперь я уже не могу представить ему и баронессе мои извинения, потому что и он, и баронесса, и весь свет, наверно, подумают, что я пришел с извинениями со страха, чтоб получить назад свое место. Из всего этого следует, что я нахожусь теперь вынужденным просить барона, чтобы он первоначально извинился предо мною сам, в самых умеренных выражениях, — например, сказал бы, что он вовсе не желал меня обидеть. И когда барон это выскажет, тогда я уже, с развязанными руками, чистосердечно и искренно принесу ему и мои извинения. Одним словом, заключил я, я прошу только, чтобы барон развязал мне руки.

— Фи, какая щепетильность и какие утонченности! И чего вам извиняться? Ну согласитесь, monsieur... monsieur... что вы затеваете всё это нарочно, чтобы досадить генералу... а может быть, имеете какие-нибудь особые цели... mon cher monsieur, pardon, j'ai oublié votre nom, monsieur Alexis?.. n'est ce pas?[1]

— Но позвольте, mon cher marquis[2], да вам что за дело?

— Mais le général...[3]

— А генералу что? Он вчера что-то говорил, что держать себя на какой-то ноге должен... и так тревожился... но я ничего не понял.

— Тут есть, — тут именно существует особое обстоятельство, — подхватил Де-Грие просящим тоном, в котором всё более и более слышалась досада. — Вы знаете mademoiselle de Cominges?

— То есть mademoiselle Blanche?

— Ну да, mademoiselle Blanche de Cominges... et madame sa mère...[4] согласитесь сами, генерал... одним словом, генерал влюблен и даже... даже, может

---

[1] дорогой мой, простите, я забыл ваше имя, Алексей?.. Не так ли?(*франц.*)

[2] дорогой маркиз (*франц.*).

[3] Но генерал (*франц.*).

[4] мадемуазель Бланш де Коменж и ее мамашу (*франц.*).

быть, здесь совершится брак. И представьте при этом разные скандалы, истории...

— Я не вижу тут ни скандалов, ни историй, касающихся брака.

— Ho le baron est si irascible, un caractère prussien, vous savez, enfin il fera une querelle d'Allemand[1].

— Так мне же, а не вам, потому что я уже не принадлежу к дому... (Я нарочно старался быть как можно бестолковее.) Но позвольте, так это решено, что mademoiselle Blanche выходит за генерала? Чего же ждут? Я хочу сказать — что скрывать об этом, по крайней мере от нас, от домашних?

— Я вам не могу... впрочем, это еще не совсем... однако... вы знаете, ждут из России известия; генералу надо устроить дела...

— А, а! la baboulinka!

Де-Грие с ненавистью посмотрел на меня.

— Одним словом, — перебил он, — я вполне надеюсь на вашу врожденную любезность, на ваш ум, на такт... вы, конечно, сделаете это для того семейства, в котором вы были приняты как родной, были любимы, уважаемы...

— Помилуйте, я был выгнан! Вы вот утверждаете теперь, что это для виду; но согласитесь, если вам скажут: «Я, конечно, не хочу тебя выдрать за уши, но для виду позволь себя выдрать за уши...» Так ведь это почти всё равно?

— Если так, если никакие просьбы не имеют на вас влияния, — начал он строго и заносчиво, — то позвольте вас уверить, что будут приняты меры. Тут есть начальство, вас вышлют сегодня же, — que diable! un blan-bec comme vous[2] хочет вызвать на дуэль такое лицо, как барон! И вы думаете, что вас оставят в покое? И поверьте, вас никто здесь не боится! Если я просил, то более от себя, потому что вы беспокоили генерала. И неужели, неужели вы думаете, что барон не велит вас просто выгнать лакею?

— Да ведь я не сам пойду, — отвечал я с чрезвычайным спокойствием, — вы ошибаетесь, monsieur Де-Грие, всё это обойдется гораздо приличнее, чем вы думаете. Я вот сейчас же отправлюсь к мистеру Астлею и попрошу его быть моим посредником, одним словом, быть моим second[3]. Этот человек меня любит и, наверное, не откажет. Он пойдет к барону, и барон его примет. Если сам я un outchitel и кажусь чем-то subalterne[4], ну и, наконец, без защиты, то мистер Астлей — племянник лорда, настоящего лорда, это известно всем, лорда Пиброка, и лорд этот здесь. Поверьте, что барон будет вежлив с мистером Астлеем и выслушает его. А если не выслушает, то мистер Астлей почтет это себе за личную обиду (вы знаете, как англичане настойчивы) и пошлет к барону от себя приятеля, а у него приятели хорошие. Разочтите теперь, что выйдет, может быть, и не так, как вы полагаете.

Француз решительно струсил; действительно, всё это было очень похоже на правду, а стало быть, выходило, что я и в самом деле был в силах затеять историю.

---

[1] барон так вспыльчив, прусский характер, знаете, он может устроить ссору из-за пустяков (*франц.*).

[2] кой черт! молокосос, как вы (*франц.*).

[3] секундантом (*франц.*).

[4] подчиненным (*франц.*).

— Но прошу же вас, — начал он совершенно умоляющим голосом, — оставьте всё это! Вам точно приятно, что выйдет история! Вам не удовлетворения надобно, а истории! Я сказал, что всё это выйдет забавно и даже остроумно, чего, может быть, вы и добиваетесь, но, одним словом, — заключил он, видя, что я встал и беру шляпу, — я пришел вам передать эти два слова от одной особы, прочтите, — мне поручено ждать ответа.

Сказав это, он вынул из кармана и подал мне маленькую, сложенную и запечатанную облаткою записочку.

Рукою Полины было написано:

«Мне показалось, что вы намерены продолжать эту историю. Вы рассердились и начинаете школьничать. Но тут есть особые обстоятельства, и я вам их потом, может быть, объясню; а вы, пожалуйста, перестаньте и уймитесь. Какие всё это глупости! Вы мне нужны и сами обещались слушаться. Вспомните Шлангенберг. Прошу вас быть послушным и, если надо, приказываю. Ваша П.

P. S. Если на меня за вчерашнее сердитесь, то простите меня».

У меня как бы всё перевернулось в глазах, когда я прочел эти строчки. Губы у меня побелели, и я стал дрожать. Проклятый француз смотрел с усиленно скромным видом и отводя от меня глаза, как бы для того, чтобы не видеть моего смущения. Лучше бы он захохотал надо мною.

— Хорошо, — ответил я, — скажите, чтобы mademoiselle была спокойна. Позвольте же, однако, вас спросить, — прибавил я резко, — почему вы так долго не передавали мне эту записку? Вместо того чтобы болтать о пустяках, мне кажется, вы должны были начать с этого... если вы именно и пришли с этим поручением.

— О, я хотел... вообще всё это так странно, что вы извините мое натуральное нетерпение. Мне хотелось поскорее узнать самому лично, от вас самих, ваши намерения. Я, впрочем, не знаю, что в этой записке, и думал, что всегда успею передать.

— Понимаю, вам просто-запросто велено передать это только в крайнем случае, а если уладите на словах, то и не передавать. Так ли? Говорите прямо, monsieur Де-Грие!

— Peut-être[1], — сказал он, принимая вид какой-то особенной сдержанности и смотря на меня каким-то особенным взглядом.

Я взял шляпу; он кивнул головой и вышел. Мне показалось, что на губах его насмешливая улыбка. Да и как могло быть иначе?

— Мы с тобой еще сочтемся, французишка, померимся! — бормотал я, сходя с лестницы. Я еще ничего не мог сообразить, точно что мне в голову ударило. Воздух несколько освежил меня.

Минуты через две, чуть-чуть только я стал ясно соображать, мне ярко представились две мысли: *первая*, — что из таких пустяков, из нескольких школьнических, невероятных угроз мальчишки, высказанных вчера на лету, поднялась такая *всеобщая* тревога! и *вторая* мысль — каково же, однако, влияние этого француза на Полину? Одно его слово — и она делает всё, что ему нужно, пишет записку и даже *просит* меня. Конечно, их отношения и всегда для меня были загадкою с самого начала, с тех пор как я их знать начал; однако ж в эти последние дни я заметил в ней решительное отвращение и даже презрение к нему, а он даже

---

[1] Может быть (*франц.*).

и не смотрел на нее, даже просто бывал с ней невежлив. Я это заметил. Полина сама мне говорила об отвращении; у ней уже прорывались чрезвычайно значительные признания... Значит, он просто владеет ею, она у него в каких-то цепях...

ГЛАВА VIII

На променаде, как здесь называют, то есть в каштановой аллее, я встретил моего англичанина.

— О, о! — начал он, завидя меня, — я к вам, а вы ко мне. Так вы уж расстались с вашими?

— Скажите, во-первых, почему всё это вы знаете, — спросил я в удивлении, — неужели всё это всем известно?

— О нет, всем неизвестно; да и не стоит, чтоб было известно. Никто не говорит.

— Так почему вы это знаете?

— Я знаю, то есть имел случай узнать. Теперь куда вы отсюда уедете? Я люблю вас и потому к вам пришел.

— Славный вы человек, мистер Астлей, — сказал я (меня, впрочем, ужасно поразило: откуда он знает?), — и так как я еще не пил кофе, да и вы, вероятно, его плохо пили, то пойдемте к воксалу в кафе, там сядем, закурим, и я вам всё расскажу, и... вы тоже мне расскажете.

Кафе был во ста шагах. Нам принесли кофе, мы уселись, я закурил папиросу, мистер Астлей ничего не закурил и, уставившись на меня, приготовился слушать.

— Я никуда не еду, я здесь остаюсь, — начал я.

— И я был уверен, что вы останетесь, — одобрительно произнес мистер Астлей.

Идя к мистеру Астлею, я вовсе не имел намерения и даже нарочно не хотел рассказывать ему что-нибудь о моей любви к Полине. Во все эти дни я не сказал с ним об этом почти ни одного слова. К тому же он был очень застенчив. Я с первого раза заметил, что Полина произвела на него чрезвычайное впечатление, но он никогда не упоминал ее имени. Но странно, вдруг, теперь, только что он уселся и уставился на меня своим пристальным оловянным взглядом, во мне, неизвестно почему, явилась охота рассказать ему всё, то есть всю мою любовь и со всеми ее оттенками. Я рассказывал целые полчаса, и мне было это чрезвычайно приятно, в первый раз я об этом рассказывал! Заметив же, что в некоторых, особенно пылких местах, он смущается, я нарочно усиливал пылкость моего рассказа. В одном раскаиваюсь: я, может быть, сказал кое-что лишнее про француза...

Мистер Астлей слушал, сидя против меня, неподвижно, не издавая ни слова, ни звука и глядя мне в глаза; но когда я заговорил про француза, он вдруг осадил меня и строго спросил: имею ли я право упоминать об этом постороннем обстоятельстве? Мистер Астлей всегда очень странно задавал вопросы.

— Вы правы: боюсь, что нет, — ответил я.

— Об этом маркизе и о мисс Полине вы ничего не можете сказать точного, кроме одних предположений?

Я опять удивился такому категорическому вопросу от такого застенчивого человека, как мистер Астлей.

— Нет, точного ничего, — ответил я, — конечно, ничего.

— Если так, то вы сделали дурное дело не только тем, что заговорили об этом со мною, но даже и тем, что про себя это подумали.

— Хорошо, хорошо! Сознаюсь; но теперь не в том дело, — перебил я, про себя удивляясь. Тут я ему рассказал всю вчерашнюю историю, во всех подробностях, выходку Полины, мое приключение с бароном, мою отставку, необыкновенную трусость генерала и, наконец, в подробности изложил сегодняшнее посещение Де-Грие, со всеми оттенками; в заключение показал ему записку.

— Что вы из этого выводите? — спросил я. — Я именно пришел узнать ваши мысли. Что же до меня касается, то я, кажется, убил бы этого французишку и, может быть, это сделаю.

— И я, — сказал мистер Астлей. — Что же касается до мисс Полины, то... вы знаете, мы вступаем в сношения даже с людьми нам ненавистными, если нас вызывает к тому необходимость. Тут могут быть сношения вам неизвестные, зависящие от обстоятельств посторонних. Я думаю, что вы можете успокоиться — отчасти, разумеется. Что же касается до вчерашнего поступка ее, то он, конечно, странен, — не потому, что она пожелала от вас отвязаться и послала вас под дубину барона (которую, я не понимаю почему, он не употребил, имея в руках), а потому, что такая выходка для такой... для такой превосходной мисс — неприлична. Разумеется, она не могла предугадать, что вы буквально исполните ее насмешливое желание...

— Знаете ли что? — вскричал я вдруг, пристально всматриваясь в мистера Астлея, — мне сдается, что вы уже о всем об этом слышали, знаете от кого? — от самой мисс Полины!

Мистер Астлей посмотрел на меня с удивлением.

— У вас глаза сверкают, и я читаю в них подозрение, — проговорил он, тотчас же возвратив себе прежнее спокойствие, — но вы не имеете ни малейших прав обнаруживать ваши подозрения. Я не могу признать этого права и вполне отказываюсь отвечать на ваш вопрос.

— Ну, довольно! И не надо! — закричал я, странно волнуясь и не понимая, почему вскочило это мне в мысль! И когда, где, каким образом мистер Астлей мог бы быть выбран Полиною в поверенные? В последнее время, впрочем, я отчасти упустил из виду мистера Астлея, а Полина и всегда была для меня загадкой, — до того загадкой, что, например, теперь, пустившись рассказывать всю историю моей любви мистеру Астлею, я вдруг, во время самого рассказа, был поражен тем, что почти ничего не мог сказать об моих отношениях с нею точного и положительного. Напротив того, всё было фантастическое, странное, неосновательное и даже ни на что не похожее.

— Ну, хорошо, хорошо; я сбит с толку и теперь еще многого не могу сообразить, — отвечал я, точно запыхавшись. — Впрочем, вы хороший человек. Теперь другое дело, и я прошу вашего — не совета, а мнения.

Я помолчал и начал:

— Как вы думаете, почему так струсил генерал? почему из моего глупейшего шалопайничества они все вывели такую историю? Такую историю, что даже сам Де-Грие нашел необходимым вмешаться (а он вмешивается только в самых важных случаях), посетил меня (каково!), просил, умолял меня — он, Де-Грие, меня! Наконец, заметьте себе, он пришел в девять часов, в конце девятого, и уж записка мисс Полины была в его руках. Когда же, спрашивается, она была написана? Может быть, мисс Полину разбудили для этого! Кроме того, что из этого я вижу, что мисс Полина его раба (потому что даже у меня просит прощения!); кроме этого, ей-то что во всем этом, ей лично? Она для чего так интересуется? Чего они испугались какого-то барона? И что ж такое, что генерал женится на mademoiselle Blanche de Cominges? Они говорят, что им как-то *особенно* держать себя вследствие этого обстоятельства надо, — но ведь это уж слишком особенно, согласитесь сами! Как вы думаете? Я по глазам вашим убежден, что вы и тут более меня знаете!

Мистер Астлей усмехнулся и кивнул головой.

— Действительно, я, кажется, и в этом гораздо больше вашего знаю, — сказал он. — Тут всё дело касается одной mademoiselle Blanche, и я уверен, что это совершенная истина.

— Ну что ж mademoiselle Blanche? — вскричал я с нетерпением (у меня вдруг явилась надежда, что теперь что-нибудь откроется о mademoiselle Полине).

— Мне кажется, что mademoiselle Blanche имеет в настоящую минуту особый интерес всячески избегать встречи с бароном и баронессой, — тем более встречи неприятной, еще хуже — скандальной.

— Ну! Ну!

— Mademoiselle Blanche третьего года, во время сезона уже была здесь, в Рулетенбурге. И я тоже здесь находился. Mademoiselle Blanche тогда не называлась mademoiselle de Cominges, равномерно и мать ее madame veuve[1] Cominges тогда не существовала. По крайней мере о ней не было и помину. Де-Грие — Де-Грие тоже не было. Я питаю глубокое убеждение, что они не только не родня между собою, но даже и знакомы весьма недавно. Маркизом Де-Грие стал тоже весьма недавно — я в этом уверен по одному обстоятельству. Даже можно предположить, что он и Де-Грие стал называться недавно. Я знаю здесь одного человека, встречавшего его и под другим именем.

— Но ведь он имеет действительно солидный круг знакомства?

— О, это может быть. Даже mademoiselle Blanche его может иметь. Но третьего года mademoiselle Blanche, по жалобе этой самой баронессы, получила приглашение от здешней полиции покинуть город и покинула его.

— Как так?

— Она появилась тогда здесь сперва с одним итальянцем, каким-то князем, с историческим именем что-то вроде *Барберини* или что-то похожее. Человек весь в перстнях и бриллиантах, и даже не фальшивых. Они ездили в удивительном экипаже. Mademoiselle Blanche играла в trente et quarante сначала хорошо, потом ей стало сильно изменять счастие; так я припоминаю. Я помню, в один вечер она проиграла чрезвычайную сумму. Но всего хуже, что un beau matin[2] ее князь исчез неизвестно куда; исчезли и лошади, и экипаж — всё исчезло. Долг в отеле ужасный. Mademoiselle Зельма́ (вместо Барберини она вдруг обратилась в mademoiselle Зельму́) была в последней степени отчаяния. Она выла и визжала на весь отель и разорвала в бешенстве свое платье. Тут же в отеле стоял один польский граф (все путешествующие поляки — графы), и mademoiselle Зельма́,

---

[1] вдова (*франц.*).

[2] в одно прекрасное утро (*франц.*).

разрывавшая свои платья и царапавшая, как кошка, свое лицо своими прекрасными, вымытыми в духах руками, произвела на него некоторое впечатление. Они переговорили, и к обеду она утешилась. Вечером он появился с ней под руку в воксале. Mademoiselle Зельма́ смеялась, по своему обыкновению, весьма громко, и в манерах ее оказалось несколько более развязности. Она поступила прямо в тот разряд играющих на рулетке дам, которые, подходя к столу, изо всей силы отталкивают плечом игрока, чтобы очистить себе место. Это особенный здесь шик у этих дам. Вы их, конечно, заметили?

— О, да.

— Не стоит и замечать. К досаде порядочной публики, они здесь не переводятся, по крайней мере те из них, которые меняют каждый день у стола тысячефранковые билеты. Впрочем, как только они перестают менять билеты, их тотчас просят удалиться. Mademoiselle Зельма́ еще продолжала менять билеты, но игра ее шла еще несчастливее. Заметьте себе, что эти дамы весьма часто играют счастливо; у них удивительное владение собою. Впрочем, история моя кончена. Однажды, точно так же как и князь, исчез и граф. Mademoiselle Зельма́ явилась вечером играть уже одна; на этот раз никто не явился предложить ей руку. В два дня она проигралась окончательно. Поставив последний луидор и проиграв его, она осмотрелась кругом и увидела подле себя барона Вурмергельма, который очень внимательно и с глубоким негодованием ее рассматривал. Но mademoiselle Зельма́ не разглядела негодования и, обратившись к барону с известной улыбкой, попросила поставить за нее на красную десять луидоров. Вследствие этого, по жалобе баронессы, она к вечеру получила приглашение не показываться более в воксале. Если вы удивляетесь, что мне известны все эти мелкие и совершенно неприличные подробности, то это потому, что слышал я их окончательно от мистера Фидера, одного моего родственника, который в тот же вечер увез в своей коляске mademoiselle Зельму́ из Рулетенбурга в Спа. Теперь поймите: mademoiselle Blanche хочет быть генеральшей, вероятно для того, чтобы впредь не получать таких приглашений, как третьего года от полиции воксала. Теперь она уже не играет; но это потому, что теперь у ней по всем признакам есть капитал, который она ссужает здешним игрокам на проценты. Это гораздо расчетливее. Я даже подозреваю, что ей должен и несчастный генерал. Может быть, должен и Де-Грие. Может быть, Де-Грие с ней в компании. Согласитесь сами, что, по крайней мере до свадьбы, она бы не желала почему-либо обратить на себя внимание баронессы и барона. Одним словом, в ее положении ей всего менее выгоден скандал. Вы же связаны с их домом, и ваши поступки могли возбудить скандал, тем более что она каждодневно является в публике под руку с генералом или с мисс Полиною. Теперь понимаете?

— Нет, не понимаю! — вскричал я, изо всей силы стукнув по столу так, что garçon[1] прибежал в испуге.

— Скажите, мистер Астлей, — повторил я в исступлении, — если вы уже знали всю эту историю, а следовательно, знаете наизусть, что такое mademoiselle Blanche de Cominges, то каким образом не предупредили вы хоть меня, самого генерала, наконец, а главное, мисс Полину, которая показывалась здесь в воксале, в публике, с mademoiselle Blanche под руку? Разве это возможно?

---

[1] официант (*франц.*).

— Вас предупреждать мне было нечего, потому что вы ничего не могли сделать, — спокойно отвечал мистер Астлей. — А впрочем, и о чем предупреждать? Генерал, может быть, знает о mademoiselle Blanche еще более, чем я, и все-таки прогуливается с нею и с мисс Полиной. Генерал — несчастный человек. Я видел вчера, как mademoiselle Blanche скакала на прекрасной лошади с monsieur Де-Грие и с этим маленьким русским князем, а генерал скакал за ними на рыжей лошади. Он утром говорил, что у него болят ноги, но посадка его была хороша. И вот в это-то мгновение мне вдруг пришло на мысль, что это совершенно погибший человек. К тому же всё это не мое дело, и я только недавно имел честь узнать мисс Полину. А впрочем (спохватился вдруг мистер Астлей), я уже сказал вам, что не могу признать ваши права на некоторые вопросы, несмотря на то, что искренно вас люблю...

— Довольно, — сказал я, вставая, — теперь мне ясно, как день, что и мисс Полине всё известно о mademoiselle Blanche, но что она не может расстаться со своим французом, а потому и решается гулять с mademoiselle Blanche. Поверьте, что никакие другие влияния не заставили бы ее гулять с mademoiselle Blanche и умолять меня в записке не трогать барона. Тут именно должно быть это влияние, пред которым всё склоняется! И, однако, ведь она же меня и напустила на барона! Черт возьми, тут ничего не разберешь!

— Вы забываете, во-первых, что эта mademoiselle de Cominges — невеста генерала, а во-вторых, что у мисс Полины, падчерицы генерала, есть маленький брат и маленькая сестра, родные дети генерала, уж совершенно брошенные этим сумасшедшим человеком, а кажется, и ограбленные.

— Да, да! это так! уйти от детей — значит уж совершенно их бросить, остаться — значит защитить их интересы, а может быть, и спасти клочки имения. Да, да, всё это правда! Но все-таки, все-таки! О, я понимаю, почему все они так теперь интересуются бабуленькой!

— О ком? — спросил мистер Астлей.

— О той старой ведьме в Москве, которая не умирает и о которой ждут телеграммы, что она умрет.

— Ну да, конечно, весь интерес в ней соединился. Всё дело в наследстве! Объявится наследство, и генерал женится; мисс Полина будет тоже развязана, а Де-Грие...

— Ну, а Де-Грие?

— А Де-Грие будут заплачены деньги; он того только здесь и ждет.

— Только! вы думаете, только этого и ждет?

— Более я ничего не знаю, — упорно замолчал мистер Астлей.

— А я знаю, я знаю! — повторил я в ярости, — он тоже ждет наследства, потому что Полина получит приданое, а получив деньги, тотчас кинется ему на шею. Все женщины таковы! И самые гордые из них — самыми-то пошлыми рабами и выходят! Полина способна только страстно любить и больше ничего! Вот мое мнение о ней! Поглядите на нее, особенно когда она сидит одна, задумавшись: это — что-то предназначенное, приговоренное, проклятое! Она способна на все ужасы жизни и страсти... она... она... но кто это зовет меня? — воскликнул я вдруг. — Кто кричит? Я слышал, закричали по-русски: «Алексей Иванович!» Женский голос, слышите, слышите!

В это время мы подходили к нашему отелю. Мы давно уже, почти не замечая того, оставили кафе.

— Я слышал женские крики, но не знаю, кого зовут; это по-русски; теперь я вижу, откуда крики, — указывал мистер Астлей, — это кричит та женщина, которая сидит в большом кресле и которую внесли сейчас на крыльцо столько лакеев. Сзади несут чемоданы, значит, только что приехал поезд.

— Но почему она зовет меня? Она опять кричит; смотрите, она нам машет.

— Я вижу, что она машет, — сказал мистер Астлей.

— Алексей Иванович! Алексей Иванович! Ах, Господи, что это за олух! — раздавались отчаянные крики с крыльца отеля.

Мы почти побежали к подъезду. Я вступил на площадку и... руки мои опустились от изумления, а ноги так и приросли к камню.

ГЛАВА IX

На верхней площадке широкого крыльца отеля, внесенная по ступеням в креслах и окруженная слугами, служанками и многочисленною подобострастною челядью отеля, в присутствии самого обер-кельнера, вышедшего встретить высокую посетительницу, приехавшую с таким треском и шумом, с собственною прислугою и с столькими баулами и чемоданами, восседала — *бабушка*! Да, это была она сама, грозная и богатая, семидесятипятилетняя Антонида Васильевна Тарасевичева, помещица и московская барыня, la baboulinka, о которой пускались и получались телеграммы, умиравшая и не умершая и которая вдруг сама, собственнолично, явилась к нам как снег на голову. Она явилась, хотя и без ног, носимая, как и всегда, во все последние пять лет, в креслах, но, по обыкновению своему, бойкая, задорная, самодовольная, прямо сидящая, громко и повелительно кричащая, всех бранящая, — ну точь-в-точь такая, как я имел честь видеть ее раза два, с того времени как определился в генеральский дом учителем. Естественно, что я стоял пред нею истуканом от удивления. Она же разглядела меня своим рысьим взглядом еще за сто шагов, когда ее вносили в креслах, узнала и кликнула меня по имени и отчеству, что тоже, по обыкновению своему, раз навсегда запомнила. «И эдакую-то ждали видеть в гробу, схороненную и оставившую наследство, — пролетело у меня в мыслях, — да она всех нас и весь отель переживет! Но, боже, что ж это будет теперь с нашими, что будет теперь с генералом! Она весь отель теперь перевернет на сторону!»

— Ну что ж ты, батюшка, стал предо мною, глаза выпучил! — продолжала кричать на меня бабушка, — поклониться-поздороваться не умеешь, что ли? Аль загордился, не хочешь? Аль, может, не узнал? Слышишь, Потапыч, — обратилась она к седому старичку, во фраке, в белом галстуке и с розовой лысиной, своему дворецкому, сопровождавшему ее в вояже, — слышишь, не узнаёт! Схоронили! Телеграмму за телеграммою посылали: умерла али не умерла? Ведь я всё знаю! А я, вот видишь, и живехонька.

— Помилуйте, Антонида Васильевна, с чего мне-то вам худого желать? — весело отвечал я очнувшись, — я только был удивлен... Да и как же не подивиться, так неожиданно...

— А что тебе удивительного? Села да поехала. В вагоне покойно, толчков нет. Ты гулять ходил, что ли?

— Да, прошелся к воксалу.

— Здесь хорошо, — сказала бабушка, озираясь, — тепло и деревья богатые. Это я люблю! Наши дóма? Генерал?

— О! дома, в этот час, наверно, все дома.

— А у них и здесь часы заведены и все церемонии? Тону задают. Экипаж, я слышала, держат, les seigneurs russes![1] Просвистались, так и за границу! И Прасковья с ним?

— И Полина Александровна тоже.

— И французишка? Ну да сама всех увижу. Алексей Иванович, показывай дорогу, прямо к нему. Тебе-то здесь хорошо ли?

— Так себе, Антонида Васильевна.

— А ты, Потапыч, скажи этому олуху, кельнеру, чтоб мне удобную квартиру отвели, хорошую, не высокó, туда и вещи сейчас перенеси. Да чего всем-то соваться меня нести? Чего они лезут? Экие рабы! Это кто с тобой? — обратилась она опять ко мне.

— Это мистер Астлей, — отвечал я.

— Какой такой мистер Астлей?

— Путешественник, мой добрый знакомый; знаком и с генералом.

— Англичанин. То-то он уставился на меня и зубов не разжимает. Я, впрочем, люблю англичан. Ну, тащите наверх, прямо к ним на квартиру; где они там?

Бабушку понесли; я шел впереди по широкой лестнице отеля. Шествие наше было очень эффектное. Все, кто попадались, — останавливались и смотрели во все глаза. Наш отель считался самым лучшим, самым дорогим и самым аристократическим на водах. На лестнице и в коридорах всегда встречаются великолепные дамы и важные англичане. Многие осведомлялись внизу у обер-кельнера, который, с своей стороны, был глубоко поражен. Он, конечно, отвечал всем спрашивавшим, что это важная иностранка, une russe, une comtesse, grande dame[2] и что она займет то самое помещение, которое за неделю тому назад занимала la grande duchesse de N.[3] Повелительная и властительная наружность бабушки, возносимой в креслах, была причиною главного эффекта. При встрече со всяким новым лицом она тотчас обмеривала его любопытным взглядом и о всех громко меня расспрашивала. Бабушка была из крупной породы, и хотя и не вставала с кресел, но предчувствовалось, глядя на нее, что она весьма высокого роста. Спина ее держалась прямо, как доска, и не опиралась на кресло. Седая, большая ее голова, с крупными и резкими чертами лица, держалась вверх; глядела она как-то даже заносчиво и с вызовом; и видно было, что взгляд и жесты ее совершенно натуральны. Несмотря на семьдесят пять лет, лицо ее было довольно свежо и даже зубы не совсем пострадали. Одета она была в черном шелковом платье и в белом чепчике.

---

[1] русские вельможи! (*франц.*)

[2] русская, графиня, важная дама (*франц.*),

[3] великая княгиня де Н. (*франц.*).

— Она чрезвычайно интересует меня, — шепнул мне, подымаясь рядом со мною, мистер Астлей.

«О телеграммах она знает, — подумал я, — Де-Грие ей тоже известен, но mademoiselle Blanche еще, кажется, мало известна». Я тотчас же сообщил об этом мистеру Астлею.

Грешный человек! только что прошло мое первое удивление, я ужасно обрадовался громовому удару, который мы произведем сейчас у генерала. Меня точно что подзадоривало, и я шел впереди чрезвычайно весело.

Наши квартировали в третьем этаже; я не докладывал и даже не постучал в дверь, а просто растворил ее настежь, и бабушку внесли с триумфом. Все они были, как нарочно, в сборе, в кабинете генерала. Было двенадцать часов, и, кажется, проектировалась какая-то поездка, — одни сбирались в колясках, другие верхами, всей компанией; кроме того, были еще приглашенные из знакомых. Кроме генерала, Полины с детьми, их нянюшки, находились в кабинете: Де-Грие, mademoiselle Blanche, опять в амазонке, ее мать madame veuve Cominges, маленький князь и еще какой-то ученый путешественник, немец, которого я видел у них еще в первый раз. Кресла с бабушкой прямо опустили посредине кабинета, в трех шагах от генерала. Боже, никогда не забуду этого впечатления! Пред нашим входом генерал что-то рассказывал, а Де-Грие его поправлял. Надо заметить, что mademoiselle Blanche и Де-Грие вот уже два-три дня почему-то очень ухаживали за маленьким князем — à la barbe du pauvre général[1], и компания хоть, может быть, и искусственно, но была настроена на самый веселый и радушно-семейный тон. При виде бабушки генерал вдруг остолбенел, разинул рот и остановился на полслове. Он смотрел на нее, выпучив глаза, как будто околдованный взглядом василиска. Бабушка смотрела на него тоже молча, неподвижно, — но что это был за торжествующий, вызывающий и насмешливый взгляд! Они просмотрели так друг на друга секунд десять битых, при глубоком молчании всех окружающих. Де-Грие сначала оцепенел, но скоро необыкновенное беспокойство замелькало в его лице. Mademoiselle Blanche подняла брови, раскрыла рот и дико разглядывала бабушку. Князь и ученый в глубоком недоумении созерцали всю эту картину. Во взгляде Полины выразилось чрезвычайное удивление и недоумение, но вдруг она побледнела, как платок; чрез минуту кровь быстро ударила ей в лицо и залила ей щеки. Да, это была катастрофа для всех! Я только и делал, что переводил мои взгляды от бабушки на всех окружающих и обратно. Мистер Астлей стоял в стороне, по своему обыкновению, спокойно и чинно.

— Ну, вот и я! Вместо телеграммы-то! — разразилась наконец бабушка, прерывая молчание. — Что, не ожидали?

— Антонида Васильевна... тетушка... но каким же образом... — пробормотал несчастный генерал. Если бы бабушка не заговорила еще несколько секунд, то, может быть, с ним был бы удар.

— Как каким образом? Села да поехала. А железная-то дорога на что? А вы все думали: я уж ноги протянула и вам наследство оставила? Я ведь знаю, как ты отсюда телеграммы-то посылал. Денег-то что за них переплатил, я думаю.

---

[1] под носом у бедного генерала (*франц.*).

Отсюда не дешево. А я ноги на плечи, да и сюда. Это тот француз? Monsieur Де-Грие, кажется?

— Oui, madame, — подхватил Де-Грие, — et croyez, je suis si enchanté... votre santé... c'est un miracle... vous voir ici, une surprise charmante...[1]

— То-то charmante; знаю я тебя, фигляр ты эдакой, да я-то тебе вот на столечко не верю! — и она указала ему свой мизинец. — Это кто такая, — обратилась она, указывая на mademoiselle Blanche. Эффектная француженка, в амазонке, с хлыстом в руке, видимо, ее поразила. — Здешняя, что ли?

— Это mademoiselle Blanche de Cominges, а вот и маменька ее madame de Cominges; они квартируют в здешнем отеле, — доложил я.

— Замужем дочь-то? — не церемонясь, расспрашивала бабушка.

— Mademoiselle de Cominges девица, — отвечал я как можно почтительнее и нарочно вполголоса.

— Веселая?

Я было не понял вопроса.

— Не скучно с нею? По-русски понимает? Вот Де-Грие у нас в Москве намастачился по-нашему-то, с пятого на десятое.

Я объяснил ей, что mademoiselle de Cominges никогда не была в России.

— Bonjour![2] — сказала бабушка, вдруг резко обращаясь к mademoiselle Blanche.

— Bonjour, madame, — церемонно и изящно присела mademoiselle Blanche, поспешив, под покровом необыкновенной скромности и вежливости, выказать всем выражением лица и фигуры чрезвычайное удивление к такому странному вопросу и обращению.

— О, глаза опустила, манерничает и церемонничает; сейчас видна птица; актриса какая-нибудь. Я здесь в отеле внизу остановилась, — обратилась она вдруг к генералу, — соседка тебе буду; рад или не рад?

— О тетушка! Поверьте искренним чувствам... моего удовольствия, — подхватил генерал. Он уже отчасти опомнился, а так как при случае он умел говорить удачно, важно и с претензиею на некоторый эффект, то принялся распространяться и теперь. — Мы были так встревожены и поражены известиями о вашем нездоровье... Мы получали такие безнадежные телеграммы, и вдруг...

— Ну, врешь, врешь! — перебила тотчас бабушка.

— Но каким образом, — тоже поскорей перебил и возвысил голос генерал, постаравшись не заметить этого «врешь», — каким образом вы, однако, решились на такую поездку? Согласитесь сами, что в ваших летах и при вашем здоровье... по крайней мере всё это так неожиданно, что понятно наше удивление. Но я так рад... и мы все (он начал умильно и восторженно улыбаться) постараемся изо всех сил сделать вам здешний сезон наиприятнейшим препровождением...

— Ну, довольно; болтовня пустая; нагородил по обыкновению; я и сама сумею прожить. Впрочем, и от вас не прочь; зла не помню. Каким образом, ты

---

[1] Да, сударыня... И поверьте, я в таком восторге... ваше здоровье... это чудо... видеть вас здесь... прелестный сюрприз (*франц.*).

[2] Здравствуйте! (*франц.*)

спрашиваешь. Да что тут удивительного? Самым простейшим образом. И чего они все удивляются. Здравствуй, Прасковья. Ты здесь что делаешь?

— Здравствуйте, бабушка, — сказала Полина, приближаясь к ней, — давно ли в дороге?

— Ну, вот эта умнее всех спросила, а то: ах да ах! Вот видишь ты: лежала-лежала, лечили-лечили, я докторов прогнала и позвала пономаря от Николы. Он от такой же болезни сенной трухой одну бабу вылечил. Ну, и мне помог; на третий день вся вспотела и поднялась. Потом опять собрались мои немцы, надели очки и стали рядить: «Если бы теперь, говорят, за границу на воды и курс взять, так совсем бы завалы прошли». А почему же нет, думаю? Дурь-Зажигины разахались: «Куда вам, говорят, доехать!» Ну, вот-те на! В один день собралась и на прошлой неделе в пятницу взяла девушку, да Потапыча, да Федора лакея, да этого Федора из Берлина и прогнала, потому: вижу, совсем его не надо, и одна-одинешенька доехала бы... Вагон беру особенный, а носильщики на всех станциях есть, за двугривенный куда хочешь донесут. Ишь вы квартиру нанимаете какую! — заключила она осматриваясь. — Из каких это ты денег, батюшка? Ведь всё у тебя в залоге. Одному этому французишке что должен деньжищ-то! Я ведь всё знаю, всё знаю!

— Я, тетушка... — начал генерал, весь сконфузившись, — я удивляюсь, тетушка... я, кажется, могу и без чьего-либо контроля... притом же мои расходы не превышают моих средств, и мы здесь...

— У тебя-то не превышают? сказал! У детей-то, должно быть, последнее уж заграбил, опекун!

— После этого, после таких слов... — начал генерал в негодовании, — я уже и не знаю...

— То-то не знаешь! небось здесь от рулетки не отходишь? Весь просвистался?

Генерал был так поражен, что чуть не захлебнулся от прилива взволнованных чувств своих.

— На рулетке! Я? При моем значении... Я? Опомнитесь, тетушка, вы еще, должно быть, нездоровы...

— Ну, врешь, врешь; небось оттащить не могут; всё врешь! Я вот посмотрю, что это за рулетка такая, сегодня же. Ты, Прасковья, мне расскажи, где что здесь осматривают, да вот и Алексей Иванович покажет, а ты, Потапыч, записывай все места, куда ехать. Что здесь осматривают? — обратилась вдруг она опять к Полине.

— Здесь есть близко развалины замка, потом Шлангенберг.

— Что это Шлангенберг? Роща, что ли?

— Нет, не роща, это гора; там пуант...

— Какой такой пуант?

— Самая высшая точка на горе, огороженное место. Оттуда вид бесподобный.

— Это на гору-то кресла тащить? Встащат аль нет?

— О, носильщиков сыскать можно, — отвечал я.

В это время подошла здороваться к бабушке Федосья, нянюшка, и подвела генеральских детей.

— Ну, нечего лобызаться! Не люблю целоваться с детьми: все дети сопливые. Ну, ты как здесь, Федосья?

— Здесь очинно, очинно хорошо, матушка Антонида Васильевна, — ответила Федосья. — Как вам-то было, матушка? Уж мы так про вас изболезновались.

— Знаю, ты-то простая душа. Это что у вас, всё гости, что ли? — обратилась она опять к Полине. — Это кто плюгавенький-то, в очках?

— Князь Нильский, бабушка, — прошептала ей Полина.

— А русский? А я думала, не поймет! Не слыхал, может быть! Мистера Астлея я уже видела. Да вот он опять, — увидала его бабушка, — здравствуйте! — обратилась она вдруг к нему.

Мистер Астлей молча ей поклонился.

— Ну, что вы мне скажете хорошего? Скажите что-нибудь! Переведи ему это, Полина.

Полина перевела.

— То, что я гляжу на вас с большим удовольствием и радуюсь, что вы в добром здоровье, — серьезно, но с чрезвычайною готовностью ответил мистер Астлей. Бабушке перевели, и ей, видимо, это понравилось.

— Как англичане всегда хорошо отвечают, — заметила она. — Я почему-то всегда любила англичан, сравнения нет с французишками! Заходите ко мне, — обратилась она опять к мистеру Астлею. — Постараюсь вас не очень обеспокоить. Переведи это ему, да скажи ему, что я здесь внизу, здесь внизу, — слышите, внизу, внизу, — повторяла она мистеру Астлею, указывая пальцем вниз.

Мистер Астлей был чрезвычайно доволен приглашением.

Бабушка внимательным и довольным взглядом оглядела с ног до головы Полину.

— Я бы тебя, Прасковья, любила, — вдруг сказала она, — девка ты славная, лучше их всех, да характеришко у тебя — ух! Ну да и у меня характер; повернись-ка; это у тебя не накладка в волосах-то?

— Нет, бабушка, свои.

— То-то, не люблю теперешней глупой моды. Хороша ты очень. Я бы в тебя влюбилась, если б была кавалером. Чего замуж-то не выходишь? Но, однако, пора мне. И погулять хочется, а то всё вагон да вагон... Ну что ты, всё еще сердишься? — обратилась она к генералу.

— Помилуйте, тетушка, полноте! — спохватился обрадованный генерал, — я понимаю, в ваши лета...

— Cette vielle est tombée en enfance[1], — шепнул мне Де-Грие.

— Я вот всё хочу здесь рассмотреть. Ты мне Алексея Ивановича-то уступишь? — продолжала бабушка генералу.

— О, сколько угодно, но я и сам... и Полина и monsieur Де-Грие... мы все, все сочтем за удовольствие вам сопутствовать...

— Mais, madame, cela sera un plaisir[2], — подвернулся Де-Грие с обворожительной улыбкой.

---

[1] Эта старуха впала в детство (*франц.*).

[2] Но, сударыня, это будет удовольствие (*франц.*).

— То-то, plaisir. Смешон ты мне, батюшка. Денег-то я тебе, впрочем, не дам, — прибавила она вдруг генералу. — Ну, теперь в мой номер: осмотреть надо, а потом и отправимся по всем местам. Ну, подымайте.

Бабушку опять подняли, и все отправились гурьбой, вслед за креслами, вниз по лестнице. Генерал шел, как будто ошеломленный ударом дубины по голове. Де-Грие что-то соображал. Mademoiselle Blanche хотела было остаться, но почему-то рассудила тоже пойти со всеми. За нею тотчас же отправился и князь, и наверху, в квартире генерала, остались только немец и madame veuve Cominges.

ГЛАВА X

На водах — да, кажется, и во всей Европе — управляющие отелями и обер-кельнеры при отведении квартир посетителям руководствуются не столько требованиями и желаниями их, сколько собственным личным своим на них взглядом; и, надо заметить, редко ошибаются. Но бабушке, уж неизвестно почему, отвели такое богатое помещение, что даже пересолили: четыре великолепно убранные комнаты, с ванной, помещениями для прислуги, особой комнатой для камеристки и прочее, и прочее. Действительно, в этих комнатах неделю тому назад останавливалась какая-то grande duchesse, о чем, конечно, тотчас же и объявлялось новым посетителям, для придания еще большей цены квартире. Бабушку пронесли, или лучше сказать, прокатили по всем комнатам, и она внимательно и строго оглядывала их. Обер-кельнер, уже пожилой человек, с плешивой головой, почтительно сопровождал ее при этом первом осмотре.

Не знаю, за кого они все приняли бабушку, но, кажется, за чрезвычайно важную и, главное, богатейшую особу. В книгу внесли тотчас: «Madame la générale princesse de Tarassevitcheva»[1], хотя бабушка никогда не была княгиней. Своя прислуга, особое помещение в вагоне, бездна ненужных баулов, чемоданов и даже сундуков, прибывших с бабушкой, вероятно, послужили началом престижа; а кресла, резкий тон и голос бабушки, ее эксцентрические вопросы, делаемые с самым не стесняющимся и не терпящим никаких возражений видом, одним словом, вся фигура бабушки — прямая, резкая, повелительная, — довершали всеобщее к ней благоговение. При осмотре бабушка вдруг иногда приказывала останавливать кресла, указывала на какую-нибудь вещь в меблировке и обращалась с неожиданными вопросами к почтительно улыбавшемуся, но уже начинавшему трусить обер-кельнеру. Бабушка предлагала вопросы на французском языке, на котором говорила, впрочем, довольно плохо, так что я обыкновенно переводил. Ответы обер-кельнера большею частию ей не нравились и казались неудовлетворительными. Да и она-то спрашивала всё как будто не об деле, а бог знает о чем. Вдруг, например, остановилась пред картиною — довольно слабой копией с какого-то известного оригинала с мифологическим сюжетом.

— Чей портрет?

Обер-кельнер объявил, что, вероятно, какой-нибудь графини.

---

[1] Госпожа генеральша, княгиня Тарасевичева (*франц.*).

— Как же ты не знаешь? Здесь живешь, а не знаешь. Почему он здесь? Зачем глаза косые?

На все эти вопросы обер-кельнер удовлетворительно отвечать не мог и даже потерялся.

— Вот болван-то! — отозвалась бабушка по-русски.

Ее понесли далее. Та же история повторилась с одной саксонской статуэткой, которую бабушка долго рассматривала и потом велела вынесть, неизвестно за что. Наконец пристала к обер-кельнеру: что стоили ковры в спальне и где их ткут? Обер-кельнер обещал справиться.

— Вот ослы-то! — ворчала бабушка и обратила всё свое внимание на кровать.

— Эдакий пышный балдахин! Разверните его.

Постель развернули.

— Еще, еще, всё разверните. Снимите подушки, наволочки, подымите перину.

Всё перевернули. Бабушка осмотрела внимательно.

— Хорошо, что у них клопов нет. Всё белье долой! Постлать мое белье и мои подушки. Однако всё это слишком пышно, куда мне, старухе, такую квартиру: одной скучно. Алексей Иванович, ты бывай ко мне чаще, когда детей перестанешь учить.

— Я со вчерашнего дня не служу более у генерала, — ответил я, — и живу в отеле совершенно сам по себе.

— Это почему так?

— На днях приехал сюда один знатный немецкий барон с баронессой, супругой, из Берлина. Я вчера, на гулянье, заговорил с ним по-немецки, не придерживаясь берлинского произношения.

— Ну, так что же?

— Он счел это дерзостью и пожаловался генералу, а генерал вчера же уволил меня в отставку.

— Да что ж ты обругал, что ли, его, барона-то? (Хоть бы и обругал, так ничего!)

— О нет. Напротив, барон на меня палку поднял.

— И ты, слюняй, позволил так обращаться со своим учителем, — обратилась она вдруг к генералу, — да еще его с места прогнал! Колпаки вы, — все колпаки, как я вижу.

— Не беспокойтесь, тетушка, — отвечал генерал с некоторым высокомерно-фамильярным оттенком, — я сам умею вести мои дела. К тому же Алексей Иванович не совсем вам верно передал.

— А ты так и снес? — обратилась она ко мне.

— Я хотел было на дуэль вызвать барона, — отвечал я как можно скромнее и спокойнее, — да генерал воспротивился.

— Это зачем ты воспротивился? — опять обратилась бабушка к генералу. (А ты, батюшка, ступай, придешь, когда позовут, — обратилась она тоже и к обер-кельнеру, — нечего разиня-то рот стоять. Терпеть не могу эту харю нюрнбергскую!) — Тот откланялся и вышел, конечно, не поняв комплимента бабушки.

— Помилуйте, тетушка, разве дуэли возможны? — отвечал с усмешкой генерал.

— А почему невозможны? Мужчины все петухи; вот бы и дрались. Колпаки вы все, как я вижу, не умеете отечества своего поддержать. Ну, подымите! Потапыч, распорядись, чтоб всегда были готовы два носильщика, найми и уговорись. Больше двух не надо. Носить приходится только по лестницам, а по гладкому, по улице — катить, так и расскажи; да заплати еще им вперед, почтительнее будут. Ты же сам будь всегда при мне, а ты, Алексей Иванович, мне этого барона покажи на гулянье: какой такой фон-барон, хоть бы поглядеть на него. Ну, где же эта рулетка?

Я объяснил, что рулетки расположены в воксале, в залах. Затем последовали вопросы: много ли их? много ль играют? целый ли день играют? как устроены? Я отвечал, наконец, что всего лучше осмотреть это собственными глазами, а что так описывать довольно трудно.

— Ну, так и нести прямо туда! Иди вперед, Алексей Иванович!

— Как, неужели, тетушка, вы даже и не отдохнете с дороги? — заботливо спросил генерал. Он немного как бы засуетился, да и все они как-то замешались и стали переглядываться. Вероятно, им было несколько щекотливо, даже стыдно сопровождать бабушку прямо в воксал, где она, разумеется, могла наделать каких-нибудь эксцентричностей, но уже публично; между тем все они сами вызвались сопровождать ее.

— А чего мне отдыхать? Не устала; и без того пять дней сидела. А потом осмотрим, какие тут ключи и воды целебные и где они. А потом... как этот, — ты сказала, Прасковья, — пуант, что ли?

— Пуант, бабушка.

— Ну пуант, так пуант. А еще что здесь есть?

— Тут много предметов, бабушка, — затруднилась было Полина.

— Ну, сама не знаешь! Марфа, ты тоже со мной пойдешь, — сказала она своей камеристке.

— Но зачем же ей-то, тетушка? — захлопотал вдруг генерал, — и, наконец, это нельзя; и Потапыча вряд ли в самый воксал пустят.

— Ну, вздор! Что она слуга, так и бросить ее! Тоже ведь живой человек; вот уж неделю по дорогам рыщем, тоже и ей посмотреть хочется. С кем же ей, кроме меня? Одна-то и нос на улицу показать не посмеет.

— Но, бабушка...

— Да тебе стыдно, что ли, со мной? Так оставайся дома, не спрашивают. Ишь, какой генерал; я и сама генеральша. Да и чего вас такой хвост за мной, в самом деле, потащится? Я и с Алексеем Ивановичем всё осмотрю...

Но Де-Грие решительно настоял, чтобы всем сопутствовать, и пустился в самые любезные фразы насчет удовольствия ее сопровождать и прочее. Все тронулись.

— Elle est tombée en enfance, — повторял Де-Грие генералу, — seule elle fera des bêtises...[1] Далее я не расслышал, но у него, очевидно, были какие-то намерения, а может быть, даже возвратились и надежды.

---

[1] одна она наделает глупостей (*франц.*).

До воксала было с полверсты. Путь наш шел по каштановой аллее, до сквера, обойдя который вступали прямо в воксал. Генерал несколько успокоился, потому что шествие наше хотя и было довольно эксцентрично, но тем не менее было чинно и прилично. Да и ничего удивительного не было в том факте, что на водах явился больной и расслабленный человек, без ног. Но, очевидно, генерал боялся воксала: зачем больной человек, без ног, да еще старушка, пойдет на рулетку? Полина и mademoiselle Blanche шли обе по сторонам, рядом с катившимся креслом. Mademoiselle Blanche смеялась, была скромно весела и даже весьма любезно заигрывала иногда с бабушкой, так что та ее наконец похвалила. Полина, с другой стороны, обязана была отвечать на поминутные и бесчисленные вопросы бабушки, вроде того: кто это прошел? какая это проехала? велик ли город? велик ли сад? это какие деревья? это какие горы? летают ли тут орлы? какая это смешная крыша? Мистер Астлей шел рядом со мной и шепнул мне, что многого ожидает в это утро. Потапыч и Марфа шли сзади, сейчас за креслами, — Потапыч в своем фраке, в белом галстухе, но в картузе, а Марфа — сорокалетняя, румяная, но начинавшая уже седеть девушка — в чепчике, в ситцевом платье и в скрипучих козловых башмаках. Бабушка весьма часто к ним оборачивалась и с ними заговаривала. Де-Грие и генерал немного отстали и говорили о чем-то с величайшим жаром. Генерал был очень уныл; Де-Грие говорил с видом решительным. Может быть, он генерала ободрял; очевидно, что-то советовал. Но бабушка уже произнесла давеча роковую фразу: «Денег я тебе не дам». Может быть, для Де-Грие это известие казалось невероятным, но генерал знал свою тетушку. Я заметил, что Де-Грие и mademoiselle Blanche продолжали перемигиваться. Князя и немца-путешественника я разглядел в самом конце аллеи: они отстали и куда-то ушли от нас.

В воксал мы прибыли с триумфом. В швейцаре и в лакеях обнаружилась та же почтительность, как и в прислуге отеля. Смотрели они, однако, с любопытством. Бабушка сначала велела обнести себя по всем залам; иное похвалила, к другому осталась совершенно равнодушна; обо всем расспрашивала. Наконец дошли и до игорных зал. Лакей, стоявший у запертых дверей часовым, как бы пораженный, вдруг отворил двери настежь.

Появление бабушки у рулетки произвело глубокое впечатление на публику. За игорными рулеточными столами и на другом конце залы, где помещался стол с trente et quarante, толпилось, может быть, полтораста или двести игроков, в несколько рядов. Те, которые успевали протесниться к самому столу, по обыкновению, стояли крепко и не упускали своих мест до тех пор, пока не проигрывались; ибо так стоять простыми зрителями и даром занимать игорное место не позволено. Хотя кругом стола и уставлены стулья, но немногие из игроков садятся, особенно при большом стечении публики, потому что стоя можно установиться теснее и, следовательно, выгадать место, да и ловчее ставить. Второй и третий ряды теснились за первыми, ожидая и наблюдая свою очередь; но в нетерпении просовывали иногда чрез первый ряд руку, чтоб поставить свои куши. Даже из третьего ряда изловчались таким образом просовывать ставки; от этого не проходило десяти и даже пяти минут, чтоб на каком-нибудь конце стола не началась «история» за спорные ставки. Полиция воксала, впрочем, довольно хороша. Тесноты, конечно, избежать нельзя; напротив, наплыву публики рады, потому что это выгодно; но восемь круперов, сидящих кругом стола, смотрят во все глаза за ставками, они же и рассчитываются, а при возникающих спорах они же их и разрешают. В крайних же случаях зовут полицию, и дело кончается в минуту. Полицейские помещаются тут же в зале, в партикулярных платьях, между зрителями, так что их и узнать нельзя. Они особенно смотрят за воришками и промышленниками, которых на рулетках особенно много, по необыкновенному удобству промысла. В самом деле, везде в других местах воровать приходится из карманов и из-под замков, а это, в случае неудачи, очень хлопотливо оканчивается. Тут же, просто-запросто, стоит только к рулетке подойти, начать играть и вдруг, явно и гласно, взять чужой выигрыш и положить в свой карман; если же затеется спор, то мошенник вслух и громко настаивает, что ставка — его собственная. Если дело сделано ловко и свидетели колеблются, то вор очень часто успевает оттягать деньги себе, разумеется если сумма не очень значительная. В последнем случае она, наверное, бывает замечена круперами или кем-нибудь из других игроков еще прежде. Но если сумма не так значительна, то настоящий хозяин даже иногда просто отказывается продолжать спор, совестясь скандала, и отходит. Но если успеют вора изобличить, то тотчас же выводят со скандалом.

На всё это бабушка смотрела издали, с диким любопытством. Ей очень понравилось, что воришек выводят. Trente et quarante мало возбудило ее любопытство; ей больше понравилась рулетка и что катается шарик. Она пожелала, наконец, разглядеть игру поближе. Не понимаю, как это случилось, но лакеи и некоторые другие суетящиеся агенты (преимущественно проигравшиеся полячки́, навязывающие свои услуги счастливым игрокам и всем иностранцам) тотчас нашли и очистили бабушке место, несмотря на всю эту тесноту, у самой средины стола, подле главного крупера, и подкатили туда ее кресло. Множество посетителей, неиграющих, но со стороны наблюдающих игру (преимущественно англичане с их семействами), тотчас же затеснились к столу, чтобы из-за игроков поглядеть на бабушку. Множество лорнетов обратилось в ее сторону. У круперов родились надежды: такой эксцентрический игрок действительно как будто обещал что-нибудь необыкновенное. Семидесятилетняя женщина без ног и желающая играть — конечно, был случай не обыденный. Я протеснился тоже к столу и устроился подле бабушки. Потапыч и Марфа остались где-то далеко в стороне, между народом. Генерал, Полина, Де-Грие и mademoiselle Blanche тоже поместились в стороне, между зрителями.

Бабушка сначала стала осматривать игроков. Она задавала мне резкие, отрывистые вопросы полушепотом: кто это такой? это кто такая? Ей особенно понравился в конце стола один очень молодой человек, игравший в очень большую игру, ставивший тысячами и наигравший, как шептали кругом, уже тысяч до сорока франков, лежавших перед ним в куче, золотом и в банковых билетах. Он был бледен; у него сверкали глаза и тряслись руки; он ставил уже без всякого расчета, сколько рука захватит, а между тем всё выигрывал да выигрывал, всё загребал да загребал. Лакеи суетились кругом него, подставляли ему сзади кресла, очищали вокруг него место, чтоб ему было просторнее, чтоб его не теснили, — всё это в ожидании богатой благодарности. Иные игроки с выигрыша дают им иногда не считая, а так, с радости, тоже сколько рука из кармана захватит. Подле молодого человека уже устроился один полячок, суетившийся изо всех сил, и почтительно, но беспрерывно что-то шептал ему, вероятно, указывая, как ставить, советуя и направляя игру, — разумеется, тоже ожидая впоследствии подачки. Но игрок почти и не смотрел на него, ставил зря и всё загребал. Он, видимо, терялся.

Бабушка наблюдала его несколько минут.

— Скажи ему, — вдруг засуетилась бабушка, толкая меня, — скажи ему, чтоб бросил, чтоб брал поскорее деньги и уходил. Проиграет, сейчас всё проиграет! — захлопотала она, чуть не задыхаясь от волнения. — Где Потапыч? Послать к нему Потапыча! Да скажи же, скажи же, — толкала она меня, — да где же, в самом деле, Потапыч! Sortez, sortez![1] — начала было она сама кричать молодому человеку. — Я нагнулся к ней и решительно прошептал, что здесь так кричать нельзя и даже разговаривать чуть-чуть громко не позволено, потому что это мешает счету, и что нас сейчас прогонят.

— Экая досада! Пропал человек, значит сам хочет... смотреть на него не могу, всю ворочает. Экой олух! — и бабушка поскорей оборотилась в другую сторону.

Там, налево, на другой половине стола, между игроками, заметна была одна молодая дама и подле нее какой-то карлик. Кто был этот карлик — не знаю: родственник ли ее, или так она брала его для эффекта. Эту барыню я замечал и прежде; она являлась к игорному столу каждый день, в час пополудни, и уходила ровно в два; каждый день играла по одному часу. Ее уже знали и тотчас же подставляли ей кресла. Она вынимала из кармана несколько золота, несколько тысячефранковых билетов и начинала ставить тихо, хладнокровно, с расчетом, отмечая на бумажке карандашом цифры и стараясь отыскать систему, по которой в данный момент группировались шансы. Ставила она значительными кушами. Выигрывала каждый день одну, две, много три тысячи франков — не более и, выиграв, тотчас же уходила. Бабушка долго ее рассматривала.

— Ну, эта не проиграет! эта вот не проиграет! Из каких? Не знаешь? Кто такая?

— Француженка, должно быть, из эдаких, — шепнул я.

— А, видна птица по полету. Видно, что ноготок востер. Растолкуй ты мне теперь, что каждый поворот значит и как надо ставить?

Я по возможности растолковал бабушке, что значат эти многочисленные комбинации ставок, rouge et noir, pair et impair, manque et passe[2] и, наконец, разные оттенки в системе чисел. Бабушка слушала внимательно, запоминала, переспрашивала и заучивала. На каждую систему ставок можно было тотчас же привести и пример, так что многое заучивалось и запоминалось очень легко и скоро. Бабушка осталась весьма довольна.

— А что такое zéro?[3] Вот этот крупер, курчавый, главный-то, крикнул сейчас zéro? И почему он всё загреб, что ни было на столе? Эдакую кучу, всё себе взял? Это что такое?

— А zéro, бабушка, выгода банка. Если шарик упадет на zéro, то всё, что ни поставлено на столе, принадлежит банку без расчета. Правда, дается еще удар на розыгрыш, но зато банк ничего не платит.

---

[1] Уходите, уходите! (*франц.*)
[2] красное и черное, чет и нечет, недобор и перебор (*франц.*).
[3] ноль (*франц.*).

— Вот-те на! а я ничего не получаю?

— Нет, бабушка, если вы пред этим ставили на zéro, то когда выйдет zéro, вам платят в тридцать пять раз больше.

— Как, в тридцать пять раз, и часто выходит? Что ж они, дураки, не ставят?

— Тридцать шесть шансов против, бабушка.

— Вот вздор! Потапыч! Потапыч! Постой, и со мной есть деньги — вот! Она вынула из кармана туго набитый кошелек и взяла из него фридрихсдор. — На, поставь сейчас на zéro.

— Бабушка, zéro только что вышел, — сказал я, — стало быть, теперь долго не выйдет. Вы много проставите; подождите хоть немного.

— Ну, врешь, ставь!

— Извольте, но он до вечера, может быть, не выйдет, вы до тысячи проставите, это случалось.

— Ну, вздор, вздор! Волка бояться — в лес не ходить. Что? проиграл? Ставь еще!

Проиграли и второй фридрихсдор; поставили третий. Бабушка едва сидела на месте, она так и впилась горящими глазами в прыгающий по зазубринам вертящегося колеса шарик. Проиграли и третий. Бабушка из себя выходила, на месте ей не сиделось, даже кулаком стукнула по столу, когда крупер провозгласил «trente six»[1] вместо ожидаемого zéro.

— Эк ведь его! — сердилась бабушка, — да скоро ли этот зеришка проклятый выйдет? Жива не хочу быть, а уж досижу до zéro! Это этот проклятый курчавый круперишка делает, у него никогда не выходит! Алексей Иванович, ставь два золотых за раз! Это столько проставишь, что и выйдет zéro, так ничего не возьмешь.

— Бабушка!

— Ставь, ставь! Не твои.

Я поставил два фридрихсдора. Шарик долго летал по колесу, наконец стал прыгать по зазубринам. Бабушка замерла и стиснула мою руку, и вдруг — хлоп!

— Zéro, — провозгласил крупер.

— Видишь, видишь! — быстро обернулась ко мне бабушка, вся сияющая и довольная. — Я ведь сказала, сказала тебе! И надоумил меня сам Господь поставить два золотых. Ну, сколько же я теперь получу? Что ж не выдают? Потапыч, Марфа, где же они? Наши все куда же ушли? Потапыч, Потапыч!

— Бабушка, после, — шептал я, — Потапыч у дверей, его сюда не пустят. Смотрите, бабушка, вам деньги выдают, получайте!

Бабушке выкинули запечатанный в синей бумажке тяжеловесный сверток с пятидесятью фридрихсдорами и отсчитали не запечатанных еще двадцать фридрихсдоров. Всё это я пригреб к бабушке лопаткой.

— Faites le jeu, messieurs! Faites le jeu, messieurs! Rien ne va plus?[2] — возглашал крупер, приглашая ставить и готовясь вертеть рулетку.

— Господи! опоздали! сейчас завертят! Ставь, ставь! — захлопотала бабушка, — да не мешкай, скорее, — выходила она из себя, толкая меня изо всех сил.

— Да куда ставить-то, бабушка?

---

[1] тридцать шесть (*франц.*).

[2] Делайте вашу ставку, господа! Делайте вашу ставку! Больше никто не ставит? (*франц.*).

— На zéro, на zéro! опять на zéro! Ставь как можно больше! Сколько у нас всего? Семьдесят фридрихсдоров? Нечего их жалеть, ставь по двадцати фридрихсдоров разом.

— Опомнитесь, бабушка! Он иногда по двести раз не выходит! Уверяю вас, вы весь капитал проставите.

— Ну, врешь, врешь! ставь! Вот язык-то звенит! Знаю, что делаю, — даже затряслась в исступлении бабушка.

— По уставу разом более двенадцати фридрихсдоров на zéro ставить не позволено, бабушка, — ну вот я поставил.

— Как не позволено? Да ты не врешь ли? Мусье! мусье! — затолкала она крупера, сидевшего тут же подле нее слева и приготовившегося вертеть, — combien zéro? douze? douze?[1]

Я поскорее растолковал вопрос по-французски.

— Oui, madame[2], — вежливо подтвердил крупер, — равно как всякая единичная ставка не должна превышать разом четырех тысяч флоринов, по уставу, — прибавил он в пояснение.

— Ну, нечего делать, ставь двенадцать.

— Le jeu est fait![3] — крикнул крупер. Колесо завертелось, и вышло тринадцать. Проиграли!

— Еще! еще! еще! ставь еще! — кричала бабушка. Я уже не противоречил и, пожимая плечами, поставил еще двенадцать фридрихсдоров. Колесо вертелось долго. Бабушка просто дрожала, следя за колесом. «Да неужто она и в самом деле думает опять zéro выиграть?» — подумал я, смотря на нее с удивлением. Решительное убеждение в выигрыше сияло на лице ее, непременное ожидание, что вот-вот сейчас крикнут: zéro! Шарик вскочил в клетку.

— Zéro! — крикнул крупер.

— Что!!! — с неистовым торжеством обратилась ко мне бабушка.

Я сам был игрок; я почувствовал это в ту самую минуту. У меня руки-ноги дрожали, в голову ударило. Конечно, это был редкий случай, что на каких-нибудь десяти ударах три раза выскочил zéro; но особенно удивительного тут не было ничего. Я сам был свидетелем, как третьего дня вышло три zéro *сряду* и при этом один из игроков, ревностно отмечавший на бумажке удары, громко заметил, что не далее, как вчера, этот же самый zéro упал в целые сутки один раз.

С бабушкой, как с выигравшей самый значительный выигрыш, особенно внимательно и почтительно рассчитались. Ей приходилось получить ровно четыреста двадцать фридрихсдоров, то есть четыре тысячи флоринов и двадцать фридрихсдоров. Двадцать фридрихсдоров ей выдали золотом, а четыре тысячи — банковыми билетами.

Но этот раз бабушка уже не звала Потапыча; она была занята не тем. Она даже не толкалась и не дрожала снаружи. Она, если можно так выразиться, дрожала изнутри. Вся на чем-то сосредоточилась, так и прицелилась:

---

[1] сколько ноль? двенадцать? двенадцать? (*франц.*)
[2] Да, сударыня (*франц.*).
[3] Игра сделана! (*франц.*)

— Алексей Иванович! он сказал, зараз можно только четыре тысячи флоринов поставить? На, бери, ставь эти все четыре на красную, — решила бабушка.

Было бесполезно отговаривать. Колесо завертелось.

— Rouge! — провозгласил крупер.

Опять выигрыш в четыре тысячи флоринов, всего, стало быть, восемь.

— Четыре сюда мне давай, а четыре ставь опять на красную, — командовала бабушка.

Я поставил опять четыре тысячи.

— Rouge! — провозгласил снова крупер.

— Итого двенадцать! Давай их все сюда. Золото ссыпай сюда, в кошелек, а билеты спрячь.

— Довольно! Домой! Откатите кресла!

ГЛАВА XI

Кресла откатили к дверям, на другой конец залы. Бабушка сияла. Все наши стеснились тотчас же кругом нее с поздравлениями. Как ни эксцентрично было поведение бабушки, но ее триумф покрывал многое, и генерал уже не боялся скомпрометировать себя в публике родственными отношениями с такой странной женщиной. С снисходительною и фамильярно-веселою улыбкою, как бы теша ребенка, поздравил он бабушку. Впрочем, он был видимо поражен, равно как и все зрители. Кругом говорили и указывали на бабушку. Многие проходили мимо нее, чтобы ближе ее рассмотреть. Мистер Астлей толковал о ней в стороне с двумя своими знакомыми англичанами. Несколько величавых зрительниц, дам, с величавым недоумением рассматривали ее как какое-то чудо. Де-Грие так и рассыпался в поздравлениях и улыбках.

— Quelle victoire![1] — говорил он.

— Mais, madame, c'était du feu![2] — прибавила с заигрывающей улыбкой mademoiselle Blanche.

— Да-с, вот взяла да и выиграла двенадцать тысяч флоринов! Какое двенадцать, а золото-то? С золотом почти что тринадцать выйдет. Это сколько по-нашему? Тысяч шесть, что ли, будет?

Я доложил, что и за семь перевалило, а по теперешнему курсу, пожалуй, и до восьми дойдет.

— Шутка, восемь тысяч! А вы-то сидите здесь, колпаки, ничего не делаете! Потапыч, Марфа, видели?

— Матушка, да как это вы? Восемь тысяч рублей, — восклицала, извиваясь, Марфа.

— Нате, вот вам от меня по пяти золотых, вот!

Потапыч и Марфа бросились целовать ручки.

— И носильщикам дать по фридрихсдору. Дай им по золотому, Алексей Иванович. Что это лакей кланяется, и другой тоже? Поздравляют? Дай им тоже по фридрихсдору.

---

[1] Какая победа! (*франц.*)
[2] Но, сударыня, это было блестяще! (*франц.*)

— Madame la princesse... un pauvre expatrié... malheur continuel... les princes russes sont si généreux[1], — увивалась около кресел одна личность в истасканном сюртуке, пестром жилете, в усах, держа картуз на отлете и с подобострастною улыбкой...

— Дай ему тоже фридрихсдор. Нет, дай два; ну, довольно, а то конца с ними не будет. Подымите, везите! Прасковья, — обратилась она к Полине Александровне, — я тебе завтра на платье куплю, и той куплю mademoiselle... как ее, mademoiselle Blanche, что ли, ей тоже на платье куплю. Переведи ей, Прасковья!

— Merci, madame, — умильно присела mademoiselle Blanche, искривив рот в насмешливую улыбку, которою обменялась с Де-Грие и генералом. Генерал отчасти конфузился и ужасно был рад, когда мы добрались до аллеи.

— Федосья, Федосья-то, думаю, как удивится теперь, — говорила бабушка, вспоминая о знакомой генеральской нянюшке. — И ей нужно на платье подарить. Эй, Алексей Иванович, Алексей Иванович, подай этому нищему!

По дороге проходил какой-то оборванец, с скрюченною спиной, и глядел на нас.

— Да это, может быть, и не нищий, а какой-нибудь прощелыга, бабушка.

— Дай! дай! дай ему гульден!

Я подошел и подал. Он посмотрел на меня с диким недоумением, однако молча взял гульден. От него пахло вином.

— А ты, Алексей Иванович, не пробовал еще счастия?

— Нет, бабушка.

— А у самого глаза горели, я видела.

— Я еще попробую, бабушка, непременно, потом.

— И прямо ставь на zéro! Вот увидишь! Сколько у тебя капиталу?

— Всего только двадцать фридрихсдоров, бабушка.

— Немного. Пятьдесят фридрихсдоров я тебе дам взаймы, если хочешь. Вот этот самый сверток и бери, а ты, батюшка, все-таки не жди, тебе не дам! — вдруг обратилась она к генералу.

Того точно перевернуло, но он промолчал. Де-Грие нахмурился.

— Que diable, c'est une terrible vieille![2] — прошептал он сквозь зубы генералу.

— Нищий, нищий, опять нищий! — закричала бабушка. — Алексей Иванович, дай и этому гульден.

На этот раз повстречался седой старик, с деревянной ногой, в каком-то синем длиннополом сюртуке и с длинною тростью в руках. Он похож был на старого солдата. Но когда я протянул ему гульден, он сделал шаг назад и грозно осмотрел меня.

— Was ist's der Teufel![3] — крикнул он, прибавив к этому еще с десяток ругательств.

— Ну дурак! — крикнула бабушка, махнув рукой. — Везите дальше! Проголодалась! Теперь сейчас обедать, потом немного поваляюсь и опять туда.

— Вы опять хотите играть, бабушка? — крикнул я.

---

[1] Госпожа княгиня... бедный эмигрант... постоянное несчастье... русские князья так щедры (*франц.*).

[2] Черт возьми, ужасная старуха (*франц.*).

[3] Черт побери, что это такое! (нем.)

— Как бы ты думал? Что вы-то здесь сидите да киснете, так и мне на вас смотреть?

— Mais, madame, — приблизился Де-Грие, — les chances peuvent tourner, une seule mauvaise chance et vous perdrez tout... surtout avec votre jeu... c'était terrible![1]

— Vous perdrez absolument[2], — защебетала mademoiselle Blanche.

— Да вам-то всем какое дело? Не ваши проиграю — свои! А где этот мистер Астлей? — спросила она меня.

— В воксале остался, бабушка.

— Жаль; вот этот так хороший человек.

Прибыв домой, бабушка еще на лестнице, встретив обер-кельнера, подозвала его и похвасталась своим выигрышем; затем позвала Федосью, подарила ей три фридрихсдора и велела подавать обедать. Федосья и Марфа так и рассыпа́лись пред нею за обедом.

— Смотрю я на вас, матушка, — трещала Марфа, — и говорю Потапычу, что это наша матушка хочет делать. А на столе денег-то, денег-то, батюшки! всю-то жизнь столько денег не видывала, а всё кругом господа, всё одни господа сидят. И откуда, говорю, Потапыч, это всё такие здесь господа? Думаю, помоги ей сама Мати-Божия. Молюсь я за вас, матушка, а сердце вот так и замирает, так и замирает, дрожу, вся дрожу. Дай ей, Господи, думаю, а тут вот вам Господь и послал. До сих пор, матушка, так и дрожу, так вот вся и дрожу.

— Алексей Иванович, после обеда, часа в четыре, готовься, пойдем. А теперь покамест прощай, да докторишку мне какого-нибудь позвать не забудь, тоже и во́ды пить надо. А то и позабудешь, пожалуй.

Я вышел от бабушки как одурманенный. Я старался себе представить, что теперь будет со всеми нашими и какой оборот примут дела? Я видел ясно, что они (генерал преимущественно) еще не успели прийти в себя, даже и от первого впечатления. Факт появления бабушки вместо ожидаемой с часу на час телеграммы об ее смерти (а стало быть, и о наследстве) до того раздробил всю систему их намерений и принятых решений, что они с решительным недоумением и с каким-то нашедшим на всех столбняком относились к дальнейшим подвигам бабушки на рулетке. А между тем этот второй факт был чуть ли не важнее первого, потому что хоть бабушка и повторила два раза, что денег генералу не даст, но ведь кто знает, — все-таки не должно было еще терять надежды. Не терял же и Де-Грие, замешанный во все дела генерала. Я уверен, что и mademoiselle Blanche, тоже весьма замешанная (еще бы: генеральша и значительное наследство!), не потеряла бы надежды и употребила бы все обольщения кокетства над бабушкой — в контраст с неподатливою и неумеющею приласкаться гордячкой Полиной. Но теперь, теперь, когда бабушка совершила такие подвиги на рулетке, теперь, когда личность бабушки отпечаталась пред ними так ясно и типически (строптивая, властолюбивая старуха et tombée en enfance), теперь, пожалуй, всё погибло: ведь она, как ребенок, рада, что дорвалась, и, как водится, проиграется в пух. «Боже! — подумал я (и прости меня, Господи, с самым злорадым смехом), — Боже, да ведь каждый фридрихсдор, поставленный бабушкою давеча, ложился болячкою на сердце генерала, бесил Де-Грие и доводил до ис-

---

[1] Но, сударыня, удача может изменить, один неудачный ход — и вы проиграете всё... особенно с вашими ставками... это ужасно! (*франц.*)

[2] Вы проиграете непременно (*франц.*).

ступления mademoiselle de Cominges, у которой мимо рта проносили ложку. Вот и еще факт: даже с выигрыша, с радости, когда бабушка раздавала всем деньги и каждого прохожего принимала за нищего, даже и тут у ней вырвалось к генералу: «А тебе-то все-таки не дам!» Это значит: села на этой мысли, уперлась, слово такое себе дала; — опасно! опасно!»

Все эти соображения ходили в моей голове в то время, как я поднимался от бабушки по парадной лестнице, в самый верхний этаж, в свою каморку. Всё это занимало меня сильно; хотя, конечно, я и прежде мог предугадывать главные толстейшие нити, связывавшие предо мною актеров, но все-таки окончательно не знал всех средств и тайн этой игры. Полина никогда не была со мною вполне доверчива. Хоть и случалось, правда, что она открывала мне подчас, как бы невольно, свое сердце, но я заметил, что часто, да почти и всегда, после этих открытий или в смех обратит всё сказанное, или запутает и с намерением придаст всему ложный вид. О! она многое скрывала! Во всяком случае, я предчувствовал, что подходит финал всего этого таинственного и напряженного состояния. Еще один удар — и всё будет кончено и обнаружено. О своей участи, тоже во всем этом заинтересованный, я почти не заботился. Странное у меня настроение: в кармане всего двадцать фридрихсдоров; я далеко на чужой стороне, без места и без средств к существованию, без надежды, без расчетов и — не забочусь об этом! Если бы не дума о Полине, то я просто весь отдался бы одному комическому интересу предстоящей развязки и хохотал бы во всё горло. Но Полина смущает меня; участь ее решается, это я предчувствовал, но, каюсь, совсем не участь ее меня беспокоит. Мне хочется проникнуть в ее тайны; мне хотелось бы, чтобы она пришла ко мне и сказала: «Ведь я люблю тебя», а если нет, если это безумство немыслимо, то тогда... ну, да чего пожелать? Разве я знаю, чего желаю? Я сам как потерянный; мне только бы быть при ней, в ее ореоле, в ее сиянии, навечно, всегда, всю жизнь. Дальше я ничего не знаю! И разве я могу уйти от нее?

В третьем этаже, в их коридоре, меня что-то как толкнуло. Я обернулся и, в двадцати шагах или более, увидел выходящую из двери Полину. Она точно выжидала и высматривала меня и тотчас же к себе поманила.

— Полина Александровна...

— Тише! — предупредила она.

— Представьте себе, — зашептал я, — меня сейчас точно что толкнуло в бок; оглядываюсь — вы! Точно электричество исходит из вас какое-то!

— Возьмите это письмо, — заботливо и нахмуренно произнесла Полина, наверное не расслышав того, что я сказал, — и передайте лично мистеру Астлею сейчас. Поскорее, прошу вас. Ответа не надо. Он сам...

Она не договорила.

— Мистеру Астлею? — переспросил я в удивлении.

Но Полина уже скрылась в дверь.

— Ага, так у них переписка! — я, разумеется, побежал тотчас же отыскивать мистера Астлея, сперва в его отеле, где его не застал, потом в воксале, где обегал все залы, и наконец, в досаде, чуть не в отчаянии, возвращаясь домой, встретил его случайно, в кавалькаде каких-то англичан и англичанок, верхом. Я поманил его, остановил и передал ему письмо. Мы не успели и переглянуться. Но я подозреваю, что мистер Астлей нарочно поскорее пустил лошадь.

Мучила ли меня ревность? Но я был в самом разбитом состоянии духа. Я и удостовериться не хотел, о чем они переписываются. Итак, он ее поверенный! «Друг-то друг, — думал я, — и это ясно (и когда он успел сделаться), но есть ли тут любовь?» «Конечно, нет», — шептал мне рассудок. Но ведь одного рассудка в эдаких случаях мало. Во всяком случае предстояло и это разъяснить. Дело неприятно усложнялось.

Не успел я войти в отель, как швейцар и вышедший из своей комнаты обер-кельнер сообщили мне, что меня требуют, ищут, три раза посылали наведываться: где я? — просят как можно скорее в номер к генералу. Я был в самом скверном расположении духа. У генерала в кабинете я нашел, кроме самого генерала, Де-Грие и mademoiselle Blanche, одну, без матери. Мать была решительно подставная особа, употреблявшаяся только для парада; но когда доходило до настоящего *дела*, то mademoiselle Blanche орудовала одна. Да и вряд ли та что-нибудь знала про дела своей названной дочки.

Они втроем о чем-то горячо совещались, и даже дверь кабинета была заперта, чего никогда не бывало. Подходя к дверям, я расслышал громкие голоса — дерзкий и язвительный разговор Де-Грие, нахально-ругательный и бешеный крик Blanche и жалкий голос генерала, очевидно в чем-то оправдывавшегося. При появлении моем все они как бы поприудержались и подправились. Де-Грие поправил волосы и из сердитого лица сделал улыбающееся, — тою скверною, официально-учтивою, французскою улыбкою, которую я так ненавижу. Убитый и потерявшийся генерал приосанился, но как-то машинально. Одна только mademoiselle Blanche почти не изменила своей сверкающей гневом физиономии и только замолкла, устремив на меня взор с нетерпеливым ожиданием. Замечу, что она до невероятности небрежно доселе со мною обходилась, даже не отвечала на мои поклоны, — просто не примечала меня.

— Алексей Иванович, — начал нежно распекающим тоном генерал, — позвольте вам объявить, что странно, в высочайшей степени странно... одним словом, ваши поступки относительно меня и моего семейства... одним словом, в высочайшей степени странно...

— Eh! ce n'est pas ça, — с досадой и презрением перебил Де-Грие. (Решительно, он всем заправлял!) — Mon cher monsieur, notre cher général se trompe[1], — впадая в такой тон (продолжаю его речь по-русски), но он хотел вам сказать... то есть вас предупредить или, лучше сказать, просить вас убедительнейше, чтобы вы не губили его, — ну да, не губили! Я употребляю именно это выражение...

— Но чем же, чем же? — прервал я.

— Помилуйте, вы беретесь быть руководителем (или как это сказать?) этой старухи, cette pauvre terrible vieille[2], — сбивался сам Де-Грие, — но ведь она проиграется; она проиграется вся в пух! Вы сами видели, вы были свидетелем, как она играет! Если она начнет проигрывать, то она уж и не отойдет от стола, из упрямства, из злости, и всё будет играть, всё будет играть, а в таких случаях никогда не отыгрываются, и тогда... тогда...

---

[1] Это не то... Дорогой мой, наш милый генерал ошибается (*франц.*).
[2] этой бедной, ужасной старухи (*франц.*).

— И тогда, — подхватил генерал, — тогда вы погубите всё семейство! Я и мое семейство, мы — ее наследники, у ней нет более близкой родни. Я вам откровенно скажу: дела мои расстроены, крайне расстроены. Вы сами отчасти знаете... Если она проиграет значительную сумму или даже, пожалуй, всё состояние (о боже!), что тогда будет с ними, с моими детьми! (генерал оглянулся на Де-Грие) — со мною! (Он поглядел на mademoiselle Blanche, с презрением от него отвернувшуюся.) Алексей Иванович, спасите, спасите нас!..

— Да чем же, генерал, скажите, чем я могу... Что я-то тут значу?

— Откажитесь, откажитесь, бросьте ее!..

— Так другой найдется! — вскричал я.

— Ce n'est pas ça, ce n'est pas ça, — перебил опять Де-Грие, — que diable! Нет, не покидайте, но по крайней мере усовестите, уговорите, отвлеките... Ну, наконец, не дайте ей проиграть слишком много, отвлеките ее как-нибудь.

— Да как я это сделаю? Если бы вы сами взялись за это, monsieur Де-Грие, — прибавил я как можно наивнее.

Тут я заметил быстрый, огненный, вопросительный взгляд mademoiselle Blanche на Де-Грие. В лице самого Де-Грие мелькнуло что-то особенное, что-то откровенное, от чего он не мог удержаться.

— То-то и есть, что она меня не возьмет теперь! — вскричал, махнув рукой, Де-Грие. — Если б!.. потом...

Де-Грие быстро и значительно поглядел на mademoiselle Blanche.

— O mon cher monsieur Alexis, soyez si bon[1], — шагнула ко мне с обворожительною улыбкою *сама* mademoiselle Blanche, схватила меня за обе руки и крепко сжала. Черт возьми! это дьявольское лицо умело в одну секунду меняться. В это мгновение у ней явилось такое просящее лицо, такое милое, детски улыбающееся и даже шаловливое; под конец фразы она плутовски мне подмигнула, тихонько от всех; срезать разом, что ли, меня хотела? И недурно вышло, — только уж грубо было это, однако, ужасно.

Подскочил за ней и генерал, — именно подскочил:

— Алексей Иванович, простите, что я давеча так с вами начал, я не то совсем хотел сказать... Я вас прошу, умоляю, в пояс вам кланяюсь по-русски, — вы один, один можете нас спасти! Я и mademoiselle de Cominges вас умоляем, — вы понимаете, ведь вы понимаете? — умолял он, показывая мне глазами на mademoiselle Blanche. Он был очень жалок.

В эту минуту раздались три тихие и почтительные удара в дверь; отворили — стучал коридорный слуга, а за ним, в нескольких шагах, стоял Потапыч. Послы были от бабушки. Требовалось сыскать и доставить меня немедленно, «сердятся», — сообщил Потапыч.

— Но ведь еще только половина четвертого!

— Они и заснуть не могли, всё ворочались, потом вдруг встали, кресла потребовали и за вами. Уж они теперь на крыльце-с...

— Quelle mégère![2] — крикнул Де-Грие.

Действительно, я нашел бабушку уже на крыльце, выходящую из терпения. что меня нет. До четырех часов она не выдержала.

— Ну, подымайте! — крикнула она, и мы отправились опять на рулетку.

---

[1] О дорогой господин Алексей, будьте так добры (*франц.*).

[2] Какая мегера! (*франц.*)

ГЛАВА XII

Бабушка была в нетерпеливом и раздражительном состоянии духа; видно было, что рулетка у ней крепко засела в голове. Ко всему остальному она была невнимательна и вообще крайне рассеянна. Ни про что, например, по дороге не расспрашивала, как давеча. Увидя одну богатейшую коляску, промчавшуюся мимо нас вихрем, она было подняла руку и спросила: «Что такое? Чьи?» — но, кажется, и не расслышала моего ответа; задумчивость ее беспрерывно прерывалась резкими и нетерпеливыми телодвижениями и выходками. Когда я ей показал издали, уже подходя к воксалу, барона и баронессу Вурмергельм, она рассеянно посмотрела и совершенно равнодушно сказала: «А!» — и, быстро обернувшись к Потапычу и Марфе, шагавшим сзади, отрезала им:

— Ну, вы зачем увязались? Не каждый раз брать вас! Ступайте домой! Мне и тебя довольно, — прибавила она мне, когда те торопливо поклонились и воротились домой.

В воксале бабушку уже ждали. Тотчас же отгородили ей то же самое место, возле крупера. Мне кажется, эти круперы, всегда такие чинные и представляющие из себя обыкновенных чиновников, которым почти решительно всё равно: выиграет ли банк или проиграет, — вовсе не равнодушны к проигрышу банка и, уж конечно, снабжены кой-какими инструкциями для привлечения игроков и для вящего наблюдения казенного интереса, за что непременно и сами получают призы и премии. По крайней мере на бабушку смотрели уж как на жертвочку. Затем, что у нас предполагали, то и случилось.

Вот как было дело.

Бабушка прямо накинулась на zéro и тотчас же велела ставить по двенадцати фридрихсдоров. Поставили раз, второй, третий — zéro не выходил. «Ставь, ставь!» — толкала меня бабушка в нетерпении. Я слушался.

— Сколько раз проставили? — спросила она наконец, скрежеща зубами от нетерпения.

— Да уж двенадцатый раз ставил, бабушка. Сто сорок четыре фридрихсдора проставили. Я вам говорю, бабушка, до вечера, пожалуй...

— Молчи! — перебила бабушка. — Поставь на zéro и поставь сейчас на красную тысячу гульденов. На, вот билет.

Красная вышла, а zéro опять лопнул; воротили тысячу гульденов.

— Видишь, видишь! — шептала бабушка, — почти всё, что проставили, воротили. Ставь опять на zéro; еще раз десять поставим и бросим.

Но на пятом разе бабушка совсем соскучилась.

— Брось этот пакостный зеришко к черту. На, ставь все четыре тысячи гульденов на красную, — приказала она.

— Бабушка! много будет; ну как не выйдет красная, — умолял я; но бабушка чуть меня не прибила. (А впрочем, она так толкалась, что почти, можно сказать, дралась.) Нечего было делать, я поставил на красную все четыре тысячи гульденов, выигранные давеча. Колесо завертелось. Бабушка сидела спокойно и гордо выпрямившись, не сомневаясь в непременном выигрыше.

— Zéro, — возгласил крупер.

Сначала бабушка не поняла, но когда увидела, что крупер загреб ее четыре тысячи гульденов, вместе со всем, что стояло на столе, и узнала, что *zéro*, который так долго не выходил и на котором мы проставили почти двести фридрихс-доров, выскочил, как нарочно, тогда, когда бабушка только что его обругала и бросила, то ахнула и на всю залу сплеснула руками. Кругом даже засмеялись.

— Батюшки! Он тут-то проклятый и выскочил! — вопила бабушка, — ведь эдакой, эдакой окаянный! Это ты! Это всё ты! — свирепо накинулась на меня, толкаясь. — Это ты меня отговорил.

— Бабушка, я вам дело говорил, как могу отвечать я за все шансы?

— Я те дам шансы! — шептала она грозно, — пошел вон от меня.

— Прощайте, бабушка, — повернулся я уходить.

— Алексей Иванович, Алексей Иванович, останься! Куда ты? Ну, чего, чего? Ишь рассердился! Дурак! Ну побудь, побудь еще, ну, не сердись, я сама дура! Ну скажи, ну что теперь делать!

— Я, бабушка, не возьмусь вам подсказывать, потому что вы меня же будете обвинять. Играйте сами; приказывайте, я ставить буду.

— Ну, ну! ну ставь еще четыре тысячи гульденов на красную! Вот бумажник, бери. — Она вынула из кармана и подала мне бумажник. — Ну, бери скорей, тут двадцать тысяч рублей чистыми деньгами.

— Бабушка, — прошептал я, — такие куши...

— Жива не хочу быть — отыграюсь. Ставь! — Поставили и проиграли.

— Ставь, ставь, все восемь ставь!

— Нельзя, бабушка, самый большой куш четыре!..

— Ну ставь четыре!

На этот раз выиграли. Бабушка ободрилась.

— Видишь, видишь! — затолкала она меня, — ставь опять четыре!

Поставили — проиграли; потом еще и еще проиграли.

— Бабушка, все двенадцать тысяч ушли, — доложил я.

— Вижу, что все ушли, — проговорила она в каком-то спокойствии бешенства, если так можно выразиться, — вижу, батюшка, вижу, — бормотала она, смотря пред собою неподвижно и как будто раздумывая, — эх! жива не хочу быть, ставь еще четыре тысячи гульденов!

— Да денег нет, бабушка; тут в бумажнике наши пятипроцентные и еще какие-то переводы есть, а денег нет.

— А в кошельке?

— Мелочь осталась, бабушка.

— Есть здесь меняльные лавки? Мне сказали, что все наши бумаги разменять можно, — решительно спросила бабушка.

— О, сколько угодно! Но что вы потеряете за промен, так... сам жид ужаснется!

— Вздор! Отыграюсь! Вези. Позвать этих болванов!

Я откатил кресла, явились носильщики, и мы покатили из воксала.

— Скорей, скорей, скорей! — командовала бабушка. — Показывай дорогу, Алексей Иванович, да поближе возьми... а далеко?

— Два шага, бабушка.

Но на повороте из сквера в аллею встретилась нам вся наша компания: генерал, Де-Грие и mademoiselle Blanche с маменькой. Полины Александровны с ними не было, мистера Астлея тоже.

— Ну, ну, ну! не останавливаться! — кричала бабушка, — ну, чего вам такое? Некогда с вами тут!

Я шел сзади; Де-Грие подскочил ко мне.

— Всё давешнее проиграла и двенадцать тысяч гульденов своих просадила. Едем пятипроцентные менять, — шепнул я ему наскоро.

Де-Грие топнул ногою и бросился сообщить генералу. Мы продолжали катить бабушку.

— Остановите, остановите! — зашептал мне генерал в исступлении.

— А вот попробуйте-ка ее остановить, — шепнул я ему.

— Тетушка! — приблизился генерал, — тетушка... мы сейчас... мы сейчас... — голос у него дрожал и падал, — нанимаем лошадей и едем за город... Восхитительнейший вид... пуант... мы шли вас приглашать.

— И, ну тебя и с пуантом! — раздражительно отмахнулась от него бабушка.

— Там деревня... там будем чай пить... — продолжал генерал уже с полным отчаянием.

— Nous boirons du lait, sur l'herbe fraîche[1], — прибавил Де-Грие с зверскою злобой.

Du lait, de l'herbe fraîche — это всё, что есть идеально идиллического у парижского буржуа; в этом, как известно, взгляд его на «nature et la vérité!»[2]

— И, ну тебя с молоком! Хлещи сам, а у меня от него брюхо болит. Да и чего вы пристали?! — закричала бабушка, — говорю некогда!

— Приехали, бабушка! — закричал я, — здесь!

Мы подкатили к дому, где была контора банкира. Я пошел менять; бабушка осталась ждать у подъезда; Де-Грие, генерал и Blanche стояли в стороне, не зная, что им делать. Бабушка гневно на них посмотрела, и они ушли по дороге к воксалу.

Мне предложили такой ужасный расчет, что я не решился и воротился к бабушке просить инструкций.

— Ах, разбойники! — закричала она, всплеснув руками. — Ну! Ничего! — меняй! — крикнула она решительно, — стой, позови ко мне банкира!

— Разве кого-нибудь из конторщиков, бабушка?

— Ну конторщика, всё равно. Ах, разбойники!

Конторщик согласился выйти, узнав, что его просит к себе старая, расслабленная графиня, которая не может ходить. Бабушка долго, гневно и громко упрекала его в мошенничестве и торговалась с ним смесью русского, французского и немецкого языков, причем я помогал переводу. Серьезный конторщик посматривал на нас обоих и молча мотал головой. Бабушку осматривал он даже с слишком пристальным любопытством, что уже было невежливо; наконец он стал улыбаться.

— Ну, убирайся! — крикнула бабушка. — Подавись моими деньгами! Разменяй у него, Алексей Иванович, некогда, а то бы к другому поехать...

---

[1] Мы будем пить молоко на свежей траве (*франц.*).

[2] «природу и истину!» (*франц.*)

— Конторщик говорит, что у других еще меньше дадут.

Наверное не помню тогдашнего расчета, но он был ужасен. Я наменял до двенадцати тысяч флоринов золотом и билетами, взял расчет и вынес бабушке.

— Ну! ну! ну! Нечего считать, — замахала она руками, — скорей, скорей, скорей!

— Никогда на этот проклятый zéro не буду ставить и на красную тоже, — промолвила она, подъезжая к воксалу.

На этот раз я всеми силами старался внушить ей ставить как можно меньше, убеждая ее, что при обороте шансов всегда будет время поставить и большой куш. Но она была так нетерпелива, что хоть и соглашалась сначала, но возможности не было сдержать ее во время игры. Чуть только она начинала выигрывать ставки в десять, в двадцать фридрихсдоров, — «Ну, вот! Ну, вот! — начинала она толкать меня, — ну вот, выиграли же, — стояло бы четыре тысячи вместо десяти, мы бы четыре тысячи выиграли, а то что теперь? Это всё ты, всё ты!»

И как ни брала меня досада, глядя на ее игру, а я наконец решился молчать и не советовать больше ничего.

Вдруг подскочил Де-Грие. Они все трое были возле; я заметил, что mademoiselle Blanche стояла с маменькой в стороне и любезничала с князьком. Генерал был в явной немилости, почти в загоне. Blanche даже и смотреть на него не хотела, хоть он и юлил подле нее всеми силами. Бедный генерал! Он бледнел, краснел, трепетал и даже уж не следил за игрою бабушки. Blanche и князек наконец вышли; генерал побежал за ними.

— Madame, madame, — медовым голосом шептал бабушке Де-Грие, протеснившись к самому ее уху. — Madame, эдак ставка нейдет... нет, нет, не можно... — коверкал он по-русски, — нет!

— А как же? Ну, научи! — обратилась к нему бабушка.

Де-Грие вдруг быстро заболтал по-французски, начал советовать, суетился, говорил, что надо ждать шансу, стал рассчитывать какие-то цифры... бабушка ничего не понимала. Он беспрерывно обращался ко мне, чтоб я переводил; тыкал пальцем в стол, указывал; наконец схватил карандаш и начал было высчитывать на бумажке. Бабушка потеряла наконец терпение.

— Ну, пошел, пошел! Всё вздор мелешь! «Madame, madame», а сам и дела-то не понимает; пошел!

— Mais, madame, — защебетал Де-Грие и снова начал толкать и показывать. Очень уж его разбирало.

— Ну, поставь раз, как он говорит, — приказала мне бабушка, — посмотрим: может, и в самом деле выйдет.

Де-Грие хотел только отвлечь ее от больших кушей: он предлагал ставить на числа, поодиночке и в совокупности. Я поставил, по его указанию, по фридрихсдору на ряд нечетных чисел в первых двенадцати и по пяти фридрихсдоров на группы чисел от двенадцати до восемнадцати и от восемнадцати до двадцати четырех: всего поставили шестнадцать фридрихсдоров.

Колесо завертелось. «Zéro», — крикнул крупер. Мы всё проиграли.

— Эдакой болван! — крикнула бабушка, обращаясь к Де-Грие. — Эдакой ты мерзкий французишка! Ведь посоветует же изверг! Пошел, пошел! Ничего не понимает, а туда же суется!

Страшно обиженный Де-Грие пожал плечами, презрительно посмотрел на бабушку и отошел. Ему уж самому стало стыдно, что связался; слишком уж не утерпел.

Через час, как мы ни бились, — всё проиграли.

— Домой! — крикнула бабушка.

Она не промолвила ни слова до самой аллеи. В аллее, и уже подъезжая к отелю, у ней начали вырываться восклицания:

— Экая дура! экая дурында! Старая ты, старая дурында!

Только что въехали в квартиру:

— Чаю мне! — закричала бабушка, — и сейчас собираться! Едем!

— Куда, матушка, ехать изволите? — начала было Марфа.

— А тебе какое дело? Знай сверчок свой шесток! Потапыч, собирай всё, всю поклажу. Едем назад, в Москву! Я пятнадцать тысяч целковых профершпилила!

— Пятнадцать тысяч, матушка! Боже ты мой! — крикнул было Потапыч, умилительно всплеснув руками, вероятно, предполагая услужиться.

— Ну, ну, дурак! Начал еще хныкать! Молчи! Собираться! Счет, скорее, скорей!

— Ближайший поезд отправится в девять с половиною часов, бабушка, — доложил я, чтоб остановить ее фурор.

— А теперь сколько?

— Половина восьмого.

— Экая досада! Ну всё равно! Алексей Иванович, денег у меня ни копейки. Вот тебе еще два билета, сбегай туда, разменяй мне и эти. А то не с чем и ехать.

Я отправился. Через полчаса возвратившись в отель, я застал всех наших у бабушки. Узнав, что бабушка уезжает совсем в Москву, они были поражены, кажется, еще больше, чем ее проигрышем. Положим, отъездом спасалось ее состояние, но зато что же теперь станется с генералом? Кто заплатит Де-Грие? Mademoiselle Blanche, разумеется, ждать не будет, пока помрет бабушка, и, наверное, улизнет теперь с князьком или с кем-нибудь другим. Они стояли перед нею, утешали ее и уговаривали. Полины опять не было. Бабушка неистово кричала на них.

— Отвяжитесь, черти! Вам что за дело? Чего эта козлиная борода ко мне лезет, — кричала она на Де-Грие, — а тебе, пигалица, чего надо? — обратилась она к mademoiselle Blanche. — Чего юлишь?

— Diantre![1] — прошептала mademoiselle Blanche, бешено сверкнув глазами, но вдруг захохотала и вышла.

— Elle vivra cent ans![2] — крикнула она, выходя из дверей, генералу.

— А, так ты на мою смерть рассчитываешь? — завопила бабушка генералу, — пошел! Выгони их всех, Алексей Иванович! Какое вам дело? Я свое просвистала, а не ваше!

Генерал пожал плечами, согнулся и вышел. Де-Грие за ним.

— Позвать Прасковью, — велела бабушка Марфе.

---

[1] Черт возьми! (*франц.*)
[2] Она сто лет проживет! (*франц.*)

Через пять минут Марфа воротилась с Полиной. Всё это время Полина сидела в своей комнате с детьми и, кажется, нарочно решилась весь день не выходить. Лицо ее было серьезно, грустно и озабочено.

— Прасковья, — начала бабушка, — правда ли, что я давеча стороной узнала, что будто бы этот дурак, отчим-то твой, хочет жениться на этой глупой вертушке француженке, — актриса, что ли, она, или того еще хуже? Говори, правда это?

— Наверное про это я не знаю, бабушка, — ответила Полина, — но по словам самой mademoiselle Blanche, которая не находит нужным скрывать, заключаю...

— Довольно! — энергически прервала бабушка, — всё понимаю! Я всегда считала, что от него это станется, и всегда считала его самым пустейшим и легкомысленным человеком. Натащил на себя форсу, что генерал (из полковников, по отставке получил), да и важничает. Я, мать моя, всё знаю, как вы телеграмму за телеграммой в Москву посылали — «скоро ли, дескать, старая бабка ноги протянет?» Наследства ждали; без денег-то его эта подлая девка, как ее — de Cominges, что ли, — и в лакеи к себе не возьмет, да еще со вставными-то зубами. У ней, говорят, у самой денег куча, на проценты дает, добром нажила. Я, Прасковья, тебя не виню; не ты телеграммы посылала; и об старом тоже поминать не хочу. Знаю, что характеришка у тебя скверный — оса! укусишь, так вспухнет, да жаль мне тебя, потому: покойницу Катерину, твою мать, я любила. Ну, хочешь? бросай всё здесь и поезжай со мною. Ведь тебе деваться-то некуда; да и неприлично тебе с ними теперь. Стой! — прервала бабушка начинавшую было отвечать Полину, — я еще не докончила. От тебя я ничего не потребую. Дом у меня в Москве, сама знаешь, — дворец, хоть целый этаж занимай и хоть по неделям ко мне не сходи, коль мой характер тебе не покажется. Ну, хочешь или нет?

— Позвольте сперва вас спросить: неужели вы сейчас ехать хотите?

— Шучу, что ли, я, матушка? Сказала и поеду. Я сегодня пятнадцать тысяч целковых просадила на растреклятой вашей рулетке. В подмосковной я, пять лет назад, дала обещание церковь из деревянной в каменную перестроить, да вместо того здесь просвисталась. Теперь, матушка, церковь поеду строить.

— А во́ды-то, бабушка? Ведь вы приехали во́ды пить?

— И, ну тебя с во́дами твоими! Не раздражай ты меня, Прасковья; нарочно, что ли, ты? Говори, едешь аль нет?

— Я вас очень, очень благодарю, бабушка, — с чувством начала Полина, — за убежище, которое вы мне предлагаете. Отчасти вы мое положение угадали. Я вам так признательна, что, поверьте, к вам приду, может быть, даже и скоро; а теперь есть причины... важные... и решиться я сейчас, сию минуту, не могу. Если бы вы остались хоть недели две...

— Значит, не хочешь?

— Значит, не могу. К тому же во всяком случае я не могу брата и сестру оставить, а так как... так как... так как действительно может случиться, что они останутся, как брошенные, то... если возьмете меня с малютками, бабушка, то, конечно, к вам поеду и, поверьте, заслужу вам это! — прибавила она с жаром, — а без детей не могу, бабушка.

— Ну, не хнычь! (Полина и не думала хныкать, да она и никогда не плакала), — и для цыплят найдется место; велик курятник. К тому же им в школу пора. Ну так не едешь теперь? Ну, Прасковья, смотри! Желала бы я тебе добра, а ведь я знаю, почему ты не едешь. Всё я знаю, Прасковья! Не доведет тебя этот французишка до добра.

Полина вспыхнула. Я так и вздрогнул. (Все знают! Один я, стало быть, ничего не знаю!)

— Ну, ну, не хмурься. Не стану размазывать. Только смотри, чтоб не было худа, понимаешь? Ты девка умная; жаль мне тебя будет. Ну, довольно, не глядела бы я на вас на всех! Ступай! прощай!

— Я, бабушка, еще провожу вас, — сказала Полина.

— Не надо; не мешай, да и надоели вы мне все.

Полина поцеловала у бабушки руку, но та руку отдернула и сама поцеловала ее в щеку.

Проходя мимо меня, Полина быстро на меня поглядела и тотчас отвела глаза.

— Ну, прощай и ты, Алексей Иванович! Всего час до поезда. Да и устал ты со мною, я думаю. На, возьми себе эти пятьдесят золотых.

— Покорно благодарю вас, бабушка, мне совестно...

— Ну, ну! — крикнула бабушка, но до того энергично и грозно, что я не посмел отговариваться и принял.

— В Москве, как будешь без места бегать, — ко мне приходи; отрекомендую куда-нибудь. Ну, убирайся!

Я пришел к себе в номер и лег на кровать. Я думаю, я лежал с полчаса навзничь, закинув за голову руки. Катастрофа уж разразилась, было о чем подумать. Завтра я решил настоятельно говорить с Полиной. А! французишка? Так, стало быть, правда! Но что же тут могло быть, однако? Полина и Де-Грие! Господи, какое сопоставление!

Всё это было просто невероятно. Я вдруг вскочил вне себя, чтоб идти тотчас же отыскать мистера Астлея и во что бы то ни стало заставить его говорить. Он, конечно, и тут больше меня знает. Мистер Астлей? вот еще для меня загадка!

Но вдруг в дверях моих раздался стук. Смотрю — Потапыч.

— Батюшка, Алексей Иванович: к барыне, требуют!

— Что такое? Уезжает, что ли? До поезда еще двадцать минут.

— Беспокоятся, батюшка, едва сидят. «Скорей, скорей!» — вас то есть, батюшка; ради Христа, не замедлите.

Тотчас же я сбежал вниз. Бабушку уже вывезли в коридор. В руках ее был бумажник.

— Алексей Иванович, иди вперед, пойдем!..

— Куда, бабушка?

— Жива не хочу быть, отыграюсь! Ну, марш, без расспросов! Там до полночи ведь игра идет?

Я остолбенел, подумал, но тотчас же решился.

— Воля ваша, Антонида Васильевна, не пойду.

— Это почему? Это что еще? Белены, что ли, вы все объелись!

— Воля ваша: я потом сам упрекать себя стану; не хочу! Не хочу быть ни свидетелем, ни участником; избавьте, Антонида Васильевна. Вот ваши пятьдесят фридрихсдоров назад; прощайте! — И я, положив сверток с фридрихсдорами тут же на столик, подле которого пришлись кресла бабушки, поклонился и ушел.

— Экой вздор! — крикнула мне вслед бабушка, — да не ходи, пожалуй, я и одна дорогу найду! Потапыч, иди со мною! Ну, подымайте, несите.

Мистера Астлея я не нашел и воротился домой. Поздно, уже в первом часу пополуночи, я узнал от Потапыча, чем кончился бабушкин день. Она всё проиграла, что ей давеча я наменял, то есть, по-нашему, еще десять тысяч рублей. К ней прикомандировался там тот самый полячок, которому она дала давеча два фридрихсдора, и всё время руководил ее в игре. Сначала, до полячка, она было заставляла ставить Потапыча, но скоро прогнала его; тут-то и подскочил полячок. Как нарочно, он понимал по-русски и даже болтал кое-как, смесью трех языков, так что они кое-как уразумели друг друга. Бабушка всё время нещадно ругала его, и хоть тот беспрерывно «стелился под стопки паньски», но уж «куда сравнить с вами, Алексей Иванович, — рассказывал Потапыч. — С вами она *точно с барином* обращалась, а тот — так, я сам видел своими глазами, убей Бог на месте, — тут же у ней со стола воровал. Она его сама раза два на столе поймала, и уж костила она его, костила всяческими-то, батюшка, словами, даже за волосенки раз отдергала, право, не лгу, так что кругом смех пошел. Всё, батюшка, проиграла; всё как есть, всё, что вы ей наменяли. Довезли мы ее, матушку, сюда — только водицы спросила испить, перекрестилась, и в постельку. Измучилась, что ли, она, тотчас заснула. Пошли Бог сны ангельские! Ох, уж эта мне заграница! — заключил Потапыч, — говорил, что не к добру. И уж поскорей бы в нашу Москву! И чего-чего у нас дома нет, в Москве? Сад, цветы, каких здесь и не бывает, дух, яблоньки наливаются, простор, — нет: надо было за границу! Ох-хо-хо!..»

ГЛАВА XIII

Вот уже почти целый месяц прошел, как я не притрогивался к этим заметкам моим, начатым под влиянием впечатлений, хотя и беспорядочных, но сильных. Катастрофа, приближение которой я тогда предчувствовал, наступила действительно, но во сто раз круче и неожиданнее, чем я думал. Всё это было нечто странное, безобразное и даже трагическое, по крайней мере со мной. Случились со мною некоторые происшествия — почти чудесные; так по крайней мере я до сих пор гляжу на них, хотя на другой взгляд и, особенно судя по круговороту, в котором я тогда кружился, они были только что разве не совсем обыкновенные. Но чудеснее всего для меня то, как я сам отнесся ко всем этим событиям. До сих пор не понимаю себя! И всё это пролетело как сон, — даже страсть моя, а она ведь была сильна и истинна, но... куда же она теперь делась? Право: нет-нет, да мелькнет иной раз теперь в моей голове: «Уж не сошел ли я тогда с ума и не сидел ли всё это время где-нибудь в сумасшедшем доме, а может быть, и теперь сижу, — так что мне всё это *показалось* и до сих пор только *кажется*...

Я собрал и перечел мои листки. (Кто знает, может быть, для того, чтобы убедиться, не в сумасшедшем ли доме я их писал?) Теперь я один-одинешенек.

Наступает осень, желтеет лист. Сижу в этом унылом городишке (о, как унылы германские городишки!) и, вместо того чтобы обдумать предстоящий шаг, живу под влиянием только что минувших ощущений, под влиянием свежих воспоминаний, под влиянием всего этого недавнего вихря, захватившего меня тогда в этот круговорот и опять куда-то выбросившего. Мне всё кажется порой, что я всё еще кружусь в том же вихре и что вот-вот опять промчится эта буря, захватит меня мимоходом своим крылом и я выскочу опять из порядка и чувства меры и закружусь, закружусь, закружусь...

Впрочем, я, может быть, и установлюсь как-нибудь и перестану кружиться, если дам себе, по возможности, точный отчет во всем приключившемся в этот месяц. Меня тянет опять к перу; да иногда и совсем делать нечего по вечерам. Странно, для того чтобы хоть чем-нибудь заняться, я беру в здешней паршивой библиотеке для чтения романы Поль де Кока (в немецком переводе!), которых я почти терпеть не могу, но читаю их и — дивлюсь на себя: точно я боюсь серьезною книгою или каким-нибудь серьезным занятием разрушить обаяние только что минувшего. Точно уж так дороги мне этот безобразный сон и все оставшиеся по нем впечатления, что я даже боюсь дотронуться до него чем-нибудь новым, чтобы он не разлетелся в дым! Дорого мне это всё так, что ли? Да, конечно, дорого; может, и через сорок лет вспоминать буду...

Итак, принимаюсь писать. Впрочем, всё это можно рассказать теперь отчасти и покороче: впечатления совсем не те...

Во-первых, чтоб кончить с бабушкой. На другой день она проигралась вся окончательно. Так и должно было случиться: кто раз, из таких, попадается на эту дорогу, тот — точно с снеговой горы в санках катится, всё быстрее и быстрее. Она играла весь день до восьми часов вечера; я при ее игре не присутствовал и знаю только по рассказам.

Потапыч продежурил при ней в воксале целый день. Полячки, руководившие бабушку, сменялись в этот день несколько раз. Она начала с того, что прогнала вчерашнего полячка, которого она драла за волосы, и взяла другого, но другой оказался почти что еще хуже. Прогнав этого и взяв опять первого, который не уходил и толкался во всё это время изгнания тут же, за ее креслами, поминутно просовывая к ней свою голову, — она впала наконец в решительное отчаяние. Прогнанный второй полячок тоже ни за что не хотел уйти; один поместился с правой стороны, а другой с левой. Всё время они спорили и ругались друг с другом за ставки и ходы, обзывали друг друга «ла́йдаками» и прочими польскими любезностями, потом опять мирились, кидали деньги без всякого порядка, распоряжались зря. Поссорившись, они ставили каждый с своей стороны, один, например, на красную, а другой тут же на черную. Кончилось тем, что они совсем закружили и сбили бабушку с толку, так что она наконец чуть не со слезами обратилась к старичку круперу с просьбою защитить ее, чтоб он их прогнал. Их действительно тотчас же прогнали, несмотря на их крики и протесты: они кричали оба разом и доказывали, что бабушка им же должна, что она их в чем-то обманула, поступила с ними бесчестно, подло. Несчастный Потапыч рассказывал мне всё это со слезами в тот самый вечер, после проигрыша, и жаловался, что они набивали свои карманы деньгами, что он сам видел, как они бессовестно воровали и поминутно совали себе в карманы. Выпросит, например, у бабушки за труды пять фридрихсдоров и начнет их тут же ставить на рулетке, рядом с бабушкиными ставками. Бабушка выиграет, а он кричит, что это его ставка выиграла, а бабушка проиграла. Когда их прогоняли, то Потапыч выступил и донес, что у них полны карманы золота. Бабушка тотчас же попросила крупера распорядиться, и как оба полячка́ ни кричали (точно два пойманные в руки петуха), но явилась полиция и тотчас карманы их были опустошены в пользу бабушки. Бабушка, пока не проигралась, пользовалась во весь этот день у круперов и у всего воксального начальства видимым авторитетом. Мало-помалу известность ее распространялась по всему городу. Все посетители вод, всех наций, обыкновенные и самые знатные, стекались посмотреть на «une vieille comtesse russe, tombée en enfance», которая уже проиграла «несколько миллионов».

Но бабушка очень, очень мало выиграла от того, что избавили ее от двух полячишек. Взамен их тотчас же к услугам ее явился третий поляк, уже совершенно чисто говоривший по-русски, одетый джентльменом, хотя все-таки смахивавший на лакея, с огромными усами и с гонором. Он тоже целовал «стопки паньски» и «стелился под стопки паньски», но относительно окружающих вел себя заносчиво, распоряжался деспотически — словом, сразу поставил себя не слугою, а хозяином бабушки. Поминутно с каждым ходом обращался он к ней и клялся ужаснейшими клятвами, что он сам «гоноровый» пан и что он не возьмет ни единой копейки из денег бабушки. Он так часто повторял эти клятвы, что та окончательно струсила. Но так как этот пан действительно вначале как будто поправил ее игру и стал было выигрывать, то бабушка и сама уже не могла от него отстать. Час спустя оба прежние полячишки, выведенные из воксала, появились снова за стулом бабушки, опять с предложением услуг, хоть на посылки. Потапыч божился, что «гоноровый пан» с ними перемигивался и даже что-то им передавал в руки. Так как бабушка не обедала и почти не сходила с кресел, то и действительно один из полячков пригодился: сбегал тут же рядом в обеденную залу воксала и достал ей чашку бульона, а потом и чаю. Они бегали, впрочем, оба. Но к концу дня, когда уже всем видно стало, что она проигрывает свой последний банковый билет, за стулом ее стояло уже до шести полячков, прежде невиданных и неслыханных. Когда же бабушка проигрывала уже последние монеты, то все они не только ее уж не слушались, но даже и не замечали, лезли прямо чрез нее к столу, сами хватали деньги, сами распоряжались и ставили, спорили и кричали, переговариваясь с гоноровым паном запанибрата, а гоноровый пан чуть ли даже и не забыл о существовании бабушки. Даже тогда, когда бабушка, совсем всё проигравшая, возвращалась вечером в восемь часов в отель, то и тут три или четыре полячка всё еще не решались ее оставить и бежали около кресел, по сторонам, крича из всех сил и уверяя скороговоркою, что бабушка их в чем-то надула и должна им что-то отдать. Так дошли до самого отеля, откуда их наконец прогнали в толчки.

По расчету Потапыча, бабушка проиграла всего в этот день до девяноста тысяч рублей, кроме проигранных ею вчера денег. Все свои билеты — пятипроцентные, внутренних займов, все акции, бывшие с нею, она разменяла один за другим и одну за другой. Я подивился было, как она выдержала все эти семь или восемь часов, сидя в креслах и почти не отходя от стола, но Потапыч рассказывал, что раза три она действительно начинала сильно выигрывать; а увлеченная вновь надеждою, она уж и не могла отойти. Впрочем, игроки знают, как можно человеку просидеть чуть не сутки на одном месте за картами, не спуская глаз с правой и с левой.

Между тем во весь этот день у нас в отеле происходили тоже весьма решительные вещи. Еще утром, до одиннадцати часов, когда бабушка еще была дома, наши, то есть генерал и Де-Грие, решились было на последний шаг. Узнав, что бабушка и не думает уезжать, а, напротив, отправляется опять в воксал, они во всем конклаве (кроме Полины) пришли к ней переговорить с нею окончательно и даже *откровенно*. Генерал, трепетавший и замиравший душою ввиду ужасных для него последствий, даже пересолил: после получасовых молений и просьб, и даже откровенно признавшись во всем, то есть во всех долгах, и даже в своей страсти к mademoiselle Blanche (он совсем потерялся), генерал вдруг принял грозный тон и стал даже кричать и топать ногами на бабушку; кричал, что она срамит их фамилию, стала скандалом всего города, и, наконец... наконец: «Вы срамите русское имя, сударыня! — кричал генерал, — и что на то есть полиция!» Бабушка прогнала его наконец палкой (настоящей палкой). Генерал и Де-Грие совещались еще раз или два в это утро, и именно их занимало: нельзя ли, в самом деле, как-нибудь употребить полицию? Что вот, дескать, несчастная, но почтенная старушка выжила из ума, проигрывает последние деньги и т. д. Одним словом, нельзя ли выхлопотать какой-нибудь надзор или запрещение?.. Но Де-Грие только пожимал плечами и в глаза смеялся над генералом, уже совершенно заболтавшимся и бегавшим взад и вперед по кабинету. Наконец Де-Грие махнул рукою и куда-то скрылся. Вечером узнали, что он совсем выехал из отеля, переговорив наперед весьма решительно и таинственно с mademoiselle Blanche. Что же касается до mademoiselle Blanche, то она с самого еще утра приняла окончательные меры: она совсем отшвырнула от себя генерала и даже не пускала его к себе на глаза. Когда генерал побежал за нею в воксал и встретил ее под руку с князьком, то ни она, ни madame veuve Cominges его не узнали. Князек тоже ему не поклонился. Весь этот день mademoiselle Blanche пробовала и обработывала князя, чтоб он высказался наконец решительно. Но увы! Она жестоко обманулась в расчетах на князя! Эта маленькая катастрофа произошла уже вечером; вдруг открылось, что князь гол как сокол, и еще на нее же рассчитывал, чтобы занять у нее денег под вексель и поиграть на рулетке. Blanche с негодованием его выгнала и заперлась в своем номере.

Поутру в этот же день я ходил к мистеру Астлею или, лучше сказать, всё утро отыскивал мистера Астлея, но никак не мог отыскать его. Ни дома, ни в воксале или в парке его не было. В отеле своем он на этот раз не обедал. В пятом часу я вдруг увидел его идущего от дебаркадера железной дороги прямо в отель d'Angleterre. Он торопился и был очень озабочен, хотя и трудно различить заботу или какое бы то ни было замешательство в его лице. Он радушно протянул мне руку, с своим обычным восклицанием: «А!», но не останавливаясь на дороге и продолжая довольно спешным шагом путь. Я увязался за ним; но как-то он так сумел отвечать мне, что я ни о чем не успел и спросить его. К тому же мне было почему-то ужасно совестно заговаривать о Полине; он же сам ни слова о ней не спросил. Я рассказал ему про бабушку; он выслушал внимательно и серьезно и пожал плечами.

— Она всё проиграет, — заметил я.

— О да, — отвечал он, — ведь она пошла играть еще давеча, когда я уезжал, а потому я наверно и знал, что она проиграется. Если будет время, я зайду в воксал посмотреть, потому что это любопытно...

— Куда вы уезжали? — вскричал я, изумившись, что до сих пор не спросил.

— Я был во Франкфурте.

— По делам?

— Да, по делам.

Ну что же мне было спрашивать дальше? Впрочем, я всё еще шел подле него, но он вдруг повернул в стоявший на дороге отель «De quatre saisons»[1], кивнул мне головой и скрылся. Возвращаясь домой, я мало-помалу догадался, что если бы я и два часа с ним проговорил, то решительно бы ничего не узнал, потому... что мне не о чем было его спрашивать! Да, конечно, так! Я никаким образом не мог бы теперь формулировать моего вопроса.

Весь этот день Полина то гуляла с детьми и нянюшкой в парке, то сидела дома. Генерала она давно уже избегала и почти ничего с ним не говорила, по крайней мере о чем-нибудь серьезном. Я это давно заметил. Но зная, в каком генерал положении сегодня, я подумал, что он не мог миновать ее, то есть между ними не могло не быть каких-нибудь важных семейных объяснений. Однако ж, когда я, возвращаясь в отель после разговора с мистером Астлеем, встретил Полину с детьми, то на ее лице отражалось самое безмятежное спокойствие, как будто все семейные бури миновали только одну ее. На мой поклон она кивнула мне головой. Я пришел к себе совсем злой.

Конечно, я избегал говорить с нею и ни разу с нею не сходился после происшествия с Вурмергельмами. При этом я отчасти форсил и ломался; но чем дальше шло время, тем всё более и более накипало во мне настоящее негодование. Если бы даже она и не любила меня нисколько, все-таки нельзя бы, кажется, так топтать мои чувства и с таким пренебрежением принимать мои признания. Ведь она знает же, что я взаправду люблю ее; ведь она сама допускала, позволяла мне так говорить с нею! Правда, это как-то странно началось у нас. Некоторое время, давно уж, месяца два назад, я стал замечать, что она хочет сделать меня своим другом, поверенным, и даже отчасти уж и пробует. Но это почему-то не пошло у нас тогда в ход; вот взамен того и остались странные теперешние отношения; оттого-то и стал я так говорить с нею. Но если ей противна моя любовь, зачем прямо не запретить мне говорить о ней?

Мне не запрещают; даже сама она вызывала иной раз меня на разговор и... конечно, делала это на смех. Я знаю наверное, я это твердо заметил, — ей было приятно, выслушав и раздражив меня до боли, вдруг меня огорошить какою-нибудь выходкою величайшего презрения и невнимания. И ведь знает же она, что я без нее жить не могу. Вот теперь три дня прошло после истории с бароном, а я уже не могу выносить нашей *разлуки*. Когда я ее встретил сейчас у воксала, у меня забилось сердце так, что я побледнел. Но ведь и она же без меня не проживет! Я ей нужен и — неужели, неужели только как шут Балакирев?

У ней тайна — это ясно! Разговор ее с бабушкой больно уколол мое сердце. Ведь я тысячу раз вызывал ее быть со мною откровенной, и ведь она знала, что я действительно готов за нее голову мою положить. Но она всегда отделывалась

---

[1] «Четырех времен года» (*франц.*).

чуть не презрением или вместо жертвы жизнью, которую я предлагал ей, требовала от меня таких выходок, как тогда с бароном! Разве это не возмутительно? Неужели весь мир для нее в этом французе? А мистер Астлей? Но тут уже дело становилось решительно непонятным, а между тем — боже, как я мучился!

Придя домой, в порыве бешенства, я схватил перо и настрочил ей следующее:

«Полина Александровна, я вижу ясно, что пришла развязка, которая заденет, конечно, и вас. Последний раз повторяю: нужна или нет вам моя голова? Если буду нужен, хоть *на что-нибудь*, — располагайте, а я покамест сижу в своей комнате, по крайней мере большею частью, и никуда не уеду. Надо будет, — то напишите иль позовите».

Я запечатал и отправил эту записку с коридорным лакеем, с приказанием отдать прямо в руки. Ответа я не ждал, но через три минуты лакей воротился с известием, что «приказали кланяться».

Часу в седьмом меня позвали к генералу.

Он был в кабинете, одет как бы собираясь куда-то идти. Шляпа и палка лежали на диване. Мне показалось входя, что он стоял среди комнаты, расставив ноги, опустя голову, и что-то говорил вслух сам с собой. Но только что он завидел меня, как бросился ко мне чуть не с криком, так что я невольно отшатнулся и хотел было убежать; но он схватил меня за обе руки и потащил к дивану; сам сел на диван, меня посадил прямо против себя в кресла и, не выпуская моих рук, с дрожащими губами, со слезами, заблиставшими вдруг на его ресницах, умоляющим голосом проговорил:

— Алексей Иванович, спасите, спасите, пощадите!

Я долго не мог ничего понять; он всё говорил, говорил, говорил и всё повторял: «Пощадите, пощадите!» Наконец я догадался, что он ожидает от меня чего-то вроде совета; или, лучше сказать, всеми оставленный, в тоске и тревоге, он вспомнил обо мне и позвал меня, чтоб только говорить, говорить, говорить.

Он помешался, по крайней мере в высшей степени потерялся. Он складывал руки и готов был броситься предо мной на колени, чтобы (как вы думаете?) — чтоб я сейчас же шел к mademoiselle Blanche и упросил, усовестил ее воротиться к нему и выйти за него замуж.

— Помилуйте, генерал, — вскричал я, — да mademoiselle Blanche, может быть, еще и не заметила меня до сих пор? Что могу я сделать?

Но напрасно было и возражать: он не понимал, что ему говорят. Пускался он говорить и о бабушке, но только ужасно бессвязно; он всё еще стоял на мысли послать за полициею.

— У нас, у нас, — начинал он, вдруг вскипая негодованием, — одним словом, у нас, в благоустроенном государстве, где есть начальство, над такими старухами тотчас бы опеку устроили! Да-с, милостивый государь, да-с, — продолжал он, вдруг впадая в распекательный тон, вскочив с места и расхаживая по комнате; — вы еще не знали этого, милостивый государь, — обратился он к какому-то воображаемому милостивому государю в угол, — так вот и узнаете... да-с... у нас эдаких старух в дугу гнут, в дугу, в дугу-с, да-с... о, черт возьми!

И он бросался опять на диван, а чрез минуту, чуть не всхлипывая, задыхаясь, спешил рассказать мне, что mademoiselle Blanche оттого ведь за него не выходит, что вместо телеграммы приехала бабушка и что теперь уже ясно, что он не получит наследства. Ему казалось, что ничего еще этого я не знаю. Я было заговорил о Де-Грие; он махнул рукою:

— Уехал! у него всё мое в закладе; я гол как сокол! Те деньги, которые вы привезли... те деньги, — я не знаю, сколько там, кажется франков семьсот осталось, и — довольно-с, вот и всё, а дальше — не знаю-с, не знаю-с!..

— Как же вы в отеле расплатитесь? — вскричал я в испуге, — и... потом что же?

Он задумчиво посмотрел, но, кажется, ничего не понял и даже, может быть, не расслышал меня. Я попробовал было заговорить о Полине Александровне, о детях; он наскоро отвечал:

— Да! да! — но тотчас же опять пускался говорить о князе, о том, что теперь уедет с ним Blanche и тогда... и тогда — что же мне делать, Алексей Иванович? — обращался он вдруг ко мне. — Клянусь Богом! Что же мне делать, — скажите, ведь это неблагодарность! Ведь это же неблагодарность?

Наконец он залился в три ручья слезами.

Нечего было делать с таким человеком; оставить его одного тоже было опасно; пожалуй, могло с ним что-нибудь приключиться. Я, впрочем, от него кое-как избавился, но дал знать нянюшке, чтоб та наведывалась почаще, да, кроме того, поговорил с коридорным лакеем, очень толковым малым; тот обещался мне тоже с своей стороны присматривать.

Едва только оставил я генерала, как явился ко мне Потапыч с зовом к бабушке. Было восемь часов, и она только что воротилась из воксала после окончательного проигрыша. Я отправился к ней: старуха сидела в креслах, совсем измученная и видимо больная. Марфа подавала ей чашку чая, которую почти насильно заставила ее выпить. И голос и тон бабушки ярко изменились.

— Здравствуйте, батюшка Алексей Иванович, — сказала она медленно и важно склоняя голову, — извините, что еще раз побеспокоила, простите старому человеку. Я, отец мой, всё там оставила, почти сто тысяч рублей. Прав ты был, что вчера не пошел со мною. Теперь я без денег, гроша нет. Медлить не хочу ни минуты, в девять с половиною и поеду. Послала я к этому твоему англичанину, Астлею, что ли, и хочу у него спросить три тысячи франков на неделю. Так убеди ты его, чтоб он как-нибудь чего не подумал и не отказал. Я еще, отец мой, довольно богата. У меня три деревни и два дома есть. Да и денег еще найдется, не все с собой взяла. Для того я это говорю, чтоб не усомнился он как-нибудь... А, да вот и он! Видно хорошего человека.

Мистер Астлей поспешил по первому зову бабушки. Нимало не думая и много не говоря, он тотчас же отсчитал ей три тысячи франков под вексель, который бабушка и подписала. Кончив дело, он откланялся и поспешил выйти.

— А теперь ступай и ты, Алексей Иванович. Осталось час с небольшим — хочу прилечь, кости болят. Не взыщи на мне, старой дуре. Теперь уж не буду молодых обвинять в легкомыслии, да и того несчастного, генерала-то вашего, тоже грешно мне теперь обвинять. Денег я ему все-таки не дам, как он хочет, потому — уж совсем он, на мой взгляд, глупехонек, только и я, старая дура, не умнее его. Подлинно, Бог и на старости взыщет и накажет гордыню. Ну, прощай. Марфуша, подыми меня.

Я, однако, желал проводить бабушку. Кроме того, я был в каком-то ожидании, я всё ждал, что вот-вот сейчас что-то случится. Мне не сиделось у себя. Я выходил в коридор, даже на минутку вышел побродить по аллее. Письмо мое к ней было ясно и решительно, а теперешняя катастрофа — уж, конечно, окончательная. В отеле я услышал об отъезде Де-Грие. Наконец, если она меня и отвергнет, как друга, то, может быть, как слугу не отвергнет. Ведь нужен же я ей хоть на посылки; да пригожусь, как же иначе!

Ко времени поезда я сбегал на дебаркадер и усадил бабушку. Они все уселись в особый семейный вагон. «Спасибо тебе, батюшка, за твое бескорыстное участие, — простилась она со мною, — да передай Прасковье то, о чем я вчера ей говорила, — я ее буду ждать».

Я пошел домой. Проходя мимо генеральского номера, я встретил нянюшку и осведомился о генерале. «И, батюшка, ничего», — отвечала та уныло. Я, однако, зашел, но в дверях кабинета остановился в решительном изумлении. Mademoiselle Blanche и генерал хохотали о чем-то взапуски. Veuve Cominges сидела тут же на диване. Генерал был, видимо, без ума от радости, лепетал всякую бессмыслицу и заливался нервным длинным смехом, от которого всё лицо его складывалось в бесчисленное множество морщинок и куда-то прятались глаза. После я узнал от самой же Blanche, что она, прогнав князя и узнав о плаче генерала, вздумала его утешить и зашла к нему на минутку. Но не знал бедный генерал, что в эту минуту участь его была решена и что Blanche уже начала укладываться, чтоб завтра же, с первым утренним поездом, лететь в Париж.

Постояв на пороге генеральского кабинета, я раздумал входить и вышел незамеченный. Поднявшись к себе и отворив дверь, я в полутемноте заметил вдруг какую-то фигуру, сидевшую на стуле, в углу, у окна. Она не поднялась при моем появлении. Я быстро подошел, посмотрел и — дух у меня захватило: это была Полина!

ГЛАВА XIV

Я так и вскрикнул.

— Что же? Что же? — странно спрашивала она. Она была бледна и смотрела мрачно.

— Как что же? Вы? здесь, у меня!

— Если я прихожу, то уж *вся* прихожу. Это моя привычка. Вы сейчас это увидите; зажгите свечу.

Я зажег свечку. Она встала, подошла к столу и положила предо мной распечатанное письмо.

— Прочтите, — велела она.

— Это, — это рука Де-Грие! — вскричал я, схватив письмо. Руки у меня тряслись, и строчки прыгали пред глазами. Я забыл точные выражения письма, но вот оно — хоть не слово в слово, так, по крайней мере, мысль в мысль.

«Mademoiselle, — писал Де-Грие, — неблагоприятные обстоятельства заставляют меня уехать немедленно. Вы, конечно, сами заметили, что я нарочно избегал окончательного объяснения с вами до тех пор, пока не разъяснились все обстоятельства. Приезд старой (de la vieille dame) вашей родственницы и нелепый ее поступок покончили все мои недоумения. Мои собственные расстроенные дела запрещают мне окончательно питать дальнейшие сладостные надежды, которыми я позволял себе упиваться некоторое время. Сожалею о прошедшем, но надеюсь, что в поведении моем вы не отыщете ничего, что недостойно жантилома и честного человека (gentilhomme et honnéte homme[1]). Потеряв почти все мои деньги в долгах на отчиме вашем, я нахожусь в крайней необходимости воспользоваться тем, что мне остается: я уже дал знать в Петербург моим друзьям, чтоб немедленно распорядились продажею заложенного мне имущества; зная, однако же, что легкомысленный отчим ваш растратил ваши собственные деньги, я решился простить ему пятьдесят тысяч франков и на эту сумму возвращаю ему часть закладных на его имущество, так что вы поставлены теперь в возможность воротить всё, что потеряли, потребовав с него имение судебным порядком. Надеюсь, mademoiselle, что при теперешнем состоянии дел мой поступок будет для вас весьма выгоден. Надеюсь тоже, что этим поступком я вполне исполняю обязанность человека честного и благородного. Будьте уверены, что память о вас запечатлена навеки в моем сердце».

— Что же, это всё ясно, — сказал я, обращаясь к Полине, — неужели вы могли ожидать чего-нибудь другого, — прибавил я с негодованием.

— Я ничего не ожидала, — отвечала она, по-видимому спокойно, но что-то как бы вздрагивало в ее голосе; — я давно всё порешила; я читала его мысли и узнала, что он думает. Он думал, что я ищу... что я буду настаивать... (Она остановилась и, не договорив, закусила губу и замолчала.) Я нарочно удвоила мое к нему презрение, — начала она опять, — я ждала, что от него будет? Если б пришла телеграмма о наследстве, я бы швырнула ему долг этого идиота (отчима) и прогнала его! Он мне был давно, давно ненавистен. О, это был не тот человек прежде, тысячу раз не тот, а теперь, а теперь!.. О, с каким бы счастием я бросила ему теперь, в его подлое лицо, эти пятьдесят тысяч и плюнула бы... и растерла бы плевок!

— Но бумага, — эта возвращенная им закладная на пятьдесят тысяч, ведь она у генерала? Возьмите и отдайте Де-Грие.

— О, не то! Не то!..

— Да, правда, правда, не то! Да и к чему генерал теперь способен? А бабушка? — вдруг вскричал я.

Полина как-то рассеянно и нетерпеливо на меня посмотрела.

— Зачем бабушка? — с досадой проговорила Полина, — я не могу идти к ней... Да и ни у кого не хочу прощения просить, — прибавила она раздражительно.

— Что же делать! — вскричал я, — и как, ну как это вы могли любить Де-Грие! О, подлец, подлец! Ну, хотите, я его убью на дуэли! Где он теперь?

— Он во Франкфурте и проживет там три дня.

— Одно ваше слово, и я еду, завтра же, с первым поездом! — проговорил я в каком-то глупом энтузиазме.

Она засмеялась.

— Что же, он скажет еще, пожалуй: сначала возвратите пятьдесят тысяч франков. Да и за что ему драться?.. Какой это вздор!

— Ну так где же, где же взять эти пятьдесят тысяч франков, — повторил я, скрежеща зубами, — точно так и возможно было вдруг их поднять на полу. —

---

[1] дворянина и порядочного человека (*франц.*).

Послушайте: мистер Астлей? — спросил я, обращаясь к ней с началом какой-то странной идеи.

У ней глаза засверкали.

— Что же, разве *ты сам* хочешь, чтоб я от тебя ушла к этому англичанину? — проговорила она, пронзающим взглядом смотря мне в лицо и горько улыбаясь. Первый раз в жизни сказала она мне *ты*.

Кажется, у ней в эту минуту закружилась голова от волнения, и вдруг она села на диван, как бы в изнеможении.

Точно молния опалила меня; я стоял и не верил глазам, не верил ушам! Что же, стало быть, она меня любит! Она пришла *ко мне*, а не к мистеру Астлею! Она, одна, девушка, пришла ко мне в комнату, в отели, — стало быть, компрометировала себя всенародно, — и я, я стою перед ней и еще не понимаю!

Одна дикая мысль блеснула в моей голове.

— Полина! Дай мне только один час! Подожди здесь только час и... я вернусь! Это... это необходимо! Увидишь! Будь здесь, будь здесь!

И я выбежал из комнаты, не отвечая на ее удивленный вопросительный взгляд; она крикнула мне что-то вслед, но я не воротился.

Да, иногда самая дикая мысль, самая с виду невозможная мысль, до того сильно укрепляется в голове, что ее принимаешь наконец за что-то осуществимое... Мало того: если идея соединяется с сильным, страстным желанием, то, пожалуй, иной раз примешь ее наконец за нечто фатальное, необходимое, предназначенное, за нечто такое, что уже не может не быть и не случиться! Может быть, тут есть еще что-нибудь, какая-нибудь комбинация предчувствий, какое-нибудь необыкновенное усилие воли, самоотравление собственной фантазией или еще что-нибудь — не знаю; но со мною в этот вечер (который я никогда в жизни не позабуду) случилось происшествие чудесное. Оно хоть и совершенно оправдывается арифметикою, но тем не менее — для меня еще до сих пор чудесное. И почему, почему эта уверенность так глубоко, крепко засела тогда во мне, и уже с таких давних пор? Уж, верно, я помышлял об этом, — повторяю вам, — не как о случае, который может быть в числе прочих (а стало быть, может и не быть), но как о чем-то таком, что никак уж не может не случиться!

Было четверть одиннадцатого; я вошел в воксал в такой твердой надежде и в то же время в таком волнении, какого я еще никогда не испытывал. В игорных залах народу было еще довольно, хоть вдвое менее утрешнего.

В одиннадцатом часу у игорных столов остаются настоящие, отчаянные игроки, для которых на водах существует только одна рулетка, которые и приехали для нее одной, которые плохо замечают, что вокруг них происходит, и ничем не интересуются во весь сезон, а только играют с утра до ночи и готовы были бы играть, пожалуй, и всю ночь до рассвета, если б можно было. И всегда они с досадой расходятся, когда в двенадцать часов закрывают рулетку. И когда старший крупер перед закрытием рулетки, около двенадцати часов, возглашает: «Les trois derniers coups, messieurs!»[1], то они готовы проставить иногда на этих трех последних ударах всё, что у них есть в кармане, — и действительно тут-то наиболее и проигрываются. Я прошел к тому самому столу, где давеча сидела бабушка. Было не очень тесно, так что я очень скоро занял место у стола стоя.

---

[1] Три последних игры (букв.: удара), господа! (*франц.*)

Прямо предо мной, на зеленом сукне, начерчено было слово: «Passe». «*Passe*» — это ряд цифр от девятнадцати включительно до тридцати шести. Первый же ряд, от первого до восемнадцати включительно, называется «*Manque*»: но какое мне было до этого дело? Я не рассчитывал, я даже не слыхал, на какую цифру лег последний удар, и об этом не справился, начиная игру, как бы сделал всякий чуть-чуть рассчитывающий игрок. Я вытащил все мои двадцать фридрихсдоров и бросил на бывший предо мною «passe».

— Vingt deux![1] — закричал крупер.

Я выиграл — и опять поставил всё: и прежнее, и выигрыш.

— Trente et un[2], — прокричал крупер. Опять выигрыш! Всего уж, стало быть, у меня восемьдесят фридрихсдоров! Я двинул все восемьдесят на двенадцать средних цифр (тройной выигрыш, но два шанса против себя) — колесо завертелось, и вышло двадцать четыре. Мне выложили три свертка по пятидесяти фридрихсдоров и десять золотых монет; всего, с прежним, очутилось у меня двести фридрихсдоров.

Я был как в горячке и двинул всю эту кучу денег на красную — и вдруг опомнился! И только раз во весь этот вечер, во всю игру, страх прошел по мне холодом и отозвался дрожью в руках и ногах. Я с ужасом ощутил и мгновенно сознал: что́ для меня теперь значит проиграть! Стояла на ставке вся моя жизнь!

— Rouge! — крикнул крупер, — и я перевел дух, огненные мурашки посыпались по моему телу. Со мною расплатились банковыми билетами; стало быть, всего уж четыре тысячи флоринов и восемьдесят фридрихсдоров! (Я еще мог следить тогда за счетом.)

Затем, помнится, я поставил две тысячи флоринов опять на двенадцать средних и проиграл; поставил мое золото и восемьдесят фридрихсдоров и проиграл. Бешенство овладело мною: я схватил последние оставшиеся мне две тысячи флоринов и поставил на двенадцать первых — так, на авось, зря, без расчета! Впрочем, было одно мгновение ожидания, похожее, может быть, впечатлением на впечатление, испытанное madame Blanchard, когда она, в Париже, летела с воздушного шара на землю.

— Quatre![3] — крикнул крупер. Всего, с прежнею ставкою, опять очутилось шесть тысяч флоринов. Я уже смотрел как победитель, я уже ничего, ничего теперь не боялся и бросил четыре тысячи флоринов на черную. Человек девять бросилось, вслед за мною, тоже ставить на черную. Круперы переглядывались и переговаривались. Кругом говорили и ждали.

Вышла черная. Не помню я уж тут ни расчета, ни порядка моих ставок. Помню только, как во сне, что я уже выиграл, кажется, тысяч шестнадцать флоринов; вдруг, тремя несчастными ударами, спустил из них двенадцать; потом двинул последние четыре тысячи на «passe» (но уж почти ничего не ощущал при этом; я только ждал, как-то механически, без мысли) — и опять выиграл; затем выиграл еще четыре раза сряду. Помню только, что я забирал деньги тысячами; запоминаю я тоже, что чаще всех выходили двенадцать средних, к которым я и привязался. Они появлялись как-то регулярно — не-

---

[1] Двадцать два! (*франц.*).

[2] Тридцать один (*франц.*).

[3] Четыре! (*франц.*).

пременно раза три, четыре сряду, потом исчезали на два раза и потом возвращались опять раза на три или на четыре кряду. Эта удивительная регулярность встречается иногда полосами — и вот это-то и сбивает с толку записных игроков, рассчитывающих с карандашом в руках. И какие здесь случаются иногда ужасные насмешки судьбы!

Я думаю, с моего прибытия времени прошло не более получаса. Вдруг крупер уведомил меня, что я выиграл тридцать тысяч флоринов, а так как банк за один раз больше не отвечает, то, стало быть, рулетку закроют до завтрашнего утра. Я схватил всё мое золото, ссыпал его в карманы, схватил все билеты и тотчас перешел на другой стол, в другую залу, где была другая рулетка; за мною хлынула вся толпа; там тотчас же очистили мне место, и я пустился ставить опять, зря и не считая. Не понимаю, что меня спасло!

Иногда, впрочем, начинал мелькать в голове моей расчет. Я привязывался к иным цифрам и шансам, но скоро оставлял их и ставил опять, почти без сознания. Должно быть, я был очень рассеян; помню, что круперы несколько раз поправляли мою игру. Я делал грубые ошибки. Виски мои были смочены потом и руки дрожали. Подскакивали было и полячки с услугами, но я никого не слушал. Счастье не прерывалось! Вдруг кругом поднялся громкий говор и смех. «Браво, браво!» — кричали все, иные даже захлопали в ладоши. Я сорвал и тут тридцать тысяч флоринов, и банк опять закрыли до завтра!

— Уходите, уходите, — шептал мне чей-то голос справа. Это был какой-то франкфуртский жид; он всё время стоял подле меня и, кажется, помогал мне иногда в игре.

— Ради бога уходите, — прошептал другой голос над левым моим ухом. Я мельком взглянул. Это была весьма скромно и прилично одетая дама, лет под тридцать, с каким-то болезненно бледным, усталым лицом, но напоминавшим и теперь ее чудную прежнюю красоту. В эту минуту я набивал карманы билетами, которые так и комкал, и собирал оставшееся на столе золото. Захватив последний сверток в пятьдесят фридрихсдоров, я успел, совсем неприметно, сунуть его в руку бледной даме; мне это ужасно захотелось тогда сделать, и тоненькие, худенькие ее пальчики, помню, крепко сжали мою руку в знак живейшей благодарности. Всё это произошло в одно мгновение.

Собрав всё, я быстро перешел на trente et quarante.

За trente et quarante сидит публика аристократическая. Это не рулетка, это карты. Тут банк отвечает за сто тысяч талеров разом. Наибольшая ставка тоже четыре тысячи флоринов, Я совершенно не знал игры и не знал почти ни одной ставки, кроме красной и черной, которые тут тоже были. К ним-то я и привязался. Весь воксал столпился кругом. Не помню, вздумал ли я в это время хоть раз о Полине. Я тогда ощущал какое-то непреодолимое наслаждение хватать и загребать банковые билеты, нараставшие кучею предо мной.

Действительно, точно судьба толкала меня. На этот раз, как нарочно, случилось одно обстоятельство, довольно, впрочем, часто повторяющееся в игре. Привяжется счастие, например, к красной и не оставляет ее раз десять, даже пятнадцать сряду. Я слышал еще третьего дня, что красная, на прошлой неделе, вышла двадцать два раза сряду; этого даже и не запомнят на рулетке и рассказывали с удивлением. Разумеется, все тотчас же оставляют красную и уже после десяти раз, например, почти никто не решается на нее ставить. Но и на черную, противоположную красной, не ставит тогда никто из опытных игроков. Опытный игрок знает, что значит это «своенравие случая». Например, казалось бы, что после шестнадцати раз красной семнадцатый удар непременно ляжет на черную. На это бросаются новички толпами, удвоивают и утроивают куши, и страшно проигрываются.

Но я, по какому-то странному своенравию, заметив, что красная вышла семь раз сряду, нарочно к ней привязался. Я убежден, что тут наполовину было самолюбия; мне хотелось удивить зрителей безумным риском, и — о странное ощущение — я помню отчетливо, что мною вдруг действительно без всякого вызова самолюбия овладела ужасная жажда риску. Может быть, перейдя через столько ощущений, душа не насыщается, а только раздражается ими и требует ощущений еще, и всё сильней и сильней, до окончательного утомления. И, право не лгу, если б устав игры позволял поставить пятьдесят тысяч флоринов разом, я бы поставил их наверно. Кругом кричали, что это безумно, что красная уже выходит четырнадцатый раз!

— Monsieur a gagné déjà cent mille florins[1], — раздался подле меня чей-то голос.

Я вдруг очнулся. Как? Я выиграл в этот вечер сто тысяч флоринов! Да к чему же мне больше? Я бросился на билеты, скомкал их в карман, не считая, загреб всё мое золото, все свертки и побежал из воксала. Кругом все смеялись, когда я проходил по залам, глядя на мои оттопыренные карманы и на неровную походку от тяжести золота. Я думаю, его было гораздо более полупуда. Несколько рук протянулось ко мне; я раздавал горстями, сколько захватывалось. Два жида остановили меня у выхода.

— Вы смелы! Вы очень смелы! — сказали они мне. — Но уезжайте завтра утром непременно, как можно раньше, не то вы всё-всё проиграете...

Я их не слушал. Аллея была темна, так что руки своей нельзя было различить. До отеля было с полверсты. Я никогда не боялся ни воров, ни разбойников, даже маленький; не думал о них и теперь. Я, впрочем, не помню, о чем я думал дорогою; мысли не было. Ощущал я только какое-то ужасное наслаждение удачи, победы, могущества — не знаю, как выразиться. Мелькал предо мною и образ Полины; я помнил и сознавал, что иду к ней, сейчас с ней сойдусь и буду ей рассказывать, покажу... но я уже едва вспомнил о том, что она мне давеча говорила, и зачем я пошел, и все те недавние ощущения, бывшие всего полтора часа назад, казались мне уж теперь чем-то давно прошедшим, исправленным, устаревшим — о чем мы уже не будем более поминать, потому что теперь начнется всё сызнова. Почти уж в конце аллеи вдруг страх напал на меня: «Что, если меня сейчас убьют и ограбят?» С каждым шагом мой страх возрастал вдвое. Я почти бежал. Вдруг в конце аллеи разом блеснул весь наш отель, освещенный бесчисленными огнями, — слава богу: дома!

Я добежал в свой этаж и быстро растворил дверь. Полина была тут и сидела на моем диване, перед зажженною свечою, скрестя руки. С изумлением она на меня посмотрела, и, уж конечно, в эту минуту я был довольно странен на вид. Я остановился пред нею и стал выбрасывать на стол всю мою груду денег.

---

[1] Господин выиграл уже сто тысяч флоринов (*франц.*).

ГЛАВА XV

Помню, она ужасно пристально смотрела в мое лицо, но не трогаясь с места, не изменяя даже своего положения.

— Я выиграл двести тысяч франков, — вскричал я, выбрасывая последний сверток. Огромная груда билетов и свертков золота заняла весь стол, я не мог уж отвести от нее моих глаз; минутами я совсем забывал о Полине. То начинал я приводить в порядок эти кучи банковых билетов, складывал их вместе, то откладывал в одну общую кучу золото; то бросал всё и пускался быстрыми шагами ходить по комнате, задумывался, потом вдруг опять подходил к столу, опять начинал считать деньги. Вдруг, точно опомнившись, я бросился к дверям и поскорее запер их, два раза обернув ключ. Потом остановился в раздумье пред маленьким моим чемоданом.

— Разве в чемодан положить до завтра? — спросил я, вдруг обернувшись к Полине, и вдруг вспомнил о ней. Она же всё сидела не шевелясь, на том же месте, но пристально следила за мной. Странно как-то было выражение ее лица; не понравилось мне это выражение! Не ошибусь, если скажу, что в нем была ненависть.

Я быстро подошел к ней.

— Полина, вот двадцать пять тысяч флоринов — это пятьдесят тысяч франков, даже больше. Возьмите, бросьте их ему завтра в лицо.

Она не ответила мне.

— Если хотите, я отвезу сам, рано утром. Так?

Она вдруг засмеялась. Она смеялась долго.

Я с удивлением и с скорбным чувством смотрел на нее. Этот смех очень похож был на недавний, частый, насмешливый смех ее надо мной, всегда приходившийся во время самых страстных моих объяснений. Наконец она перестала и нахмурилась; строго оглядывала она меня исподлобья.

— Я не возьму ваших денег, — проговорила она презрительно.

— Как? Что это? — закричал я. — Полина, почему же?

— Я даром денег не беру.

— Я предлагаю вам, как друг; я вам жизнь предлагаю.

Она посмотрела на меня долгим, пытливым взглядом, как бы пронзить меня им хотела.

— Вы дорого даете, — проговорила она усмехаясь, — любовница Де-Грие не стоит пятидесяти тысяч франков.

— Полина, как можно так со мною говорить! — вскричал я с укором, — разве я Де-Грие?

— Я вас ненавижу! Да... да!.. я вас не люблю больше, чем Де-Грие, — вскричала она, вдруг засверкав глазами.

Тут она закрыла вдруг руками лицо, и с нею сделалась истерика. Я бросился к ней.

Я понял, что с нею что-то без меня случилось. Она была совсем как бы не в своем уме.

— Покупай меня! Хочешь? хочешь? за пятьдесят тысяч франков, как Де-Грие? — вырывалось у ней с судорожными рыданиями. Я обхватил ее, целовал ее руки, ноги, упал пред нею на колени.

Истерика ее проходила. Она положила обе руки на мои плечи и пристально меня рассматривала; казалось, что-то хотела прочесть на моем лице. Она слушала меня, но, видимо, не слыхала того, что я ей говорил. Какая-то забота и вдумчивость явились в лице ее. Я боялся за нее; мне решительно казалось, что у ней ум мешается. То вдруг начинала она тихо привлекать меня к себе; доверчивая улыбка уже блуждала в ее лице; и вдруг она меня отталкивала и опять омраченным взглядом принималась в меня всматриваться.

Вдруг она бросилась обнимать меня.

— Ведь ты меня любишь, любишь? — говорила она, — ведь ты, ведь ты... за меня с бароном драться хотел! — И вдруг она расхохоталась, точно что-то смешное и милое мелькнуло вдруг в ее памяти. Она и плакала, и смеялась — всё вместе. Ну что мне было делать? Я сам был как в лихорадке. Помню, она начинала мне что-то говорить, но я почти ничего не мог понять. Это был какой-то бред, какой-то лепет, — точно ей хотелось что-то поскорей мне рассказать, — бред, прерываемый иногда самым веселым смехом, который начинал пугать меня. «Нет, нет, ты милый, милый! — повторяла она. — Ты мой верный!» — и опять клала мне руки свои на плечи, опять в меня всматривалась и продолжала повторять: «Ты меня любишь... любишь... будешь любить?» Я не сводил с нее глаз; я еще никогда не видал ее в этих припадках нежности и любви; правда, это, конечно, был бред, но... заметив мой страстный взгляд, она вдруг начинала лукаво улыбаться; ни с того ни с сего она вдруг заговаривала о мистере Астлее.

Впрочем, о мистере Астлее она беспрерывно заговаривала (особенно когда силилась мне что-то давеча рассказать), но что именно, я вполне не мог схватить; кажется, она даже смеялась над ним; повторяла беспрерывно, что он ждет... и что знаю ли я, что он наверное стоит теперь под окном? «Да, да, под окном, — ну отвори, посмотри, посмотри, он здесь, здесь!» Она толкала меня к окну, но только я делал движение идти, она заливалась смехом, и я оставался при ней, а она бросалась меня обнимать.

— Мы уедем? Ведь мы завтра уедем? — приходило ей вдруг беспокойно в голову, — ну... (и она задумалась) — ну, а догоним мы бабушку, как ты думаешь? В Берлине, я думаю, догоним. Как ты думаешь, что она скажет, когда мы ее догоним и она нас увидит? А мистер Астлей?.. Ну, этот не соскочит с Шлангенберга, как ты думаешь? (Она захохотала.) Ну, послушай: знаешь, куда он будущее лето едет? Он хочет на Северный полюс ехать для ученых исследований и меня звал с собою, ха-ха-ха! Он говорит, что мы, русские, без европейцев ничего не знаем и ни к чему не способны... Но он тоже добрый! Знаешь, он «генерала» извиняет; он говорит, что Blanche... что страсть, — ну не знаю, не знаю, — вдруг повторила она, как бы заговорясь и потерявшись. — Бедные они, как мне их жаль, и бабушку... Ну, послушай, послушай, ну где тебе убить Де-Грие? И неужели, неужели ты думал, что убьешь? О глупый! Неужели ты мог подумать, что я пущу тебя драться с Де-Грие? Да ты и барона-то не убьешь, — прибавила она, вдруг засмеявшись. — О, как ты был тогда смешон с бароном; я глядела на вас обоих со скамейки; и как тебе не хотелось тогда идти, когда я тебя посылала. Как я тогда смеялась, как я тогда смеялась, — прибавила она хохоча.

И вдруг она опять целовала и обнимала меня, опять страстно и нежно прижимала свое лицо к моему. Я уж более ни о чем не думал и ничего не слышал. Голова моя закружилась...

Я думаю, что было около семи часов утра, когда я очнулся; солнце светило в комнату. Полина сидела подле меня и странно осматривалась, как будто выходя из какого-то мрака и собирая воспоминания. Она тоже только что проснулась и пристально смотрела на стол и деньги. Голова моя была тяжела и болела. Я было хотел взять Полину за руку; она вдруг оттолкнула меня и вскочила с дивана. Начинавшийся день был пасмурный; пред рассветом шел дождь. Она подошла к окну, отворила его, выставила голову и грудь и, подпершись руками, а локти положив на косяк окна, пробыла так минуты три, не оборачиваясь ко мне и не слушая того, что я ей говорил. Со страхом приходило мне в голову: что же теперь будет и чем это кончится? Вдруг она поднялась с окна, подошла к столу и, смотря на меня с выражением бесконечной ненависти, с дрожавшими от злости губами, сказала мне:

— Ну, отдай же мне теперь мои пятьдесят тысяч франков!

— Полина, опять, опять! — начал было я.

— Или ты раздумал? ха-ха-ха! Тебе, может быть, уже и жалко?

Двадцать пять тысяч флоринов, отсчитанные еще вчера, лежали на столе; я взял и подал ей.

— Ведь они уж теперь мои? Ведь так? Так? — злобно спрашивала она меня, держа деньги в руках.

— Да они и всегда были твои, — сказал я.

— Ну, так вот же твои пятьдесят тысяч франков! — Она размахнулась и пустила их в меня. Пачка больно ударила мне в лицо и разлетелась по полу. Совершив это, Полина выбежала из комнаты.

Я знаю, она, конечно, в ту минуту была не в своем уме, хоть я и не понимаю этого временного помешательства. Правда, она еще и до сих пор, месяц спустя, еще больна. Что было, однако, причиною этого состояния, а главное, этой выходки? Оскорбленная ли гордость? Отчаяние ли о том, что она решилась даже прийти ко мне? Не показал ли я ей виду, что тщеславлюсь моим счастием и в самом деле точно так же, как и Де-Грие, хочу отделаться от нее, подарив ей пятьдесят тысяч франков? Но ведь этого не было, я знаю по своей совести. Думаю, что виновато было тут отчасти и ее тщеславие: тщеславие подсказало ей не поверить мне и оскорбить меня, хотя всё это представлялось ей, может быть, и самой неясно. В таком случае я, конечно, ответил за Де-Грие и стал виноват, может быть, без большой вины. Правда, всё это был только бред; правда и то, что я знал, что она в бреду, и... не обратил внимания на это обстоятельство. Может быть, она теперь не может мне простить этого? Да, но это теперь; но тогда, тогда? Ведь не так же сильны были ее бред и болезнь, чтобы она уж совершенно забыла, что делает, идя ко мне с письмом Де-Грие? Значит, она знала, что делает.

Я кое-как, наскоро, сунул все мои бумаги и всю мою кучу золота в постель, накрыл ее и вышел минут десять после Полины. Я был уверен, что она побежала домой, и хотел потихоньку пробраться к ним и в передней спросить у няни о здоровье барышни. Каково же было мое изумление, когда от встретившейся мне на лестнице нянюшки я узнал, что Полина домой еще не возвращалась и что няня сама шла ко мне за ней.

— Сейчас, — говорил я ей, — сейчас только ушла от меня, минут десять тому назад, куда же могла она деваться?

Няня с укоризной на меня поглядела.

А между тем вышла целая история, которая уже ходила по отелю. В швейцарской и у обер-кельнера перешептывались, что фрейлейн утром, в шесть часов, выбежала из отеля, в дождь, и побежала по направлению к hôtel d'Angleterre. По их словам и намекам я заметил, что они уже знают, что она провела всю ночь в моей комнате. Впрочем, уже рассказывалось о всем генеральском семействе: стало известно, что генерал вчера сходил с ума и плакал на весь отель. Рассказывали при этом, что приезжавшая бабушка была его мать, которая затем нарочно и появилась из самой России, чтоб воспретить своему сыну брак с mademoiselle de Cominges, а за ослушание лишить его наследства, и так как он действительно не послушался, то графиня, в его же глазах, нарочно и проиграла все свои деньги на рулетке, чтоб так уже ему и недоставалось ничего. «Diese Russen!»[1] — повторял обер-кельнер с негодованием, качая головой. Другие смеялись. Обер-кельнер готовил счет. Мой выигрыш был уже известен; Карл, мой коридорный лакей, первый поздравил меня. Но мне было не до них. Я бросился в отель d'Angleterre.

Еще было рано; мистер Астлей не принимал никого; узнав же, что это я, вышел ко мне в коридор и остановился предо мной, молча устремив на меня свой оловянный взгляд, и ожидал: что я скажу? Я тотчас спросил о Полине.

— Она больна, — отвечал мистер Астлей, по-прежнему смотря на меня в упор и не сводя с меня глаз.

— Так она в самом деле у вас?

— О да, у меня.

— Так как же вы... вы намерены ее держать у себя?

— О да, я намерен.

— Мистер Астлей, это произведет скандал; этого нельзя. К тому же она совсем больна; вы, может быть, не заметили?

— О да, я заметил и уже вам сказал, что она больна. Если б она была не больна, то у вас не провела бы ночь.

— Так вы и это знаете?

— Я это знаю. Она шла вчера сюда, и я бы отвел ее к моей родственнице, но так как она была больна, то ошиблась и пришла к вам.

— Представьте себе! Ну поздравляю вас, мистер Астлей. Кстати, вы мне даете идею: не стояли ли вы всю ночь у нас под окном? Мисс Полина всю ночь заставляла меня открывать окно и смотреть, — не стоите ли вы под окном, и ужасно смеялась.

— Неужели? Нет, я под окном не стоял; но я ждал в коридоре и кругом ходил.

— Но ведь ее надо лечить, мистер Астлей.

— О да, я уж позвал доктора, и если она умрет, то вы дадите мне отчет в ее смерти.

Я изумился:

— Помилуйте, мистер Астлей, что это вы хотите?

— А правда ли, что вы вчера выиграли двести тысяч талеров?

— Всего только сто тысяч флоринов.

— Ну вот видите! Итак, уезжайте сегодня утром в Париж.

— Зачем?

---

[1] Эти русские! (нем.)

— Все русские, имея деньги, едут в Париж, — пояснил мистер Астлей голосом и тоном, как будто прочел это по книжке.

— Что я буду теперь, летом, в Париже делать? Я ее люблю, мистер Астлей! Вы знаете сами.

— Неужели? Я убежден, что нет. Притом же, оставшись здесь, вы проиграете наверное всё, и вам не на что будет ехать в Париж. Но прощайте, я совершенно убежден, что вы сегодня уедете в Париж.

— Хорошо, прощайте, только я в Париж не поеду. Подумайте, мистер Астлей, о том, что теперь будет у нас? Одним словом, генерал... и теперь это приключение с мисс Полиной — ведь это на весь город пойдет.

— Да, на весь город; генерал же, я думаю, об этом не думает, и ему не до этого. К тому же мисс Полина имеет полное право жить, где ей угодно. Насчет же этого семейства можно правильно сказать, что это семейство уже не существует.

Я шел и посмеивался странной уверенности этого англичанина, что я уеду в Париж. «Однако он хочет меня застрелить на дуэли, — думал я, — если mademoiselle Полина умрет, — вот еще комиссия!» Клянусь, мне было жаль Полину, но странно, — с самой той минуты, как я дотронулся вчера до игорного стола и стал загребать пачки денег, — моя любовь отступила как бы на второй план. Это я теперь говорю; но тогда еще я не замечал всего этого ясно. Неужели я и в самом деле игрок, неужели я и в самом деле... так странно любил Полину? Нет, я до сих пор люблю ее, видит Бог! А тогда, когда я вышел от мистера Астлея и шел домой, я искренно страдал и винил себя. Но... но тут со мной случилась чрезвычайно странная и глупая история.

Я спешил к генералу, как вдруг невдалеке от их квартиры отворилась дверь и меня кто-то кликнул. Это была madame veuve Cominges и кликнула меня по приказанию mademoiselle Blanche. Я вошел в квартиру mademoiselle Blanche.

У них был небольшой номер, в две комнаты. Слышен был смех и крик mademoiselle Blanche из спальни. Она вставала с постели.

— A, c'est lui!! Viens donc, bêta! Правда ли, que tu as gagné une montagne d'or et d'argent? J'aimerais mieux l'or[1].

— Выиграл, — отвечал я смеясь.

— Сколько?

— Сто тысяч флоринов.

— Bibi, comme tu es bête. Да, войди же сюда, я ничего не слышу. Nous ferons bombance, n'est-ce pas?[2]

Я вошел к ней. Она валялась под розовым атласным одеялом, из-под которого выставлялись смуглые, здоровые, удивительные плечи, — плечи, которые разве только увидишь во сне, — кое-как прикрытые батистовою отороченною белейшими кружевами сорочкою, что удивительно шло к ее смуглой коже.

— Mon fils, as-tu du coeur?[3] — вскричала она, завидев меня, и захохотала. Смеялась она всегда очень весело и даже иногда искренно.

---

[1] Это он!! Иди же сюда, дурачок! Правда ли, что ты выиграл гору золота и серебра? Я предпочла бы золото (*франц.*).

[2] Биби, как ты глуп... Мы покутим, не правда ли? (*франц.*)

[3] Сын мой, храбр ли ты? (*франц.*)

— Tout autre...[1] — начал было я, парафразируя Корнеля.

— Вот видишь, vois-tu, — затараторила она вдруг, — во-первых, сыщи чулки, помоги обуться, а во-вторых, si tu n'es pas trop bête, je te prends à Paris[2]. Ты знаешь, я сейчас еду.

— Сейчас?

— Чрез полчаса.

Действительно, всё было уложено. Все чемоданы и ее вещи стояли готовые. Кофе был уже давно подан.

— Eh bien! хочешь, tu verras Paris. Dis donc qu'est ce que c'est qu'un outchitel? Tu étais bien bête, quand tu étais outchitel[3]. Где же мои чулки? Обувай же меня, ну!

Она выставила действительно восхитительную ножку, смуглую, маленькую, неисковерканную, как все почти эти ножки, которые смотрят такими миленькими в ботинках. Я засмеялся и начал натягивать на нее шелковый чулочек. Mademoiselle Blanche между тем сидела на постели и тараторила:

— Eh bien, que feras-tu, si je te prends avec? Во-первых, je veux cinquante mille francs. Ты мне их отдашь во Франкфурте. Nous allons à Paris; там мы живем вместе и je te ferai voir des étoiles en plein jour[4]. Ты увидишь таких женщин, каких ты никогда не видывал. Слушай...

— Постой, эдак я тебе отдам пятьдесят тысяч франков, а что же мне-то останется?

— Et cent cinquante mille francs[5], ты забыл, и, сверх того, я согласна жить на твоей квартире месяц, два, que sais-je![6] Мы, конечно, проживем в два месяца эти сто пятьдесят тысяч франков. Видишь, je suis bonne enfant[7] и тебе вперед говорю, mais tu verras des étoiles[8].

— Как, всё в два месяца?

— Как! Это тебя ужасает! Ah, vil esclave![9] Да знаешь ли ты, что один месяц этой жизни лучше всего твоего существования. Один месяц — et après le déluge! Mais tu ne peux comprendre, va! Пошел, пошел, ты этого не стоишь! Ай, que fais-tu?[10]

В эту минуту я обувал другую ножку, но не выдержал и поцеловал ее. Она вырвала и начала меня бить кончиком ноги по лицу. Наконец она прогнала меня совсем. «Eh bien, mon outchitel, je t'attends, si tu veux;[11] чрез четверть часа я еду!» — крикнула она мне вдогонку.

---

[1] Всякий другой... (*франц.*)

[2] если ты не будешь слишком глуп, я возьму тебя в Париж (*франц.*).

[3] ты увидишь Париж. Скажи-ка, что это такое учитель? Ты был очень глуп, когда ты был учителем (*франц.*).

[4] Ну что ты будешь делать, если я тебя возьму с собой?.. я хочу пятьдесят тысяч франков... Мы едем в Париж... и ты у меня увидишь звезды среди бела дня (*франц.*).

[5] А сто пятьдесят тысяч франков (*франц.*).

[6] почем я знаю! (*франц.*)

[7] я добрая девочка (*франц.*).

[8] но ты увидишь звезды (*франц.*).

[9] А, низкий раб! (*франц.*)

[10] а потом хоть потоп! Но ты не можешь этого понять, где тебе!.. Что ты делаешь? (*франц.*)

[11] Ну, мой учитель, я тебя жду, если хочешь (*франц.*).

Воротясь домой, был я уже как закруженный. Что же, я не виноват, что mademoiselle Полина бросила мне целой пачкой в лицо и еще вчера предпочла мне мистера Астлея. Некоторые из распавшихся банковых билетов еще валялись на полу; я их подобрал. В эту минуту отворилась дверь и явился сам обер-кельнер (который на меня прежде и глядеть не хотел) с приглашением: не угодно ли мне перебраться вниз, в превосходный номер, в котором только что стоял граф В.

Я постоял, подумал.

— Счет! — закричал я, — сейчас еду, чрез десять минут. — «В Париж так в Париж! — подумал я про себя, — знать, на роду написано!»

Чрез четверть часа мы действительно сидели втроем в одном общем семейном вагоне: я, mademoiselle Blanche et madame veuve Cominges. Mademoiselle Blanche хохотала, глядя на меня, до истерики. Veuve Cominges ей вторила; не скажу, чтобы мне было весело. Жизнь переламывалась надвое, но со вчерашнего дня я уж привык всё ставить на карту. Может быть, и действительно правда, что я не вынес денег и закружился. Peut-être, je ne demandais pas mieux[1]. Мне казалось, что на время — но только на время — переменяются декорации. «Но чрез месяц я буду здесь, и тогда... и тогда мы еще с вами потягаемся, мистер Астлей!» Нет, как припоминаю теперь, мне и тогда было ужасно грустно, хоть я и хохотал взапуски с этой дурочкой Blanche.

— Да чего тебе! Как ты глуп! О, как ты глуп! — вскрикивала Blanche, прерывая свой смех и начиная серьезно бранить меня. — Ну да, ну да, да, мы проживем твои двести тысяч франков, но зато, mais tu seras heureux, comme un petit roi[2]; я сама тебе буду повязывать галстук и познакомлю тебя с Hortense. А когда мы проживем все наши деньги, ты приедешь сюда и опять сорвешь банк. Что тебе сказали жиды? Главное — смелость, а у тебя она есть, и ты мне еще не раз будешь возить деньги в Париж. Quant à moi, je veux cinquante mille francs de rente et alors...[3]

— А генерал? — спросил я ее.

— А генерал, ты знаешь сам, каждый день в это время уходит мне за букетом. На этот раз я нарочно велела отыскать самых редких цветов. Бедняжка воротится, а птичка и улетела. Он полетит за нами, увидишь. Ха-ха-ха! Я очень буду рада. В Париже он мне пригодится; за него здесь заплатит мистер Астлей...

И вот таким-то образом я и уехал тогда в Париж.

ГЛАВА XVI

Что я скажу о Париже? Всё это было, конечно, и бред, и дурачество. Я прожил в Париже всего только три недели с небольшим, и в этот срок были совершенно покончены мои сто тысяч франков. Я говорю только про сто тысяч; остальные сто тысяч я отдал mademoiselle Blanche чистыми деньгами, — пятьдесят тысяч во Франкфурте и чрез три дня в Париже, выдал ей же еще пятьдесят тысяч франков векселем, за который, впрочем, чрез неделю она взяла с меня и

---

[1] Может быть, только этого мне и надо было (*франц.*).

[2] но ты будешь счастлив, как маленький король (*франц.*).

[3] Что до меня, то я хочу пятьдесят тысяч франков ренты и тогда... (*франц.*)

деньги, «et les cent mille francs, qui nous restent, tu les mangeras avec moi, mon out-chitel»[1]. Она меня постоянно звала учителем. Трудно представить себе что-нибудь на свете расчетливее, скупее и скалдырнее разряда существ, подобных mademoiselle Blanche. Но это относительно своих денег. Что же касается до моих ста тысяч франков, то она мне прямо объявила потом, что они ей нужны были для первой постановки себя в Париже. «Так что уж я теперь стала на приличную ногу раз навсегда, и теперь уж меня долго никто не собьет, по крайней мере я так распорядилась», — прибавила она. Впрочем, я почти и не видал этих ста тысяч; деньги во всё время держала она, а в моем кошельке, в который она сама каждый день наведывалась, никогда не скоплялось более ста франков, и всегда почти было менее.

«Ну к чему тебе деньги?» — говорила она иногда с самым простейшим видом, и я с нею не спорил. Зато она очень и очень недурно отделала на эти деньги свою квартиру, и когда потом перевела меня на новоселье, то, показывая мне комнаты, сказала: «Вот что с расчетом и со вкусом можно сделать с самыми мизерными средствами». Этот мизер стоил, однако, ровно пятьдесят тысяч франков. На остальные пятьдесят тысяч она завела экипаж, лошадей, кроме того, мы задали два бала, то есть две вечеринки, на которых были и Hortense и Lisette и Cléopâtre — женщины замечательные во многих и во многих отношениях и даже далеко не дурные. На этих двух вечеринках я принужден был играть преглупейшую роль хозяина, встречать и занимать разбогатевших и тупейших купчишек, невозможных по их невежеству и бесстыдству, разных военных поручиков и жалких авторишек и журнальных козявок, которые явились в модных фраках, в палевых перчатках и с самолюбием и чванством в таких размерах, о которых даже у нас в Петербурге немыслимо, — а уж это много значит сказать. Они даже вздумали надо мной смеяться, но я напился шампанского и провалялся в задней комнате. Всё это было для меня омерзительно в высшей степени. «C'est un outchitel, — говорила обо мне Blanche, — il a gagné deux cent mille francs[2] и который без меня не знал бы, как их истратить. А после он опять поступит в учителя; — не знает ли кто-нибудь места? Надобно что-нибудь для него сделать». К шампанскому я стал прибегать весьма часто, потому что мне было постоянно очень грустно и до крайности скучно. Я жил в самой буржуазной, в самой меркантильной среде, где каждый су был рассчитан и вымерен. Blanche очень не любила меня в первые две недели, я это заметил; правда, она одела меня щегольски и сама ежедневно повязывала мне галстук, но в душе искренно презирала меня. Я на это не обращал ни малейшего внимания. Скучный и унылый, я стал уходить обыкновенно в «Château des Fleurs»[3], где регулярно, каждый вечер, напивался и учился канкану (который там прегадко танцуют) и впоследствии приобрел в этом роде даже знаменитость. Наконец Blanche раскусила меня: она как-то заранее составила себе идею, что я, во всё время нашего сожительства, буду ходить за нею с карандашом и бумажкой в руках и всё буду считать, сколько она истратила, сколько украла, сколько истратит и сколько еще украдет? И, уж конечно, была уверена, что у нас из-за каждых десяти

---

[1] и сто тысяч франков, которые нам остались, ты их проешь со мной, мой учитель (*франц.*).

[2] Это учитель... он выиграл двести тысяч франков (*франц.*).

[3] «Замок цветов» (*франц.*).

франков будет баталия. На всякое нападение мое, предполагаемое ею заранее, она уже заблаговременно заготовила возражения; но, не видя от меня никаких нападений, сперва было пускалась сама возражать. Иной раз начнет горячо-горячо, но, увидя, что я молчу, — чаще всего валяясь на кушетке и неподвижно смотря в потолок, — даже, наконец, удивится. Сперва она думала, что я просто глуп, «un outchitel», и просто обрывала свои объяснения, вероятно, думая про себя: «Ведь он глуп; нечего его и наводить, коль сам не понимает». Уйдет, бывало, но минут через десять опять воротится (это случалось во время самых неистовых трат ее, трат совершенно нам не по средствам: например, она переменила лошадей и купила в шестнадцать тысяч франков пару).

— Ну, так ты, Bibi, не сердишься? — подходила она ко мне.

— Не-е-ет! Надо-е-е-ла! — говорил я, отстраняя ее от себя рукою, но это было для нее так любопытно, что она тотчас же села подле.

— Видишь, если я решилась столько заплатить, то это потому, что их продавали по случаю. Их можно опять продать за двадцать тысяч франков.

— Верю, верю; лошади прекрасные; и у тебя теперь славный выезд; пригодится; ну и довольно.

— Так ты не сердишься?

— За что же? Ты умно делаешь, что запасаешься некоторыми необходимыми для тебя вещами. Всё это потом тебе пригодится. Я вижу, что тебе действительно нужно поставить себя на такую ногу; иначе миллиона не наживешь. Тут наши сто тысяч франков только начало, капля в море.

Blanche, всего менее ожидавшая от меня таких рассуждений (вместо криков-то да попреков!), точно с неба упала.

— Так ты... так ты вот какой! Mais tu as de l'esprit pour comprendre! Sais-tu, mon garçon[1], хоть ты и учитель, — но ты должен был родиться принцем! Так ты не жалеешь, что у нас деньги скоро идут?

— Ну их, поскорей бы уж!

— Mais... sais-tu... mais die donc, разве ты богат? Mais sais-tu, ведь ты уж слишком презираешь деньги. Qu'est ce que tu feras après, dis donc?[2]

— Après поеду в Гомбург и еще выиграю сто тысяч франков.

— Oui, oui, c'est ça, c'est magnifique![3] И я знаю, что ты непременно выиграешь и привезешь сюда. Dis donc, да ты сделаешь, что я тебя и в самом деле полюблю! Eh bien, за то, что ты такой, я тебя буду всё это время любить и не сделаю тебе ни одной неверности. Видишь, в это время я хоть и не любила тебя, parce que je croyais, que tu n'est qu'un outchitel (quelque chose comme un laquais, n'est-ce pas?), но я все-таки была тебе верна, parce que je suis bonne fille[4].

— Ну, и врешь! А с Альбертом-то, с этим офицеришкой черномазым, разве я не видал прошлый раз?

— Oh, oh, mais tu es...[5]

---

[1] Оказывается, ты достаточно умен, чтоб понимать! Знаешь, мой мальчик (*франц.*).

[2] Но... знаешь... скажи-ка... Но знаешь... Что же ты будешь делать потом, скажи? (*франц.*)

[3] Вот-вот, это великолепно. (*франц.*)

[4] Потому что я думала, что ты только учитель (что-то вроде лакея, не правда ли?)... потому что я добрая девушка (*франц.*).

[5] О, но ты... (*франц.*)

— Ну, врешь, врешь; да ты что думаешь, что я сержусь? Да наплевать; il faut que jeunesse se passe[1]. Не прогнать же тебе его, коли он был прежде меня и ты его любишь. Только ты ему денег не давай, слышишь?

— Так ты и за это не сердишься? Mais tu es un vrai philosophe, sais-tu? Un vrai philosophe! — вскричала она в восторге. — Eh bien, je t'aimerai, je t'aimerai — tu verras, tu sera content![2]

И действительно, с этих пор она ко мне даже как будто и в самом деле привязалась, даже дружески, и так прошли наши последние десять дней. Обещанных «звезд» я не видал; но в некоторых отношениях она и в самом деле сдержала слово. Сверх того, она познакомила меня с Hortense, которая была слишком даже замечательная в своем роде женщина и в нашем кружке называлась Thérèse-philosophe...

Впрочем, нечего об этом распространяться; всё это могло бы составить особый рассказ, с особым колоритом, который я не хочу вставлять в эту повесть. Дело в том, что я всеми силами желал, чтоб всё это поскорее кончилось. Но наших ста тысяч франков хватило, как я уже сказал, почти на месяц, чему я искренно удивлялся: по крайней мере, на восемьдесят тысяч, из этих денег, Blanche накупила себе вещей, и мы прожили никак не более двадцати тысяч франков, и — все-таки достало. Blanche, которая под конец была уже почти откровенна со мной (по крайней мере кое в чем не врала мне), призналась, что по крайней мере на меня не падут долги, которые она принуждена была сделать. «Я тебе не давала подписывать счетов и векселей, — говорила она мне, — потому что жалела тебя; а другая бы непременно это сделала и уходила бы тебя в тюрьму. Видишь, видишь, как я тебя любила и какая я добрая! Одна эта чертова свадьба чего будет мне стоить!»

У нас действительно была свадьба. Случилась она уже в самом конце нашего месяца, и надо предположить, что на нее ушли самые последние подонки моих ста тысяч франков; тем дело и кончилось, то есть тем наш месяц и кончился, и я после этого формально вышел в отставку.

Случилось это так: неделю спустя после нашего водворения в Париже приехал генерал. Он прямо приехал к Blanche и с первого же визита почти у нас и остался. Квартирка где-то, правда, у него была своя. Blanche встретила его радостно, с визгами и хохотом и даже бросилась его обнимать; дело обошлось так, что уж она сама его не отпускала, и он всюду должен был следовать за нею: и на бульваре, и на катаньях, и в театре, и по знакомым. На это употребление генерал еще годился; он был довольно сановит и приличен — росту почти высокого, с крашеными бакенами и усищами (он прежде служил в кирасирах), с лицом видным, хотя несколько и обрюзглым. Манеры его были превосходные, фрак он носил очень ловко. В Париже он начал носить свои ордена. С эдаким пройтись по бульвару было не только возможно, но, если так можно выразиться, даже *рекомендательно*. Добрый и бестолковый генерал был всем этим ужасно доволен; он совсем не на это рассчитывал, когда к нам явился по приезде в Париж. Он явился тогда, чуть не дрожа от страха; он думал, что Blanche закричит и велит его прогнать; а потому, при таком обороте дела, он

---

[1] надо в молодости перебеситься (*франц.*).

[2] Но ты настоящий философ, знаешь? Настоящий философ!.. Ну я буду тебя любить, любить — увидишь, ты будешь доволен! (*франц.*)

пришел в восторг и весь этот месяц пробыл в каком-то бессмысленно-восторженном состоянии; да таким я его и оставил. Уже здесь я узнал в подробности, что после тогдашнего внезапного отъезда нашего из Рулетенбурга с ним случилось, в то же утро, что-то вроде припадка. Он упал без чувств, а потом всю неделю был почти как сумасшедший и заговаривался. Его лечили, но вдруг он всё бросил, сел в вагон и прикатил в Париж. Разумеется, прием Blanche оказался самым лучшим для него лекарством; но признаки болезни оставались долго спустя, несмотря на радостное и восторженное его состояние. Рассуждать или даже только вести кой-как немного серьезный разговор он уж совершенно не мог; в таком случае он только приговаривал ко всякому слову «гм!» и кивал головой — тем и отделывался. Часто он смеялся, но каким-то нервным, болезненным смехом, точно закатывался; другой раз сидит по целым часам пасмурный, как ночь, нахмурив свои густые брови. Многого он совсем даже и не припоминал; стал до безобразия рассеян и взял привычку говорить сам с собой. Только одна Blanche могла оживлять его; да и припадки пасмурного, угрюмого состояния, когда он забивался в угол, означали только то, что он давно не видел Blanche, или что Blanche куда-нибудь уехала, а его с собой не взяла, или, уезжая, не приласкала его. При этом он сам не сказал бы, чего ему хочется, и сам не знал, что он пасмурен и грустен. Просидев час или два (я замечал это раза два, когда Blanche уезжала на целый день, вероятно, к Альберту), он вдруг начинает озираться, суетиться, оглядывается, припоминает и как будто хочет кого-то сыскать; но, не видя никого и так и не припомнив, о чем хотел спросить, он опять впадал в забытье до тех пор, пока вдруг не являлась Blanche, веселая, резвая, разодетая, с своим звонким хохотом; она подбегала к нему, начинала его тормошить и даже целовала, чем, впрочем, редко его жаловала. Раз генерал до того ей обрадовался, что даже заплакал, — я даже подивился.

Blanche, с самого его появления у нас, начала тотчас же за него предо мною адвокатствовать. Она пускалась даже в красноречие; напоминала, что она изменила генералу из-за меня, что она была почти уж его невестою, слово дала ему; что из-за нее он бросил семейство, и что, наконец, я служил у него и должен бы это чувствовать, и что — как мне не стыдно... Я всё молчал, а она ужасно тараторила. Наконец я рассмеялся, и тем дело и кончилось, то есть сперва она подумала, что я дурак, а под конец остановилась на мысли, что я очень хороший и складный человек. Одним словом, я имел счастие решительно заслужить под конец полное благорасположение этой достойной девицы. (Blanche, впрочем, была и в самом деле предобрейшая девушка, — в своем только роде, разумеется; я ее не так ценил сначала.) «Ты умный и добрый человек, — говаривала она мне под конец, — и... и... жаль только, что ты такой дурак! Ты ничего, ничего не наживешь!»

«Un vrai russe, un calmouk!»[1] Она несколько раз посылала меня прогуливать по улицам генерала, точь-в-точь с лакеем свою левретку. Я, впрочем, водил его и в театр, и в Bal-Mabile, и в рестораны. На это Blanche выдавала и деньги, хотя у генерала были и свои, и он очень любил вынимать бумажник при людях. Однажды я почти должен был употребить силу, чтобы не дать ему купить

---

[1] Настоящий русский, калмык! (*франц.*)

брошку в семьсот франков, которою он прельстился в Палерояле и которую во что бы то ни стало хотел подарить Blanche. Ну, что ей была брошка в семьсот франков? У генерала и всех-то денег было не более тысячи франков. Я никогда не мог узнать, откуда они у него явились? Полагаю, что от мистера Астлея, тем более что тот в отеле за них заплатил. Что же касается до того, как генерал всё это время смотрел на меня, то мне кажется, он даже и не догадывался о моих отношениях к Blanche. Он хоть и слышал как-то смутно, что я выиграл капитал, но, наверное, полагал, что я у Blanche вроде какого-нибудь домашнего секретаря или даже, может быть, слуги. По крайней мере говорил он со мной постоянно свысока по-прежнему, по-начальнически, и даже пускался меня иной раз распекать. Однажды он ужасно насмешил меня и Blanche, у нас, утром, за утренним кофе. Человек он был не совсем обидчивый; а тут вдруг обиделся на меня, за что? — до сих пор не понимаю. Но, конечно, он и сам не понимал. Одним словом, он завел речь без начала и конца, à bâtons-rompus[1], кричал, что я мальчишка, что он научит... что он даст понять... и так далее, и так далее. Но никто ничего не мог понять. Blanche заливалась-хохотала; наконец его кое-как успокоили и увели гулять. Много раз я замечал, впрочем, что ему становилось грустно, кого-то и чего-то было жаль, кого-то недоставало ему, несмотря даже на присутствие Blanche. В эти минуты он сам пускался раза два со мною заговаривать, но никогда толком не мог объясниться, вспоминал про службу, про покойницу жену, про хозяйство, про имение. Нападет на какое-нибудь слово и обрадуется ему, и повторяет его сто раз на дню, хотя оно вовсе не выражает ни его чувств, ни его мыслей. Я пробовал заговаривать с ним о его детях; но он отделывался прежнею скороговоркою и переходил поскорее на другой предмет: «Да-да! дети-дети, вы правы, дети!» Однажды только он расчувствовался — мы шли с ним в театр: «Это несчастные дети! — заговорил он вдруг, — да, сударь, да, это не-с-счастные дети!» И потом несколько раз в этот вечер повторял слова: несчастные дети! Когда я раз заговорил о Полине, он пришел даже в ярость. «Это неблагодарная женщина, — воскликнул он, — она зла и неблагодарна! Она осрамила семью! Если б здесь были законы, я бы ее в бараний рог согнул! Да-с, да-с!» Что же касается до Де-Грие, то он даже и имени его слышать не мог. «Он погубил меня, — говорил он, — он обокрал меня, он меня зарезал! Это был мой кошмар в продолжение целых двух лет! Он по целым месяцам сряду мне во сне снился! Это — это, это... О, не говорите мне о нем никогда!»

Я видел, что у них что-то идет на лад, но молчал, по обыкновению. Blanche объявила мне первая: это было ровно за неделю до того, как мы расстались.

— Il a de la chance[2], — тараторила она мне, — babouchka теперь действительно уж больна и непременно умрет. Мистер Астлей прислал телеграмму; согласись, что все-таки он наследник ее. А если б даже и нет, то он ничему не помешает. Во-первых, у него есть свой пенсион, а во-вторых, он будет жить в боковой комнате и будет совершенно счастлив. Я буду «madame la générale». Я войду в хороший круг (Blanche мечтала об этом постоянно), впоследствии

---

[1] через пятое на десятое, бессвязно (*франц.*).

[2] Ему везет (*франц.*).

буду русской помещицей, j'aurai un château, des moujiks, et puis j'aurai toujours mon million[1].

— Ну, а если он начнет ревновать, будет требовать... бог знает чего, — понимаешь?

— О нет, non, non, non! Как он смеет! Я взяла меры, не беспокойся. Я уж заставила его подписать несколько векселей на имя Альберта. Чуть что — и он тотчас же будет наказан; да и не посмеет!

— Ну, выходи...

Свадьбу сделали без особенного торжества, семейно и тихо. Приглашены были Альберт и еще кое-кто из близких. Hortense, Cléopatre и прочие были решительно отстранены. Жених чрезвычайно интересовался своим положением. Blanche сама повязала ему галстук, сама его напомадила, и в своем фраке и в белом жилете он смотрел très comme il faut[2].

— Il est pourtant très comme il faut[3], — объявила мне сама Blanche, выходя из комнаты генерала, как будто идея о том, что генерал très comme il faut, даже ее самое поразила. Я так мало вникал в подробности, участвуя во всем в качестве такого ленивого зрителя, что многое и забыл, как это было. Помню только, что Blanche оказалась вовсе не de Cominges, ровно как и мать ее — вовсе не veuve Cominges, а — du-Placet. Почему они были обе de Cominges до сих пор — не знаю. Но генерал и этим остался очень доволен, и du-Placet ему даже больше понравилось, чем de Cominges. В утро свадьбы он, уже совсем одетый, всё ходил взад и вперед по зале и всё повторял про себя, с необыкновенно серьезным и важным видом: «Mademoiselle Blanche du-Placet! Blanche du-Placet! Du-Placet! Девица Бланка Дю-Пласет!..» И некоторое самодовольствие сияло на его лице. В церкви, у мэра и дома за закуской он был не только радостен и доволен, но даже горд. С ними с обоими что-то случилось. Blanche стала смотреть тоже с каким-то особенным достоинством.

— Мне теперь нужно совершенно иначе держать себя, — сказала она мне чрезвычайно серьезно, — mais vois-tu, я не подумала об одной прегадкой вещи: вообрази, я до сих пор не могу заучить мою теперешнюю фамилию: Загорьянский, Загозианский, madame la générale de Sago-Sago, ces diables des noms russes, enfin madame la générale à quatorze consonnes! comme c'est agréable, n'est-ce pas?[4]

Наконец мы расстались, и Blanche, эта глупая Blanche, даже прослезилась, прощаясь со мною. «Tu étais bon enfant, — говорила она хныча. — Je te croyais bête es tu en avais l'air[5], но это к тебе идет». И, уж пожав мне руку окончательно, она вдруг воскликнула: «Attends!»[6], бросилась в свой будуар и чрез минуту вынесла мне два тысячефранковых билета. Этому я ни за что бы не поверил! «Это тебе пригодится, ты, может быть, очень ученый outchitel, но ты ужасно глупый человек. Больше двух тысяч я тебе ни за что не дам, потому что ты — всё равно

---

[1] у меня будет замок, мужики, а потом у меня все-таки будет мой миллион (*франц.*).
[2] очень прилично (*франц.*).
[3] Он, однако, очень приличен (*франц.*).
[4] но видишь ли... госпожа генеральша Заго-Заго, эти дьявольские русские имена, словом, госпожа генеральша с четырнадцатью согласными. Как это приятно, не правда ли? (*франц.*).
[5] Ты был добрым малым... Я считала тебя глупым, и ты выглядел дурачком (*франц.*).
[6] Подожди! (*франц.*)

проиграешь. Ну, прощай! Nous serons toujours bons amis, а если опять выиграешь, непременно приезжай ко мне, et tu seras heureux!»[1]

У меня у самого оставалось еще франков пятьсот; кроме того, есть великолепные часы в тысячу франков, бриллиантовые запонки и прочее, так что можно еще протянуть довольно долгое время, ни о чем не заботясь. Я нарочно засел в этом городишке, чтоб собраться, а главное, жду мистера Астлея. Я узнал наверное, что он будет здесь проезжать и остановится на сутки, по делу. Узнаю обо всем... а потом — потом прямо в Гомбург. В Рулетенбург не поеду, разве на будущий год. Действительно, говорят, дурная примета пробовать счастья два раза сряду за одним и тем же столом, а в Гомбурге самая настоящая-то игра и есть.

ГЛАВА XVII

Вот уже год и восемь месяцев, как я не заглядывал в эти записки, и теперь только, от тоски и горя, вздумал развлечь себя и случайно перечел их. Так на том и оставил тогда, что поеду в Гомбург. Боже! с каким, сравнительно говоря, легким сердцем я написал тогда эти последние строчки! То есть не то чтоб с легким сердцем, а с какою самоуверенностью, с какими непоколебимыми надеждами! Сомневался ли я хоть сколько-нибудь в себе? И вот полтора года с лишком прошли, и я, по-моему, гораздо хуже, чем нищий! Да что нищий! Наплевать на нищенство! Я просто сгубил себя! Впрочем, не с чем почти и сравнивать, да и нечего себе мораль читать! Ничего не может быть нелепее морали в такое время! О самодовольные люди: с каким гордым самодовольством готовы эти болтуны читать свои сентенции! Если б они знали, до какой степени я сам понимаю всю омерзительность теперешнего моего состояния, то, конечно, уж не повернулся бы у них язык учить меня. Ну что, что могут они мне сказать нового, чего я не знаю? И разве в этом дело? Тут дело в том, что — один оборот колеса и всё изменяется, и эти же самые моралисты первые (я в этом уверен) придут с дружескими шутками поздравлять меня. И не будут от меня все так отворачиваться, как теперь. Да наплевать на них на всех! Что я теперь? Zéro. Чем могу быть завтра? Я завтра могу из мертвых воскреснуть и вновь начать жить! Человека могу обрести в себе, пока еще он не пропал!

Я действительно тогда поехал в Гомбург, но... я был потом и опять в Рулетенбурге, был и в Спа, был даже и в Бадене, куда я ездил камердинером советника Гинце, мерзавца и бывшего моего здешнего барина. Да, я был и в лакеях, целых пять месяцев! Это случилось сейчас после тюрьмы. (Я ведь сидел и в тюрьме в Рулетенбурге за один здешний долг. Неизвестный человек меня выкупил, — кто такой? Мистер Астлей? Полина? Не знаю, но долг был заплачен, всего двести талеров, и я вышел на волю.) Куда мне было деваться? Я и поступил к этому Гинце. Он человек молодой и ветреный, любит полениться, а я умею говорить и писать на трех языках. Я сначала поступил к нему чем-то вроде секретаря, за тридцать гульденов в месяц; но кончил у него настоящим лакейст-

---

[1] Мы всегда будем друзьями... и ты будешь счастлив! (*франц.*)

вом: держать секретаря ему стало не по средствам, и он мне сбавил жалованье; мне же некуда было идти, я остался — и таким образом сам собою обратился в лакея. Я недоедал и недопивал на его службе, но зато накопил в пять месяцев семьдесят гульденов. Однажды вечером, в Бадене, я объявил ему, что желаю с ним расстаться; в тот же вечер я отправился на рулетку. О, как стучало мое сердце! Нет, не деньги мне были дороги! Тогда мне только хотелось, чтоб завтра же все эти Гинце, все эти обер-кельнеры, все эти великолепные баденские дамы, чтобы все они говорили обо мне, рассказывали мою историю, удивлялись мне, хвалили меня и преклонялись пред моим новым выигрышем. Всё это детские мечты и заботы, но... кто знает: может быть, я повстречался бы и с Полиной, я бы ей рассказал, и она бы увидела, что я выше всех этих нелепых толчков судьбы... О, не деньги мне дороги! Я уверен, что разбросал бы их опять какой-нибудь Blanche и опять ездил бы в Париже три недели на паре собственных лошадей в шестнадцать тысяч франков. Я ведь наверное знаю, что я не скуп; я даже думаю, что я расточителен, — а между тем, однако ж, с каким трепетом, с каким замиранием сердца я выслушиваю крик крупера: trente et un, rouge, impaire et passe или: quatre, noir, pair et manque! С какою алчностью смотрю я на игорный стол, по которому разбросаны луидоры, фридрихсдоры и талеры, на столбики золота, когда они от лопатки крупера рассыпаются в горящие, как жар, кучи, или на длинные в аршин столбы серебра, лежащие вокруг колеса. Еще подходя к игорной зале, за две комнаты, только что я заслышу дзеньканье пересыпающихся денег, — со мною почти делаются судороги.

О, тот вечер, когда я понес мои семьдесят гульденов на игорный стол, тоже был замечателен. Я начал с десяти гульденов и опять с passe. К passe я имею предрассудок. Я проиграл. Оставалось у меня шестьдесят гульденов серебряною монетою; я подумал — и предпочел zéro. Я стал разом ставить на zéro по пяти гульденов; с третьей ставки вдруг выходит zéro, я чуть не умер от радости, получив сто семьдесят пять гульденов; когда я выиграл сто тысяч гульденов, я не был так рад. Тотчас же я поставил сто гульденов на rouge — дала; все двести на rouge — дала; все четыреста на noir — дала; все восемьсот на manque — дала; считая с прежним, было тысяча семьсот гульденов, и это — менее чем в пять минут! Да, в эдакие-то мгновения забываешь и все прежние неудачи! Ведь я добыл это более чем жизнию рискуя, осмелился рискнуть и — вот я опять в числе человеков!

Я занял номер, заперся и часов до трех сидел и считал свои деньги. Наутро я проснулся уже не лакеем. Я решил в тот же день выехать в Гомбург: там я не служил в лакеях и в тюрьме не сидел. За полчаса до поезда я отправился поставить две ставки, не более, и проиграл полторы тысячи флоринов. Однако же все-таки переехал в Гомбург, и вот уже месяц, как я здесь...

Я, конечно, живу в постоянной тревоге, играю по самой маленькой и чего-то жду, рассчитываю, стою по целым дням у игорного стола и *наблюдаю* игру, даже во сне вижу игру, но при всем этом мне кажется, что я как будто одеревенел, точно загряз в какой-то тине. Заключаю это по впечатлению при встрече с мистером Астлеем. Мы не видались с того самого времени и встретились нечаянно; вот как это было. Я шел в саду и рассчитывал, что теперь я почти без денег, но что у меня есть пятьдесят гульденов, кроме того, в отеле, где я занимаю каморку, я третьего дня совсем расплатился. Итак, мне остается возможность один только раз пойти теперь на рулетку, — если выиграю хоть что-нибудь, можно будет продолжать игру; если проиграю — надо опять идти в лакеи, в случае если не найду сейчас русских, которым бы понадобился учитель. Занятый этою мыслью, я пошел, моею ежедневною прогулкою чрез парк и чрез лес, в соседнее княжество. Иногда я выхаживал таким образом часа по четыре и возвращался в Гомбург усталый и голодный. Только что вышел я из сада в парк, как вдруг на скамейке увидел мистера Астлея. Он первый меня заметил и окликнул меня. Я сел подле него. Заметив же в нем некоторую важность, я тотчас же умерил мою радость; а то я было ужасно обрадовался ему.

— Итак, вы здесь! Я так и думал, что вас повстречаю, — сказал он мне. — Не беспокойтесь рассказывать: я знаю, я всё знаю; вся ваша жизнь в эти год и восемь месяцев мне известна.

— Ба! вот как вы следите за старыми друзьями! — ответил я. — Это делает вам честь, что не забываете... Постойте, однако ж, вы даете мне мысль — не вы ли выкупили меня из рулетенбургской тюрьмы, где я сидел за долг в двести гульденов? Меня выкупил неизвестный.

— Нет, о нет; я не выкупал вас из рулетенбургской тюрьмы, где вы сидели за долг в двести гульденов, но я знал, что вы сидели в тюрьме за долг в двести гульденов.

— Значит, все-таки знаете, кто меня выкупил?

— О нет, не могу сказать, что знаю, кто вас выкупил.

— Странно; нашим русским я никому не известен, да русские здесь, пожалуй, и не выкупят; это у нас там, в России, православные выкупают православных. А я так и думал, что какой-нибудь чудак-англичанин, из странности.

Мистер Астлей слушал меня с некоторым удивлением. Он, кажется, думал найти меня унылым и убитым.

— Однако ж я очень радуюсь, видя вас совершенно сохранившим всю независимость вашего духа и даже веселость, — произнес он с довольно неприятным видом.

— То есть внутри себя вы скрыпите от досады, зачем я не убит и не унижен, — сказал я смеясь.

Он не скоро понял, но, поняв, улыбнулся.

— Мне нравятся ваши замечания. Я узнаю в этих словах моего прежнего, умного, старого, восторженного и вместе с тем цинического друга; одни русские могут в себе совмещать, в одно и то же время, столько противоположностей. Действительно, человек любит видеть лучшего своего друга в унижении пред собою; на унижении основывается большею частью дружба; и это старая, известная всем умным людям истина. Но в настоящем случае, уверяю вас, я искренно рад, что вы не унываете. Скажите, вы не намерены бросить игру?

— О, черт с ней! Тотчас же брошу, только бы...

— Только бы теперь отыграться? Так я и думал; не договаривайте — знаю, — вы это сказали нечаянно, следственно, сказали правду. Скажите, кроме игры, вы ничем не занимаетесь?

— Да, ничем...

Он стал меня экзаменовать. Я ничего не знал, я почти не заглядывал в газеты и положительно во всё это время не развертывал ни одной книги.

— Вы одеревенели, — заметил он, — вы не только отказались от жизни, от интересов своих и общественных, от долга гражданина и человека, от друзей своих (а они все-таки у вас были), вы не только отказались от какой бы то ни было цели, кроме выигрыша, вы даже отказались от воспоминаний своих. Я помню вас в горячую и сильную минуту вашей жизни; но я уверен, что вы забыли все лучшие тогдашние впечатления ваши; ваши мечты, ваши теперешние, самые насущные желания не идут дальше pair и impair, rouge, noir, двенадцать средних и так далее, и так далее, я уверен!

— Довольно, мистер Астлей, пожалуйста, пожалуйста, не напоминайте, — вскричал я с досадой, чуть не со злобой, — знайте, что я ровно ничего не забыл; но я только на время выгнал всё это из головы, даже воспоминания, — до тех пор, покамест не поправлю радикально мои обстоятельства; тогда... тогда вы увидите, я воскресну из мертвых!

— Вы будете здесь еще чрез десять лет, — сказал он. — Предлагаю вам пари, что я напомню вам это, если буду жив, вот на этой же скамейке.

— Ну довольно, — прервал я с нетерпением, — и, чтоб вам доказать, что я не так-то забывчив на прошлое, позвольте узнать: где теперь мисс Полина? Если не вы меня выкупили, то уж, наверно, она. С самого того времени я не имел о ней никакого известия.

— Нет, о нет! Я не думаю, чтобы она вас выкупила. Она теперь в Швейцарии, и вы мне сделаете большое удовольствие, если перестанете меня спрашивать о мисс Полине, — сказал он решительно и даже сердито.

— Это значит, что и вас она уж очень поранила! — засмеялся я невольно.

— Мисс Полина — лучшее существо из всех наиболее достойных уважения существ, но, повторяю вам, вы сделаете мне великое удовольствие, если перестанете меня спрашивать о мисс Полине. Вы ее никогда не знали, и ее имя в устах ваших я считаю оскорблением нравственного моего чувства.

— Вот как! Впрочем, вы неправы; да о чем же мне и говорить с вами, кроме этого, рассудите? Ведь в этом и состоят все наши воспоминания. Не беспокойтесь, впрочем, мне не нужно никаких внутренних, секретных ваших дел... Я интересуюсь только, так сказать, внешним положением мисс Полины, одною только теперешнею наружною обстановкою ее. Это можно сообщить в двух словах.

— Извольте, с тем чтоб этими двумя словами было всё покончено. Мисс Полина была долго больна; она и теперь больна; некоторое время она жила с моими матерью и сестрой в северной Англии. Полгода назад ее бабка — помните, та самая сумасшедшая женщина — померла и оставила лично ей семь тысяч фунтов состояния. Теперь мисс Полина путешествует вместе с семейством моей сестры, вышедшей замуж. Маленький брат и сестра ее тоже обеспечены завещанием бабки и учатся в Лондоне. Генерал, ее отчим, месяц назад умер в Париже от удара. Mademoiselle Blanche обходилась с ним хорошо, но всё, что он получил от бабки, успела перевести на себя... вот, кажется, и всё.

— А Де-Грие? Не путешествует ли и он тоже в Швейцарии?

— Нет, Де-Грие не путешествует в Швейцарии, и я не знаю, где Де-Грие; кроме того, раз навсегда предупреждаю вас избегать подобных намеков и неблагородных сопоставлений, иначе вы будете непременно иметь дело со мною.

— Как! несмотря на наши прежние дружеские отношения?

— Да, несмотря на наши прежние дружеские отношения.

— Тысячу раз прошу извинения, мистер Астлей. Но позвольте, однако ж: тут нет ничего обидного и неблагородного; я ведь ни в чем не виню мисс Полину. Кроме того, француз и русская барышня, говоря вообще, — это такое сопоставление, мистер Астлей, которое не нам с вами разрешить или понять окончательно.

— Если вы не будете упоминать имя Де-Грие вместе с другим именем, то я попросил бы вас объяснить мне, что вы подразумеваете под выражением: «француз и русская барышня»? Что это за «сопоставление»? Почему тут именно француз и непременно русская барышня?

— Видите, вы и заинтересовались. Но это длинная материя, мистер Астлей. Тут много надо бы знать предварительно. Впрочем, это вопрос важный — как ни смешно всё это с первого взгляда. Француз, мистер Астлей, это — законченная, красивая форма. Вы, как британец, можете с этим быть несогласны; я, как русский, тоже несогласен, ну, пожалуй, хоть из зависти; но наши барышни могут быть другого мнения. Вы можете находить Расина изломанным, исковерканным и парфюмированным; даже читать его, наверное, не станете. Я тоже нахожу его изломанным, исковерканным и парфюмированным, с одной даже точки зрения смешным; но он прелестен, мистер Астлей, и, главное, он великий поэт, хотим или не хотим мы этого с вами. Национальная форма француза, то есть парижанина, стала слагаться в изящную форму, когда мы еще были медведями. Революция наследовала дворянству. Теперь самый пошлейший французишка может иметь манеры, приемы, выражения и даже мысли вполне изящной формы, не участвуя в этой форме ни своею инициативою, ни душою, ни сердцем; всё это досталось ему по наследству. Сами собою, они могут быть пустее пустейшего и подлее подлейшего. Ну-с, мистер Астлей, сообщу вам теперь, что нет существа в мире доверчивее и откровеннее доброй, умненькой и не слишком изломанной русской барышни. Де-Грие, явясь в какой-нибудь роли, явясь замаскированным, может завоевать ее сердце с необыкновенною легкостью; у него есть изящная форма, мистер Астлей, и барышня принимает эту форму за его собственную душу, за натуральную форму его души и сердца, а не за одежду, доставшуюся ему по наследству. К величайшей вашей неприятности, я должен вам признаться, что англичане большею частью угловаты и неизящны, а русские довольно чутко умеют различать красоту и на нее падки. Но, чтобы различать красоту души и оригинальность личности, для этого нужно несравненно более самостоятельности и свободы, чем у наших женщин, тем более барышень, — и уж во всяком случае больше опыта. Мисс Полине же — простите, сказанного не воротишь — нужно очень, очень долгое время решаться, чтобы предпочесть вас мерзавцу Де-Грие. Она вас и оценит, станет вашим другом, откроет вам всё свое сердце; но в этом сердце все-таки будет царить ненавистный мерзавец, скверный и мелкий процентщик Де-Грие. Это даже останется, так сказать, из одного упрямства и самолюбия, потому что этот же самый Де-Грие явился ей когда-то в ореоле изящного маркиза, разочарованного либерала и разорившегося (будто бы?), помогая ее семейству и легкомысленному генералу. Все эти проделки открылись после. Но это ничего, что открылись: все-таки подавайте ей теперь прежнего Де-Грие — вот чего ей надо! И чем больше ненавидит она теперешнего Де-Грие, тем больше тоскует о прежнем, хоть прежний и существовал только в ее воображении. Вы сахаровар, мистер Астлей?

— Да, я участвую в компании известного сахарного завода Ловель и Комп.

— Ну, вот видите, мистер Астлей. С одной стороны — сахаровар, а с другой — Аполлон Бельведерский; всё это как-то не связывается. А я даже и не сахаровар; я просто мелкий игрок на рулетке, и даже в лакеях был, что, наверное, уже известно мисс Полине, потому что у ней, кажется, хорошая полиция.

— Вы озлоблены, а потому и говорите весь этот вздор, — хладнокровно и подумав сказал мистер Астлей. — Кроме того, в ваших словах нет оригинальности.

— Согласен! Но в том-то и ужас, благородный друг мой, что все эти мои обвинения, как ни устарели, как ни пошлы, как ни водевильны — все-таки истинны! Все-таки мы с вами ничего не добились!

— Это гнусный вздор... потому, потому... знайте же! — произнес мистер Астлей дрожащим голосом и сверкая глазами, — знайте же, неблагодарный и недостойный, мелкий и несчастный человек, что я прибыл в Гомбург нарочно по ее поручению, для того чтобы увидеть вас, говорить с вами долго и сердечно, и передать ей всё, — ваши чувства, мысли, надежды и... воспоминания!

— Неужели! Неужели? — вскричал я, и слезы градом потекли из глаз моих. Я не мог сдержать их, и это, кажется, было в первый раз в моей жизни.

— Да, несчастный человек, она любила вас, и я могу вам это открыть, потому что вы — погибший человек! Мало того, если я даже скажу вам, что она до сих пор вас любит, то — ведь вы всё равно здесь останетесь! Да, вы погубили себя. Вы имели некоторые способности, живой характер и были человек недурной; вы даже могли быть полезны вашему отечеству, которое так нуждается в людях, но — вы останетесь здесь, и ваша жизнь кончена. Я вас не виню. На мой взгляд, все русские таковы или склонны быть таковыми. Если не рулетка, так другое, подобное ей. Исключения слишком редки. Не первый вы не понимаете, что такое труд (я не о народе вашем говорю). Рулетка — это игра по преимуществу русская. До сих пор вы были честны и скорее захотели пойти в лакеи, чем воровать... но мне страшно подумать, что может быть в будущем. Довольно, прощайте! Вы, конечно, нуждаетесь в деньгах? Вот от меня вам десять луидоров, больше не дам, потому что вы их всё равно проиграете. Берите и прощайте! Берите же!

— Нет, мистер Астлей, после всего теперь сказанного...

— Бе-ри-те! — вскричал он. — Я убежден, что вы еще благородны, и даю вам, как может дать друг истинному другу. Если б я мог быть уверен, что вы сейчас же бросите игру, Гомбург и поедете в ваше отечество, — я бы готов был немедленно дать вам тысячу фунтов для начала новой карьеры. Но я потому именно не даю тысячи фунтов, а даю только десять луидоров, что тысяча ли фунтов, или десять луидоров — в настоящее время для вас совершенно одно и то же; всё одно — проиграете. Берите и прощайте.

— Возьму, если вы позволите себя обнять на прощанье.

— О, это с удовольствием!

Мы обнялись искренно, и мистер Астлей ушел.

Нет, он не прав! Если я был резок и глуп насчет Полины и Де-Грие, то он резок и скор насчет русских. Про себя я ничего не говорю. Впрочем... впрочем, всё это покамест не то. Всё это слова, слова и слова, а надо дела! Тут теперь главное Швейцария! Завтра же, — о, если б можно было завтра же и отправиться! Вновь возродиться, воскреснуть. Надо им доказать... Пусть знает Полина, что я еще могу быть человеком. Стоит только... теперь уж, впрочем, поздно, — но завтра... О, у меня предчувствие, и это не может быть иначе! У меня теперь пятнадцать луидоров, а я начинал и с пятнадцатью гульденами! Если начать осторожно... — и неужели, неужели уж я такой малый ребенок! Неужели я не понимаю, что я сам погибший человек. Но — почему же я не могу воскреснуть. Да! стоит только хоть раз в жизни быть расчетливым и терпеливым и — вот и всё! Стоит только хоть раз выдержать характер, и я в один час могу всю судьбу изменить! Главное — характер. Вспомнить только, что было со мною в этом роде семь месяцев назад в Рулетенбурге, пред окончательным моим проигрышем. О, это был замечательный случай решимости: я проиграл тогда всё, всё... Выхожу из воксала, смотрю — в жилетном кармане шевелится у меня еще один гульден. «А, стало быть, будет на что пообедать!» — подумал я, но, пройдя шагов сто, я передумал и воротился. Я поставил этот гульден на manque (тот раз было на manque), и, право, есть что-то особенное в ощущении, когда один, на чужой стороне, далеко от родины, от друзей и не зная, что сегодня будешь есть, ставишь последний гульден, самый, самый последний! Я выиграл и через двадцать минут вышел из воксала, имея сто семьдесят гульденов в кармане. Это факт-с! Вот что может иногда значить последний гульден! А что, если б я тогда упал духом, если б я не посмел решиться?.. Завтра, завтра всё кончится!

ИДИОТ

TONAN

ЧАСТЬ ПЕРВАЯ

I

В конце ноября, в оттепель, часов в девять утра, поезд Петербургско-Варшавской железной дороги на всех парах подходил к Петербургу. Было так сыро и туманно, что насилу рассвело; в десяти шагах, вправо и влево от дороги, трудно было разглядеть хоть что-нибудь из окон вагона. Из пассажиров были и возвращавшиеся из-за границы; но более были наполнены отделения для третьего класса, и всё людом мелким и деловым, не из очень далека. Все, как водится, устали, у всех отяжелели за ночь глаза, все назяблись, все лица были бледно-желтые, под цвет тумана.

В одном из вагонов третьего класса, с рассвета, очутились друг против друга, у самого окна, два пассажира — оба люди молодые, оба почти налегке, оба не щегольски одетые, оба с довольно замечательными физиономиями и оба пожелавшие, наконец, войти друг с другом в разговор. Если бы они оба знали один про другого, чем они особенно в эту минуту замечательны, то, конечно, подивились бы, что случай так странно посадил их друг против друга в третьеклассном вагоне петербургско-варшавского поезда. Один из них был небольшого роста, лет двадцати семи, курчавый и почти черноволосый, с серыми маленькими, но огненными глазами. Нос его был широк и сплюснут, лицо скуластое; тонкие губы беспрерывно складывались в какую-то наглую, насмешливую и даже злую улыбку; но лоб его был высок и хорошо сформирован и скрашивал неблагородно развитую нижнюю часть лица. Особенно приметна была в этом лице его мертвая бледность, придававшая всей физиономии молодого человека изможденный вид, несмотря на довольно крепкое сложение, и вместе с тем что-то страстное, до страдания, не гармонировавшее с нахальною и грубою улыбкой и с резким, самодовольным его взглядом. Он был тепло одет, в широкий мерлушечий черный крытый тулуп, и за ночь не зяб, тогда как сосед его принужден был вынести на своей издрогшей спине всю сладость сырой ноябрьской русской ночи, к которой, очевидно, был не приготовлен. На нем был довольно широкий и толстый плащ без рукавов и с огромным капюшоном, точь-в-точь как употребляют часто дорожные, по зимам, где-нибудь далеко за границей, в Швейцарии или, например, в Северной Италии, не рассчитывая, конечно, при этом и на такие концы по дороге, как от Эйдткунена до Петербурга. Но что годилось и вполне удовлетворяло в Италии, то оказалось не совсем пригодным в России. Обладатель плаща с капюшоном был молодой человек, тоже лет двадцати шести или двадцати семи, роста немного повыше среднего, очень белокур, густоволос, со впалыми щеками и с легонькою, востренькою, почти совершенно белою бородкой. Глаза его были большие, голубые и пристальные; во взгляде их было что-то тихое, но тяжелое, что-то полное того странного выражения, по которому некоторые угадывают с первого взгляда в субъекте падучую болезнь. Лицо молодого человека было, впрочем, приятное, тонкое и сухое, но бесцветное, а теперь даже досиня иззябшее. В руках его болтался тощий узелок из старого, полинялого фуляра, заключавший, кажется, все его дорожное достояние. На ногах его были толстоподошвенные башмаки с штиблетами, — всё не по-русски. Черноволосый сосед в крытом тулупе всё это разглядел, частию от нечего делать, и наконец спросил с тою неделикатною усмешкой, в которой так бесцеремонно и небрежно выражается иногда людское удовольствие при неудачах ближнего:

— Зябко?

И повел плечами.

— Очень, — ответил сосед с чрезвычайною готовностью, — и, заметьте, это еще оттепель. Что ж, если бы мороз? Я даже не думал, что у нас так холодно. Отвык.

— Из-за границы, что ль?

— Да, из Швейцарии.

— Фью! Эк ведь вас!..

Черноволосый присвистнул и захохотал.

Завязался разговор. Готовность белокурого молодого человека в швейцарском плаще отвечать на все вопросы своего черномазого соседа была удивительная и без всякого подозрения совершенной небрежности, неуместности и праздности иных вопросов. Отвечая, он объявил, между прочим, что действительно долго не был в России, с лишком четыре года, что отправлен был за границу по болезни, по какой-то странной нервной болезни, вроде падучей или виттовой пляски, каких-то дрожаний и судорог. Слушая его, черномазый несколько раз усмехался; особенно засмеялся он, когда на вопрос: «Что же, вылечили?» — белокурый отвечал, что «нет, не вылечили».

— Хе! Денег что, должно быть, даром переплатили, а мы-то им здесь верим, — язвительно заметил черномазый.

— Истинная правда! — ввязался в разговор один сидевший рядом и дурно одетый господин, нечто вроде закорузлого в подьячестве чиновника, лет сорока, сильного сложения, с красным носом и угреватым лицом, — истинная правда-с, только все русские силы даром к себе переводят!

— О, как вы в моем случае ошибаетесь, — подхватил швейцарский пациент тихим и примиряющим голосом, — конечно, я спорить не могу, потому что всего не знаю, но мой доктор мне из своих последних еще на дорогу сюда дал да два почти года там на свой счет содержал.

— Что ж, некому платить, что ли, было? — спросил черномазый.

— Да, господин Павлищев, который меня там содержал, два года назад помер; я писал потом сюда генеральше Епанчиной, моей дальней родственнице, но ответа не получил. Так с тем и приехал.

— Куда же приехали-то?

— То есть где остановлюсь?.. Да не знаю еще, право... так...

— Не решились еще?

И оба слушателя снова захохотали.

— И небось в этом узелке вся ваша суть заключается? — спросил черномазый.

— Об заклад готов биться, что так, — подхватил с чрезвычайно довольным видом красноносый чиновник, — и что дальнейшей поклажи в багажных вагонах не имеется, хотя бедность и не порок, чего опять-таки нельзя не заметить.

Оказалось, что и это было так: белокурый молодой человек тотчас же и с необыкновенною поспешностью в этом признался.

— Узелок ваш все-таки имеет некоторое значение, — продолжал чиновник, когда нахохотались досыта (замечательно, что и сам обладатель узелка начал наконец смеяться, глядя на них, что увеличило их веселость), — и хотя можно побиться, что в нем не заключается золотых заграничных свертков с наполеондорами и фридрихсдорами, ниже с голландскими арабчиками, о чем можно еще заключить хотя бы только по штиблетам, облекающим иностранные башмаки ваши, но... если к вашему узелку прибавить в придачу такую будто бы родственницу, как, примерно, генеральша Епанчина, то и узелок примет некоторое иное значение, разумеется, в том только случае, если генеральша Епанчина вам действительно родственница, и вы не ошибаетесь, по рассеянности... что очень и очень свойственно человеку, ну хоть... от излишка воображения.

— О, вы угадали опять, — подхватил белокурый молодой человек, — ведь действительно почти ошибаюсь, то есть почти что не родственница; до того даже, что я, право, нисколько и не удивился тогда, что мне туда не ответили. Я так и ждал.

— Даром деньги на франкировку письма истратили. Гм!.. по крайней мере простодушны и искренны, а сие похвально! Гм!.. генерала же Епанчина знаем-с, собственно, потому, что человек общеизвестный; да и покойного господина Павлищева, который вас в Швейцарии содержал, тоже знавали-с, если только это был Николай Андреевич Павлищев, потому что их два двоюродные брата. Другой доселе в Крыму, а Николай Андреевич, покойник, был человек почтенный и при связях, и четыре тысячи душ в свое время имели-с...

— Точно так, его звали Николай Андреевич Павлищев, — и, ответив, молодой человек пристально и пытливо оглядел господина всезнайку.

Эти господа всезнайки встречаются иногда, даже довольно часто, в известном общественном слое. Они всё знают, вся беспокойная пытливость их ума и способности устремляются неудержимо в одну сторону, конечно, за отсутствием более важных жизненных интересов и взглядов, как сказал бы современный мыслитель. Под словом «всё знают» нужно разуметь, впрочем, область довольно ограниченную: где служит такой-то, с кем он знаком, сколько у него состояния, где был губернатором, на ком женат, сколько взял за женой, кто ему двоюродным братом приходится, кто троюродным и т. д., и т. д., и всё в этом роде. Большею частью эти всезнайки ходят с ободранными локтями и получают по семнадцати рублей в месяц жалованья. Люди, о которых они знают всю подноготную, конечно, не придумали бы, какие интересы руководствуют ими, а между тем многие из них этим знанием, равняющимся целой науке, положительно утешены, достигают самоуважения, и даже высшего духовного довольства. Да и наука соблазнительная. Я видал ученых, литераторов, поэтов, политических деятелей, обретавших и обретших в этой же науке свои высшие примирения и цели, даже положительно только этим сделавших карьеру. В продолжение всего этого разговора черномазый молодой человек зевал, смотрел без цели в окно и с нетерпением ждал конца путешествия. Он был как-то рассеян, что-то очень рассеян, чуть ли не встревожен, даже становился как-то странен: иной раз слушал и не слушал, глядел и не глядел, смеялся и подчас сам не знал и не понимал, чему смеялся.

— А позвольте, с кем имею честь... — обратился вдруг угреватый господин к белокурому молодому человеку с узелком.

— Князь Лев Николаевич Мышкин, — отвечал тот с полною и немедленною готовностью.

— Князь Мышкин? Лев Николаевич? Не знаю-с. Так что даже и не слыхивал-с, — отвечал в раздумье чиновник, — то есть я не об имени, имя историческое, в Карамзина «Истории» найти можно и должно, я об лице-с, да и князей Мышкиных уж что-то нигде не встречается, даже и слух затих-с.

— О, еще бы! — тотчас же ответил князь, — князей Мышкиных теперь и совсем нет, кроме меня; мне кажется, я последний. А что касается до отцов и дедов, то они у нас и однодворцами бывали. Отец мой был, впрочем, армии подпоручик, из юнкеров. Да вот не знаю, каким образом и генеральша Епанчина очутилась тоже из княжон Мышкиных, тоже последняя в своем роде...

— Хе-хе-хе! Последняя в своем роде! Хе-хе! Как это вы оборотили, — захихикал чиновник.

Усмехнулся тоже и черномазый. Белокурый несколько удивился, что ему удалось сказать, довольно, впрочем, плохой, каламбур.

— А представьте, я совсем не думая сказал, — пояснил он наконец в удивлении.

— Да уж понятно-с, понятно-с, — весело поддакнул чиновник.

— А что вы, князь, и наукам там обучались, у профессора-то? — спросил вдруг черномазый.

— Да... учился...

— А я вот ничему никогда не обучался.

— Да ведь и я так, кой-чему только, — прибавил князь, чуть не в извинение. — Меня по болезни не находили возможным систематически учить.

— Рогожиных знаете? — быстро спросил черномазый.

— Нет, не знаю, совсем. Я ведь в России очень мало кого знаю. Это вы-то Рогожин?

— Да, я, Рогожин, Парфен.

— Парфен? Да уж это не тех ли самых Рогожиных... — начал было с усиленною важностью чиновник.

— Да, тех, тех самых, — быстро и с невежливым нетерпением перебил его черномазый, который вовсе, впрочем, и не обращался ни разу к угреватому чиновнику, а с самого начала говорил только одному князю.

— Да... как же это? — удивился до столбняка и чуть не выпучил глаза чиновник, у которого всё лицо тотчас же стало складываться во что-то благоговейное и подобострастное, даже испуганное, — это того самого Семена Парфеновича Рогожина, потомственного почетного гражданина, что с месяц назад тому помре и два с половиной миллиона капиталу оставил?

— А ты откуда узнал, что он два с половиной миллиона чистого капиталу оставил? — перебил черномазый, не удостоивая и в этот раз взглянуть на чиновника. — Ишь ведь! (мигнул он на него князю) и что только им от этого толку, что они прихвостнями тотчас же лезут? А это правда, что вот родитель мой помре, а я из Пскова через месяц чуть не без сапог домой еду. Ни брат, подлец, ни мать, ни денег, ни уведомления — ничего не прислали! Как собаке! В горячке в Пскове весь месяц пролежал!..

— А теперь миллиончик с лишком разом получить приходится, и это по крайней мере, о господи! — всплеснул руками чиновник.

— Ну чего ему, скажите, пожалуйста! — раздражительно и злобно кивнул на него опять Рогожин, — ведь я тебе ни копейки не дам, хоть ты тут вверх ногами предо мной ходи.

— И буду, и буду ходить.

— Вишь! Да ведь не дам, не дам, хошь целую неделю пляши!

— И не давай! Так мне и надо; не давай! А я буду плясать. Жену, детей малых брошу, а пред тобой буду плясать. Польсти, польсти!

— Тьфу тебя! — сплюнул черномазый. — Пять недель назад я вот, как и вы, — обратился он к князю, — с одним узелком от родителя во Псков убег, к тетке; да в горячке там и слег, а он без меня и помре. Кондрашка пришиб. Вечная память покойнику, а чуть меня тогда до смерти не убил! Верите ли, князь, вот ей-богу! Не убеги я тогда, как раз бы убил.

— Вы его чем-нибудь рассердили? — отозвался князь, с некоторым особенным любопытством рассматривая миллионера в тулупе. Но хотя и могло быть нечто достопримечательное собственно в миллионе и в получении наследства, князя удивило и заинтересовало и еще что-то другое; да и Рогожин сам почему-то особенно охотно взял князя в свои собеседники, хотя в собеседничестве нуждался, казалось, более механически, чем нравственно; как-то более от рассеянности, чем от простосердечия; от тревоги, от волнения, чтобы только глядеть на кого-нибудь и о чем-нибудь языком колотить. Казалось, что он до сих пор в горячке, и уж по крайней мере в лихорадке. Что же касается до чиновника, так тот так и повис над Рогожиным, дыхнуть не смел, ловил и взвешивал каждое слово, точно бриллианта искал.

— Рассердился-то он рассердился, да, может, и стоило, — отвечал Рогожин, — но меня пуще всего брат доехал. Про матушку нечего сказать, женщина старая, Четьи-Минеи читает, со старухами сидит, и что Сенька-брат порешит, так тому и быть. А он что же мне знать-то в свое время не дал? Понимаем-с! Оно правда, я тогда без памяти был. Тоже, говорят, телеграмма была пущена. Да телеграмма-то к тетке и приди. А она там тридцатый год вдовствует и всё с юродивыми сидит с утра до ночи. Монашенка не монашенка, а еще пуще того. Телеграммы-то она испугалась да, не распечатывая, в часть и представила, так она там и залегла до сих пор. Только Конев, Василий Васильич, выручил, всё отписал. С покрова парчового на гробе родителя, ночью, брат кисти литые, золотые, обрезал: «Они, дескать, эвона каких денег стоят». Да ведь он за это одно в Сибирь пойти может, если я захочу, потому оно есть святотатство. Эй ты, пугало гороховое! — обратился он к чиновнику. — Как по закону: святотатство?

— Святотатство! Святотатство! — тотчас же поддакнул чиновник.

— За это в Сибирь?

— В Сибирь, в Сибирь! Тотчас в Сибирь!

— Они всё думают, что я еще болен, — продолжал Рогожин князю, — а я, ни слова не говоря, потихоньку, еще больной, сел в вагон да и еду; отворяй ворота, братец Семен Семеныч! Он родителю покойному на меня наговаривал, я знаю. А что я действительно чрез Настасью Филипповну тогда родителя раздражил, так это правда. Тут уж я один. Попутал грех.

— Чрез Настасью Филипповну? — подобострастно промолвил чиновник, как бы что-то соображая.

— Да ведь не знаешь! — крикнул на него в нетерпении Рогожин.

— Ан и знаю! — победоносно отвечал чиновник.

— Эвона! Да мало ль Настасий Филипповн! И какая ты наглая, я тебе скажу, тварь! Ну, вот так и знал, что какая-нибудь вот этакая тварь так тотчас же и повиснет! — продолжал он князю.

— Ан, может, и знаю-с! — тормошился чиновник. — Лебедев знает! Вы, ваша светлость, меня укорять изволите, а что, коли я докажу? Ан та самая Настасья Филипповна и есть, чрез которую ваш родитель вам внушить пожелал калиновым посохом, а Настасья Филипповна есть Барашкова, так сказать, даже знатная барыня, и тоже в своем роде княжна, а знается с некоим Тоцким, с Афанасием Ивановичем, с одним исключительно, помещиком и раскапиталистом, членом компаний и обществ, и большую дружбу на этот счет с генералом Епанчиным ведущие...

— Эге, да ты вот что! — действительно удивился наконец Рогожин. — Тьфу, черт, да ведь он и впрямь знает.

— Всё знает! Лебедев всё знает! Я, ваша светлость, и с Лихачевым Алексашкой два месяца ездил, и тоже после смерти родителя, и все, то есть все углы и проулки знаю, и без Лебедева, дошло до того, что ни шагу. Ныне он в долговом отделении присутствует, а тогда и Арманс, и Коралию, и княгиню Пацкую, и Настасью Филипповну имел случай узнать, да и много чего имел случай узнать.

— Настасью Филипповну? А разве она с Лихачевым... — злобно посмотрел на него Рогожин, даже губы его побледнели и задрожали.

— Н-ничего! Н-н-ничего! Как есть ничего! — спохватился и заторопился поскорее чиновник, — н-никакими то есть деньгами Лихачев доехать не мог! Нет, это не то, что Арманс. Тут один Тоцкий. Да вечером в Большом али во Французском театре в своей собственной ложе сидит. Офицеры там мало ли что промеж себя говорят, а и те ничего не могут доказать: «вот, дескать, это есть та самая Настасья Филипповна», да и только; а насчет дальнейшего — ничего! Потому что и нет ничего.

— Это вот всё так и есть, — мрачно и насупившись подтвердил Рогожин, — тоже мне и Залёжев тогда говорил. Я тогда, князь, в третьегодняшней отцовской бекеше через Невский перебегал, а она из магазина выходит, в карету садится. Так меня тут и прожгло. Встречаю Залёжева, тот не мне чета, ходит как приказчик от парикмахера, и лорнет в глазу, а мы у родителя в смазных сапогах да на постных щах отличались. Это, говорит, не тебе чета, это, говорит, княгиня, а зовут ее Настасьей Филипповной, фамилией Барашкова, и живет с Тоцким, а Тоцкий от нее как отвязаться теперь не знает, потому совсем то есть лет достиг настоящих, пятидесяти пяти, и жениться на первейшей раскрасавице во всем Петербурге хочет. Тут он мне и внушил, что сегодня же можешь Настасью Филипповну в Большом театре видеть, в балете, в ложе своей, в бенуаре, будет сидеть. У нас, у родителя, попробуй-ка в балет сходить, — одна расправа, убьет! Я, однако же, на час втихомолку сбегал и Настасью Филипповну опять видел; всю ту ночь не спал. Наутро покойник дает мне два пятипроцентные билета, по пяти тысяч каждый, сходи, дескать, да продай, да семь тысяч пятьсот к Андреевым на контору снеси, уплати, а остальную сдачу с десяти тысяч, не заходя никуда, мне представь; буду тебя дожидаться. Билеты-то я продал, деньги взял, а к Андреевым в контору не заходил, а пошел, никуда не глядя, в английский магазин да на всё пару подвесок и выбрал, по одному бриллиантику в каждой, эдак почти как по ореху будут, четыреста рублей должен остался, имя сказал, поверили. С подвесками я к Залёжеву: так и так, идем, брат, к Настасье Филипповне. Отправились. Что у меня тогда под ногами, что предо мною, что по бокам — ничего я этого не знаю и не помню. Прямо к ней в залу вошли, сама вышла к нам. Я, то есть, тогда не сказался, что это я самый и есть; а «от Парфена, дескать, Рогожина, — говорит Залёжев, — вам в память встречи вчерашнего дня; соблаговолите принять». Раскрыла, взглянула, усмехнулась: «Благодарите, говорит, вашего друга господина Рогожина за его любезное внимание», — откланялась и ушла. Ну, вот зачем я тут не помер тогда же! Да если и пошел, так потому, что думал: «Всё равно, живой не вернусь!» А обиднее всего мне то показалось, что этот бестия Залёжев всё на себя присвоил. Я и ростом мал, и одет как холуй, и стою молчу, на нее глаза пялю, потому стыдно, а он по всей моде, в помаде и завитой, румяный, галстух клетчатый, — так и рассыпается, так и расшаркивается, и уж наверно она его тут вместо меня приняла! «Ну, говорю, как мы вышли, ты у меня теперь тут не смей и подумать, понимаешь!» Смеется: «А вот как-то ты теперь Семену Парфенычу отчет отдавать будешь?» Я, правда, хотел было тогда же в воду, домой не заходя, да думаю: «Ведь уж всё равно», и как окаянный воротился домой.

— Эх! Ух! — кривился чиновник, и даже дрожь его пробирала, — а ведь покойник не то что за десять тысяч, а за десять целковых на тот свет сживывал, — кивнул он князю. Князь с любопытством рассматривал Рогожина; казалось, тот был еще бледнее в эту минуту.

— «Сживывал»! — переговорил Рогожин, — ты что знаешь? Тотчас, — продолжал он князю, — про всё узнал, да и Залёжев каждому встречному пошел болтать. Взял меня родитель, и наверху запер, и целый час поучал. «Это я только, говорит, предуготовляю тебя, а вот я с тобой еще на ночь попрощаться зайду». Что ж ты думаешь? Поехал седой к Настасье Филипповне, земно ей кланялся, умолял и плакал; вынесла она ему наконец коробку, шваркнула: «Вот, говорит, тебе, старая борода, твои серьги, и они мне теперь в десять раз дороже ценой, коли из-под такой грозы их Парфен добывал. Кланяйся, говорит, и благодари Парфена Семеныча». Ну, а я этой порой, по матушкину благословению, у Сережки Протушина двадцать рублей достал да во Псков по машине и отправился, да приехал-то в лихорадке; меня там святцами зачитывать старухи принялись, а я пьян сижу, да пошел потом по кабакам на последние, да в бесчувствии всю ночь на улице и провалялся, ан к утру горячка, а тем временем за ночь еще собаки обгрызли. Насилу очнулся.

— Ну-с, ну-с, теперь запоет у нас Настатья Филипповна! — потирая руки, хихикал чиновник, — теперь, сударь, что подвески! Теперь мы такие подвески вознаградим...

— А то, что если ты хоть раз про Настасью Филипповну какое слово молвишь, то, вот тебе Бог, тебя высеку, даром что ты с Лихачевым ездил! — вскрикнул Рогожин, крепко схватив его за руку.

— А коли высечешь, значит, и не отвергнешь! Секи! Высек, и тем самым запечатлел... А вот и приехали!

Действительно, въезжали в вокзал. Хотя Рогожин и говорил, что он уехал тихонько, но его уже поджидали несколько человек. Они кричали и махали ему шапками.

— Ишь, и Залёжев тут! — пробормотал Рогожин, смотря на них с торжествующею и даже как бы злобною улыбкой, и вдруг оборотился к князю. — Князь, неизвестно мне, за что я тебя полюбил. Может, оттого, что в этакую минуту встретил, да вот ведь и его встретил (он указал на Лебедева), а ведь не полюбил же его. Приходи ко мне, князь. Мы эти штиблетишки-то с тебя поснимаем, одену тебя в кунью шубу в первейшую; фрак тебе сошью первейший, жилетку белую, али какую хошь, денег полны карманы набью, и... поедем к Настасье Филипповне! Придешь али нет?

— Внимайте, князь Лев Николаевич! — внушительно и торжественно подхватил Лебедев. — Ой, не упускайте! Ой, не упускайте!..

Князь Мышкин привстал, вежливо протянул Рогожину руку и любезно сказал ему:

— С величайшим удовольствием приду и очень вас благодарю за то, что вы меня полюбили. Даже, может быть, сегодня же приду, если успею. Потому, я вам скажу откровенно, вы мне сами очень понравились, и особенно, когда про подвески бриллиантовые рассказывали. Даже и прежде подвесок понравились, хотя у вас и сумрачное лицо. Благодарю вас тоже за обещанные мне платья и за шубу, потому мне действительно платье и шуба скоро понадобятся. Денег же у меня в настоящую минуту почти ни копейки нет.

— Деньги будут, к вечеру будут, приходи!

— Будут, будут, — подхватил чиновник, — к вечеру до зари еще будут!

— А до женского пола вы, князь, охотник большой? Сказывайте раньше!

— Я, н-н-нет! Я ведь... Вы, может быть, не знаете, я ведь, по прирожденной болезни моей, даже совсем женщин не знаю.

— Ну коли так, — воскликнул Рогожин, — совсем ты, князь, выходишь юродивый, и таких, как ты, Бог любит!

— И таких Господь Бог любит, — подхватил чиновник.

— А ты ступай за мной, строка, — сказал Рогожин Лебедеву, и все вышли из вагона.

Лебедев кончил тем, что достиг своего. Скоро шумная ватага удалилась по направлению к Вознесенскому проспекту. Князю надо было повернуть к Литейной. Было сыро и мокро; князь расспросил прохожих, — до конца предстоявшего ему пути выходило версты три, и он решился взять извозчика.

II

Генерал Епанчин жил в собственном своем доме, несколько в стороне от Литейной, к Спасу Преображения. Кроме этого (превосходного) дома, пять шестых которого отдавались внаем, генерал Епанчин имел еще огромный дом на Садовой, приносивший тоже чрезвычайный доход. Кроме этих двух домов, у него было под самым Петербургом весьма выгодное и значительное поместье; была еще в Петербургском уезде какая-то фабрика. В старину генерал Епанчин, как всем известно было, участвовал в откупах. Ныне он участвовал и имел весьма значительный голос в некоторых солидных акционерных компаниях. Слыл он человеком с большими деньгами, с большими занятиями и с большими связями. В иных местах он сумел сделаться совершенно необходимым, между прочим и на своей службе. А между тем известно тоже было, что Иван Федорович Епанчин — человек без образования и происходит из солдатских детей; последнее, без сомнения, только к чести его могло относиться, но генерал, хоть и умный был человек, был тоже не без маленьких, весьма простительных, слабостей и не любил иных намеков. Но умный и ловкий человек он был бесспорно. Он, например, имел систему не выставляться, где надо — стушевываться, и его многие ценили именно за его простоту, именно за то, что он знал всегда свое место.

А между тем, если бы только ведали эти судьи, что происходило иногда на душе у Ивана Федоровича, так хорошо знавшего свое место! Хоть и действительно он имел и практику, и опыт в житейских делах, и некоторые, очень замечательные способности, но он любил выставлять себя более исполнителем чужой идеи, чем с своим царем в голове, человеком «без лести преданным», и — куда нейдет век? — даже русским и сердечным. В последнем отношении с ним приключилось даже несколько забавных анекдотов; но генерал никогда не унывал, даже и при самых забавных анекдотах; к тому же и везло ему, даже в картах, а он играл по чрезвычайно большой и даже с намерением не только не хотел скрывать эту свою маленькую будто бы слабость к картишкам, так существенно и во многих случаях ему пригождавшуюся, но и выставлял ее. Общества он был смешанного, разумеется во всяком случае «тузового». Но всё было впереди, время терпело, время всё терпело, и всё должно было прийти со временем и своим чередом. Да и летами генерал Епанчин был еще, как говорится, в самом соку, то есть пятидесяти шести лет и никак не более, что во всяком случае составляет возраст цветущий, возраст, с которого, по-настоящему, начинается *истинная* жизнь. Здоровье, цвет лица, крепкие, хотя и черные, зубы, коренастое, плотное сложение, озабоченное выражение физиономии поутру на службе, веселое ввечеру за картами или у его сиятельства — всё способствовало настоящим и грядущим успехам и устилало жизнь его превосходительства розами.

Генерал обладал цветущим семейством. Правда, тут уже не всё были розы, но было зато и много такого, на чем давно уже начали серьезно и сердечно сосредоточиваться главнейшие надежды и цели его превосходительства. Да и что, какая цель в жизни важнее и святее целей родительских? К чему прикрепиться, как не к семейству? Семейство генерала состояло из супруги и трех взрослых дочерей. Женился генерал еще очень давно, еще будучи в чине поручика, на девице почти одного с ним возраста, не обладавшей ни красотой, ни образованием, за которою он взял всего только пятьдесят душ, — правда, и послуживших к основанию его дальнейшей фортуны. Но генерал никогда не роптал впоследствии на свой ранний брак, никогда не третировал его как увлечение нерасчетливой юности и супругу свою до того уважал и до того иногда боялся ее, что даже любил. Генеральша была из княжеского рода Мышкиных, рода хотя и не блестящего, но весьма древнего, и за свое происхождение весьма уважала себя. Некто из тогдашних влиятельных лиц, один из тех покровителей, которым покровительство, впрочем, ничего не стоит, согласился заинтересоваться браком молодой княжны. Он отворил калитку молодому офицеру и толкнул его в ход; а тому даже и не толчка, а только разве одного взгляда надо было — не пропал бы даром! За немногими исключениями, супруги прожили всё время своего долгого юбилея согласно. Еще в очень молодых летах своих генеральша умела найти себе, как урожденная княжна и последняя в роде, а может быть, и по личным качествам, некоторых очень высоких покровительниц. Впоследствии, при богатстве и служебном значении своего супруга, она начала в этом высшем кругу даже несколько и осваиваться.

В эти последние годы подросли и созрели все три генеральские дочери — Александра, Аделаида и Аглая. Правда, все три были только Епанчины, но по матери роду княжеского, с приданым не малым, с родителем, претендующим впоследствии, может быть, и на очень высокое место, и, что тоже довольно важно, — все три были замечательно хороши собой, не исключая и старшей, Александры, которой уже минуло двадцать пять лет. Средней было двадцать три года, а младшей, Аглае, только что исполнилось двадцать. Эта младшая была даже совсем красавица и начинала в свете обращать на себя большое внимание. Но и это было еще не всё: все три отличались образованием, умом и талантами. Известно было, что они замечательно любили друг друга и одна другую поддерживали. Упоминалось даже о каких-то будто бы пожертвованиях двух старших в пользу общего домашнего идола — младшей. В обществе они не только не любили выставляться, но даже были слишком скромны. Никто не мог их упрекнуть в высокомерии и заносчивости, а между тем знали, что они горды и цену себе понимают. Старшая была музыкантша, средняя была замечательный живописец; но об этом почти никто не знал многие годы, и обнаружилось это только в самое последнее время, да и то нечаянно. Одним словом, про них говорилось чрезвычайно много похвального. Но были и недоброжелатели. С ужасом говорилось о том, сколько книг они прочитали. Замуж они не торопились; известным кругом общества хотя и дорожили, но всё же не очень. Это тем более было замечательно, что все знали направление, характер, цели и желания их родителя.

Было уже около одиннадцати часов, когда князь позвонил в квартиру генерала. Генерал жил во втором этаже и занимал помещение по возможности скромное, хотя и пропорциональное своему значению. Князю отворил ливрейный слуга, и ему долго нужно было объясняться с этим человеком, с самого начала посмотревшим на него и на его узелок подозрительно. Наконец на неоднократное и точное заявление, что он действительно князь Мышкин и что ему непременно надо видеть генерала по делу необходимому, недоумевающий человек препроводил его рядом, в маленькую переднюю, перед самою приемной, у кабинета, и сдал его с рук на руки другому человеку, дежурившему по утрам в этой передней и докладывавшему генералу о посетителях. Этот другой человек был во фраке, имел за сорок лет и озабоченную физиономию и был специальный кабинетный прислужник и докладчик его превосходительства, вследствие чего и знал себе цену.

— Подождите в приемной, а узелок здесь оставьте, — проговорил он, неторопливо и важно усаживаясь в свое кресло и с строгим удивлением посматривая на князя, расположившегося тут же рядом подле него на стуле, с своим узелком в руках.

— Если позволите, — сказал князь, — я бы подождал лучше здесь с вами, а там что ж мне одному?

— В передней вам не стать, потому вы посетитель, иначе гость. Вам к самому генералу?

Лакей, видимо, не мог примириться с мыслью впустить такого посетителя и еще раз решился спросить его.

— Да, у меня дело... — начал было князь.

— Я вас не спрашиваю, какое именно дело, — мое дело только об вас доложить. А без секретаря, я сказал, докладывать о вас не пойду.

Подозрительность этого человека, казалось, всё более и более увеличивалась; слишком уж князь не подходил под разряд вседневных посетителей, и хотя генералу довольно часто, чуть не ежедневно, в известный час, приходилось принимать, особенно по *делам*, иногда даже очень разнообразных гостей, но, несмотря на привычку и инструкцию, довольно широкую, камердинер был в большом сомнении; посредничество секретаря для доклада было необходимо.

— Да вы точно... из-за границы? — как-то невольно спросил он наконец — и сбился; он хотел, может быть, спросить: «Да вы точно князь Мышкин?»

— Да, сейчас только из вагона. Мне кажется, вы хотели спросить: точно ли я князь Мышкин? да и не спросили из вежливости.

— Гм... — промычал удивленный лакей.

— Уверяю вас, что я не солгал вам, и вы отвечать за меня не будете. А что я в таком виде и с узелком, то тут удивляться нечего; в настоящее время мои обстоятельства неказисты.

— Гм! Я опасаюсь не того, видите ли. Доложить я обязан, и к вам выйдет секретарь, окромя если вы... Вот то-то вот и есть, что окромя. Вы не по бедности просить к генералу, осмелюсь, если можно, узнать?

— О нет, в этом будьте совершенно удостоверены. У меня другое дело.

— Вы меня извините, а я на вас глядя спросил. Подождите секретаря; сам теперь занят с полковником, а затем придет и секретарь... компанейский.

— Стало быть, если долго ждать, то я бы вас попросил: нельзя ли здесь где-нибудь покурить? У меня трубка и табак с собой.

— По-ку-рить? — с презрительным недоумением вскинул на него глаза камердинер, как бы всё еще не веря ушам, — покурить? Нет, здесь вам нельзя покурить, а к тому же вам стыдно и в мыслях это содержать. Хе... чудно-с!

— О, я ведь не в этой комнате просил; я ведь знаю; а я бы вышел куда-нибудь, где бы вы указали, потому я привык, а вот уж часа три не курил. Впрочем, как вам угодно, и, знаете, есть пословица: в чужой монастырь...

— Ну как я об вас об таком доложу? — пробормотал почти невольно камердинер. — Первое то, что вам здесь и находиться не следует, а в приемной сидеть, потому вы сами на линии посетителя, иначе гость, и с меня спросится... Да вы что же, у нас жить, что ли, намерены? — прибавил он, еще раз накосившись на узелок князя, очевидно не дававший ему покоя.

— Нет, не думаю. Даже если б и пригласили, так не останусь. Я просто познакомиться только приехал, и больше ничего.

— Как? Познакомиться? — с удивлением и с утроенною подозрительностью спросил камердинер, — как же вы сказали сперва, что по делу?

— О, почти не по делу! То есть, если хотите, и есть одно дело, так только совета спросить, но я, главное, чтоб отрекомендоваться, потому я князь Мышкин, а генеральша Епанчина тоже последняя из княжон Мышкиных, и, кроме меня с нею, Мышкиных больше и нет.

— Так вы еще и родственник? — встрепенулся уже почти совсем испуганный лакей.

— И это почти что нет. Впрочем, если натягивать, конечно, родственники, но до того отдаленные, что по-настоящему и считаться даже нельзя. Я раз обращался к генеральше из-за границы с письмом, но она мне не ответила. Я все-таки почел нужным завязать сношения по возвращении. Вам же всё это теперь объясняю, чтобы вы не сомневались, потому вижу, вы всё еще беспокоитесь: доложите, что князь Мышкин, и уж в самом докладе причина моего посещения видна будет. Примут — хорошо, не примут — тоже, может быть, очень хорошо. Только не могут, кажется, не принять: генеральша уж конечно захочет видеть старшего и единственного представителя своего рода, а она породу свою очень ценит, как я об ней в точности слышал.

Казалось бы, разговор князя был самый простой; но чем он был проще, тем и становился в настоящем случае нелепее, и опытный камердинер не мог не почувствовать что-то, что совершенно прилично человеку с человеком и совершенно неприлично гостю с *человеком*. А так как *люди* гораздо умнее, чем обыкновенно думают про них их господа, то и камердинеру зашло в голову, что тут два дела: или князь так, какой-нибудь потаскун и непременно пришел на бедность просить, или князь просто дурачок и амбиции не имеет, потому что умный князь и с амбицией не стал бы в передней сидеть и с лакеем про свои дела говорить, а стало быть, и в том и в другом случае не пришлось бы за него отвечать?

— А все-таки вам в приемную бы пожаловать, — заметил он по возможности настойчивее.

— Да вот сидел бы там, так вам бы всего и не объяснил, — весело засмеялся князь, — а, стало быть, вы всё еще беспокоились бы, глядя на мой плащ и узелок. А теперь вам, может, и секретаря ждать нечего, а пойти бы и доложить самим.

— Я посетителя такого, как вы, без секретаря доложить не могу, а к тому же и сами, особливо давеча, заказали их не тревожить ни для кого, пока там полковник, а Гаврила Ардалионыч без доклада идет.

— Чиновник-то?

— Гаврила-то Ардалионыч? Нет. Он в Компании от себя служит. Узелок-то постановьте хоть вон сюда.

— Я уж об этом думал; если позволите. И, знаете, сниму я и плащ?

— Конечно, не в плаще же входить к нему.

Князь встал, поспешно снял с себя плащ и остался в довольно приличном и ловко сшитом, хотя и поношенном уже пиджаке. По жилету шла стальная цепочка. На цепочке оказались женевские серебряные часы.

Хотя князь был и дурачок, — лакей уж это решил, — но все-таки генеральскому камердинеру показалось наконец неприличным продолжать долее разговор от себя с посетителем, несмотря на то, что князь ему почему-то нравился, в своем роде, конечно. Но, с другой точки зрения, он возбуждал в нем решительное и грубое негодование.

— А генеральша когда принимает? — спросил князь, усаживаясь опять на прежнее место.

— Это уж не мое дело-с. Принимают розно, судя по лицу. Модистку и в одиннадцать допустит. Гаврилу Ардалионыча тоже раньше других допускают, даже к раннему завтраку допускают.

— Здесь у вас в комнатах теплее, чем за границей зимой, — заметил князь, — а вот там зато на улицах теплее нашего, а в домах зимой — так русскому человеку и жить с непривычки нельзя.

— Не топят?

— Да, да и дома устроены иначе, то есть печи и окна.

— Гм! А долго вы изволили ездить?

— Да четыре года. Впрочем, я всё на одном почти месте сидел, в деревне.

— Отвыкли от нашего-то?

— И это правда. Верите ли, дивлюсь на себя, как говорить по-русски не забыл. Вот с вами говорю теперь, а сам думаю: «А ведь я хорошо говорю». Я, может, потому так много и говорю. Право, со вчерашнего дня всё говорить по-русски хочется.

— Гм! Хе! В Петербурге-то прежде живали? (Как ни крепился лакей, а невозможно было не поддержать такой учтивый и вежливый разговор.)

— В Петербурге? Совсем почти нет, так только проездом. И прежде ничего здесь не знал, а теперь столько, слышно, нового, что, говорят, кто и знал-то, так сызнова узнавать переучивается. Здесь про суды теперь много говорят.

— Гм!.. Суды. Суды-то оно правда, что суды. А что, как там, справедливее в суде или нет?

— Не знаю. Я про наши много хорошего слышал. Вот опять у нас смертной казни нет.

— А там казнят?

— Да. Я во Франции видел, в Лионе. Меня туда Шнейдер с собою брал.

— Вешают?

— Нет, во Франции всё головы рубят.

— Что же, кричит?

— Куды! В одно мгновение. Человека кладут, и падает этакий широкий нож, по машине, гильотиной называется, тяжело, сильно... Голова отскочит так, что и глазом не успеешь мигнуть. Приготовления тяжелы. Вот когда объявляют приговор, снаряжают, вяжут, на эшафот взводят, вот тут ужасно! Народ сбегается, даже женщины, хоть там и не любят, чтобы женщины глядели.

— Не их дело.

— Конечно! Конечно! Этакую муку!.. Преступник был человек умный, бесстрашный, сильный, в летах, Легро по фамилии. Ну вот, я вам говорю, верьте не верьте, на эшафот всходил — плакал, белый как бумага. Разве это возможно? Разве не ужас? Ну, кто же со страху плачет? Я и не думал, чтоб от страху можно было заплакать не ребенку, человеку, который никогда не плакал, человеку в сорок пять лет. Что же с душой в эту минуту делается, до каких судорог ее доводят? Надругательство над душой, больше ничего! Сказано: «Не убий», так за то, что он убил, и его убивать? Нет, это нельзя. Вот я уж месяц назад это видел, а до сих пор у меня как пред глазами. Раз пять снилось.

Князь даже одушевился, говоря, легкая краска проступила в его бледное лицо, хотя речь его по-прежнему была тихая. Камердинер с сочувствующим интересом следил за ним, так что оторваться, кажется, не хотелось; может быть, тоже был человек с воображением и попыткой на мысль.

— Хорошо еще вот, что муки немного, — заметил он, — когда голова отлетает.

— Знаете ли что? — горячо подхватил князь. — Вот вы это заметили, и это все точно так же замечают, как вы, и машина для того выдумана, гильотина. А мне тогда же пришла в голову одна мысль: а что, если это даже и хуже? Вам это смешно, вам это дико кажется, а при некотором воображении даже и такая мысль в голову вскочит. Подумайте: если, например, пытка; при этом страдания и раны, мука телесная, и, стало быть, всё это от душевного страдания отвлекает, так что одними только ранами и мучаешься, вплоть пока умрешь. А ведь главная, самая сильная боль, может, не в ранах, а вот что вот знаешь наверно, что вот через час, потом через десять минут, потом через полминуты, потом теперь, вот сейчас — душа из тела вылетит, и что человеком уж больше не будешь, и что это уж наверно; главное то, что *наверно*. Вот как голову кладешь под самый нож и слышишь, как он склизнет над головой, вот эти-то четверть секунды всего и страшнее. Знаете ли, что это не моя фантазия, а что так многие говорили? Я до того этому верю, что прямо вам скажу мое мнение. Убивать за убийство несоразмерно большее наказание, чем самое преступление. Убийство по приговору несоразмерно ужаснее, чем убийство разбойничье. Тот, кого убивают разбойники, режут ночью, в лесу или как-нибудь, непременно еще надеется, что спасется, до самого последнего мгновения. Примеры бывали, что уж горло перерезано, а он еще надеется, или бежит, или просит. А тут, всю эту последнюю надежду, с которою умирать в десять раз легче, отнимают *наверно*; тут приговор, и в том, что наверно не избегнешь, вся ужасная-то мука и сидит, и сильнее этой муки нет на свете. Приведите и поставьте солдата против самой пушки на сражении и стреляйте в него, он еще всё будет надеяться, но прочтите этому самому солдату приговор *наверно*, и он с ума сойдет или заплачет. Кто сказал, что человеческая природа в состоянии вынести это без сумасшествия? Зачем такое ругательство, безобразное, ненужное, напрасное? Может быть, и есть такой человек, которому прочли приговор, дали помучиться, а потом сказали: «Ступай, тебя прощают». Вот этакой человек, может быть, мог бы рассказать. Об этой муке и об этом ужасе и Христос говорил. Нет, с человеком так нельзя поступать!

Камердинер хотя и не мог бы так выразить всё это, как князь, но, конечно, хотя не всё, но главное понял, что видно было даже по умилившемуся лицу его.

— Если уж так вам желательно, — промолвил он, — покурить, то оно, пожалуй, и можно, коли только поскорее. Потому вдруг спросит, а вас и нет. Вот тут под лесенкой, видите, дверь. В дверь войдете, направо каморка: там можно, только форточку растворите, потому оно не порядок...

Но князь не успел сходить покурить. В переднюю вдруг вошел молодой человек с бумагами в руках. Камердинер стал снимать с него шубу. Молодой человек скосил глаза на князя.

— Это, Гаврила Ардалионыч, — начал конфиденциально и почти фамильярно камердинер, — докладываются, что князь Мышкин и барыни родственник, приехал с поездом из-за границы, и узелок в руке, только...

Дальнейшего князь не услышал, потому что камердинер начал шептать. Гаврила Ардалионович слушал внимательно и поглядывал на князя с большим любопытством, наконец перестал слушать и нетерпеливо приблизился к нему.

— Вы князь Мышкин? — спросил он чрезвычайно любезно и вежливо. Это был очень красивый молодой человек, тоже лет двадцати восьми, стройный блондин, средневысокого роста, с маленькою, наполеоновскою бородкой, с умным и очень красивым лицом. Только улыбка его, при всей ее любезности, была что-то уж слишком тонка; зубы выставлялись при этом что-то уж слишком жемчужно-ровно; взгляд, несмотря на всю веселость и видимое простодушие его, был что-то уж слишком пристален и испытующ.

«Он, должно быть, когда один, совсем не так смотрит и, может быть, никогда не смеется», — почувствовалось как-то князю.

Князь объяснил всё, что мог, наскоро, почти то же самое, что уже прежде объяснял камердинеру и еще прежде Рогожину. Гаврила Ардалионович меж тем как будто что-то припоминал.

— Не вы ли, — спросил он, — изволили с год назад, или даже ближе, прислать письмо, кажется, из Швейцарии, к Елизавете Прокофьевне?

— Точно так.

— Так вас здесь знают и наверно помнят. Вы к его превосходительству? Сейчас я доложу... Он сейчас будет свободен. Только вы бы... вам бы пожаловать пока в приемную... Зачем они здесь? — строго обратился он к камердинеру.

— Говорю, сами не захотели...

В это время вдруг отворилась дверь из кабинета, и какой-то военный, с портфелем в руке, громко говоря и откланиваясь, вышел оттуда.

— Ты здесь, Ганя? — крикнул голос из кабинета, — а пожалуй-ка сюда!

Гаврила Ардалионович кивнул головой князю и поспешно прошел в кабинет.

Минуты через две дверь отворилась снова, и послышался звонкий и приветливый голос Гаврилы Ардалионовича:

— Князь, пожалуйте!

III

Генерал, Иван Федорович Епанчин, стоял посреди своего кабинета и с чрезвычайным любопытством смотрел на входящего князя, даже шагнул к нему два шага. Князь подошел и отрекомендовался.

— Так-с, — отвечал генерал, — чем же могу служить?

— Дела неотлагательного я никакого не имею; цель моя была просто познакомиться с вами. Не желал бы беспокоить, так как я не знаю ни вашего дня, ни ваших распоряжений... Но я только что сам из вагона... приехал из Швейцарии...

Генерал чуть-чуть было усмехнулся, но подумал и приостановился; потом еще подумал, прищурился, оглядел еще раз своего гостя с ног до головы, затем быстро указал ему стул, сам сел несколько наискось и в нетерпеливом ожидании повернулся к князю. Ганя стоял в углу кабинета, у бюро, и разбирал бумаги.

— Для знакомства вообще я мало времени имею, — сказал генерал, — но так как вы, конечно, имеете свою цель, то...

— Я так и предчувствовал, — перебил князь, — что вы непременно увидите в посещении моем какую-нибудь особенную цель. Но, ей-богу, кроме удовольствия познакомиться, у меня нет никакой частной цели.

— Удовольствие, конечно, и для меня чрезвычайное, но не всё же забавы, иногда, знаете, случаются и дела... Притом же я никак не могу до сих пор разглядеть между нами общего... так сказать, причины...

— Причины нет, бесспорно, и общего, конечно, мало. Потому что, если я князь Мышкин и ваша супруга из нашего рода, то это, разумеется, не причина. Я это очень понимаю. Но, однако ж, весь-то мой повод в этом только и заключается. Я года четыре в России не был, с лишком; да и что я выехал: почти не в своем уме! И тогда ничего не знал, а теперь еще пуще. В людях хороших нуждаюсь; даже вот и дело одно имею и не знаю, куда сунуться. Еще в Берлине подумал: «Это почти родственники, начну с них; может быть, мы друг другу и пригодимся, они мне, я им, — если они люди хорошие». А я слышал, что вы люди хорошие.

— Очень благодарен-с, — удивлялся генерал, — позвольте узнать, где остановились?

— Я еще нигде не остановился.

— Значит, прямо из вагона ко мне? И... с поклажей?

— Да со мной поклажи всего один маленький узелок с бельем, и больше ничего; я его в руке обыкновенно несу. Я номер успею и вечером занять.

— Так вы всё еще имеете намерение номер занять?

— О да, конечно.

— Судя по вашим словам, я было подумал, что вы уж так прямо ко мне.

— Это могло быть, но не иначе как по вашему приглашению. Я же, признаюсь, не остался бы и по приглашению, не почему-либо, а так... по характеру.

— Ну, стало быть, и кстати, что я вас не пригласил и не приглашаю. Позвольте еще, князь, чтоб уж разом всё разъяснить: так как вот мы сейчас договорились, что насчет родственности между нами и слова не может быть, — хотя мне, разумеется, весьма было бы лестно, — то, стало быть...

— То, стало быть, вставать и уходить? — приподнялся князь, как-то даже весело рассмеявшись, несмотря на всю видимую затруднительность своих обстоятельств. — И вот, ей-богу же, генерал, хоть я ровно ничего не знаю практически ни в здешних обычаях, ни вообще как здесь люди живут, но так я и думал, что у нас непременно именно это и выйдет, как теперь вышло. Что ж, может быть, оно так и надо... Да и тогда мне тоже на письмо не ответили... Ну, прощайте и извините, что обеспокоил.

Взгляд князя был до того ласков в эту минуту, а улыбка его до того без всякого оттенка хотя бы какого-нибудь затаенного неприязненного ощущения, что генерал вдруг остановился и как-то вдруг другим образом посмотрел на своего гостя; вся перемена взгляда совершилась в одно мгновение.

— А знаете, князь, — сказал он совсем почти другим голосом, — ведь я вас все-таки не знаю, да и Елизавета Прокофьевна, может быть, захочет посмотреть на однофамильца... Подождите, если хотите, коли у вас время терпит.

— О, у меня время терпит; у меня время совершенно мое (и князь тотчас же поставил свою мягкую, круглополую шляпу на стол). Я, признаюсь, так и рассчитывал, что, может быть, Елизавета Прокофьевна вспомнит, что я ей писал. Давеча ваш слуга, когда я у вас там дожидался, подозревал, что я на бедность пришел к вам просить; я это заметил, а у вас, должно быть, на этот счет строгие инструкции; но я, право, не за этим, а, право, для того только, чтобы с людьми сойтись. Вот только думаю немного, что я вам помешал, и это меня беспокоит.

— Вот что, князь, — сказал генерал с веселою улыбкой, — если вы в самом деле такой, каким кажетесь, то с вами, пожалуй, и приятно будет познакомиться; только видите, я человек занятой, и вот тотчас же опять сяду кой-что просмотреть и подписать, а потом отправлюсь к его сиятельству, а потом на службу, так и выходит, что я хоть и рад людям... хорошим то есть... но... Впрочем, я так убежден, что вы превосходно воспитаны, что... А сколько вам лет, князь?

— Двадцать шесть.

— Ух! А я думал, гораздо меньше.

— Да, говорят, у меня лицо моложавое. А не мешать вам я научусь и скоро пойму, потому что сам очень не люблю мешать... И, наконец, мне кажется, мы такие розные люди на вид... по многим обстоятельствам, что у нас, пожалуй, и не может быть много точек общих, но, знаете, я в эту последнюю идею сам не верю, потому очень часто только так кажется, что нет точек общих, а они очень есть... это от лености людской происходит, что люди так промеж собой на глаз сортируются и ничего не могут найти... А впрочем, я, может быть, скучно начал? Вы, как будто...

— Два слова-с: имеете вы хотя бы некоторое состояние? Или, может быть, какие-нибудь занятия намерены предпринять? Извините, что я так...

— Помилуйте, я ваш вопрос очень ценю и понимаю. Никакого состояния покамест я не имею и никаких занятий тоже покамест, а надо бы-с. А деньги теперь у меня были чужие, мне дал Шнейдер, мой профессор, у которого я лечился и учился в Швейцарии, на дорогу дал, и дал ровно вплоть, так что теперь, например, у меня всего денег несколько копеек осталось. Дело у меня, правда, есть одно, и я нуждаюсь в совете, но...

— Скажите, чем же вы намереваетесь покамест прожить и какие были ваши намерения? — перебил генерал.

— Трудиться как-нибудь хотел.

— О, да вы философ; а впрочем... знаете за собой таланты, способности, хотя бы некоторые, то есть из тех, которые насущный хлеб дают? Извините опять...

— О, не извиняйтесь. Нет-с, я думаю, что не имею ни талантов, ни особых способностей; даже напротив, потому что я больной человек и правильно не учился. Что же касается до хлеба, то мне кажется...

Генерал опять перебил и опять стал расспрашивать. Князь снова рассказал всё, что было уже рассказано. Оказалось, что генерал слышал о покойном Павлищеве и даже знавал лично. Почему Павлищев интересовался его воспитанием, князь и сам не мог объяснить, — впрочем, просто, может быть, по старой дружбе с покойным отцом его. Остался князь после родителей еще малым ребенком, всю жизнь проживал и рос по деревням, так как и здоровье его требовало сельского воздуха. Павлищев доверил его каким-то старым помещицам, своим родственницам, для него нанималась сначала гувернантка, потом гувернер; он объявил, впрочем, что хотя и всё помнит, но мало может удовлетворительно объяснить, потому что во многом не давал себе отчета. Частые припадки его болезни сделали из него совсем почти идиота (князь так и сказал: «идиота»). Он рассказал, наконец, что Павлищев встретился однажды в Берлине с профессором Шнейдером, швейцарцем, который занимается именно этими болезнями, имеет заведение в Швейцарии, в кантоне Валлийском, лечит по своей методе холодною водой, гимнастикой, лечит и от идиотизма и от сумасшествия, при этом обучает и берется вообще за духовное развитие; что Павлищев отправил его к нему в Швейцарию лет назад около пяти, а сам два года тому назад умер, внезапно, не сделав распоряжений; что Шнейдер держал и долечивал его еще года два; что он его не вылечил, но очень много помог и что, наконец, по его собственному желанию и по одному встретившемуся обстоятельству, отправил его теперь в Россию.

Генерал очень удивился.

— И у вас в России никого, решительно никого? — спросил он.

— Теперь никого, но я надеюсь... притом я получил письмо...

— По крайней мере, — перебил генерал, не расслышав о письме, — вы чему-нибудь обучались, и ваша болезнь не помешает вам занять какое-нибудь, например, нетрудное место, в какой-нибудь службе?

— О, наверно не помешает. И насчет места я бы очень даже желал, потому что самому хочется посмотреть, к чему я способен. Учился же я все четыре года постоянно, хотя и не совсем правильно, а так, по особой его системе, и при этом очень много русских книг удалось прочесть.

— Русских книг? Стало быть, грамоту знаете и писать без ошибок можете?

— О, очень могу.

— Прекрасно-с; а почерк?

— А почерк превосходный. Вот в этом у меня, пожалуй, и талант; в этом я просто каллиграф. Дайте мне, я вам сейчас напишу что-нибудь для пробы, — с жаром сказал князь.

— Сделайте одолжение. И это даже надо... И люблю я эту вашу готовность, князь, вы очень, право, милы.

— У вас же такие славные письменные принадлежности, и сколько у вас карандашей, сколько перьев, какая плотная, славная бумага... И какой славный у

вас кабинет! Вот этот пейзаж я знаю, это вид швейцарский. Я уверен, что живописец с натуры писал, и я уверен, что это место я видел: это в кантоне Ури...

— Очень может быть, хотя это и здесь куплено. Ганя, дайте князю бумагу;
вот перья и бумага, вот на этот столик пожалуйте. Что это? — обратился генерал
к Гане, который тем временем вынул из своего портфеля и подал ему фотогра-
фический портрет большого формата, — ба! Настасья Филипповна! Это сама,
сама тебе прислала, сама? — оживленно и с большим любопытством спрашивал
он Ганю.

— Сейчас, когда я был с поздравлением, дала. Я давно уже просил. Не знаю,
уж не намек ли это с ее стороны, что я сам приехал с пустыми руками, без подарка, в такой день, — прибавил Ганя, неприятно улыбаясь.

— Ну нет, — с убеждением перебил генерал, — и какой, право, у тебя склад
мыслей! Станет она намекать... да и не интересанка совсем. И притом, чем ты
станешь дарить: ведь тут надо тысячи! Разве портретом? А что, кстати, не просила еще она у тебя портрета?

— Нет, еще не просила; да, может быть, и никогда не попросит. Вы, Иван
Федорович, помните, конечно, про сегодняшний вечер? Вы ведь из нарочито
приглашенных.

— Помню, помню, конечно, и буду. Еще бы, день рождения, двадцать пять
лет! Гм!.. А знаешь, Ганя, я уж, так и быть, тебе открою, приготовься. Афанасию
Ивановичу и мне она обещала, что сегодня у себя вечером скажет последнее
слово: быть или не быть! Так смотри же, знай.

Ганя вдруг смутился, до того, что даже побледнел немного.

— Она это наверно сказала? — спросил он, и голос его как бы дрогнул.

— Третьего дня слово дала. Мы так приставали оба, что вынудили. Только
тебе просила до времени не передавать.

Генерал пристально рассматривал Ганю; смущение Гани ему, видимо, не
нравилось.

— Вспомните, Иван Федорович, — сказал тревожливо и колеблясь Ганя, —
что ведь она дала мне полную свободу решенья до тех самых пор, пока не решит
сама дела, да и тогда всё еще мое слово за мной...

— Так разве ты... так разве ты... — испугался вдруг генерал.

— Я ничего.

— Помилуй, что же ты с нами-то хочешь делать?

— Я ведь не отказываюсь. Я, может быть, не так выразился...

— Еще бы ты-то отказывался! — с досадой проговорил генерал, не желая
даже и сдерживать досады. — Тут, брат, дело уж не в том, что ты *не* отказываешь-
ся, а дело в твоей готовности, в удовольствии, в радости, с которою примешь ее
слова... Что у тебя дома делается?

— Да что дома? Дома всё состоит в моей воле, только отец по обыкновению
дурачится, но ведь это совершенный безобразник сделался; я с ним уж и не говорю, но, однако ж, в тисках держу, и, право, если бы не мать, так указал бы
дверь. Мать всё, конечно, плачет; сестра злится, а я им прямо сказал наконец,
что я господин своей судьбы, и в доме, желаю, чтобы меня... слушались. Сестре
по крайней мере всё это отчеканил, при матери.

— А я, брат, продолжаю не постигать, — задумчиво заметил генерал, несколько вскинув плечами и немного расставив руки. — Нина Александровна тоже
намедни, вот когда приходила-то, помнишь? стонет и охает. «Чего вы?» — спрашиваю. Выходит, что им будто бы тут *бесчестье*. Какое же тут бесчестье, позво-

льте спросить? Кто в чем может Настасью Филипповну укорить или что-нибудь про нее указать? Неужели то, что она с Тоцким была? Но ведь это такой уже вздор, при известных обстоятельствах особенно! «Вы, говорит, не пустите ее к вашим дочерям?» Ну! Эвона! Ай да Нина Александровна! То есть как это не понимать, как это не понимать...

— Своего положения? — подсказал Ганя затруднившемуся генералу. — Она понимает; вы на нее не сердитесь. Я, впрочем, тогда же намылил голову, чтобы в чужие дела не совались. И, однако, до сих пор всё тем только у нас в доме и держится, что последнего слова еще не сказано, а гроза грянет. Если сегодня скажется последнее слово, стало быть, и всё скажется.

Князь слышал весь этот разговор, сидя в уголке за своею каллиграфскою пробой. Он кончил, подошел к столу и подал свой листок.

— Так это Настасья Филипповна? — промолвил он, внимательно и любопытно поглядев на портрет. — Удивительно хороша! — прибавил он тотчас же с жаром. На портрете была изображена действительно необыкновенной красоты женщина. Она была сфотографирована в черном шелковом платье, чрезвычайно простого и изящного фасона; волосы, по-видимому, темно-русые, были убраны просто, по-домашнему; глаза темные, глубокие, лоб задумчивый; выражение лица страстное и как бы высокомерное. Она была несколько худа лицом, может быть, и бледна... Ганя и генерал с изумлением посмотрели на князя...

— Как, Настасья Филипповна! Разве вы уж знаете и Настасью Филипповну? — спросил генерал.

— Да; всего только сутки в России, а уж такую раскрасавицу знаю, — ответил князь и тут же рассказал про свою встречу с Рогожиным и передал весь рассказ его.

— Вот еще новости! — опять затревожился генерал, чрезвычайно внимательно выслушавший рассказ, и пытливо поглядел на Ганю.

— Вероятно, одно только безобразие, — пробормотал тоже несколько замешавшийся Ганя, — купеческий сынок гуляет. Я про него что-то уже слышал.

— Да и я, брат, слышал, — подхватил генерал. — Тогда же, после серег, Настасья Филипповна весь анекдот пересказывала. Да ведь дело-то теперь уже другое. Тут, может быть, действительно миллион сидит и... страсть, безобразная страсть, положим, но все-таки страстью пахнет, а ведь известно, на что эти господа способны во всем хмелю!.. Гм!.. Не вышло бы анекдота какого-нибудь! — заключил генерал задумчиво.

— Вы миллиона опасаетесь? — осклабился Ганя.

— А ты нет, конечно?

— Как вам показалось, князь, — обратился вдруг к нему Ганя, — что это, серьезный какой-нибудь человек или только так, безобразник? Собственно ваше мнение?

В Гане что-то происходило особенное, когда он задавал этот вопрос. Точно новая и особенная какая-то идея загорелась у него в мозгу и нетерпеливо засверкала в глазах его. Генерал же, который искренно и простосердечно беспокоился, тоже покосился на князя, но как бы не ожидая много от его ответа.

— Не знаю, как вам сказать, — ответил князь, — только мне показалось, что в нем много страсти, и даже какой-то больной страсти. Да он и сам еще совсем как будто больной. Очень может быть, что с первых же дней в Петербурге и опять сляжет, особенно если закутит.

— Так? Вам так показалось? — уцепился генерал за эту идею.

— Да, показалось.

— И, однако ж, этого рода анекдоты могут происходить и не в несколько дней, а еще до вечера, сегодня же, может, что-нибудь обернется, — усмехнулся генералу Ганя.

— Гм!.. Конечно... Пожалуй, а уж тогда всё дело в том, как у ней в голове мелькнет, — сказал генерал.

— А ведь вы знаете, какова она иногда?

— То есть какова же? — вскинулся опять генерал, достигший чрезвычайного расстройства. — Послушай, Ганя, ты, пожалуйста, сегодня ей много не противоречь и постарайся эдак, знаешь, быть... одним словом, быть по душе... Гм!.. Что ты так рот-то кривишь? Слушай, Гаврила Ардалионыч, кстати, очень даже кстати будет теперь сказать: из-за чего мы хлопочем? Понимаешь, что я относительно моей собственной выгоды, которая тут сидит, уже давно обеспечен; я так или иначе, а в свою пользу дело решу. Тоцкий решение свое принял непоколебимо, стало быть, и я совершенно уверен. И потому если я теперь желаю чего, так это единственно твоей пользы. Сам посуди; не доверяешь ты, что ли, мне? Притом же ты человек... человек... одним словом, человек умный, и я на тебя понадеялся... а это в настоящем случае... это... это...

— Это главное, — договорил Ганя, опять помогая затруднившемуся генералу и скорчив свои губы в ядовитейшую улыбку, которую уже не хотел скрывать. Он глядел своим воспаленным взглядом прямо в глаза генералу, как бы даже желая, чтобы тот прочел в его взгляде всю его мысль. Генерал побагровел и вспылил.

— Ну да, ум главное! — поддакнул он, резко смотря на Ганю. — И смешной же ты человек, Гаврила Ардалионыч! Ты ведь точно рад, я замечаю, этому купчику, как выходу для себя. Да тут именно чрез ум надо бы с самого начала дойти; тут именно надо понять и... и поступить с обеих сторон честно и прямо, не то... предуведомить заранее, чтобы не компрометировать других, тем паче что и времени к тому было довольно, и даже еще и теперь его остается довольно (генерал значительно поднял брови), несмотря на то, что остается всего только несколько часов... Ты понял? Понял? Хочешь ты или не хочешь, в самом деле? Если не хочешь, скажи, и — милости просим. Никто вас, Гаврила Ардалионыч, не удерживает, никто насильно в капкан не тащит, если вы только видите тут капкан.

— Я хочу, — вполголоса, но твердо промолвил Ганя, потупил глаза и мрачно замолк.

Генерал был удовлетворен. Генерал погорячился, но уж, видимо, раскаивался, что далеко зашел. Он вдруг оборотился к князю, и, казалось, по лицу его вдруг прошла беспокойная мысль, что ведь князь был тут и всё таки слышал. Но он мгновенно успокоился: при одном взгляде на князя можно было вполне успокоиться.

— Ого! — вскричал генерал, смотря на образчик каллиграфии, представленный князем, — да ведь это пропись! Да и пропись-то редкая! Посмотри-ка, Ганя, каков талант!

На толстом веленевом листе князь написал средневековым русским шрифтом фразу:

«Смиренный игумен Пафнутий руку приложил».

— Вот это, — разъяснял князь с чрезвычайным удовольствием и одушевлением, — это собственная подпись игумена Пафнутия, со снимка четырнадцатого столетия. Они превосходно подписывались, все эти наши старые игумены и митрополиты, и с каким иногда вкусом, с каким старанием! Неужели у вас нет хоть погодинского издания, генерал? Потом я вот тут написал другим шрифтом: это круглый крупный французский шрифт прошлого столетия, иные буквы даже иначе писались, шрифт площадной, шрифт публичных писцов, заимствованный с их образчиков (у меня был один), — согласитесь сами, что он не без достоинств. Взгляните на эти круглые *д, а*. Я перевел французский характер в русские буквы, что очень трудно, а вышло удачно. Вот и еще прекрасный и оригинальный шрифт, вот эта фраза: «Усердие всё превозмогает». Это шрифт русский, писарский или, если хотите, военно-писарский. Так пишется казенная бумага к важному лицу, тоже круглый шрифт, славный, *черный* шрифт, черно написано, но с замечательным вкусом. Каллиграф не допустил бы этих росчерков или, лучше сказать, этих попыток расчеркнуться, вот этих недоконченных полухвостиков, — замечаете, — а в целом, посмотрите, оно составляет ведь характер, и, право, вся тут военно-писарская душа проглянула: разгуляться бы и хотелось, и талант просится, да воротник военный туго на крючок стянут, дисциплина и в почерке вышла, прелесть! Это недавно меня один образчик такой поразил, случайно нашел, да еще где? в Швейцарии! Ну, вот это простой, обыкновенный и чистейший английский шрифт: дальше уж изящество не может идти, тут всё прелесть, бисер, жемчуг; это законченно; но вот и вариация, и опять французская, я ее у одного французского путешествующего комми заимствовал: тот же английский шрифт, но черная линия капельку почернее и потолще, чем в английском, ан — пропорция света и нарушена; и заметьте тоже: овал изменен, капельку круглее и вдобавок позволен росчерк, а росчерк это наиопаснейшая вещь! Росчерк требует необыкновенного вкуса; но если только он удался, если найдена пропорция, то эдакой шрифт ни с чем не сравним, так даже, что можно влюбиться в него.

— Ого! да в какие вы тонкости заходите, — смеялся генерал, — да вы, батюшка, не просто каллиграф, вы артист, а? Ганя?

— Удивительно, — сказал Ганя, — и даже с сознанием своего назначения, — прибавил он, смеясь насмешливо.

— Смейся, смейся, а ведь тут карьера, — сказал генерал. — Вы знаете, князь, к какому лицу мы теперь вам бумаги писать дадим? Да вам прямо можно тридцать пять рублей в месяц положить, с первого шагу. Однако уж половина первого, — заключил он, взглянув на часы, — к делу, князь, потому мне надо поспешить, а сегодня, может, мы с вами не встретимся! Присядьте-ка на минутку; я вам уже изъяснил, что принимать вас очень часто не в состоянии; но помочь вам капельку искренно желаю, капельку, разумеется, то есть в виде необходимейшего, а там как уж вам самим будет угодно. Местечко в канцелярии я вам приищу, не тугое, но потребует аккуратности. Теперь-с насчет дальнейшего: в доме, то есть в семействе Гаврилы Ардалионыча Иволгина, вот этого самого молодого моего друга, с которым прошу познакомиться, маменька его и сестрица очистили в своей квартире две-три меблированные комнаты и отдают их отлично рекомендованным жильцам, со столом и прислугою. Мою рекомендацию, я уверен, Нина Александровна примет. Для вас же, князь, это даже больше чем клад, во-первых, потому, что вы будете не один, а, так сказать, в недрах семейства, а по моему взгляду, вам нельзя с первого шагу очутиться одним в такой столице, как Петербург. Нина Александровна, маменька, и Варвара Ардалионовна, сестрица Гаврилы Ардалионыча, — дамы, которых я уважаю чрезмерно. Нина Александровна, супруга Ардалиона Александровича, отставленного генерала, моего бывшего товарища по первоначальной службе, но с которым я, по некоторым обстоятельствам, прекратил сношения, что, впрочем, не мешает мне в своем роде уважать его. Всё это я вам изъясняю, князь, с тем, чтобы вы поняли, что я вас, так сказать, лично рекомендую, следственно, за вас как бы тем ручаюсь. Плата самая умеренная, и я надеюсь, жалованье ваше вскорости будет совершенно к тому достаточно. Правда, человеку необходимы и карманные деньги, хоть бы некоторые, но вы не рассердитесь, князь, если я вам замечу, что вам лучше бы избегать карманных денег, да и вообще денег в кармане. Так по взгляду моему на вас говорю. Но так как теперь у вас кошелек совсем пуст, то для первоначалу позвольте вам предложить вот эти двадцать пять рублей. Мы, конечно, сочтемся, и если вы такой искренний и задушевный человек, каким кажетесь на словах, то затруднений и тут между нами выйти не может. Если же я вами так интересуюсь, то у меня на ваш счет есть даже некоторая цель; впоследствии вы ее узнаете. Видите, я с вами совершенно просто; надеюсь, Ганя, ты ничего не имеешь против помещения князя в вашей квартире?

— О, напротив! И мамаша будет очень рада... — вежливо и предупредительно подтвердил Ганя.

— У вас ведь, кажется, только еще одна комната и занята. Этот, как его, Ферд... Фер...

— Фердыщенко.

— Ну да; не нравится мне этот ваш Фердыщенко: сальный шут какой-то. И не понимаю, почему его так поощряет Настасья Филипповна? Да он взаправду, что ли, ей родственник?

— О нет, всё это шутка! И не пахнет родственником.

— Ну, черт с ним! Ну, так как же вы, князь, довольны или нет?

— Благодарю вас, генерал, вы поступили со мной как чрезвычайно добрый человек, тем более что я даже и не просил; я не из гордости это говорю; я и действительно не знал, куда голову приклонить. Меня, правда, давеча позвал Рогожин.

— Рогожин? Ну нет; я бы вам посоветовал отечески или, если больше любите, дружески и забыть о господине Рогожине. Да и вообще советовал бы вам придерживаться семейства, в которое вы поступите.

— Если уж вы так добры, — начал было князь, — то вот у меня одно дело. Я получил уведомление...

— Ну, извините, — перебил генерал, — теперь ни минуты более не имею. Сейчас я скажу о вас Лизавете Прокофьевне: если она пожелает принять вас теперь же (я уж в таком виде постараюсь вас отрекомендовать), то советую воспользоваться случаем и понравиться, потому Лизавета Прокофьевна очень может вам пригодиться, вы же однофамилец. Если не пожелает, то не взыщите, когда-нибудь в другое время. А ты, Ганя, взгляни-ка покамест на эти счеты, мы давеча с Федосеевым бились. Их надо бы не забыть включить...

Генерал вышел, и князь так и не успел рассказать о своем деле, о котором начинал было чуть ли не в четвертый раз. Ганя закурил папиросу и предложил другую князю; князь принял, но не заговаривал, не желая помешать, и стал рассматривать кабинет; но Ганя едва взглянул на лист бумаги, исписанный цифрами, указанный ему генералом. Он был рассеян; улыбка, взгляд, задумчивость Гани стали еще более тяжелы, на взгляд князя, когда они оба остались наедине. Вдруг он подошел к князю; тот в эту минуту стоял опять над портретом Настасьи Филипповны и рассматривал его.

— Так вам нравится такая женщина, князь? — спросил он его вдруг, пронзительно смотря на него. И точно будто бы у него было какое чрезвычайное намерение.

— Удивительное лицо! — ответил князь, — и я уверен, что судьба ее не из обыкновенных. Лицо веселое, а она ведь ужасно страдала, а? Об этом глаза говорят, вот эти две косточки, две точки под глазами в начале щек. Это гордое лицо, ужасно гордое, и вот не знаю, добра ли она? Ах, кабы добра! Всё было бы спасено!

— А женились бы *вы* на такой женщине? — продолжал Ганя, не спуская с него своего воспаленного взгляда.

— Я не могу жениться ни на ком, я нездоров, — сказал князь.

— А Рогожин женился бы? Как вы думаете?

— Да что же, жениться, я думаю, и завтра же можно; женился бы, а чрез неделю, пожалуй, и зарезал бы ее.

Только что выговорил это князь, Ганя вдруг так вздрогнул, что князь чуть не вскрикнул.

— Что с вами? — проговорил он, хватая его за руку.

— Ваше сиятельство! Его превосходительство просят вас пожаловать к ее превосходительству, — возвестил лакей, появляясь в дверях. Князь отправился вслед за лакеем.

IV

Все три девицы Епанчины были барышни здоровые, цветущие, рослые, с удивительными плечами, с мощною грудью, с сильными, почти как у мужчины, руками, и, конечно, вследствие своей силы и здоровья, любили иногда хорошо покушать, чего вовсе и не желали скрывать. Маменька их, генеральша Лизавета Прокофьевна, иногда косилась на откровенность их аппетита, но так как иные мнения ее, несмотря на всю наружную почтительность, с которою принимались дочерьми, в сущности давно уже потеряли первоначальный и бесспорный авторитет между ними, и до такой даже степени, что установившийся согласный конклав трех девиц сплошь да рядом начинал пересиливать, то и генеральша, в видах собственного достоинства, нашла удобнее не спорить и уступать. Правда, характер весьма часто не слушался и не подчинялся решениям благоразумия; Лизавета Прокофьевна становилась с каждым годом всё капризнее и нетерпеливее, стала даже какая-то чудачка, но так как под рукой все-таки оставался весьма покорный и приученный муж, то излишнее и накопившееся изливалось обыкновенно на его голову, а затем гармония в семействе восстановлялась опять, и всё шло как не надо лучше.

Генеральша, впрочем, и сама не теряла аппетита, и обыкновенно, в половине первого, принимала участие в обильном завтраке, похожем почти на обед, вместе с дочерьми. По чашке кофею выпивалось барышнями еще раньше, ровно в десять часов, в постелях, в минуту пробуждения. Так им полюбилось и установилось раз навсегда. В половине же первого накрывался стол в маленькой столовой, близ мамашиных комнат, и к этому семейному и интимному завтраку являлся иногда и сам генерал, если позволяло время. Кроме чаю, кофею, сыру, меду, масла, особых оладий, излюбленных самою генеральшей, котлет и прочего подавался даже крепкий горячий бульон. В то утро, в которое начался наш рассказ, всё семейство собралось в столовой в ожидании генерала, обещавшего явиться к половине первого. Если б он опоздал хоть минуту, за ним тотчас же послали бы; но он явился аккуратно. Подойдя поздороваться с супругой и поцеловать у ней ручку, он заметил в лице ее на этот раз что-то слишком особенное. И хотя он еще накануне предчувствовал, что так именно и будет сегодня по одному «анекдоту» (как он сам по привычке своей выражался), и, уже засыпая вчера, об этом беспокоился, но все-таки теперь опять струсил. Дочери подошли с ним поцеловаться; тут хотя и не сердились на него, но все-таки и тут было тоже как бы что-то особенное. Правда, генерал, по некоторым обстоятельствам, стал излишне подозрителен; но так как он был отец и супруг опытный и ловкий, то тотчас же и взял свои меры.

Может быть, мы не очень повредим выпуклости нашего рассказа, если остановимся здесь и прибегнем к помощи некоторых пояснений для прямой и точнейшей постановки тех отношений и обстоятельств, в которых мы находим семейство генерала Епанчина в начале нашей повести. Мы уже сказали сейчас, что сам генерал хотя был человек и не очень образованный, а, напротив, как он сам выражался о себе, «человек самоучный», но был, однако же, опытным супругом и ловким отцом. Между прочим, он принял систему не торопить дочерей своих замуж, то есть не «висеть у них над душой» и не беспокоить их слишком томлением своей родительской любви об их счастии, как невольно и естественно происходит сплошь да рядом даже в самых умных семействах, в которых накопляются взрослые дочери. Он даже достиг того, что склонил и Лизавету Прокофьевну к своей системе, хотя дело вообще было трудное, — трудное потому, что и неестественное; но аргументы генерала были чрезвычайно значительные, основывались на осязаемых фактах. Да и предоставленные вполне своей воле и своим решениям невесты, натурально, принуждены же будут наконец взяться сами за ум, и тогда дело загорится, потому что возьмутся за дело охотой, отложив капризы и излишнюю разборчивость; родителям оставалось бы только неусыпнее и как можно неприметнее наблюдать, чтобы не произошло какого-нибудь странного выбора или неестественного уклонения, а затем, улучив надлежащий момент, разом помочь всеми силами и направить дело всеми влияниями. Наконец, уж одно то, что с каждый годом, например, росло в геометрической прогрессии их состояние и общественное значение; следовательно, чем более уходило время, тем более выигрывали и дочери, даже как невесты. Но среди всех этих неотразимых фактов наступил и еще один факт: старшей дочери, Александре, вдруг и совсем почти неожиданно (как и всегда это так бывает), минуло двадцать пять лет. Почти в то же самое время и Афанасий Иванович Тоцкий, человек высшего света, с высшими связями и необыкновенного богатства, опять обнаружил свое старинное желание жениться. Это был человек лет пятидесяти пяти, изящного характера, с необыкновенною утонченностью вкуса. Ему хотелось жениться хорошо; ценитель красоты он был чрезвычайный. Так как с некоторого времени он с генералом Епанчиным состоял в необыкновенной дружбе, особенно усиленной взаимным участием в некоторых финансовых предприятиях, то и сообщил ему, так сказать, прося дружеского совета и руководства: возможно или нет предположение об его браке с одною из его дочерей? В тихом и прекрасном течении семейной жизни генерала Епанчина наступал очевидный переворот.

Бесспорною красавицей в семействе, как уже сказано было, была младшая, Аглая. Но даже сам Тоцкий, человек чрезвычайного эгоизма, понял, что не тут ему надо искать и что Аглая не ему предназначена. Может быть, несколько слепая любовь и слишком горячая дружба сестер и преувеличивали дело, но судьба Аглаи предназначалась между ними, самым искренним образом, быть не просто судьбой, а возможным идеалом земного рая. Будущий муж Аглаи должен был быть обладателем всех совершенств и успехов, не говоря уже о богатстве. Сестры даже положили между собой, и как-то без особенных лишних слов, о возможности, если надо, пожертвования с их стороны в пользу Аглаи: приданое для Аглаи предназначалось колоссальное и из ряду вон. Родители знали об этом соглашении двух старших сестер, и потому, когда Тоцкий попросил совета, между ними почти и сомнений не было, что одна из старших сестер наверно не откажется увенчать их желания, тем более что Афанасий Иванович не мог затрудниться насчет приданого. Предложение же Тоцкого сам генерал оценил тотчас же, с свойственным ему знанием жизни, чрезвычайно высоко. Так как и сам Тоцкий наблюдал покамест, по некоторым особым обстоятельствам, чрезвычайную осторожность в своих шагах и только еще зондировал дело, то и родители предложили дочерям на вид только еще самые отдаленные предположения. В ответ на это было получено от них, тоже хоть не совсем определенное, но по крайней мере успокоительное заявление, что старшая, Александра, пожалуй, и не откажется. Это была девушка хотя и с твердым характером, но добрая, разумная и чрезвычайно уживчивая; могла выйти за Тоцкого даже охотно, и если бы дала слово, то исполнила бы его честно. Блеска она не любила, не только не грозила хлопотами и крутым переворотом, но могла даже усладить и успокоить жизнь. Собой она была очень хороша, хотя и не так эффектна. Что могло быть лучше для Тоцкого?

И, однако же, дело продолжало идти всё еще ощупью. Взаимно и дружески, между Тоцким и генералом, положено было до времени избегать всякого формального и безвозвратного шага. Даже родители всё еще не начинали говорить с дочерьми совершенно открыто; начинался как будто и диссонанс: генеральша Епанчина, мать семейства, становилась почему-то недовольною, а это было очень важно. Тут было одно мешавшее всему обстоятельство, один мудреный и хлопотливый случай, из-за которого всё дело могло расстроиться безвозвратно.

Этот мудреный и хлопотливый «случай» (как выражался сам Тоцкий) начался еще очень давно, лет восемнадцать этак назад. Рядом с одним из богатейших поместий Афанасия Ивановича, в одной из срединных губерний, бедствовал один мелкопоместный и беднейший помещик. Это был человек замечательный по своим беспрерывным и анекдотическим неудачам, — один отставной офицер, хорошей дворянской фамилии, и даже в этом отношении почище Тоцкого, некто Филипп Александрович Барашков. Весь задолжавшийся и заложившийся, он успел уже наконец после каторжных, почти мужичьих, трудов устроить кое-как свое маленькое хозяйство удовлетворительно. При малейшей удаче он необыкновенно ободрялся. Ободренный и просиявший надеждами, он отлучился на несколько дней в свой уездный городок, чтобы повидаться и, буде возможно, столковаться окончательно с одним из главнейших своих кредиторов. На третий день по прибытии его в город явился к нему из его деревеньки его староста, верхом, с обожженною щекой и обгоревшею бородой, и возвестил ему, что «вотчина сгорела», вчера, в самый полдень, причем «изволили сгореть и супруга, а деточки целы остались». Этого сюрприза даже и Барашков, приученный к «синякам фортуны», не мог вынести; он сошел с ума и чрез месяц помер в горячке. Сгоревшее имение, с разбредшимися по миру мужиками, было продано за долги; двух же маленьких девочек, шести и семи лет, детей Барашкова, по великодушию своему, принял на свое иждивение и воспитание Афанасий Иванович Тоцкий. Они стали воспитываться вместе с детьми управляющего Афанасия Ивановича, одного отставного и многосемейного чиновника и притом немца. Вскоре осталась одна только девочка, Настя, а младшая умерла от коклюша; Тоцкий же вскоре совсем и забыл о них обеих, проживая за границей. Лет пять спустя, однажды, Афанасий Иванович, проездом, вздумал заглянуть в свое поместье и вдруг заметил в деревенском своем доме, в семействе своего немца, прелестного ребенка, девочку лет двенадцати, резвую, милую, умненькую и обещавшую необыкновенную красоту; в этом отношении Афанасий Иванович был знаток безошибочный. В этот раз он пробыл в поместье всего несколько дней, но успел распорядиться; в воспитании девочки произошла значительная перемена: приглашена была почтенная и пожилая гувернантка, опытная в высшем воспитании девиц, швейцарка, образованная и преподававшая, кроме французского языка, и разные науки. Она поселилась в деревенском доме, и воспитание маленькой Настасьи приняло чрезвычайные размеры. Ровно чрез четыре года это воспитание кончилось; гувернантка уехала, а за Настей приехала одна барыня, тоже какая-то помещица и тоже соседка г-на Тоцкого по имению, но уже в другой, далекой губернии, и взяла Настю с собой, вследствие инструкции и полномочия от Афанасия Ивановича. В этом небольшом поместье оказался тоже, хотя и небольшой, только что отстроенный деревянный дом; убран он был особенно изящно, да и деревенька, как нарочно, называлась сельцо Отрадное. Помещица привезла Настю прямо в этот тихий домик, и так как сама она, бездетная вдова, жила всего в одной версте, то и сама поселилась вместе с Настей. Около Насти явилась старуха ключница и молодая, опытная горничная. В доме нашлись музыкальные инструменты, изящная девичья библиотека, картины, эстампы, карандаши, кисти, краски, удивительная левретка, а чрез две недели пожаловал и сам Афанасий Иванович... С тех пор он как-то особенно полюбил эту глухую степную свою деревеньку, заезжал каждое лето, гостил по два, даже по три месяца, и так прошло довольно долгое время, года четыре, спокойно и счастливо, со вкусом и изящно.

Однажды случилось, что как-то в начале зимы, месяца четыре спустя после одного из летних приездов Афанасия Ивановича в Отрадное, заезжавшего на этот раз всего только на две недели, пронесся слух, или, лучше сказать, дошел как-то слух до Настасьи Филипповны, что Афанасий Иванович в Петербурге женится на красавице, на богатой, на знатной, — одним словом, делает солидную и блестящую партию. Слух этот оказался потом не во всех подробностях верным: свадьба и тогда была еще только в проекте, и всё еще было очень неопределенно, но в судьбе Настасьи Филипповны все-таки произошел с этого времени чрезвычайный переворот. Она вдруг выказала необыкновенную решимость и обнаружила самый неожиданный характер. Долго не думая, она бросила свой деревенский домик и вдруг явилась в Петербург, прямо к Тоцкому, одна-одинехонька. Тот изумился, начал было говорить; но вдруг оказалось, почти с первого слова, что надобно совершенно изменить слог, диапазон голоса, прежние темы приятных и изящных разговоров, употреблявшихся доселе с таким успехом, логику — всё, всё, всё! Пред ним сидела совершенно другая женщина, нисколько не похожая на ту, которую он знал доселе и оставил всего только в июле месяце, в сельце Отрадном.

Эта новая женщина, оказалось, во-первых, необыкновенно много знала и понимала, — так много, что надо было глубоко удивляться, откуда могла она приобрести такие сведения, выработать в себе такие точные понятия. (Неужели из своей девичьей библиотеки?) Мало того, она даже юридически чрезвычайно много понимала и имела положительное знание если не света, то о том по крайней мере, как некоторые дела текут на свете; во-вторых, это был совершенно не тот характер, как прежде, то есть не что-то робкое, пансионски неопределенное, иногда очаровательное по своей оригинальной резвости и наивности, иногда грустное и задумчивое, удивленное, недоверчивое, плачущее и беспокойное.

Нет: тут хохотало пред ним и кололо его ядовитейшими сарказмами необыкновенное и неожиданное существо, прямо заявившее ему, что никогда оно не имело к нему в своем сердце ничего, кроме глубочайшего презрения, презрения до тошноты, наступившего тотчас же после первого удивления. Эта новая женщина объявляла, что ей в полном смысле всё равно будет, если он сейчас же и на ком угодно женится, но что она приехала не позволить ему этот брак, и не позволить по злости, единственно потому, что ей так хочется, и что, следственно, так и быть должно, — «ну, хоть для того, чтобы мне только посмеяться над тобой вволю, потому что теперь и я наконец смеяться хочу».

Так по крайней мере она выражалась; всего, что было у ней на уме, она, может быть, и не высказала. Но покамест новая Настасья Филипповна хохотала и всё это излагала, Афанасий Иванович обдумывал про себя это дело и, по возможности, приводил в порядок несколько разбитые свои мысли. Это обдумывание продолжалось немало времени; он вникал и решался окончательно почти две недели; но чрез две недели его решение было принято. Дело в том, что Афанасию Ивановичу в то время было уже около пятидесяти лет, и человек он был в высшей степени солидный и установившийся. Постановка его в свете и в обществе давным-давно совершилась на самых прочных основаниях. Себя, свой покой и комфорт он любил и ценил более всего на свете, как и следовало в высшей степени порядочному человеку. Ни малейшего нарушения, ни малейшего колебания не могло быть допущено в том, что всею жизнью устанавливалось и приняло такую прекрасную форму. С другой стороны, опытность и глубокий взгляд на вещи подсказали Тоцкому очень скоро и необыкновенно верно, что он имеет теперь дело с существом совершенно из ряду вон, что это именно такое существо, которое не только грозит, но и непременно сделает, и, главное, ни пред чем решительно не остановится, тем более что решительно ничем в свете не дорожит, так что даже и соблазнить его невозможно. Тут, очевидно, было что-то другое, подразумевалась какая-то душевная в сердечная бурда, — что-то вроде какого-то романического негодования бог знает на кого и за что, какого-то ненасытимого чувства презрения, совершенно выскочившего из мерки, — одним словом, что-то в высшей степени смешное и недозволенное в порядочном обществе и с чем встретиться для всякого порядочного человека составляет чистейшее Божие наказание. Разумеется, с богатством и со связями Тоцкого можно было тотчас же сделать какое-нибудь маленькое и совершенно невинное злодейство, чтоб избавиться от неприятности. С другой стороны, было очевидно, что и сама Настасья Филипповна почти ничего не в состоянии сделать вредного, в смысле, например, хоть юридическом; даже и скандала не могла бы сделать значительного, потому что так легко ее можно было всегда ограничить. Но всё это в таком только случае, если бы Настасья Филипповна решилась действовать, как все и как вообще в подобных случаях действуют, не выскакивая слиш-

ком эксцентрично из мерки. Но тут-то и пригодилась Тоцкому его верность
взгляда: он сумел разгадать, что Настасья Филипповна и сама отлично понимает, как безвредна она в смысле юридическом, но что у ней совсем другое на уме
и... в сверкавших глазах ее. Ничем не дорожа, а пуще всего собой (нужно было
очень много ума и проникновения, чтобы догадаться в эту минуту, что она давно уже перестала дорожить собой, и чтоб ему, скептику и светскому цинику, поверить серьезности этого чувства), Настасья Филипповна в состоянии была самое себя погубить, безвозвратно и безобразно, Сибирью и каторгой, лишь бы
надругаться над человеком, к которому она питала такое бесчеловечное отвращение. Афанасий Иванович никогда не скрывал, что он был несколько трусоват
или, лучше сказать, в высшей степени консервативен. Если б он знал, например, что его убьют под венцом или произойдет что-нибудь в этом роде, чрезвычайно неприличное, смешное и непринятое в обществе, то он, конечно бы, испугался, но при этом не столько того, что его убьют и ранят до крови или плю-
нут всепублично в лицо и пр., и пр., а того, что это произойдет с ним в такой
неестественной и непринятой форме. А ведь Настасья Филипповна именно это
и пророчила, хотя еще и молчала об этом; он знал, что она в высшей степени его
понимала и изучила, а следственно, знала, чем в него и ударить. А так как свадьба действительно была еще только в намерении, то Афанасий Иванович смирился и уступил Настасье Филипповне.

Решению его помогло и еще одно обстоятельство: трудно было вообразить
себе, до какой степени не походила эта новая Настасья Филипповна на прежнюю лицом. Прежде это была только очень хорошенькая девочка, а теперь...
Тоцкий долго не мог простить себе, что он четыре года глядел и не разглядел.
Правда, много значит и то, когда с обеих сторон, внутренно и внезапно, происходит переворот. Он припоминал, впрочем, и прежде мгновения, когда иногда странные мысли приходили ему при взгляде, например, на эти глаза: как
бы предчувствовался в них какой-то глубокий и таинственный мрак. Этот
взгляд глядел — точно задавал загадку. В последние два года он часто удивлялся изменению цвета лица Настасьи Филипповны: она становилась ужасно
бледна и — странно — даже хорошела от этого. Тоцкий, который, как все погу-
лявшие на своем веку джентльмены, с презрением смотрел вначале, как дешево досталась ему эта не жившая душа, в последнее время несколько усумнился
в своем взгляде. Во всяком случае, у него положено было еще прошлою весной
в скором времени, отлично и с достатком выдать Настасью Филипповну замуж
за какого-нибудь благоразумного и порядочного господина, служащего в другой губернии. (О, как ужасно и как зло смеялась над этим теперь Настасья Филипповна!) Но теперь Афанасий Иванович, прельщенный новизной, подумал
даже, что он мог бы вновь эксплуатировать эту женщину. Он решился поселить Настасью Филипповну в Петербурге и окружить роскошным комфортом.
Если не то, так другое: Настасьей Филипповной можно было щегольнуть и
даже потщеславиться в известном кружке. Афанасий же Иванович так доро-
жил своею славой по этой части.

Прошло уже пять лет петербургской жизни, и, разумеется, в такой срок многое определилось. Положение Афанасия Ивановича было неутешительное; всего хуже было то, что он, струсив раз, уже никак потом не мог успокоиться. Он
боялся — и даже сам не знал чего, — просто боялся Настасьи Филипповны. Некоторое время, в первые два года, он стал было подозревать, что Настасья Филипповна сама желает вступить с ним в брак, но молчит из необыкновенного

тщеславия и ждет настойчиво его предложения. Претензия была бы странная; Афанасий Иванович морщился и тяжело задумывался. К большому и (таково сердце человека!) к несколько неприятному своему изумлению, он вдруг, по одному случаю, убедился, что если бы даже он и сделал предложение, то его бы не приняли. Долгое время он не понимал этого. Ему показалось возможным одно только объяснение, что гордость «оскорбленной и фантастической женщины» доходит уже до такого исступления, что ей скорее приятнее выказать раз свое презрение в отказе, чем навсегда определить свое положение и достигнуть недосягаемого величия. Хуже всего было то, что Настасья Филипповна ужасно много взяла верху. На интерес тоже не поддавалась, даже на очень крупный, и хотя приняла предложенный ей комфорт, но жила очень скромно и почти ничего в эти пять лет не скопила. Афанасий Иванович рискнул было на очень хитрое средство, чтобы разбить свои цепи: неприметно и искусно он стал соблазнять ее, чрез ловкую помощь, разными идеальнейшими соблазнами; но олицетворенные идеалы: князья, гусары, секретари посольств, поэты, романисты, социалисты даже — ничто не произвело никакого впечатления на Настасью Филипповну, как будто у ней вместо сердца был камень, а чувства иссохли и вымерли раз навсегда. Жила она больше уединенно, читала, даже училась, любила музыку. Знакомств имела мало; она всё зналась с какими-то бедными и смешными чиновницами, знала двух каких-то актрис, каких-то старух, очень любила многочисленное семейство одного почтенного учителя, и в семействе этом и ее очень любили и с удовольствием принимали. Довольно часто по вечерам сходились к ней пять-шесть человек знакомых, не более. Тоцкий являлся очень часто и аккуратно. В последнее время не без труда познакомился с Настасьей Филипповной генерал Епанчин. В то же время совершенно легко и без всякого труда познакомился с ней и один молодой чиновник, по фамилии Фердыщенко, очень неприличный и сальный шут, с претензиями на веселость и выпивающий. Был знаком один молодой и странный человек, по фамилии Птицын, скромный, аккуратный и вылощенный, происшедший из нищеты и сделавшийся ростовщиком. Познакомился, наконец, и Гаврила Ардалионович... Кончилось тем, что про Настасью Филипповну установилась странная слава: о красоте ее знали все, но и только; никто не мог ничем похвалиться, никто не мог ничего рассказать. Такая репутация, ее образование, изящная манера, остроумие — всё это утвердило Афанасия Ивановича окончательно на известном плане. Тут-то и начинается тот момент, с которого принял в этой истории такое деятельное и чрезвычайное участие сам генерал Епанчин.

Когда Тоцкий так любезно обратился к нему за дружеским советом насчет одной из его дочерей, то тут же, самым благороднейшим образом, сделал полнейшие и откровенные признания. Он открыл, что решился уже не останавливаться *ни пред какими* средствами, чтобы получить свою свободу; что он не успокоился бы, если бы Настасья Филипповна даже сама объявила ему, что впредь оставит его в полном покое; что ему мало слов, что ему нужны самые полные гарантии. Столковались и решились действовать сообща. Первоначально положено было испытать средства самые мягкие и затронуть, так сказать, одни «благородные струны сердца». Оба приехали к Настасье Филипповне, и Тоцкий прямехонько начал с того, что объявил ей о невыносимом ужасе своего положения; обвинил он себя во всем; откровенно сказал, что не может раскаяться в первоначальном поступке с нею, потому что он сластолюбец закоренелый и в себе не властен, но что теперь он хочет жениться и что вся судьба этого в высшей степени приличного и светского брака в ее руках; одним словом, что он ждет всего от ее благородного сердца. Затем стал говорить генерал Епанчин, в своем качестве отца, и говорил резонно, избегнул трогательного, упомянул только, что вполне признает ее право на решение судьбы Афанасия Ивановича, ловко щегольнул собственным смирением, представив на вид, что судьба его дочери, а может быть, и двух других дочерей, зависит теперь от ее же решения. На вопрос Настасьи Филипповны: «Чего именно от нее хотят?» — Тоцкий с прежнею, совершенно обнаженною прямотой признался ей, что он так напуган еще пять лет назад, что не может даже и теперь совсем успокоиться, до тех пор пока Настасья Филипповна сама не выйдет за кого-нибудь замуж. Он тотчас же прибавил, что просьба эта была бы, конечно, с его стороны нелепа, если бы он не имел насчет ее некоторых оснований. Он очень хорошо заметил и положительно узнал, что молодой человек, очень хорошей фамилии, живущий в самом достойном семействе, а именно Гаврила Ардалионович Иволгин, которого она знает и у себя принимает, давно уже любит ее всею силой страсти и, конечно, отдал бы половину жизни за одну надежду приобресть ее симпатию. Признания эти Гаврила Ардалионович сделал ему, Афанасию Ивановичу, сам, и давно уже, по-дружески и от чистого молодого сердца, и что об этом давно уже знает и Иван Федорович, благодетельствующий молодому человеку. Наконец, если только он, Афанасий Иванович, не ошибается, любовь молодого человека давно уже известна самой Настасье Филипповне, и ему показалось даже, что она смотрит на эту любовь снисходительно. Конечно, ему всех труднее говорить об этом. Но если Настасья Филипповна захотела бы допустить в нем, в Тоцком, кроме эгоизма и желания устроить свою собственную участь, хотя несколько желания добра и ей, то поняла бы, что ему давно странно и даже тяжело смотреть на ее одиночество: что тут один только неопределенный мрак, полное неверие в обновление жизни, которая так прекрасно могла бы воскреснуть в любви и в семействе и принять таким образом новую цель; что тут гибель способностей, может быть блестящих, добровольное любование своею тоской, одним словом, даже некоторый романтизм, недостойный ни здравого ума, ни благородного сердца Настасьи Филипповны. Повторив еще раз, что ему труднее других говорить, он заключил, что не может отказаться от надежды, что Настасья Филипповна не ответит ему презрением, если он выразит свое искреннее желание обеспечить ее участь в будущем и предложит ей сумму в семьдесят пять тысяч рублей. Он прибавил в пояснение, что эта сумма всё равно назначена уже ей в его завещании; одним словом, что тут вовсе не вознаграждение какое-нибудь... и что, наконец, почему же не допустить и не извинить в нем человеческого желания хоть чем-нибудь облегчить свою совесть и т. д., и т. д., всё, что говорится в подобных случаях на эту тему. Афанасий Иванович говорил долго и красноречиво, присовокупив, так сказать, мимоходом, очень любопытное сведение, что об этих семидесяти пяти тысячах он заикнулся теперь в первый раз и что о них не знал даже и сам Иван Федорович, который вот тут сидит; одним словом, не знает *никто*.

Ответ Настасьи Филипповны изумил обоих друзей.

Не только не было заметно в ней хотя бы малейшего проявления прежней насмешки, прежней вражды и ненависти, прежнего хохоту, от которого, при одном воспоминании, до сих пор проходил холод по спине Тоцкого, но, напротив, она как будто обрадовалась тому, что может наконец поговорить с кем-нибудь откровенно и по-дружески. Она призналась, что сама давно желала спросить дружеского совета, что мешала только гордость, но что теперь, когда лед разбит, ничего и не могло быть лучше. Сначала с грустною улыбкой, а потом весело и резво рассмеявшись, она призналась, что прежней бури во всяком случае и быть не могло; что она давно уже изменила отчасти свой взгляд на вещи и что хотя и не изменилась в сердце, но все-таки принуждена была очень многое допустить в виде совершившихся фактов; что сделано, то сделано, что прошло, то прошло, так что ей даже странно, что Афанасий Иванович всё еще продолжает быть так напуганным. Тут она обратилась к Ивану Федоровичу и с видом глубочайшего уважения объявила, что она давно уже слышала очень многое об его дочерях и давно уже привыкла глубоко и искренно уважать их. Одна мысль о том, что она могла бы быть для них хоть чем-нибудь полезною, была бы, кажется, для нее счастьем и гордостью. Это правда, что ей теперь тяжело и скучно, очень скучно; Афанасий Иванович угадал мечты ее; она желала бы воскреснуть, хоть не в любви, так в семействе, сознав новую цель; но что о Гавриле Ардалионовиче она почти ничего не может сказать. Кажется, правда, что он ее любит; она чувствует, что могла бы и сама его полюбить, если бы могла поверить в твердость его привязанности; но он очень молод, если даже и искренен; тут решение трудно. Ей, впрочем, нравится больше всего то, что он работает, трудится и один поддерживает всё семейство. Она слышала, что он человек с энергией, с гордостью, хочет карьеры, хочет пробиться. Слышала тоже, что Нина Александровна Иволгина, мать Гаврилы Ардалионовича, превосходная и в высшей степени уважаемая женщина; что сестра его, Варвара Ардалионовна, очень замечательная и энергичная девушка; она много слышала о ней от Птицына. Она слышала, что они бодро переносят свои несчастия; она очень бы желала с ними познакомиться, но еще вопрос, радушно ли они примут ее в их семью? Вообще она ничего не говорит против возможности этого брака, но об этом еще слишком надо подумать; она желала бы, чтоб ее не торопили. Насчет же семидесяти пяти тысяч — напрасно Афанасий Иванович так затруднялся говорить о них. Она понимает сама цену деньгам и, конечно, их возьмет. Она благодарит Афанасия Ивановича за его деликатность, за то, что он даже и генералу об этом не говорил, не только Гавриле Ардалионовичу, но, однако ж, почему же и ему не знать об этом заранее? Ей нечего стыдиться за эти деньги, входя в их семью. Во всяком случае она ни у кого не намерена просить прощения ни в чем и желает, чтоб это знали. Она не пойдет за Гаврилу Ардалионовича, пока не убедится, что ни в нем, ни в семействе его нет какой-нибудь затаенной мысли на ее счет. Во всяком случае, она ни в чем не считает себя виновною, и пусть бы лучше Гаврила Ардалионович узнал, на каких основаниях она прожила все эти пять лет в Петербурге, в каких отношениях к Афанасию Ивановичу и много ли скопила состояния. Наконец, если она и принимает теперь капитал, то вовсе не как плату за свой девичий позор, в котором она не виновата, а просто как вознаграждение за исковерканную судьбу.

Под конец она даже так разгорячилась и раздражилась, излагая всё это (что, впрочем, было так естественно), что генерал Епанчин был очень доволен и считал дело оконченным; но раз напуганный Тоцкий и теперь не совсем поверил, и долго боялся, нет ли и тут змеи под цветами. Переговоры, однако, начались; пункт, на котором был основан весь маневр обоих друзей, а именно возможность увлечения Настасьи Филипповны к Гане, начал мало-помалу выясняться и оправдываться, так что даже Тоцкий начинал иногда верить в возможность успеха. Тем временем Настасья Филипповна объяснилась с Ганей: слов было сказано очень мало, точно ее целомудрие страдало при этом. Она допускала, однако ж, и дозволяла ему любовь его, но настойчиво объявила, что ничем не хочет стеснять себя; что она до самой свадьбы (если свадьба состоится) оставляет за собой право сказать «нет», хотя бы в самый последний час; совершенно такое же право предоставляет и Гане. Вскоре Ганя узнал положительно, чрез услужливый случай, что недоброжелательство всей его семьи к этому браку и к Настасье Филипповне лично, обнаруживавшееся домашними сценами, уже известно Настасье Филипповне в большой подробности; сама она с ним об этом не заговаривала, хотя он и ждал ежедневно. Впрочем, можно было бы и еще много рассказать из всех историй и обстоятельств, обнаружившихся по поводу этого сватовства и переговоров; но мы и так забежали вперед, тем более что иные из обстоятельств являлись еще в виде слишком неопределенных слухов. Например, будто бы Тоцкий откуда-то узнал, что Настасья Филипповна вошла в какие-то неопределенные и секретные от всех сношения с девицами Епанчиными, — слух совершенно невероятный. Зато другому слуху он невольно верил и боялся его до кошмара: он слышал за верное, что Настасья Филипповна будто бы в высшей степени знает, что Ганя женится только на деньгах, что у Гани душа черная, алчная, нетерпеливая, завистливая и необъятно, не пропорционально ни с чем самолюбивая; что Ганя хотя и действительно страстно добивался победы над Настасьей Филипповной прежде, но когда оба друга решились эксплуатировать эту страсть, начинавшуюся с обеих сторон, в свою пользу и купить Ганю продажей ему Настасьи Филипповны в законные жены, то он возненавидел ее как свой кошмар. В его душе будто бы странно сошлись страсть и ненависть, и он хотя и дал наконец, после мучительных колебаний, согласие жениться на «скверной женщине», но сам поклялся в душе горько отмстить ей за это и «доехать» ее потом, как он будто бы сам выразился. Всё это Настасья Филипповна будто бы знала и что-то втайне готовила. Тоцкий до того было уже струсил, что даже и Епанчину перестал сообщать о своих беспокойствах; но бывали мгновения, что он, как слабый человек, решительно вновь ободрялся и быстро воскресал духом: он ободрился, например, чрезвычайно, когда Настасья Филипповна дала наконец слово обоим друзьям, что вечером, в день своего рождения, скажет последнее слово. Зато самый странный и самый невероятный слух, касавшийся самого уважаемого Ивана Федоровича, увы! всё более и более оказывался верным.

Тут с первого взгляда всё казалось чистейшею дичью. Трудно было поверить, что будто бы Иван Федорович, на старости своих почтенных лет, при своем превосходном уме и положительном знании жизни и пр., и пр., соблазнился сам Настасьей Филипповной, — но так будто бы, до такой будто бы степени, что этот каприз почти походил на страсть. На что он надеялся в этом случае — трудно себе и представить; может быть, даже на содействие самого Гани. Тоцкому подозревалось по крайней мере что-то в этом роде, подозревалось существование какого-то почти безмолвного договора, основанного на взаимном проникновении, между генералом и Ганей. Впрочем, известно, что человек, слишком увлекшийся страстью, особенно если он в летах, совершенно слепнет и готов подозревать надежду там, где вовсе ее и нет; мало того, теряет рассудок и действует как глупый ребенок, хотя бы и был семи пядей во лбу. Известно было, что генерал приготовил ко дню рождения Настасьи Филипповны от себя в подарок удивительный жемчуг, стоивший огромной суммы, и подарком этим очень интересовался, хотя и знал, что Настасья Филипповна — женщина бескорыстная. Накануне дня рождения Настасьи Филипповны он был как в лихорадке, хотя и ловко скрывал себя. Об этом-то именно жемчуге и прослышала генеральша Епанчина. Правда, Елизавета Прокофьевна уже с давних пор начала испытывать ветреность своего супруга, даже отчасти привыкла к ней; но ведь невозможно же было пропустить такой случай: слух о жемчуге чрезвычайно интересовал ее. Генерал выследил это заблаговременно; еще накануне были сказаны иные словечки; он предчувствовал объяснение капитальное и боялся его. Вот почему ему ужасно не хотелось в то утро, с которого мы начали рассказ, идти завтракать в недра семейства. Еще до князя он положил отговориться делами и избежать. Избежать у генерала иногда значило просто-запросто убежать. Ему хоть один этот день и, главное, сегодняшний вечер хотелось выиграть без неприятностей. И вдруг так кстати пришелся князь. «Точно Бог послал!» — подумал генерал про себя, входя к своей супруге.

V

Генеральша была ревнива к своему происхождению. Каково же ей было, прямо и без приготовления, услышать, что этот последний в роде князь Мышкин, о котором она уже что-то слышала, не больше как жалкий идиот и почти что нищий и принимает подаяние на бедность. Генерал именно бил на эффект, чтобы разом заинтересовать, отвлечь всё как-нибудь в другую сторону.

В крайних случаях генеральша обыкновенно чрезвычайно выкатывала глаза и, несколько откинувшись назад корпусом, неопределенно смотрела перед собой, не говоря ни слова. Это была рослая женщина, одних лет с своим мужем, с темными, с большою проседью, но еще густыми волосами, с несколько горбатым носом, сухощавая, с желтыми, ввалившимися щеками и тонкими впалыми губами. Лоб ее был высок, но узок; серые, довольно большие глаза имели самое неожиданное иногда выражение. Когда-то у ней была слабость поверить, что взгляд ее необыкновенно эффектен; это убеждение осталось в ней неизгладимо.

— Принять? Вы говорите, его принять, теперь, сейчас? — и генеральша изо всех сил выкатила свои глаза на суетившегося пред ней Ивана Федоровича.

— О, на этот счет можно без всякой церемонии, если только тебе, мой друг, угодно его видеть, — спешил разъяснить генерал. — Совершенный ребенок, и даже такой жалкий; припадки у него какие-то болезненные; он сейчас из Швейцарии, только что из вагона, одет странно, как-то по-немецкому, и вдобавок ни копейки, буквально; чуть не плачет. Я ему двадцать пять рублей подарил и хочу ему в канцелярии писарское местечко какое-нибудь у нас добыть. А вас, mesdames, прошу его попотчевать, потому что он, кажется, и голоден...

— Вы меня удивляете, — продолжала по-прежнему генеральша, — голоден и припадки! Какие припадки?

— О, они не повторяются так часто, и притом он почти как ребенок, впрочем, образованный. Я было вас, mesdames, — обратился он опять к дочерям, — хотел попросить проэкзаменовать его, все-таки хорошо бы узнать, к чему он способен.

— Про-эк-за-ме-но-вать? — протянула генеральша и в глубочайшем изумлении стала опять перекатывать глаза с дочерей на мужа и обратно.

— Ах, друг мой, не придавай такого смыслу... впрочем, ведь как тебе угодно; я имел в виду обласкать его и ввести к нам, потому что это почти доброе дело.

— Ввести к нам? Из Швейцарии?!

— Швейцария тут не помешает; а впрочем, повторяю, как хочешь. Я ведь потому, что, во-первых, однофамилец и, может быть, даже родственник, а во-вторых, не знает, где главу приклонять. Я даже подумал, что тебе несколько интересно будет, так как все-таки из нашей фамилии.

— Разумеется, maman, если с ним можно без церемонии; к тому же он с дороги есть хочет, почему не накормить, если он не знает куда деваться? — сказала старшая, Александра.

— И вдобавок дитя совершенное, с ним можно еще в жмурки играть.

— В жмурки играть? Каким образом?

— Ах, maman, перестаньте представляться, пожалуйста, — с досадой перебила Аглая.

Средняя, Аделаида, смешливая, не выдержала и рассмеялась.

— Позовите его, papa, maman позволяет, — решила Аглая. Генерал позвонил и велел звать князя.

— Но с тем, чтобы непременно завязать ему салфетку на шее, когда он сядет за стол, — решила генеральша, — позвать Федора, или пусть Мавра... чтобы стоять за ним и смотреть за ним, когда он будет есть. Спокоен ли он по крайней мере в припадках? Не делает ли жестов?

— Напротив, даже очень мило воспитан и с прекрасными манерами. Немного слишком простоват иногда... Да вот он и сам! Вот-с, рекомендую, последний в роде князь Мышкин, однофамилец и, может быть, даже родственник, примите, обласкайте. Сейчас пойдут завтракать, князь, так сделайте честь... А я уж, извините, опоздал, спешу...

— Известно, куда вы спешите, — важно проговорила генеральша.

— Спешу, спешу, мой друг, опоздал! Да дайте ему ваши альбомы, mesdames, пусть он вам там напишет, какой он каллиграф, так на редкость! Талант; там он так у меня расчеркнулся старинным почерком: «Игумен Пафнутий руку приложил»... Ну, до свидания.

— Пафнутий? Игумен? Да постойте, постойте, куда вы, и какой там Пафнутий? — с настойчивою досадой и чуть не в тревоге прокричала генеральша убегавшему супругу.

— Да, да, друг мой, это такой в старину был игумен... а я к графу, ждет, давно, и, главное, сам назначил... Князь, до свидания!

Генерал быстрыми шагами удалился.

— Знаю я, к какому он графу! — резко проговорила Елизавета Прокофьевна и раздражительно перевела глаза на князя. — Что бишь! — начала она, брезгливо и досадливо припоминая, — ну, что там! Ах да: ну, какой там игумен?

— Maman, — начала было Александра, а Аглая даже топнула ножкой.

— Не мешайте мне, Александра Ивановна, — отчеканила ей генеральша, — я тоже хочу знать. Садитесь вот тут, князь, вот на этом кресле, напротив, нет, сюда, к солнцу, к свету ближе подвиньтесь, чтоб я могла видеть. Ну, какой там игумен?

— Игумен Пафнутий, — отвечал князь внимательно и серьезно.

— Пафнутий? Это интересно; ну, что же он?

Генеральша спрашивала нетерпеливо, быстро, резко, не сводя глаз с князя, а когда князь отвечал, она кивала головой вслед за каждым его словом.

— Игумен Пафнутий, четырнадцатого столетия, — начал князь, — он правил пустынью на Волге, в нынешней нашей Костромской губернии. Известен был святою жизнью, ездил в Орду, помогал устраивать тогдашние дела и подписался под одною грамотой, а снимок с этой подписи я видел. Мне понравился почерк, и я его заучил. Когда давеча генерал захотел посмотреть, как я пишу, чтоб определить меня к месту, то я написал несколько фраз разными шрифтами, и между прочим «Игумен Пафнутий руку приложил» собственным почерком игумена Пафнутия. Генералу очень понравилось, вот он теперь и вспомнил.

— Аглая, — сказала генеральша, — запомни: Пафнутий, или лучше запиши, а то я всегда забываю. Впрочем, я думала, будет интереснее. Где же эта подпись?

— Осталась, кажется, в кабинете у генерала, на столе.

— Сейчас же послать и принести.

— Да я вам лучше другой раз напишу, если вам угодно.

— Конечно, maman, — сказала Александра, — а теперь лучше бы завтракать; мы есть хотим.

— И то, — решила генеральша. — Пойдемте, князь; вы очень хотите кушать?

— Да, теперь захотел очень, и очень вам благодарен.

— Это очень хорошо, что вы вежливы, и я замечаю, что вы вовсе не такой... чудак, каким вас изволили отрекомендовать. Пойдемте. Садитесь вот здесь, напротив меня, — хлопотала она, усаживая князя, когда пришли в столовую, — я хочу на вас смотреть. Александра, Аделаида, потчуйте князя. Не правда ли, что он вовсе не такой... больной? Может, и салфетку не надо... Вам, князь, подвязывали салфетку за кушаньем?

— Прежде, когда я лет семи был, кажется, подвязывали, а теперь я обыкновенно к себе на колени салфетку кладу, когда ем.

— Так и надо. А припадки?

— Припадки? — удивился немного князь, — припадки теперь у меня довольно редко бывают. Впрочем, не знаю; говорят, здешний климат мне будет вреден.

— Он хорошо говорит, — заметила генеральша, обращаясь к дочерям и продолжая кивать головой вслед за каждым словом князя, — я даже не ожидала. Стало быть, всё пустяки и неправда по обыкновению. Кушайте, князь, и рассказывайте: где вы родились, где воспитывались? Я хочу всё знать; вы чрезвычайно меня интересуете.

Князь поблагодарил и, кушая с большим аппетитом, стал снова передавать всё то, о чем ему уже неоднократно приходилось говорить в это утро. Генеральша становилась всё довольнее и довольнее. Девицы тоже довольно внимательно слушали. Сочлись родней; оказалось, что князь знал свою родословную довольно хорошо; но как ни подводили, а между ним и генеральшей не оказалось почти никакого родства. Между дедами и бабками можно бы было еще счесться отдаленным родством. Эта сухая материя особенно понравилась генеральше, которой почти никогда не удавалось говорить о своей родословной, при всем желании, так что она встала из-за стола в возбужденном состоянии духа.

— Пойдемте все в нашу сборную, — сказала она, — и кофей туда принесут. У нас такая общая комната есть, — обратилась она к князю, уводя его, — попросту, моя маленькая гостиная, где мы, когда одни сидим, собираемся, и каждая своим делом занимается: Александра, вот эта, моя старшая дочь, на фортепиано играет, или читает, или шьет; Аделаида — пейзажи и портреты пишет (и ничего кончить не может), а Аглая сидит, ничего не делает. У меня тоже дело из рук валится: ничего не выходит. Ну вот и пришли; садитесь, князь, сюда, к камину, и рассказывайте. Я хочу знать, как вы рассказываете что-нибудь. Я хочу вполне убедиться, и когда с княгиней Белоконской увижусь, со старухой, ей про вас всё расскажу. Я хочу, чтобы вы их всех тоже заинтересовали. Ну, говорите же.

— Maman, да ведь этак очень странно рассказывать, — заметила Аделаида, которая тем временем поправила свой мольберт, взяла кисти, палитру и принялась было копировать давно уже начатый пейзаж с эстампа. Александра и Аглая сели вместе на маленьком диване и, сложа руки, приготовились слушать разговор. Князь заметил, что на него со всех сторон устремлено особенное внимание.

— Я бы ничего не рассказала, если бы мне так велели, — заметила Аглая.

— Почему? Что тут странного? Отчего ему не рассказывать? Язык есть. Я хочу знать, как он умеет говорить. Ну, о чем-нибудь. Расскажите, как вам понравилась Швейцария, первое впечатление. Вот вы увидите, вот он сейчас начнет, и прекрасно начнет.

— Впечатление было сильное... — начал было князь.

— Вот-вот, — подхватила нетерпеливая Елизавета Прокофьевна, обращаясь к дочерям, — начал же.

— Дайте же ему по крайней мере, maman, говорить, — остановила ее Александра. — Этот князь, может быть, большой плут, а вовсе не идиот, — шепнула она Аглае.

— Наверно так, я давно это вижу, — ответила Аглая. — И подло с его стороны роль разыгрывать. Что он, выиграть, что ли, этим хочет?

— Первое впечатление было очень сильное, — повторил князь. — Когда меня везли из России, чрез разные немецкие города, я только молча смотрел и, помню, даже ни о чем не расспрашивал. Это было после ряда сильных и мучительных припадков моей болезни, а я всегда, если болезнь усиливалась и припадки повторялись несколько раз сряду, впадал в полное отупение, терял совершенно память, а ум хотя и работал, но логическое течение мысли как бы обрывалось. Больше двух или трех идей последовательно я не мог связать сряду. Так мне кажется. Когда же припадки утихали, я опять становился и здоров и силен, вот как теперь. Помню: грусть во мне была нестерпимая; мне даже хотелось плакать; я всё удивлялся и беспокоился: ужасно на меня подействовало, что всё это *чужое*; это я понял. Чужое меня убивало. Совершенно пробудился я от этого мрака, помню я, вечером, в Базеле, при въезде в Швейцарию, и меня разбудил крик осла на городском рынке. Осел ужасно поразил меня и необыкновенно почему-то мне понравился, а с тем вместе вдруг в моей голове как бы всё прояснело.

— Осел? Это странно, — заметила генеральша. — А впрочем, ничего нет странного, иная из нас в осла еще влюбится, — заметила она, гневливо посмотрев на смеявшихся девиц. — Это еще в мифологии было. Продолжайте, князь.

— С тех пор я ужасно люблю ослов. Это даже какая-то во мне симпатия. Я стал о них расспрашивать, потому что прежде их не видывал, и тотчас же сам убедился, что это преполезнейшее животное, рабочее, сильное, терпеливое, дешевое, переносливое; и чрез этого осла мне вдруг вся Швейцария стала нравиться, так что совершенно прошла прежняя грусть.

— Всё это очень странно, но об осле можно и пропустить; перейдемте на другую тему. Чего ты всё смеешься, Аглая? И ты, Аделаида? Князь прекрасно рассказал об осле. Он сам его видел, а ты что видела? Ты не была за границей?

— Я осла видела, maman, — сказала Аделаида.

— А я и слышала, — подхватила Аглая. Все три опять засмеялись. Князь засмеялся вместе с ними.

— Это очень дурно с вашей стороны, — заметила генеральша, — вы их извините, князь, а они добрые. Я с ними вечно бранюсь, но я их люблю. Они ветрены, легкомысленны, сумасшедшие.

— Почему же? — смеялся князь. — И я бы не упустил на их месте случай. А я все-таки стою за осла: осел добрый и полезный человек.

— А вы добрый, князь? Я из любопытства спрашиваю, — спросила генеральша.

Все опять засмеялись.

— Опять этот проклятый осел подвернулся; я о нем и не думала! — вскрикнула генеральша. — Поверьте мне, пожалуйста, князь, я без всякого...

— Намека? О, верю, без сомнения!

И князь смеялся не переставая.

— Это очень хорошо, что вы смеетесь. Я вижу, что вы добрейший молодой человек, — сказала генеральша.

— Иногда недобрый, — отвечал князь.

— А я добрая, — неожиданно вставила генеральша, — и если хотите, я всегда добрая, и это мой единственный недостаток, потому что не надо быть всегда доброю. Я злюсь очень часто, вот на них, на Ивана Федоровича особенно, но скверно то, что я всего добрее, когда злюсь. Я давеча, пред вашим приходом, рассердилась и представилась, что ничего не понимаю и понять не могу. Это со мной бывает; точно ребенок. Аглая мне урок дала; спасибо тебе, Аглая. Впрочем, всё вздор. Я еще не так глупа, как кажусь и как меня дочки представить хотят. Я с характером и не очень стыдлива. Я, впрочем, это без злобы говорю. Поди сюда, Аглая, поцелуй меня, ну... и довольно нежностей, — заметила она, когда Аглая с чувством поцеловала ее в губы и в руку. — Продолжайте, князь. Может быть, что-нибудь и поинтереснее осла вспомните.

— Я опять-таки не понимаю, как это можно так прямо рассказывать, — заметила опять Аделаида, — я бы никак не нашлась.

— А князь найдется, потому что князь чрезвычайно умен и умнее тебя по крайней мере в десять раз, а может, и в двенадцать. Надеюсь, ты почувствуешь после этого. Докажите им это, князь; продолжайте. Осла и в самом деле можно наконец мимо. Ну, что вы, кроме осла, за границей видели?

— Да и об осле было умно, — заметила Александра, — князь рассказал очень интересно свой болезненный случай и как всё ему понравилось чрез один внешний толчок. Мне всегда было интересно, как люди сходят с ума и потом опять выздоравливают. Особенно, если это вдруг сделается.

— Не правда ли? Не правда ли? — вскинулась генеральша. — Я вижу, что и ты иногда бываешь умна; ну, довольно смеяться! Вы остановились, кажется, на швейцарской природе, князь, ну!

— Мы приехали в Люцерн, и меня повезли по озеру. Я чувствовал, как оно хорошо, но мне ужасно было тяжело при этом, — сказал князь.

— Почему? — спросила Александра.

— Не понимаю. Мне всегда тяжело и беспокойно смотреть на такую природу в первый раз; и хорошо, и беспокойно; впрочем, всё это еще в болезни было.

— Ну нет, я бы очень хотела посмотреть, — сказала Аделаида. — И не понимаю, когда мы за границу соберемся. Я вот сюжета для картины два года найти не могу:

Восток и Юг давно описан...

Найдите мне, князь, сюжет для картины.

— Я в этом ничего не понимаю. Мне кажется: взглянуть и писать.

— Взглянуть не умею.

— Да что вы загадки-то говорите? Ничего не понимаю! — перебила генеральша. — Как это взглянуть не умею? Есть глаза, и гляди. Не умеешь здесь взглянуть, так и за границей не выучишься. Лучше расскажите-ка, как вы сами-то глядели, князь.

— Вот это лучше будет, — прибавила Аделаида. — Князь ведь за границей выучился глядеть.

— Не знаю; я там только здоровье поправил; не знаю, научился ли я глядеть. Я, впрочем, почти всё время был очень счастлив.

— Счастлив! Вы умеете быть счастливым? — вскричала Аглая. — Так как же вы говорите, что не научились глядеть? Еще нас поучите.

— Научите, пожалуйста, — смеялась Аделаида.

— Ничему не могу научить, — смеялся и князь, — я всё почти время за границей прожил в этой швейцарской деревне; редко выезжал куда-нибудь недалеко; чему же я вас научу? Сначала мне было только нескучно; я стал скоро выздоравливать; потом мне каждый день становился дорог, и чем дальше, тем дороже, так что я стал это замечать. Ложился спать я очень довольный, а вставал еще счастливее. А почему это всё — довольно трудно рассказать.

— Так что вам уж никуда и не хотелось, никуда вас не позывало? — спросила Александра.

— Сначала, с самого начала, да, позывало, и я впадал в большое беспокойство. Всё думал, как я буду жить; свою судьбу хотел испытать, особенно в иные минуты бывал беспокоен. Вы знаете, такие минуты есть, особенно в уединении. У нас там водопад был, небольшой; высоко с горы падал и такою тонкою ниткой, почти перпендикулярно, — белый, шумливый, пенистый; падал высоко, а казалось, довольно низко, был в полверсте, а казалось, что до него пятьдесят шагов. Я по ночам любил слушать его шум; вот в эти минуты доходил иногда до большого беспокойства. Тоже иногда в полдень, когда зайдешь куда-нибудь в горы, станешь один посредине горы, кругом сосны, старые, большие, смолистые; вверху на скале старый замок средневековый, развалины; наша деревенька далеко внизу, чуть видна; солнце яркое, небо голубое, тишина страшная. Вот тут-то, бывало, и зовет всё куда-то, и мне всё казалось, что если пойти всё прямо, идти долго-долго и зайти вот за эту линию, за ту самую, где небо с землей встречается, то там вся и разгадка, и тотчас же новую жизнь увидишь, в тысячу раз сильней и шумней, чем у нас; такой большой город мне всё мечтался, как Неаполь, в нем всё дворцы, шум, гром, жизнь... Да, мало ли что мечталось! А потом мне показалось, что и в тюрьме можно огромную жизнь найти.

— Последнюю похвальную мысль я еще в моей «Хрестоматии», когда мне двенадцать лет было, читала, — сказала Аглая.

— Это всё философия, — заметила Аделаида, — вы философ и нас приехали поучать.

— Вы, может, и правы, — улыбнулся князь, — я действительно, пожалуй, философ, и кто знает, может, и в самом деле мысль имею поучать... Это может быть; право, может быть.

— И философия ваша точно такая же, как у Евлампии Николавны, — подхватила опять Аглая, — такая чиновница, вдова, к нам ходит, вроде приживалки. У ней вся задача в жизни — дешевизна; только чтоб было дешевле прожить, только о копейках и говорит, и, заметьте, у ней деньги есть, она плутовка. Так точ-

но и ваша огромная жизнь в тюрьме, а может быть, и ваше четырехлетнее счастье в деревне, за которое вы ваш город Неаполь продали, и, кажется, с барышом, несмотря на то что на копейки.

— Насчет жизни в тюрьме можно еще и не согласиться, — сказал князь, — я
слышал один рассказ человека, который просидел в тюрьме лет двенадцать;
это был один из больных у моего профессора и лечился. У него были припадки, он был иногда беспокоен, плакал и даже пытался раз убить себя. Жизнь его
в тюрьме была очень грустная, уверяю вас, но уж, конечно, не копеечная. А всё
знакомство-то у него было с пауком да с деревцем, что под окном выросло...
Но я вам лучше расскажу про другую мою встречу прошлого года с одним человеком. Тут одно обстоятельство очень странное было, — странное тем, собственно, что случай такой очень редко бывает. Этот человек был раз взведен,
вместе с другими, на эшафот, и ему прочитан был приговор смертной казни
расстрелянием, за политическое преступление. Минут через двадцать прочте-
но было и помилование и назначена другая степень наказания; но, однако же,
в промежутке между двумя приговорами, двадцать минут или по крайней мере
четверть часа, он прожил под несомненным убеждением, что через несколько
минут он вдруг умрет. Мне ужасно хотелось слушать, когда он иногда припоминал свои тогдашние впечатления, и я несколько раз начинал его вновь расспрашивать. Он помнил всё с необыкновенною ясностью и говорил, что никогда ничего из этих минут не забудет. Шагах в двадцати от эшафота, около
которого стоял народ и солдаты, были врыты три столба, так как преступников
было несколько человек. Троих первых повели к столбам, привязали, надели
на них смертный костюм (белые длинные балахоны), а на глаза надвинули им
белые колпаки, чтобы не видно было ружей; затем против каждого столба вы-
строилась команда из нескольких человек солдат. Мой знакомый стоял вось-
мым по очереди, стало быть, ему приходилось идти к столбам в третью очередь. Священник обошел всех с крестом. Выходило, что остается жить минут
пять, не больше. Он говорил, что эти пять минут казались ему бесконечным
сроком, огромным богатством; ему казалось, что в эти пять минут он проживет
столько жизней, что еще сейчас нечего и думать о последнем мгновении, так
что он еще распоряжения разные сделал: рассчитал время, чтобы проститься с
товарищами, на это положил минуты две, потом две минуты еще положил,
чтобы подумать в последний раз про себя, а потом, чтобы в последний раз кругом поглядеть. Он очень хорошо помнил, что сделал именно эти три распоряжения и именно так рассчитал. Он умирал двадцати семи лет, здоровый и сильный; прощаясь с товарищами, он помнил, что одному из них задал довольно
посторонний вопрос и даже очень заинтересовался ответом. Потом, когда он
простился с товарищами, настали те две минуты, которые он отсчитал, чтобы
думать про себя; он знал заранее, о чем он будет думать: ему всё хотелось представить себе, как можно скорее и ярче, что вот как же это так: он теперь есть и
живет, а через три минуты будет уже *нечто*, кто-то или что-то, — так кто же?
где же? Всё это он думал в эти две минуты решить! Невдалеке была церковь, и
вершина собора с позолоченною крышей сверкала на ярком солнце. Он помнил, что ужасно упорно смотрел на эту крышу и на лучи, от нее сверкавшие;
оторваться не мог от лучей: ему казалось, что эти лучи его новая природа, что
он чрез три минуты как-нибудь сольется с ними... Неизвестность и отвращение от этого нового, которое будет и сейчас наступит, были ужасны; но он говорит, что ничего не было для него в это время тяжелее, как беспрерывная

мысль: «Что, если бы не умирать! Что, если бы воротить жизнь, — какая бесконечность! И всё это было бы мое! Я бы тогда каждую минуту в целый век обратил, ничего бы не потерял, каждую бы минуту счетом отсчитывал, уж ничего бы даром не истратил!» Он говорил, что эта мысль у него наконец в такую злобу переродилась, что ему уж хотелось, чтобы его поскорей застрелили.

Князь вдруг замолчал; все ждали, что он будет продолжать и выведет заключение.

— Вы кончили? — спросила Аглая.

— Что? кончил, — сказал князь, выходя из минутной задумчивости.

— Да для чего же вы про это рассказали?

— Так... мне припомнилось... я к разговору...

— Вы очень обрывисты, — заметила Александра, — вы, князь, верно хотели вывести, что ни одного мгновения на копейки ценить нельзя, и иногда пять минут дороже сокровища. Всё это похвально, но позвольте, однако же, как же этот приятель, который вам такие страсти рассказывал... ведь ему переменили же наказание, стало быть, подарили же эту «бесконечную жизнь». Ну, что же он с этим богатством сделал потом? Жил ли каждую минуту «счетом»?

— О нет, он мне сам говорил, — я его уже про это спрашивал, — вовсе не так жил и много, много минут потерял.

— Ну, стало быть, вот вам и опыт, стало быть и нельзя жить, взаправду «отсчитывая счетом». Почему-нибудь да нельзя же.

— Да, почему-нибудь да нельзя же, — повторил князь, — мне самому это казалось... А все-таки как-то не верится...

— То есть вы думаете, что умнее всех проживете? — сказала Аглая.

— Да, мне и это иногда думалось.

— И думается?

— И... думается, — отвечал князь, по-прежнему с тихою и даже робкою улыбкой смотря на Аглаю; но тотчас же рассмеялся опять и весело посмотрел на нее.

— Скромно! — сказала Аглая, почти раздражаясь.

— А какие, однако же, вы храбрые, вот вы смеетесь, а меня так всё это поразило в его рассказе, что я потом во сне видел, именно эти пять минут видел...

Он пытливо и серьезно еще раз обвел глазами своих слушательниц.

— Вы не сердитесь на меня за что-нибудь? — спросил он вдруг, как бы в замешательстве, но, однако же, прямо смотря всем в глаза.

— За что? — вскричали все три девицы в удивлении.

— Да вот, что я всё как будто учу...

Все засмеялись.

— Если сердитесь, то не серди́тесь, — сказал он, — я ведь сам знаю, что меньше других жил и меньше всех понимаю в жизни. Я, может быть, иногда очень странно говорю...

И он решительно сконфузился.

— Коли говорите, что были счастливы, стало быть, жили не меньше, а больше; зачем же вы кривите и извиняетесь? — строго и привязчиво начала Аглая, — и не беспокойтесь, пожалуйста, что вы нас поучаете, тут никакого нет торжества с вашей стороны. С вашим квиетизмом можно и сто лет жизни счастьем наполнить. Вам покажи смертную казнь и покажи вам пальчик, вы из того и из другого одинаково похвальную мысль выведете, да еще довольны останетесь. Этак можно прожить.

— За что ты всё злишься, не понимаю, — подхватила генеральша, давно наблюдавшая лица говоривших, — и о чем вы говорите, тоже не могу понять. Какой пальчик и что за вздор? Князь прекрасно говорит, только немного грустно. Зачем ты его обескураживаешь? Он когда начал, то смеялся, а теперь совсем осовел.

— Ничего, maman. А жаль, князь, что вы смертной казни не видели, я бы вас об одном спросила.

— Я видел смертную казнь, — отвечал князь.

— Видели? — вскричала Аглая. — Я бы должна была догадаться! Это венчает всё дело. Если видели, как же вы говорите, что всё время счастливо прожили? Ну, не правду ли я вам сказала?

— А разве в вашей деревне казнят? — спросила Аделаида.

— Я в Лионе видел, я туда с Шнейдером ездил, он меня брал. Как приехал, так и попал.

— Что же, вам очень понравилось? Много назидательного? Полезного? — спрашивала Аглая.

— Мне это вовсе не понравилось, и я после того немного болен был, но признаюсь, что смотрел как прикованный, глаз оторвать не мог.

— Я бы тоже глаз оторвать не могла, — сказала Аглая.

— Там очень не любят, когда женщины ходят смотреть, даже в газетах потом пишут об этих женщинах.

— Значит, коль находят, что это не женское дело, так тем самым хотят сказать (а стало быть, оправдать), что это дело мужское. Поздравляю за логику. И вы так же, конечно, думаете?

— Расскажите про смертную казнь, — перебила Аделаида.

— Мне бы очень не хотелось теперь... — смешался и как бы нахмурился князь.

— Вам точно жалко нам рассказывать, — кольнула Аглая.

— Нет, я потому, что я уже про эту самую смертную казнь давеча рассказывал.

— Кому рассказывали?

— Вашему камердинеру, когда дожидался...

— Какому камердинеру? — раздалось со всех сторон.

— А вот что в передней сидит, такой с проседью, красноватое лицо; я в передней сидел, чтобы к Ивану Федоровичу войти.

— Это странно, — заметила генеральша.

— Князь — демократ, — отрезала Аглая, — ну, если Алексею рассказывали, нам уж не можете отказать.

— Я непременно хочу слышать, — повторила Аделаида.

— Давеча действительно, — обратился к ней князь, несколько опять одушевляясь (он, казалось, очень скоро и доверчиво одушевлялся), — действительно у меня мысль была, когда вы у меня сюжет для картины спрашивали, дать вам сюжет: нарисовать лицо приговоренного за минуту до удара гильотины, когда еще он на эшафоте стоит, перед тем как ложиться на эту доску.

— Как лицо? Одно лицо? — спросила Аделаида. — Странный будет сюжет, и какая же тут картина?

— Не знаю, почему же? — с жаром настаивал князь. — Я в Базеле недавно одну такую картину видел. Мне очень хочется вам рассказать... Я когда-нибудь расскажу... очень меня поразила.

— О базельской картине вы непременно расскажете после, — сказала Аделаида, — а теперь растолкуйте мне картину из этой казни. Можете передать так, как вы это себе представляете? Как же это лицо нарисовать? Так, одно лицо? Какое же это лицо?

— Это ровно за минуту до смерти, — с полною готовностию начал князь, увлекаясь воспоминанием и, по-видимому, тотчас же забыв о всем остальном, — тот самый момент, когда он поднялся на лесенку и только что ступил на эшафот. Тут он взглянул в мою сторону; я поглядел на его лицо и всё понял... Впрочем, ведь как это рассказать! Мне ужасно бы, ужасно бы хотелось, чтобы вы или кто-нибудь это нарисовал! Лучше бы, если бы вы! Я тогда же подумал, что картина будет полезная. Знаете, тут нужно всё представить, что было заранее, всё, всё. Он жил в тюрьме и ждал казни по крайней мере еще чрез неделю; он как-то рассчитывал на обыкновенную формалистику, что бумага еще должна куда-то пойти и только чрез неделю выйдет. А тут вдруг по какому-то случаю дело было сокращено. В пять часов утра он спал. Это было в конце октября; в пять часов еще холодно и темно. Вошел тюремный пристав, тихонько, со стражей, и осторожно тронул его за плечо; тот приподнялся, облокотился, — видит свет: «Что такое?» — «В десятом часу смертная казнь». Он со сна не поверил, начал было спорить, что бумага выйдет чрез неделю, но когда совсем очнулся, перестал спорить и замолчал, — так рассказывали, — потом сказал: «Все-таки тяжело так вдруг...» — и опять замолк, и уже ничего не хотел говорить. Тут часа три-четыре проходят на известные вещи: на священника, на завтрак, к которому ему вино, кофей и говядину дают (ну, не насмешка ли это? Ведь, подумаешь, как это жестоко, а с другой стороны, ей-богу, эти невинные люди от чистого сердца делают и уверены, что это человеколюбие), потом туалет (вы знаете, что такое туалет преступника?), наконец, везут по городу до эшафота... Я думаю, что вот тут тоже кажется, что еще бесконечно жить остается, пока везут. Мне кажется, он наверно думал дорогой: «Еще долго, еще жить три улицы остается; вот эту проеду, потом еще та останется, потом еще та, где булочник направо... еще когда-то доедем до булочника!» Кругом народ, крик, шум, десять тысяч лиц, десять тысяч глаз, — всё это надо перенести, а главное, мысль: «Вот их десять тысяч, а их никого не казнят, а меня-то казнят!» Ну, вот это всё предварительно. На эшафот ведет лесенка; тут он пред лесенкой вдруг заплакал, а это был сильный и мужественный человек, большой злодей, говорят, был. С ним всё время неотлучно был священник, и в тележке с ним ехал и всё говорил, — вряд ли тот слышал: и начнет слушать, а с третьего слова уж не понимает. Так, должно быть. Наконец стал всходить на лесенку; тут ноги перевязаны, и потому движутся шагами мелкими. Священник, должно быть человек умный, перестал говорить, а всё ему крест давал целовать. В низу лесенки он был очень бледен, а как поднялся и стал на эшафот, стал вдруг белый как бумага, совершенно как белая писчая бумага. Наверно, у него ноги слабели и деревенели, и тошнота была, — как будто что его давит в горле, и от этого точно щекотно, — чувствовали вы это когда-нибудь в испуге или в очень страшные минуты, когда и весь рассудок остается, но никакой уже власти не имеет? Мне кажется, если, например, неминуемая гибель, дом на вас валится, то тут вдруг ужасно захочется сесть и закрыть глаза и ждать — будь что будет!.. Вот тут-то, когда начиналась эта слабость, священник поскорей, скорым таким жестом и молча, ему крест к самым губам вдруг подставлял, маленький такой крест, серебряный, четырехконечный, — часто подставлял, поминутно. И как только крест касался губ, он глаза открывал, и опять на несколько секунд как бы оживлялся, и ноги шли. Крест он с жадностью целовал, спешил целовать, точно спешил не забыть захватить что-то про запас, на всякий случай, но вряд ли в эту минуту что-нибудь религиозное сознавал. И так было до самой доски... Странно, что редко в эти самые последние секунды в обморок падают! Напротив, голова ужасно живет и работает, должно быть, сильно, сильно, сильно, как машина в ходу; я воображаю, так и стучат разные мысли, все неконченые, и может быть, и смешные, посторонние такие мысли: «Вот этот глядит — у него бородавка на лбу, вот у палача одна нижняя пуговица заржавела»... а между тем всё знаешь и всё помнишь; одна такая точка есть, которой никак нельзя забыть, и в обморок упасть нельзя, и всё около нее, около этой точки, ходит и вертится. И подумать, что это так до самой последней четверти секунды, когда уже голова на плахе лежит, и ждет, и... *знает*, и вдруг услышит над собой, как железо склизнуло! Это непременно услышишь! Я бы, если бы лежал, я бы нарочно слушал и услышал! Тут, может быть, только одна десятая доля мгновения, но непременно услышишь! И представьте же, до сих пор еще спорят, что, может быть, голова когда и отлетит, то еще с секунду, может быть, знает, что она отлетела, — каково понятие! А что, если пять секунд!.. Нарисуйте эшафот так, чтобы видна была ясно и близко одна только последняя ступень; преступник ступил на нее: голова, лицо бледное как бумага, священник протягивает крест, тот с жадностию протягивает свои синие губы и глядит, и — *всё знает*. Крест и голова — вот картина, лицо священника, палача, его двух служителей и несколько голов и глаз снизу, — всё это можно нарисовать как бы на третьем плане, в тумане, для аксессуара... Вот какая картина.

Князь замолк и поглядел на всех.

— Это, конечно, непохоже на квиетизм, — проговорила про себя Александра.

— Ну, теперь расскажите, как вы были влюблены, — сказала Аделаида.

Князь с удивлением посмотрел на нее.

— Слушайте, — как бы торопилась Аделаида, — за вами рассказ о базельской картине, но теперь я хочу слышать о том, как вы были влюблены; не отпирайтесь, вы были. К тому же вы сейчас как начнете рассказывать, перестаете быть философом.

— Вы, как кончите рассказывать, тотчас же и застыдитесь того, что рассказали, — заметила вдруг Аглая. — Отчего это?

— Как это, наконец, глупо, — отрезала генеральша, с негодованием смотря на Аглаю.

— Не умно, — подтвердила Александра.

— Не верьте ей, князь, — обратилась к нему генеральша, — она это нарочно с какой-то злости делает; она вовсе не так глупо воспитана; не подумайте чего-нибудь, что они вас так тормошат. Они, верно, что-нибудь затеяли, но они уже вас любят. Я их лица знаю.

— И я их лица знаю, — сказал князь, особенно ударяя на свои слова.

— Это как? — спросила Аделаида с любопытством.

— Что вы знаете про наши лица? — залюбопытствовали и две другие.

Но князь молчал и был серьезен; все ждали его ответа.

— Я вам после скажу, — сказал он тихо и серьезно.

— Вы решительно хотите заинтересовать нас, — вскричала Аглая, — и какая торжественность!

— Ну, хорошо, — заторопилась опять Аделаида, — но если уж вы такой знаток лиц, то наверно были и влюблены; я, стало быть, угадала. Рассказывайте же.

— Я не был влюблен, — отвечал князь так же тихо и серьезно, — я... был счастлив иначе.

— Как же, чем же?

— Хорошо, я вам расскажу, — проговорил князь как бы в глубоком раздумье.

VI

— Вот вы все теперь, — начал князь, — смотрите на меня с таким любопытством, что, не удовлетвори я его, вы на меня, пожалуй, и рассердитесь. Нет, я шучу, — прибавил он поскорее с улыбкой. — Там... там были всё дети, и я всё время был там с детьми, с одними детьми. Это были дети той деревни, вся ватага, которая в школе училась. Я не то чтоб учил их; о нет, там для этого был школьный учитель, Жюль Тибо; я, пожалуй, и учил их, но я больше так был с ними, и все мои четыре года так и прошли. Мне ничего другого не надобно было. Я им всё говорил, ничего от них не утаивал. Их отцы и родственники на меня рассердились все, потому что дети наконец без меня обойтись не могли и всё вокруг меня толпились, а школьный учитель даже стал мне наконец первым врагом. У меня много стало там врагов, и всё из-за детей. Даже Шнейдер стыдил меня. И чего они так боялись? Ребенку можно всё говорить, — всё; меня всегда поражала мысль, как плохо знают большие детей, отцы и матери даже своих детей. От детей ничего не надо утаивать под предлогом, что они маленькие и что им рано знать. Какая грустная и несчастная мысль! И как хорошо сами дети подмечают, что отцы считают их слишком маленькими и ничего не понимающими, тогда как они всё понимают. Большие не знают, что ребенок даже в самом трудном деле может дать чрезвычайно важный совет. О Боже! когда на вас глядит эта хорошенькая птичка, доверчиво и счастливо, вам ведь стыдно ее обмануть! Я потому их птичками зову, что лучше птички нет ничего на свете. Впрочем, на меня все в деревне рассердились больше по одному случаю... а Тибо просто мне завидовал; он сначала всё качал головой и дивился, как это дети у меня всё понимают, а у него почти ничего, а потом стал надо мной смеяться, когда я ему сказал, что мы оба их ничему не научим, а они еще нас научат. И как он мог мне завидовать и клеветать на меня, когда сам жил с детьми! Через детей душа лечится... Там был один больной в заведении Шнейдера, один очень несчастный человек. Это было такое ужасное несчастие, что подобное вряд ли и может быть. Он был отдан на излечение от помешательства; по-моему, он был не помешанный, он только ужасно страдал, — вот и вся его болезнь была. И если бы вы знали, чем стали под конец для него наши дети... Но я вам про этого больного потом лучше расскажу; я расскажу теперь, как это всё началось. Дети сначала меня не полюбили. Я был такой большой, я всегда такой мешковатый; я знаю, что я и собой дурен... наконец, и то, что я был иностранец. Дети надо мной сначала смеялись, а потом даже камнями в меня стали кидать, когда подглядели, что я поцеловал Мари. А я всего один раз поцеловал ее... Нет, не смейтесь, — поспешил остановить князь усмешку своих слушательниц, — тут вовсе не было любви. Если бы вы знали, какое это было несчастное создание, то вам бы самим стало ее очень жаль, как и мне. Она была из нашей деревни. Мать ее была старая старуха, и у ней, в их маленьком, совсем ветхом домишке, в два окна, было отгорожено одно окно, по дозволению деревенского начальства; из этого окна ей позволяли торговать снурками, нитками, табаком, мылом, всё на самые мелкие гроши, тем она и пропитывалась. Она была больная, и у ней всё ноги пухли, так что всё сидела на месте. Мари была ее дочь, лет двадцати, слабая и худенькая; у ней давно начиналась чахотка, но она всё ходила по домам в тяжелую работу наниматься поденно — полы мыла, белье, дворы обметала, скот убирала. Один проезжий французский комми соблазнил ее и увез, а через неделю на дороге бросил одну и тихонько уехал. Она пришла домой, побираясь, вся испачканная, вся в лохмотьях, с ободранными башмаками; шла она пешком всю неделю, ночевала в поле и очень простудилась; ноги были в ранах, руки опухли и растрескались. Она, впрочем, и прежде была собой не хороша; глаза только были тихие, добрые, невинные. Молчалива была ужасно. Раз, прежде еще, она за работой вдруг запела, и я помню, что все удивились и стали смеяться: «Мари запела! Как? Мари запела!» — и она ужасно законфузилась и уж навек потом замолчала. Тогда еще ее ласкали, но когда она воротилась, больная и истерзанная, никакого-то к ней сострадания не было ни в ком! Какие они на это жестокие! Какие у них тяжелые на это понятия! Мать, первая, приняла ее со злобой и с презреньем: «Ты меня теперь обесчестила». Она первая ее и выдала на позор: когда в деревне услышали, что Мари воротилась, то все побежали смотреть Мари, и чуть не вся деревня сбежалась в избу к старухе: старики, дети, женщины, девушки, все, такою торопливою, жадною толпой. Мари лежала на полу, у ног старухи, голодная, оборванная, и плакала. Когда все набежали, она закрылась своими разбившимися волосами и так и приникла ничком к полу. Все кругом смотрели на нее, как на гадину; старики осуждали и бранили, молодые даже смеялись, женщины бранили ее, осуждали, смотрели с презреньем таким, как на паука какого. Мать всё это позволила, сама тут сидела, кивала головой и одобряла. Мать в то время уж очень больна была и почти умирала; чрез два месяца она и в самом деле померла; она знала, что она умирает, но все-таки с дочерью помириться не подумала до самой смерти, даже не говорила с ней ни слова, гнала спать в сени, даже почти не кормила. Ей нужно было часто ставить свои больные ноги в теплую воду; Мари каждый день обмывала ей ноги и ходила за ней; она принимала все ее услуги молча и ни одного слова не сказала ей ласково. Мари всё переносила, и я потом, когда познакомился с нею, заметил, что она и сама всё это одобряла, и сама считала себя за какую-то самую последнюю тварь. Когда старуха слегла совсем, то за ней пришли ухаживать деревенские старухи, по очереди, так там устроено. Тогда Мари совсем уже перестали кормить; а в деревне все ее гнали, и никто даже ей работы не хотел дать, как прежде. Все точно плевали на нее, а мужчины даже за женщину перестали ее считать, все такие скверности ей говорили. Иногда, очень редко, когда пьяные напивались в воскресенье, для смеху бросали ей гроши, так, прямо на землю; Мари молча поднимала. Она уже тогда начала кашлять кровью. Наконец ее отрепья стали уж совсем лохмотьями, так что стыдно было показаться в деревне; ходила же она с самого возвращения босая. Вот тут-то, особенно, дети всею ватагой, — их было человек сорок с лишком школьников, — стали дразнить ее и даже грязью в нее кидали. Она попросилась к пастуху, чтобы пустил ее коров стеречь, но пастух прогнал. Тогда она сама, без позволения, стала со стадом уходить на целый день из дому. Так как она очень много пользы приносила пастуху и он заметил это, то уж и не прогонял ее и иногда даже ей остатки от своего обеда давал, сыру и хлеба. Он это за великую милость с своей стороны почитал. Когда же мать померла, то пастор в церкви не постыдился всенародно опозорить Мари. Мари стояла за гробом, как была, в своих лохмотьях, и плакала. Сошлось много народу смотреть, как она будет плакать и за гробом идти; тогда пастор, — он еще был молодой человек, и вся его амбиция была сделаться большим проповедником, — обратился ко всем и указал на Мари. «Вот кто была причиной смерти этой почтенной женщины» (и неправда, потому что та уже два года была больна), «вот она стоит пред вами и не смеет взглянуть, потому что она отмечена перстом Божиим; вот она босая и в лохмотьях, — пример тем, которые теряют добродетель! Кто же она? Это дочь ее!», и всё в этом роде. И представьте, эта низость почти всем им понравилась, но... тут вышла особенная история; тут вступились дети, потому что в это время дети были все уже на моей стороне и стали любить Мари. Это вот как вышло. Мне захотелось что-нибудь сделать Мари; ей очень надо было денег дать, но денег там у меня никогда не было ни копейки. У меня была маленькая бриллиантовая булавка, и я ее продал одному перекупщику; он по деревням ездил и старым платьем торговал. Он мне дал восемь франков, а она стоила верных сорок. Я долго старался встретить Мари одну; наконец мы встретились за деревней, у изгороди, на боковой тропинке в гору, за деревом. Тут я ей дал восемь франков в сказал ей, чтоб она берегла, потому что у меня больше уж не будет, а потом поцеловал ее и сказал, чтоб она не думала, что у меня какое-нибудь нехорошее намерение, и что целую я ее не потому, что влюблен в нее, а потому, что мне ее очень жаль, и что я с самого начала ее нисколько за виноватую не почитал, а только за несчастную. Мне очень хотелось тут же и утешить и уверить ее, что она не должна себя такою низкою считать пред всеми, но она, кажется, не поняла. Я это сейчас заметил, хотя она всё время почти молчала и стояла предо мной, потупив глаза и ужасно стыдясь. Когда я кончил, она мне руку поцеловала, и я тотчас же взял ее руку и хотел поцеловать, но она поскорей отдернула. Вдруг в это время нас подглядели дети, целая толпа; я потом узнал, что они давно за мной подсматривали. Они начали свистать, хлопать в ладошки и смеяться, а Мари бросилась бежать. Я хотел было говорить, но они в меня стали камнями кидать. В тот же день все узнали, вся деревня; всё обрушилось опять на Мари: ее еще пуще стали не любить. Я слыхал даже, что ее хотели присудить к наказанию, но, слава богу, прошло так; зато уж дети ей проходу не стали давать, дразнили пуще прежнего, грязью кидались; гонят ее, она бежит от них с своею слабою грудью, задохнется, они за ней, кричат, бранятся. Один раз я даже бросился с ними драться. Потом я стал им говорить, говорил каждый день, когда только мог. Они иногда останавливались и слушали, хотя всё еще бранились. Я им рассказал, какая Мари несчастная; скоро они перестали браниться и стали отходить молча. Мало-помалу мы стали разговаривать, я от них ничего не таил; я им всё рассказал. Они очень любопытно слушали и скоро стали жалеть Мари. Иные, встречаясь с нею, стали ласково с нею здороваться; там в обычае, встречая друг друга, — знакомые или нет, — кланяться и говорить: «Здравствуйте». Воображаю, как Мари удивлялась. Однажды две девочки достали кушанья и снесли к ней, отдали, пришли и мне сказали. Они говорили, что Мари расплакалась и что они теперь ее очень любят. Скоро и все стали любить ее, а вместе с тем и меня вдруг стали любить. Они стали часто приходить ко мне и всё просили, чтоб я им рассказывал; мне кажется, что я хорошо рассказывал, потому что они очень любили меня слушать. А впоследствии я и учился и читал всё только для того, чтоб им потом рассказать, и все три года потом я им рассказывал. Когда потом все меня обвиняли, — Шнейдер тоже, — зачем я с ними говорю, как с большими, и ничего от них не скрываю, то я им отвечал, что лгать им стыдно, что они и без того всё знают, как ни таи от них, и узнают, пожалуй, скверно, а от меня не скверно узнают. Стоило только всякому вспомнить, как сам был ребенком. Они не согласны были... Я поцеловал Мари еще за две недели до того, как ее мать умерла; когда же пастор проповедь говорил, то все дети были уже на моей стороне. Я им тотчас же рассказал и растолковал поступок пастора; все на него рассердились, а некоторые до того, что ему камнями стекла в окнах разбили. Я их остановил, потому что уж это было дурно, но тотчас же в деревне все всё узнали, и вот тут и начали обвинять меня, что я испортил детей. Потом все узнали, что дети любят Мари, и ужасно перепугались; но Мари уже была счастлива. Детям запретили даже и встречаться с нею, но они бегали потихоньку к ней в стадо, довольно далеко, почти в полверсте от деревни; они носили ей гостинцев, а иные просто прибегали для того, чтоб обнять ее, поцеловать, сказать: «Je vous aime, Marie!»[1] — и потом стремглав бежать назад. Мари чуть с ума не сошла от такого внезапного счастия; ей это даже и не грезилось; она стыдилась и радовалась, а главное, детям хотелось, особенно девочкам, бегать к ней, чтобы передавать ей, что я ее люблю и очень много о ней им говорю. Они ей рассказали, что это я им всё пересказал и что они теперь ее любят и жалеют, и всегда так будут. Потом забегали ко мне и с такими радостными, хлопотливыми личиками передавали, что они сейчас видели Мари и что Мари мне кланяется. По вечерам я ходил к водопаду; там было одно совсем закрытое со стороны деревни место, и кругом росли тополи; туда-то они ко мне по вечерам и сбегались, иные даже украдкой. Мне кажется, для них была ужасным наслаждением моя любовь к Мари, и вот в этом одном, во всю тамошнюю жизнь мою, я и обманул их. Я не разуверял их, что я вовсе не люблю Мари, то есть не влюблен в нее, что мне ее только очень жаль было; я по всему видел, что им так больше хотелось, как они сами вообразили и положили промеж себя, и потому молчал и показывал вид, что я они угадали. И до такой степени были деликатны и нежны эти маленькие сердца: им, между прочим, показалось невозможным, что их добрый Léon так любит Мари, а Мари так дурно одета и без башмаков. Представьте себе, они достали ей и башмаки, и чулки, и белье, и даже какое-то платье; как это они ухитрились — не понимаю; всею ватагой работали. Когда я их расспрашивал, они только весело смеялись, а девочки били в ладошки и целовали меня. Я иногда ходил тоже потихоньку повидаться с Мари. Она уж становилась очень больна и едва ходила; наконец перестала совсем служить пастуху, но все-таки каждое утро уходила со стадом. Она садилась в стороне; там у одной, почти прямой, отвесной скалы был выступ; она садилась в самый угол, от всех закрытый, на камень и сидела почти без движения весь день, с самого утра до того часа, когда стадо уходило. Она уже была так слаба от чахотки, что всё больше сидела с закрытыми глазами, прислонив голову к скале, и дремала, тяжело дыша; лицо ее похудело, как у скелета, и пот проступал на лбу и на висках. Так я всегда заставал ее. Я приходил на минуту, и мне тоже не хотелось, чтобы меня видели. Как я только показывался, Мари тотчас же вздрагивала, открывала глаза и бросалась целовать мне руки. Я уже не отнимал, потому что для нее это было счастьем; она всё время, как я сидел, дрожала и плакала; правда, несколько раз она принималась было говорить, но ее трудно было и понять. Она бывала как безумная, в ужасном волнении и восторге. Иногда дети приходили со мной. В таком случае они обыкновенно становились неподалеку и начинали нас стеречь от чего-то и от кого-то, и это было для них не-

---

[1] «Я вас люблю, Мари!» (*франц.*)

обыкновенно приятно. Когда мы уходили, Мари опять оставалась одна, по-прежнему без движения, закрыв глаза и прислонясь головой к скале; она, может быть, о чем-нибудь грезила. Однажды поутру она уже не могла выйти к стаду и осталась у себя в пустом своем доме. Дети тотчас же узнали и почти все перебывали у ней в этот день навестить ее; она лежала в своей постели одна-одинехонька. Два дня ухаживали за ней одни дети, забегая по очереди, но потом, когда в деревне прослышали, что Мари уже в самом деле умирает, то к ней стали ходить из деревни старухи, сидеть и дежурить. В деревне, кажется, стали жалеть Мари, по крайней мере детей уже не останавливали и не бранили, как прежде. Мари всё время была в дремоте, сон у ней был беспокойный: она ужасно кашляла. Старухи отгоняли детей, но те подбегали под окно, иногда только на одну минуту, чтобы только сказать: «Bonjour, notre bonne Marie»[1]. А та, только завидит или заслышит их, вся оживлялась и тотчас же, не слушая старух, силилась приподняться на локоть, кивала им головой, благодарила. Они по-прежнему приносили ей гостинцев, но она почти ничего не ела. Через них, уверяю вас, она умерла почти счастливая. Через них она забыла свою черную беду, как бы прощение от них приняла, потому что до самого конца считала себя великою преступницею. Они, как птички, бились крылышками в ее окна и кричали ей каждое утро: «Nous t'aimons, Marie»[2]. Она очень скоро умерла. Я думал, она гораздо дольше проживет. Накануне ее смерти, пред закатом солнца, я к ней заходил; кажется, она меня узнала, и я в последний раз пожал ее руку; как иссохла у ней рука! А тут вдруг наутро приходят и говорят мне, что Мари умерла. Тут детей и удержать нельзя было: они убрали ей весь гроб цветами и надели ей венок на голову. Пастор в церкви уже не срамил мертвую, да и на похоронах очень мало было, так только из любопытства зашли некоторые; но когда надо было нести гроб, то дети бросились все разом, чтобы самим нести. Так как они не могли снести, то помогали, все бежали за гробом и все плакали. С тех пор могилка Мари постоянно почиталась детьми: они убирают ее каждый год цветами, обсадили кругом розами. Но с этих похорон и началось на меня главное гонение всей деревни из-за детей. Главные зачинщики были пастор и школьный учитель. Детям решительно запретили даже встречаться со мной, а Шнейдер обязался даже смотреть за этим. Но мы все-таки виделись, издалека объяснялись знаками. Они присылали мне свои маленькие записочки. Впоследствии это всё уладилось, но тогда было очень хорошо: я даже еще ближе сошелся с детьми через это гонение. В последний год я даже почти помирился с Тибо и с пастором. А Шнейдер много мне говорил и спорил со мной о моей вредной «системе» с детьми. Какая у меня система! Наконец Шнейдер мне высказал одну очень странную свою мысль, — это уж было пред самым моим отъездом, — он сказал мне, что он вполне убедился, что я сам совершенный ребенок, то есть вполне ребенок, что я только ростом и лицом похож на взрослого, но что развитием, душой, характером и, может быть, даже умом я не взрослый, и так и останусь, хотя бы я до шестидесяти лет прожил. Я очень смеялся: он, конечно, не прав, потому что какой же я маленький? Но одно только правда, я и в самом деле не люблю быть со взрослыми, с людьми, с большими, — и это я давно заметил, — не люблю, потому что не умею. Что бы они ни говорили со мной, как бы добры ко мне ни были, все-таки с ними мне всегда тяжело почему-то, и я ужасно рад, когда могу уйти поскорее к товарищам, а товарищи мои всегда были дети, но не потому,

---

[1] «Здравствуй, наша славная Мари» (*франц.*).
[2] «Мы тебя любим, Мари» (*франц.*).

что я сам был ребенок, а потому, что меня просто тянуло к детям. Когда я, еще в начале моего житья в деревне, — вот когда я уходил тосковать один в горы, — когда я, бродя один, стал встречать иногда, особенно в полдень, когда выпускали из школы, всю эту ватагу, шумную, бегущую, с их мешочками и грифельными досками, с криком, со смехом, с играми, — то вся душа моя начинала вдруг стремиться к ним. Не знаю, но я стал ощущать какое-то чрезвычайно сильное и счастливое ощущение при каждой встрече с ними. Я останавливался и смеялся от счастья, глядя на их маленькие, мелькающие и вечно бегущие ножки, на мальчиков и девочек, бегущих вместе, на смех и слезы (потому что многие уже успевали подраться, расплакаться, опять помириться и поиграть, покамест из школы до дому добегали), и я забывал тогда всю мою тоску. Потом же, во все эти три года, я и понять не мог, как тоскуют и зачем тоскуют люди? Вся судьба моя пошла на них. Я никогда и не рассчитывал покидать деревню, и на ум мне не приходило, что я поеду когда-нибудь сюда, в Россию. Мне казалось, что я всё буду там, но я увидал наконец, что Шнейдеру нельзя же было содержать меня, а тут подвернулось дело до того, кажется, важное, что Шнейдер сам заторопил меня ехать и за меня отвечал сюда. Я вот посмотрю, что это такое, и с кем-нибудь посоветуюсь. Может, моя участь совсем переменится, но это всё не то и не главное. Главное в том, что уже переменилась вся моя жизнь. Я там много оставил, слишком много. Всё исчезло. Я сидел в вагоне и думал: «Теперь я к людям иду; я, может быть, ничего не знаю, но наступила новая жизнь». Я положил исполнить свое дело честно и твердо. С людьми мне будет, может быть, скучно и тяжело. На первый случай я положил быть со всеми вежливым и откровенным; больше от меня ведь никто не потребует. Может быть, и здесь меня сочтут за ребенка, — так пусть! Меня тоже за идиота считают все почему-то, я действительно был так болен когда-то, что тогда и похож был на идиота; но какой же я идиот теперь, когда я сам понимаю, что меня считают за идиота? Я вхожу и думаю: «Вот меня считают за идиота, а я все-таки умный, а они и не догадываются...» У меня часто эта мысль. Когда я в Берлине получил оттуда несколько маленьких писем, которые они уже успели мне написать, то тут только я и понял, как их любил. Очень тяжело получить первое письмо! Как они тосковали, провожая меня! Еще за месяц начали провожать: «Léon s'en va, Léon s'en va pour toujours!»[1] Мы каждый вечер сбирались по-прежнему у водопада и всё говорили о том, как мы расстанемся. Иногда бывало так же весело, как и прежде; только, расходясь на ночь, они стали крепко и горячо обнимать меня, чего не было прежде. Иные забегали ко мне потихоньку от всех, по одному, для того только, чтоб обнять и поцеловать меня наедине, не при всех. Когда я уже отправлялся на дорогу, все, всею гурьбой, провожали меня до станции. Станция железной дороги была примерно от нашей деревни в версте. Они удерживались, чтобы не плакать, но многие не могли и плакали в голос, особенно девочки. Мы спешили, чтобы не опоздать, но иной вдруг из толпы бросался ко мне среди дороги, обнимал меня своими маленькими ручонками и целовал, только для того и останавливал всю толпу; а мы хоть и спешили, но все останавливались и ждали, пока он простится. Когда я сел в вагон и вагон тронулся, они все мне прокричали «ура!» и долго стояли на месте, пока совсем не ушел вагон. И я тоже смотрел... Послушайте, когда я давеча вошел сюда и посмотрел на ваши милые лица, — я теперь очень всматриваюсь в лица, — и услышал ваши первые слова, то у меня, в первый раз с того времени, стало на душе легко. Я давеча уже подумал, что, может быть, я и

---

[1] «Леон уезжает, Леон уезжает навсегда!» (*франц.*)

впрямь из счастливых: я ведь знаю, что таких, которых тотчас полюбишь, не скоро встретишь, а я вас, только что из вагона вышел, тотчас встретил. Я очень хорошо знаю, что про свои чувства говорить всем стыдно, а вот вам я говорю, и с вами мне не стыдно. Я нелюдим и, может быть, долго к вам не приду. Не примите только этого за дурную мысль: я не из того сказал, что вами не дорожу, и не подумайте тоже, что я чем-нибудь обиделся. Вы спрашивали меня про ваши лица и что я заметил в них. Я вам с большим удовольствием это скажу. У вас, Аделаида Ивановна, счастливое лицо, из всех трех лиц самое симпатичное. Кроме того, что вы очень хороши собой, на вас смотришь и говоришь: «У ней лицо, как у доброй сестры». Вы подходите спроста и весело, но и сердце умеете скоро узнать. Вот так мне кажется про ваше лицо. У вас, Александра Ивановна, лицо тоже прекрасное и очень милое, но, может быть, у вас есть какая-нибудь тайная грусть; душа у вас, без сомнения, добрейшая, но вы не веселы. У вас какой-то особенный оттенок в лице, похоже как у Гольбейновой Мадонны в Дрездене. Ну, вот и про ваше лицо: хорош я угадчик? Сами же вы меня за угадчика считаете. Но про ваше лицо, Лизавета Прокофьевна, — обратился он вдруг к генеральше, — про ваше лицо уж мне не только кажется, а я просто уверен, что вы совершенный ребенок, во всем, во всем, во всем хорошем и во всем дурном, несмотря на то, что вы в таких летах. Вы ведь на меня не сердитесь, что я это так говорю? Ведь вы знаете, за кого я детей почитаю? И не подумайте, что я с простоты так откровенно всё это говорил сейчас вам про ваши лица: о нет, совсем нет! Может быть, и я свою мысль имел.

VII

Когда князь замолчал, все на него смотрели весело, даже и Аглая, но особенно Лизавета Прокофьевна.

— Вот и проэкзаменовали! — вскричала она. — Что, милостивые государыни, вы думали, что вы же его будете протежировать, как бедненького, а он вас сам едва избрать удостоил, да еще с оговоркой, что приходить будет только изредка. Вот мы и в дурах, и я рада; а пуще всего Иван Федорович. Браво, князь, вас давеча проэкзаменовать велели. А то, что вы про мое лицо сказали, то всё совершенная правда: я ребенок, и знаю это. Я еще прежде вашего знала про это; вы именно выразили мою мысль в одном слове. Ваш характер я считаю совершенно сходным с моим, и очень рада; как две капли воды. Только вы мужчина, а я женщина и в Швейцарии не была; вот и вся разница.

— Не торопитесь, maman, — вскричала Аглая, — князь говорит, что он во всех своих признаниях особую мысль имел и неспроста говорил.

— Да, да, — смеялись другие.

— Не труните, милые, еще он, может быть, похитрее всех вас трех вместе. Увидите. Но только что ж вы, князь, про Аглаю ничего не сказали? Аглая ждет, и я жду.

— Я ничего не могу сейчас сказать; я скажу потом.

— Почему? Кажется, заметна?

— О да, заметна; вы чрезвычайная красавица, Аглая Ивановна. Вы так хороши, что на вас боишься смотреть.

— И только? А свойства? — настаивала генеральша.

— Красоту трудно судить; я еще не приготовился. Красота — загадка.

— Это значит, что вы Аглае загадали загадку, — сказала Аделаида, — разгадай-ка, Аглая. А хороша она, князь, хороша?

— Чрезвычайно! — с жаром ответил князь, с увлечением взглянув на Аглаю, — почти как Настасья Филипповна, хотя лицо совсем другое!..

Все переглянулись в удивлении.

— Как кто-о-о? — протянула генеральша, — как Настасья Филипповна? Где вы видели Настасью Филипповну? Какая Настасья Филипповна?

— Давеча Гаврила Ардалионович Ивану Федоровичу портрет показывал.

— Как, Ивану Федоровичу портрет принес?

— Показать. Настасья Филипповна подарила сегодня Гавриле Ардалионовичу свой портрет, а тот принес показать.

— Я хочу видеть! — вскинулась генеральша. — Где этот портрет? Если ему подарила, так и должен быть у него, а он, конечно, еще в кабинете. По средам он всегда приходит работать и никогда раньше четырех не уходит. Позвать сейчас Гаврилу Ардалионовича! Нет, я не слишком-то умираю от желания его видеть. Сделайте одолжение, князь, голубчик, сходите в кабинет, возьмите у него портрет и принесите сюда. Скажите, что посмотреть. Пожалуйста.

— Хорош, да уж простоват слишком, — сказала Аделаида, когда вышел князь.

— Да, уж что-то слишком, — подтвердила Александра, — так что даже и смешон немножко.

И та и другая как будто не выговаривали всю свою мысль.

— Он, впрочем, хорошо с нашими лицами вывернулся, — сказала Аглая, — всем польстил, даже и maman.

— Не остри, пожалуйста! — вскричала генеральша. — Не он польстил, а я польщена.

— Ты думаешь, он вывертывался? — спросила Аделаида.

— Мне кажется, он не так простоват.

— Ну, пошла! — рассердилась генеральша. — А по-моему, вы еще его смешнее. Простоват, да себе на уме, в самом благородном отношении, разумеется. Совершенно как я.

«Конечно, скверно, что я про портрет проговорился, — соображал князь про себя, проходя в кабинет и чувствуя некоторое угрызение. — Но... может быть, я и хорошо сделал, что проговорился...» У него начинала мелькать одна странная идея, впрочем, еще не совсем ясная.

Гаврила Ардалионович еще сидел в кабинете и был погружен в свои бумаги. Должно быть, он действительно не даром брал жалованье из акционерного общества. Он страшно смутился, когда князь спросил портрет и рассказал, каким образом про портрет там узнали.

— Э-э-эх! И зачем вам было болтать! — вскричал он в злобной досаде. — Не знаете вы ничего... Идиот! — пробормотал он про себя.

— Виноват, я совершенно не думавши; к слову пришлось. Я сказал, что Аглая почти так же хороша, как Настасья Филипповна.

Ганя попросил рассказать подробнее; князь рассказал. Ганя вновь насмешливо посмотрел на него.

— Далась же вам Настасья Филипповна... — пробормотал он, но, не докончив, задумался.

Он был в видимой тревоге. Князь напомнил о портрете.

— Послушайте, князь, — сказал вдруг Ганя, как будто внезапная мысль осенила его, — у меня до вас есть огромная просьба... Но я, право, не знаю...

Он смутился и не договорил; он на что-то решался и как бы боролся сам с собой. Князь ожидал молча. Ганя еще раз испытующим, пристальным взглядом оглядел его.

— Князь, — начал он опять, — там на меня теперь... по одному совершенно странному обстоятельству... и смешному... и в котором я не виноват... ну, одним словом, это лишнее, — там на меня, кажется, немножко сердятся, так что я некоторое время не хочу входить туда без зова. Мне ужасно нужно бы поговорить теперь с Аглаей Ивановной. Я на всякий случай написал несколько слов (в руках его очутилась маленькая сложенная бумажка) — и вот не знаю, как передать. Не возьметесь ли вы, князь, передать Аглае Ивановне, сейчас, но только одной Аглае Ивановне, так то есть, чтоб никто не увидал, понимаете? Это не бог знает какой секрет, тут нет ничего такого... но... сделаете?

— Мне это не совсем приятно, — отвечал князь.

— Ах, князь, мне крайняя надобность! — стал просить Ганя. — Она, может быть, ответит... Поверьте, что я только в крайнем, в самом крайнем случае мог обратиться... С кем же мне послать?.. Это очень важно... Ужасно для меня важно...

Ганя ужасно робел, что князь не согласится, и с трусливою просьбой заглядывал ему в глаза.

— Пожалуй, я передам.

— Но только так, чтобы никто не заметил, — умолял обрадованный Ганя, — и вот что, князь, я надеюсь ведь на ваше честное слово, а?

— Я никому не покажу, — сказал князь.

— Записка не запечатана, но... — проговорил было слишком суетившийся Ганя и остановился в смущении.

— О, я не прочту, — совершенно просто отвечал князь, взял портрет и пошел из кабинета.

Ганя, оставшись один, схватил себя за голову.

— Одно ее слово, и я... и я, право, может быть, порву!..

Он уже не мог снова сесть за бумаги от волнения и ожидания и стал бродить по кабинету из угла в угол.

Князь шел задумавшись; его неприятно поразило поручение, неприятно поразила и мысль о записке Гани к Аглае. Но не доходя двух комнат до гостиной, он вдруг остановился, как будто вспомнил о чем, осмотрелся кругом, подошел к окну, ближе к свету, и стал глядеть на портрет Настасьи Филипповны.

Ему как бы хотелось разгадать что-то, скрывавшееся в этом лице и поразившее его давеча. Давешнее впечатление почти не оставляло его, и теперь он спешил как бы что-то вновь проверить. Это необыкновенное по своей красоте и еще по чему-то лицо сильнее еще поразило его теперь. Как будто необъятная гордость и презрение, почти ненависть, были в этом лице, и в то же самое время что-то доверчивое, что-то удивительно простодушное; эти два контраста возбуждали как будто даже какое-то сострадание при взгляде на эти черты. Эта ослепляющая красота была даже невыносима, красота бледного лица, чуть не впалых щек и горевших глаз; странная красота! Князь смотрел с минуту, потом вдруг спохватился, огляделся кругом, поспешно приблизил портрет к губам и поцеловал его. Когда через минуту он вошел в гостиную, лицо его было совершенно спокойно.

Но только что он вступил в столовую (еще через одну комнату от гостиной), с ним в дверях почти столкнулась выходившая Аглая. Она была одна.

— Гаврила Ардалионович просил меня вам передать, — сказал князь, подавая ей записку.

Аглая остановилась, взяла записку и как-то странно поглядела на князя. Ни малейшего смущения не было в ее взгляде, разве только проглянуло некоторое удивление, да и то, казалось, относившееся к одному только князю. Аглая своим взглядом точно требовала от него ответа — каким образом он очутился в этом деле вместе с Ганей? — и требовала спокойно и свысока. Они простояли два-три мгновения друг против друга; наконец что-то насмешливое чуть-чуть обозначилось в лице ее; она слегка улыбнулась и прошла мимо.

Генеральша несколько времени, молча и с некоторым оттенком пренебрежения, рассматривала портрет Настасьи Филипповны, который она держала пред собой в протянутой руке, чрезвычайно и эффектно отдалив от глаз.

— Да, хороша, — проговорила она наконец, — очень даже. Я два раза ее видела, только издали. Так вы такую-то красоту цените? — обратилась она вдруг к князю.

— Да... такую... — отвечал князь с некоторым усилием.

— То есть именно такую?

— Именно такую.

— За что?

— В этом лице... страдания много... — проговорил князь, как бы невольно, как бы сам с собою говоря, а не на вопрос отвечая.

— Вы, впрочем, может быть, бредите, — решила генеральша и надменным жестом откинула от себя портрет на стол.

Александра взяла его, к ней подошла Аделаида, обе стали рассматривать. В эту минуту Аглая возвратилась опять в гостиную.

— Этакая сила! — вскричала вдруг Аделаида, жадно всматриваясь в портрет из-за плеча сестры.

— Где? Какая сила? — резко спросила Лизавета Прокофьевна.

— Такая красота — сила, — горячо сказала Аделаида, — с этакою красотой можно мир перевернуть!

Она задумчиво отошла к своему мольберту. Аглая взглянула на портрет только мельком, прищурилась, выдвинула нижнюю губку, отошла и села в стороне, сложив руки.

Генеральша позвонила.

— Позвать сюда Гаврилу Ардалионовича, он в кабинете, — приказала она вошедшему слуге.

— Maman! — значительно воскликнула Александра.

— Я хочу ему два слова сказать — и довольно! — быстро отрезала генеральша, останавливая возражение. Она была видимо раздражена. — У нас, видите ли, князь, здесь теперь все секреты. Все секреты! Так требуется, этикет какой-то, глупо. И это в таком деле, в котором требуется наиболее откровенности, ясности, честности. Начинаются браки, не нравятся мне эти браки...

— Maman, что вы это? — опять поспешила остановить ее Александра.

— Чего тебе, милая дочка? Тебе самой разве нравятся? А что князь слушает, так мы друзья. Я с ним, по крайней мере. Бог ищет людей, хороших, конечно, а злых и капризных ему не надо; капризных особенно, которые сегодня решают одно, а завтра говорят другое. Понимаете, Александра Ивановна?

454 Полное собрание романов. *Том 1*

Они, князь, говорят, что я чудачка, а я умею различать. Потому сердце главное, а остальное вздор. Ум тоже нужен, конечно... может быть, ум-то и самое главное. Не усмехайся, Аглая, я себе не противоречу: дура с сердцем и без ума такая же несчастная дура, как и дура с умом без сердца. Старая истина. Я вот дура с сердцем без ума, а ты дура с умом без сердца; обе мы и несчастны, обе и страдаем.

— Чем же вы уж так несчастны, maman? — не утерпела Аделаида, которая одна, кажется, из всей компании не утратила веселого расположения духа.

— Во-первых, от ученых дочек, — отрезала генеральша, — а так как этого и одного довольно, то об остальном нечего и распространяться. Довольно многословия было. Посмотрим, как-то вы обе (я Аглаю не считаю) с вашим умом и многословием вывернетесь, и будете ли вы, многоуважаемая Александра Ивановна, счастливы с вашим почтенным господином?.. А!.. — воскликнула она, увидев входящего Ганю, — вот еще идет один брачный союз. Здравствуйте! — ответила она на поклон Гани, не пригласив его садиться. — Вы вступаете в брак?

— В брак?.. Как?.. В какой брак?.. — бормотал ошеломленный Гаврила Ардалионович. Он ужасно смешался.

— Вы женитесь? спрашиваю я, если вы только лучше любите такое выражение?

— Н-нет... я... н-нет, — солгал Гаврила Ардалионович, и краска стыда залила ему лицо. Он бегло взглянул на сидевшую в стороне Аглаю и быстро отвел глаза. Аглая холодно, пристально, спокойно глядела на него, не отрывая глаз, и наблюдала его смущение.

— Нет? Вы сказали «нет»? — настойчиво допрашивала неумолимая Лизавета Прокофьевна. — Довольно, я буду помнить, что вы сегодня, в среду утром, на мой вопрос сказали мне «нет». Что у нас сегодня, среда?

— Кажется, среда, maman, — ответила Аделаида.

— Никогда дней не знают. Которое число?

— Двадцать седьмое, — ответил Ганя.

— Двадцать седьмое? Это хорошо по некоторому расчету. Прощайте, у вас, кажется, много занятий, а мне пора одеваться и ехать; возьмите ваш портрет. Передайте мой поклон несчастной Нине Александровне. До свидания, князь, голубчик! Заходи почаще, а я к старухе Белоконской нарочно заеду о тебе сказать. И послушайте, милый: я верую, что вас именно для меня Бог привел в Петербург из Швейцарии. Может быть, будут у вас и другие дела, но главное, для меня. Бог именно так рассчитал. До свидания, милые. Александра, зайди ко мне, друг мой.

Генеральша вышла. Ганя, опрокинутый, потерявшийся, злобный, взял со стола портрет и с искривленною улыбкой обратился к князю:

— Князь, я сейчас домой. Если вы не переменили намерения жить у нас, то я вас доведу, а то вы и адреса не знаете.

— Постойте, князь, — сказала Аглая, вдруг подымаясь с своего кресла, — вы мне еще в альбом напишете. Папа сказал, что вы каллиграф. Я вам сейчас принесу...

И она вышла.

— До свидания, князь, и я ухожу, — сказала Аделаида.

Она крепко пожала руку князю, приветливо и ласково улыбнулась ему и вышла. На Ганю она не посмотрела.

— Это вы, — заскрежетал Ганя, вдруг набрасываясь на князя, только что все вышли, — это вы разболтали им, что я женюсь! — бормотал он скорым полушепотом, с бешеным лицом и злобно сверкая глазами, — бесстыдный вы болтунишка!

— Уверяю вас, что вы ошибаетесь, — спокойно и вежливо отвечал князь, — я и не знал, что вы женитесь.

— Вы слышали давеча, как Иван Федорович говорил, что сегодня вечером всё решится у Настасьи Филипповны, вы это и передали! Лжете вы! Откуда они могли узнать? Кто же, черт возьми, мог им передать, кроме вас? Разве старуха не намекала мне?

— Вам лучше знать, кто передал, если вам только кажется, что вам намекали, я ни слова про это не говорил.

— Передали записку? Ответ? — с горячечным нетерпением перебил его Ганя. Но в самую эту минуту воротилась Аглая, и князь ничего не успел ответить.

— Вот, князь, — сказала Аглая, положив на столик свой альбом, — выберите страницу и напишите мне что-нибудь. Вот перо, и еще новое. Ничего, что стальное? Каллиграфы, я слышала, стальными не пишут.

Разговаривая с князем, она как бы и не замечала, что Ганя тут же. Но покамест князь поправлял перо, отыскивал страницу и изготовлялся, Ганя подошел к камину, где стояла Аглая, сейчас справа подле князя, и дрожащим, прерывающимся голосом проговорил ей чуть не на ухо:

— Одно слово, одно только слово от вас — и я спасен.

Князь быстро повернулся и посмотрел на обоих. В лице Гани было настоящее отчаяние; казалось, он выговорил эти слова как-то не думая, сломя голову. Аглая смотрела на него несколько секунд совершенно с тем же самым спокойным удивлением, как давеча на князя, и, казалось, это спокойное удивление ее, это недоумение, как бы от полного непонимания того, что ей говорят, было в эту минуту для Гани ужаснее самого сильнейшего презрения.

— Что же мне написать? — спросил князь.

— А я вам сейчас продиктую, — сказала Аглая, поворачиваясь к нему, — готовы? Пишите же: «Я в торги не вступаю». Теперь подпишите число и месяц. Покажите.

Князь подал ей альбом.

— Превосходно! Вы удивительно написали; у вас чудесный почерк! Благодарю вас. До свидания, князь... Постойте, — прибавила она, как бы что-то вдруг припомнив, — пойдемте, я хочу вам подарить кой-что на память.

Князь пошел за нею; но, войдя в столовую, Аглая остановилась.

— Прочтите это, — сказала она, подавая ему записку Гани.

Князь взял записку и с недоумением посмотрел на Аглаю.

— Ведь я знаю же, что вы ее не читали и не можете быть поверенным этого человека. Читайте, я хочу, чтобы вы прочли.

Записка была, очевидно, написана наскоро:

«Сегодня решится моя судьба, вы знаете каким образом. Сегодня я должен буду дать свое слово безвозвратно. Я не имею никаких прав на ваше участие, не смею иметь никаких надежд; но когда-то вы выговорили одно слово, одно только слово, и это слово озарило всю черную ночь моей жизни и стало для меня маяком. Скажите теперь еще одно такое же слово — и спасете меня от погибели! Скажите мне только: *разорви всё*, и я всё порву сегодня же. О, что вам стоит сказать это! В этом слове я испрашиваю только признак вашего участия и сожаления ко мне, — и только, *только*! И ничего больше, *ничего*! Я не смею задумать какую-нибудь надежду, потому что я недостоин ее. Но после вашего слова я приму вновь мою бедность, и с радостью стану переносить отчаянное положение мое. Я встречу борьбу, я рад буду ей, я воскресну в ней с новыми силами!

Пришлите же мне это слово сострадания (только *одного* сострадания, клянусь вам!). Не рассердитесь на дерзость отчаянного, на утопающего, за то, что он осмелился сделать последнее усилие, чтобы спасти себя от погибели.

Г. И.».

— Этот человек уверяет, — резко сказала Аглая, когда князь кончил читать, — что слово: *«разорвите всё»* меня не скомпрометирует и не обяжет ничем, и сам дает мне в этом, как видите, письменную гарантию этою самою запиской. Заметьте, как наивно поспешил он подчеркнуть некоторые словечки и как грубо проглядывает его тайная мысль. Он, впрочем, знает, что если б он разорвал всё, но сам, один, не ожидая моего слова и даже не говоря мне об этом, без всякой надежды на меня, то я бы тогда переменила мои чувства к нему и, может быть, стала бы другом. Он это знает наверно! Но у него душа грязная: он знает и не решается; он знает и все-таки гарантии просит. Он на веру решиться не в состоянии. Он хочет, чтоб я ему, взамен ста тысяч, на себя надежду дала. Насчет же прежнего слова, про которое он говорит в записке и которое будто бы озарило его жизнь, то он нагло лжет. Я просто раз пожалела его. Но он дерзок и бесстыден: у него тотчас же мелькнула тогда мысль о возможности надежды; я это тотчас же поняла. С тех пор он стал меня улавливать; ловит и теперь. Но довольно; возьмите и отдайте ему записку назад, сейчас же, как выйдете из нашего дома, разумеется, не раньше.

— А что сказать ему в ответ?

— Ничего, разумеется. Это самый лучший ответ. Да вы, стало быть, хотите жить в его доме?

— Мне давеча сам Иван Федорович отрекомендовал, — сказал князь.

— Так берегитесь его, я вас предупреждаю; он теперь вам не простит, что вы ему возвратите назад записку.

Аглая слегка пожала руку князю и вышла. Лицо ее было серьезно и нахмурено, она даже не улыбнулась, когда кивнула князю головой на прощание.

— Я сейчас, только мой узелок возьму, — сказал князь Гане, — и мы выйдем.

Ганя топнул ногой от нетерпения. Лицо его даже почернело от бешенства. Наконец оба вышли на улицу, князь с своим узелком в руках.

— Ответ? Ответ? — накинулся на него Ганя. — Что она вам сказала? Вы передали письмо?

Князь молча подал ему его записку. Ганя остолбенел.

— Как! Моя записка! — вскричал он. — Он и не передавал ее! О, я должен был догадаться! О, пр-р-ро-клят... Понятно, что она ничего не поняла давеча! Да как же, как же, как же вы не передали, о пр-р-ро-клят...

— Извините меня, напротив, мне тотчас же удалось передать вашу записку, в ту же минуту, как вы дали, и точно так, как вы просили. Она очутилась у меня опять, потому что Аглая Ивановна сейчас передала мне ее обратно.

— Когда? Когда?

— Только что я кончил писать в альбоме и когда она пригласила меня с собой. (Вы слышали?) Мы вошли в столовую, она подала мне записку, велела прочесть и велела передать вам обратно.

— Про-че-е-сть! — закричал Ганя чуть не во всё горло, — прочесть! Вы читали?

И он снова стал в оцепенении среди тротуара, но до того изумленный, что даже разинул рот.

— Да, читал, сейчас.

— И она сама, сама вам дала прочесть? Сама?

— Сама, и поверьте, что я бы не стал читать без ее приглашения.

Ганя с минуту молчал и с мучительными усилиями что-то соображал, но вдруг воскликнул:

— Быть не может! Она не могла вам велеть прочесть. Вы лжете! Вы сами прочли!

— Я говорю правду, — отвечал князь прежним, совершенно невозмутимым тоном, — и поверьте: мне очень жаль, что это производит на вас такое неприятное впечатление.

— Но, несчастный, по крайней мере она вам сказала же что-нибудь при этом? Что-нибудь ответила же?

— Да, конечно.

— Да говорите же, говорите, о, черт!..

И Ганя два раза топнул правою ногой, обутою в калошу, о тротуар.

— Как только я прочел, она сказала мне, что вы ее ловите; что вы желали бы ее компрометировать так, чтобы получить от нее надежду, для того чтобы, опираясь на эту надежду, разорвать без убытку с другою надеждой на сто тысяч. Что если бы вы сделали это, не торгуясь с нею, разорвали бы всё сами, не прося у ней вперед гарантии, то она, может быть, и стала бы вашим другом. Вот и всё, кажется. Да, еще: когда я спросил, уже взяв записку, какой же ответ? тогда она сказала, что без ответа будет самый лучший ответ, — кажется, так; извините, если я забыл ее точное выражение, а передаю, как сам понял.

Неизмеримая злоба овладела Ганей, и бешенство его прорвалось без всякого удержу.

— А! Так вот как! — скрежетал он, — так мои записки в окно швырять! А! Она в торги не вступает, — так я вступлю! И увидим! За мной еще много... увидим!.. В бараний рог сверну!..

Он кривился, бледнел, пенился; он грозил кулаком. Так шли они несколько шагов. Князя он не церемонился нимало, точно был один в своей комнате, потому что в высшей степени считал его за ничто. Но вдруг он что-то сообразил и опомнился.

— Да каким же образом, — вдруг обратился он к князю, — каким же образом вы (идиот! — прибавил он про себя), вы вдруг в такой доверенности, два часа после первого знакомства? Как так?

Ко всем мучениям его недоставало зависти. Она вдруг укусила его в самое сердце.

— Этого уж я вам не сумею объяснить, — ответил князь.

Ганя злобно посмотрел на него:

— Это уж не доверенность ли свою подарить вам позвала она в столовую? Ведь она вам что-то подарить собиралась?

— Иначе я и не понимаю, как именно так.

— Да за что же, черт возьми! Что вы там такое сделали? Чем понравились? Послушайте, — суетился он изо всех сил (всё в нем в эту минуту было как-то разбросано и кипело в беспорядке, так что он и с мыслями собраться не мог), — послушайте, не можете ли вы хоть как-нибудь припомнить и сообразить в порядке, о чем вы именно там говорили, все слова, с самого начала? Не заметили ли вы чего, не упомните ли?

— О, очень могу, — отвечал князь, — с самого начала, когда я вошел и познакомился, мы стали говорить о Швейцарии.

— Ну, к черту Швейцарию!

— Потом о смертной казни...

— О смертной казни?

— Да; по одному поводу... потом я им рассказывал о том, как прожил там три года, и одну историю с одною бедною поселянкой...

— Ну, к черту бедную поселянку! Дальше! — рвался в нетерпении Ганя.

— Потом, как Шнейдер высказал мне свое мнение о моем характере и понудил меня...

— Провалиться Шнейдеру и наплевать на его мнения! Дальше!

— Дальше, по одному поводу, я стал говорить о лицах, то есть о выражениях лиц, и сказал, что Аглая Ивановна почти так же хороша, как Настасья Филипповна. Вот тут-то я и проговорился про портрет...

— Но вы не пересказали, вы ведь не пересказали того, что слышали давеча в кабинете? Нет? Нет?

— Повторяю же вам, что нет.

— Да откуда же, черт... Ба! Не показала ли Аглая записку старухе?

— В этом я могу вас вполне гарантировать, что не показала. Я всё время тут был; да и времени она не имела.

— Да, может быть, вы сами не заметили чего-нибудь... О! идиот пр-ро-клятый, — воскликнул он уже совершенно вне себя, — и рассказать ничего не умеет!

Ганя, раз начав ругаться и не встречая отпора, мало-помалу потерял всякую сдержанность, как это всегда водится с иными людьми. Еще немного, и он, может быть, стал бы плеваться, до того уж он был взбешен. Но именно чрез это бешенство он и ослеп; иначе он давно бы обратил внимание на то, что этот «идиот», которого он так третирует, что-то уж слишком скоро и тонко умеет иногда всё понять и чрезвычайно удовлетворительно передать. Но вдруг произошло нечто неожиданное.

— Я должен вам заметить, Гаврила Ардалионович, — сказал вдруг князь, — что я прежде действительно был так нездоров, что и в самом деле был почти идиот; но теперь я давно уже выздоровел, и потому мне несколько неприятно, когда меня называют идиотом в глаза. Хоть вас и можно извинить, взяв во внимание ваши неудачи, но вы, в досаде вашей, даже раза два меня выбранили. Мне это очень не хочется, особенно так, вдруг, как вы, с первого раза; и так как мы теперь стоим на перекрестке, то не лучше ли нам разойтись: вы пойдете направо к себе, а я налево. У меня есть двадцать пять рублей, и я наверно найду какой-нибудь отель-гарни.

Ганя ужасно смутился и даже покраснел от стыда.

— Извините, князь, — горячо вскричал он, вдруг переменяя свой ругательный тон на чрезвычайную вежливость, — ради бога, извините! Вы видите, в какой я беде! Вы еще почти ничего не знаете, но если бы вы знали всё, то наверно бы хоть немного извинили меня; хотя, разумеется, я не извиним...

— О, мне и не нужно таких больших извинений, — поспешил ответить князь. — Я ведь понимаю, что вам очень неприятно, и потому-то вы и бранитесь. Ну, пойдемте к вам. Я с удовольствием...

«Нет, его теперь так отпустить невозможно, — думал про себя Ганя, злобно посматривая дорогой на князя, — этот плут выпытал из меня всё, а потом вдруг снял маску... Это что-то значит. А вот мы увидим! Всё разрешится, всё, всё! Сегодня же!»

Они уже стояли у самого дома.

VIII

Ганечкина квартира находилась в третьем этаже, по весьма чистой, светлой и просторной лестнице, и состояла из шести или семи комнат и комнаток, самых, впрочем, обыкновенных, но во всяком случае не совсем по карману семейному чиновнику, получающему даже и две тысячи рублей жалованья. Но она предназначалась для содержания жильцов со столом и прислугой и занята была Ганей и его семейством не более двух месяцев тому назад, к величайшей неприятности самого Гани, по настоянию и просьбам Нины Александровны и Варвары Ардалионовны, пожелавших в свою очередь быть полезными и хоть несколько увеличить доходы семейства. Ганя хмурился и называл содержание жильцов безобразием; ему стало как будто стыдно после этого в обществе, где он привык являться как молодой человек с некоторым блеском и будущностью. Все эти уступки судьбе и вся эта досадная теснота — всё это были глубокие душевные раны его. С некоторого времени он стал раздражаться всякою мелочью безмерно и непропорционально, и если еще соглашался на время уступать и терпеть, то потому только, что уж им решено было всё это изменить и переделать в самом непродолжительном времени. А между тем самое это изменение, самый выход, на котором он остановился, составляли задачу немалую, — такую задачу, предстоявшее разрешение которой грозило быть хлопотливее и мучительнее всего предыдущего.

Квартиру разделял коридор, начинавшийся прямо из прихожей. По одной стороне коридора находились те три комнаты, которые назначались внаем, для «особенно рекомендованных» жильцов; кроме того, по той же стороне коридора, в самом конце его, у кухни, находилась четвертая комнатка, потеснее всех прочих, в которой помещался сам отставной генерал Иволгин, отец семейства, и спал на широком диване, а ходить и выходить из квартиры обязан был чрез кухню и по черной лестнице. В этой же комнатке помещался и тринадцатилетний брат Гаврилы Ардалионовича, гимназист Коля; ему тоже предназначалось здесь тесниться, учиться, спать на другом, весьма старом, узком и коротком диванчике, на дырявой простыне и, главное, ходить и *смотреть* за отцом, который всё более и более не мог без этого обойтись. Князю назначили среднюю из трех комнат; в первой направо помещался Фердыщенко, а третья налево стояла еще пустая. Но Ганя прежде всего свел князя на семейную половину. Эта семейная половина состояла из залы, обращавшейся, когда надо, в столовую, из гостиной, которая была, впрочем, гостиною только поутру, а вечером обращалась в кабинет Гани и в его спальню, и, наконец, из третьей комнаты, тесной и всегда затворенной: это была спальня Нины Александровны и Варвары Ардалионовны. Одним словом, всё в этой квартире теснилось и жалось; Ганя только скрипел про себя зубами; он хотя был и желал быть почтительным к матери, но с первого шагу у них можно было заметить, что это большой деспот в семействе.

Нина Александровна была в гостиной не одна, с нею сидела Варвара Ардалионовна; обе они занимались каким-то вязаньем и разговаривали с гостем, Иваном Петровичем Птицыным. Нина Александровна казалась лет пятидесяти, с худым, осунувшимся лицом и с сильною чернотой под глазами. Вид ее был болезненный и несколько скорбный, но лицо и взгляд ее были довольно приятны; с первых слов заявлялся характер серьезный и полный истинного достоинства. Несмотря на прискорбный вид, в ней предчувствовалась твердость и даже решимость. Одета она была чрезвычайно скромно, в чем-то темном, и совсем по-старушечьи, но приемы ее, разговор, вся манера изобличали женщину, видавшую и лучшее общество.

Варвара Ардалионовна была девица лет двадцати трех, среднего роста, довольно худощавая, с лицом не то чтобы очень красивым, но заключавшим в себе тайну нравиться без красоты и до страсти привлекать к себе. Она была очень похожа на мать, даже одета была почти так же, как мать, от полного нежелания наряжаться. Взгляд ее серых глаз подчас мог быть очень весел и ласков, если бы не бывал всего чаще серьезен и задумчив, иногда слишком даже, особенно в последнее время. Твердость и решимость виднелись и в ее лице, но предчувствовалось, что твердость эта даже могла быть энергичнее и предприимчивее, чем у матери. Варвара Ардалионовна была довольно вспыльчива, и братец иногда даже побаивался этой вспыльчивости. Побаивался ее и сидевший у них теперь гость, Иван Петрович Птицын. Это был еще довольно молодой человек, лет под тридцать, скромно, но изящно одетый, с приятными, но как-то слишком уж солидными манерами. Темно-русая бородка обозначала в нем человека не с служебными занятиями. Он умел разговаривать умно и интересно, но чаще бывал молчалив. Вообще он производил впечатление даже приятное. Он был видимо неравнодушен к Варваре Ардалионовне и не скрывал своих чувств. Варвара Ардалионовна обращалась с ним дружески, но на иные вопросы его отвечать еще медлила, даже их не любила; Птицын, впрочем, далеко не был обескуражен. Нина Александровна была к нему ласкова, а в последнее время стала даже много ему доверять. Известно, впрочем, было, что он специально занимается наживанием денег отдачей их в быстрый рост под более или менее верные залоги. С Ганей он был чрезвычайным приятелем.

На обстоятельную, но отрывистую рекомендацию Гани (который весьма сухо поздоровался с матерью, совсем не поздоровался с сестрой и тотчас же куда-то увел из комнаты Птицына) Нина Александровна сказала князю несколько ласковых слов и велела выглянувшему в дверь Коле свести его в среднюю комнату. Коля был мальчик с веселым и довольно милым лицом, с доверчивою и простодушною манерой.

— Где же ваша поклажа? — спросил он, вводя князя в комнату.

— У меня узелок; я его в передней оставил.

— Я вам сейчас принесу. У нас всей прислуги кухарка да Матрена, так что и я помогаю. Варя над всем надсматривает и сердится. Ганя говорит, вы сегодня из Швейцарии?

— Да.

— А хорошо в Швейцарии?

— Очень.

— Горы?

— Да.

— Я вам сейчас ваши узлы притащу.

Вошла Варвара Ардалионовна.

— Вам Матрена сейчас белье постелет. У вас чемодан?

— Нет, узелок. За ним ваш брат пошел; он в передней.

— Никакого там узла нет, кроме этого узелочка; вы куда положили? — спросил Коля, возвращаясь опять в комнату.

— Да, кроме этого, и нет никакого, — возвестил князь, принимая свой узелок.

— А-а! А я думал, не утащил ли Фердыщенко.

— Не ври пустяков, — строго сказала Варя, которая и с князем говорила весьма сухо и только что разве вежливо.

— Chère Babette, со мной можно обращаться и понежнее, ведь я не Птицын.

— Тебя еще сечь можно, Коля, до того ты еще глуп. За всем, что потребуется, можете обращаться к Матрене; обедают в половине пятого. Можете обедать вместе с нами, можете и у себя в комнате, как вам угодно. Пойдем, Коля, не мешай им.

— Пойдемте, решительный характер!

Выходя, они столкнулись с Ганей.

— Отец дома? — спросил Ганя Колю и на утвердительный ответ Коли пошептал ему что-то на ухо.

Коля кивнул головой и вышел вслед за Варварой Ардалионовной.

— Два слова, князь, я и забыл вам сказать за этими... делами. Некоторая просьба: сделайте одолжение, — если только вам это не в большую натугу будет, — не болтайте ни здесь, о том, что у меня с Аглаей сейчас было, ни *там*, о том, что вы здесь найдете; потому что и здесь тоже безобразия довольно. К черту, впрочем... Хоть сегодня-то по крайней мере удержитесь.

— Уверяю же вас, что я гораздо меньше болтал, чем вы думаете, — сказал князь с некоторым раздражением на укоры Гани. Отношения между ними становились видимо хуже и хуже.

— Ну, да уж я довольно перенес через вас сегодня. Одним словом, я вас прошу.

— Еще и то заметьте, Гаврила Ардалионович, чем же я был давеча связан, и почему я не мог упомянуть о портрете? Ведь вы меня не просили.

— Фу, какая скверная комната, — заметил Ганя, презрительно осматриваясь, — темно и окна на двор. Во всех отношениях вы к нам не вовремя... Ну, да это не мое дело; не я квартиры содержу.

Заглянул Птицын и кликнул Ганю; тот торопливо бросил князя и вышел, несмотря на то, что он еще что-то хотел сказать, но видимо мялся и точно стыдился начать; да и комнату обругал, тоже как будто сконфузившись.

Только что князь умылся и успел сколько-нибудь исправить свой туалет, отворилась дверь снова и выглянула новая фигура.

Это был господин лет тридцати, немалого роста, плечистый, с огромною курчавою, рыжеватою головой. Лицо у него было мясистое и румяное, губы толстые, нос широкий и сплюснутый, глаза маленькие, заплывшие и насмешливые, как будто беспрерывно подмигивающие. В целом всё это представлялось довольно нахально. Одет он был грязновато.

Он сначала отворил дверь ровно настолько, чтобы просунуть голову. Просунувшаяся голова секунд пять оглядывала комнату, потом дверь стала медленно отворяться, вся фигура обозначилась на пороге, но гость еще не входил, а с порога продолжал, прищурясь, рассматривать князя. Наконец затворил за собою дверь, приблизился, сел на стул, князя крепко взял за руку и посадил наискось от себя на диван.

— Фердыщенко, — проговорил он, пристально и вопросительно засматривая князю в лицо.

— Так что же? — отвечал князь, почти рассмеявшись.

— Жилец, — проговорил опять Фердыщенко, засматривая по-прежнему.

— Хотите познакомиться?

— Э-эх! — проговорил гость, взъерошив волосы и вздохнув, и стал смотреть в противоположный угол. — У вас деньги есть? — спросил он вдруг, обращаясь к князю.

— Немного.

— Сколько именно?

— Двадцать пять рублей.

— Покажите-ка.

Князь вынул двадцатипятирублевый билет из жилетного кармана и подал Фердыщенке. Тот развернул, поглядел, потом перевернул на другую сторону, затем взял на свет.

— Довольно странно, — проговорил он как бы в раздумье, — отчего бы им буреть? Эти двадцатипятирублевые иногда ужасно буреют, а другие, напротив, совсем линяют. Возьмите.

Князь взял свой билет обратно. Фердыщенко встал со стула.

— И пришел вас предупредить: во-первых, мне денег взаймы не давать, потому что я непременно буду просить.

— Хорошо.

— Вы платить здесь намерены?

— Намерен.

— А я не намерен; спасибо. Я здесь от вас направо первая дверь, видели? Ко мне постарайтесь не очень часто жаловать; к вам я приду, не беспокойтесь. Генерала видели?

— Нет.

— И не слышали?

— Конечно, нет.

— Ну, так увидите и услышите; да к тому же он даже у меня просит денег взаймы! Avis au lecteur¹. Прощайте. Разве можно жить с фамилией Фердыщенко? А?

— Отчего же нет?

— Прощайте.

И он пошел к дверям. Князь узнал потом, что этот господин как будто по обязанности взял на себя задачу изумлять всех оригинальностью и веселостью, но у него как-то никогда не выходило. На некоторых он производил даже неприятное впечатление, отчего он искренно скорбел, но задачу свою все-таки не покидал. В дверях ему удалось как бы поправиться, натолкнувшись на одного

¹ Предуведомление (*франц.*).

входившего господина; пропустив этого нового и незнакомого князю гостя в комнату, он несколько раз предупредительно подмигнул на него сзади и таким образом все-таки ушел не без апломба.

Новый господин был высокого роста, лет пятидесяти пяти или даже поболее, довольно тучный, с багрово-красным, мясистым и обрюзглым лицом, обрамленным густыми седыми бакенбардами, в усах, с большими, довольно выпученными глазами. Фигура была бы довольно осанистая, если бы не было в ней чего-то опустившегося, износившегося, даже запачканного. Одет он был в старенький сюртучок, чуть не с продравшимися локтями; белье тоже было засаленное, — по-домашнему. Вблизи от него немного пахло водкой; но манера была эффектная, несколько изученная и с видимым ревнивым желанием поразить достоинством. Господин приблизился к князю, не спеша, с приветливою улыбкой, молча взял его руку и, сохраняя ее в своей, несколько времени всматривался в его лицо, как бы узнавая знакомые черты.

— Он! Он! — проговорил он тихо, но торжественно.. — Как живой! Слышу, повторяют знакомое и дорогое имя, и припомнил безвозвратное прошлое... Князь Мышкин?

— Точно так-с.

— Генерал Иволгин, отставной и несчастный. Ваше имя и отчество, смею спросить?

— Лев Николаевич.

— Так, так! Сын моего друга, можно сказать, товарища детства, Николая Петровича?

— Моего отца звали Николаем Львовичем.

— Львович, — поправился генерал, но не спеша, а с совершенною уверенностью, как будто он нисколько и не забывал, а только нечаянно оговорился. Он сел и, тоже взяв князя за руку, посадил подле себя. — Я вас на руках носил-с.

— Неужели? — спросил князь. — Мой отец уж двадцать лет как умер.

— Да; двадцать лет; двадцать лет и три месяца. Вместе учились; я прямо в военную...

— Да, и отец был в военной, подпоручиком в Васильковском полку.

— В Беломирском. Перевод в Беломирский состоялся почти накануне смерти. Я тут стоял и благословил его в вечность. Ваша матушка...

Генерал приостановился как бы от грустного воспоминания.

— Да и она тоже полгода спустя потом умерла от простуды, — сказал князь.

— Не от простуды. Не от простуды, поверьте старику. Я тут был, я и ее хоронил. С горя по своем князе, а не от простуды. Да-с, памятна мне и княгиня! Молодость! Из-за нее мы с князем, друзья с детства, чуть не стали взаимными убийцами.

Князь начинал слушать с некоторою недоверчивостью.

— Я страстно влюблен был в вашу родительницу, еще когда она в невестах была, — невестой друга моего. Князь заметил и был фраппирован. Приходит ко мне утром, в седьмом часу, будит. Одеваюсь с изумлением; молчание с обеих сторон; я всё понял. Вынимает из кармана два пистолета. Через платок. Без свидетелей. К чему свидетели, когда чрез пять минут отсылаем друг друга в вечность? Зарядили, растянули платок, стали, приложили пистолеты взаимно к сердцам и глядим друг другу в лицо. Вдруг слезы градом у обоих из глаз, дрогнули руки. У обоих, у обоих, разом! Ну, тут, натурально, объятия и взаимная борьба великодушия. Князь кричит: твоя! Я кричу: твоя! Одним словом... одним словом... вы к нам жить... жить?

— Да, на некоторое время, быть может, — проговорил князь, как бы несколько заикаясь.

— Князь, мамаша вас к себе просит, — крикнул заглянувший в дверь Коля. Князь привстал было идти, но генерал положил правую ладонь на его плечо и дружески пригнул опять к дивану.

— Как истинный друг отца вашего, желаю предупредить, — сказал генерал, — я, вы видите сами, я пострадал, по трагической катастрофе; но без суда! Без суда! Нина Александровна — женщина редкая. Варвара Ардалионовна, дочь моя, — редкая дочь! По обстоятельствам содержим квартиры, — падение неслыханное!.. Мне, которому оставалось быть генерал-губернатором!.. Но вам мы рады всегда. А между тем у меня в доме трагедия!

Князь смотрел вопросительно и с большим любопытством.

— Приготовляется брак, и брак редкий. Брак двусмысленной женщины и молодого человека, который мог бы быть камер-юнкером. Эту женщину введут в дом, где моя дочь и где моя жена! Но покамест я дышу, она не войдет! Я лягу на пороге, и пусть перешагнет чрез меня!.. С Ганей я теперь почти не говорю, избегаю встречаться даже. Я вас предупреждаю нарочно; коли будете жить у нас, всё равно и без того станете свидетелем. Но вы сын моего друга, и я вправе надеяться...

— Князь, сделайте одолжение, зайдите ко мне в гостиную, — позвала Нина Александровна, сама уже явившаяся у дверей.

— Вообрази, друг мой, — вскричал генерал, — оказывается, что я нянчил князя на руках моих!

Нина Александровна укорительно глянула на генерала и пытливо на князя, но не сказала ни слова. Князь отправился за нею; но только что они пришли в гостиную и сели, а Нина Александровна только что начала очень торопливо и вполголоса что-то сообщать князю, как генерал вдруг пожаловал сам в гостиную. Нина Александровна тотчас замолчала и с видимою досадой нагнулась к своему вязанью. Генерал, может быть, и заметил эту досаду, но продолжал быть в превосходнейшем настроении духа.

— Сын моего друга! — вскричал он, обращаясь к Нине Александровне. — И так неожиданно! Я давно уже и воображать перестал. Но, друг мой, неужели ты не помнишь покойного Николая Львовича? Ты еще застала его... в Твери?

— Я не помню Николая Львовича. Это ваш отец? — спросила она князя.

— Отец; но он умер, кажется, не в Твери, а в Елисаветграде, — робко заметил князь генералу. — Я слышал от Павлищева...

— В Твери, — подтвердил генерал, — перед самою смертью состоялся перевод в Тверь, и даже еще пред развитием болезни. Вы были еще слишком малы и не могли упомнить ни перевода, ни путешествий; Павлищев же мог ошибиться, хотя и превосходнейший был человек.

— Вы знали и Павлищева?

— Редкий был человек, но я был личным свидетелем. Я благословлял на смертном одре...

— Отец мой ведь умер под судом, — заметил князь снова, — хоть я никогда не мог узнать, за что именно; он умер в госпитале.

— О, это по делу о рядовом Колпакове, и, без сомнения, князь был бы оправдан.

— Так? Вы наверно знаете? — спросил князь с особенным любопытством.

— Еще бы! — вскричал генерал. — Суд разошелся, ничего не решив. Дело невозможное! Дело даже, можно сказать, таинственное: умирает штабс-капитан Ларионов, ротный командир; князь на время назначается исправляющим должность; хорошо. Рядовой Колпаков совершает кражу, — сапожный товар у товарища, — и пропивает его; хорошо. Князь, — и, заметьте себе, это было в присутствии фельдфебеля и капрального, — распекает Колпакова и грозит ему розгами. Очень хорошо. Колпаков идет в казармы, ложится на нары и через четверть часа умирает. Прекрасно, но случай неожиданный, почти невозможный. Так или этак, а Колпакова хоронят; князь рапортует, и затем Колпакова исключают из списков. Кажется, чего бы лучше? Но ровно через полгода, на бригадном смотру, рядовой Колпаков как ни в чем не бывало оказывается в третьей роте второго баталиона Новоземлянского пехотного полка, той же бригады и той же дивизии!

— Как! — вскричал князь вне себя от удивления.

— Это не так, это ошибка! — обратилась к нему вдруг Нина Александровна, почти с тоской смотря на него. — Mon mari se trompe[1].

— Но, друг мой, se trompe, это легко сказать, но разреши-ка сама подобный случай! Все стали в тупик. Я первый сказал бы qu'on se trompe[2]. Но, к несчастию, я был свидетелем и участвовал сам в комиссии. Все очные ставки показали, что это тот самый, совершенно тот же самый рядовой Колпаков, который полгода назад был схоронен при обыкновенном параде и с барабанным боем. Случай, действительно, редкий, почти невозможный, я соглашаюсь, но...

— Папаша, вам обедать накрыли, — возвестила Варвара Ардалионовна, входя в комнату.

— А, это прекрасно, превосходно! Я таки проголодался... Но случай, можно сказать, даже психологический...

— Суп опять простынет, — с нетерпением сказала Варя.

— Сейчас, сейчас, — бормотал генерал, выходя из комнаты. — И несмотря ни на какие справки... — слышалось еще в коридоре.

— Вы должны будете многое извинить Ардалиону Александровичу, если у нас останетесь, — сказала Нина Александровна князю, — он, впрочем, вас очень не обеспокоит; он и обедает один. Согласитесь сами, у всякого есть свои недостатки и свои... особенные черты, у других, может, еще больше, чем у тех, на которых привыкли пальцами указывать. Об одном буду очень просить: если мой муж как-нибудь обратится к вам по поводу уплаты за квартиру, то вы скажите ему, что отдали мне. То есть отданное и Ардалиону Александровичу всё равно для вас в счет бы пошло, но я единственно для аккуратности вас прошу... Что это, Варя?

Варя воротилась в комнату и молча подала матери портрет Настасьи Филипповны. Нина Александровна вздрогнула и сначала как бы с испугом, а потом с подавляющим горьким ощущением рассматривала его некоторое время. Наконец вопросительно поглядела на Варю.

— Ему сегодня подарок от нее самой, — сказала Варя, — а вечером у них всё решается.

— Сегодня вечером! — как бы в отчаянии повторила вполголоса Нина Александровна. — Что же? Тут сомнений уж более нет никаких, и надежд тоже не

[1] Мой муж ошибается (*франц.*).
[2] что ошибаются (*франц.*).

остается: портретом всё возвестила... Да он тебе сам, что ли, показал? — прибавила она в удивлении.

— Вы знаете, что мы уж целый месяц почти ни слова не говорим. Птицын мне про всё сказал, а портрет там у стола на полу уж валялся; я подняла.

— Князь, — обратилась к нему вдруг Нина Александровна, — я хотела вас спросить (для того, собственно, и попросила вас сюда), давно ли вы знаете моего сына? Он говорил, кажется, что вы только сегодня откуда-то приехали?

Князь объяснил вкратце о себе, пропустив большую половину. Нина Александровна и Варя выслушали.

— Я не выпытываю чего-нибудь о Гавриле Ардалионовиче, вас расспрашивая, — заметила Нина Александровна, — вы не должны ошибаться на этот счет. Если есть что-нибудь, в чем он не может признаться мне сам, того я и сама не хочу разузнавать мимо него. Я к тому, собственно, что давеча Ганя при вас и потом, когда вы ушли, на вопрос мой о вас отвечал мне: «Он всё знает, церемониться нечего!» Что же это значит? То есть я хотела бы знать, в какой мере...

Вошли вдруг Ганя и Птицын; Нина Александровна тотчас замолчала. Князь остался на стуле подле нее, а Варя отошла в сторону; портрет Настасьи Филипповны лежал на самом видном месте, на рабочем столике Нины Александровны, прямо перед нею. Ганя, увидев его, нахмурился, с досадой взял со стола и отбросил на свой письменный стол, стоявший в другом конце комнаты.

— Сегодня, Ганя? — спросила вдруг Нина Александровна.

— Что сегодня? — встрепенулся было Ганя и вдруг набросился на князя. — А, понимаю, вы уж и тут!.. Да что у вас, наконец, болезнь это, что ли, какая? Удержаться не можете? Да ведь поймите же наконец, ваше сиятельство...

— Тут я виноват, Ганя, а не кто другой, — прервал Птицын.

Ганя вопросительно поглядел на него.

— Да ведь это лучше же, Ганя, тем более что, с одной стороны, дело покончено, — пробормотал Птицын и, отойдя в сторону, сел у стола, вынул из кармана какую-то бумажку, исписанную карандашом, и стал ее пристально рассматривать. Ганя стоял пасмурный и ждал с беспокойством семейной сцены. Пред князем и не подумал извиниться.

— Если всё кончено, то Иван Петрович, разумеется, прав, — сказала Нина Александровна, — не хмурься, пожалуйста, и не раздражайся, Ганя, я ни о чем не стану расспрашивать, чего сам не хочешь сказать, и уверяю тебя, что вполне покорилась, сделай одолжение, не беспокойся.

Она проговорила это, не отрываясь от работы и, казалось, в самом деле спокойно. Ганя был удивлен, но осторожно молчал и глядел на мать, выжидая, чтоб она высказалась яснее. Домашние сцены уж слишком дорого ему стоили. Нина Александровна заметила эту осторожность и с горькою улыбкой прибавила:

— Ты всё еще сомневаешься и не веришь мне; не беспокойся, не будет ни слез, ни просьб, как прежде, с моей стороны по крайней мере. Всё мое желание в том, чтобы ты был счастлив, и ты это знаешь; я судьбе покорилась, но мое сердце будет всегда с тобой, останемся ли мы вместе или разойдемся. Разумеется, отвечаю только за себя; ты не можешь того же требовать от сестры...

— А, опять она! — вскричал Ганя, насмешливо и ненавистно смотря на сестру. — Маменька! клянусь вам в том опять, в чем уже вам давал слово: никто и никогда не осмелится вам манкировать, пока я тут, пока я жив. О ком бы ни шла речь, а я настою на полнейшем к вам уважении, кто бы ни перешел чрез наш порог...

Ганя так обрадовался, что почти примирительно, почти нежно смотрел на мать.

— Я ничего за себя и не боялась, Ганя, ты знаешь; я не о себе беспокоилась и промучилась всё это время. Говорят, сегодня всё у вас кончится? Что же кончится?

— Сегодня вечером, у себя, она обещала объявить: согласна или нет, — ответил Ганя.

— Мы чуть не три недели избегали говорить об этом, и это было лучше. Теперь, когда уже всё кончено, я только одно позволю себе спросить: как она могла тебе дать согласие и даже подарить свой портрет, когда ты ее не любишь? Неужели ты ее, такую... такую...

— Ну, опытную, что ли?

— Я не так хотела выразиться. Неужели ты до такой степени мог ей отвести глаза?

Необыкновенная раздражительность послышалась вдруг в этом вопросе. Ганя постоял, подумал с минуту и, не скрывая насмешки, проговорил:

— Вы увлеклись, маменька, и опять не вытерпели, и вот так-то у нас всегда всё начиналось и разгоралось. Вы сказали: не будет ни расспросов, ни попреков, а они уже начались! Оставим лучше; право, оставим; по крайней мере, у вас намерение было... Я никогда и ни за что вас не оставлю; другой от такой сестры убежал бы по крайней мере, — вон как она смотрит на меня теперь! Кончим на этом! Я уж так было обрадовался... И почем вы знаете, что я обманываю Настасью Филипповну? А насчет Вари — как ей угодно, и — довольно. Ну, уж теперь совсем довольно!

Ганя разгорячался с каждым словом и без цели шагал по комнате. Такие разговоры тотчас же обращались в больное место у всех членов семейства.

— Я сказала, что если она сюда войдет, то я отсюда выйду, и тоже слово сдержу, — сказала Варя.

— Из упрямства! — вскричал Ганя. — Из упрямства и замуж не выходишь! Что на меня фыркаешь? Мне ведь наплевать, Варвара Ардалионовна; угодно — хоть сейчас исполняйте ваше намерение. Надоели вы мне уж очень. Как! Вы решаетесь наконец нас оставить, князь! — закричал он князю, увидав, что тот встает с места.

В голосе Гани слышалась уже та степень раздражения, в которой человек почти сам рад этому раздражению, предается ему безо всякого удержу и чуть не с возрастающим наслаждением, до чего бы это ни довело. Князь обернулся было в дверях, чтобы что-то ответить, но, увидев по болезненному выражению лица своего обидчика, что тут только недоставало той капли, которая переполняет сосуд, повернулся и вышел молча. Несколько минут спустя он услышал по отголоску из гостиной, что разговор с его отсутствия стал еще шумнее и откровеннее.

Он прошел чрез залу в прихожую, чтобы попасть в коридор, а из него в свою комнату. Проходя близко мимо выходных дверей на лестницу, он услышал и заметил, что за дверями кто-то старается изо всех сил позвонить в колокольчик; но в колокольчике, должно быть, что-то испортилось: он только чуть-чуть вздрагивал, а звука не было. Князь снял запор, отворил дверь и — отступил в изумлении, весь даже вздрогнул: пред ним стояла Настасья Филипповна. Он тотчас узнал ее по портрету. Глаза ее сверкнули взрывом досады, когда она его увидала; она быстро прошла в прихожую, столкнув его с дороги плечом, и гневливо сказала, сбрасывая с себя шубу:

— Если лень колокольчик поправить, так по крайней мере в прихожей бы сидел, когда стучатся. Ну вот, теперь шубу уронил, олух!

Шуба действительно лежала на полу; Настасья Филипповна, не дождавшись, пока князь с нее снимет, сбросила ее сама к нему на руки, не глядя, сзади, но князь не успел принять.

— Прогнать тебя надо. Ступай, доложи.

Князь хотел было что-то сказать, но до того потерялся, что ничего не выговорил и с шубой, которую поднял с полу, пошел в гостиную.

— Ну вот, теперь с шубой идет! Шубу-то зачем несешь? Ха-ха-ха! Да ты сумасшедший, что ли?

Князь воротился и глядел на нее как истукан; когда она засмеялась — усмехнулся и он, но языком всё еще не мог пошевелить. В первое мгновение, когда он отворил ей дверь, он был бледен, теперь вдруг краска залила его лицо.

— Да что это за идиот? — в негодовании вскрикнула, топнув на него ногой, Настасья Филипповна. — Ну, куда ты идешь? Ну, кого ты будешь докладывать?

— Настасью Филипповну, — пробормотал князь.

— Почему ты меня знаешь? — быстро спросила она его. — Я тебя никогда не видала! Ступай, докладывай... Что там за крик?

— Бранятся, — ответил князь и пошел в гостиную.

Он вошел в довольно решительную минуту: Нина Александровна готова была уже совершенно забыть, что она «всему покорилась»; она, впрочем, защищала Варю. Подле Вари стоял и Птицын, уже оставивший свою исписанную карандашом бумажку. Варя и сама не робела, да и не робкого десятка была девица; но грубости брата становились с каждым словом невежливее и нестерпимее. В таких случаях она обыкновенно переставала говорить и только молча, насмешливо смотрела на брата, не сводя с него глаз. Этот маневр, как и знала она, способен был выводить его из последних границ. В эту-то самую минуту князь шагнул в комнату и провозгласил:

— Настасья Филипповна!

IX

Общее молчание воцарилось; все смотрели на князя, как бы не понимая его и — не желая понять. Ганя оцепенел от испуга.

Приезд Настасьи Филипповны, и особенно в настоящую минуту, был для всех самою странною и хлопотливою неожиданностью. Уж одно то, что Настасья Филипповна жаловала в первый раз; до сих пор она держала себя до того надменно, что в разговорах с Ганей даже и желания не выражала познакомиться с его родными, а в самое последнее время даже и не упоминала о них совсем, точно их и не было на свете. Ганя хоть отчасти и рад был, что отдалялся такой хлопотливый для него разговор, но все-таки в сердце своем поставил ей эту надменность на счет. Во всяком случае, он ждал от нее скорее насмешек и колкостей над своим семейством, а не визита к нему; он знал наверно, что ей известно всё, что происходит у него дома по поводу его сватовства и каким взглядом смотрят на нее его родные. Визит ее, *теперь*, после подарка портрета и в день своего рождения, в день, в который она обещала решить его судьбу, означал чуть не самое это решение.

Недоумение, с которым все смотрели на князя, продолжалось недолго: Настасья Филипповна появилась в дверях гостиной сама, и опять, входя в комнату, слегка оттолкнула князя.

— Наконец-то удалось войти... зачем это вы колокольчик привязываете? — весело проговорила она, подавая руку Гане, бросившемуся к ней со всех ног. — Что это у вас такое опрокинутое лицо? Познакомьте же меня, пожалуйста...

Совсем потерявшийся Ганя отрекомендовал ее сперва Варе, и обе женщины, прежде чем протянули друг другу руки, обменялись странными взглядами. Настасья Филипповна, впрочем, смеялась и маскировалась веселостью; но Варя не хотела маскироваться и смотрела мрачно и пристально; даже и тени улыбки, что уже требовалось простою вежливостью, не показалось в ее лице. Ганя обмер; упрашивать было уже нечего и некогда, и он бросил на Варю такой угрожающий взгляд, что та поняла, по силе этого взгляда, что значила для ее брата эта минута. Тут она, кажется, решилась уступить ему и чуть-чуть улыбнулась Настасье Филипповне. (Все они в семействе еще слишком любили друг друга.) Несколько поправила дело Нина Александровна, которую Ганя, сбившись окончательно, отрекомендовал после сестры и даже подвел первую к Настасье Филипповне. Но только что Нина Александровна успела было начать о своем «особенном удовольствии», как Настасья Филипповна, не дослушав ее, быстро обратилась к Гане и, садясь (без приглашения еще) на маленький диванчик, в углу у окна, вскричала:

— Где же ваш кабинет? И... и где жильцы? Ведь вы жильцов содержите?

Ганя ужасно покраснел и заикнулся было что-то ответить, но Настасья Филипповна тотчас прибавила:

— Где же тут держать жильцов? У вас и кабинета нет. А выгодно это? — обратилась она вдруг к Нине Александровне.

— Хлопотливо несколько, — отвечала было та, — разумеется, должна быть выгода. Мы, впрочем, только что...

Но Настасья Филипповна опять уже не слушала: она глядела на Ганю, смеялась и кричала ему:

— Что у вас за лицо? О, боже мой, какое у вас в эту минуту лицо...

Прошло несколько мгновений этого смеха, и лицо Гани, действительно, очень исказилось: его столбняк, его комическая, трусливая потерянность вдруг сошла с него; но он ужасно побледнел; губы закривились от судороги; он молча, пристально и дурным взглядом, не отрываясь, смотрел в лицо своей гостьи, продолжавшей смеяться.

Тут был и еще наблюдатель, который тоже еще не избавился от своего чуть не онемения при виде Настасьи Филипповны; но он хоть и стоял «столбом», на прежнем месте своем, в дверях гостиной, однако успел заметить бледность и злокачественную перемену лица Гани. Этот наблюдатель был князь. Чуть не в испуге, он вдруг машинально ступил вперед.

— Выпейте воды, — прошептал он Гане. — И не глядите так...

Видно было, что он проговорил это без всякого расчета, без всякого особенного замысла, так, по первому движению; но слова его произвели чрезвычайное действие. Казалось, вся злоба Гани вдруг опрокинулась на князя: он схватил его за плечо и смотрел на него молча, мстительно и ненавистно, как бы не в силах выговорить слово. Произошло всеобщее волнение: Нина Александровна слегка даже вскрикнула, Птицын шагнул вперед в беспокойстве, Коля и Фердыщенко, явившиеся в дверях, остановились в изумлении, одна Варя по-прежнему смотрела исподлобья, но внимательно наблюдая. Она не садилась, а стояла сбоку, подле матери, сложив руки на груди.

Но Ганя спохватился тотчас же, почти в первую минуту своего движения, и нервно захохотал. Он совершенно опомнился.

— Да что вы, князь, доктор, что ли? — вскричал он по возможности веселее и простодушнее, — даже испугал меня; Настасья Филипповна, можно рекомендовать вам, это предрагоценный субъект, хоть я и сам только с утра знаком.

Настасья Филипповна в недоумении смотрела на князя.

— Князь? Он князь? Вообразите, а я давеча, в прихожей, приняла его за лакея и сюда докладывать послала. Ха-ха-ха!

— Нет беды, нет беды! — подхватил Фердыщенко, поспешно подходя и обрадовавшись, что начали смеяться, — нет беды: se non è vero...[1]

— Да чуть ли еще не бранила вас, князь. Простите, пожалуйста. Фердыщенко, вы-то как здесь, в такой час? Я думала, по крайней мере хоть вас не застану. Кто? Какой князь? Мышкин? — переспросила она Ганю, который между тем, всё еще держа князя за плечо, успел отрекомендовать его.

— Наш жилец, — повторил Ганя.

Очевидно, князя представляли как что-то редкое (и пригодившееся всем как выход из фальшивого положения), чуть не совали к Настасье Филипповне; князь ясно даже услышал слово «идиот», прошептанное сзади его, кажется, Фердыщенкой, в пояснение Настасье Филипповне.

— Скажите, почему же вы не разуверили меня давеча, когда я так ужасно... в вас ошиблась? — продолжала Настасья Филипповна, рассматривая князя с ног до головы самым бесцеремонным образом; она в нетерпении ждала ответа, как бы вполне убежденная, что ответ будет непременно так глуп, что нельзя будет не засмеяться.

— Я удивился, увидя вас так вдруг... — пробормотал было князь.

— А как вы узнали, что это я? Где вы меня видели прежде? Что это, в самом деле, я как будто его где-то видела? И позвольте вас спросить, почему вы давеча остолбенели на месте? Что во мне такого остолбеняющего?

— Ну же, ну! — продолжал гримасничать Фердыщенко, — да ну же! О, господи, каких бы я вещей на такой вопрос насказал! Да ну же... Пентюх же ты, князь, после этого!

— Да и я бы насказал на вашем месте, — засмеялся князь Фердыщенке, — давеча меня ваш портрет поразил очень, — продолжал он Настасье Филипповне, — потом я с Епанчиными про вас говорил... а рано утром, еще до въезда в Петербург, на железной дороге, рассказывал мне много про вас Парфен Рогожин... И в ту же самую минуту, как я вам дверь отворил, я о вас тоже думал, а тут вдруг и вы.

— А как же вы меня узнали, что это я?

— По портрету и...

— И еще?

---

[1] если и не верно... (*итал.*)

— И еще потому, что такою вас именно и воображал... Я вас тоже будто видел где-то.

— Где? Где?

— Я ваши глаза точно где-то видел... да этого быть не может! Это я так... Я здесь никогда и не был. Может быть, во сне...

— Ай да князь! — закричал Фердыщенко. — Нет, я свое: se non è vero — беру назад. Впрочем... впрочем, ведь это он всё от невинности! — прибавил он с сожалением.

Князь проговорил свои несколько фраз голосом неспокойным, прерываясь и часто переводя дух. Всё выражало в нем чрезвычайное волнение. Настасья Филипповна смотрела на него с любопытством, но уже не смеялась. В эту самую минуту вдруг громкий, новый голос, послышавшийся из-за толпы, плотно обступившей князя и Настасью Филипповну, так сказать, раздвинул толпу и разделил ее надвое. Перед Настасьей Филипповной стоял сам отец семейства, генерал Иволгин. Он был во фраке и в чистой манишке; усы его были нафабрены...

Этого уже Ганя не мог вынести.

Самолюбивый и тщеславный до мнительности, до ипохондрии; искавший во все эти два месяца хоть какой-нибудь точки, на которую мог бы опереться приличнее и выставить себя благороднее; чувствовавший, что еще новичок на избранной дороге и, пожалуй, не выдержит; с отчаяния решившийся, наконец, у себя дома, где был деспотом, на полную наглость, но не смевший решиться на это перед Настасьей Филипповной, сбивавшей его до последней минуты с толку и безжалостно державшей над ним верх; «нетерпеливый нищий», по выражению самой Настасьи Филипповны, о чем ему уже было донесено; поклявшийся всеми клятвами больно наверстать ей всё это впоследствии и в то же время ребячески мечтавший иногда про себя свести концы и примирить все противоположности, — он должен теперь испить еще эту ужасную чашу, и, главное, в такую минуту! Еще одно непредвиденное, но самое страшное истязание для тщеславного человека — мука краски за своих родных, у себя же в доме, выпала ему на долю. «Да стоит ли, наконец, этого само вознаграждение!» — промелькнуло в это мгновение в голове Гани.

В эту самую минуту происходило то, что снилось ему в эти два месяца только по ночам, в виде кошмара, и леденило его ужасом, сжигало стыдом: произошла наконец семейная встреча его родителя с Настасьей Филипповной. Он иногда, дразня и раздражая себя, пробовал было представить себе генерала во время брачной церемонии, но никогда не способен был докончить мучительную картину и поскорее бросал ее. Может быть, он безмерно преувеличивал беду; но с тщеславными людьми всегда так бывает. В эти два месяца он успел надуматься и решиться и дал себе слово во что бы то ни стало сократить как-нибудь своего родителя, хоть на время, и стушевать его, если возможно, даже из Петербурга, согласна или не согласна будет на то мать. Десять минут назад, когда входила Настасья Филипповна, он был так поражен, так ошеломлен, что совершенно забыл о возможности появления на сцене Ардалиона Александровича и не сделал никаких распоряжений. И вот генерал тут, перед всеми, да еще торжественно приготовившись и во фраке, и именно в то самое время, когда Настасья Филипповна «только случая ищет, чтобы осыпать его и его домашних насмешками». (В этом он был убежден.) Да и в самом деле, что значит ее теперешний визит, как не это? Сдружиться с его матерью и сестрой или оскорбить их у него же в доме приехала она? Но по тому, как расположились обе стороны, сомнений уже быть не могло: его мать и сестра сидели в стороне как оплеванные, а Настасья Филипповна даже и позабыла, кажется, что они в одной с нею комнате... И если так ведет себя, то, конечно, у ней есть своя цель!

Фердыщенко подхватил генерала и подвел его.

— Ардалион Александрович Иволгин, — с достоинством произнес нагнувшийся и улыбающийся генерал, — старый несчастный солдат и отец семейства, счастливого надеждой заключать в себе такую прелестную...

Он не докончил; Фердыщенко быстро подставил ему сзади стул, и генерал, несколько слабый в эту послеобеденную минуту на ногах, так и шлепнулся или, лучше сказать, упал на стул; но это, впрочем, его не сконфузило. Он уселся прямо против Настасьи Филипповны и с приятною ужимкой, медленно и эффектно, поднес ее пальчики к губам своим. Вообще генерала довольно трудно было сконфузить. Наружность его, кроме некоторого неряшества, всё еще была довольно прилична, о чем сам он знал очень хорошо. Ему случалось бывать прежде и в очень хорошем обществе, из которого он был исключен окончательно всего только года два-три назад. С этого же срока и предался он слишком уже без удержу некоторым своим слабостям; но ловкая и приятная манера оставалась в нем и доселе. Настасья Филипповна, казалось, чрезвычайно обрадовалась появлению Ардалиона Александровича, о котором, конечно, знала понаслышке.

— Я слышал, что сын мой... — начал было Ардалион Александрович.

— Да, сын ваш! Хороши и вы тоже, папенька-то! Почему вас никогда не видать у меня? Что, вы сами прячетесь или сын вас прячет? Вам-то уж можно приехать ко мне, никого не компрометируя.

— Дети девятнадцатого века и их родители... — начал было опять генерал.

— Настасья Филипповна! Отпустите, пожалуйста, Ардалиона Александровича на одну минуту, его спрашивают, — громко сказала Нина Александровна.

— Отпустить! Помилуйте, я так много слышала, так давно желала видеть! И какие у него дела? Ведь он в отставке? Вы не оставите меня, генерал, не уйдете?

— Я даю вам слово, что он приедет к вам сам, но теперь он нуждается в отдыхе.

— Ардалион Александрович, говорят, что вы нуждаетесь в отдыхе! — вскрикнула Настасья Филипповна с недовольною и брезгливою гримаской, точно ветреная дурочка, у которой отнимают игрушку. Генерал как раз постарался еще более одурачить свое положение.

— Друг мой! Друг мой! — укорительно произнес он, торжественно обращаясь к жене и положа руку на сердце.

— Вы не уйдете отсюда, маменька? — громко спросила Варя.

— Нет, Варя, я досижу до конца.

Настасья Филипповна не могла не слышать вопроса и ответа, но веселость ее оттого как будто еще увеличилась. Она тотчас же снова засыпала генерала вопросами, и через пять минут генерал был в самом торжественном настроении и ораторствовал при громком смехе присутствующих.

Коля дернул князя за фалду.

— Да уведите хоть вы его как-нибудь! Нельзя ли? Пожалуйста! — И у бедного мальчика даже слезы негодования горели на глазах. — О проклятый Ганька! — прибавил он про себя.

— С Иваном Федоровичем Епанчиным я действительно бывал в большой дружбе, — разливался генерал на вопросы Настасьи Филипповны. — Я, он и покойный князь Лев Николаевич Мышкин, сына которого я обнял сегодня после двадцатилетней разлуки, мы были трое неразлучные, так сказать, кавалькада: Атос, Портос и Арамис. Но, увы, один в могиле, сраженный клеветой и пулей, другой перед вами и еще борется с клеветами и пулями...

— С пулями! — вскричала Настасья Филипповна.

— Они здесь, в груди моей, а получены под Карсом, и в дурную погоду я их ощущаю. Во всех других отношениях живу философом, хожу, гуляю, играю в моем кафе, как удалившийся от дел буржуа, в шашки и читаю «Indépendance»[1]. Но с нашим Портосом, Епанчиным, после третьегодней истории на железной дороге по поводу болонки покончено мною окончательно.

— Болонки! Это что же такое? — с особенным любопытством спросила Настасья Филипповна. — С болонкой? Позвольте, и на железной дороге!.. — как бы припоминала она.

— О, глупая история, не стоит и повторять: из-за гувернантки княгини Белоконской, мистрис Шмидт, но... не стоит и повторять.

— Да непременно же расскажите! — весело воскликнула Настасья Филипповна.

— И я еще не слыхал! — заметил Фердыщенко. — C'est du nouveau[2].

— Ардалион Александрович! — раздался опять умоляющий голос Нины Александровны.

— Папенька, вас спрашивают! — крикнул Коля.

— Глупая история, и в двух словах, — начал генерал с самодовольством. — Два года назад, да! без малого, только что последовало открытие новой —ской железной дороги, я (и уже в штатском пальто), хлопоча о чрезвычайно важных для меня делах по сдаче моей службы, взял билет, в первый класс: вошел, сижу, курю. То есть продолжаю курить, я закурил раньше. Я один в отделении. Курить не запрещается, но и не позволяется; так, полупозволяется, по обыкновению; ну, и смотря по лицу. Окно спущено. Вдруг, перед самым свистком, помещаются две дамы с болонкой, прямо насупротив; опоздали; одна пышнейшим образом разодета, в светло-голубом; другая скромнее, в шелковом черном с пелеринкой. Недурны собой, смотрят надменно, говорят по-английски. Я, разумеется, ничего; курю. То есть я и подумал было, но, однако, продолжаю курить, потому окно отворено, в окно. Болонка у светло-голубой барыни на коленках покоится, маленькая, вся в мой кулак, черная, лапки беленькие, даже редкость. Ошейник серебряный с девизом. Я ничего. Замечаю только, что дамы, кажется, сердятся, за сигару, конечно. Одна в лорнет уставилась, черепаховый. Я опять-таки ничего: потому ведь ничего же не говорят! Если бы сказали, предупредили, попросили, ведь есть же, наконец, язык человеческий! А то молчат... вдруг, — и это без малейшего, я вам скажу, предупреждения, то есть без самомалейшего, так-таки совершенно как бы с ума спятила, — светло-голубая хвать у меня из руки сигару и за окно. Вагон летит, гляжу как полоумный. Женщина дикая; дикая женщина, так-таки совершенно из ди-

---

[1] «Независимость» (*франц.*).
[2] Это что-то новое (*франц.*).

кого состояния; а впрочем, дородная женщина, полная, высокая, блондинка, румяная (слишком даже), глаза на меня сверкают. Не говоря ни слова, я с необыкновенною вежливостью, с совершеннейшею вежливостью, с утонченнейшею, так сказать, вежливостью, двумя пальцами приближаюсь к болонке, беру деликатно за шиворот и шварк ее за окошко вслед за сигаркой! Только взвизгнула! Вагон продолжает лететь...

— Вы изверг! — крикнула Настасья Филипповна, хохоча и хлопая в ладошки, как девочка.

— Браво, браво! — кричал Фердыщенко. Усмехнулся и Птицын, которому тоже было чрезвычайно неприятно появление генерала; даже Коля засмеялся и тоже крикнул: «Браво!»

— И я прав, я прав, трижды прав! — с жаром продолжал торжествующий генерал, — потому что если в вагонах сигары запрещены, то собаки и подавно.

— Браво, папаша! — восторженно вскричал Коля, — великолепно! Я бы непременно, непременно то же бы самое сделал!

— Но что же барыня? — с нетерпением допрашивала Настасья Филипповна.

— Она? Ну, вот тут-то вся неприятность и сидит, — продолжал, нахмурившись, генерал, — ни слова не говоря, и без малейшего как есть предупреждения, она хвать меня по щеке! Дикая женщина; совершенно из дикого состояния!

— А вы?

Генерал опустил глаза, поднял брови, поднял плечи, сжал губы, раздвинул руки, помолчал и вдруг промолвил:

— Увлекся!

— И больно? Больно?

— Ей-богу, не больно! Скандал вышел, но не больно. Я только один раз отмахнулся, единственно только чтоб отмахнуться. Но тут сам сатана и подвертел: светло-голубая оказалась англичанка, гувернантка или даже какой-то там друг дома у княгини Белоконской, а которая в черном платье, та была старшая из княжон Белоконских, старая дева лет тридцати пяти. А известно, в каких отношениях состоит генеральша Епанчина к дому Белоконских. Все княжны в обмороке, слезы, траур по фаворитке-болонке, визг шестерых княжон, визг англичанки, — светопреставление! Ну, конечно, ездил с раскаянием, просил извинения, письмо написал, не приняли, ни меня, ни письма, а с Епанчиным раздоры, исключение, изгнание!

— Но позвольте, как же это? — спросила вдруг Настасья Филипповна. — Пять или шесть дней назад я читала в «Indépendance», — а я постоянно читаю «Indépendance», — точно такую же историю! Но решительно точно такую же! Это случилось на одной из прирейнских железных дорог, в вагоне, с одним французом и англичанкой: точно так же была вырвана сигара, точно так же была выкинута в окно болонка, наконец, точно так же и кончилось, как у вас. Даже платье светло-голубое!

Генерал покраснел ужасно, Коля тоже покраснел и стиснул себе руками голову; Птицын быстро отвернулся. Хохотал по-прежнему один только Фердыщенко. Про Ганю и говорить было нечего: он всё время стоял, выдерживая немую и нестерпимую муку.

— Уверяю же вас, — пробормотал генерал, — что и со мной точно то же случилось...

— У папаши действительно была неприятность с мистрис Шмидт, гувернанткой у Белоконских, — вскричал Коля, — я помню.

— Как! Точь-в-точь? Одна и та же история на двух концах Европы и точь-в-точь такая же во всех подробностях, до светло-голубого платья! — настаивала безжалостная Настасья Филипповна. — Я вам «Indépendance Belge» пришлю!

— Но заметьте, — всё еще настаивал генерал, — что со мной произошло два года раньше...

— А, вот разве это!

Настасья Филипповна хохотала как в истерике.

— Папенька, я вас прошу выйти на два слова, — дрожащим, измученным голосом проговорил Ганя, машинально схватив отца за плечо. Бесконечная ненависть кипела в его взгляде.

В это самое мгновение раздался чрезвычайно громкий удар колокольчика из передней. Таким ударом можно было сорвать колокольчик. Предвозвещался визит необыкновенный. Коля побежал отворять.

X

В прихожей стало вдруг чрезвычайно шумно и людно; из гостиной казалось, что со двора вошло несколько человек и всё еще продолжают входить. Несколько голосов говорило и вскрикивало разом; говорили и вскрикивали и на лестнице, на которую дверь из прихожей, как слышно было, не затворялась. Визит оказывался чрезвычайно странный. Все переглянулись; Ганя бросился в залу, но и в залу уже вошло несколько человек.

— А, вот он, Иуда! — вскрикнул знакомый князю голос. — Здравствуй, Ганька, подлец!

— Он, он самый и есть! — поддакнул другой голос.

Сомневаться князю было невозможно: один голос был Рогожина, а другой Лебедева.

Ганя стоял как бы в отупении на пороге гостиной и глядел молча, не препятствуя входу в залу одного за другим человек десяти или двенадцати вслед за Парфеном Рогожиным. Компания была чрезвычайно разнообразная и отличалась не только разнообразием, но и безобразием. Некоторые входили так, как были на улице, в пальто и в шубах. Совсем пьяных, впрочем, не было; зато все казались сильно навеселе. Все, казалось, нуждались друг в друге, чтобы войти; ни у одного недостало бы отдельно смелости, но все друг друга как бы подталкивали. Даже и Рогожин ступал осторожно во главе толпы, но у него было какое-то намерение, и он казался мрачно и раздраженно озабоченным. Остальные же составляли только хор или, лучше сказать, шайку для поддержки. Кроме Лебедева, тут был и завитой Залёжев, сбросивший свою шубу в передней и вошедший развязно и щеголем, и подобные ему два-три господина, очевидно из купчиков. Какой-то в полувоенном пальто; какой-то маленький и чрезвычайно толстый человек, беспрестанно смеявшийся; какой-то огромный вершков двенадцати господин, тоже необычайно толстый, чрезвычайно мрачный и молчаливый и, очевидно, сильно надеявшийся на свои кулаки. Был один медицинский студент; был один увивавшийся полячок. С лестницы заглядывали в прихожую, но не решаясь войти, две какие-то дамы; Коля захлопнул дверь перед их носом и заложил крючком.

— Здравствуй, Ганька, подлец! Что, не ждал Парфена Рогожина? — повторил Рогожин, дойдя до гостиной и останавливаясь в дверях против Гани. Но в эту минуту он вдруг разглядел в гостиной, прямо против себя, Настасью Филипповну. Очевидно, у него и в помыслах не было встретить ее здесь, потому что вид ее произвел на него необыкновенное впечатление; он так побледнел, что даже губы его посинели. — Стало быть, правда! — проговорил он тихо и как бы про себя, с совершенно потерянным видом, — конец!.. Ну... Ответишь же ты мне теперь! — проскрежетал он вдруг, с неистовою злобой смотря на Ганю... — Ну... ах!..

Он даже задыхался, даже выговаривал с трудом. Машинально подвигался он в гостиную, но, перейдя за порог, вдруг увидел Нину Александровну и Варю и остановился, несколько сконфузившись, несмотря на всё свое волнение. За ним прошел Лебедев, не отстававший от него как тень и уже сильно пьяный, затем студент, господин с кулаками, Залёжев, раскланивавшийся направо и налево, и, наконец, протискивался коротенький толстяк. Присутствие дам всех их еще несколько сдерживало и очевидно сильно мешало им, конечно, только до *начала*, до первого повода вскрикнуть и *начать*... Тут уж никакие дамы не помешали бы.

— Как? И ты тут, князь? — рассеянно проговорил Рогожин, отчасти удивленный встречей с князем. — Всё в штиблетишках, э-эх! — вздохнул он, уже забыв о князе и переводя взгляд опять на Настасью Филипповну, всё подвигаясь и притягиваясь к ней, как к магниту.

Настасья Филипповна тоже с беспокойным любопытством глядела на гостей.

Ганя наконец опомнился.

— Но позвольте, что же это, наконец, значит? — громко заговорил он, строго оглядев вошедших и обращаясь преимущественно к Рогожину. — Вы не в конюшню, кажется, вошли, господа, здесь моя мать и сестра...

— Видим, что мать и сестра, — процедил сквозь зубы Рогожин.

— Это и видно, что мать и сестра, — поддакнул для контенансу Лебедев.

Господин с кулаками, вероятно полагая, что пришла минута, начал что-то ворчать.

— Но, однако же! — вдруг и как-то не в меру, взрывом, возвысил голос Ганя, — во-первых, прошу отсюда всех в залу, а потом позвольте узнать...

— Вишь, не узнает, — злобно осклабился Рогожин, не трогаясь с места, — Рогожина не узнал?

— Я, положим, с вами где-то встречался, но...

— Вишь, где-то встречался! Да я тебе всего только три месяца двести рублей отцовских проиграл, с тем и умер старик, что не успел узнать; ты меня затащил, а Книф передергивал. Не узнаешь? Птицын-то свидетелем! Да покажи я тебе три целковых, вынь теперь из кармана, так ты на Васильевский за ними доползешь на карачках, — вот ты каков! Душа твоя такова! Я и теперь тебя за деньги приехал всего купить, ты не смотри, что я в таких сапогах вошел, у меня денег, брат, много, всего тебя и со всем твоим живьем куплю... захочу, всех вас куплю! Всё куплю! — разгорячался и как бы хмелел всё более и более Рогожин. — Э-эх! — крикнул он, — Настасья Филипповна! Не прогоните, скажите словцо: венчаетесь вы с ним или нет?

Рогожин задал свой вопрос как потерянный, как божеству какому-то, но с смелостью приговоренного к казни, которому уже нечего терять. В смертной тоске ожидал он ответа.

Настасья Филипповна обмерила его насмешливым и высокомерным взглядом, но взглянула на Варю и на Нину Александровну, поглядела на Ганю и вдруг переменила тон.

— Совсем нет, что с вами? И с какой стати вы вздумали спрашивать? — ответила она тихо и серьезно и как бы с некоторым удивлением.

— Нет? Нет!! — вскричал Рогожин, приходя чуть не в исступление от радости, — так нет же?! А мне сказали они... Ах! Ну!.. Настасья Филипповна! Они говорят, что вы помолвились с Ганькой! С ним-то? Да разве это можно? (Я им всем говорю!) Да я его всего за сто рублей куплю, дам ему тысячу, ну, три, чтоб отступился, так он накануне свадьбы бежит, а невесту всю мне оставит. Ведь так, Ганька, подлец! Ведь уж взял бы три тысячи! Вот они, вот! С тем и ехал, чтобы с тебя подписку такую взять; сказал: куплю — и куплю!

— Ступай вон отсюда, ты пьян! — крикнул красневший и бледневший попеременно Ганя.

За его окриком вдруг послышался внезапный взрыв нескольких голосов; вся команда Рогожина давно уже ждала первого вызова. Лебедев что-то с чрезвычайным старанием нашептывал на ухо Рогожину.

— Правда, чиновник! — ответил Рогожин, — правда, пьяная душа! Эх, куда ни шло. Настасья Филипповна! — вскричал он, глядя на нее как полоумный, робея и вдруг ободряясь до дерзости, — вот восемнадцать тысяч! — И он шаркнул пред ней на столик пачку в белой бумаге, обернутую накрест шнурками, — вот! И... и еще будет!

Он не осмелился договорить, чего ему хотелось.

— Ни-ни-ни! — зашептал ему снова Лебедев с страшно испуганным видом; можно было угадать, что он испугался громадности суммы и предлагал попробовать с несравненно меньшего.

— Нет, уж в этом ты, брат, дурак, не знаешь, куда зашел... да, видно, и я дурак с тобой вместе! — спохватился и вздрогнул вдруг Рогожин под засверкавшим взглядом Настасьи Филипповны. — Э-эх! Соврал я, тебя послушался, — прибавил он с глубоким раскаянием.

Настасья Филипповна, вглядевшись в опрокинутое лицо Рогожина, вдруг засмеялась.

— Восемнадцать тысяч, мне? Вот сейчас мужик и скажется! — прибавила она вдруг с наглою фамильярностью и привстала с дивана, как бы собираясь ехать. Ганя с замиранием сердца наблюдал всю сцену.

— Так сорок же тысяч, сорок, а не восемнадцать! — закричал Рогожин. — Ванька Птицын и Бискуп к семи часам обещали сорок тысяч представить. Сорок тысяч! Все на стол.

Сцена выходила чрезвычайно безобразная, но Настасья Филипповна продолжала смеяться и не уходила, точно и в самом деле с намерением протягивала ее. Нина Александровна и Варя тоже встали с своих мест и испуганно, молча, ждали, до чего это дойдет; глаза Вари сверкали, но на Нину Александровну всё это подействовало болезненно; она дрожала, и казалось, тотчас упадет в обморок.

— А коли так — сто! Сегодня же сто тысяч представлю! Птицын, выручай, руки нагреешь!

— Ты с ума сошел! — прошептал вдруг Птицын, быстро подходя к нему и хватая его за руку, — ты пьян, за будочниками пошлют. Где ты находишься?

— Спьяна врет, — проговорила Настасья Филипповна, как бы поддразнивая его.

— Так не вру же, будут! К вечеру будут. Птицын, выручай, процентная душа, что хошь бери, доставай к вечеру сто тысяч; докажу, что не постою! — одушевился вдруг до восторга Рогожин.

— Но, однако, что же это такое? — грозно и внезапно воскликнул рассердившийся Ардалион Александрович, приближаясь к Рогожину. Внезапность выходки доселе молчавшего старика придала ей много комизма. Послышался смех.

— Это еще откуда? — засмеялся Рогожин. — Пойдем, старик, пьян будешь!

— Это уж подло! — крикнул Коля, совсем плача от стыда и досады.

— Да неужели же ни одного между вами не найдется, чтобы эту бесстыжую отсюда вывести! — вскрикнула вдруг, вся трепеща от гнева, Варя.

— Это меня-то бесстыжею называют! — с пренебрежительною веселостью отпарировала Настасья Филипповна. — А я-то как дура приехала их к себе на вечер звать! Вот как ваша сестрица меня третирует, Гаврила Ардалионович!

Несколько времени Ганя стоял как молнией пораженный при выходке сестры; но, увидя, что Настасья Филипповна этот раз действительно уходит, как исступленный бросился на Варю и в бешенстве схватил ее за руку.

— Что ты сделала? — вскричал он, глядя на нее, как бы желая испепелить ее на этом же месте. Он решительно потерялся и плохо соображал.

— Что сделала? Куда ты меня тащишь? Уж не прощения ли просить у ней за то, что она твою мать оскорбила и твой дом срамить приехала, низкий ты человек? — крикнула опять Варя, торжествуя и с вызовом смотря на брата.

Несколько мгновений они простояли так друг против друга, лицом к лицу. Ганя всё еще держал ее руку в своей руке. Варя дернула раз, другой, изо всей силы, но не выдержала и вдруг, вне себя, плюнула брату в лицо.

— Вот так девушка! — крикнула Настасья Филипповна. — Браво, Птицын, я вас поздравляю!

У Гани в глазах помутилось, и он, совсем забывшись, изо всей силы замахнулся на сестру. Удар пришелся бы ей непременно в лицо. Но вдруг другая рука остановила на лету Ганину руку.

Между ним и сестрой стоял князь.

— Полноте, довольно! — проговорил он настойчиво, но тоже весь дрожа, как от чрезвычайно сильного потрясения.

— Да вечно, что ли, ты мне дорогу переступать будешь! — заревел Ганя, бросив руку Вари, и освободившеюся рукой, в последней степени бешенства, со всего размаха дал князю пощечину.

— Ах! — всплеснул руками Коля, — ах, боже мой!

Раздались восклицания со всех сторон. Князь побледнел. Странным и укоряющим взглядом поглядел он Гане прямо в глаза; губы его дрожали и силились что-то проговорить; какая-то странная и совершенно неподходящая улыбка кривила их.

— Ну, это пусть мне... а ее... все-таки не дам!.. — тихо проговорил он наконец; но вдруг не выдержал, бросил Ганю, закрыл руками лицо, отошел в угол, стал лицом к стене и прерывающимся голосом проговорил:

— О, как вы будете стыдиться своего поступка!

Ганя действительно стоял как уничтоженный. Коля бросился обнимать и целовать князя; за ним затеснились Рогожин, Варя, Птицын, Нина Александровна, все, даже старик Ардалион Александрович.

— Ничего, ничего! — бормотал князь на все стороны, с тою же неподходящею улыбкой.

— И будет каяться! — закричал Рогожин, — будешь стыдиться, Ганька, что такую... овцу (он не мог приискать другого слова) оскорбил! Князь, душа ты моя, брось их; плюнь им, поедем! Узнаешь, как любит Рогожин!

Настасья Филипповна была тоже очень поражена и поступком Гани, и ответом князя. Обыкновенно бледное и задумчивое лицо ее, так всё время не гармонировавшее с давешним как бы напускным ее смехом, было очевидно взволновано теперь новым чувством; и, однако, все-таки ей как будто не хотелось его выказывать, и насмешка словно усиливалась остаться в лице ее.

— Право, где-то я видела его лицо! — проговорила она вдруг уже серьезно, внезапно вспомнив опять давешний свой вопрос.

— А вам и не стыдно! Разве вы такая, какою теперь представлялись. Да может ли это быть! — вскрикнул вдруг князь с глубоким сердечным укором.

Настасья Филипповна удивилась, усмехнулась, но, как будто что-то пряча под свою улыбку, несколько смешавшись, взглянула на Ганю и пошла из гостиной. Но, не дойдя еще до прихожей, вдруг воротилась, быстро подошла к Нине Александровне, взяла ее руку и поднесла ее к губам своим.

— Я ведь и в самом деле не такая, он угадал, — прошептала она быстро, горячо, вся вдруг вспыхнув и закрасневшись, и, повернувшись, вышла на этот раз так быстро, что никто и сообразить не успел, зачем это она возвращалась. Видели только, что она пошептала что-то Нине Александровне и, кажется, руку ее поцеловала. Но Варя видела и слышала всё с удивлением проводила ее глазами.

Ганя опомнился и бросился провожать Настасью Филипповну, но она уж вышла. Он догнал ее на лестнице.

— Не провожайте! — крикнула она ему. — До свидания, до вечера! Непременно же, слышите!

Он воротился смущенный, задумчивый; тяжелая загадка ложилась ему на душу, еще тяжелее, чем прежде. Мерещился и князь... Он до того забылся, что едва разглядел, как целая рогожинская толпа валила мимо его и даже затолкала его в дверях, наскоро выбираясь из квартиры вслед за Рогожиным. Все громко, в голос, толковали о чем-то. Сам Рогожин шел с Птицыным и настойчиво твердил о чем-то важном и, по-видимому, неотлагательном.

— Проиграл, Ганька! — крикнул он, проходя мимо.

Ганя тревожно посмотрел им вслед.

XI

Князь ушел из гостиной и затворился в своей комнате. К нему тотчас же прибежал Коля утешать его. Бедный мальчик, казалось, не мог уже теперь от него отвязаться.

— Это вы хорошо, что ушли, — сказал он, — там теперь кутерьма еще пуще, чем давеча, пойдет, и каждый-то день у нас так, и всё через эту Настасью Филипповну заварилось.

— Тут у вас много разного наболело и наросло, Коля, — заметил князь.

— Да, наболело. Про нас и говорить нечего. Сами виноваты во всем. А вот у меня есть один большой друг, этот еще несчастнее. Хотите, я вас познакомлю?

— Очень хочу. Ваш товарищ?

— Да, почти как товарищ. Я вам потом это всё разъясню... А хороша Настасья Филипповна, как вы думаете? Я ведь ее никогда еще до сих пор не видывал, а ужасно старался. Просто ослепила. Я бы Ганьке всё простил, если б он по любви; да зачем он деньги берет, вот беда!

— Да, мне ваш брат не очень нравится.

— Ну, еще бы! Вам-то, после... А знаете, я терпеть не могу этих разных мнений. Какой-нибудь сумасшедший, или дурак, или злодей в сумасшедшем виде даст пощечину, и вот уж человек на всю жизнь обесчещен, и смыть не может иначе как кровью, или чтоб у него там на коленках прощенья просили. По-моему, это нелепо и деспотизм. На этом Лермонтова драма «Маскарад» основана, и — глупо, по-моему. То есть я хочу сказать, ненатурально. Но ведь он ее почти в детстве писал.

— Мне ваша сестра очень понравилась.

— Как она в рожу-то Ганьке плюнула. Смелая Варька! А вы так не плюнули, и я уверен, что не от недостатка смелости. Да вот она и сама, легка на помине. Я знал, что она придет; она благородная, хоть и есть недостатки.

— А тебе тут нечего, — прежде всего накинулась на него Варя, — ступай к отцу. Надоедает он вам, князь?

— Совсем нет, напротив.

— Ну, старшая, пошла! Вот это-то в ней и скверно. А кстати, я ведь думал, что отец наверно с Рогожиным уедет. Кается, должно быть, теперь. Посмотреть, что с ним в самом деле, — прибавил Коля, выходя.

— Слава богу, увела и уложила маменьку, и ничего не возобновлялось. Ганя сконфужен и очень задумчив. Да и есть о чем. Каков урок!.. Я поблагодарить вас еще раз пришла и спросить, князь: вы до сих пор не знавали Настасью Филипповну?

— Нет, не знал.

— С какой же вы стати сказали ей прямо в глаза, что она «не такая». И, кажется, угадали. Оказалось, что и действительно, может быть, не такая. Впрочем, я ее не разберу! Конечно, у ней была цель оскорбить, это ясно. Я и прежде о ней тоже много странного слышала. Но если она приехала нас звать, то как же она начала обходиться с мамашей? Птицын ее отлично знает, он говорит, что и угадать ее не мог давеча. А с Рогожиным? Так нельзя разговаривать, если себя уважаешь, в доме своего... Маменька тоже о вас очень беспокоится.

— Ничего! — сказал князь и махнул рукой.

— И как это она вас послушалась...

— Чего послушалась?

— Вы ей сказали, что ей стыдно, и она вдруг вся изменилась. Вы на нее влияние имеете, князь, — прибавила, чуть-чуть усмехнувшись, Варя.

Дверь отворилась, и совершенно неожиданно вошел Ганя.

Он даже и не поколебался, увидя Варю; одно время постоял на пороге и вдруг с решимостью приблизился к князю.

— Князь, я сделал подло, простите меня, голубчик, — сказал он вдруг с сильным чувством. Черты лица его выражали сильную боль. Князь смотрел с изумлением и не тотчас ответил. — Ну, простите, ну, простите же! — нетерпеливо настаивал Ганя, — ну, хотите, я вашу руку сейчас поцелую!

Князь был поражен чрезвычайно и молча, обеими руками обнял Ганю. Оба искренно поцеловались.

— Я никак, никак не думал, что вы такой! — сказал наконец князь, с трудом переводя дух. — Я думал, что вы... не способны.

— Повиниться-то?.. И с чего я взял давеча, что вы идиот! Вы замечаете то, чего другие никогда не заметят. С вами поговорить бы можно, но... лучше не говорить!

— Вот пред кем еще повинитесь, — сказал князь, указывая на Варю.

— Нет, это уж всё враги мои. Будьте уверены, князь, много проб было; здесь искренно не прощают! — горячо вырвалось у Гани, и он повернулся от Вари в сторону.

— Нет, прощу! — сказала вдруг Варя.

— И к Настасье Филипповне вечером поедешь?

— Поеду, если прикажешь, только лучше сам посуди: есть ли хоть какая-нибудь возможность мне теперь ехать?

— Она ведь не такая. Она видишь какие загадки загадывает! Фокусы! — и Ганя злобно засмеялся.

— Сама знаю, что не такая и с фокусами, да с какими? И еще, смотри, Ганя, за кого она тебя сама почитает? Пусть она руку мамаше поцеловала. Пусть это какие-то фокусы, но она все-таки ведь смеялась же над тобой! Это не стоит семидесяти пяти тысяч, ей-богу, брат! Ты способен еще на благородные чувства, потому и говорю тебе. Эй, не езди и сам! Эй, берегись! Не может это хорошо улади́ться!

Сказав это, вся взволнованная Варя быстро вышла из комнаты...

— Вот они всё так! — сказал Ганя усмехаясь. — И неужели же они думают, что я этого сам не знаю? Да ведь я гораздо больше их знаю.

Сказав это, Ганя уселся на диван, видимо желая продолжить визит.

— Если знаете сами, — спросил князь довольно робко, — как же вы этакую муку выбрали, зная, что она в самом деле семидесяти пяти тысяч не стоит?

— Я не про это говорю, — пробормотал Ганя, — а кстати, скажите мне, как вы думаете, я именно хочу знать ваше мнение: стоит эта «мука» семидесяти пяти тысяч или не стоит?

— По-моему, не стоит.

— Ну, уж известно. И жениться так стыдно?

— Очень стыдно.

— Ну, так знайте же, что я женюсь, и теперь уж непременно. Еще давеча колебался, а теперь уж нет! Не говорите! Я знаю, что вы хотите сказать...

— Я не о том, о чем вы думаете, а меня очень удивляет ваша чрезвычайная уверенность...

— В чем? Какая уверенность?

— В том, что Настасья Филипповна непременно пойдет за вас и что всё это уже кончено, а во-вторых, если бы даже и вышла, что семьдесят пять тысяч вам так и достанутся прямо в карман. Впрочем, я, конечно, тут многого не знаю.

Ганя сильно пошевелился в сторону князя.

— Конечно, вы всего не знаете, — сказал он, — да и с чего бы я стал всю эту обузу принимать?

— Мне кажется, что это сплошь да рядом случается: женятся на деньгах, а деньги у жены.

— Н-нет, у нас так не будет... Тут... тут есть обстоятельства... — пробормотал Ганя в тревожной задумчивости. — А что касается до ее ответа, то в нем уже нет сомнений, — прибавил он быстро. — Вы из чего заключаете, что она мне откажет?

— Я ничего не знаю, кроме того, что видел; вот и Варвара Ардалионовна говорила сейчас...

— Э! Это они так, не знают уж что сказать. А над Рогожиным она смеялась, будьте уверены, это я разглядел. Это видно было. Я давеча побоялся, а теперь разглядел. Или, может быть, как она с матерью, и с отцом, и с Варей обошлась?

— И с вами.

— Пожалуй; но тут старинное бабье мщение и больше ничего. Это страшно раздражительная, мнительная и самолюбивая женщина. Точно чином обойденный чиновник! Ей хотелось показать себя и всё свое пренебрежение к ним... ну, и ко мне; это правда, я не отрицаю... А все-таки за меня выйдет. Вы и не подозреваете, на какие фокусы человеческое самолюбие способно: вот она считает меня подлецом за то, что я ее, чужую любовницу, так откровенно за ее деньги беру, а и не знает, что иной бы ее еще подлее надул: пристал бы к ней и начал бы ей либерально-прогрессивные вещи рассыпать, да из женских разных вопросов вытаскивать, так она бы вся у него в игольное ушко как нитка прошла. Уверил бы самолюбивую дуру (и так легко!), что ее за «благородство сердца и за несчастья» только берет, а сам все-таки на деньгах бы женился. Я не нравлюсь тут, потому что вилять не хочу; а надо бы. А что сама делает? Не то же ли самое? Так за что же после этого меня презирает да игры эти затевает? Оттого что я сам не сдаюсь да гордость показываю. Ну, да увидим!

— Неужели вы ее любили до этого?

— Любил вначале. Ну, да довольно... Есть женщины, которые годятся только в любовницы и больше ни во что. Я не говорю, что она была моею любовницей. Если захочет жить смирно, и я буду жить смирно; если же взбунтуется, тотчас же брошу, а деньги с собой захвачу. Я смешным быть не хочу; прежде всего не хочу быть смешным.

— Мне всё кажется, — осторожно заметил князь, — что Настасья Филипповна умна. К чему ей, предчувствуя такую муку, в западню идти? Ведь могла бы и за другого выйти. Вот что мне удивительно.

— А вот тут-то и расчет! Вы тут не всё знаете, князь... тут... и кроме того, она убеждена, что я ее люблю до сумасшествия, клянусь вам, и, знаете ли, я крепко подозреваю, что и она меня любит, по-своему то есть, знаете поговорку: кого люблю, того и бью. Она всю жизнь будет меня за валета бубнового считать (да это-то ей, может быть, и надо) и все-таки любить по-своему; она к тому приготовляется, такой уж характер. Она чрезвычайно русская женщина, я вам скажу; ну, а я ей свой готовлю сюрприз. Эта давешняя сцена с Варей случилась нечаянно, но мне в выгоду: она теперь видела и убедилась в моей приверженности и что я все связи для нее разорву. Значит, и мы не дураки, будьте уверены. Кстати, уж вы не думаете ли, что я такой болтун? Я, голубчик князь, может, и в самом деле дурно делаю, что вам доверяюсь. Но именно потому, что вы первый из благородных людей мне попались, я на вас и накинулся, то есть «накинулся» не примите за каламбур. Вы за давешнее ведь не сердитесь, а? Я первый раз, может быть, в целые два года по сердцу говорю. Здесь ужасно мало честных людей; честнее Птицына нет. Что, вы, кажется, смеетесь али нет? Подлецы любят честных людей, — вы этого не знали? А я ведь... А впрочем, чем я подлец, скажите мне по совести? Что они меня все вслед за нею подлецом называют? И знаете, вслед за ними и за нею я и сам себя подлецом называю! Вот что подло так подло!

— Я вас подлецом теперь уже никогда не буду считать, — сказал князь. — Давеча я вас уже совсем за злодея почитал, и вдруг вы меня так обрадовали, — вот и урок: не судить, не имея опыта. Теперь я вижу, что вас не только за злодея, но и за слишком испорченного человека считать нельзя. Вы, по-моему, просто самый обыкновенный человек, какой только может быть, разве только что слабый очень и нисколько не оригинальный.

Ганя язвительно про себя усмехнулся, но смолчал. Князь увидал, что отзыв его не понравился, сконфузился и тоже замолчал.

— Просил у вас отец денег? — спросил вдруг Ганя.

— Нет.

— Будет, не давайте. А ведь был даже приличный человек, я помню. Его к хорошим людям пускали. И как они скоро все кончаются, все эти старые приличные люди! Чуть только изменились обстоятельства, и нет ничего прежнего, точно порох сгорел. Он прежде так не лгал, уверяю вас; прежде он был только слишком восторженный человек, и — вот во что это разрешилось! Конечно, вино виновато. Знаете ли, что он любовницу содержит? Он уже не просто невинный лгунишка теперь стал. Понять не могу долготерпения матушки. Рассказывал он вам про осаду Карса? Или про то, как у него серая пристяжная заговорила? Он ведь до этого даже доходит.

И Ганя вдруг так и покатился со смеху.

— Что вы на меня так смотрите? — спросил он князя.

— Да я удивляюсь, что вы так искренно засмеялись. У вас, право, еще детский смех есть. Давеча вы вошли мириться и говорите: «Хотите, я вам руку поцелую», — это точно как дети бы мирились. Стало быть, еще способны же вы к таким словам и движениям. И вдруг вы начинаете читать целую лекцию об этаком мраке и об этих семидесяти пяти тысячах. Право, всё это как-то нелепо и не может быть.

— Что же вы заключить хотите из этого?

— То, что вы не легкомысленно ли поступаете слишком, не осмотреться ли вам прежде? Варвара Ардалионовна, может быть, и правду говорит.

— А, нравственность! Что я еще мальчишка, это я и сам знаю, — горячо перебил Ганя, — и уж хоть тем одним, что с вами такой разговор завел. Я, князь, не по расчету в этот брак иду, — продолжал он, проговариваясь, как уязвленный в своем самолюбии молодой человек, — по расчету я бы ошибся наверно, потому и головой и характером еще не крепок. Я по страсти, по влечению иду, потому что у меня цель капитальная есть. Вы вот думаете, что я семьдесят пять тысяч получу и сейчас же карету куплю. Нет-с, я тогда третьегодний старый сюртук донашивать стану и все мои клубные знакомства брошу. У нас мало выдерживающих людей, хоть и всё ростовщики, а я хочу выдержать. Тут, главное, довести до конца — вся задача! Птицын семнадцати лет на улице спал, перочинными ножичками торговал и с копейки начал; теперь у него шестьдесят тысяч, да только после какой гимнастики! Вот эту-то я всю гимнастику и перескочу, и прямо с капитала начну; чрез пятнадцать лет скажут: «Вот Иволгин, король иудейский». Вы мне говорите, что я человек не оригинальный. Заметьте себе, милый князь, что нет ничего обиднее человеку нашего времени и племени, как сказать ему, что он не оригинален, слаб характером, без особенных талантов и человек обыкновенный. Вы меня даже хорошим подлецом не удостоили счесть, и, знаете, я вас давеча съесть за это хотел! Вы меня пуще Епанчина оскорбили, который меня считает (и без разговоров, без соблазнов, в простоте души, заметьте это) способным ему жену продать! Это, батюшка, меня давно уже бесит, и я денег хочу. Нажив деньги, знайте, — я буду человек в высшей степени оригинальный. Деньги тем всего подлее и ненавистнее, что они даже таланты дают. И будут давать до скончания мира. Вы скажете, это всё по-детски или, пожалуй, поэзия, — что ж, тем мне же веселее будет, а дело все-таки сделается. Доведу и выдержу. Rira bien qui rira le dernier![1] Меня Епанчин почему так обижает? По злобе, что ль? Никогда-с. Просто потому, что я слишком ничтожен. Ну-с, а тогда... А однако же, довольно, и пора. Коля уже два раза нос выставлял: это он вас обедать зовет. А я со двора. Я к вам иногда забреду. Вам у нас недурно будет; теперь вас в родню прямо примут. Смотрите же, не выдавайте. Мне кажется, что мы с вами или друзьями, или врагами будем. А как вы думаете, князь, если б я давеча вам руку поцеловал (как искренно вызывался), стал бы я вам врагом за это впоследствии?

— Непременно стали бы, только не навсегда, потом не выдержали бы и простили, — решил князь, подумав и засмеявшись.

— Эге! Да с вами надо осторожнее. Черт знает, вы и тут яду влили. А кто знает, может быть, вы мне и враг? Кстати, ха-ха-ха! И забыл спросить: правда ли мне показалось, что вам Настасья Филипповна что-то слишком нравится, а?

— Да... нравится.

— Влюблены?

— Н-нет.

— А весь покраснел и страдает. Ну, да ничего, ничего, не буду смеяться; до свиданья. А знаете, ведь она женщина добродетельная, можете вы этому верить? Вы думаете, она живет с тем, с Тоцким? Ни-ни! И давно уже. А заметили вы, что она сама ужасно неловка и давеча в иные секунды конфузилась? Право. Вот этакие-то и любят властвовать. Ну, прощайте!

Ганечка вышел гораздо развязнее, чем вошел, и в хорошем расположении духа. Князь минут с десять оставался неподвижен и думал.

Коля опять просунул в дверь голову.

— Я не хочу обедать, Коля; я давеча у Епанчиных хорошо позавтракал.

Коля прошел в дверь совсем и подал князю записку. Она была от генерала, сложена и запечатана. По лицу Коли видно было, как было ему тяжело передавать. Князь прочел, встал и взял шляпу.

— Это два шага, — законфузился Коля. — Он теперь там сидит за бутылкой. И чем он там себе кредит приобрел — понять не могу? Князь, голубчик, пожалуйста, не говорите потом про меня здесь нашим, что я вам записку передал! Тысячу раз клялся этих записок не передавать, да жалко; да вот что, пожалуйста, с ним не церемоньтесь: дайте какую-нибудь мелочь, и дело с концом.

— У меня, Коля, у самого мысль была; мне вашего папашу видеть надо... по одному случаю... Пойдемте же...

---

[1] Хорошо смеется тот, кто смеется последним! (*франц.*)

XII

Коля провел князя недалеко, до Литейной, в одну кафе-биллиардную, в нижнем этаже, вход с улицы. Тут направо, в углу, в отдельной комнатке, как старинный обычный посетитель, расположился Ардалион Александрович, с бутылкой пред собой на столике и в самом деле с «Indépendance Belge» в руках. Он ожидал князя; едва завидел, тотчас же отложил газету и начал было горячее и многословное объяснение, в котором, впрочем, князь почти ничего не понял, потому что генерал был уж почти что готов.

— Десяти рублей у меня нет, — перебил князь, — а вот двадцать пять, разменяйте и сдайте мне пятнадцать, потому что я остаюсь сам без гроша.

— О, без сомнения; и будьте уверены, что это тот же час...

— Я, кроме того, к вам с одною просьбой, генерал. Вы никогда не бывали у Настасьи Филипповны?

— Я? Я не бывал? Вы это мне говорите? Несколько раз, милый мой, несколько раз! — вскричал генерал в припадке самодовольной и торжествующей иронии. — Но я наконец прекратил сам, потому что не хочу поощрять неприличный союз. Вы видели сами, вы были свидетелем в это утро: я сделал всё, что мог сделать отец, но отец кроткий и снисходительный; теперь же на сцену выйдет отец иного сорта, и тогда — увидим, посмотрим: заслуженный ли старый воин одолеет интригу, или бесстыдная камелия войдет в благороднейшее семейство.

— А я вас именно хотел попросить, не можете ли вы, как знакомый, ввести меня сегодня вечером к Настасье Филипповне? Мне это надо непременно сегодня же; у меня дело; но я совсем не знаю, как войти. Я был давеча представлен, но все-таки не приглашен: сегодня там званый вечер. Я, впрочем, готов перескочить через некоторые приличия, и пусть даже смеются надо мной, только бы войти как-нибудь.

— И вы совершенно, совершенно попали на мою идею, молодой друг мой, — воскликнул генерал восторженно, — я вас не за этою мелочью звал! — продолжал он, подхватывая, впрочем, деньги и отправляя их в карман, — я именно звал вас, чтобы пригласить в товарищи на поход к Настасье Филипповне или, лучше сказать, на поход на Настасью Филипповну! Генерал Иволгин и князь Мышкин! Каково-то это ей покажется! Я же, под видом любезности в день рождения, изреку наконец свою волю — косвенно, не прямо, но будет всё как бы и прямо. Тогда Ганя сам увидит, как ему быть: отец ли, заслуженный и... так сказать... и прочее, или... Но что будет, то будет! Ваша идея в высшей степени плодотворна. В девять часов мы отправимся, у нас есть еще время.

— Где она живет?

— Отсюда далеко: у Большого театра, дом Мытовцовой, почти тут же на площади, в бельэтаже... У ней большого собрания не будет, даром что именинница, и разойдутся рано...

Был уже давно вечер; князь всё еще сидел, слушал и ждал генерала, начинавшего бесчисленное множество анекдотов и ни одного из них не доканчивавшего. По приходе князя он спросил новую бутылку и только чрез час ее докончил, затем спросил другую, докончил и ту. Надо полагать, что генерал успел рассказать при этом чуть не всю свою историю. Наконец князь встал и сказал, что ждать больше не может. Генерал допил из бутылки последние подонки, встал и пошел из комнаты, ступая очень нетвердо. Князь был в отчаянии. Он понять не мог, как мог он так глупо довериться. В сущности, он и не доверялся никогда; он рассчитывал на генерала, чтобы только как-нибудь войти к Настасье Филипповне, хотя бы даже с некоторым скандалом, но не рассчитывал же на чрезвычайный скандал: генерал оказался решительно пьян, в сильнейшем красноречии, и говорил без умолку, с чувством, со слезой в душе. Дело шло беспрерывно о том, что чрез дурное поведение всех членов семейства всё рушилось и что этому пора наконец положить предел. Они вышли наконец на Литейную. Всё еще продолжалась оттепель; унылый, теплый, гнилой ветер свистал по улицам, экипажи шлепали в грязи, рысаки и клячи звонко доставали мостовую подковами. Пешеходы унылою и мокрою толпой скитались по тротуарам. Попадались пьяные.

— Видите ли вы эти освещенные бельэтажи, — говорил генерал, — здесь всё живут мои товарищи, а я, я, из них наиболее отслуживший и наиболее пострадавший, я бреду пешком к Большому театру, в квартиру подозрительной женщины! Человек, у которого в груди тринадцать пуль... вы не верите? А между тем единственно для меня Пирогов в Париж телеграфировал и осажденный Севастополь на время бросил, а Нелатон, парижский гофмедик, свободный пропуск во имя науки выхлопотал и в осажденный Севастополь являлся меня осматривать. Об этом самому высшему начальству известно: «А, это тот Иволгин, у которого тринадцать пуль!..» Вот как говорят-с! Видите ли вы, князь, этот дом? Здесь в бельэтаже живет старый товарищ, генерал Соколович, с благороднейшим и многочисленнейшим семейством. Вот этот дом да еще три дома на Невском и два в Морской — вот весь теперешний круг моего знакомства, то есть собственно моего личного знакомства. Нина Александровна давно уже покорилась обстоятельствам. Я же еще продолжаю вспоминать... и, так сказать, отдыхать в образованном кругу общества прежних товарищей и подчиненных моих, которые до сих пор меня обожают. Этот генерал Соколович (а давненько, впрочем, я у него не бывал и не видал Анну Федоровну)... знаете, милый князь, когда сам не принимаешь, так как-то невольно прекращаешь и к другим. А между тем... гм... вы, кажется, не верите... Впрочем, почему же не ввести мне сына моего лучшего друга и товарища детства в этот очаровательный семейный дом? Генерал Иволгин и князь Мышкин! Вы увидите изумительную девушку, да не одну, двух, даже трех, украшение столицы и общества: красота, образованность, направление... женский вопрос, стихи — всё это совокупилось в счастливую разнообразную смесь, не считая по крайней мере восьмидесяти тысяч рублей приданого, чистых денег, за каждою, что никогда не мешает, ни при каких женских и социальных вопросах... одним словом, я непременно, непременно должен и обязан ввести вас. Генерал Иволгин и князь Мышкин!

— Сейчас? Теперь? Но вы забыли, — начал было князь.

— Ничего, ничего я не забыл, идем! Сюда, на эту великолепную лестницу. Удивляюсь, как нет швейцара, но... праздник, и швейцар отлучился. Еще не прогнали этого пьяницу. Этот Соколович всем счастьем своей жизни и службы обязан мне, одному мне, и никому иначе, но... вот мы и здесь.

Князь уже не возражал против визита и следовал послушно за генералом, чтобы не раздражить его, в твердой надежде, что генерал Соколович и всё семейство его мало-помалу испарятся как мираж и окажутся несуществующими, так что они преспокойно спустятся обратно с лестницы. Но, к своему ужасу, он стал терять эту надежду: генерал взводил его по лестнице, как человек действительно имеющий здесь знакомых, и поминутно вставлял биографические и топографические подробности, исполненные математической точности. Наконец, когда, уже взойдя в бельэтаж, остановились направо против двери одной богатой квартиры и генерал взялся за ручку колокольчика, князь решился окончательно убежать; но одно странное обстоятельство остановило его на минуту.

— Вы ошиблись, генерал, — сказал он, — на дверях написано Кулаков, а вы звоните к Соколовичу.

— Кулаков... Кулаков ничего не доказывает. Квартира Соколовича, и я звоню к Соколовичу; наплевать на Кулакова... Да вот и отворяют.

Дверь действительно отворилась. Выглянул лакей и возвестил, что «господ дома нет-с».

— Как жаль, как жаль, и как нарочно! — с глубочайшим сожалением повторил несколько раз Ардалион Александрович. — Доложите же, мой милый, что генерал Иволгин и князь Мышкин желали засвидетельствовать собственное свое уважение и чрезвычайно, чрезвычайно сожалели...

В эту минуту в отворенные двери выглянуло из комнат еще одно лицо, по-видимому домашней экономки, может быть даже гувернантки, дамы лет сорока, одетой в темное платье. Она приблизилась с любопытством и недоверчивостью, услышав имена генерала Иволгина и князя Мышкина.

— Марьи Александровны нет дома, — проговорила она, особенно вглядываясь в генерала, — уехали с барышней, с Александрой Михайловной, к бабушке.

— И Александра Михайловна с ними, о боже, какое несчастие! И вообразите, сударыня, всегда-то мне такое несчастие! Покорнейше прошу вас передать мой поклон, а Александре Михайловне, чтобы припомнили... одним словом, передайте им мое сердечное пожелание того, чего они сами себе желали в четверг, вечером, при звуках баллады Шопена; они помнят... Мое сердечное пожелание! Генерал Иволгин и князь Мышкин!

— Не забуду-с, — откланивалась дама, ставшая доверчивее.

Сходя вниз по лестнице, генерал, еще с неостывшим жаром, продолжал сожалеть, что они не застали и что князь лишился такого очаровательного знакомства.

— Знаете, мой милый, я несколько поэт в душе, заметили вы это? А впрочем... впрочем, кажется, мы не совсем туда заходили, — заключил он вдруг совершенно неожиданно, — Соколовичи, я теперь вспомнил, в другом доме живут и даже, кажется, теперь в Москве. Да, я несколько ошибся, но это... ничего.

— Я только об одном хотел бы знать, — уныло заметил князь, — совершенно ли должен я перестать на вас рассчитывать и уж не отправиться ли мне одному?

— Перестать? Рассчитывать? Одному? Но с какой же стати, когда для меня это составляет капитальнейшее предприятие, от которого так много зависит в судьбе всего моего семейства? Но, молодой друг мой, вы плохо знаете Иволгина. Кто говорит «Иволгин», тот говорит «стена»: надейся на Иволгина как на стену, вот как говорили еще в эскадроне, с которого начал я службу. Мне вот только по дороге на минутку зайти в один дом, где отдыхает душа моя, вот уже несколько лет, после тревог и испытаний...

— Вы хотите зайти домой?

— Нет! Я хочу... к капитанше Терентьевой, вдове капитана Терентьева, бывшего моего подчиненного... и даже друга... Здесь, у капитанши, я возрождаюсь духом и сюда несу мои житейские и семейные горести... И так как сегодня я именно с большим нравственным грузом, то я...

— Мне кажется, я и без того сделал ужасную глупость, — пробормотал князь, — что давеча вас потревожил. К тому же вы теперь... Прощайте!

— Но я не могу, не могу же отпустить вас от себя, молодой друг мой! — вскинулся генерал. — Вдова, мать семейства, и извлекает из своего сердца те струны, которые отзываются во всем моем существе. Визит к ней — это пять минут, в этом доме я без церемонии, я тут почти что живу; умоюсь, сделаю самый необходимый туалет, и тогда на извозчике мы пустимся к Большому театру. Будьте уверены, что я нуждаюсь в вас на весь вечер... Вот в этом доме, мы уже и пришли... А, Коля, ты уже здесь? Что, Марфа Борисовна дома или ты сам только что пришел?

— О нет, — отвечал Коля, как раз столкнувшийся вместе с ними в воротах дома, — я здесь давным-давно, с Ипполитом, ему хуже, сегодня утром лежал. Я теперь за картами в лавочку спускался. Марфа Борисовна вас ждет. Только, папаша, ух как вы!.. — заключил Коля, пристально вглядываясь в походку и в стойку генерала. — Ну уж, пойдемте!

Встреча с Колей побудила князя сопровождать генерала и к Марфе Борисовне, но только на одну минуту. Князю нужен был Коля; генерала же он во всяком случае решил бросить и простить себе не мог, что вздумал давеча на него понадеяться. Взбирались долго, в четвертый этаж, и по черной лестнице.

— Князя познакомить хотите? — спросил Коля дорогой.

— Да, друг мой, познакомить: генерал Иволгин и князь Мышкин, но что... как... Марфа Борисовна...

— Знаете, папаша, лучше бы вам не ходить! Съест! Третий день носа не кажете, а она денег ждет. Вы зачем ей денег-то обещали? Вечно-то вы так! Теперь и разделывайтесь.

В четвертом этаже остановились пред низенькою дверью. Генерал видимо робел и совал вперед князя.

— А я останусь здесь, — бормотал он, — я хочу сделать сюрприз...

Коля вошел первый. Какая-то дама, сильно набеленная и нарумяненная, в туфлях, в кацавейке и с волосами, заплетенными в косички, лет сорока, выглянула из дверей, и сюрприз генерала неожиданно лопнул. Только что дама увидала его, как немедленно закричала:

— Вот он, низкий и ехидный человек, так и ждало мое сердце!

— Войдемте, это так, — бормотал генерал князю, всё еще невинно отсмеиваясь.

Но это не было так. Едва только вошли они, чрез темную и низенькую переднюю, в узенькую залу, обставленную полдюжиной плетеных стульев и двумя ломберными столиками, как хозяйка немедленно стала продолжать каким-то заученно-плачевным и обычным голосом:

— И не стыдно, не стыдно тебе, варвар и тиран моего семейства, варвар и изувер! Ограбил меня всю, соки высосал и тем еще недоволен. Доколе переносить я тебя буду, бесстыдный и бесчестный ты человек!

— Марфа Борисовна, Марфа Борисовна! Это... князь Мышкин. Генерал Иволгин и князь Мышкин, — бормотал трепетавший и потерявшийся генерал.

— Верите ли вы, — вдруг обратилась капитанша к князю, — верите ли вы, что этот бесстыдный человек не пощадил моих сиротских детей! Всё ограбил, всё перетаскал, всё продал и заложил, ничего не оставил. Что я с твоими заемными письмами делать буду, хитрый и бессовестный ты человек? Отвечай, хитрец, отвечай мне, ненасытное сердце: чем, чем я накормлю моих сиротских детей? Вот появляется пьяный и на ногах не стоит... Чем прогневала я Господа Бога, гнусный и безобразный хитрец, отвечай?

Но генералу было не до того.

— Марфа Борисовна, двадцать пять рублей... всё, что могу помощию благороднейшего друга. Князь! Я жестоко ошибся! Такова... жизнь... А теперь... извините, я слаб, — продолжал генерал, стоя посреди комнаты и раскланиваясь во все стороны, — я слаб, извините! Леночка! подушку... милая!

Леночка, восьмилетняя девочка, немедленно сбегала за подушкой и принесла ее на клеенчатый, жесткий и ободранный диван. Генерал сел на него, с намерением еще много сказать, но только что дотронулся до дивана, как тотчас же склонился набок, повернулся к стене и заснул сном праведника. Марфа Борисовна церемонно и горестно показала князю стул у ломберного стола, сама села напротив, подперла рукой правую щеку и начала молча вздыхать, смотря на князя. Трое маленьких детей, две девочки и мальчик, из которых Леночка была старшая, подошли к столу, все трое положили на стол руки и все трое тоже пристально стали рассматривать князя. Из другой комнаты показался Коля.

— Я очень рад, что вас здесь встретил, Коля, — обратился к нему князь, — не можете ли вы мне помочь? Мне непременно нужно быть у Настасьи Филипповны. Я просил давеча Ардалиона Александровича, но он вот заснул. Проводите меня, потому я не знаю ни улиц, ни дороги. Адрес, впрочем, имею: у Большого театра, дом Мытовцовой.

— Настасья-то Филипповна? Да она никогда и не живала у Большого театра, а отец никогда и не бывал у Настасьи Филипповны, если хотите знать; странно, что вы от него чего-нибудь ожидали. Она живет близ Владимирской, у Пяти Углов, это гораздо ближе отсюда. Вам сейчас? Теперь половина десятого. Извольте, я вас доведу.

Князь и Коля тотчас же вышли. Увы! Князю не на что было взять и извозчика, надо было идти пешком.

— Я было хотел вас познакомить с Ипполитом, — сказал Коля, — он старший сын этой куцавеешной капитанши и был в другой комнате; нездоров и целый день сегодня лежал. Но он такой странный; он ужасно обидчивый, и мне показалось, что ему будет вас совестно, так как вы пришли в такую минуту... Мне все-таки не так совестно, как ему, потому что у меня отец, а у него мать, тут все-таки разница, потому что мужскому полу в таком случае нет бесчестия. А впрочем, это, может быть, предрассудок насчет предоминирования в этом случае полов. Ипполит великолепный малый, но он раб иных предрассудков.

— Вы говорите, у него чахотка?

— Да, кажется, лучше бы скорее умер. Я бы на его месте непременно желал умереть. Ему братьев и сестер жалко, вот этих маленьких-то. Если бы возможно было, если бы только деньги, мы бы с ним наняли отдельную квартиру и отказались бы от наших семейств. Это наша мечта. А знаете что, когда я давеча рассказал ему про ваш случай, так он даже разозлился, говорит, что тот, кто пропустит пощечину и не вызовет на дуэль, тот подлец. Впрочем, он ужасно раздражен, я с ним и спорить уже перестал. Так вот как, вас, стало быть, Настасья Филипповна тотчас же и пригласила к себе?

— То-то и есть, что нет.

— Как же вы идете? — воскликнул Коля и даже остановился среди тротуара, — и... и в таком платье, а там званый вечер?

— Уж, ей-богу, не знаю, как я войду. Примут — хорошо, нет — значит, дело манкировано. А насчет платья — что ж тут делать?

— А у вас дело? Или вы так только, pour passer le temps[1] в «благородном обществе»?

— Нет, я, собственно... то есть я по делу... мне трудно это выразить, но...

— Ну, по какому именно, это пусть будет как вам угодно, а мне главное то, что вы там не просто напрашиваетесь на вечер, в очаровательное общество камелий, генералов и ростовщиков. Если бы так было, извините, князь, я бы над вами посмеялся и стал бы вас презирать. Здесь ужасно мало честных людей, так даже некого совсем уважать. Поневоле свысока смотришь, а они все требуют уважения; Варя первая. И заметили вы, князь, в наш век все авантюристы! И именно у нас в России, в нашем любезном отечестве. И как это так всё устроилось — не понимаю. Кажется, уж как крепко стояло, а что теперь? Это все говорят и везде пишут. Обличают. У нас все обличают. Родители первые на попятный и сами своей прежней морали стыдятся. Вон, в Москве, родитель уговаривал сына ни *перед чем* не отступать для добывания денег; печатно известно. Посмотрите на моего генерала. Ну, что из него вышло? А впрочем, знаете что, мне кажется, что мой генерал честный человек; ей-богу, так! Это только всё беспорядок да вино. Ей-богу, так! Даже жалко; я только боюсь говорить, потому что все смеются; а ей-богу, жалко. И что в них, в умных-то? Все ростовщики, все сплошь до единого! Ипполит ростовщичество оправдывает, говорит, что так и нужно, экономическое потрясение, какие-то приливы и отливы, черт их дери. Мне ужасно это досадно от него, но он озлоблен. Вообразите, его мать, капитанша-то, деньги от генерала получает да ему же на скорые проценты и выдает: ужасно стыдно! А знаете, что мамаша, моя то есть мамаша, Нина Александровна, генеральша, Ипполиту деньгами, платьем, бельем и всем помогает, даже детям отчасти, чрез Ипполита, потому что они у ней заброшены. И Варя тоже.

— Вот видите, вы говорите, людей нет честных и сильных и что все только ростовщики; вот и явились сильные люди, ваша мать и Варя. Разве помогать здесь и при таких обстоятельствах не признак нравственной силы?

— Варька из самолюбия делает, из хвастовства, чтоб от матери не отстать; ну, а мамаша действительно... я уважаю. Да, я это уважаю и оправдываю. Даже Ипполит чувствует, а он почти совсем ожесточился. Сначала было смеялся и называл это со стороны мамаши низостью; но теперь начинает иногда чувствовать. Гм! Так вы это называете силой? Я это замечу. Ганя не знает, а то бы назвал потворством.

— А Ганя не знает? Ганя многого еще, кажется, не знает, — вырвалось у задумавшегося князя.

— А знаете, князь, вы мне очень нравитесь. Давешний ваш случай у меня из ума нейдет.

— Да и вы мне очень нравитесь, Коля.

— Послушайте, как вы намерены жить здесь? Я скоро достану себе занятий и буду кое-что добывать, давайте жить, я, вы и Ипполит, все трое вместе, наймемте квартиру; а генерала будем принимать к себе.

— Я с величайшим удовольствием. Но мы, впрочем, увидим. Я теперь очень... очень расстроен. Что? уж пришли? В этом доме... какой великолепный подъезд! И швейцар. Ну, Коля, не знаю, что из этого выйдет.

Князь стоял как потерянный.

---

[1] чтобы провести время (*франц.*).

— Завтра расскажете! Не робейте очень-то. Дай вам Бог успеха, потому что я сам ваших убеждений во всем! Прощайте. Я обратно туда же и расскажу Ипполиту. А что вас примут, в этом и сомнения нет, не опасайтесь! Она ужасно оригинальная. По этой лестнице в первом этаже, швейцар укажет!

XIII

Князь очень беспокоился, всходя, и старался всеми силами ободрить себя. «Самое большое, — думал он, — будет то, что не примут и что-нибудь нехорошее обо мне подумают или, пожалуй, и примут, да станут смеяться в глаза... Э, ничего!» И действительно, это еще не очень пугало; но вопрос: «Что же он там сделает и зачем идет?» — на этот вопрос он решительно не находил успокоительного ответа. Если бы даже и можно было каким-нибудь образом, уловив случай, сказать Настасье Филипповне: «Не выходите за этого человека и не губите себя, он вас не любит, а любит ваши деньги, он мне сам это говорил, и мне говорила Аглая Епанчина, а я пришел вам пересказать», то вряд ли это вышло бы правильно во всех отношениях. Представлялся и еще один неразрешенный вопрос, и до того капитальный, что князь даже думать о нем боялся, даже допустить его не мог и не смел, формулировать как, не знал, краснел и трепетал при одной мысли о нем. Но кончилось тем, что, несмотря на все эти тревоги и сомнения, он все-таки вошел и спросил Настасью Филипповну.

Настасья Филипповна занимала не очень большую, но действительно великолепно отделанную квартиру. В эти пять лет ее петербургской жизни было одно время, в начале, когда Афанасий Иванович особенно не жалел для нее денег; он еще рассчитывал тогда на ее любовь и думал соблазнить ее, главное, комфортом и роскошью, зная, как легко прививаются привычки роскоши и как трудно потом отставать от них, когда роскошь мало-помалу обращается в необходимость. В этом случае Тоцкий пребывал верен старым добрым преданиям, не изменяя в них ничего, безгранично уважая всю непобедимую силу чувственных влияний. Настасья Филипповна от роскоши не отказывалась, даже любила ее, но — и это казалось чрезвычайно странным — никак не поддавалась ей, точно всегда могла и без нее обойтись; даже старалась несколько раз заявить о том, что неприятно поражало Тоцкого. Впрочем, многое было в Настасье Филипповне, что неприятно (а впоследствии даже до презрения) поражало Афанасия Ивановича. Не говоря уже о неизящности того сорта людей, которых она иногда приближала к себе, а стало быть, и наклонна была приближать, проглядывали в ней и еще некоторые совершенно странные наклонности: заявлялась какая-то варварская смесь двух вкусов, способность обходиться и удовлетворяться такими вещами и средствами, которых и существование нельзя бы, кажется, было допустить человеку порядочному и тонко развитому. В самом деле, если бы, говоря к примеру, Настасья Филипповна выказала вдруг какое-нибудь милое и изящное незнание, вроде, например, того, что крестьянки не могут носить батистового белья, какое она носит, то Афанасий Иванович, кажется, был бы этим чрезвычайно доволен. К этим результатам клонилось первоначально и всё воспитание Настасьи Филипповны, по программе Тоцкого, который в этом роде был очень понимающий человек; но, увы! результаты оказались странные. Несмотря, однако ж, на то, все-таки было и оставалось что-то в Настасье Филипповне, что иногда поражало даже самого Афанасия Ивановича необыкновенною и увлекательною оригинальностью, какою-то силой, и прельщало его иной раз даже и теперь, когда уже рухнули все прежние расчеты его на Настасью Филипповну.

Князя встретила девушка (прислуга у Настасьи Филипповны постоянно была женская) и, к удивлению его, выслушала его просьбу доложить о нем безо всякого недоумения. Ни грязные сапоги его, ни широкополая шляпа, ни плащ без рукавов, ни сконфуженный вид не произвели в ней ни малейшего колебания. Она сняла с него плащ, пригласила подождать в приемной и тотчас же отправилась о нем докладывать.

Общество, собравшееся у Настасьи Филипповны, состояло из самых обыкновенных и всегдашних ее знакомых. Было даже довольно малолюдно, сравнительно с прежними годичными собраниями в такие же дни. Присутствовали, во-первых и в главных, Афанасий Иванович Тоцкий и Иван Федорович Епанчин; оба были любезны, но оба были в некотором затаенном беспокойстве по поводу худо скрываемого ожидания обещанного объявления насчет Гани. Кроме них, разумеется, был и Ганя, — тоже очень мрачный, очень задумчивый и даже почти совсем «нелюбезный», большею частию стоявший в стороне, поодаль, и молчавший. Варю он привезти не решился, но Настасья Филипповна и не упоминала о ней; зато, только что поздоровалась с Ганей, припомнила о давешней его сцене с князем. Генерал, еще не слышавший о ней, стал интересоваться. Тогда Ганя сухо, сдержанно, но совершенно откровенно рассказал всё, что давеча произошло, и как он уже ходил к князю просить извинения. При этом он горячо высказал свое мнение, что князя весьма странно и бог знает с чего назвали идиотом, что он думает о нем совершенно напротив и что, уж конечно, этот человек себе на уме. Настасья Филипповна выслушала этот отзыв с большим вниманием и любопытно следила за Ганей, но разговор тотчас же перешел на Рогожина, так капитально участвовавшего в утрешней истории и которым тоже с чрезвычайным любопытством стали интересоваться Афанасий Иванович и Иван Федорович. Оказалось, что особенные сведения о Рогожине мог сообщить Птицын, который бился с ним по его делам чуть не до девяти часов вечера. Рогожин настаивал изо всех сил, чтобы достать сегодня же сто тысяч рублей. «Он, правда, был пьян, — заметил при этом Птицын, — но сто тысяч, как это ни трудно, ему, кажется, достанут, только не знаю, сегодня ли и все ли; а работают многие, Киндер, Трепалов, Бискуп; проценты дает какие угодно, конечно всё спьяну и с первой радости...» — заключил Птицын. Все эти известия были приняты с интересом, отчасти мрачным; Настасья Филипповна молчала, видимо не желая высказываться; Ганя тоже. Генерал Епанчин беспокоился про себя чуть не пуще всех; жемчуг, представленный им еще утром, был принят с любезностью слишком холодною, и даже с какою-то особенною усмешкой. Один Фердыщенко состоял из всех гостей в развеселом и праздничном расположении духа и громко хохотал иногда неизвестно чему, да и то потому только, что сам навязал на себя роль шута. Сам Афанасий Иванович, слывший за тонкого и изящного рассказчика, а в прежнее время на этих вечерах обыкновенно управлявший разговором, был видимо не в духе и даже в каком-то не свойственном ему замешательстве. Остальные гости, которых было, впрочем, не много (один жалкий старичок учитель, бог знает для чего приглашенный, какой-то неизвестный и очень молодой человек, ужасно робевший и всё время молчавший, одна бойкая дама лет сорока, из актрис, и одна чрезвычайно красивая, чрезвычайно хорошо и богато одетая и необыкновенно неразговорчивая молодая дама), не только не могли особенно оживить разговор, но даже и просто иногда не знали о чем говорить.

Таким образом, появление князя произошло даже кстати. Возвещение о нем произвело недоумение и несколько странных улыбок, особенно когда по удивленному виду Настасьи Филипповны узнали, что она вовсе и не думала приглашать его. Но после удивления Настасья Филипповна выказала вдруг столько удовольствия, что большинство тотчас же приготовилось встретить нечаянного гостя и смехом и весельем.

— Это, положим, произошло по его невинности, — заключил Иван Федорович Епанчин, — и во всяком случае поощрять такие наклонности довольно опасно, но в настоящую минуту, право, недурно, что он вздумал пожаловать, хотя бы и таким оригинальным манером: он, может быть, и повеселит нас, сколько я о нем по крайней мере могу судить.

— Тем более что сам напросился! — тотчас включил Фердыщенко.

— Так что ж из того? — сухо спросил генерал, ненавидевший Фердыщенка.

— А то, что заплатит за вход, — пояснил тот.

— Ну, князь Мышкин не Фердыщенко все-таки-с, — не утерпел генерал, до сих пор не могший помириться с мыслью находиться с Фердыщенком в одном обществе и на равной ноге.

— Эй, генерал, щадите Фердыщенка, — ответил тот ухмыляясь. — Я ведь на особых правах.

— На каких это вы на особых правах?

— Прошлый раз я имел честь подробно разъяснить это обществу; для вашего превосходительства повторю еще раз. Изволите видеть, ваше превосходительство: у всех остроумие, а у меня нет остроумия. В вознаграждение я и выпросил позволение говорить правду, так как всем известно, что правду говорят только те, у кого нет остроумия. К тому же я человек очень мстительный, и тоже потому, что без остроумия. Я обиду всякую покорно сношу, но до первой неудачи обидчика; при первой же неудаче тотчас припоминаю и тотчас же чем-нибудь отомщу, лягаю, как выразился обо мне Иван Петрович Птицын, который, уж конечно, сам никогда никого не лягает. Знаете Крылова басню, ваше превосходительство: «Лев да Осел»? Ну, вот это мы оба с вами и есть, про нас и написано.

— Вы, кажется, опять заврались, Фердыщенко, — вскипел генерал.

— Да вы чего, ваше превосходительство? — подхватил Фердыщенко, так и рассчитывавший, что можно будет подхватить и еще побольше размазать, — не беспокойтесь, ваше превосходительство, я свое место знаю: если я и сказал, что мы с вами Лев да Осел из Крылова басни, то роль Осла я, уж конечно, беру на себя, а ваше превосходительство — Лев, как и в басне Крылова сказано:

> Могучий лев, гроза лесов,
> От старости лишился силы.

А я, ваше превосходительство, — Осел.

— С последним я согласен, — неосторожно вырвалось у генерала.

Всё это было, конечно, грубо и преднамеренно выделано, но так уж принято было, что Фердыщенку позволялось играть роль шута.

— Да меня для того только и держат и пускают сюда, — воскликнул раз Фердыщенко, — чтоб я именно говорил в этом духе. Ну, возможно ли в самом деле такого, как я, принимать? Ведь я понимаю же это. Ну, можно ли меня, такого

Фердыщенка, с таким утонченным джентльменом, как Афанасий Иванович, рядом посадить? Поневоле остается одно толкование: для того и сажают, что это и вообразить невозможно.

Но хоть и грубо, а все-таки бывало и едко, а иногда даже очень, и это-то, кажется, и нравилось Настасье Филипповне. Желающим непременно бывать у нее оставалось решиться переносить Фердыщенка. Он, может быть, и полную правду угадал, предположив, что его с того и начали принимать, что он с первого разу стал своим присутствием невозможен для Тоцкого. Ганя, с своей стороны, вынес от него целую бесконечность мучений, и в этом отношении Фердыщенко сумел очень пригодиться Настасье Филипповне.

— А князь у меня с того и начнет, что модный романс споет, — заключил Фердыщенко, посматривая, что скажет Настасья Филипповна.

— Не думаю, Фердыщенко, и, пожалуйста, не горячитесь, — сухо заметила она.

— А-а! Если он под особым покровительством, то смягчаюсь и я...

Но Настасья Филипповна встала, не слушая, и пошла сама встретить князя.

— Я сожалела, — сказала она, появляясь вдруг перед князем, — что давеча, впопыхах, забыла пригласить вас к себе, и очень рада, что вы сами доставляете мне теперь случай поблагодарить и похвалить вас за вашу решимость.

Говоря это, она пристально всматривалась в князя, силясь хоть сколько-нибудь растолковать себе его поступок.

Князь, может быть, и ответил бы что-нибудь на ее любезные слова, но был ослеплен и поражен до того, что не мог даже выговорить слова. Настасья Филипповна заметила это с удовольствием. В этот вечер она была в полном туалете и производила необыкновенное впечатление. Она взяла его за руку и повела к гостям. Перед самым входом в гостиную князь вдруг остановился и с необыкновенным волнением, спеша, прошептал ей:

— В вас всё совершенство... даже то, что вы худы и бледны... вас и не желаешь представить иначе... Мне так захотелось к вам прийти... я... простите...

— Не просите прощения, — засмеялась Настасья Филипповна, — этим нарушится вся странность и оригинальность. А правду, стало быть, про вас говорят, что вы человек странный. Так вы, стало быть, меня за совершенство почитаете, да?

— Да.

— Вы хоть и мастер угадывать, однако ж ошиблись. Я вам сегодня же об этом напомню...

Она представила князя гостям, из которых большей половине он был уже известен. Тоцкий тотчас же сказал какую-то любезность. Все как бы несколько оживились, все разом заговорили и засмеялись. Настасья Филипповна усадила князя подле себя.

— Но, однако, что же удивительного в появлении князя? — закричал громче всех Фердыщенко. — Дело ясное, дело само за себя говорит!

— Дело слишком ясное и слишком за себя говорит, — подхватил вдруг молчавший Ганя. — Я наблюдал князя сегодня почти безостановочно, с самого мгновения, когда он давеча в первый раз поглядел на портрет Настасьи Филипповны, на столе у Ивана Федоровича. Я очень хорошо помню, что еще давеча о том подумал, в чем теперь убежден совершенно и в чем, мимоходом сказать, князь мне сам признался.

Всю эту фразу Ганя высказал чрезвычайно серьезно, без малейшей шутливости, даже мрачно, что показалось несколько странным.

— Я не делал вам признаний, — ответил князь, покраснев, — я только ответил на ваш вопрос.

— Браво, браво! — закричал Фердыщенко. — По крайней мере, искренно, и хитро и искренно!

Все громко смеялись.

— Да не кричите, Фердыщенко, — с отвращением заметил ему вполголоса Птицын.

— Я, князь, от вас таких пруэсов не ожидал, — промолвил Иван Федорович, — да знаете ли, кому это будет впору? А я-то вас считал за философа! Ай да тихонький!

— И судя по тому, что князь краснеет от невинной шутки, как невинная молодая девица, я заключаю, что он, как благородный юноша, питает в своем сердце самые похвальные намерения, — вдруг и совершенно неожиданно проговорил, или лучше сказать, прошамкал беззубый и совершенно до сих пор молчавший семидесятилетний старичок учитель, от которого никто не мог ожидать, что он хоть заговорит-то в этот вечер. Все еще больше засмеялись. Старичок, вероятно подумавший, что смеются его остроумию, принялся, глядя на всех, еще пуще смеяться, причем жестоко раскашлялся, так что Настасья Филипповна, чрезвычайно любившая почему-то всех подобных оригиналов-старичков, старушек и даже юродивых, принялась тотчас же ласкать его, расцеловала и велела подать ему еще чаю. У вошедшей служанки она спросила себе мантилью, в которую и закуталась, и приказала прибавить еще дров в камин. На вопрос, который час, служанка ответила, что уже половина одиннадцатого.

— Господа, не хотите ли пить шампанское, — пригласила вдруг Настасья Филипповна. — У меня приготовлено. Может быть, вам станет веселее. Пожалуйста, без церемоний.

Предложение пить, и особенно в таких наивных выражениях, показалось очень странным от Настасьи Филипповны. Все знали необыкновенную чинность на ее прежних вечерах. Вообще вечер становился веселее, но не по-обычному. От вина, однако, не отказались, во-первых, сам генерал, во-вторых, бойкая барыня, старичок, Фердыщенко, за ними и все. Тоцкий взял тоже свой бокал, надеясь угармонировать наступающий новый тон, придав ему по возможности характер милой шутки. Один только Ганя ничего не пил. В странных же, иногда очень резких и быстрых, выходках Настасьи Филипповны, которая тоже взяла вина и объявила, что сегодня вечером выпьет три бокала, в ее истерическом и беспредметном смехе, перемежающемся вдруг с молчаливою и даже угрюмою задумчивостью, трудно было и понять что-нибудь. Одни подозревали в ней лихорадку; стали наконец замечать, что и она как бы ждет чего-то сама, часто посматривает на часы, становится нетерпеливою, рассеянною.

— У вас как будто маленькая лихорадка? — спросила бойкая барыня.

— Даже большая, а не маленькая, я для того и в мантилью закуталась, — ответила Настасья Филипповна, в самом деле ставшая бледнее и как будто по временам сдерживавшая в себе сильную дрожь.

Все затревожились и зашевелились.

— А не дать ли нам хозяйке покой? — высказался Тоцкий, посматривая на Ивана Федоровича.

— Отнюдь нет, господа! Я именно прошу вас сидеть. Ваше присутствие, особенно сегодня, для меня необходимо, — настойчиво и значительно объявила вдруг Настасья Филипповна. И так как почти уже все гости узнали, что в этот вечер назначено быть очень важному решению, то слова эти показались чрезвычайно вескими. Генерал и Тоцкий еще раз переглянулись. Ганя судорожно шевельнулся.

— Хорошо в пети-жё какое-нибудь играть, — сказала бойкая барыня.

— Я знаю одно великолепнейшее и новое пети-жё, — подхватил Фердыщенко, — по крайней мере такое, что однажды только и происходило на свете, да и то не удалось.

— Что такое? — спросила бойкая барыня.

— Нас однажды компания собралась, ну и подпили это, правда, и вдруг кто-то сделал предложение, чтобы каждый из нас, не вставая из-за стола, рассказал что-нибудь про себя вслух, но такое, что сам он, по искренней совести, считает самым дурным из всех своих дурных поступков в продолжение всей своей жизни; но с тем, чтоб искренно, главное, чтоб было искренно, не лгать!

— Странная мысль, — сказал генерал.

— Да уж чего страннее, ваше превосходительство, да тем-то и хорошо.

— Смешная мысль, — сказал Тоцкий, — а впрочем, понятная: хвастовство особого рода.

— Может, того-то и надо было, Афанасий Иванович.

— Да этак заплачешь, а не засмеешься, с таким пети-жё, — заметила бойкая барыня.

— Вещь совершенно невозможная и нелепая, — отозвался Птицын.

— А удалось? — спросила Настасья Филипповна.

— То-то и есть что нет, вышло скверно, всяк действительно кое-что рассказал, многие правду, и представьте себе, ведь даже с удовольствием иные рассказывали, а потом всякому стыдно стало, не выдержали! В целом, впрочем, было превесело, в своем то есть роде.

— А право, это бы хорошо! — заметила Настасья Филипповна, вдруг вся оживляясь. — Право бы, попробовать, господа! В самом деле, нам как-то невесело. Если бы каждый из нас согласился что-нибудь рассказать... в этом роде... разумеется, по согласию, тут полная воля, а? Может, мы выдержим? По крайней мере ужасно оригинально.

— Гениальная мысль! — подхватил Фердыщенко. — Барыни, впрочем, исключаются, начинают мужчины; дело устраивается по жребию, как и тогда! Непременно, непременно! Кто очень не хочет, тот, разумеется, не рассказывает, но ведь надо же быть особенно нелюбезным! Давайте ваши жеребьи, господа, сюда, ко мне, в шляпу, князь будет вынимать. Задача самая простая, самый дурной, поступок из всей своей жизни рассказать, — это ужасно легко, господа! Вот вы увидите! Если же кто позабудет, то я тотчас берусь напомнить!

Идея никому не нравилась. Одни хмурились, другие лукаво улыбались. Некоторые возражали, но не очень, например Иван Федорович, не желавший перечить Настасье Филипповне и заметивший, как увлекает ее эта странная мысль. В желаниях своих Настасья Филипповна всегда была неудержима и беспощадна, если только решалась высказывать их, хотя бы это были самые капризные и даже для нее самой бесполезные желания. И теперь она была как в истерике, суетилась, смеялась судорожно, припадочно, особенно на возражения встревоженного Тоцкого. Темные глаза ее засверкали, на бледных щеках показались два красные пятна. Унылый и брезгливый оттенок физиономий некоторых из гостей, может быть, еще более разжигал ее насмешливое желание; может быть, ей именно нравилась циничность и жестокость идеи. Иные даже уверены были, что у ней тут какой-нибудь особый расчет. Впрочем, стали соглашаться: во всяком случае было любопытно, а для многих так очень заманчиво. Фердыщенко суетился более всех.

— А если что-нибудь такое, что и рассказать невозможно... при дамах, — робко заметил молчавший юноша.

— Так вы это и не рассказывайте; будто мало и без того скверных поступков, — отвечал Фердыщенко, — эх вы, юноша!

— А я вот и не знаю, который из моих поступков самым дурным считать, — включила бойкая барыня.

— Дамы от обязанности рассказывать увольняются, — повторил Фердыщенко, — но только увольняются; собственное вдохновение с признательностью допускается. Мужчины же, если уж слишком не хотят, увольняются.

— Да как тут доказать, что я не солгу? — спросил Ганя. — А если солгу, то вся мысль игры пропадает. И кто же не солжет? Всякий непременно лгать станет.

— Да уж одно то заманчиво, как тут будет лгать человек. Тебе же, Ганечка, особенно опасаться нечего, что солжешь, потому что самый скверный поступок твой и без того всем известен. Да вы подумайте только, господа, — воскликнул вдруг в каком-то вдохновении Фердыщенко, — подумайте только, какими глазами мы потом друг на друга будем глядеть, завтра, например, после рассказов-то!

— Да разве это возможно? Неужели это в самом деле серьезно, Настасья Филипповна? — с достоинством спросил Тоцкий.

— Волка бояться — в лес не ходить! — с усмешкой заметила Настасья Филипповна.

— Но позвольте, господин Фердыщенко, разве возможно устроить из этого пети-жё? — продолжал, тревожась всё более и более, Тоцкий. — Уверяю вас, что такие вещи никогда не удаются; вы же сами говорите, что это не удалось уже раз.

— Как не удалось! Я рассказал же прошедший раз, как три целковых украл, так-таки взял да и рассказал!

— Положим. Но ведь возможности не было, чтобы вы так рассказали, что стало похоже на правду и вам поверили? А Гаврила Ардалионович совершенно справедливо заметил, что чуть-чуть послышится фальшь, и вся мысль игры пропадает. Правда возможна тут только случайно, при особого рода хвастливом настроении слишком дурного тона, здесь немыслимом и совершенно неприличном.

— Но какой же вы утонченнейший человек, Афанасий Иванович, так даже меня дивите! — вскричал Фердыщенко. — Представьте себе, господа, своим замечанием, что я не мог рассказать о моем воровстве так, чтобы стало похоже на правду, Афанасий Иванович тончайшим образом намекает, что я и не мог в самом деле украсть (потому что это вслух говорить неприлично), хотя, может быть, совершенно уверен сам про себя, что Фердыщенко и очень бы мог украсть! Но к делу, господа, к делу, жеребьи собраны, да и вы, Афанасий Иванович, свой положили, стало быть, никто не отказывается! Князь, вынимайте!

Князь молча опустил руку в шляпу и вынул первый жребий — Фердыщенка, второй — Птицына, третий — генерала, четвертый — Афанасия Ивановича, пятый — свой, шестой — Гани и т. д. Дамы жребиев не положили.

— О боже, какое несчастье! — вскричал Фердыщенко. — А я-то думал, что первая очередь выйдет князю, а вторая — генералу. Но, слава богу, по крайней мере Иван Петрович после меня, и я буду вознагражден. Ну, господа, конечно, я обязан подать благородный пример, но всего более жалею в настоящую минуту о том, что я так ничтожен и ничем не замечателен; даже чин на мне самый премаленький; ну, что в самом деле интересного в том, что Фердыщенко сделал скверный поступок? Да и какой мой самый дурной поступок? Тут embarras de richesse¹. Разве опять про то же самое воровство рассказать, чтоб убедить Афанасия Ивановича, что можно украсть, вором не бывши.

— Вы меня убеждаете и в том, господин Фердыщенко, что действительно можно ощущать удовольствие до упоения, рассказывая о сальных своих поступках, хотя бы о них и не спрашивали... А впрочем... Извините, господин Фердыщенко.

— Начинайте, Фердыщенко, вы ужасно много болтаете лишнего и никогда не докончите! — раздражительно и нетерпеливо приказала Настасья Филипповна.

Все заметили, что, после своего недавнего припадочного смеха, она вдруг стала даже угрюма, брюзглива и раздражительна; тем не менее упрямо и деспотично стояла на своей невозможной прихоти. Афанасий Иванович страдал ужасно. Бесил его и Иван Федорович: он сидел за шампанским как ни в чем не бывало и даже, может быть, рассчитывал рассказать что-нибудь в свою очередь.

XIV

— Остроумия нет, Настасья Филипповна, оттого и болтаю лишнее! — вскричал Фердыщенко, начиная свой рассказ. — Было б у меня такое же остроумие, как у Афанасия Ивановича или у Ивана Петровича, так я бы сегодня всё сидел да молчал, подобно Афанасию Ивановичу и Ивану Петровичу. Князь, позвольте вас спросить, как вы думаете, мне вот всё кажется, что на свете гораздо больше воров, чем неворов, и что нет даже такого самого честного человека, который бы хоть раз в жизни чего-нибудь не украл. Это моя мысль, из чего, впрочем, я вовсе не заключаю, что всё сплошь одни воры, хотя, ей-богу, ужасно бы хотелось иногда и это заключить. Как же вы думаете?

— Фу, как вы глупо рассказываете, — отозвалась Дарья Алексеевна, — и какой вздор, не может быть, чтобы все что-нибудь да украли; я никогда ничего не украла.

— Вы ничего никогда не украли, Дарья Алексеевна; но что скажет князь, который вдруг весь покраснел?

— Мне кажется, что вы говорите правду, но только очень преувеличиваете, — сказал князь, действительно отчего-то покрасневший.

— А вы сами, князь, ничего не украли?

— Фу! как это смешно! Опомнитесь, господин Фердыщенко, — вступился генерал.

---

¹ преизбыток (*франц.*).

— Просто-запросто, как пришлось к делу, так и стыдно стало рассказывать, вот и хотите князя с собой же прицепить, благо он безответный, — отчеканила Дарья Алексеевна.

— Фердыщенко, или рассказывайте, или молчите и знайте одного себя. Вы истощаете всякое терпение, — резко и досадливо проговорила Настасья Филипповна.

— Сию минуту, Настасья Филипповна; но уж если князь сознался, потому что я стою на том, что князь всё равно что сознался, то что же бы, например, сказал другой кто-нибудь (никого не называя), если бы захотел когда-нибудь правду сказать? Что же касается до меня, господа, то дальше и рассказывать совсем нечего: очень просто, и глупо, и скверно. Но уверяю вас, что я не вор; украл же, не знаю как. Это было третьего года, на даче у Семена Ивановича Ищенка, в воскресенье. У него обедали гости. После обеда мужчины остались за вином. Мне вздумалось попросить Марью Семеновну, дочку его, барышню, что-нибудь на фортепиано сыграть. Прохожу чрез угловую комнату, на рабочем столике у Марьи Ивановны три рубля лежат, зеленая бумажка: вынула, чтобы выдать для чего-то по хозяйству. В комнате никовошенько. Я взял бумажку и положил в карман, для чего — не знаю. Что на меня нашло — не понимаю. Только я поскорей воротился и сел за стол. Я всё сидел и ждал, в довольно сильном волнении, болтал без умолку, анекдоты рассказывал, смеялся; подсел потом к барышням. Чрез полчаса, примерно, хватились и стали спрашивать у служанок. Дарью-служанку заподозрили. Я выказал необыкновенное любопытство и участие, и помню даже, когда Дарья совсем потерялась, стал убеждать ее, чтоб она повинилась, головой ручаясь за доброту Марьи Ивановны, и это вслух, и при всех. Все глядели, а я необыкновенное удовольствие ощущал именно оттого, что я проповедую, а бумажка-то у меня в кармане лежит. Эти три целковых я в тот же вечер пропил в ресторане. Вошел и спросил бутылку лафиту; никогда до того я не спрашивал так одну бутылку, без ничего; захотелось поскорее истратить. Особенного угрызения совести я ни тогда, ни потом не чувствовал. Другой раз наверное не повторил бы; этому верьте или нет, как угодно, я не интересуюсь. Ну-с, вот и всё.

— Только, уж конечно, это не самый худший ваш поступок, — с отвращением сказала Дарья Алексеевна.

— Это психологический случай, а не поступок, — заметил Афанасий Иванович.

— А служанка? — спросила Настасья Филипповна, не скрывая самого брезгливого отвращения.

— А служанку согнали на другой же день, разумеется. Это строгий дом.

— И вы допустили?

— Вот прекрасно! Так неужели же мне было пойти и сказать на себя? — захихикал Фердыщенко, впрочем пораженный отчасти общим, слишком неприятным впечатлением от его рассказа.

— Как это грязно! — вскричала Настасья Филипповна.

— Ба! Вы хотите от человека слышать самый скверный его поступок и при этом блеска требуете! Самые скверные поступки и всегда очень грязны, мы сейчас это от Ивана Петровича услышим; да и мало ли что снаружи блестит и добродетелью хочет казаться, потому что своя карета есть. Мало ли кто свою карету имеет... И какими способами...

Одним словом, Фердыщенко совершенно не выдержал и вдруг озлобился, даже до забвения себя, перешел чрез мерку; даже всё лицо его покривилось. Как ни странно, но очень могло быть, что он ожидал совершенно другого успеха от своего рассказа. Эти «промахи» дурного тона и «хвастовство особого рода», как выразился об этом Тоцкий, случались весьма часто с Фердыщенком и были совершенно в его характере.

Настасья Филипповна даже вздрогнула от гнева и пристально поглядела на Фердыщенка; тот мигом струсил и примолк, чуть не похолодев от испуга: слишком далеко уж зашел.

— А не кончить ли совсем? — лукаво спросил Афанасий Иванович.

— Очередь моя, но я пользуюсь моею льготою и не стану рассказывать, — решительно сказал Птицын.

— Вы не хотите?

— Не могу, Настасья Филипповна; да и вообще считаю такое пети-жё невозможным.

— Генерал, кажется, по очереди следует вам, — обратилась к нему Настасья Филипповна, — если и вы откажетесь, то у нас всё вслед за вами расстроится, и мне будет жаль, потому что я рассчитывала рассказать в заключение один поступок «из моей собственной жизни», но только хотела после вас и Афанасия Ивановича, потому что вы должны же меня ободрить, — заключила она рассмеявшись.

— О, если и вы обещаетесь, — с жаром вскричал генерал, — то я готов вам хоть всю мою жизнь пересказать; но я, признаюсь, ожидая очереди, уже приготовил свой анекдот...

— И уже по одному виду его превосходительства можно заключить, с каким особенным литературным удовольствием он обработал свой анекдотик, — осмелился заметить всё еще несколько смущенный Фердыщенко, ядовито улыбаясь.

Настасья Филипповна мельком взглянула на генерала и тоже про себя улыбнулась. Но видно было, что тоска и раздражительность усиливались в ней всё сильнее и сильнее. Афанасий Иванович испугался вдвое, услышав про обещание рассказа.

— Мне, господа, как и всякому, случалось делать поступки не совсем изящные в моей жизни, — начал генерал, — но страннее всего то, что я сам считаю коротенький анекдот, который сейчас расскажу, самым сквернейшим анекдотом из всей моей жизни. Между тем тому прошло чуть не тридцать пять лет; но никогда-то я не мог оторваться, при воспоминании, от некоторого, так сказать, скребущего по сердцу впечатления. Дело, впрочем, чрезвычайно глупое: был я тогда еще только что прапорщиком и в армии лямку тянул. Ну, известно, прапорщик: кровь — кипяток, а хозяйство копеечное; завелся у меня тогда денщик, Никифор, и ужасно о хозяйстве моем заботился, копил, зашивал, скреб и чистил, и даже везде воровал всё, что мог стянуть, чтобы только в доме приумножить; вернейший и честнейший был человек. Я, разумеется, был строг, но справедлив. Некоторое время случилось нам стоять в городке. Мне отвели в форштадте квартиру у одной отставной подпоручицы и к тому же вдовы. Лет восьмидесяти, или по крайней мере около, была старушонка. Домишко у ней был ветхий, дрянной, деревянный, и даже служанки у себя не имела по бедности. Но, главное, тем отличалась, что некогда имела многочисленнейшее семейство и родных; но одни в течение жизни перемерли, другие разъехались, третьи о старухе позабыли, а мужа своего лет сорок пять тому назад схоронила. Жила с ней еще несколько лет пред этим племянница, горбатая и злая, говорят, как ведьма, и даже раз старуху укусила за палец, но и та померла, так что старуха года уж три пробивалась одна-одинешенька. Скучнехонько мне было у ней, да и пустая она такая была, ничего извлечь невозможно. Наконец украла у меня петуха. Дело это до сих пор темное, но, кроме нее, было некому. За петуха мы поссорились, и значительно, а тут как раз вышел случай, что меня, по первой же просьбе моей, на другую квартиру перевели, в противоположный форштадт, в многочисленнейшее семейство одного купца с большою бородищей, как теперь его помню. Переезжаем с Никифором с радостью, старуху же оставляем с негодованием. Проходит дня три, прихожу с ученья, Никифор докладывает, «что напрасно, ваше благородие, нашу миску у прежней хозяйки оставили, не в чем суп подавать». Я, разумеется, поражен: «Как так, каким образом наша миска у хозяйки осталась?» Удивленный Никифор продолжает рапортовать, что хозяйка, когда мы съезжали, нашей миски ему не отдала по той причине, что так как я ее собственный горшок разбил, то она за свой горшок нашу миску удерживает, и что будто бы я ей это сам таким образом предложил. Такая низость с ее стороны, разумеется, вывела меня из последних границ; кровь закипела, вскочил, полетел. Прихожу к старухе, так сказать, уже вне себя; гляжу, она сидит в сенцах одна-одинешенька, в углу, точно от солнца забилась, рукой щеку себе подперла. Я тотчас же, знаете, на нее целый гром так и вывалил, «такая, дескать, ты, и сякая!» и, знаете, этак по-русски. Только смотрю, представляется что-то странное: сидит она, лицо на меня уставила, глаза выпучила, и ни слова в ответ, и странно, странно так смотрит, как бы качается. Я наконец приутих, вглядываюсь, спрашиваю, ни слова в ответ. Я постоял в нерешимости; мухи жужжат, солнце закатывается, тишина; в совершенном смущении я наконец ухожу. Еще до дому не дошел, к майору потребовали, потом пришлось в роту зайти, так что домой воротился совсем ввечеру. Первым словом Никифора: «А знаете, ваше благородие, хозяйка-то наша ведь померла». — «Когда?» — «Да сегодня повечеру, часа полтора назад». Это, значит, в то именно время, когда я ее ругал, она и отходила. Так меня это фраппировало, я вам скажу, что едва опомнился. Стало, знаете, даже думаться, даже ночью приснилось. Я, конечно, без предрассудков, но на третий день пошел в церковь на похороны. Одним словом, чем дальше время идет, тем больше думается. Не то чтоб, а так иногда вообразишь, и станет нехорошо. Главное, что тут, как я наконец рассудил? Во-первых, женщина, так сказать, существо человеческое, что называют в наше время, гуманное, жила, долго жила, наконец зажилась. Когда-то имела детей, мужа, семейство, родных, всё это кругом нее, так сказать, кипело, все эти, так сказать, улыбки, и вдруг — полный пас, всё в трубу вылетело, осталась одна, как... муха какая-нибудь, носящая на себе от века проклятие. И вот, наконец, привел Бог к концу. С закатом солнца, в тихий летний вечер, улетает и моя старуха — конечно, тут не без нравоучительной мысли; и вот в это-то самое мгновение, вместо напутственной, так сказать, слезы, молодой, отчаянный прапорщик, избоченясь и фертом, провожает ее с поверхности земли русским элементом забубенных ругательств за погибшую миску! Без сомнения, я виноват, и хоть и смотрю уже давным-давно на свой поступок, по отдаленности лет и по изменению в натуре, как на чужой, но тем не менее продолжаю жалеть. Так что, повторяю, мне даже странно, тем более что если я и виновен, то ведь не совершенно же: зачем же ей как раз в это время вздумалось помирать? Разумеется, тут одно оправда-

ние: что поступок в некотором роде психологический, но все-таки я не мог успокоиться, покамест не завел, лет пятнадцать назад, двух постоянных больных
старушонок, на свой счет, в богадельне, с целью смягчить для них приличным
содержанием последние дни земной жизни. Думаю обратить в вековечное, за-
вещав капитал. Ну, вот-с и всё-с. Повторяю, что, может быть, я и во многом в
жизни провинился, но этот случай считаю, по совести, самым сквернейшим
поступком из всей моей жизни.

— И вместо самого сквернейшего ваше превосходительство рассказали один
из хороших поступков своей жизни; надули Фердыщенка! — заключил Фердыщенко.

— В самом деле, генерал, я и не воображала, чтоб у вас было все-таки доброе
сердце; даже жаль, — небрежно проговорила Настасья Филипповна.

— Жаль? Почему же? — спросил генерал с любезным смехом и не без само-
довольствия отпил шампанского.

Но очередь была за Афанасием Ивановичем, который тоже приготовился.
Все предугадывали, что он не откажется, подобно Ивану Петровичу, да и рассказа его, по некоторым причинам, ждали с особенным любопытством и вместе
с тем посматривали на Настасью Филипповну. С необыкновенным достоинством, вполне соответствовавшим его осанистой наружности, тихим, любезным
голосом начал Афанасий Иванович один из своих «милых рассказов». (Кстати
сказать: человек он был собою видный, осанистый, росту высокого, немного
лыс, немного с проседью и довольно тучный, с мягкими, румяными и несколько
отвислыми щеками, со вставными зубами. Одевался широко и изящно и носил
удивительное белье. На его пухлые, белые руки хотелось заглядеться. На указательном пальце правой руки был дорогой брильянтовый перстень.) Настасья
Филипповна во всё время его рассказа пристально рассматривала кружевцо
оборки на своем рукаве и щипала ее двумя пальцами левой руки, так что ни разу
не успела и взглянуть на рассказчика.

— Что всего более облегчает мне мою задачу, — начал Афанасий Иванович, — это непременная обязанность рассказать никак не иначе, как самый дурной поступок из всей моей жизни. В таком случае, разумеется, не может быть
колебаний: совесть и память сердца тотчас же подскажут, что именно надо рассказывать. Сознаюсь с горечью, в числе всех бесчисленных, может быть легкомысленных и... ветреных поступков жизни моей есть один, впечатление которого даже слишком тяжело залегло в моей памяти. Случилось тому назад лет около
двадцати; я заехал тогда в деревню к Платону Ордынцеву. Он только что выбран
был предводителем и приехал с молодою женой провести зимние праздники.
Тут как раз подошло и рождение Анфисы Алексеевны, и назначались два бала.
К тому времени был в ужасной моде и только что прогремел в высшем свете
прелестный роман Дюма-фиса: «La dame aux camélias»[1], поэма, которой по моему мнению, не суждено ни умереть, ни состариться. В провинции все дамы
были восхищены до восторга, те, которые по крайней мере прочитали. Прелесть
рассказа, оригинальность постановки главного лица, этот заманчивый мир, раз-
обранный до тонкости, и, наконец, все эти очаровательные подробности, рас-
сыпанные в книге (насчет, например, обстоятельств употребления букетов белых и розовых камелий по очереди), одним словом, все эти прелестные детали,
и всё это вместе, произвели почти потрясение. Цветы камелий вошли в необыкновенную моду. Все требовали камелий, все их искали. Я вас спрошу: много ли

---

[1] «Дама с камелиями» (*франц.*).

можно достать камелий в уезде, когда все их для балов спрашивают, хотя бы балов и немного было? Петя Ворховской изнывал тогда, бедняжка, по Анфисе Алексеевне. Право, не знаю, было ли у них что-нибудь, то есть, я хочу сказать, могла ли у него быть хоть какая-нибудь серьезная надежда? Бедный с ума сходил, чтобы достать камелий к вечеру на бал для Анфисы Алексеевны. Графиня Соцкая, из Петербурга, губернаторши гостья, и Софья Беспалова, как известно стало, приедут наверно с букетами, с белыми. Анфисе Алексеевне захотелось, для некоторого особого эффекту, красных. Бедного Платона чуть не загоняли; известно — муж; поручился, что букет достанет, и — что же? Накануне перехватила Мытищева, Катерина Александровна, страшная соперница Анфисы Алексеевны во всем; на ножах с ней была. Разумеется, истерика, обморок. Платон пропал. Понятно, что если бы Пете промыслить где-нибудь в эту интересную минуту букет, то дела его могли бы очень сильно подвинуться; благодарность женщины в таких случаях безгранична. Мечется как угорелый; но дело невозможное, и говорить тут нечего. Вдруг сталкиваюсь с ним уже в одиннадцать вечера, накануне дня рождения и бала у Марьи Петровны Зубковой, соседки Ордынцева. Сияет. «Что с тобой?» — «Нашел! *Эврика!*» — «Ну, брат, удивил же ты меня! Где? Как?» — «В Екшайске (городишко такой там есть, всего в двадцати верстах, и не наш уезд), Трепалов там купец есть, бородач и богач, живет со старухой женой, и вместо детей одни канарейки. Пристрастились оба к цветам, у него есть камелии». — «Помилуй, да это не верно, ну, как не даст?» — «Стану на колени и буду в ногах валяться до тех пор, пока даст, без того не уеду!» — «Когда едешь-то?» — «Завтра чем свет, в пять часов». — «Ну, с Богом!» И так я, знаете, рад за него; возвращаюсь к Ордынцеву; наконец, уж второй час, а мне всё этак, знаете, мерещится. Хотел уже спать ложиться, вдруг преоригинальная мысль! Пробираюсь немедленно в кухню, бужу Савелия-кучера, пятнадцать целковых ему, «подай лошадей в полчаса!». Чрез полчаса, разумеется, возок у ворот; у Анфисы Алексеевны, сказали мне, мигрень, жар и бред, — сажусь и еду. В пятом часу я в Екшайске, на постоялом дворе; переждал до рассвета, и только до рассвета; в седьмом часу у Трепалова. «Так и так, есть камелии? Батюшка, отец родной, помоги, спаси, в ноги поклонюсь!» Старик, вижу, высокий, седой, суровый — страшный старик. «Ни-ни, никак! Не согласен!» Я бух ему в ноги! Так-таки и растянулся! «Что вы, батюшка, что вы, отец?» — испугался даже. «Да ведь тут жизнь человеческая!» — кричу ему. «Да берите, коли так, с Богом». Нарезал же я тут красных камелий! чудо, прелесть, целая оранжерейка у него маленькая. Вздыхает старик. Вынимаю сто рублей. «Нет, уж вы, батюшка, обижать меня таким манером не извольте». — «А коли так, говорю, почтенный, благоволите эти сто рублей в здешнюю больницу для улучшения содержания и пищи». — «Вот это, говорит, батюшка, дело другое, и доброе, и благородное, и богоугодное; за здравие ваше и подам». И понравился мне, знаете, этот русский старик, так сказать коренной русак, *de la vraie souche*[1]. В восторге от удачи, тотчас же в обратный путь; воротились окольными, чтобы не встретиться с Петей. Как приехал, так и посылаю букет к пробуждению Анфисы Алексеевны. Можете себе представить восторг, благодарность, слезы благодарности! Платон, вчера еще убитый и мертвый Платон, — рыдает у меня на груди. Увы! Все мужья таковы с сотворения... законного брака! Ничего не смею прибавить, но только дела бедного Пети с этим эпизодом рухнули окончательно. Я сперва думал, что он зарежет меня, как узнает, даже уж приготовился встретить, но случилось то, чему бы я

---

[1] исконный (*франц.*).

даже и не поверил: в обморок, к вечеру бред и к утру горячка; рыдает как ребенок, в конвульсиях. Через месяц, только что выздоровел, на Кавказ отпросился; роман решительный вышел! Кончил тем, что в Крыму убит. Тогда еще брат его, Степан Ворховской, полком командовал, отличился. Признаюсь, меня даже много лет потом угрызения совести мучили: для чего, зачем я так поразил его? И добро бы я сам был влюблен тогда? А то ведь простая шалость, из-за простого волокитства, не более. И не перебей я у него этот букет, кто знает, жил бы человек до сих пор, был бы счастлив, имел бы успехи, и в голову б не пришло ему под турку идти.

Афанасий Иванович примолк с тем же солидным достоинством, с которым и приступал к рассказу. Заметили, что у Настасьи Филипповны как-то особенно засверкали глаза и даже губы вздрогнули, когда Афанасий Иванович кончил. Все с любопытством поглядывали на них обоих.

— Надули Фердыщенко! Вот так надули! Нет, вот это уж так надули! — вскричал плачевным голосом Фердыщенко, понимая, что можно и должно вставить словцо.

— А вам кто велел дела не понимать? Вот и учитесь у умных людей! — отрезала ему чуть не торжествующая Дарья Алексеевна (старинная и верная приятельница и сообщница Тоцкого).

— Вы правы, Афанасий Иванович, пети-жё прескучное, и надо поскорей кончить, — небрежно вымолвила Настасья Филипповна, — расскажу сама, что обещала, и давайте все в карты играть.

— Но обещанный анекдот прежде всего! — с жаром одобрил генерал.

— Князь, — резко и неожиданно обратилась к нему вдруг Настасья Филипповна, — вот здесь старые мои друзья, генерал да Афанасий Иванович, меня всё замуж выдать хотят. Скажите мне, как вы думаете: выходить мне замуж или нет? Как скажете, так и сделаю.

Афанасий Иванович побледнел, генерал остолбенел; все уставили глаза и протянули головы. Ганя застыл на месте.

— За... за кого? — спросил князь замирающим голосом.

— За Гаврилу Ардалионовича Иволгина, — продолжала Настасья Филипповна по-прежнему резко, твердо и четко.

Прошло несколько секунд молчания; князь как будто силился и не мог выговорить, точно ужасная тяжесть давила ему грудь.

— Н-нет... не выходите! — прошептал он наконец и с усилием перевел дух.

— Так тому и быть! Гаврила Ардалионович! — властно и как бы торжественно обратилась она к нему, — вы слышали, как решил князь? Ну, так в том и мой ответ; и пусть это дело кончено раз навсегда!

— Настасья Филипповна! — дрожащим голосом проговорил Афанасий Иванович.

— Настасья Филипповна! — убеждающим, но встревоженным голосом произнес генерал.

Все зашевелились и затревожились.

— Что вы, господа? — продолжала она, как бы с удивлением вглядываясь в гостей, — что вы так всполохнулись? И какие у вас у всех лица!

— Но... вспомните, Настасья Филипповна, — запинаясь, пробормотал Тоцкий, — вы дали обещание, вполне добровольное, и могли бы отчасти и пощадить... Я затрудняюсь и... конечно, смущен, но... Одним словом, теперь, в такую минуту, и при... при людях, и всё это так... кончить таким пети-жё дело серьезное, дело чести и сердца... от которого зависит...

— Не понимаю вас, Афанасий Иванович; вы, действительно, совсем сбиваетесь. Во-первых, что такое «при людях»? Разве мы не в прекрасной интимной компании? И почему «пети-жё»? Я действительно хотела рассказать свой анекдот, ну, вот и рассказала; не хорош разве? И почему вы говорите, что «не серьезно»? Разве это не серьезно? Вы слышали, я сказала князю: «как скажете, так и будет»; сказал бы *да*, я бы тотчас же дала согласие, но он сказал *нет*, и я отказала. Тут вся моя жизнь на одном волоске висела; чего серьезнее?

— Но князь, почему тут князь? И что такое, наконец, князь? — пробормотал генерал, почти уж не в силах сдержать негодование на такой обидный даже авторитет князя.

— А князь для меня то, что я в него в первого, во всю мою жизнь, как в истинно преданного человека поверила. Он в меня с одного взгляда поверил, и я ему верю.

— Мне остается только отблагодарить Настасью Филипповну за чрезвычайную деликатность, с которою она... со мной поступила, — проговорил наконец дрожащим голосом и с кривившимися губами бледный Ганя, — это конечно, так тому и следовало... Но... князь... Князь в этом деле...

— До семидесяти пяти тысяч добирается, что ли? — оборвала вдруг Настасья Филипповна. — Вы это хотели сказать? Не запирайтесь, вы непременно это хотели сказать! Афанасий Иванович, я и забыла прибавить: вы эти семьдесят пять тысяч возьмите себе и знайте, что я вас отпускаю на волю даром. Довольно! Надо ж и вам вздохнуть! Девять лет и три месяца! Завтра — по-новому, а сегодня — я именинница и сама по себе, в первый раз в целой жизни! Генерал, возьмите и вы ваш жемчуг, подарите супруге, вот он; а с завтрашнего дня я совсем и с квартиры съезжаю. И уже больше не будет вечеров, господа!

Сказав это, она вдруг встала, как будто желая уйти.

— Настасья Филипповна! Настасья Филипповна! — послышалось со всех сторон. Все заволновались, все встали с мест; все окружили ее, все с беспокойством слушали эти порывистые, лихорадочные, исступленные слова; все ощущали какой-то беспорядок, никто не мог добиться толку, никто не мог ничего понять. В это мгновение раздался вдруг звонкий, сильный удар колокольчика, точь-в-точь как давеча в Ганечкину квартиру.

— А-а-а! Вот и развязка! Наконец-то! Половина двенадцатого! — вскричала Настасья Филипповна. — Прошу вас садиться, господа, это развязка!

Сказав это, она села сама. Странный смех трепетал на губах ее. Она сидела молча, в лихорадочном ожидании, и смотрела на дверь.

— Рогожин и сто тысяч, сомнения нет, — пробормотал про себя Птицын.

XV

Вошла горничная Катя, сильно испуганная.

— Там бог знает что, Настасья Филипповна, человек десять ввалились, и всё хмельные-с, сюда просятся, говорят, что Рогожин и что вы сами знаете.

— Правда, Катя, впусти их всех тотчас же.

— Неужто... всех-с, Настасья Филипповна? Совсем ведь безобразные. Страсть!

— Всех, всех впусти, Катя, не бойся, всех до одного, а то и без тебя войдут. Вон уж как шумят, точно давеча. Господа, вы, может быть, обижаетесь, — обратилась она к гостям, — что я такую компанию при вас принимаю? Я очень сожалею и прощения прошу, но так надо, а мне очень, очень бы желалось, чтобы вы все согласились быть при этой развязке моими свидетелями, хотя, впрочем, как вам угодно...

Гости продолжали изумляться, шептаться и переглядываться, но стало совершенно ясно, что всё это было рассчитано и устроено заранее и что Настасью Филипповну, — хоть она и, конечно, с ума сошла, — теперь не собьешь. Всех мучило ужасно любопытство. Притом же и пугаться-то очень было некому. Дам было только две: Дарья Алексеевна, барыня бойкая и видавшая всякие виды и которую трудно было сконфузить, и прекрасная, но молчаливая незнакомка. Но молчаливая незнакомка вряд ли что и понять могла: это была приезжая немка и русского языка ничего не знала; кроме того, кажется, была столько же глупа, сколько и прекрасна. Она была внове, и уже принято было приглашать ее на известные вечера, в пышнейшем костюме, причесанную как на выставку, и сажать как прелестную картинку для того, чтобы скрасить вечер, — точно так, как иные добывают для своих вечеров у знакомых, на один раз, картину, вазу, статую или экран. Что же касается мужчин, то Птицын, например, был приятель с Рогожиным; Фердыщенко был как рыба в воде; Ганечка всё еще в себя прийти не мог, но хоть смутно, а неудержимо сам ощущал горячечную потребность достоять до конца у своего позорного столба; старичок учитель, мало понимавший, в чем дело, чуть не плакал и буквально дрожал от страха, заметив какую-то необыкновенную тревогу кругом и в Настасье Филипповне, которую обожал, как свою внучку; но он скорее бы умер, чем ее в такую минуту покинул. Что же касается Афанасия Ивановича, то, конечно, он себя компрометировать в таких приключениях не мог; но он слишком был заинтересован в деле, хотя бы и принимавшем такой сумасшедший оборот; да и Настасья Филипповна выронила на его счет два-три словечка таких, что уехать никак нельзя было, не разъяснив окончательно дела. Он решился досидеть до конца и уже совершенно замолчать и оставаться лишь наблюдателем, что, конечно, и требовалось его достоинством. Один лишь генерал Епанчин, только что сейчас пред этим разобиженный таким бесцеремонным и смешным возвратом ему подарка, конечно, еще более мог теперь обидеться всеми этими необыкновенными эксцентричностями или, например, появлением Рогожина; да и человек, как он, и без того уже слишком снизошел, решившись сесть рядом с Птицыным и Фердыщенком; но что могла сделать сила страсти, то могло быть, наконец, побеждено чувством обязанности, ощущением долга, чина и значения и вообще уважением к себе, так что Рогожин с компанией, во всяком случае, в присутствии его превосходительства был невозможен.

— Ах, генерал, — перебила его тотчас же Настасья Филипповна, только что он обратился к ней с заявлением, — я и забыла! Но будьте уверены, что о вас я предвидела. Если уж вам так обидно, то я и не настаиваю и вас не удерживаю, хотя бы мне очень желалось именно вас при себе теперь видеть. Во всяком случае, очень благодарю вас за ваше знакомство и лестное внимание, но если вы боитесь...

— Позвольте, Настасья Филипповна, — вскричал генерал в припадке рыцарского великодушия, — кому вы говорите? Да я из преданности одной останусь теперь подле вас, и если, например, есть какая опасность... К тому же я, признаюсь, любопытствую чрезмерно. Я только насчет того хотел, что они испортят ковры и, пожалуй, разобьют что-нибудь... Да и не надо бы их совсем, по-моему, Настасья Филипповна!

— Сам Рогожин! — провозгласил Фердыщенко.

— Как вы думаете, Афанасий Иванович, — наскоро успел шепнуть ему генерал, — не сошла ли она с ума? То есть без аллегории, а настоящим медицинским манером, а?

— Я вам говорил, что она и всегда к этому наклонна была, — лукаво отшепнулся Афанасий Иванович.

— И к тому же лихорадка...

Компания Рогожина была почти в том же самом составе, как и давеча утром; прибавился только какой-то беспутный старичишка, в свое время бывший редактором какой-то забулдыжной обличительной газетки и про которого шел анекдот, что он заложил и пропил свои вставные на золоте зубы, и один отставной подпоручик, решительный соперник и конкурент, по ремеслу и по назначению, утрешнему господину с кулаками и совершенно никому из рогожинцев не известный, но подобранный на улице на солнечной стороне Невского проспекта, где он останавливал прохожих и слогом Марлинского просил вспоможения, под коварным предлогом, что он сам «по пятнадцати целковых давал в свое время просителям». Оба конкурента тотчас же отнеслись друг к другу враждебно. Давешний господин с кулаками после приема в компанию «просителя» счел себя даже обиженным и, будучи молчалив от природы, только рычал иногда как медведь и с глубоким презрением смотрел на заискивания и заигрывания с ним «просителя», оказавшегося человеком светским и политичным. С виду подпоручик обещал брать «в деле» более ловкостью и изворотливостью, чем силой, да и ростом был пониже кулачного господина. Деликатно, не вступая в явный спор, но ужасно хвастаясь, он несколько раз уже намекнул о преимуществах английского бокса, одним словом, оказался чистейшим западником. Кулачный господин при слове «бокс» только презрительно и обидчиво улыбался и, с своей стороны, не удостоивая соперника явного прения, показывал иногда, молча, как бы невзначай, или лучше сказать, выдвигал иногда на вид одну совершенно национальную вещь — огромный кулак, жилистый, узловатый, обросший каким-то рыжим пухом, и всем становилось ясно, что если эта глубоко национальная вещь опустится без промаху на предмет, то действительно только мокренько станет.

В высшей степени «готовых» опять-таки никого из них не было, как и давеча, вследствие стараний самого Рогожина, имевшего целый день в виду свой визит к Настасье Филипповне. Сам же он почти совсем успел отрезвиться, но зато чуть не одурел от всех вынесенных им впечатлений в этот безобразный и ни на что не похожий день из всей его жизни. Одно только оставалось у него постоянно в виду, в памяти и в сердце, в каждую минуту, в каждое мгновение. Для этого *одного* он провел всё время, с пяти часов пополудни вплоть до одиннадцати, в бесконечной тоске и тревоге, возясь с Киндерами и Бискупами, которые тоже чуть с ума не сошли, мечась как угорелые по его надобности. И, однако, все-таки сто тысяч ходячими деньгами, о которых мимолетно, насмешливо и совершенно неясно намекнула Настасья Филипповна, успели составиться, за проценты, о которых даже сам Бискуп, из стыдливости, разговаривал с Киндером не вслух, а только шепотом.

Как и давеча, Рогожин выступал впереди всех, остальные подвигались за ним, хотя и с полным сознанием своих преимуществ, но все-таки несколько труся. Главное, и бог знает отчего, трусили они Настасьи Филипповны. Одни из них даже думали, что всех их немедленно «спустят с лестницы». Из думавших так был между прочим и щеголь и победитель сердец Залёжев. Но другие, и преимущественно кулачный господин, хотя и не вслух, но в сердце своем, относились к Настасье Филипповне с глубочайшим презрением и даже с ненавистью и шли к ней как на осаду. Но великолепное убранство первых двух комнат, не слыханные и не виданные ими вещи, редкая мебель, картины, огромная статуя Венеры — всё это произвело на них неотразимое впечатление почтения и чуть ли даже не страха. Это не помешало, конечно, им всем, мало-помалу и с нахальным любопытством, несмотря на страх, протесниться вслед за Рогожиным в гостиную; но когда кулачный господин, «проситель» и некоторые другие заметили в числе гостей генерала Епанчина, то в первое мгновение до того были обескуражены, что стали даже понемногу ретироваться обратно, в другую комнату. Один только Лебедев был из числа наиболее ободренных и убежденных и выступал почти рядом с Рогожиным, постигая, что в самом деле значит миллион четыреста тысяч чистыми деньгами и сто тысяч теперь, сейчас же, в руках. Надо, впрочем, заметить, что все они, не исключая даже знатока Лебедева, несколько сбивались в познании границ и пределов своего могущества и в самом ли деле им теперь всё дозволено или нет? Лебедев в иные минуты готов был поклясться, что всё, но в другие минуты ощущал беспокойную потребность припомнить про себя, на всякий случай, некоторые, и преимущественно ободрительные и успокоительные, статейки свода законов.

На самого Рогожина гостиная Настасьи Филипповны произвела обратное впечатление, чем на всех его спутников. Только что приподнялась портьера, и он увидал Настасью Филипповну — всё остальное перестало для него существовать, как и давеча утром, даже могущественнее, чем давеча утром. Он побледнел и на мгновение остановился; угадать можно было, что сердце его билось ужасно. Робко и потерянно смотрел он несколько секунд, не отводя глаз, на Настасью Филипповну. Вдруг, как бы потеряв весь рассудок и чуть не шатаясь, подошел он к столу; дорогой наткнулся на стул Птицына и наступил своими грязными сапожищами на кружевную отделку великолепного голубого платья молчаливой красавицы-немки; не извинился и не заметил. Подойдя к столу, он положил на него один странный предмет, с которым и вступил в гостиную, держа его пред собой в обеих руках. Это была большая пачка бумаги, вершка три в высоту и вершка четыре в длину, крепко и плотно завернутая в «Биржевые ведомости» и обвязанная туго-натуго со всех сторон и два раза накрест бечевкой вроде тех, которыми обвязывают сахарные головы. Затем стал, ни слова не говоря и опустив руки, как бы ожидая своего приговора. Костюм его был совершенно давешний, кроме совсем нового шелкового шарфа на шее, ярко-зеленого с красным, с огромною бриллиантовою булавкою, изображавшею жука, и массивного брильянтового перстня на грязном пальце правой руки. Лебедев до стола не дошел шага на три; остальные, как сказано было, понемногу набирались в гостиную. Катя и Паша, горничные Настасьи Филипповны, тоже прибежали глядеть из-за приподнятых портьер, с глубоким изумлением и страхом.

— Что это такое? — спросила Настасья Филипповна, пристально и любопытно оглядев Рогожина и указывая глазами на «предмет».

— Сто тысяч! — ответил тот почти шепотом.

— А, сдержал-таки слово, каков! Садитесь, пожалуйста, вот тут, вот на этот стул; я вам потом скажу что-нибудь. Кто с вами? Вся давешняя компания? Ну, пусть войдут и сядут; вон там на диване можно, вот еще диван. Вот там два кресла... что же они, не хотят, что ли?

Действительно, некоторые положительно сконфузились, отретировались и уселись ждать в другой комнате, но иные остались и расселись по приглашению, но только подальше от стола, больше по углам, одни всё еще желая несколько стушеваться, другие чем дальше, тем больше и как-то неестественно быстро ободряясь. Рогожин уселся тоже на показанный ему стул, но сидел недолго; он скоро встал и уже больше не садился. Мало-помалу он стал различать и оглядывать гостей. Увидев Ганю, он ядовито улыбнулся и прошептал про себя: «Вишь!» На генерала и на Афанасия Ивановича он взглянул без смущения и даже без особенного любопытства. Но когда заметил подле Настасьи Филипповны князя, то долго не мог оторваться от него, в чрезвычайном удивлении и как бы не в силах дать себе в этой встрече отчет. Можно было подозревать, что минутами он был в настоящем бреду. Кроме всех потрясений этого дня, он всю прошедшую ночь провел в вагоне и уже почти двое суток не спал.

— Это, господа, сто тысяч, — сказала Настасья Филипповна, обращаясь ко всем с каким-то лихорадочно-нетерпеливым вызовом, — вот в этой грязной пачке. Давеча вот он закричал как сумасшедший, что привезет мне вечером сто тысяч, и я всё ждала его. Это он торговал меня: начал с восемнадцати тысяч, потом вдруг скакнул на сорок, а потом вот и эти сто. Сдержал-таки слово! Фу, какой он бледный!.. Это давеча всё у Ганечки было: я приехала к его мамаше с визитом, в мое будущее семейство, а там его сестра крикнула мне в глаза: «Неужели эту бесстыжую отсюда не выгонят!» — а Ганечке, брату, в лицо плюнула. С характером девушка!

— Настасья Филипповна! — укорительно произнес генерал. Он начинал несколько понимать дело, по-своему.

— Что такое, генерал? Неприлично, что ли? Да полно форсить-то! Что я в театре-то французском, в ложе, как неприступная добродетель бельэтажная сидела, да всех, кто за мною гонялись пять лет, как дикая бегала, и как гордая невинность смотрела, так ведь это всё дурь меня доехала! Вот, перед вами же, пришел да положил сто тысяч на стол, после пяти-то лет невинности, и уж наверно у них там тройки стоят и меня ждут. Во сто тысяч меня оценил! Ганечка, я вижу, ты на меня до сих пор еще сердишься? Да неужто ты меня в свою семью ввести хотел? Меня-то, рогожинскую! Князь-то что сказал давеча?

— Я не то сказал, что вы рогожинская, вы не рогожинская! — дрожащим голосом выговорил князь.

— Настасья Филипповна, полно, матушка, полно, голубушка, — не стерпела вдруг Дарья Алексеевна, — уж коли тебе так тяжело от них стало, так что смотреть-то на них! И неужели ты с этаким отправиться хочешь, хошь и за сто бы тысяч! Правда, сто тысяч — вишь ведь! А ты сто тысяч-то возьми, а его прогони, вот как с ними надо делать; эх, я бы на твоем месте их всех... что в самом-то деле!

Дарья Алексеевна даже в гнев вошла. Это была женщина добрая и весьма впечатлительная.

— Не сердись, Дарья Алексеевна, — усмехнулась ей Настасья Филипповна, — ведь я ему не сердясь говорила. Попрекнула, что ль, я его? Я и впрямь понять не могу, как на меня эта дурь нашла, что я в честную семью хотела войти. Видела я его мать-то, руку у ней поцеловала. А что я давеча издевалась у тебя, Ганечка, так это я нарочно хотела сама в последний раз посмотреть: до чего ты сам можешь дойти? Ну, удивил же ты меня, право. Многого я ждала, а этого нет! Да неужто ты меня взять мог, зная, что вот он мне такой жемчуг дарит, чуть не накануне твоей свадьбы, а я беру? А Рогожин-то? Ведь он в твоем доме, при твоей матери и сестре, меня торговал, а ты вот все-таки после того свататься приехал, да чуть сестру не привез? Да неужто же правду про тебя Рогожин сказал, что ты за три целковых на Васильевский остров ползком дополз?

— Дополз, — проговорил вдруг Рогожин тихо, но с видом величайшего убеждения.

— И добро бы ты с голоду умирал, а ты ведь жалованье, говорят, хорошее получаешь! Да ко всему-то в придачу, кроме позора-то, ненавистную жену ввести в дом! (Потому что ведь ты меня ненавидишь, я это знаю!) Нет, теперь я верю, что этакой за деньги зарежет! Ведь теперь их всех такая жажда обуяла, так их разнимает на деньги, что они словно одурели. Сам ребенок, а уж лезет в ростовщики! А то намотает на бритву шелку, закрепит, да тихонько сзади и зарежет приятеля, как барана, как я читала недавно. Ну, бесстыдник же ты! Я бесстыжая, а ты того хуже. Я про того букетника уж и не говорю...

— Вы ли, вы ли это, Настасья Филипповна! — всплеснул руками генерал в истинной горести, — вы, такая деликатная, с такими тонкими мыслями, и вот! Какой язык! Какой слог!

— Я теперь во хмелю, генерал, — засмеялась вдруг Настасья Филипповна, — я гулять хочу! Сегодня мой день, мой табельный день, мой высокосный день, я его давно поджидала. Дарья Алексеевна, видишь ты вот этого букетника, вот этого monsieur aux camélias[1], вот он сидит да смеется на нас...

— Я не смеюсь, Настасья Филипповна, я только с величайшим вниманием слушаю, — с достоинством отпарировал Тоцкий.

— Ну вот, за что я его мучила целые пять лет и от себя не отпускала? Стоил ли того! Он просто таков, каким должен быть... Еще он меня виноватою пред собой сочтет: воспитание ведь дал, как графиню содержал, денег-то, денег-то сколько ушло, честного мужа мне приискал еще там, а здесь Ганечку; и что же б ты думала: я с ним эти пять лет не жила, а деньги-то с него брала и думала, что права! Совсем ведь я с толку сбила себя! Ты вот говоришь, сто тысяч возьми, да и прогони, коли мерзко. Оно правда, что мерзко... Я бы и замуж давно могла выйти, да и не то что за Ганечку, да ведь очень уж тоже мерзко. И за что я моих пять лет в этой злобе потеряла! А веришь иль нет, я, года четыре тому назад, временем думала, не выйти ли мне уж и впрямь за моего Афанасия Ивановича? Я тогда это со злости думала; мало ли что у меня тогда в голове перебывало; а ведь, право, заставила б! Сам напрашивался, веришь иль нет? Правда, он лгал, да ведь падок уж очень, выдержать не может. Да потом, слава богу, подумала: стоит он такой злости! И так мне мерзко стало тогда вдруг на него, что если бы и сам присватался, не пошла бы. И целые-то пять лет я так форсила! Нет, уж лучше на улицу, где мне и следует быть! Иль разгуляться с Рогожиным, иль завтра же в прачки пойти! Потому ведь на мне ничего своего; уйду — всё ему брошу, последнюю тряпку оставлю, а без всего меня кто возьмет, спроси-ка вот Ганю, возьмет ли? Да меня и Фердыщенко не возьмет!..

---

[1] господина с камелиями (*франц.*).

— Фердыщенко, может быть, не возьмет, Настасья Филипповна, я человек откровенный, — перебил Фердыщенко, — зато князь возьмет! Вы вот сидите да плачетесь, а вы взгляните-ка на князя! Я уж давно наблюдаю...

Настасья Филипповна с любопытством обернулась к князю.

— Правда? — спросила она.

— Правда, — прошептал князь.

— Возьмете, как есть, без ничего!

— Возьму, Настасья Филипповна...

— Вот и новый анекдот! — пробормотал генерал. — Ожидать было можно!

Князь скорбным, строгим и проницающим взглядом смотрел в лицо продолжавшей его оглядывать Настасьи Филипповны.

— Вот еще нашелся! — сказала она вдруг, обращаясь опять к Дарье Алексеевне. — А ведь впрямь от доброго сердца, я его знаю. Благодетеля нашла! А впрочем, правду, может, про него говорят, что... *того*. Чем жить-то будешь, коли уж так влюблен, что рогожинскую берешь, за себя-то, за князя-то?..

— Я вас честную беру, Настасья Филипповна, а не рогожинскую, — сказал князь.

— Это я-то честная?

— Вы.

— Ну, это там... из романов! Это, князь голубчик, старые бредни, а нынче свет поумнел, и всё это вздор! Да и куда тебе жениться, за тобой за самим еще няньку нужно!

Князь встал и дрожащим, робким голосом, но в то же время с видом глубоко убежденного человека, произнес:

— Я ничего не знаю, Настасья Филипповна, я ничего не видел, вы правы, но я... я сочту, что вы мне, а не я вам сделаю честь. Я ничто, а вы страдали и из такого ада чистая вышли, а это много. К чему же вы стыдитесь, да с Рогожиным ехать хотите? Это лихорадка... Вы господину Тоцкому семьдесят тысяч отдали и говорите, что всё, что здесь есть, всё бросите, этого никто здесь не сделает. Я вас... Настасья Филипповна... люблю. Я умру за вас, Настасья Филипповна. Я никому не позволю про вас слова сказать, Настасья Филипповна... Если мы будем бедны, я работать буду, Настасья Филипповна...

При последних словах послышалось хихиканье Фердыщенка, Лебедева, и даже генерал про себя как-то крякнул с большим неудовольствием. Птицын и Тоцкий не могли не улыбнуться, но сдержались. Остальные просто разинули рты от удивления.

— ...Но мы, может быть, будем не бедны, а очень богаты, Настасья Филипповна, — продолжал князь тем же робким голосом. — Я, впрочем, не знаю наверно, и жаль, что до сих пор еще узнать ничего не мог в целый день, но я получил в Швейцарии письмо из Москвы от одного господина Салазкина, и он меня уведомляет, что я будто бы могу получить очень большое наследство. Вот это письмо...

Князь, действительно, вынул из кармана письмо.

— Да он уж не бредит ли? — пробормотал генерал. — Сумасшедший дом настоящий!

На мгновение последовало некоторое молчание.

— Вы, кажется, сказали, князь, что письмо к вам от Салазкина? — спросил Птицын. — Это очень известный в своем кругу человек; это очень известный ходок по делам, и если действительно он вас уведомляет, то вполне можете верить.

К счастию, я руку знаю, потому что недавно дело имел... Если бы вы дали мне взглянуть, может быть, мог бы вам что-нибудь и сказать.

Князь молча, дрожащею рукой протянул ему письмо.

— Да что такое, что такое? — спохватился генерал, смотря на всех, как полоумный, — да неужто наследство?

Все устремили взгляды на Птицына, читавшего письмо. Общее любопытство получило новый и чрезвычайный толчок. Фердыщенку не сиделось; Рогожин смотрел в недоумении и в ужасном беспокойстве переводил взгляды то на князя, то на Птицына. Дарья Алексеевна в ожидании была как на иголках. Даже Лебедев не утерпел, вышел из своего угла и, согнувшись в три погибели, стал заглядывать в письмо чрез плечо Птицына, с видом человека, опасающегося, что ему сейчас дадут за это колотушку.

XVI

— Верное дело, — объявил наконец Птицын, складывая письмо и передавая его князю. — Вы получаете безо всяких хлопот, по неоспоримому духовному завещанию вашей тетки, чрезвычайно большой капитал.

— Быть не может! — воскликнул генерал, точно выстрелил.

Все опять разинули рты.

Птицын объяснил, обращаясь преимущественно к Ивану Федоровичу, что у князя пять месяцев тому назад умерла тетка, которой он никогда не знал лично, родная и старшая сестра матери князя, дочь московского купца третьей гильдии, Папушина, умершего в бедности и в банкротстве. Но старший родной брат этого Папушина, недавно также умерший, был известный богатый купец. С год тому назад у него умерли почти в один и тот же месяц два его единственные сына. Это так его поразило, что старик, недолго спустя, сам заболел и умер. Он был вдов, совершенно никого наследников, кроме тетки князя, родной племянницы Папушина, весьма бедной женщины и приживавшей в чужом доме. Во время получения наследства эта тетка уже почти умирала от водяной, но тотчас же стала разыскивать князя, поручив это Салазкину, и успела сделать завещание. По-видимому, ни князь, ни доктор, у которого он жил в Швейцарии, не захотели ждать официальных уведомлений или делать справки, а князь, с письмом Салазкина в кармане, решился отправиться сам...

— Одно только могу вам сказать, — заключил Птицын, обращаясь к князю, — что всё это должно быть бесспорно и право, и всё, что пишет вам Салазкин о бесспорности и законности вашего дела, можете принять как за чистые деньги в кармане. Поздравляю вас, князь! Может быть, тоже миллиона полтора получите, а пожалуй, что и больше. Папушин был очень богатый купец.

— Ай да последний в роде князь Мышкин! — завопил Фердыщенко.

— Ура! — пьяным голоском прохрипел Лебедев.

— А я-то ему давеча двадцать пять целковых ссудил, бедняжке, ха-ха-ха! фантасмагория, да и только! — почти ошеломленный от изумления, проговорил генерал. — Ну, поздравляю, поздравляю! — и, встав с места, подошел к князю обнять его. За ним стали вставать и другие, и тоже полезли к князю. Даже отретировавшиеся за портьеру стали появляться в гостиной. Пошел смутный говор, восклицания, раздались даже требования шампанского; всё затолкалось, засуетилось. На мгновение чуть не позабыли Настасью Филипповну и что все-таки она хозяйка своего вечера. Но мало-помалу всем почти разом представилась идея, что князь только что сделал ей предложение. Дело, стало быть, представлялось еще втрое более сумасшедшим и необыкновенным, чем прежде. Глубоко изумленный Тоцкий пожимал плечами; почти только он один и сидел, остальная толпа вся в беспорядке теснилась вокруг стола. Все утверждали потом, что с этого-то мгновения Настасья Филипповна и помешалась. Она продолжала сидеть и некоторое время оглядывала всех странным, удивленным каким-то взглядом, как бы не понимая и силясь сообразить. Потом она вдруг обратилась к князю и, грозно нахмурив брови, пристально его разглядывала; но это было на мгновение; может быть, ей вдруг показалось, что всё это шутка, насмешка; но вид князя тотчас ее разуверил. Она задумалась, опять потом улыбнулась, как бы не сознавая ясно чему...

— Значит, в самом деле княгиня! — прошептала она про себя как бы насмешливо и, взглянув нечаянно на Дарью Алексеевну, засмеялась. — Развязка неожиданная... я... не так ожидала... Да что же вы, господа, стоите, сделайте одолжение, садитесь, поздравьте меня с князем! Кто-то, кажется, просил шампанского; Фердыщенко, сходите, прикажите. Катя, Паша, — увидала она вдруг в дверях своих девушек, — подите сюда, я замуж выхожу, слышали? За князя, у него полтора миллиона, он князь Мышкин и меня берет!

— Да и с Богом, матушка, пора! Нечего пропускать-то! — крикнула Дарья Алексеевна, глубоко потрясенная происшедшим.

— Да садись же подле меня, князь, — продолжала Настасья Филипповна, — вот так, а вот и вино несут, поздравьте же, господа!

— Ура! — крикнуло множество голосов. Многие затеснились к вину, в том числе были почти все рогожинцы. Но хоть они и кричали и готовы были кричать, но многие из них, несмотря на всю странность обстоятельств и обстановки, почувствовали, что декорация переменяется. Другие были в смущении и ждали недоверчиво. А многие шептали друг другу, что ведь дело это самое обыкновенное, что мало ли на ком князья женятся, и цыганок из таборов берут. Сам Рогожин стоял и глядел, искривив лицо в неподвижную, недоумевающую улыбку.

— Князь, голубчик, опомнись! — с ужасом шепнул генерал, подойдя сбоку и дергая князя за рукав.

Настасья Филипповна заметила и захохотала.

— Нет, генерал! Я теперь и сама княгиня, слышали, — князь меня в обиду не даст! Афанасий Иванович, поздравьте вы-то меня; я теперь с вашею женою везде рядом сяду; как вы думаете, выгодно такого мужа иметь? Полтора миллиона, да еще князь, да еще, говорят, идиот в придачу, чего лучше? Только теперь и начнется настоящая жизнь! Опоздал, Рогожин! Убирай свою пачку, я за князя замуж выхожу и сама богаче тебя!

Но Рогожин постиг, в чем дело. Невыразимое страдание отпечатлелось в лице его. Он всплеснул руками, и стон вырвался из его груди.

— Отступись! — прокричал он князю.

Кругом засмеялись.

— Это для тебя отступиться-то? — торжествуя, подхватила Дарья Алексеевна. — Ишь, деньги вывалил на стол, мужик! Князь-то замуж берет, а ты безобразничать явился!

— И я беру! Сейчас беру, сию минуту! Всё отдам...

— Ишь, пьяный из кабака, выгнать тебя надо! — в негодовании повторила Дарья Алексеевна.

Смех пошел пуще.

— Слышишь, князь, — обратилась к нему Настасья Филипповна, — вот как твою невесту мужик торгует.

— Он пьян, — сказал князь. — Он вас очень любит.

— А не стыдно тебе потом будет, что твоя невеста чуть с Рогожиным не уехала?

— Это вы в лихорадке были, вы и теперь в лихорадке, как в бреду.

— И не постыдишься, когда потом тебе скажут, что твоя жена у Тоцкого в содержанках жила?

— Нет, не постыжусь... Вы не по своей воле у Тоцкого были.

— И никогда не попрекнешь?

— Не попрекну.

— Ну, смотри, за всю жизнь не ручайся!

— Настасья Филипповна, — сказал князь тихо и как бы с состраданием, — я вам давеча говорил, что за честь приму ваше согласие и что вы мне честь делаете, а не я вам. Вы на эти слова усмехнулись, и кругом, я слышал, тоже смеялись. Я, может быть, смешно очень выразился и был сам смешон, но мне всё казалось, что я... понимаю, в чем честь, и уверен, что я правду сказал. Вы сейчас загубить себя хотели, безвозвратно, потому что вы никогда не простили бы себе потом этого: а вы ни в чем не виноваты. Быть не может, чтобы ваша жизнь совсем уже погибла. Что ж такое, что к вам Рогожин пришел, а Гаврила Ардалионович вас обмануть хотел? Зачем вы беспрестанно про это упоминаете? То, что вы сделали, на то немногие способны, это я вам повторяю, а что вы с Рогожиным ехать хотели, то это вы в болезненном припадке решили. Вы и теперь в припадке, и лучше бы вам идти в постель. Вы завтра же в прачки бы пошли, а не остались бы с Рогожиным. Вы горды, Настасья Филипповна, но, может быть, вы уже до того несчастны, что и действительно виновною себя считаете. За вами нужно много ходить, Настасья Филипповна. Я буду ходить за вами. Я давеча ваш портрет увидал, и точно я знакомое лицо узнал. Мне тотчас показалось, что вы как будто уже звали меня... Я... я вас буду всю жизнь уважать, Настасья Филипповна, — заключил вдруг князь, как бы вдруг опомнившись, покраснев и сообразив, пред какими людьми он это говорит.

Птицын так даже от целомудрия наклонил голову и смотрел в землю. Тоцкий про себя подумал: «Идиот, а знает, что лестью всего лучше возьмешь; натура!» Князь заметил тоже из угла сверкающий взгляд Гани, которым тот как бы хотел испепелить его.

— Вот так добрый человек! — провозгласила умилившаяся Дарья Алексеевна.

— Человек образованный, но погибший! — вполголоса прошептал генерал.

Тоцкий взял шляпу и приготовился встать, чтобы тихонько скрыться. Он и генерал переглянулись, чтобы выйти вместе.

— Спасибо, князь, со мной так никто не говорил до сих пор, — проговорила Настасья Филипповна, — меня всё торговали, а замуж никто еще не сватал из порядочных людей. Слышали, Афанасий Иваныч? Как вам покажется всё, что князь говорил? Ведь почти что неприлично... Рогожин! Ты погоди уходить-то. Да ты и не уйдешь, я вижу. Может, я еще с тобой отправлюсь. Ты куда везти-то хотел?

— В Екатерингоф, — отрапортовал из угла Лебедев, а Рогожин только
вздрогнул и смотрел во все глаза, как бы не веря себе. Он совсем отупел, точно
от ужасного удара по голове.

— Да что ты, что ты, матушка! Подлинно припадки находят; с ума, что ли,
сошла? — вскинулась испуганная Дарья Алексеевна.

— А ты и впрямь думала? — хохоча, вскочила с дивана Настасья Филипповна. — Этакого-то младенца сгубить? Да это Афанасию Иванычу в ту ж пору: это
он младенцев любит! Едем, Рогожин! Готовь свою пачку! Ничего, что жениться
хочешь, а деньги-то все-таки давай. Я за тебя-то еще и не пойду, может быть. Ты
думал, как сам жениться хотел, так пачка у тебя и останется? Врешь! Я сама бесстыдница! Я Тоцкого наложницей была... Князь! тебе теперь надо Аглаю Епанчину, а не Настасью Филипповну, а то что — Фердыщенко-то пальцами будет
указывать! Ты не боишься, да я буду бояться, что тебя загубила да что потом попрекнешь! А что ты объявляешь, что я честь тебе сделаю, так про то Тоцкий знает. А Аглаю-то Епанчину ты, Ганечка, просмотрел; знал ли ты это? Не торговался бы ты с ней, она непременно бы за тебя вышла! Вот так-то вы все: или с бесчестными, или с честными женщинами знаться — один выбор! А то непременно
спутаешься... Ишь, генерал-то смотрит, рот раскрыл...

— Это содом, содом! — повторял генерал, вскидывая плечами. Он тоже встал
с дивана; все опять были на ногах. Настасья Филипповна была как бы в исступлении.

— Неужели! — простонал князь, ломая руки.

— А ты думал, нет? Я, может быть, и сама гордая, нужды нет, что бесстыдница! Ты меня совершенством давеча называл; хорошо совершенство, что из одной похвальбы, что миллион и княжество растоптала, в трущобу идет! Ну, какая
я тебе жена после этого? Афанасий Иваныч, а ведь миллион-то я и в самом деле
в окно выбросила! Как же вы думали, что я за Ганечку да за ваши семьдесят пять
тысяч за счастье выйти сочту? Семьдесят пять тысяч ты возьми себе, Афанасий
Иваныч (и до ста-то не дошел, Рогожин перещеголял!); а Ганечку я утешу сама,
мне мысль пришла. А теперь я гулять хочу, я ведь уличная! Я десять лет в тюрьме
просидела, теперь мое счастье! Что же ты, Рогожин? Собирайся, едем!

— Едем! — заревел Рогожин, чуть не в исступлении от радости. — Ей вы...
кругом... вина! Ух!..

— Припасай вина, я пить буду. А музыка будет?

— Будет, будет! Не подходи! — завопил Рогожин в исступлении, увидя, что
Дарья Алексеевна подходит к Настасье Филипповне. — Моя! Всё мое! Королева!
Конец!

Он от радости задыхался; он ходил вокруг Настасьи Филипповны и кричал
на всех: «Не подходи!» Вся компания уже набилась в гостиную. Одни пили, другие кричали и хохотали, все были в самом возбужденном и непринужденном состоянии духа. Фердыщенко начинал пробовать к ним пристроиться. Генерал и
Тоцкий сделали опять движение поскорее скрыться. Ганя тоже был со шляпой в
руке, но он стоял молча и всё еще как бы оторваться не мог от развивавшейся
пред ним картины.

— Не подходи! — кричал Рогожин.

— Да что ты орешь-то! — хохотала на него Настасья Филипповна. — Я еще у
себя хозяйка; захочу, еще тебя в толчки выгоню. Я не взяла еще с тебя денег-то,
вон они лежат; давай их сюда, всю пачку! Это в этой-то пачке сто тысяч? Фу, какая мерзость! Чего ты, Дарья Алексеевна? Да неужто же мне его загубить было?

(Она показала на князя.) Где ему жениться, ему самому еще няньку надо; вон генерал и будет у него в няньках, — ишь за ним увивается! Смотри, князь, твоя невеста деньги взяла, потому что она распутная, а ты ее брать хотел! Да что ты плачешь-то? Горько, что ли? А ты смейся, по-моему, — продолжала Настасья Филипповна, у которой у самой засверкали две крупные слезы на щеках. — Времени верь — всё пройдет! Лучше теперь одуматься, чем потом... Да что вы всё плачете — вот и Катя плачет! Чего ты, Катя, милая? Я вам с Пашей много оставляю, уже распорядилась, а теперь прощайте! Я тебя, честную девушку, за собой, за распутной, ухаживать заставляла... Этак-то лучше, князь, право лучше, потом презирать меня стал бы, и не было бы нам счастья! Не клянись, не верю! Да и как глупо-то было бы!.. Нет, лучше простимся по-доброму, а то ведь я и сама мечтательница, проку бы не было! Разве я сама о тебе не мечтала? Это ты прав, давно мечтала, еще в деревне у него, пять лет прожила одна-одинехонька; думаешь-думаешь, бывало-то, мечтаешь-мечтаешь, — и вот всё такого, как ты, воображала, доброго, честного, хорошего, и такого же глупенького, что вдруг придет, да и скажет: «Вы не виноваты, Настасья Филипповна, а я вас обожаю!» Да так, бывало, размечтаешься, что с ума сойдешь... А тут приедет вот этот: месяца по два гостил в году, опозорит, разобидит, распалит, развратит, уедет, — так тысячу раз в пруд хотела кинуться, да подла была, души не хватало, ну, а теперь... Рогожин, готов?

— Готово! Не подходи!

— Готово! — раздалось несколько голосов.

— Тройки ждут, с колокольчиками!

Настасья Филипповна схватила в руки пачку.

— Ганька, ко мне мысль пришла: я тебя вознаградить хочу, потому за что же тебе все-то терять? Рогожин, доползет он на Васильевский за три целковых?

— Доползет!

— Ну, так слушай же, Ганя, я хочу на твою душу в последний раз посмотреть; ты меня сам целые три месяца мучил; теперь мой черед. Видишь ты эту пачку, в ней сто тысяч! Вот я ее сейчас брошу в камин, в огонь, вот при всех, все свидетели! Как только огонь обхватит ее всю, — полезай в камин, но только без перчаток, с голыми руками, и рукава отверни, и тащи пачку из огня! Вытащишь — твоя, все сто тысяч твои! Капельку только пальчики обожжешь, — да ведь сто тысяч, подумай! Долго ли выхватить! А я на душу твою полюбуюсь, как ты за моими деньгами в огонь полезешь! Все свидетели, что пачка будет твоя! А не полезешь, так и сгорит; никого не пущу. Прочь! Все прочь! Мои деньги! Я их за ночь у Рогожина взяла. Мои ли деньги, Рогожин?

— Твои, радость! Твои, королева!

— Ну, так все прочь, что хочу, то и делаю! Не мешать! Фердыщенко, поправьте огонь!

— Настасья Филипповна, руки не подымаются! — отвечал ошеломленный Фердыщенко.

— Э-эх! — крикнула Настасья Филипповна, схватила каминные щипцы, разгребла два тлевшие полена и, чуть только вспыхнул огонь, бросила на него пачку.

Крик раздался кругом; многие даже перекрестились.

— С ума сошла, с ума сошла! — кричали кругом.

— Не... не... связать ли нам ее? — шепнул генерал Птицыну, — или не послать ли... С ума ведь сошла, ведь сошла? Сошла?

— Н-нет, это, может быть, не совсем сумасшествие, — прошептал бледный как платок и дрожащий Птицын, не в силах отвести глаз своих от затлевшейся пачки.

— Сумасшедшая? Ведь сумасшедшая? — приставал генерал к Тоцкому.

— Я вам говорил, что *колоритная* женщина, — пробормотал тоже отчасти побледневший Афанасий Иванович.

— Но ведь, однако ж, сто тысяч!..

— Господи, Господи! — раздавалось кругом. Все затеснились вокруг камина, все лезли смотреть, все восклицали... Иные даже вскочили на стулья, чтобы смотреть через головы. Дарья Алексеевна выскочила в другую комнату и в страхе шепталась о чем-то с Катей и с Пашей. Красавица немка убежала.

— Матушка! Королевна! Всемогущая! — вопил Лебедев, ползая на коленках перед Настасьей Филипповной и простирая руки к камину. — Сто тысяч! Сто тысяч! Сам видел, при мне упаковывали! Матушка! Милостивая! Повели мне в камин: весь влезу, всю голову свою седую в огонь вложу!.. Больная жена без ног, тринадцать человек детей — всё сироты, отца схоронил на прошлой неделе, голодный сидит, Настасья Филипповна!! — и, провопив, он пополз было в камин.

— Прочь! — закричала Настасья Филипповна, отталкивая его. — Расступись все! Ганя, чего же ты стоишь? Не стыдись! Полезай! Твое счастье!

Но Ганя уже слишком много вынес в этот день и в этот вечер и к этому последнему неожиданному испытанию был не приготовлен. Толпа расступилась пред ними на две половины, и он остался глаз на глаз с Настасьей Филипповной, в трех шагах от нее расстояния. Она стояла у самого камина и ждала, не спуская с него огненного, пристального взгляда. Ганя, во фраке, со шляпой в руке и с перчатками, стоял пред нею молча и безответно, скрестив руки и смотря на огонь. Безумная улыбка бродила на его бледном как платок лице. Правда, он не мог отвести глаз от огня, от затлевшейся пачки; но, казалось, что-то новое взошло ему в душу; как будто он поклялся выдержать пытку; он не двигался с места; через несколько мгновений всем стало ясно, что он не пойдет за пачкой, не хочет идти.

— Эй, сгорят, тебя же застыдят, — кричала ему Настасья Филипповна, — ведь после повесишься, я не шучу!

Огонь, вспыхнувший вначале между двумя дотлевавшими головнями, сперва было потух, когда упала на него и придавила его пачка. Но маленькое синее пламя еще цеплялось снизу за один угол нижней головешки. Наконец тонкий, длинный язычок огня лизнул и пачку, огонь прицепился и побежал вверх по бумаге по углам, и вдруг вся пачка вспыхнула в камине, и яркое пламя рванулось вверх. Все ахнули.

— Матушка! — всё еще вопил Лебедев, опять порываясь вперед, но Рогожин оттащил и оттолкнул его снова.

Сам Рогожин весь обратился в один неподвижный взгляд. Он оторваться не мог от Настасьи Филипповны, он упивался, он был на седьмом небе.

— Вот это так королева! — повторял он поминутно, обращаясь кругом к кому ни попало. — Вот это так по-нашему! — вскрикивал он, не помня себя. — Ну, кто из вас, мазурики, такую штуку сделает, а?

Князь наблюдал грустно и молча.

— Я зубами выхвачу за одну только тысячу! — предложил было Фердыщенко.

— Зубами-то и я бы сумел! — проскрежетал кулачный господин сзади всех в припадке решительного отчаяния. — Ч-черрт возьми! Горит, всё сгорит! — вскричал он, увидев пламя.

— Горит, горит! — кричали все в один голос, почти все тоже порываясь к камину.

— Ганя, не ломайся, в последний раз говорю!

— Полезай! — заревел Фердыщенко, бросаясь к Гане в решительном исступлении и дергая его за рукав, — полезай, фанфаронишка! Сгорит! О, пр-р-роклятый!

Ганя с силой оттолкнул Фердыщенка, повернулся и пошел к дверям; но, не сделав и двух шагов, зашатался и грохнулся об пол.

— Обморок! — закричали кругом.

— Матушка, сгорят! — вопил Лебедев.

— Даром сгорят! — ревели со всех сторон.

— Катя, Паша, воды ему, спирту! — крикнула Настасья Филипповна, схватила каминные щипцы и выхватила пачку.

Вся почти наружная бумага обгорела и тлела, но тотчас же было видно, что внутренность была не тронута. Пачка была обернута в тройной газетный лист, и деньги были целы. Все вздохнули свободнее.

— Разве только тысчоночка какая-нибудь поиспортилась, а остальные все целы, — с умилением выговорил Лебедев.

— Все его! Вся пачка его! Слышите, господа! — провозгласила Настасья Филипповна, кладя пачку возле Гани. — А не пошел-таки, выдержал! Значит, самолюбия еще больше, чем жажды денег. Ничего, очнется! А то бы зарезал, пожалуй... Вон уж и приходит в себя. Генерал, Иван Петрович, Дарья Алексеевна, Катя, Паша, Рогожин, слышали? Пачка его, Ганина. Я отдаю ему в полную собственность, в вознаграждение... ну, там, чего бы то ни было! Скажите ему. Пусть тут подле него и лежит... Рогожин, марш! Прощай, князь, в первый раз человека видела! Прощайте, Афанасий Иванович, merci!

Вся рогожинская ватага с шумом, с громом, с криками пронеслась по комнатам к выходу, вслед за Рогожиным и Настасьей Филипповной. В зале девушки подали ей шубу; кухарка Марфа прибежала из кухни. Настасья Филипповна всех их перецеловала.

— Да неужто, матушка, вы нас совсем покидаете? Да куда же вы пойдете? И еще в день рождения, в такой день! — спрашивали расплакавшиеся девушки, целуя у ней руки.

— На улицу пойду, Катя, ты слышала, там мне и место, а не то в прачки! Довольно с Афанасием Ивановичем! Кланяйтесь ему от меня, а меня не поминайте лихом...

Князь стремглав бросился к подъезду, где все рассаживались на четырех тройках с колокольчиками. Генерал успел догнать его еще на лестнице.

— Помилуй, князь, опомнись! — говорил он, хватая его за руку, — брось! Видишь, какая она! Как отец говорю...

Князь поглядел на него, но, не сказав ни слова, вырвался и побежал вниз.

У подъезда, от которого только что откатили тройки, генерал разглядел, что князь схватил первого извозчика и крикнул ему в Екатерингоф, вслед за тройками. Затем подкатил генеральский серенький рысачок и увлек генерала домой, с новыми надеждами и расчетами и с давешним жемчугом, который генерал все-таки не забыл взять с собою. Между расчетами мелькнул ему раза два и соблазнительный образ Настасьи Филипповны; генерал вздохнул:

— Жаль! Искренно жаль! Погибшая женщина! Женщина сумасшедшая!.. Ну-с, а князю теперь не Настасью Филипповну надо...

В этом же роде несколько нравоучительных и напутственных слов произнесено было и другими двумя собеседниками из гостей Настасьи Филипповны, рассудившими пройти несколько пешком.

— Знаете, Афанасий Иванович, это, как говорят, у японцев в этом роде бывает, — говорил Иван Петрович Птицын, — обиженный там будто бы идет к обидчику и говорит ему: «Ты меня обидел, за это я пришел распороть в твоих глазах свой живот», и с этими словами действительно распарывает в глазах обидчика свой живот и чувствует, должно быть, чрезвычайное удовлетворение, точно и в самом деле отмстил. Странные бывают на свете характеры, Афанасий Иванович!

— А вы думаете, что и тут в этом роде было, — ответил с улыбкой Афанасий Иванович, — гм! Вы, однако ж, остроумно... и прекрасное сравнение привели. Но вы видели, однако же, сами, милейший Иван Петрович, что я сделал всё, что мог; не могу же я сверх возможного, согласитесь сами? Но согласитесь, однако ж, и с тем, что в этой женщине присутствовали капитальные достоинства... блестящие черты. Я давеча ей крикнуть даже хотел, если бы мог только себе это позволить при этом Содоме, что она сама есть самое лучшее мое оправдание на все ее обвинения. Ну, кто не пленился бы иногда этою женщиной до забвения рассудка и... всего? Смотрите, этот мужик, Рогожин, сто тысяч ей приволок! Положим, это всё, что случилось там теперь, — эфемерно, романтично, неприлично, но зато колоритно, зато оригинально, согласитесь сами. Боже, что бы могло быть из такого характера и при такой красоте! Но, несмотря на все усилия, на образование даже, — всё погибло! Нешлифованный алмаз — я несколько раз говорил это...

И Афанасий Иванович глубоко вздохнул.

ЧАСТЬ ВТОРАЯ

I

Два дня после странного приключения на вечере у Настасьи Филипповны, которым мы закончили первую часть нашего рассказа, князь Мышкин поспешил выехать в Москву по делу о получении своего неожиданного наследства. Говорили тогда, что могли быть и другие причины такой поспешности его отъезда; но об этом, равно как и о приключениях князя в Москве и вообще в продолжение его отлучки из Петербурга, мы можем сообщить довольно мало сведений. Князь пробыл в отлучке ровно шесть месяцев, и даже те, кто имел некоторые причины интересоваться его судьбой, слишком мало могли узнать о нем за всё это время. Доходили, правда, к иным, хотя и очень редко, кой-какие слухи, но тоже большею частью странные и всегда почти один другому противоречившие. Более всех интересовались князем, конечно, в доме Епанчиных, с которыми он, уезжая, даже не успел и проститься. Генерал, впрочем, виделся с ним тогда, и даже раза два-три; они о чем-то серьезно толковали. Но если сам Епанчин и виделся, то семейству своему об этом не возвестил. Да и вообще в первое время, то есть чуть ли не целый месяц по отъезде князя, в доме Епанчиных о нем говорить было не принято. Одна только генеральша, Лизавета Прокофьевна, высказалась в самом начале, «что она в князе жестоко ошиблась». Потом дня через два или три прибавила, но уже не называя князя, а неопределенно, что «главнейшая черта в ее жизни была беспрерывная ошибка в людях». И, наконец, уже дней десять спустя, заключила в виде сентенции, чем-то раздражившись на дочерей, что: «Довольно ошибок! Больше их уже не будет». Нельзя не заметить при этом, что в их доме довольно долго существовало какое-то неприятное настроение. Было что-то тяжелое, натянутое, недоговоренное, ссорное; все хмурились. Генерал день и ночь был занят, хлопотал о делах; редко видели его более занятым и деятельным, — особенно по службе. Домашние едва успевали взглянуть на него. Что же касается до девиц Епанчиных, то вслух, конечно, ими ничего не было высказано. Может быть, даже и наедине между собой сказано было слишком мало. Это были девицы гордые, высокомерные и даже между собой иногда стыдливые, а впрочем, понимавшие друг друга не только с первого слова, но с первого даже взгляда, так что и говорить много иной раз было бы незачем.

Одно только можно бы было заключить постороннему наблюдателю, если бы таковой тут случился: что, судя по всем вышесказанным, хотя и немногим данным, князь все-таки успел оставить в доме Епанчиных особенное впечатление, хоть и являлся в нем всего один раз, да и то мельком. Может быть, это было впечатление простого любопытства, объясняемого некоторыми эксцентрическими приключениями князя. Как бы то ни было, а впечатление осталось.

Мало-помалу и распространившиеся было по городу слухи успели покрыться мраком неизвестности. Рассказывалось, правда, о каком-то князьке и дурачке (никто не мог назвать верно имени), получившем вдруг огромнейшее наследство и женившемся на одной заезжей француженке, известной канканерке в Шато-де-Флёр в Париже. Но другие говорили, что наследство получил какой-то генерал, а женился на заезжей француженке и известной канканерке русский купчик и несметный богач, и на свадьбе своей, из одной похвальбы, пьяный, сжег на свечке ровно на семьсот тысяч билетов последнего лотерейного займа. Но все эти слухи очень скоро затихли, чему много способствовали обстоятельства. Вся, например, компания Рогожина, из которой многие могли бы кое-что рассказать, отправилась всей громадой, с ним самим во главе, в Москву, почти ровно чрез неделю после ужасной оргии в Екатерингофском воксале, где присутствовала и Настасья Филипповна. Кой-кому, очень немногим интересующимся, стало известно по каким-то слухам, что Настасья Филипповна на другой же день после Екатерингофа бежала, исчезла и что будто бы выследили, наконец, что она отправилась в Москву; так что и в отъезде Рогожина в Москву стали находить некоторое совпадение с этим слухом.

Пошли было тоже слухи собственно насчет Гаврилы Ардалионовича Иволгина, который был довольно тоже известен в своем кругу. Но и с ним приключилось одно обстоятельство, вскоре быстро охладившее, а впоследствии и совсем уничтожившее все недобрые рассказы на его счет: он сделался очень болен и не мог являться не только нигде в обществе, но даже и на службу. Проболев с месяц, он выздоровел, но от службы в акционерном обществе почему-то совсем отказался, и место его занял другой. В доме генерала Епанчина он тоже не появлялся ни разу, так что и к генералу стал ходить другой чиновник. Враги Гаврилы Ардалионовича могли бы предположить, что он до того уже сконфужен от всего с ним случившегося, что стыдится и на улицу выйти; но он и в самом деле что-то хворал: впал даже в ипохондрию, задумывался, раздражался. Варвара Ардалионовна в ту же зиму вышла замуж за Птицына; все их знавшие прямо приписали этот брак тому обстоятельству, что Ганя не хотел возвратиться к своим занятиям и не только перестал содержать семейство, но даже сам начал нуждаться в помощи и почти что в уходе за ним.

Заметим в скобках, что и о Гавриле Ардалионовиче в доме Епанчиных никогда даже и не упоминалось, — как будто и на свете такого человека не было, не только в их доме. А между тем там про него все узнали (и даже весьма скоро) одно очень замечательное обстоятельство, а именно: в ту самую роковую для него ночь, после неприятного приключения у Настасьи Филипповны, Ганя, воротясь домой, спать не лег, а стал ожидать возвращения князя с лихорадочным нетерпением. Князь, поехавший в Екатерингоф, возвратился оттуда в шестом часу утра. Тогда Ганя вошел в его комнату и положил перед ним на стол обгорелую пачку денег, подаренных ему Настасьей Филипповной, когда он лежал в обмороке. Он настойчиво просил князя при первой возможности возвратить этот подарок обратно Настасье Филипповне. Когда Ганя входил к князю, то был в настроении враждебном и почти отчаянном; но между ним и князем было сказано будто бы несколько каких-то слов, после чего Ганя просидел у князя два часа и всё время рыдал прегорько. Расстались оба в отношениях дружеских.

Это известие, дошедшее до всех Епанчиных, было, как подтвердилось впоследствии, совершенно точно. Конечно, странно, что такого рода известия могли так скоро доходить и узнаваться; всё происшедшее, например, у Настасьи Филипповны стало известно в доме Епанчиных чуть не на другой же день и даже в довольно точных подробностях. По поводу же известий о Гавриле Ардалионовиче можно было бы предположить, что они занесены были к Епанчиным Варварой Ардалионовной, как-то вдруг появившеюся у девиц Епанчиных и даже ставшею у них очень скоро на очень короткую ногу, что чрезвычайно удивляло Лизавету Прокофьевну. Но Варвара Ардалионовна хоть и нашла почему-то нужным так близко сойтись с Епанчиными, но о брате своем с ними говорить наверно не стала бы. Это была тоже довольно гордая женщина, в своем только роде, несмотря на то, что завела дружбу там, откуда ее брата почти выгнали. Прежде того она хоть и была знакома с девицами Епанчиными, но виделись они редко. В гостиной, впрочем, она и теперь почти не показывалась и заходила, точно забегала, с заднего крыльца. Лизавета Прокофьевна никогда не жаловала ее, ни прежде, ни теперь, хоть и очень уважала Нину Александровну, маменьку Варвары Ардалионовны. Она удивлялась, сердилась, приписывала знакомство с Варей капризам и властолюбию своих дочерей, которые «уж и придумать не знают, что ей сделать напротив», а Варвара Ардалионовна все-таки продолжала ходить к ним до и после своего замужества.

Но прошло с месяц по отъезде князя, и генеральша Епанчина получила от старухи княгини Белоконской, уехавшей недели две пред тем в Москву к своей старшей замужней дочери, письмо, и письмо это произвело на нее видимое действие. Она хоть и ничего не сообщила из него ни дочерям, ни Ивану Федоровичу, но по многим признакам стало заметно в семье, что она как-то особенно возбуждена, даже взволнована. Стала как-то особенно странно заговаривать с дочерьми и всё о таких необыкновенных предметах; ей видимо хотелось высказаться, но она почему-то сдерживалась. В день получения письма она всех приласкала, даже поцеловала Аглаю и Аделаиду, в чем-то собственно пред ними покаялась, но в чем именно, они не могли разобрать. Даже к Ивану Федоровичу, которого целый месяц продержала в опале, стала вдруг снисходительна. Разумеется, на другой же день она ужасно рассердилась на свою вчерашнюю чувствительность и еще до обеда успела со всеми перессориться, но к вечеру опять горизонт прояснился. Вообще целую неделю она продолжала находиться в довольно ясном настроении духа, чего давно уже не было.

Но еще чрез неделю от Белоконской получено было еще письмо, и в этот раз генеральша уже решилась высказаться. Она торжественно объявила, что «старуха Белоконская» (она иначе никогда не называла княгиню, говоря о ней заочно) сообщает ей весьма утешительные сведения об этом... «чудаке, ну вот, о князе-то!». Старуха его в Москве разыскала, справлялась о нем, узнала что-то очень хорошее; князь наконец явился к ней сам и произвел на нее впечатление почти чрезвычайное. «Видно из того, что она его каждый день пригласила ходить к ней по утрам, от часу до двух, и тот каждый день к ней таскается и до сих пор не надоел», — заключила генеральша, прибавив к тому, что чрез «старуху» князь в двух-трех домах хороших стал принят. «Это хорошо, что сиднем не сидит и не стыдится, как дурак». Девицы, которым всё это было сообщено, тотчас заметили, что маменька что-то очень много из письма своего от них скрыла. Может быть, они узнали это чрез Варвару Ардалионовну, которая могла знать и, конечно, знала всё, что знал Птицын о князе и о пребывании его в Москве. А Птицыну могло быть известно даже больше, чем всем. Но человек он был чрезмерно молчаливый в деловом отношении, хотя Варе, разумеется, и сообщал. Генеральша тотчас же и еще более не полюбила за это Варвару Ардалионовну.

Но как бы то ни было, а лед был разбит, и о князе вдруг стало возможным говорить вслух. Кроме того, еще раз ясно обнаружилось то необыкновенное впечатление и тот уже не в меру большой интерес, который возбудил и оставил по себе князь в доме Епанчиных. Генеральша даже подивилась впечатлению, произведенному на ее дочек известиями из Москвы. А дочки тоже подивились на свою мамашу, так торжественно объявившую им, что «главнейшая черта ее жизни — беспрерывная ошибка в людях», и в то же самое время поручавшую князя вниманию «могущественной» старухи Белоконской в Москве, причем, конечно, пришлось выпрашивать ее внимания Христом да Богом, потому что «старуха» была в известных случаях туга на подъем.

Но как только лед был разбит и повеяло новым ветром, поспешил высказаться и генерал. Оказалось, что и тот необыкновенно интересовался. Сообщил он, впрочем, об одной только «деловой стороне предмета». Оказалось, что он, в интересах князя, поручил наблюдать за ним, и особенно за руководителем его Салазкиным, двум каким-то очень благонадежным и влиятельным в своем роде в Москве господам. Всё, что говорилось о наследстве, «так сказать о факте наследства», оказалось верным, но что самое наследство в конце концов оказывается вовсе не так значительным, как о нем сначала распространили. Состояние наполовину запутано; оказались долги, оказались какие-то претенденты, да и князь, несмотря на все руководства, вел себя самым неделовым образом. «Конечно, дай ему Бог»; теперь, когда «лед молчания» разбит, генерал рад заявить об этом «от всей искренности» души, потому «малый хоть немного и *того*», но все-таки стоит того. А между тем все-таки тут наглупил: явились, например, кредиторы покойного купца, по документам спорным, ничтожным, а иные, пронюхав о князе, так и вовсе без документов, — и что же? Князь почти всех удовлетворил, несмотря на представления друзей о том, что все эти людишки и кредиторишки совершенно без прав; и потому только удовлетворил, что действительно оказалось, что некоторые из них в самом деле пострадали.

Генеральша на это отозвалась, что в этом роде ей и Белоконская пишет и что «это глупо, очень глупо; дурака не вылечишь», — резко прибавила она, но по лицу ее видно было, как она рада была поступкам этого «дурака». В заключение всего генерал заметил, что супруга его принимает в князе участие точно как будто в родном своем сыне и что Аглаю она что-то ужасно стала ласкать; видя это, Иван Федорович принял на некоторое время весьма деловую осанку.

Но всё это приятное настроение опять-таки существовало недолго. Прошло всего две недели, и что-то вдруг опять изменилось, генеральша нахмурилась, а генерал, пожав несколько раз плечами, подчинился опять «льду молчания». Дело в том, что всего две недели назад он получил под рукой одно известие, хоть и короткое и потому не совсем ясное, но зато верное, о том, что Настасья Филипповна, сначала пропавшая в Москве, разысканная потом в Москве же Рогожиным, потом опять куда-то пропавшая и опять им разысканная, дала наконец ему почти верное слово выйти за него замуж. И вот всего только две недели спустя вдруг получено было его превосходительством сведение, что Настасья Филипповна бежала в третий раз, почти что из-под венца, и на этот раз пропала где-то в губернии, а между тем исчез из Москвы и князь Мышкин, оставив все свои дела на попечение Салазкина, «с нею ли, или просто бросился за ней — неизвестно, но что-то тут есть», — заключил генерал. Лизавета Прокофьевна тоже и с своей стороны получила какие-то неприятные сведения. В конце концов два месяца после выезда князя почти всякий слух о нем в Петербурге затих окончательно, а в доме Епанчиных «лед молчания» уже и не разбивался. Варвара Ардалионовна, впрочем, все-таки навещала девиц.

Чтобы закончить о всех этих слухах и известиях, прибавим и то, что у Епанчиных произошло к весне очень много переворотов, так что трудно было не забыть о князе, который и сам не давал, а может быть, и не хотел подать о себе вести. В продолжение зимы мало-помалу наконец решили отправиться на лето за границу, то есть Лизавета Прокофьевна с дочерьми; генералу, разумеется, нельзя было тратить время на «пустое развлечение». Решение состоялось по чрезвычайному и упорному настоянию девиц, совершенно убедившихся, что за границу их оттого не хотят везти, что у родителей беспрерывная забота выдать их замуж и искать им женихов. Может быть, и родители убедились наконец, что женихи могут встретиться и за границей и что поездка на одно лето не только ничего не может расстроить, но, пожалуй, еще даже «может способствовать». Здесь кстати упомянуть, что бывший в проекте брак Афанасия Ивановича Тоцкого и старшей Епанчиной совсем расстроился и формальное предложение его вовсе не состоялось! Случилось это как-то само собой, без больших разговоров и безо всякой семейной борьбы. Со времени отъезда князя всё вдруг затихло с обеих сторон. Вот и это обстоятельство вошло отчасти в число причин тогдашнего тяжелого настроения в семействе Епанчиных, хотя генеральша и высказала тогда же, что она теперь рада «обеими руками перекреститься». Генерал, хотя и был в опале и чувствовал, что сам виноват, но все-таки надолго надулся; жаль ему было Афанасия Ивановича: «такое состояние и ловкий такой человек!» Недолго спустя генерал узнал, что Афанасий Иванович пленился одною заезжею француженкой высшего общества, маркизой и легитимисткой, что брак состоится и что Афанасия Ивановича увезут в Париж, а потом куда-то в Бретань. «Ну, с француженкой пропадет», — решил генерал.

А Епанчины готовились к лету выехать. И вдруг произошло обстоятельство, которое опять всё переменило по-новому, и поездка опять была отложена к величайшей радости генерала и генеральши. В Петербург пожаловал из Москвы один князь, князь Щ., известный, впрочем, человек, и известный с весьма и весьма хорошей точки. Это был один из тех людей, или даже, можно сказать, деятелей последнего времени, честных, скромных, которые искренно и сознательно желают полезного, всегда работают и отличаются тем редким и счастливым качеством, что всегда находят работу. Не выставляясь напоказ, избегая ожесточения и празднословия партий, не считая себя в числе первых, князь понял, однако, многое из совершающегося в последнее время весьма основательно. Он прежде служил, потом стал принимать участие и в земской деятельности. Кроме того, был полезным корреспондентом нескольких русских ученых обществ. Сообща с одним знакомым техником он способствовал, собранными сведениями и изысканиями, более верному направлению одной из важнейших проектированных железных дорог. Ему было лет тридцать пять. Человек он был «самого высшего света» и, кроме того, с состоянием «хорошим, серьезным, неоспоримым», как отозвался генерал, имевший случай по одному довольно серьезному делу сойтись и познакомиться с князем у графа, своего начальника. Князь, из некоторого особенного любопытства, никогда не избегал знакомства с русскими «деловыми людьми». Случилось, что князь познакомился и с семейством генерала. Аделаида Ивановна, средняя из трех сестер, произвела на него довольно сильное впечатление. К весне князь объяснился. Аделаиде он очень понравился, понравился и Лизавете Прокофьевне. Генерал был очень рад. Само собою разумеется, поездка была отложена. Свадьба назначалась весной.

Поездка, впрочем, могла бы и к средине и к концу лета состояться, хотя бы только в виде прогулки на месяц или на два Лизаветы Прокофьевны с двумя оставшимися при ней дочерьми, чтобы рассеять грусть по оставившей их Аделаиде. Но произошло опять нечто новое: уже в конце весны (свадьба Аделаиды несколько замедлилась и была отложена до средины лета) князь Щ. ввел в дом Епанчиных одного из своих дальних родственников, довольно хорошо, впрочем, ему знакомого. Это был некто Евгений Павлович Р., человек еще молодой, лет двадцати восьми, флигель-адъютант, писаный красавец собой, «знатного рода», человек остроумный, блестящий, «новый», «чрезмерного образования» и — какого-то уж слишком неслыханного богатства. Насчет этого последнего пункта генерал был всегда осторожен. Он сделал справки: «действительно, что-то такое оказывается — хотя, впрочем, надо еще проверить». Этот молодой и с «будущностью» флигель-адъютант был сильно возвышен отзывом старухи Белоконской из Москвы. Одна только слава за ним была несколько щекотливая: несколько связей и, как уверяли, «побед» над какими-то несчастными сердцами. Увидев Аглаю, он стал необыкновенно усидчив в доме Епанчиных. Правда, ничего еще не было сказано, даже намеков никаких не было сделано; но родителям все-таки казалось, что нечего этим летом думать о заграничной поездке. Сама Аглая, может быть, была и другого мнения.

Происходило это уже почти пред самым вторичным появлением нашего героя на сцену нашего рассказа. К этому времени, судя на взгляд, бедного князя Мышкина уже совершенно успели в Петербурге забыть. Если б он теперь вдруг явился между знавшими его, то как бы с неба упал. А между тем мы все-таки сообщим еще один факт и тем самым закончим наше введение.

Коля Иволгин, по отъезде князя, сначала продолжал свою прежнюю жизнь, то есть ходил в гимназию, к приятелю своему Ипполиту, смотрел за генералом и помогал Варе по хозяйству, то есть был у ней на побегушках. Но жильцы быстро исчезли: Фердыщенко съехал куда-то три дня спустя после приключения у Настасьи Филипповны и довольно скоро пропал, так что о нем и всякий слух затих; говорили, что где-то пьет, но не утвердительно. Князь уехал в Москву; с жильцами было покончено. Впоследствии, когда Варя уже вышла замуж, Нина Александровна и Ганя переехали вместе с ней к Птицыну, в Измайловский полк; что же касается до генерала Иволгина, то с ним почти в то же самое время случилось одно совсем непредвиденное обстоятельство: его посадили в долговое отделение. Препровожден он был туда приятельницей своей, капитаншей, по выданным ей в разное время документам, ценой тысячи на две. Всё это произошло для него совершенным сюрпризом, и бедный генерал был «решительно жертвой своей неумеренной веры в благородство сердца человеческого, говоря вообще». Взяв успокоительную привычку подписывать заемные письма и векселя, он и возможности не предполагал их воздействия, хотя бы когда-нибудь, всё думал, что это *так*. Оказалось не так. «Доверяйся после этого людям, выказывай благородную доверчивость!» —

восклицал он в горести, сидя с новыми приятелями в доме Тарасова за бутылкой вина и рассказывая им анекдоты про осаду Карса и про воскресшего солдата. Зажил он, впрочем, отлично. Птицын и Варя говорили, что это его настоящее место и есть; Ганя вполне подтвердил это. Одна только бедная Нина Александровна горько плакала втихомолку (что даже удивляло домашних) и, вечно хворая, таскалась, как только могла чаще, к мужу на свидания в Измайловский полк.

Но со времени «случая с генералом», как выражался Коля, и вообще с самого замужества сестры Коля почти совсем у них отбился от рук и до того дошел, что в последнее время даже редко являлся и ночевать в семью. По слухам, он завел множество новых знакомств; кроме того, стал слишком известен и в долговом отделении. Нина Александровна там без него и обойтись не могла; дома же его даже и любопытством теперь не беспокоили. Варя, так строго обращавшаяся с ним прежде, не подвергала его теперь ни малейшему допросу об его странствиях; а Ганя, к большому удивлению домашних, говорил и даже сходился с ним иногда совершенно дружески, несмотря на всю свою ипохондрию, чего никогда не бывало прежде, так как двадцатисемилетний Ганя естественно не обращал на своего пятнадцатилетнего брата ни малейшего дружелюбного внимания, обращался с ним грубо, требовал к нему от всех домашних одной только строгости и постоянно грозился «добраться до его ушей», что и выводило Колю «из последних границ человеческого терпения». Можно было подумать, что теперь Коля иногда даже становился необходимым Гане. Его очень поразило, что Ганя возвратил тогда назад деньги; за это он многое был готов простить ему.

Прошло месяца три по отъезде князя, и в семействе Иволгиных услыхали, что Коля вдруг познакомился с Епанчиными и очень хорошо принят девицами. Варя скоро узнала об этом; Коля, впрочем, познакомился не чрез Варю, а «сам от себя». Мало-помалу его у Епанчиных полюбили. Генеральша была им сперва очень недовольна, но вскоре стала его ласкать «за откровенность и за то, что не льстит». Что Коля не льстил, то это было вполне справедливо; он сумел стать у них совершенно на равную и независимую ногу, хоть и читал иногда генеральше книги и газеты, — но он и всегда бывал услужлив. Раза два он жестоко, впрочем, поссорился с Лизаветой Прокофьевной, объявил ей, что она деспотка и что нога его не будет в ее доме. В первый раз спор вышел из-за «женского вопроса», а второй раз из-за вопроса, в которое время года лучше ловить чижиков. Как ни невероятно, но генеральша на третий день после ссоры прислала ему с лакеем записку, прося непременно пожаловать; Коля не ломался и тотчас же явился. Одна Аглая была постоянно почему-то не расположена к нему и обращалась с ним свысока. Ее-то и суждено было отчасти удивить ему. Один раз, — это было на Святой, — улучив минуту наедине, Коля подал Аглае письмо, сказав только, что велено передать ей одной. Аглая грозно оглядела «самонадеянного мальчишку», но Коля не стал издать и вышел. Она развернула записку и прочла:

«Когда-то вы меня почтили вашею доверенностью. Может быть, вы меня совсем теперь позабыли. Как это так случилось, что я к вам пишу? Я не знаю; но у меня явилось неудержимое желание напомнить вам о себе, и именно вам. Сколько раз вы все три бывали мне очень нужны, но из всех трех я видел одну только вас. Вы мне нужны, очень нужны. Мне нечего писать вам о себе, нечего рассказывать. Я и не хотел того; мне ужасно бы желалось, чтобы вы были счастливы. Счастливы ли вы? Вот это только я и хотел вам сказать.

Ваш брат кн. Л. Мышкин».

Прочтя эту коротенькую и довольно бестолковую записку, Аглая вся вдруг вспыхнула и задумалась. Нам трудно бы было передать течение ее мыслей. Между прочим, она спросила себя: «Показывать ли кому-нибудь?» Ей как-то было стыдно. Кончила, впрочем, тем, что с насмешливою и странною улыбкой кинула письмо в свой столик. Назавтра опять вынула и заложила в одну толстую, переплетенную в крепкий корешок книгу (она и всегда так делала с своими бумагами, чтобы поскорее найти, когда понадобится). И уж только чрез неделю случилось ей разглядеть, какая была это книга. Это был «Дон-Кихот Ламанчский». Аглая ужасно расхохоталась — неизвестно чему.

Неизвестно тоже, показала ли она свое приобретение которой-нибудь из сестер.

Но когда она еще читала письмо, ей вдруг пришло в голову: неужели же этот самонадеянный мальчишка и фанфаронишка выбран князем в корреспонденты и, пожалуй, чего доброго, единственный его здешний корреспондент? Хоть и с видом необыкновенного пренебрежения, но все-таки она взяла Колю к допросу. Но всегда обидчивый «мальчишка» не обратил на этот раз ни малейшего внимания на пренебрежение: весьма коротко и довольно сухо объяснил он Аглае, что хотя он и сообщил князю на всякий случай свой постоянный адрес пред самым выездом князя из Петербурга и при этом предложил свои услуги, но что это первая комиссия, которую он получил от него, и первая его записка к нему, а в доказательство слов своих представил и письмо, полученное собственно им самим. Аглая не посовестилась и прочла. В письме к Коле было:

«Милый Коля, будьте так добры, передайте при сем прилагаемую и запечатанную записку Аглае Ивановне. Будьте здоровы.

Любящий вас кн. Л. Мышкин».

— Все-таки смешно доверяться такому пузырю, — обидчиво произнесла Аглая, отдавая Коле записку, и презрительно прошла мимо него.

Этого уже Коля не мог вынести: он же как нарочно для этого случая выпросил у Гани, не объясняя ему причины, надеть его совершенно еще новый зеленый шарф. Он жестоко обиделся.

II

Был июнь в первых числах, и погода стояла в Петербурге уже целую неделю на редкость хорошая. У Епанчиных была богатая собственная дача в Павловске. Лизавета Прокофьевна вдруг взволновалась и поднялась; и двух дней не просуетились, переехали.

На другой или на третий день после переезда Епанчиных с утренним поездом из Москвы прибыл и князь Лев Николаевич Мышкин. Его никто не встретил в воксале; но при выходе из вагона князю вдруг померещился странный, горячий взгляд чьих-то двух глаз в толпе, осадившей прибывших с поездом. Поглядев внимательнее, он уже ничего более не различил. Конечно, только померещилось; но впечатление осталось неприятное. К тому же князь и без того был грустен и задумчив и чем-то казался озабоченным.

Извозчик довез его до одной гостиницы, недалеко от Литейной. Гостиница была плохонькая. Князь занял две небольшие комнаты, темные и плохо меблированные, умылся, оделся, ничего не спросил и торопливо вышел, как бы боясь потерять время или не застать кого-то дома.

Если бы кто теперь взглянул на него из прежде знавших его полгода назад в Петербурге, в его первый приезд, то, пожалуй бы, и заключил, что он наружностью переменился гораздо к лучшему. Но вряд ли это было так. В одной одежде была полная перемена: всё платье было другое, сшитое в Москве и хорошим портным; но и в платье был недостаток: слишком уж сшито было по моде (как и всегда шьют добросовестные, но не очень талантливые портные) и, сверх того, на человека, нисколько этим не интересующегося, так что, при внимательном взгляде на князя, слишком большой охотник посмеяться, может быть, и нашел бы, чему улыбнуться. Но мало ли отчего бывает смешно?

Князь взял извозчика и отправился на Пески. В одной из Рождественских улиц он скоро отыскал один небольшой деревянный домик. К удивлению его, этот домик оказался красивым на вид, чистеньким, содержащимся в большом порядке, с палисадником, в котором росли цветы. Окна на улицу были отворены, и из них слышался резкий, непрерывный говор, почти крик, точно кто-нибудь читал вслух или даже говорил речь; голос прерывался изредка смехом нескольких звонких голосов. Князь вошел во двор, поднялся на крылечко и спросил господина Лебедева.

— Да вот они, — отвечала отворившая дверь кухарка с засученными по локоть рукавами, ткнув пальцем в «гостиную».

В этой гостиной, обитой темно-голубого цвета бумагой и убранной чистенько и с некоторыми претензиями, то есть с круглым столом и диваном, с бронзовыми часами под колпаком, с узеньким в простенке зеркалом и с стариннейшею небольшою люстрой со стеклышками, спускавшеюся на бронзовой цепочке с потолка, посреди комнаты стоял сам господин Лебедев, спиной к входившему князю, в жилете, но без верхнего платья, по-летнему, и, бия себя в грудь, горько ораторствовал на какую-то тему. Слушателями были: мальчик лет пятнадцати, с довольно веселым и неглупым лицом и с книгой в руках, молодая девушка лет двадцати, вся в трауре и с грудным ребенком на руках, тринадцатилетняя девочка, тоже в трауре, очень смеявшаяся и ужасно разевавшая при этом рот, и, наконец, один чрезвычайно странный слушатель, лежавший на диване малый лет двадцати, довольно красивый, черноватый, с длинными густыми волосами, с черными большими глазами, с маленькими поползновениями на бакенбарды и бородку. Этот слушатель, казалось, часто прерывал и оспаривал ораторствовавшего Лебедева; тому-то, вероятно, и смеялась остальная публика.

— Лукьян Тимофеич, а Лукьян Тимофеич! Вишь ведь! Да глянь сюда!.. Ну, да пусто бы вам совсем!

И кухарка ушла, махнув руками и рассердившись так, что даже вся покраснела.

Лебедев оглянулся и, увидев князя, стоял некоторое время как бы пораженный громом, потом бросился к нему с подобострастною улыбкой, но на дороге опять как бы замер, проговорив, впрочем:

— Си-си-сиятельнейший князь!

Но вдруг, всё еще как бы не в силах добыть контенансу, оборотился и, ни с того ни с сего, набросился сначала на девушку в трауре, державшую на руках ребенка, так что та даже несколько отшатнулась от неожиданности, но, тотчас же оставив ее, накинулся на тринадцатилетнюю девочку, торчавшую на пороге в следующую комнату и продолжавшую улыбаться остатками еще недавнего смеха. Та не выдержала крика и тотчас же дала стречка в кухню; Лебедев даже затопал ей вслед ногами, для пущей острастки, но, встретив взгляд князя, глядевшего с замешательством, произнес в объяснение:

— Для... почтительности, хе-хе-хе!

— Вы всё это напрасно... — начал было князь.

— Сейчас, сейчас, сейчас... как вихрь!

И Лебедев быстро исчез из комнаты. Князь посмотрел в удивлении на девушку, на мальчика и на лежавшего на диване; все они смеялись. Засмеялся и князь.

— Пошел фрак надеть, — сказал мальчик.

— Как это всё досадно, — начал было князь, — а я было думал... скажите, он...

— Пьян, вы думаете? — крикнул голос с дивана. — Ни в одном глазу! Так разве, рюмки три-четыре, ну пять каких-нибудь есть, да это уж что ж — дисциплина.

Князь обратился было к голосу с дивана, но заговорила девушка и с самым откровенным видом на своем миловидном лице сказала:

— Он поутру никогда много не пьет; если вы к нему за каким-нибудь делом, то теперь и говорите. Самое время. Разве к вечеру когда воротится, так хмелен; да и то теперь больше на ночь плачет и нам вслух из Священного Писания читает, потому что у нас матушка пять недель как умерла.

— Это он потому убежал, что ему, верно, трудно стало вам отвечать, — засмеялся молодой человек с дивана. — Об заклад побьюсь, что он уже вас надувает и именно теперь обдумывает.

— Всего пять недель! Всего пять недель! — подхватил Лебедев, возвращаясь уже во фраке, мигая глазами и таща из кармана платок для утирки слез. — Сироты!

— Да вы что все в дырьях-то вышли? — сказала девушка. — Ведь тут за дверью у вас лежит новешенький сюртук, не видели, что ли?

— Молчи, стрекоза! — крикнул на нее Лебедев. — У, ты! — затопал было он на нее ногами. Но в этот раз она только рассмеялась.

— Вы чего пугаете-то, я ведь не Таня, не побегу. А вот Любочку так, пожалуй, разбудите, да еще родимчик привяжется... что кричите-то!

— Ни-ни-ни! Типун, типун... — ужасно испугался вдруг Лебедев и, бросаясь к спавшему на руках дочери ребенку, несколько раз с испуганным видом перекрестил его. — Господи, сохрани, Господи, предохрани! Это собственный мой грудной ребенок, дочь Любовь, — обратился он к князю, — и рождена в законнейшем браке от новопреставленной Елены, жены моей, умершей в родах. А эта пигалица есть дочь моя, Вера, в трауре... А этот, этот, о, этот...

— Что осекся? — крикнул молодой человек. — Да ты продолжай, не конфузься.

— Ваше сиятельство! — с каким-то порывом воскликнул вдруг Лебедев, — про убийство семейства Жемариных в газетах изволили проследить?

— Прочел, — сказал князь с некоторым удивлением.

— Ну, так вот это подлинный убийца семейства Жемариных, он самый и есть!

— Что вы это? — сказал князь.

— То есть, аллегорически говоря, будущий второй убийца будущего второго семейства Жемариных, если таковое окажется. К тому и готовится...

Все засмеялись. Князю пришло на ум, что Лебедев и действительно, может быть, жмется и кривляется потому только, что, предчувствуя его вопросы, не знает, как на них ответить, и выгадывает время.

— Бунтует! Заговоры составляет! — кричал Лебедев, как бы уже не в силах сдержать себя. — Ну, могу ли я, ну, вправе ли я такого злоязычника, такую, можно сказать, блудницу и изверга за родного племянника моего, за единственного сына сестры моей Анисьи, покойницы, считать?

— Да перестань, пьяный ты человек! Верите ли, князь, теперь он вздумал адвокатством заниматься, по судебным искам ходить; в красноречие пустился и всё высоким слогом с детьми дома говорит. Пред мировыми судьями пять дней тому назад говорил. И кого же взялся защищать: не старуху, которая его умоляла, просила и которую подлец ростовщик ограбил, пятьсот рублей у ней, всё ее достояние, себе присвоил, а этого же самого ростовщика, Зайдлера какого-то, жида, за то, что пятьдесят рублей обещал ему дать...

— Пятьдесят рублей, если выиграю, и только пять, если проиграю, — объяснил вдруг Лебедев совсем другим голосом, чем говорил доселе, а так, как будто он никогда не кричал.

— Ну и сбрендил, конечно, не старые ведь порядки-то, только там насмеялись над ним. Но он собой ужасно доволен остался; вспомните, говорит, нелицеприятные господа судьи, что печальный старец, без ног, живущий честным трудом, лишается последнего куска хлеба; вспомните мудрые слова законодателя: «Да царствует милость в судах». И верите ли: каждое утро он нам здесь эту же речь пересказывает, точь-в-точь как там ее говорил; пятый раз сегодня; вот перед самым вашим приходом читал, до того понравилось. Сам на себя облизывается. И еще кого-то защищать собирается. Вы, кажется, князь Мышкин? Коля мне про вас говорил, что умнее вас и на свете еще до сих пор не встречал...

— И нет! И нет! И умнее на свете нет! — тотчас же подхватил Лебедев.

— Ну, этот, положим, соврал. Один вас любит, а другой у вас заискивает; а я вам вовсе льстить не намерен, было бы вам это известно. Не без смысла же вы: вот рассудите-ка меня с ним. Ну, хочешь, вот князь нас рассудит? — обратился он к дяде. — Я даже рад, князь, что вы подвернулись.

— Хочу! — решительно крикнул Лебедев и невольно оглянулся на публику, которая начала опять надвигаться.

— Да что у вас тут такое? — проговорил князь, поморщившись.

У него действительно болела голова, к тому же он убеждался всё больше и больше, что Лебедев его надувает и рад, что отодвигается дело.

— Изложение дела. Я его племянник, это он не солгал, хоть и всё лжет. Я курса не кончил, но кончить хочу и на своем настою, потому что у меня есть характер. А покамест, чтобы существовать, место одно беру в двадцать пять рублей на железной дороге. Сознаюсь, кроме того, что он мне раза два-три уже помог. У меня было двадцать рублей, и я их проиграл. Ну, верите ли, князь, я был так подл, так низок, что я их проиграл!

— Мерзавцу, мерзавцу, которому не следовало и платить! — крикнул Лебедев.

— Да, мерзавцу, но которому следовало заплатить, — продолжал молодой человек. — А что он мерзавец, так это и я засвидетельствую, и не по тому одному, что он тебя прибил. Это, князь, один забракованный офицер, отставной поручик из прежней рогожинской компании, и бокс преподает. Все они теперь скитаются, как их разогнал Рогожин. Но что хуже всего, так это то, что я знал про него, что он мерзавец, негодяй и воришка, и все-таки сел с ним играть, и что, доигрывая последний рубль (мы в палки играли), я про себя думал: проиграю, к дяде Лукьяну пойду, поклонюсь — не откажет. Это уж низость, вот это так уж низость! Это уж подлость сознательная!

— Вот это так уж подлость сознательная! — повторил Лебедев.

— Ну, не торжествуй, подожди еще, — обидчиво крикнул племянник, — он и рад. Я явился к нему, князь, сюда и признался во всем; я поступил благородно, я себя не пощадил; я обругал себя пред ним, как только мог, здесь все свидетели. Чтобы занять это место на железной дороге, мне непременно нужно хоть как-нибудь экипироваться, потому что я весь в лохмотьях. Вот посмотрите на сапоги! Иначе на место явиться невозможно, а не явись я к назначенному сроку, место займет другой, тогда я опять на экваторе и когда-то еще другое место сыщу. Теперь я прошу у него всего только пятнадцать рублей и обещаюсь, что никогда уже больше не буду просить и, сверх того, в течение первых трех месяцев выплачу ему весь долг до последней копейки. Я слово сдержу. Я умею на хлебе с квасом целые месяцы просидеть, потому что у меня есть характер. За три месяца я получу семьдесят пять рублей. С прежними я должен ему буду всего тридцать пять рублей, стало быть, мне будет чем заплатить. Ну, пусть проценты назначит какие угодно, черт возьми! Не знает он, что ли, меня? Спросите его, князь: прежде, когда он мне помогал, платил я или нет? Отчего же теперь не хочет? Разозлился на то, что я этому поручику заплатил; иной нет причины! Вот каков этот человек — ни себе, ни другим!

— И не уходит! — вскричал Лебедев, — лег здесь и не уходит.

— Я так и сказал тебе. Не выйду, пока не дашь. Вы что-то улыбаетесь, князь? Кажется, неправым меня находите?

— Я не улыбаюсь, но, по-моему, вы действительно несколько неправы, — неохотно отозвался князь.

— Да уж говорите прямо, что совсем неправ, не виляйте: что за «несколько»!

— Если хотите, то и совсем неправы.

— Если хочу! Смешно! Да неужели вы думаете, что я и сам не знаю, что так щекотливо поступать, что деньги его, воля его, а с моей стороны выходит насилие. Но вы, князь... жизни не знаете. Их не учи, так толку не будет. Их надо учить. Ведь совесть у меня чиста; по совести, я убытку ему не принесу, я с процентами возвращу. Нравственное он тоже удовлетворение получил: он видел мое унижение. Чего же ему более? На что же он будет годиться, пользы-то не принося? Помилуйте, что он сам-то делает? Спросите-ка, что он с другими творит и как людей надувает? Чем он дом этот нажил? Да я голову на отсечение дам, если он вас уже не надул и уже не обдумал, как бы вас еще дальше надуть! Вы улыбаетесь, не верите?

— Мне кажется, это всё не совсем подходит к вашему делу, — заметил князь.

— Я вот уже третий день здесь лежу, и чего нагляделся! — кричал молодой человек, не слушая. — Представьте себе, что он вот этого ангела, вот эту девушку, теперь сироту, мою двоюродную сестру, свою дочь, подозревает, у ней каждую ночь милых друзей ищет! Ко мне сюда потихоньку приходит, под диваном у меня тоже разыскивает. С ума спятил от мнительности; во всяком углу воров видит. Всю ночь поминутно вскакивает, то окна смотрит, хорошо ли заперты, то двери пробует, в печку заглядывает, да этак в ночь-то раз по семи. За мошенников в суде стоит, а сам ночью раза по три молиться встает, вот здесь, в зале, на коленях, лбом и стучит по получасу, и за кого-кого не молится, чего-чего не причитает, спьяна-то? За упокой души графини Дюбарри молился, я слышал своими ушами; Коля тоже слышал: совсем с ума спятил!

— Видите, слышите, как он меня срамит, князь! — покраснев и действительно выходя из себя, вскричал Лебедев. — А того не знает, что, может быть, я, пьяница и потаскун, грабитель и лиходей, за одно только и стою, что вот этого зубоскала, еще младенца, в свивальники обертывал, да в корыте мыл, да у нищей, овдовевшей сестры Анисьи я, такой же нищий, по ночам просиживал, напролет не спал, за обоими ими больными ходил, у дворника внизу дрова воровал, ему песни пел, в пальцы прищелкивал, с голодным-то брюхом, вот и вынянчил, вон он смеется теперь надо мной! Да и какое тебе дело, если б я и впрямь за упокой графини Дюбарри когда-нибудь однажды лоб перекрестил? Я, князь, четвертого дня, первый раз в жизни, ее жизнеописание в лексиконе прочел. Да знаешь ли ты, что такое была она, Дюбарри? Говори, знаешь иль нет?

— Ну вот, ты один только и знаешь? — насмешливо, но нехотя пробормотал молодой человек.

— Это была такая графиня, которая, из позору выйдя, вместо королевы заправляла и которой одна великая императрица, в собственноручном письме своем, «ma cousine» написала. Кардинал, нунций папский, ей, на леве-дю-руа (знаешь, что такое было леве-дю-руа?), чулочки шелковые на обнаженные ее ножки сам вызвался надеть, да еще за честь почитая, — этакое-то высокое и святейшее лицо! Знаешь ты это? По лицу вижу, что не знаешь! Ну, как она померла? Отвечай, коли знаешь!

— Убирайся! Пристал.

— Умерла она так, что после этакой-то чести, этакую бывшую властелинку, потащил на гильотину палач Самсон, заневинно, на потеху пуасардок парижских, а она и не понимает, что с ней происходит, от страху. Видит, что он ее за шею под нож нагибает и пинками подталкивает, — те-то смеются, — и стала кричать: «Encore un moment, monsieur le bourreau, encore un moment!» Что и означает: «Минуточку одну еще повремените, господин буро, всего одну!» И вот за эту-то минуточку ей, может, Господь и простит, ибо дальше этакого мизера с человеческою душой вообразить невозможно. Ты знаешь ли, что значит слово «мизер»? Ну, так вот он самый мизер и есть. От этого графининого крика, об одной минуточке, я как прочитал, у меня точно сердце захватило щипцами. И что тебе в том, червяк, что я, ложась на ночь спать, на молитве вздумал ее, грешницу великую, помянуть. Да потому, может, и помянул, что за нее, с тех пор как земля стоит, наверно никто никогда и лба не перекрестил, да и не подумал о том. Ан ей и приятно станет на том свете почувствовать, что нашелся такой же грешник, как и она, который и за нее хоть один раз на земле помолился. Ты чего смеешься-то? Не веришь, атеист. А ты почем знаешь? Да и то соврал, если уж подслушал меня: я не просто за одну графиню Дюбарри молился; я причитал так: «Упокой Господи душу великой грешницы графини Дюбарри и всех ей подобных», а уж это совсем другое; ибо много таковых грешниц великих и образцов перемены фортуны, и вытерпевших, которые там теперь мятутся, и стонут, и ждут; да я и за тебя, и за таких же, как ты, тебе подобных, нахалов и обидчиков, тогда же молился, если уж взялся подслушивать, как я молюсь...

— Ну, довольно, полно, молись за кого хочешь, черт с тобой, раскричался! — досадливо перебил племянник. — Ведь он у нас преначитанный, вы, князь, не знали? — прибавил он с какою-то неловкою усмешкой. — Всё теперь разные вот этакие книжки да мемуары читает.

— Ваш дядя все-таки... не бессердечный же человек, — нехотя заметил князь. Ему этот молодой человек становился весьма противен.

— Да вы его у нас, пожалуй, этак захвалите! Видите, уж он и руку к сердцу, и рот в ижицу, тотчас разлакомился. Не бессердечный-то пожалуй, да плут, вот беда; да к тому же еще и пьян, весь развинтился, как и всякий несколько лет пьяный человек, оттого у него всё и скрипит. Детей-то он любит, положим, тетку-покойницу уважал... Меня даже любит, и ведь в завещании, ей-богу, мне часть оставил...

— Н-ничего не оставлю! — с ожесточением вскричал Лебедев.

— Послушайте, Лебедев, — твердо сказал князь, отворачиваясь от молодого человека, — я ведь знаю по опыту, что вы человек деловой, когда захотите... У меня теперь времени очень мало, и если вы... Извините, как вас по имени-отчеству, я забыл?

— Ти-Ти-Тимофей.

— И?

— Лукьянович.

Все бывшие в комнате опять рассмеялись.

— Соврал! — крикнул племянник, — и тут соврал! Его, князь, зовут вовсе не Тимофей Лукьянович, а Лукьян Тимофеевич! Ну, зачем, скажи, ты соврал? Ну, не всё ли равно тебе, что Лукьян, что Тимофей и что князю до этого? Ведь из повадки одной только и врет, уверяю вас!

— Неужели правда? — в нетерпении спросил князь.

— Лукьян Тимофеевич, действительно, — согласился и законфузился Лебедев, покорно опуская глаза и опять кладя руку на сердце.

— Да зачем же вы это, ах, боже мой!

— Из самоумаления, — прошептал Лебедев, всё более и покорнее поникая своею головой.

— Эх, какое тут самоумаление! Если б я только знал, где теперь Колю найти! — сказал князь и повернулся было уходить.

— Я вам скажу, где Коля, — вызвался опять молодой человек.

— Ни-ни-ни! — вскинулся и засуетился впопыхах Лебедев.

— Коля здесь ночевал, но наутро пошел своего генерала разыскивать, которого вы из «отделения», князь, бог знает для чего, выкупили. Генерал еще вчера обещал сюда же ночевать пожаловать, да не пожаловал. Вероятнее всего, в гостинице «Весы», тут очень недалеко, заночевал. Коля, стало быть, там или в Павловске, у Епанчиных. У него деньги были, он еще вчера хотел ехать. Итак, стало быть, в «Весах» или в Павловске.

— В Павловске, в Павловске!.. А мы сюда, сюда, в садик и... кофейку...

И Лебедев потащил князя за руку. Они вышли из комнаты, прошли дворик и вошли в калитку. Тут действительно был очень маленький и очень миленький садик, в котором благодаря хорошей погоде уже распустились все деревья. Лебедев посадил князя на зеленую деревянную скамейку, за зеленый, вделанный в землю стол, и сам поместился напротив него. Чрез минуту действительно явился и кофей. Князь не отказался. Лебедев подобострастно и жадно продолжал засматривать ему в глаза.

— Я и не знал, что у вас такое хозяйство, — сказал князь с видом человека, думающего совсем о другом.

— Си-сироты, — начал было, покоробившись, Лебедев, но приостановился: князь рассеянно смотрел пред собой и уж, конечно, забыл свой вопрос. Прошло еще с минуту; Лебедев высматривал и ожидал.

— Ну что же? — сказал князь, как бы очнувшись. — Ах, да! Ведь вы знаете сами, Лебедев, в чем наше дело: я приехал по вашему же письму. Говорите.

Лебедев смутился, хотел что-то сказать, но только заикнулся: ничего не выговорилось. Князь подождал и грустно улыбнулся.

— Кажется, я очень хорошо вас понимаю, Лукьян Тимофеевич: вы меня, наверно, не ждали. Вы думали, что я из моей глуши не подымусь по вашему первому уведомлению, и написали для очистки совести. А я вот и приехал. Ну, полноте, не обманывайте. Полноте служить двум господам. Рогожин здесь уже три недели, я всё знаю. Успели вы ее продать ему, как в тогдашний раз, или нет? Скажите правду.

— Изверг сам узнал, сам.

— Не браните его; он, конечно, с вами поступил дурно...

— Избил, избил! — подхватил с ужаснейшим жаром Лебедев, — и собакой в Москве травил, по всей улице, борзою сукой. Ужастенная сука.

— Вы меня за маленького принимаете, Лебедев. Скажите, серьезно она оставила его теперь-то, в Москве-то?

— Серьезно, серьезно, опять из-под самого венца. Тот уже минуты считал, а она сюда в Петербург и прямо ко мне: «Спаси, сохрани, Лукьян, и князю не говори...» Она, князь, вас еще более его боится, и здесь — премудрость!

И Лебедев лукаво приложил палец ко лбу.

— А теперь вы их опять свели?

— Сиятельнейший князь, как мог... как мог я не допустить?

— Ну, довольно, я сам всё узнаю. Скажите только, где теперь она? У него?

— О нет! Ни-ни! Еще сама по себе. Я, говорит, свободна, и знаете, князь, сильно стоит на том, я, говорит, еще совершенно свободна! Всё еще на Петербургской, в доме моей свояченицы проживает, как и писал я вам.

— И теперь там?

— Там, если не в Павловске, по хорошей погоде, у Дарьи Алексеевны на даче. Я, говорит, совершенно свободна; еще вчера Николаю Ардалионовичу про свою свободу много хвалилась. Признак дурной-с!

И Лебедев осклабился.

— Коля часто у ней?

— Легкомыслен, и непостижим, и не секретен.

— Там давно были?

— Каждый день, каждый день.

— Вчера, стало быть?

— Н-нет; четвертого дня-с.

— Как жаль, что вы немного выпили, Лебедев! А то бы я вас спросил.

— Ни-ни-ни, ни в одном глазу!

Лебедев так и наставился.

— Скажите мне, как вы ее оставили?

— И-искательна...

— Искательна?

— Как бы всё ищет чего-то, как бы потеряла что-то. О предстоящем же браке даже мысль омерзела и за обидное принимает. О *нем* же самом как об апельсинной корке помышляет, не более, то есть и более, со страхом и ужасом, даже говорить запрещает, а видятся разве только что по необходимости... и он это слишком чувствует! А не миновать-с!.. Беспокойна, насмешлива, двуязычна, вскидчива...

— Двуязычна и вскидчива?

— Вскидчива; ибо вмале не вцепилась мне прошлый раз в волосы за один разговор. Апокалипсисом стал отчитывать.

— Как так? — переспросил князь, думая, что ослышался.

— Чтением Апокалипсиса. Дама с воображением беспокойным, хе-хе! И к тому же вывел наблюдение, что к темам серьезным, хотя бы и посторонним, слишком наклонна. Любит, любит и даже за особое уважение к себе принимает. Да-с. Я же в толковании Апокалипсиса силен и толкую пятнадцатый год. Согласилась со мной, что мы при третьем коне, вороном, и при всаднике, имеющем меру в руке своей, так как всё в нынешний век на мере и на договоре, и все люди своего только права и ищут: «мера пшеницы за динарий и три меры ячменя за динарий»... да еще дух свободный, и сердце чистое, и тело здравое, и все дары Божии при этом хотят сохранить. Но на едином праве не сохранят, и за сим последует конь бледный и тот, коему имя Смерть, а за ним уже ад... Об этом, сходясь, и толкуем, и — сильно подействовало.

— Вы сами так веруете? — спросил князь, странным взглядом оглянув Лебедева.

— Верую и толкую. Ибо нищ и наг, и атом в коловращении людей. И кто почтит Лебедева? Всяк изощряется над ним и всяк вмале не пинком сопровождает его. Тут же, в толковании сем, я равен вельможе. Ибо ум! И вельможа затрепетал у меня... на кресле своем, осязая умом. Его высокопревосходительство, Нил Алексеевич, третьего года, перед Святой, прослышали, — когда я еще служил у них в департаменте, — и нарочно потребовали меня из дежурной к себе в кабинет чрез Петра Захарыча и вопросили наедине: «Правда ли, что ты профессор антихриста?» И не потаил: «Аз есмь, говорю», и изложил, и представил, и страха не смягчил, но еще мысленно, развернув аллегорический свиток, усилил и цифры подвел. И усмехались, но на цифрах и на подобиях стали дрожать, и книгу просили закрыть, и уйти, и награждение мне к Святой назначили, а на Фоминой Богу душу отдали.

— Что вы, Лебедев?

— Как есть. Из коляски упали после обеда... височком о тумбочку, и как ребеночек, как ребеночек, тут же и отошли. Семьдесят три года по формуляру значилось; красненький, седенький, весь духами опрысканный, и все, бывало, улыбались, все улыбались, словно ребеночек. Вспомнили тогда Петр Захарыч: «Это ты предрек, говорит».

Князь стал вставать. Лебедев удивился и даже был озадачен, что князь уже встает.

— Равнодушны уж очень стали-с, хе-хе! — подобострастно осмелился он заметить.

— Право, я чувствую себя не так здоровым, у меня голова тяжела, от дороги, что ль, — отвечал князь, нахмурясь.

— На дачку бы вам-с, — робко подвел Лебедев.

Князь стоял задумавшись.

— Я вот и сам, дня три переждав, со всеми домочадцами на дачу, чтоб и новорожденного птенца сохранить, и здесь в домишке тем временем всё поисправить. И тоже в Павловск.

— И вы тоже в Павловск? — спросил вдруг князь. — Да что это, здесь все, что ли, в Павловск? И у вас, вы говорите, там своя дача есть?

— В Павловск не все-с. А мне Иван Петрович Птицын уступил одну из дач, дешево ему доставшихся. И хорошо, и возвышенно, и зелено, и дешево, и бонтонно, и музыкально, и вот потому и все в Павловск. Я, впрочем, во флигелечке, а собственно дачку...

— Отдали?

— Н-н-нет. Не... не совсем-с.

— Отдайте мне, — вдруг предложил князь.

Кажется, к тому только и подводил Лебедев. У него эта идея три минуты назад в голове мелькнула. А между тем в жильце он уже не нуждался; дачный наемщик уже был у него и сам известил, что дачу, может быть, и займет. Лебедев же знал утвердительно, что не «может быть», а наверно займет. Но теперь у него вдруг мелькнула одна, по его расчету, очень плодотворная мысль, передать дачу князю, пользуясь тем, что прежний наемщик выразился неопределительно. «Целое столкновение и целый новый оборот дела» представился вдруг воображению его. Предложение князя он принял чуть не с восторгом, так что на прямой вопрос его о цене даже замахал руками.

— Ну, как хотите; я справлюсь; своего не потеряете.

Оба они уже выходили из сада.

— А я бы вам... я бы вам... если бы захотели, я бы вам кое-что весьма интересное, высокочтимый князь, мог бы сообщить, к тому же предмету относящееся, — проборматал Лебедев, на радости увиваясь сбоку около князя.

Князь приостановился.

— У Дарьи Алексеевны тоже в Павловске дачка-с.

— Ну?

— А известная особа с ней приятельница и, по-видимому, часто намерена посещать ее в Павловске. С целью.

— Ну?

— Аглая Ивановна...

— Ах, довольно, Лебедев! — с каким-то неприятным ощущением перебил князь, точно дотронулись до его больного места. — Всё это... не так. Скажите лучше, когда переезжаете? Мне чем скорее, тем лучше, потому что я в гостинице...

Разговаривая, они вышли из сада и, не заходя в комнаты, перешли дворик и подошли к калитке.

— Да чего лучше, — вздумал наконец Лебедев, — переезжайте ко мне прямо из гостиницы, сегодня же, а послезавтра мы все вместе и в Павловск.

— Я увижу, — сказал князь задумчиво и вышел за ворота.

Лебедев посмотрел ему вслед. Его поразила внезапная рассеянность князя. Выходя, он забыл даже сказать «прощайте», даже головой не кивнул, что несовместимо было с известною Лебедеву вежливостью и внимательностью князя.

III

Был уже двенадцатый час. Князь знал, что у Епанчиных в городе он может застать теперь одного только генерала, по службе, да и то навряд. Ему подумалось, что генерал, пожалуй, еще возьмет его и тотчас же отвезет в Павловск, а ему до того времени очень хотелось сделать один визит. На риск опоздать к Епанчиным и отложить свою поездку в Павловск до завтра, князь решился идти разыскивать дом, в который ему так хотелось зайти.

Визит этот был для него, впрочем, в некотором отношении рискованным. Он затруднялся и колебался. Он знал про дом, что он находится в Гороховой, неподалеку от Садовой, и положил идти туда в надежде, что, дойдя до места, он успеет наконец решиться окончательно.

Подходя к перекрестку Гороховой и Садовой, он сам удивился своему необыкновенному волнению; он и не ожидал, что у него с такою болью будет биться сердце. Один дом, вероятно по своей особенной физиономии, еще издали стал привлекать его внимание, и князь помнил потом, что сказал себе: «Это, наверно, тот самый дом». С необыкновенным любопытством подходил он проверить свою догадку; он чувствовал, что ему почему-то будет особенно неприятно, если он угадал. Дом этот был большой, мрачный, в три этажа, без всякой архитектуры, цвета грязно-зеленого. Некоторые, очень, впрочем, немногие дома в этом роде, выстроенные в конце прошлого столетия, уцелели именно в этих улицах Петербурга (в котором всё так скоро меняется) почти без перемены. Строены они прочно, с толстыми стенами и с чрезвычайно редкими окнами; в нижнем этаже окна иногда с решетками. Большею частью внизу меняльная лавка. Скопец, заседающий в лавке, нанимает вверху. И снаружи и внутри как-то негостеприимно и сухо, всё как будто скрывается и таится, а почему так кажется по одной физиономии дома — было бы трудно объяснить. Архитектурные очертания линий имеют, конечно, свою тайну. В этих домах проживают почти исключительно одни торговые. Подойдя к воротам и взглянув на надпись, князь прочел: «Дом потомственного почетного гражданина Рогожина».

Перестав колебаться, он отворил стеклянную дверь, которая шумно за ним захлопнулась, и стал всходить по парадной лестнице во второй этаж. Лестница была темная, каменная, грубого устройства, а стены ее окрашены красною краской. Он знал, что Рогожин с матерью и братом занимает весь второй этаж этого скучного дома. Отворивший князю человек провел его без доклада и вел долго; проходили они и одну парадную залу, которой стены были «под мрамор», со штучным дубовым полом и с мебелью двадцатых годов, грубою и тяжеловесною, проходили и какие-то маленькие клетушки, делая крючки и зигзаги, поднимаясь на две, на три ступени и на столько же спускаясь вниз, и, наконец, постучались в одну дверь. Дверь отворил сам Парфен Семеныч; увидев князя, он до того побледнел и остолбенел на месте, что некоторое время похож был на каменного истукана, смотря своим неподвижным и испуганным взглядом и скривив рот в какую-то в высшей степени недоумевающую улыбку, — точно в посещении князя он находил что-то невозможное и почти чудесное. Князь хоть и ожидал чего-нибудь в этом роде, но даже удивился.

— Парфен, может, я некстати, я ведь и уйду, — проговорил он наконец в смущении.

— Кстати! Кстати! — опомнился наконец Парфен. — Милости просим, входи!

Они говорили друг другу *ты*. В Москве им случалось сходиться часто и подолгу, было даже несколько мгновений в их встречах, слишком памятно запечатлевшихся друг у друга в сердце. Теперь же они месяца три с лишком как не видались.

Бледность и как бы мелкая, беглая судорога всё еще не покидали лица Рогожина. Он хоть и позвал гостя, но необыкновенное смущение его продолжалось. Пока он подводил князя к креслам и усаживал его к столу, тот случайно обернулся к нему и остановился под впечатлением чрезвычайно странного и тяжелого его взгляда. Что-то как бы пронзило князя и вместе с тем как бы что-то ему припомнилось — недавнее, тяжелое, мрачное. Не садясь и остановившись неподвижно, он некоторое время смотрел Рогожину прямо в глаза; они еще как бы сильнее блеснули в первое мгновение. Наконец Рогожин усмехнулся, но несколько смутившись и как бы потерявшись.

— Что ты так смотришь пристально? — пробормотал он. — Садись!

Князь сел.

— Парфен, — сказал он, — скажи мне прямо, знал ты, что я приеду сегодня в Петербург, или нет?

— Что ты приедешь, я так и думал, и, видишь, не ошибся, — прибавил тот, язвительно усмехнувшись, — но почем я знал, что ты сегодня приедешь?

Некоторая резкая порывчатость и странная раздражительность вопроса, заключавшегося в ответе, еще более поразили князя.

— Да хоть бы и знал, что *сегодня*, из-за чего же так раздражаться? — тихо промолвил князь в смущении.

— Да ты к чему спрашиваешь-то?

— Давеча, выходя из вагона, я увидел пару совершенно таких же глаз, какими ты сейчас сзади поглядел на меня.

— Вона! Чьи же были глаза-то? — подозрительно пробормотал Рогожин. Князю показалось, что он вздрогнул.

— Не знаю; в толпе, мне даже кажется, что померещилось; мне начинает всё что-то мерещиться. Я, брат Парфен, чувствую себя почти вроде того, как бывало со мной лет пять назад, еще когда припадки приходили.

— Что ж, может, и померещилось; я не знаю... — бормотал Парфен.

Ласковая улыбка на лице его не шла к нему в эту минуту, точно в этой улыбке что-то сломалось и как будто Парфен никак не в силах был склеить ее, как ни пытался.

— Что ж, опять за границу, что ли? — спросил он и вдруг прибавил: — А помнишь, как мы в вагоне, по осени, из Пскова ехали, я сюда, а ты... в плаще-то, помнишь, штиблетишки-то?

И Рогожин вдруг засмеялся, в этот раз с какою-то откровенною злобой и точно обрадовавшись, что удалось хоть чем-нибудь ее выразить.

— Ты здесь совсем поселился? — спросил князь, оглядывая кабинет.

— Да, я у себя. Где же мне и быть-то?

— Давно мы не видались. Про тебя я такие вещи слышал, что как будто и не ты.

— Мало ли что ни наскажут, — сухо заметил Рогожин.

— Однако же ты всю компанию разогнал; сам вот в родительском доме сидишь, не проказишь. Что ж, хорошо. Дом-то твой или ваш общий?

— Дом матушкин. К ней сюда чрез коридор.

— А где брат твой живет?

— Брат Семен Семеныч во флигеле.

— Семейный он?

— Вдовый. Тебе для чего это надо?

Князь поглядел и не ответил; он вдруг задумался и, кажется, не слыхал вопроса. Рогожин не настаивал и выжидал. Помолчали.

— Я твой дом сейчас, подходя, за сто шагов угадал, — сказал князь.

— Почему так?

— Не знаю совсем. Твой дом имеет физиономию всего вашего семейства и всей вашей рогожинской жизни, а спроси, почему я этак заключил, — ничем объяснить не могу. Бред, конечно. Даже боюсь, что это меня так беспокоит. Прежде и не вздумал бы, что ты в таком доме живешь, а как увидал его, так сейчас и подумалось: «Да ведь такой точно у него и должен быть дом!»

— Вишь! — неопределенно усмехнулся Рогожин, не совсем понимая неясную мысль князя. — Этот дом еще дедушка строил, — заметил он. — В нем всё скопцы жили, Хлудяковы, да и теперь у нас нанимают.

— Мрак-то какой. Мрачно ты сидишь, — сказал князь, оглядывая кабинет.

Это была большая комната, высокая, темноватая, заставленная всякою мебелью — большею частию большими деловыми столами, бюро, шкафами, в которых хранились деловые книги и какие-то бумаги. Красный широкий сафьянный диван, очевидно, служил Рогожину постелью. Князь заметил на столе, за который усадил его Рогожин, две-три книги; одна из них, «История» Соловьева, была развернута и заложена отметкой. По стенам висело в тусклых золоченых рамах несколько масляных картин, темных, закоптелых и на которых очень трудно было что-нибудь разобрать. Один портрет во весь рост привлек на себя внимание князя: он изображал человека лет пятидесяти, в сюртуке покроя немецкого, но длиннополом, с двумя медалями на шее, с очень редкою и коротенькою седоватою бородкой, со сморщенным и желтым лицом, с подозрительным, скрытным и скорбным взглядом.

— Это уж не отец ли твой? — спросил князь.

— Он самый и есть, — отвечал с неприятною усмешкой Рогожин, точно готовясь к немедленной бесцеремонной какой-нибудь шутке насчет покойного своего родителя.

— Он был ведь не из старообрядцев?

— Нет, ходил в церковь, а это правда, говорил, что по старой вере правильнее. Скопцов тоже уважал очень. Это вот его кабинет и был. Ты почему спросил, по старой ли вере?

— Свадьбу-то здесь справлять будешь?

— З-здесь, — ответил Рогожин, чуть не вздрогнув от неожиданного вопроса.

— Скоро у вас?

— Сам знаешь, от меня ли зависит?

— Парфен, я тебе не враг и мешать тебе ни в чем не намерен. Это я теперь повторяю так же, как заявлял и прежде, один раз, в такую же почти минуту. Когда в Москве твоя свадьба шла, я тебе не мешал, ты знаешь. В первый раз *она* сама ко мне бросилась, чуть не из-под венца, прося «спасти» ее от тебя. Я ее собственные слова тебе повторяю. Потом и от меня убежала, ты опять ее разыскал и к венцу повел, и вот, говорят, она опять от тебя убежала сюда. Правда ли это? Мне так Лебедев дал знать, я потому и приехал. А о том, что у вас опять здесь сладилось, я только вчера в вагоне в первый раз узнал от одного из твоих прежних приятелей, от Залёжева, если хочешь знать. Ехал же я сюда, имея намерение: я хотел *ее* наконец уговорить за границу поехать, для поправления здоровья; она очень расстроена и телом и душой, головой особенно, и, по-моему, в большом уходе нуждается. Сам я за границу ее сопровождать не хотел, а имел в виду всё это без себя устроить. Говорю тебе истинную правду. Если совершенная правда, что у вас опять это дело сладилось, то я и на глаза ей не покажусь, да и к тебе больше никогда не приду. Ты сам знаешь, что я тебя не обманываю, потому что всегда был откровенен с тобой. Своих мыслей об этом я от тебя никогда не скрывал и всегда говорил, что за тобою *ей* непременная гибель. Тебе тоже погибель... может быть, еще пуще, чем ей. Если бы вы опять разошлись, то я был бы очень доволен; но расстраивать и разлаживать вас сам я не намерен. Будь же спокоен и не подозревай меня. Да и сам ты знаешь, был ли я когда-нибудь твоим *настоящим* соперником, даже и тогда, когда она ко мне убежала. Вот ты теперь засмеялся; я знаю, чему ты усмехнулся. Да, мы жили там розно и в разных городах, и ты всё это знаешь *наверно*. Я ведь тебе уж и прежде растолковал, что я *ее* «не любовью люблю, а жалостью». Я думаю, что я это точно определяю. Ты говорил тогда, что эти слова мои понял; правда ли? понял ли? Вон как ты ненавистно смотришь! Я тебя успокоить пришел, потому что и ты мне дорог. Я очень тебя люблю, Парфен. А теперь уйду и никогда не приду. Прощай.

Князь встал.

— Посиди со мной, — тихо сказал Парфен, не подымаясь с места и склонив голову на правую ладонь, — я тебя давно не видал.

Князь сел. Оба опять замолчали.

— Я, как тебя нет предо мною, то тотчас же к тебе злобу и чувствую, Лев Николаевич. В эти три месяца, что я тебя не видал, каждую минуту на тебя злобился, ей-богу. Так бы тебя взял и отравил чем-нибудь! Вот как. Теперь ты четверти часа со мной не сидишь, а уж вся злоба моя проходит, и ты мне опять по-прежнему люб. Посиди со мной...

— Когда я с тобой, то ты мне веришь, а когда меня нет, то сейчас перестаешь верить и опять подозреваешь! В батюшку ты! — дружески усмехнувшись и стараясь скрыть свое чувство, отвечал князь.

— Я твоему голосу верю, как с тобой сижу. Я ведь понимаю же, что нас с тобой нельзя равнять, меня да тебя...

— Зачем ты это прибавил? И вот опять раздражился, — сказал князь, дивясь на Рогожина.

— Да уж тут, брат, не нашего мнения спрашивают, — отвечал тот, — тут без нас положили. Мы вот и любим тоже порозну, во всем-то есть разница, — продолжал он тихо и помолчав. — Ты вот жалостью, говоришь, ее любишь. Никакой такой во мне нет к ней жалости. Да и ненавидит она меня пуще всего. Она мне теперь во сне снится каждую ночь: всё, что она с другим надо мной смеется. Так оно, брат, и есть. Со мной к венцу идет, а и думать-то обо мне позабыла, точно башмак меняет. Веришь ли, пять дней ее не видал, потому что ехать к ней не смею; спросит: «Зачем пожаловал?» Мало она меня срамила...

— Как срамила? Что ты?

— Точно не знает! Да ведь вот с тобою же от меня бежала «из-под венца», сам сейчас выговорил.

— Ведь ты же сам не веришь, что...

— Разве она с офицером, с Землюжниковым, в Москве меня не срамила? Наверно знаю, что срамила, и уж после того, как венцу сама назначила срок.

— Быть не может! — вскричал князь.

— Верно знаю, — с убеждением подтвердил Рогожин. — Что, не такая, что ли? Это, брат, нечего и говорить, что не такая. Один это только вздор. С тобой она будет не такая, и сама, пожалуй, этакому делу ужаснется, а со мной вот именно такая. Ведь уж так. Как на последнюю самую шваль на меня смотрит. С Келлером, вот с этим офицером, что боксом дрался, так наверно знаю, для одного смеху надо мной сочинила... Да ты не знаешь еще, что она надо мной в Москве выделывала! А денег-то, денег сколько я перевел...

— Да... как же ты теперь женишься!.. Как потом-то будешь? — с ужасом спросил князь.

Рогожин тяжело и страшно поглядел на князя и ничего не ответил.

— Я теперь уж пятый день у ней не был, — продолжал он, помолчав с минуту. — Всё боюсь, что выгонит. «Я, говорит, еще сама себе госпожа: захочу, так и совсем тебя прогоню, а сама за границу поеду» (это уж она мне говорила, что за границу-то поедет, — заметил он как бы в скобках и как-то особенно поглядев в глаза князю); иной раз, правда, только пужает, всё ей смешно на меня отчего-то. А в другой раз и в самом деле нахмурится, насупится, слова не выговорит; я вот этого-то и боюсь. Опомнясь подумал: стану приезжать не с пустыми руками, — так только ее насмешил, а потом и в злость даже вошла. Горничной Катьке такую мою одну шаль подарила, что хоть и в роскоши она прежде живала, а может, такой еще и не видывала. А о том, когда венчаться, и заикнуться нельзя. Какой тут жених, когда и просто приехать боится? Вот и сижу, а нетерпеж станет, так тайком да крадучись мимо дома ее по улице и хожу или за углом где прячусь. Опомнясь чуть не до свету близ ворот ее продежурил, — померещилось что-то мне тогда. А она, знать, подглядела в окошко: «Что же бы ты, говорит, со мной сделал, кабы обман увидал?» Я не вытерпел, да и говорю: «Сама знаешь».

— Что же знает?

— А почему и я-то знаю! — злобно засмеялся Рогожин. — В Москве я ее тогда ни с кем не мог изловить, хоть и долго ловил. Я ее тогда однажды взял, да и говорю: «Ты под венец со мной обещалась, в честную семью входишь, а знаешь, ты теперь кто такая? Ты, говорю, вот какая!»

— Ты ей сказал?

— Сказал.

— Ну?

— «Я тебя, говорит, теперь и в лакеи-то к себе, может, взять не захочу, не то что женой твоей быть». — «А я, говорю, так не выйду, один конец!» — «А я, говорит, сейчас Келлера позову, скажу ему, он тебя за ворота и вышвырнет». Я и кинулся на нее, да тут же до синяков и избил.

— Быть не может! — вскричал князь.

— Говорю: было, — тихо, но сверкая глазами, подтвердил Рогожин. — Полторы сутки ровно не спал, не ел, не пил, из комнаты ее не выходил, на коленки перед ней становился: «Умру, говорю, не выйду, пока не простишь, а прикажешь вывести — утоплюсь; потому — что я без тебя теперь буду?» Точно сумасшедшая она была весь тот день, то плакала, то убивать меня собиралась ножом, то ругалась надо мной. Залёжева, Келлера и Земтюжникова, и всех созвала, на меня им показывает, срамит. «Поедемте, господа, всей компанией сегодня в театр, пусть он здесь сидит, коли выйти не хочет, я для него не привязана. А вам здесь, Парфен Семеныч, чаю без меня подадут, вы, должно быть, проголодались сегодня». Воротилась из театра одна: «Они, говорит, трусишки и подлецы, тебя боятся да и меня пугают: говорят, он так не уйдет, пожалуй, зарежет. А я вот как в спальню пойду, так дверь и не запру за собой: вот как я тебя боюсь! Чтобы ты знал и видел это! Пил ты чай?» — «Нет, говорю, и не стану». — «Была бы честь предложена, а уж очень не идет к тебе это». И как сказала, так и сделала, комнату не заперла. Наутро вышла — смеется: «Ты с ума сошел, что ли? — говорит. — Ведь этак ты с голоду помрешь?» — «Прости, говорю». — «Не хочу прощать, не пойду за тебя, сказано. Неужто ты всю ночь на этом кресле сидел, не спал?» — «Нет, говорю, не спал». — «Как умен-то! А чай пить и обедать опять не будешь?» — «Сказал не буду — прости!» — «Уж как это к тебе не идет, говорит, если бы ты только знал, как к корове седло. Уж не пугать ли ты меня вздумал? Экая мне беда какая, что ты голодный просидишь; вот испугал-то!» Рассердилась, да ненадолго, опять шпынять меня принялась. И подивился я тут на нее, что это у ней совсем этой злобы нет? А ведь она зло помнит, долго на других зло помнит! Тогда вот мне в голову и пришло, что до того она меня низко почитает, что и зла-то на мне большого держать не может. И это правда. «Знаешь ты, говорит, что такое папа римский?» — «Слыхал, говорю». «Ты, говорит, Парфен Семеныч, истории всеобщей ничего не учился». — «Я ничему, говорю, не учился». — «Так вот я тебе, говорит, дам прочесть: был такой один папа, и на императора одного рассердился, и тот у него три дня, не пивши, не евши, босой, на коленках, пред его дворцом простоял, пока тот ему не простил; как ты думаешь, что тот император в эти три дня, на коленках-то стоя, про себя передумал и какие зароки давал?.. Да постой, говорит, я тебе сама про это прочту!» Вскочила, принесла книгу: «Это стихи, говорит», и стала мне в стихах читать о том, как этот император в эти три дня заклинался отомстить тому папе. «Неужели, говорит, это тебе не нравится, Парфен Семенович?» — «Это всё верно, говорю, что ты прочла». — «Ага, сам говоришь, что верно, значит, и ты, может, зароки даешь, что: "выйдет она за меня, тогда-то я ей всё и припомню, тогда-то и натешусь над ней!"» — «Не знаю, говорю, может, и думаю так». — «Как не знаешь?» — «Так, говорю, не знаю, не о том мне всё теперь думается». — «А о чем же тебе теперь думаешь?» — «А вот встанешь с места, пройдешь мимо, а я на тебя гляжу и за тобою слежу; прошумит твое платье, а у меня сердце падает, а выйдешь из комнаты, я о каждом твоем словечке вспоминаю, и каким голосом, и что сказала; а ночь всю эту ни о чем и не думал, всё слушал, как ты во сне дышала, да как раза два шевельнулась...» — «Да ты, — засмеялась она, — пожалуй, и о том, что меня избил, не думаешь и не помнишь?» — «Может, говорю, и думаю, не знаю». — «А коли не прощу и за тебя не пойду?» — «Сказал, что утоплюсь». — «Пожалуй, еще убьешь перед этим»... Сказала и задумалась. Потом осердилась и вышла. Через час выходит ко мне такая сумрачная. «Я, говорит, пойду за тебя, Парфен Семенович, и не потому, что боюсь тебя, а всё равно погибать-то. Где ведь и лучше-то? Садись, говорит, тебе сейчас обедать подадут. А коли выйду за тебя, прибавила, то я тебе верною буду женой, в этом не сомневайся и не беспокойся». Потом помолчала и говорит: «Все-таки ты не лакей; я прежде думала, что ты совершенный, как есть, лакей». Тут и свадьбу назначила, а через неделю к Лебедеву от меня и убежала сюда. Я как приехал, она и говорит: «Я от тебя не отрекаюсь совсем; я только подождать еще хочу, сколько мне будет угодно, потому я всё еще сама себе госпожа. Жди и ты, коли хочешь». Вот как у нас теперь... Как ты обо всем этом думаешь, Лев Николаевич?

— Сам как ты думаешь? — переспросил князь, грустно смотря на Рогожина.

— Да разве я думаю! — вырвалось у того. Он хотел было еще что-то прибавить, но промолчал в неисходной тоске.

Князь встал и хотел опять уходить.

— Я тебе все-таки мешать не буду, — тихо проговорил он, почти задумчиво, как бы отвечая какой-то своей внутренней, затаенной мысли.

— Знаешь, что я тебе скажу! — вдруг одушевился Рогожин, и глаза его засверкали. — Как это ты мне так уступаешь, не понимаю? Аль уж совсем ее разлюбил? Прежде ты все-таки был в тоске; я ведь видел. Так для чего же ты сломя-то голову сюда теперь прискакал? Из жалости? (И лицо его искривилось в злую насмешку.) Хе-хе!

— Ты думаешь, что я тебя обманываю? — спросил князь.

— Нет, я тебе верю, да только ничего тут не понимаю. Вернее всего то, что жалость твоя, пожалуй, еще пуще моей любви!

Что-то злобное и желавшее непременно сейчас же высказаться загорелось в лице его.

— Что же, твою любовь от злости не отличишь, — улыбнулся князь, — а пройдет она, так, может, еще пуще беда будет. Я, брат Парфен, уж это тебе говорю...

— Что зарежу-то?

Князь вздрогнул.

— Ненавидеть будешь очень ее за эту же теперешнюю любовь, за всю эту муку, которую теперь принимаешь. Для меня всего чуднее то, как она может опять идти за тебя? Как услышал вчера — сдва поверил, и так тяжело мне стало. Ведь уж два раза она от тебя отрекалась и из-под венца убегала, значит, есть же предчувствие!.. Что же ей в тебе-то теперь? Неужели твои деньги? Вздор это. Да и деньги-то небось сильно уж порастратил. Неужто, чтобы только мужа найти? Так ведь она могла бы и кроме тебя найти. Всякого, кроме тебя, лучше, потому что ты и впрямь, пожалуй, зарежешь, и она уж это слишком, может быть, теперь понимает. Что ты любишь-то ее так сильно? Правда, вот это разве... Я слыхивал, что есть такие, что именно этакой любви ищут... только...

Князь остановился и задумался.

— Что ты опять усмехнулся на отцов портрет? — спросил Рогожин, чрезвычайно пристально наблюдавший всякую перемену, всякую беглую черту в лице князя.

— Чего я усмехнулся? А мне на мысль пришло, что если бы не было с тобой этой напасти, не приключилась бы эта любовь, так ты, пожалуй, точь-в-точь как твой отец бы стал, да и в весьма скором времени. Засел бы молча один в этом доме с женой, послушною и бессловесною, с редким и строгим словом, ни одному человеку не веря, да и не нуждаясь в этом совсем, и только деньги молча и сумрачно наживая. Да много-много что старые бы книги когда похвалил да двуперстным сложением заинтересовался, да и то разве к старости...

— Насмехайся. И вот точь-в-точь она это же самое говорила недавно, когда тоже этот портрет разглядывала! Чудно, как вы во всем заодно теперь...

— Да разве она уж была у тебя? — с любопытством спросил князь.

— Была. На портрет долго глядела, про покойника расспрашивала. «Ты вот точно такой бы и был, — усмехнулась мне под конец, — у тебя, говорит, Парфен Семеныч, сильные страсти, такие страсти, что ты как раз бы с ними в Сибирь, на каторгу, улетел, если б у тебя тоже ума не было, потому что у тебя большой ум есть, говорит» (так и сказала, вот веришь или нет? В первый раз от нее такое слово услышал!). «Ты всё это баловство теперешнее скоро бы и бросил. А так как ты совсем необразованный человек, то и стал бы деньги копить, и сел бы, как отец, в этом доме с своими скопцами; пожалуй бы, и сам в их веру под конец перешел, и уж так бы ты свои деньги полюбил, что и не два миллиона, а пожалуй бы, и десять скопил, да на мешках своих с голоду бы и помер, потому у тебя во всем страсть, всё ты до страсти доводишь». Вот точно так и говорила, почти точь-в-точь этими словами. Никогда еще до этого она так со мной не говорила! Она ведь со мной всё про вздоры говорит али насмехается; да и тут смеясь начала, а потом такая стала сумрачная; весь этот дом ходила осматривала и точно пужалась чего. «Я всё это переменю, говорю, и отделаю, а то и другой дом к свадьбе, пожалуй, куплю». — «Ни-ни, говорит, ничего здесь не переменять, так и будем жить. Я подле твоей матушки, говорит, хочу жить, когда женой твоей стану». Повел я ее к матушке, — была к ней почтительна, как родная дочь. Матушка и прежде, вот уже два года, точно как бы не в полном рассудке сидит (больная она), а по смерти родителя и совсем как младенец стала, без разговору: сидит без ног и только всем, кого увидит, с места кланяется; кажись, не накорми ее, так она и три дня не спохватится. Я матушкину правую руку взял, сложил: «Благословите, говорю, матушка, со мной к венцу идет»; так она у матушки руку с чувством поцеловала, «много, говорит, верно, твоя мать горя перенесла». Вот эту книгу у меня увидала: «Что это ты, «Русскую историю» стал читать? (А она мне и сама как-то раз в Москве говорила: «Ты бы образил себя хоть бы чем, хоть бы «Русскую историю» Соловьева прочел, ничего-то ведь ты не знаешь».) Это ты хорошо, сказала, так и делай, читай. Я тебе реестрик сама напишу, какие тебе книги перво-наперво надо прочесть; хочешь иль нет?» И никогда-то, никогда прежде она со мной так не говорила, так что даже удивила меня; в первый раз как живой человек вздохнул.

— Я этому очень рад, Парфен, — сказал князь с искренним чувством, — очень рад. Кто знает, может, Бог вас и устроит вместе.

— Никогда не будет того! — горячо вскричал Рогожин.

— Слушай, Парфен, если ты так ее любишь, неужто не захочешь ты заслужить ее уважение? А если хочешь, так неужели не надеешься? Вот я давеча сказал, что для меня чудная задача: почему она идет за тебя? Но хоть я и не могу разрешить, но все-таки несомненно мне, что тут непременно должна же быть причина достаточная, рассудочная. В любви твоей она убеждена; но наверно убеждена и в некоторых твоих достоинствах. Иначе быть ведь не может! То, что ты сейчас сказал, подтверждает это. Сам ты говоришь, что нашла же она возможность говорить с тобой совсем другим языком, чем прежде обращалась и говорила. Ты мнителен и ревнив, потому и преувеличил всё, что заметил дурного. Уж, конечно, она не так дурно думает о тебе, как ты говоришь. Ведь иначе значило бы, что она сознательно в воду или под нож идет, за тебя выходя. Разве может быть это? Кто сознательно в воду или под нож идет?

С горькою усмешкой прослушал Парфен горячие слова князя. Убеждение его, казалось, было уже непоколебимо поставлено.

— Как ты тяжело смотришь теперь на меня, Парфен! — с тяжелым чувством вырвалось у князя.

— В воду или под нож! — проговорил тот, наконец. — Хе! Да потому-то и идет за меня, что наверно за мной нож ожидает! Да неужто уж ты и впрямь, князь, до сих пор не спохватился, в чем тут всё дело?

— Не понимаю я тебя.

— Что ж, может, и впрямь не понимает, хе-хе! Говорят же про тебя, что ты... *того*. Другого она любит, — вот что пойми! Точно так, как я ее люблю теперь, точно так же она другого теперь любит. А другой этот знаешь ты кто? Это *ты*! Что, не знал, что ли?

— Я!

— Ты. Она тебя тогда, с тех самых пор, с именин-то, и полюбила. Только она думает, что выйти ей за тебя невозможно, потому что она тебя будто бы опозорит и всю судьбу твою сгубит. «Я, говорит, известно какая». До сих пор про это сама утверждает. Она всё это мне сама так прямо в лицо и говорила. Тебя сгубить и опозорить боится, а за меня, значит, ничего, можно выйти, — вот каково она меня почитает, это тоже заметь!

— Да как же она от тебя ко мне бежала, а... от меня...

— А от тебя ко мне! Хе! Да мало ли что войдет ей вдруг в голову! Она вся точно в лихорадке теперь. То мне кричит: «За тебя как в воду иду. Скорей свадьбу!» Сама торопит, день назначает, а станет подходить время — испужается али мысли другие пойдут; бог знает, ведь ты видел же: плачет, смеется, в лихорадке бьется. Да что тут чудного, что она и от тебя убежала? Она от тебя и убежала тогда, потому что сама спохватилась, как тебя сильно любит. Ей не под силу у тебя стало. Ты вот сказал давеча, что я ее тогда в Москве разыскал; неправда — сама ко мне от тебя прибежала: «Назначь день, говорит, я готова! Шампанского давай! К цыганкам едем!..» — кричит!» Да не было бы меня, она давно бы уж в воду кинулась; верно говорю. Потому и не кидается, что я, может, еще страшнее воды. Со зла и идет за меня... коли выйдет, так уж верно говорю, что *со зла* выйдет.

— Да как же ты... как же ты!.. — вскричал князь и не докончил. Он с ужасом смотрел на Рогожина.

— Что же не доканчиваешь, — прибавил тот, осклабившись, — а хочешь, скажу, что ты вот в эту самую минуту про себя рассуждаешь: «Ну как же ей теперь за ним быть? Как ее к тому допустить?» Известно, что думаешь...

— Я не за тем сюда ехал, Парфен; говорю тебе, не то у меня в уме было...

— Это может, что не за тем и не то в уме было, а только теперь оно уж наверно стало за тем, хе-хе! Ну, довольно! Что ты так опрокинулся? Да неужто ты и впрямь того не знал? Дивишь ты меня!

— Всё это ревность, Парфен, всё это болезнь, всё это ты безмерно преувеличил... — пробормотал князь в чрезвычайном волнении. — Чего ты?

— Оставь, — проговорил Парфен и быстро вырвал из рук князя ножик, который тот взял со стола, подле книги, и положил его опять на прежнее место.

— Я как будто знал, когда въезжал в Петербург, как будто предчувствовал... — продолжал князь. — Не хотел я ехать сюда! Я хотел всё это здешнее забыть, из сердца прочь вырвать! Ну, прощай... Да что ты!

Говоря, князь в рассеянности опять было захватил в руки со стола тот же ножик, и опять Рогожин его вынул у него из рук и бросил на стол. Это был довольно простой формы ножик, с оленьим черенком, нескладной, с лезвием вершка в три с половиной, соответственной ширины.

Видя, что князь обращает особенное внимание на то, что у него два раза вырывают из рук этот нож, Рогожин с злобною досадой схватил его, заложил в книгу и швырнул книгу на другой стол.

— Ты листы, что ли, им разрезаешь? — спросил князь, но как-то рассеянно, всё еще как бы под влиянием сильной задумчивости.

— Да, листы...

— Это ведь садовый нож?

— Да, садовый. Разве садовым нельзя разрезать листы?

— Да он... совсем новый.

— Ну что ж, что новый? Разве я не могу сейчас купить новый нож? — в каком-то исступлении вскричал наконец Рогожин, раздражавшийся с каждым словом.

Князь вздрогнул и пристально поглядел на Рогожина.

— Эк ведь мы! — засмеялся он вдруг, совершенно опомнившись. — Извини, брат, меня, когда у меня голова так тяжела, как теперь, и эта болезнь... я совсем, совсем становлюсь такой рассеянный и смешной. Я вовсе не об этом и спросить-то хотел... не помню о чем. Прощай...

— Не сюда, — сказал Рогожин.

— Забыл!

— Сюда, сюда, пойдем, я укажу.

IV

Пошли чрез те же комнаты, по которым уже князь проходил; Рогожин шел немного впереди, князь за ним. Вошли в большую залу. Здесь, по стенам, было несколько картин, всё портреты архиереев и пейзажи, на которых ничего нельзя было различить. Над дверью в следующую комнату висела одна картина, довольно странная по своей форме, около двух с половиной аршин в длину и никак не более шести вершков в высоту. Она изображала Спасителя, только что снятого со креста. Князь мельком взглянул на нее, как бы что-то припоминая, впрочем не останавливаясь, хотел пройти в дверь. Ему было очень тяжело и хотелось поскорее из этого дома. Но Рогожин вдруг остановился пред картиной.

— Вот эти все здесь картины, — сказал он, — всё за рубль да за два на аукционах куплены батюшкой покойным, он любил. Их один знающий человек всё здесь пересмотрел; дрянь, говорит, а вот эта — вот картина, над дверью, тоже за два целковых купленная, говорит, не дрянь. Еще родителю за нее один выискался, что триста пятьдесят рублей давал, а Савельев, Иван Дмитрич, из купцов, охотник большой, так тот до четырехсот доходил, а на прошлой неделе брату Семену Семенычу уж и пятьсот предложил. Я за собой оставил.

— Да это... это копия с Ганса Гольбейна, — сказал князь, успев разглядеть картину, — и хоть я знаток небольшой, но, кажется, отличная копия. Я эту картину за границей видел и забыть не могу. Но... что же ты...

Рогожин вдруг бросил картину и пошел прежнею дорогой вперед. Конечно, рассеянность и особое, странно-раздражительное настроение, так внезапно обнаружившееся в Рогожине, могло бы, пожалуй, объяснить эту порывчатость; но все-таки как-то чудно стало князю, что так вдруг прервался разговор, который не им же и начат, и что Рогожин даже и не ответил ему.

— А что, Лев Николаич, давно я хотел тебя спросить, веруешь ты в Бога иль нет? — вдруг заговорил опять Рогожин, пройдя несколько шагов.

— Как ты странно спрашиваешь и... глядишь! — заметил князь невольно.

— А на эту картину я люблю смотреть, — пробормотал, помолчав, Рогожин, точно опять забыв свой вопрос.

— На эту картину! — вскричал вдруг князь, под впечатлением внезапной мысли, — на эту картину! Да от этой картины у иного еще вера может пропасть!

— Пропадает и то, — неожиданно подтвердил вдруг Рогожин. Они дошли уже до самой выходной двери.

— Как? — остановился вдруг князь, — да что ты! Я почти шутил, а ты так серьезно! И к чему ты меня спросил: верую ли я в Бога?

— Да ничего, так. Я и прежде хотел спросить. Многие ведь ноне не веруют. А что, правда (ты за границей-то жил), — мне вот один с пьяных глаз говорил, что у нас, по России, больше чем во всех землях, таких, что в Бога не веруют? «Нам, говорит, в этом легче, чем им, потому что мы дальше их пошли...»

Рогожин едко усмехнулся; проговорив свой вопрос, он вдруг отворил дверь и, держась за ручку замка, ждал, пока князь выйдет. Князь удивился, но вышел. Тот вышел за ним на площадку лестницы и притворил дверь за собой. Оба стояли друг пред другом с таким видом, что, казалось, оба забыли, куда пришли и что теперь надо делать.

— Прощай же, — сказал князь, подавая руку.

— Прощай, — проговорил Рогожин, крепко, но совершенно машинально сжимая протянутую ему руку.

Князь сошел одну ступень и обернулся.

— А насчет веры, — начал он, улыбнувшись (видимо, не желая так оставлять Рогожина) и кроме того оживляясь под впечатлением одного внезапного воспоминания, — насчет веры я, на прошлой неделе, в два дня четыре разные встречи имел. Утром ехал по одной новой железной дороге и часа четыре с одним С—м в вагоне проговорил, тут же и познакомился. Я еще прежде о нем много слыхивал и, между прочим, как об атеисте. Он человек действительно очень ученый, и я обрадовался, что с настоящим ученым буду говорить. Сверх того, он на редкость хорошо воспитанный человек, так что со мной говорил совершенно как с равным себе по познаниям и по понятиям. В Бога он не верует. Одно только меня поразило: что он вовсе как будто не про то говорил, во всё время, и потому именно поразило, что и прежде, сколько я ни встречался с неверующими и сколько ни читал таких книг, всё мне казалось, что и говорят они, и в книгах пишут совсем будто не про то, хотя с виду и кажется, что про то. Я это ему тогда же и высказал, но, должно быть, не ясно или не умел выразить, потому что он ничего не понял... Вечером я остановился в уездной гостинице переночевать, и в ней только что одно убийство случилось, в прошлую ночь, так что все об этом говорили, когда я приехал. Два крестьянина, и в летах, и не пьяные, и знавшие уже давно друг друга, приятели, напились чаю и хотели вместе, в одной каморке, ложиться спать. Но один у другого подглядел, в последние два дня, часы, серебряные, на бисерном желтом снурке, которых, видно, не знал у него прежде. Этот человек был не вор, был даже честный и, по крестьянскому быту, совсем не бедный. Но ему до того понравились эти часы и до того соблазнили его, что он наконец не выдержал: взял нож и, когда приятель отвернулся, подошел к нему осторожно сзади, наметился, возвел глаза к небу, перекрестился и, проговорив про себя с горькой молитвой: «Господи, прости ради Христа!» — зарезал приятеля с одного раза, как барана, и вынул у него часы.

Рогожин покатился со смеху. Он хохотал так, как будто был в каком-то припадке. Даже странно было смотреть на этот смех после такого мрачного недавнего настроения.

— Вот это я люблю! Нет, вот это лучше всего! — выкрикивал он конвульсивно, чуть не задыхаясь. — Один совсем в Бога не верует, а другой уж до того верует, что и людей режет по молитве... Нет, этого, брат князь, не выдумаешь! Ха-ха-ха! Нет, это лучше всего!..

— Наутро я вышел по городу побродить, — продолжал князь, лишь только приостановился Рогожин, хотя смех всё еще судорожно и припадочно вздрагивал на его губах, — вижу, шатается по деревянному тротуару пьяный солдат в совершенно растерзанном виде. Подходит ко мне: «Купи, барин, крест серебряный, всего за двугривенный отдаю; серебряный!» Вижу в руке у него крест, и, должно быть, только что снял с себя, на голубой, крепко заношенной ленточке, но только настоящий оловянный, с первого взгляда видно, большого размера, осьмиконечный, полного византийского рисунка. Я вынул двугривенный и отдал ему, а крест тут же на себя надел, — и по лицу его видно было, как он доволен, что надул глупого барина, и тотчас же отправился свой крест пропивать, уж это без сомнения. Я, брат, тогда под самым сильным впечатлением был всего того, что так и хлынуло на меня на Руси; ничего-то я в ней прежде не понимал, точно бессловесный рос, и как-то фантастически вспоминал о ней в эти пять лет за границей. Вот иду я да и думаю: нет, этого христопродавца подожду еще осуждать. Бог ведь знает, что в этих пьяных и слабых сердцах заключается. Чрез час, возвращаясь в гостиницу, наткнулся на бабу с грудным ребенком. Баба еще молодая, ребенку недель шесть будет. Ребенок ей и улыбнулся, по наблюдению ее, в первый раз от своего рождения. Смотрю, она так набожно-набожно вдруг перекрестилась. «Что ты, говорю, молодка?» (Я ведь тогда всё расспрашивал.) «А вот, говорит, точно так, как бывает материна радость, когда она первую от своего младенца улыбку заприметит, такая же точно бывает и у Бога радость всякий раз, когда он с неба завидит, что грешник пред ним от всего своего сердца на молитву становится». Это мне баба сказала, почти этими же словами, и такую глубокую, такую тонкую и истинно религиозную мысль, такую мысль, в которой вся сущность христианства разом выразилась, то есть всё понятие о Боге как о нашем родном отце и о радости Бога на человека как отца на свое родное дитя — главнейшая мысль Христова! Простая баба! Правда, мать... и, кто знает, может, эта баба женой тому же солдату была. Слушай, Парфен, ты давеча спросил меня, вот мой ответ: сущность религиозного чувства ни под какие рассуждения, ни под какие проступки и преступления и ни под какие атеизмы не подходит; тут что-то не то, и вечно будет не то; тут что-то такое, обо что вечно будут скользить атеизмы и вечно будут *не про то* говорить. Но главное то, что всего яснее и скорее на русском сердце это заметишь, и вот мое заключение! Это одно из самых первых моих убеждений, которые я из нашей России выношу. Есть что делать, Парфен! Есть что делать на нашем русском свете, верь мне! Припомни, как мы в Москве сходились и говорили с тобой одно время... И совсем не хотел я сюда и возвращаться теперь! И совсем, совсем не так думал с тобой встретиться! Ну, да что!.. Прощай, до свиданья! Не оставь тебя Бог!

Он повернулся и пошел вниз по лестнице.

— Лев Николаевич! — крикнул сверху Парфен, когда князь дошел до первой забежной площадки, — крест-от, что у солдата купил, при тебе?

— Да, на мне.

И князь опять остановился.

— Покажь-ка сюда.

Опять новая странность! Он подумал, поднялся наверх и выставил ему напоказ свой крест, не снимая его с шеи.

— Отдай мне, — сказал Рогожин.

— Зачем? Разве ты...

Князю бы не хотелось расставаться с этим крестом.

— Носить буду, а свой тебе сниму, ты носи.

— Поменяться крестами хочешь? Изволь, Парфен, коли так, я рад; побратаемся!

Князь снял свой оловянный крест, Парфен свой золотой, и поменялись. Парфен молчал. С тяжелым удивлением заметил князь, что прежняя недоверчивость, прежняя горькая и почти насмешливая улыбка всё еще как бы не оставляла лица его названого брата, по крайней мере мгновениями сильно выказывалась. Молча взял наконец Рогожин руку князя и некоторое время стоял, как бы не решаясь на что-то; наконец вдруг потянул его за собой, проговорив едва слышным голосом: «Пойдем». Перешли через площадку первого этажа и позвонили у двери, противоположной той, из которой они вышли. Им отворили скоро. Старенькая женщина, вся сгорбленная и в черном, повязанная платочком, молча и низко поклонилась Рогожину; тот что-то наскоро спросил ее и, не останавливаясь за ответом, повел князя далее через комнаты. Опять пошли темные комнаты, какой-то необыкновенной холодной чистоты, холодно и сурово меблированные старинною мебелью в белых чистых чехлах. Не докладываясь, Рогожин прямо ввел князя в одну небольшую комнату, похожую на гостиную, разгороженную лоснящеюся перегородкой из красного дерева, с двумя дверьми по бокам, за которою, вероятно, была спальня. В углу гостиной, у печки, в креслах, сидела маленькая старушка, еще с виду не то чтоб очень старая, даже с довольно здоровым, приятным и круглым лицом, но уже совершенно седая и (с первого взгляда заключить было можно) впавшая в совершенное детство. Она была в черном шерстяном платье, с черным большим платком на шее, в белом чистом чепце с черными лентами. Ноги ее упирались в скамеечку. Подле нее находилась другая чистенькая старушка, постарше ее, тоже в трауре и тоже в белом чепце, должно быть какая-нибудь приживалка, и молча вязала чулок. Обе они, должно быть, всё время молчали. Первая старушка, завидев Рогожина и князя, улыбнулась им и несколько раз ласково наклонила в знак удовольствия голову.

— Матушка, — сказал Рогожин, поцеловав у нее руку, — вот мой большой друг, князь Лев Николаевич Мышкин; мы с ним крестами поменялись; он мне за родного брата в Москве одно время был, много для меня сделал. Благослови его, матушка, как бы ты родного сына благословила. Постой, старушка, вот так, дай я сложу тебе руку...

Но старушка, прежде чем Парфен успел взяться, подняла свою правую руку, сложила пальцы в три перста и три раза набожно перекрестила князя. Затем еще раз ласково и нежно кивнула ему головой.

— Ну, пойдем, Лев Николаевич, — сказал Парфен, — я только за этим тебя и приводил...

Когда опять вышли на лестницу, он прибавил:

— Вот она ничего ведь не понимает, что говорят, и ничего не поняла из моих слов, а тебя благословила; значит, сама пожелала... Ну, прощай, и мне и тебе пора.

И он отворил свою дверь.

— Да дай же я хоть обниму тебя на прощаньи, странный ты человек! — вскричал князь, с нежным упреком смотря на него, и хотел его обнять. Но Парфен едва только поднял свои руки, как тотчас же опять опустил их. Он не решался; он отвертывался, чтобы не глядеть на князя. Он не хотел его обнимать.

— Небось! Я хоть и взял твой крест, а за часы не зарежу! — невнятно пробормотал он, как-то странно вдруг засмеявшись. Но вдруг всё лицо его преобразилось: он ужасно побледнел, губы его задрожали, глаза загорелись. Он поднял руки, крепко обнял князя и, задыхаясь, проговорил:

— Так бери же ее, коли судьба! Твоя! Уступаю!.. Помни Рогожина!

И, бросив князя, не глядя на него, поспешно вошел к себе и захлопнул за собою дверь.

V

Было уже поздно, почти половина третьего, и Епанчина князь не застал дома. Оставив карточку, он решился сходить в гостиницу «Весы» и спросить там Колю; если же там нет его — оставить ему записку. В «Весах» сказали ему, что Николай Ардалионович «вышли еще поутру-с, но, уходя, предуведомили, что если на случай придут кто их спрашивать, то чтоб известить, что *они-с* к трем часам, может быть, и придут-с. Если же до половины четвертого их здесь не окажется, — значит, в Павловск с поездом отправились, на дачу к генеральше Епанчиной-с, и уж там, значит, и откушают-с». Князь сел дожидаться и кстати спросил себе обедать.

К половине четвертого и даже к четырем часам Коля не явился. Князь вышел и направился машинально куда глаза глядят. В начале лета в Петербурге случаются иногда прелестные дни — светлые, жаркие, тихие. Как нарочно, этот день был одним из таких редких дней. Несколько времени князь бродил без цели. Город ему был мало знаком. Он останавливался иногда на перекрестках улиц пред иными домами, на площадях, на мостах; однажды зашел отдохнуть в одну кондитерскую. Иногда с большим любопытством начинал всматриваться в прохожих, но чаще всего не замечал ни прохожих, ни где именно он идет. Он был в мучительном напряжении и беспокойстве и в то же самое время чувствовал необыкновенную потребность уединения. Ему хотелось быть одному и отдаться всему этому страдательному напряжению совершенно пассивно, не ища ни малейшего выхода. Он с отвращением не хотел разрешать нахлынувших в его душу и сердце вопросов. «Что же, разве я виноват во всем этом?» — бормотал он про себя, почти не сознавая своих слов.

К шести часам он очутился на дебаркадере Царскосельской железной дороги. Уединение скоро стало ему невыносимо; новый порыв горячо охватил его сердце, и на мгновение ярким светом озарился мрак, в котором тосковала душа его. Он взял билет в Павловск и с нетерпением спешил уехать; но, уж конечно, его что-то преследовало, и это была действительность, а не фантазия, как, может быть, он наклонен был думать. Почти уже садясь в вагон, он вдруг бросил только что взятый билет на пол и вышел обратно из воксала, смущенный и задумчивый. Несколько времени спустя, на улице, он вдруг как бы что-то припомнил, как бы что-то внезапно сообразил, очень странное, что-то уж долго его беспокоившее. Ему вдруг пришлось сознательно поймать себя на одном занятии, уже давно продолжавшемся, но которого он всё не замечал до самой этой минуты: вот уже несколько часов, еще даже в «Весах», кажется даже и до «Весов», он, нет-нет, и вдруг начинал как бы искать чего-то кругом себя. И забудет, даже надолго, на полчаса, и вдруг опять оглянется с беспокойством и ищет кругом.

Но только что он заметил в себе это болезненное и до сих пор совершенно бессознательное движение, так давно уже овладевшее им, как вдруг мелькнуло пред ним и другое воспоминание, чрезвычайно заинтересовавшее его: ему вспомнилось, что в ту минуту, когда он заметил, что всё ищет чего-то кругом себя, он стоял на тротуаре у окна одной лавки и с большим любопытством разглядывал товар, выставленный в окне. Ему захотелось теперь непременно проверить: действительно ли он стоял сейчас, может быть, всего пять минут назад, пред окном этой лавки, не померещилось ли ему, не смешал ли он чего? Существует ли в самом деле эта лавка и этот товар? Ведь он и в самом деле чувствует себя сегодня в особенно болезненном настроении, почти в том же, какое бывало с ним прежде, при начале припадков его прежней болезни. Он знал, что в такое предприпадочное время он бывает необыкновенно рассеян и часто даже смешивает предметы и лица, если глядит на них без особого напряженного внимания. Но была и особенная причина, почему ему уж так очень захотелось проверить, стоял ли он тогда перед лавкой: в числе вещей, разложенных напоказ в окне лавки, была одна вещь, на которую он смотрел и которую даже оценил в шестьдесят копеек серебром, он помнил это, несмотря на всю свою рассеянность и тревогу. Следовательно, если эта лавка существует и вещь эта действительно выставлена в числе товаров, то, стало быть, собственно для этой вещи и останавливался. Значит, эта вещь заключала в себе такой сильный для него интерес, что привлекла его внимание даже в то самое время, когда он был в таком тяжелом смущении, только что выйдя из воксала железной дороги. Он шел, почти в тоске смотря направо, и сердце его билось от беспокойного нетерпения. Но вот эта лавка, он нашел ее наконец! Он уже был в пятистах шагах от нее, когда вздумал воротиться. Вот и этот предмет в шестьдесят копеек; «конечно, в шестьдесят копеек, не стоит больше!» — подтвердил он теперь и засмеялся. Но он засмеялся истерически; ему стало очень тяжело. Он ясно вспомнил теперь, что именно тут, стоя пред этим окном, он вдруг обернулся, точно давеча, когда поймал на себе глаза Рогожина. Уверившись, что он не ошибся (в чем, впрочем, он и до поверки был совершенно уверен), он бросил лавку и поскорее пошел от нее. Всё это надо скорее обдумать, непременно; теперь ясно было, что ему не померещилось и в воксале. что с ним случилось непременно что-то действительное и непременно связанное со всем этим прежним его беспокойством. Но какое-то внутреннее непобедимое отвращение опять пересилило: он не захотел ничего обдумывать, он не стал обдумывать; он задумался совсем о другом.

Он задумался, между прочим, о том, что в эпилептическом состоянии его была одна степень почти пред самым припадком (если только припадок приходил наяву), когда вдруг, среди грусти, душевного мрака, давления, мгновениями как бы воспламенялся его мозг и с необыкновенным порывом напрягались разом все жизненные силы его. Ощущение жизни, самосознания почти удесятерялось в эти мгновения, продолжавшиеся как молнии. Ум, сердце озарялись необыкновенным светом; все волнения, все сомнения его, все беспокойства как бы умиротворялись разом, разрешались в какое-то высшее спокойствие, полное ясной, гармоничной радости и надежды, полное разума и окончательной причины. Но эти моменты, эти проблески были еще только предчувствием той окончательной секунды (никогда не более секунды), с которой начинался самый припадок. Эта секунда была, конечно, невыносима. Раздумывая об этом мгновении впоследствии, уже в здоровом состоянии, он часто говорил сам себе: что ведь все эти молнии и проблески высшего самоощущения и самосознания, а стало быть и «высшего бытия», не что иное, как болезнь, как нарушение нормального состояния, а если так, то это вовсе не высшее бытие, а, напротив, должно быть причислено к самому низшему. И, однако же, он все-таки дошел наконец до чрезвычайно парадоксального вывода: «Что же в том, что это болезнь? — решил он наконец. — Какое до того дело, что это напряжение ненормальное, если самый результат, если минута ощущения, припоминаемая и рассматриваемая уже в здоровом состоянии, оказывается в высшей степени гармонией, красотой, дает неслыханное и негаданное дотоле чувство полноты, меры, примирения и восторженного молитвенного слития с самым высшим синтезом жизни?» Эти туманные выражения казались ему самому очень понятными, хотя еще слишком слабыми. В том же, что это действительно «красота и молитва», что это действительно «высший синтез жизни», в этом он сомневаться не мог, да и сомнений не мог допустить. Ведь не видения же какие-нибудь снились ему в этот момент, как от гашиша, опиума или вина, унижающие рассудок и искажающие душу, ненормальные и несуществующие? Об этом он здраво мог судить по окончании болезненного состояния. Мгновения эти были именно одним только необыкновенным усилением самосознания, — если бы надо было выразить это состояние одним словом, — самосознания и в то же время самоощущения в высшей степени непосредственного. Если в ту секунду, то есть в самый последний сознательный момент пред припадком, ему случалось успевать ясно и сознательно сказать себе: «Да, за этот момент можно отдать всю жизнь!», — то, конечно, этот момент сам по себе и стоил всей жизни. Впрочем, за диалектическую часть своего вывода он не стоял: отупение, душевный мрак, идиотизм стояли пред ним ярким последствием этих «высочайших минут». Серьезно, разумеется, он не стал бы спорить. В выводе, то есть в его оценке этой минуты, без сомнения, заключалась ошибка, но действительность ощущения все-таки несколько смущала его. Что же, в самом деле, делать с действительностью? Ведь это самое бывало же, ведь он сам же успевал сказать себе в ту самую секунду, что эта секунда, по беспредельному счастию, им вполне ощущаемому, пожалуй, и могла бы стоить всей жизни. «В этот момент, — как говорил он однажды Рогожину, в Москве, во время их тамошних сходок, — в этот момент мне как-то становится понятно необычайное слово о том, что *времени больше не будет*. Вероятно, — прибавил он, улыбаясь, — это та же самая секунда, в которую не успел пролиться опрокинувшийся кувшин с водой эпилептика Магомета, успевшего, однако, в ту самую секунду обозреть все жилища Аллаховы». Да, в Москве они часто сходились с Рогожиным и говорили не об одном этом. «Рогожин давеча сказал, что я был тогда ему братом; он это в первый раз сегодня сказал», — подумал князь про себя.

Он подумал об этом, сидя на скамье, под деревом, в Летнем саду. Было около семи часов. Сад был пуст; что-то мрачное заволокло на мгновение заходящее солнце. Было душно; похоже было на отдаленное предвещание грозы. В теперешнем его созерцательном состоянии была для него какая-то приманка. Он прилеплялся воспоминаниями и умом к каждому внешнему предмету, и ему это нравилось: ему всё хотелось что-то забыть, настоящее, насущное, но при первом взгляде кругом себя он тотчас же опять узнавал свою мрачную мысль, мысль, от которой ему так хотелось отвязаться. Он было вспомнил, что давеча говорил с половым в трактире за обедом об одном недавнем чрезвычайно странном убийстве, наделавшем шуму и разговоров. Но только что он вспомнил об этом, с ним вдруг опять случилось что-то особенное.

Чрезвычайное, неотразимое желание, почти соблазн, вдруг оцепенили всю его волю. Он встал со скамьи и пошел из сада прямо на Петербургскую сторону. Давеча, на набережной Невы, он попросил какого-то прохожего, чтобы показал ему через Неву Петербургскую сторону. Ему показали; но тогда он не пошел туда. Да и во всяком случае нечего было сегодня ходить; он знал это. Адрес он давно имел; он легко мог отыскать дом родственницы Лебедева; но он знал почти наверно, что не застанет ее дома. «Непременно уехала в Павловск, иначе бы Коля оставил что-нибудь в «Весах», по условию». Итак, если он шел теперь, то уж, конечно, не за тем, чтоб ее видеть. Другое, мрачное, мучительное любопытство соблазняло его. Одна новая, внезапная идея пришла ему в голову...

Но для него уж слишком было довольно того, что он пошел и знал куда идет: минуту спустя он опять уже шел, почти не замечая своей дороги. Обдумывать дальше «внезапную свою идею» ему тотчас же стало ужасно противно и почти невозможно. Он с мучительно напрягаемым вниманием всматривался во всё, что попадалось ему на глаза, смотрел на небо, на Неву. Он заговорил было со встретившимся маленьким ребенком. Может быть, и эпилептическое состояние его всё более и более усиливалось. Гроза, кажется, действительно надвигалась, хотя и медленно. Начинался уже отдаленный гром. Становилось очень душно...

Почему-то ему всё припоминался теперь, как припоминается иногда неотвязный и до глупости надоевший музыкальный мотив, племянник Лебедева, которого он давеча видел. Странно то, что он всё припоминался ему в виде того убийцы, о котором давеча упомянул сам Лебедев, рекомендуя ему племянника. Да, об этом убийце он читал еще очень недавно. Много читал и слышал о таких вещах с тех пор, как въехал в Россию; он упорно следил за всем этим. А давеча так даже слишком заинтересовался в разговоре с половым именно об этом же убийстве Жемариных. Половой с ним согласился, он вспомнил это. Припомнил и полового; это был неглупый парень, солидный и осторожный, а «впрочем, ведь бог его знает какой. Трудно в новой земле новых людей разгадывать». В русскую душу, впрочем, он начинал страстно верить. О, много, много вынес он совсем для него нового в эти шесть месяцев, и негаданного, и неслыханного, и неожиданного! Но чужая душа потемки, и русская душа потемки; для многих потемки. Вот он долго сходился с Рогожиным, близко сходились, «братски» сходились, — а знает ли он Рогожина? А впрочем, какой иногда тут, во всем этом, хаос, какой сумбур, какое безобразие! И какой же, однако, гадкий и вседовольный прыщик этот давешний племянник Лебедева! А впрочем, что же я? (продолжалось мечтаться князю) разве он убил эти существа, этих шесть человек? Я как будто смешиваю... как это странно! У меня голова что-то кружится... А какое симпатичное, какое милое лицо у старшей дочери Лебедева, вот у той, которая стояла с ребенком, какое невинное, какое почти детское выражение и какой почти детский смех! Странно, что он почти забыл это лицо и теперь только о нем вспомнил. Лебедев, топающий на них ногами, вероятно, их всех обожает. Но что всего вернее, как дважды два, это то, что Лебедев обожает и своего племянника!

А впрочем, что же он взялся их так окончательно судить, он, сегодня явившийся, что же это он произносит такие приговоры? Да вот Лебедев же задал ему сегодня задачу: ну, ожидал ли он такого Лебедева? Разве он знал такого Лебедева прежде? Лебедев и Дюбарри, — Господи! Впрочем, если Рогожин убьет, то по крайней мере не так беспорядочно убьет. Хаоса этого не будет. По рисунку заказанный инструмент и шесть человек, положенных совершенно в бреду! Разве у Рогожина по рисунку заказанный инструмент... у него... но... разве решено, что Рогожин убьет?! — вздрогнул вдруг князь. «Не преступление ли, не низость ли с моей стороны так цинически-откровенно сделать такое предположение!» — вскричал он, и краска стыда залила разом лицо его. Он был изумлен, он стоял как вкопанный на дороге. Он разом вспомнил и давешний Павловский вокзал, и давешний Николаевский вокзал, и вопрос Рогожину прямо в лицо о *глазах*, и крест Рогожина, который теперь на нем, и благословение его матери, к которой он же его сам привел, и последнее судорожное объятие, последнее отречение Рогожина, давеча, на лестнице, — и после этого всего поймать себя на беспрерывном искании чего-то кругом себя, и эта лавка, и этот предмет... что за низость! И после всего этого он идет теперь с «особенною целью», с особою «внезапною идеей»! Отчаяние и страдание захватили всю его душу. Князь немедленно хотел поворотить назад к себе, в гостиницу; даже повернулся и пошел; но чрез минуту остановился, обдумал и воротился опять по прежней дороге.

Да он уже и был на Петербургской, он был близко от дома; ведь не с прежнею же целью теперь он идет туда, ведь не с «особенною же идеей»! И как оно могло быть! Да, болезнь его возвращается, это несомненно; может быть, припадок с ним будет непременно сегодня. Чрез припадок и весь этот мрак, чрез припадок и «идея»! Теперь мрак рассеян, демон прогнан, сомнений не существует, в его сердце радость! И — он так давно не видал *ее*, ему надо ее увидеть, и... да, он желал бы теперь встретить Рогожина, он бы взял его за руку, и они бы пошли вместе... Сердце его чисто; разве он соперник Рогожину? Завтра он сам пойдет и скажет Рогожину, что он ее видел; ведь летел же он сюда, как сказал давеча Рогожин, чтобы только ее увидать! Может быть, он и застанет ее, ведь не наверно же она в Павловске!

Да, надо, чтобы теперь всё это было ясно поставлено, чтобы всё ясно читали друг в друге, чтобы не было этих мрачных и страстных отречений, как давеча отрекался Рогожин, и пусть всё это совершится свободно и... светло. Разве не способен к свету Рогожин? Он говорит, что любит ее не так, что в нем нет состраданья, нет «никакой такой жалости». Правда, он прибавил потом, что «твоя жалость, может быть, еще пуще моей любви», — но он на себя клевещет. Гм, Рогожин за книгой, — разве уж это не «жалость», не начало «жалости»? Разве уж одно присутствие этой книги не доказывает, что он вполне сознает свои отношения к *ней*? А рассказ его давеча? Нет, это поглубже одной только страстности. И разве одну только страстность внушает ее лицо? Да и может ли даже это лицо внушать теперь страсть? Оно внушает страдание, оно захватывает всю душу, оно... и жгучее, мучительное воспоминание прошло вдруг по сердцу князя.

Да, мучительное. Он вспомнил, как еще недавно он мучился, когда в первый раз он стал замечать в ней признаки безумия. Тогда он испытал почти отчаяние. И как он мог оставить ее, когда она бежала тогда от него к Рогожину? Ему самому следовало бы бежать за ней, а не ждать известий. Но... неужели Рогожин до сих пор не заметил в ней безумия?.. Гм... Рогожин видит во всем другие причины, страстные причины! И какая безумная ревность! Что он хотел сказать давешним предположением своим? (Князь вдруг покраснел, и что-то как будто дрогнуло в его сердце.)

К чему, впрочем, и вспоминать про это? Тут безумство с обеих сторон. А ему, князю, любить страстно эту женщину — почти немыслимо, почти было бы жестокостью, бесчеловечностью. Да, да! Нет, Рогожин на себя клевещет; у него огромное сердце, которое может и страдать и сострадать. Когда он узнает всю истину и когда убедится, какое жалкое существо эта поврежденная, полоумная, — разве не простит он ей тогда всё прежнее, все мучения свои? Разве не станет ее слугой, братом, другом, провидением? Сострадание осмыслит и научит самого Рогожина. Сострадание есть главнейший и, может быть, единственный закон бытия всего человека. О, как он непростительно и бесчестно виноват пред Рогожиным! Нет, не «русская душа потемки», а у него самого на душе потемки, если он мог вообразить такой ужас. За несколько горячих и сердечных слов в Москве Рогожин уже называет его своим братом, а он... Но это болезнь и бред! Это всё разрешится!.. Как мрачно сказал давеча Рогожин, что у него «пропадает вера»! Этот человек должен сильно страдать. Он говорит, что «любит смотреть на эту картину»; не любит, а значит, ощущает потребность. Рогожин не одна только страстная душа; это все-таки боец: он хочет силой воротить свою потерянную веру. Ему она до мучения теперь нужна... Да! во что-нибудь верить! в кого-нибудь верить! А какая, однако же, странная эта картина Гольбейна... А, вот эта улица! Вот, должно быть, и дом, так и есть, № 16, «дом коллежской секретарши Филисовой». Здесь! Князь позвонил и спросил Настасью Филипповну.

Сама хозяйка дома ответила ему, что Настасья Филипповна еще с утра уехала в Павловск к Дарье Алексеевне «и даже может произойти-с, что останутся там и несколько дней». Филисова была маленькая, востроглазая и востролицая женщина, лет сорока, и глядела лукаво и пристально. На вопрос ее об имени, — вопрос, которому она как бы с намерением придала оттенок таинственности, — князь сначала было не хотел ответить; но тотчас же воротился и настойчиво попросил передать его имя Настасье Филипповне. Филисова приняла эту настойчивость с усиленным вниманием и с необыкновенно секретным видом, которым, видимо, желала заявить, что: «не беспокойтесь, я поняла-с». Имя князя очевидно произвело на нее сильнейшее впечатление. Князь рассеянно поглядел на нее, повернулся и пошел назад в свою гостиницу. Но он вышел не с тем уже видом, с каким звонил к Филисовой. С ним произошла опять, и как бы в одно мгновение, необыкновенная перемена: он опять шел бледный, слабый, страдающий, взволнованный; колена его дрожали, и смутная, потерянная улыбка бродила на посинелых губах его: «внезапная идея» его вдруг подтвердилась и оправдалась, и — он опять верил своему демону!

Но подтвердилась ли? Но оправдалась ли? Почему с ним опять эта дрожь, этот пот холодный, этот мрак и холод душевный? Потому ли, что опять он увидел сейчас эти *глаза*? Но ведь он и пошел же из Летнего сада единственно с тем, чтоб их увидать! В этом ведь и состояла его «внезапная идея». Он настойчиво захотел увидать эти «давешние глаза», чтоб окончательно убедиться, что он непременно встретит их *там*, у этого дома. Это было судорожное желание его, и отчего же он так раздавлен и поражен теперь тем, что их в самом деле сейчас увидел? Точно не ожидал! Да, это были *те самые* глаза (и в том, что *те самые*, нет уже никакого теперь сомнения!), которые сверкнули на него утром, в толпе, когда он выходил из вагона Николаевской железной дороги; те самые (совершенно те самые!), взгляд которых он поймал потом давеча, у себя за плечами, садясь на стул у Рогожина. Рогожин давеча отрекся: он спросил с искривленною, леденящею улыбкой: «Чьи же были глаза-то?» И князю ужасно захотелось, еще недавно, в воксале Царскосельской дороги, — когда он садился в вагон, чтобы ехать к Аглае, и вдруг опять увидел эти глаза, уже в третий раз в этот день, — подойти к Рогожину и сказать *ему*, «чьи это были глаза»! Но он выбежал из воксала и очнулся только пред лавкой ножовщика в ту минуту, как стоял и оценивал в шестьдесят копеек один предмет с оленьим черенком. Странный и ужасный демон привязался к нему окончательно и уже не хотел оставлять его более. Этот демон шепнул ему в Летнем саду, когда он сидел, забывшись, под липой, что если Рогожину так надо было следить за ним с самого утра и ловить его на каждом шагу, то, узнав, что он не поедет в Павловск (что уже, конечно, было роковым для Рогожина сведением), Рогожин непременно пойдет *туда*, к тому дому на Петербургской, и будет непременно сторожить там его, князя, давшего ему еще утром честное слово, что «не увидит ее» и что не затем он в Петербург приехал. И вот князь судорожно устремляется к тому дому, и что же в том, что действительно он там встречает Рогожина? Он увидел только несчастного человека, душевное настроение которого мрачно, но очень понятно. Этот несчастный человек даже и не скрывался теперь. Да, Рогожин давеча почему-то заперся и солгал, но в воксале он стоял, почти не скрываясь. Скорей даже он, князь, скрывался, а не Рогожин. А теперь, у дома, он стоял по другой стороне улицы, шагах в пятидесяти наискось, на противоположном тротуаре, скрестив руки, и ждал. Тут уже он был совсем на виду и, кажется, нарочно хотел быть на виду. Он стоял как обличитель и как судья, а не как... А не как кто?

А почему же он, князь, не подошел теперь к нему сам и повернулся от него, как бы ничего не заметив, хотя глаза их и встретились. (Да, глаза их встретились! и они посмотрели друг на друга.) Ведь он же сам хотел давеча взять его за руку и пойти *туда* вместе с ним? Ведь он сам же хотел завтра идти к нему и сказать, что он был у нее? Ведь отрекся же он сам от своего демона, еще идя туда, на половине дороги, когда радость вдруг наполнила его тушу? Или в самом деле было что-то такое в Рогожине, то есть в целом *сегодняшнем* образе этого человека, во всей совокупности его слов, движений, поступков, взглядов, что могло оправдывать ужасные предчувствия князя и возмущающие нашептывания его демона? Нечто такое, что видится само собой, но что трудно анализировать и рассказать, невозможно оправдать достаточными причинами, но что, однако же, производит, несмотря на всю эту трудность и невозможность, совершенно цельное и неотразимое впечатление, невольно переходящее в полнейшее убеждение?..

Убеждение — в чем? (О, как мучила князя чудовищность, «унизительность» этого убеждения, «этого низкого предчувствия», и как обвинял он себя самого!) «Скажи же, если смеешь, в чем? — говорил он беспрерывно себе, с упреком и с вызовом, — формулируй, осмелься выразить всю свою мысль, ясно, точно, без колебания! О, я бесчестен! — повторял он с негодованием и с краской в лице. — Какими же глазами буду я смотреть теперь всю жизнь на этого человека! О, что за день! О боже, какой кошмар!»

Была минута в конце этого длинного и мучительного пути с Петербургской стороны, когда вдруг неотразимое желание захватило князя — пойти сейчас к Рогожину, дождаться его, обнять его со стыдом, со слезами, сказать ему всё и кончить всё разом. Но он стоял уже у своей гостиницы... Как не понравились ему давеча эта гостиница, эти коридоры, весь этот дом, его нумер, не понравились с первого взгляду; он несколько раз в этот день с каким-то особенным отвращением припоминал, что надо будет сюда воротиться... «Да что это я, как больная женщина, верю сегодня во всякое предчувствие!» — подумал он с раздражительною насмешкой, останавливаясь в воротах. Новый, нестерпимый прилив стыда, почти отчаяния, приковал его на месте, при самом входе в ворота. Он остановился на минуту. Так иногда бывает с людьми: нестерпимые внезапные воспоминания, особенно сопряженные со стыдом, обыкновенно останавливают, на одну минуту, на месте. «Да, я человек без сердца и трус!» — повторил он мрачно и порывисто двинулся идти, но... опять остановился...

В этих воротах, и без того темных, в эту минуту было очень темно: надвинувшаяся грозовая туча поглотила вечерний свет, и в то самое время, как князь подходил к дому, туча вдруг разверзлась и пролилась. В то же время, когда он порывисто двинулся с места, после мгновенной остановки, он находился в самом начале ворот, у самого входа под ворота с улицы. И вдруг он увидел в глубине ворот, в полутемноте, у самого входа на лестницу, одного человека. Человек этот как будто чего-то выжидал, но быстро промелькнул и исчез. Человека этого князь не мог разглядеть ясно и, конечно, никак бы не мог сказать наверно: кто он таков? К тому же тут так много могло проходить людей; тут была гостиница, и беспрерывно проходили и пробегали в коридоры и обратно. Но он вдруг почувствовал самое полное и неотразимое убеждение, что он этого человека узнал и что этот человек непременно Рогожин. Мгновение спустя князь бросился вслед за ним на лестницу. Сердце его замерло. «Сейчас всё разрешится!» — с странным убеждением проговорил он про себя.

Лестница, на которую князь взбежал из-под ворот, вела в коридоры первого и второго этажей, по которым и были расположены номера гостиницы. Эта лестница, как во всех давно строенных домах, была каменная, темная, узкая и вилась около толстого каменного столба. На первой забежной площадке в этом столбе оказалось углубление, вроде ниши, не более одного шага ширины и в полшага глубины. Человек, однако же, мог бы тут поместиться. Как ни было темно, но, взбежав на площадку, князь тотчас же различил, что тут, в этой нише, прячется зачем-то человек. Князю вдруг захотелось пройти мимо и не глядеть направо. Он ступил уже один шаг, но не выдержал и обернулся.

Два давешние глаза, *те же самые*, вдруг встретились с его взглядом. Человек, таившийся в нише, тоже успел уже ступить из нее один шаг. Одну секунду оба стояли друг перед другом почти вплоть. Вдруг князь схватил его за плечи и повернул назад, к лестнице, ближе к свету: он яснее хотел видеть лицо.

Глаза Рогожина засверкали, и бешеная улыбка исказила его лицо. Правая рука его поднялась, и что-то блеснуло в ней; князь не думал ее останавливать. Он помнил только, что, кажется, крикнул:

— Парфен, не верю!..

Затем вдруг как бы что-то разверзлось пред ним: необычайный *внутренний* свет озарил его душу. Это мгновение продолжалось, может быть, полсекунды; но он, однако же, ясно и сознательно помнил начало, самый первый звук своего страшного вопля, который вырвался из груди его сам собой и который никакою силой он не мог бы остановить. Затем сознание его угасло мгновенно, и наступил полный мрак.

С ним случился припадок эпилепсии, уже очень давно оставившей его. Известно, что припадки эпилепсии, собственно самая *падучая*, приходят мгновенно. В это мгновение вдруг чрезвычайно искажается лицо, особенно взгляд. Конвульсии и судороги овладевают всем телом и всеми чертами лица. Страшный, невообразимый и ни на что не похожий вопль вырывается из груди; в этом вопле вдруг исчезает как бы всё человеческое, и никак невозможно, по крайней мере очень трудно, наблюдателю вообразить и допустить, что это кричит этот же самый человек. Представляется даже, что кричит как бы кто-то другой, находящийся внутри этого человека. Многие по крайней мере изъясняли так свое впечатление, на многих же вид человека в падучей производит решительный и невыносимый ужас, имеющий в себе даже нечто мистическое. Надо предположить, что такое впечатление внезапного ужаса, сопряженного со всеми другими страшными впечатлениями той минуты, — вдруг оцепенили Рогожина на месте и тем спасли князя от неизбежного удара ножом, на него уже падавшего. Затем, еще не успев догадаться о припадке и увидев, что князь отшатнулся от него и вдруг упал навзничь, прямо вниз по лестнице, с размаху ударившись затылком о каменную ступень, Рогожин стремглав бросился вниз, обежал лежавшего и почти без памяти выбежал из гостиницы.

От конвульсий, биения и судорог тело больного спустилось по ступенькам, которых было не более пятнадцати, до самого конца лестницы. Очень скоро, не более как минут через пять, заметили лежавшего, и собралась толпа. Целая лужица крови около головы вселяла недоумение: сам ли человек расшибся, или «был какой грех». Скоро, однако же, некоторые различили падучую; один из нумерных признал в князе давешнего постояльца. Смятение разрешилось наконец весьма счастливо по одному счастливому обстоятельству.

Коля Иволгин, обещавшийся быть к четырем часам в «Весах» и поехавший вместо того в Павловск, по одному внезапному соображению отказался «откушать» у генеральши Епанчиной, а приехал обратно в Петербург и поспешил в «Весы», куда и явился около семи часов вечера. Узнав, по оставленной ему записке, что князь в городе, он устремился к нему по сообщенному в записке адресу. Известившись в гостинице, что князь вышел, он спустился вниз, в буфетные комнаты, и стал дожидаться, кушая чай и слушая орган. Случайно услышав разговор о приключившемся с кем-то припадке, он бросился на место по верному предчувствию и узнал князя. Тотчас же были приняты надлежащие меры. Князя перенесли в его номер; он хоть и очнулся, но в полное сознание довольно долго не приходил. Доктор, приглашенный для осмотра разбитой головы, дал примочку и объявил, что опасности от ушибов нет ни малейшей. Когда же, уже чрез час, князь довольно хорошо стал понимать окружающее, Коля перевез его в карете из гостиницы к Лебедеву. Лебедев принял больного с необыкновенным жаром и с поклонами. Для него же ускорил и переезд на дачу; на третий день все уже были в Павловске.

VI

Дача Лебедева была небольшая, но удобная и даже красивая. Часть ее, назначавшаяся внаем, была особенно изукрашена. На террасе, довольно поместительной, при входе с улицы в комнаты было наставлено несколько померанцевых, лимонных и жасминных деревьев, в больших зеленых деревянных кадках, что и составляло, по расчету Лебедева, самый обольщающий вид. Несколько из этих деревьев он приобрел вместе с дачей и до того прельстился эффектом, который они производили на террасе, что решился, благодаря случаю, прикупить для комплекту таких же деревьев в кадках на аукционе. Когда все деревья были наконец свезены на дачу и расставлены, Лебедев несколько раз в тот же день сбегал по ступенькам террасы на улицу и с улицы любовался на свое владение, каждый раз мысленно надбавляя сумму, которую предполагал запросить с будущего своего дачного жильца. Расслабленному, тоскующему и разбитому телом князю дача очень понравилась. Впрочем, в день переезда в Павловск, то есть на третий день после припадка, князь уже имел по наружности вид почти здорового человека, хотя внутренно чувствовал себя всё еще не оправившимся. Он был рад всем, кого видел кругом себя в эти три дня, рад Коле, почти от него не отходившему, рад всему семейству Лебедева (без племянника, куда-то исчезнувшего), рад самому Лебедеву; даже с удовольствием принял посетившего его еще в городе генерала Иволгина. В самый день переезда, состоявшегося уже к вечеру, вокруг него на террасе собралось довольно много гостей: сперва пришел Ганя, которого князь едва узнал, — так он за всё это время переменился и похудел. Затем явились Варя и Птицын, тоже павловские дачники. Генерал же Иволгин находился у Лебедева на квартире почти бессменно, даже, кажется, вместе с ним переехал. Лебедев старался не пускать его к князю и держать при себе; обращался он с ним по-приятельски; по-видимому, они уже давно были знакомы. Князь заметил, что все эти три дня они вступали иногда друг с другом в длинные разговоры, нередко кричали и спорили, даже, кажется, об ученых предметах, что, по-видимому, доставляло удовольствие Лебедеву. Подумать можно было, что он даже нуждался в генерале. Но те же самые предосторожности, как относительно князя, Лебедев стал соблюдать и относительно своего семейства с самого переезда на дачу; под предлогом, чтобы не беспокоить князя, он не пускал к нему никого, топал ногами, бросался и гонялся за своими дочерьми, не исключая и Веры с ребенком, при первом подозрении, что они идут на террасу, где находился князь, несмотря на все просьбы князя не отгонять никого.

— Во-первых, никакой не будет почтительности, если их так распустить; а во-вторых, им даже и неприлично... — объяснил он наконец на прямой вопрос князя.

— Да почему же? — усовещивал князь. — Право, вы меня всеми этими наблюдениями и сторожением только мучаете. Мне одному скучно, я вам несколько раз говорил, а сами вы вашим беспрерывным маханием рук и хождением на цыпочках еще больше тоску нагоняете.

Князь намекал на то, что Лебедев хоть и разгонял всех домашних под видом спокойствия, необходимого больному, но сам входил к князю во все эти три дня чуть не поминутно, и каждый раз сначала растворял дверь, просовывал голову, оглядывал комнату, точно увериться хотел, тут ли? не убежал ли? и потом уже на цыпочках, медленно, крадущимися шагами, подходил к креслу, так что иногда невзначай пугал своего жильца. Беспрерывно осведомлялся, не нужно ли ему чего, и когда князь стал ему наконец замечать, чтоб он оставил его в покое, послушно и безмолвно оборачивался, пробирался обратно на цыпочках к двери и всё время, пока шагал, махал руками, как бы давая знать, что он только так, что он не промолвит ни слова и что вот он уж и вышел, и не придет, и, однако ж, чрез десять минут или по крайней мере чрез четверть часа являлся опять. Коля, имевший свободный вход к князю, возбуждал тем самым в Лебедеве глубочайшее огорчение и даже обидное негодование. Коля заметил, что Лебедев по получасу простаивает у двери и подслушивает, что они говорят с князем, о чем, разумеется, и известил князя.

— Вы точно меня себе присвоили, что держите под замком, — протестовал князь, — по крайней мере на даче-то я хочу, чтобы было иначе, и будьте уверены, что буду принимать кого угодно и выходить куда угодно.

— Без самомалейшего сомнения, — замахал руками Лебедев.

Князь пристально оглядел его с головы до ног.

— А что, Лукьян Тимофеевич, вы свой шкапчик, который у вас над кроватью в головах висел, перевезли сюда?

— Нет, не перевез.

— Неужели там оставили?

— Невозможно везти, выламывать из стены надо... Крепко, крепко.

— Да, может, здесь точно такой же есть?

— Даже лучше, даже лучше, с тем и дачу купил.

— А-а. Это кого вы давеча ко мне не пускали? Час назад.

— Это... это генерала-с. Действительно не пускал, и ему к вам не стать. Я, князь, человека этого глубоко уважаю, это... это великий человек-с; вы не верите? Ну, вот увидите, а все-таки... лучше бы, сиятельнейший князь, вам не принимать его у себя-с.

— А почему бы так, позвольте вас спросить? И почему, Лебедев, вы стоите теперь на цыпочках, а подходите ко мне всегда, точно желаете секрет на ухо сообщить?

— Низок, низок, чувствую, — неожиданно отвечал Лебедев, с чувством постукивая себя в грудь, — а генерал для вас не слишком ли будет гостеприимен-с?

— Слишком будет гостеприимен?

— Гостеприимен-с. Во-первых, он уж и жить у меня собирается; это бы пусть-с, да азартен, в родню тотчас лезет. Мы с ним родней уже несколько раз сосчитались, оказалось, что свояки. Вы тоже ему по матери племянником двоюродным оказываетесь, еще вчера мне разъяснял. Если вы племянник, стало быть, и мы с вами, сиятельнейший князь, родня. Это бы ничего-с, маленькая слабость, но сейчас уверял, что всю его жизнь, с самого прапорщичьего чина и до самого одиннадцатого июня прошлого года, у него каждый день меньше двухсот персон за стол не садилось. Дошел наконец до того, что и не вставало, так что и обедали, и ужинали, и чай пили часов по пятнадцати в сутки лет тридцать сряду без малейшего перерыва, едва время было скатерть переменить. Один встает, уходит, другой приходит, а в табельные и царские дни и до трехсот человек доходило. А в день тысячелетия России так семьсот человек начёл. Это ведь страсть-с; этакие известия — признак очень дурной-с; этаких гостеприимцев и принимать даже у себя страшно, я и подумал: не слишком ли для нас с вами будет этакой гостеприимен?

— Но вы, кажется, с ним в весьма хороших отношениях?

— По-братски и принимаю за шутку; пусть мы свояки: мне что, — больше чести. Я в нем даже и сквозь двухсот персон и тысячелетие России замечательнейшего человека различаю. Искренно говорю-с. Вы, князь, сейчас о секретах заговорили-с, будто бы, то есть, я приближаюсь, точно секрет сообщить желаю, а секрет, как нарочно, и есть: известная особа сейчас дала знать, что желала бы очень с вами секретное свидание иметь.

— Для чего же секретное? Отнюдь. Я у ней буду сам, хоть сегодня.

— Отнюдь, отнюдь нет, — замахал Лебедев, — и не того боится, чего бы вы думали. Кстати: изверг ровно каждый день приходит о здоровье вашем наведываться, известно ли вам?

— Вы что-то очень часто извергом его называете, это мне очень подозрительно.

— Никакого подозрения иметь не можете, никакого, — поскорее отклонил Лебедев, — я хотел только объяснить, что особа известная не его, а совершенно другого боится, совершенно другого.

— Да чего же, говорите скорей, — допрашивал князь с нетерпением, смотря на таинственные кривляния Лебедева.

— В том и секрет.

И Лебедев усмехнулся.

— Чей секрет?

— Ваш секрет. Сами вы запретили мне, сиятельнейший князь, при вас говорить... — пробормотал Лебедев и, насладившись тем, что довел любопытство своего слушателя до болезненного нетерпения, вдруг заключил: — Аглаи Ивановны боится.

Князь поморщился и с минуту помолчал.

— Ей-богу, Лебедев, я брошу вашу дачу, — сказал он вдруг. — Где Гаврила Ардалионович и Птицыны? У вас? Вы их тоже к себе переманили.

— Идут-с, идут-с. И даже генерал вслед за ними. Все двери отворю и дочерей созову всех, всех, сейчас, сейчас, — испуганно шептал Лебедев, махая руками и кидаясь от одной двери к другой.

В эту минуту Коля появился на террасе, войдя с улицы, и объявил, что вслед за ним идут гости, Лизавета Прокофьевна с тремя дочерьми.

— Пускать или не пускать Птицыных и Гаврилу Ардалионовича? Пускать или не пускать генерала? — подскочил Лебедев, пораженный известием.

— Отчего же нет? Всех, кому угодно. Уверяю вас, Лебедев, что вы что-то не так поняли в моих отношениях в самом начале; у вас какая-то беспрерывная ошибка. Я не имею ни малейших причин от кого-нибудь таиться и прятаться, — засмеялся князь.

Глядя на него, почел за долг засмеяться и Лебедев. Лебедев, несмотря на свое чрезвычайное волнение, был тоже, видимо, чрезвычайно доволен.

Известие, сообщенное Колей, было справедливо; он опередил Епанчиных только несколькими шагами, чтоб их возвестить, так что гости явились вдруг с обеих сторон, с террасы — Епанчины, а из комнат — Птицыны, Ганя и генерал Иволгин.

Епанчины узнали о болезни князя и о том, что он в Павловске, только сейчас, от Коли, до того же времени генеральша была в тяжелом недоумении. Еще третьего дня генерал сообщил своему семейству карточку князя; эта карточка возбудила в Лизавете Прокофьевне непременную уверенность, что и сам князь прибудет в Павловск для свидания с ними немедленно вслед за этою карточкой. Напрасно девицы уверяли, что человек, не писавший полгода, может быть, далеко не будет так тороплив и теперь и что, может быть, у него и без них много хлопот в Петербурге, — почем знать его дела? Генеральша решительно осердилась на эти замечания и готова была биться об заклад, что князь явится по крайней мере на другой же день, хотя «это уже будет и поздно». На другой день она прождала целое утро; ждали к обеду, к вечеру, и когда уже совершенно смерклось, Лизавета Прокофьевна рассердилась на всё и пересорилась со всеми, разумеется в мотивах ссоры ни слова не упоминая о князе. Ни слова о нем не было упомянуто и во весь третий день. Когда у Аглаи сорвалось невзначай за обедом, что maman сердится, потому что князь не едет, на что генерал тотчас же заметил, что «ведь он в этом не виноват», — Лизавета Прокофьевна встала и во гневе вышла из-за стола. Наконец к вечеру явился Коля со всеми известиями и с описанием всех приключений князя, какие он знал. В результате Лизавета Прокофьевна торжествовала, но во всяком случае Коле крепко досталось: «То по целым дням здесь вертится и не выживешь, а тут хоть бы знать-то дал, если уж сам не рассудил пожаловать». Коля тотчас же хотел было рассердиться за слово «не выживешь», но отложил до другого раза, и если бы только самое слово не было уж слишком обидно, то, пожалуй, и совсем извинил бы его: до того понравилось ему волнение и беспокойство Лизаветы Прокофьевны при известии о болезни князя. Она долго настаивала на необходимости немедленно отправить нарочного в Петербург, чтобы поднять какую-то медицинскую знаменитость первой величины и примчать ее с первым поездом. Но дочери отговорили; они, впрочем, не захотели отстать от мамаши, когда та мигом собралась, чтобы посетить больного.

— Он на смертном одре, — говорила, суетясь, Лизавета Прокофьевна, — а мы тут будем еще церемонии наблюдать! Друг он нашего дома иль нет?

— Да и соваться, не спросись броду, не следует, — заметила было Аглая.

— Ну, так и не ходи, и хорошо даже сделаешь: Евгений Павлыч приедет, некому будет принять.

После этих слов Аглая, разумеется, тотчас же отправилась вслед за всеми, что, впрочем, намерена была и без этого сделать. Князь Щ., сидевший с Аделаидой, по ее просьбе, немедленно согласился сопровождать дам. Он еще и прежде, в начале своего знакомства с Епанчиными, чрезвычайно заинтересовался, когда услышал от них о князе. Оказалось, что он с ним был знаком, что они познакомились где-то недавно и недели две жили вместе в каком-то городке. Это было назад тому месяца с три. Князь Щ. даже много о князе рассказывал и вообще отзывался о нем весьма симпатично, так что теперь с искренним удовольствием шел навестить старого знакомого. Генерала Ивана Федоровича на этот раз не было дома. Евгений Павлович тоже еще не приезжал.

До дачи Лебедева от Епанчиных было не более трехсот шагов. Первое неприятное впечатление Лизаветы Прокофьевны у князя — было застать кругом него целую компанию гостей, не говоря уже о том, что в этой компании были два-три лица ей решительно ненавистные; второе — удивление при виде совершенно на взгляд здорового, щеголевато одетого и смеющегося молодого человека, ступившего им навстречу, вместо умирающего на смертном одре, которого она ожидала найти. Она даже остановилась в недоумении, к чрезвычайному удовольствию Коли, который, конечно, мог бы отлично объяснить, еще когда она и не трогалась с своей дачи, что никто ровно не умирает и никакого смертного одра нет, но не объяснил, лукаво предчувствуя будущий комический гнев генеральши, когда она, по его расчетам, непременно рассердится за то, что застанет князя, своего искреннего друга, здоровым. Коля был даже так неделикатен, что вслух высказал свою догадку, чтоб окончательно раздразнить Лизавету Прокофьевну, с которою постоянно и иногда очень злобно пикировался, несмотря на связывавшую их дружбу.

— Подожди, любезный, не торопись, не испорти свое торжество! — отвечала Лизавета Прокофьевна, усаживаясь в подставленные ей князем кресла.

Лебедев, Птицын, генерал Иволгин бросились подавать стулья девицам. Аглае подал стул генерал. Лебедев подставил стул и князю Щ., причем даже в сгибе своей поясницы успел изобразить необыкновенную почтительность. Варя, по обыкновению, с восторгом и шепотом здоровалась с барышнями.

— Это правда, что я думала, князь, тебя чуть не в постели застать, так со страху преувеличила, и, ни за что лгать не стану, досадно мне стало сейчас ужасно на твое счастливое лицо, но божусь тебе, это всего минута, пока еще не успела размыслить. Я, как размыслю, всегда умнее поступаю и говорю; я думаю, и ты тоже. А по-настоящему, выздоровлению родного сына, если б он был, была бы, может быть, меньше рада, чем твоему; и если ты мне в этом не поверишь, то срам тебе, а не мне. А этот злобный мальчишка позволяет со мной и не такие шутки шутить. Ты, кажется, его протежируешь; так я предупреждаю тебя, что в одно прекрасное утро, поверь мне, откажу себе в дальнейшем удовольствии пользоваться честью его знакомства.

— Да чем же я виноват? — кричал Коля. — Да сколько б я вас ни уверял, что князь почти уже здоров, вы бы не захотели поверить, потому что представить его на смертном одре было гораздо интереснее.

— Надолго ли к нам? — обратилась к князю Лизавета Прокофьевна.

— На всё лето и, может быть, дольше.

— Ты ведь один? Не женат?

— Нет, не женат, — улыбнулся князь наивности пущенной шпильки.

— Улыбаться нечего; это бывает. Я про дачу; зачем не к нам переехал? У нас целый флигель пустой, впрочем, как хочешь. Это у него нанимаешь? У этого? — прибавила она вполголоса, кивнув на Лебедева. — Что он всё кривляется?

В эту минуту из комнат вышла на террасу Вера, по своему обыкновению, с ребенком на руках. Лебедев, извивавшийся около стульев и решительно не знавший, куда девать себя, но ужасно не хотевший уйти, вдруг набросился на Веру, замахал на нее руками, гоня прочь с террасы, и даже, забывшись, затопал ногами.

— Он сумасшедший? — прибавила вдруг генеральша.

— Нет, он...

— Пьян, может быть? Не красива же твоя компания, — отрезала она, захватив в своем взгляде и остальных гостей, — а впрочем, какая милая девушка! Кто такая?

— Это Вера Лукьяновна, дочь этого Лебедева.

— А!.. Очень милая. Я хочу с ней познакомиться.

Но Лебедев, расслышавший похвалы Лизаветы Прокофьевны, уже сам тащил дочь, чтобы представить ее.

— Сироты, сироты! — таял он, подходя. — И этот ребенок на руках ее — сирота, сестра ее, дочь Любовь, и рождена в наизаконнейшем браке от новопреставленной Елены, жены моей, умершей тому назад шесть недель, в родах, по соизволению Господню... да-с... вместо матери, хотя только сестра и не более как сестра... не более, не более...

— А ты, батюшка, не более как дурак, извини меня. Ну, довольно, сам понимаешь, я думаю, — отрезала вдруг Лизавета Прокофьевна в чрезвычайном негодовании.

— Истинная правда! — почтительнейше и глубоко поклонился Лебедев.

— Послушайте, господин Лебедев, правду про вас говорят, что вы Апокалипсис толкуете? — спросила Аглая.

— Истинная правда... пятнадцатый год.

— Я о вас слышала. О вас и в газетах печатали, кажется?

— Нет, это о другом толкователе, о другом-с, и тот помер, а я за него остался, — вне себя от радости проговорил Лебедев.

— Сделайте одолжение, растолкуйте мне когда-нибудь, на днях, по соседству. Я ничего не понимаю в Апокалипсисе.

— Не могу не предупредить вас, Аглая Ивановна, что всё это с его стороны одно шарлатанство, поверьте, — быстро ввернул вдруг генерал Иволгин, ждавший точно на иголочках и желавший изо всех сил как-нибудь начать разговор; он уселся рядом с Аглаей Ивановной, — конечно, дача имеет свои права, — продолжал он, — и свои удовольствия, и прием такого необычайного интруса для толкования Апокалипсиса есть затея, как и другая, и даже затея замечательная по уму, но я... Вы, кажется, смотрите на меня с удивлением? Генерал Иволгин, имею честь рекомендоваться. Я вас на руках носил, Аглая Ивановна.

— Очень рада. Мне знакомы Варвара Ардалионовна и Нина Александровна, — проборматала Аглая, всеми силами крепясь, чтобы не расхохотаться.

Лизавета Прокофьевна вспыхнула. Что-то давно накопившееся в ее душе вдруг потребовало исхода. Она терпеть не могла генерала Иволгина, с которым когда-то была знакома, только очень давно.

— Лжешь, батюшка, по своему обыкновению, никогда ты ее на руках не носил, — отрезала она ему в негодовании.

— Вы забыли, maman, ей-богу носил, в Твери, — вдруг подтвердила Аглая. — Мы тогда жили в Твери. Мне тогда лет шесть было, я помню. Он мне стрелку и лук сделал, и стрелять научил, и я одного голубя убила. Помните, мы с вамп голубя вместе убили?

— А мне тогда каску из картона принес и шпагу деревянную, и я помню! — вскричала Аделаида.

— И я это помню, — подтвердила Александра. — Вы еще тогда за раненого голубя перессорились, и вас по углам расставили; Аделаида так и стояла в каске и со шпагой.

Генерал, объявивший Аглае, что он ее на руках носил, сказал это *так*, чтобы только начать разговор, и единственно потому, что он почти всегда так начинал разговор со всеми молодыми людьми, если находил нужным с ними познакомиться. Но на этот раз случилось, как нарочно, что он сказал правду, и, как нарочно, правду эту он и сам забыл. Так что, когда Аглая вдруг подтвердила теперь, что она с ним вдвоем застрелила голубя, память его разом осветилась, и он вспомнил обо всем об этом сам до последней подробности, как нередко вспоминается в летах преклонных что-нибудь из далекого прошлого. Трудно передать, что в этом воспоминании так сильно могло подействовать на бедного и, по обыкновению, несколько хмельного генерала; но он был вдруг необыкновенно растроган.

— Помню, всё помню! — вскричал он. — Я был тогда штабс-капитаном. Вы — такая крошка, хорошенькая. Нина Александровна... Ганя... Я был у вас... принят. Иван Федорович...

— И вот, видишь, до чего ты теперь дошел! — подхватила генеральша. — Значит, все-таки не пропил своих благородных чувств, когда так подействовало! А жену измучил. Чем бы детей руководить, а ты в долговом сидишь. Ступай, батюшка, отсюда, зайди куда-нибудь, встань за дверью в уголок и поплачь, вспомни свою прежнюю невинность, авось Бог простит. Поди-ка, поди, я тебе серьезно говорю. Ничего нет лучше для исправления, как прежнее с раскаянием вспомнить.

Но повторять о том, что говорят серьезно, было нечего: генерал, как и все постоянно хмельные люди, был очень чувствителен и, как все слишком упавшие хмельные люди, не легко переносил воспоминания из счастливого прошлого. Он встал и смиренно направился к дверям, так что Лизавете Прокофьевне сейчас же и жалко стало его.

— Ардалион Александрыч, батюшка! — крикнула она ему вслед, — остановись на минутку; все мы грешны; когда будешь чувствовать, что совесть меньше укоряет, приходи ко мне, посидим, поболтаем о прошлом-то. Я ведь еще, может, сама тебя в пятьдесят раз грешнее; ну, а теперь прощай, ступай, нечего тебе тут... — испугалась она вдруг, что он воротится.

— Вы бы пока не ходили за ним, — остановил князь Колю, который побежал было вслед за отцом. — А то через минуту он подосадует, и вся минута испортится.

— Это правда, не тронь его; через полчаса поди, — решила Лизавета Прокофьевна.

— Вот что значит хоть раз в жизни правду сказать, — до слез подействовало! — осмелился вклеить Лебедев.

— Ну уж и ты-то, батюшка, должно быть, хорош, коли правда то, что я слышала, — осадила его сейчас же Лизавета Прокофьевна.

Взаимное положение всех гостей, собравшихся у князя, мало-помалу определилось. Князь, разумеется, в состоянии был оценить и оценил всю степень участия к нему генеральши и ее дочерей и, конечно, сообщил им искренно, что и сам он сегодня же, еще до посещения их, намерен был непременно явиться к ним, несмотря ни на болезнь свою, ни на поздний час. Лизавета Прокофьевна, поглядывая на гостей его, ответила, что это и сейчас можно исполнить. Птицын, человек вежливый и чрезвычайно уживчивый, очень скоро встал и отретировался во флигель к Лебедеву, весьма желая увести с собой и самого Лебедева. Тот обещал прийти скоро; тем временем Варя разговорилась с девицами и осталась. Она и Ганя были весьма рады отбытию генерала; сам Ганя тоже скоро отправился вслед за Птицыным. В те же несколько минут, которые он пробыл на террасе при Епанчиных, он держал себя скромно, с достоинством и нисколько не потерялся от решительных взглядов Лизаветы Прокофьевны, два раза оглядевшей его с головы до ног. Действительно, можно было подумать знавшим его прежде, что он очень изменился. Это очень понравилось Аглае.

— Ведь это Гаврила Ардалионович вышел? — спросила она вдруг, как любила иногда делать, громко, резко, прерывая своим вопросом разговор других и ни к кому лично не обращаясь.

— Он, — ответил князь.

— Едва узнала его. Он очень изменился и... гораздо к лучшему.

— Я очень рад за него, — сказал князь.

— Он был очень болен, — прибавила Варя с радостным соболезнованием.

— Чем это изменился к лучшему? — в гневливом недоумении и чуть не перепугавшись спросила Лизавета Прокофьевна. — Откуда взяла? Ничего нет лучшего. Что именно тебе кажется лучшего?

— Лучше «рыцаря бедного» ничего нет лучшего! — провозгласил вдруг Коля, стоявший всё время у стула Лизаветы Прокофьевны.

— Это я сам тоже думаю, — сказал князь Щ. и засмеялся.

— Я совершенно того же мнения, — торжественно провозгласила Аделаида.

— Какого «рыцаря бедного»? — спрашивала генеральша, с недоумением и досадой оглядывая всех говоривших, но, увидев, что Аглая вспыхнула, с сердцем прибавила: — Вздор какой-нибудь! Какой такой «рыцарь бедный»?

— Разве в первый раз мальчишке этому, фавориту вашему, чужие слова коверкать! — с надменным негодованием ответила Аглая.

В каждой гневливой выходке Аглаи (а она гневалась очень часто) почти каждый раз, несмотря на всю видимую ее серьезность и неумолимость, проглядывало столько еще чего-то детского, нетерпеливо школьного и плохо припрятанного, что не было возможности иногда, глядя на нее, не засмеяться, к чрезвычайной, впрочем, досаде Аглаи, не понимавшей, чему смеются и «как могут, как смеют они смеяться». Засмеялись и теперь сестры, князь Щ., и даже улыбнулся сам князь Лев Николаевич, тоже почему-то покрасневший. Коля хохотал и торжествовал. Аглая рассердилась не на шутку и вдвое похорошела. К ней чрезвычайно шло ее смущение и тут же досада на самое себя за это смущение.

— Мало он ваших-то слов перековеркал, — прибавила она.

— Я на собственном вашем восклицании основываюсь! — прокричал Коля. — Месяц назад вы «Дон-Кихота» перебирали и воскликнули эти слова, что нет лучше «рыцаря бедного». Не знаю, про кого вы тогда говорили: про Дон-Кихота, или про Евгения Павлыча, или еще про одно лицо, но только про кого-то говорили, и разговор шел длинный...

— Ты, я вижу, уж слишком много позволяешь себе, мой милый, со своими догадками, — с досадой остановила его Лизавета Прокофьевна.

— Да разве я один? — не умолкал Коля. — Все тогда говорили, да и теперь говорят; вот сейчас князь Щ., и Аделаида Ивановна, и все объявили, что стоят за «рыцаря бедного», стало быть, «рыцарь-то бедный» существует и непременно есть, а по-моему, если бы только не Аделаида Ивановна, так все бы мы давно уж знали, кто такой «рыцарь бедный».

— Я-то чем виновата, — смеялась Аделаида.

— Портрет не хотели нарисовать — вот чем виноваты! Аглая Ивановна просила вас тогда нарисовать портрет «рыцаря бедного» и рассказала весь сюжет картины, который сама и сочинила, помните, сюжет-то? Вы не хотели...

— Да как же бы я нарисовала, кого? По сюжету выходит, что этот «рыцарь бедный»

С лица стальной решетки
Ни пред кем не подымал.

Какое же тут лицо могло выйти? Что нарисовать: решетку? Аноним?

— Ничего не понимаю, какая там решетка! — раздражалась генеральша, начинавшая очень хорошо понимать про себя, кто такой подразумевался под названием (и, вероятно, давно уже условленным) «рыцаря бедного». Но особенно взорвало ее, что князь Лев Николаевич тоже смутился и наконец совсем сконфузился, как десятилетний мальчик. — Да что, кончится или нет эта глупость? Растолкуют мне или нет этого «рыцаря бедного»? Секрет, что ли, какой-нибудь такой ужасный, что и подступиться нельзя?

Но все только продолжали смеяться.

— Просто-запросто, есть одно странное русское стихотворение, — вступился, наконец князь Щ., очевидно желая поскорее замять и переменить разговор, — про «рыцаря бедного», отрывок без начала и конца. С месяц назад как-то раз смеялись все вместе после обеда и искали, по обыкновению, сюжета для будущей картины Аделаиды Ивановны. Вы знаете, что общая семейная задача давно уже в том, чтобы сыскать сюжет для картины Аделаиды Ивановны. Тут и напали на «рыцаря бедного», кто первый, не помню...

— Аглая Ивановна! — вскричал Коля.

— Может быть, согласен, только я не помню, — продолжал князь Щ. — Одни над этим сюжетом смеялись, другие провозглашали, что ничего не может быть и выше, но чтоб изобразить «рыцаря бедного», во всяком случае надо было лицо; стали перебирать лица всех знакомых, ни одно не пригодилось, на этом дело и стало; вот и всё; не понимаю, почему Николаю Ардалионовичу вздумалось всё это припомнить и вывести? Что смешно было прежде и кстати, то совсем неинтересно теперь.

— Потому что новая глупость какая-нибудь подразумевается, язвительная и обидная, — отрезала Лизавета Прокофьевна.

— Никакой нет глупости, кроме глубочайшего уважения, — совершенно неожиданно важным и серьезным голосом вдруг произнесла Аглая, успевшая совершенно поправиться и подавить свое прежнее смущение. Мало того, по некоторым признакам можно было подумать, глядя на нее, что она сама теперь радуется, что шутка заходит всё дальше и дальше, и весь этот переворот произошел в ней именно в то мгновение, когда слишком явно заметно стало возраставшее всё более и более и достигшее чрезвычайной степени смущение князя.

— То хохочут, как угорелые, а тут вдруг глубочайшее уважение явилось! Бешеные! Почему уважение? Говори сейчас, почему у тебя, ни с того ни с сего, так вдруг глубочайшее уважение явилось?

— Потому глубочайшее уважение, — продолжала так же серьезно и важно Аглая в ответ почти на злобный вопрос матери, — потому, что в стихах этих прямо изображен человек, способный иметь идеал, во-вторых, раз поставив себе идеал, поверить ему, а поверив, слепо отдать ему всю свою жизнь. Это не всегда в нашем веке случается. Там, в стихах этих, не сказано, в чем, собственно, состоял идеал «рыцаря бедного», но видно, что это был какой-то светлый образ, «образ чистой красоты», и влюбленный рыцарь, вместо шарфа, даже четки себе повязал на шею. Правда, есть еще там какой-то темный, недоговоренный девиз, буквы А. Н. Б., которые он начертал на щите своем...

— А. Н. Д., — поправил Коля.

— А я говорю А. Н. Б., и так хочу говорить, — с досадой перебила Аглая, — как бы то ни было, а ясное дело, что этому бедному рыцарю уже всё равно стало: кто бы ни была и что бы ни сделала его дама. Довольно того, что он ее выбрал и поверил ее «чистой красоте», а затем уже преклонился пред нею навеки; в том-то и заслуга, что если б она потом хоть воровкой была, то он все-таки должен был ей верить и за ее чистую красоту копья ломать. Поэту хотелось, кажется, совокупить в один чрезвычайный образ всё огромное понятие средневековой рыцарской платонической любви какого-нибудь чистого и высокого рыцаря; разумеется, всё это идеал. В «рыцаре же бедном» это чувство дошло уже до последней степени, до аскетизма; надо признаться, что способность к такому чувству много обозначает и что такие чувства оставляют по себе черту глубокую и весьма, с одной стороны, похвальную, не говоря уже о Дон-Кихоте. «Рыцарь бедный» тот же Дон-Кихот, но только серьезный, а не комический. Я сначала не понимала и смеялась, а теперь люблю «рыцаря бедного», а главное, уважаю его подвиги.

Так кончила Аглая, и, глядя на нее, даже трудно было поверить, серьезно она говорит или смеется.

— Ну, дурак какой-нибудь и он, и его подвиги! — решила генеральша. — Да и ты, матушка, завралась, целая лекция; даже не годится, по-моему, с твоей стороны. Во всяком случае непозволительно. Какие стихи? Прочти, верно знаешь! Я непременно хочу знать эти стихи. Всю жизнь терпеть не могла стихов, точно предчувствовала. Ради бога, князь, потерпи, нам с тобой, видно, вместе терпеть приходится, — обратилась она к князю Льву Николаевичу. Она была очень раздосадована.

Князь Лев Николаевич хотел было что-то сказать, но ничего не мог выговорить от продолжавшегося смущения. Одна только Аглая, так много позволившая себе в своей «лекции», не сконфузилась нимало, даже как будто рада была. Она тотчас же встала, всё по-прежнему серьезно и важно, с таким видом, как будто заранее к тому готовилась и только ждала приглашения, вышла на средину террасы и стала напротив князя, продолжавшего сидеть в своих креслах. Все с некоторым удивлением смотрели на нее, и почти все, князь Щ., сестры, мать, с неприятным чувством смотрели на эту новую приготовлявшуюся шалость, во всяком случае несколько далеко зашедшую. Но видно было, что Аглае нравилась именно вся эта аффектация, с которою она начинала церемонию чтения стихов. Лизавета Прокофьевна чуть было не прогнала ее на место, но в ту самую минуту, как только было Аглая начала декламировать известную балладу, два новые гостя, громко говоря, вступили с улицы на террасу. Это были генерал Иван Федорович Епанчин и вслед за ним один молодой человек. Произошло маленькое волнение.

VII

Молодой человек, сопровождавший генерала, был лет двадцати восьми, высокий, стройный, с прекрасным и умным лицом, с блестящим, полным остроумия и насмешки взглядом больших черных глаз. Аглая даже и не оглянулась на него и продолжала чтение стихов, с аффектацией продолжая смотреть на одного только князя и обращаясь только к нему одному. Князю стало явно, что всё это она делает с каким-то особенным расчетом. Но по крайней мере новые гости несколько поправили его неловкое положение. Завидев их, он привстал, любезно кивнул издали головой генералу, подал знак, чтобы не прерывали чтения, а сам успел оретироваться за кресла, где, облокотясь левою рукой на спинку, продолжал слушать балладу уже, так сказать, в более удобном и не в таком «смешном» положении, как сидя в креслах. С своей стороны, Лизавета Прокофьевна повелительным жестом махнула два раза входившим, чтоб они остановились. Князь между прочим слишком интересовался новым своим гостем, сопровождавшим генерала; он ясно угадывал в нем Евгения Павловича Радомского, о котором уже много слышал и не раз думал. Его сбивало одно только штатское платье его; он слышал, что Евгений Павлович военный. Насмешливая улыбка бродила на губах нового гостя во всё время чтения стихов, как будто и он уже слышал кое-что про «рыцаря бедного».

«Может быть, сам и выдумал», — подумал князь про себя.

Но совсем другое было с Аглаей. Всю первоначальную аффектацию и напыщенность, с которою она выступила читать, она прикрыла такою серьезностью и таким проникновением в дух и смысл поэтического произведения, с таким смыслом произносила каждое слово стихов, с такою высшею простотой проговаривала их, что в конце чтения не только увлекла всеобщее внимание, но передачей высокого духа баллады как бы и оправдала отчасти ту усиленную аффектированную важность, с которою она так торжественно вышла на средину террасы. В этой важности можно было видеть теперь только безграничность и, пожалуй, даже наивность ее уважения к тому, что она взяла на себя передать. Глаза ее блистали, и легкая, едва заметная судорога вдохновения и восторга раза два прошла по ее прекрасному лицу. Она прочла:

> Жил на свете рыцарь бедный,
> Молчаливый и простой,
> С виду сумрачный и бледный,
> Духом смелый и прямой.
>
> Он имел одно виденье,
> Непостижное уму, —
> И глубоко впечатленье
> В сердце врезалось ему.
>
> С той поры, сгорев душою,
> Он на женщин не смотрел,
> Он до гроба ни с одною
> Молвить слова не хотел.
>
> Он себе на шею четки
> Вместо шарфа навязал,
> И с лица стальной решетки
> Ни пред кем не подымал.
>
> Полон чистою любовью,
> Верен сладостной мечте,
> *A. M. D.* своею кровью
> Начертал он на щите.
>
> И в пустынях Палестины,
> Между тем как по скалам
> Мчались в битву паладины,
> Именуя громко дам.
>
> Lumen coeli, sancta Rosa![1]
> Восклицал он, дик и рьян,
> И как гром его угроза
> Поражала мусульман.

---

[1] Свет небес, святая Роза! (*лат.*)

Возвратясь в свой замок дальний,
Жил он, строго заключен,
Всё безмолвный, всё печальный,
Как безумец умер он.

Припоминая потом всю эту минуту, князь долго в чрезвычайном смущении мучился одним неразрешимым для него вопросом: как можно было соединить такое истинное, прекрасное чувство с такою явною и злобною насмешкой? Что была насмешка, в том он не сомневался; он ясно это понял и имел на то причины: во время чтения Аглая позволила себе переменить буквы *А. М. D.* в буквы *Н. Ф. Б.* Что тут была не ошибка и не ослышка с его стороны, — в том он сомневаться не мог (впоследствии это было доказано). Во всяком случае выходка Аглаи, — конечно, шутка, хоть слишком резкая и легкомысленная, — была преднамеренная. О «рыцаре бедном» все говорили (и «смеялись») еще месяц назад. А между тем как ни припоминал потом князь, выходило, что Аглая произнесла эти буквы не только без всякого вида шутки, или какой-нибудь усмешки, или даже какого-нибудь напирания на эти буквы, чтобы рельефно выдать их затаенный смысл, но, напротив, с такою неизменною серьезностью, с такою невинною и наивною простотой, что можно было подумать, что эти самые буквы и были в балладе и что так было в книге напечатано. Что-то тяжелое и неприятное как бы уязвило князя. Лизавета Прокофьевна, конечно, не поняла и не заметила ни подмены букв, ни намека. Генерал Иван Федорович понял только, что декламировали стихи. Из остальных слушателей очень многие поняли и удивились и смелости выходки, и намерению, но смолчали и старались не показывать виду. Но Евгений Павлович (князь даже об заклад готов был побиться) не только понял, но даже старался и вид показать, что понял: он слишком насмешливо улыбнулся.

— Экая прелесть какая! — воскликнула генеральша в истинном упоении, только что кончилось чтение. — Чьи стихи?

— Пушкина, maman, не стыдите нас, это совестно! — воскликнула Аделаида.

— Да с вами и не такой еще дурой сделаешься! — горько отозвалась Лизавета Прокофьевна. — Срам! Сейчас как придем, подайте мне эти стихи Пушкина.

— Да у нас, кажется, совсем нет Пушкина!

— С незапамятных времен, — прибавила Александра, — два какие-то растрепанные тома валяются.

— Тотчас же послать купить в город, Федора иль Алексея, с первым поездом, — лучше Алексея. Аглая, поди сюда! Поцелуй меня, ты прекрасно прочла, но — если ты искренно прочла, — прибавила она почти шепотом, — то я о тебе жалею; если ты в насмешку ему прочла, то я твои чувства не одобряю, так что во всяком случае лучше бы было и совсем не читать. Понимаешь? Ступай, сударыня, я еще с тобой поговорю, а мы тут засиделись.

Между тем князь здоровался с генералом Иваном Федорычем, а генерал представлял ему Евгения Павловича Радомского.

— На дороге захватил, он только что с поезда; узнал, что я сюда и все наши тут...

— Узнал, что и вы тут, — перебил Евгений Павлович, — и так как давно уж и непременно предположил себе искать не только вашего знакомства, но и вашей дружбы, то и не хотел терять времени. Вы нездоровы? Я сейчас только узнал...

— Совсем здоров и очень рад вас узнать, много слышал и даже говорил о вас с князем Щ., — ответил Лев Николаевич, подавая руку.

Взаимные вежливости были произнесены, оба пожали друг другу руку и пристально заглянули друг другу в глаза. В один миг разговор сделался общим. Князь заметил (а он замечал теперь всё быстро и жадно и даже, может, и то, чего совсем не было), что штатское платье Евгения Павловича производило всеобщее и какое-то необыкновенно сильное удивление, до того, что даже все остальные впечатления на время забылись и изгладились. Можно было подумать, что в этой перемене костюма заключалось что-то особенно важное. Аделаида и Александра с недоумением расспрашивали Евгения Павловича. Князь Щ., его родственник, даже с большим беспокойством; генерал говорил почти с волнением. Одна Аглая любопытно, но совершенно спокойно поглядела с минуту на Евгения Павловича, как бы желая только сравнить, военное или штатское платье ему более к лицу, но чрез минуту отворотилась и уже не глядела на него более. Лизавета Прокофьевна тоже ни о чем не захотела спрашивать, хотя, может быть, и она несколько беспокоилась. Князю показалось, что Евгений Павлович как будто у ней не в милости.

— Удивил, изумил! — твердил Иван Федорович в ответ на все вопросы. — Я верить не хотел, когда еще давеча его в Петербурге встретил. И зачем так вдруг, вот задача? Сам первым делом кричит, что не надо стулья ломать.

Из поднявшихся разговоров оказалось, что Евгений Павлович возвещал об этой отставке уже давным-давно; но каждый раз говорил так несерьезно, что и поверить ему было нельзя. Да он и о серьезных-то вещах говорил всегда с таким шутливым видом, что никак его разобрать нельзя, особенно если сам захочет, чтобы не разобрали.

— Я ведь на время, на несколько месяцев, самое большее год в отставке пробуду, — смеялся Радомский.

— Да надобности нет никакой, сколько я по крайней мере знаю ваши дела, — всё еще горячился генерал.

— А поместья объехать? Сами советовали; а я и за границу к тому же хочу...

Разговор, впрочем, скоро переменился; но слишком особенное и всё еще продолжавшееся беспокойство все-таки выходило, по мнению наблюдавшего князя, из мерки, и что-то тут наверно было особенное.

— Значит, «бедный рыцарь» опять на сцене? — спросил было Евгений Павлович, подходя к Аглае.

К изумлению князя, та оглядела его в недоумении и вопросительно, точно хотела дать ему знать, что и речи между ними о «рыцаре бедном» быть не могло и что она даже не понимает вопроса.

— Да поздно, поздно теперь в город посылать за Пушкиным, поздно! — спорил Коля с Лизаветой Прокофьевной, выбиваясь изо всех сил, — три тысячи раз говорю вам: поздно.

— Да, действительно, посылать теперь в город поздно, — подвернулся и тут Евгений Павлович, поскорее оставляя Аглаю, — я думаю, что и лавки в Петербурге заперты, девятый час, — подтвердил он, вынимая часы.

— Столько ждали, не хватились, можно до завтра перетерпеть, — ввернула Аделаида.

— Да и неприлично, — прибавил Коля, — великосветским людям очень-то литературой интересоваться. Спросите у Евгения Павлыча. Гораздо приличнее желтым шарабаном с красными колесами.

— Опять вы из книжки, Коля, — заметила Аделаида.

— Да он иначе и не говорит, как из книжек, — подхватил Евгений Павлович, — целыми фразами из критических обозрений выражается. Я давно имею удовольствие знать разговор Николая Ардалионовича, но на этот раз он говорит не из книжки. Николай Ардалионович явно намекает на мой желтый шарабан с красными колесами. Только я уж его променял, вы опоздали.

Князь прислушивался к тому, что говорил Радомский... Ему показалось, что он держит себя прекрасно, скромно, весело, и особенно понравилось, что он с таким совершенным равенством и по-дружески говорит с задиравшим его Колей.

— Что это? — обратилась Лизавета Прокофьевна к Вере, дочери Лебедева, которая стояла пред ней с несколькими книгами в руках, большого формата, превосходно переплетенными и почти новыми.

— Пушкин, — сказала Вера. — Наш Пушкин. Папаша велел мне вам поднести.

— Как так? Как это можно? — удивилась Лизавета Прокофьевна.

— Не в подарок, не в подарок! Не посмел бы! — выскочил из-за плеча дочери Лебедев. — За свою цену-с. Это собственный, семейный, фамильный наш Пушкин, издание Анненкова, которое теперь и найти нельзя, — за свою цену-с. Подношу с благоговением, желая продать и тем утолить благородное нетерпение благороднейших литературных чувств вашего превосходительства.

— А, продаешь, так и спасибо. Своего не потеряешь небось; только не кривляйся, пожалуйста, батюшка. Слышала я о тебе, ты, говорят, преначитанный, когда-нибудь потолкуем; сам, что ли, снесешь ко мне?

— С благоговением и... почтительностью! — кривлялся необыкновенно довольный Лебедев, выхватывая книги у дочери.

— Ну, мне только не растеряй, снеси, хоть и без почтительности, но только с уговором, — прибавила она, пристально его оглядывая, — до порога только и допущу, а принять сегодня тебя не намерена. Дочь Веру присылай хоть сейчас, мне она очень нравится.

— Что же вы про тех-то не скажете? — нетерпеливо обратилась Вера к отцу. — Ведь они, коли так, сами войдут: шуметь начали. Лев Николаевич, — обратилась она к князю, который взял уже свою шляпу, — там к вам давно уже какие-то пришли, четыре человека, ждут у нас и бранятся, да папаша к вам не допускает.

— Какие гости? — спросил князь.

— По делу, говорят, только ведь они такие, что не пустить их теперь, так они и дорогой остановят. Лучше, Лев Николаевич, пустить, а потом уж и с плеч их долой. Их там Гаврила Ардалионович и Птицын уговаривают, не слушаются.

— Сын Павлищева! Сын Павлищева! Не стоит, не стоит! — махал руками Лебедев. — Их и слушать не стоит-с; и беспокоить вам себя, сиятельнейший князь, для них неприлично. Вот-с. Не стоят они того...

— Сын Павлищева! Боже мой! — вскричал князь в чрезвычайном смущении. — Я знаю... но ведь я... я поручил это дело Гавриле Ардалионовичу. Сейчас Гаврила Ардалионович мне говорил...

Но Гаврила Ардалионович вышел уже из комнат на террасу; за ним следовал Птицын. В ближайшей комнате заслышался шум и громкий голос генерала Иволгина, как бы желавшего перекричать несколько голосов. Коля тотчас же побежал на шум.

— Это очень интересно! — заметил вслух Евгений Павлович.

«Стало быть, знает дело!» — подумал князь.

— Какой сын Павлищева? И... какой может быть сын Павлищева? — с недоумением спрашивал генерал Иван Федорович, с любопытством оглядывая все лица и с удивлением замечая, что эта новая история только ему одному неизвестна.

В самом деле, возбуждение и ожидание было всеобщее. Князь глубоко удивился, что такое совершенно личное дело его уже успело так сильно всех здесь заинтересовать.

— Это будет очень хорошо, если вы сейчас же и *сами* это дело окончите, — сказала Аглая, с какою-то особенною серьезностью подходя к князю, — а нам всем позволите быть вашими свидетелями. Вас хотят замарать, князь, вам надо торжественно оправдать себя, и я заранее ужасно рада за вас.

— Я тоже хочу, чтобы кончилась наконец эта гнусная претензия, — вскричала генеральша, — хорошенько их, князь, не щади! Мне уши этим делом прожужжали, и я много крови из-за тебя испортила. Да и поглядеть любопытно. Позови их, а мы сядем. Аглая хорошо придумала. Вы об этом что-нибудь слышали, князь? — обратилась она к князю Щ.

— Конечно, слышал, у вас же. Но мне особенно на этих молодых людей поглядеть хочется, — ответил князь Щ.

— Это самые и есть нигилисты, что ли?

— Нет-с, они не то чтобы нигилисты, — шагнул вперед Лебедев, который тоже чуть не трясся от волнения, — это другие-с, особенные, мой племянник говорил, что они дальше нигилистов ушли-с. Вы напрасно думаете их вашим свидетельством сконфузить, ваше превосходительство; они не сконфузятся-с. Нигилисты все-таки иногда народ сведущий, даже ученый, а эти — дальше пошли-с, потому что прежде всего деловые-с. Это, собственно, некоторое последствие нигилизма, но не прямым путем, а понаслышке и косвенно, и не в статейке какой-нибудь журнальной заявляют себя, а уж прямо на деле-с; не о бессмысленности, например, какого-нибудь там Пушкина дело идет, и не насчет, например, необходимости распадения на части России; нет-с, а теперь уже считается прямо за право, что если очень чего-нибудь захочется, то уж ни пред какими преградами не останавливаться, хотя бы пришлось укокошить при этом восемь персон-с. Но, князь, я все-таки вам не советовал бы...

Но князь уже шел отворять дверь гостям.

— Вы клевещете, Лебедев, — проговорил он, улыбаясь, — вас очень огорчил ваш племянник. Не верьте ему, Лизавета Прокофьевна. Уверяю вас, что Горские и Даниловы только случаи, а эти только... ошибаются... Только мне бы не хотелось здесь, при всех. Извините, Лизавета Прокофьевна, они войдут, я их вам покажу, а потом уведу. Пожалуйте, господа!

Его скорее беспокоила другая мучительная для него мысль. Ему мерещилось: уж не подведено ли кем это дело теперь, именно к этому часу и времени, заранее, именно к этим свидетелям и, может быть, для ожидаемого срама его, а не торжества? Но ему слишком грустно было за свою «чудовищную и злобную мнительность». Он умер бы, кажется, если бы кто-нибудь узнал, что у него такая мысль на уме, и в ту минуту, как вошли его новые гости, он искренно готов был считать себя, из всех, которые были кругом его, последним из последних в нравственном отношении.

Вошло пять человек, четыре человека новых гостей и пятый вслед за ними генерал Иволгин, разгоряченный, в волнении и в сильнейшем припадке красноречия. «Этот-то за меня непременно!» — с улыбкой подумал князь. Коля проскользнул вместе со всеми: он горячо говорил с Ипполитом, бывшим в числе посетителей; Ипполит слушал и усмехался.

Князь рассадил гостей. Все они были такой молоденький, такой даже несовершеннолетний народ, что можно было подивиться и случаю, и всей происшедшей от него церемонии. Иван Федорович Епанчин, например, ничего не знавший и не понимавший в этом «новом деле», даже вознегодовал, смотря на такую юность, и наверно как-нибудь протестовал бы, если бы не остановила его странная для него горячность его супруги к партикулярным интересам князя. Он, впрочем, остался отчасти из любопытства, отчасти по доброте сердца, надеясь даже помочь и во всяком случае пригодиться авторитетом; но поклон ему издали вошедшего генерала Иволгина привел его снова в негодование; он нахмурился и решился упорно молчать.

В числе четырех молоденьких посетителей один, впрочем, был лет тридцати, отставной «поручик из рогожинской компании, боксер и сам дававший по пятнадцати целковых просителям». Угадывалось, что он сопровождает остальных для куража, в качестве искреннего друга и, буде окажется надобность, для поддержки. Между остальными же первое место и первую роль занимал тот, за которым числилось название «сына Павлищева», хоть он и рекомендовался Антипом Бурдовским. Это был молодой человек, бедно и неряшливо одетый, в сюртуке с засаленными до зеркального лоску рукавами, с жирною, застегнутою доверху жилеткой, с исчезнувшим куда-то бельем, с черным шелковым замасленным донельзя и скатанным в жгут шарфом, с немытыми руками, с чрезвычайно угреватым лицом, белокурый и, если можно так выразиться, с невинно-нахальным взглядом. Он был не низкого роста, худощавый, лет двадцати двух. Ни малейшей иронии, ни малейшей рефлексии не выражалось в лице его; напротив, полное, тупое упоение собственным правом и в то же время нечто доходившее до странной и беспрерывной потребности быть и чувствовать себя постоянно обиженным. Говорил он с волнением, торопясь и запинаясь, как будто не совсем выговаривая слова, точно был косноязычный или даже иностранец, хотя, впрочем, был происхождения совершенно русского.

Сопровождал его, во-первых, известный читателям племянник Лебедева, а во-вторых, Ипполит. Ипполит был очень молодой человек, лет семнадцати, может быть и восемнадцати, с умным, но постоянно раздраженным выражением лица, на котором болезнь положила ужасные следы. Он был худ как скелет, бледно-желт, глаза его сверкали, и два красные пятна горели на щеках. Он беспрерывно кашлял; каждое слово его, почти каждое дыхание сопровождалось хрипом. Видна была чахотка в весьма сильной степени. Казалось, что ему оставалось жить не более двух-трех недель. Он очень устал и прежде всех опустился на стул. Остальные при входе несколько зацеремонились и чуть не сконфузились, смотрели, однако же, важно и, видимо, боялись как-нибудь уронить достоинство, что странно не гармонировало с их репутацией отрицателей всех бесполезных светских мелочей, предрассудков и чуть ли не всего на свете, кроме собственных интересов.

— Антип Бурдовский, — торопясь и запинаясь, проговорил «сын Павлищева».

— Владимир Докторенко, — ясно, отчетливо и как бы даже хвалясь, что он Докторенко, отрекомендовался племянник Лебедева.

— Келлер! — пробормотал отставной поручик.

— Ипполит Терентьев, — неожиданно визгливым голосом провизжал последний. Все наконец расселись в ряд на стульях напротив князя, все, отрекомендовавшись, тотчас же нахмурились и для бодрости переложили из одной руки в другую свои фуражки, все приготовились говорить и все, однако ж, молчали, чего-то выжидая с вызывающим видом, в котором так и читалось: «Нет, брат, врешь, не надуешь!» Чувствовалось, что стоит только кому-нибудь для начала произнести одно только первое слово, и тотчас же все они заговорят вместе, перегоняя и перебивая друг друга.

VIII

— Господа, я никого из вас не ожидал, — начал князь, — сам я до сего дня был болен, а дело ваше (обратился он к Антипу Бурдовскому) я еще месяц назад поручил Гавриле Ардалионовичу Иволгину, о чем тогда же вас и уведомил. Впрочем, я не удаляюсь от личного объяснения, только, согласитесь, такой час... я предлагаю пойти со мной в другую комнату, если ненадолго... Здесь теперь мои друзья, и поверьте...

— Друзья... сколько угодно, но, однако же, позвольте, — перебил вдруг весьма наставительным тоном, хотя всё еще не возвышая очень голоса, племянник Лебедева, — позвольте же и нам заявить, что вы могли бы с нами поступить поучтивее, а не заставлять нас два часа прождать в вашей лакейской...

— И, конечно... и я... и это по-княжески! И это... вы, стало быть, генерал! И я вам не лакей! И я, я... — забормотал вдруг в необыкновенном волнении Антип Бурдовский, с дрожащими губами, с разобиженным дрожанием в голосе, с брызгами, летевшими изо рта, точно весь лопнул или прорвался, но так вдруг заторопился, что с десяти слов его уж и понять нельзя было.

— Это было по-княжески! — прокричал визгливым, надтреснутым голосом Ипполит.

— Если б это было со мной, — проворчал боксер, — то есть если б это прямо ко мне относилось, как к благородному человеку, то я бы на месте Бурдовского... я...

— Господа, я всего с минуту узнал, что вы здесь, ей-богу, — повторил опять князь.

— Мы не боимся, князь, ваших друзей, кто бы они ни были, потому что мы в своем праве, — заявил опять племянник Лебедева.

— Какое, однако ж, позвольте вас спросить, имели вы право, — провизжал опять Ипполит, но уже чрезвычайно разгорячаясь, — выставлять дело Бурдовского на суд ваших друзей? Да мы, может, и не желаем суда ваших друзей; слишком понятно, что может значить суд ваших друзей!..

— Но ведь если вы, наконец, господин Бурдовский, не желаете здесь говорить, — удалось наконец вклеить князю, чрезвычайно пораженному таким началом, — то, говорю вам, пойдемте сейчас в другую комнату, а о вас всех, повторяю вам, сию минуту только услышал...

— Но права не имеете, права не имеете, права не имеете!.. ваших друзей... Вот!.. — залепетал вдруг снова Бурдовский, дико и опасливо осматриваясь кругом и тем более горячась, чем больше не доверял и дичился, — вы не имеете права! — и, проговорив это, резко остановился, точно оборвал, и, безмолвно выпучив близорукие, чрезвычайно выпуклые, с красными толстыми жилками глаза, вопросительно уставился на князя, наклонившись вперед всем своим корпусом. На этот раз князь до того удивился, что и сам замолчал и тоже смотрел на него, выпучив глаза и ни слова не говоря.

— Лев Николаевич! — позвала вдруг Лизавета Прокофьевна, — вот прочти это сейчас, сию же минуту, это прямо до твоего дела касается.

Она торопливо протянула ему одну еженедельную газету из юмористических и указала пальцем статью. Лебедев, когда еще входили гости, подскочил сбоку к Лизавете Прокофьевне, за милостями которой ухаживал, и, ни слова не говоря, вынул из бокового своего кармана эту газету, подставил ей прямо на глаза, указывая отчеркнутый столбец. То, что уже успела прочесть Лизавета Прокофьевна, поразило и взволновало ее ужасно.

— Не лучше ли, однако, не вслух, — пролепетал князь, очень смущенный, — я бы прочел один... после...

— Так прочти же лучше ты, читай сейчас, вслух! вслух! — обратилась Лизавета Прокофьевна к Коле, с нетерпением выхватив из рук князя газету, до которой тот едва еще успел дотронуться, — всем вслух, чтобы каждому было слышно.

Лизавета Прокофьевна была дама горячая и увлекающаяся, так что вдруг и разом, долго не думая, подымала иногда все якоря и пускалась в открытое море, не справляясь с погодой. Иван Федорович с беспокойством пошевелился. Но покамест все в первую минуту поневоле остановились и ждали в недоумении, Коля развернул газету и начал вслух с показанного ему подскочившим Лебедевым места:

«Пролетарии и отпрыски, эпизод из дневных и вседневных грабежей! П р о г р е с с! Р е ф о р м а! С п р а в е д л и в о с т ь!

Странные дела случаются на нашей так называемой святой Руси, в наш век реформ и компанейских инициатив, век национальности и сотен миллионов, вывозимых каждый год за границу, век поощрения промышленности и паралича рабочих рук! и т. д., и т. д., всего не перечтешь, господа, а потому прямо к делу. Случился странный анекдот с одним из отпрысков миновавшего помещичьего нашего барства (de profundis!), из тех, впрочем, отпрысков, которых еще деды проигрались окончательно на рулетках, отцы принуждены были служить в юнкерах и поручиках и, по обыкновению, умирали под судом за какой-нибудь невинный прочет в казенной сумме, а дети которых, подобно герою нашего рассказа, или растут идиотами, или попадаются даже в уголовных делах, за что, впрочем, в видах назидания и исправления, оправдываются присяжными; или, наконец, кончают тем, что отпускают один из тех анекдотов, которые дивят публику и позорят и без того уже довольно зазорное время наше. Наш отпрыск, назад тому с полгода, обутый в штиблеты по-иностранному и дрожа в ничем не подбитой шинелишке, воротился зимой в Россию из Швейцарии, где лечился от идиотизма (sic!). Надо признаться, что ему везло-таки счастье, так что он, уж и не говоря об интересной болезни своей, от которой лечился в Швейцарии (ну, можно ли лечиться от идиотизма, представьте себе это?!!), мог бы доказать собою верность русской пословицы: известному разряду людей — счастье! Рассудите сами: оставшись еще грудным ребенком по смерти отца, говорят, поручика, умершего под судом за внезапное исчезновение в картишках всей ротной суммы, а может быть, и за пересыпанную с излишком дачу розог подчиненному (старое-то время помните, господа!), наш барон взят был из милости на воспитание одним из очень богатых русских помещиков. Этот русский помещик, — назовем его хоть П., — владетель в прежнее золотое время четырех тысяч крепостных душ (крепостные души! понимаете ли вы, господа, такое выражение? Я не понимаю. Надо справляться с толковым словарем: «свежо предание, а верится с трудом»), был, по-видимому, один из тех русских лежебок и тунеядцев, что проводили свою праздную жизнь за границей, летом на водах, а зимой в парижском Шато-де-Флёре, где и оставили в свой век необъятные суммы. Можно было положительно сказать, что по крайней мере одна треть оброка всего прежнего крепостного состояния получалась содержателем парижского Шато-де-Флёра (то-то счастливый-то человек!). Как бы то ни было, а беспечный П. воспитал сиротку-барчонка по-княжески, нанимал ему гувернеров и гувернанток (без сомнения, хорошеньких), которых, кстати, сам привозил из Парижа. Но последний в роде барский отпрыск был идиот. Шатодефлёрские гувернантки не помогли, и до двадцати лет наш воспитанник не научился даже говорить ни на каком языке, не исключая и русского. Последнее, впрочем, простительно. Наконец в русскую крепостниковую голову П. зашла фантазия, что идиота можно научить уму в Швейцарии, — фантазия, впрочем, логическая: тунеядец и проприетер, естественно, мог вообразить, что за деньги даже и ум на рынке можно купить, тем более в Швейцарии. Прошло пять лет лечения в Швейцарии у известного какого-то профессора, и денег истрачены были тысячи: идиот, разумеется, умным не сделался, но на человека, говорят, все-таки стал походить, без сомнения, с грехом пополам. Вдруг П. умирает скоропостижно. Завещания, разумеется, никакого, дела, по обыкновению, в беспорядке, наследников жадных куча, и которым уже нет ни малейшего дела до последних в роде отпрысков, лечимых из милости от родового идиотизма в Швейцарии. Отпрыск, хоть и идиот, а все-таки попробовал было надуть своего профессора и два года, говорят, успел пролечиться у него даром, скрывая от него смерть своего благодетеля. Но профессор был сам шарлатан порядочный; испугавшись, наконец, безденежья, а пуще всего аппетита своего двадцатипятилетнего тунеядца, он обул его в свои старые штиблетишки, подарил ему свою истрепанную шинель и отправил его из милости, в третьем классе, nach Russland[1], — с плеч долой из Швейцарии. Казалось бы, счастье повернулось к нашему герою задом. Не тут-то было-с: фортуна, убивающая голодною смертью целые губернии, проливает все свои дары разом на аристократка, как крыловская *Туча*, пронесшаяся над иссохшим полем и разлившаяся над океаном. Почти в самое то мгновение, как явился он из Швейцарии в Петербург, умирает в Москве один из родственников его матери (бывшей, разумеется, из купчих), старый бездетный бобыль, купец, бородач и раскольник, и оставляет несколько миллионов наследства, бесспорного, круглого, чистого, наличного — и (вот бы нам с вами, читатель!) всё это нашему отпрыску, всё это нашему барону, лечившемуся от идиотизма в Швейцарии! Ну, тут уже музыка заиграла не та. Около нашего барона в штиблетах, приударившего было за одною известною красавицей-содержанкой, собралась вдруг целая толпа друзей и приятелей, нашлись даже родственники, а пуще всего целые толпы благородных дев, алчущих и жаждущих законного брака, и чего же лучше: аристократ, миллионер, идиот — все качества разом, такого мужа и с фонарем не отыщешь, и на заказ не сделаешь!..»

— Это... это уж я не понимаю! — вскричал Иван Федорович в высочайшей степени негодования.

— Перестаньте, Коля! — вскричал князь умоляющим голосом. Раздались восклицания со всех сторон.

---

[1] в Россию (*нем.*).

— Читать! Читать во что бы то ни стало! — отрезала Лизавета Прокофьевна, видимо с чрезвычайным усилием себя сдерживая. — Князь! Если оставят читать — мы поссоримся.

Нечего было делать, Коля, разгоряченный, красный, в волнении, взволнованным голосом стал продолжать чтение:

«Но между тем как скороспелый миллионер наш находился, так сказать, в эмпиреях, произошло совершенно постороннее обстоятельство. В одно прекрасное утро является к нему один посетитель, с спокойным и строгим лицом, с вежливою, но достойною и справедливою речью, одетый скромно и благородно, с видимым прогрессивным оттенком в мысли, и в двух словах объясняет причину своего визита: он — известный адвокат; ему поручено одно дело одним молодым человеком; он является от его имени. Этот молодой человек есть ни более ни менее как сын покойного П., хотя носит другое имя. Сладострастный П., обольстив в своей молодости одну честную, бедную девушку из дворовых, но европейски воспитанную (причем, разумеется, примешались баронские права миновавшего крепостного состояния), и заметив неминуемое, но ближайшее последствие своей связи, выдал ее поскорее замуж за одного промышляющего и даже служащего человека с благородным характером, уже давно любившего эту девушку. Сначала он помогал новобрачным; но скоро ему в принятии от него помощи было отказано благородным характером ее мужа. Прошло несколько времени, и П. мало-помалу успел забыть и о девушке, и о прижитом с нею сыне своем, а потом, как известно, и умер без распоряжений. Между тем его сын, родившийся уже в законном браке, но возросший под другой фамилией и совершенно усыновленный благородным характером мужа его матери, тем не менее в свое время умершим, остался совершенно при одних своих средствах и с болезненною, страдающею, без ног, матерью в одной из отдаленных губерний; сам же в столице добывал деньги ежедневным благородным трудом от купеческих уроков и тем содержал себя сначала в гимназии, а потом слушателем полезных ему лекций, имея в виду дальнейшую цель. Но много ли получишь от русского купца за уроки по гривеннику, да еще с болезненною, без ног, матерью, которая, наконец, и своею смертью в отдаленной губернии совсем почти не облегчила его? Теперь вопрос: как по справедливости должен был рассудить наш отпрыск? Вы, конечно, думаете, читатель, что он сказал себе так: «Я всю жизнь мою пользовался всеми дарами П.; на воспитание мое, на гувернанток и на излечение от идиотизма пошли десятки тысяч в Швейцарию; и вот я теперь с миллионами, а благородный характер сына П., ни в чем не виноватого в проступках своего легкомысленного и позабывшего его отца, погибает на уроках. Всё то, что пошло на меня, по справедливости должно было пойти на него. Эти громадные суммы, на меня истраченные, в сущности не мои. Это была только слепая ошибка фортуны; они следовали сыну П. На него должны были быть употреблены, а не на меня — порождение фантастической прихоти легкомысленного и забывчивого П. Если бы я был вполне благороден, деликатен, справедлив, то я должен бы был отдать его сыну половину всего моего наследства; но так как я прежде всего человек расчетливый и слишком хорошо понимаю, что это дело не юридическое, то я половину моих миллионов не дам. Но по крайней мере уж слишком низко и бесстыдно (отпрыск забыл, что и не расчетливо) будет с моей стороны, если я не возвращу теперь тех десятков тысяч, которые пошли на мой идиотизм от П., его сыну. Тут одна только совесть и справедливость! Ибо что бы со мной было, если бы П. не взял меня на воспитание, а вместо меня заботился бы о своем сыне?»

Но нет, господа! Наши отпрыски рассуждают не так. Как ни представлял ему адвокат молодого человека, взявшийся хлопотать за него единственно из дружбы и почти против его воли, почти насильно, как ни выставлял пред ним обязанности чести, благородства, справедливости и даже простого расчета, швейцарский воспитанник остался непреклонен, и что ж? Это всё бы еще ничего, а вот что уже действительно непростительно и никакою интересною болезнью неизвинимо: этот едва вышедший из штиблет своего профессора миллионер не мог даже и того смекнуть, что не милости и не вспоможения просит от него благородный характер молодого человека, убивающий себя на уроках, а своего права и своего должного, хотя бы и не юридического, и даже не просит, а за него только друзья ходатайствуют. С величественным видом и упоением от полученной возможности безнаказанно давить людей своими миллионами наш отпрыск вынимает пятидесятирублевую бумажку и посылает благородному молодому человеку в виде наглого подаяния. Вы не верите, господа? Вы возмущены, вы оскорблены, вы прорываетесь криком негодования; но он сделал это, однако же! Разумеется, деньги тотчас же были ему возвращены, так сказать, брошены обратно в лицо. Чем же остается разрешить это дело! Дело не юридическое, остается одна только гласность! Мы передаем анекдот этот публике, ручаясь за его достоверность. Говорят, один из известнейших юмористов наших обмолвился при этом восхитительною эпиграммой, достойною занять место не только в губернских, но и в столичных очерках наших нравов:

> Лева[1] Шнейдера[2] шинелью
> Пятилетие играл
> И обычной канителью
> Время наполнял.
>
> Возвратясь в штиблетах узких,
> Миллион наследства взял,
> Богу молится по-русски,
> А студентов обокрал».

Когда Коля кончил, то передал поскорей газету князю и, ни слова не говоря, бросился в угол, плотно уткнулся в него и закрыл руками лицо. Ему было невыносимо стыдно, и его детская, еще не успевшая привыкнуть к грязи впечатлительность была возмущена даже сверх меры. Ему казалось, что произошло что-то необычайное, всё разом разрушившее, и что чуть ли уж и сам он тому не причиной, уж тем одним, что вслух прочел это.

Но и все, казалось, ощущали нечто в этом же роде.

Девицам было очень неловко и стыдно. Лизавета Прокофьевна сдерживала в себе чрезвычайный гнев и тоже, может быть, горько раскаивалась, что ввязалась в дело; теперь она молчала. С князем происходило то же, что часто бывает в подобных случаях с слишком застенчивыми людьми: он до того застыдился чужого поступка, до того ему стало стыдно за своих гостей, что в первое мгновение он и поглядеть на них боялся. Птицын, Варя, Ганя, даже Лебедев — все имели как бы несколько сконфуженный вид. Страннее всего, что Ипполит и «сын Павлищева» были тоже как бы чем-то изумлены; племянник Лебедева был тоже видимо

---

[1] Уменьшительное имя отпрыска.
[2] Имя швейцарского профессора.

недоволен. Один боксер сидел совершенно спокойно, покручивая усы, с видом важным и несколько опустив глаза, но не от смущения, а, напротив, казалось, как бы из благородной скромности и от слишком очевидного торжества. По всему видно было, что статья ему чрезвычайно нравится.

— Это черт знает что такое, — проворчал вполголоса Иван Федорович, — точно пятьдесят лакеев вместе собирались сочинять и сочинили.

— А па-азвольте спросить, милостивый государь, как можете вы оскорблять подобными предположениями? — заявил и весь затрепетал Ипполит.

— Это, это, это для благородного человека... согласитесь сами, генерал, если благородный человек, то это уж оскорбительно! — проворчал боксер, тоже вдруг с чего-то встрепенувшись, покручивая усы и подергивая плечами и корпусом.

— Во-первых, я вам не «милостивый государь», а во-вторых, я вам никакого объяснения давать не намерен, — резко ответил ужасно разгорячившийся Иван Федорович, встал с места и, не говоря ни слова, отошел к выходу с террасы и стал на верхней ступеньке, спиной к публике, — в величайшем негодовании на Лизавету Прокофьевну, даже и теперь не думавшую трогаться с своего места.

— Господа, господа, позвольте же наконец, господа, говорить, — в тоске и в волнении восклицал князь, — и сделайте одолжение, будемте говорить так, чтобы понимать друг друга. Я ничего, господа, насчет статьи, пускай; только ведь это, господа, всё неправда, что в статье напечатано; я потому говорю, что вы сами это знаете; даже стыдно. Так что я решительно удивляюсь, если это из вас кто-нибудь написал.

— Я ничего до этой самой минуты не знал про эту статью, — заявил Ипполит, — я не одобряю эту статью.

— Я хотя и знал, что она написана, но... я тоже не советовал бы печатать, потому что рано, — прибавил племянник Лебедева.

— Я знал, но я имею право... я... — забормотал «сын Павлищева».

— Как! Вы сами всё это сочинили? — спросил князь, с любопытством смотря на Бурдовского. — Да быть же не может!

— Можно, однако же, и не признавать вашего права к подобным вопросам, — вступился племянник Лебедева.

— Я ведь только удивился, что господину Бурдовскому удалось... но... я хочу сказать, что если вы уже предали это дело гласности, то почему же вы давеча так обиделись, когда я при друзьях моих об этом же деле заговорил?

— Наконец-то! — пробормотала в негодовании Лизавета Прокофьевна.

— И даже, князь, вы изволили позабыть, — проскользнул вдруг между стульями не утерпевший Лебедев, чуть не в лихорадке, — изволили позабыть-с, что одна только добрая воля ваша и беспримерная доброта вашего сердца была их принять и послушать и что никакого они права не имеют так требовать, тем более что вы дело это уже поручили Гавриле Ардалионовичу, да и то тоже по чрезмерной доброте вашей так поступили, а что теперь, сиятельнейший князь, оставаясь среди избранных друзей ваших, вы не можете жертвовать такою компанией для этих господ-с и могли бы всех этих господ, так сказать, сей же час проводить с крыльца-с, так что я, в качестве хозяина дома, с чрезвычайным даже удовольствием-с...

— Совершенно справедливо! — прогремел вдруг из глубины комнаты генерал Иволгин.

— Довольно, Лебедев, довольно, довольно... — начал было князь, но целый взрыв негодования покрыл его слова.

— Нет, извините, князь, извините, теперь уж этого не довольно! — почти перекричал всех племянник Лебедева. — Теперь надо дело ясно и твердо постановить, потому что его, видимо, не понимают. Тут юридические крючки замешались, и на основании этих крючков нам угрожают вытолкать нас с крыльца! Да неужели же, князь, вы почитаете нас до такой уже степени дураками, что мы и сами не понимаем, до какой степени наше дело не юридическое, и что если разбирать юридически, то мы и одного целкового с вас не имеем права потребовать по закону? Но мы именно понимаем, что если тут нет права юридического, то зато есть право человеческое, натуральное, право здравого смысла и голоса совести, и пусть это право наше не записано ни в каком гнилом человеческом кодексе, но благородный и честный человек, то есть всё равно что здравомыслящий человек, обязан оставаться благородным и честным человеком даже и в тех пунктах, которые не записаны в кодексах. Потому-то мы и вошли сюда, не боясь, что нас сбросят с крыльца (как вы угрожали сейчас) за то только, что мы *не просим, а требуем*, и за неприличие визита в такой поздний час (хотя мы пришли и не в поздний час, а вы же нас в лакейской прождать заставили), потому-то, говорю, и пришли, ничего не боясь, что предположили в вас именно человека с здравым смыслом, то есть с честью и совестью. Да, это правда, мы вошли не смиренно, не как прихлебатели и искатели ваши, а подняв голову, как свободные люди, и отнюдь не с просьбой, а с свободным и гордым требованием (слышите, не с просьбой, а требованием, зарубите себе это!). Мы с достоинством и прямо ставим пред вами вопрос: признаете ли вы себя в деле Бурдовского правым или неправым? Признаете ли вы себя облагодетельствованным и даже, может быть, спасенным от смерти Павлищевым? Если признаете (что очевидно), то намерены ли вы, или находите ли вы справедливым по совести, в свою очередь получив миллионы, вознаградить нуждающегося сына Павлищева, хотя бы он и носил имя Бурдовского? Да или нет? Если *да*, то есть, другими словами, если в вас есть то, что вы называете на языке вашем честью и совестью и что мы точнее обозначаем названием здравого смысла, то удовлетворите нас, и дело с концом. Удовлетворите без просьб и без благодарностей с нашей стороны, не ждите их от нас, потому что вы делаете не для нас, а для справедливости. Если же вы не захотите нас удовлетворить, то есть ответите: *нет*, то мы сейчас уходим, и дело прекращается; вам же в глаза говорим, при всех ваших свидетелях, что вы человек с умом грубым и с развитием низким; что называться впредь человеком с честью и совестью вы не смеете и не имеете права, что это право вы слишком дешево хотите купить. Я кончил. Я постановил вопрос. Гоните же теперь нас с крыльца, если смеете. Вы можете это сделать, вы в силе. Но вспомните, что мы все-таки требуем, а не просим. Требуем, а не просим!..

Племянник Лебедева, очень разгорячившийся, остановился.

— Требуем, требуем, требуем, а не просим!.. — залепетал Бурдовский и покраснел как рак.

После слов племянника Лебедева последовало некоторое всеобщее движение и поднялся даже ропот, хотя во всем обществе все видимо избегали вмешиваться в дело, кроме разве одного только Лебедева, бывшего точно в лихорадке. (Странное дело: Лебедев, очевидно стоявший за князя, как будто ощущал теперь некоторое удовольствие фамильной гордости после речи своего племянника; по крайней мере, с некоторым особенным видом довольства оглядел всю публику.)

— По моему мнению, — начал князь довольно тихо, — по моему мнению, вы, господин Докторенко, во всем том, что сказали сейчас, наполовину совершенно правы, даже я согласен, что на гораздо большую половину, и я бы совершенно был с вами согласен, если бы вы не пропустили чего-то в ваших словах. Что именно вы тут пропустили, я не в силах и не в состоянии вам точно выразить, но для полной справедливости в ваших словах, конечно, чего-то недостает. Но обратимся лучше к делу, господа, скажите, для чего напечатали вы эту статью? Ведь тут что ни слово, то клевета; так что вы, господа, по-моему, сделали низость.

— Позвольте!..

— Милостивый государь!..

— Это... это... это... — послышалось разом со стороны взволнованных гостей.

— Насчет статьи, — визгливо подхватил Ипполит, — насчет этой статьи я уже вам сказал, что я и другие не одобряем ее! Написал ее вот он (он указал на рядом сидевшего с ним боксера), написал неприлично, согласен, написал безграмотно и слогом, которым пишут такие же, как и он, отставные. Он глуп и, сверх того, промышленник, я согласен, я это прямо ему и в глаза каждый день говорю, но все-таки наполовину он был в своем праве: гласность есть законное право всякого, а стало быть, и Бурдовского. За нелепости же свои пусть сам отвечает. Что же касается до того, что я от лица всех протестовал давеча насчет присутствия ваших друзей, то считаю нужным вам, милостивые государи, объяснить, что я протестовал единственно, чтобы заявить наше право, но что, в сущности, мы даже желаем, чтобы были свидетели, и давеча, еще не входя сюда, мы все четверо в этом согласились. Кто бы ни были ваши свидетели, хотя бы и ваши друзья, но так как они не могут не согласиться с правом Бурдовского (потому что оно очевидно математическое), то даже еще и лучше, что эти свидетели — ваши друзья; еще очевиднее представится истина.

— Это правда, мы так согласились, — подтвердил племянник Лебедева.

— Так из-за чего же давеча с первых слов такой крик и шум вышел, если вы так и хотели! — удивился князь.

— А насчет статьи, князь, — ввернул боксер, ужасно желавший вставить свое словцо и приятно оживляясь (можно было подозревать, что на него видимо и сильно действовало присутствие дам), — насчет статьи, то признаюсь, что действительно автор я, хотя болезненный мой приятель, которому я привык прощать по его расслаблению, сейчас и раскритиковал ее. Но сочинил я и напечатал в журнале искреннего друга, в виде корреспонденции. Одни только стихи действительно не мои, и действительно принадлежат перу известного юмориста. Бурдовскому я только прочел, и то не всё, и тотчас от него получил согласие напечатать, но согласитесь, что я мог печатать и без согласия. Гласность есть право всеобщее, благородное и благодетельное. Надеюсь, что вы сами, князь, до того прогрессивны, что не станете этого отрицать...

— Ничего не стану отрицать, но согласитесь, что в вашей статье...

— Резко, хотите сказать? Но ведь тут, так сказать, польза обществу, согласитесь сами, и, наконец, возможно ли пропустить вызывающий случай? Тем хуже виновным, но польза обществу прежде всего. Что же касается до некоторых неточностей, так сказать гипербол, то согласитесь и в том, что прежде всего инициатива важна, прежде всего цель и намерение; важен благодетельный пример, а уже потом будем разбирать частные случаи и, наконец, тут слог, тут, так сказать, юмористическая задача, и, наконец, — все так пишут, согласитесь сами! Ха-ха!

— Да совершенно ложная дорога! Уверяю вас, господа, — вскричал князь, — вы напечатали статью в том предположении, что я ни за что не соглашусь удовлетворить господина Бурдовского, а стало быть, чтобы меня за это напугать и чем-нибудь отмстить. Но почему вы знали: я, может быть, и решил удовлетворить Бурдовского. Я вам прямо, при всех теперь заявляю, что я удовлетворю...

— Вот наконец умное и благородное слово умного и благороднейшего человека! — провозгласил боксер.

— Господи! — вырвалось у Лизаветы Прокофьевны.

— Это невыносимо! — пробормотал генерал.

— Позвольте же, господа, позвольте, я изложу дело, — умолял князь, — недель пять назад ко мне явился в З. уполномоченный и ходатай ваш, господин Бурдовский, Чебаров. Вы его уж очень лестно описали, господин Келлер, в вашей статье, — обратился князь, вдруг засмеявшись, к боксеру, — но он мне совсем не понравился. Я только понял с первого разу, что в этом Чебарове всё главное дело и заключается, что, может быть, он-то и подучил вас, господин Бурдовский, воспользовавшись вашею простотой, начать это всё, если говорить откровенно.

— Это вы не имеете права... я... не простой... это... — залепетал в волнении Бурдовский.

— Вы не имеете никакого права делать такие предположения, — назидательно вступился племянник Лебедева.

— Это в высшей степени обидно! — завизжал Ипполит. — Предположение обидное, ложное и не идущее к делу!

— Виноват, господа, виноват, — торопливо повинился князь, — пожалуйста, извините; это потому, что мне подумалось, что не лучше ли нам быть совершенно откровенными друг о друге; но ваша воля, как хотите. Я Чебарову сказал, что так как я не в Петербурге, то немедленно уполномочиваю приятеля повести это дело, а вас, господин Бурдовский, о том извещу. Я прямо вам скажу, господа, что мне показалось это дело самым мошенническим именно потому, что тут Чебаров... Ох, не обижайтесь, господа! Ради бога, не обижайтесь! — испуганно вскричал князь, видя снова проявление обидного смятения Бундовского, волнение и протест в его друзьях. — Это не может до вас относиться лично, если я говорю, что считал это дело мошенническим! Ведь я никого из вас не знал тогда лично и фамилий ваших не знал; я судил по одному Чебарову; я говорю вообще, потому что... если бы вы знали только, как меня ужасно обманывали с тех пор, как я получил наследство!

— Князь, вы ужасно наивны, — насмешливо заметил племянник Лебедева.

— И при этом — князь и миллионер! При вашем, может быть, и в самом деле добром и простоватом сердце, вы все-таки не можете, конечно, избавиться от общего закона, — провозгласил Ипполит.

— Может быть, очень может быть, господа, — торопился князь, — хоть я и не понимаю, про какой вы общий закон говорите; но я продолжаю, не обижайтесь только напрасно; клянусь, я не имею ни малейшего желания вас обидеть. И что это в самом деле, господа: ни одного-то слова нельзя сказать искренно, тотчас же вы обижаетесь! Но, во-первых, меня ужасно поразило, что существует «сын Павлищева», и существует в таком ужасном положении, как объяснил мне Чебаров. Павлищев мой благодетель и друг моего отца. (Ах, зачем вы такую неправду написали, господин Келлер, в вашей статье про моего отца? Никакой растраты ротной суммы и никаких обид подчиненным не было, — в этом я положительно убежден, и как у вас рука поднялась такую клевету написать?) А то, что вы написали про Павлищева, то уж совершенно невыносимо: вы называете этого благороднейшего человека сладострастным и легкомысленным так смело, так положительно, как будто вы и в самом деле говорите правду, а между тем это был самый целомудренный человек, какие были на свете! Это был даже замечательный ученый; он был корреспондентом многих уважаемых людей в науке и много денег в помощь науке употребил. Что же касается до его сердца, до его добрых дел, о, конечно, вы справедливо написали, что я тогда был почти идиотом и ничего не мог понимать (хотя я по-русски все-таки говорил и мог понимать), но ведь могу же я оценить всё, что теперь припоминаю...

— Позвольте, — визжал Ипполит, — не слишком ли это будет чувствительно? Мы не дети. Вы хотели идти прямо к делу, десятый час, это вспомните.

— Извольте, извольте, господа, — тотчас же согласился князь, — после первой недоверчивости я решил, что я могу ошибаться и что Павлищев действительно мог иметь сына. Но меня поразило ужасно, что этот сын так легко, то есть, я хочу сказать, так публично выдает секрет своего рождения и, главное, позорит свою мать. Потому что Чебаров уже и тогда пугал меня гласностию...

— Какая глупость! — закричал племянник Лебедева.

— Вы не имеете права... не имеете права! — вскричал Бурдовский.

— Сын не отвечает за развратный поступок отца, а мать не виновата, — с жаром провизжал Ипполит.

— Тем скорее, казалось бы, надо было щадить... — робко проговорил князь.

— Вы, князь, не только наивны, но, может быть, еще и подальше пошли, — злобно усмехнулся племянник Лебедева.

— И какое право имели вы!.. — завизжал самым неестественным голосом Ипполит.

— Никакого, никакого! — поспешно перебил князь. — В этом вы правы, признаюсь, но это было невольно, и я тотчас же сказал себе тогда же, что мои личные чувства не должны иметь влияния на дело, потому что если я сам себя признаю уже обязанным удовлетворить требования господина Бурдовского, во имя чувств моих к Павлищеву, то должен удовлетворить в каком бы то ни было случае, то есть уважал бы или не уважал бы я господина Бурдовского. Я потому только, господа, начал об этом, что мне все-таки показалось неестественным, что сын так публично открывает секрет своей матери... Одним словом, я, главное, потому и убедился, что Чебаров должен быть каналья и сам наустил господина Бурдовского, обманом, на такое мошенничество.

— Но ведь это уж невыносимо! — раздалось со стороны его гостей, из которых некоторые даже повскакали со стульев.

— Господа! Да я потому-то и решил, что несчастный господин Бурдовский должен быть человек простой, беззащитный, человек, легко подчиняющийся мошенникам, стало быть тем пуще я обязан был помочь ему, как «сыну Павлищева», — во-первых, противодействием господину Чебарову, во-вторых, моею преданностью и дружбой, чтоб его руководить, а в-третьих, назначил выдать ему десять тысяч рублей, то есть всё, что, по расчету моему, мог истратить на меня Павлищев деньгами...

— Как! Только десять тысяч! — закричал Ипполит.

— Ну, князь, вы очень не сильны в арифметике или уж очень сильны, хоть и представляетесь простачком! — вскричал племянник Лебедева.

— Я на десять тысяч не согласен, — сказал Бурдовский.

— Антип! Согласись! — скорым и явственным шепотом подсказал боксер, перегнувшись сзади чрез спинку стула Ипполита, — согласись, а потом после увидим!

— Па-аслушайте, господин Мышкин, — визжал Ипполит, — поймите, что мы не дураки, не пошлые дураки, как думают, вероятно, о нас все ваши гости и эти дамы, которые с таким негодованием на нас усмехаются, и особенно этот великосветский господин (он указал на Евгения Павловича), которого я, разумеется, не имею чести знать, но о котором, кажется, кое-что слышал...

— Позвольте, позвольте, господа, вы опять меня не поняли! — в волнении обратился к ним князь. — Во-первых, вы, господин Келлер, в вашей статье чрезвычайно неточно обозначили мое состояние: никаких миллионов я не получал: у меня, может быть, только восьмая или десятая доля того, что вы у меня предполагаете; во-вторых, никаких десятков тысяч на меня в Швейцарии истрачено не было: Шнейдер получал по шестисот рублей в год, да и то всего только первые три года; а за хорошенькими гувернантками в Париж Павлищев никогда не ездил; это опять клевета. По-моему, на меня далеко еще меньше десяти тысяч всего истрачено, но я положил десять тысяч, и, согласитесь сами, что, отдавая долг, я никак не мог предлагать господину Бурдовскому более, даже если б я его ужасно любил, и не мог уже по одному чувству деликатности, именно потому, что я отдавал ему долг, а не посылал ему подаяние. Я не знаю, господа, как вы этого не понимаете! Но я всё это хотел вознаградить потом моею дружбой, моим деятельным участием в судьбе несчастного господина Бурдовского, очевидно, обманутого, потому что не мог же он сам, без обмана, согласиться на такую низость, как, например, сегодняшняя огласка в этой статье господина Келлера про его мать... Да что же вы, наконец, опять выходите из себя, господа! Ведь, наконец, мы совершенно не будем понимать друг друга! Ведь вышло же на мое! Я теперь собственными глазами убедился, что моя догадка была справедлива, — убеждал разгоряченный князь, желая утишить волнение и не замечая того, что только его увеличивал.

— Как? В чем убедились? — приступали к нему чуть не с остервенением.

— Да помилуйте, во-первых, я успел сам отлично разглядеть господина Бурдовского, я ведь вижу сам теперь, каков он... Это человек невинный, но которого все обманывают! Человек беззащитный... и потому-то я и должен его щадить, а во-вторых, Гаврила Ардалионович, которому поручено было дело и от которого я давно не получал известий, так как был в дороге и три дня потом болен в Петербурге, — вдруг теперь, всего час назад, при первом нашем свидании, сообщает мне, что намерения Чебарова он всё раскусил, имеет доказательства, и что Чебаров именно то, чем я его предположил. Я ведь знаю же, господа, что меня многие считают идиотом, и Чебаров, по репутации моей, что я деньги отдаю легко, думал очень легко меня обмануть, и именно рассчитывая на мои чувства к Павлищеву. Но главное то, — да дослушайте же, господа, дослушайте! — главное то, что теперь вдруг оказывается, что господни Бурдовский вовсе и не сын Павлищева! Сейчас Гаврила Ардалионович сообщил мне это и уверяет, что достал доказательства положительные. Ну, как вам это покажется, ведь поверить невозможно после всего того, что уже натворили! И слушайте: положительные доказательства! Я еще не верю, сам не верю, уверяю вас; я еще сомневаюсь, потому что Гаврила Ардалионович не успел еще сообщить мне всех подробностей, но что Чебаров каналья, то в этом уже нет теперь никакого сомнения! Он и несчастного господина Бурдовского, и вас всех, господа, которые благородно пришли поддержать вашего друга (так как он в поддержке, очевидно, нуждается, ведь я понимаю же это!), он всех вас надул и всех вас запутал в случай мошеннический, потому что ведь это, в сущности, плутовство, мошенничество!

— Как мошенничество!.. Как не «сын Павлищева»?.. Как это можно!.. — раздавались восклицания. Вся компания Бурдовского была в невыразимом смятении.

— Да разумеется, мошенничество! Ведь если господин Бурдовский окажется теперь не «сын Павлищева», то ведь в таком случае требование господина Бурдовского выходит прямое мошенническое (то есть, разумеется, если б он знал истину!), но ведь в том-то и дело, что его обманули, потому-то я и настаиваю, чтоб его оправдать; потому-то я и говорю, что он достоин сожаления, по своей простоте, и не может быть без поддержки; иначе ведь он тоже выйдет по этому делу мошенником. Да ведь я уже сам убежден, что он ничего не понимает! Я сам тоже был в таком положении до отъезда в Швейцарию, также лепетал бессвязные слова, — хочешь выразиться и не можешь... Я это понимаю; я могу очень сочувствовать, потому что я сам почти такой же, мне позволительно говорить! И, наконец, я все-таки, — несмотря на то, что уже нет теперь «сына Павлищева» и что всё это оказывается мистификацией, — я все-таки не изменяю своего решения и готов возвратить десять тысяч, в память Павлищева. Я ведь хотел же до господина Бурдовского эти десять тысяч на школу употребить, в память Павлищева, но ведь теперь это всё равно будет, что на школу, что господину Бурдовскому, потому что господин Бурдовский, если и не «сын Павлищева», то ведь почти как «сын Павлищева»: потому что ведь его самого так злобно обманули; он сам искренно считал себя сыном Павлищева! Выслушайте же, господа, Гаврилу Ардалионовича, кончим это, не сердитесь, не волнуйтесь, садитесь! Гаврила Ардалионович сейчас нам всё это объяснит, и я, признаюсь, чрезвычайно желаю сам узнать все подробности. Он говорит, что ездил даже в Псков к вашей матушке, господин Бурдовский, которая вовсе не умирала, как вас заставили в статье написать... Садитесь, господа, садитесь!

Князь сел и успел опять посадить повскакавшую с мест компанию господина Бурдовского. В последние десять или двадцать минут он говорил разгорячившись, громко, нетерпеливою скороговоркою, увлекшись, стараясь всех переговорить, перекричать, и уж, конечно, пришлось ему потом горько раскаяться в иных вырвавшихся у него теперь словечках и предположениях. Если бы не разгорячили и не вывели его почти из себя, — не позволил бы он себе так обнаженно и торопливо высказать вслух иные догадки свои и излишние откровенности. Но только что сел он на место, как одно жгучее раскаяние до боли пронзило его сердце. Кроме уж того, что он «обидел» Бурдовского, так гласно предположив и в нем ту же болезнь, от которой сам лечился в Швейцарии, — кроме того, предложение десяти тысяч, вместо школы, было сделано, по его мнению, грубо и неосторожно, как подаяние, и именно тем, что при людях вслух было высказано. «Надо было бы переждать и предложить завтра наедине, — тотчас же подумал князь, — а теперь, пожалуй, уж не поправишь! Да, я идиот, истинный идиот!» — решил он про себя в припадке стыда и чрезвычайного огорчения.

Между тем Гаврила Ардалионович, до сих пор державшийся в стороне и молчавший упорно, вышел по приглашению князя вперед, стал подле него и спокойно и ясно принялся излагать отчет по порученному ему князем делу. Все разговоры умолкли мгновенно. Все слушали с чрезвычайным любопытством, особенно вся компания Бурдовского.

IX

— Вы не станете, конечно, отрицать, — начал Гаврила Ардалионович, прямо обращаясь к слушавшему его изо всех сил Бурдовскому, выкатившему на него от удивления глаза и, очевидно, бывшему в сильном смятении, — вы не станете, да и не захотите, конечно, отрицать серьезно, что вы родились ровно два года спустя после законного брака уважаемой матушки вашей с коллежским секретарем господином Бурдовским, отцом вашим. Время рождения вашего слишком легко доказать фактически, так что слишком обидное для вас и для матушки вашей искажение этого факта в статье господина Келлера объясняется одною только игривостью собственной фантазии господина Келлера, полагавшего усилить этим очевидность вашего права и тем помочь интересам вашим. Господин Келлер говорит, что предварительно читал вам статью, хоть и не всю... без всякого сомнения, он не дочитал вам до этого места...

— Не дочитал, действительно, — прервал боксер, — но все факты сообщены были мне компетентным лицом, и я...

— Извините, господин Келлер, — остановил его Гаврила Ардалионович, — позвольте мне говорить. Уверяю вас, что до вашей статьи дойдет дело в свою очередь, тогда вы и заявите ваше объяснение, а теперь будем лучше продолжать по порядку. Совершенно случайно, при помощи сестры моей, Варвары Ардалионовны Птицыной, я достал от короткой приятельницы ее, Веры Алексеевны Зубковой, помещицы и вдовы, одно письмо покойного Николая Андреевича Павлищева, писанное к ней от него двадцать четыре года назад из-за границы. Сблизившись с Верой Алексеевной, я, по ее указанию, обратился к отставному полковнику Тимофею Федоровичу Вязовкину, дальнему родственнику и большому в свое время приятелю с господином Павлищевым. От него мне удалось достать еще два письма Николая Андреевича, тоже писанные из-за границы. По этим трем письмам, по числам и по фактам, в них обозначенным, доказывается математически, безо всякой возможности опровержения и даже сомнения, что Николай Андреевич выехал тогда за границу (где и пробыл сряду три года) ровно за полтора года до вашего рождения, господин Бурдовский. Ваша матушка, как известно вам, никогда из России не выезжала... В настоящую минуту я не стану читать этих писем. Теперь уже поздно; я только заявляю, во всяком случае, факт. Но если вам угодно, господин Бурдовский, назначить хоть завтра же утром у меня свидание и привести ваших свидетелей (в каком угодно числе) и экспертов для сличения почерка, то для меня нет никакого сомнения, что вам нельзя будет не убедиться в очевидной истине сообщенного мною факта. Если же так, то, разумеется, всё это дело падает и само собой прекращается.

Опять последовало всеобщее движение и глубокое волнение. Сам Бурдовский вдруг встал со стула.

— Если так, то я был обманут, обманут, но не Чебаровым, а давно-давно; не хочу экспертов, не хочу свидания, я верю, я отказываюсь... десять тысяч не согласен... прощайте...

Он взял фуражку и отодвинул стул, чтоб уйти.

— Если можете, господин Бурдовский, — тихо и сладко остановил его Гаврила Ардалионович, — то останьтесь еще минут хоть на пять. По этому делу обнаруживается еще несколько чрезвычайно важных фактов, особенно для вас, во всяком случае, весьма любопытных. По мнению моему, вам нельзя не познакомиться с ними, и самим вам, может быть, приятнее станет, если дело будет совершенно разъяснено...

Бурдовский уселся молча, немного опустив голову и как бы в сильной задумчивости. Уселся вслед за ним и племянник Лебедева, тоже вставший было его сопровождать; этот хоть и не потерял головы и смелости, но, видимо, был озадачен сильно. Ипполит был нахмурен, грустен и как бы очень удивлен. В эту минуту, впрочем, он до того сильно закашлялся, что даже замарал свой платок кровью. Боксер был чуть не в испуге.

— Эх, Антип! — крикнул он с горечью. — Ведь говорил я тебе тогда... третьего дня, что ты, может, и в самом деле не сын Павлищева!

Раздался сдержанный смех, двое-трое рассмеялись громче других.

— Факт, сию минуту сообщенный вами, господин Келлер, — подхватил Гаврила Ардалионович, — весьма драгоценен. Тем не менее я имею полное право, по самым точным данным, утверждать, что господину Бурдовскому хотя, конечно, и была слишком хорошо известна эпоха его рождения, но совершенно не было известно обстоятельство этого пребывания Павлищева за границей, где господин Павлищев провел большую часть жизни, возвращаясь в Россию всегда на малые сроки. Кроме того, и самый этот факт тогдашнего отъезда весьма незамечателен сам по себе, чтоб о нем помнить, после двадцати с лишком лет, даже знавшим близко Павлищева, не говоря уже о господине Бурдовском, который тогда и не родился. Конечно, навести теперь справки оказалось не невозможным; но я должен признаться, что справки, полученные мною, достались мне совершенно случайно и очень могли не достаться; так что для господина Бурдовского и даже Чебарова эти справки были действительно почти невозможны, если бы даже им и вздумалось их навести. Но ведь им могло и не вздуматься...

— Позвольте, господин Иволгин, — раздражительно прервал его вдруг Ипполит, — к чему вся эта галиматья (извините меня)? Дело теперь объяснилось, главному факту мы соглашаемся верить, зачем же тянуть далее тяжелую и обидную канитель? Вы, может быть, желаете похвалиться ловкостью ваших изысканий, выставить пред нами и пред князем, какой вы хороший следователь, сыщик? Или уж не намерены ли предпринять извинение и оправдание Бурдовского тем, что он ввязался в дело по неведению? Но это дерзко, милостивый государь! В оправданиях ваших и в извинениях Бурдовский не нуждается, было бы вам известно! Ему обидно, ему и без того теперь тяжело, он в неловком положении, вы должны были угадать, понять это...

— Довольно, господин Терентьев, довольно, — удалось перебить Гавриле Ардалионовичу, — успокойтесь, не раздражайте себя; вы, кажется, очень нездоровы? Я вам сочувствую. В таком случае, если хотите, я кончил, то есть принужден буду сообщить только вкратце те факты, которые, по моему убеждению, не лишнее было бы узнать во всей полноте, — прибавил он, заметив некоторое всеобщее движение, похожее на нетерпение. — Я желаю только сообщить, с доказательствами, для сведения всех заинтересованных в деле, что ваша матушка, господин Бурдовский, потому единственно пользовалась расположением и заботливостью о ней Павлищева, что была родною сестрой той дворовой девушки, в которую Николай Андреевич Павлищев был влюблен в самой первой своей молодости, но до того, что непременно бы женился на ней, если б она не умерла скоропостижно. Я имею доказательства, что этот семейный факт, совершенно точный и верный, весьма малоизвестен, даже совсем забыт. Далее я бы мог объяснить, как ваша матушка еще десятилетним ребенком была взята господином Павлищевым на воспитание вместо родственницы, что ей отложено было значительное приданое и что все эти заботы породили чрезвычайно тревожные слухи между многочисленною родней Павлищева; думали даже, что он женится на своей воспитаннице, но кончилось тем, что она вышла по склонности (и это я точнейшим образом мог бы доказать) за межевого чиновника, господина Бурдовского, на двадцатом году своего возраста. Тут у меня собрано несколько точнейших фактов, для доказательства, как отец ваш, господин Бурдовский, совершенно не деловой человек, получив пятнадцать тысяч в приданое за вашею матушкой, бросил службу, вступил в коммерческие предприятия, был обманут, потерял капитал, не выдержал горя, стал пить, отчего заболел и, наконец, преждевременно умер, на восьмом году после брака с вашею матушкой. Затем, по собственному свидетельству матушки вашей, она осталась в нищете и совсем погибла бы без постоянной и великодушной помощи Павлищева, выдававшего ей до шестисот рублей в год вспоможения. Затем есть бесчисленные свидетельства, что вас, ребенка, он полюбил чрезвычайно. По этим свидетельствам и опять-таки по подтверждению матушки вашей выходит, что полюбил он вас потому преимущественно, что вы имели в детстве вид косноязычного, вид калеки, вид жалкого, несчастного ребенка (а у Павлищева, как я вывел по точным доказательствам, была всю жизнь какая-то особая нежная склонность ко всему угнетенному и природой обиженному, особенно в детях, — факт, по моему убеждению, чрезвычайно важный для нашего дела). Наконец, я могу похвалиться точнейшими изысканиями о том главном факте, как эта чрезвычайная привязанность к вам Павлищева (стараниями которого вы поступили в гимназию и учились под особым надзором) породила, наконец, мало-помалу между родственниками и домашними Павлищева мысль, что вы сын его и что ваш отец был только обманутый муж. Но главное в том, что мысль эта укрепилась до точного и всеобщего убеждения только в последние годы жизни Павлищева, когда все испугались за завещание и когда первоначальные факты были забыты, а справки невозможны. Без сомнения, мысль эта дошла и до вас, господин Бурдовский, и завладела вами вполне. Ваша матушка, с которою я имел честь познакомиться лично, хоть и знала про все эти слухи, но даже и до сих пор не знает (я тоже скрыл от нее), что и вы, ее сын, находились под обаянием этого слуха. Многоуважаемую матушку вашу, господин Бурдовский, я застал в Пскове в болезнях и в самой крайней бедности, в которую впала она по смерти Павлищева. Она со слезами благодарности сообщила мне, что только чрез вас и чрез помощь вашу и живет на свете; она много ожидает от вас в будущем и горячо верит в будущие ваши успехи...

— Это, наконец, невыносимо! — громко и нетерпеливо заявил вдруг племянник Лебедева. — К чему весь этот роман?

— Омерзительно, неприлично! — сильно пошевелился Ипполит. Но Бурдовский ничего не заметил и даже не шевельнулся.

— К чему? Зачем? — лукаво удивился Гаврила Ардалионович, ядовито готовясь изложить свое заключение. — Да, во-первых, господин Бурдовский теперь, может быть, вполне убежден, что господин Павлищев любил его из великодушия, а не как сына. Уж один этот факт необходимо было узнать господину Бурдовскому, подтвердившему и одобрившему господина Келлера давеча, после чтения статьи. Говорю так потому, что считаю вас за благородного человека, господин Бурдовский. Во-вторых, оказывается, что тут вовсе не было ни малейшего воровства-мошенничества даже со стороны Чебарова; это важный пункт даже и для меня, потому что князь давеча, разгорячившись, упомянул, будто и я того же мнения о воровстве-мошенничестве в этом несчастном деле. Тут, напротив, было полное убеждение со всех сторон, и хоть Чебаров, может быть, и действительно большой мошенник, но в этом деле он высказывается не более как крючок, подьячий, промышленник. Он надеялся нажить большие деньги как адвокат, и расчет его был не только тонкий и мастерской, но вернейший: он основывался на легкости, с которою князь дает деньги, и на благодарно-почтительном чувстве его к покойному Павлищеву; он основывался, наконец (что важнее всего), на известных рыцарских взглядах князя насчет обязанностей чести и совести. Что же касается собственно господина Бурдовского, то можно даже сказать, что он благодаря некоторым убеждениям своим до того был настроен Чебаровым и окружающею его компанией, что начал дело почти совсем и не из интересу, а почти как служение истине, прогрессу и человечеству. Теперь, после сообщенных фактов, всем, стало быть, и ясно, что господин Бурдовский человек чистый, несмотря на все видимости, и князь теперь скорее и охотнее давешнего может предложить ему и свое дружеское содействие, и ту деятельную помощь, о которой он упоминал давеча, говоря о школах и о Павлищеве.

— Остановитесь, Гаврила Ардалионович, остановитесь! — крикнул князь в настоящем испуге, но было уже поздно.

— Я сказал, я уже три раза говорил, — раздражительно крикнул Бурдовский, — что не хочу денег. Я не приму... зачем... не хочу... вон!..

И он чуть не побежал с террасы. Но племянник Лебедева схватил его за руку и что-то шепнул ему. Тот быстро воротился и, вынув из кармана незапечатанный письменный конверт большого формата, бросил его на столик, стоявший подле князя.

— Вот деньги!.. Вы не смели... не смели!.. Деньги!..

— Двести пятьдесят рублей, которые вы осмелились прислать ему в виде подаяния чрез Чебарова, — пояснил Докторенко.

— В статье сказано пятьдесят! — крикнул Коля.

— Я виноват! — сказал князь, подходя к Бурдовскому, — я очень виноват перед вами, Бурдовский, но я не как подаяние послал, поверьте. Я и теперь виноват... я давеча виноват. (Князь был очень расстроен, имел вид усталый и слабый, и слова его были несвязны.) Я сказал о мошенничестве... но это не про вас, я ошибся. Я сказал, что вы... такой же, как я, больной. Но вы не такой же, как я, вы... даете уроки, вы мать содержите. Я сказал, что вы ославили вашу мать, но вы ее любите; она сама говорит... я не знал... Гаврила Ардалионович мне давеча не договорил... я виноват. Я осмелился вам предложить десять тысяч, но я виноват, я должен был сделать это не так, а теперь... нельзя, потому что вы меня презираете...

— Да это сумасшедший дом! — вскричала Лизавета Прокофьевна.

— Конечно, дом сумасшедших! — не вытерпела и резко проговорила Аглая, но слова ее пропали в общем шуме; все уже громко говорили, все рассуждали, кто спорил, кто смеялся. Иван Федорович Епанчин был в последней степени негодования и, с видом оскорбленного достоинства, поджидал Лизавету Прокофьевну. Племянник Лебедева ввернул последнее словечко:

— Да, князь, вам надо отдать справедливость, вы таки умеете пользоваться вашею... ну, болезнию (чтобы выразиться приличнее); вы в такой ловкой форме сумели предложить вашу дружбу и деньги, что теперь благородному человеку принять их ни в каком случае невозможно. Это или уж слишком невинно, или уж слишком ловко... вам, впрочем, известнее.

— Позвольте, господа, — вскричал Гаврила Ардалионович, развернувший между тем пакет с деньгами, — тут вовсе не двести пятьдесят рублей, а всего только сто. Я для того, князь, чтобы не вышло какого недоумения.

— Оставьте, оставьте, — замахал руками князь Гавриле Ардалионовичу.

— Нет, не «оставьте»! — прицепился сейчас же племянник Лебедева. — Нам оскорбительно ваше «оставьте», князь. Мы не прячемся, мы заявляем открыто: да, тут только сто рублей, а не все двести пятьдесят, но разве это не всё равно...

— Н-нет, не всё равно, — с видом наивного недоумения успел ввернуть Гаврила Ардалионович.

— Не перебивайте меня; мы не такие дураки, как вы думаете, господин адвокат, — с злобною досадой воскликнул племянник Лебедева, — разумеется, сто рублей не двести пятьдесят рублей, и не всё равно, но важен принцип; тут инициатива важна, а что недостает ста пятидесяти рублей, это только частность. Важно то, что Бурдовский не принимает вашего подаяния, ваше сиятельство, что он бросает его вам в лицо, а в этом смысле всё равно, что сто, что двести пятьдесят. Бурдовский не принял десяти тысяч: вы видели; не принес бы и ста рублей, если бы был бесчестен! Эти сто пятьдесят рублей пошли в расход Чебарову на его поездку к князю. Смейтесь скорее над нашею неловкостию, над нашим неуменьем вести дела; вы и без того нас всеми силами постарались сделать смешными; но не смейте говорить, что мы бесчестны. Эти сто пятьдесят рублей, милостивый государь, мы все вместе внесем князю; мы хоть по рублю будем возвращать и возвратим с процентами. Бурдовский беден, у Бурдовского нет миллионов, а Чебаров после поездки представил счет. Мы надеялись выиграть... Кто бы на его месте поступил иначе?

— Как кто? — воскликнул князь Щ.

— Я тут с ума сойду! — крикнула Лизавета Прокофьевна.

— Это напоминает, — засмеялся Евгений Павлович, долго стоявший и наблюдавший, — недавнюю знаменитую защиту адвоката, который, выставляя как извинение бедность своего клиента, убившего разом шесть человек, чтоб ограбить их, вдруг заключил в этом роде: «Естественно, говорит, что моему клиенту по бедности пришло в голову совершить это убийство шести человек, да и кому же на его месте не пришло бы это в голову?» В этом роде что-то, только очень забавное.

— Довольно! — провозгласила вдруг, чуть не дрожа от гнева, Лизавета Прокофьевна, — пора прервать эту галиматью!..

Она была в ужаснейшем возбуждении, она грозно закинула голову и с надменным, горячим и нетерпеливым вызовом обвела своим сверкающим взглядом всю компанию, вряд ли различая в эту минуту друзей от врагов. Это была та точка долго сдерживаемого, но разразившегося наконец гнева, когда главным побуждением становится немедленный бой, немедленная потребность на кого-нибудь поскорее накинуться. Знавшие Лизавету Прокофьевну тотчас почувствовали, что с нею совершилось что-то особенное. Иван Федорович говорил на другой же день князю Щ., что «с ней это бывает, но в такой степени, как вчера, даже и с нею редко бывает, так года в три по одному разу, но уж никак не чаще! Никак не чаще!» — прибавил он вразумительно.

— Довольно, Иван Федорович! Оставьте меня! — восклицала Лизавета Прокофьевна. — Чего вы мне вашу руку теперь подставляете? Не умели давеча вывести; вы муж, вы глава семейства; вы должны были меня, дуру, за ухо вывести, если бы я вас не послушалась и не вышла. Хоть для дочерей-то позаботились бы! А теперь без вас дорогу найдем, на целый год стыда хватит... Подождите, я еще князя хочу отблагодарить!.. Спасибо, князь, за угощение! А я-то расселась молодежь послушать... Это низость, низость! Это хаос, безобразие, этого во сне не увидишь! Да неужто их много таких?.. Молчи, Аглая! Молчи, Александра! Не ваше дело!.. Не вертитесь подле меня, Евгений Павлыч, надоели вы мне!.. Так ты, миленький, у них же и прощения просишь, — подхватила она, опять обращаясь к князю, — «виноват, дескать, что осмелился вам капитал предложить»... а ты чего, фанфаронишка, изволишь смеяться! — накинулась она вдруг на племянника Лебедева, — «мы, дескать, от капитала отказываемся, мы требуем, а не просим!». А точно того и не знает, что этот идиот завтра же к ним опять потащится свою дружбу и капиталы им предлагать! Ведь пойдешь? Пойдешь или нет?

— Пойду, — тихим и смиренным голосом проговорил князь.

— Слышали! Так ведь на это-то ты и рассчитываешь, — обернулась она опять к Докторенке, — ведь уж деньги теперь у тебя всё равно что в кармане лежат, вот ты и фанфаронишь, чтобы нам пыли задать... Нет, голубчик, других дураков найди, а я вас насквозь вижу... всю игру вашу вижу!

— Лизавета Прокофьевна! — воскликнул князь.

— Пойдемте отсюда, Лизавета Прокофьевна, слишком пора, да и князя с собой уведем, — как можно спокойнее и улыбаясь проговорил князь Щ.

Девицы стояли в стороне, почти испуганные, генерал был положительно испуган; все вообще были в удивлении. Некоторые, подальше стоявшие, украдкой усмехались и перешептывались; лицо Лебедева изображало последнюю степень восторга.

— Безобразие и хаос везде, сударыня, найдешь, — проговорил, значительно, впрочем, озадаченный, племянник Лебедева.

— Да не такие! Не такие, батюшки, как теперь у вас, не такие! — с злорадством, как бы в истерике, подхватила Лизавета Прокофьевна. — Да оставите ли вы меня, — закричала она на уговаривавших ее, — нет, коли вы уж даже сами, Евгений Павлыч, заявили сейчас, что даже сам защитник на суде объявлял, что ничего нет естественнее, как по бедности шесть человек укокошить, так уж и впрямь последние времена пришли, этого я еще и не слыхивала. Теперь мне всё объяснилось! Да этот косноязычный, разве он не зарежет (она указала на Бурдовского, смотревшего на нее с чрезвычайным недоумением)? Да побьюсь об заклад, что зарежет! Он денег твоих, десяти тысяч, пожалуй, не возьмет, пожалуй, и по совести не возьмет, а ночью придет и зарежет, да и вынет их из шкатулки. По совести вынет! Это у него не бесчестно! Это «благородного отчаянья порыв», это «отрицание», или там черт знает что... Тьфу! всё навыворот, все кверху ногами пошли. Девушка в доме растет, вдруг среди улицы прыг на дрожки: «Маменька, я на днях за такого-то Карлыча или Иваныча замуж вышла, прощайте!» Так это и хорошо так, по-вашему, поступать? Уважения достойно, естественно? Женский вопрос? Этот вот мальчишка (она указала на Колю), и тот уж намедни спорил, что это-то и значит «женский вопрос». Да

пусть мать дура была, да ты все-таки будь с ней человек!.. Чего вы давеча за-
дравши головы-то вошли? «Не смейте подступаться»: мы идем. «Нам все права
подавай, а ты и заикнуться пред нами не смей. Нам все почтения отдавай, каких и не бывает-то даже, а тебя мы хуже чем последнего лакея третировать будем!» Истины ищут, на праве стоят, а сами как басурмане его в статье раскле-
ветали. «Требуем, а не просим, и никакой благодарности от нас не услышите,
потому что вы для удовлетворения своей собственной совести делаете!» Экая
мораль: да ведь коли от тебя никакой благодарности не будет, так ведь и князь
может сказать тебе в ответ, что он к Павлищеву не чувствует никакой благодарности, потому что и Павлищев делал добро для удовлетворения собственной совести. А ведь ты только на эту благодарность его к Павлищеву и рассчитывал: ведь не у тебя же он взаймы деньги брал, не тебе он должен, на что же
ты рассчитывал, как не на благодарность? Как же сам-то от нее отказываешь-
ся? Сумасшедшие! Диким и бесчеловечным общество признают за то, что оно
позорит обольщенную девушку. Да ведь коли бесчеловечным общество признаешь, стало быть, признаешь, что этой девушке от этого общества больно. А
коли больно, так как же ты сам-то ее в газетах перед этим же обществом выво-
дишь и требуешь, чтоб это ей было не больно? Сумасшедшие! Тщеславные! В
Бога не веруют, в Христа не веруют! Да ведь вас до того тщеславие и гордость
проели, что кончится тем, что вы друг друга переедите, это я вам предсказы-
ваю. И не сумбур это, и не хаос, и не безобразие это? И после этого этот срам-
ник еще прощения у них же лезет просить! Да много ли вас таких? Чего усмехаетесь: что я себя осрамила с вами? Да ведь уж осрамила, уж нечего больше делать!.. А ты у меня не усмехайся, пачкун! (накинулась она вдруг на Ипполита)
сам еле дышит, а других развращает. Ты у меня этого мальчишку развратил
(она опять указала на Колю); он про тебя только и бредит, ты его атеизму
учишь, ты в Бога не веруешь, а тебя еще высечь можно, милостивый государь,
да тьфу с вами!.. Так пойдешь, князь Лев Николаевич, к ним завтра, пойдешь? — спросила она опять князя, почти задыхаясь.

— Пойду.

— Знать же тебя не хочу после этого! — Она было быстро повернулась уходить, но вдруг опять воротилась. — И к этому атеисту пойдешь? — указала она
на Ипполита. — Да чего ты на меня усмехаешься! — как-то неестественно
вскрикнула она и бросилась вдруг к Ипполиту, не вынося его едкой усмешки.

— Лизавета Прокофьевна! Лизавета Прокофьевна! Лизавета Прокофьевна! — послышалось разом со всех сторон.

— Maman, это стыдно! — громко вскричала Аглая.

— Не беспокойтесь, Аглая Ивановна, — спокойно отвечал Ипполит, которого подскочившая к нему Лизавета Прокофьевна схватила и неизвестно зачем
крепко держала за руку; она стояла пред ним и как бы впилась в него своим бешеным взглядом, — не беспокойтесь, ваша maman разглядит, что нельзя бросаться на умирающего человека... я готов разъяснить, почему я смеялся... очень
буду рад позволению...

Тут он вдруг ужасно закашлялся и целую минуту не мог унять кашель.

— Ведь уж умирает, а всё ораторствует! — воскликнула Лизавета Прокофьевна, выпустив его руку и чуть не с ужасом смотря, как он вытирал кровь со своих
губ. — Да куда тебе говорить! Тебе просто идти ложиться надо...

— Так и будет, — тихо, хрипло и чуть не шепотом ответил Ипполит, — я, как
ворочусь сегодня, тотчас и лягу... чрез две недели я, как мне известно, умру...

Мне на прошлой неделе сам Б—н объявил... Так если позволите, я бы вам на прощанье два слова сказал.

— Да ты с ума сошел, что ли? Вздор! Лечиться надо, какой теперь разговор! Ступай, ступай, ложись!.. — испуганно крикнула Лизавета Прокофьевна.

— Лягу, так ведь и не встану до самой смерти, — улыбнулся Ипполит, — я и вчера уже хотел было так лечь, чтоб уж и не вставать до смерти, да решил отложить до послезавтра, пока еще ноги носят... чтобы вот с ними сегодня сюда прийти... только устал уж очень...

— Да садись, садись, чего стоишь! Вот тебе стул, — вскинулась Лизавета Прокофьевна и сама подставила ему стул.

— Благодарю вас, — тихо продолжал Ипполит, — а вы садитесь напротив, вот и поговорим... мы непременно поговорим, Лизавета Прокофьевна, теперь уж я на этом стою... — улыбнулся он ей опять. — Подумайте, что сегодня я в последний раз и на воздухе и с людьми, а чрез две недели наверно в земле. Значит, это вроде прощания будет и с людьми и с природой. Я хоть и не очень чувствителен, а, представьте себе, очень рад, что это всё здесь в Павловске приключилось: все-таки хоть на дерево в листьях посмотришь.

— Да какой теперь разговор, — всё больше и больше пугалась Лизавета Прокофьевна, — ты весь в лихорадке. Давеча визжал да пищал, а теперь чуть дух переводишь, задохся!

— Сейчас отдохну. Зачем вы хотите отказать мне в последнем желании?.. А знаете ли, я давно уже мечтал с вами как-нибудь сойтись, Лизавета Прокофьевна; я о вас много слышал... от Коли; он ведь почти один меня и не оставляет... Вы оригинальная женщина, эксцентрическая женщина, я и сам теперь видел... знаете ли, что я вас даже немножко любил.

— Господи, а я было, право, чуть его не ударила.

— Вас удержала Аглая Ивановна; ведь я не ошибаюсь? Это ведь ваша дочь Аглая Ивановна? Она так хороша, что я давеча с первого взгляда угадал ее, хоть и никогда не видал. Дайте мне хоть на красавицу-то в последний раз в жизни посмотреть, — какою-то неловкою, кривою улыбкой улыбнулся Ипполит, — вот и князь тут, и супруг ваш, и вся компания. Отчего вы мне отказываете в последнем желании?

— Стул! — крикнула Лизавета Прокофьевна, но схватила сама и села напротив Ипполита. — Коля, — приказала она, — отправишься с ним немедленно, проводи его, а завтра я непременно сама...

— Если вы позволите, то я попросил бы у князя чашку чаю... Я очень устал. Знаете что, Лизавета Прокофьевна, вы хотели, кажется, князя к себе вести чай пить: останьтесь-ка здесь, проведемте время вместе, а князь наверно нам всем чаю даст. Простите, что я так распоряжаюсь... Но ведь я знаю вас, вы добрая, князь тоже... мы все до комизма предобрые люди...

Князь всполошился, Лебедев бросился со всех ног из комнаты, за ним побежала Вера.

— И правда, — резко решила генеральша, — говори, только потише и не увлекайся. Разжалобил ты меня... Князь! Ты не стоил бы, чтоб я у тебя чай пила, да уж так и быть, остаюсь, хотя ни у кого не прошу прощенья! Ни у кого! Вздор!.. Впрочем, если я тебя разбранила, князь, то прости, — если, впрочем, хочешь. Я, впрочем, никого не задерживаю, — обратилась она вдруг с видом необыкновенного гнева к мужу и дочерям, как будто они-то были в чем-то ужасно пред ней виноваты, — я и одна домой сумею дойти...

Но ей не дали договорить. Все подошли и окружили ее с готовностью. Князь тотчас же стал всех упрашивать остаться пить чай и извинялся, что до сих пор не догадался об этом. Даже генерал был так любезен, что пробормотал что-то успокоительное и любезно спросил Лизавету Прокофьевну: не свежо ли ей, однако же, на террасе? Он даже чуть было не спросил Ипполита: давно ли он в университете, но не спросил. Евгений Павлович и князь Щ. стали вдруг чрезвычайно любезными и веселыми, на лицах Аделаиды и Александры выражалось, сквозь продолжавшееся удивление, даже удовольствие, одним словом, все были видимо рады, что миновал кризис с Лизаветой Прокофьевной. Одна Аглая была нахмурена и молча села поодаль. Осталось и всё остальное общество; никто не хотел уходить, даже генерал Иволгин, которому Лебедев, впрочем, что-то шепнул мимоходом, вероятно не совсем приятное, потому что генерал тотчас же стушевался куда-то в угол. Князь подходил с приглашением и к Бурдовскому с компанией, не обходя никого. Они пробормотали с натянутым видом, что подождут Ипполита, и тотчас же удалились в самый дальний угол террасы, где и уселись опять все рядом. Вероятно, чай уже был давно приготовлен у Лебедева для себя, потому что тотчас же и явился. Пробило одиннадцать часов.

X

Ипполит помочил свои губы в чашке чаю, поданной ему Верой Лебедевой, поставил чашку на столик и вдруг, точно законфузился, почти в смущении осмотрелся кругом.

— Посмотрите, Лизавета Прокофьевна, эти чашки, — как-то странно заторопился он, — эти фарфоровые чашки, и, кажется, превосходного фарфора, стоят у Лебедева всегда в шифоньерке под стеклом, запертые; никогда не подаются... как водится, это в приданое за женой его было... у них так водится... и вот он их нам подал, в честь вас, разумеется, до того обрадовался...

Он хотел было еще что-то прибавить, но не нашел.

— Сконфузился-таки, я так и ждал! — шепнул вдруг Евгений Павлович на ухо князю. — Это ведь опасно, а? Вернейший признак, что теперь, со зла, такую какую-нибудь эксцентричность выкинет, что и Лизавета Прокофьевна, пожалуй, не усидит.

Князь вопросительно посмотрел на него.

— Вы эксцентричности не боитесь? — прибавил Евгений Павлович. — Ведь и я тоже, даже желаю; мне, собственно, только чтобы наша милая Лизавета Прокофьевна была наказана, и непременно сегодня же, сейчас же; без того и уходить не хочу. У вас, кажется, лихорадка.

— После, не мешайте. Да, я нездоров, — рассеянно и даже нетерпеливо ответил князь. Он услышал свое имя, Ипполит говорил про него.

— Вы не верите? — истерически смеялся Ипполит. — Так и должно быть, а князь так с первого разу поверит и нисколько не удивится.

— Слышишь, князь? — обернулась к нему Лизавета Прокофьевна, — слышишь?

Кругом смеялись. Лебедев суетливо выставлялся вперед и вертелся пред самою Лизаветой Прокофьевной.

— Он говорил, что этот вот кривляка, твой-то хозяин... тому господину статью поправлял, вот что давеча на твой счет прочитали.

Князь с удивлением посмотрел на Лебедева.

— Что ж ты молчишь? — даже топнула ногой Лизавета Прокофьевна.

— Что же, — пробормотал князь, продолжая рассматривать Лебедева, — я уж вижу, что он поправлял.

— Правда? — быстро обернулась Лизавета Прокофьевна к Лебедеву.

— Истинная правда, ваше превосходительство! — твердо и непоколебимо ответил Лебедев, приложив руку к сердцу.

— Точно хвалится! — чуть не привскочила она на стуле.

— Низок, низок! — забормотал Лебедев, начиная ударять себя в грудь и всё ниже и ниже наклоняя голову.

— Да что мне в том, что ты низок! Он думает, что скажет: низок, так и вывернется. И не стыдно тебе, князь, с такими людишками водиться, еще раз говорю? Никогда не прощу тебе!

— Меня простит князь! — с убеждением и умилением проговорил Лебедев.

— Единственно из благородства, — громко и звонко заговорил вдруг подскочивший Келлер, обращаясь прямо к Лизавете Прокофьевне, — единственно из благородства, сударыня, и чтобы не выдать скомпрометированного приятеля, я давеча утаил о поправках, несмотря на то, что он же нас с лестницы спустить предлагал, как сами изволили слышать. Для восстановления истины признаюсь, что я, действительно, обратился к нему, за шесть целковых, но отнюдь не для слога, а собственно для узнания фактов, мне большею частью неизвестных, как к компетентному лицу. Насчет штиблетов, насчет аппетита у швейцарского профессора, насчет пятидесяти рублей вместо двухсот пятидесяти, одним словом, вся эта группировка, всё это принадлежит ему, за шесть целковых, но слог не поправляли.

— Я должен заметить, — с лихорадочным нетерпением и каким-то ползучим голосом перебил его Лебедев, при распространявшемся всё более и более смехе, — что я поправлял одну только первую половину статьи, но так как в средине мы не сошлись и за одну мысль поссорились, то я вторую половину уж и не поправлял-с, так что всё, что там безграмотно (а там безграмотно!), так уж это мне не приписывать-с...

— Вот он о чем хлопочет! — вскричала Лизавета Прокофьевна.

— Позвольте спросить, — обратился Евгений Павлович к Келлеру, — когда поправляли статью?

— Вчера утром, — отрапортовал Келлер, — мы имели свидание с обещанием честного слова сохранить секрет с обеих сторон.

— Это когда он ползал-то перед тобой и уверял тебя в преданности! Ну, людишки! Не надо мне твоего Пушкина, и чтобы дочь твоя ко мне не являлась!

Лизавета Прокофьевна хотела было встать, но вдруг раздражительно обратилась к смеющемуся Ипполиту:

— Что ж ты, милый, на смех, что ли, вздумал меня здесь выставлять!

— Сохрани Господи, — криво улыбался Ипполит, — но меня больше всего поражает чрезвычайная эксцентричность ваша, Лизавета Прокофьевна; я, признаюсь, нарочно подвел про Лебедева, я знал, как на вас подействует, на вас одну, потому что князь действительно простит и уж наверно простил... даже, может, извинение в уме подыскал, ведь так, князь, не правда ли?

Он задыхался, странное волнение его возрастало с каждым словом.

— Ну?.. — гневно проговорила Лизавета Прокофьевна, удивляясь его тону, — ну?

— Про вас я уже много слышал, в этом же роде... с большою радостию... чрезвычайно научился вас уважать, — продолжал Ипполит.

Он говорил одно, но так, как будто бы этими самыми словами хотел сказать совсем другое. Говорил с оттенком насмешки и в то же время волновался несоразмерно, мнительно оглядывался, видимо путался и терялся на каждом слове, так что всё это, вместе с его чахоточным видом и со странным, сверкающим и как будто исступленным взглядом, невольно продолжало привлекать к нему внимание.

— Я бы удивился, совсем, впрочем, не зная света (я сознаюсь в этом), тому, что вы не только сами остались в обществе давешней нашей компании, для вас неприличной, но и оставили этих... девиц выслушивать дело скандальное, хотя они уже всё прочли в романах. Я, может быть, впрочем, не знаю... потому что сбиваюсь, но, во всяком случае, кто, кроме вас, мог остаться... по просьбе мальчика (ну да, мальчика, я опять сознаюсь) провести с ним вечер и принять... во всем участие и... с тем... что на другой день стыдно... (я, впрочем, согласен, что не так выражаюсь) я всё это чрезвычайно хвалю и глубоко уважаю, хотя уже по лицу одному его превосходительства, вашего супруга, видно, как всё это для него неприятно... Хи-хи! — захихикал он, совсем спутавшись, и вдруг так закашлялся, что минуты две не мог продолжать.

— Даже задохся! — холодно и резко произнесла Лизавета Прокофьевна, со строгим любопытством рассматривая его. — Ну, милый мальчик, довольно с тобою. Пора!

— Позвольте же и мне, милостивый государь, с своей стороны вам заметить, — раздражительно вдруг заговорил Иван Федорович, потерявший последнее терпение, — что жена моя здесь у князя Льва Николаевича, нашего общего друга и соседа, и что во всяком случае не вам, молодой человек, судить о поступках Лизаветы Прокофьевны, равно как выражаться вслух и в глаза о том, что написано на моем лице. Да-с. И если жена моя здесь осталась, — продолжал он, раздражаясь почти с каждым словом всё более и более, — то скорее, сударь, от удивления и от понятного всем современного любопытства посмотреть странных молодых людей. Я и сам остался, как останавливаюсь иногда на улице, когда вижу что-нибудь, на что можно взглянуть, как... как... как...

— Как на редкость, — подсказал Евгений Павлович.

— Превосходно и верно, — обрадовался его превосходительство, немного запутавшийся в сравнении, — именно как на редкость. Но во всяком случае мне всего удивительнее и даже огорчительнее, если только можно так выразиться грамматически, что вы, молодой человек, и того даже не умели понять, что Лизавета Прокофьевна теперь осталась с вами потому, что вы больны, — если вы только в самом деле умираете, — так сказать, из сострадания, из-за ваших жалких слов, сударь, и что никакая грязь ни в коем случае не может пристать к ее имени, качествам и значению... Лизавета Прокофьевна! — заключил раскрасневшийся генерал, — если хочешь идти, то простимся с нашим добрым князем и...

— Благодарю вас за урок, генерал, — серьезно и неожиданно прервал Ипполит, задумчиво смотря на него.

— Пойдемте, maman, долго ли еще будет!.. — нетерпеливо и гневно произнесла Аглая, вставая со стула.

— Еще две минуты, милый Иван Федорович, если позволишь, — с достоинством обернулась к своему супругу Лизавета Прокофьевна, — мне кажется, он весь в лихорадке и просто бредит; я в этом убеждена по его глазам; его так оставить нельзя. Лев Николаевич! мог бы он у тебя ночевать, чтоб его в Петербург не тащить сегодня? Cher prince[1], вы скучаете? — с чего-то обратилась она вдруг к князю Щ. — Поди сюда, Александра, поправь себе волосы, друг мой.

Она поправила ей волосы, которые нечего было поправлять, и поцеловала ее; затем только и звала.

— Я вас считал способною к развитию... — опять заговорил Ипполит, выходя из своей задумчивости. — Да! вот что я хотел сказать, — обрадовался он, как бы вдруг вспомнив, — вот Бурдовский искренно хочет защитить свою мать, не правда ли? А выходит, что он же ее срамит. Вот князь хочет помочь Бурдовскому, от чистого сердца предлагает ему свою нежную дружбу и капитал и, может быть, один из всех нас не чувствует к нему отвращения, и вот они-то и стоят друг пред другом как настоящие враги... Ха-ха-ха! Вы ненавидите все Бурдовского за то, что он, по-вашему, некрасиво и неизящно относится к своей матери, ведь так? так? так? Ведь вы ужасно все любите красивость и изящество форм, за них только и стоите, не правда ли? (Я давно подозревал, что только за них!) Ну, так знайте же, что ни один из вас, может, не любил так свою мать, как Бурдовский! Вы, князь, я знаю, послали потихоньку денег, с Ганечкой, матери Бурдовского, и вот об заклад же побьюсь (хи-хи-хи! — истерически хохотал он), об заклад побьюсь, что Бурдовский же и обвинит вас теперь в неделикатности форм и в неуважении к его матери, ей-богу так, ха-ха-ха!

Тут он опять задохся и закашлялся.

— Ну, всё? Всё теперь, всё сказал? Ну, и иди теперь спать, у тебя лихорадка, — нетерпеливо перебила Лизавета Прокофьевна, не сводившая с него своего беспокойного взгляда. — Ах, Господи! Да он и еще говорит!

— Вы, кажется, смеетесь? Что вы всё надо мной смеетесь? Я заметил, что вы всё надо мною смеетесь! — беспокойно и раздражительно обратился он вдруг к Евгению Павловичу; тот действительно смеялся.

— Я только хотел спросить вас, господин... Ипполит... извините, я забыл вашу фамилию.

— Господин Терентьев, — сказал князь.

— Да, Терентьев, благодарю вас, князь, давеча говорили, но у меня вылетело... я хотел вас спросить, господин Терентьев, правду ли я слышал, что вы того мнения, что стоит вам только четверть часа в окошко с народом поговорить, и он тотчас же с вами во всем согласится и тотчас же за вами пойдет?

— Очень может быть, что говорил... — ответил Ипполит, как бы что-то припоминая. — Непременно говорил! — прибавил он вдруг, опять оживляясь и твердо посмотрев на Евгения Павловича. — Что ж из этого?

— Ничего ровно; я только к сведению, чтобы дополнить.

Евгений Павлович замолчал, но Ипполит всё еще смотрел на него в нетерпеливом ожидании.

— Ну, что ж, кончил, что ли? — обратилась к Евгению Павловичу Лизавета Прокофьевна. — Кончай скорей, батюшка, ему спать пора. Или не умеешь? (Она была в ужасной досаде.)

— Я, пожалуй, и очень не прочь прибавить, — улыбаясь, продолжал Евгений Павлович, — что всё, что я выслушал от ваших товарищей, господин Терентьев, и всё, что вы изложили сейчас, я с таким несомненным талантом, сводится, по

---

[1] Дорогой князь (*франц.*).

моему мнению, к теории восторжествования права, прежде всего и мимо всего, и даже с исключением всего прочего, и даже, может быть, прежде исследования, в чем и право-то состоит? Может быть, я ошибаюсь?

— Конечно, ошибаетесь, я даже вас не понимаю... дальше?

В углу тоже раздался ропот. Племянник Лебедева что-то пробормотал вполголоса.

— Да почти ничего дальше, — продолжал Евгений Павлович, — я только хотел заметить, что от этого дело может прямо перескочить на право силы, то есть на право единичного кулака и личного захотения, как, впрочем, и очень часто кончалось на свете. Остановился же Прудон на праве силы. В американскую войну многие самые передовые либералы объявили себя в пользу плантаторов, в том смысле, что негры суть негры, ниже белого племени, а стало быть, право силы за белыми.

— Ну?

— То есть, стало быть, вы не отрицаете права силы?

— Дальше?

— Вы таки консеквентны; я хотел только заметить, что от права силы до права тигров и крокодилов и даже до Данилова и Горского недалеко.

— Не знаю; дальше?

Ипполит едва слушал Евгения Павловича, которому если и говорил «ну» и «дальше», то, казалось, больше по старой усвоенной привычке в разговорах, а не от внимания и любопытства.

— Да ничего дальше... всё.

— Я, впрочем, на вас не сержусь, — совершенно неожиданно заключил вдруг Ипполит и, едва ли вполне сознавая, протянул руку, даже с улыбкой. Евгений Павлович удивился сначала, но с самым серьезным видом прикоснулся к протянутой ему руке, точно как бы принимая прощение.

— Не могу не прибавить, — сказал он тем же двусмысленно почтительным тоном, — моей вам благодарности за внимание, с которым вы меня допустили говорить, потому что, по моим многочисленным наблюдениям, никогда наш либерал не в состоянии позволить иметь кому-нибудь свое особое убеждение и не ответить тотчас же своему оппоненту ругательством или даже чем-нибудь хуже...

— Это вы совершенно верно, — заметил генерал Иван Федорович и, заложив руки за спину, с скучнейшим видом отретировался к выходу с террасы, где с досады и зевнул.

— Ну, довольно с тебя, батюшка, — вдруг объявила Евгению Павловичу Лизавета Прокофьевна, — надоели вы мне...

— Пора, — озабоченно и чуть не с испугом поднялся вдруг Ипполит, в замешательстве смотря кругом, — я вас задержал; я хотел вам всё сказать... я думал, что всё... в последний раз... это была фантазия...

Видно было, что он оживлялся порывами, из настоящего почти бреда выходил вдруг, на несколько мгновений, с полным сознанием вдруг припоминал и говорил, большею частью отрывками, давно уже, может быть, надуманными и заученными в долгие, скучные часы болезни, на кровати, в уединении, в бессонницу.

— Ну, прощайте! — резко проговорил он вдруг. — Вы думаете, мне легко сказать вам: прощайте? Ха-ха! — досадливо усмехнулся он сам на свой *неловкий* вопрос и вдруг, точно разозлясь, что ему всё не удается сказать что хочется, громко и раздражительно проговорил: — Ваше превосходительство! Имею честь просить вас ко мне на погребение, если только удостоите такой чести, и... всех, господа, вслед за генералом!..

Он опять засмеялся; но это был уже смех безумного. Лизавета Прокофьевна испуганно двинулась к нему и схватила его за руку. Он смотрел на нее пристально, с тем же смехом, но который уже не продолжался, а как бы остановился и застыл на его лице.

— Знаете ли, что я приехал сюда для того, чтобы видеть деревья? Вот эти... (он указал на деревья парка) это не смешно, а? Ведь тут ничего нет смешного? — серьезно спросил он Лизавету Прокофьевну и вдруг задумался; потом, чрез мгновение, поднял голову и любопытно стал искать глазами в толпе. Он искал Евгения Павловича, который стоял очень недалеко, направо, на том же самом месте, как и прежде, — но он уже забыл и искал кругом. — А, вы не ушли! — нашел он его, наконец. — Вы давеча всё смеялись, что я в окно хотел говорить четверть часа... А знаете, что мне не восемнадцать лет: я столько пролежал на этой подушке, и столько просмотрел в это окно, и столько продумал... обо всех... что... У мертвого лет не бывает, вы знаете. Я еще на прошлой неделе это подумал, когда ночью проснулся... А знаете, чего вы боитесь больше всего? Вы искренности нашей боитесь больше всего, хоть и презираете нас! Я это тоже, тогда же, на подушке подумал ночью... Вы думаете, что я над вами смеяться хотел давеча, Лизавета Прокофьевна? Нет, я не смеялся над вами, я только похвалить хотел... Коля говорил, что вас князь ребенком назвал... это хорошо... Да, что бишь я... еще что-то хотел...

Он закрыл лицо руками и задумался.

— Вот что: когда вы давеча прощались, я вдруг подумал: вот эти люди, и никогда уже их больше не будет, и никогда! И деревья тоже, — одна кирпичная стена будет, красная, Мейерова дома... напротив в окно у меня... ну, и скажи им про всё это... попробуй-ка, скажи; вот красавица... ведь ты мертвый, отрекомендуйся мертвецом, скажи, что «мертвому можно всё говорить»... и что княгиня Марья Алексевна не забранит, ха-ха!.. Вы не смеетесь? — обвел он всех кругом недоверчиво. — А знаете, на подушке мне много мыслей приходило... знаете, я уверился, что природа очень насмешлива... Вы давеча сказали, что я атеист, а знаете, что эта природа... Зачем вы опять смеетесь? Вы ужасно жестокие! — с грустным негодованием произнес он вдруг, оглядывая всех. — Я не развращал Колю, — закончил он совершенно другим тоном, серьезным и убежденным, как бы вдруг тоже вспомнив.

— Никто, никто над тобой здесь не смеется, успокойся! — почти мучилась Лизавета Прокофьевна. — Завтра доктор новый приедет; тот ошибся; да садись, на ногах не стоишь! Бредишь... Ах, что теперь с ним делать! — хлопотала она, усаживая его в кресла. Слезинка блеснула на ее щеке.

Ипполит остановился почти пораженный, поднял руку, боязливо протянул ее и дотронулся до этой слезинки. Он улыбнулся какою-то детскою улыбкой.

— Я... вас... — заговорил он радостно, — вы не знаете, как я вас... мне он в таком восторге всегда о вас говорил, вот он, Коля... я восторг его люблю. Я его не развращал! Я только его и оставляю... я всех хотел оставить, всех, — но их не было никого, никого не было... Я хотел быть деятелем, я имел право... О, как я много хотел! Я ничего теперь не хочу, ничего не хочу хотеть, я дал себе такое слово, чтоб уже ничего не хотеть; пусть, пусть без меня ищут истины! Да, природа насмешлива! Зачем она, — подхватил он вдруг с жаром, — зачем она создает самые лучшие существа с тем, чтобы потом насмеяться над ними? Сделала же она так, что единственное существо, которое признали на земле совершенством... сделала же она так, что, показав его людям, ему же и предназначила сказать то, из-за чего пролилось столько крови, что если б пролилась она вся разом, то люди бы захлебнулись наверно! О, хорошо, что я умираю! Я бы тоже, пожалуй, сказал какую-нибудь ужасную ложь, природа бы так подвела!.. Я не развращал никого... Я хотел жить для счастья всех людей, для открытия и для возвещения истины... Я смотрел в окно на Мейерову стену и думал только четверть часа говорить, и всех, всех убедить, а раз-то в жизни сошелся... с вами, если не с людьми! и что же вот вышло? Ничего! Вышло, что вы меня презираете! Стало быть, не нужен, стало быть, дурак, стало быть, пора! И никакого-то воспоминания не сумел оставить! Ни звука, ни следа, ни одного дела, не распространил ни одного убеждения!.. Не смейтесь над глупцом! Забудьте! Забудьте всё... забудьте, пожалуйста, не будьте так жестоки! Знаете ли вы, что если бы не подвернулась эта чахотка, я бы сам убил себя...

Он, кажется, еще много хотел сказать, но не договорил, бросился в кресла, закрыл лицо руками и заплакал, как маленькое дитя.

— Ну, теперь что с ним прикажете делать? — воскликнула Лизавета Прокофьевна, подскочила к нему, схватила его голову и крепко-накрепко прижала к своей груди. Он рыдал конвульсивно. — Ну-ну-ну! Ну, не плачь же, ну, довольно, ты добрый мальчик, тебя Бог простит, по невежеству твоему; ну, довольно, будь мужествен... К тому же и стыдно тебе будет...

— У меня там, — говорил Ипполит, силясь приподнять свою голову, — у меня брат и сестры, дети, маленькие, бедные, невинные... *Она* развратит их! Вы — святая, вы... сами ребенок, — спасите их! Вырвите их от этой... она... стыд... О, помогите им, помогите, вам Бог воздаст за это сторицею, ради Бога, ради Христа!..

— Говорите же, наконец, Иван Федорович, что теперь делать! — раздражительно крикнула Лизавета Прокофьевна, — сделайте одолжение, прервите ваше величавое молчание! Если вы не решите, то было бы вам известно, что я здесь сама ночевать остаюсь; довольно вы меня под вашим самовластьем тиранили!

Лизавета Прокофьевна спрашивала с энтузиазмом и гневом и ожидала немедленного ответа. Но в подобных случаях большею частью присутствующие, если их даже и много, отвечают молчанием, пассивным любопытством, не желая ничего на себя принимать, и выражают свои мысли уже долго спустя. В числе присутствующих здесь были и такие, которые готовы были просидеть тут хоть до утра, не вымолвив ни слова, например Варвара Ардалионовна, сидевшая весь вечер поодаль, молчавшая и всё время слушавшая с необыкновенным любопытством, имевшая, может быть, на то и свои причины.

— Мое мнение, друг мой, — высказался генерал, — что тут нужна теперь, так сказать, скорее сиделка, чем наше волнение, и, пожалуй, благонадежный, трезвый человек на ночь. Во всяком случае спросить князя и... немедленно дать покой. А завтра можно и опять принять участие.

— Сейчас двенадцать часов, мы едем. Едет он с нами или остается у вас? — раздражительно и сердито обратился Докторенко к князю.

— Если хотите — останьтесь и вы при нем, — сказал князь, — место будет.

— Ваше превосходительство, — неожиданно и восторженно подскочил к генералу господин Келлер, — если требуется удовлетворительный человек на ночь, я готов жертвовать для друга... это такая душа! Я давно уже считаю его великим, ваше превосходительство! Я, конечно, моим образованием манкировал, но если он критикует, то ведь это перлы, перлы сыплются, ваше превосходительство!..

Генерал с отчаянием отвернулся.

— Я очень рад, если он останется, конечно, ему трудно ехать, — объявлял князь на раздражительные вопросы Лизаветы Прокофьевны.

— Да ты спишь, что ли? Если не хочешь, батюшка, так ведь я его к себе переведу! Господи, да он и сам чуть на ногах стоит! Да ты болен, что ли?

Давеча Лизавета Прокофьевна, не найдя князя на смертном одре, действительно сильно преувеличила удовлетворительность состояния его здоровья, судя по наружному виду, но недавняя болезнь, тяжелые воспоминания, ее сопровождавшие, усталость от хлопотливого вечера, случай с «сыном Павлищева», теперешний случай с Ипполитом — всё это раздражило больную впечатлительность князя действительно почти до лихорадочного состояния. Но, кроме того, в глазах его теперь была еще и какая-то другая забота, даже боязнь; он опасливо глядел на Ипполита, как бы ожидая от него еще чего-то.

Вдруг Ипполит поднялся, ужасно бледный и с видом страшного, доходившего до отчаяния, стыда на искаженном своем лице. Это выражалось преимущественно в его взгляде, ненавистно и боязливо глянувшем на собрание, и в потерянной, искривленной и ползучей усмешке на вздрагивавших губах. Глаза он тотчас же опустил и побрел, пошатываясь и всё так же улыбаясь, к Бурдовскому и Докторенку, которые стояли у выхода с террасы: он уезжал с ними.

— Ну, вот этого я и боялся! — воскликнул князь. — Так и должно было быть!

Ипполит быстро обернулся к нему с самою бешеною злобой, и каждая черточка на лице его, казалось, трепетала и говорила.

— А, вы этого и боялись! «Так и должно было быть», по-вашему? Так знайте же, что если я кого-нибудь здесь ненавижу, — завопил он с хрипом, с визгом, с брызгами изо рта (я вас всех, всех ненавижу!), — но вас, вас, иезуитская, паточная душонка, идиот, миллионер-благодетель, вас более всех и всего на свете! Я вас давно понял и ненавидел, когда еще слышал о вас, я вас ненавидел всею ненавистью души... Это вы теперь всё подвели! Это вы меня довели до припадка! Вы умирающего довели до стыда, вы, вы, вы виноваты в подлом моем малодушии! Я убил бы вас, если б остался жить! Не надо мне ваших благодеяний, ни от кого не приму, слышите, ни от кого, ничего! Я в бреду был, и вы не смеете торжествовать!.. Проклинаю всех вас раз навсегда!

Тут он совсем уж задохся.

— Слез своих застыдился! — прошептал Лебедев Лизавете Прокофьевне. — «Так и должно было быть!» Ай да князь! Насквозь прочитал...

Но Лизавета Прокофьевна не удостоила взглянуть на него. Она стояла, гордо выпрямившись, закинув голову, и с презрительным любопытством рассматривала «этих людишек». Когда Ипполит кончил, генерал вскинул было плечами; она гневно оглядела его с ног до головы, как бы спрашивая отчета в его движении, и тотчас оборотилась к князю.

— Спасибо вам, князь, эксцентрический друг нашего дома, за приятный вечер, который вы нам всем доставили. Небось ваше сердце радуется теперь, что удалось вам и нас прицепить к вашим дурачествам... Довольно, милый друг дома, спасибо, что хоть себя-то дали наконец разглядеть хорошенько!..

Она с негодованием стала оправлять свою мантилью, выжидая, когда «те» отправятся. К «тем» в эту минуту подкатили извозчичьи дрожки, за которыми еще четверть часа назад Докторенко распорядился послать сына Лебедева, гимназиста. Генерал тотчас же вслед за супругой ввернул и свое словцо:

— Действительно, князь, я даже не ожидал... после всего, после всех дружественных сношений... и, наконец, Лизавета Прокофьевна...

— Ну как, ну как это можно! — воскликнула Аделаида, быстро подошла к князю и подала ему руку.

Князь с потерянным видом улыбнулся ей. Вдруг горячий, скорый шепот как бы ожег его ухо.

— Если вы не бросите сейчас же этих мерзких людей, то я всю жизнь, всю жизнь буду вас одного ненавидеть! — прошептала Аглая; она была как бы в исступлении, но она отвернулась, прежде чем князь успел на нее взглянуть. Впрочем, ему уже нечего и некого было бросать: больного Ипполита тем временем успели кое-как усадить на извозчика, и дрожки отъехали.

— Что ж, долго будет это продолжаться, Иван Федорович? Как по-вашему? Долго я буду терпеть от этих злобных мальчишек?

— Да я, друг мой... я, разумеется, готов и... князь...

Иван Федорович протянул, однако же, князю руку, но не успел пожать и побежал за Лизаветой Прокофьевной, которая с шумом и гневом сходила с террасы. Аделаида, жених ее и Александра искренно и ласково простились с князем. Евгений Павлович был в том же числе, и один он был весел.

— По-моему сбылось! Только жаль, что и вы, бедненький, тут пострадали, — прошептал он с самою милою усмешкой.

Аглая ушла не простившись.

Но приключения этого вечера тем еще не кончились; Лизавете Прокофьевне пришлось вынести еще одну весьма неожиданную встречу.

Она не успела еще сойти с лестницы на дорогу (огибающую кругом парк), как вдруг блестящий экипаж, коляска, запряженная двумя белыми конями, промчалась мимо дачи князя. В коляске сидели две великолепные барыни. Но, проехав не более десяти шагов мимо, коляска вдруг остановилась; одна из дам быстро обернулась, точно внезапно усмотрев какого-то необходимого ей знакомого.

— Евгений Павлыч! Это ты? — крикнул вдруг звонкий, прекрасный голос, от которого вздрогнул князь и, может быть, еще кто-нибудь. — Ну, как я рада, что наконец разыскала! Я послала к тебе в город нарочного; двух! Целый день тебя ищут!

Евгений Павлович стоял на ступеньках лестницы как пораженный громом. Лизавета Прокофьевна тоже стала на месте, но не в ужасе и оцепенении, как Евгений Павлович: она посмотрела на дерзкую так же гордо и с таким же холодным презрением, как пять минут назад на «людишек», и тотчас же перевела свой пристальный взгляд на Евгения Павловича.

— Новость! — продолжал звонкий голос. — За Купферовы векселя не бойся; Рогожин скупил за тридцать, я уговорила. Можешь быть спокоен хоть месяца три еще. А с Бискупом и со всею этою дрянью наверно сладимся, по знакомству! Ну, так вот, всё, значит, благополучно. Будь весел. До завтра!

Коляска тронулась и быстро исчезла.

— Это помешанная! — крикнул наконец Евгений Павлович, покраснев от негодования и в недоумении оглядываясь кругом. — Я знать не знаю, что она говорила! Какие векселя? Кто она такая?

Лизавета Прокофьевна продолжала глядеть на него еще секунды две; наконец быстро и круто направилась к своей даче, а за нею все. Ровно через минуту на террасу к князю явился обратно Евгений Павлович в чрезвычайном волнении.

— Князь, по правде, вы не знаете, что это значит?

— Ничего не знаю, — ответил князь, бывший и сам в чрезвычайном и болезненном напряжении.

— Нет?

— Нет.

— И я не знаю, — засмеялся вдруг Евгений Павлович. — Ей-богу, никаких сношений по этим векселям не имел, ну, верите честному слову!.. Да что с вами, вы в обморок падаете?

— О нет, нет, уверяю вас, нет...

XI

Только на третий день Епанчины вполне умилостивились. Князь хоть и обвинил себя во многом, по обыкновению, и искренно ожидал наказания, но все-таки у него было сначала полное внутреннее убеждение, что Лизавета Прокофьевна не могла на него рассердиться серьезно, а рассердилась больше на себя самоё. Таким образом, такой долгий срок вражды поставил его к третьему дню в самый мрачный тупик. Поставили и другие обстоятельства, но одно из них преимущественно. Все три дня оно разрасталось прогрессивно в мнительности князя (а князь с недавнего времени винил себя в двух крайностях: в необычной «бессмысленной и назойливой» своей доверчивости и в то же время в «мрачной, низкой» мнительности). Одним словом, в конце третьего дня приключение с эксцентрическою дамой, разговаривавшею из своей коляски с Евгением Павловичем, приняло в уме его устрашающие и загадочные размеры. Сущность загадки, кроме других сторон дела, состояла для князя в скорбном вопросе: он ли именно виноват и в этой новой «чудовищности», или только... Но он не договаривал, кто еще. Что же касается до букв Н. Ф. Б., то, на его взгляд, тут была одна только невинная шалость, самая даже детская шалость, так что и задумываться об этом сколько-нибудь было бы совестно и даже в одном отношении почти бесчестно.

Впрочем, в первый же день после безобразного «вечера», в беспорядках которого он был такою главною «причиной», князь имел поутру удовольствие принимать у себя князя Щ. с Аделаидой: «они зашли, *главное*, с тем, чтоб узнать об его здоровье», зашли с прогулки, вдвоем. Аделаида заметила сейчас в парке одно дерево, чудесное старое дерево, развесистое, с длинными, искривленными сучьями, всё в молодой зелени, с дуплом и трещиной; она непременно, непременно положила срисовать его! Так что почти об этом только говорила целые полчаса своего визита. Князь Щ. был любезен и мил по обыкновению, спрашивал князя о прежнем, припоминал обстоятельства их первого знакомства, так что о вчерашнем почти ничего не было сказано. Наконец Аделаида не выдержала и, усмехнувшись, призналась, что они зашли incognito; но тем, однако же, признания и кончились, хотя из этого incognito уже можно было усмотреть, что родители, то есть, главное, Лизавета Прокофьевна, находятся в каком-то особенном нерасположении. Но ни о ней, ни об Аглае, ни даже об Иване Федоровиче Аделаида и князь Щ. не вымолвили в свое посещение ни единого слова. Уходя опять гулять, с собою князя не пригласили. О том же, чтобы звать к себе, и намека не было; на этот счет проскочило даже одно очень характерное словцо у Аделаиды: рассказывая об одной своей акварельной работе, она вдруг очень пожелала показать ее. «Как бы это сделать поскорее? Постойте! Я вам или с Колей сегодня пришлю, если зайдет, или завтра сама опять, как гулять с князем пойдем, занесу», — заключила она наконец свое недоумение, обрадовавшись, что так ловко и для всех удобно удалось ей разрешить эту задачу.

Наконец, уже почти простившись, князь Щ. точно вдруг вспомнил:

— Ах да, — спросил он, — не знаете ли хоть вы, милый Лев Николаевич, что это была за особа, что кричала вчера Евгению Павлычу из коляски?

— Это была Настасья Филипповна, — сказал князь, — разве вы еще не узнали, что это она? А с нею не знаю кто был.

— Знаю, слышал! — подхватил князь Щ. — Но что означал этот крик? Это такая, признаюсь, для меня загадка... для меня и для других.

Князь Щ. говорил с чрезвычайным и видимым изумлением.

— Она говорила о каких-то векселях Евгения Павловича, — очень просто отвечал князь, — которые попались от какого-то ростовщика к Рогожину, по ее просьбе, и что Рогожин подождет на Евгении Павлыче.

— Слышал, слышал, дорогой мой князь, да ведь этого быть не могло! Никаких векселей у Евгения Павлыча тут и быть не могло! При таком состоянии... Правда, ему случалось, по ветрености, прежде, и даже я его выручал... Но при таком состоянии давать векселя ростовщику и о них беспокоиться — невозможно. И не может он быть на *ты* и в таких дружеских отношениях с Настасьей Филипповной, — вот в чем главная задача. Он клянется, что ничего не понимает, и я ему вполне верю. Но дело в том, милый князь, что я хотел спросить вас, не знаете ли вы-то чего? То есть не дошел ли хоть до вас каким-нибудь чудом слух?

— Нет, ничего не знаю, и уверяю вас, что я в этом нисколько не участвовал.

— Ах, какой же вы, князь, стали! Я вас просто не узнаю сегодня. Разве я мог предположить вас в таком деле участником?.. Ну, да вы сегодня расстроены.

Он обнял и поцеловал его.

— То есть в каком же «таком» деле участником? Я не вижу никакого «такого» дела.

— Без сомнения, эта особа желала как-нибудь и в чем-нибудь помешать Евгению Павлычу, придав ему в глазах свидетелей качества, которых он не имеет и не может иметь, — ответил князь Щ. довольно сухо.

Князь Лев Николаевич смутился, но, однако же, пристально и вопросительно продолжал смотреть на князя; но тот замолчал.

— А не просто векселя? Не буквально ли так, как вчера? — пробормотал наконец князь в каком-то нетерпении.

— Да говорю же вам, судите сами, что может быть тут общего между Евгением Павлычем и... ею, и вдобавок с Рогожиным? Повторяю вам, состояние огромное, что мне совершенно известно; другое состояние, которого он ждет от дяди. Просто Настасья Филипповна...

Князь Щ. вдруг опять замолчал, очевидно, потому, что ему не хотелось продолжать князю о Настасье Филипповне.

— Стало быть, во всяком случае, она ему знакома? — спросил вдруг князь Лев Николаевич, помолчав с минуту.

— Это-то, кажется, было; ветреник! Но, впрочем, если было, то уж очень давно, еще прежде, то есть года два-три. Ведь он еще с Тоцким был знаком. Теперь же быть ничего не могло в этом роде, на *ты* они не могли быть никогда! Сами знаете, что и ее всё здесь не было; нигде не было. Многие еще и не знают, что она опять появилась. Экипаж я заметил дня три, не больше.

— Великолепный экипаж! — сказала Аделаида.

— Да, экипаж великолепный.

Оба удалились, впрочем, в самом дружеском, в самом братском, можно сказать, расположении к князю Льву Николаевичу.

А для нашего героя это посещение заключило в себе нечто даже капитальное. Положим, он и сам много подозревал, с самой вчерашней ночи (а может, и раньше), но до самого их визита он не решался оправдать свои опасения вполне. Теперь же становилось ясно: князь Щ., конечно, толковал событие ошибочно, но всё же бродил кругом истины, все-таки понял же тут — *интригу*. («Впрочем, он, может быть, и совершенно верно про себя понимает, — подумал князь, — а только не хочет высказаться и потому нарочно толкует ошибочно».) Яснее всего было то, что к нему теперь заходили (и именно князь Щ.) в надежде каких-нибудь разъяснений; если так, то его прямо считают участником в интриге. Кроме того, если это всё так и в самом деле важно, то, стало быть, у *ней* какая-то ужасная цель, какая же цель? Ужас! «Да и как *ее* остановишь? Остановить *ее* нет никакой возможности, когда она убеждена в своей цели!» Это уже князь знал по опыту. «Сумасшедшая. Сумасшедшая».

Но слишком, слишком много собралось в это утро и других неразрешимых обстоятельств, и всё к одному времени, и всё требовало разрешения немедленно, так что князь был очень грустен. Его развлекла немного Вера Лебедева, которая пришла к нему с Любочкой и, смеясь, что-то долго рассказывала. За нею последовала и сестра ее, раскрывавшая рот, за ними гимназист, сын Лебедева, который уверял, что «Звезда Полынь», в Апокалипсисе, павшая на землю на источники вод, есть, по толкованию его отца, сеть железных дорог, раскинувшаяся по Европе. Князь не поверил, что Лебедев так толкует, решено было справиться у него самого при первом удобном случае. От Веры Лебедевой князь узнал, что Келлер прикочевал к ним еще со вчерашнего дня и, по всем признакам, долго от них не отстанет, потому что нашел компанию и дружески сошелся с генералом Иволгиным; впрочем, он объявил, что остается у них единственно, чтоб укомплектовать свое образование. Вообще дети Лебедева всё более и более с каждым днем начинали князю нравиться. Коли целый день не было: он спозаранку отправился в Петербург. (Лебедев тоже уехал чем свет по каким-то своим делишкам.) Но князь ждал с нетерпением посещения Гаврилы Ардалионовича, который непременно должен был сегодня же зайти к нему.

Он пожаловал в седьмом часу пополудни, тотчас после обеда. С первого взгляда на него князю подумалось, что по крайней мере этот господин должен знать всю подноготную безошибочно, — да и как не знать, имея таких помощников, как Варвара Ардалионовна и супруг ее? Но с Ганей у князя были отношения всё какие-то особенные. Князь, например, доверил ему вести дело Бурдовского и особенно просил его об этом; но, несмотря на эту доверенность и на кое-что бывшее прежде, между обоими постоянно оставались некоторые пункты, о которых как бы решено было взаимно ничего не говорить. Князю казалось иногда, что Ганя, может быть, и желал с своей стороны самой полной и дружеской искренности; теперь, например, чуть только он вошел, князю тотчас же показалось, что Ганя в высшей степени убежден, что в эту самую минуту настала пора разбить между ними лед на всех пунктах. (Гаврила Ардалионович, однако же, торопился; его ждала у Лебедева сестра; оба они спешили по какому-то делу.)

Но если Ганя и в самом деле ждал целого ряда нетерпеливых вопросов, невольных сообщений, дружеских излияний, то он, конечно, очень ошибся. Во все двадцать минут его посещения князь был даже очень задумчив, почти рассеян. Ожидаемых вопросов или, лучше сказать, одного главного вопроса, которого ждал Ганя, быть не могло. Тогда и Ганя решился говорить с большою выдержкой. Он, не умолкая, рассказывал все двадцать минут, смеялся, вел самую легкую, милую и быструю болтовню, но до главного не коснулся.

Ганя рассказал, между прочим, что Настасья Филипповна всего только дня четыре здесь в Павловске и уже обращает на себя общее внимание. Живет она где-то в какой-то Матросской улице, в небольшом, неуклюжем домике, у Дарьи Алексеевны, а экипаж ее чуть не первый в Павловске. Вокруг нее уже собралась целая толпа старых и молодых искателей; коляску сопровождают иногда верховые. Настасья Филипповна, как и прежде, очень разборчива, допускает к себе по выбору. А все-таки около нее целая команда образовалась, есть кому стать за нее в случае нужды. Один формальный жених, из дачников, уже поссорился из-за нее с своею невестой; один старичок генерал почти проклял своего сына. Она часто берет с собой кататься одну прелестную девочку, только что шестнадцати лет, дальнюю родственницу Дарьи Алексеевны; эта девочка хорошо поет, — так что по вечерам их домик обращает на себя внимание. Настасья Филипповна, впрочем, держит себя чрезвычайно порядочно, одевается не пышно, но с необыкновенным вкусом, и все дамы ее «вкусу, красоте и экипажу завидуют».

— Вчерашний эксцентрический случай, — промолвился Ганя, — конечно, преднамеренный и, конечно, не должен идти в счет. Чтобы придраться к ней в чем-нибудь, надо подыскаться нарочно или оклеветать, что, впрочем, не замедлит, — заключил Ганя, ожидавший, что князь непременно тут спросит: «Почему он называет вчерашний случай случаем преднамеренным? И почему не замедлит?» Но князь не спросил этого.

Насчет Евгения Павловича Ганя распространился опять-таки сам, без особых расспросов, что было очень странно, потому что он ввернул его в разговор безо всякого повода. По мнению Гаврилы Ардалионовича, Евгений Павлович не знал Настасьи Филипповны, он ее и теперь тоже чуть-чуть только знает и именно потому, что дня четыре назад был ей кем-то представлен на прогулке, и вряд ли был хоть раз у нее в доме, вместе с прочими. Насчет векселей тоже быть могло (это Ганя знает даже наверно); у Евгения Павловича состояние, конечно, большое, но «некоторые дела по имению действительно находятся в некотором беспорядке». На этой любопытной материи Ганя вдруг оборвал. Насчет вчерашней выходки Настасьи Филипповны он не сказал ни единого слова, кроме сказанного вскользь выше. Наконец за Ганей зашла Варвара Ардалионовна, пробыла минутку, объявила (тоже не прошенная), что Евгений Павлович сегодня, а может и завтра, пробудет в Петербурге, что и муж ее (Иван Петрович Птицын) тоже в Петербурге, и чуть ли тоже не по делам Евгения Павловича, что там действительно что-то вышло. Уходя, она прибавила, что Лизавета Прокофьевна сегодня в адском расположении духа, но, что всего страннее, что Аглая перессорилась со всем семейством, не только с отцом и матерью, но даже с обеими сестрами, и «что это совсем нехорошо». Сообщив как бы вскользь это последнее (для князя чрезвычайно многозначительное) известие, братец и сестрица удалились. О деле с «сыном Павлищева» Ганечка тоже не упомянул ни слова, может быть от ложной скромности, может быть «щадя чувства князя», но князь все-таки еще раз поблагодарил его за старательное окончание дела.

Князь очень был рад, что его оставили наконец одного; он сошел с террасы, перешел чрез дорогу и вошел в парк; ему хотелось обдумать и разрешить один шаг. Но этот «шаг» был не из тех, которые обдумываются, а из тех, которые именно не обдумываются, а на которые просто решаются: ему ужасно вдруг захотелось оставить всё это здесь, а самому уехать назад, откуда приехал, куда-нибудь подальше, в глушь, уехать сейчас же и даже ни с кем не простившись. Он предчувствовал, что если только останется здесь хоть еще на несколько дней, то непременно втянется в этот мир безвозвратно, и этот же мир и выпадет ему впредь на долю. Но он не рассуждал и десяти минут и тотчас решил, что бежать «невозможно», что это будет почти малодушие, что пред ним стоят такие задачи, что не разрешить или по крайней мере не употребить всех сил к разрешению их он не имеет теперь никакого даже и права. В таких мыслях воротился он домой и вряд ли и четверть часа гулял. Он был вполне несчастен в эту минуту.

Лебедева всё еще не было дома, так что под вечер к князю успел ворваться Келлер, не хмельной, но с излияниями и признаниями. Он прямо объявил, что пришел рассказать князю всю свою жизнь и что для того и остался в Павловске. Выгнать его не было ни малейшей возможности: не пошел бы ни за что. Келлер приготовился было говорить очень долго и очень нескладно, но вдруг почти с первых слов перескочил к заключению и объявил, что он до того было потерял «всякий призрак нравственности» (единственно от безверия во Всевышнего), что даже воровал. — «Можете себе это представить!»

— Послушайте, Келлер, я бы на вашем месте лучше не признавался в этом без особой нужды, — начал было князь, — а впрочем, ведь вы, может быть, нарочно на себя наговариваете?

— Вам, единственно вам одному, и единственно для того, чтобы помочь своему развитию! Больше никому; умру и под саваном унесу мою тайну! Но, князь, если бы вы знали, если бы вы только знали, как трудно в наш век достать денег! Где же их взять, позвольте вас спросить после этого? Один ответ: неси золото и бриллианты, под них и дадим, то есть именно то, чего у меня нет, можете вы себе это представить? Я наконец рассердился, постоял-постоял. «А под изумруды, говорю, дадите?» — «И под изумруды, говорит, дам». — «Ну, и отлично», — говорю, надел шляпу и вышел; черт с вами, подлецы вы этакие! Ей-богу!

— А у вас разве были изумруды?

— Какие у меня изумруды! О, князь, как вы еще светло и невинно, даже, можно сказать, пастушески смотрите на жизнь!

Князю стало наконец не то чтобы жалко, а так, как бы совестно. У него даже мелькнула мысль: «Нельзя ли что-нибудь сделать из этого человека чьим-нибудь хорошим влиянием?» Собственное свое влияние он считал по некоторым причинам весьма негодным, — не из самоумаления, а по некоторому особому взгляду на вещи. Мало-помалу они разговорились, и до того, что и разойтись не хотелось. Келлер с необыкновенною готовностью признавался в таких делах, что возможности не было представить себе, как это можно про такие дела рассказывать. Приступая к каждому рассказу, он уверял положительно, что кается и внутренне «полон слез», а между тем рассказывал так, как будто гордился поступком, и в то же время до того иногда смешно, что он и князь хохотали наконец как сумасшедшие.

— Главное то, что в вас какая-то детская доверчивость и необычайная правдивость, — сказал наконец князь, — знаете ли, что уж этим одним вы очень много выкупаете?

— Благороден, благороден, рыцарски благороден! — подтвердил в умилении Келлер. — Но, знаете, князь, всё только в мечтах, и, так сказать, в кураже, на деле же никогда не выходит! А почему так? И понять не могу.

— Не отчаивайтесь. Теперь утвердительно можно сказать, что вы мне всю подноготную вашу представили; по крайней мере, мне кажется, что к тому, что вы рассказали, теперь больше ведь уж ничего прибавить нельзя, ведь так?

— Нельзя?! — с каким-то сожалением воскликнул Келлер. — О, князь, до какой степени вы еще, так сказать, по-швейцарски понимаете человека.

— Неужели еще можно прибавить? — с робким удивлением выговорил князь. — Так чего же вы от меня ожидали, Келлер, скажите, пожалуйста, и зачем пришли с вашею исповедью?

— От вас? Чего ждал? Во-первых, на одно ваше простодушие посмотреть приятно; с вами посидеть и поговорить приятно; я по крайней мере знаю, что предо мной добродетельнейшее лицо, а во-вторых... во-вторых...

Он замялся.

— Может быть, денег хотели занять? — подсказал князь очень серьезно и просто, даже как бы несколько робко.

Келлера так и дернуло; он быстро, с прежним удивлением, взглянул князю прямо в глаза и крепко стукнул кулаком об стол.

— Ну, вот этим-то вы и сбиваете человека с последнего панталыку! Да помилуйте, князь: то уж такое простодушие, такая невинность, каких и в золотом веке не слыхано, и вдруг в то же время насквозь человека пронзаете, как стрела, такою глубочайшею психологией наблюдения. Но позвольте, князь, это требует разъяснения, потому что я... я просто сбит! Разумеется, в конце концов моя цель была занять денег, но вы меня о деньгах спросили так, как будто не находите в этом предосудительного, как будто так и быть должно.

— Да... от вас так и быть должно.

— И не возмущены?

— Да... чем же?

— Послушайте, князь, я остался здесь со вчерашнего вечера, во-первых, из особенного уважения к французскому архиепископу Бурдалу (у Лебедева до трех часов откупоривали), а во-вторых, и главное (и вот всеми крестами крещусь, что говорю правду истинную!), потому остался, что хотел, так сказать, сообщив вам мою полную, сердечную исповедь, тем самым способствовать собственному развитию; с этою мыслию и заснул в четвертом часу, обливаясь слезами. Верите ли вы теперь благороднейшему лицу: в тот самый момент, как я засыпал, искренно полный внутренних и, так сказать, внешних слез (потому что, наконец, я рыдал, я это помню!), пришла мне одна адская мысль: «А что, не занять ли у него в конце концов, после исповеди-то денег?» Таким образом, я исповедь приготовил, так сказать, как бы какой-нибудь «фенезерф под слезами», с тем, чтоб этими же слезами дорогу смягчить и чтобы вы, разластившись, мне сто пятьдесят рубликов отсчитали. Не низко это, по-вашему?

— Да ведь это ж, наверно, не правда, а просто одно с другим сошлось. Две мысли вместе сошлись, это очень часто случается. Со мной беспрерывно. Я, впрочем, думаю, что это нехорошо, и, знаете, Келлер, я в этом всего больше укоряю себя. Вы мне точно меня самого теперь рассказали. Мне даже случалось иногда думать, — продолжал князь очень серьезно, истинно и глубоко заинтересованный, — что и все люди так, так что я начал было и одобрять себя, потому что с этими *двойными* мыслями ужасно трудно бороться; я испытал. Бог знает, как они приходят и зарождаются. Но вот вы же называете это прямо низостью! Теперь и я опять начну этих мыслей бояться. Во всяком случае я вам не судья. Но все-таки, по-моему, нельзя назвать это прямо низостью, как вы думаете? Вы схитрили, чтобы чрез слезы деньги выманить, но ведь сами же вы клянетесь, что исповедь ваша имела и другую цель, благородную, а не одну денежную; что же касается до денег, то ведь они вам на кутеж нужны, так ли? А это уж после такой исповеди, разумеется, малодушие. Но как тоже и от кутежа отстать в одну минуту? Ведь это невозможно. Что же делать? Лучше всего на собственную совесть вашу оставить, как вы думаете?

Князь с чрезвычайным любопытством глядел на Келлера. Вопрос о двойных мыслях видимо и давно уже занимал его.

— Ну, почему вас после этого называют идиотом, не понимаю! — вскричал Келлер.

Князь слегка покраснел.

— Проповедник Бурдалу, так тот не пощадил бы человека, а вы пощадили человека и рассудили меня по-человечески! В наказание себе и чтобы показать, что я тронут, не хочу ста пятидесяти рублей, дайте мне только двадцать пять рублей, и довольно! Вот всё, что мне надо, по крайней мере на две недели. Раньше двух недель за деньгами не приду. Хотел Агашку побаловать, да не стоит она того. О, милый князь, благослови вас Господь!

Вошел, наконец, Лебедев, только что воротившийся, и, заметив двадцатипятирублевую в руках Келлера, поморщился. Но Келлер, очутившийся при деньгах, уже спешил вон и немедленно стушевался. Лебедев тотчас же начал на него наговаривать.

— Вы несправедливы, он действительно искренно раскаивался, — заметил наконец князь.

— Да ведь что в раскаянии-то! Точь-в-точь как и я вчера: «низок, низок», а ведь одни только слова-с!

— Так у вас только одни слова были? А я было думал...

— Ну, вот вам, одному только вам, объявлю истину, потому что вы проницаете человека: и слова, и дело, и ложь, и правда — всё у меня вместе и совершенно искренно. Правда и дело состоят у меня в истинном раскаянии, верьте, не верьте, вот поклянусь, а слова и ложь состоят в адской (и всегда присущей) мысли, как бы и тут уловить человека, как бы и чрез слезы раскаяния выиграть! Ей-богу, так! Другому не сказал бы — засмеется или плюнет; но вы, князь, вы рассудите по-человечески.

— Ну вот, точь-в-точь и он говорил мне сейчас, — вскричал князь, — и оба вы точно хвалитесь! Вы даже меня удивляете, только он искреннее вашего, а вы в решительное ремесло обратили. Ну, довольно, не морщитесь, Лебедев, и не прикладывайте руки к сердцу. Не скажете ли вы мне чего-нибудь? Вы даром не зайдете...

Лебедев закривлялся и закоробился.

— Я вас целый день поджидал, чтобы задать вам вопрос; ответьте хоть раз в жизни правду с первого слова: участвовали вы сколько-нибудь в этой вчерашней коляске или нет?

Лебедев опять закривлялся, начал хихикать, потирал руки, даже, наконец, расчихался, но всё еще не решался что-нибудь выговорить.

— Я вижу, что участвовал.

— Но косвенно, единственно только косвенно! Истинную правду говорю! Тем только и участвовал, что дал своевременно знать известной особе, что собралась у меня такая компания и что присутствуют некоторые лица.

— Я знаю, что вы вашего сына *туда* посылали, он мне сам давеча говорил, но что ж это за интрига такая! — воскликнул князь в нетерпении.

— Не моя интрига, не моя, — отмахивался Лебедев, — тут другие, другие, и скорее, так сказать, фантазия, чем интрига.

— Да в чем же дело, разъясните, ради Христа? Неужели вы не понимаете, что это прямо до меня касается? Ведь тут чернят Евгения Павловича.

— Князь! Сиятельнейший князь! — закоробился опять Лебедев, — ведь вы не позволяете говорить всю правду; я ведь уже вам начинал о правде; не раз; вы не позволили продолжать...

Князь помолчал и подумал.

— Ну, хорошо; говорите правду, — тяжело проговорил он, видимо, после большой борьбы.

— Аглая Ивановна... — тотчас же начал Лебедев.

— Молчите, молчите! — неистово закричал князь, весь покраснев от негодования, а может быть и от стыда. — Быть этого не может, всё это вздор! Всё это вы сами выдумали или такие же сумасшедшие. И чтоб я никогда не слыхал от вас этого более!

Поздно вечером, часу уже в одиннадцатом, явился Коля с целым коробом известий. Известия его были двоякие: петербургские и павловские. Он наскоро рассказал главные из петербургских (преимущественно об Ипполите и о вчерашней истории), с тем чтоб опять перейти к ним потом, и поскорее перешел к павловским. Три часа тому назад воротился он из Петербурга и, не заходя к князю, прямо отправился к Епанчиным. «Там ужас что такое!» Разумеется, на первом плане коляска, но наверно тут что-то такое и еще случилось, что-то такое, им с князем неизвестное. «Я, разумеется, не шпионил и допрашивать никого не хотел; впрочем, приняли меня хорошо, так хорошо, что я даже не ожидал; но о вас, князь, ни слова!» Главнее и занимательнее всего то, что Аглая поссорилась давеча со своими за Ганю. В каких подробностях состояло дело — не известно, но только за Ганю (вообразите себе это!), и даже ужасно ссорятся, стало быть, что-то важное. Генерал приехал поздно, приехал нахмуренный, приехал с Евгением Павловичем, которого превосходно приняли, а сам Евгений Павлович удивительно весел и мил. Самое же капитальное известие в том, что Лизавета Прокофьевна, безо всякого шума, позвала к себе Варвару Ардалионовну, сидевшую у девиц, и раз навсегда выгнала ее из дому, самым учтивейшим, впрочем, образом, — «от самой Вари слышал». Но когда Варя вышла от Лизаветы Прокофьевны и простилась с девицами, то те и не знали, что ей отказано от дому раз навсегда и что она в последний раз с ними прощается.

— Но Варвара Ардалионовна была у меня в семь часов? — спросил удивленный князь.

— А выгнали ее в восьмом или в восемь. Мне очень жаль Варю, жаль Ганю... у них, без сомнения, вечные интриги, без этого им невозможно. И никогда-то я не мог знать, что они замышляют, и не хочу узнавать. Но уверяю вас, милый, добрый мой князь, что в Гане есть сердце. Это человек во многих отношениях, конечно, погибший, но во многих отношениях в нем есть такие черты, которые стоит поискать, чтобы найти, и я никогда не прощу себе, что прежде не понимал его... Не знаю, продолжать ли мне теперь, после истории с Варей. Правда, я поставил себя с первого начала совершенно независимо и отдельно, но все-таки надо обдумать.

— Вы напрасно слишком жалеете брата, — заметил ему князь, — если уж до того дошло дело, стало быть, Гаврила Ардалионович опасен в глазах Лизаветы Прокофьевны, а стало быть, известные надежды его утверждаются.

— Как, какие надежды! — в изумлении вскричал Коля. — Уж не думаете ли вы, что Аглая... этого быть не может!

Князь промолчал.

— Вы ужасный скептик, князь, — минуты чрез две прибавил Коля, — я замечаю, что с некоторого времени вы становитесь чрезвычайный скептик; вы начинаете ничему не верить и всё предполагать... а правильно я употребил в этом случае слово «скептик»?

— Я думаю, что правильно, хотя, впрочем, наверно и сам не знаю.

— Но я сам от слова «скептик» отказываюсь, а нашел новое объяснение, — закричал вдруг Коля, — вы не скептик, а ревнивец! Вы адски ревнуете Ганю к известной гордой девице!

Сказав это, Коля вскочил и расхохотался так, как, может быть, никогда ему не удавалось смеяться. Увидав, что князь весь покраснел, Коля еще пуще захохотал; ему ужасно понравилась мысль, что князь ревнует к Аглае, но он умолк тотчас же, заметив, что тот искренно огорчился. Затем они очень серьезно и озабоченно проговорили еще час или полтора.

На другой день князь по одному неотлагаемому делу целое утро пробыл в Петербурге. Возвращаясь в Павловск уже в пятом часу пополудни, он сошелся в воксале железной дороги с Иваном Федоровичем. Тот быстро схватил его за руку, осмотрелся кругом, как бы в испуге, и потащил князя с собой в вагон первого класса, чтоб ехать вместе. Он сгорал желанием переговорить о чем-то важном.

— Во-первых, милый князь, на меня не сердись, и если было что с моей стороны — позабудь. Я бы сам еще вчера к тебе зашел, но не знал, как на этот счет Лизавета Прокофьевна... Дома у меня... просто ад, загадочный сфинкс поселился, а я хожу, ничего не понимаю. А что до тебя, то, по-моему, ты меньше всех нас виноват, хотя, конечно, чрез тебя много вышло. Видишь, князь, быть филантропом приятно, но не очень. Сам, может, уже вкусил плоды. Я, конечно, люблю доброту и уважаю Лизавету Прокофьевну, но...

Генерал долго еще продолжал в этом роде, но слова его были удивительно бессвязны. Видно было, что он потрясен и смущен чрезвычайно чем-то до крайности ему непонятным.

— Для меня нет сомнения, что ты тут ни при чем, — высказался наконец он яснее, — но не посещай нас некоторое время, прошу тебя дружески, впредь до перемены ветра. Что же касается до Евгения Павлыча, — вскричал он с необыкновенным жаром, — то всё это бессмысленная клевета, клевета из клевет! Это наговор, тут интрига, желание всё разрушить и нас поссорить. Видишь, князь, говорю тебе на ухо: между нами и Евгением Павлычем не сказано еще ни одного слова, понимаешь? Мы не связаны ничем, — но это слово может быть сказано, и даже скоро, и даже, может быть, очень скоро! Так вот чтобы повредить! А зачем, почему — не понимаю! Женщина удивительная, женщина эксцентрическая, до того ее боюсь, что едва сплю. И какой экипаж, белые кони, ведь это шик, ведь это именно то, что называется по-французски шик! Кто это ей? Ей-богу согрешил, подумал третьего дня на Евгения Павлыча. Но оказывается, что и быть не может, а если быть не может, то для чего она хочет тут расстроить? Вот, вот задача! Чтобы сохранить при себе Евгения Павлыча? Но повторяю тебе, и вот тебе крест, что он с ней не знаком и что векселя эти — выдумка! И с такою наглостью ему *ты* кричит чрез улицу! Чистейший заговор! Ясное дело, что надо отвергнуть с презрением, а к Евгению Павлычу удвоить уважение. Так я и Лизавете Прокофьевне высказал. Теперь скажу тебе самую интимную мысль: я упорно убежден, что она это из личного мщения ко мне, помнишь, за прежнее, хотя я никогда и ни в чем пред нею виноват не был. Краснею от одного воспоминания. Теперь вот она опять появилась, я думал, исчезла совсем. Где же этот Рогожин сидит, скажите, пожалуйста? Я думал, *она* давно уже госпожа Рогожина.

Одним словом, человек был сильно сбит с толку. Весь почти час пути он говорил один, задавал вопросы, сам разрешал их, пожимал руку князя и по крайней мере в том одном убедил князя, что его он и не думает подозревать в чем-нибудь. Это было для князя важно. Кончил он рассказ о родном дяде Евгения Павлыча, начальнике какой-то канцелярии в Петербурге, — «на видном месте, семидесяти лет, вивер, гастроном и вообще повадливый старикашка... Ха-ха! Я знаю, что он слышал про Настасью Филипповну и даже добивался. Заезжал к нему давеча; не принимает, нездоров, но богат, богат, имеет значение и... дай ему Бог много лет здравствовать, но опять-таки Евгению Павлычу всё достанется... Да, да... а я все-таки боюсь! Не понимаю чего, а боюсь... В воздухе как будто что-то носится, как будто летучая мышь, беда летает, и боюсь, боюсь!..»

И наконец только на третий день, как мы уже написали выше, последовало формальное примирение Епанчиных с князем Львом Николаевичем.

XII

Было семь часов пополудни; князь собирался идти в парк. Вдруг Лизавета Прокофьевна одна вошла к нему на террасу.

— *Во-первых*, и не смей думать, — начала она, — что я пришла к тебе прощения просить. Вздор! Ты кругом виноват.

Князь молчал.

— Виноват или нет?

— Столько же, сколько и вы. Впрочем, ни я, ни вы, мы оба ни в чем не виноваты умышленно. Я третьего дня себя виноватым считал, а теперь рассудил, что это не так.

— Так вот ты как! Ну хорошо; слушай же и садись, потому что я стоять не намерена.

Оба сели.

— *Во-вторых*: ни слова о злобных мальчишках! Я просижу и проговорю с тобой десять минут; я пришла к тебе справку сделать (а ты думал и бог знает что?), и если ты хоть одним словом заикнешься про дерзких мальчишек, я встаю и ухожу, и уже совсем с тобой разрываю.

— Хорошо, — ответил князь.

— Позволь тебя спросить: изволил ты прислать, месяца два или два с половиною тому, около Святой, к Аглае письмо?

— Пи-писал.

— С какою же целью? Что было в письме? Покажи письмо!

Глаза Лизаветы Прокофьевны горели, она чуть не дрожала от нетерпения.

— У меня нет письма, — удивился и оробел князь ужасно, — если есть и цело еще, то у Аглаи Ивановны.

— Не финти! О чем писал?

— Я не финчу и ничего не боюсь. Я не вижу никакой причины, почему мне не писать...

— Молчи! Потом будешь говорить. Что было в письме? Почему покраснел?

Князь подумал.

— Я не знаю ваших мыслей, Лизавета Прокофьевна. Вижу только, что письмо это вам очень не нравится. Согласитесь, что я мог бы отказаться отвечать на такой вопрос; но чтобы показать вам, что я не боюсь за письмо, и не сожалею, что написал, и отнюдь не краснею за него (князь покраснел еще чуть не вдвое более), я вам прочту это письмо, потому что, кажется, помню его наизусть.

Сказав это, князь прочел это письмо почти слово в слово, как оно было.

— Экая галиматья! Что же этот вздор может означать, по-твоему? — резко спросила Лизавета Прокофьевна, выслушав письмо с необыкновенным вниманием.

— Сам не знаю вполне; знаю, что чувство мое было искреннее. Там у меня бывали минуты полной жизни и чрезвычайных надежд.

— Каких надежд?

— Трудно объяснить, только не тех, про какие вы теперь, может быть, думаете, надежд... ну, одним словом, надежд будущего и радости о том, что, может быть, я *там* не чужой, не иностранец. Мне очень вдруг на родине понравилось. В одно солнечное утро я взял перо и написал к ней письмо; почему к ней — не знаю. Иногда ведь хочется друга подле; и мне, видно, друга захотелось... — помолчав, прибавил князь.

— Влюблен ты, что ли?

— Н-нет. Я... я как сестре писал; я и подписался братом.

— Гм; нарочно; понимаю.

— Мне очень тяжело отвечать вам на эти вопросы, Лизавета Прокофьевна.

— Знаю, что тяжело, да мне-то дела нет никакого до того, что тебе тяжело. Слушай, отвечай мне правду, как пред Богом: лжешь ты мне или не лжешь?

— Не лгу.

— Верно говоришь, что не влюблен?

— Кажется, совершенно верно.

— Ишь ты, «кажется»! Мальчишка передавал?

— Я просил Николая Ардалионовича...

— Мальчишка! Мальчишка! — с азартом перебила Лизавета Прокофьевна. — Я знать не знаю, какой такой Николай Ардалионович! Мальчишка!

— Николай Ардалионович...

— Мальчишка, говорю тебе!

— Нет, не мальчишка, а Николай Ардалионович, — твердо, хотя и довольно тихо, ответил наконец князь.

— Ну, хорошо, голубчик, хорошо! Это тебе я причту.

Минутку она пересиливала свое волнение и отдыхала.

— А что такое «рыцарь бедный»?

— Совсем не знаю; это без меня; шутка какая-нибудь.

— Приятно вдруг узнать! Только неужели же она могла заинтересоваться тобой? Сама же тебя «уродиком» и «идиотом» называла.

— Вы бы могли мне это и не пересказывать, — укоризненно, чуть не шепотом заметил князь.

— Не сердись. Девка самовластная, сумасшедшая, избалованная, — полюбит, так непременно бранить вслух будет и в глаза издеваться; я точно такая же была. Только, пожалуйста, не торжествуй, голубчик, не твоя; верить тому не хочу, и никогда не будет! Говорю для того, чтобы ты теперь же и меры принял. Слушай, поклянись, что ты не женат на *этой*.

— Лизавета Прокофьевна, что вы, помилуйте? — чуть не привскочил князь от изумления.

— Да ведь чуть было не женился?

— Чуть было не женился, — прошептал князь и поник головой.

— Что ж, в *нее*, что ли, влюблен, коли так? Теперь для *нее* приехал? Для *этой*?

— Я приехал не для того, чтобы жениться, — ответил князь.

— Есть у тебя что-нибудь святое на свете?

— Есть.

— Поклянись, что не для того, чтобы жениться на *той*.

— Клянусь чем хотите!

— Верю; поцелуй меня. Наконец-то я вздохнула свободно; но знай: не любит тебя Аглая, меры прими, и не бывать ей за тобою, пока я на свете живу! Слышал?

— Слышал.

Князь до того краснел, что не мог прямо глядеть на Лизавету Прокофьевну.

— Заруби же. Я тебя как провидение ждала (не стоил ты того!), я подушку мою слезами по ночам обливала, — не по тебе, голубчик, не беспокойся, у меня свое, другое горе, вечное и всегда одно и то же. Но вот зачем я с таким нетерпением ждала тебя: я всё еще верю, что сам Бог тебя мне как друга и как родного брата прислал. Нет при мне никого, кроме старухи Белоконской, да и та улетела, да вдобавок глупа, как баран, стала от старости. Теперь отвечай просто *да* или *нет*: знаешь ты, зачем *она* третьего дня из коляски кричала?

— Честное слово, что я тут не участвовал и ничего не знаю!

— Довольно, верю. Теперь и у меня другие мысли об этом, но еще вчера, утром, во всем винила Евгения Павлыча. Целые сутки третьего дня и вчера утром. Теперь, конечно, не могу не согласиться с ними: до очевидности, что над ним тут как над дураком насмеялись почему-то, зачем-то, для чего-то (уж одно это подозрительно! да и неблаговидно!), — но не бывать Аглае за ним, говорю тебе это! Пусть он хороший человек, а так оно будет. Я и прежде колебалась, а теперь уж наверно решила: «Положите сперва меня в гроб и закопайте в землю, тогда выдавайте дочь», вот что я Ивану Федоровичу сегодня отчеканила. Видишь, что я тебе доверяю, видишь?

— Вижу и понимаю.

Лизавета Прокофьевна пронзительно всматривалась в князя; может быть, ей очень хотелось узнать, какое впечатление производит на него известие о Евгении Павлыче.

— О Гавриле Иволгине ничего не знаешь?

— То есть... много знаю.

— Знал или нет, что он в сношениях с Аглаей?

— Совсем не знал, — удивился и даже вздрогнул князь, — как, вы говорите, Гаврила Ардалионович в сношениях с Аглаей Ивановной? Быть не может!

— Недавно очень. Тут сестра всю зиму ему дорогу протачивала, как крыса работала.

— Я не верю, — твердо повторил князь после некоторого размышления и волнения. — Если б это было, я бы знал наверно.

— Небось он бы сам пришел да на груди твоей признался в слезах! Эх ты, простофиля, простофиля! Все-то тебя обманывают, как... как... И не стыдно тебе ему доверяться? Неужели ты не видишь, что он тебя кругом облапошил?

— Я хорошо знаю, что он меня иногда обманывает, — неохотно произнес князь вполголоса, — и он знает, что я это знаю... — прибавил он и не договорил.

— Знать и доверяться! Этого недоставало! Впрочем, от тебя так и быть должно. И я-то чему удивляюсь. Господи! Да был ли когда другой такой человек! Тьфу! А знаешь, что этот Ганька или эта Варька ее в сношения с Настасьей Филипповной поставили?

— Кого?! — воскликнул князь.

— Аглаю.

— Не верю! Быть того не может! С какою же целью?

Он вскочил со стула.

— И я не верю, хоть есть улики. Девка своевольная, девка фантастическая, девка сумасшедшая! Девка злая, злая, злая! Тысячу лет буду утверждать, что злая! Все они теперь у меня такие, даже эта мокрая курица, Александра, но эта уж из рук вон выскочила. Но тоже не верю! Может быть, потому, что не хочу верить, — прибавила она как будто про себя. — Почему ты не приходил? — вдруг обернулась она опять к князю. — Все три дня почему не приходил? — нетерпеливо крикнула ему она другой раз.

Князь начал было рассказывать свои причины, но она опять перебила.

— Все-то тебя как дурака считают и обманывают! Ты вчера в город ездил; об заклад побьюсь, на коленях стоял, десять тысяч просил принять этого подлеца!

— Совсем нет, и не думал. Даже и не видал его, и, кроме того, он не подлец. Я от него письмо получил.

— Покажи письмо!

Князь достал из портфеля записку и подал Лизавете Прокофьевне. В записке было:

«Милостивый государь, я, конечно, не имею ни малейшего права, в глазах людей, иметь самолюбие. По людскому мнению, я слишком ничтожен для этого. Но это в глазах людей, а не в ваших. Я слишком убедился, что вы, милостивый государь, может быть, лучше других. Я не согласен с Докторенкой и расхожусь с ним в этом убеждении. Я от вас никогда не возьму ни копейки, но вы помогли моей матери, и за это я обязан быть вам благодарен, хотя и чрез слабость. Во всяком случае, я смотрю на вас иначе и почел нужным вас известить. А затем полагаю, что между нами не может быть более никаких сношений. *Антип Бурдовский*.

P. S. Недостающая до двухсот рублей сумма будет вам в течение времени верно выплачена».

— Экая бестолочь! — заключила Лизавета Прокофьевна, бросая назад записку, — не стоило и читать. Чего ты ухмыляешься?

— Согласитесь, что и вам приятно было прочесть.

— Как! Эту проеденную тщеславием галиматью! Да разве ты не видишь, что они все с ума спятили от гордости и тщеславия?

— Да, но все-таки он повинился, порвал с Докторенкой, и чем он даже тщеславнее, тем дороже это стоило его тщеславию. О, какой же вы маленький ребенок, Лизавета Прокофьевна!

— Что ты от меня пощечину, что ли, получить, наконец, намерен?

— Нет, совсем не намерен. А потому, что вы рады записке, а скрываете это. Чего вы стыдитесь чувств ваших? Ведь это у вас во всем.

— Шагу теперь не смей ступить ко мне, — вскочила Лизавета Прокофьевна, побледнев от гнева, — чтоб и духу твоего у меня теперь с этой поры не было никогда!

— А чрез три дня сами придете и позовете к себе... Ну как вам не стыдно? Это ваши лучшие чувства, чего вы стыдитесь их? Ведь только сами себя мучаете.

— Умру не позову никогда! Имя твое позабуду! Позабыла!!

Она бросилась вон от князя.

— Мне и без вас уже запрещено ходить к вам! — крикнул князь ей вслед.

— Что-о? Кто тебе запретил?

Она мигом обернулась, точно ее укололи иголкой. Князь заколебался было ответить; он почувствовал, что нечаянно, но сильно проговорился.

— Кто запрещал тебе? — неистово крикнула Лизавета Прокофьевна.

— Аглая Ивановна запрещает...

— Когда? Да го-во-ри же!!!

— Давеча утром прислала, чтоб я никогда не смел к вам ходить.

Лизавета Прокофьевна стояла как остолбенелая, но она соображала.

— Что прислала? Кого прислала? Чрез мальчишку? На словах? — воскликнула она вдруг опять.

— Я записку получил, — сказал князь.

— Где? Давай! Сейчас!

Князь подумал с минуту, однако же вынул из жилетного кармана небрежный клочок бумаги, на котором было написано:

«Князь Лев Николаевич! Если, после всего, что было, вы намерены удивить меня посещением нашей дачи, то меня, будьте уверены, не найдете в числе обрадованных. *Аглая Епанчина*».

Лизавета Прокофьевна обдумывала с минуту; потом вдруг бросилась к князю, схватила его за руку и потащила за собой.

— Сейчас! Иди! Нарочно сейчас, сию минуту! — вскричала она в припадке необычайного волнения и нетерпения.

— Но ведь вы меня подвергаете...

— Чему? Невинный простофиля! Точно даже и не мужчина! Ну, теперь я сама всё увижу, своими глазами...

— Да шляпу-то по крайней мере захватить дайте...

— Вот твоя мерзкая шляпенка, идем! Фасону даже не умел со вкусом выбрать!.. Это она... это она после давешнего... это с горячки, — бормотала Лизавета Прокофьевна, таща за собою князя и ни на минуту не выпуская его руки, — давеча я за тебя заступилась, сказала вслух, что дурак, потому что не идешь... иначе не написала бы такую бестолковую записку! Неприличную записку! Неприличную благородной, воспитанной, умной, умной девушке!.. Гм, — продолжала она, — уж конечно, самой досадно было, что ты не идешь, только не рассчитала, что так к идиоту писать нельзя, потому что буквально примет, так и вышло. Ты чего подслушиваешь? — крикнула она, спохватившись, что проговорилась. — Ей шута надо такого, как ты, давно не видала, вот она зачем тебя просит! И я рада, рада, что она теперь тебя на зубок подымет! Того ты и стоишь. А она умеет, о, как она умеет!..

ЧАСТЬ ТРЕТЬЯ

I

Поминутно жалуются, что у нас нет людей практических; что политических людей, например, много; генералов тоже много; разных управляющих, сколько бы ни понадобилось, сейчас можно найти каких угодно, — а практических людей нет. По крайней мере, все жалуются, что нет. Даже, говорят, прислуги на некоторых железных дорогах порядочной нет; администрации чуть-чуть сносной в какой-нибудь компании пароходов устроить, говорят, никак невозможно. Там, слышишь, на какой-нибудь новооткрытой дороге столкнулись или провалились на мосту вагоны; там, пишут, чуть не зазимовал поезд среди снежного поля: поехали на несколько часов, а пять дней простояли в снегу. Там, рассказывают, многие тысячи пудов товару гниют на одном месте по два и по три месяца, в ожидании отправки, а там, говорят (впрочем, даже и не верится), один администратор, то есть какой-то смотритель, какого-то купеческого приказчика, приставшего к нему с отправкой своих товаров, вместо отправки администрировал по зубам, да еще объяснил свой административный поступок тем, что он «погорячился». Кажется, столько присутственных мест в государственной службе, что и подумать страшно; все служили, все служат, все намерены служить, — так как бы, кажется, из такого материала не составить какой-нибудь приличной компанейской пароходной администрации?

На это дают иногда ответ чрезвычайно простой, — до того простой, что даже и не верится такому объяснению. Правда, говорят, у нас все служили или служат, и уже двести лет тянется это по самому лучшему немецкому образцу, от пращуров к правнукам, — но служащие-то люди и есть самые непрактические, и дошло до того, что отвлеченность и недостаток практического знания считались даже между самими служащими, еще недавно, чуть не величайшими добродетелями и рекомендацией. Впрочем, мы напрасно о служащих заговорили, мы хотели говорить, собственно, о людях практических. Тут уж сомнения нет, что робость и полнейший недостаток собственной инициативы постоянно считался у нас главнейшим и лучшим признаком человека практического, — даже и теперь считается. Но зачем винить только себя, — если только считать это мнение за обвинение? Недостаток оригинальности и везде, во всем мире, спокон века, считался всегда первым качеством и лучшею рекомендацией человека дельного, делового и практического, и по крайней мере девяносто девять сотых людей (это-то уж по крайней мере) всегда состояли в этих мыслях, и только разве одна сотая людей постоянно смотрела и смотрит иначе.

Изобретатели и гении почти всегда при начале своего поприща (а очень часто и в конце) считались в обществе не более, как дураками, — это уж самое рутинное замечание, слишком всем известное. Если, например, в продолжение десятков лет все тащили свои деньги в ломбард и натащили туда миллиарды по четыре процента, то, уж разумеется, когда ломбарда не стало и все остались при собственной инициативе, то большая часть этих миллионов должна была непременно погибнуть в акционерной горячке и в руках мошенников, — и это даже приличием и благонравием требовалось. Именно благонравием; если благонравная робость и приличный недостаток оригинальности составляли у нас до сих пор, по общепринятому убеждению, неотъемлемое качество человека дельного и порядочного, то уж слишком непорядочно и даже неприлично было бы так слишком вдруг измениться. Какая, например, мать, нежно любящая свое дитя, не испугается и не заболеет от страха, если ее сын или дочь чуть-чуть выйдут из рельсов: «Нет, уж лучше пусть будет счастлив и проживет в довольстве и без оригинальности», — думает каждая мать, закачивая свое дитя. А наши няньки, закачивая детей, спокон веку причитывают и припевают: «Будешь в золоте ходить, генеральский чин носить!» Итак, даже у наших нянек чин генерала считался за предел русского счастья и, стало быть, был самым популярным национальным идеалом спокойного, прекрасного блаженства. И в самом деле: посредственно выдержав экзамен и прослужив тридцать пять лет, — кто мог у нас не сделаться наконец генералом и не скопить известную сумму в ломбарде? Таким образом, русский человек, почти безо всяких усилий, достигал наконец звания человека дельного и практического. В сущности, не сделаться генералом мог у нас один только человек оригинальный, другими словами, беспокойный. Может быть, тут и есть некоторое недоразумение; но, говоря вообще, кажется, это верно, и общество наше было вполне справедливо, определяя свой идеал человека практического. Тем не менее мы все-таки наговорили много лишнего; хотели же, собственно, сказать несколько пояснительных слов о знакомом нам семействе Епанчиных. Эти люди, или по крайней мере наиболее рассуждающие члены в этом семействе, постоянно страдали от одного почти общего их фамильного качества, прямо противуположного тем добродетелям, о которых мы сейчас рассуждали выше. Не понимая факта вполне (потому что его трудно понять), они все-таки иногда подозревали, что у них в семействе как-то всё идет не так, как у всех. У всех гладко, у них шероховато; все катятся по рельсам, — они поминутно выскакивают из рельсов. Все поминутно и благонравно робеют, а они нет. Лизавета Прокофьевна, правда, слишком даже пугалась, но все-таки это была не та благонравная светская робость, по которой они тосковали. Впрочем, может быть, только одна Лизавета Прокофьевна и тревожилась: девицы были еще молоды, — хотя народ очень проницательный и иронический, — а генерал хоть и проницал (не без туготы, впрочем), но в затруднительных случаях говорил только «гм!» и в конце концов возлагал все упования на Лизавету Прокофьевну. Стало быть, на ней и лежала ответственность. И не то, чтобы, например, семейство это отличалось какою-нибудь собственною инициативой или выпрыгивало из рельсов по сознательному влечению к оригинальности, что было бы уж совсем неприлично. О нет! Ничего этого, по-настоящему, не было, то есть никакой сознательно поставленной цели, а все-таки в конце концов выходило так, что семейство Епанчиных, хотя и очень почтенное, было всё же какое-то не такое, каким следует быть вообще всем почтенным семействам. В последнее время Лизавета Прокофьевна стала находить виноватою во всем одну себя и свой «несчастный» характер, — отчего и увеличились ее страдания. Она сама поминутно честила себя «глупою, неприличною чудачкой» и мучилась от мнительности, терялась беспрерывно, не находила выхода в каком-нибудь самом обыкновенном столкновении вещей и поминутно преувеличивала беду.

Еще в начале нашего рассказа мы упомянули, что Епанчины пользовались общим и действительным уважением. Даже сам генерал Иван Федорович, человек происхождения темного, был бесспорно и с уважением принят везде. Уважения он и заслуживал, во-первых, как человек богатый и «не последний» и, во-вторых, как человек вполне порядочный, хотя и недалекий. Но некоторая тупость ума, кажется, есть почти необходимое качество если не всякого деятеля, то по крайней мере всякого серьезного наживателя денег. Наконец, генерал имел манеры порядочные, был скромен, умел молчать и в то же время не давать наступать себе на ногу, и не по одному своему генеральству, а и как честный и благородный человек. Важнее всего было то, что он был человек с сильною протекцией. Что же касается до Лизаветы Прокофьевны, то она, как уже объяснено выше, была и роду хорошего, хотя у нас на род смотрят не очень, если при этом нет необходимых связей. Но у ней оказались, наконец, и связи; ее уважали и, наконец, полюбили такие лица, что после них, естественно, все должны были ее уважать и принимать. Сомнения нет, что семейные мучения ее были неосновательны, причину имели ничтожную и до смешного были преувеличены; но если у кого бородавка на носу или на лбу, то ведь так и кажется, что всем только одно было и есть на свете, чтобы смотреть на вашу бородавку, над нею смеяться и осуждать вас за нее, хотя бы вы при этом открыли Америку. Сомнения нет и в том, что в обществе Лизавету Прокофьевну действительно почитали «чудачкой»; но при этом уважали ее бесспорно; а Лизавета Прокофьевна стала не верить, наконец, и в то, что ее уважают, — в чем и была вся беда. Смотря на дочерей своих, она мучилась подозрением, что беспрерывно чем-то вредит их карьере, что характер ее смешон, неприличен и невыносим, — за что, разумеется, беспрерывно обвиняла своих же дочерей и Ивана Федоровича и по целым дням с ними ссорилась, любя их в то же время до самозабвения и чуть не до страсти.

Всего более мучило ее подозрение, что и дочери ее становятся такие же точно «чудачки», как и она, и что таких девиц, как они, в свете не бывает, да и быть не должно. «Нигилистки растут, да и только!» — говорила она про себя поминутно. В последний год, и особенно в самое последнее время, эта грустная мысль стала всё более и более в ней укрепляться. «Во-первых, зачем они замуж не выходят?» — спрашивала она себя поминутно. «Чтобы мать мучить, — в этом они цель своей жизни видят, и это, конечно, так, потому что всё это новые идеи, всё это проклятый женский вопрос! Разве не вздумала было Аглая назад тому полгода обрезывать свои великолепные волосы? (Господи, да у меня даже не было таких волос в мое время!) Ведь уж ножницы были в руках, ведь уж на коленках только отмолила ее!.. Ну эта, положим, со злости делала, чтобы мать измучить, потому что девка злая, самовольная, избалованная, но, главное, злая, злая, злая! Но разве эта толстая Александра не потянулась за ней тоже свои космы обрезывать, и уже не по злости, не по капризу, а искренно, как дура, которую Аглая же и убедила, что без волос ей спать будет покойнее и голова не будет болеть? И сколько, сколько, сколько, — вот уже пять лет, — было у них женихов? И право же, были люди хорошие, даже прекраснейшие люди случались!

Чего же они ждут, чего нейдут? Только чтобы матери досадить, — больше нет никакой причины! Никакой! Никакой!»

Наконец взошло было солнце и для ее материнского сердца; хоть одна дочь, хоть Аделаида будет наконец пристроена. «Хоть одну с плеч долой», — говорила Лизавета Прокофьевна, когда приходилось выражаться вслух (про себя она выражалась несравненно нежнее). И как хорошо и как прилично обделалось всё дело; даже в свете с почтением заговорили. Человек известный, князь, с состоянием, человек хороший и ко всему тому пришелся ей по сердцу, чего уж, кажется, лучше? Но за Аделаиду она и прежде боялась менее, чем за других дочерей, хотя артистические ее наклонности и очень иногда смущали беспрерывно сомневающееся сердце Лизаветы Прокофьевны. «Зато характер веселый, и при этом много благоразумия, — не пропадет, стало быть, девка», — утешалась она в конце концов. За Аглаю она более всех пугалась. Кстати сказать, насчет старшей, Александры, Лизавета Прокофьевна и сама не знала, как быть: пугаться за нее или нет? То казалось ей, что уж совсем «пропала девка»; двадцать пять лет, — стало быть, и останется в девках. И «при такой красоте!..». Лизавета Прокофьевна даже плакала за нее по ночам, тогда как в те же самые ночи Александра Ивановна спала самым спокойным сном. «Да что же она такое, — нигилистка или просто дура?» Что не дура, — в этом, впрочем, и у Лизаветы Прокофьевны не было никакого сомнения: она чрезвычайно уважала суждения Александры Ивановны и любила с нею советоваться. Но что «мокрая курица» — в этом сомнения нет никакого: «Спокойна до того, что и растолкать нельзя! Впрочем, и «мокрые курицы» не спокойны, — фу! Сбилась я с ними совсем!» У Лизаветы Прокофьевны была какая-то необъяснимая сострадательная симпатия к Александре Ивановне, больше даже, чем к Аглае, которая была ее идолом. Но желчные выходки (чем, главное, и проявлялись ее материнские заботливость и симпатия), задирания, такие названия, как «мокрая курица», только смешили Александру. Доходило иногда до того, что самые пустейшие вещи сердили Лизавету Прокофьевну ужасно и выводили из себя. Александра Ивановна любила, например, очень подолгу спать и видела необыкновенно много снов; но сны ее отличались постоянно какою-то необыкновенною пустотой и невинностью, — семилетнему ребенку впору; так вот, даже эта невинность снов стала раздражать почему-то мамашу. Раз Александра Ивановна увидала во сне девять куриц, и из-за этого вышла формальная ссора между нею и матерью, — почему? — трудно и объяснить. Раз, только один раз, удалось ей увидать во сне нечто как будто оригинальное, — она увидала монаха, одного, в темной какой-то комнате, в которую она всё пугалась войти. Сон был тотчас же передан с торжеством Лизавете Прокофьевне двумя хохотавшими сестрами; но мамаша опять рассердилась и всех трех обозвала дурами. «Гм! спокойна, как дура, и ведь уж совершенно «мокрая курица», растолкать нельзя, а грустит, совсем иной раз грустно смотрит! О чем она горюет, о чем?» Иногда она задавала этот вопрос и Ивану Федоровичу, и по обыкновению своему истерически, грозно, с ожиданием немедленного ответа. Иван Федорович гумкал, хмурился, пожимал плечами и решал наконец, разводя свои руки:

— Мужа надо!

— Только дай ей бог не такого, как вы, Иван Федорыч, — разрывалась наконец, как бомба, Лизавета Прокофьевна, — не такого в своих суждениях и приговорах, как вы, Иван Федорыч; не такого грубого грубияна, как вы, Иван Федорыч...

Иван Федорович спасался немедленно, а Лизавета Прокофьевна успокоивалась после своего *разрыва*. Разумеется, в тот же день к вечеру она неминуемо становилась необыкновенно внимательна, тиха, ласкова и почтительна к Ивану Федоровичу, к «грубому своему грубияну» Ивану Федоровичу, к доброму и милому, обожаемому своему Ивану Федоровичу, потому что она всю жизнь любила и даже влюблена была в своего Ивана Федоровича, о чем отлично знал и сам Иван Федорович и бесконечно уважал за это свою Лизавету Прокофьевну.

Но главным и постоянным мучением ее была Аглая.

«Совершенно, совершенно, как я, мой портрет во всех отношениях, — говорила про себя Лизавета Прокофьевна, — самовольный, скверный бесенок! Нигилистка, чудачка, безумная, злая, злая, злая! О, Господи, как она будет несчастна!»

Но, как мы уже сказали, взошедшее солнце всё было смягчило и осветило на минуту. Был почти месяц в жизни Лизаветы Прокофьевны, в который она совершенно было отдохнула от всех беспокойств. По поводу близкой свадьбы Аделаиды заговорили в свете и об Аглае, и при этом Аглая держала себя везде так прекрасно, так ровно, так умно, так победительно, гордо немножко, но ведь это к ней так идет! Так ласкова, так приветлива была целый месяц к матери! («Правда, этого Евгения Павловича надо еще очень, очень рассмотреть, раскусить его надо, да и Аглая, кажется, не очень-то больше других его жалует!») Все-таки стала вдруг такая чудная девушка, — и как она хороша, Боже, как она хороша, день ото дня лучше! И вот...

И вот только что показался этот скверный князишка, этот дрянной идиотишка, и всё опять взбаламутилось, всё в доме вверх дном пошло!

Что же, однако, случилось?

Для других бы ничего не случилось наверно. Но тем-то и отличалась Лизавета Прокофьевна, что в комбинации и в путанице самых обыкновенных вещей, сквозь присущее ей всегда беспокойство, — она успевала всегда разглядеть что-то такое, что пугало ее иногда до болезни, самым мнительным, самым необъяснимым страхом, а стало быть, и самым тяжелым. Каково же ей было, когда вдруг теперь, сквозь всю бестолочь смешных и неосновательных беспокойств, действительно стало проглядывать нечто как будто и в самом деле важное, нечто как будто и в самом деле стоившее и тревог, и сомнений, и подозрений.

«И как смели, как смели мне это проклятое анонимное письмо написать про эту *тварь*, что она с Аглаей в сношениях? — думала Лизавета Прокофьевна всю дорогу, пока тащила за собой князя, и дома, когда усадила его за круглым столом, около которого было в сборе всё семейство, — как смели подумать только об этом? Да я бы умерла со стыда, если бы поверила хоть капельку или Аглае это письмо показала! Этакие насмешки на нас, на Епанчиных! И всё, всё чрез Ивана Федорыча, всё чрез вас, Иван Федорыч! Ах, зачем не переехали на Елагин: я ведь говорила, что на Елагин! Это, может быть, Варька письмо написала, я знаю, или, может быть... во всем, во всем Иван Федорыч виноват! Это над ним эта *тварь* эту шутку выкинула, в память прежних связей, чтобы в дураки его выставить, точно так, как прежде над ним, как над дураком, хохотала, за нос водила, когда еще он ей жемчуги возил... А в конце концов все-таки мы замешаны, все-таки дочки ваши замешаны, Иван Федорыч, девицы, барышни, лучшего общества барышни, невес-

ты; они тут находились, тут стояли, всё выслушали, да и в истории с маль-
чишками тоже замешаны, радуйтесь, тоже тут были и слушали! Не прощу же,
не прощу же я этому князишке, никогда не прощу! И почему Аглая три дня в
истерике, почему с сестрами чуть не перессорилась, даже с Александрой, у
которой всегда целовала руки, как у матери, — так уважала? Почему она три
дня всем загадки загадывает? Что тут за Гаврила Иволгин? Почему она вчера
и сегодня Гаврилу Иволгина хвалить принималась и расплакалась? Почему
про этого проклятого «рыцаря бедного» в этом анонимном письме упомянуто, тогда как она письмо от князя даже сестрам не показала? И почему... зачем, зачем я к нему, как угорелая кошка, теперь прибежала и сама же его
сюда притащила? Господи, с ума я·сошла, что я теперь наделала! С молодым
человеком про секреты дочери говорить, да еще... да еще про такие секреты,
которые чуть не самого его касаются! Господи, хорошо еще, что он идиот и...
и... друг дома! Только неужели ж Аглая прельстилась на такого уродика! Господи, что я плету! Тьфу! Оригиналы мы... под стеклом надо нас всех показывать, меня первую, по десяти копеек за вход. Не прощу я вам этого, Иван Федорыч, никогда не прощу! И почему она теперь его не шпигует? Обещалась
шпиговать и вот не шпигует! Вон, вон, во все глаза на него смотрит, молчит,
не уходит, стоит, а сама же не велела ему приходить... Он весь бледный сидит.
И проклятый, проклятый этот болтун Евгений Павлыч, всем разговором один
завладел! Ишь разливается, слова вставить не дает. Я бы сейчас про всё узнала, только бы речь навести...»

Князь и действительно сидел, чуть не бледный, за круглым столом и, казалось, был в одно и то же время в чрезвычайном страхе и, мгновениями, в
непонятном ему самому и захватывающем душу восторге. О, как он боялся
взглянуть в ту сторону, в тот угол, откуда пристально смотрели на него два
знакомые черные глаза, и в то же самое время как замирал он от счастия, что
сидит здесь опять между ними, услышит знакомый голос — после того, что
она ему написала. «Господи, что-то она скажет теперь!» Сам он не выговорил
еще ни одного слова и с напряжением слушал «разливавшегося» Евгения
Павловича, который редко бывал в таком довольном и возбужденном состоянии духа, как теперь, в этот вечер. Князь слушал его и долго не понимал почти ни слова. Кроме Ивана Федоровича, который не возвращался еще из Петербурга, все были в сборе. Князь Щ. был тоже тут. Кажется, сбирались, немного погодя, до чаю, идти слушать музыку. Теперешний разговор завязался,
по-видимому, до прихода князя. Скоро проскользнул на террасу вдруг откуда-то явившийся Коля. «Стало быть, его принимают здесь по-прежнему», —
подумал князь про себя.

Дача Епанчиных была роскошная дача, во вкусе швейцарской хижины,
изящно убранная со всех сторон цветами и листьями. Со всех сторон ее окружал
небольшой, но прекрасный цветочный сад. Сидели все на террасе, как и у князя; только терраса была несколько обширнее и устроена щеголеватее.

Тема завязавшегося разговора, казалось, была не многим по сердцу; разговор, как можно было догадаться, начался из-за нетерпеливого спора, и, конечно, всем бы хотелось переменить сюжет, но Евгений Павлович, казалось,
тем больше упорствовал и не смотрел на впечатление; приход князя как будто
возбудил его еще более. Лизавета Прокофьевна хмурилась, хотя и не всё понимала. Аглая, сидевшая в стороне, почти в углу, не уходила, слушала и упорно молчала.

— Позвольте, — с жаром возражал Евгений Павлович, — я ничего и не говорю против либерализма. Либерализм не есть грех; это необходимая составная часть всего целого, которое без него распадется или замертвеет; либерализм имеет такое же право существовать, как и самый благонравный консерватизм; но я на русский либерализм нападаю, и опять-таки повторяю, что за то, собственно, и нападаю на него, что русский либерал не есть *русский* либерал, а есть *не русский* либерал. Дайте мне русского либерала, и я его сейчас же при вас поцелую.

— Если только он захочет вас целовать, — сказала Александра Ивановна, бывшая в необыкновенном возбуждении. Даже щеки ее разрумянились более обыкновенного.

«Ведь вот, — подумала про себя Лизавета Прокофьевна, — то спит да ест, не растолкаешь, а то вдруг подымется раз в год и заговорит так, что только руки на нее разведешь».

Князь заметил мельком, что Александре Ивановне, кажется, очень не нравится, что Евгений Павлович говорит слишком весело, говорит на серьезную тему и как будто горячится, а в то же время как будто и шутит.

— Я утверждал сейчас, только что пред вашим приходом, князь, — продолжал Евгений Павлович, — что у нас до сих пор либералы были только из двух слоев, прежнего помещичьего (упраздненного) и семинарского. А так как оба сословия обратились наконец в совершенные касты, в нечто совершенно от нации особливое, и чем дальше, тем больше, от поколения к поколению, то, стало быть, и всё то, что они делали и делают, было совершенно не национальное...

— Как? Стало быть, всё, что сделано, — всё не русское? — возразил князь Щ.

— Не национальное; хоть и по-русски, но не национальное; и либералы у нас не русские, и консерваторы не русские, всё... И будьте уверены, что нация ничего не признаёт из того, что сделано помещиками и семинаристами, ни теперь, ни после...

— Вот это хорошо! Как можете вы утверждать такой парадокс, если только это серьезно? Я не могу допустить таких выходок насчет русского помещика; вы сами русский помещик, — горячо возражал князь Щ.

— Да ведь я и не в том смысле о русском помещике говорю, как вы принимаете. Сословие почтенное, хоть по тому уж одному, что я к нему принадлежу; особенно теперь, когда оно перестало существовать...

— Неужели и в литературе ничего не было национального? — перебила Александра Ивановна.

— Я в литературе не мастер, но и русская литература, по-моему, вся не русская, кроме разве Ломоносова, Пушкина и Гоголя.

— Во-первых, это не мало, а во-вторых, один из народа, а другие два — помещики, — засмеялась Аделаида.

— Точно так, но не торжествуйте. Так как этим только троим до сих пор из всех русских писателей удалось сказать, каждому нечто действительно *свое*, свое собственное, ни у кого не заимствованное, то тем самым эти трое и стали тотчас национальными. Кто из русских людей скажет, напишет или сделает что-нибудь свое, *свое* неотъемлемое и незаимствованное, тот неминуемо становится национальным, хотя бы он и по-русски плохо говорил. Это для меня аксиома. Но мы не об литературе начали говорить, мы заговорили о социалистах, и чрез них разговор пошел; ну, так я утверждаю, что у нас нет ни одного русского социалиста; нет и не было, потому что все наши социалисты тоже из помещиков или семинаристов. Все наши отъявленные, афишованные социалисты, как здешние, так и заграничные, больше ничего, как либералы из помещиков времен крепостного права. Что вы смеетесь? Дайте мне их книги, дайте мне их учения, их мемуары, и я, не будучи литературным критиком, берусь написать вам убедительнейшую литературную критику, в которой докажу ясно как день, что каждая страница их книг, брошюр, мемуаров написана прежде всего прежним русским помещиком. Их злоба, негодование, остроумие — помещичьи (даже дофамусовские!); их восторг, их слезы — настоящие, может быть, искренние слезы, но — помещичьи! Помещичьи или семинарские... Вы опять смеетесь, и вы смеетесь, князь? Тоже не согласны?

Действительно, все смеялись, усмехнулся и князь.

— Я так прямо не могу еще сказать, согласен я или не согласен, — произнес князь, вдруг перестав усмехаться и вздрогнув с видом пойманного школьника, — но уверяю вас, что слушаю вас с чрезвычайным удовольствием...

Говоря это, он чуть не задыхался, и даже холодный пот выступил у него на лбу. Это были первые слова, произнесенные им с тех пор, как он тут сидел. Он попробовал было оглянуться кругом, но не посмел; Евгений Павлович поймал его жест и улыбнулся.

— Я вам, господа, скажу факт, — продолжал он прежним тоном, то есть как будто с необыкновенным увлечением и жаром и в то же время чуть не смеясь, может быть над своими же собственными словами, — факт, наблюдение и даже открытие которого я имею честь приписывать себе, и даже одному себе; по крайней мере, об этом не было еще нигде сказано или написано. В факте этом выражается вся сущность русского либерализма того рода, о котором я говорю. Во-первых, что же и есть либерализм, если говорить вообще, как не нападение (разумное или ошибочное, это другой вопрос) на существующие порядки вещей? Ведь так? Ну, так факт мой состоит в том, что русский либерализм не есть нападение на существующие порядки вещей, а есть нападение на самую сущность наших вещей, на самые вещи, а не на один только порядок, не на русские порядки, а на самую Россию. Мой либерал дошел до того, что отрицает самую Россию, то есть ненавидит и бьет свою мать. Каждый несчастный и неудачный русский факт возбуждает в нем смех и чуть не восторг. Он ненавидит народные обычаи, русскую историю, всё. Если есть для него оправдание, так разве в том, что он не понимает, что делает, и свою ненависть к России принимает за самый плодотворный либерализм (о, вы часто встретите у нас либерала, которому аплодируют остальные и который, может быть, в сущности самый нелепый, самый тупой и опасный консерватор, и сам не знает того!). Эту ненависть к России, еще не так давно, иные либералы наши принимали чуть не за истинную любовь к отечеству и хвалились тем, что видят лучше других, в чем она должна состоять; но теперь уже стали откровеннее и даже слова́ «любовь к отечеству» стали стыдиться, даже понятие изгнали и устранили, как вредное и ничтожное. Факт этот верный, я стою за это и... надобно же было высказать когда-нибудь правду вполне, просто и откровенно; но факт этот в то же время и такой, которого нигде и никогда, спокон веку и ни в одном народе, не бывало и не случалось, а стало быть, факт этот случайный и может пройти, я согласен. Такого не может быть либерала нигде, который бы самое отечество свое ненавидел. Чем же это всё объяснить у нас? Тем самым, что и прежде, — тем, что русский либерал есть покамест еще не русский либерал; больше ничем, по-моему.

— Я принимаю всё, что ты сказал, за шутку, Евгений Павлыч, — серьезно возразил князь Щ.

— Я всех либералов не видала и судить не берусь, — сказала Александра Ивановна, — но с негодованием вашу мысль выслушала: вы взяли частный случай и возвели в общее правило, а стало быть, клеветали.

— Частный случай? А-а! Слово произнесено, — подхватил Евгений Павлович. — Князь, как вы думаете, частный это случай или нет?

— Я тоже должен сказать, что я мало видел и мало был... с либералами, — сказал князь, — но мне кажется, что вы, может быть, несколько правы и что тот русский либерализм, о котором вы говорили, действительно отчасти наклонен ненавидеть самую Россию, а не одни только ее порядки вещей. Конечно, это только отчасти... конечно, это никак не может быть для всех справедливо...

Он замялся и не докончил. Несмотря на всё волнение свое, он был чрезвычайно заинтересован разговором. В князе была одна особенная черта, состоявшая в необыкновенной наивности внимания, с каким он всегда слушал что-нибудь его интересовавшее, и ответов, какие давал, когда при этом к нему обращались с вопросами. В его лице и даже в положении его корпуса как-то отражалась эта наивность, эта вера, не подозревающая ни насмешки, ни юмора. Но хоть Евгений Павлович и давно уже обращался к нему не иначе как с некоторою особенною усмешкой, но теперь, при ответе его, как-то очень серьезно посмотрел на него, точно совсем не ожидал от него такого ответа.

— Так... вот вы как, однако, странно, — проговорил он, — и вправду, вы серьезно отвечали мне, князь?

— Да разве вы не серьезно спрашивали? — возразил тот в удивлении.

Все засмеялись.

— Верьте ему, — сказала Аделаида, — Евгений Павлыч всегда и всех дурачит! Если бы вы знали, о чем он иногда пресерьезно рассказывает!

— По-моему, это тяжелый разговор, и не заводить бы его совсем, — резко заметила Александра, — хотели идти гулять...

— И пойдемте, вечер прелестный! — вскричал Евгений Павлович. — Но, чтобы доказать вам, что в этот раз я говорил совершенно серьезно, и, главное, чтобы доказать это князю (вы, князь, чрезвычайно меня заинтересовали, и клянусь вам, что я не совсем еще такой пустой человек, каким непременно должен казаться, — хоть я и в самом деле пустой человек!), и... если позволите, господа, я сделаю князю еще один последний вопрос, из собственного любопытства, им и кончим. Этот вопрос мне, как нарочно, два часа тому назад пришел в голову (видите, князь, я тоже иногда серьезные вещи обдумываю); я его решил, но посмотрим, что скажет князь. Сейчас сказали про «частный случай». Словцо это очень у нас знаменательное, его часто слышишь. Недавно все говорили и писали об этом ужасном убийстве шести человек этим... молодым человеком и о странной речи защитника, где говорится, что при бедном состоянии преступника ему *естественно* должно было прийти в голову убить этих шесть человек. Это не буквально, но смысл, кажется, тот или подходит к тому. По моему личному мнению, защитник, заявляя такую странную мысль, был в полнейшем убеждении, что он говорит самую либеральную, самую гуманную и прогрессивную вещь, какую только можно сказать в наше время. Ну, так как, по-вашему, будет: это извращение понятий и убеждений, эта возможность такого кривого и замечательного взгляда на дело, есть ли это случай частный или общий?

Все захохотали.

— Частный; разумеется, частный, — засмеялись Александра и Аделаида.

— И позволь опять напомнить, Евгений Павлыч, — прибавил князь Щ., — что шутка твоя слишком уже износилась.

— Как вы думаете, князь? — не дослушал Евгений Павлович, поймав на себе любопытный и серьезный взгляд князя Льва Николаевича. — Как вам кажется: частный это случай или общий? Я, признаюсь, для вас и выдумал этот вопрос.

— Нет, не частный, — тихо, но твердо проговорил князь.

— Помилуйте, Лев Николаевич, — с некоторою досадой вскричал князь Щ., — разве вы не видите, что он вас ловит; он решительно смеется и именно вас предположил поймать на зубок.

— Я думал, что Евгений Павлыч говорил серьезно, — покраснел князь и потупил глаза.

— Милый князь, — продолжал князь Щ., — да вспомните, о чем мы с вами говорили один раз, месяца три тому назад; мы именно говорили о том, что в наших молодых новооткрытых судах можно указать уже на столько замечательных и талантливых защитников! А сколько в высшей степени замечательных решений присяжных? Как вы сами радовались, и как я на вашу радость тогда радовался... мы говорили, что гордиться можем... А эта неловкая защита, этот странный аргумент, конечно, случайность, единица между тысячами.

Князь Лев Николаевич подумал, но с самым убежденным видом, хотя тихо и даже как будто робко выговаривая, ответил:

— Я только хотел сказать, что искажение идей и понятий (как выразился Евгений Павлыч) встречается очень часто, есть гораздо более общий, чем частный случай, к несчастию. И до того, что если б это искажение не было таким общим случаем, то, может быть, не было бы и таких невозможных преступлений, как эти...

— Невозможных преступлений? Но уверяю же вас, что точно такие же преступления, и, может быть, еще ужаснее, и прежде бывали, и всегда были, и не только у нас, но и везде, и, по-моему, еще очень долго будут повторяться. Разница в том, что у нас прежде было меньше гласности, а теперь стали вслух говорить и даже писать о них, потому-то и кажется, что эти преступники теперь только и появились. Вот в чем ваша ошибка, чрезвычайно наивная ошибка, князь, уверяю вас, — насмешливо улыбнулся князь Щ.

— Я сам знаю, что преступлений и прежде было очень много, и таких же ужасных; я еще недавно в острогах был, и с некоторыми преступниками и подсудимыми мне удалось познакомиться. Есть даже страшнее преступники, чем этот, убившие по десяти человек, совсем не раскаиваясь. Но я вот что заметил при этом: что самый закоренелый и нераскаянный убийца все-таки знает, что он *преступник*, то есть по совести считает, что он нехорошо поступил, хоть и безо всякого раскаяния. И таков всякий из них; а эти ведь, о которых Евгений Павлыч заговорил, не хотят себя даже считать преступниками и думают про себя, что право имели и... даже хорошо поступили, то есть почти ведь так. Вот в этом-то и состоит, по-моему, ужасная разница. И заметьте, всё это молодежь, то есть именно такой возраст, в котором всего легче и беззащитнее можно подпасть под извращение идей.

Князь Щ. уже не смеялся и с недоумением выслушал князя. Александра Ивановна, давно уже хотевшая что-то заметить, замолчала, точно какая-то особенная мысль остановила ее. Евгений же Павлович смотрел на князя в решительном удивлении и на этот раз уже безо всякой усмешки.

— Да вы что так на него удивляетесь, государь мой, — неожиданно вступилась Лизавета Прокофьевна, — что он, глупее вас, что ли, что не мог по-вашему рассудить?

— Нет-с, я не про то, — сказал Евгений Павлович, — но только, как же вы, князь (извините за вопрос), если вы так это видите и замечаете, то как же вы (извините меня опять) в этом странном деле... вот что на днях было... Бурдовского, кажется... как же вы не заметили такого же извращения идей и нравственных убеждений? Точь-в-точь ведь такого же! Мне тогда показалось, что вы совсем не заметили?

— А вот что, батюшка, — разгорячилась Лизавета Прокофьевна, — мы вот все заметили, сидим здесь и хвалимся пред ним, а вот он сегодня письмо получил от одного из них, от самого-то главного, угреватого, помнишь, Александра? Он прощения в письме у него просит, хоть и по своему манеру, и извещает, что того товарища бросил, который его поджигал-то тогда, — помнишь, Александра? — и что князю теперь больше верит. Ну, а мы такого письма еще не получали, хоть нам и не учиться здесь нос-то пред ним подымать.

— А Ипполит тоже переехал к нам сейчас на дачу! — крикнул Коля.

— Как! уже здесь? — встревожился князь.

— Только что вы ушли с Лизаветой Прокофьевной — и пожаловал; я его перевез!

— Ну, бьюсь же об заклад, — так и вскипела вдруг Лизавета Прокофьевна, совсем забыв, что сейчас же князя хвалила, — об заклад бьюсь, что он ездил вчера к нему на чердак и прощения у него на коленях просил, чтоб эта злая злючка удостоила сюда переехать. Ездил ты вчера? Сам ведь признавался давеча. Так или нет? Стоял ты на коленках или нет?

— Совсем не стоял, — крикнул Коля, — а совсем напротив: Ипполит у князя руку вчера схватил и два раза поцеловал, я сам видел, тем и кончилось всё объяснение, кроме того, что князь просто сказал, что ему легче будет на даче, и тот мигом согласился переехать, как только станет легче.

— Вы напрасно, Коля... — пробормотал князь, вставая и хватаясь за шляпу, — зачем вы рассказываете, я...

— Куда это? — остановила Лизавета Прокофьевна.

— Не беспокойтесь, князь, — продолжал воспламененный Коля, — не ходите и не тревожьте его, он с дороги заснул; он очень рад; и знаете, князь, по-моему, гораздо лучше, если вы не нынче встретитесь; даже до завтра отложите, а то он опять сконфузится. Он давеча утром говорил, что уже целые полгода не чувствовал себя так хорошо и в силах; даже кашляет втрое меньше.

Князь заметил, что Аглая вдруг вышла из своего места и подошла к столу. Он не смел на нее посмотреть, но он чувствовал всем существом, что в это мгновение она на него смотрит, и, может быть, смотрит грозно, что в черных глазах ее непременно негодование, и лицо вспыхнуло.

— А мне кажется, Николай Ардалионович, что вы его напрасно сюда перевезли, если это тот самый чахоточный мальчик, который тогда заплакал и к себе звал на похороны, — заметил Евгений Павлович, — он так красноречиво тогда говорил про стену соседнего дома, что ему непременно взгрустнется по этой стене, будьте уверены.

— Правду сказал: рассорится, подерется с тобой и уедет, вот тебе сказ!

И Лизавета Прокофьевна с достоинством придвинула к себе корзинку с своим шитьем, забыв, что уже все подымались на прогулку.

— Я припоминаю, что он стеной этой очень хвастался, — подхватил опять Евгений Павлович, — без этой стены ему нельзя будет красноречиво умереть, а ему очень хочется красноречиво умереть.

— Так что же? — проборотал князь. — Если вы не захотите ему простить, так он и без вас помрет... Теперь он для деревьев переехал.

— О, с моей стороны, я ему всё прощаю; можете ему это передать.

— Это не так надо понимать, — тихо и как бы нехотя ответил князь, продолжая смотреть в одну точку на полу и не подымая глаз, — надо так, чтоб и вы согласились принять от него прощение.

— Я-то в чем тут? В чем я пред ним виноват?

— Если не понимаете, так... но вы ведь понимаете; ему хотелось тогда... всех вас благословить и от вас благословение получить, вот и всё...

— Милый князь, — как-то опасливо подхватил поскорее князь Щ., переглянувшись кое с кем из присутствовавших, — рай на земле нелегко достается; а вы все-таки несколько на рай рассчитываете; рай — вещь трудная, князь, гораздо труднее, чем кажется вашему прекрасному сердцу. Перестанемте лучше, а то мы все опять, пожалуй, сконфузимся, и тогда...

— Пойдемте на музыку, — резко проговорила Лизавета Прокофьевна, сердито подымаясь с места.

За нею встали все.

II

Князь вдруг подошел к Евгению Павловичу.

— Евгений Павлыч, — сказал он с странною горячностью, схватив его за руку, — будьте уверены, что я вас считаю за самого благороднейшего и лучшего человека, несмотря ни на что; будьте в этом уверены...

Евгений Павлович даже отступил на шаг от удивления. Мгновение он удерживался от нестерпимого припадка смеха; но, приглядевшись ближе, он заметил, что князь был как бы не в себе, по крайней мере в каком-то особенном состоянии.

— Бьюсь об заклад, — вскричал он, — что вы, князь, хотели совсем не то сказать и, может быть, совсем и не мне... Но что с вами? Не дурно ли вам?

— Может быть, очень может быть, и вы очень тонко заметили, что, может быть, я не к вам хотел подойти!

Сказав это, он как-то странно и даже смешно улыбнулся, но вдруг, как бы разгорячившись, воскликнул:

— Не напоминайте мне про мой поступок три дня назад! Мне очень стыдно было эти три дня... Я знаю, что я виноват...

— Да... да что же вы такого ужасного сделали?

— Я вижу, что вам, может быть, за меня всех стыднее, Евгений Павлович; вы краснеете, это черта прекрасного сердца. Я сейчас уйду, будьте уверены.

— Да что это он? Припадки, что ли, у него так начинаются? — испуганно обратилась Лизавета Прокофьевна к Коле.

— Не обращайте внимания, Лизавета Прокофьевна, у меня не припадок; я сейчас уйду. Я знаю, что я... обижен природой. Я был двадцать четыре года болен, до двадцатичетырехлетнего возраста от рождения. Примите же как от больного и теперь. Я сейчас уйду, сейчас, будьте уверены. Я не краснею, — потому что ведь от этого странно же краснеть, не правда ли? — но в обществе я лишний... Я не от самолюбия... Я в эти три дня передумал и решил, что я вас искренно и благородно должен уведомить при первом случае. Есть такие идеи, есть высокие идеи, о которых я не должен начинать говорить, потому что я непременно всех насмешу; князь Щ. про это самое мне сейчас напомнил... У меня нет жеста приличного, чувства меры нет; у меня слова другие, а не соответственные мысли, а это унижение для этих мыслей. И потому я не имею права... к тому же я мнителен, я... я убежден, что в этом доме меня не могут обидеть и любят меня более, чем я стою, но я знаю (я ведь наверно знаю), что после двадцати лет болезни непременно должно было что-нибудь да остаться, так что нельзя не смеяться надо мной... иногда... ведь так?

Он как бы ждал ответа и решения, озираясь кругом. Все стояли в тяжелом недоумении от этой неожиданной, болезненной и, казалось бы, во всяком случае беспричинной выходки. Но эта выходка подала повод к странному эпизоду.

— Для чего вы это здесь говорите? — вдруг вскричала Аглая, — для чего вы это *им* говорите? Им! Им!

Казалось, она была в последней степени негодования: глаза ее метали искры. Князь стоял пред ней немой и безгласный и вдруг побледнел.

— Здесь ни одного нет, который бы стоил таких слов! — разразилась Аглая, — здесь все, все не стоят вашего мизинца, ни ума, ни сердца вашего! Вы честнее всех, благороднее всех, лучше всех, добрее всех, умнее всех! Здесь есть недостойные нагнуться и поднять платок, который вы сейчас уронили... Для чего же вы себя унижаете и ставите ниже всех? Зачем вы всё в себе исковеркали, зачем в вас гордости нет?

— Господи, можно ли было подумать? — всплеснула руками Лизавета Прокофьевна.

— Рыцарь бедный! Ура! — крикнул в упоении Коля.

— Молчите!.. Как смеют меня здесь обижать в вашем доме! — набросилась вдруг Аглая на Лизавету Прокофьевну, уже в том истерическом состоянии, когда не смотрят ни на какую черту и переходят всякое препятствие. — Зачем меня все, все до единого мучают! Зачем они, князь, все три дня пристают ко мне из-за вас? Я ни за что за вас не выйду замуж! Знайте, что ни за что и никогда! Знайте это! Разве можно выйти за такого смешного, как вы? Вы посмотрите теперь в зеркало на себя, какой вы стоите теперь!.. Зачем, зачем они дразнят меня, что я за вас выйду замуж? Вы должны это знать! Вы тоже в заговоре с ними!

— Никто никогда не дразнил! — пробормотала в испуге Аделаида.

— На уме ни у кого не было, слова такого не было сказано! — вскричала Александра Ивановна.

— Кто ее дразнил? Когда ее дразнили? Кто мог ей это сказать? Бредит она или нет? — трепеща от гнева, обращалась ко всем Лизавета Прокофьевна.

— Все говорили, все до одного, все три дня! Я никогда, никогда не выйду за него замуж!

Прокричав это, Аглая залилась горькими слезами, закрыла лицо платком и упала на стул.

— Да он тебя еще и не прос...

— Я вас не просил, Аглая Ивановна, — вырвалось вдруг у князя.

— Что-о? — в удивлении, в негодовании, в ужасе протянула вдруг Лизавета Прокофьевна, — что та-а-кое?

Она ушам своим не хотела верить.

— Я хотел сказать... я хотел сказать, — затрепетал князь, — я хотел только изъяснить Аглае Ивановне... иметь такую честь объяснить, что я вовсе не имел намерения... иметь честь просить ее руки... даже когда-нибудь... Я тут ни в чем не виноват, ей-богу, не виноват, Аглая Ивановна! Я никогда не хотел, и никогда у меня в уме не было, никогда не захочу, вы сами увидите: будьте уверены! Тут какой-нибудь злой человек меня оклеветал пред вами! Будьте спокойны!

Говоря это, он приблизился к Аглае. Она отняла платок, которым закрывала лицо, быстро взглянула на него и на всю его испуганную фигуру, сообразила его слова и вдруг разразилась хохотом прямо ему в глаза, — таким веселым и неудержимым хохотом, таким смешным и насмешливым хохотом, что Аделаида первая не выдержала, особенно когда тоже поглядела на князя, бросилась к сестре, обняла ее и захохотала таким же неудержимым, школьнически-веселым смехом, как и та. Глядя на них, вдруг стал улыбаться и князь и с радостным и счастливым выражением стал повторять:

— Ну, слава богу, слава богу!

Тут уж не выдержала и Александра и захохотала от всего сердца. Казалось, этому хохоту всех трех и конца не будет.

— Ну, сумасшедшие! — пробормотала Лизавета Прокофьевна, — то напугают, а то...

Но смеялся уже и князь Щ., смеялся и Евгений Павлович, хохотал Коля без умолку, хохотал, глядя на всех, и князь.

— Пойдемте гулять, пойдемте гулять! — кричала Аделаида, — все вместе и непременно князь с нами; незачем вам уходить, милый вы человек! Что за милый он человек, Аглая! Не правда ли, мамаша? К тому же я непременно, непременно должна его поцеловать и обнять за... за его объяснение сейчас с Аглаей. Maman, милая, позвольте мне поцеловать его? Аглая, позволь мне поцеловать *твоего* князя! — крикнула шалунья и действительно подскочила к князю и поцеловала его в лоб. Тот схватил ее руки, крепко сжал, так что Аделаида чуть не вскрикнула, с бесконечною радостью поглядел на нее и вдруг быстро поднес ее руку к губам и поцеловал три раза.

— Идемте же! — звала Аглая. — Князь, вы меня поведете. Можно это, maman? Отказавшему мне жениху? Ведь вы уж от меня отказались навеки, князь? Да не так, не так подают руку даме, разве вы не знаете, как надо взять под руку даму? Вот так, пойдемте, мы пойдем впереди всех; хотите вы идти впереди всех, tête-à-tête?[1]

Она говорила без умолку, всё еще смеясь порывами.

— Слава богу! Слава богу! — твердила Лизавета Прокофьевна, сама не зная, чему радуясь.

«Чрезвычайно странные люди!» — подумал князь Щ., может быть в сотый уже раз с тех пор, как сошелся с ними, но... ему нравились эти странные люди.

---

[1] наедине (*франц.*).

Что же касается до князя, то, может быть, он ему и не слишком нравился; князь Щ. был несколько нахмурен и как бы озабочен, когда все вышли на прогулку.

Евгений Павлович, казалось, был в самом веселом расположении, всю дорогу до воксала смешил Александру и Аделаиду, которые с какою-то уже слишком особенною готовностью смеялись его шуткам, до того, что он стал мельком подозревать, что они, может быть, совсем его и не слушают. От этой мысли он вдруг, и не объясняя причины, расхохотался наконец чрезвычайно и совершенно искренно (таков уже был характер!). Сестры, бывшие, впрочем, в самом праздничном настроении, беспрерывно поглядывали на Аглаю и князя, шедших впереди; видно было, что младшая сестрица задала им большую загадку. Князь Щ. всё старался заговорить с Лизаветой Прокофьевной о вещах посторонних, может быть, чтобы развлечь ее, и надоел ей ужасно. Она, казалось, была совсем с разбитыми мыслями, отвечала невпопад и не отвечала иной раз совсем. Но загадки Аглаи Ивановны еще не кончились в этот вечер. Последняя пришлась на долю уже одного князя. Когда отошли шагов сто от дачи, Аглая быстрым полушепотом сказала своему упорно молчавшему кавалеру:

— Поглядите направо.

Князь взглянул.

— Глядите внимательнее. Видите вы ту скамейку, в парке, вон где эти три большие дерева... зеленая скамейка?

Князь ответил, что видит.

— Нравится вам местоположение? Я иногда рано, часов в семь утра, когда все еще спят, сюда одна прихожу сидеть.

Князь пробормотал, что местоположение прекрасное.

— А теперь идите от меня, я не хочу с вами больше идти под руку. Или лучше идите под руку, но не говорите со мной ни слова. Я хочу одна думать про себя...

Предупреждение во всяком случае напрасное: князь наверно не выговорил бы ни одного слова во всю дорогу и без приказания. Сердце его застучало ужасно, когда он выслушал о скамейке. Чрез минуту он одумался и со стыдом прогнал свою нелепую мысль.

В Павловском воксале по будням, как известно и как все по крайней мере утверждают, публика собирается «избраннее», чем по воскресеньям и по праздникам, когда наезжают «всякие люди» из города. Туалеты не праздничные, но изящные. На музыку сходиться принято. Оркестр, может быть действительно лучший из наших садовых оркестров, играет вещи новые. Приличие и чинность чрезвычайные, несмотря на некоторый общий вид семейственности и даже интимности. Знакомые, всё дачники, сходятся оглядывать друг друга. Многие исполняют это с истинным удовольствием и приходят только для этого; но есть и такие, которые ходят для одной музыки. Скандалы необыкновенно редки, хотя, однако же, бывают даже и в будни. Но без этого ведь невозможно.

На этот раз вечер был прелестный, да и публики было довольно. Все места около игравшего оркестра были заняты. Наша компания уселась на стульях несколько в стороне, близ самого левого выхода из воксала. Толпа, музыка несколько оживили Лизавету Прокофьевну и развлекли барышень; они успели переглянуться кое с кем из знакомых и издали любезно кивнуть кой-кому головой; успели оглядеть костюмы, заметить кой-какие странности, переговорить о них, насмешливо улыбнуться. Евгений Павлович тоже очень часто раскланивался. На Аглаю и князя, которые всё еще были вместе, кое-кто уже обратили внимание. Скоро к маменьке и к барышням подошли кое-кто из знакомых молодых людей; двое или трое остались разговаривать; все были приятели с Евгением Павловичем. Между ними находился один молодой и очень красивый собой офицер, очень веселый, очень разговорчивый; он поспешил заговорить с Аглаей и всеми силами старался обратить на себя ее внимание. Аглая была с ним очень милостива и чрезвычайно смешлива. Евгений Павлович попросил у князя позволения познакомить его с этим приятелем; князь едва понял, что с ним хотят делать, но знакомство состоялось, оба раскланялись и подали друг другу руки. Приятель Евгения Павловича сделал один вопрос, но князь, кажется, на него не ответил или до того странно промямлил что-то про себя, что офицер посмотрел на него очень пристально, взглянул потом на Евгения Павловича, тотчас понял, для чего тот выдумал это знакомство, чуть-чуть усмехнулся и обратился опять к Аглае. Один Евгений Павлович заметил, что Аглая внезапно при этом покраснела.

Князь даже и не замечал того, что другие разговаривают и любезничают с Аглаей, даже чуть не забывал минутами, что и сам сидит подле нее. Иногда ему хотелось уйти куда-нибудь, совсем исчезнуть отсюда, и даже ему бы нравилось мрачное, пустынное место, только чтобы быть одному со своими мыслями и чтобы никто не знал, где он находится. Или по крайней мере быть у себя дома, на террасе, но так, чтобы никого при этом не было, ни Лебедева, ни детей; броситься на свой диван, уткнуть лицо в подушку и пролежать таким образом день, ночь, еще день. Мгновениями ему мечтались и горы, и именно одна знакомая точка в горах, которую он всегда любил припоминать и куда он любил ходить, когда еще жил там, и смотреть оттуда вниз на деревню, на чуть мелькавшую внизу белую нитку водопада, на белые облака, на заброшенный старый замок. О, как бы он хотел очутиться теперь там и думать об одном, — о! всю жизнь об этом только — и на тысячу лет бы хватило! И пусть, пусть здесь совсем забудут его. О, это даже нужно, даже лучше, если б и совсем не знали его и всё это видение было бы в одном только сне. Да и не всё ли равно, что во сне, что наяву! Иногда вдруг он начинал приглядываться к Аглае и по пяти минут не отрывался взглядом от ее лица; но взгляд его был слишком странен: казалось, он глядел на нее как на предмет, находящийся от него за две версты, или как бы на портрет ее, а не на нее самоё.

— Что вы на меня так смотрите, князь? — сказала она вдруг, прерывая веселый разговор и смех с окружающими. — Я вас боюсь; мне всё кажется, что вы хотите протянуть вашу руку и дотронуться до моего лица пальцем, чтоб его пощупать. Не правда ли, Евгений Павлыч, он так смотрит?

Князь выслушал, казалось, в удивлении, что к нему обратились, сообразил, хотя, может быть, и не совсем понял, не ответил, но, видя, что она и все смеются, вдруг раздвинул рот и начал смеяться и сам. Смех кругом усилился; офицер, должно быть человек смешливый, просто прыснул со смеху. Аглая вдруг гневно прошептала про себя:

— Идиот!

— Господи! Да неужели она такого... неужели ж она совсем помешается! — проскрежетала про себя Лизавета Прокофьевна.

— Это шутка. Это та же шутка, что и тогда с «бедным рыцарем», — твердо прошептала ей на ухо Александра, — и ничего больше! Она, по-своему, его опять на зубок подняла. Только слишком далеко зашла эта шутка; это надо прекратить, maman! Давеча она как актриса коверкалась, нас из-за шалости напугала...

— Еще хорошо, что на такого идиота напала, — перешепнулась с ней Лизавета Прокофьевна. Замечание дочери все-таки облегчило ее.

Князь, однако же, слышал, как его назвали идиотом, и вздрогнул, но не от того, что его назвали идиотом. «Идиота» он тотчас забыл. Но в толпе недалеко от того места, где он сидел, откуда-то сбоку — он бы никак не указал, в каком именно месте и в какой точке, — мелькнуло одно лицо, бледное лицо, с курчавыми темными волосами, с знакомыми, очень знакомыми улыбкой и взглядом, — мелькнуло и исчезло. Очень могло быть, что это только вообразилось ему; от всего видения остались у него в впечатлении кривая улыбка, глаза и светло-зеленый франтовской шейный галстук, бывший на промелькнувшем господине. Исчез ли этот господин в толпе или прошмыгнул в воксал, князь тоже не мог бы определить.

Но минуту спустя он вдруг быстро и беспокойно стал озираться кругом; это первое видение могло быть предвестником и предшественником второго видения. Это должно было быть наверно. Неужели он забыл о возможной встрече, когда отправлялись в воксал? Правда, когда он шел в воксал, то, кажется, и не знал совсем, что идет сюда, — в таком он был состоянии. Если б он умел или мог быть внимательнее, то он еще четверть часа назад мог бы заметить, что Аглая изредка и тоже как бы с беспокойством мельком оглядывается, тоже точно ищет чего-то кругом себя. Теперь, когда беспокойство его стало сильно заметно, возросло волнение и беспокойство Аглаи, и лишь только он оглядывался назад, почти тотчас же оглядывалась и она. Разрешение тревоги скоро последовало.

Из того самого бокового выхода из воксала, близ которого помещались князь и вся компания Епанчиных, вдруг показалась целая толпа, человек по крайней мере в десять. Впереди толпы были три женщины; две из них были удивительно хороши собой, и не было ничего странного, что за ними двигается столько поклонников. Но и поклонники и женщины — всё это было нечто особенное, нечто совсем не такое, как остальная публика, собравшаяся на музыку. Их тотчас заметили почти все, но большею частью старались показывать вид, что совершенно их не видят, и только разве некоторые из молодежи улыбнулись на них, передавая друг другу что-то вполголоса. Не видеть их совсем было нельзя: они явно заявляли себя, говорили громко, смеялись. Можно было предположить, что между ними многие и хмельные, хотя на вид некоторые были в франтовских и изящных костюмах; но тут же были люди и весьма странного вида, в странном платье, с странно воспламененными лицами; между ними было несколько военных; были и не из молодежи; были комфортно одетые, в широко и изящно сшитом платье, с перстнями и запонками, в великолепных смоляно-черных париках и бакенбардах и с особенно благородною, хотя несколько брезгливою осанкой в лице, но от которых, впрочем, сторонятся в обществе как от чумы. Между нашими загородными собраниями, конечно, есть и отличающиеся необыкновенною чинностию и имеющие особенно хорошую репутацию; но самый осторожный человек не может всякую минуту защититься от кирпича, падающего с соседнего дома. Этот кирпич готовился теперь упасть и на чинную публику, собравшуюся у музыки.

Чтобы перейти из воксала на площадку, где расположен оркестр, надобно сойти три ступеньки. У самых этих ступенек и остановилась толпа; сходить не решались, но одна из женщин выдвинулась вперед; за нею осмелились последовать только двое из ее свиты. Один был довольно скромного вида человек средних лет, с порядочною наружностью во всех отношениях, но имевший вид решительного бобыля, то есть из таких, которые никогда никого не знают и которых никто не знает. Другой, не отставший от своей дамы, был совсем оборванец, самого двусмысленного вида. Никто больше не последовал за эксцентричною дамой; но, сходя вниз, она даже и не оглянулась назад, как будто ей решительно всё равно было, следуют ли за ней или нет. Она смеялась и громко разговаривала по-прежнему; одета была с чрезвычайным вкусом и богато, но несколько пышнее, чем следовало. Она направилась мимо оркестра на другую сторону площадки, где близ дороги ждала кого-то чья-то коляска.

Князь не видал *ее* уже с лишком три месяца. Все эти дни по приезде в Петербург он собирался быть у нее; но, может быть, тайное предчувствие останавливало его. По крайней мере, он никак не мог угадать предстоящее ему впечатление при встрече с нею, а он со страхом старался иногда представить его. Одно было ясно ему, — что встреча будет тяжелая. Несколько раз припоминал он в эти шесть месяцев то первое ощущение, которое произвело на него лицо этой женщины, еще когда он увидал его только на портрете; но даже во впечатлении от портрета, припоминал он, было слишком много тяжелого. Тот месяц в провинции, когда он чуть не каждый день виделся с нею, произвел на него действие ужасное, до того, что князь отгонял иногда даже воспоминание об этом еще недавнем времени. В самом лице этой женщины всегда было для него что-то мучительное; князь, разговаривая с Рогожиным, перевел это ощущение ощущением бесконечной жалости, и это была правда: лицо это еще с портрета вызывало из его сердца целое страдание жалости; это впечатление сострадания и даже страдания за это существо не оставляло никогда его сердца, не оставило и теперь. О нет, даже было еще сильнее. Но тем, что он говорил Рогожину, князь остался недоволен; и только теперь, в это мгновение ее внезапного появления, он понял, может быть, непосредственным ощущением, чего недоставало в его словах Рогожину. Недоставало слов, которые могли бы выразить ужас; да, ужас! Он теперь, в эту минуту, вполне ощущал его; он был уверен, был вполне убежден, по своим особым причинам, что эта женщина — помешанная. Если бы, любя женщину более всего на свете, или предвкушая возможность такой любви, вдруг увидеть ее на цепи, за железною решеткой, под палкой смотрителя, — то такое впечатление было бы несколько сходно с тем, что ощутил теперь князь.

— Что с вами? — быстро прошептала Аглая, оглядываясь на него и наивно дергая его за руку.

Он повернул к ней голову, поглядел на нее, взглянул в ее черные, непонятно для него сверкавшие в эту минуту глаза, попробовал усмехнуться ей, но вдруг, точно мгновенно забыв ее, опять отвел глаза направо и опять стал следить за своим чрезвычайным видением. Настасья Филипповна проходила в эту минуту мимо самых стульев барышень. Евгений Павлович продолжал рассказывать что-то, должно быть очень смешное и интересное, Александре Ивановне, говорил быстро и одушевленно. Князь помнил, что Аглая вдруг произнесла полушепотом: «Какая...»

Слово неопределенное и недоговоренное; она мигом удержалась и не прибавила ничего более, но этого было уже довольно. Настасья Филипповна, проходившая как бы не примечая никого в особенности, вдруг обернулась в их сторону и как будто только теперь приметила Евгения Павловича.

— Б-ба! Да ведь вот он! — воскликнула она, вдруг останавливаясь. — То ни с какими курьерами не отыщешь, то как нарочно там сидит, где и не вообразишь... Я ведь думала, что ты там... у дяди!

Евгений Павлович вспыхнул, бешено посмотрел на Настасью Филипповну, но поскорей опять от нее отвернулся.

— Что?! Разве не знаешь? Он еще не знает, представьте себе! Застрелился! Давеча утром дядя твой застрелился! Мне еще давеча, в два часа, сказывали; да уж полгорода теперь знает; трехсот пятидесяти тысяч казенных нет, говорят, а другие говорят: пятисот. А я-то всё рассчитывала, что он тебе еще наследство оставит; всё просвистал. Развратнейший был старикашка... Ну, прощай, bonne chance![1] Так неужели не съездишь? То-то ты в отставку заблаговременно вышел, хитрец! Да вздор, знал, знал заране: может, вчера еще знал...

Хотя в наглом приставании, в афишевании знакомства и короткости, которых не было, заключалась непременно цель, и в этом уже не могло быть теперь никакого сомнения, — но Евгений Павлович думал сначала отделаться как-нибудь так и во что бы ни стало не заметить обидчицы. Но слова Настасьи Филипповны ударили в него как громом; услыхав о смерти дяди, он побледнел как платок и повернулся к вестовщице. В эту минуту Лизавета Прокофьевна быстро поднялась с места, подняла всех за собой и чуть не побежала оттуда. Только князь Лев Николаевич остался на одну секунду на месте, как бы в нерешимости, да Евгений Павлович всё еще стоял, не опомнившись. Но Епанчины не успели отойти и двадцати шагов, как разразился страшный скандал.

Офицер, большой приятель Евгения Павловича, разговаривавший с Аглаей, был в высшей степени негодования.

— Тут просто хлыст надо, иначе ничем не возьмешь с этою тварью! — почти громко проговорил он. (Он, кажется, был и прежде конфидентом Евгения Павловича.)

Настасья Филипповна мигом обернулась к нему. Глаза ее сверкнули; она бросилась к стоявшему в двух шагах от нее и совсем незнакомому ей молодому человеку, державшему в руке тоненькую плетеную тросточку, вырвала ее у него из рук и изо всей силы хлестнула своего обидчика наискось по лицу. Всё это произошло в одно мгновение... Офицер, не помня себя, бросился на нее; около Настасьи Филипповны уже не было ее свиты: приличный господин средних лет уже успел стушеваться совершенно, а господин навеселе стоял в стороне и хохотал что было мочи. Чрез минуту, конечно, явилась бы полиция, но в эту минуту горько пришлось бы Настасье Филипповне, если бы не подоспела неожиданная помощь: князь, остановившийся тоже в двух шагах, успел схватить сзади за руки офицера. Вырывая свою руку, офицер сильно оттолкнул его в грудь; князь отлетел шага на три и упал на стул. Но у Настасьи Филипповны уже явились еще два защитника. Пред нападавшим офицером стоял боксер, автор знакомой читателю статьи и действительный член прежней рогожинской компании.

— Келлер! Поручик в отставке, — отрекомендовался он с форсом. — Угодно врукопашную, капитан, то, заменяя слабый пол, к вашим услугам; произошел весь английский бокс. Не толкайтесь, капитан; сочувствую кровавой обиде, но не могу позволить кулачного права с женщиной на глазах публики. Если же, как

---

[1] желаю успеха! (франц.)

прилично блага-ароднейшему лицу на другой манер, то — вы меня, разумеется, понимать должны, капитан...

Но капитан уже опомнился и уже не слушал его. В эту минуту появившийся из толпы Рогожин быстро подхватил под руку Настасью Филипповну и повел ее за собой. С своей стороны, Рогожин казался потрясенным ужасно, был бледен и дрожал. Уводя Настасью Филипповну, он успел-таки злобно засмеяться в глаза офицеру и с видом торжествующего гостинодворца проговорить:

— Тью! Что, взял! Рожа-то в крови! Тью!

Опомнившись и совершенно догадавшись, с кем имеет дело, офицер вежливо (закрывая, впрочем, лицо платком) обратился к князю, уже вставшему со стула:

— Князь Мышкин, с которым я имел удовольствие познакомиться?

— Она сумасшедшая! Помешанная! Уверяю вас! — отвечал князь дрожащим голосом, протянув к нему для чего-то свои дрожащие руки.

— Я, конечно, не могу похвалиться такими сведениями; но мне надо знать ваше имя.

Он кивнул головой и отошел. Полиция подоспела ровно пять секунд спустя после того, как скрылись последние действующие лица. Впрочем, скандал продолжался никак не более двух минут. Кое-кто из публики встали со стульев и ушли, другие только пересели с одних мест на другие; третьи были очень рады скандалу; четвертые сильно заговорили и заинтересовались. Одним словом, дело кончилось по обыкновению. Оркестр заиграл снова. Князь пошел вслед за Епанчиными. Если б он догадался или успел взглянуть налево, когда сидел на стуле, после того как его оттолкнули, то увидел бы Аглаю, шагах в двадцати от него, остановившуюся глядеть на скандальную сцену и не слушавшую призывов матери и сестер, отошедших уже далее. Князь Щ., подбежав к ней, уговорил ее наконец поскорее уйти. Лизавета Прокофьевна запомнила, что Аглая воротилась к ним в таком волнении, что вряд ли и слышала их призывы. Но ровно чрез две минуты, когда только вошли в парк, Аглая проговорила своим обыкновенным равнодушным и капризным голосом:

— Мне хотелось посмотреть, чем кончится комедия.

III

Происшествие в воксале поразило и мамашу и дочек почти ужасом. В тревоге и в волнении, Лизавета Прокофьевна буквально чуть не бежала с дочерьми из воксала всю дорогу домой. По ее взгляду и понятиям, слишком много произошло и обнаружилось в этом происшествии, так что в голове ее, несмотря на весь беспорядок и испуг, зарождались уже мысли решительные. Но и все понимали, что случилось нечто особенное и что, может быть, еще и к счастию, начинает обнаруживаться какая-то чрезвычайная тайна. Несмотря на прежние заверения и объяснения князя Щ., Евгений Павлович «выведен был теперь наружу», обличен, открыт и «обнаружен формально в своих связях с этою тварью». Так думала Лизавета Прокофьевна и даже обе старшие дочери. Выигрыш из этого вывода был тот, что еще больше накопилось загадок. Девицы хоть и негодовали отчасти про себя на слишком уже сильный испуг и такое явное бегство мамаши, но в первое время сумятицы беспокоить ее вопросами не решались. Кроме того, почему-то казалось им, что сестрица их, Аглая Ивановна, может быть, знает в этом деле более, чем все они трое с мамашей. Князь Щ. был тоже мрачен, как ночь, и тоже очень задумчив. Лизавета Прокофьевна не сказала с ним во всю дорогу ни слова, а он, кажется, и не заметил того. Аделаида попробовала было у него спросить: «О каком это дяде сейчас говорили и что там такое в Петербурге случилось?» Но он пробормотал ей в ответ, с самою кислою миной, что-то очень неопределенное о каких-то справках и что всё это, конечно, одна нелепость. «В этом нет сомнения!» — ответила Аделаида и уже более ни о чем не спрашивала. Аглая же стала что-то необыкновенно спокойна и заметила только дорогой, что слишком уже скоро бегут. Раз она обернулась и увидела князя, который их догонял. Заметив его усилия их догнать, она насмешливо улыбнулась и уже более на него не оглядывалась.

Наконец, почти у самой дачи, повстречался шедший им навстречу Иван Федорович, только что воротившийся из Петербурга. Он тотчас же, с первого слова, осведомился об Евгении Павловиче. Но супруга грозно прошла мимо него, не ответив и даже не поглядев на него. По глазам дочерей и князя Щ. он тотчас же догадался, что в доме гроза. Но и без этого его собственное лицо отражало какое-то необыкновенное беспокойство. Он тотчас взял под руку князя Щ., остановил его у входа в дом и почти шепотом переговорил с ним несколько слов. По тревожному виду обоих, когда взошли потом на террасу и прошли к Лизавете Прокофьевне, можно было подумать, что они оба услыхали какое-нибудь чрезвычайное известие. Мало-помалу все собрались у Лизаветы Прокофьевны наверху, и на террасе остался наконец один только князь. Он сидел в углу, как бы ожидая чего-то, а впрочем, и сам не зная зачем; ему и в голову не приходило уйти, видя суматоху в доме; казалось, он забыл всю вселенную и готов был высидеть хоть два года сряду, где бы его ни посадили. Сверху слышались ему иногда отголоски тревожного разговора. Он сам бы не сказал, сколько просидел тут. Становилось поздно и совсем смерклось. На террасу вдруг вышла Аглая; с виду она была спокойна, хотя несколько бледна. Увидев князя, которого «очевидно не ожидала» встретить здесь на стуле, в углу, Аглая улыбнулась как бы в недоумении.

— Что вы тут делаете? — подошла она к нему.

Князь что-то пробормотал, сконфузясь, и вскочил со стула; но Аглая тотчас же села подле него, уселся опять и он. Она вдруг, но внимательно его осмотрела, потом посмотрела в окно, как бы безо всякой мысли, потом опять на него. «Может быть, ей хочется засмеяться, — подумалось князю, — но нет, ведь она бы тогда засмеялась».

— Может быть, вы чаю хотите, так я велю, — сказала она после некоторого молчания.

— Н-нет... Я не знаю...

— Ну как про это не знать! Ах да, послушайте: если бы вас кто-нибудь вызвал на дуэль, что бы вы сделали? Я еще давеча хотела спросить.

— Да... кто же... меня никто не вызовет на дуэль.

— Ну если бы вызвали? Вы бы очень испугались?

— Я думаю, что я очень... боялся бы.

— Серьезно? Так вы трус?

— Н-нет; может быть, и нет. Трус тот, кто боится и бежит; а кто боится и не бежит, тот еще не трус, — улыбнулся князь, пообдумав.

— А вы не убежите?

— Может быть, и не убегу, — засмеялся он наконец вопросам Аглаи.

— Я хоть женщина, а ни за что бы не убежала, — заметила она чуть не обидчиво. — А впрочем, вы надо мной смеетесь и кривляетесь, по вашему обыкновению, чтобы себе больше интересу придать; скажите: стреляют обыкновенно с двенадцати шагов? Иные и с десяти? Стало быть, это наверно быть убитым или раненым?

— На дуэлях, должно быть, редко попадают.

— Как редко? Пушкина же убили.

— Это, может быть, случайно.

— Совсем не случайно; была дуэль на смерть, его и убили.

— Пуля попала так низко, что, верно, Дантес целил куда-нибудь выше, в грудь или в голову; а так, как она попала, никто не целит, стало быть, скорее всего пуля попала в Пушкина случайно, уже с промаха. Мне это компетентные люди говорили.

— А мне это один солдат говорил, с которым я один раз разговаривала, что им нарочно, по уставу, велено целиться, когда они в стрелки рассыпаются, в полчеловека, так и сказано у них: «в полчеловека». Вот уже, стало быть, не в грудь и не в голову, а нарочно в полчеловека велено стрелять. Я спрашивала потом у одного офицера, он говорил, что это точно так и верно.

— Это верно, потому что с дальнего расстояния.

— А вы умеете стрелять?

— Я никогда не стрелял.

— Неужели и зарядить пистолет не умеете?

— Не умею. То есть я понимаю, как это сделать, но я никогда сам не заряжал.

— Ну так, значит, и не умеете, потому что тут нужна практика! Слушайте же и заучите: во-первых, купите хорошего пистолетного пороху, не мокрого (говорят, надо не мокрого, а очень сухого), какого-то мелкого, вы уже такого спросите, а не такого, которым из пушек палят. Пулю, говорят, сами как-то отливают. У вас пистолеты есть?

— Нет, и не надо, — засмеялся вдруг князь.

— Ах, какой вздор! Непременно купите, хороший, французский или английский, это, говорят, самые лучшие. Потом возьмите пороху с наперсток, может быть два наперстка, и всыпьте. Лучше уж побольше. Прибейте войлоком (говорят, непременно надо войлоком почему-то), это можно где-нибудь достать, из какого-нибудь тюфяка, или двери иногда обивают войлоком. Потом, когда всунете войлок, вложите пулю, — слышите же, пулю потом, а порох прежде, а то не выстрелит. Чего вы смеетесь? Я хочу, чтобы вы каждый день стреляли по нескольку раз и непременно бы научились в цель попадать. Сделаете?

Князь смеялся; Аглая в досаде топнула ногой. Ее серьезный вид, при таком разговоре, несколько удивил князя. Он чувствовал отчасти, что ему бы надо было про что-то узнать, про что-то спросить, — во всяком случае, про что-то посерьезнее того, как пистолет заряжают. Но всё это вылетело у него из ума, кроме одного того, что пред ним сидит она, а он на нее глядит, а о чем бы она ни заговорила, ему в эту минуту было бы почти всё равно.

Сверху на террасу сошел наконец сам Иван Федорович; он куда-то отправлялся с нахмуренным, озабоченным и решительным видом.

— А, Лев Николаич, ты... Куда теперь? — спросил он, несмотря на то что Лев Николаевич и не думал двигаться с места. — Пойдем-ка, я тебе словцо скажу.

— До свидания, — сказала Аглая и протянула князю руку.

На террасе уже было довольно темно, князь не разглядел бы в это мгновение ее лица совершенно ясно. Чрез минуту, когда уже они с генералом выходили с дачи, он вдруг ужасно покраснел и крепко сжал свою правую руку.

Оказалось, что Ивану Федоровичу было с ним по пути; Иван Федорович, несмотря на поздний час, торопился с кем-то о чем-то поговорить. Но покамест он вдруг заговорил с князем, быстро, тревожно, довольно бессвязно, часто поминая в разговоре Лизавету Прокофьевну. Если бы князь мог быть в эту минуту внимательнее, то он, может быть, догадался бы, что Ивану Федоровичу хочется между прочим что-то и от него выведать, или, лучше сказать, прямо и открыто о чем-то спросить его, но всё не удается дотронуться до самой главной точки. К стыду своему, князь был до того рассеян, что в самом начале даже ничего и не слышал, и когда генерал остановился пред ним с каким-то горячим вопросом, то он принужден был ему сознаться, что ничего не понимает.

Генерал пожал плечами.

— Странные вы всё какие-то люди стали, со всех сторон, — пустился он опять говорить. — Говорю тебе, что я совсем не понимаю идей и тревог Лизаветы Прокофьевны. Она в истерике, и плачет, и говорит, что нас осрамили и опозорили. Кто? Как? С кем? Когда и почему? Я, признаюсь, виноват (в этом я сознаюсь), много виноват, но домогательства этой... беспокойной женщины (и дурно ведущей себя вдобавок) могут быть ограничены, наконец, полицией, и я даже сегодня намерен кое с кем видеться и предупредить. Всё можно устроить тихо, кротко, ласково даже, по знакомству и отнюдь без скандала. Согласен тоже, что будущность чревата событиями и что много неразъясненного; тут есть и интрига; но если здесь ничего не знают, там опять ничего объяснить не умеют; если я не слыхал, ты не слыхал, тот не слыхал, пятый тоже ничего не слыхал, то кто же, наконец, и слышал, спрошу тебя? Чем же это объяснить, по-твоему, кроме того, что наполовину дело — мираж, не существует, вроде того, как, например, свет луны... или другие привидения.

— *Она* помешанная, — пробормотал князь, вдруг припомнив, с болью, всё давешнее.

— В одно слово, если ты про эту. Меня тоже такая же идея посещала отчасти, и я засыпал спокойно. Но теперь я вижу, что тут думают правильнее, и не верю помешательству. Женщина вздорная, положим, но при этом даже тонкая, не только не безумная. Сегодняшняя выходка насчет Капитона Алексеича это слишком доказывает. С ее стороны дело мошенническое, то есть по крайней мере иезуитское, для особых целей.

— Какого Капитона Алексеича?

— Ах, боже мой, Лев Николаич, ты ничего не слушаешь. Я с того и начал, что заговорил с тобой про Капитона Алексеича; поражен так, что даже и теперь руки-ноги дрожат. Для того и в городе промедлил сегодня. Капитон Алексеич Радомский, дядя Евгения Павлыча...

— Ну! — вскричал князь.

— Застрелился утром, на рассвете, в семь часов. Старичок почтенный, семидесяти лет, эпикуреец, — и точь-в-точь как она говорила, — казенная сумма, знатная сумма!

— Откуда же она...

— Узнала-то? Ха-ха! Да ведь кругом нее уже целый штаб образовался, только что появилась. Знаешь, какие лица теперь ее посещают и ищут этой «чести знакомства». Натурально, давеча могла что-нибудь услышать от приходивших, потому что теперь весь Петербург уже знает, и здесь пол-Павловска или и весь уже Павловск. Но какое же тонкое замечание ее насчет мундира-то, как мне пересказали, то есть насчет того, что Евгений Павлыч заблаговременно успел выйти в отставку! Эдакий адский намек! Нет, это не выражает сумасшествия. Я, конечно, отказываюсь верить, что Евгений Павлыч мог знать заранее про катастрофу, то есть что такого-то числа, в семь часов, и так далее. Но он мог всё это предчувствовать. А я-то, а мы-то все и князь Щ. рассчитывали, что еще тот ему наследство оставит! Ужас! Ужас! Пойми, впрочем, я Евгения Павлыча не обвиняю ни в чем и спешу объяснить тебе, но все-таки, однако ж, подозрительно. Князь Щ. поражен чрезвычайно. Всё это как-то странно стряслось.

— Но что же в поведении Евгения Павлыча подозрительного?

— Ничего нет! Держал себя благороднейшим образом. Я и не намекал ни на что. Свое-то состояние, я думаю, у него в целости. Лизавета Прокофьевна, разумеется, и слышать не хочет... Но главное — все эти семейные катастрофы, или, лучше сказать, все эти дрязги, так что даже не знаешь, как и назвать... Ты, подлинно сказать, друг дома, Лев Николаич, и вообрази, сейчас оказывается, хоть, впрочем, и не точно, что Евгений Павлыч будто бы уже больше месяца назад объяснился с Аглаей и получил будто бы от нее формальный отказ.

— Быть не может! — с жаром вскричал князь.

— Да разве ты что-нибудь знаешь? Видишь, дражайший, — встрепенулся и удивился генерал, останавливаясь на месте как вкопанный, — я, может быть, тебе напрасно и неприлично проговорился, но ведь это потому, что ты... что ты... можно сказать, такой человек. Может быть, ты знаешь что-нибудь особенное?

— Я ничего не знаю... об Евгении Павлыче, — пробормотал князь.

— И я не знаю! Меня... меня, брат, решительно хотят закопать в землю и похоронить, и рассудить не хотят при этом, что это тяжело человеку и что я этого не вынесу. Сейчас такая сцена была, что ужас! Я как родному сыну тебе говорю. Главное, Аглая точно смеется над матерью. Про то, что она, кажется, отказала Евгению Павлычу с месяц назад и что было у них объяснение, довольно формальное, сообщили сестры, в виде догадки... впрочем, твердой догадки. Но ведь это такое самовольное и фантастическое создание, что и рассказать нельзя! Все великодушия, все блестящие качества сердца и ума — это всё, пожалуй, в ней есть, но при этом каприз, насмешки, — словом, характер бесовский и вдобавок с фантазиями. Над матерью сейчас насмеялась в глаза, над сестрами, над князем Щ.; про меня и говорить нечего, надо мной она редко когда не смеется, но ведь я что, я, знаешь, люблю ее, люблю даже, что она смеется, — и, кажется, бесенок этот меня за это особенно любит, то есть больше всех других, кажется. Побьюсь об заклад, что она и над тобой уже в чем-нибудь насмеялась. Я вас сейчас застал в разговоре после давешней грозы наверху; она с тобой сидела как ни в чем не бывало.

Князь покраснел ужасно и сжал правую руку, но промолчал.

— Милый, добрый мой Лев Николаич! — с чувством и с жаром сказал вдруг генерал, — я... и даже сама Лизавета Прокофьевна (которая, впрочем, тебя опять начала честить, а вместе с тобой и меня за тебя, не понимаю только за что), мы все-таки тебя любим, любим искренно и уважаем, несмотря даже ни на что, то есть на всё видимости. Но согласись, милый друг, согласись сам, какова вдруг загадка и какова досада слышать, когда вдруг этот хладнокровный бесенок (потому что она стояла пред матерью с видом глубочайшего презрения ко всем нашим вопросам, а к моим преимущественно, потому что я, черт возьми, сглупил, вздумал было строгость показать, так как я глава семейства, — ну, и сглупил), этот хладнокровный бесенок так вдруг и объявляет, с усмешкой, что эта «помешанная» (так она выразилась, и мне странно, что она в одно слово с тобой: «разве вы не могли, говорит, до сих пор догадаться»), что эта помешанная «забрала себе в голову во что бы то ни стало меня замуж за князя Льва Николаича выдать, а для того Евгения Павлыча из дому от нас выживает»... только и сказала; никакого больше объяснения не дала, хохочет себе, а мы рот разинули, хлопнула дверью и вышла. Потом мне рассказали о давешнем пассаже с нею и с тобой... и... и... послушай, милый князь, ты человек не обидчивый и очень рассудительный, я это в тебе заметил, но... не рассердись: ей-богу, она над тобой смеется. Как ребенок смеется, и потому ты на нее не сердись, но это решительно так. Не думай чего-нибудь, — она просто дурачит и тебя, и нас всех, от безделья. Ну, прощай! Ты знаешь наши чувства? Наши искренние к тебе чувства? Они неизменны, никогда и ни в чем... но... мне теперь сюда, до свиданья! Редко я до такой степени сидел плохо в тарелке (как это говорится-то?), как теперь сижу... Ай да дача!

Оставшись один на перекрестке, князь осмотрелся кругом, быстро перешел через улицу, близко подошел к освещенному окну одной дачи, развернул маленькую бумажку, которую крепко сжимал в правой руке во всё время разговора с Иваном Федоровичем, и прочел, ловя слабый луч света:

«Завтра в семь часов утра я буду на зеленой скамейке, в парке, и буду вас ждать. Я решилась говорить с вами об одном чрезвычайно важном деле, которое касается прямо до вас.

P. S. Надеюсь, вы никому не покажете этой записки. Хоть мне и совестно писать вам такое наставление, но я рассудила, что вы того стоите, и написала, — краснея от стыда за ваш смешной характер.

PP. SS. Это та самая зеленая скамейка, которую я вам давеча показала. Стыдитесь! Я принуждена была и это приписать».

Записка была написана наскоро и сложена кое-как, всего вероятнее, пред самым выходом Аглаи на террасу. В невыразимом волнении, похожем на испуг, князь крепко зажал опять в руку бумажку и отскочил поскорей от окна, от света, точно испуганный вор; но при этом движении вдруг плотно столкнулся с одним господином, который очутился прямо у него за плечами.

— Я за вами слежу, князь, — проговорил господин.

— Это вы, Келлер? — вскричал князь в удивлении.

— Ищу вас, князь. Поджидал вас у дачи Епанчиных, разумеется, не мог войти. Шел за вами, пока вы шли с генералом. К вашим услугам, князь, располагайте Келлером. Готов жертвовать и даже умереть, если понадобится.

— Да... зачем?

— Ну, уж наверно последует вызов. Этот поручик Моловцов, я его знаю, то есть не лично... он не перенесет оскорбления. Нашего брата, то есть меня да Рогожина, он, разумеется, наклонен почесть за шваль, и, может быть, заслуженно, — таким образом, в ответе вы один и приходитесь. Придется заплатить за бутылки, князь. Он про вас осведомлялся, я слышал, и уж наверно завтра его приятель к вам пожалует, а может, и теперь уже ждет. Если удостоите чести выбрать в секунданты, то за вас готов и под красную шапку; затем и искал вас, князь.

— Так и вы тоже про дуэль! — захохотал вдруг князь к чрезвычайному удивлению Келлера. Он хохотал ужасно. Келлер, действительно бывший чуть не на иголках до тех пор, пока не удовлетворился, предложив себя в секунданты, почти обиделся, смотря на такой развеселый смех князя.

— Вы, однако ж, князь, за руки его давеча схватили. Благородному лицу и при публике это трудно перенести.

— А он меня в грудь толкнул! — смеясь, вскричал князь. — Не за что нам драться! Я у него прощения попрошу, вот и всё. А коли драться, так драться! Пусть стреляет; я даже хочу. Ха-ха! Я теперь умею пистолет заряжать! Знаете ли, что меня сейчас учили, как пистолет зарядить? Вы умеете пистолет заряжать, Келлер? Надо прежде пороху купить, пистолетного, не мокрого и не такого крупного, которым из пушек палят; а потом сначала пороху положить, войлоку откуда-нибудь из двери достать, и потом уже пулю вкатить, а не пулю прежде пороха, потому что не выстрелит. Слышите, Келлер: потому что не выстрелит. Ха-ха! Разве это не великолепнейший резон, друг Келлер? Ах, Келлер, знаете ли, что я вас сейчас обниму и поцелую. Ха-ха-ха! Как вы это давеча очутились так вдруг пред ним? Приходите ко мне как-нибудь поскорее пить шампанское. Все напьемся пьяны! Знаете ли вы, что у меня двенадцать бутылок шампанского есть, у Лебедева на погребе? Лебедев мне «по случаю» продал третьего дня, на другой же день, как я к нему переехал, я все и купил! Я всю компанию соберу! А что, вы будете спать эту ночь?

— Как и всякую, князь.

— Ну, так спокойных снов! Ха-ха!

Князь перешел через дорогу и исчез в парке, оставив в раздумье несколько озадаченного Келлера. Он еще не видывал князя в таком странном настроении, да и вообразить до сих пор не мог.

«Лихорадка, может быть, потому что нервный человек, и всё это подействовало, но уж, конечно, не струсит. Вот эти-то и не трусят, ей-богу! — думал про себя Келлер. — Гм, шампанское! Интересное, однако ж, известие. Двенадцать бутылок-с, дюжинка; ничего, порядочный гарнизон. А бьюсь об заклад, что Лебедев под заклад от кого-нибудь это шампанское принял. Гм... он, однако же, довольно мил, этот князь; право, я люблю этаких; терять, однако же, времени нечего и... если шампанское, то самое время и есть...»

Что князь был как в лихорадке, это, разумеется, было справедливо.

Он долго бродил по темному парку и наконец «нашел себя» расхаживающим по одной аллее. В сознании его оставалось воспоминание, что по этой аллее он уже прошел, начиная от скамейки до одного старого дерева, высокого и заметного, всего шагов сотню, раз тридцать или сорок взад и вперед. Припомнить то, что он думал в этот, по крайней мере, целый час в парке, он бы никак не смог, если бы даже и захотел. Он уловил себя, впрочем, на одной мысли, от которой покатился вдруг со смеху; хотя смеяться было и нечему, но ему всё хотелось смеяться. Ему вообразилось, что предположение о дуэли могло зародиться и не в одной голове Келлера и что, стало быть, история о том, как заряжают пистолет, могла быть и не случайная... «Ба! — остановился он вдруг, озаренный другою идеей, — давеча она сошла на террасу, когда я сидел в углу, и ужасно удивилась, найдя меня там, и — так смеялась... о чае заговорила; а ведь у ней в это время уже была эта бумажка в руках, стало быть, она непременно знала, что я сижу на террасе, так зачем же она удивилась? Ха-ха-ха!»

Он выхватил записку из кармана и поцеловал ее, но тотчас же остановился и задумался.

«Как это странно! Как это странно!» — проговорил он чрез минуту даже с какою-то грустью: в сильные минуты ощущения радости ему всегда становилось грустно, он сам не знал отчего. Он пристально осмотрелся кругом и удивился, что зашел сюда. Он очень устал, подошел к скамейке и сел на нее. Кругом была чрезвычайная тишина. Музыка уже кончилась в воксале. В парке уже, может быть, не было никого; конечно, было не меньше половины двенадцатого. Ночь была тихая, теплая, светлая — петербургская ночь начала июня месяца, но в густом, тенистом парке, в аллее, где он находился, было почти уже совсем темно.

Если бы кто сказал ему в эту минуту, что он влюбился, влюблен страстною любовью, то он с удивлением отверг бы эту мысль и, может быть, даже с негодованием. И если бы кто прибавил к тому, что записка Аглаи есть записка любовная, назначение любовного свидания, то он сгорел бы со стыда за того человека и, может быть, вызвал бы его на дуэль. Всё это было вполне искренно, и он ни разу не усомнился и не допустил ни малейшей «двойной» мысли о возможности любви к нему этой девушки или даже о возможности своей любви к этой девушке. Возможность любви к нему, «к такому человеку, как он», он почел бы делом чудовищным. Ему мерещилось, что это была просто шалость с ее стороны, если действительно тут что-нибудь есть; но он как-то слишком был равнодушен собственно к шалости и находил ее слишком в порядке вещей; сам же был занят и озабочен чем-то совершенно другим. Словам, проскочившим давеча у взволнованного генерала насчет того, что она смеется над всеми, а над ним, над князем, в особенности, он поверил вполне. Ни малейшего оскорбления не почувствовал он при этом; по его мнению, так и должно было быть. Всё состояло для него главным образом в том, что завтра он опять увидит ее, рано утром, будет сидеть с нею рядом на зеленой скамейке, слушать, как заряжают пистолет, и глядеть на нее. Больше ему ничего и не надо было. Вопрос о том — что такое она ему намерена сказать и какое такое это важное дело, до него прямо касающееся? — раз или два тоже мелькнул в его голове. Кроме того, в действительном существовании этого «важного дела», по которому звали его, он не усомнился ни на одну минуту, но совсем почти не думал об этом важном деле теперь, до того, что даже не чувствовал ни малейшего побуждения думать о нем.

Скрип тихих шагов на песке аллеи заставил его поднять голову. Человек, лицо которого трудно было различить в темноте, подошел к скамейке и сел подле него. Князь быстро придвинулся к нему, почти вплоть, и различил бледное лицо Рогожина.

— Так и знал, что где-нибудь здесь бродишь, недолго и проискал, — пробормотал сквозь зубы Рогожин.

В первый раз сходились они после встречи их в коридоре трактира. Пораженный внезапным появлением Рогожина, князь некоторое время не мог собраться с мыслями, и мучительное ощущение воскресло в его сердце. Рогожин, видимо, понимал впечатление, которое производил; но хоть он и сбивался вначале, говорил как бы с видом какой-то заученной развязности, но князю скоро показалось, что в нем не было ничего заученного и даже никакого особенного смущения: если была какая неловкость в его жестах и разговоре, то разве только снаружи; в душе этот человек не мог измениться.

— Как ты... отыскал меня здесь? — спросил князь, чтобы что-нибудь выговорить.

— От Келлера слышал (я к тебе заходил), «в парк-де пошел»; ну, думаю, так оно и есть.

— Что такое «есть»? — тревожно подхватил князь выскочившее слово.

Рогожин усмехнулся, но объяснения не дал.

— Я получил твое письмо, Лев Николаич; ты это всё напрасно... и охота тебе!.. А теперь я к тебе от *нее*: беспременно велят тебя звать; что-то сказать тебе очень надо. Сегодня же и просила.

— Я приду завтра. Я сейчас домой иду; ты... ко мне?

— Зачем? Я тебе всё сказал; прощай.

— Не зайдешь разве? — тихо спросил его князь.

— Чуден ты человек, Лев Николаич, на тебя подивиться надо.

Рогожин язвительно усмехнулся.

— Почему? С чего у тебя такая злоба теперь на меня? — грустно и с жаром подхватил князь. — Ведь ты сам знаешь теперь, что всё, что ты думал, — неправда. А ведь я, впрочем, так и думал, что злоба в тебе до сих пор на меня не прошла, и знаешь почему? Потому что ты же на меня посягнул, оттого и злоба твоя не проходит. Говорю тебе, что помню одного того Парфена Рогожина, с которым я крестами в тот день побратался; писал я это тебе во вчерашнем письме, чтобы ты и думать обо всем этом бреде забыл и говорить об этом не зачинал со мной. Чего ты сторонишься от меня? Чего руку от меня прячешь? Говорю тебе, что всё это, что было тогда, за один только бред почитаю: я тебя наизусть во весь тогдашний день теперь знаю, как себя самого. То, что ты вообразил, не существовало и не могло существовать. Для чего же злоба наша будет существовать?

— Какая у тебя будет злоба! — засмеялся опять Рогожин в ответ на горячую, внезапную речь князя. Он действительно стоял, сторонясь от него, отступив шага на два и пряча свои руки.

— Теперь мне не стать к тебе вовсе ходить, Лев Николаич, — медленно и сентенциозно прибавил он в заключение.

— До того уж меня ненавидишь, что ли?

— Я тебя не люблю, Лев Николаич, так зачем я к тебе пойду? Эх, князь, ты точно как ребенок какой, захотелось игрушки — вынь да положь, а дела не понимаешь. Это ты всё точно так в письме отписал, что и теперь говоришь, да разве я не верю тебе? Каждому твоему слову верю и знаю, что ты меня не обманывал никогда и впредь не обманешь; а я тебя все-таки не люблю. Ты вот пишешь, что ты все забыл и что одного только крестового брата Рогожина помнишь, а не того Рогожина, который на тебя тогда нож подымал. Да почему ты-то мои чувства знаешь? (Рогожин опять усмехнулся.) Да я, может, в том ни разу с тех пор и не покаялся, а ты уже свое братское прощение мне прислал. Может, я в тот же вечер о другом совсем уже думал, а об этом...

— И думать забыл! — подхватил князь. — Да еще бы! И бьюсь об заклад, что ты прямо тогда на чугунку и сюда в Павловск на музыку прикатил, и в толпе ее точно так же, как и сегодня, следил да высматривал. Эк чем удивил! Да не был бы ты тогда в таком положении, что об одном только и способен был думать, так, может быть, и ножа бы на меня не поднял. Предчувствие тогда я с утра еще имел, на тебя глядя; ты знаешь ли, каков ты тогда был? Как крестами менялись, тут, может, и зашевелилась во мне эта мысль. Для чего ты меня к старушке тогда водил? Свою руку этим думал сдержать? Да и не может быть, чтобы подумал, а так только почувствовал, как и я... Мы тогда в одно слово почувствовали. Не подыми ты руку тогда на меня (которую Бог отвел), чем бы я теперь пред тобой оказался? Ведь я ж тебя всё равно в этом подозревал, один наш грех, в одно слово! (Да не морщись! Ну, и чего ты смеешься?) «Не каялся»! Да если б и хотел, то, может быть, не смог бы покаяться, потому что и не любишь меня вдобавок. И будь я как ангел пред тобою невинен, ты все-таки терпеть меня не будешь, пока будешь думать, что она не тебя, а меня любит. Вот это ревность, стало быть, и есть. А только вот что я в эту неделю надумал, Парфен, и скажу тебе: знаешь ли ты, что она тебя теперь, может, больше всех любит, и так даже, что чем больше мучает, тем больше и любит. Она этого не скажет тебе, да надо видеть уметь. Для чего она в конце концов за тебя все-таки замуж идет? Когда-нибудь скажет это тебе самому. Иные женщины даже хотят, чтоб их так любили, а она именно такого характера! А твой характер и любовь твоя должны ее поразить! Знаешь ли, что женщина способна замучить человека жестокостями и насмешками и ни разу угрызения совести не почувствует, потому что про себя каждый раз будет думать, смотря на тебя: «Вот теперь я его измучаю до смерти, да зато потом ему любовью моею наверстаю...»

Рогожин захохотал, выслушав князя.

— Да что, князь, ты и сам как-нибудь к этакой не попал ли? Я кое-что слышал про тебя, если правда?

— Что, что ты мог слышать? — вздрогнул вдруг князь и остановился в чрезвычайном смущении.

Рогожин продолжал смеяться. Он не без любопытства и, может быть, не без удовольствия выслушал князя; радостное и горячее увлечение князя очень поразило и ободрило его.

— Да и не то что слышал, а и сам теперь вижу, что правда, — прибавил он, — ну когда ты так говорил, как теперь? Ведь этакой разговор точно и не от тебя. Не слышал бы я о тебе такого, так и не пришел бы сюда; да еще в парк, в полночь.

— Я тебя совсем не понимаю, Парфен Семеныч.

— Она-то давно еще мне про тебя разъясняла, а теперь я давеча и сам рассмотрел, как ты на музыке с тою сидел. Божилась мне, вчера и сегодня божилась, что ты в Аглаю Епанчину как кошка влюблен. Мне это, князь, всё равно, да и дело оно не мое: если ты ее разлюбил, так она еще не разлюбила тебя. Ты ведь знаешь, что она тебя с тою непременно повенчать хочет, слово такое дала, хе-хе! Говорит мне: «Без эфтого за тебя не выйду, они в церковь, и мы в церковь». Что тут такое, я понять не могу и ни разу не понимал: или любит тебя без предела, или... коли любит, так как же с другою тебя венчать хочет? Говорит: «Хочу его счастливым видеть», — значит, стало быть, любит.

— Я говорил и писал тебе, что она... не в своем уме, — сказал князь, с мучением выслушав Рогожина.

— Господь знает! Это ты, может, и ошибся... она мне, впрочем, день сегодня назначила, как с музыки привел ее: через три недели, а может и раньше, наверно, говорит, под венец пойдем; поклялась, образ сняла, поцеловала. За тобой, стало быть, князь, теперь дело, хе-хе!

— Это всё бред! Этому, что ты про меня говоришь, никогда, никогда не бывать! Завтра я к вам приду...

— Какая же сумасшедшая? — заметил Рогожин. — Как же она для всех прочих в уме, а только для тебя одного как помешанная? Как же она письма-то пишет туда? Коли сумасшедшая, так и там бы по письмам заметили.

— Какие письма? — спросил князь в испуге.

— Туда пишет, к *той*, а та читает. Аль не знаешь? Ну, так узнаешь; наверно покажет тебе сама.

— Этому верить нельзя! — вскричал князь.

— Эх! Да ты, Лев Николаич, знать, немного этой дорожки еще прошел, сколько вижу, а только еще начинаешь. Пожди мало: будешь свою собственную полицию содержать, сам день и ночь дежурить и каждый шаг оттуда знать, коли только...

— Оставь и не говори про это никогда! — вскричал князь. — Слушай, Парфен, я вот сейчас пред тобой здесь ходил и вдруг стал смеяться, чему не знаю, а только причиной было, что я припомнил, что завтрашний день — день моего рождения как нарочно приходится. Теперь чуть ли не двенадцать часов. Пойдем, встретим день! У меня вино есть, выпьем вина, пожелай мне того, чего я и сам не знаю теперь пожелать, и именно ты пожелай, а я тебе твоего счастья полного пожелаю. Не то подавай назад крест! Ведь не прислал же мне крест на другой-то день! Ведь на тебе? На тебе и теперь?

— На мне, — проговорил Рогожин.

— Ну, и пойдем. Я без тебя не хочу мою новую жизнь встречать, потому что новая моя жизнь началась! Ты не знаешь, Парфен, что моя новая жизнь сегодня началась?

— Теперь сам вижу и сам знаю, что началась; так и *ей* донесу. Не в себе ты совсем, Лев Николаич!

IV

С чрезвычайным удивлением заметил князь, подходя к своей даче с Рогожиным, что на его террасе, ярко освещенной, собралось шумное и многочисленное общество. Веселая компания хохотала, голосила; кажется, даже спорила до крику; подозревалось с первого взгляда самое радостное препровождение времени. И действительно, поднявшись на террасу, он увидел, что все пили, и пили шампанское, и, кажется, уже довольно давно, так что многие из пирующих успели весьма приятно одушевиться. Гости были все знакомые князя, но странно было, что они собрались разом все, точно по зову, хотя князь никого не звал, а про день своего рождения он и сам только что вспомнил нечаянно.

— Объявил, знать, кому, что шампанского выставишь, вот они и сбежались, — пробормотал Рогожин, всходя вслед за князем на террасу, — мы эфтот пункт знаем; им только свистни... — прибавил он почти со злобой, конечно припоминая свое недавнее прошлое.

Все встретили князя криками и пожеланиями, окружили его. Иные были очень шумны, другие гораздо спокойнее, но все торопились поздравить, прослышав о дне рождения, и всякий ждал своей очереди. Присутствие некоторых лиц заинтересовало князя, например, Бурдовского; но всего удивительнее было, что среди этой компании очутился вдруг и Евгений Павлович; князь почти верить себе не хотел и чуть не испугался, увидев его.

Тем временем Лебедев, раскрасневшийся и почти восторженный, подбежал с объяснениями; он был довольно сильно *готов*. Из болтовни его оказалось, что все собрались совершенно натурально и даже нечаянно. Прежде всех, перед вечером, приехал Ипполит и, чувствуя себя гораздо лучше, пожелал подождать князя на террасе. Он расположился на диване; потом к нему сошел Лебедев, затем всё его семейство, то есть генерал Иволгин и дочери. Бурдовский приехал с Ипполитом, сопровождая его. Ганя и Птицын зашли, кажется, недавно, проходя мимо (их появление совпало с происшествием в воксале); затем явился Келлер, объявил о дне рождения и потребовал шампанского. Евгений Павлович зашел всего с полчаса назад. На шампанском и чтоб устроить праздник настаивал изо всех сил и Коля. Лебедев с готовностью подал вина.

— Но своего, своего! — лепетал он князю, — на собственное иждивение, чтобы прославить и поздравить, и угощение будет, закуска, и об этом дочь хлопочет; но, князь, если бы вы знали, какая тема в ходу. Помните у Гамлета: «Быть или не быть?» Современная тема-с, современная! Вопросы и ответы... И господин Терентьев в высшей степени... спать не хочет! А шампанского он только глотнул, глотнул, не повредит... Приближьтесь, князь, и решите! Все вас ждали, все только и ждали вашего счастливого ума...

Князь заметил милый, ласковый взгляд Веры Лебедевой, тоже торопившейся пробраться к нему сквозь толпу. Мимо всех он протянул руку ей первой; она вспыхнула от удовольствия и пожелала ему «счастливой жизни *с этого самого дня*». Затем стремглав побежала на кухню; там она готовила закуску; но и до прихода князя, — только что на минуту могла оторваться от дела, — являлась на террасу и изо всех сил слушала горячие споры о самых отвлеченных и странных для нее вещах, не умолкавшие между подпившими гостями. Младшая сестра ее, разевавшая рот, заснула в следующей комнате, на сундуке, но мальчик, сын Лебедева, стоял подле Коли и Ипполита, и один вид его одушевленного лица показывал, что он готов простоять здесь на одном месте, наслаждаясь и слушая, хоть еще часов десять сряду.

— Я вас особенно ждал и ужасно рад, что вы пришли такой счастливый, — проговорил Ипполит, когда князь, тотчас после Веры, подошел пожать ему руку.

— А почему вы знаете, что я «такой счастливый»?

— По лицу видно. Поздоровайтесь с господами и присядьте к нам сюда поскорее. Я особенно вас ждал, — прибавил он, значительно напирая на то, что он ждал. На замечание князя: «не повредило бы ему так поздно сидеть?» — он отвечал, что сам себе удивляется, как это он три дня назад умереть хотел, и что никогда он не чувствовал себя лучше, как в этот вечер.

Бурдовский вскочил и пробормотал, что он «так...», что он с Ипполитом, «сопровождал», и что тоже рад; что в письме он «написал вздор», а теперь «рад просто...» Не договорив, он крепко сжал руку князя и сел на стул.

После всех князь подошел и к Евгению Павловичу. Тот тотчас же взял его под руку.

— Мне вам только два слова сказать, — прошептал он вполголоса, — и по чрезвычайно важному обстоятельству; отойдемте на минуту.

— Два слова, — прошептал другой голос в другое ухо князя, и другая рука взяла его с другой стороны под руку. Князь с удивлением заметил страшно взъерошенную, раскрасневшуюся, подмигивающую и смеющуюся фигуру, в которой в ту же минуту узнал Фердыщенка, бог знает откуда взявшегося.

— Фердыщенка помните? — спросил тот.

— Откуда вы взялись? — вскричал князь.

— Он раскаивается! — вскричал подбежавший Келлер. — Он спрятался, он не хотел к вам выходить, он там в углу спрятался, он раскаивается, князь, он чувствует себя виноватым.

— Да в чем же, в чем же?

— Это я его встретил, князь, я его сейчас встретил и привел; это редкий из моих друзей; но он раскаивается.

— Очень рад, господа; ступайте, садитесь туда ко всем, я сейчас приду, — отделался наконец князь, торопясь к Евгению Павловичу.

— Здесь у вас занимательно, — заметил тот, — и я с удовольствием прождал вас с полчаса. Вот что, любезнейший Лев Николаевич, я всё устроил с Курмышевым и зашел вас успокоить; вам нечего беспокоиться, он очень, очень рассудительно принял дело, тем более что, по-моему, скорее сам виноват.

— С каким Курмышевым?

— Да вот, которого вы за руки давеча схватили... Он был так взбешен, что хотел уже к вам завтра прислать за объяснениями.

— Полноте, какой вздор!

— Разумеется, вздор, и вздором наверно бы кончилось; но у нас эти люди...

— Вы, может быть, и еще зачем-нибудь пришли, Евгений Павлыч?

— О, разумеется, еще зачем-нибудь, — рассмеялся тот. — Я, милый князь, завтра чем свет еду по этому несчастному делу (ну, вот, о дяде-то) в Петербург; представьте себе: всё это верно и все уже знают, кроме меня. Меня так это всё поразило, что я *туда* и не поспел зайти (к Епанчиным); завтра тоже не буду, потому что буду в Петербурге, понимаете? Может, дня три здесь не буду, — одним словом, дела мои захромали. Хоть дело и не бесконечно важное, но я рассудил, что мне нужно кое в чем откровеннейшим образом объясниться с вами, и не пропуская времени, то есть до отъезда. Я теперь посижу и подожду, если велите, пока разойдется компания; притом же мне некуда более деваться: я так взволнован, что и спать не лягу. Наконец, хотя бессовестно и непорядочно так прямо преследовать человека, но я вам прямо скажу: я пришел искать вашей дружбы, милый мой князь; вы человек бесподобнейший, то есть не лгущий на каждом шагу, а может быть, и совсем, а мне в одном деле нужен друг и советник, потому что я решительно теперь из числа несчастных...

Он опять засмеялся.

— Вот в чем беда, — задумался на минуту князь, — вы хотите подождать, пока они разойдутся, а ведь бог знает когда это будет. Не лучше ли нам теперь сойти в парк; они, право, подождут; я извинюсь.

— Ни-ни, я имею свои причины, чтобы нас не заподозрили в экстренном разговоре с целью; тут есть люди, которые очень интересуются нашими отношениями, — вы не знаете этого, князь? И гораздо лучше будет, если увидят, что и без того в самых дружелюбнейших, а не в экстренных только отношениях, — понимаете? Они часа через два разойдутся; я у вас возьму минут двадцать, ну — полчаса...

— Да милости просим, пожалуйте; я слишком рад и без объяснений; а за ваше доброе слово о дружеских отношениях очень вас благодарю. Вы извините, что я сегодня рассеян; знаете, я как-то никак не могу быть в эту минуту внимательным.

— Вижу, вижу, — пробормотал Евгений Павлович с легкою усмешкой. — Он был очень смешлив в этот вечер.

— Что вы видите? — встрепенулся князь.

— А вы и не подозреваете, милый князь, — продолжал усмехаться Евгений Павлович, не отвечая на прямой вопрос, — вы не подозреваете, что я просто пришел вас надуть и мимоходом от вас что-нибудь выпытать, а?

— Что вы пришли выпытать, в этом и сомнения нет, — засмеялся наконец и князь, — и даже, может быть, вы решили меня немножко и обмануть. Но ведь что ж, я вас не боюсь; притом же мне теперь как-то всё равно, поверите ли? И... и... и так как я прежде всего убежден, что вы человек все-таки превосходный, то ведь мы, пожалуй, и в самом деле кончим тем, что дружески сойдемся. Вы мне очень понравились, Евгений Павлыч, вы... очень, очень порядочный, по-моему, человек!

— Ну, с вами во всяком случае премило дело иметь, даже какое бы ни было, — заключил Евгений Павлович, — пойдемте, я за ваше здоровье бокал выпью; я ужасно доволен, что к вам пристал. А! — остановился он вдруг, — этот господин Ипполит к вам жить переехал?

— Да.

— Он ведь не сейчас умрет, я думаю?

— А что?

— Так, ничего; я полчаса здесь с ним пробыл...

Ипполит всё это время ждал князя и беспрерывно поглядывал на него и на Евгения Павловича, когда они разговаривали в стороне. Он лихорадочно оживился, когда они подошли к столу. Он был беспокоен и возбужден; пот выступал на его лбу. В сверкавших глазах его высказывалось, кроме какого-то блуждающего, постоянного беспокойства, и какое-то неопределенное нетерпение; взгляд его переходил без цели с предмета на предмет, с одного лица на другое. Хотя во всеобщем шумном разговоре он принимал до сих пор большое участие, но одушевление его было только лихорадочное; собственно к разговору он был невнимателен; спор его был бессвязен, насмешлив и небрежно парадоксален; он не договаривал и бросал то, о чем за минуту сам начинал говорить с горячечным жаром. Князь с удивлением и сожалением узнал, что ему позволили в этот вечер беспрепятственно выпить полные два бокала шампанского и что початый стоявший перед ним бокал был уже третий. Но он узнал это только потом; в настоящую же минуту был не очень заметлив.

— А знаете, что я ужасно рад тому, что именно сегодня день вашего рождения? — прокричал Ипполит.

— Почему?

— Увидите; скорее усаживайтесь; во-первых, уж потому, что собрался весь этот ваш... народ. Я так и рассчитывал, что народ будет; в первый раз в жизни мне расчет удается! А жаль, что не знал о вашем рождении, а то бы приехал с подарком... Ха-ха! Да, может, я и с подарком приехал! Много ли до света?

— До рассвета и двух часов не осталось, — заметил Птицын, посмотрев на часы.

— Да зачем теперь рассвет, когда на дворе и без него читать можно? — заметил кто-то.

— Затем, что мне надо краешек солнца увидеть. Можно пить за здоровье солнца, князь, как вы думаете?

Ипполит спрашивал резко, обращаясь ко всем без церемонии, точно командовал, но, кажется, сам не замечал того.

— Выпьем, пожалуй; только вам бы успокоиться, Ипполит, а?

— Вы всё про спанье; вы, князь, моя нянька! Как только солнце покажется и «зазвучит» на небе (кто это сказал в стихах: «на небе солнце зазвучало»? бессмысленно, но хорошо!) — так мы и спать. Лебедев! Солнце ведь источник жизни? Что значит «источники жизни» в Апокалипсисе? Вы слыхали о «звезде Полынь», князь?

— Я слышал, что Лебедев признает эту «звезду Полынь» сетью железных дорог, распространившихся по Европе.

— Нет-с, позвольте-с, так нельзя-с! — закричал Лебедев, вскакивая и махая руками, как будто желая остановить начинавшийся всеобщий смех, — позвольте-с! С этими господами... эти все господа, — обернулся он вдруг к князю, — ведь это, в известных пунктах, вот что-с... — и он без церемонии постукал два раза по столу, отчего смех еще более усилился.

Лебедев был хотя и в обыкновенном «вечернем» состоянии своем, но на этот раз он был слишком уж возбужден и раздражен предшествовавшим долгим «ученым» спором, а в таких случаях к оппонентам своим он относился с бесконечным и в высшей степени откровенным презрением.

— Это не так-с! У нас, князь, полчаса тому составился уговор, чтобы не прерывать; чтобы не хохотать, покамест один говорит; чтоб ему свободно дали всё выразить, а потом уж пусть и атеисты, если хотят, возражают; мы генерала председателем посадили, вот-с! А то что же-с? Этак всякого можно сбить, на высокой идее-с, на глубокой идее-с...

— Да говорите, говорите: никто не сбивает! — раздались голоса.

— Говорите, да не заговаривайтесь.

— Что за «звезда Полынь» такая? — осведомился кто-то.

— Понятия не имею! — ответил генерал Иволгин, с важным видом занимая свое недавнее место председателя.

— Я удивительно люблю все эти споры и раздражения, князь, ученые, разумеется, — пробормотал между тем Келлер, в решительном упоении и нетерпении ворочаясь на стуле, — ученые и политические, — обратился он вдруг и неожиданно к Евгению Павловичу, сидевшему почти рядом с ним. — Знаете, я ужасно люблю в газетах читать про английские парламенты, то есть не в том смысле, про что они там рассуждают (я, знаете, не политик), а в том, как они между собой объясняются, ведут себя, так сказать, как политики: «благородный виконт, сидящий напротив», «благородный граф, разделяющий мысль мою», «благородный мой оппонент, удививший Европу своим предложением», то есть все вот эти выраженьица, весь этот парламентаризм свободного народа — вот что для нашего брата заманчиво. Я пленяюсь, князь. Я всегда был артист в глубине души, клянусь вам, Евгений Павлыч.

— Так что же после этого, — горячился в другом углу Ганя, — выходит, по-вашему, что железные дороги прокляты, что они гибель человечеству, что они язва, упавшая на землю, чтобы замутить «источники жизни»?

Гаврила Ардалионович был в особенно возбужденном настроении в этот вечер, и в настроении веселом, чуть не торжествующем, как показалось князю. С Лебедевым он, конечно, шутил, поджигая его, но скоро и сам разгорячился.

— Не железные дороги, нет-с! — возражал Лебедев, в одно и то же время и выходивший из себя и ощущавший непомерное наслаждение. — Собственно одни железные дороги не замутят источников жизни, а всё это в целом-с проклято, всё это настроение наших последних веков, в его общем целом, научном и практическом, может быть, и действительно проклято-с.

— Наверно проклято или только может быть? Это ведь важно в этом случае, — справился Евгений Павлович.

— Проклято, проклято, наверно проклято! — с азартом подтвердил Лебедев.

— Не торопитесь, Лебедев, вы по утрам гораздо добрее, — заметил, улыбаясь, Птицын.

— А по вечерам зато откровеннее! По вечерам задушевнее и откровеннее! — с жаром обернулся к нему Лебедев, — простодушнее и определительнее, честнее и почтеннее, и хоть этим я вам и бок подставляю, но наплевать-с; я вас всех вызываю теперь, всех атеистов: чем вы спасете мир и нормальную дорогу ему в чем отыскали, — вы, люди науки, промышленности, ассоциаций, платы заработной и прочего? Чем? Кредитом? Что такое кредит? К чему приведет вас кредит?

— Эк ведь у вас любопытство-то! — заметил Евгений Павлович.

— А мое мнение то, что кто такими вопросами не интересуется, тот великосветский шенапан-с!

— Да хоть ко всеобщей солидарности и равновесию интересов приведет, — заметил Птицын.

— И только, только! Не принимая никакого нравственного основания, кроме удовлетворения личного эгоизма и материальной необходимости? Всеобщий мир, всеобщее счастье — из необходимости! Так ли-с, если смею спросить, понимаю я вас, милостивый мой государь?

— Да ведь всеобщая необходимость жить, пить и есть, а полнейшее, научное, наконец, убеждение в том, что вы не удовлетворите этой необходимости без всеобщей ассоциации и солидарности интересов, есть, кажется, достаточно крепкая мысль, чтобы послужить опорного точкой и «источником жизни» для будущих веков человечества, — заметил уже серьезно разгорячившийся Ганя.

— Необходимость пить и есть, то есть одно только чувство самосохранения...

— Да разве мало одного только чувства самосохранения? Ведь чувство самосохранения — нормальный закон человечества...

— Кто это вам сказал? — крикнул вдруг Евгений Павлович. — Закон — это правда, но столько же нормальный, сколько и закон разрушения, а пожалуй, и саморазрушения. Разве в самосохранении одном весь нормальный закон человечества?

— Эге! — вскрикнул Ипполит, быстро оборотясь к Евгению Павловичу и с диким любопытством оглядывая его; но, увидев, что он смеется, засмеялся и сам, толкнул рядом стоящего Колю и опять спросил его, который час, даже сам притянул к себе серебряные часы Коли и жадно посмотрел на стрелку. Затем, точно всё забыв, он протянулся на диване, закинул руки за голову и стал смотреть в потолок; чрез полминуты он уже опять сидел за столом, выпрямившись и вслушиваясь в болтовню разгорячившегося до последней степени Лебедева.

— Мысль коварная и насмешливая, мысль шпигующая! — с жадностью подхватил Лебедев парадокс Евгения Павловича, — мысль, высказанная с целью подзадорить в драку противников, — но мысль верная! Потому что вы, светский пересмешник и кавалерист (хотя и не без способностей!), и сами не знаете, до какой степени ваша мысль есть глубокая мысль, есть верная мысль! Да-с. Закон саморазрушения и закон самосохранения одинаково сильны в человечестве!

Дьявол одинаково владычествует человечеством до предела времен еще нам неизвестного. Вы смеетесь? Вы не верите в дьявола? Неверие в дьявола есть французская мысль, есть легкая мысль. Вы знаете ли, кто есть дьявол? Знаете ли, как ему имя? И не зная даже имени его, вы смеетесь над формой его, по примеру Вольтерову, над копытами, хвостом и рогами его, вами же изобретенными; ибо нечистый дух есть великий и грозный дух, а не с копытами и с рогами, вами ему изобретенными. Но не в нем теперь дело!..

— Почему вы знаете, что не в нем теперь дело? — крикнул вдруг Ипполит и захохотал как будто в припадке.

— Мысль ловкая и намекающая! — похвалил Лебедев. — По опять-таки дело не в том, а вопрос у нас в том, что не ослабели ли «источники жизни» с усилением...

— Железных-то дорог? — крикнул Коля.

— Не железных путей сообщения, молодой, но азартный подросток, а всего того направления, которому железные дороги могут послужить, так сказать, картиной, выражением художественным. Спешат, гремят, стучат и торопятся для счастия, говорят, человечества! «Слишком шумно и промышленно становится в человечестве, мало спокойствия духовного», — жалуется один удалившийся мыслитель. «Пусть, но стук телег, подвозящих хлеб голодному человечеству, может быть, лучше спокойствия духовного», — отвечает тому победительно другой, разъезжающий повсеместно мыслитель, и уходит от него с тщеславием. Не верю я, гнусный Лебедев, телегам, подвозящим хлеб человечеству! Ибо телеги, подвозящие хлеб всему человечеству, без нравственного основания поступку, могут прехладнокровно исключить из наслаждения подвозимым значительную часть человечества, что уже и было...

— Это телеги-то могут прехладнокровно исключить? — подхватил кто-то.

— Что уже и было, — подтвердил Лебедев, не удостоивая вниманием вопроса, — уже был Мальтус, друг человечества. Но друг человечества с шатостию нравственных оснований есть людоед человечества, не говоря об его тщеславии; ибо оскорбите тщеславие которого-нибудь из сих бесчисленных друзей человечества, и он тотчас же готов зажечь мир с четырех концов из мелкого мщения, — впрочем, так же точно, как и всякий из нас, говоря по справедливости, как и я, гнуснейший из всех, ибо я-то, может быть, первый и дров принесу, а сам прочь убегу. Но не в том опять дело!

— Да в чем же, наконец?

— Надоел!

— Дело в следующем анекдоте из прошедших веков, ибо я в необходимости рассказать анекдот из прошедших веков. В наше время, в нашем отечестве, которое, надеюсь, вы любите одинаково со мной, господа, ибо я с своей стороны готов излить из себя даже всю кровь мою...

— Дальше! Дальше!

— В нашем отечестве, равно как и в Европе, всеобщие, повсеместные и ужасные голода посещают человечество, по возможному исчислению и сколько запомнить могу, не чаще теперь как один раз в четверть столетия, другими словами, однажды в каждое двадцатипятилетие. Не спорю за точную цифру, но весьма редко сравнительно.

— С чем сравнительно?

— С двенадцатым столетием и с соседними ему столетиями с той и с другой стороны. Ибо тогда, как пишут и утверждают писатели, всеобщие голода в человечестве посещали его в два года раз или по крайней мере в три года раз, так что при таком положении вещей человек прибегал даже к антропофагии, хотя и сохраняя секрет. Один из таких тунеядцев, приближаясь к старости, объявил сам собою и без всякого принуждения, что он в продолжение долгой и скудной жизни своей умертвил и съел лично и в глубочайшем секрете шестьдесят монахов и несколько светских младенцев, — штук шесть, но не более, то есть необыкновенно мало сравнительно с количеством съеденного им духовенства. До светских же взрослых людей, как оказалось, он с этою целью никогда не дотрогивался.

— Этого быть не может! — крикнул сам председатель, генерал, чуть даже не обиженным голосом. — Я часто с ним, господа, рассуждаю и спорю, и всё о подобных мыслях; но всего чаще он выставляет такие нелепости, что уши даже вянут, ни на грош правдоподобия!

— Генерал! Вспомни осаду Карса, а вы, господа, узнайте, что анекдот мой голая истина. От себя же замечу, что всякая почти действительность хотя и имеет непреложные законы свои, но почти всегда невероятна и неправдоподобна. И чем даже действительнее, тем иногда и неправдоподобнее.

— Да разве можно съесть шестьдесят монахов? — смеялись кругом.

— Хоть он и съел их не вдруг, что очевидно, а, может быть, в пятнадцать или в двадцать лет, что уже совершенно понятно и натурально...

— И натурально?

— И натурально! — с педантским упорством отгрызался Лебедев. — Да и кроме всего, католический монах уже по самой натуре своей повадлив и любопытен, и его слишком легко заманить в лес или в какое-нибудь укромное место и там поступить с ним по вышесказанному, — но я все-таки не оспариваю, что количество съеденных лиц оказалось чрезвычайное, даже до невоздержности.

— Может быть, это и правда, господа, — заметил вдруг князь.

До сих пор он в молчании слушал споривших и не ввязывался в разговор; часто от души смеялся вслед за всеобщими взрывами смеха. Видно было, что он ужасно рад тому, что так весело, так шумно; даже тому, что они так много пьют. Может быть, он и ни слова бы не сказал в целый вечер, но вдруг как-то вздумал заговорить. Заговорил же с чрезвычайною серьезностью, так что все вдруг обратились к нему с любопытством.

— Я, господа, про то собственно, что тогда бывали такие частые голода. Про это и я слышал, хотя и плохо знаю историю. Но, кажется, так и должно было быть. Когда я попал в швейцарские горы, я ужасно дивился развалинам старых рыцарских замков, построенных на склонах гор, по крутым скалам и по крайней мере на полверсте отвесной высоты (это значит несколько верст тропинками). Замок известно что: это целая гора камней. Работа ужасная, невозможная! И это, уж конечно, построили все эти бедные люди, вассалы. Кроме того, они должны были платить всякие подати и содержать духовенство. Где же тут было себя пропитать и землю обрабатывать? Их же тогда было мало, должно быть, ужасно умирали с голоду, и есть буквально, может быть, было нечего. Я иногда даже думал: как это не пресекся тогда совсем этот народ и что-нибудь с ним не случилось, как он мог устоять и вынести? Что были людоеды, и, может быть, очень много, то в этом Лебедев, без сомнения, прав; только вот я не знаю, почему именно он замешал тут монахов и что хочет этим сказать?

— Наверно, то, что в двенадцатом столетии только монахов и можно было есть, потому что только одни монахи и были жирны, — заметил Гаврила Ардалионович.

— Великолепнейшая и вернейшая мысль! — крикнул Лебедев, — ибо до светских он даже в не прикоснулся. Ни единого светского на шестьдесят нумеров духовенства, и это страшная мысль, историческая мысль, статистическая мысль, наконец, и из таких-то фактов и воссоздается история у умеющего; ибо до циферной точности возводится, что духовенство по крайней мере в шестьдесят раз жило счастливее и привольнее, чем всё остальное тогдашнее человечество. И, может быть, по крайней мере в шестьдесят раз было жирнее всего остального человечества...

— Преувеличение, преувеличение, Лебедев! — хохотали кругом.

— Я согласен, что историческая мысль, но к чему вы ведете? — продолжал спрашивать князь. (Он говорил с такою серьезностию и с таким отсутствием всякой шутки и насмешки над Лебедевым, над которым все смеялись, что тон его, среди общего тона всей компании, невольно становился комическим; еще немного, и стали бы подсмеиваться и над ним, но он не замечал этого.)

— Разве вы не видите, князь, что это помешанный? — нагнулся к нему Евгений Павлович. — Мне давеча сказали здесь, что он помешался на адвокатстве и на речах адвокатских и хочет экзамен держать. Я жду славной пародии.

— Я веду к громадному выводу, — гремел между тем Лебедев. — Но разберем прежде всего психологическое и юридическое состояние преступника. Мы видим, что преступник, или, так сказать, мой клиент, несмотря на всю невозможность найти другое съедобное, несколько раз, в продолжение любопытной карьеры своей, обнаруживает желание раскаяться и отклоняет от себя духовенство. Мы видим это ясно из фактов: упоминается, что он все-таки съел же пять или шесть младенцев, сравнительно цифра ничтожная, но зато знаменательная в другом отношении. Видно, что, мучимый страшными угрызениями (ибо клиент мой — человек религиозный и совестливый, что я докажу) и чтоб уменьшить по возможности грех свой, он, в виде пробы, переменял шесть раз пищу монашескую на пищу светскую. Что в виде пробы, то это опять несомненно; ибо если бы только для гастрономической вариации, то цифра шесть была бы слишком ничтожною: почему только шесть нумеров, а не тридцать? (Я беру половину на половину.) Но если это была только проба, из одного отчаяния перед страхом кощунства и оскорбления церковного, то тогда цифра шесть становится слишком понятною; ибо шесть проб, чтоб удовлетворить угрызениям совести, слишком достаточно, так как пробы не могли же быть удачными. И, во-первых, по моему мнению, младенец слишком мал, то есть не крупен, так что за известное время светских младенцев потребовалось бы втрое, впятеро большая цифра, нежели духовных, так что и грех, если и уменьшался с одной стороны, то в конце концов увеличивался с другой, не качеством, так количеством. Рассуждая так, господа, я, конечно, снисхожу в сердце преступника двенадцатого столетия. Что же касается до меня, человека столетия девятнадцатого, то я, может быть, рассудил бы и иначе, о чем вас и уведомляю, так что нечего вам на меня, господа, зубы скалить, а вам, генерал, уж и совсем неприлично. Во-вторых, младенец, по моему личному мнению, непитателен, может быть, даже слишком сладок и приторен, так что, не удовлетворяя потребности, оставляет одни угрызения совести. Теперь заключение, финал, господа, финал, в котором заключается разгадка одного из величайших вопросов тогдашнего и нашего времени! Преступник кончает тем, что идет и доносит на себя духовенству и предает себя в руки правительству. Спрашивается, какие муки ожидали его по тогдашнему времени, какие колеса, костры и огни? Кто же толкал его идти доносить на себя? Почему не просто остановиться на цифре шестьдесят, сохраняя секрет до последнего своего издыхания? Почему не просто бросить монашество и жить в покаянии пустынником? Почему, наконец, не поступить самому в монашество? Вот тут и разгадка! Стало быть, было же нечто сильнейшее костров и огней, и даже двадцатилетней привычки! Стало быть, была же мысль сильнейшая всех несчастий, неурожаев, истязаний, чумы, проказы и всего того ада, которого бы и не вынесло то человечество без той связующей, направляющей сердце и оплодотворяющей источники жизни мысли! Покажите же вы мне что-нибудь подобное такой силе в наш век пороков и железных дорог... то есть надо бы сказать в наш век пароходов и железных дорог, но я говорю: в наш век пороков и железных дорог, потому что я пьян, но справедлив! Покажите мне связующую настоящее человечество мысль хоть в половину такой силы, как в тех столетиях. И осмельтесь сказать наконец, что не ослабели, не помутились источники жизни под этою «звездой», под этой сетью, опутавшею людей. И не пугайте меня вашим благосостоянием, вашими богатствами, редкостью голода и быстротой путей сообщения! Богатства больше, но силы меньше; связующей мысли не стало; всё размягчилось, всё упрело и все упрели! Все, все, все мы упрели!.. Но довольно, и не в том теперь дело, а в том, что не распорядиться ли нам, достопочтенный князь, насчет приготовленной для гостей закусочки?

Лебедев, чуть не доведший некоторых из слушателей до настоящего негодования (надо заметить, что бутылки всё время не переставали откупориваться), неожиданным заключением своей речи насчет закусочки примирил с собой тотчас же всех противников. Сам он называл такое заключение «ловким, адвокатским оборотом дела». Веселый смех поднялся опять, гости оживились; все встали из-за стола, чтобы расправить члены и пройтись по террасе. Только Келлер остался недоволен речью Лебедева и был в чрезвычайном волнении.

— Нападает на просвещение, проповедует изуверство двенадцатого столетия, кривляется, и даже безо всякой сердечной невинности: сам-то чем он дом нажил, позвольте спросить? — говорил он вслух, останавливая всех и каждого.

— Я видел настоящего толкователя Апокалипсиса, — говорил генерал в другом углу, другим слушателям и, между прочим, Птицыну, которого ухватил за пуговицу, — покойного Григория Семеновича Бурмистрова: тот, так сказать, прожигал сердца. И во-первых, надевал очки, развертывал большую старинную книгу в черном кожаном переплете, ну, и при этом седая борода, две медали за пожертвования. Начинал сурово и строго, пред ним склонялись генералы, а дамы в обморок падали, ну — а этот заключает закуской! Ни на что не похоже!

Птицын, слушавший генерала, улыбался и как будто собирался взяться за шляпу, но точно не решался или беспрерывно забывал о своем намерении. Ганя, еще до того времени, как встали из-за стола, вдруг перестал пить и отодвинул от себя бокал; что-то мрачное прошло по лицу его. Когда встали из-за стола, он подошел к Рогожину и сел с ним рядом. Можно было подумать, что они в самых приятельских отношениях. Рогожин, который вначале тоже несколько раз было собирался потихоньку уйти, сидел теперь неподвижно, потупив голову и как бы тоже забыв, что хотел уходить. Во весь вечер он не выпил ни одной капли вина и был очень задумчив; изредка только поднимал глаза и оглядывал всех и каждого. Теперь же можно было подумать, что он чего-то здесь ждет, чрезвычайно для него важного, и до времени решился не уходить.

Князь выпил всего два или три бокала и был только весел. Привстав из-за стола, он встретил взгляд Евгения Павловича, вспомнил о предстоящем между ними объяснении и улыбнулся приветливо. Евгений Павлович кивнул ему головой и вдруг показал на Ипполита, которого пристально наблюдал в эту самую минуту. Ипполит спал, протянувшись на диване.

— Зачем, скажите, затесался к вам этот мальчишка, князь? — сказал он вдруг с такою явною досадой и даже со злобой, что князь удивился. — Бьюсь об заклад, у него недоброе на уме!

— Я заметил, — сказал князь, — мне показалось, по крайней мере, что он вас слишком интересует сегодня, Евгений Павлыч; это правда?

— И прибавьте: при моих собственных обстоятельствах мне и самому есть о чем задуматься, так что я сам себе удивляюсь, что весь вечер не могу оторваться от этой противной физиономии!

— У него лицо красивое...

— Вот, вот, смотрите! — крикнул Евгений Павлович, дернув за руку князя, — вот!..

Князь еще раз с удивлением оглядел Евгения Павловича.

V

Ипполит, под конец диссертации Лебедева вдруг заснувший на диване, теперь вдруг проснулся, точно кто его толкнул в бок, вздрогнул, приподнялся, осмотрелся кругом и побледнел; в каком-то даже испуге озирался он кругом; но почти ужас выразился в его лице, когда он всё припомнил и сообразил.

— Что, они расходятся? Кончено? Всё кончено? Взошло солнце? — спрашивал он тревожно, хватая за руку князя. — Который час? Ради бога: час? Я проспал. Долго я спал? — прибавил он чуть не с отчаянным видом, точно он проспал что-то такое, от чего по крайней мере зависела вся судьба его.

— Вы спали семь или восемь минут, — ответил Евгений Павлович.

Ипполит жадно посмотрел на него и несколько мгновений соображал.

— А... только! Стало быть, я...

И он глубоко и жадно перевел дух, как бы сбросив с себя чрезвычайную тягость. Он догадался наконец, что ничего «не кончено», что еще не рассвело, что гости встали из-за стола только для закуски и что кончилась всего одна только болтовня Лебедева. Он улыбнулся, и чахоточный румянец, в виде двух ярких пятен, заиграл на щеках его.

— А вы уж и минуты считали, пока я спал, Евгений Павлыч, — подхватил он насмешливо, — вы целый вечер от меня не отрывались, я видел... А! Рогожин! Я видел его сейчас во сне, — прошептал он князю, нахмурившись и кивая на сидевшего у стола Рогожина, — ах да, — перескочил он вдруг опять, — где же оратор, где ж Лебедев? Лебедев, стало быть, кончил? О чем он говорил? Правда, князь, что вы раз говорили, что мир спасет «красота»? Господа, — закричал он громко всем, — князь утверждает, что мир спасет красота! А я утверждаю, что у него оттого такие игривые мысли, что он теперь влюблен. Господа, князь влюблен; давеча, только что он вошел, я в этом убедился. Не краснейте, князь, мне вас жалко станет. Какая красота спасет мир? Мне это Коля пересказал... Вы ревностный христианин? Коля говорит, что вы сами себя называете христианином.

Князь рассматривал его внимательно и не ответил ему.

— Вы не отвечаете мне? Вы, может быть, думаете, что я вас очень люблю? — прибавил вдруг Ипполит, точно сорвал.

— Нет, не думаю. Я знаю, что вы меня не любите.

— Как! Даже после вчерашнего? Вчера я был искренен с вами?

— Я и вчера знал, что вы меня не любите.

— То есть, потому что я вам завидую, завидую? Вы всегда это думали и думаете теперь, но... но зачем я говорю вам об этом? Я хочу выпить еще шампанского; налейте мне, Келлер.

— Вам нельзя больше пить, Ипполит, я вам не дам...

И князь отодвинул от него бокал.

— И впрямь... — согласился он тотчас же, как бы задумываясь, — пожалуй, еще скажут... да черт ли мне в том, что они скажут! Не правда ли, не правда ли? Пускай их потом говорят, так ли, князь? И какое нам всем до того дело, что будет *потом*!.. Я, впрочем, спросонья. Какой я ужасный сон видел, теперь только припомнил... Я вам не желаю таких снов, князь, хоть я вас действительно, может быть, не люблю. Впрочем, если не любишь человека, зачем ему дурного желать, не правда ли? Что это я всё спрашиваю, всё-то я спрашиваю! Дайте мне вашу руку; я вам крепко пожму ее, вот так... Вы, однако ж, протянули мне руку? Стало быть, знаете, что я вам искренно ее пожимаю?.. Пожалуй, я не буду больше пить. Который час? Впрочем, не надо, я знаю, который час. Пришел час! Теперь самое время. Что это, там в углу закуску ставят? Стало быть, этот стол свободен? Прекрасно! Господа, я... однако все эти господа и не слушают... я намерен прочесть одну статью, князь; закуска, конечно, интереснее, но...

И вдруг, совершенно неожиданно, он вытащил из своего верхнего бокового кармана большой, канцелярского размера пакет, запечатанный большою красною печатью. Он положил его на стол пред собой.

Эта неожиданность произвела эффект в неготовом к тому или, лучше сказать, в *готовом*, но не к тому, обществе. Евгений Павлович даже привскочил на своем стуле; Ганя быстро придвинулся к столу; Рогожин тоже, но с какою-то брюзгливою досадой, как бы понимая, в чем дело. Случившийся вблизи Лебедев подошел с любопытными глазками и смотрел на пакет, стараясь угадать, в чем дело.

— Что это у вас? — спросил с беспокойством князь.

— С первым краешком солнца я улягусь, князь, я сказал; честное слово: увидите! — вскричал Ипполит. — Но... но... неужели вы думаете, что я не в состоянии распечатать этот пакет? — прибавил он, с каким-то вызовом обводя всех кругом глазами и как будто обращаясь ко всем безразлично. Князь заметил, что он весь дрожал.

— Мы никто этого и не думаем, — ответил князь за всех, — и почему вы думаете, что у кого-нибудь есть такая мысль и что... что у вас за странная идея читать? Что у вас тут такое, Ипполит?

— Что тут такое? Что с ним опять приключилось? — спрашивали кругом. Все подходили, иные еще закусывая; пакет с красною печатью всех притягивал, точно магнит.

— Это я сам вчера написал, сейчас после того как дал вам слово, что приеду к вам жить, князь. Я писал это вчера весь день, потом ночь и кончил сегодня утром; ночью, под утро, я видел сон...

— Не лучше ли завтра? — робко перебил князь.

— Завтра «времени больше не будет»! — истерически усмехнулся Ипполит. — Впрочем, не беспокойтесь, я прочту в сорок минут, ну — в час... И видите, как все интересуются; все подошли; все на мою печать смотрят, и ведь не запечатай я статью в пакет, не было бы никакого эффекта! Ха-ха! Вот что она значит, таинственность! Распечатывать или нет, господа? — крикнул он, смеясь своим странным смехом и сверкая глазами. — Тайна! Тайна! А помните, князь, кто провозгласил, что «времени больше не будет»? Это провозглашает огромный и могучий ангел в Апокалипсисе.

— Лучше не читать! — воскликнул вдруг Евгений Павлович, но с таким нежданным в нем видом беспокойства, что многим показалось это странным.

— Не читайте! — крикнул и князь, положив на пакет руку.

— Какое чтение? теперь закуска, — заметил кто-то.

— Статья? В журнал, что ли? — осведомился другой.

— Может, скучно? — прибавил третий.

— Да что тут такое? — осведомлялись остальные. Но пугливый жест князя точно испугал и самого Ипполита.

— Так... не читать? — прошептал он ему как-то опасливо, с кривившеюся улыбкой на посиневших губах, — не читать? — пробормотал он, обводя взглядом всю публику, все глаза и лица и как будто цепляясь опять за всех с прежнею, точно набрасывающеюся на всех экспансивностью, — вы... боитесь? — повернулся он опять к князю.

— Чего? — спросил тот, всё более и более изменяясь.

— Есть у кого-нибудь двугривенный, двадцать копеек? — вскочил вдруг Ипполит со стула, точно его сдернули, — какая-нибудь монетка?

— Вот! — подал тотчас же Лебедев; у него мелькнула мысль, что больной Ипполит помешался.

— Вера Лукьяновна! — торопливо пригласил Ипполит, — возьмите, бросьте на стол: орел или решетка? Орел — так читать!

Вера испуганно посмотрела на монетку, на Ипполита, потом на отца и как-то неловко, закинув кверху голову, как бы в том убеждении, что уж ей самой не надо смотреть на монетку, бросила ее на стол. Выпал орел.

— Читать! — прошептал Ипполит, как будто раздавленный решением судьбы; он не побледнел бы более, если б ему прочли смертный приговор. — А впрочем, — вздрогнул он вдруг, помолчав с полминуты, — что это? Неужели я бросал сейчас жребий? — с тою же напрашивающеюся откровенностью осмотрел он всех кругом. — Но ведь это удивительная психологическая черта! — вскричал он вдруг, обращаясь к князю, в искреннем изумлении. — Это... это непостижимая черта, князь! — подтвердил он, оживляясь и как бы приходя в себя. — Это вы запишите, князь, запомните, вы ведь, кажется, собираете материалы насчет смертной казни... Мне говорили, ха-ха! О боже, какая бестолковая нелепость! — Он сел на диван, облокотился на стол обоими локтями и схватил себя за голову. — Ведь это даже стыдно!.. А черт ли мне в том, что стыдно, — поднял он почти тотчас же голову. — Господа! Господа, я распечатываю пакет, — провозгласил он с какою-то внезапною решимостью, — я... я, впрочем, не принуждаю слушать!..

Дрожащими от волнения руками он распечатал пакет, вынул из него несколько листочков почтовой бумаги, мелко исписанных, положил их пред собой и стал расправлять их.

— Да что это? Да что тут такое? Что будут читать? — мрачно бормотали некоторые; другие молчали. Но все уселись и смотрели с любопытством. Может быть, действительно ждали чего-то необыкновенного. Вера уцепилась за стул отца и от испуга чуть не плакала; почти в таком же испуге был и Коля. Уже усевшийся Лебедев вдруг приподнялся, схватился за свечки и приблизил их ближе к Ипполиту, чтобы светлее было читать.

— Господа, это... это вы увидите сейчас что такое, — прибавил для чего-то Ипполит и вдруг начал чтение: — «Необходимое объяснение»! Эпиграф «Après moi le déluge»...[1] Фу, черт возьми! — вскрикнул он, точно обжегшись, — неужели я мог серьезно поставить такой глупый эпиграф?.. Послушайте, господа!.. уверяю вас, что всё это в конце концов, может быть, ужаснейшие пустяки! Тут только некоторые мои мысли... Если вы думаете, что тут... что-нибудь таинственное или... запрещенное... одним словом...

— Читали бы без предисловий, — перебил Ганя.

— Завилял! — прибавил кто-то.

— Разговору много, — ввернул молчавший всё время Рогожин.

Ипполит вдруг посмотрел на него, и когда глаза их встретились, Рогожин горько и желчно осклабился и медленно произнес странные слова:

— Не так этот предмет надо обделывать, парень, не так...

Что хотел сказать Рогожин, конечно, никто не понял, но слова его произвели довольно странное впечатление на всех; всякого тронула краешком какая-то одна общая мысль. На Ипполита же слова эти произвели впечатление ужасное: он так задрожал, что князь протянул было руку, чтобы поддержать его, и он наверно бы вскрикнул, если бы видимо не оборвался вдруг его голос. Целую минуту он не мог выговорить слова и, тяжело дыша, всё смотрел на Рогожина. Наконец, задыхаясь и с чрезвычайным усилием, выговорил:

— Так это вы... вы были... вы?

— Что был? Что я? — ответил, недоумевая, Рогожин, но Ипполит, вспыхнув и почти с бешенством, вдруг его охватившим, резко и сильно вскричал:

— *Вы* были у меня на прошлой неделе, ночью, во втором часу, в тот день, когда я к вам приходил утром, *вы!!* Признавайтесь, вы?

— На прошлой неделе, ночью? Да не спятил ли ты и впрямь с ума, парень?

«Парень» опять с минуту помолчал, приставив указательный палец ко лбу и как бы соображая; но в бледной, всё так же кривившейся от страха улыбке его мелькнуло вдруг что-то как будто хитрое, даже торжествующее.

— Это были вы! — повторил он наконец чуть не шепотом, но с чрезвычайным убеждением. — *Вы* приходили ко мне и сидели молча у меня на стуле, у окна, целый час; больше; в первом и во втором часу пополуночи; вы потом встали и ушли в третьем часу... Это были вы, вы! Зачем вы пугали меня, зачем вы приходили мучить меня, — не понимаю, но это были вы!

И во взгляде его мелькнула вдруг бесконечная ненависть, несмотря на всё еще не унимавшуюся в нем дрожь от испуга.

— Вы сейчас, господа, всё это узнаете, я... я... слушайте...

Он опять, и ужасно торопясь, схватился за свои листочки; они расползлись и разрознились, он силился их сложить; они дрожали в его дрожавших руках; долго он не мог устроиться.

Чтение наконец началось. Вначале, минут с пять, автор неожиданной *статьи* всё еще задыхался и читал бессвязно и неровно; но потом голос его отвердел и стал вполне выражать смысл прочитанного. Иногда только довольно сильный кашель прерывал его; с половины статьи он сильно охрип; чрезвычай-

---

[1] «После меня хоть потоп» (*франц.*).

ное одушевление, овладевавшее им всё более и более по мере чтения, под конец достигло высшей степени, как и болезненное впечатление на слушателей. Вот вся эта «статья».

«МОЕ НЕОБХОДИМОЕ ОБЪЯСНЕНИЕ»
«Après moi le déluge!»

«Вчера утром был у меня князь; между прочим, он уговорил меня переехать на свою дачу. Я так и знал, что он непременно будет на этом настаивать, и уверен был, что он так прямо и брякнет мне, что мне на даче будет «легче умирать между людьми и деревьями», как он выражается. Но сегодня он не сказал *умереть*, а сказал «будет легче прожить», что, однако же, почти всё равно для меня, в моем положении. Я спросил его, что он подразумевает под своими беспрерывными «деревьями» и почему он мне так навязывает эти «деревья», — и с удивлением узнал от него, что я сам будто бы на том вечере выразился, что приезжал в Павловск последний раз посмотреть на деревья. Когда я заметил ему, что ведь всё равно умирать, что под деревьями, что смотря в окно на мои кирпичи, и что для двух недель нечего так церемониться, то он тотчас же согласился; но зелень и чистый воздух, по его мнению, непременно произведут во мне какую-нибудь физическую перемену, и мое волнение и *мои сны* переменятся и, может быть, облегчатся. Я опять заметил ему, смеясь, что он говорит как материалист. Он ответил мне с своею улыбкой, что он и всегда был материалист. Так как он никогда не лжет, то эти слова что-нибудь да означают. Улыбка его хороша; я разглядел его теперь внимательнее. Я не знаю, люблю или не люблю я его теперь; теперь мне некогда с этим возиться. Моя пятимесячная ненависть к нему, надо заметить, в последний месяц стала совсем утихать. Кто знает, может быть, я приезжал в Павловск, главное, чтоб его увидать. Но... зачем я оставлял тогда мою комнату? Приговоренный к смерти не должен оставлять своего угла; и если бы теперь я не принял окончательного решения, а решился бы, напротив, ждать до последнего часу, то, конечно, не оставил бы моей комнаты ни за что и не принял бы предложения переселиться к нему «умирать» в Павловск.

Мне нужно поспешить и кончить всё это «объяснение» непременно до завтра. Стало быть, у меня не будет времени перечитать и поправить; перечту завтра, когда буду читать князю и двум-трем свидетелям, которых намерен найти у него. Так как тут не будет ни одного слова лжи, а всё одна правда, последняя и торжественная, то мне заранее любопытно, какое впечатление она произведет на меня самого в тот час и в ту минуту, когда я стану перечитывать? Впрочем, я напрасно написал слова: «правда последняя и торжественная»; для двух недель и без того лгать не стоит, потому что жить две недели не стоит; это самое лучшее доказательство, что я напишу одну правду. (NB. Не забыть мысли: не сумасшедший ли я в эту минуту, то есть минутами? Мне сказали утвердительно, что чахоточные в последней степени иногда сходят с ума на время. Поверить это завтра за чтением по впечатлению на слушателей. Этот вопрос непременно разрешить в полной точности; иначе нельзя ни к чему приступить.)

Мне кажется, я написал сейчас ужасную глупость; но переправлять мне некогда, я сказал; кроме того, я даю себе слово нарочно не переправлять в этой рукописи ни одной строчки, даже если б я сам заметил, что противоречу себе чрез каждые пять строк. Я хочу именно определить завтра за чтением, правильно ли логическое течение моей мысли; замечаю ли я ошибки мои, и верно ли, стало быть, всё то, что я в этой комнате в эти шесть месяцев передумал, или только один бред.

Если б еще два месяца тому назад мне пришлось, как теперь, оставлять совсем мою комнату и проститься с Мейеровою стеной, то, я уверен, мне было бы грустно. Теперь же я ничего не ощущаю, а между тем завтра оставляю и комнату и стену, *навеки!* Стало быть, убеждение мое, что для двух недель не стоит ужо сожалеть или предаваться каким-нибудь ощущениям, одолело моею природой и может уже теперь приказывать всем моим чувствам. Но правда ли это? Правда ли, что моя природа побеждена теперь совершенно? Если бы меня стали теперь пытать, то я бы стал наверно кричать и не сказал бы, что не стоит кричать и чувствовать боль, потому что две недели только осталось жить.

Но правда ли то, что мне только две недели жить остается, а не больше? Тогда в Павловске я солгал: Б—н мне ничего не говорил и никогда не видал меня; но с неделю назад ко мне приводили студента Кислородова; по убеждениям своим он материалист, атеист и нигилист, вот почему я именно его и позвал: мне надо было человека, чтобы сказал мне наконец голую правду, не нежничая и без церемонии. Так он и сделал, и не только с готовностию и без церемонии, но даже с видимым удовольствием (что, по-моему, уж и лишнее). Он брякнул мне прямо, что мне осталось около месяца; может быть, несколько больше, если будут хорошие обстоятельства, но, может быть, даже и гораздо раньше умру. По его мнению, я могу умереть и внезапно, даже, например, завтра: такие факты бывали, и не далее как третьего дня одна молодая дама, в чахотке и в положении, сходном с моим, в Коломне, собиралась идти на рынок покупать провизию, но вдруг почувствовала себя дурно, легла на диван, вздохнула и умерла. Всё это Кислородов сообщил мне даже с некоторою щеголеватостию бесчувствия и неосторожности и как будто делая мне тем честь, то есть показывая тем, что принимает и меня за такое же всеотрицающее высшее существо, как и сам он, которому умереть, разумеется, ничего не стоит. В конце концов все-таки факт облиневанный: месяц и никак не более! Что он не ошибся, в том я совершенно уверен.

Удивило меня очень, почему князь так угадал давеча, что я вижу «дурные сны»; он сказал буквально, что в Павловске «мое волнение и *сны*» переменятся. И почему же сны? Он или медик, или в самом деле необыкновенного ума и может очень многое угадывать. (Но что он в конце концов «идиот», в этом нет никакого сомнения.) Как нарочно, пред самым его приходом я видел один хорошенький сон (впрочем, из тех, которые мне теперь снятся сотнями). Я заснул, — я думаю, за час до его прихода, — и видел, что я в одной комнате (но не в моей). Комната больше и выше моей, лучше меблирована, светлая; шкаф, комод, диван и моя кровать, большая и широкая и покрытая зеленым шелковым стеганым одеялом. Но в этой комнате я заметил одно ужасное животное, какое-то чудовище. Оно было вроде скорпиона, но не скорпион, а гаже и гораздо ужаснее, и, кажется, именно тем, что таких животных в природе нет, и что оно *нарочно* у меня явилось, и что в этом самом заключается будто бы какая-то тайна. Я его очень хорошо разглядел: оно коричневое и скорлупчатое, пресмыкающийся гад, длиной вершка в четыре, у головы толщиной в два пальца, к хвосту постепенно тоньше, так что самый кончик хвоста толщиной не больше десятой доли вершка. На вершок от головы из туловища выходят, под углом в сорок пять градусов, две лапы, по одной с каждой стороны, вершка по два длиной, так что всё животное представляется, если смотреть сверху, в виде трезубца. Головы я не рассмотрел, но видел два усика, не длинные, в виде двух крепких игл, тоже коричневые. Такие же два усика на конце хвоста и на конце каждой из лап, всего, стало быть, восемь усиков. Животное бегало по комнате очень быстро, упираясь лапами и хвостом, и когда бежало, то и туловище и лапы извивались как змейки, с необыкновенною быстротой, несмотря на скорлупу, и на это было очень гадко смотреть. Я ужасно боялся, что оно меня ужалит; мне сказали, что оно ядовитое, но я больше всего мучился тем, кто его прислал в мою комнату, что хотят мне сделать и в чем тут тайна? Оно пряталось под комод, под шкаф, заползало в углы. Я сел на стул с ногами и поджал их под себя. Оно быстро перебежало наискось всю комнату и исчезло где-то около моего стула. Я в страхе осматривался, но так как я сидел поджав ноги, то и надеялся, что оно не всползет на стул. Вдруг я услышал сзади меня, почти у головы моей, какой-то трескучий шелест; я обернулся и увидел, что гад всползает по стене и уже наравне с моею головой и касается даже моих волос хвостом, который вертелся и извивался с чрезвычайною быстротой. Я вскочил, исчезло и животное. На кровать я боялся лечь, чтоб оно не заползло под подушку. В комнату пришли моя мать и какой-то ее знакомый. Они стали ловить гадину, но были спокойнее, чем я, и даже не боялись. Но они ничего не понимали. Вдруг гад выполз опять; он полз в этот раз очень тихо и как будто с каким-то особым намерением, медленно извиваясь, что было еще отвратительнее, опять наискось комнаты, к дверям. Тут моя мать отворила дверь и кликнула Норму, нашу собаку, — огромный тернёф, черный и лохматый; умерла пять лет тому назад. Она бросилась в комнату и стала над гадиной как вкопанная. Остановился и гад, но всё еще извиваясь и пощелкивая по полу концами лап и хвоста. Животные не могут чувствовать мистического испуга, если не ошибаюсь; но в эту минуту мне показалось, что в испуге Нормы было что-то как будто очень необыкновенное, как будто тоже почти мистическое, и что она, стало быть, тоже предчувствует, как и я, что в звере заключается что-то роковое и какая-то тайна. Она медленно отодвигалась назад перед гадом, тихо и осторожно ползшим на нее; он, кажется, хотел вдруг на нее броситься и ужалить. Но, несмотря на весь испуг, Норма смотрела ужасно злобно, хоть и дрожала всеми членами. Вдруг она медленно оскалила свои страшные зубы, открыла всю свою огромную красную пасть, приноровилась, изловчилась, решилась и вдруг схватила гада зубами. Должно быть, гад сильно рванулся, чтобы выскользнуть, так что Норма еще раз поймала его, уже на лету, и два раза всею пастью вобрала его в себя, всё на лету, точно глотая. Скорлупа затрещала на ее зубах; хвостик животного и лапы, выходившие из пасти, шевелились с ужасною быстротой. Вдруг Норма жалобно взвизгнула: гадина успела-таки ужалить ей язык. С визгом и воем она раскрыла от боли рот, и я увидел, что разгрызенная гадина еще шевелилась у нее поперек рта, выпуская из своего полураздавленного туловища на ее язык множество белого сока, похожего на сок раздавленного черного таракана... Тут я проснулся, и вошел князь».

— Господа, — сказал Ипполит, вдруг отрываясь от чтения и даже почти застыдившись, — я не перечитывал, но, кажется, я действительно много лишнего написал. Этот сон...

— Есть-таки, — поспешил ввернуть Ганя.

— Тут слишком много личного, соглашаюсь, то есть, собственно, обо мне...

Говоря это, Ипполит имел усталый и расслабленный вид и обтирал пот с своего лба платком.

— Да-с, слишком уж собой интересуетесь, — прошипел Лебедев.

— Я, господа, никого не принуждаю, опять-таки; кто не хочет, тот может и удалиться.

— Прогоняет... из чужого дома, — чуть слышно проворчал Рогожин.

— А как мы все вдруг встанем и удалимся? — проговорил внезапно Фердыщенко, до сих пор, впрочем, не осмеливавшийся вслух говорить.

Ипполит вдруг опустил глаза и схватился за рукопись; но в ту же секунду поднял опять голову и, сверкая глазами, с двумя красными пятнами на щеках, проговорил, в упор смотря на Фердыщенка:

— Вы меня совсем не любите!

Раздался смех; впрочем, большинство не смеялось. Ипполит покраснел ужасно.

— Ипполит, — сказал князь, — закройте вашу рукопись и отдайте ее мне, а сами ложитесь спать здесь, в моей комнате. Мы поговорим пред сном и завтра; но с тем, чтоб уж никогда не развертывать эти листы. Хотите?

— Разве это возможно? — посмотрел на него Ипполит в решительном удивлении. — Господа! — крикнул он, опять лихорадочно оживляясь, — глупый эпизод, в котором я не умел вести себя. Более прерывать чтение не буду. Кто хочет слушать — слушай...

Он поскорей глотнул из стакана воды, поскорей облокотился на стол, чтобы закрыться от взглядов, и с упорством стал продолжать чтение. Стыд скоро, впрочем, прошел...

«Идея о том (продолжал он читать), что не стоит жить несколько недель, стала одолевать меня настоящим образом, я думаю, с месяц назад, когда мне оставалось жить еще четыре недели, но совершенно овладела мной только три дня назад, когда я возвратился с того вечера в Павловске. Первый момент полного, непосредственного проникновения этой мыслью произошел на террасе у князя, именно в то самое мгновение, когда я вздумал сделать последнюю пробу жизни, хотел видеть людей и деревья (пусть это я сам говорил), горячился, настаивал на праве Бурдовского, «моего ближнего», и мечтал, что все они вдруг растопырят руки, и примут меня в свои объятия, и попросят у меня в чем-то прощения, а я у них; одним словом, я кончил как бездарный дурак. И вот в эти-то часы и вспыхнуло во мне «последнее убеждение». Удивляюсь теперь, каким образом я мог жить целые шесть месяцев без этого «убеждения»! Я положительно знал, что у меня чахотка, и неизлечимая; я не обманывал себя и понимал дело ясно. Но чем яснее я его понимал, тем судорожнее мне хотелось жить; я цеплялся за жизнь и хотел жить во что бы то ни стало. Согласен, что я мог тогда злиться на темный и глухой жребий, распорядившийся раздавить меня как муху и, конечно, не зная зачем; но зачем же я не кончил одною злостью? Зачем я действительно *начинал* жить, зная, что мне уже нельзя начинать; пробовал, зная, что мне уже нечего пробовать? А между тем я даже книги не мог прочесть и перестал читать: к чему читать, к чему узнавать на шесть месяцев? Эта мысль заставляла меня не раз бросать книгу.

Да, эта Мейерова стена может много пересказать! Много я на ней записал. Не было пятна на этой грязной стене, которого бы я не заучил. Проклятая стена! А все-таки она мне дороже всех павловских деревьев, то есть должна бы быть всех дороже, если бы мне не было теперь всё равно.

Припоминаю теперь, с каким жадным интересом я стал следить тогда за *ихнею* жизнью; такого интереса прежде не бывало. Я с нетерпением и с бранью ждал иногда Колю, когда сам становился так болен, что не мог выходить из комнаты. Я до того вникал во все мелочи, интересовался всякими слухами, что, кажется, сделался сплетником. Я не понимал, например, как эти люди, имея столько жизни, не умеют сделаться богачами (впрочем, не понимаю и теперь). Я знал одного бедняка, про которого мне потом рассказывали, что он умер с голоду, и, помню, это вывело меня из себя: если бы можно было этого бедняка оживить, я бы, кажется, казнил его. Мне иногда становилось легче на целые недели, и я мог выходить на улицу; но улица стала наконец производить во мне такое озлобление, что я по целым дням нарочно сидел взаперти, хотя и мог выходить, как и все. Я не мог выносить этого шныряющего, суетящегося, вечно озабоченного, угрюмого и встревоженного народа, который сновал около меня по тротуарам. К чему их вечная печаль, вечная их тревога и суета; вечная угрюмая злость их (потому что они злы, злы, злы)? Кто виноват, что они несчастны и не умеют жить, имея впереди по шестидесяти лет жизни? Зачем Зарницын допустил себя умереть с голоду, имея у себя шестьдесят лет впереди? И каждый-то показывает свое рубище, свои рабочие руки, злится и кричит: «Мы работаем как волы, мы трудимся, мы голодны как собаки и бедны! Другие не работают и не трудятся, а они богаты!» (Вечный припев!) Рядом с ними бегает и суетится с утра до ночи какой-нибудь несчастный сморчок «из благородных», Иван Фомич Суриков, — в нашем доме, над нами живет, — вечно с продранными локтями, с обсыпавшимися пуговицами, у разных людей на посылках, по чьим-нибудь поручениям, да еще с утра до ночи. Разговоритесь с ним: «Беден, нищ и убог, умерла жена, лекарства купить было не на что, а зимой заморозили ребенка; старшая дочь на содержание пошла...» — вечно хнычет, вечно плачется! О, никакой, никакой во мне не было жалости к этим дуракам, ни теперь, ни прежде, — я с гордостью это говорю! Зачем же он сам не Ротшильд? Кто виноват, что у него нет миллионов, как у Ротшильда, что у него нет горы золотых империалов и наполеондоров, такой горы, такой точно высокой горы, как на масленице под балаганами! Коли он живет, стало быть всё в его власти! Кто виноват, что он этого не понимает?

О, теперь мне уже всё равно, теперь уже мне некогда злиться, но тогда, тогда, повторяю, я буквально грыз по ночам мою подушку и рвал мое одеяло от бешенства. О, как я мечтал тогда, как желал, как нарочно желал, чтобы меня, восемнадцатилетнего, едва одетого, едва прикрытого, выгнали вдруг на улицу и оставили совершенно одного, без квартиры, без работы, без куска хлеба, без родственников, без единого знакомого человека в огромнейшем городе, голодного, прибитого (тем лучше!), но здорового, и тут-то бы я показал...

Что показал?

О, неужели вы полагаете, что я не знаю, как унизил себя и без того уже моим «Объяснением»! Ну, кто же не сочтет меня за сморчка, не знающего жизни, забыв, что мне уже не восемнадцать лет; забыв, что так жить, как я жил в эти шесть месяцев, значит уже дожить до седых волос! Но пусть смеются и говорят, что всё это сказки. Я и вправду рассказывал себе сказки. Я наполнял ими целые ночи мои напролет; я их всё припоминаю теперь.

Но неужели же мне их теперь опять пересказывать, — теперь, когда уж и для меня миновала пора сказок? И кому же! Ведь я тешился ими тогда, когда ясно видел, что мне даже и грамматику греческую запрещено изучать, как раз было мне и вздумалось: «Еще до синтаксиса не дойду, как помру», — подумал я с первой страницы и бросил книгу под стол. Она и теперь там валяется; я запретил Матрене ее подымать.

Пусть тот, кому попадется в руки мое «Объяснение» и у кого станет терпения прочесть его, сочтет меня за помешанного или даже за гимназиста, а вернее всего за приговоренного к смерти, которому естественно стало казаться, что все люди, кроме него, слишком жизнью не дорожат, слишком дешево повадились тратить ее, слишком лениво, слишком бессовестно ею пользуются, а стало быть, все до единого недостойны ее! И что же? Я объявляю, что читатель мой ошибется и что убеждение мое совершенно независимо от моего смертного приговора. Спросите, спросите их только, как они все, сплошь до единого, понимают, в чем счастье? О, будьте уверены, что Колумб был счастлив не тогда, когда открыл Америку, а когда открывал ее; будьте уверены, что самый высокий момент его счастья был, может быть, ровно за три дня до открытия Нового Света, когда бунтующий экипаж в отчаянии чуть не поворотил корабля в Европу, назад! Не в Новом Свете тут дело, хотя бы он провалился. Колумб помер, почти не видав его и, в сущности, не зная, что́ он открыл. Дело в жизни, в одной жизни, — в открывании ее, беспрерывном и вечном, а совсем не в открытии! Но что говорить! Я подозреваю, что всё, что я говорю теперь, так похоже на самые общие фразы, что меня наверно сочтут за ученика низшего класса, представляющего свое сочинение на «восход солнца», или скажут, что я, может быть, и хотел что-то высказать, но при всем моем желании не сумел... «развиться». Но, однако ж, прибавлю, что во всякой гениальной или новой человеческой мысли или просто даже во всякой серьезной человеческой мысли, зарождающейся в чьей-нибудь голове, всегда остается нечто такое, чего никак нельзя передать другим людям, хотя бы вы исписали целые томы и растолковывали вашу мысль тридцать пять лет; всегда останется нечто, что ни за что не захочет выйти из-под вашего черепа и останется при вас навеки; с тем вы и умрете, не передав никому, может быть, самого-то главного из вашей идеи. Но если и я теперь тоже не сумел передать всего того, что меня в эти шесть месяцев мучило, то по крайней мере поймут, что, достигнув моего теперешнего «последнего убеждения», я слишком, может быть, дорого заплатил за него; вот это-то я и считал необходимым, для известных мне целей, выставить на вид в моем «Объяснении».

Но, однако ж, я продолжаю».

VI

«Не хочу солгать: действительность ловила и меня на крючок в эти шесть месяцев и до того иногда увлекала, что я забывал о моем приговоре или, лучше, не хотел о нем думать и даже делал дела. Кстати о тогдашней моей обстановке. Когда я, месяцев восемь назад, стал уж очень болен, то прекратил все мои сношения и оставил всех бывших моих товарищей. Так как я и всегда был человек довольно угрюмый, то товарищи легко забыли меня; конечно, они забыли бы меня и без этого обстоятельства. Обстановка моя дома, то есть «в семействе», была тоже уединенная. Месяцев пять назад я раз навсегда заперся изнутри и отделил себя от комнат семьи совершенно. Меня постоянно слушались, и никто не смел войти ко мне, кроме как в определенный час убрать комнату и принести мне обедать. Мать трепетала пред моими приказаниями и даже не смела предо мною нюнить, когда я решался иногда впускать ее к себе.

Детей она постоянно за меня колотила, чтобы не шумели и меня не беспокоили; я таки часто на их крик жаловался; то-то, должно быть, они меня теперь любят! «Верного Колю», как я его прозвал, я тоже, думаю, мучил порядочно. В последнее время и он меня мучил: всё это было натурально, люди и созданы, чтобы друг друга мучить. Но я заметил, что он переносит мою раздражительность так, как будто заранее дал себе слово щадить больного. Естественно, это меня раздражало; но, кажется, он вздумал подражать князю в «христианском смирении», что было уже несколько смешно. Это мальчик молодой и горячий и, конечно, всему подражает; но мне казалось иногда, что ему пора бы жить и своим умом. Я его очень люблю. Мучил я тоже и Сурикова, жившего над нами и бегавшего с утра до ночи по чьим-то поручениям; я постоянно доказывал ему, что он сам виноват в своей бедности, так что он наконец испугался и ходить ко мне перестал. Это очень смиренный человек, смиреннейшее существо (NB. Говорят, смирение есть страшная сила; надо справиться об этом у князя, это его собственное выражение); но когда я, в марте месяце, поднялся к нему наверх, чтобы посмотреть, как они там «заморозили», по его словам, ребенка, и нечаянно усмехнулся над трупом его младенца, потому что стал опять объяснять Сурикову, что он «сам виноват», то у этого сморчка вдруг задрожали губы, и он, одною рукой схватив меня за плечо, другою показал мне дверь и тихо, то есть чуть не шепотом, проговорил мне: «Ступайте-с!» Я вышел, и мне это очень понравилось, понравилось тогда же, даже в ту самую минуту, как он меня выводил; но слова его долго производили на меня потом, при воспоминании, тяжелое впечатление какой-то странной, презрительной к нему жалости, которой бы я вовсе не хотел ощущать. Даже в минуту такого оскорбления (я ведь чувствую же, что я оскорбил его, хоть и не имел этого намерения), даже в такую минуту этот человек не мог разозлиться! Запрыгали у него тогда губы вовсе не от злости, я клятву даю: схватил он меня за руку и выговорил свое великолепное «ступайте-с» решительно не сердясь. Достоинство было, даже много, даже вовсе ему и не к лицу (так что, по правде, тут много было и комического), но злости не было. Может быть, он просто вдруг стал презирать меня. С той поры раза два-три, как я встретил его на лестнице, он стал вдруг снимать предо мною шляпу, чего никогда прежде не делывал, но уже не останавливался, как прежде, а пробегал, сконфузившись, мимо. Если он и презирал меня, то все-таки по-своему: он *смиренно* презирал. А может быть, он снимал свою шляпу просто из страха, как сыну своей кредиторши, потому что он матери моей постоянно должен и никак не в силах выкарабкаться из долгов. И даже это всего вероятнее. Я хотел было с ним объясниться, и знаю наверно, что он чрез десять минут стал бы просить у меня прощения; но я рассудил, что лучше его уж не трогать.

В это самое время, то есть около того времени, как Суриков «заморозил» ребенка, около половины марта, мне стало вдруг почему-то гораздо легче, и так продолжалось недели две. Я стал выходить, всего чаще под сумерки. Я любил мартовские сумерки, когда начинало морозить и когда зажигали газ; ходил иногда далеко. Раз, в Шестилавочной, меня обогнал в темноте какой-то «из благородных», я его не разглядел хорошенько; он нес что-то завернутое в бумагу и одет был в каком-то кургузом и безобразном пальтишке, — не по сезону легко. Когда он поравнялся с фонарем, шагах предо мной в десяти, я заметил, что у него что-то выпало из кармана. Я поспешил поднять — и было время, потому что уже подскочил какой-то в длинном кафтане, но, увидев вещь в моих руках, спорить не стал, бегло заглянул мне в руки и проскользнул мимо. Эта вещь была большой, сафьянный, старого устройства и туго набитый бумажник; но почему-то я с первого взгляда угадал, что в нем было что угодно, но только не деньги. Потерявший прохожий шел уже шагах в сорока предо мной и скоро за толпой пропал из виду. Я побежал и стал ему кричать; но так как кроме «эй!» мне нечего было крикнуть, то он и не обернулся. Вдруг он шмыгнул налево, в ворота одного дома. Когда я вбежал в ворота, под которыми было очень темно, уже никого не было. Дом был огромной величины, одна из тех громадин, которые строятся аферистами для мелких квартир; в иных из таких домов бывает иногда нумеров до ста. Когда я пробежал ворота, мне показалось, что в правом, заднем углу огромного двора как будто идет человек, хотя в темноте я едва лишь мог различать. Добежав до угла, я увидел вход на лестницу; лестница была узкая, чрезвычайно грязная и совсем не освещенная; но слышалось, что в высоте взбегал еще по ступенькам человек, и я пустился на лестницу, рассчитывая, что, покамест ему где-нибудь отопрут, я его догоню. Так и вышло. Лестницы были прекоротенькие, число их было бесконечное, так что я ужасно задохся; дверь отворили и затворили опять в пятом этаже, я это угадал еще тремя лестницами ниже. Покамест я взбежал, пока отдышался на площадке, пока искал звонка, прошло несколько минут. Мне отворила наконец одна баба, которая в крошечной кухне вздувала самовар; она выслушала молча мои вопросы, ничего, конечно, не поняла и молча отворила мне дверь в следующую комнату, тоже маленькую, ужасно низенькую, с скверною необходимою мебелью и с широкою огромною постелью под занавесками, на которой лежал «Терентьич» (так кликнула баба), мне показалось, хмельной. На столе догорал огарок в железном ночнике и стоял полуштоф, почти опорожненный. Терентьич что-то промычал мне лежа и махнул на следующую дверь, а баба ушла, так что мне ничего не оставалось, как отворить эту дверь. Я так и сделал и вошел в следующую комнату.

Эта комната была еще уже и теснее предыдущей, так что я не знал даже где повернуться; узкая, односпальная кровать в углу занимала ужасно много места; прочей мебели было всего три простые стула, загроможденные всякими лохмотьями, и самый простой кухонный деревянный стол пред старееньким клеенчатым диваном, так что между столом и кроватью почти уже нельзя было пройти. На столе горел такой же железный ночник с сальною свечкой, как и в той комнате, а на кровати пищал крошечный ребенок, всего, может быть, трехнедельный, судя по крику; его «переменяла», то есть перепеленывала, больная и бледная женщина, кажется молодая, в сильном неглиже и, может быть, только что начинавшая вставать после родов; но ребенок не унимался и кричал в ожидании тощей груди. На диване спал другой ребенок, трехлетняя девочка, прикрытая, кажется, фраком. У стола стоял господин в очень истрепанном сюртуке (он уже снял пальто, и оно лежало на кровати) и развертывал синюю бумагу, в которой было завернуто фунта два пшеничного хлеба и две маленькие колбасы. На столе, кроме того, был чайник с чаем и валялись куски черного хлеба. Из-под кровати высовывался незапертый чемодан и торчали два узла с каким-то тряпьем.

Одним словом, был страшный беспорядок. Мне показалось с первого взгляда, что оба они — и господин, и дама — люди порядочные, но доведенные бедностью до того унизительного состояния, в котором беспорядок одолевает наконец всякую попытку бороться с ним и даже доводит людей до горькой потребности находить в самом беспорядке этом, каждый день увеличивающемся, какое-то горькое и как будто мстительное ощущение удовольствия.

Когда я вошел, господин этот, тоже только что предо мною вошедший и развертывавший свои припасы, о чем-то быстро и горячо переговаривался с женой; та хоть и не кончила еще пеленания, но уже успела занюнить; известия были, должно быть, скверные, по обыкновению. Лицо этого господина, которому было лет двадцать восемь на вид, смуглое и сухое, обрамленное черными бакенбардами, с выбритым до лоску подбородком, показалось мне довольно приличным и даже приятным; оно было угрюмо, с угрюмым взглядом, но с каким-то болезненным оттенком гордости, слишком легко раздражающейся. Когда я вошел, произошла странная сцена.

Есть люди, которые в своей раздражительной обидчивости находят чрезвычайное наслаждение, и особенно когда она в них доходит (что случается всегда очень быстро) до последнего предела; в это мгновение им даже, кажется, приятнее быть обиженными, чем не обиженными. Эти раздражающиеся всегда потом ужасно мучатся раскаянием, если они умны, разумеется, и в состоянии сообразить, что разгорячились в десять раз более, чем следовало. Господин этот некоторое время смотрел на меня с изумлением, а жена с испугом, как будто в том была страшная диковина, что и к ним кто-нибудь мог войти; но вдруг он набросился на меня чуть не с бешенством; я не успел еще пробормотать двух слов, а он, особенно видя, что я одет порядочно, почел, должно быть, себя страшно обиженным тем, что я осмелился так бесцеремонно заглянуть в его угол и увидать всю безобразную обстановку, которой он сам так стыдился. Конечно, он обрадовался случаю сорвать хоть на ком-нибудь свою злость на все свои неудачи. Одну минуту я даже думал, что он бросится в драку; он побледнел, точно в женской истерике, и ужасно испугал жену.

— Как вы смели так войти? Вон! — кричал он, дрожа и даже едва выговаривая слова. Но вдруг он увидал в руках моих свой бумажник.

— Кажется, вы обронили, — сказал я как можно спокойнее и суше. (Так, впрочем, и следовало.)

Тот стоял предо мной в совершенном испуге и некоторое время как будто понять ничего не мог; потом быстро схватился за свой боковой карман, разинул рот от ужаса и ударил себя рукой по лбу.

— Боже! Где вы нашли? Каким образом?

Я объяснил в самых коротких словах и по возможности еще суше, как я поднял бумажник, как я бежал и звал его и как, наконец, по догадке и почти ощупью, взбежал за ним по лестнице.

— О боже! — вскрикнул он, обращаясь к жене, — тут все наши документы, тут мои последние инструменты, тут всё... о, милостивый государь, знаете ли вы, что́ вы для меня сделали? Я бы пропал!

Я схватился между тем за ручку двери, чтобы, не отвечая, уйти; но я сам задыхался, и вдруг волнение мое разразилось таким сильнейшим припадком кашля, что я едва мог устоять. Я видел, как господин бросался во все стороны, чтобы найти мне порожний стул, как он схватил наконец с одного стула лохмотья, бросил их на пол и, торопясь, подал мне стул, осторожно меня усаживая. Но кашель мой продолжался и не унимался еще минуты три. Когда я очнулся, он уже сидел подле меня на другом стуле, с которого тоже, вероятно, сбросил лохмотья на пол, и пристально в меня всматривался.

— Вы, кажется... страдаете? — проговорил он тем тоном, каким обыкновенно говорят доктора, приступая к больному. — Я сам... медик (он не сказал: доктор), — и, проговорив это, он для чего-то указал мне рукой на комнату, как бы протестуя против своего теперешнего положения, — я вижу, что вы...

— У меня чахотка, — проговорил я как можно короче и встал.

Вскочил тотчас и он.

— Может быть, вы преувеличиваете и... приняв средства...

Он был очень сбит с толку и как будто всё еще не мог прийти в себя; бумажник торчал у него в левой руке.

— О, не беспокойтесь, — перебил я опять, хватаясь за ручку двери, — меня смотрел на прошлой неделе Б-н (опять я ввернул тут Б-на), — и дело мое решенное. Извините...

Я было опять хотел отворить дверь и оставить моего сконфузившегося, благодарного и раздавленного стыдом доктора, но проклятый кашель как раз опять захватил меня. Тут мой доктор настоял, чтоб я опять присел отдохнуть; он обратился к жене, и та, не оставляя своего места, проговорила мне несколько благодарных и приветливых слов. При этом она очень сконфузилась, так что даже румянец заиграл на ее бледно-желтых, сухих щеках. Я остался, но с таким видом, который каждую секунду показывал, что ужасно боюсь их стеснить (так и следовало). Раскаяние моего доктора наконец замучило его, я это видел.

— Если я... — начал он, поминутно обрывая и перескакивая, — я так вам благодарен и так виноват пред вами... я... вы видите... — он опять указал на комнату, — в настоящую минуту я нахожусь в таком положении...

— О, — сказал я, — нечего и видеть; дело известное; вы, должно быть, потеряли место и приехали объясняться и опять искать места?

— Почему... вы узнали? — спросил он с удивлением.

— С первого взгляда видно, — отвечал я поневоле насмешливо. — Сюда много приезжают из провинций с надеждами, бегают и так вот и живут.

Он вдруг заговорил с жаром, с дрожащими губами; он стал жаловаться, стал рассказывать и, признаюсь, увлек меня; я просидел у него почти час. Он рассказал мне свою историю, впрочем очень обыкновенную. Он был лекарем в губернии, имел казенное место, но тут начались какие-то интриги, в которые вмешали даже жену его. Он погордился, погорячился; произошла перемена губернского начальства в пользу врагов его; под него подкопались, пожаловались; он потерял место и на последние средства приехал в Петербург объясняться; в Петербурге, известно, его долго не слушали, потом выслушали, потом отвечали отказом, потом поманили обещаниями, потом отвечали строгостию, потом велели ему что-то написать в объяснение, потом отказались принять, что он написал, велели подать просьбу, — одним словом, он бегал уже пятый месяц, проел всё; последние женины тряпки были в закладе, а тут родился ребенок, и, и... «сегодня заключительный отказ на поданную просьбу, а у меня почти хлеба нет, ничего нет, жена родила... Я, я...»

Он вскочил со стула и отвернулся. Жена его плакала в углу, ребенок начал опять пищать. Я вынул мою записную книжку и стал в нее записывать. Когда я кончил и встал, он стоял предо мной и глядел с боязливым любопытством.

— Я записал ваше имя, — сказал я ему, — ну, и всё прочее: место служения, имя вашего губернатора, числа, месяцы. У меня есть один товарищ, еще по школе, Бахмутов, а у него дядя Петр Матвеевич Бахмутов, действительный статский советник и служит директором...

— Петр Матвеевич Бахмутов! — вскрикнул мой медик, чуть не задрожав. — Но ведь от него-то почти всё и зависит!

В самом деле, в истории моего медика и в развязке ее, которой я нечаянно способствовал, всё сошлось и уладилось, как будто нарочно было к тому приготовлено, решительно точно в романе. Я сказал этим бедным людям, чтоб они постарались не иметь никаких на меня надежд, что я сам бедный гимназист (я нарочно преувеличил унижение; я давно кончил курс и не гимназист) и что имени моего нечего им знать, но что я пойду сейчас же на Васильевский остров к моему товарищу Бахмутову, и так как я знаю наверно, что его дядя, действительный статский советник, холостяк и не имеющий детей, решительно благоговеет пред своим племянником и любит его до страсти, видя в нем последнюю отрасль своей фамилии, то, «может быть, мой товарищ и сможет сделать что-нибудь для вас и для меня, конечно, у своего дяди...».

— Мне бы только дозволили объясниться с его превосходительством! Только бы я возмог получить честь объяснить на словах! — воскликнул он, дрожа как в лихорадке и с сверкавшими глазами. Он так и сказал: *«возмог».* Повторив еще раз, что дело наверно лопнет и всё окажется вздором, я прибавил, что если завтра утром я к ним не приду, то, значит, дело кончено и им нечего ждать. Они выпроводили меня с поклонами, они были почти не в своем уме. Никогда не забуду выражения их лиц. Я взял извозчика и тотчас же отправился на Васильевский остров.

С этим Бахмутовым в гимназии в продолжение нескольких лет я был в постоянной вражде. У нас он считался аристократом, по крайней мере я так называл его: прекрасно одевался, приезжал на своих лошадях, нисколько не фанфаронил, всегда был превосходный товарищ, всегда был необыкновенно весел и даже иногда очень остер, хотя ума был совсем недалекого, несмотря на то, что всегда был первым в классе; я же никогда ни в чем не был первым. Все товарищи любили его, кроме меня одного. Он несколько раз в эти несколько лет подходил ко мне; но я каждый раз угрюмо и раздражительно от него отворачивался. Теперь я уже не видал его с год; он был в университете. Когда, часу в девятом, я вошел к нему (при больших церемониях: обо мне докладывали), он встретил меня сначала с удивлением, вовсе даже не приветливо, но тотчас повеселел и, глядя на меня, вдруг расхохотался.

— Да что это вздумалось вам прийти ко мне, Терентьев? — вскричал со своею всегдашнею милою развязностью, иногда дерзкою, но никогда не оскорблявшею, которую я так в нем любил и за которую так его ненавидел. — Но что это, — вскричал он с испугом, — вы так больны!

Кашель меня замучил опять, я упал на стул и едва мог отдышаться.

— Не беспокойтесь, у меня чахотка, — сказал я, — я к вам с просьбой.

Он уселся с удивлением, и я тотчас же изложил ему всю историю доктора и объяснил, что сам он, имея чрезвычайное влияние на дядю, может быть, мог бы что-нибудь сделать.

— Сделаю, непременно сделаю и завтра же нападу на дядю; и я даже рад, и вы так всё это хорошо рассказали... Но как это вам, Терентьев, вздумалось все-таки ко мне обратиться?

— От вашего дяди тут так много зависит, и притом мы, Бахмутов, всегда были врагами, а так как вы человек благородный, то я подумал, что вы врагу не откажете, — прибавил я с иронией.

— Как Наполеон обратился к Англии! — вскричал он захохотав. — Сделаю, сделаю! Сейчас даже пойду, если можно! — прибавил он поспешно, видя, что я серьезно и строго встаю со стула.

И действительно, это дело, самым неожиданным образом, обделалось у нас как не надо лучше. Чрез полтора месяца наш медик получил опять место, в другой губернии, получил прогоны, даже вспоможение. Я подозреваю, что Бахмутов, который сильно повадился к ним ходить (тогда как я от этого нарочно перестал к ним ходить и принимал забегавшего ко мне доктора почти сухо), — Бахмутов, как я подозреваю, склонил доктора даже принять от него взаймы. С Бахмутовым я виделся раза два в эти шесть недель, мы сошлись в третий раз, когда провожали доктора. Проводы устроил Бахмутов у себя же в доме, в форме обеда с шампанским, на котором присутствовала и жена доктора; она, впрочем, очень скоро уехала к ребенку. Это было в начале мая, вечер был ясный, огромный шар солнца опускался в залив. Бахмутов провожал меня домой, мы пошли по Николаевскому мосту; оба подпили. Бахмутов говорил о своем восторге, что дело это так хорошо кончилось, благодарил меня за что-то, объяснял, как приятно ему теперь после доброго дела, уверял, что вся заслуга принадлежит мне и что напрасно многие теперь учат и проповедуют, что единичное доброе дело ничего не значит. Мне тоже ужасно захотелось поговорить.

— Кто посягает на единичную «милостыню», — начал я, — тот посягает на природу человека и презирает его личное достоинство. Но организация «общественной милостыни» и вопрос о личной свободе — два вопроса различные и взаимно себя не исключающие. Единичное добро останется всегда, потому что оно есть потребность личности, живая потребность прямого влияния одной личности на другую. В Москве жил один старик, один «генерал», то есть действительный статский советник, с немецким именем; он всю свою жизнь таскался по острогам и по преступникам; каждая пересыльная партия в Сибирь знала заранее, что на Воробьевых горах ее посетит «старичок-генерал». Он делал свое дело в высшей степени серьезно и набожно; он являлся, проходил по рядам ссыльных, которые окружали его, останавливался пред каждым, каждого расспрашивал о его нуждах, наставлений не читал почти никогда никому, звал их всех «голубчиками». Он давал деньги, присылал необходимые вещи — портянки, подвертки, холста, приносил иногда душеспасительные книжки и оделял ими каждого грамотного, с полным убеждением, что они будут их дорогой читать и что грамотный прочтет неграмотному. Про преступление он редко расспрашивал, разве выслушивал, если преступник сам начинал говорить. Все преступники у него были на равной ноге, различия не было. Он говорил с ними, как с братьями, но они сами стали считать его под конец за отца. Если замечал какую-нибудь ссыльную женщину с ребенком на руках, он подходил, ласкал ребенка, пощелкивал ему пальцами, чтобы тот засмеялся. Так поступал он множество лет, до самой смерти; дошло до того, что его знали по всей России и по всей Сибири, то есть все преступники. Мне рассказывал один бывший в Сибири, что он сам был свидетелем, как самые закоренелые преступники вспоминали про генерала, а между тем, посещая партии, генерал редко мог раздать более двадцати копеек на брата. Правда, вспоминали его не то что горячо или как-нибудь там очень серьезно. Какой-нибудь из «несчастных», убивший каких-нибудь двенадцать душ, заколовший шесть штук детей, единственно, для своего удовольствия (такие, говорят, бывали), вдруг ни с того ни с сего, когда-нибудь, и всего-то, может быть, один раз во все двадцать лет, вдруг вздохнет и скажет: «А что-то теперь старичок-генерал, жив ли еще?» При этом, может быть, даже и усмехнется, — и вот и только всего-то. А почему вы знаете, какое семя заброшено в его душу навеки этим «старичком генералом», которого он не забыл в двадцать лет? Почему вы знаете, Бахмутов, какое значение будет иметь это приобщение одной личности к другой в судьбах приобщенной личности?.. Тут ведь целая жизнь и бесчисленное множество скрытых от нас разветвлений. Самый лучший шахматный игрок, самый острый из них может рассчитать только несколько ходов вперед; про одного французского игрока, умевшего рассчитать десять ходов вперед, писали как про чудо. Сколько же тут ходов и сколько нам неизвестного? Бросая ваше семя, бросая вашу «милостыню», ваше доброе дело в какой бы то ни было форме, вы отдаете часть вашей личности и принимаете в себя часть другой; вы взаимно приобщаетесь один к другому; еще несколько внимания, и вы вознаграждаетесь уже знанием, самыми неожиданными открытиями. Вы непременно станете смотреть наконец на ваше дело как на науку; она захватит в себя всю вашу жизнь и может наполнить всю жизнь. С другой стороны, все ваши мысли, все брошенные вами семена, может быть, уже забытые вами, воплотятся и вырастут; получивший от вас передаст другому. И почему вы знаете, какое участие вы будете иметь в будущем разрешении судеб человечества? Если же знание и целая жизнь этой работы вознесут вас наконец до того, что вы в состоянии будете бросить громадное семя, оставить миру в наследство громадную мысль, то... И так далее, я много тогда говорил.

— И подумать при этом, что вам-то и отказано в жизни! — с горячим упреком кому-то вскричал Бахмутов.

В ту минуту мы стояли на мосту, облокотившись на перила, и глядели на Неву.

— А знаете ли, что мне пришло в голову, — сказал я, нагнувшись еще более над перилами.

— Неужто броситься в воду? — вскричал Бахмутов чуть не в испуге. Может быть, он прочел мою мысль в моем лице.

— Нет, покамест одно только рассуждение, следующее: вот мне остается теперь месяца два-три жить, может четыре; но, например, когда будет оставаться всего только два месяца, и если б я страшно захотел сделать одно доброе дело, которое бы потребовало работы, беготни и хлопот, вот вроде дела нашего доктора, то в таком случае я ведь должен бы был отказаться от этого дела за недостатком остающегося мне времени и приискивать другое «доброе дело», помельче, и которое в моих *средствах* (если уж так будет разбирать меня на добрые дела). Согласитесь, что это забавная мысль!

Бедный Бахмутов был очень встревожен за меня; он проводил меня до самого дома и был так деликатен, что не пустился ни разу в утешения и почти всё молчал. Прощаясь со мной, он горячо сжал мне руку и просил позволения навещать меня. Я отвечал ему, что если он будет приходить ко мне как «утешитель» (потому что если бы даже он и молчал, то все-таки приходил бы как утешитель, я это объяснил ему), то ведь этим он мне будет, стало быть, каждый раз напоминать еще больше о смерти. Он пожал плечами, но со мной согласился; мы расстались довольно учтиво, чего я даже не ожидал.

Но в этот вечер и в эту ночь брошено было первое семя моего «последнего убеждения». Я с жадностью схватился за эту *новую* мысль, с жадностью разбирал ее во всех ее излучинах, во всех видах ее (я не спал всю ночь), и чем более я в нее углублялся, чем более принимал ее в себя, тем более я пугался. Страшный испуг напал на меня наконец и не оставлял и в следующие затем дни. Иногда, думая об этом постоянном испуге моем, я быстро леденел от нового ужаса: по этому испугу я ведь мог заключить, что «последнее убеждение» мое слишком серьезно засело во мне и непременно придет к своему разрешению. Но для разрешения мне недоставало решимости. Три недели спустя всё было кончено, и решимость явилась, но по весьма странному обстоятельству.

Здесь в моем объяснении я отмечаю все эти цифры и числа. Мне, конечно, всё равно будет, но *теперь* (и, может быть, только в эту минуту) я желаю, чтобы те, которые будут судить мой поступок, могли ясно видеть, из какой логической цепи выводов вышло мое «последнее убеждение». Я написал сейчас выше, что окончательная решимость, которой недоставало мне для исполнения моего «последнего убеждения», произошла во мне, кажется, вовсе не из логического вывода, а от какого-то странного толчка, от одного странного обстоятельства, может быть вовсе не связанного ничем с ходом дела. Дней десять назад зашел ко мне Рогожин, по одному своему делу, о котором здесь лишнее распространяться. Я никогда не видал Рогожина прежде, но слышал о нем очень многое. Я дал ему все нужные справки, и он скоро ушел, а так как он и приходил только за справками, то тем бы дело между нами и кончилось. Но он слишком заинтересовал меня, и весь этот день я был под влиянием странных мыслей, так что решился пойти к нему на другой день сам, отдать визит. Рогожин был мне, очевидно, не рад и даже «деликатно» намекнул, что нам нечего продолжать знакомство; но все-таки я провел очень любопытный час, как, вероятно, и он. Между нами был такой контраст, который не мог не сказаться нам обоим, особенно мне: я был человек уже сосчитавший дни свои, а он — живущий самою полною, непосредственною жизнью, настоящею минутой, без всякой заботы о «последних» выводах, цифрах или о чем бы то ни было, не касающемся того, на чем... на чем... ну хоть на чем он помешан; пусть простит мне это выражение господин Рогожин, пожалуй хоть как плохому литератору, не умевшему выразить свою мысль. Несмотря на всю его нелюбезность, мне показалось, что он человек с умом и может многое понимать, хотя его мало что интересует из постороннего. Я не намекал ему о моем «последнем убеждении», но мне почему-то показалось, что он, слушая меня, угадал его. Он промолчал, он ужасно молчалив. Я намекнул ему, уходя, что, несмотря на всю между нами разницу и на все противоположности, — les extrêmités se touchent[1] (я растолковал ему это по-русски), так что, может быть, он и сам вовсе не так далек от моего «последнего убеждения», как кажется. На это он ответил мне очень угрюмою и кислою гримасой, встал, сам сыскал мне мою фуражку, сделав вид, будто бы я сам ухожу, и просто-запросто вывел меня из своего мрачного дома под видом того, что провожает меня из учтивости. Дом его поразил меня; похож на кладбище, а ему, кажется, нравится, что, впрочем, понятно: такая полная непосредственная жизнь, которою он живет, слишком полна сама по себе, чтобы нуждаться в обстановке.

Этот визит к Рогожину очень утомил меня. Кроме того, я еще с утра чувствовал себя нехорошо; к вечеру я очень ослабел и лег на кровать, а по временам чувствовал сильный жар и даже минутами бредил. Коля пробыл со мной до одиннадцати часов. Я помню, однако ж, всё, про что он говорил и про что мы говорили. Но когда минутами смыкались мои глаза, то мне всё представлялся Иван Фомич, будто бы получавший миллионы денег. Он всё не знал, куда их

[1] противоположности сходятся (*франц.*).

девать, ломал себе над ними голову, дрожал от страха, что их украдут, и, наконец, будто бы решил закопать их в землю. Я наконец посоветовал ему, вместо того чтобы закапывать такую кучу золота в землю даром, вылить из всей этой груды золотой гробик «замороженному» ребенку и для этого ребенка выкопать. Эту насмешку мою Суриков принял будто бы со слезами благодарности и тотчас же приступил к исполнению плана. Я будто бы плюнул и ушел от него. Коля уверял меня, когда я совсем очнулся, что я вовсе не спал и что всё это время говорил с ним о Сурикове. Минутами я был в чрезвычайной тоске и смятении, так что Коля ушел в беспокойстве. Когда я сам встал, чтобы запереть за ним дверь на ключ, мне вдруг припомнилась картина, которую я видел давеча у Рогожина, в одной из самых мрачных зал его дома, над дверьми. Он сам мне ее показал мимоходом; я, кажется, простоял пред нею минут пять. В ней не было ничего хорошего в артистическом отношении; но она произвела во мне какое-то странное беспокойство.

На картине этой изображен Христос, только что снятый со креста. Мне кажется, живописцы обыкновенно повадились изображать Христа и на кресте, и снятого со креста, всё еще с оттенком необыкновенной красоты в лице; эту красоту они ищут сохранить ему даже при самых страшных муках. В картине же Рогожина о красоте и слова нет; это в полном виде труп человека, вынесшего бесконечные муки еще до креста, раны, истязания, битье от стражи, битье от народа, когда он нес на себе крест и упал под крестом, и, наконец, крестную муку в продолжение шести часов (так, по крайней мере, по моему расчету). Правда, это лицо человека *только что* снятого со креста, то есть сохранившее в себе очень много живого, теплого; ничего еще не успело закостенеть, так что на лице умершего даже проглядывает страдание, как будто бы еще и теперь им ощущаемое (это очень хорошо схвачено артистом); но зато лицо не пощажено нисколько; тут одна природа, и воистину таков и должен быть труп человека, кто бы он ни был, после таких мук. Я знаю, что христианская церковь установила еще в первые века, что Христос страдал не образно, а действительно, и что тело его, стало быть, было подчинено на кресте закону природы вполне и совершенно. На картине это лицо страшно разбито ударами, вспухшее, со страшными, вспухшими и окровавленными синяками, глаза открыты, зрачки скосились; большие, открытые белки глаз блещут каким-то мертвенным, стеклянным отблеском. Но странно, когда смотришь на этот труп измученного человека, то рождается один особенный и любопытный вопрос: если такой точно труп (а он непременно должен был быть точно такой) видели все ученики его, его главные будущие апостолы, видели женщины, ходившие за ним и стоявшие у креста, все веровавшие в него и обожавшие его, то каким образом могли они поверить, смотря на такой труп, что этот мученик воскреснет? Тут невольно приходит понятие, что если так ужасна смерть и так сильны законы природы, то как же одолеть их? Как одолеть их, когда не победил их теперь даже тот, который побеждал и природу при жизни своей, которому она подчинялась, который воскликнул: «Талифа куми», — и девица встала, «Лазарь, гряди вон», — и вышел умерший? Природа мерещится при взгляде на эту картину в виде какого-то огромного, неумолимого и немого зверя или, вернее, гораздо вернее сказать, хоть и странно, — в виде какой-нибудь громадной машины новейшего устройства, которая бессмысленно захватила, раздробила и поглотила в себя, глухо и бесчувственно, великое и бесценное существо — такое существо, которое одно стоило всей природы и всех законов ее, всей земли, которая и создавалась-то, может быть, единственно для одного только появления этого существа! Картиной этою как будто именно выражается это понятие о темной, наглой и бессмысленно-вечной силе, которой всё подчинено, и передается вам невольно. Эти люди, окружавшие умершего, которых тут нет ни одного на картине, должны были ощутить страшную тоску и смятение в тот вечер, раздробивший разом все их надежды и почти что верования. Они должны были разойтись в ужаснейшем страхе, хотя и уносили каждый в себе громадную мысль, которая уже никогда не могла быть из них исторгнута. И если б этот самый учитель мог увидеть свой образ накануне казни, то так ли бы сам он взошел на крест и так ли бы умер, как теперь? Этот вопрос тоже невольно мерещится, когда смотришь на картину.

Всё это мерещилось и мне отрывками, может быть, действительно между бредом, иногда даже в образах, целые полтора часа по уходе Коли. Может ли мерещиться в образе то, что не имеет образа? Но мне как будто казалось временами, что я вижу, в какой-то странной и невозможной форме, эту бесконечную силу, это глухое, темное и немое существо. Я помню, что кто-то будто бы повел меня за руку, со свечкой в руках, показал мне какого-то огромного и отвратительного тарантула и стал уверять меня, что это то самое темное, глухое и всесильное существо, и смеялся над моим негодованием. В моей комнате, пред образом, всегда зажигают на ночь лампадку, — свет тусклый и ничтожный, но, однако ж, разглядеть всё можно, а под лампадкой даже можно читать. Я думаю, что был уже час первый в начале; я совершенно не спал и лежал с открытыми глазами; вдруг дверь моей комнаты отворилась, и вошел Рогожин.

Он вошел, затворил дверь, молча посмотрел на меня и тихо прошел в угол к тому стулу, который стоит почти под самою лампадкой. Я очень удивился и смотрел в ожидании; Рогожин облокотился на столик и стал молча глядеть на меня. Так прошло минуты две-три, и я помню, что его молчание очень меня обидело и раздосадовало. Почему же он не хочет говорить? То, что он пришел так поздно, мне показалось, конечно, странным, но помню, что я не был бог знает как изумлен собственно этим. Даже напротив: я хоть утром ему и не высказал ясно моей мысли, но я знаю, что он ее понял; а эта мысль была такого свойства, что по поводу ее, конечно, можно было прийти поговорить еще раз, хотя бы даже и очень поздно. Я так и думал, что он за этим пришел. Мы утром расстались несколько враждебно, и я даже помню, он раза два поглядел на меня очень насмешливо. Вот эту-то насмешку я теперь и прочел в его взгляде, она-то меня и обидела. В том же, что это действительно сам Рогожин, а не видение, не бред, я сначала нисколько не сомневался. Даже и мысли не было.

Между тем он продолжал всё сидеть и всё смотрел на меня с тою же усмешкой. Я злобно повернулся на постели, тоже облокотился на подушку и нарочно решился тоже молчать, хотя бы мы всё время так просидели. Я непременно почему-то хотел, чтоб он начал первый. Я думаю, так прошло минут с двадцать. Вдруг мне представилась мысль: что если это не Рогожин, а только видение?

Ни в болезни моей и никогда прежде я не видел еще ни разу ни одного привидения; но мне всегда казалось, еще когда я был мальчиком, и даже теперь, то есть недавно, что если я увижу хоть раз привидение, то тут же на месте умру, даже несмотря на то, что я ни в какие привидения не верю. Но когда мне пришла мысль, что это не Рогожин, а только привидение, то, помню, я нисколько не испугался. Мало того, я на это даже злился. Странно еще и то, что разрешение вопроса: привидение ли это или сам Рогожин, как-то вовсе не так занимало меня и тревожило, как бы, кажется, следовало; мне кажется, что я о чем-то другом тогда думал. Меня, например, гораздо более занимало, почему Рогожин, который давеча был в домашнем шлафроке и в туфлях, теперь во фраке, в белом жилете и в белом галстуке? Мелькала тоже мысль: если это привидение и я его не боюсь, то почему же не встать, не подойти к нему и не удостовериться самому? Может быть, впрочем, я не смел и боялся. Но когда я только что успел подумать, что я боюсь, вдруг как будто льдом провели по всему моему телу; я почувствовал холод в спине, и колени мои вздрогнули. В самое это мгновение, точно угадав, что я боюсь, Рогожин отклонил свою руку, на которую облокачивался, выпрямился и стал раздвигать свой рот, точно готовясь смеяться; он смотрел на меня в упор. Бешенство охватило меня до того, что я решительно хотел на него броситься, но так как я поклялся, что не начну первый говорить, то и остался на кровати, тем более что я всё еще был не уверен, сам ли это Рогожин или нет?

Я не помню наверно, сколько времени это продолжалось; не помню тоже наверно, забывался ли я иногда минутами или нет? Только наконец Рогожин встал, так же медленно и внимательно осмотрел меня, как и прежде, когда вошел, но усмехаться перестал и тихо, почти на цыпочках, подошел к двери, отворил ее, притворил и вышел. Я не встал с постели; не помню, сколько времени я пролежал еще с открытыми глазами и всё думал; бог знает о чем я думал; не помню тоже, как я забылся. На другое утро я проснулся, когда стучались в мою дверь, в десятом часу. У меня так условлено, что если я сам не отворю дверь до десятого часу и не крикну, чтобы мне подали чаю, то Матрена сама должна постучать ко мне. Когда я отворил ей дверь, мне тотчас представилась мысль: как же мог он войти, когда дверь была заперта? Я справился и убедился, что настоящему Рогожину невозможно было войти, потому что все наши двери на ночь запираются на замок.

Вот этот особенный случай, который я так подробно описал, и был причиной, что я совершенно «решился». Окончательному решению способствовала, стало быть, не логика, не логическое убеждение, а отвращение. Нельзя оставаться в жизни, которая принимает такие странные, обижающие меня формы. Это привидение меня унизило. Я не в силах подчиняться темной силе, принимающей вид тарантула. И только тогда, когда я, уже в сумерки, ощутил наконец в себе окончательный момент полной решимости, мне стало легче. Это был только первый момент; за другим моментом я ездил в Павловск, но это уже довольно объяснено».

VII

«У меня был маленький карманный пистолет, я завел его, когда еще был ребенком, в тот смешной возраст, когда вдруг начинают нравиться истории о дуэлях, о нападениях разбойников, о том, как и меня вызовут на дуэль и как благородно я буду стоять под пистолетом. Месяц тому назад я его осмотрел и приготовил. В ящике, где он лежал, отыскались две пули, а в пороховом рожке пороху заряда на три. Пистолет этот дрянь, берет в сторону и бьет всего шагов на пятнадцать; но, уж конечно, может своротить череп на сторону, если приставить его вплоть к виску.

Я положил умереть в Павловске, на восходе солнца и сойдя в парк, чтобы не обеспокоить никого на даче. Мое «Объяснение» достаточно объяснит всё дело полиции. Охотники до психологии. И те, кому надо, могут вывести из него всё, что им будет угодно. Я бы не желал, однако ж, чтоб эта рукопись предана была гласности. Прошу князя сохранить экземпляр у себя и сообщить другой экземпляр Аглае Ивановне Епанчиной. Такова моя воля. Завещаю мой скелет в Медицинскую академию для научной пользы.

Я не признаю судей над собою и знаю, что я теперь вне всякой власти суда. Еще недавно рассмешило меня предположение: что если бы мне вдруг вздумалось теперь убить кого угодно, хоть десять человек разом, или сделать что-нибудь самое уносное, что только считается самым ужасным на этом свете, то в какой просак поставлен бы был предо мной суд с моими двумя-тремя неделями сроку и с уничтожением пыток и истязаний? Я умер бы комфортно в их госпитале, в тепле и с внимательным доктором, и, может быть, гораздо комфортнее и теплее, чем у себя дома. Не понимаю, почему людям в таком же, как я, положении не приходит такая же мысль в голову, хоть бы только для шутки? Может быть, впрочем, и приходит: веселых людей и у нас много отыщется.

Но если я и не признаю суда над собой, то все-таки знаю, что меня будут судить, когда я уже буду ответчиком глухим и безгласным. Не хочу уходить, не оставив слова в ответ, — слова свободного, а не вынужденного, — не для оправдания, — о нет! просить прощения мне не у кого и не в чем, — а так, потому что сам желаю того.

Тут, во-первых, странная мысль: кому, во имя какого права, во имя какого побуждения вздумалось бы оспаривать теперь у меня мое право на эти две-три недели моего срока? Какому суду тут дело? Кому именно нужно, чтоб я был не только приговорен, но и благонравно выдержал срок приговора? Неужели, в самом деле, кому-нибудь это надо? Для нравственности? Я еще понимаю, что если б я в цвете здоровья и сил посягнул на мою жизнь, которая «могла бы быть полезна моему ближнему» и т. д., то нравственность могла бы еще упрекнуть меня, по старой рутине, за то, что я распорядился моею жизнью без спросу, или там в чем сама знает. Но теперь, теперь, когда мне уже прочитан срок приговора? Какой нравственности нужно еще, сверх вашей жизни, и последнее хрипение, с которым вы отдадите последний атом жизни, выслушивая утешения князя, который непременно дойдет в своих христианских доказательствах до счастливой мысли, что в сущности оно даже и лучше, что вы умираете. (Такие, как он, христиане всегда доходят до этой идеи: это их любимый конек.) И чего им хочется с их смешными «павловскими деревьями»? Усладить последние часы моей жизни? Неужто им непонятно, что чем более я забудусь, чем более отдамся этому последнему призраку жизни и любви, которым они хотят заслонить от меня мою Мейерову стену и всё, что на ней так откровенно и простодушно написано, тем несчастнее они меня сделают? Для чего мне ваша природа, ваш Павловский парк, ваши восходы и закаты солнца, ваше голубое небо и ваши вседовольные лица, когда весь этот пир, которому нет конца, начал с того, что одного меня счел за лишнего? Что мне во всей этой красоте, когда я каждую минуту, каждую секунду должен и принужден теперь знать, что вот даже эта крошечная мушка, которая жужжит теперь около меня в солнечном луче, и та даже во всем этом пире и хоре участница, место знает свое, любит его и счастлива, а я один выкидыш, и только по малодушию моему до сих пор не хотел понять это! О, я ведь знаю, как бы хотелось князю и всем им довести меня до того, чтоб и я, вместо всех этих «коварных и злобных» речей, пропел из благонравия и для торжества нравственности знаменитую и классическую строфу Мильвуа:

> O, puissent voir votre beauté sacrée
> Tant d'amis sourds à mes adieux!
> Qu'ils meurent pleins de jours, que leur mort soit pleurée,
> Qu'un ami leur ferme les yeux![1]

Но верьте, верьте, простодушные люди, что и в этой благонравной строфе, в этом академическом благословении миру во французских стихах засело столько затаенной желчи, столько непримиримой, самоусладившейся в рифмах злобы, что даже сам поэт, может быть, попал впросак и принял эту злобу за слезы умиления, с тем и помер; мир его праху! Знайте, что есть такой предел позора в сознании собственного ничтожества и слабосилия, дальше которого человек уже не может идти и с которого начинает ощущать в самом позоре своем громадное наслаждение... Ну, конечно, смирение есть громадная сила в этом смысле, я это допускаю, — хотя и не в том смысле, в каком религия принимает смирение за силу.

Религия! Вечную жизнь я допускаю и, может быть, всегда допускал. Пусть зажжено сознание волею высшей силы, пусть оно оглянулось на мир и сказало: «Я есмь!», — и пусть ему вдруг предписано этою высшею силой уничтожиться, потому что там так для чего-то, — и даже без объяснения для чего, — это надо, пусть, я всё это допускаю, но, опять-таки вечный вопрос: для чего при этом понадобилось смирение мое? Неужто нельзя меня просто съесть, не требуя от меня похвал тому, что меня съело? Неужели там и в самом деле кто-нибудь обидится тем, что я не хочу подождать двух недель? Не верю я этому; и гораздо уж вернее предположить, что тут просто понадобилась моя ничтожная жизнь, жизнь атома, для пополнения какой-нибудь всеобщей гармонии в целом, для какого-нибудь плюса и минуса, для какого-нибудь контраста и прочее и прочее, точно так же, как ежедневно надобится в жертву жизнь множества существ, без смерти которых остальной мир не может стоять (хотя надо заметить, что это не очень великодушная мысль сама по себе). Но пусть! Я согласен, что иначе, то есть без беспрерывного поядения друг друга, устроить мир было никак невозможно; я даже согласен допустить, что ничего не понимаю в этом устройстве; но зато вот что я знаю наверно: если уже раз мне дали сознать, что «я есмь», то какое мне дело до того, что мир устроен с ошибками и что иначе он не может стоять? Кто же и за что меня после этого будет судить? Как хотите, всё это невозможно и несправедливо.

А между тем я никогда, несмотря даже на всё желание мое, не мог представить себе, что будущей жизни и провидения нет. Вернее всего, что всё это есть, но что мы ничего не понимаем в будущей жизни и в законах ее. Но если это так трудно и совершенно даже невозможно понять, то неужели я буду отвечать за то, что не в силах был осмыслить непостижимое? Правда, они говорят, и, уж конечно, князь вместе с ними, что тут-то послушание и нужно, что слушаться

---

[1] О, да увидят вашу святую красоту
Друзья, глухие к моему уходу!
Пусть они умрут на склоне дней своих, пусть будет их смерть оплакана,
Пусть друг закроет им глаза! (*франц.*)

нужно без рассуждений, из одного благонравия, и что за кротость мою я непременно буду вознагражден на том свете. Мы слишком унижаем провидение, приписывая ему наши понятия, с досады, что не можем понять его. Но опять-таки, если понять его невозможно, то, повторяю, трудно и отвечать за то, что не дано человеку понять. А если так, то как же будут судить меня за то, что я не мог понять настоящей воли и законов провидения? Нет, уж лучше оставим религию.

Да и довольно. Когда я дойду до этих строк, то наверно уж взойдет солнце и «зазвучит на небе», и польется громадная, неисчислимая сила по всей подсолнечной. Пусть! Я умру, прямо смотря на источник силы и жизни, и не захочу этой жизни! Если б я имел власть не родиться, то наверно не принял бы существования на таких насмешливых условиях. Но я еще имею власть умереть, хотя отдаю уже сочтенное. Не великая власть, не великий и бунт.

Последнее объяснение: я умираю вовсе не потому, что не в силах перенести эти три недели; о, у меня бы достало силы, и если б я захотел, то довольно уже был бы утешен одним сознанием нанесенной мне обиды; но я не французский поэт и не хочу таких утешений. Наконец, и соблазн: природа до такой степени ограничила мою деятельность своими тремя неделями приговора, что, может быть, самоубийство есть единственное дело, которое я еще могу успеть начать и окончить по собственной воле моей. Что ж, может быть, я и хочу воспользоваться последнею возможностью *дела*? Протест иногда не малое дело...»

«Объяснение» было окончено; Ипполит наконец остановился...

Есть в крайних случаях та степень последней цинической откровенности, когда нервный человек, раздраженный и выведенный из себя, не боится уже ничего и готов хоть на всякий скандал, даже рад ему; бросается на людей, сам имея при этом неясную, но твердую цель непременно минуту спустя слететь с колокольни и тем разом разрешить все недоумения, если таковые при этом окажутся. Признаком этого состояния обыкновенно бывает и приближающееся истощение физических сил. Чрезвычайное, почти неестественное напряжение, поддерживавшее до сих пор Ипполита, дошло до этой последней степени. Сам по себе этот восемнадцатилетний, истощенный болезнью мальчик казался слаб, как сорванный с дерева дрожащий листик; но только что он успел обвести взглядом своих слушателей, — в первый раз в продолжение всего последнего часа, — то тотчас же самое высокомерное, самое презрительное и обидное отвращение выразилось в его взгляде и улыбке. Он спешил своим вызовом. Но и слушатели были в полном негодовании. Все с шумом и досадой вставали из-за стола. Усталость, вино, напряжение усиливали беспорядочность и как бы грязь впечатлений, если можно так выразиться.

Вдруг Ипполит быстро вскочил со стула, точно его сорвали с места.

— Солнце взошло! — вскричал он, увидев блестевшие верхушки деревьев и показывая на них князю точно на чудо, — взошло!

— А вы думали не взойдет, что ли? — заметил Фердыщенко.

— Опять жарища на целый день, — с небрежною досадой бормотал Ганя, держа в руках шляпу, потягиваясь и зевая, — ну, как на месяц эдакой засухи!.. Идем или нет, Птицын?

Ипполит прислушивался с удивлением, доходившим до столбняка; вдруг он страшно побледнел и весь затрясся.

— Вы очень неловко выделываете ваше равнодушие, чтобы меня оскорбить, — обратился он к Гане, смотря на него в упор, — вы негодяй!

— Ну, это уж черт знает что такое, эдак расстегиваться! — заорал Фердыщенко. — Что за феноменальное слабосилие!

— Просто дурак, — сказал Ганя.

Ипполит несколько скрепился.

— Я понимаю, господа, — начал он, по-прежнему дрожа и осекаясь на каждом слове, — что я мог заслужить ваше личное мщение, и... жалею, что замучил вас этим бредом (он указал на рукопись), а впрочем, жалею, что совсем не замучил... (он глупо улыбнулся) замучил, Евгений Павлыч? — вдруг перескочил он к нему с вопросом, — замучил или нет? Говорите!

— Растянуто немного, а впрочем...

— Говорите всё! Не лгите хоть раз в вашей жизни! — дрожал и приказывал Ипполит.

— О, мне решительно всё равно! Сделайте одолжение, прошу вас, оставьте меня в покое, — брезгливо отвернулся Евгений Павлович.

— Покойной ночи, князь, — подошел к князю Птицын.

— Да он сейчас застрелится, что же вы! Посмотрите на него! — вскрикнула Вера и рванулась к Ипполиту в чрезвычайном испуге и даже схватила его за руки. — Ведь он сказал, что на восходе солнца застрелится, что же вы!

— Не застрелится! — с злорадством пробормотало несколько голосов, в том числе Ганя.

— Господа, берегитесь! — крикнул Коля, тоже схватив Ипполита за руку. — Вы только на него посмотрите! Князь! Князь, да что же вы!

Около Ипполита столпились Вера, Коля, Келлер и Бурдовский; все четверо схватились за него руками.

— Он имеет право, право!.. — бормотал Бурдовский, впрочем тоже совсем как потерянный.

— Позвольте, князь, какие ваши распоряжения? — подошел к князю Лебедев, хмельной и озлобленный до нахальства.

— Какие распоряжения?

— Нет-с; позвольте-с; я хозяин-с, хотя и не желаю манкировать вам в уважении... Положим, что и вы хозяин, но я не хочу, чтобы так в моем собственном доме... Так-с.

— Не застрелится; балует мальчишка! — с негодованием и с апломбом неожиданно прокричал генерал Иволгин.

— Ай да генерал! — подхватил Фердыщенко.

— Знаю, что не застрелится, генерал, многоуважаемый генерал, но все-таки... ибо я хозяин.

— Послушайте, господин Терентьев, — сказал вдруг Птицын, простившись с князем и протягивая руку Ипполиту, — вы, кажется, в своей тетрадке говорите про ваш скелет и завещаете его Академии? Это вы про ваш скелет, собственный ваш, то есть ваши кости завещаете?

— Да, мои кости...

— То-то. А то ведь можно ошибиться: говорят, уже был такой случаи.

— Что вы его дразните? — вскричал вдруг князь.

— До слез довели, — прибавил Фердыщенко.

Но Ипполит вовсе не плакал. Он двинулся было с места, но четверо, его обступившие, вдруг разом схватили его за руки. Раздался смех.

— К тому и вел, что за руки будут держать; на то и тетрадку прочел, — заметил Рогожин. — Прощай, князь. Эк досиделись; кости болят.

— Если вы действительно хотели застрелиться, Терентьев, — засмеялся Евгений Павлович, — то уж я бы, после таких комплиментов, на вашем месте нарочно бы не застрелился, чтоб их подразнить.

— Им ужасно хочется видеть, как я застрелюсь! — вскинулся на него Ипполит.

Он говорил точно накидываясь.

— Им досадно, что не увидят.

— Так и вы думаете, что не увидят?

— Я вас не поджигаю; я, напротив, думаю, что очень возможно, что вы застрелитесь. Главное, не сердитесь... — протянул Евгений Павлович, покровительственно растягивая свои слова.

— Я теперь только вижу, что сделал ужасную ошибку, прочтя им эту тетрадь! — проговорил Ипполит, с таким внезапно доверчивым видом смотря на Евгения Павловича, как будто просил у друга дружеского совета.

— Положение смешное, но... право, не знаю, что вам посоветовать, — улыбаясь, ответил Евгений Павлович.

Ипполит строго в упор смотрел на него, не отрываясь, и молчал. Можно было подумать, что минутами он совсем забывался.

— Нет-с, позвольте-с, манера-то ведь при этом какая-с, — проговорил Лебедев, — «застрелюсь, дескать, в парке, чтобы никого не беспокоить»! Это он думает, что он никого не обеспокоит, что сойдет с лестницы три шага в сад.

— Господа... — начал было князь.

— Нет-с, позвольте-с, многоуважаемый князь, — с яростию ухватился Лебедев, — так как вы сами изволите видеть, что это не шутка, и так как половина ваших гостей по крайней мере того же мнения и уверены, что теперь, после произнесенных здесь слов, он уж непременно должен застрелиться из чести, то я хозяин-с и при свидетелях объявляю, что приглашаю вас способствовать!

— Что же надо сделать, Лебедев? Я готов вам способствовать.

— А вот что-с: во-первых, чтоб он тотчас же выдал свой пистолет, которым он хвастался пред нами, со всеми препаратами. Если выдаст, то я согласен на то, чтобы допустить его переночевать эту ночь в этом доме, ввиду болезненного состояния его, с тем, конечно, что под надзором с моей стороны. Но завтра пусть непременно отправляется куда ему будет угодно; извините, князь! Если же не выдаст оружия, то я немедленно, сейчас же беру его за руки, я за одну, генерал за другую, и сей же час пошлю известить полицию, и тогда уже дело перейдет на рассмотрение полиции-с. Господин Фердыщенко, по знакомству, сходит-с.

Поднялся шум; Лебедев горячился и выходил уже из меры; Фердыщенко приготовлялся идти в полицию; Ганя неистово настаивал на том, что никто не застрелится. Евгений Павлович молчал.

— Князь, слетали вы когда-нибудь с колокольни? — прошептал ему вдруг Ипполит.

— Н-нет... — наивно ответил князь.

— Неужели вы думали, что я не предвидел всей этой ненависти! — прошептал опять Ипполит, засверкав глазами и смотря на князя, точно и в самом деле ждал от него ответа. — Довольно! — закричал он вдруг на всю публику. — Я виноват... больше всех! Лебедев, вот ключ (он вынул портмоне и из него стальное кольцо с тремя или четырьмя небольшими ключиками), вот этот, предпоследний... Коля вам укажет... Коля! Где Коля? — вскричал он, смотря на Колю и не видя его, — да... вот он вам укажет; он вместе со мной давеча укладывал сак. Сведите его, Коля; у князя в кабинете, под столом... мой сак... этим ключиком, внизу, в сундучке... мой пистолет и рожок с порохом. Он сам укладывал давеча, господин Лебедев, он вам покажет; но с тем, что завтра рано, когда я поеду в Петербург, вы мне отдадите пистолет назад. Слышите? Я делаю это для князя; не для вас.

— Вот так-то лучше! — схватился за ключ Лебедев и, ядовито усмехаясь, побежал в соседнюю комнату.

Коля остановился, хотел было что-то заметить, но Лебедев утащил его за собой.

Ипполит смотрел на смеющихся гостей. Князь заметил, что зубы его стучат, как в самом сильном ознобе.

— Какие они все негодяи! — опять прошептал Ипполит князю в исступлении. Когда он говорил с князем, то всё наклонялся и шептал.

— Оставьте их; вы очень слабы...

— Сейчас, сейчас... сейчас уйду.

Вдруг он обнял князя.

— Вы, может быть, находите, что я сумасшедший? — посмотрел он на него, странно засмеявшись.

— Нет, но вы...

— Сейчас, сейчас, молчите; ничего не говорите; стойте... я хочу посмотреть в ваши глаза... Стойте так, я буду смотреть. Я с Человеком прощусь.

Он стоял и смотрел на князя неподвижно и молча секунд десять, очень бледный, со смоченными от пота висками и как-то странно хватаясь за князя рукой, точно боясь его выпустить.

— Ипполит, Ипполит, что с вами? — вскричал князь.

— Сейчас... довольно... я лягу. Я за здоровье солнца выпью один глоток... Я хочу, я хочу, оставьте!

Он быстро схватил со стола бокал, рванулся с места и в одно мгновение подошел к сходу с террасы. Князь побежал было за ним, но случилось так, что, как нарочно, в это самое мгновение Евгений Павлович протянул ему руку прощаясь. Прошла одна секунда, и вдруг всеобщий крик раздался на террасе. Затем наступила минута чрезвычайного смятения.

Вот что случилось:

Подойдя вплоть ко сходу с террасы, Ипполит остановился, держа в левой руке бокал и опустив правую руку в правый боковой карман своего пальто. Келлер уверял потом, что Ипполит еще и прежде всё держал эту руку в правом кармане, еще когда говорил с князем и хватал его левою рукой за плечо и за воротник, и что эта-то правая рука в кармане, уверял Келлер, и зародила в нем будто бы первое подозрение. Как бы там ни было, но некоторое беспокойство заставило и его побежать за Ипполитом. Но и он не поспел. Он видел только, как вдруг в правой руке Ипполита что-то блеснуло и как в ту же секунду маленький карманный пистолет очутился вплоть у его виска. Келлер бросился схватить его за руку, но в ту же секунду Ипполит спустил курок. Раздался резкий, сухой щелчок курка, но выстрела не последовало. Когда Келлер обхватил Ипполита, тот упал ему на руки, точно без памяти, может быть действительно воображая, что он уже убит. Пистолет был уже в руках Келлера. Ипполита подхватили, подставили стул, усадили его, и все столпились кругом, все кричали, все спрашивали. Все слышали щелчок курка и видели человека живого, даже не оцарапанного. Сам Ипполит сидел, не понимая, что происходит, и обводил всех кругом бессмысленным взглядом. Лебедев и Коля вбежали в это мгновение.

— Осечка? — спрашивали кругом.

— Может, и не заряжен? — догадывались другие.

— Заряжен! — провозгласил Келлер, осматривая пистолет, — но...

— Неужто осечка?

— Капсюля совсем не было, — возвестил Келлер.

Трудно и рассказать последовавшую жалкую сцену. Первоначальный и всеобщий испуг быстро начал сменяться смехом; некоторые даже захохотали, находили в этом злорадное наслаждение. Ипполит рыдал как в истерике, ломал себе руки, бросался ко всем, даже к Фердыщенке, схватил его обеими руками и клялся ему, что он забыл, «забыл совсем нечаянно, а не нарочно» положить капсюль, что «капсюли эти вот все тут, в жилетном его кармане, штук десять» (он показывал всем кругом), что он не насадил раньше, боясь нечаянного выстрела в кармане, что рассчитывал всегда успеть насадить, когда понадобится, и вдруг забыл. Он бросался к князю, к Евгению Павловичу, умолял Келлера, чтоб ему отдали назад пистолет, что он сейчас всем докажет, что «его честь, честь»... что он теперь «обесчещен навеки!..»

Он упал наконец в самом деле без чувств. Его унесли в кабинет князя, и Лебедев, совсем отрезвившийся, послал немедленно за доктором, а сам вместе с дочерью, сыном, Бурдовским и генералом остался у постели больного. Когда вынесли бесчувственного Ипполита, Келлер стал среди комнаты и провозгласил во всеуслышание, разделяя и отчеканивая каждое слово, в решительном вдохновении:

— Господа, если кто из вас еще раз, вслух, при мне, усомнится в том, что капсюль забыт нарочно, и станет утверждать, что несчастный молодой человек играл только комедию, — то таковой из вас будет иметь дело со мною.

Но ему не отвечали. Гости наконец разошлись гурьбой и спеша. Птицын, Ганя и Рогожин отправились вместе.

Князь был очень удивлен, что Евгений Павлович изменил свое намерение и уходит не объяснившись.

— Ведь вы хотели со мной говорить, когда все разойдутся? — спросил он его.

— Точно так, — сказал Евгений Павлович, вдруг садясь на стул и усаживая князя подле себя, — но теперь я на время переменил намерение. Признаюсь вам, что я несколько смущен, да и вы тоже. У меня сбились мысли; кроме того, то, о чем мне хочется объясниться с вами, слишком для меня важная вещь, да и для вас тоже. Видите, князь, мне хоть раз в жизни хочется сделать совершенно честное дело, то есть совершенно без задней мысли, ну а я думаю, что я теперь, в эту минуту, не совсем способен к совершенно честному делу, да и вы, может быть, тоже... то... и... ну, да мы потом объяснимся. Может, и дело выиграет в ясности, и для меня и для вас, если мы подождем дня три, которые я пробуду теперь в Петербурге.

Тут он опять поднялся со стула, так что странно было, зачем и садился. Князю показалось тоже, что Евгений Павлович недоволен и раздражен и смотрит враждебно, что в его взгляде совсем не то, что давеча.

— Кстати, вы теперь к страждущему?

— Да... я боюсь, — проговорил князь.

— Не бойтесь; проживет, наверно, недель шесть и даже, может, еще здесь и поправится. А лучше всего прогоните-ка его завтра.

— Может, я и вправду подтолкнул его под руку тем, что... не говорил ничего; он, может, подумал, что и я сомневаюсь в том, что он застрелится? Как вы думаете, Евгений Павлыч?

— Ни-ни. Вы слишком добры, что еще заботитесь. Я слыхивал об этом, но никогда не видывал в натуре, как человек нарочно застреливается из-за того, чтоб его похвалили, или со злости, что его не хвалят за это. Главное, этой откровенности слабосилия не поверил бы! А вы все-таки прогоните его завтра.

— Вы думаете, он застрелится еще раз?

— Нет, уж теперь не застрелится. Но берегитесь вы этих доморощенных Ласенеров наших! Повторяю вам, преступление слишком обыкновенное прибежище этой бездарной, нетерпеливой и жадной ничтожности.

— Разве это Ласенер?

— Сущность та же, хотя, может быть, и разные амплуа. Увидите, если этот господин не способен укокошить десять душ, собственно для одной «шутки», точь-в-точь как он сам нам прочел давеча в объяснении. Теперь мне эти слова его спать не дадут.

— Вы, может быть, слишком уж беспокоитесь.

— Вы удивительны, князь; вы не верите, что он способен убить *теперь* десять душ?

— Я боюсь вам ответить; это всё очень странно, но...

— Ну, как хотите, как хотите! — раздражительно закончил Евгений Павлович. — К тому же вы такой храбрый человек; не попадитесь только сами в число десяти.

— Всего вероятнее, что он никого не убьет, — сказал князь, задумчиво смотря на Евгения Павловича.

Тот злобно рассмеялся.

— До свидания, пора! А заметили вы, что он завещал копию с своей исповеди Аглае Ивановне?

— Да, заметил и... думаю об этом.

— То-то, в случае десяти-то душ, — опять засмеялся Евгений Павлович и вышел.

Час спустя, уже в четвертом часу, князь сошел в парк. Он пробовал было заснуть дома, но не мог, от сильного биения сердца. Дома, впрочем, всё было устроено и по возможности успокоено; больной заснул, и прибывший доктор объявил, что никакой нет особенной опасности. Лебедев, Коля, Бурдовский улеглись в комнате больного, чтобы чередоваться в дежурстве; опасаться, стало быть, было нечего.

Но беспокойство князя возрастало с минуты на минуту. Он бродил по парку, рассеянно смотря кругом себя, и с удивлением остановился, когда дошел до площадки пред воксалом и увидал ряд пустых скамеек и пюпитров для оркестра. Его поразило это место и показалось почему-то ужасно безобразным. Он поворотил назад и прямо по дороге, по которой проходил вчера с Епанчиными в воксал, дошел до зеленой скамейки, назначенной ему для свидания, уселся на ней и вдруг громко рассмеялся, отчего тотчас же пришел в чрезвычайное негодование. Тоска его продолжалась; ему хотелось куда-нибудь уйти...

Он не знал куда. Над ним на дереве пела птичка, и он стал глазами искать ее между листьями; вдруг птичка вспорхнула с дерева, и в ту же минуту ему почему-то припомнилась та «мушка», в «горячем солнечном луче», про которую Ипполит написал, что и «она знает свое место и в общем хоре участница, а он один только выкидыш». Эта фраза поразила его еще давеча, он вспомнил об этом теперь. Одно давно забытое воспоминание зашевелилось в нем и вдруг разом выяснилось.

Это было в Швейцарии, в первый год его лечения, даже в первые месяцы. Тогда он еще был совсем как идиот, даже говорить не умел хорошо, понимать иногда не мог, чего от него требуют. Он раз зашел в горы, в ясный, солнечный день, и долго ходил с одною мучительною, но никак не воплощавшеюся мыслию. Пред ним было блестящее небо, внизу озеро, кругом горизонт, светлый и бесконечный, которому конца-края нет. Он долго смотрел и терзался. Ему вспомнилось теперь, как простирал он руки свои в эту светлую, бесконечную синеву и плакал. Мучило его то, что всему этому он совсем чужой. Что же это за пир, что ж это за всегдашний великий праздник, которому нет конца и к которому тянет его давно, всегда, с самого детства, и к которому он никак не может пристать. Каждое утро восходит такое же светлое солнце; каждое утро на водопаде радуга, каждый вечер снеговая, самая высокая гора, там, вдали, на краю неба, горит пурпуровым пламенем; каждая «маленькая мушка, которая жужжит около него в горячем солнечном луче, во всем этом хоре участница: место знает свое, любит его и счастлива»; каждая-то травка растет и счастлива! И у всего свой путь, и всё знает свой путь, с песнью отходит и с песнью приходит; один он ничего не знает, ничего не понимает, ни людей, ни звуков, всему чужой и выкидыш. О, он, конечно, не мог говорить тогда этими словами и высказать свой вопрос; он мучился глухо и немо; но теперь ему казалось, что он всё это говорил и тогда, все эти самые слова, и что про эту «мушку» Ипполит взял у него самого, из его тогдашних слов и слез. Он был в этом уверен, и его сердце билось почему-то от этой мысли...

Он забылся на скамейке, но тревога его продолжалась и во сне. Пред самым сном он вспомнил, что Ипполит убьет десять человек, и усмехнулся нелепости предположения. Вокруг него стояла прекрасная, ясная тишина, с одним только шелестом листьев, от которого, кажется, становится еще тише и уединеннее кругом. Ему приснилось очень много снов, и всё тревожных, от которых он поминутно вздрагивал. Наконец пришла к нему женщина; он знал ее, знал до страдания; он всегда мог назвать ее и указать, — но странно, — у ней было теперь как будто совсем не такое лицо, какое он всегда знал, и ему мучительно не хотелось признать ее за ту женщину. В этом лице было столько раскаяния и ужасу, что казалось — это была страшная преступница и только что сделала ужасное преступление. Слеза дрожала на ее бледной щеке; она поманила его рукой и приложила палец к губам, как бы предупреждая его идти за ней тише. Сердце его замерло; он ни за что, ни за что не хотел признать ее за преступницу; но он чувствовал, что тотчас же произойдет что-то ужасное, на всю его жизнь. Ей, кажется, хотелось ему что-то показать, тут же недалеко, в парке. Он встал, чтобы пойти за нею, и вдруг раздался подле него чей-то светлый, свежий смех; чья-то рука вдруг очутилась в его руке; он схватил эту руку, крепко сжал и проснулся. Пред ним стояла и громко смеялась Аглая.

VIII

Она смеялась, но она и негодовала.

— Спит! Вы спали! — вскричала она с презрительным удивлением.

— Это вы! — пробормотал князь, еще не совсем опомнившись и с удивлением узнавая ее. — Ах да! Это свидание... я здесь спал.

— Видела.

— Меня никто не будил, кроме вас? Никого здесь, кроме вас, не было? Я думал, здесь была... другая женщина...

— Здесь была другая женщина?!

Наконец он совсем очнулся.

— Это был только сон, — задумчиво проговорил он, — странно, что в этакую минуту такой сон... Садитесь.

Он взял ее за руку и посадил на скамейку; сам сел подле нее и задумался. Аглая не начинала разговора, а только пристально оглядывала своего собеседника. Он тоже взглядывал на нее, но иногда так, как будто совсем не видя ее пред собой. Она начала краснеть.

— Ах да! — вздрогнул князь, — Ипполит застрелился!

— Когда? У вас? — спросила она, но без большого удивления. — Ведь вчера вечером он был, кажется, еще жив? Как же вы могли тут спать после всего этого? — вскричала она, внезапно оживляясь.

— Да ведь он не умер, пистолет не выстрелил.

По настоянию Аглаи князь должен был рассказать тотчас же и даже в большой подробности всю историю прошлой ночи. Она торопила его в рассказе поминутно, но сама перебивала беспрерывными вопросами, и почти всё посторонними. Между прочим, она с большим любопытством выслушала о том, что говорил Евгений Павлович, и несколько раз даже переспросила.

— Ну, довольно, надо торопиться, — заключила она, выслушав всё, — всего нам только час здесь быть, до восьми часов, потому что в восемь часов мне надо непременно быть дома, чтобы не узнали, что я здесь сидела, а я за делом пришла; мне много нужно вам сообщить. Только вы меня совсем теперь сбили. Об Ипполите я думаю, что пистолет у него так и должен был не выстрелить, это к нему больше идет. Но вы уверены, что он непременно хотел застрелиться и что тут не было обману?

— Никакого обману.

— Это и вероятнее. Он так и написал, чтобы вы мне принесли его исповедь? Зачем же вы не принесли?

— Да ведь он не умер. Я у него спрошу.

— Непременно принесите, и нечего спрашивать. Ему наверно это будет очень приятно, потому что он, может быть, с тою целью и стрелял в себя, чтоб я исповедь потом прочла. Пожалуйста, прошу вас не смеяться над моими словами, Лев Николаич, потому что это очень может так быть.

— Я не смеюсь, потому что и сам уверен, что отчасти это очень может так быть.

— Уверены? Неужели вы тоже так думаете? — вдруг ужасно удивилась Аглая.

Она спрашивала быстро, говорила скоро, но как будто иногда сбивалась и часто не договаривала; поминутно торопилась о чем-то предупреждать; вообще она была в необыкновенной тревоге и хоть смотрела очень храбро и с каким-то вызовом, но, может быть, немного и трусила. На ней было самое буднишнее, простое платье, которое очень к ней шло. Она часто вздрагивала, краснела и сидела на краю скамейки. Подтверждение князя, что Ипполит застрелился для того, чтоб она прочла его исповедь, очень ее удивило.

— Конечно, — объяснял князь, — ему хотелось, чтобы, кроме вас, и мы все его похвалили...

— Как это похвалили?

— То есть, это... как вам сказать? Это очень трудно сказать. Только ему, наверно, хотелось, чтобы все его обступили и сказали ему, что его очень любят и уважают, и все бы стали его очень упрашивать остаться в живых. Очень может быть, что он вас имел всех больше в виду, потому что в такую минуту о вас упомянул... хоть, пожалуй, и сам не знал, что имеет вас в виду.

— Этого уж я не понимаю совсем: имел в виду и не знал, что имел в виду. А впрочем, я, кажется, понимаю: знаете ли, что я сама раз тридцать, еще даже когда тринадцатилетнею девочкой была, думала отравиться, и всё это написать в письме к родителям, и тоже думала, как я буду в гробу лежать, и все будут надо мною плакать, а себя обвинять, что были со мной такие жестокие... Чего вы опять улыбаетесь, — быстро прибавила она, нахмуривая брови, — вы-то об чем еще думаете про себя, когда один мечтаете? Может, фельдмаршалом себя воображаете, и что Наполеона разбили?

— Ну вот, честное слово, я об этом думаю, особенно когда засыпаю, — засмеялся князь, — только я не Наполеона, а всё австрийцев разбиваю.

— Я вовсе не желаю с вами шутить, Лев Николаич. С Ипполитом я увижусь сама; прошу вас предупредить его. А с вашей стороны я нахожу, что всё это очень дурно, потому что очень грубо так смотреть и судить душу человека, как вы судите Ипполита. У вас нежности нет: одна правда, стало быть, — несправедливо.

Князь задумался.

— Мне кажется, вы ко мне несправедливы, — сказал он, — ведь я ничего не нахожу дурного в том, что он так думал, потому что все склонны так думать; к тому же, может быть, он и не думал совсем, а только этого хотел... ему хотелось в последний раз с людьми встретиться, их уважение и любовь заслужить; это ведь очень хорошие чувства, только как-то всё тут не так вышло; тут болезнь и еще что-то! Притом же у одних всё всегда хорошо выходит, а у других ни на что не похоже...

— Это, верно, вы о себе прибавили? — заметила Аглая.

— Да, о себе, — ответил князь, не замечая никакого злорадства в вопросе.

— Только все-таки я бы никак не заснула на вашем месте; стало быть, вы куда ни приткнетесь, так тут уж и спите; это очень нехорошо с вашей стороны.

— Да ведь я всю ночь не спал, а потом ходил, ходил, был на музыке...

— На какой музыке?

— Там, где играли вчера, а потом пришел сюда, сел, думал-думал и заснул.

— А, так вот как? Это изменяет в вашу пользу... А зачем вы на музыку ходили?

— Не знаю, так...

— Хорошо, хорошо, потом; вы всё меня перебиваете, и что мне за дело, что вы ходили на музыку? О какой это женщине вам приснилось?

— Это... об... вы ее видели...

— Понимаю, очень понимаю. Вы очень ее... Как она вам приснилась, в каком виде? А впрочем, я и знать ничего не хочу, — отрезала она вдруг с досадой. — Не перебивайте меня...

Она переждала немного, как бы собираясь с духом или стараясь разогнать досаду.

— Вот в чем всё дело, для чего я вас позвала: я хочу сделать вам предложение быть моим другом. Что вы так вдруг на меня уставились? — прибавила она почти с гневом.

Князь действительно очень вглядывался в нее в эту минуту, заметив, что она опять начала ужасно краснеть. В таких случаях чем более она краснела, тем более, казалось, и сердилась на себя за это, что видимо выражалось в ее сверкавших глазах; обыкновенно минуту спустя она уже переносила свой гнев на того, с кем говорила, был или не был тот виноват, и начинала с ним ссориться. Зная и чувствуя свою дикость и стыдливость, она обыкновенно входила в разговор мало и была молчаливее других сестер, иногда даже уж слишком молчалива. Когда же, особенно в таких щекотливых случаях, непременно надо было заговорить, то начинала разговор с необыкновенным высокомерием и как будто с каким-то вызовом. Она всегда предчувствовала наперед, когда начинала или хотела начать краснеть.

— Вы, может быть, не хотите принять предложение? — высокомерно поглядела она на князя.

— О нет, хочу, только это совсем не нужно... то есть я никак не думал, что надо делать такое предложение, — сконфузился князь.

— А что же вы думали? Для чего же бы я сюда вас позвала? Что у вас на уме? Впрочем, вы, может, считаете меня маленькою дурой, как все меня дома считают?

— Я не знал, что вас считают дурой, я... я не считаю.

— Не считаете? Очень умно с вашей стороны. Особенно умно высказано.

— По-моему, вы даже, может быть, и очень умны иногда, — продолжал князь, — вы давеча вдруг сказали одно слово очень умное. Вы сказали про мое сомнение об Ипполите: «Тут одна только правда, а стало быть, и несправедливо». Это я запомню и обдумаю.

Аглая вдруг вспыхнула от удовольствия. Все эти перемены происходили в ней чрезвычайно откровенно и с необыкновенною быстротой. Князь тоже обрадовался в даже рассмеялся от радости, смотря на нее.

— Слушайте же, — начала она опять, — я долго ждала вас, чтобы вам всё это рассказать, с тех самых пор ждала, как вы мне то письмо оттуда написали, и даже раньше... Половину вы вчера от меня уже услышали: я вас считаю за самого честного и за самого правдивого человека, всех честнее и правдивее, и если говорят про вас, что у вас ум... то есть что вы больны иногда умом, то это несправедливо; я так решила и спорила, потому что хоть вы и в самом деле больны умом (вы, конечно, на это не рассердитесь, я с высшей точки говорю), то зато главный ум у вас лучше, чем у них у всех, такой даже, какой им и не снился, потому что есть два ума: главный и не главный. Так? Ведь так?

— Может быть, и так, — едва проговорил князь; у него ужасно дрожало и стукало сердце.

— Я так и знала, что вы поймете, — с важностью продолжала она. — Князь Щ. и Евгений Павлыч ничего в этих двух умах не понимают, Александра тоже, а представьте себе: maman поняла.

— Вы очень похожи на Лизавету Прокофьевну.

— Как это? Неужели? — удивилась Аглая.

— Ей-богу, так.

— Я благодарю вас, — сказала она, подумав, — я очень рада, что похожа на maman. Вы, стало быть, очень ее уважаете? — прибавила она, совсем не замечая наивности вопроса.

— Очень, очень, и я рад, что вы это так прямо поняли.

— И я рада, потому что я заметила, как над ней иногда... смеются. Но слушайте главное: я долго думала и наконец вас выбрала. Я не хочу, чтобы надо мной дома смеялись; я не хочу, чтобы меня считали за маленькую дуру; я не хочу, чтобы меня дразнили... Я это всё сразу поняла и наотрез отказала Евгению Павлычу, потому что я не хочу, чтобы меня беспрерывно выдавали замуж! Я хочу... я хочу... ну, я хочу бежать из дому, а вас выбрала, чтобы вы мне способствовали.

— Бежать из дому! — вскричал князь.

— Да, да, да, бежать из дому! — вскричала она вдруг, воспламеняясь необыкновенным гневом. — Я не хочу, не хочу, чтобы там вечно заставляли меня краснеть. Я не хочу краснеть ни пред ними, ни пред князем Щ., ни пред Евгением Павлычем, ни перед кем, а потому и выбрала вас. С вами я хочу всё, всё говорить, даже про самое главное, когда захочу; с своей стороны, и вы не должны ничего скрывать от меня. Я хочу хоть с одним человеком обо всем говорить, как с собой. Они вдруг стали говорить, что я вас жду и что я вас люблю. Это еще до вашего приезда было, а я им письма не показывала; а теперь уж все говорят. Я хочу быть смелою и ничего не бояться. Я не хочу по их балам ездить, я хочу пользу приносить. Я уж давно хотела уйти. Я двадцать лет как у них закупорена, и всё меня замуж выдают. Я еще четырнадцати лет думала бежать, хоть и дура была. Теперь я уже всё рассчитала и вас ждала, чтобы всё расспросить об загранице. Я ни одного собора готического не видала, я хочу в Риме быть, я хочу все кабинеты ученые осмотреть, я хочу в Париже учиться; я весь последний год готовилась и училась, и очень много книг прочла; я все запрещенные книги прочла. Александра и Аделаида все книги читают, им можно, а мне не все дают, за мной надзор. Я с сестрами не хочу ссориться, но матери и отцу я давно уже объявила, что хочу совершенно изменить мое социальное положение. Я положила заняться воспитанием, и я на вас рассчитывала, потому что вы говорили, что любите детей. Можем мы вместе заняться воспитанием, хоть не сейчас, так в будущем? Мы вместе будем пользу приносить; я не хочу быть генеральскою дочкою... Скажите, вы очень ученый человек?

— О, совсем нет.

— Это жаль, а я думала... как же я это думала? Вы все-таки меня будете руководить, потому что я вас выбрала.

— Это нелепо, Аглая Ивановна.

— Я хочу, я хочу бежать из дому! — вскричала она, и опять глаза ее засверкали. — Если вы не согласитесь, так я выйду замуж за Гаврилу Ардалионовича. Я не хочу, чтобы меня дома мерзкою женщиной почитали и обвиняли бог знает в чем.

— В уме ли вы! — чуть не вскочил князь с места. — В чем вас обвиняют, кто обвиняет?

— Дома, все, мать, сестры, отец, князь Щ., даже мерзкий ваш Коля! Если прямо не говорят, то так думают. Я им всем в глаза это высказала, и матери, и отцу. Maman была больна целый день; а на другой день Александра и папаша сказали мне, что я сама не понимаю, что вру и какие слова говорю. А я им тут прямо отрезала, что я уже всё понимаю, все слова, что я уже не маленькая, что я еще два года назад нарочно два романа Поль де Кока прочла, чтобы про всё узнать. Maman, как услышала, чуть в обморок не упала.

У князя мелькнула вдруг странная мысль. Он посмотрел пристально на Аглаю и улыбнулся.

Ему даже не верилось, что пред ним сидит та самая высокомерная девушка, которая так гордо и заносчиво прочитала ему когда-то письмо Гаврилы Ардалионовича. Он понять не мог, как в такой заносчивой, суровой красавице мог оказаться такой ребенок, может быть действительно даже и *теперь* не понимающий *всех слов* ребенок.

— Вы всё дома жили, Аглая Ивановна? — спросил он, — я хочу сказать, вы никуда не ходили в школу какую-нибудь, не учились в институте?

— Никогда и никуда не ходила; всё дома сидела, закупоренная как в бутылке, и из бутылки прямо замуж пойду; что вы опять усмехаетесь? Я замечаю, что вы тоже, кажется, надо мной смеетесь и их сторону держите, — прибавила она, грозно нахмурившись, — не сердите меня, я и без того не знаю, что со мной делается... я убеждена, что вы пришли сюда в полной уверенности, что я в вас влюблена и позвала вас на свидание, — отрезала она раздражительно.

— Я действительно вчера боялся этого, — простодушно проболтался князь (он был очень смущен), — но сегодня я убежден, что вы...

— Как! — вскричала Аглая, и нижняя губка ее вдруг задрожала, — вы боялись, что я... вы смели думать, что я... Господи! Вы подозревали, пожалуй, что я позвала вас сюда с тем, чтобы вас в сети завлечь и потом чтобы нас тут застали и принудили вас на мне жениться...

— Аглая Ивановна! как вам не совестно? Как могла такая грязная мысль зародиться в вашем чистом, невинном сердце? Бьюсь об заклад, что вы сами ни одному вашему слову не верите и... сами не знаете, что говорите!

Аглая сидела, упорно потупившись, точно сама испугавшись того, что сказала.

— Совсем мне не стыдно, — пробормотала она, — почему вы знаете, что у меня сердце невинное? Как смели вы тогда мне любовное письмо прислать?

— Любовное письмо? Мое письмо — любовное! Это письмо самое почтителььное, это письмо из сердца моего вылилось в самую тяжелую минуту моей жизни! Я вспомнил тогда о вас как о каком-то свете... я...

— Ну, хорошо, хорошо, — перебила вдруг она, но совершенно не тем уже тоном, а в совершенном раскаянии и чуть ли не в испуге, даже наклонилась к нему, стараясь всё еще не глядеть на него прямо, хотела было тронуть его за плечо, чтоб еще убедительнее попросить не сердиться, — хорошо, — прибавила она, ужасно застыдившись, — я чувствую, что я очень глупое выражение употребила. Это я так... чтобы вас испытать. Примите, как будто и не было говорено. Если же я вас обидела, то простите. Не смотрите на меня, пожалуйста, прямо, отвернитесь. Вы сказали, что это очень грязная мысль: я нарочно сказала, чтобы вас уколоть. Иногда я сама боюсь того, что мне хочется сказать, да вдруг и скажу. Вы сказали сейчас, что написали это письмо в самую тяжелую минуту вашей жизни... Я знаю, в какую это минуту, — тихо проговорила она, опять смотря в землю.

— О, если бы вы могли всё знать!

— Я всё знаю! — вскричала она с новым волнением. — Вы жили тогда в одних комнатах, целый месяц, с этою мерзкою женщиной, с которою вы убежали...

Она уже не покраснела, а побледнела, выговаривая это, и вдруг встала с места, точно забывшись, но тотчас же, опомнившись, села; губка ее долго еще продолжала вздрагивать. Молчание продолжалось с минуту. Князь был ужасно поражен внезапностью выходки и не знал, чему приписать ее.

— Я вас совсем не люблю, — вдруг сказала она, точно отрезала.

Князь не ответил; опять помолчали с минуту.

— Я люблю Гаврилу Ардалионовича... — проговорила она скороговоркой, но чуть слышно и еще больше наклонив голову.

— Это неправда, — проговорил князь тоже почти шепотом.

— Стало быть, я лгу? Это правда; я дала ему слово, третьего дня, на этой самой скамейке.

Князь испугался и на мгновение задумался.

— Это неправда, — повторил он решительно, — вы всё это выдумали.

— Удивительно вежливо. Знайте, что он исправился; он любит меня более своей жизни. Он предо мной сжег свою руку, чтобы только доказать, что любит меня более своей жизни.

— Сжег свою руку?

— Да, свою руку. Верьте не верьте — мне всё равно.

Князь опять замолчал. В словах Аглаи не было шутки; она сердилась.

— Что ж, он приносил сюда с собой свечку, если это здесь происходило? Иначе я не придумаю...

— Да... свечку. Что же тут невероятного?

— Целую или в подсвечнике?

— Ну да... лет... половину свечки... огарок... целую свечку, — всё равно, отстаньте!.. И спички, если хотите, принес. Зажег свечку и целые полчаса держал палец на свечке; разве это не может быть?

— Я видел его вчера; у него здоровые пальцы.

Аглая вдруг прыснула со смеху, совсем как ребенок.

— Знаете, для чего я сейчас солгала? — вдруг обернулась она к князю с самою детскою доверчивостью и еще со смехом, дрожавшим на ее губах. — Потому что когда лжешь, то если ловко вставишь что-нибудь не совсем обыкновенное, что-нибудь эксцентрическое, ну, знаете, что-нибудь, что уж слишком редко или даже совсем не бывает, то ложь становится гораздо вероятнее. Это я заметила. У меня только дурно вышло, потому что я не сумела...

Вдруг она опять нахмурилась, как бы опомнившись.

— Если я тогда, — обратилась она к князю, серьезно и даже грустно смотря на него, — если я тогда и прочла вам про «бедного рыцаря», то этим хоть и хотела... похвалить вас за одно, но тут же хотела и заклеймить вас за поведение ваше и показать вам, что я всё знаю...

— Вы очень несправедливы ко мне... к той несчастной, о которой вы сейчас так ужасно выразились, Аглая.

— Потому что я всё знаю, всё, потому так и выразилась! Я знаю, как вы, полгода назад, при всех предложили ей вашу руку. Не перебивайте, вы видите, я говорю без комментариев. После этого она бежала с Рогожиным; потом вы жили с ней в деревне какой-то или в городе, и она от вас ушла к кому-то. (Аглая ужасно покраснела.) Потом она опять воротилась к Рогожину, который любит ее как...

как сумасшедший. Потом вы, тоже очень умный человек, прискакали теперь за ней сюда, тотчас же как узнали, что она в Петербург воротилась. Вчера вечером вы бросились ее защищать, а сейчас во сне ее видели... Видите, что я всё знаю; ведь вы для нее, для нее сюда приехали?

— Да, для нее, — тихо ответил князь, грустно и задумчиво склонив голову и не подозревая, каким сверкающим взглядом глянула на него Аглая, — для нее, чтобы только узнать... Я не верю в ее счастье с Рогожиным, хотя... одним словом, я не знаю, что бы я мог тут для нее сделать и чем помочь, но я приехал.

Он вздрогнул и поглядел на Аглаю; та с ненавистью слушала его.

— Если приехали, не зная зачем, стало быть уж очень любите, — проговорила она наконец.

— Нет, — ответил князь, — нет, не люблю. О, если бы вы знали, с каким ужасом вспоминаю я то время, которое провел с нею!

Даже содрогание прошло по его телу при этих словах.

— Говорите всё, — сказала Аглая.

— Тут ничего нет такого, чего бы вы не могли выслушать. Почему именно вам хотел я всё это рассказать, и вам одной, — не знаю; может быть, потому, что вас в самом деле очень любил. Эта несчастная женщина глубоко убеждена, что она самое павшее, самое порочное существо из всех на свете. О, не позорьте ее, не бросайте камня. Она слишком замучила себя самое сознанием своего незаслуженного позора! И чем она виновата, о боже мой! О, она поминутно в исступлении кричит, что не признаёт за собой вины, что она жертва людей, жертва развратника и злодея; но что бы она вам ни говорила, знайте, что она сама первая не верит себе и что она всею совестью своею верит, напротив, что она... сама виновна. Когда я пробовал разогнать этот мрак, то она доходила до таких страданий, что мое сердце никогда не заживет, пока я буду помнить об этом ужасном времени. У меня точно сердце прокололи раз навсегда. Она бежала от меня, знаете для чего? Именно чтобы доказать только мне, что она — низкая. Но всего тут ужаснее то, что она и сама, может быть, не знала того, что только мне хочет доказать это, а бежала потому, что ей непременно, внутренне хотелось сделать позорное дело, чтобы самой себе сказать тут же: «Вот ты сделала новый позор, стало быть, ты низкая тварь!» О, может быть, вы этого не поймете, Аглая! Знаете ли, что в этом беспрерывном сознании позора для нее, может быть, заключается какое-то ужасное, неестественное наслаждение, точно отмщение кому-то. Иногда я доводил ее до того, что она как бы опять видела кругом себя свет; но тотчас же опять возмущалась и до того доходила, что меня же с горечью обвиняла за то, что я высоко себя над нею ставлю (когда у меня и в мыслях этого не было), и прямо объявила мне наконец на предложение брака, что она ни от кого не требует ни высокомерного сострадания, ни помощи, ни «возвеличения до себя». Вы видели ее вчера; неужто вы думаете, что она счастлива с этою компанией, что это ее общество? Вы не знаете, как она развита и чтó она может понять! Она даже удивляла меня иногда!

— Вы и там читали ей такие же... проповеди?

— О нет, — задумчиво продолжал князь, не замечая тона вопроса, — я почти всё молчал. Я часто хотел говорить, но я, право, не знал, что сказать. Знаете, в иных случаях лучше совсем не говорить. О, я любил ее; о, очень любил... но потом... потом... потом она всё угадала.

— Что угадала?

— Что мне только жаль ее, а что я... уже не люблю ее.

— Почему вы знаете, может, она в самом деле влюбилась в того... помещика, с которым ушла?

— Нет, я всё знаю; она лишь насмеялась над ним.

— А над вами никогда не смеялась?

— Н-нет. Она смеялась со злобы; о, тогда она меня ужасно укоряла, в гневе, — и сама страдала! Но... потом... о, не напоминайте, не напоминайте мне этого!

Он закрыл себе лицо руками.

— А знаете ли вы, что она почти каждый день пишет ко мне письма?

— Стало быть, это правда! — вскричал князь в тревоге. — Я слышал, но всё еще не хотел верить.

— От кого слышали? — пугливо встрепенулась Аглая.

— Рогожин сказал мне вчера, только не совсем ясно.

— Вчера? Утром вчера? Когда вчера? Пред музыкой или после?

— После; вечером, в двенадцатом часу.

— А-а, ну коли Рогожин... А знаете, о чем она пишет мне в этих письмах?

— Я ничему не удивляюсь; она безумная.

— Вот эти письма (Аглая вынула из кармана три письма в трех конвертах и бросила их пред князем). Вот уже целую неделю она умоляет, склоняет, обольщает меня, чтоб я за вас вышла замуж. Она... ну да, она умна, хоть и безумная, и вы правду говорите, что она гораздо умнее меня... она пишет мне, что в меня влюблена, что каждый день ищет случая видеть меня хоть издали. Она пишет, что вы любите меня, что она это знает, давно заметила, и что вы с ней обо мне там говорили. Она хочет видеть вас счастливым; она уверена, что только я составлю ваше счастие... Она так дико пишет... странно... Я никому не показала писем, я вас ждала; вы знаете, что это значит? Ничего не угадываете?

— Это сумасшествие; доказательство ее безумия, — проговорил князь, и губы его задрожали.

— Вы уж не плачете ли?

— Нет, Аглая, нет, я не плачу, — посмотрел на нее князь.

— Что же мне тут делать? Что вы мне посоветуете? Не могу же я получать эти письма!

— О, оставьте ее, умоляю вас! — вскричал князь, — что вам делать в этом мраке; я употреблю все усилия, чтоб она вам не писала больше.

— Если так, то вы человек без сердца! — вскричала Аглая. — Неужели вы не видите, что не в меня она влюблена, а вас, вас одного она любит! Неужели вы всё в ней успели заметить, а этого не заметили? Знаете, что это такое, что означают эти письма? Это ревность; это больше чем ревность! Она... вы думаете, она в самом деле замуж за Рогожина выйдет, как она пишет здесь в письмах? Она убьет себя на другой день, только что мы обвенчаемся!

Князь вздрогнул; сердце его замерло. Но он в удивлении смотрел на Аглаю: странно ему было признать, что этот ребенок давно уже женщина.

— Бог видит, Аглая, чтобы возвратить ей спокойствие и сделать ее счастливою, я отдал бы жизнь мою, но... я уже не могу любить ее, и она это знает!

— Так пожертвуйте собой, это же так к вам идет! Вы ведь такой великий благотворитель. И не говорите мне «Аглая»... Вы и давеча сказали мне просто «Аглая»... Вы должны, вы обязаны воскресить ее, вы должны уехать с ней опять, чтоб умирять и успокоивать ее сердце. Да ведь вы же ее и любите!

— Я не мог так пожертвовать собой, хоть я и хотел один раз и... может быть, и теперь хочу. Но я знаю *наверно*, что она со мной погибнет, и потому оставляю ее. Я должен был ее видеть сегодня в семь часов; я, может быть, не пойду теперь. В своей гордости она никогда не простит мне любви моей, — и мы оба погибнем! Это неестественно, но тут всё неестественно. Вы говорите, она любит меня, но разве это любовь? Неужели может быть такая любовь, после того, что я уже вытерпел! Нет, тут другое, а не любовь!

— Как вы побледнели! — испугалась вдруг Аглая.

— Ничего; я мало спал; ослаб, я... мы действительно про вас говорили тогда, Аглая...

— Так это правда? Вы действительно *могли с нею обо мне* говорить и... и как могли вы меня полюбить, когда всего один раз меня видели?

— Я не знаю как. В моем тогдашнем мраке мне мечталась... мерещилась, может быть, новая заря. Я не знаю, как подумал о вас об первой. Я правду вам тогда написал, что не знаю. Всё это была только мечта, от тогдашнего ужаса... Я потом стал заниматься; я три года бы сюда не приехал...

— Стало быть, приехали для нее?

И что-то задрожало в голосе Аглаи.

— Да, для нее.

Прошло минуты две мрачного молчания с обеих сторон. Аглая поднялась с места.

— Если вы говорите, — начала она нетвердым голосом, — если вы сами верите, что эта... ваша женщина... безумная, то мне ведь дела нет до ее безумных фантазий... Прошу вас, Лев Николаич, взять эти три письма и бросить ей от меня! И если она, — вскричала вдруг Аглая, — если она осмелится еще раз мне прислать одну строчку, то скажите ей, что я пожалуюсь отцу и что ее сведут в смирительный дом...

Князь вскочил и в испуге смотрел на внезапную ярость Аглаи; и вдруг как бы туман упал пред ним...

— Вы не можете так чувствовать... это неправда! — бормотал он.

— Это правда! Правда! — вскричала Аглая, почти не помня себя.

— Что такое правда? Какая правда? — раздался подле них испуганный голос. Пред ними стояла Лизавета Прокофьевна.

— То правда, что я за Гаврилу Ардалионовича замуж иду! Что я Гаврилу Ардалионовича люблю и бегу с ним завтра же из дому! — набросилась на нее Аглая. — Слышали вы? Удовлетворено ваше любопытство? Довольны вы этим?

И она побежала домой.

— Нет, уж вы, батюшка, теперь не уходите, — остановила князя Лизавета Прокофьевна, — сделайте одолжение, пожалуйте ко мне объясниться... Что же это за мука такая, я и так всю ночь не спала...

Князь пошел за нею.

IX

Войдя в свой дом, Лизавета Прокофьевна остановилась в первой же комнате; дальше она идти не могла и опустилась на кушетку, совсем обессиленная, позабыв даже пригласить князя садиться. Это была довольно большая зала, с круглым столом посредине, с камином, со множеством цветов на этажерках у окон и с другою стеклянного дверью в сад, в задней стене. Тотчас же вошли Аделаида и Александра, вопросительно и с недоумением смотря на князя и на мать.

Девицы обыкновенно вставали на даче около девяти часов; одна Аглая, в последние два-три дня, повадилась вставать несколько раньше и выходила гулять в сад, но все-таки не в семь часов, а в восемь или даже попозже. Лизавета Прокофьевна, действительно не спавшая ночь от разных своих тревог, поднялась около восьми часов, нарочно с тем, чтобы встретить в саду Аглаю, предполагая, что та уже встала; но ни в саду, ни в спальне ее не нашла. Тут она встревожилась окончательно и разбудила дочерей. От служанки узнали, что Аглая Ивановна еще в седьмом часу вышла в парк. Девицы усмехнулись новой фантазии их фантастической сестрицы и заметили мамаше, что Аглая, пожалуй, еще рассердится, если та пойдет в парк ее отыскивать, и что, наверно, она сидит теперь с книгой на зеленой скамейке, о которой она еще три дня назад говорила и за которую чуть не поссорилась с князем Щ., потому что тот не нашел в местоположении этой скамейки ничего особенного. Застав свидание и слыша странные слова дочери, Лизавета Прокофьевна была ужасно испугана, по многим причинам; но, приведя теперь с собой князя, струсила, что начала дело: «Почему ж Аглая не могла бы встретиться и разговориться с князем в парке, даже, наконец, если б это было и наперед условленное у них свидание?»

— Не подумайте, батюшка князь, — скрепилась она наконец, — что я вас допрашивать сюда притащила... Я, голубчик, после вчерашнего вечера, может, и встречаться-то с тобой долго не пожелала бы...

Она было немного осеклась.

— Но все-таки вам бы очень хотелось узнать, как мы встретились сегодня с Аглаей Ивановной? — весьма спокойно докончил князь.

— Ну что ж, и хотелось! — вспыхнула тотчас же Лизавета Прокофьевна. — Не струшу и прямых слов. Потому что никого не обижаю и никого не желала обидеть...

— Помилуйте, и без обиды натурально хочется узнать; вы — мать. Мы сошлись сегодня с Аглаей Ивановной у зеленой скамейки ровно в семь часов утра вследствие ее вчерашнего приглашения. Она дала мне знать вчера вечером запиской, что ей надо видеть меня и говорить со мной о важном деле. Мы свиделись и проговорили целый час о делах, собственно одной Аглаи Ивановны касающихся; вот и всё.

— Конечно, всё, батюшка, и без всякого сомнения всё, — с достоинством произнесла Лизавета Прокофьевна.

— Прекрасно, князь! — сказала Аглая, вдруг входя в комнату, — благодарю вас от всего сердца, что сочли и меня неспособною унизиться здесь до лжи. Довольно с вас, maman, или еще намерены допрашивать?

— Ты знаешь, что мне пред тобой краснеть еще ни в чем до сих пор не приходилось... хотя ты, может, и рада бы была тому, — назидательно ответила Лизавета Прокофьевна. — Прощайте, князь; простите и меня, что обеспокоила. И надеюсь, вы останетесь уверены в неизменном моем к вам уважении.

Князь тотчас же откланялся на обе стороны и молча вышел. Александра и Аделаида усмехнулись и пошептались о чем-то промеж собой. Лизавета Прокофьевна строго на них поглядела.

— Мы только тому, maman, — засмеялась Аделаида, — что князь так чудесно раскланялся: иной раз совсем мешок, а тут вдруг, как... как Евгений Павлыч.

— Деликатности и достоинству само сердце учит, а не танцмейстер, — сентенциозно заключила Лизавета Прокофьевна и прошла к себе наверх, даже и не поглядев на Аглаю.

Когда князь воротился к себе, уже около девяти часов, то застал на террасе Веру Лукьяновну и служанку. Они вместе прибирали и подметали после вчерашнего беспорядка.

— Слава богу, успели покончить до приходу! — радостно сказала Вера.

— Здравствуйте; у меня немного голова кружится; я плохо спал; я бы заснул.

— Здесь на террасе, как вчера? Хорошо. Я скажу всем, чтобы вас не будили. Папаша ушел куда-то.

Служанка вышла; Вера отправилась было за ней, но воротилась и озабоченно подошла к князю.

— Князь, пожалейте этого... несчастного; не прогоняйте его сегодня.

— Ни за что не прогоню; как он сам хочет.

— Он ничего теперь не сделает, и... не будьте с ним строги.

— О нет, зачем же?

— И... не смейтесь над ним, вот это самое главное.

— О, отнюдь нет!

— Глупа я, что такому человеку, как вы, говорю об этом, — закраснелась Вера. — А хоть вы и устали, — засмеялась она, полуобернувшись, чтоб уйти, — а у вас такие славные глаза в эту минуту... счастливые.

— Неужто счастливые? — с живостью спросил князь и радостно рассмеялся.

Но Вера, простодушная и нецеремонная, как мальчик, вдруг что-то сконфузилась, покраснела еще больше и, продолжая смеяться, торопливо вышла из комнаты.

«Какая... славная...» — подумал князь и тотчас забыл о ней. Он зашел в угол террасы, где была кушетка и пред нею столик, сел, закрыл руками лицо и просидел минут десять; вдруг торопливо и тревожно опустил в боковой карман руку и вынул три письма.

Но опять отворилась дверь, и вошел Коля. Князь точно обрадовался, что пришлось положить назад в карман письма и удалить минуту.

— Ну, происшествие! — сказал Коля, усаживаясь на кушетке и прямо подходя к предмету, как и все ему подобные. — Как вы теперь смотрите на Ипполита? Без уважения?

— Почему же... но, Коля, я устал... Притом же об этом слишком грустно опять начинать... Что он, однако?

— Спит и еще два часа проспит. Понимаю; вы дома не спали, ходили в парке... конечно, волнение... еще бы!

— Почему вы знаете, что я ходил в парке и дома не спал?

— Вера сейчас говорила. Уговаривала не входить; я не утерпел, на минутку. Я эти два часа продежурил у постели; теперь Костю Лебедева посадил на очередь. Бурдовский отправился. Так ложитесь же, князь; спокойной... ну, спокойного дня! Только, знаете, я поражен!

— Конечно... всё это...

— Нет, князь, нет; я поражен исповедью. Главное, тем местом, где он говорит о провидении и о будущей жизни. Там есть одна ги-гант-ская мысль!

Князь ласково посмотрел на Колю, который, конечно, затем и зашел, чтобы поскорей поговорить про гигантскую мысль.

— Но главное, главное не в одной мысли, а во всей обстановке! Напиши это Вольтер, Руссо, Прудон, я прочту, замечу, но не поражусь до такой степени. Но человек, который знает наверно, что ему остается десять минут, и говорит так, — ведь это гордо! Ведь это высшая независимость собственного достоинства, ведь это значит бравировать прямо... Нет, это гигантская сила духа! И после этого утверждать, что он нарочно не положил капсюля, — это низко, неестественно! А знаете, ведь он обманул вчера, схитрил: я вовсе никогда с ним сак не укладывал и никогда пистолета не видал; он сам всё укладывал, так что он меня вдруг с толку сбил. Вера говорит, что вы оставляете его здесь; клянусь, что не будет опасности, тем более что мы все при нем безотлучно.

— А кто из вас там был ночью?

— Я, Костя Лебедев, Бурдовский; Келлер побыл немного, а потом перешел спать к Лебедеву, потому что у нас не на чем было лечь. Фердыщенко тоже спал у Лебедева, в семь часов ушел. Генерал всегда у Лебедева, теперь тоже ушел... Лебедев, может быть, к вам придет сейчас; он, не знаю зачем, вас искал, два раза спрашивал. Пускать его или не пускать, коли вы спать ляжете? Я тоже спать иду. Ах да, сказал бы я вам одну вещь; удивил меня давеча генерал: Бурдовский разбудил меня в седьмом часу на дежурство, почти даже в шесть; я на минутку вышел, встречаю вдруг генерала и до того еще хмельного, что меня не узнал; стоит предо мной как столб; так и накинулся на меня, как очнулся: «Что, дескать, больной? Я шел узнавать про больного...» Я отрапортовал, ну — то, се. «Это всё хорошо, говорит, но я, главное, шел, затем и встал, чтобы тебя предупредить; я имею основание предполагать, что при господине Фердыщенке нельзя всего говорить и... надо удерживаться». Понимаете, князь?

— Неужто? Впрочем... для нас всё равно.

— Да, без сомнения, всё равно, мы не масоны! Так что я даже подивился, что генерал нарочно шел меня из-за этого ночью будить.

— Фердыщенко ушел, вы говорите?

— В семь часов; зашел ко мне мимоходом: я дежурю! Сказал, что идет доночевывать к Вилкину, — пьяница такой есть один, Вилкин. Ну, иду! А вот и Лукьян Тимофеич... Князь хочет спать, Лукьян Тимофеич; оглобли назад!

— Единственно на минуту, многоуважаемый князь, по некоторому значительному в моих глазах делу, — натянуто и каким-то проникнутым тоном вполголоса проговорил вошедший Лебедев и с важностию поклонился. Он только что воротился и даже к себе не успел зайти, так что и шляпу еще держал в руках. Лицо его было озабоченное и с особенным, необыкновенным оттенком собственного достоинства. Князь пригласил его садиться.

— Вы меня два раза спрашивали? Вы, может быть, всё беспокоитесь насчет вчерашнего...

— Насчет этого вчерашнего мальчика, предполагаете вы, князь? О нет-с; вчера мои мысли были в беспорядке... но сегодня я уже не предполагаю контрекарировать хоть бы в чем-нибудь ваши предположения.

— Контрека... как вы сказали?

— Я сказал: контрекарировать; слово французское, как и множество других слов, вошедших в состав русского языка; но особенно не стою за него.

— Что это вы сегодня, Лебедев, такой важный и чинный, и говорите как по складам, — усмехнулся князь.

— Николай Ардалионович! — чуть не умиленным голосом обратился Лебедев к Коле, — имея сообщить князю о деле, касающемся собственно...

— Ну да, разумеется, разумеется, не мое дело! До свидания, князь! — тотчас же удалился Коля.

— Люблю ребенка за понятливость, — произнес Лебедев, смотря ему вслед, — мальчик прыткий, хотя и назойливый. Чрезвычайное несчастие испытал я, многоуважаемый князь, вчера вечером или сегодня на рассвете... еще колеблюсь означить точное время.

— Что такое?

— Пропажа четырехсот рублей из бокового кармана, многоуважаемый князь; окрестили! — прибавил Лебедев с кислою усмешкой.

— Вы потеряли четыреста рублей? Это жаль.

— И особенно бедному, благородно живущему своим трудом человеку.

— Конечно, конечно; как так?

— Вследствие вина-с. Я к вам, как к провидению, многоуважаемый князь. Сумму четырехсот рублей серебром получил я вчера в пять часов пополудни от одного должника и с поездом воротился сюда. Бумажник имел в кармане. Переменив вицмундир на сюртук, переложил деньги в сюртук, имея в виду держать при себе, рассчитывая вечером же выдать их по одной просьбе... ожидая поверенного.

— Кстати, Лукьян Тимофеич, правда, что вы в газетах публиковались, что даете деньги под золотые и серебряные вещи?

— Чрез поверенного; собственного имени моего не означено, ниже адреса. Имея ничтожный капитал и в видах приращения фамилии, согласитесь сами, что честный процент...

— Ну да, ну да; я только чтоб осведомиться; извините, что прервал.

— Поверенный не явился. Тем временем привезли несчастного; я уже был в форсированном положении, пообедав; зашли эти гости, выпили... чаю, и... я повеселел к моей пагубе. Когда же, уже поздно, вошел этот Келлер и возвестил о вашем торжественном дне и о распоряжении насчет шампанского, то я, дорогой и многоуважаемый князь, имея сердце (что вы уже, вероятно, заметили, ибо я заслуживаю), имея сердце, не скажу чувствительное, но благодарное, чем и горжусь, — я, для пущей торжественности изготовляемой встречи и во ожидании лично поздравить вас, вздумал пойти переменить старую рухлядь мою на снятый мною по возвращении моем вицмундир, что и исполнил, как, вероятно, князь, вы и заметили, видя меня в вицмундире весь вечер. Переменяя одежду, забыл в сюртуке бумажник... Подлинно, когда Бог восхощет наказать, то прежде всего восхитит разум. И только сегодня, уже в половине восьмого, пробудясь, вскочил как полоумный, схватился первым делом за сюртук, — один пустой карман! Бумажника и след простыл.

— Ах, это неприятно!

— Именно неприятно; и вы с истинным тактом нашли сейчас надлежащее выражение, — не без коварства прибавил Лебедев.

— Как же, однако... — затревожился князь, задумываясь, — ведь это серьезно.

— Именно серьезно — еще другое отысканное вами слово, князь, для обозначения...

— Ах, полноте, Лукьян Тимофеич, что тут отыскивать? Важность не в словах... Полагаете вы, что вы могли в пьяном виде выронить из кармана?

— Мог. Всё возможно в пьяном виде, как вы с искренностью выразились, многоуважаемый князь! Но прошу рассудить-с: если я вытрусил бумажник из кармана, переменяя сюртук, то вытрушенный предмет должен был лежать тут же на полу. Где же этот предмет-с?

— Не заложили ли вы куда-нибудь в ящик, в стол?

— Всё переискал, везде перерыл, тем более что никуда не прятал и никакого ящика не открывал, о чем ясно помню.

— В шкапчике смотрели?

— Первым делом-с, и даже несколько раз уже сегодня... Да и как бы я мог заложить в шкапчик, истинно уважаемый князь?

— Признаюсь, Лебедев, это меня тревожит. Стало быть, кто-нибудь нашел на полу?

— Или из кармана похитил! Две альтернативы-с.

— Меня это очень тревожит, потому что кто именно... Вот вопрос!

— Безо всякого сомнения, в этом главный вопрос; вы удивительно точно находите слова и мысли и определяете положения, сиятельнейший князь.

— Ах, Лукьян Тимофеич, оставьте насмешки, тут...

— Насмешки! — вскричал Лебедев, всплеснув руками.

— Ну-ну-ну, хорошо, я ведь не сержусь, тут совсем другое... Я за людей боюсь. Кого вы подозреваете?

— Вопрос труднейший и... сложнейший! Служанку подозревать не могу, она в своей кухне сидела. Детей родных тоже...

— Еще бы.

— Стало быть, кто-нибудь из гостей-с.

— Но возможно ли это?

— Совершенно и в высшей степени невозможно, но непременно так должно быть. Согласен, однако же, допустить, и даже убежден, что если была покража, то совершилась не вечером, когда все были в сборе, а уже ночью или даже под утро, кем-нибудь из заночевавших.

— Ах, боже мой!

— Бурдовского и Николая Ардалионовича я, естественно, исключаю; они и не входили ко мне-с.

— Еще бы, да если бы даже и входили! Кто у вас ночевал?

— Считая со мной, ночевало нас четверо, в двух смежных комнатах: я, генерал, Келлер и господин Фердыщенко. Один, стало быть, из нас четверых-с!

— Из трех то есть; но кто же?

— Я причел и себя для справедливости и для порядку; но согласитесь, князь, что я обокрасть себя сам не мог, хотя подобные случаи и бывали на свете...

— Ах, Лебедев, как это скучно! — нетерпеливо вскричал князь. — К делу, чего вы тянете!..

— Остаются, стало быть, трое-с, и во-первых, господин Келлер, человек непостоянный, человек пьяный и в некоторых случаях либерал, то есть насчет кармана-с; в остальном же с наклонностями, так сказать, более древнерыцарскими, чем либеральными. Он заночевал сначала здесь, в комнате больного, и уже ночью лишь перебрался к нам, под предлогом, что на голом полу жестко спать.

— Вы подозреваете его?

— Подозревал-с. Когда я в восьмом часу утра вскочил как полоумный и хватил себя по лбу рукой, то тотчас же разбудил генерала, спавшего сном невинности. Приняв в соображение странное исчезновение Фердыщенка, что уже одно возбудило в нас подозрение, оба мы тотчас же решились обыскать Келлера, лежавшего как... как... почти подобно гвоздю-с. Обыскали совершенно: в карманах ни одного сантима, и даже ни одного кармана не дырявого не нашлось. Носовой платок синий, клетчатый, бумажный, в состоянии неприличном-с. Далее любовная записка одна, от какой-то горничной, с требованием денег и угрозами, и клочки известного вам фельетона-с. Генерал решил, что невинен. Для полнейших сведений мы его самого разбудили, насилу дотолкались; едва понял в чем дело; разинул рот, вид пьяный, выражение лица нелепое и невинное, даже глупое, — не он-с!

— Ну, как я рад! — радостно вздохнул князь. — Я таки за него боялся!

— Боялись? Стало быть, уже имели основания к тому? — прищурился Лебедев.

— О нет, я так, — осекся князь, — я ужасно глупо сказал, что боялся. Сделайте одолжение, Лебедев, не передавайте никому...

— Князь, князь! Слова ваши в моем сердце... в глубине моего сердца! Там могила-с!.. — восторженно проговорил Лебедев, прижимая шляпу к сердцу.

— Хорошо, хорошо!.. Стало быть, Фердыщенко? То есть, я хочу сказать, вы подозреваете Фердыщенка?

— Кого же более? — тихо произнес Лебедев, пристально смотря на князя.

— Ну да, разумеется... кого же более... то есть, опять-таки, какие же улики?

— Улики есть-с. Во-первых, исчезновение в семь часов или даже в седьмом часу утра.

— Знаю, мне Коля говорил, что он заходил к нему и сказал, что идет доночевывать к... забыл к кому, к своему приятелю.

— Вилкину-с. Так, стало быть, Николай Ардалионович говорил уже вам?

— Он ничего не говорил о покраже.

— Он и не знает, ибо я пока держу дело в секрете. Итак, идет к Вилкину; казалось бы, что мудреного, что пьяный человек идет к такому же, как и он сам, пьяному человеку, хотя бы даже и чем свет, и безо всякого повода-с? Но вот здесь-то и след открывается: уходя, он оставляет адрес... Теперь следите, князь, вопрос: зачем он оставил адрес?.. Зачем он заходит нарочно к Николаю Ардалионовичу, делая крюк-с, и передает ему, что «иду, дескать, доночевывать к Вилкину». И кто станет интересоваться тем, что он уходит, и даже именно к Вилкину? К чему возвещать? Нет, тут тонкость-с, воровская тонкость! Это значит: «Вот, дескать, нарочно не утаиваю следов моих, какой же я вор после этого? Разве бы вор возвестил, куда он уходит?» Излишняя заботливость отвести подозрения и, так сказать, стереть свои следы на песке... Поняли вы меня, многоуважаемый князь?

— Понял, очень хорошо понял, но ведь этого мало?

— Вторая улика-с: след оказывается ложный, а данный адрес не точный. Час спустя, то есть в восемь часов, я уже стучался к Вилкину; он тут в Пятой улице-с, и даже знаком-с. Никакого не оказалось Фердыщенка. Хоть и добился от служанки, совершенно глухой-с, что назад тому час действительно кто-то стучался и даже довольно сильно, так что и колокольчик сорвал. Но служанка не отворила, не желая будить господина Вилкина, а может быть, и сама не желая подняться. Это бывает-с.

— И тут все ваши улики? Этого мало.

— Князь, но кого же подозревать-с, рассудите? — умилительно заключил Лебедев, и что-то лукавое проглянуло в его усмешке.

— Осмотрели бы вы еще раз комнаты и в ящиках! — озабоченно произнес князь после некоторой задумчивости.

— Осматривал-с! — еще умилительнее вздохнул Лебедев.

— Гм!.. и зачем, зачем вам было переменять этот сюртук? — воскликнул князь, в досаде стукнув по столу.

— Вопрос из одной старинной комедии-с. Но, благодушнейший князь! Вы уже слишком принимаете к сердцу несчастье мое! Я не стою того. То есть я один не стою того; но вы страдаете и за преступника... за ничтожного господина Фердыщенка?

— Ну да, да, вы действительно меня озаботили, — рассеянно и с неудовольствием прервал его князь. — Итак, что же вы намерены делать... если вы так уверены, что это Фердыщенко?

— Князь, многоуважаемый князь, кто же другой-с? — с возрастающим умилением извивался Лебедев. — Ведь неимение другого на кого помыслить и, так сказать, совершенная невозможность подозревать кого-либо, кроме господина Фердыщенка, ведь это, так сказать, еще улика против господина Фердыщенка, уже третья улика! Ибо опять-таки, кто же другой? Ведь не господина же Бурдовского мне заподозрить, хе-хе-хе?

— Ну вот, вздор какой!

— Не генерала же, наконец, хе-хе-хе?

— Что за дичь? — почти сердито проговорил князь, нетерпеливо поворачиваясь на месте.

— Еще бы не дичь! Хе-хе-хе! И насмешил же меня человек, то есть генерал-то-с! Идем мы с ним давеча по горячим следам к Вилкину-с... а надо вам заметить, что генерал был еще более моего поражен, когда я, после пропажи, первым делом его разбудил, даже так, что в лице изменился, покраснел, побледнел и наконец вдруг в такое ожесточенное и благородное негодование вошел, что я даже и не ожидал такой степени-с. Наиблагороднейший человек! Лжет он беспрерывно, по слабости, но человек высочайших чувств, человек при этом малосмысленный-с, внушающий полнейшее доверие своею невинностью. Я вам уже говорил, многоуважаемый князь, что имею к нему не только слабость, а даже любовь-с. Вдруг останавливается посреди улицы, распахивает сюртук, открывает грудь: «Обыскивай меня, говорит, ты Келлера обыскивал, зачем же ты меня не обыскиваешь? Того требует, говорит, справедливость!» У самого и руки и ноги трясутся, даже весь побледнел, грозный такой. Я засмеялся и говорю: «Слушай, говорю, генерал, если бы кто другой мне это сказал про тебя, то я бы тут же собственными руками мою голову снял, положил бы ее на большое блюдо и сам бы поднес ее на блюде всем сомневающимся: «Вот, дескать, видите эту голову, так вот этою собственною своею головой я за него поручусь, и не только голову, но даже в огонь». Вот как я, говорю, за тебя ручаться готов!» Тут он бросился мне в объятия, всё среди улицы-с, прослезился, дрожит и так крепко прижал меня к груди, что я едва даже откашлялся: «Ты, говорит, единственный друг, который остался мне в несчастиях моих!» Чувствительный человек-с! Ну, разумеется, тут же дорогой и анекдот к случаю рассказал о том, что его тоже будто бы раз, еще в юности, заподозрили в покраже пятисот тысяч рублей, но что он на другой же день бросился в пламень горевшего дома и вытащил из огня подозревавшего его графа и Нину Александровну, еще бывшую в девицах. Граф его обнял, и таким образом произошел брак его с Ниной Александровной, а на другой же день в пожарных развалинах нашли и шкатулку с пропавшими деньгами; была она железная, английского устройства, с секретным замком, и как-то под пол провалилась, так что никто и не заметил, и только чрез этот пожар отыскалась. Совершенная ложь-с. Но когда о Нине Александровне заговорил, то даже захныкал. Благороднейшая особа Нина Александровна, хоть на меня и сердита.

— Вы незнакомы?

— Почти что нет-с, но всею душою желал бы, хотя бы только для того, чтобы пред нею оправдаться. Нина Александровна в претензии на меня, что я будто бы развращаю теперь ее супруга пьянством. Но я не только не развращаю, но скорее укрощаю его; я его, может быть, отвлекаю от компании пагубнейшей. Притом же он мне друг-с, и я, признаюсь вам, теперь уж не оставлю его-с, то есть даже так-с: куда он, туда и я, потому что с ним только чувствительностию одною и возьмешь. Теперь он даже совсем не посещает свою капитаншу, хотя втайне и рвется к ней, и даже иногда стонет по ней, особенно каждое утро, вставая и надевая сапоги, не знаю уж почему в это именно время. Денег у него нет-с, вот беда, а к той без денег явиться никак нельзя-с. Не просил он денег у вас, многоуважаемый князь?

— Нет, не просил.

— Стыдится. Он было и хотел; даже мне признавался, что хочет вас беспокоить, но стыдлив-с, так как вы еще недавно его одолжили, и сверх того полагает, что вы не дадите. Он мне как другу это излил.

— А вы ему денег не даете?

— Князь! Многоуважаемый князь! Не только деньги, но за этого человека я, так сказать, даже жизнью... нет, впрочем, преувеличивать не хочу, — не жизнью, но если, так сказать, лихорадку, нарыв какой-нибудь или даже кашель, — то, ей-богу, готов буду перенести, если только за очень большую нужду; ибо считаю его за великого, но погибшего человека! Вот-с; не только деньги-с!

— Стало быть, деньги даете?

— Н-нет-с; денег я не давал-с, и он сам знает, что я и не дам-с, но ведь единственно в видах воздержания и исправления его. Теперь увязался со мной в Петербург; я в Петербург ведь еду-с, чтобы застать господина Фердыщенка по самым горячим следам, ибо наверно знаю, что он уже там-с. Генерал мой так и кипит-с; но подозреваю, что в Петербурге улизнет от меня, чтобы посетить капитаншу. Я, признаюсь, даже нарочно его от себя отпущу, как мы уже и условились по приезде тотчас же разойтись в разные стороны, чтоб удобнее изловить господина Фердыщенка. Так вот я его отпущу, а потом вдруг, как снег на голову, и застану его у капитанши, — собственно, чтоб его пристыдить, как семейного человека и как человека вообще говоря.

— Только не делайте шуму, Лебедев, ради бога не делайте шуму, — вполголоса и в сильном беспокойстве проговорил князь.

— О нет-с, собственно лишь чтобы пристыдить и посмотреть, какую он физиономию сделает, — ибо многое можно по физиономии заключить, многоуважаемый князь, и особенно в таком человеке! Ах, князь! Хоть и велика моя собственная беда, но не могу даже и теперь не подумать о нем и об исправлении его нравственности. Чрезвычайная просьба у меня к вам, многоуважаемый князь, даже, признаюсь, затем, собственно, и пришел-с: с их домом вы уже знакомы и даже жили у них-с; то если бы вы, благодушнейший князь, решились мне в этом способствовать, собственно лишь для одного генерала и для счастия его...

Лебедев даже руки сложил, как бы в мольбе.

— Что же? Как же способствовать? Будьте уверены, что я весьма желаю вас вполне понять, Лебедев.

— Единственно в сей уверенности я к вам и явился! Чрез Нину Александровну можно бы подействовать; наблюдая и, так сказать, следя за его превосходительством постоянно, в недрах собственного его семейства. Я, к несчастию, не знаком-с... к тому же тут и Николай Ардалионович, обожающий вас, так сказать, всеми недрами своей юной души, пожалуй, мог бы помочь...

— Н-нет... Нину Александровну в это дело... Боже сохрани! Да и Колю... Я, впрочем, вас еще, может быть, и не понимаю, Лебедев.

— Да тут и понимать совсем нечего! — даже привскочил на стуле Лебедев. — Одна, одна чувствительность и нежность — вот всё лекарство для нашего больного. Вы, князь, позволяете мне считать его за больного?

— Это даже показывает вашу деликатность и ум.

— Объясню вам примером, для ясности взятым из практики. Видите, какой это человек-с: тут у него теперь одна слабость к этой капитанше, к которой без денег ему являться нельзя и у которой я сегодня намерен накрыть его, для его же счастия-с; но, положим, что не одна капитанша, а соверши он даже настоящее преступление, ну, там, бесчестнейший проступок какой-нибудь (хотя он и вполне неспособен к тому), то и тогда, говорю я, одною благородною, так сказать, нежностью с ним до всего дойдешь, ибо чувствительнейший человек-с! Поверьте, что пяти дней не выдержит, сам проговорится, заплачет и во всем сознается, — и особенно, если действовать ловко и благородно, чрез семейный и ваш надзор за всеми, так сказать, чертами и стопами его... О благодушнейший князь! — вскочил Лебедев, даже в каком-то вдохновении, — я ведь и не утверждаю, что он наверно... Я, так сказать, всю кровь мою за него готов хоть сейчас излить, хотя согласитесь, что невоздержание, и пьянство, и капитанша, и всё это вместе взятое могут до всего довести.

— Такой цели я, конечно, всегда готов способствовать, — сказал князь, вставая, — только, признаюсь вам, Лебедев, я в беспокойстве ужасном; скажите, ведь вы всё еще... одним словом, сами же вы говорите, что подозреваете господина Фердыщенка.

— Да кого же более? Кого же более, искреннейший князь? — опять умилительно сложил руки Лебедев, умиленно улыбаясь.

Князь нахмурился и поднялся с места.

— Видите, Лукьян Тимофеевич, тут страшное дело в ошибке. Этот Фердыщенко... я бы не желал говорить про него дурного... но этот Фердыщенко... то есть, кто знает, может быть, это и он!.. Я хочу сказать, что, может быть, он и в самом деле способнее к тому, чем... чем другой.

Лебедев навострил глаза и уши.

— Видите, — запутывался и всё более и более нахмуривался князь, расхаживая взад и вперед по комнате и стараясь не взглядывать на Лебедева, — мне дали знать... мне сказали про господина Фердыщенка, что будто бы он, кроме всего, такой человек, при котором надо воздерживаться и не говорить ничего... лишнего, — понимаете? Я к тому, что, может быть, и действительно он был способнее, чем другой... чтобы не ошибиться, — вот в чем главное, понимаете?

— А кто вам сообщил это про господина Фердыщенка? — так и вскинулся Лебедев.

— Так, мне шепнули; я, впрочем, сам этому не верю... мне ужасно досадно, что я принужден был это сообщить, уверяю вас, я сам этому не верю... это какой-нибудь вздор... Фу, как я глупо сделал!

— Видите, князь, — весь даже затрясся Лебедев, — это важно, это слишком важно теперь, то есть не насчет господина Фердыщенка, а насчет того, как к вам дошло это известие. (Говоря это, Лебедев бегал вслед за князем взад и вперед, стараясь ступать с ним в ногу.) Вот что, князь, и я теперь сообщу: давеча генерал, когда мы с ним шли к этому Вилкину, после того как уже он мне рассказал о пожаре и, кипя, разумеется, гневом, вдруг начал мне намекать то же самое про господина Фердыщенка, но так нескладно и неладно, что я поневоле сделал ему некоторые вопросы и вследствие того убедился вполне, что всё это известие единственно одно вдохновение его превосходительства... Собственно, так сказать, из одного благодушия. Ибо он и лжет единственно потому, что не может сдержать умиления. Теперь изволите видеть-с: если он солгал, а я в этом уверен, то каким же образом и вы могли об этом услышать? Поймите, князь, ведь это было в нем вдохновение минуты, — то кто же, стало быть, вам-то сообщил? Это важно-с, это очень важно-с и... так сказать...

— Мне сказал это сейчас Коля, а ему сказал давеча отец, которого он встретил в шесть часов, в седьмом, в сенях, когда вышел зачем-то.

И князь рассказал всё в подробности.

— Ну вот-с, это, что называется, след-с, — потирая руки, неслышно смеялся Лебедев, — так я и думал-с! Это значит, что его превосходительство нарочно прерывали свой сон невинности, в шестом часу, чтоб идти разбудить любимого сына и сообщить о чрезвычайной опасности соседства с господином Фердыщенком! Какой же после того опасный человек господин Фердыщенко и каково родительское беспокойство его превосходительства, хе-хе-хе!..

— Послушайте, Лебедев, — смутился князь окончательно, — послушайте, действуйте тихо! Не делайте шуму! Я вас прошу, Лебедев, я вас умоляю... В таком случае клянусь, я буду содействовать, но чтобы никто не знал; чтобы никто не знал!

— Будьте уверены, благодушнейший, искреннейший и благороднейший князь, — вскричал Лебедев в решительном вдохновении, — будьте уверены, что всё сие умрет в моем благороднейшем сердце! Тихими стопами-с, вместе! Тихими стопами-с, вместе! Я же всю даже кровь мою... Сиятельнейший князь, я низок и душой и духом, но спросите всякого даже подлеца, не только низкого человека: с кем ему лучше дело иметь, с таким ли, как он, подлецом или с наиблагороднейшим человеком, как вы, искреннейший князь? Он ответит, что с наиблагороднейшим человеком, и в том торжество добродетели! До свидания, многоуважаемый князь! Тихими стопами... тихими стопами и... вместе-с.

X

Князь понял наконец, почему он холодел каждый раз, когда прикасался к этим трем письмам, и почему он отдалял минуту прочесть их до самого вечера. Когда он, еще давеча утром, забылся тяжелым сном на своей кушетке, всё еще не решаясь раскрыть который-нибудь из этих трех кувертов, ему опять приснился тяжелый сон, и опять приходила к нему та же «преступница». Она опять смотрела на него со сверкавшими слезами на длинных ресницах, опять звала его за собой, и опять он пробудился, как давеча, с мучением припоминая ее лицо. Он хотел было пойти к *ней* тотчас же, но не мог; наконец, почти в отчаянии, развернул письма и стал читать.

Эти письма тоже походили на сон. Иногда снятся странные сны, невозможные и неестественные; пробудясь, вы припоминаете их ясно и удивляетесь странному факту: вы помните прежде всего, что разум не оставлял вас во всё продолжение вашего сновидения; вспоминаете даже, что вы действовали чрезвычайно хитро и логично во всё это долгое, долгое время, когда вас окружали убийцы, когда они с вами хитрили, скрывали свое намерение, обращались с вами дружески, тогда как у них уже было наготове оружие и они лишь ждали какого-то знака; вы вспоминаете, как хитро вы их наконец обманули, спрятались от них; потом вы догадались, что они наизусть знают весь ваш обман и не показывают вам только вида, что знают, где вы спрятались; но вы схитрили и обманули их опять, всё это вы припоминаете ясно. Но почему же в то же самое время разум ваш мог помириться с такими очевидными нелепостями и невозможностями, которыми, между прочим, был сплошь наполнен ваш сон? Один из ваших убийц в ваших глазах обратился в женщину, а из женщины в маленького, хитрого, гадкого карлика, — и вы всё это допустили тотчас же, как совершившийся факт, почти без малейшего недоумения, и именно в то самое время, когда, с другой стороны, ваш разум был в сильнейшем напряжении, выказывал чрезвычайную силу, хитрость, догадку, логику? Почему тоже, пробудясь от сна и совершенно уже войдя в действительность, вы чувствуете почти каждый раз, а иногда с необыкновенною силой впечатления, что вы оставляете вместе со сном что-то для вас неразгаданное? Вы усмехаетесь нелепости вашего сна и чувствуете в то же время, что в сплетении этих нелепостей заключается какая-то мысль, но мысль уже действительная, нечто принадлежащее к вашей настоящей жизни, нечто существующее и всегда существовавшее в вашем сердце; вам как будто было сказано вашим сном что-то новое, пророческое, ожидаемое вами; впечатление ваше сильно, оно радостное или мучительное, но в чем оно заключается и что было сказано вам — всего этого вы не можете ни понять, ни припомнить.

Почти то же было и после этих писем. Но еще и не развертывая их, князь почувствовал, что самый уже факт существования и возможности их похож на кошмар. Как решилась *она ей* писать, спрашивал он, бродя вечером один (иногда даже сам не помня, где ходит). Как могла она *об этом* писать и как могла такая безумная мечта зародиться в ее голове? Но мечта эта была уже осуществлена, и всего удивительнее для него было то, что пока он читал эти письма, он сам почти верил в возможность и даже в оправдание этой мечты. Да, конечно, это был сон, кошмар и безумие; но тут же заключалось и что-то такое, что было мучительно-действительное и страдальчески-справедливое, что оправдывало и сон, и кошмар, и безумие. Несколько часов сряду он как будто бредил тем, что прочитал, припоминал поминутно отрывки, останавливался на них, вдумывался в них. Иногда ему даже хотелось сказать себе, что он всё это предчувствовал и предугадывал прежде; даже казалось ему, что как будто он уже читал это всё, когда-то давно-давно, и всё, о чем он тосковал с тех пор, всё, чем

он мучился и чего боялся, — всё это заключалось в этих давно уже прочитан-
ных им письмах.

«Когда вы развернете это письмо (так начиналось первое послание), вы
прежде всего взглянете на подпись. Подпись всё вам скажет и всё разъяснит,
так что мне нечего пред вами оправдываться и нечего вам разъяснять. Будь я
хоть сколько-нибудь вам равна, вы бы могли еще обидеться такою дерзостью;
но кто я и кто вы? Мы две такие противоположности, и я до того пред вами из
ряду вон, что я уже никак не могу вас обидеть, даже если б и захотела».

Далее в другом месте она писала:

«Не считайте моих слов больным восторгом больного ума, но вы для меня —
совершенство! Я вас видела, я вижу вас каждый день. Ведь я не сужу вас; я не
рассудком дошла до того, что вы совершенство; я просто уверовала. Но во мне
есть и грех пред вами: я вас люблю. Совершенство нельзя ведь любить; на совершенство можно только смотреть, как на совершенство, не так ли? А между тем я
в вас влюблена. Хоть любовь и равняет людей, но не беспокойтесь, я вас к себе
не приравнивала, даже в самой затаенной мысли моей. Я вам написала: «не беспокойтесь»; разве вы можете беспокоиться?.. Если бы было можно, я бы целовала следы ваших ног. О, я не равняюсь с вами... Смотрите на подпись, скорее
смотрите на подпись!»

«Я, однако же, замечаю (писала она в другом письме), что я вас с ним сое-
диняю и ни разу не спросила еще, любите ли вы его? Он вас полюбил, видя
вас только однажды. Он о вас как о «свете» вспоминал; это его собственные
слова, я их от него слышала. Но я и без слов поняла, что вы для него свет. Я
целый месяц подле него прожила и тут поняла, что и вы его любите; вы и он
для меня одно».

«Что это (пишет она еще), вчера я прошла мимо вас, и вы как будто покраснели? Не может быть, это мне так показалось. Если вас привести даже в самый
грязный вертеп и показать вам обнаженный порок, то вы не должны краснеть;
вы никак не можете негодовать из-за обиды. Вы можете ненавидеть всех подлых
и низких, но не за себя, а за других, за тех, кого они обижают. Вас же никому нельзя обидеть. Знаете, мне кажется, вы даже должны любить меня. Для меня вы
то же, что и для него: светлый дух; ангел не может ненавидеть, не может и не любить. Можно ли любить всех, всех людей, всех своих ближних, — я часто задавала себе этот вопрос? Конечно, нет, и даже неестественно. В отвлеченной любви
к человечеству любишь почти всегда одного себя. Но это нам невозможно, а вы
другое дело: как могли бы вы не любить хоть кого-нибудь, когда вы ни с кем
себя не можете сравнивать и когда вы выше всякой обиды, выше всякого личного негодования? Вы одни можете любить без эгоизма, вы одни можете любить
не для себя самой, а для того, кого вы любите. О, как горько было бы мне узнать,
что вы чувствуете из-за меня стыд или гнев! Тут ваша погибель: вы разом срав-
няетесь со мной...

Вчера я, встретив вас, пришла домой и выдумала одну картину. Христа пишут живописцы всё по евангельским сказаниям; я бы написала иначе: я бы
изобразила его одного, — оставляли же его иногда ученики одного. Я оставила
бы с ним только одного маленького ребенка. Ребенок играл подле него; может
быть, рассказывал ему что-нибудь на своем детском языке, Христос его слушал,
но теперь задумался; рука его невольно, забывчиво, осталась на светлой головке
ребенка. Он смотрит в даль, в горизонт; мысль, великая как весь мир, покоится
в его взгляде; лицо грустное. Ребенок замолк, облокотился на его колена, и,

подперши ручкой щеку, поднял головку и задумчиво, как дети иногда задумываются, пристально на него смотрит. Солнце заходит... Вот моя картина! Вы невинны, и в вашей невинности всё совершенство ваше. О, помните только это! Что вам за дело до моей страсти к вам? Вы теперь уже моя, я буду всю жизнь около вас... Я скоро умру».

Наконец, в самом последнем письме было:

«Ради бога, не думайте обо мне ничего; не думайте тоже, что я унижаю себя тем, что так пишу вам, или что я принадлежу к таким существам, которым наслаждение себя унижать, хотя бы даже и из гордости. Нет, у меня свои утешения; но мне трудно вам разъяснить это. Мне трудно было бы даже и себе сказать это ясно, хоть я и мучаюсь этим. Но я знаю, что не могу себя унизить даже и из припадка гордости. А к самоунижению от чистоты сердца я не способна. А стало быть, я вовсе и не унижаю себя.

Почему я вас хочу соединить: для вас или для себя? Для себя, разумеется, тут все разрешения мои, я так сказала себе давно... Я слышала, что ваша сестра, Аделаида, сказала тогда про мой портрет, что с такою красотой можно мир перевернуть. Но я отказалась от мира; вам смешно это слышать от меня, встречая меня в кружевах и бриллиантах, с пьяницами и негодяями? Не смотрите на это, я уже почти не существую, и знаю это; Бог знает, что вместо меня живет во мне. Я читаю это каждый день в двух ужасных глазах, которые постоянно на меня смотрят, даже и тогда, когда их нет предо мной. Эти глаза теперь *молчат* (они всё молчат), но я знаю их тайну. У него дом мрачный, скучный, и в нем тайна. Я уверена, что у него в ящике спрятана бритва, обмотанная шелком, как и у того московского убийцы; тот тоже жил с матерью в одном доме и тоже перевязал бритву шелком, чтобы перерезать одно горло. Всё время, когда я была у них в доме, мне всё казалось, что где-нибудь, под половицей, еще отцом его, может быть, спрятан мертвый и накрыт клеенкой, как и тот московский, и так же обставлен кругом склянками со ждановскою жидкостью, я даже показала бы вам угол. Он всё молчит; но ведь я знаю, что он до того меня любит, что уже не мог не возненавидеть меня. Ваша свадьба и моя свадьба — вместе: так мы с ним назначили. У меня тайн от него нет. Я бы его убила со страху... Но он меня убьет прежде... он засмеялся сейчас и говорит, что я брежу; он знает, что я к вам пишу».

И много, много было такого же бреду в этих письмах. Одно из них, второе, было на двух почтовых листах, мелко исписанных, большого формата.

Князь вышел наконец из темного парка, в котором долго скитался, как и вчера. Светлая, прозрачная ночь показалась ему еще светлее обыкновенного; «неужели еще так рано?» — подумал он. (Часы он забыл захватить.) Где-то будто послышалась ему отдаленная музыка; «в воксале, должно быть, — подумал он опять, — конечно, они не пошли туда сегодня». Сообразив это, он увидал, что стоит у самой их дачи; он так и знал, что должен был непременно очутиться наконец здесь, и, замирая сердцем, ступил на террасу. Никто его не встретил, терраса была пуста. Он подождал и отворил дверь в залу. «Эта дверь никогда у них не затворялась», — мелькнуло в нем, но и зала была пуста; в ней было совсем почти темно. Он стал среди комнаты в недоумении. Вдруг отворилась дверь, и вошла Александра Ивановна со свечой в руках. Увидев князя, она удивилась и остановилась пред ним, как бы спрашивая. Очевидно, она проходила только чрез комнату, из одной двери в другую, совсем не думая застать кого-нибудь.

— Как вы здесь очутились? — проговорила она наконец.

— Я... зашел...

— Maman не совсем здорова, Аглая тоже. Аделаида ложится спать, я тоже иду. Мы сегодня весь вечер дома одни просидели. Папаша и князь в Петербурге.

— Я пришел... я пришел к вам... теперь...

— Вы знаете, который час?

— Н-нет...

— Половина первого. Мы всегда в час ложимся.

— Ах, я думал, что... половина десятого.

— Ничего! — засмеялась она. — А зачем вы давеча не пришли? Вас, может быть, и ждали.

— Я... думал... — лепетал он, уходя.

— До свиданья! Завтра всех насмешу.

Он пошел по дороге, огибающей парк, к своей даче. Сердце его стучало, мысли путались, и всё кругом него как бы походило на сон. И вдруг, так же как и давеча, когда он оба раза проснулся на одном и том же видении, то же видение опять предстало ему. Та же женщина вышла из парка и стала пред ним, точно ждала его тут. Он вздрогнул и остановился; она схватила его руку и крепко сжала ее. «Нет, это не видение!»

И вот наконец она стояла пред ним лицом к лицу, в первый раз после их разлуки; она что-то говорила ему, но он молча смотрел на нее; сердце его переполнилось и заныло от боли. О, никогда потом не мог он забыть эту встречу с ней и вспоминал всегда с одинаковою болью. Она опустилась пред ним на колена, тут же на улице, как исступленная; он отступил в испуге, а она ловила его руку, чтобы целовать ее, и точно так же, как и давеча в его сне, слезы блистали теперь на ее длинных ресницах.

— Встань, встань! — говорил он испуганным шепотом, подымая ее, — встань скорее!

— Ты счастлив? Счастлив? — спрашивала она. — Мне только одно слово скажи, счастлив ты теперь? Сегодня, сейчас? У ней? Что она сказала?

Она не подымалась, она не слушала его; она спрашивала спеша и спешила говорить, как будто за ней была погоня.

— Я еду завтра, как ты приказал. Я не буду... В последний ведь раз я тебя вижу, в последний! Теперь уж совсем ведь в последний раз!

— Успокойся, встань! — проговорил он в отчаянии.

Она жадно всматривалась в него, схватившись за его руки.

— Прощай! — сказала она наконец, встала и быстро пошла от него, почти побежала. Князь видел, что подле нее вдруг очутился Рогожин, подхватил ее под руку и повел.

— Подожди, князь, — крикнул Рогожин, — я через пять минут ворочусь на время.

Через пять минут он пришел действительно; князь ждал его на том же месте.

— В экипаж посадил, — сказал он, — там на углу с десяти часов коляска ждала. Она так и знала, что ты у той весь вечер пробудешь. Давешнее, что ты мне написал, в точности передал. Писать она к той больше не станет; обещалась; и отсюда, по желанию твоему, завтра уедет. Захотела тебя видеть напоследях, хоть ты и отказался; тут на этом месте тебя и поджидали, как обратно пойдешь, вот там, на той скамье.

— Она сама тебя с собой взяла?

— А что ж? — осклабился Рогожин. — Увидел то, что и знал. Письма-то прочитал, знать?

— А ты разве их вправду читал? — спросил князь, пораженный этою мыслью.

— Еще бы; всякое письмо мне сама показывала. Про бритву-то помнишь, хе-хе!

— Безумная! — вскричал князь, ломая свои руки.

— Кто про то знает, может, и нет, — тихо проговорил Рогожин, как бы про себя.

Князь не ответил.

— Ну, прощай, — сказал Рогожин, — ведь и я завтра поеду; лихом не поминай! А что, брат, — прибавил он, быстро обернувшись, — что ж ты ей в ответ ничего не сказал? «Ты-то счастлив или нет?»

— Нет, нет, нет! — воскликнул князь с беспредельною скорбью.

— Еще бы сказал «да!» — злобно рассмеялся Рогожин и пошел не оглядываясь.

ЧАСТЬ ЧЕТВЕРТАЯ

I

Прошло с неделю после свидания двух лиц нашего рассказа на зеленой скамейке. В одно светлое утро, около половины одиннадцатого, Варвара Ардалионовна Птицына, вышедшая посетить кой-кого из своих знакомых, возвратилась домой в большой и прискорбной задумчивости.

Есть люди, о которых трудно сказать что-нибудь такое, что представило бы их разом и целиком, в их самом типическом и характерном виде; это те люди, которых обыкновенно называют людьми «обыкновенными», «большинством» и которые действительно составляют огромное большинство всякого общества. Писатели в своих романах и повестях большею частью стараются брать типы общества и представлять их образно и художественно, — типы, чрезвычайно редко встречающиеся в действительности целиком, и которые тем не менее почти действительнее самой действительности. Подколесин в своем типическом виде, может быть, даже и преувеличение, но отнюдь не небывальщина. Какое множество умных людей, узнав от Гоголя про Подколесина, тотчас же стали находить, что десятки и сотни их добрых знакомых и друзей ужасно похожи на Подколесина. Они и до Гоголя знали, что эти друзья их такие, как Подколесин, но только не знали еще, что они именно так называются. В действительности женихи ужасно редко прыгают из окошек пред своими свадьбами, потому что это, не говоря уже о прочем, даже и неудобно; тем не менее сколько женихов, даже людей достойных и умных, пред венцом сами себя в глубине совести готовы были признать Подколесиными. Не все тоже мужья кричат на каждом шагу: «Tu l’as voulu, George Dandin!»[1] Но, боже, сколько миллионов и биллионов раз повторялся мужьями целого света этот сердечный крик после их медового месяца, а, кто знает, может быть, и на другой же день после свадьбы.

Итак, не вдаваясь в более серьезные объяснения, мы скажем только, что в действительности типичность лиц как бы разбавляется водой, и все эти Жорж Дандены и Подколесины существуют действительно, снуют и бегают пред нами ежедневно, но как бы несколько в разжиженном состоянии. Оговорившись, наконец, в том, для полноты истины, что и весь Жорж Данден целиком, как его создал Мольер, тоже может встретиться в действительности, хотя и редко, мы тем закончим наше рассуждение, которое начинает становиться похожим на журнальную критику. Тем не менее все-таки пред нами остается вопрос: что делать романисту с людьми ординарными, совершенно «обыкновенными», и как выставить их перед читателем, чтобы сделать их сколько-нибудь интересными? Совершенно миновать их в рассказе никак нельзя, потому что ординарные люди поминутно и в большинстве необходимое звено в связи жи-

---

[1] «Ты этого хотел, Жорж Данден!» (*франц.*)

тейских событий; миновав их, стало быть, нарушим правдоподобие. Наполнять романы одними типами или даже просто, для интереса, людьми странными и небывалыми было бы неправдоподобно, да, пожалуй, и не интересно. По-нашему, писателю надо стараться отыскивать интересные и поучительные оттенки даже и между ординарностями. Когда же, например, самая сущность некоторых ординарных лиц именно заключается в их всегдашней и неизменной ординарности или, что еще лучше, когда, несмотря на все чрезвычайные усилия этих лиц выйти во что бы ни стало из колеи обыкновенности и рутины, они все-таки кончают тем, что остаются неизменно и вечно одною только рутиной, тогда такие лица получают даже некоторую своего рода и типичность, — как ординарность, которая ни за что не хочет остаться тем, что она есть, и во что бы то ни стало хочет стать оригинальною и самостоятельною, не имея ни малейших средств к самостоятельности.

К этому-то разряду «обыкновенных» или «ординарных» людей принадлежат и некоторые лица нашего рассказа, доселе (сознаюсь в том) мало разъясненные читателю. Таковы именно Варвара Ардалионовна Птицына, супруг ее, господин Птицын, Гаврила Ардалионович, ее брат.

В самом деле, нет ничего досаднее, как быть, например, богатым, порядочной фамилии, приличной наружности, недурно образованным, неглупым, даже добрым и в то же время не иметь никакого таланта, никакой особенности, никакого даже чудачества, ни одной своей собственной идеи, быть решительно «как и все». Богатство есть, но не Ротшильдово; фамилия честная, но ничем никогда себя не ознаменовавшая; наружность приличная, но очень мало выражающая; образование порядочное, но не знаешь, на что его употребить; ум есть, но без *своих идей*; сердце есть, но без великодушия, и т. д., и т. д. во всех отношениях. Таких людей на свете чрезвычайное множество и даже гораздо более, чем кажется; они разделяются, как и все люди, на два главные разряда: одни ограниченные, другие «гораздо поумнее». Первые счастливее. Ограниченному «обыкновенному» человеку нет, например, ничего легче как вообразить себя человеком необыкновенным и оригинальным и усладиться тем без всяких колебаний. Стоило некоторым из наших барышень остричь себе волосы, надеть синие очки и наименоваться нигилистками, чтобы тотчас же убедиться, что, надев очки, они немедленно стали иметь свои собственные «убеждения». Стоило иному только капельку почувствовать в сердце своем что-нибудь из какого-нибудь общечеловеческого и доброго ощущения, чтобы немедленно убедиться, что уж никто так не чувствует, как он, что он передовой в общем развитии. Стоило иному на слово принять какую-нибудь мысль или прочитать страничку чего-нибудь без начала и конца, чтобы тотчас поверить, что это «свои собственные мысли» и в его собственном мозгу зародились. Наглость наивности, если можно так выразиться, в таких случаях доходит до удивительного; всё это невероятно, но встречается поминутно. Эта наглость наивности, эта несомневаемость глупого человека в себе и в своем таланте, превосходно выставлена Гоголем в удивительном типе поручика Пирогова. Пирогов даже и не сомневается в том, что он гений, даже выше всякого гения; до того не сомневается, что даже и вопроса себе об этом ни разу не задает; впрочем, вопросов для него и не существует. Великий писатель принужден был его наконец высечь для удовлетворения оскорбленного нравственного чувства своего читателя, но, увидев, что великий человек только встряхнулся и для подкрепления сил после истязания съел слоеный пирожок, развел в удивлении руки и так оставил своих читателей. Я всегда горевал, что великий Пирогов взят Гоголем в таком маленьком чине, потому что Пирогов до того самоудовлетворим, что ему нет ничего легче как вообразить себя, по мере толстеющих и крутящихся на нем с годами и «по линии» эполет, чрезвычайным, например, полководцем; даже и не вообразить, а просто не сомневаться в этом: произвели в генералы, как же не полководец? И сколько из таких делают потом ужасные фиаско на поле брани? А сколько было Пироговых между нашими литераторами, учеными, пропагандистами. Я говорю «было», но, уж конечно, есть и теперь...

Действующее лицо нашего рассказа, Гаврила Ардалионович Иволгин, принадлежал к другому разряду; он принадлежал к разряду людей «гораздо поумнее», хотя весь, с ног до головы, был заражен желанием оригинальности. Но этот разряд, как мы уже и заметили выше, гораздо несчастнее первого. В том-то и дело, что *умный* «обыкновенный» человек, даже если б и воображал себя мимоходом (а пожалуй, и во всю свою жизнь) человеком гениальным и оригинальнейшим, тем не менее сохраняет в сердце своем червячка сомнения, который доводит до того, что умный человек кончает иногда совершенным отчаянием; если же и покоряется, то уже совершенно отравившись вогнанным внутрь тщеславием. Впрочем, мы во всяком случае взяли крайность: в огромном большинстве этого *умного* разряда людей дело происходит вовсе не так трагически; портится разве под конец лет печенка, более или менее, вот и всё. Но все-таки, прежде чем смириться и покориться, эти люди чрезвычайно долго иногда куролесят, начиная с юности до покоряющегося возраста и всё из желания оригинальности. Встречаются даже странные случаи: из-за желания оригинальности иной честный человек готов решиться даже на низкое дело; бывает даже и так, что иной из этих несчастных не только честен, но даже и добр, провидение своего семейства, содержит и питает своими трудами даже чужих, не только своих, и что же? всю-то жизнь не может успокоиться! Для него нисколько не успокоительна и не утешительна мысль, что он так хорошо исполнил свои человеческие обязанности; даже, напротив, она-то и раздражает его: «Вот, дескать, на что ухлопал я всю мою жизнь, вот что связало меня по рукам и по ногам, вот что помешало мне открыть порох! Не было бы этого, я, может быть, непременно бы открыл, — либо порох, либо Америку, — наверно еще не знаю что, но только непременно бы открыл!» Всего характернее в этих господах то, что они действительно всю жизнь свою никак не могут узнать наверно, что именно им так надо открыть и что именно они всю жизнь наготове открыть: порох или Америку? Но страдания, тоски по открываемому, право, достало бы в них на долю Колумба или Галилея.

Гаврила Ардалионович именно начинал в этом роде; но только что еще начинал. Долго еще предстояло ему куролесить. Глубокое и беспрерывное самоощущение своей бесталанности и, в то же время, непреодолимое желание убедиться в том, что он человек самостоятельнейший, сильно поранили его сердце, даже чуть ли еще не с отроческого возраста. Это был молодой человек с завистливыми и порывистыми желаниями и, кажется, даже так и родившийся с раздраженными нервами. Порывчатость своих желаний он принимал за их силу. При своем страстном желании отличиться он готов был иногда на самый безрассудный скачок; но только что дело доходило до безрассудного скачка, герой наш всегда оказывался слишком умным, чтобы на него решиться. Это убивало его. Может быть, он даже решился бы, при случае, и на крайне низкое дело, лишь бы достигнуть чего-нибудь из мечтаемого; но, как нарочно, только что доходило до черты, он всегда оказывался слишком честным для крайне низкого дела. (На маленькое низкое дело он, впрочем, всегда готов был согласиться.) С отвращением и с ненавистью смотрел он на бедность и на упадок своего семейства. Даже с матерью обращался свысока и презрительно, несмотря на то, что сам очень хорошо понимал, что репутация и характер его матери составляли покамест главную опорную точку и его карьеры. Поступив к Епанчину, он немедленно сказал себе: «Коли подличать, так уж подличать до конца, лишь бы выиграть», — и — почти никогда не подличал до конца. Да и почему он вообразил, что ему непременно надо будет подличать? Аглаи он просто тогда испугался, но не бросил с нею дела, а тянул его, на всякий случай, хотя никогда не верил серьезно, что она снизойдет до него. Потом, во время своей истории с Настасьей Филипповной, он вдруг вообразил себе, что достижение *всего* в деньгах. «Подличать так подличать», — повторял он себе тогда каждый день с самодовольствием, но и с некоторым страхом; «уж коли подличать, так уж доходить до верхушки, — ободрял он себя поминутно, — рутина в этих случаях оробеет, а мы не оробеем!» Проиграв Аглаю и раздавленный обстоятельствами, он совсем упал духом и действительно принес князю деньги, брошенные ему тогда сумасшедшею женщиной, которой принес их тоже сумасшедший человек. В этом возвращении денег он потом тысячу раз раскаивался, хотя и непрестанно этим тщеславился. Он действительно плакал три дня, пока князь оставался тогда в Петербурге, но в эти три дня он успел и возненавидеть князя за то, что тот смотрел на него слишком уж сострадательно, тогда как факт, что он возвратил такие деньги, «не всякий решился бы сделать». Но благородное самопризнание в том, что вся тоска его есть только одно беспрерывно раздавливаемое тщеславие, ужасно его мучило. Только уже долгое время спустя разглядел он и убедился, как серьезно могло бы обернуться у него дело с таким невинным и странным существом, как Аглая. Раскаяние грызло его; он бросил службу и погрузился в тоску и уныние. Он жил у Птицына на его содержании, с отцом и матерью, и презирал Птицына открыто, хотя в то же время слушался его советов и был настолько благоразумен, что всегда почти спрашивал их у него. Гаврила Ардалионович сердился, например, и на то, что Птицын не загадывает быть Ротшильдом и не ставит себе этой цели. «Коли уж ростовщик, так уж иди до конца, жми людей, чекань из них деньги, стань характером, стань королем иудейским!» Птицын был скромен и тих; он только улыбался, но раз нашел даже нужным объясниться с Ганей серьезно и исполнил это даже с некоторым достоинством. Он доказал Гане, что ничего не делает бесчестного и что напрасно тот называет его жидом; что если деньги в такой цене, то он не виноват; что он действует правдиво и честно и, по-настоящему, он только агент по «этим» делам и, наконец, что благодаря его аккуратности в делах он уже известен с весьма хорошей точки людям превосходнейшим, и дела его расширяются. «Ротшильдом не буду, да и не для чего, — прибавил он смеясь, — а дом на Литейном буду иметь, даже, может, и два, и на этом кончу». «А кто знает, может, и три!» — думал он про себя, но никогда не договаривал вслух и скрывал мечту. Природа любит и ласкает таких людей: она вознаградит Птицына не тремя, а четырьмя домами наверно, и именно за то, что он с самого детства уже знал, что Ротшильдом никогда не будет. Но зато дальше четырех домов природа ни за что не пойдет, и с Птицыным тем дело и кончится.

Совершенно другая особа была сестрица Гаврилы Ардалионовича. Она тоже была с желаниями сильными, но более упорными, чем порывистыми. В ней было много благоразумия, когда дело доходило до последней черты, но оно же не оставляло ее и до черты. Правда, и она была из числа «обыкновенных» людей, мечтающих об оригинальности, но зато она очень скоро успела сознать, что в ней нет ни капли особенной оригинальности, и горевала об этом не слишком много, — кто знает, может быть, из особого рода гордости. Она сделала свой первый практический шаг с чрезвычайною решимостью, выйдя замуж за господина Птицына; но, выходя замуж, она вовсе не говорила себе: «Подличать, так уж подличать, лишь бы цели достичь», — как не преминул бы выразиться при таком случае Гаврила Ардалионович (да чуть ли и не выразился даже при ней самой, когда одобрял ее решение как старший брат). Совсем даже напротив: Варвара Ардалионовна вышла замуж после того, как уверилась основательно, что будущий муж ее человек скромный, приятный, почти образованный и большой подлости ни за что никогда не сделает. О мелких подлостях Варвара Ардалионовна не справлялась, как о мелочах; да где же и нет таких мелочей? Не идеала же искать! К тому же она знала, что, выходя замуж, дает тем угол своей матери, отцу, братьям. Видя брата в несчастии, она захотела помочь ему, несмотря на все прежние семейные недоумения. Птицын гнал иногда Ганю, дружески, разумеется, на службу. «Ты вот презираешь и генералов и генеральство, — говорил он ему иногда шутя, — а посмотри, все «они» кончат тем, что будут в свою очередь генералами; доживешь, так увидишь». — «Да с чего они берут, что я презираю генералов и генеральство?» — саркастически думал про себя Ганя. Чтобы помочь брату, Варвара Ардалионовна решилась расширить круг своих действий: она втерлась к Епанчиным, чему много помогли детские воспоминания: и она и брат еще в детстве играли с Епанчиными. Заметим здесь, что если бы Варвара Ардалионовна преследовала какую-нибудь необычайную мечту, посещая Епанчиных, то она, может быть, сразу вышла бы тем самым из того разряда людей, в который сама заключила себя; но преследовала она не мечту; тут был даже довольно основательный расчет с ее стороны: она основывалась на характере этой семьи. Характер же Аглаи она изучала без устали. Она задала себе задачу обернуть их обоих, брата и Аглаю, опять друг к другу. Может быть, она кое-чего и действительно достигла; может быть, и впадала в ошибки, рассчитывая, например, слишком много на брата и ожидая от него того, чего он никогда и никоим образом не мог бы дать. Во всяком случае, она действовала у Епанчиных довольно искусно: по неделям не упоминала о брате, была всегда чрезвычайно правдива и искренна, держала себя просто, но с достоинством. Что же касается глубины своей совести, то она не боялась в нее заглянуть и совершенно ни в чем не упрекала себя. Это-то и придавало ей силу. Одно только иногда замечала в себе, что и она, пожалуй, злится, что и в ней очень много самолюбия и чуть ли даже не раздавленного тщеславия; особенно замечала она это в иные минуты, почти каждый раз, как уходила от Епанчиных.

И вот теперь она возвращалась от них же и, как мы уже сказали, в прискорбной задумчивости. В этом прискорбии проглядывало кое-что и горько-насмешливое. Птицын проживал в Павловске в невзрачном, но поместительном деревянном доме, стоявшем на пыльной улице и который скоро должен был достаться ему в полную собственность, так что он уже его в свою очередь начинал продавать кому-то. Подымаясь на крыльцо, Варвара Ардалионовна услышала чрезвычайный шум вверху дома и различила кричавшие голоса своего брата и папаши. Войдя в залу и увидев Ганю, бегавшего взад и вперед по комнате, бледного от бешенства и чуть не рвавшего на себе волосы, она поморщилась и опустилась с усталым видом на диван, не снимая шляпки. Очень хорошо понимая, что если она еще промолчит с минуту и не спросит брата, зачем он так бегает, то тот непременно рассердится, Варя поспешила наконец произнести в виде вопроса:

— Всё прежнее?

— Какое тут прежнее! — воскликнул Ганя. — Прежнее! Нет, уж тут черт знает что такое теперь происходит, а не прежнее! Старик до бешенства стал доходить... мать ревет. Ей-богу, Варя, как хочешь, я его выгоню из дому или... или сам от вас выйду, — прибавил он, вероятно вспомнив, что нельзя же выгонять людей из чужого дома.

— Надо иметь снисхождение, — пробормотала Варя.

— К чему снисхождение? К кому? — вспыхнул Ганя, — к его мерзостям? Нет, уж как хочешь, этак нельзя! Нельзя, нельзя, нельзя! И какая манера: сам виноват и еще пуще куражится. «Не хочу в ворота, разбирай забор!..» Что ты такая сидишь? На тебе лица нет?

— Лицо как лицо, — с неудовольствием ответила Варя.

Ганя попристальнее поглядел на нее.

— Там была? — спросил он вдруг.

— Там.

— Стой, опять кричат! Этакой срам, да еще в такое время!

— Какое такое время? Никакого такого особенного времени нет.

Ганя еще пристальнее оглядел сестру.

— Что-нибудь узнала? — спросил он.

— Ничего неожиданного, по крайней мере. Узнала, что всё это верно. Муж был правее нас обоих; как предрек с самого начала, так и вышло. Где он?

— Нет дома. Что вышло?

— Князь — жених формальный, дело решенное. Мне старшие сказали. Аглая согласна; даже и скрываться перестали. (Ведь там всё такая таинственность была до сих пор.) Свадьбу Аделаиды опять оттянут, чтобы вместе обе свадьбы разом сделать, в один день, — поэзия какая! На стихи похоже. Вот сочини-ка стихи на бракосочетание, чем даром-то по комнате бегать. Сегодня вечером у них Белоконская будет; кстати приехала; гости будут. Его Белоконской представят, хоть он уже с ней и знаком; кажется, вслух объявят. Боятся только, чтоб он чего не уронил и не разбил, когда в комнату при гостях войдет, или сам бы не шлепнулся; от него станется.

Ганя выслушал очень внимательно, но, к удивлению сестры, это поразительное для него известие, кажется, вовсе не произвело на него такого поражающего действия.

— Что же, это ясно было, — сказал он, подумав, — конец, значит! — прибавил он с какою-то странною усмешкой, лукаво заглядывая в лицо сестры и всё еще продолжая ходить взад и вперед по комнате, но уже гораздо потише.

— Хорошо еще, что ты принимаешь философом; я, право, рада, — сказала Варя.

— Да с плеч долой; с твоих по крайней мере.

— Я, кажется, тебе искренно служила, не рассуждая и не докучая; я не спрашивала тебя, какого ты счастья хотел у Аглаи искать.

— Да разве я... счастья у Аглаи искал?

— Ну, пожалуйста, не вдавайся в философию! Конечно, так. Конечно, и довольно с нас: в дураках. Я на это дело, признаюсь тебе, никогда серьезно не могла смотреть; только «на всякий случай» взялась за него, на смешной ее характер рассчитывая, а главное, чтобы тебя потешить; девяносто шансов было, что лопнет. Я даже до сих пор сама не знаю, чего ты и добивался-то.

— Теперь пойдете вы с мужем меня на службу гнать; лекции про упорство и силу воли читать, малым не пренебрегать и так далее, наизусть знаю, — захохотал Ганя.

«Что-нибудь новое у него на уме», — подумала Варя.

— Что ж там — рады, отцы-то? — спросил вдруг Ганя.

— Н-нет, кажется. Впрочем, сам заключить можешь; Иван Федорович доволен; мать боится; и прежде с отвращением на него как на жениха смотрела; известно.

— Я не про то; жених невозможный и немыслимый, это ясно. Я про теперешнее спрашиваю, теперь-то там как? Формальное дала согласие?

— Она не сказала до сих пор «нет», — вот и всё; но иначе и не могло от нее быть. Ты знаешь, до какого сумасбродства она до сих пор застенчива и стыдлива: в детстве она в шкап залезала и просиживала в нем часа по два, по три, чтобы только не выходить к гостям; дылда выросла, а ведь и теперь то же самое. Знаешь, я почему-то думаю, что там действительно что-то серьезное, даже с ее стороны. Над князем она, говорят, смеется изо всех сил, с утра до ночи, чтобы виду не показать, но уж наверно умеет сказать ему каждый день что-нибудь потихоньку, потому что он точно по небу ходит, сияет... Смешон, говорят, ужасно. От них же и слышала. Мне показалось тоже, что они надо мной в глаза смеялись, старшие-то.

Ганя наконец стал хмуриться; может, Варя и нарочно углублялась в эту тему, чтобы проникнуть в его настоящие мысли. Но раздался опять крик наверху.

— Я его выгоню! — так и рявкнул Ганя, как будто обрадовавшись сорвать досаду.

— И тогда он пойдет опять нас повсеместно срамить, как вчера.

— Как — как вчера? Что такое: как вчера? Да разве... — испугался вдруг ужасно Ганя.

— Ах, боже мой, разве ты не знаешь? — спохватилась Варя.

— Как... так неужели правда, что он там был? — воскликнул Ганя, вспыхнув от стыда и бешенства. — Боже, да ведь ты оттуда! Узнала ты что-нибудь? Был там старик? Был или нет?

И Ганя бросился к дверям; Варя кинулась к нему и схватила его обеими руками.

— Что ты? Ну, куда ты? — говорила она. — Выпустишь его теперь, он еще хуже наделает, по всем пойдет!..

— Что он там наделал? Что говорил?

— Да они и сами не умели рассказать и не поняли; только всех напугал. Пришел к Ивану Федоровичу, — того не было; потребовал Лизавету Прокофьевну. Сначала места просил у ней, на службу поступить, а потом стал на нас жаловаться, на меня, на мужа, на тебя особенно... много чего наговорил.

— Ты не могла узнать? — трепетал как в истерике Ганя.

— Да где уж тут! Он и сам-то вряд ли понимал, что говорил, а может, мне и не передали всего.

Ганя схватился за голову и побежал к окну; Варя села у другого окна.

— Смешная Аглая, — заметила она вдруг, — останавливает меня и говорит: «Передайте от меня особенное, личное уважение вашим родителям; я, наверно, найду на днях случай видеться с вашим папашей». И этак серьезно говорит. Странно ужасно...

— Не в насмешку? Не в насмешку?

— То-то и есть, что нет; тем-то и странно.

— Знает она или не знает про старика, как ты думаешь?

— Что в доме у них не знают, так в этом нет для меня и сомнения; но ты мне мысль подал: Аглая, может быть, и знает. Одна она и знает, потому что сестры были тоже удивлены, когда она так серьезно передавала поклон отцу. И с какой стати именно ему? Если знает, так ей князь передал!

— Не хитро узнать, кто передал! Вор! Этого еще недоставало. Вор в нашем семействе, «глава семейства»!

— Ну, вздор! — крикнула Варя, совсем рассердившись, — пьяная история, больше ничего. И кто это выдумал? Лебедев, князь... сами-то они хороши; ума палата. Я вот во столечко это ценю.

— Старик вор и пьяница, — желчно продолжал Ганя, — я нищий, муж сестры ростовщик, — было на что позариться Аглае! Нечего сказать, красиво!

— Этот муж сестры, ростовщик, тебя...

— Кормит, что ли? Ты не церемонься, пожалуйста.

— Чего ты злишься? — спохватилась Варя. — Ничего-то не понимаешь, точно школьник. Ты думаешь, всё это могло повредить тебе в глазах Аглаи? Не знаешь ты ее характера; она от первейшего жениха отвернется, а к студенту какому-нибудь умирать с голоду, на чердак, с удовольствием бы побежала, — вот ее мечта! Ты никогда и понять не мог, как бы ты в ее глазах интересен стал, если бы с твердостию и гордостию умел переносить нашу обстановку. Князь ее на удочку тем и поймал, что, во-первых, совсем и не ловил, а во-вторых, что он, на глаза всех, идиот. Уж одно то, что она семью из-за него перемутит, — вот что ей теперь любо. Э-эх, ничего-то вы не понимаете!

— Ну, еще увидим, понимаем или не понимаем, — загадочно пробормотал Ганя, — только я все-таки бы не хотел, чтоб она узнала о старике. Я думал, князь удержится и не расскажет. Он и Лебедева сдержал; он и мне не хотел всего выговорить, когда я пристал...

— Стало быть, сам видишь, что и мимо его всё уже известно. Да и чего тебе теперь? Чего надеешься? А если б и оставалась еще надежда, то это бы только страдальческий вид тебе в ее глазах придало.

— Ну, скандалу-то и она бы струсила, несмотря на весь романизм. Всё до известной черты, и все до известной черты, все вы таковы.

— Аглая-то бы струсила? — вспылила Варя, презрительно поглядев на брата. — А низкая, однако же, у тебя душонка! Не стоите вы все ничего. Пусть она смешная и чудачка, да зато благороднее всех нас в тысячу раз.

— Ну, ничего, ничего, не сердись, — самодовольно пробормотал опять Ганя.

— Мне мать только жаль, — продолжала Варя, — боюсь, чтоб эта отцовская история до нее не дошла, ах, боюсь!

— И наверно дошла, — заметил Ганя.

Варя было встала, чтоб отправиться наверх к Нине Александровне, но остановилась и внимательно посмотрела на брата.

— Кто же ей мог сказать?

— Ипполит, должно быть. Первым удовольствием, я думаю, почел матери это отрапортовать, как только к нам переехал.

— Да почему он-то знает, скажи мне, пожалуйста? Князь и Лебедев никому решили не говорить, Коля даже ничего не знает.

— Ипполит-то? Сам узнал. Представить не можешь, до какой степени это хитрая тварь; какой он сплетник, какой у него нос, чтоб отыскать чутьем всё дурное, всё, что скандально. Ну, верь не верь, а я убежден, что он Аглаю успел в руки взять! А не взял, так возьмет. Рогожин с ним тоже в сношение вошел. Как это, князь не замечает! И уж как ему теперь хочется меня подсидеть! За личного врага меня почитает, я это давно раскусил, и с чего, что ему тут, ведь умрет, — я понять не могу! Но я его надую; увидишь, что не он меня, а я его подсижу.

— Зачем же ты переманил его, когда так ненавидишь? И стоит он того, чтоб его подсиживать?

— Ты же переманить его к нам посоветовала.

— Я думала, что он будет полезен; а знаешь, что он сам теперь влюбился в Аглаю и писал к ней? Меня расспрашивали... чуть ли он к Лизавете Прокофьевне не писал.

— В этом смысле не опасен! — сказал Ганя, злобно засмеявшись. — Впрочем, верно что-нибудь да не то. Что он влюблен, это очень может быть, потому что мальчишка! Но... он не станет анонимные письма старухе писать. Это такая злобная, ничтожная, самодовольная посредственность!.. Я убежден, я знаю наверно, что он меня пред нею интриганом выставил, с того и начал. Я, признаюсь, как дурак ему проговорился сначала; я думал, что он из одного мщения к князю в мои интересы войдет; он такая хитрая тварь! О, я раскусил его теперь совершенно. А про эту покражу он от своей же матери слышал, от капитанши. Старик если и решился на это, так для капитанши. Вдруг мне, ни того ни с сего, сообщает, что «генерал» его матери четыреста рублей обещал, и совершенно этак ни с того ни с сего, безо всяких церемоний. Тут я всё понял. И так мне в глаза и заглядывает, с наслаждением с каким-то; мамаше он наверно тоже сказал, единственно из удовольствия сердце ей разорвать. И чего он не умирает, скажи мне, пожалуйста? Ведь обязался чрез три недели умереть, а здесь еще потолстел! Перестает кашлять; вчера вечером сам говорил, что другой уже день кровью не кашляет.

— Выгони его.

— Я не ненавижу его, а презираю, — гордо произнес Ганя. — Ну да, да, пусть я его ненавижу, пусть! — вскричал он вдруг с необыкновенною яростью. — И я ему выскажу это в глаза, когда он даже умирать будет, на своей подушке! Если бы ты читала его исповедь, — боже, какая наивность наглости! Это поручик Пирогов, это Ноздрев в трагедии, а главное — мальчишка! О, с каким бы наслаждением я тогда его высек, именно чтоб удивить его. Теперь он всем мстит за то, что тогда не удалось... Но что это? Там опять шум! Да что это, наконец, такое? Я этого, наконец, не потерплю. Птицын! — вскричал он входящему в комнату Птицыну, — что это, до чего у нас дело дойдет, наконец? Это... это...

Но шум быстро приближался, дверь вдруг распахнулась, и старик Иволгин, в гневе, багровый, потрясенный, вне себя, тоже набросился на Птицына. За стариком следовали Нина Александровна, Коля и сзади всех Ипполит.

II

Ипполит уже пять дней как переселился в дом Птицына. Это случилось как-то натурально, без особых слов и без всякой размолвки между ним и князем; они не только не поссорились, но с виду как будто даже расстались друзьями. Гаврила Ардалионович, так враждебный к Ипполиту на тогдашнем вечере, сам пришел навестить его, уже на третий, впрочем, день после происшествия, вероятно руководимый какою-нибудь внезапною мыслью. Почему-то и Рогожин стал тоже приходить к больному. Князю в первое время казалось, что даже и лучше будет для «бедного мальчика», если он переселится из его дома. Но и во время своего переселения Ипполит уже выражался, что он переселяется к Птицыну, «который так добр, что дает ему угол», и ни разу, точно нарочно, не выразился, что переезжает к Гане, хотя Ганя-то и настоял, чтоб его приняли в дом. Ганя это тогда же заметил и обидчиво заключил в свое сердце.

Он был прав, говоря сестре, что больной поправился. Действительно, Ипполиту было несколько лучше прежнего, что заметно было с первого на него взгляда. Он вошел в комнату не торопясь, позади всех, с насмешливою и недоброю улыбкой. Нина Александровна вошла очень испуганная. (Она сильно переменилась в эти полгода, похудела; выдав замуж дочь и переехав к ней жить, она почти перестала вмешиваться наружно в дела своих детей.) Коля был озабочен и как бы в недоумении; он многого не понимал в «сумасшествии генерала», как он выражался, конечно, не зная основных причин этой новой сумятицы в доме. Но ему ясно было, что отец до того уже вздорит, ежечасно и повсеместно, и до того вдруг переменился, что как будто совсем стал не тот человек, как прежде. Беспокоило его тоже, что старик в последние три дня совсем даже перестал пить. Он знал, что он разошелся и даже поссорился с Лебедевым и с князем. Коля только что воротился домой с полуштофом водки, который приобрел на собственные деньги.

— Право, мамаша, — уверял он еще наверху Нину Александровну, — право, лучше пусть выпьет. Вот уже три дня как не прикасался; тоска, стало быть. Право, лучше; я ему и в долговое носил...

Генерал растворил дверь наотлет и стал на пороге, как бы дрожа от негодования.

— Милостивый государь! — закричал он громовым голосом Птицыну, — если вы действительно решились пожертвовать молокососу и атеисту почтенным стариком, отцом вашим, то есть по крайней мере отцом жены вашей, заслуженным у государя своего, то нога моя с сего же часу перестанет быть в доме вашем. Избирайте, сударь, избирайте немедленно: или я, или этот... винт! Да, винт! Я сказал нечаянно, но это — винт! Потому что он винтом сверлит мою душу, и безо всякого уважения... винтом!

— Не штопор ли? — вставил Ипполит.

— Нет, не штопор, ибо я пред тобой генерал, а не бутылка. Я знаки имею, знаки отличия... а ты шиш имеешь. Или он, или я! Решайте, сударь, сейчас же, сей же час! — крикнул он опять в исступлении Птицыну. Тут Коля подставил ему стул, и он опустился на него почти в изнеможении.

— Право бы, вам лучше... заснуть, — пробормотал было ошеломленный Птицын.

— Он же еще и угрожает! — проговорил сестре вполголоса Ганя.

— Заснуть! — крикнул генерал. — Я не пьян, милостивый государь, и вы меня оскорбляете. Я вижу, — продолжал он, вставая опять, — я вижу, что здесь всё против меня, всё и все. Довольно! Я ухожу... Но знайте, милостивый государь, знайте...

Ему не дали договорить и усадили опять; стали упрашивать успокоиться. Ганя в ярости ушел в угол. Нина Александровна трепетала и плакала.

— Да что я сделал ему? На что он жалуется! — вскричал Ипполит, скаля зубы.

— А разве не сделали? — заметила вдруг Нина Александровна. — Уж вам-то особенно стыдно и... бесчеловечно старика мучить... да еще на вашем месте.

— Во-первых, какое такое мое место, сударыня! Я вас очень уважаю, вас именно, лично, но...

— Это винт! — кричал генерал. — Он сверлит мою душу и сердце! Он хочет, чтоб я атеизму поверил! Знай, молокосос, что еще ты не родился, а я уже был осыпан почестями; а ты только завистливый червь, перерванный надвое, с кашлем... и умирающий от злобы и от неверия... И зачем тебя Гаврила перевел сюда? Все на меня, от чужих до родного сына!

— Да полноте, трагедию завел! — крикнул Ганя. — Не срамили бы нас по всему городу, так лучше бы было!

— Как, я срамлю тебя, молокосос! Тебя? Я честь только сделать могу тебе, а не обесчестить тебя!

Он вскочил, и его уже не могли сдержать; но и Гаврила Ардалионович, видимо, прорвался.

— Туда же о чести! — крикнул он злобно.

— Что ты сказал? — загремел генерал, бледнея и шагнув к нему шаг.

— А то, что мне стоит только рот открыть, чтобы... — завопил вдруг Ганя и не договорил. Оба стояли друг пред другом, не в меру потрясенные, особенно Ганя.

— Ганя, что ты! — крикнула Нина Александровна, бросаясь останавливать сына.

— Экой вздор со всех сторон! — отрезала в негодовании Варя. — Полноте, мамаша, — схватила она ее.

— Только для матери и щажу, — трагически произнес Ганя.

— Говори! — ревел генерал в совершенном исступлении, — говори, под страхом отцовского проклятия... говори!

— Ну вот, так я и испугался вашего проклятия! И кто в том виноват, что вы восьмой день как помешанный? Восьмой день, видите, я по числам знаю... Смотрите, не доведите меня до черты: всё скажу... Вы зачем к Епанчиным вчера потащились? Еще стариком называется, седые волосы, отец семейства! Хорош!

— Молчи, Ганька! — закричал Коля, — молчи, дурак!

— Да чем я-то, я-то чем его оскорбил? — настаивал Ипполит, но всё как будто тем же насмешливым тоном. — Зачем он меня винтом называет, вы слышали? Сам ко мне пристал; пришел сейчас и заговорил о каком-то капитане Еропегове. Я вовсе не желаю вашей компании, генерал; избегал и прежде, сами знаете. Что мне за дело до капитана Еропегова, согласитесь сами? Я не для капитана Еропегова сюда переехал. Я только выразил ему вслух мое мнение, что, может, этого капитана Еропегова совсем никогда не существовало. Он и поднял дым коромыслом.

— Без сомнения, не существовало! — отрезал Ганя.

Но генерал стоял как ошеломленный и только бессмысленно озирался кругом. Слова сына поразили его своею чрезвычайною откровенностью. В первое мгновение он не мог даже и слов найти. И наконец, только когда Ипполит расхохотался на ответ Гани и прокричал: «Ну, вот, слышали, собственный ваш сын тоже говорит, что никакого капитана Еропегова не было», старик проболтал, совсем сбившись:

— Капитона Еропегова, а не капитана... Капитона... подполковник в отставке, Еропегов... Капитон.

— Да и Капитона не было! — совсем уж разозлился Ганя.

— По... почему не было? — пробормотал генерал, и краска бросилась ему в лицо.

— Да полноте! — унимали Птицын и Варя.

— Молчи, Ганька! — крикнул опять Коля.

Но заступничество как бы опамятовало и генерала.

— Как не было? Почему не существовало? — грозно вскинулся он на сына.

— Так, потому что не было. Не было, да и только, да совсем и не может быть! Вот вам. Отстаньте, говорю вам.

— И это сын... это мой родной сын, которого я... о боже! Еропегова, Ерошки Еропегова не было!

— Ну вот, то Ерошки, то Капитошки! — ввернул Ипполит.

— Капитошки, сударь, Капитошки, а не Ерошки! Капитон, Капитан Алексеевич, то бишь Капитон... подполковник... в отставке... женился на Марье... на Марье Петровне Су... Су... друг и товарищ... Сутуговой, с самого даже юнкерства. Я за него пролил... я заслонил... убит. Капитошки Еропегова не было! Не существовало!

Генерал кричал в азарте, но так, что можно было подумать, что дело шло об одном, а крик шел о другом. Правда, в другое время он, конечно, вынес бы что-нибудь и гораздо пообиднее известия о совершенном небытии Капитона Еропегова, покричал бы, затеял бы историю, вышел бы из себя, но все-таки в конце концов удалился бы к себе наверх спать. Но теперь, по чрезвычайной странности сердца человеческого, случилось так, что именно подобная обида, как сомнение в Еропегове, и должна была переполнить чашу. Старик побагровел, поднял руки и прокричал:

— Довольно! Проклятие мое... прочь из этого дома! Николай, неси мой сак, иду... прочь!

Он вышел, торопясь и в чрезвычайном гневе. За ним бросились Нина Александровна, Коля и Птицын.

— Ну, что ты наделал теперь! — сказала Варя брату. — Он опять, пожалуй, туда потащится. Сраму-то, сраму-то!

— А не воруй! — крикнул Ганя, чуть не захлебываясь от злости; вдруг взгляд его встретился с Ипполитом; Ганя чуть не затрясся. — А вам, милостивый государь, — крикнул он, — следовало бы помнить, что вы все-таки в чужом доме и... пользуетесь гостеприимством, а не раздражать старика, который, очевидно, с ума сошел...

Ипполита тоже как будто передернуло, но он мигом сдержал себя.

— Я не совсем с вами согласен, что ваш папаша с ума сошел, — спокойно ответил он, — мне кажется, напротив, что ему ума даже прибыло в последнее время, ей-богу; вы не верите? Такой стал осторожный, мнительный, всё-то выведывает, каждое слово взвешивает... Об этом Капитошке он со мной ведь с целью заговорил; представьте, он хотел навести меня на...

— Э, черт ли мне в том, на что он хотел вас навести! Прошу вас не хитрить и не вилять со мной, сударь! — взвизгнул Ганя. — Если вы тоже знаете настоящую причину, почему старик в таком состоянии (а вы так у меня шпионили в эти пять дней, что наверно знаете), то вам вовсе бы не следовало раздражать... несчастного и мучить мою мать преувеличением дела, потому что всё это дело вздор, одна только пьяная история, больше ничего, ничем даже не доказанная, и я вот во столечко ее не ценю... Но вам надо язвить и шпионить, потому что вы... вы...

— Винт, — усмехнулся Ипполит.

— Потому что вы дрянь, полчаса мучили людей, думая испугать их, что застрелитесь вашим незаряженным пистолетом, с которым вы так постыдно сбрендили, манкированный самоубийца, разлившаяся желчь... на двух ногах. Я вам гостеприимство дал, вы потолстели, кашлять перестали, и вы же платите...

— Два слова только, позвольте-с; я у Варвары Ардалионовны, а не у вас; вы мне не давали никакого гостеприимства, и я даже думаю, что вы сами пользуетесь гостеприимством господина Птицына. Четыре дня тому я просил мою мать отыскать в Павловске для меня квартиру и самой переехать, потому что я, действительно, чувствую себя здесь легче, хотя вовсе не потолстел и все-таки кашляю. Мать уведомила меня вчера вечером, что квартира готова, а я спешу вас уведомить с своей стороны, что, отблагодарив вашу маменьку и сестрицу, сегодня же переезжаю к себе, о чем и решил еще вчера вечером. Извините, я вас прервал; вам, кажется, хотелось еще много сказать.

— О, если так... — задрожал Ганя.

— А если так, то позвольте мне сесть, — прибавил Ипполит, преспокойно усаживаясь на стуле, на котором сидел генерал, — я ведь все-таки болен; ну, теперь готов вас слушать, тем более что это последний наш разговор и даже, может быть, последняя встреча.

Гане вдруг стало совестно.

— Поверьте, что я не унижусь до счетов с вами, — сказал он, — и если вы...

— Напрасно вы так свысока, — прервал Ипполит, — я, с своей стороны, еще в первый день переезда моего сюда, дал себе слово не отказать себе в удовольствии отчеканит вам всё, и совершенно откровеннейшим образом, когда мы будем прощаться. Я намерен это исполнить именно теперь, после вас, разумеется.

— А я прошу вас оставить эту комнату.

— Лучше говорите, ведь будете раскаиваться, что не высказались.

— Перестаньте, Ипполит, всё это ужасно стыдно; сделайте одолжение, перестаньте! — сказала Варя.

— Разве только для дамы, — рассмеялся Ипполит, вставая. — Извольте, Варвара Ардалионовна, для вас я готов сократить, но только сократить, потому что некоторое объяснение между мной и вашим братцем стало совершенно необходимым, а я ни за что не решусь уйти, оставив недоумения.

— Просто-запросто вы сплетник, — вскричал Ганя, — оттого и не решаетесь без сплетен уйти.

— Вот видите, — хладнокровно заметил Ипполит, — вы уж и не удержались. Право, будете раскаиваться, что не высказались. Еще раз уступаю вам слово. Я подожду.

Гаврила Ардалионович молчал и смотрел презрительно.

— Не хотите. Выдержать характер намерены, — воля ваша. С своей стороны, буду краток по возможности. Два или три раза услышал я сегодня упрек в гостеприимстве; это несправедливо. Приглашая меня к себе, вы сами меня ловили в сети; вы рассчитывали, что я хочу отмстить князю. Вы услышали к тому же, что Аглая Ивановна изъявила ко мне участие и прочла мою «Исповедь». Рассчитывая почему-то, что я весь так и передамся в ваши интересы, вы надеялись, что, может быть, найдете во мне подмогу. Я не объясняюсь подробнее! С вашей стороны тоже не требую ни признания, ни подтверждения; довольно того, что я вас оставляю с вашею совестью и что мы отлично понимаем теперь друг друга.

— Но вы бог знает что из самого обыкновенного дела делаете! — вскричала Варя.

— Я сказал тебе: сплетник и мальчишка, — промолвил Ганя.

— Позвольте, Варвара Ардалионовна, я продолжаю. Князя я, конечно, не могу ни любить, ни уважать; но это человек решительно добрый, хотя и... смешной. Но ненавидеть мне его было бы совершенно не за что; я не подал виду вашему братцу, когда он сам подстрекал меня против князя; я именно рассчитывал посмеяться при развязке. Я знал, что ваш брат мне проговорится и промахнется в высшей степени. Так и случилось... Я готов теперь пощадить его, но единственно из уважения к вам, Варвара Ардалионовна. Но, разъяснив вам, что меня не так-то легко поймать на удочку, я разъясню вам и то, почему мне так хотелось поставить вашего братца пред собой в дураки. Знайте, что я исполнил это из ненависти, сознаюсь откровенно. Умирая (потому что я все-таки умру, хоть и потолстел, как вы уверяете), умирая, я почувствовал, что уйду в рай несравненно спокойнее, если успею одурачить хоть одного представителя того бесчисленного сорта людей, который преследовал меня всю мою жизнь, который я ненавидел всю мою жизнь и которого таким выпуклым изображением служит многоуважаемый брат ваш. Ненавижу я вас, Гаврила Ардалионович, единственно за то, — вам это, может быть, покажется удивительным, — *единственно за то*, что вы тип и воплощение, олицетворение и верх самой наглой, самой самодовольной, самой пошлой и гадкой ординарности! Вы ординарность напыщенная, ординарность не сомневающаяся и олимпически успокоенная; вы рутина из рутин! Ни малейшей собственной идее не суждено воплотиться ни в уме, ни в сердце вашем никогда. Но вы завистливы бесконечно; вы твердо убеждены, что вы величайший гений, но сомнение все-таки посещает вас иногда в черные минуты, и вы злитесь и завидуете. О, у вас есть еще черные точки на горизонте; они пройдут, когда вы поглупеете окончательно, что недалеко; но все-таки вам предстоит длинный и разнообразный путь, не скажу веселый, и этому рад. Во-первых, предрекаю вам, что вы не достигнете известной особы...

— Ну, это невыносимо! — вскричала Варя. — Кончите ли вы, противная злючка?

Ганя побледнел, дрожал и молчал. Ипполит остановился, пристально и с наслаждением посмотрел на него, перевел свои глаза на Варю, усмехнулся, поклонился и вышел, не прибавив более ни единого слова.

Гаврила Ардалионович справедливо мог бы пожаловаться на судьбу и неудачу. Некоторое время Варя не решалась заговорить с ним, даже не взглянула на него, когда он шагал мимо нее крупными шагами; наконец он отошел к окну и стал к ней спиной. Варя думала о русской пословице: палка о двух концах. Наверху опять послышался шум.

— Идешь? — обернулся к ней вдруг Ганя, заслышав, что она встает с места. — Подожди; посмотри-ка это.

Он подошел и кинул пред нею на стул маленькую бумажку, сложенную в виде маленькой записочки.

— Господи! — вскричала Варя и всплеснула руками.

В записке было ровно семь строк:

«Гаврила Ардалионович! Убедившись в вашем добром расположении ко мне, решаюсь спросить вашего совета в одном важном для меня деле. Я желала бы встретить вас завтра, ровно в семь часов утра, на зеленой скамейке. Это недалеко от нашей дачи. Варвара Ардалионовна, которая *непременно* должна сопровождать вас, очень хорошо знает это место. *А. Е.*».

— Поди, считайся с ней после этого! — развела руками Варвара Ардалионовна.

Как ни хотелось пофанфаронить в эту минуту Гане, но не мог же он не выказать своего торжества, да еще после таких унизительных предреканий Ипполита. Самодовольная улыбка откровенно засияла на его лице, да и Варя сама вся просветлела от радости.

— И это в тот самый день, когда у них объявляют о помолвке! Поди, считайся с ней после этого!

— Как ты думаешь, о чем она завтра говорить собирается? — спросил Ганя.

— Это всё равно, главное, видеться пожелала после шести месяцев в первый раз. Слушай же меня, Ганя: что бы там ни было, как бы ни обернулось, знай, что это *важно*! Слишком это важно! Не фанфаронь опять, не дай опять промаха, но и не струсь, смотри! Могла ли она не раскусить, зачем я полгода таскалась туда? И представь: ни слова мне не сказала сегодня, виду не подала. Я ведь и зашла-то к ним контрабандой, старуха не знала, что я сижу, а то, пожалуй, и прогнала бы. На риск для тебя ходила, во что бы ни стало узнать...

Опять крик и шум послышались сверху; несколько человек сходили с лестницы.

— Ни за что теперь этого не допускать! — вскричала Варя, впопыхах и испуганная, — чтоб и тени скандала не было! Ступай, прощения проси!

Но отец семейства был уже на улице. Коля тащил за ним сак. Нина Александровна стояла на крыльце и плакала; она хотела было бежать за ним, но Птицын удержал ее.

— Вы только еще более поджигаете его этим, — говорил он ей, — некуда ему идти, чрез полчаса его опять приведут, я с Колей уже говорил; дайте подурачиться.

— Что куражитесь-то, куда пойдете-то! — закричал Ганя из окна, — и идти-то вам некуда!

— Воротитесь, папаша! — крикнула Варя. — Соседи слышат.

Генерал остановился, обернулся, простер свою руку и воскликнул:

— Проклятие мое дому сему!

— И непременно на театральный тон! — пробормотал Ганя, со стуком запирая окно.

Соседи действительно слушали. Варя побежала из комнаты.

Когда Варя вышла, Ганя взял со стола записку, поцеловал ее, прищелкнул языком и сделал антраша.

III

Суматоха с генералом во всякое другое время кончилась бы ничем. И прежде бывали с ним случаи внезапной блажни в этом же роде, хотя и довольно редко, потому что, вообще говоря, это был человек очень смирный и с наклонностями почти добрыми. Он сто раз, может быть, вступал в борьбу с овладевшим им в последние годы беспорядком. Он вдруг вспоминал, что он «отец семейства», мирился с женой, плакал искренно. Он до обожания уважал Нину Александровну за то, что она так много и молча прощала ему и любила его даже в его шутовском и унизительном виде. Но великодушная борьба с беспорядком обыкновенно продолжалась недолго; генерал был тоже человек слишком «порывчатый», хотя и в своем роде; он обыкновенно не выносил покаянного и праздного житья в своем семействе и кончал бунтом; впадал в азарт, в котором сам, может быть, в те же самые минуты и упрекал себя, но выдержать не мог: ссорился, начинал говорить пышно и красноречиво, требовал безмерного и невозможного к себе почтения и в конце концов исчезал из дому, иногда даже на долгое время. В последние два года про дела своего семейства он знал разве только вообще или понаслышке; подробнее же перестал в них входить, не чувствуя к тому ни малейшего призвания.

Но на этот раз в «суматохе с генералом» проявилось нечто необыкновенное; все как будто про что-то знали и все как будто боялись про что-то сказать. Генерал «формально» явился в семейство, то есть к Нине Александровне, всего только три дня назад, но как-то не смиренно и не с покаянием, как это случалось всегда при прежних «явках», а напротив — с необыкновенною раздражительностью. Он был говорлив, беспокоен, заговаривал со всеми встречавшимися с ним с жаром и как будто так и набрасываясь на человека, но всё о предметах до того разнообразных и неожиданных, что никак нельзя было добиться, что в сущности его так теперь беспокоит. Минутами бывал весел, но чаще задумывался, сам, впрочем, не зная, о чем именно; вдруг начинал о чем-то рассказывать — о Епанчиных, о князе и Лебедеве, — и вдруг обрывал и переставал совсем говорить, а на дальнейшие вопросы отвечал только тупою улыбкой, впрочем даже и не замечая, что его спрашивают, а он улыбается. Последнюю ночь он провел охая и стоная и измучил Нину Александровну, которая всю ночь грела ему для чего-то припарки; под утро вдруг заснул, проспал четыре часа и проснулся в сильнейшем и беспорядочном припадке ипохондрии, который и кончился ссорой с Ипполитом и «проклятием дому сему». Заметили тоже, что в эти три дня он беспрерывно впадал в сильнейшее честолюбие, а вследствие того и в необыкновенную обидчивость. Коля же настаивал, уверяя мать, что всё это тоска по хмельном, а может, и по Лебедеве, с которым генерал необыкновенно сдружился в последнее время. Но три дня тому назад с Лебедевым он вдруг поссорился и разошелся в ужасной ярости, даже с князем была какая-то сцена. Коля просил у князя объяснения и стал наконец подозревать, что и тот чего-то как бы не хочет сказать ему. Если и происходил, как предполагал с совершенною вероятностью Ганя, какой-нибудь особенный разговор между Ипполитом и Ниной Александровной, то странно, что этот злой господин, которого Ганя так прямо назвал сплетником, не нашел удовольствия вразумить таким же образом и Колю. Очень может быть, что это был не такой уже злой «мальчишка», каким его очерчивал Ганя, говоря с сестрой, а злой какого-нибудь другого сорта; да и Нине Александровне вряд ли он сообщил какое-нибудь свое наблюдение, единственно для того только, чтобы «разорвать ей сердце». Не забудем, что причины действий человеческих обыкновенно бесчисленно сложнее и разнообразнее, чем мы их всегда потом объясняем, и редко определенно очерчиваются. Всего лучше иногда рассказчику ограничиваться простым изложением событий. Так и поступим мы при дальнейшем разъяснении теперешней катастрофы с генералом; ибо как мы ни бились, а поставлены в решительную необходимость уделить и этому второстепенному лицу нашего рассказа несколько более внимания и места, чем до сих пор предполагали.

События эти следовали одно за другим в таком порядке:

Когда Лебедев, после поездки своей в Петербург для разыскания Фердыщенки, воротился в тот же день назад, вместе с генералом, то ничего особенного не сообщил князю. Если бы князь не был в то время слишком отвлечен и занят другими важными для него впечатлениями, то он мог бы скоро заметить, что и в следовавшие затем два дня Лебедев не только не представил ему никаких разъяснений, но даже, напротив, как бы сам избегал почему-то встречи с ним. Обратив, наконец, на это внимание, князь подивился, что в эти два дня, при случайных встречах с Лебедевым, он припоминал его не иначе как в самом сияющем расположении духа, и всегда почти вместе с генералом. Оба друга не расставались уже ни на минуту. Князь слышал иногда доносившиеся к нему сверху громкие и быстрые разговоры, хохотливый, веселый спор; даже раз, очень поздно вечером, донеслись к нему звуки внезапно и неожиданно раздавшейся военно-вакхической песни, и он тотчас же узнал сиплый бас генерала. Но раздавшаяся песня не состоялась и вдруг смолкла. Затем около часа еще продолжался сильно одушевленный и по всем признакам пьяный разговор. Угадать можно было, что забавлявшиеся наверху друзья обнимались и кто-то наконец заплакал. Затем вдруг последовала сильная ссора, тоже быстро и скоро замолкшая. Всё это время Коля был в каком-то особенно озабоченном настроении. Князь большею частью не бывал дома и возвращался к себе иногда очень поздно; ему всегда докладывали, что Коля весь день искал его и спрашивал. Но при встречах Коля ничего не мог сказать особенного, кроме того, что решительно «недоволен» генералом и теперешним его поведением: «Таскаются, пьянствуют здесь недалеко в трактире, обнимаются и бранятся на улице, поджигают друг друга и расстаться не могут». Когда князь заметил ему, что и прежде то же самое чуть не каждый день было, то Коля решительно не знал, что на это ответить и как объяснить, в чем именно заключается настоящее его беспокойство.

Наутро, после вакхической песни и ссоры, когда князь, часов около одиннадцати, выходил из дому, пред ним вдруг явился генерал, чрезвычайно чем-то взволнованный, почти потрясенный.

— Давно искал чести и случая встретить вас, многоуважаемый Лев Николаевич, давно, очень давно, — пробормотал он, чрезвычайно крепко, почти до боли сжимая руку князя, — очень, очень давно.

Князь попросил садиться.

— Нет, не сяду, к тому же я вас задерживаю, я — в другой раз. Кажется, я могу при этом поздравить с... исполнением... желаний сердца.

— Каких желаний сердца?

Князь смутился. Ему, как и очень многим в его положении, казалось, что решительно никто ничего не видит, не догадывается и не понимает.

— Будьте покойны, будьте покойны! Не потревожу деликатнейших чувств. Сам испытывал и сам знаю, когда чужой... так сказать, нос... по пословице... лезет туда, куда его не спрашивают. Я это каждое утро испытываю. Я по другому делу пришел, по важному. По очень важному делу, князь.

Князь еще раз попросил сесть и сел сам.

— Разве на одну секунду... Я пришел за советом. Я, конечно, живу без практических целей, но уважая самого себя и... деловитость, в которой так манкирует русский человек, говоря вообще... желаю поставить себя, и жену мою, и детей моих в положение... одним словом, князь, я ищу совета.

Князь с жаром похвалил его намерение.

— Ну, это всё вздор, — быстро прервал генерал, — я, главное, не о том, я о другом и о важном. И именно решился разъяснить вам, Лев Николаевич, как человеку, в искренности приема и в благородстве чувств которого я уверен, как... как... Вы не удивляетесь моим словам, князь?

Князь если не с особенным удивлением, то с чрезвычайным вниманием и любопытством следил за своим гостем. Старик был несколько бледен, губы его иногда слегка вздрагивали, руки как бы не могли найти спокойного места. Он сидел только несколько минут и уже раза два успел для чего-то вдруг подняться со стула и вдруг опять сесть, очевидно не обращая ни малейшего внимания на свои маневры. На столе лежали книги; он взял одну, продолжая говорить, заглянул в развернутую страницу, тотчас же опять сложил и положил на стол, схватил другую книгу, которую уже не развертывал, а продержал всё остальное время в правой руке, беспрерывно махая ею по воздуху.

— Довольно! — вскричал он вдруг. — Вижу, что я вас сильно обеспокоил.

— Да нисколько же, помилуйте, сделайте одолжение, я, напротив, вслушиваюсь и желаю догадаться...

— Князь! Я желаю поставить себя в положение уважаемое... я желаю уважать самого себя и... права мои.

— Человек с таким желанием уже тем одним достоин всякого уважения.

Князь высказал свою фразу из прописей в твердой уверенности, что она произведет прекрасное действие. Он как-то инстинктивно догадался, что какою-нибудь подобною пустозвонною, но приятною фразой, сказанною кстати, можно вдруг покорить и умирить душу такого человека и особенно в таком положении, как генерал. Во всяком случае надо было отпустить такого гостя с облегченным сердцем, и в том была задача.

Фраза польстила, тронула и очень понравилась: генерал вдруг расчувствовался, мгновенно переменил тон и пустился в восторженно-длинные объяснения. Но как ни напрягался князь, как ни вслушивался, он буквально ничего не мог понять. Генерал говорил минут десять, горячо, быстро, как бы не успевая выговаривать свои теснившиеся толпой мысли; даже слезы заблистали под конец в его глазах, но все-таки это были одни фразы без начала и конца, неожиданные слова и неожиданные мысли, быстро и неожиданно прорывавшиеся и перескакивавшие одна чрез другую.

— Довольно! Вы меня поняли, и я спокоен, — заключил он вдруг, вставая, — сердце, как ваше, не может не понять страждущего. Князь, вы благородны как идеал! Что пред вами другие? Но вы молоды, и я благословляю вас. В конце концов я пришел вас просить назначить мне час для важного разговора, и вот в чем главнейшая надежда моя. Я ищу одной дружбы и сердца, князь; я никогда не мог сладить с требованиями моего сердца.

— Но почему же не сейчас? Я готов выслушать...

— Нет, князь, нет! — горячо прервал генерал, — не сейчас! Сейчас есть мечта! Это слишком, слишком важно, слишком важно! Этот час разговора будет часом окончательной судьбы. Это будет час *мой*, и я бы не желал, чтобы нас мог прервать в такую святую минуту первый вошедший, первый наглец, и нередко такой наглец, — нагнулся он вдруг к князю со странным, таинственным и почти испуганным шепотом, — такой наглец, который не стоит каблука... с ноги вашей, возлюбленный князь! О, я не говорю: с моей ноги! Особенно заметьте себе, что я не упоминал про мою ногу; ибо слишком уважаю себя, чтобы высказать это без обиняков; но только вы один и способны понять, что, отвергая в таком случае и мой каблук, я выказываю, может быть, чрезвычайную гордость достоинства. Кроме вас, никто другой не поймет, а *он* во главе всех других. *Он* ничего не понимает, князь; совершенно, совершенно неспособен понять! Нужно иметь сердце, чтобы понять!

Под конец князь почти испугался и назначил генералу свидание на завтра в этот же час. Тот вышел с бодростью, чрезвычайно утешенный и почти успокоенный. Вечером, в седьмом часу, князь послал попросить к себе на минутку Лебедева.

Лебедев явился с чрезвычайною поспешностью, «за честь почитая», как он тотчас же и начал при входе; как бы и тени не было того, что он три дня точно прятался и видимо избегал встречи с князем. Он сел на край стула, с гримасами, с улыбками, со смеющимися и выглядывающими глазками, с потиранием рук и с видом наивнейшего ожидания что-нибудь услышать вроде какого-нибудь капитального сообщения, давно ожидаемого и всеми угаданного. Князя опять покоробило; ему становилось ясным, что все вдруг стали чего-то ждать от него, что все взглядывают на него, как бы желая его с чем-то поздравить, с намеками, улыбками и подмигиваниями. Келлер уже раза три забегал на минутку, и тоже с видимым желанием поздравить: начинал каждый раз восторженно и неясно, ничего не оканчивал и быстро стушевывался. (Он где-то особенно сильно запил в последние дни и гремел в какой-то биллиардной.) Даже Коля, несмотря на свою грусть, тоже начинал раза два о чем-то неясно заговаривать с князем.

Князь прямо и несколько раздражительно спросил Лебедева, что думает он о теперешнем состоянии генерала и почему тот в таком беспокойстве? В нескольких словах он рассказал ему давешнюю сцену.

— Всякий имеет свое беспокойство, князь, и... особенно в наш странный и беспокойный век-с; так-с, — с некоторою сухостью ответил Лебедев и обиженно замолк, с видом человека, сильно обманутого в своих ожиданиях.

— Какая философия! — усмехнулся князь.

— Философия нужна-с, очень бы нужна была-с в нашем веке, в практическом приложении, но ею пренебрегают-с, вот что-с. С моей стороны, многоуважаемый князь, я хоть и бывал почтен вашею ко мне доверчивостью в некотором известном вам пункте-с, но до известной лишь степени и никак не далее обстоятельств, касавшихся собственно одного того пункта... Это я понимаю и нисколько не жалуюсь.

— Лебедев, вы как будто за что-то сердитесь?

— Нисколько, нимало, многоуважаемый и лучезарнейший князь, нимало! — восторженно вскричал Лебедев, прикладывая руку к сердцу, — а, напротив, именно и тотчас постиг, что ни положением в свете, ни развитием ума и сердца, ни накоплением богатств, ни прежним поведением моим, ниже познаниями, — ничем вашей почтенной и высоко предстоящей надеждам моим доверенности не заслуживаю; а что если и могу служить вам, то как раб и наемщик, не иначе... я не сержусь, а грущу-с.

— Лукьян Тимофеич, помилуйте!

— Не иначе! Так и теперь, так и в настоящем случае! Встречая вас и следя за вами сердцем и мыслью, говорил сам себе: дружеских сообщений я недостоин, но в качестве хозяина квартиры, может быть, и могу получить в надлежащее время, к ожидаемому сроку, так сказать, предписание, или много что уведомление ввиду известных предстоящих и ожидаемых изменений...

Выговаривая это, Лебедев так и впился своими востренькими глазками в глядевшего на него с изумлением князя; он всё еще был в надежде удовлетворить свое любопытство.

— Решительно ничего не понимаю, — вскричал князь чуть ли не с гневом, — и... вы ужаснейший интриган! — рассмеялся он вдруг самым искренним смехом.

Мигом рассмеялся и Лебедев, и просиявший взгляд его так и выразил, что надежды его прояснились и даже удвоились.

— И знаете, что я вам скажу, Лукьян Тимофеич? Вы только на меня не сердитесь, а я удивляюсь вашей наивности, да и не одной вашей! Вы с такою наивностью чего-то от меня ожидаете, вот именно теперь, в эту минуту, что мне даже совестно и стыдно пред вами, что у меня нет ничего, чтоб удовлетворить вас; но клянусь же вам, что решительно нет ничего, можете себе это представить!

Князь опять засмеялся.

Лебедев приосанился. Это правда, что он бывал иногда даже слишком наивен и назойлив в своем любопытстве; но в то же время это был человек довольно хитрый и извилистый, а в некоторых случаях даже слишком коварно-молчаливый; беспрерывными отталкиваниями князь почти приготовил в нем себе врага. Но отталкивал его князь не потому, что его презирал, а потому, что тема любопытства его была деликатна. На некоторые мечты свои князь смотрел еще назад тому несколько дней как на преступление, а Лукьян Тимофеич принимал отказы князя за одно лишь личное к себе отвращение и недоверчивость, уходил с сердцем уязвленным и ревновал к князю не только Колю и Келлера, но даже собственную дочь свою, Веру Лукьяновну. Даже в самую эту минуту он, может быть, мог бы и желал искренно сообщить князю одно в высшей степени интересное для князя известие, но мрачно замолк и не сообщил.

— Чем же, собственно, могу услужить вам, многоуважаемый князь, так как все-таки вы меня теперь... кликнули? — проговорил он наконец после некоторого молчания.

— Да вот я, собственно, о генерале, — встрепенулся князь, тоже на минутку задумавшийся, — и... насчет вашей этой покражи, о которой вы мне сообщили...

— Это насчет чего же-с?

— Ну вот, точно вы теперь меня и не понимаете! Ах, боже, что, Лукьян Тимофеич, у вас всё за роли! Деньги, деньги, четыреста рублей, которые вы тогда потеряли, в бумажнике, и про которые приходили сюда рассказывать, поутру, отправляясь в Петербург, — поняли, наконец?

— Ах, это вы про те четыреста рублей! — протянул Лебедев, точно лишь сейчас только догадался. — Благодарю вас, князь, за ваше искреннее участие; оно слишком для меня лестно, но... я их нашел-с, и давно уже.

— Нашли! Ах, слава богу!

— Восклицание с вашей стороны благороднейшее, ибо четыреста рублей — слишком немаловажное дело для бедного, живущего тяжким трудом человека, с многочисленным семейством сирот...

— Да я ведь не про то! Конечно, я и тому рад, что вы нашли, — поправился поскорее князь, — но... как же вы нашли?

— Чрезвычайно просто-с, нашел под стулом, на котором был повешен сюртук, так что, очевидно, бумажник скользнул из кармана на пол.

— Как под стул? Не может быть, ведь вы же мне говорили, что во всех углах обыскивали; как же вы в этом самом главном месте просмотрели?

— То-то и есть что смотрел-с! Слишком, слишком хорошо помню, что смотрел-с! На карачках ползал, щупал на этом месте руками, отставив стул, собственным глазам своим не веруя: и вижу, что нет ничего, пустое и гладкое место, вот как моя ладонь-с, а все-таки продолжаю щупать. Подобное малодушие-с всегда повторяется с человеком, когда уж очень хочется отыскать... при значительных и печальных пропажах-с: и видит, что нет ничего, место пустое, а все-таки раз пятнадцать в него заглянет.

— Да, положим; только как же это, однако?.. Я всё не понимаю, — бормотал князь, сбитый с толку, — прежде, вы говорили, тут не было, и вы на этом месте искали, а тут вдруг очутилось?

— А тут вдруг и очутилось-с.

Князь странно посмотрел на Лебедева.

— А генерал? — вдруг спросил он.

— То есть что же-с, генерал-с? — не понял опять Лебедев.

— Ах, боже мой! Я спрашиваю, что сказал генерал, когда вы отыскали под стулом бумажник? Ведь вы же вместе прежде отыскивали.

— Прежде вместе-с. Но в этот раз я, признаюсь, промолчал-с и предпочел не объявлять ему, что бумажник уже отыскан мною, наедине.

— По... почему же?.. А деньги целы?

— Я раскрывал бумажник; все целы, до единого даже рубля-с.

— Хоть бы мне-то пришли сказать, — задумчиво заметил князь.

— Побоялся лично обеспокоить, князь, при ваших личных и, может быть, чрезвычайных, так сказать, впечатлениях; а кроме того, я и сам-то-с принял вид, что как бы и не находил ничего. Бумажник развернул, осмотрел, потом закрыл да и опять под стул положил.

— Да для чего же?

— Т-так-с; из дальнейшего любопытства-с, — хихикнул вдруг Лебедев, потирая руки.

— Так он и теперь там лежит, с третьего дня?

— О нет-с; полежал только сутки. Я, видите ли, отчасти хотел, чтоб и генерал отыскал-с. Потому что, если я наконец нашел, так почему же и генералу не заметить предмет, так сказать бросающийся в глаза, торчащий из-под стула. Я несколько раз поднимал этот стул и переставлял, так что бумажник уже совсем на виду оказывался, но генерал никак не замечал, и так продолжалось целые сутки. Очень уж он, видно, рассеян теперь, и не разберешь; говорит, рассказывает, смеется, хохочет, а то вдруг ужасно на меня рассердится, не знаю почему-с. Стали мы наконец выходить из комнаты, я дверь нарочно отпертою и оставляю; он таки поколебался, хотел что-то сказать, вероятно за бумажник с такими деньгами испугался, но ужасно вдруг рассердился и ничего не сказал-с; двух шагов по улице не прошли, он меня бросил и ушел в другую сторону. Вечером только в трактире сошлись.

— Но наконец вы все-таки взяли из-под стула бумажник?

— Нет-с; в ту же ночь он из-под стула пропал-с.

— Так где же он теперь-то?

— Да здесь-с, — засмеялся вдруг Лебедев, подымаясь во весь рост со стула и приятно смотря на князя, — очутился вдруг здесь, в поле собственного моего сюртука. Вот, извольте сами посмотреть, ощупайте-с.

Действительно, в левой поле сюртука, прямо спереди, на самом виду, образовался как бы целый мешок, и на ощупь тотчас же можно было угадать, что тут кожаный бумажник, провалившийся туда из прорвавшегося кармана.

— Вынимал и смотрел-с, всё цело-с. Опять опустил, и так со вчерашнего утра и хожу, в поле ношу, по ногам даже бьет.

— А вы и не примечаете?

— А я и не примечаю-с, хе-хе! И представьте себе, многоуважаемый князь, — хотя предмет и недостоин такого особенного внимания вашего, — всегда-то карманы у меня целехоньки, а тут вдруг в одну ночь такая дыра! Стал высматривать любопытнее, — как бы перочинным ножичком кто прорезал; невероятно почти-с?

— А... генерал?

— Целый день сердился, и вчера и сегодня; ужасно недоволен-с; то радостен и вакхичен даже до льстивости, то чувствителен даже до слез, а то вдруг рассердится, да так, что я даже и струшу-с, ей-богу-с; я, князь, все-таки человек не военный-с. Вчера в трактире сидим, а у меня как бы невзначай пола выставилась на самый вид, гора горой; косится он, сердится. Прямо в глаза он мне теперь давно уже не глядит-с, разве когда уж очень хмелен или расчувствуется; но вчера раза два так поглядел, что просто мороз по спине прошел. Я, впрочем, завтра намерен бумажник найти, а до завтра еще с ним вечерок погуляю.

— За что вы так его мучаете? — вскричал князь.

— Не мучаю, князь, не мучаю, — с жаром подхватил Лебедев, — я искренно его люблю-с и... уважаю-с; а теперь, вот верьте не верьте, он еще дороже мне стал-с; еще более стал ценить-с!

Лебедев проговорил всё это до того серьезно и искренно, что князь пришел даже в негодование.

— Любите, а так мучаете! Помилуйте, да уж тем одним, что он так на вид положил вам пропажу, под стул да в сюртук, уж этим одним он вам прямо показывает, что не хочет с вами хитрить, а простодушно у вас прощения просит. Слышите: прощения просит! Он на деликатность чувств ваших, стало быть, надеется; стало быть, верит в дружбу вашу к нему. А вы до такого унижения доводите такого... честнейшего человека!

— Честнейшего, князь, честнейшего! — подхватил Лебедев, сверкая глазами, — и именно только вы одни, благороднейший князь, в состоянии были такое справедливое слово сказать! За это-то я и предан вам даже до обожания-с, хоть и прогнил от разных пороков! Решено! Отыскиваю бумажник теперь же, сейчас же, а не завтра; вот, вынимаю его в ваших глазах-с; вот он; вот и деньги все налицо; вот, возьмите, благороднейший князь, возьмите и сохраните до завтра. Завтра или послезавтра возьму-с; а знаете, князь, очевидно, что у меня где-нибудь в садике под камушком пролежали в первую-то ночь пропажи-с; как вы думаете?

— Смотрите же, не говорите ему так прямо в глаза, что бумажник нашли. Пусть просто-запросто он увидит, что в поле больше нет ничего, и поймет.

— Так ли-с? Не лучше ли сказать, что нашел-с, и притвориться, что до сих пор не догадывался?

— Н-нет, — задумался князь, — н-нет, теперь уже поздно; это опаснее; право, лучше не говорите! А с ним будьте ласковы, но... не слишком делайте вид, и... и... знаете...

— Знаю, князь, знаю, то есть знаю, что, пожалуй, и не выполню; ибо тут надо сердце такое, как ваше, иметь. Да к тому же и сам раздражителен и повадлив, слишком уж он свысока стал со мной иногда теперь обращаться; то хнычет и обнимается, а то вдруг начнет унижать и презрительно издеваться; ну, тут я возьму да нарочно полу-то и выставлю, хе-хе! До свиданья, князь, ибо очевидно задерживаю и мешаю, так сказать, интереснейшим чувствам...

— Но, ради бога, прежний секрет!

— Тихими стопами-с, тихими стопами-с!

Но хоть дело было и кончено, а князь остался озабочен чуть ли не более прежнего. Он с нетерпением ждал завтрашнего свидания с генералом.

IV

Назначенный час был двенадцатый, но князь совершенно неожиданно опоздал. Воротясь домой, он застал у себя ожидавшего его генерала. С первого взгляда заметил он, что тот недоволен, и, может быть, именно тем, что пришлось подождать. Извинившись, князь поспешил сесть, но как-то странно робея, точно гость его был фарфоровый, а он поминутно боялся его разбить. Прежде он никогда не робел с генералом, да и в ум не приходило робеть. Скоро князь разглядел, что это совсем другой человек, чем вчера: вместо смятения и рассеянности проглядывала какая-то необыкновенная сдержанность; можно было заключить, что это человек, на что-то решившийся окончательно. Спокойствие, впрочем, было более наружное, чем на самом деле. Но, во всяком случае, гость был благородно-развязен, хотя и со сдержанным достоинством; даже вначале обращался с князем как бы с видом некоторого снисхождения, — именно так, как бывают иногда благородно-развязны иные гордые, но несправедливо обиженные люди. Говорил ласково, хотя и не без некоторого прискорбия в выговоре.

— Ваша книга, которую я брал у вас намедни, — значительно кивнул он на принесенную им и лежавшую на столе книгу, — благодарен.

— Ах да; прочли вы эту статью, генерал? Как вам понравилась? Ведь любопытна? — обрадовался князь возможности поскорее начать разговор попостороннее.

— Любопытно, пожалуй, но грубо и, конечно, вздорно. Может, и ложь на каждом шагу.

Генерал говорил с апломбом и даже немного растягивая слова.

— Ах, это такой простодушный рассказ; рассказ старого солдата-очевидца о пребывании французов в Москве; некоторые вещи прелесть. К тому же всякие записки очевидцев драгоценность, даже кто бы ни был очевидец. Не правда ли?

— На месте редактора я бы не напечатал; что же касается вообще до записок очевидцев, то поверят скорее грубому лгуну, но забавнику, чем человеку достой-

ному и заслуженному. Я знаю некоторые записки о двенадцатом годе, которые...
Я принял решение, князь, я оставляю этот дом — дом господина Лебедева.

Генерал значительно поглядел на князя.

— Вы имеете свою квартиру, в Павловске, у... у дочери вашей... — проговорил князь, не зная, что сказать. Он вспомнил, что ведь генерал пришел за советом по чрезвычайному делу, от которого зависит судьба его.

— У моей жены; другими словами, у себя и в доме моей дочери.

— Извините, я...

— Я оставляю дом Лебедева потому, милый князь, потому, что с этим человеком порвал; порвал вчера вечером, с раскаянием, что не раньше. Я требую уважения, князь, и желаю получать его даже и от тех лиц, которым дарю, так сказать, мое сердце. Князь, я часто дарю мое сердце и почти всегда бываю обманут. Этот человек был недостоин моего подарка.

— В нем много беспорядка, — сдержанно заметил князь, — и некоторые черты... но среди всего этого замечается сердце, хитрый, а иногда и забавный ум.

Утонченность выражений, почтительный тон видимо польстили генералу, хотя он всё еще иногда взглядывал со внезапною недоверчивостью. Но тон князя был так натурален и искренен, что невозможно было усомниться.

— Что в нем есть и хорошие качества, — подхватил генерал, — то я первый заявил об этом, чуть не подарив этому индивидууму дружбу мою. Не нуждаюсь же я в его доме и в его гостеприимстве, имея собственное семейство. Я свои пороки не оправдываю; я невоздержан; я пил с ним вино и теперь, может быть, плачу об этом. Но ведь не для одного же питья (извините, князь, грубость откровенности в человеке раздраженном), не для одного же питья я связался с ним? Меня именно прельстили, как вы говорите, качества. Но всё до известной черты, даже и качества; и если он вдруг, в глаза, имеет дерзость уверять, что в двенадцатом году, еще ребенком, в детстве, он лишился левой своей ноги и похоронил ее на Ваганьковском кладбище, в Москве, то уж это заходит за пределы, являет неуважение, показывает наглость...

— Может быть, это была только шутка для веселого смеха.

— Понимаю-с. Невинная ложь для веселого смеха, хотя бы и грубая, не обижает сердца человеческого. Иной и лжет-то, если хотите, из одной только дружбы, чтобы доставить тем удовольствие собеседнику; но если просвечивает неуважение, если именно, может быть, подобным неуважением хотят показать, что тяготятся связью, то человеку благородному остается лишь отвернуться и порвать связь, указав обидчику его настоящее место.

Генерал даже покраснел, говоря.

— Да Лебедев и не мог быть в двенадцатом году в Москве; он слишком молод для этого; это смешно.

— Во-первых, это; но, положим, он тогда уже мог родиться; но как же уверять в глаза, что французский шассёр навел на него пушку и отстрелил ему ногу, так, для забавы; что он ногу эту поднял и отнес домой, потом похоронил ее на Ваганьковском кладбище, и говорит, что поставил над нею памятник, с надписью, с одной стороны: «Здесь погребена нога коллежского секретаря Лебедева», а с другой: «Покойся, милый прах, до радостного утра», и что, наконец, служит ежегодно по ней панихиду (что уже святотатство) и для этого ежегодно ездит в Москву. В доказательство же зовет в Москву, чтобы показать и могилу, и даже ту самую французскую пушку в Кремле, попавшую в плен; уверяет, что одиннадцатая от ворот, французский фальконет прежнего устройства.

— И притом же ведь у него обе ноги целы, на виду! — засмеялся князь. — Уверяю вас, что это невинная шутка; не сердитесь.

— Но позвольте же и мне понимать-с; насчет ног на виду, — то это еще, положим, не совсем невероятно; уверяет, что нога черносвитовская...

— Ах да, с черносвитовскою ногой, говорят, танцевать можно.

— Совершенно знаю-с; Черносвитов, изобретя свою ногу, первым делом тогда забежал ко мне показать. Но черносвитовская нога изобретена несравненно позже... И к тому же уверяет, что даже покойница жена его, в продолжение всего их брака, не знала, что у него, у мужа ее, деревянная нога. «Если ты, говорит, когда я заметил ему все нелепости, — если ты в двенадцатом году был у Наполеона в камер-пажах, то и мне позволь похоронить ногу на Ваганьковском».

— А разве вы... — начал было князь и смутился.

Генерал посмотрел на князя решительно свысока и чуть не с насмешкой.

— Договаривайте, князь, — особенно плавно протянул он, — договаривайте. Я снисходителен, говорите всё: признайтесь, что вам смешна даже мысль видеть пред собой человека в настоящем его унижении и... бесполезности и в то же время слышать, что этот человек был личным свидетелем... великих событий. *Он* ничего еще не успел вам... насплетничать?

— Нет; я ничего не слыхал от Лебедева, — если вы говорите про Лебедева...

— Гм, я полагал напротив. Собственно и разговор-то зашел вчера между нами всё по поводу этой... странной статьи в архиве. Я заметил ее нелепость, и так как я сам был личным свидетелем... вы улыбаетесь, князь, вы смотрите на мое лицо?

— Н-нет, я...

— Я моложав на вид, — тянул слова генерал, — но я несколько старее годами, чем кажусь в самом деле. В двенадцатом году я был лет десяти или одиннадцати. Лет моих я и сам хорошенько не знаю. В формуляре убавлено; я же имел слабость убавлять себе года и сам в продолжение жизни.

— Уверяю вас, генерал, что совсем не нахожу странным, что в двенадцатом году вы были в Москве и... конечно, вы можете сообщить... так же как и все бывшие. Один из наших автобиографов начинает свою книгу именно тем, что в двенадцатом году его, грудного ребенка, в Москве, кормили хлебом французские солдаты.

— Вот видите, — снисходительно одобрил генерал, — случай со мной, конечно, выходит из обыкновенных, но не заключает в себе и ничего необычайного. Весьма часто правда кажется невозможною. Камер-паж! Странно слышать, конечно. Но приключение с десятилетним ребенком, может быть, именно объясняется его возрастом. С пятнадцатилетним того уже не было бы, и это непременно так, потому что пятнадцатилетний я бы не убежал из нашего деревянного дома, в Старой Басманной, в день вшествия Наполеона в Москву, от моей матери, опоздавшей выехать из Москвы и трепетавшей от страха. Пятнадцати лет и я бы струсил, а десяти я ничего не испугался и пробился сквозь толпу к самому даже крыльцу дворца, когда Наполеон слезал с лошади.

— Без сомнения, вы отлично заметили, что именно десяти лет можно было не испугаться... — поддакнул князь, робея и мучаясь мыслью, что сейчас покраснеет.

— Без сомнения, и всё произошло так просто и натурально, как только может происходить в самом деле; возьмись за это дело романист, он наплетет небылиц и невероятностей.

— О, это так! — вскричал князь. — Эта мысль и меня поражала, и даже недавно. Я знаю одно истинное убийство за часы, оно уже теперь в газетах. Пусть бы выдумал это сочинитель, — знатоки народной жизни и критики тотчас же крикнули бы, что это невероятно; а прочтя в газетах как факт, вы чувствуете, что из таких-то именно фактов поучаетесь русской действительности. Вы это прекрасно заметили, генерал! — с жаром закончил князь, ужасно «обрадовавшись, что мог ускользнуть от явной краски в лице.

— Не правда ли? Не правда ли? — вскричал генерал, засверкав даже глазами от удовольствия. — Мальчик, ребенок, не понимающий опасности, пробирается сквозь толпу, чтоб увидеть блеск, мундиры, свиту и, наконец, великого человека, о котором так много накричали ему. Потому что тогда все, несколько лет сряду, только и кричали о нем. Мир был наполнен этим именем; я, так сказать, с молоком всосал. Наполеон, проходя в двух шагах, нечаянно различает мой взгляд; я же был в костюме барчонка, меня одевали хорошо. Один я такой, в этой толпе, согласитесь сами...

— Без сомнения, это должно было его поразить и доказало ему, что не все выехали и что остались и дворяне с детьми.

— Именно, именно! Он хотел привлечь бояр! Когда он бросил на меня свой орлиный взгляд, мои глаза, должно быть, сверкнули в ответ ему. «Voilà un garçon bien éveillé! Qui est ton père?»[1] Я тотчас отвечал ему, почти задыхаясь от волнения: «Генерал, умерший на полях своего отечества». — «Le fils d'un boyard et d'un brave par-dessus le marché! J'aime les boyards. M'aimes-tu, petit?»[2] На этот быстрый вопрос я так же быстро ответил: «Русское сердце в состоянии даже в самом враге своего отечества отличить великого человека!» То есть, собственно, не помню, буквально ли я так выразился... я был ребенок... но смысл наверно был тот! Наполеон был поражен, он подумал и сказал своей свите: «Я люблю гордость этого ребенка! Но если все русские мыслят, как это дитя, то...» Он не договорил и вошел во дворец. Я тотчас же вмешался в свиту и побежал за ним. В свите уже расступались предо мной и смотрели на меня как на фаворита. Но всё это только мелькнуло... Помню только, что, войдя в первую залу, император вдруг остановился пред портретом императрицы Екатерины, долго смотрел на него в задумчивости и наконец произнес: «Это была великая женщина!» — и прошел мимо. Через два дня меня все уже знали во дворце и в Кремле и звали «le petit boyard». Я только ночевать уходил домой. Дома чуть с ума не сошли. Еще чрез два дня умирает камер-паж Наполеона, барон де Базанкур, не вынесший похода. Наполеон вспомнил обо мне; меня взяли, привели, не объясняя дела, примерили на меня мундир покойного, мальчика лет двенадцати, и когда уже привели меня в мундире к императору и он кивнул на меня головой, объявили мне, что я удостоен милостью и произведен в камер-пажи его величества. Я был рад, я действительно чувствовал к нему, и давно уже, горячую симпатию... ну, и кроме того, согласитесь, блестящий мундир, что для ребенка составляет многое... Я ходил в темно-зеленом фраке, с длинными и узкими фалдами; золотые пуговицы, красные опушки на рукавах с золотым шитьем, высокий, стоячий, открытый воротник, шитый золотом, шитье на фалдах; белые лосинные панталоны в обтяжку, белый шелковый жилет, шелковые чулки, башмаки с пряжками... а во время прогулок императора на коне, и если я участвовал в свите, высокие ботфорты.

---

[1] «Какой бойкий мальчик! Кто твой отец?» (*франц.*)

[2] «Сын боярина, и к тому же храброго. Я люблю бояр. Любишь ли ты меня, малыш?» (*франц.*)

Хотя положение было не блестящее и предчувствовались уже огромные бедствия, но этикет соблюдался по возможности, и даже тем пунктуальнее, чем сильнее предчувствовались эти бедствия.

— Да, конечно... — пробормотал князь почти с потерянным видом, — ваши записки были бы... чрезвычайно интересны.

Генерал, конечно, передавал уже то, что еще вчера рассказывал Лебедеву, и передавал, стало быть, плавно; но тут опять недоверчиво покосился на князя.

— Мои записки, — произнес он с удвоенною гордостью, — написать мои записки? Не соблазнило меня это, князь! Если хотите, мои записки уже написаны, но... лежат у меня в пюпитре. Пусть, когда засыплют мне глаза землей, пусть тогда появятся и, без сомнения, переведутся и на другие языки, не по литературному их достоинству, нет, но по важности громаднейших фактов, которых я был очевидным свидетелем, хотя и ребенком; но тем паче: как ребенок, я проникнул в самую интимную, так сказать, спальню «великого человека»! Я слышал по ночам стоны этого «великана в несчастии», он не мог совеститься стонать и плакать пред ребенком, хотя я уже и понимал, что причина его страданий — молчание императора Александра.

— Да, ведь он писал письма... с предложениями о мире... — робко поддакнул князь.

— Собственно нам неизвестно, с какими именно предложениями он писал, но писал каждый день, каждый час, и письмо за письмом! Волновался ужасно. Однажды ночью, наедине, я бросился к нему со слезами (о, я любил его!): «Попросите, попросите прощения у императора Александра!» — закричал я ему. То есть мне надо бы было выразиться: «Помиритесь с императором Александром», но, как ребенок, я наивно высказал всю мою мысль. «О дитя мое! — отвечал он, — он ходил взад и вперед по комнате, — о дитя мое! — он как бы не замечал тогда, что мне десять лет, и даже любил разговаривать со мной, — о дитя мое, я готов целовать ноги императора Александра, но зато королю прусскому, но зато австрийскому императору, о, этим вечная ненависть, и... наконец... ты ничего не смыслишь в политике!» Он как бы вспомнил вдруг, с кем говорит, и замолк, но глаза его еще долго метали искры. Ну, опиши я эти все факты, — а я бывал свидетелем и величайших фактов, — издай я их теперь, и все эти критики, все эти литературные тщеславия, все эти зависти, партии и... нет-с, слуга покорный!

— Насчет партий вы, конечно, справедливо заметили, и я с вами согласен, — тихо ответил князь, капельку помолчав, — я вот тоже очень недавно прочел книгу Шарраса о Ватерлооской кампании. Книга, очевидно, серьезная, и специалисты уверяют, что с чрезвычайным знанием дела написана. Но проглядывает на каждой странице радость в унижении Наполеона, и если бы можно было оспорить у Наполеона даже всякий признак таланта и в других кампаниях, то Шаррас, кажется, был бы этому чрезвычайно рад; а это уж нехорошо в таком серьезном сочинении, потому что это дух партии. Очень вы были заняты тогда вашею службой у... императора?

Генерал был в восторге. Замечание князя своею серьезностью и простодушием рассеяло последние остатки его недоверчивости.

— Шаррас! О, я был сам в негодовании! Я тогда же написал к нему, но... я, собственно, не помню теперь... Вы спрашиваете, занят ли я был службой? О нет! Меня назвали камер-пажом, но я уже и тогда не считал это серьезным. Притом же Наполеон очень скоро потерял всякую надежду приблизить к себе русских, и, уж конечно, забыл бы и обо мне, которого приблизил из политики, если бы... если б он не полюбил меня лично, я смело говорю это теперь. Меня же влекло к нему сердце. Служба не спрашивалась: надо было являться иногда во дворец и... сопровождать верхом императора на прогулках, вот и всё. Я ездил верхом порядочно. Выезжал он пред обедом, в свите обыкновенно бывали Даву, я, мамелюк Рустан...

— Констан, — выговорилось с чего-то вдруг у князя.

— Н-нет, Констана тогда не было; он ездил тогда с письмом... к императрице Жозефине; но вместо него два ординарца, несколько польских улан... ну, вот и вся свита, кроме генералов, разумеется, и маршалов, которых Наполеон брал с собой, чтоб осматривать с ними местность, расположение войск, советоваться... Всего чаще находился при нем Даву, как теперь помню: огромный, полный, хладнокровный человек в очках, с странным взглядом. С ним чаще всего советовался император. Он ценил его мысли. Помню, они совещались уже несколько дней; Даву приходил и утром и вечером, часто даже спорили; наконец Наполеон как бы стал соглашаться. Они были вдвоем в кабинете, я третий, почти не замеченный ими. Вдруг взгляд Наполеона случайно падает на меня, странная мысль мелькает в глазах его. «Ребенок! — говорит он мне вдруг, — как ты думаешь: если я приму православие и освобожу ваших рабов, пойдут за мной русские или нет?» — «Никогда!» — вскричал я в негодовании. Наполеон был поражен. «В заблиставших патриотизмом глазах этого ребенка, — сказал он, — я прочел мнение всего русского народа. Довольно, Даву! Всё это фантазии! Изложите ваш другой проект».

— Да, но и этот проект была сильная мысль! — сказал князь, видимо интересуясь. — Так вы приписываете этот проект Даву?

— По крайней мере они совещались вместе. Конечно, мысль была наполеоновская, орлиная мысль, но и другой проект был тоже мысль... Это тот самый знаменитый «conseil du lion»[1], как сам Наполеон назвал этот совет Даву. Он состоял в том, чтобы затвориться в Кремле со всем войском, настроить бараков, окопаться укреплениями, расставить пушки, убить по возможности более лошадей и посолить их мясо; по возможности более достать и намародерничать хлеба и прозимовать до весны; а весной пробиться чрез русских. Этот проект сильно увлек Наполеона. Мы ездили каждый день кругом кремлевских стен, он указывал, где ломать, где строить, где люнет, где равелин, где ряд блокгаузов, — взгляд, быстрота, удар! Всё было наконец решено; Даву приставал за окончательным решением. Опять они были наедине, и я третий. Опять Наполеон ходил по комнате, скрестя руки. Я не мог оторваться от его лица, сердце мое билось. «Я иду», — сказал Даву. «Куда?» — спросил Наполеон. «Солить лошадей», — сказал Даву. Наполеон вздрогнул, решалась судьба. «Дитя! — сказал он мне вдруг, — что ты думаешь о нашем намерении?» Разумеется, он спросил у меня так, как иногда человек величайшего ума, в последнее мгновение, обращается к орлу или решетке. Вместо Наполеона я обращаюсь к Даву и говорю как бы во вдохновении: «Улепетывайте-ка, генерал, восвояси!» Проект был разрушен. Даву пожал плечами и, выходя, сказал шепотом: «Bah! Il devient superstitieux!»[2] А назавтра же было объявлено выступление.

— Всё это чрезвычайно интересно, — произнес князь ужасно тихо, — если это всё так и было... то есть, я хочу сказать... — поспешил было он поправиться.

---

[1] «совет льва» (*франц.*).

[2] «Ба! Он становится суеверным!» (*франц.*)

— О, князь! — вскричал генерал, упоенный своим рассказом до того, что, может быть, уже не мог бы остановиться даже пред самою крайнею неосторожностью, — вы говорите: «Всё это было!» Но было более, уверяю вас, что было гораздо более! Всё это только факты мизерные, политические. Но повторяю же вам, я был свидетелем ночных слез и стонов этого великого человека; а этого уж никто не видел, кроме меня! Под конец, правда, он уже не плакал, слез не было, но только стонал иногда; но лицо его всё более и более подергивалось как бы мраком. Точно вечность уже осеняла его мрачным крылом своим. Иногда, по ночам, мы проводили целые часы одни, молча — мамелюк Рустан храпит, бывало, в соседней комнате; ужасно крепко спал этот человек. «Зато он верен мне и династии», — говорил про него Наполеон. Однажды мне было страшно больно, и вдруг он заметил слезы на глазах моих; он посмотрел на меня с умилением: «Ты жалеешь меня! — вскричал он, — ты, дитя, да еще, может быть, пожалеет меня и другой ребенок, мой сын, le roi de Rome[1]; остальные все, все меня ненавидят, а братья первые продадут меня в несчастий!» Я зарыдал и бросился к нему; тут и он не выдержал; мы обнялись, и слезы наши смешались. «Напишите, напишите письмо к императрице Жозефине!» — прорыдал я ему. Наполеон вздрогнул, подумал и сказал мне: «Ты напомнил мне о третьем сердце, которое меня любит; благодарю тебя, друг мой!» Тут же сел и написал то письмо к Жозефине, с которым назавтра же был отправлен Констан.

— Вы сделали прекрасно, — сказал князь, — среди злых мыслей вы навели его на доброе чувство.

— Именно, князь, и как прекрасно вы это объясняете, сообразно с собственным вашим сердцем! — восторженно вскричал генерал, и, странно, настоящие слезы заблистали в глазах его. — Да, князь, да, это было великое зрелище! И знаете ли, я чуть не уехал за ним в Париж и, уж конечно, разделил бы с ним «знойный остров заточенья», но увы! судьбы наши разделились! Мы разошлись: он — на знойный остров, где хотя раз, в минуту ужасной скорби, вспомнил, может быть, о слезах бедного мальчика, обнимавшего и простившего его в Москве; я же был отправлен в кадетский корпус, где нашел одну муштровку, грубость товарищей и... Увы! Всё пошло прахом! «Я не хочу тебя отнять у твоей матери и не беру с собой! — сказал он мне в день ретирады, — но я желал бы что-нибудь для тебя сделать». Он уже садился на коня. «Напишите мне что-нибудь в альбом моей сестры, на память», — произнес я, робея, потому что он был очень расстроен и мрачен. Он вернулся, спросил перо, взял альбом: «Каких лет твоя сестра?» — спросил он меня, уже держа перо. «Трех лет», — отвечал я. «Petite fille alors»[2]. И черкнул в альбом:

«Ne mentez jamais!
Napoléon, votre ami sincère»[3].

Такой совет и в такую минуту, согласитесь, князь!

— Да, это знаменательно.

— Этот листок, в золотой рамке, под стеклом, всю жизнь провисел у сестры моей в гостиной, на самом видном месте, до самой смерти ее — умерла в родах; где он теперь — не знаю... но... ах, боже мой! Уже два часа! Как задержал я вас, князь! Это непростительно.

---
[1] римский король (*франц.*).
[2] «Еще совсем девочка» (*франц.*).
[3] «Никогда не лгите! *Наполеон, ваш искренний друг*» (*франц.*).

Генерал встал со стула.

— О, напротив! — промямлил князь. — Вы так меня заняли и... наконец... это так интересно; я вам так благодарен!

— Князь! — сказал генерал, опять сжимая до боли его руку и сверкающими глазами пристально смотря на него, как бы сам вдруг опомнившись и точно ошеломленный какою-то внезапною мыслию, — князь! Вы до того добры, до того простодушны, что мне становится даже вас жаль иногда. Я с умилением смотрю на вас; о, благослови вас Бог! Пусть жизнь ваша начнется и процветет... в любви. Моя же кончена! О, простите, простите!

Он быстро вышел, закрыв лицо руками. В искренности его волнения князь не мог усомниться. Он понимал также, что старик вышел в упоении от своего успеха; но ему все-таки предчувствовалось, что это был один из того разряда лгунов, которые хотя и лгут до сладострастия и даже до самозабвения, но и на самой высшей точке своего упоения все-таки подозревают про себя, что ведь им не верят, да и не могут верить. В настоящем положении своем старик мог опомниться, не в меру устыдиться, заподозрить князя в безмерном сострадании к нему, оскорбиться. «Не хуже ли я сделал, что довел его до такого вдохновения?» — тревожился князь и вдруг не выдержал и расхохотался ужасно, минут на десять. Он было стал укорять себя за этот смех; но тут же понял, что не в чем укорять, потому что ему бесконечно было жаль генерала.

Предчувствия его сбылись. Вечером же он получил странную записку, краткую, но решительную. Генерал уведомлял, что он и с ним расстается навеки, что уважает его и благодарен ему, но даже и от него не примет «знаков сострадания, унижающих достоинство и без того уже несчастного человека». Когда князь услышал, что старик заключился у Нины Александровны, то почти успокоился за него. Но мы уже видели, что генерал наделал каких-то бед и у Лизаветы Прокофьевны. Здесь мы не можем сообщить подробностей, но заметим вкратце, что сущность свидания состояла в том, что генерал испугал Лизавету Прокофьевну, а горькими намеками на Ганю привел ее в негодование. Он был выведен с позором. Вот почему он и провел такую ночь и такое утро, свихнулся окончательно и выбежал на улицу чуть не в помешательстве.

Коля всё еще не понимал дела вполне и даже надеялся взять строгостью.

— Ну, куда мы теперь потащимся, как вы думаете, генерал? — сказал он. — К князю не хотите, с Лебедевым рассорились, денег у вас нет, у меня никогда не бывает: вот и сели теперь на бобах, среди улицы.

— Приятнее сидеть с бобами, чем на бобах, — пробормотал генерал, — этим... каламбуром я возбудил восторг... в офицерском обществе... сорок четвертого... Тысяча... восемьсот... сорок четвертого года, да!.. Я не помню... О, не напоминай, не напоминай! «Где моя юность, где моя свежесть!» Как вскричал... кто это вскричал, Коля?

— Это у Гоголя, в «Мертвых душах», папаша, — ответил Коля и трусливо покосился на отца.

— Мертвые души! О да, мертвые! Когда похоронишь меня, напиши на могиле: «Здесь лежит мертвая душа!»

Позор преследует меня!

Это кто сказал, Коля?

— Не знаю, папаша.

— Еропегова не было! Ерошки Еропегова!.. — вскричал он в исступлении, приостанавливаясь на улице. — И это сын, родной сын! Еропегов, человек, заменявший мне одиннадцать месяцев брата, за которого я на дуэль... Ему князь Выгорецкий, наш капитан, говорит за бутылкой: «Ты, Гриша, где свою Анну получил, вот что скажи?» — «На полях моего отечества, вот где получил!» Я кричу: «Браво, Гриша!» Ну, тут и вышла дуэль, а потом повенчался... с Марьей Петровной Су... Сутугиной и был убит на полях... Пуля отскочила от моего креста на груди и прямо ему в лоб: «Ввек не забуду!» — крикнул и пал на месте. Я... я служил честно, Коля; я служил благородно, но позор — «позор преследует меня»! Ты и Нина придете ко мне на могилку... «Бедная Нина!» Я прежде ее так называл, Коля, давно, в первое время еще, и она так любила... Нина, Нина! Что сделал я с твоею участью! За что ты можешь любить меня, терпеливая душа! У твоей матери душа ангельская, Коля, слышишь ли, ангельская!

— Это я знаю, папаша. Папаша, голубчик, воротимтесь домой к мамаше! Она бежала за нами! Ну что вы стали? Точно не понимаете... Ну чего вы-то плачете?

Коля сам плакал и целовал у отца руки.

— Ты целуешь мне руки, мне!

— Ну да, вам, вам. Ну что ж удивительного? Ну чего вы ревете-то среди улицы, а еще генерал называется, военный человек, ну, пойдемте!

— Благослови тебя Бог, милый мальчик, за то, что почтителен был к позорному, — да! к позорному старикашке, отцу своему... да будет и у тебя такой же мальчик... le roi de Rome... О, «проклятие, проклятие дому сему»!

— Да что ж это в самом деле здесь происходит! — закипел вдруг Коля. — Что такое случилось? Почему вы не хотите вернуться домой теперь? Чего вы с ума-то сошли?

— Я объясню, я объясню тебе... я всё скажу тебе; не кричи, услышат... le roi de Rome... О, тошно мне, грустно мне!

Няня, где твоя могила!

Это кто воскликнул, Коля?

— Не знаю, не знаю, кто воскликнул! Пойдемте домой сейчас, сейчас! Я Ганьку исколочу, если надо... да куда ж вы опять?

Но генерал тянул его на крыльцо одного ближнего дома.

— Куда вы? Это чужое крыльцо!

Генерал сел на крыльцо и за руку всё притягивал к себе Колю.

— Нагнись, нагнись! — бормотал он, — я тебе всё скажу... позор... нагнись... ухом, ухом; я на ухо скажу...

— Да чего вы! — испугался ужасно Коля, подставляя, однако же, ухо.

— Le roi de Rome... — прошептал генерал, тоже как будто весь дрожа.

— Чего?.. Да какой вам дался le roi de Rome?.. Что?

— Я... я... — зашептал опять генерал, всё крепче и крепче цепляясь за плечо «своего мальчика», — я... хочу... я тебе... всё, Марья, Марья... Петровна Су-су-су...

Коля вырвался, схватил сам генерала за плечи и как помешанный смотрел на него. Старик побагровел, губы его посинели, мелкие судороги пробегали еще по лицу. Вдруг он склонился и начал тихо падать на руки Коли.

— Удар! — вскричал тот на всю улицу, догадавшись наконец, в чем дело.

V

По правде, Варвара Ардалионовна, в разговоре с братом, несколько преувеличила точность своих известии о сватовстве князя за Аглаю Епанчину. Может быть, как прозорливая женщина, она предугадала то, что должно было случиться в близком будущем; может быть, огорчившись из-за разлетевшейся дымом мечты (в которую и сама, по правде, не верила), она, как человек, не могла отказать себе в удовольствии преувеличением беды подлить еще более яду в сердце брата, впрочем, искренно и сострадательно ею любимого. Но во всяком случае она не могла получить от подруг своих, Епанчиных, таких точных известий; были только намеки, недосказанные слова, умолчания, загадки. А может быть, сестры Аглаи и намеренно в чем-нибудь проболтались, чтоб и самим что-нибудь узнать от Варвары Ардалионовны; могло быть, наконец, и то, что и они не хотели отказать себе в женском удовольствии немного подразнить подругу, хотя бы и детства: не могли же они не усмотреть во столько времени хоть маленького краюшка ее намерений.

С другой стороны, и князь, хотя и совершенно был прав, уверяя Лебедева, что ничего не может сообщить ему и что с ним ровно ничего не случилось особенного, тоже, может быть, ошибался. Действительно, со всеми произошло как бы нечто очень странное: ничего не случилось, и как будто в то же время и очень много случилось. Последнее-то и угадала Варвара Ардалионовна своим верным женским инстинктом.

Как вышло, однако же, что у Епанчиных все вдруг разом задались одною и согласною мыслию о том, что с Аглаей произошло нечто капитальное и что решается судьба ее, — это очень трудно изложить в порядке. Но только что блеснула эта мысль, разом у всех, как тотчас же все разом и стали на том, что давно уже всё разглядели и всё это ясно предвидели; что всё ясно было еще с «бедного рыцаря», даже и раньше, только тогда еще не хотели верить в такую нелепость. Так утверждали сестры; конечно, и Лизавета Прокофьевна раньше всех всё предвидела и узнала, и давно уже у ней «болело сердце», но — давно ли, нет ли — теперь мысль о князе вдруг стала ей слишком не по нутру, собственно потому, что сбивала ее с толку. Тут предстоял вопрос, который надо было немедленно разрешить; но не только разрешить его нельзя было, а даже и вопроса-то бедная Лизавета Прокофьевна не могла поставить пред собой в полной ясности, как ни билась. Дело было трудное: «Хорош или нехорош князь? Хорошо всё это или не хорошо? Если не хорошо (что несомненно), то чем же именно не хорошо? А если, может быть, и хорошо (что тоже возможно), то чем же опять хорошо?» Сам отец семейства, Иван Федорович, был, разумеется, прежде всего удивлен, но потом вдруг сделал признание, что ведь «ей-богу, и ему что-то в этом же роде всё это время мерещилось, нет-нет, и вдруг как будто и померещится!». Он тотчас же умолк под грозным взглядом своей супруги, но умолк он утром, а вечером, наедине с супругой, и принужденный опять говорить, вдруг и как бы с особенною бодростью выразил несколько неожиданных мыслей: «Ведь в сущности что ж?..» (Умолчание.) «Конечно, всё это очень странно, если только правда, и что он не спорит, но...» (Опять умолчание.) «А с другой стороны, если глядеть на вещи прямо, то князь ведь, ей-богу, чудеснейший парень, и... и, и — ну, наконец, имя же, родовое наше имя, всё это будет иметь вид, так сказать, поддержки родового имени, находящегося в унижении, в глазах света, то есть, смотря с этой точки зрения, то есть, потому... конечно, свет; свет есть свет; но всё же и князь не без состояния, хотя бы только даже и некоторого. У него есть... и... и... и...» (Продолжительное умолчание и решительная осечка.) Выслушав супруга, Лизавета Прокофьевна вышла из всяких границ.

По ее мнению, всё происшедшее было «непростительным и даже преступным вздором, фантастическая картина, глупая и нелепая!» Прежде всего уж то, что «этот князишка — больной идиот, второе — дурак, ни света не знает, ни места в свете не имеет: кому его покажешь, куда приткнешь? Демократ какой-то непозволительный, даже и чинишка-то нет, и... и... что скажет Белоконская? Да и такого ли, такого ли мужа воображали и прочили мы Аглае?». Последний аргумент был, разумеется, самый главный. Сердце матери дрожало от этого помышления, кровью обливалось и слезами, хотя в то же время что-то и шевелилось внутри этого сердца, вдруг говорившее ей: «А чем бы князь не такой, какого вам надо?» Ну, вот эти-то возражения собственного сердца и были всего хлопотливее для Лизаветы Прокофьевны.

Сестрам Аглаи почему-то понравилась мысль о князе; даже казалась не очень и странною; одним словом, они вдруг могли очутиться даже совсем на его стороне. Но обе они решились молчать. Раз навсегда замечено было в семействе, что чем упорнее и настойчивее возрастали иногда, в каком-нибудь общем и спорном семейном пункте, возражения и отпоры Лизаветы Прокофьевны, тем более это могло служить для всех признаком, что она, может быть, уж и соглашается с этим пунктом. Но Александре Ивановне нельзя было, впрочем, совершенно умолкнуть. Давно уже признав ее за свою советницу, мамаша поминутно призывала ее теперь и требовала ее мнений, а главное — воспоминаний, то есть: «Как же это всё случилось? Почему этого никто не видел? Почему тогда не говорили? Что означал тогда этот скверный «бедный рыцарь»? Почему она одна, Лизавета Прокофьевна, осуждена обо всех заботиться, всё замечать и предугадывать, а все прочие — одних ворон считать?» и пр. и пр. Александра Ивановна сначала была осторожна и заметила только, что ей кажется довольно верною идея папаши о том, что в глазах света может показаться очень удовлетворительным выбор князя Мышкина в мужья для одной из Епанчиных. Мало-помалу, разгорячившись, она прибавила даже, что князь вовсе не «дурачок» и никогда таким не был, а насчет значения, — то ведь еще бог знает в чем будет полагаться, через несколько лет, значение порядочного человека у нас в России: в прежних ли обязательных успехах по службе или в чем другом? На всё это мамаша немедленно отчеканила, что Александра «вольнодумка и что всё это их проклятый женский вопрос». Затем чрез полчаса отправилась в город, а оттуда на Каменный остров, чтобы застать Белоконскую, как нарочно в то время случившуюся в Петербурге, но скоро, впрочем, отъезжавшую. Белоконская была крестною матерью Аглаи.

«Старуха» Белоконская выслушала все лихорадочные и отчаянные признания Лизаветы Прокофьевны и нисколько не тронулась слезами сбитой с толку матери семейства, даже посмотрела на нее насмешливо. Это была страшная деспотка; в дружбе, даже в самой старинной, не могла терпеть равенства, а на Лизавету Прокофьевну смотрела решительно как на свою protégée, как и тридцать пять лет назад, и никак не могла примириться с резкостью и самостоятельностью ее характера. Она заметила между прочим, что «кажется, они там все, по своей всегдашней привычке, слишком забежали вперед и из мухи сочинили слона; что сколько она ни вслушивалась, не убедилась, чтоб у них действительно произошло что-нибудь серьезное; что не лучше ли подождать, пока что-нибудь еще выйдет; что князь, по ее мнению, порядочный молодой человек, хотя больной, странный и слишком уж незначительный. Хуже всего, что он любовницу открыто содержит». Лизавета Прокофьевна очень хорошо поняла, что Белоконская немного сердита за неуспех Евгения Павловича, ею отрекомендованного. Воротилась она к себе в Павловск еще в большем раздражении, чем когда поехала, и тотчас же всем досталось, главное за то, что «с ума сошли», что ни у кого решительно так не ведутся дела, только у них одних; «чего заторопились? Что вышло? Сколько я ни всматриваюсь, никак не могу заключить, что действительно что-нибудь вышло! Подождите, пока еще выйдет! Мало ли что Ивану Федоровичу могло померещиться, не из мухи же делать слона?» и пр. и пр.

Выходило, стало быть, что надобно успокоиться, смотреть хладнокровно и ждать. Но увы, спокойствие не продержалось и десяти минут. Первый удар хладнокровию был нанесен известиями о том, что произошло во время отсутствия мамаши на Каменный остров. (Поездка Лизаветы Прокофьевны происходила на другое же утро после того, как князь накануне приходил в первом часу, вместо десятого.) Сестры на нетерпеливые расспросы мамаши отвечали очень подробно, и, во-первых, что «ровно ничего, кажется, без нее не случилось», что князь приходил, что Аглая долго к нему не выходила, с полчаса, потом вышла, и как вышла, тотчас же предложила князю играть в шахматы; что в шахматы князь и ступить не умеет, и Аглая его тотчас же победила; стала очень весела и ужасно стыдила князя за его неуменье, ужасно смеялась над ним, так что на князя жалко стало смотреть. Потом предложила играть в карты, в дураки. Но тут вышло совсем наоборот: князь оказался в дураки такой силы, как... как профессор; играл мастерски; уж Аглая и плутовала, и карты подменяла, и в глазах у него же взятки воровала, а все-таки он каждый раз оставлял ее в дурах; раз пять сряду. Аглая взбесилась ужасно, даже совсем забылась; наговорила князю таких колкостей и дерзостей, что он уже перестал и смеяться, и совсем побледнел, когда она сказала ему наконец, что «нога ее не будет в этой комнате, пока он тут будет сидеть, и что даже бессовестно с его стороны к ним ходить, да еще по ночам, в первом часу, *после всего, что случилось*». Затем хлопнула дверью и вышла. Князь ушел как с похорон, несмотря на все их утешения. Вдруг, четверть часа спустя, как ушел князь, Аглая сбежала сверху на террасу и с такою поспешностью, что даже глаз не вытерла, а глаза у ней были заплаканы; сбежала же потому, что пришел Коля и принес ежа. Все они стали смотреть ежа; на вопросы их Коля объяснил, что еж не его, а что он идет теперь вместе с товарищем, другим гимназистом, Костей Лебедевым, который остался на улице и стыдится войти, потому что несет топор; что и ежа и топор они купили сейчас у встречного мужика. Ежа мужик продавал и взял за него пятьдесят копеек, а топор они уже сами уговорили его продать, потому что кстати, да и очень уж хороший топор. Тут вдруг Аглая начала ужасно приставать к Коле, чтоб он ей сейчас же продал ежа, из себя выходила, даже «милым» назвала Колю. Коля долго не соглашался, но наконец не выдержал и позвал Костю Лебедева, который действительно вошел с топором и очень сконфузился. Но тут вдруг оказалось, что еж вовсе не их, а принадлежит какому-то третьему мальчику, Петрову, который дал им обоим денег, чтобы купили ему у какого-то четвертого мальчика «Историю» Шлоссера, которую тот, нуждаясь в деньгах, выгодно продавал; что они пошли покупать «Историю» Шлоссера, но не утерпели и купили ежа, так что, стало быть, и еж и топор принадлежат тому третьему мальчику, которому они их теперь и несут вместо «Истории» Шлоссера. Но Аглая так приставала, что наконец решились и продали ей ежа. Как только Аглая получила ежа, тотчас же уложила его, с помощью Коли, в плетеную корзинку, накрыла салфеткой и стала просить Колю, чтоб он сейчас же, и никуда не заходя, отнес ежа к князю, от ее имени, с просьбой принять в «знак глубочайшего ее уважения». Коля с радостию согласился и дал слово, что доставит, но стал немедленно приставать: «Что означает еж и подобный подарок?» Аглая отвечала ему, что не его дело. Он отвечал, что, убежден, тут заключается аллегория. Аглая рассердилась и отрезала ему, что он мальчишка и больше ничего. Коля тотчас же возразил ей, что если б он не уважал в ней женщину и сверх того свои убеждения, то немедленно доказал бы ей, что умеет ответить на подобное оскорбление. Кончилось, впрочем, тем, что Коля все-таки с восторгом пошел относить ежа, а за ним бежал и Костя Лебедев; Аглая не вытерпела и, видя, что Коля слишком махает корзинкой, закричала ему вслед с террасы: «Пожалуйста, Коля, не выроните, голубчик!», — точно с ним и не бранилась сейчас; Коля остановился и тоже, точно и не бранился, закричал с величайшею готовностью: «Нет, не выроню, Аглая Ивановна. Будьте совершенно покойны!» — и побежал опять сломя голову. Аглая после того расхохоталась ужасно и побежала к себе чрезвычайно довольная и весь день потом была очень веселая.

Такое известие совершенно ошеломило Лизавету Прокофьевну. Кажется, что бы? Но уж такое, видно, пришло настроение. Тревога ее была возбуждена в чрезвычайной степени, и главное — еж; что означает еж? Что тут условлено? Что тут подразумевается? Какой это знак? Что за телеграмма? К тому же бедный Иван Федорович, случившийся тут же при допросе, совершенно испортил всё дело ответом. По его мнению, телеграммы тут не было никакой, а что еж — «просто еж и только, — разве означает, кроме того, дружество, забвение обид и примирение, одним словом, всё это шалость, но во всяком случае невинная и простительная».

В скобках заметим, что он угадал совершенно. Князь, воротившись домой от Аглаи, осмеянный и изгнанный ею, сидел уже с полчаса в самом мрачном отчаянии, когда вдруг явился Коля с ежом. Тотчас же прояснилось небо; князь точно из мертвых воскрес, расспрашивал Колю, висел над каждым словом его, переспрашивал по десяти раз, смеялся как ребенок и поминутно пожимал руки обоим смеющимся и ясно смотревшим на него мальчикам. Выходило, стало быть, что Аглая прощает и князю опять можно идти к ней сегодня же вечером, и для него это было не только главное, а даже и всё.

— Какие мы еще дети, Коля! и... и... как это хорошо, что мы дети! — с упоением воскликнул он наконец.

— Просто-запросто, она в вас влюблена, князь, и больше ничего! — с авторитетом и внушительно ответил Коля.

Князь вспыхнул, но на этот раз не сказал ни слова, а Коля только хохотал и хлопал в ладоши; минуту спустя рассмеялся и князь, а потом до самого вечера каждые пять минут смотрел на часы, много ли прошло и много ли до вечера остается.

Но настроение взяло верх: Лизавета Прокофьевна наконец не выдержала и поддалась истерической минуте. Несмотря на все возражения супруга и дочерей, она немедленно послала за Аглаей с тем, чтоб уж задать ей последний вопрос и от нее получить самый ясный и последний ответ. «Чтобы всё это разом и покончить, и с плеч долой, так чтоб уж и не поминать!» «Иначе, — объявила она, — я и до вечера не доживу!» И тут только все догадались, до какой бестолковщины довели дело. Кроме притворного удивления, негодования, хохота и насмешек над князем и надо всеми допрашивавшими, — ничего от Аглаи не добились. Лизавета Прокофьевна слегла в постель и вышла только к чаю, к тому времени, когда ожидали князя. Князя она ожидала с трепетом, и когда он явился, с нею чуть не сделалась истерика.

А князь и сам вошел робко, чуть не ощупью, странно улыбаясь, засматривая всем в глаза и всем как бы задавая вопрос, потому что Аглаи опять не было в комнате, чего он тотчас же испугался. В этот вечер никого не было посторонних, одни только члены семейства. Князь Щ. был еще в Петербурге, по поводу дела о дяде Евгения Павловича. «Хоть бы он-то случился и что-нибудь сказал», — горевала о нем Лизавета Прокофьевна. Иван Федорович сидел с чрезвычайно озабоченною миной; сестры были серьезны и, как нарочно, молчали. Лизавета Прокофьевна не знала, с чего начать разговор. Наконец вдруг энергически выбранила железную дорогу и посмотрела на князя с решительным вызовом.

Увы! Аглая не выходила, и князь пропадал. Чуть лепеча и потерявшись, он было выразил мнение, что починить дорогу чрезвычайно полезно, но Аделаида вдруг засмеялась, и князь опять уничтожился. В это-то самое мгновение и вошла Аглая, спокойно и важно, церемонно отдала князю поклон и торжественно заняла самое видное место у круглого стола. Она вопросительно посмотрела на князя. Все поняли, что настало разрешение всех недоумений.

— Получили вы моего ежа? — твердо и почти сердито спросила она.

— Получил, — ответил князь, краснея и замирая.

— Объясните же немедленно, что вы об этом думаете? Это необходимо для спокойствия мамаши и всего нашего семейства.

— Послушай, Аглая... — забеспокоился вдруг генерал.

— Это, это из всяких границ! — испугалась вдруг чего-то Лизавета Прокофьевна.

— Никаких всяких границ тут нету, maman, — строго и тотчас же ответила дочка. — Я сегодня послала князю ежа и желаю знать его мнение. Что же, князь?

— То есть какое мнение, Аглая Ивановна?

— Об еже.

— То есть... я думаю, Аглая Ивановна, что вы хотите узнать, как я принял... ежа... или, лучше сказать, как я взглянул... на эту присылку... ежа, то есть... в таком случае, я полагаю, что... одним словом...

Он задохся и умолк.

— Ну, не много сказали, — подождала секунд пять Аглая. — Хорошо, я согласна оставить ежа; но я очень рада, что могу наконец покончить все накопившиеся недоумения. Позвольте наконец узнать от вас самого и лично: сватаетесь вы за меня или нет?

— Ах, Господи! — вырвалось у Лизаветы Прокофьевны.

Князь вздрогнул и отшатнулся; Иван Федорович остолбенел; сестры нахмурились.

— Не лгите, князь, говорите правду. Из-за вас меня преследуют странными допросами; имеют же эти допросы какое-нибудь основание? Ну!

— Я за вас не сватался, Аглая Ивановна, — проговорил князь, вдруг оживляясь, — но... вы знаете сами, как я люблю вас и верю в вас... даже теперь...

— Я вас спрашивала: просите вы моей руки или нет?

— Прошу, — замирая, ответил князь.

Последовало общее и сильное движение.

— Всё это не так, милый друг, — проговорил Иван Федорович, сильно волнуясь, — это... это почти невозможно, если это так, Глаша... Извините, князь, извините, дорогой мой!.. Лизавета Прокофьевна! — обратился он к супруге за помощью, — надо бы... вникнуть...

— Я отказываюсь, я отказываюсь! — замахала руками Лизавета Прокофьевна.

— Позвольте же, maman, и мне говорить; ведь я и сама в таком деле что-нибудь значу: решается чрезвычайная минута судьбы моей (Аглая именно так и выразилась), и я хочу узнать сама и, кроме того, рада, что при всех... Позвольте же спросить вас, князь, если вы «питаете такие намерения», то чем же вы именно полагаете составить мое счастье?

— Я не знаю, право, Аглая Ивановна, как вам ответить; тут... тут что же отвечать? Да и... надо ли?

— Вы, кажется, сконфузились и задыхаетесь; отдохните немного и соберитесь с новыми силами; выпейте стакан воды; впрочем, вам сейчас чаю дадут.

— Я вас люблю, Аглая Ивановна, я вас очень люблю; я одну вас люблю и... не шутите, пожалуйста, я вас очень люблю.

— Но, однако же, это дело важное; мы не дети, и надо взглянуть положительно... Потрудитесь теперь объяснить, в чем заключается ваше состояние?

— Ну-ну-ну, Аглая. Что ты! Это не так, не так... — испуганно бормотал Иван Федорович.

— Позор! — громко прошептала Лизавета Прокофьевна.

— С ума сошла! — также громко прошептала Александра.

— Состояние... то есть деньги? — удивился князь.

— Именно.

— У меня... у меня теперь сто тридцать пять тысяч, — пробормотал князь, закрасневшись.

— Только-то? — громко и откровенно удивилась Аглая, нисколько не краснея. — Впрочем, ничего; особенно если с экономней... Намерены служить?

— Я хотел держать экзамен на домашнего учителя...

— Очень кстати; конечно, это увеличит наши средства. Полагаете вы быть камер-юнкером?

— Камер-юнкером? Я никак этого не воображал, но...

Но тут не утерпели обе сестры и прыснули со смеху. Аделаида давно уже заметила в подергивающихся чертах лица Аглаи признаки быстрого и неудержимого смеха, который она сдерживала покамест изо всей силы. Аглая грозно было посмотрела на рассмеявшихся сестер, но и секунды сама не выдержала и залилась самым сумасшедшим, почти истерическим хохотом; наконец вскочила и выбежала из комнаты.

— Я так и знала, что один только смех и больше ничего! — вскричала Аделаида, — с самого начала, с ежа.

— Нет, вот этого уж не позволю, не позволю! — вскипела вдруг гневом Лизавета Прокофьевна и быстро устремилась вслед за Аглаей. За нею тотчас же побежали и сестры. В комнате остались князь и отец семейства.

— Это, это... мог ты вообразить что-нибудь подобное, Лев Николаич? — резко вскричал генерал, видимо сам не понимая, что хочет сказать, — нет, серьезно, серьезно говоря?

— Я вижу, что Аглая Ивановна надо мной смеялась, — грустно ответил князь.

— Подожди, брат; я пойду, а ты подожди... потому... объясни мне хоть ты, Лев Николаич, хоть ты: как всё это случилось и что всё это означает, во всем, так сказать, его целом? Согласись, брат, сам, — я отец; все-таки ведь отец же, потому я ничего не понимаю; так хоть ты-то объясни!

— Я люблю Аглаю Ивановну; она это знает и... давно, кажется, знает.

Генерал вскинул плечами.

— Странно, странно... и очень любишь?

— Очень люблю.

— Странно, странно это мне всё. То есть такой сюрприз и удар, что... Видишь ли, милый, я не насчет состояния (хоть и ожидал, что у тебя побольше), но... мне счастье дочери... наконец... способен ли ты, так сказать, составить это... счастье-то? И... и... что это: шутка или правда с ее-то стороны? То есть не с твоей, а с ее стороны?

Из-за дверей раздался голос Александры Ивановны: звали папашу.

— Подожди, брат, подожди! Подожди и обдумай, а я сейчас... — проговорил он второпях и почти испуганно устремился на зов Александры.

Он застал супругу и дочку в объятиях одну у другой и обливавших друг друга слезами. Это были слезы счастья, умиления и примирения. Аглая целовала у матери руки, щеки, губы; обе горячо прижимались друг к дружке.

— Ну вот, погляди на нее, Иван Федорыч, вот она вся теперь! — сказала Лизавета Прокофьевна.

Аглая отвернула свое счастливое и заплаканное личико от мамашиной груди, взглянула на папашу, громко рассмеялась, прыгнула к нему, крепко обняла его и несколько раз поцеловала. Затем опять бросилась к мамаше и совсем уже спряталась лицом на ее груди, чтоб уж никто не видал, и тотчас опять заплакала. Лизавета Прокофьевна прикрыла ее концом своей шали.

— Ну, что же, что же ты с нами-то делаешь, жестокая ты девочка после этого, вот что! — проговорила она, но уже радостно, точно ей дышать стало вдруг легче.

— Жестокая! да, жестокая! — подхватила вдруг Аглая. — Дрянная! Избалованная! Скажите это папаше. Ах, да ведь он тут. Папа, вы тут? Слышите! — рассмеялась она сквозь слезы.

— Милый друг, идол ты мой! — целовал ее руку весь просиявший от счастья генерал. (Аглая не отнимала руки.) — Так ты, стало быть, любишь этого... молодого человека?..

— Ни-ни-ни! Терпеть не могу... вашего молодого человека, терпеть не могу! — вдруг вскипела Аглая и подняла голову. — И если вы, папа, еще раз осмелитесь... я вам серьезно говорю; слышите: серьезно говорю!

И она действительно говорила серьезно: вся даже покраснела и глаза блистали. Папаша осекся и испугался, но Лизавета Прокофьевна сделала ему знак из-за Аглаи, и он понял в нем: «не расспрашивай».

— Если так, ангел мой, то ведь, как хочешь, воля твоя, он там ждет один; не намекнуть ли ему, деликатно, чтоб он уходил?

Генерал в свою очередь мигнул Лизавете Прокофьевне.

— Нет, нет, это уж лишнее; особенно если «деликатно»; выйдите к нему сами; я выйду потом, сейчас. Я хочу у этого... молодого человека извинения попросить, потому что я его обидела.

— И очень обидела, — серьезно подтвердил Иван Федорович.

— Ну, так... оставайтесь лучше вы все здесь, а я пойду сначала одна, вы же сейчас за мной, в ту же секунду приходите; так лучше.

Она уже дошла до дверей, но вдруг воротилась.

— Я рассмеюсь! Я умру со смеху! — печально сообщила она.

Но в ту же секунду повернулась и побежала к князю.

— Ну, что ж это такое? Как ты думаешь? — наскоро проговорил Иван Федорович.

— Боюсь и выговорить, — также наскоро ответила Лизавета Прокофьевна, — а, по-моему, ясно.

— И по-моему, ясно. Ясно как день. Любит.

— Мало того, что любит, влюблена! — отозвалась Александра Ивановна. — Только в кого бы, кажется?

— Благослови ее Бог, коли ее такая судьба! — набожно перекрестилась Лизавета Прокофьевна.

— Судьба, значит, — подтвердил генерал, — и от судьбы не уйдешь!

И все пошли в гостиную, а там опять ждал сюрприз.

Аглая не только не расхохоталась, подойдя к князю, как опасалась того, но даже чуть не с робостью сказала ему:

— Простите глупую, дурную, избалованную девушку (она взяла его за руку) и будьте уверены, что все мы безмерно вас уважаем. А если я осмелилась обратить в насмешку ваше прекрасное... доброе простодушие, то простите меня как ребенка за шалость; простите, что я настаивала на нелепости, которая, конечно, не может иметь ни малейших последствий...

Последние слова Аглая выговорила с особенным ударением.

Отец, мать и сестры, все поспели в гостиную, чтобы всё это видеть и выслушать, и всех поразила «нелепость, которая не может иметь ни малейших последствий», а еще более серьезное настроение Аглаи, с каким она высказалась об этой нелепости. Все переглянулись вопросительно; но князь, кажется, не понял этих слов и был на высшей степени счастья.

— Зачем вы так говорите, — бормотал он, — зачем вы... просите... прощения...

Он хотел даже выговорить, что он недостоин, чтоб у него просили прощения. Кто знает, может, он и заметил значение слов о «нелепости, которая не может иметь ни малейших последствий», но как странный человек, может быть, даже обрадовался этим словам. Бесспорно, для него составляло уже верх блаженства одно то, что он опять будет беспрепятственно приходить к Аглае, что ему позволят с нею говорить, с нею сидеть, с нею гулять, и, кто знает, может быть, этим одним он остался бы доволен на всю свою жизнь! (Вот этого-то довольства, кажется, и боялась Лизавета Прокофьевна про себя; она угадывала его; многого она боялась про себя, чего и выговорить сама не умела.)

Трудно представить, до какой степени князь оживился и ободрился в этот вечер. Он был весел так, что уж на него глядя становилось весело, — так выражались потом сестры Аглаи. Он разговорился, а этого с ним еще не повторялось с того самого утра, когда, полгода назад, произошло его первое знакомство с Епанчиными; по возвращении же в Петербург он был заметно и намеренно молчалив и очень недавно, при всех, проговорился князю Щ., что ему надо сдерживать себя и молчать, потому что он не имеет права унижать мысль, сам излагая ее. Почти он один и говорил во весь этот вечер, много рассказывал; ясно, с радостью и подробно отвечал на вопросы. Но ничего, впрочем, похожего на любезный разговор не проглядывало в словах его. Всё это были такие серьезные, такие даже мудреные иногда мысли. Князь изложил даже несколько своих взглядов, своих собственных затаенных наблюдений, так что всё это было бы даже смешно, если бы не было так «хорошо изложено», как согласились потом все слушавшие. Генерал хоть и любил серьезные разговорные темы, но и он и Лизавета Прокофьевна нашли про себя, что уж слишком много учености, так что стали под конец вечера даже грустны. Впрочем, князь до того дошел под конец, что рассказал несколько пресмешных анекдотов, которым сам же первый и смеялся, так что другие смеялись более уже на его радостный смех, чем самим анекдотам. Что же касается Аглаи, то она почти даже и не говорила весь вечер; зато, не отрываясь, слушала Льва Николаевича, и даже не столько слушала его, сколько смотрела на него.

— Так и глядит, глаз не сводит; над каждым-то словечком его висит; так и ловит, так и ловит! — говорила потом Лизавета Прокофьевна своему супругу. — А скажи ей, что любит, так и святых вон понеси!

— Что делать — судьба! — вскидывал плечами генерал, и долго еще он повторял это полюбившееся ему словечко. Прибавим, что, как деловому человеку, ему тоже многое чрезвычайно не понравилось в настоящем положении всех этих вещей, а главное — неясность дела; но до времени он тоже решился молчать и глядеть... в глаза Лизавете Прокофьевне.

Радостное настроение семейства продолжалось недолго. На другой же день Аглая опять поссорилась с князем, и так продолжалось беспрерывно, во все следующие дни. По целым часам она поднимала князя на смех и обращала его чуть не в шута. Правда, они просиживали иногда по часу и по два в их домашнем садике, в беседке, но заметили, что в это время князь почти всегда читает Аглае газеты или какую-нибудь книгу.

— Знаете ли, — сказала ему раз Аглая, прерывая газету, — я заметила, что вы ужасно необразованны; вы ничего хорошенько не знаете, если справляться у вас: ни кто именно, ни в котором году, ни по какому трактату? Вы очень жалки.

— Я вам сказал, что я небольшой учености, — ответил князь.

— Что же в вас после этого? Как же я могу вас уважать после этого? Читайте дальше; а впрочем, не надо, перестаньте читать.

И опять в тот же вечер промелькнуло что-то очень для всех загадочное с ее стороны. Воротился князь Щ. Аглая была к нему очень ласкова, много расспрашивала об Евгении Павловиче. (Князь Лев Николаевич еще не приходил.) Вдруг князь Щ. как-то позволил себе намекнуть на «близкий и новый переворот в семействе», на несколько слов, проскользнувших у Лизаветы Прокофьевны, что, может быть, придется опять оттянуть свадьбу Аделаиды, чтоб обе свадьбы пришлись вместе. Невозможно было и вообразить, как вспылила Аглая на «все эти глупые предположения»; и, между прочим, у ней вырвались слова, что «она еще не намерена замещать собой ничьих любовниц».

Эти слова поразили всех, но преимущественно родителей. Лизавета Прокофьевна настаивала в тайном совете с мужем, чтоб объясниться с князем решительно насчет Настасьи Филипповны.

Иван Федорович клялся, что всё это одна только «выходка» и произошла от Аглаиной «стыдливости»; что если б князь Щ. не заговорил о свадьбе, то не было бы и выходки, потому что Аглая и сама знает, знает достоверно, что всё это одна клевета недобрых людей и что Настасья Филипповна выходит за Рогожина; что князь тут не состоит ни при чем, не только в связях; и даже никогда и не состоял, если уж говорить всю правду-истину.

А князь все-таки ничем не смущался и продолжал блаженствовать. О, конечно, и он замечал иногда что-то как бы мрачное и нетерпеливое во взглядах Аглаи; но он более верил чему-то другому, и мрак исчезал сам собой. Раз уверовав, он уже не мог колебаться ничем. Может быть, он уже слишком был спокоен; так, по крайней мере, казалось и Ипполиту, однажды случайно встретившемуся с ним в парке.

— Ну, не правду ли я вам сказал тогда, что вы влюблены, — начал он, сам подойдя к князю и остановив его. Тот протянул ему руку и поздравил его с «хорошим видом». Больной казался и сам ободренным, что так свойственно чахоточным.

Он с тем и подошел к князю, чтобы сказать ему что-нибудь язвительное насчет его счастливого вида, но тотчас же сбился и заговорил о себе. Он стал жаловаться, жаловался много и долго и довольно бессвязно.

— Вы не поверите, — заключил он, — до какой степени они все там раздражительны, мелочны, эгоистичны, тщеславны, ординарны; верите ли, что они взяли меня не иначе как с тем условием, чтоб я как можно скорее помер, и вот все в бешенстве, что я не помираю и что мне, напротив, легче. Комедия! Бьюсь об заклад, что вы мне не верите!

Князю не хотелось возражать.

— Я даже иногда думаю опять к вам переселиться, — небрежно прибавил Ипполит. — Так вы, однако, не считаете их способными принять человека с тем, чтоб он непременно и как можно скорее помер?

— Я думал, они пригласили вас в каких-нибудь других видах.

— Эге! Да вы таки совсем не так просты, как вас рекомендуют! Теперь не время, а то бы я вам кое-что открыл про этого Ганечку и про надежды его. Под вас подкапываются, князь, безжалостно подкапываются, и... даже жалко, что вы так спокойны. Но увы, — вы не можете иначе!

— Вот о чем пожалели! — засмеялся князь. — Что ж, по-вашему, я был бы счастливее, если б был беспокойнее?

— Лучше быть несчастным, но *знать*, чем счастливым и жить... в дураках. Вы, кажется, нисколько не верите, что с вами соперничают и... с той стороны?

— Ваши слова о соперничестве несколько циничны, Ипполит; мне жаль, что я не имею права отвечать вам. Что же касается Гаврилы Ардалионовича, то, согласитесь сами, может ли он оставаться спокойным после всего, что он потерял, если вы только знаете его дела хоть отчасти? Мне кажется, что с этой точки зрения лучше взглянуть. Он еще успеет перемениться; ему много жить, а жизнь богата... а впрочем... впрочем, — потерялся вдруг князь, — насчет подкопов... я даже и не понимаю, про что вы говорите; оставим лучше этот разговор, Ипполит.

— Оставим до времени; к тому же ведь нельзя и без благородства с вашей-то стороны. Да, князь, вам нужно самому пальцем пощупать, чтоб опять не поверить, ха-ха! А очень вы меня презираете теперь, как вы думаете?

— За что? За то, что вы больше нас страдали и страдаете?

— Нет, а за то, что недостоин своего страдания.

— Кто мог страдать больше, стало быть, и достоин страдать больше. Аглая Ивановна, когда прочла вашу исповедь, хотела вас видеть, но...

— Откладывает... ей нельзя, понимаю, понимаю... — перебил Ипполит, как бы стараясь поскорее отклонить разговор. — Кстати, говорят, вы сами читали ей всю эту галиматью вслух; подлинно, в бреду написано и... сделано. И не понимаю, до какой степени надо быть, — не скажу жестоким (это для меня унизительно), но детски тщеславным и мстительным, чтоб укорять меня этою исповедью и употреблять ее против меня же как оружие! Не беспокойтесь, я не на ваш счет говорю...

— Но мне жаль, что вы отказываетесь от этой тетрадки, Ипполит, она искренна, и знаете, что даже самые смешные стороны ее, а их много (Ипполит сильно поморщился), искуплены страданием, потому что признаваться «в них было тоже страдание и... может быть, большое мужество. Мысль, вас подвигшая, имела непременно благородное основание, что бы там ни казалось. Чем далее, тем яснее я это вижу, клянусь вам. Я вас не сужу, я говорю, чтобы высказаться, и мне жаль, что я тогда молчал...

Ипполит вспыхнул. У него было мелькнула мысль, что князь притворяется и ловит его; но, вглядевшись в лицо его, он не мог не поверить его искренности; лицо его прояснилось.

— А вот все-таки умирать! — проговорил он, чуть не прибавив: — такому человеку, как я! — И вообразите, как меня допекает ваш Ганечка; он выдумал, в виде возражения, что, может быть, из тех, кто тогда слушал мою тетрадку, трое-четверо умрут, пожалуй, раньше меня! Каково! Он думает, что это мне утешение, ха-ха! Во-первых, еще не умерли; да если бы даже эти люди и перемерли, то какое же мне в этом утешение, согласитесь сами! Он по себе судит; впрочем, он еще дальше пошел, он теперь просто ругается, говорит, что порядочный человек умирает в таком случае молча и что во всем этом с моей стороны был один только эгоизм! Каково! Нет, каков эгоизм с его-то стороны! Какова утонченность или, лучше сказать, какова в то же время воловья грубость их эгоизма, которого они все-таки никак не могут заметить в себе!.. Читали вы, князь, про одну смерть одного Степана Глебова, в восемнадцатом столетии? Я случайно вчера прочел...

— Какого Степана Глебова?

— Был посажен на кол при Петре.

— Ах, боже мой, знаю! Просидел пятнадцать часов на коле, в мороз, в шубе, и умер с чрезвычайным великодушием; как же, читал... а что?

— Дает же Бог такие смерти людям, а нам таки нет! Вы, может быть, думаете, что я не способен умереть так, как Глебов?

— О, совсем нет, — сконфузился князь, — я хотел только сказать, что вы... то есть не то, что вы не походили бы на Глебова, но... что вы... что вы скорее были бы тогда...

— Угадываю: Остерманом? а не Глебовым, — вы это хотите сказать?

— Каким Остерманом? — удивился князь.

— Остерманом, дипломатом Остерманом, петровским Остерманом, — пробормотал Ипполит, вдруг несколько сбившись. Последовало некоторое недоумение.

— О, н-н-нет! Я не то хотел сказать, — протянул вдруг князь после некоторого молчания, — вы, мне кажется... никогда бы не были Остерманом...

Ипполит нахмурился.

— Впрочем, я ведь почему это так утверждаю, — вдруг подхватил князь, видимо желая поправиться, — потому что тогдашние люди (клянусь вам, меня это всегда поражало) совсем точно и не те люди были, как мы теперь, не то племя было, какое теперь, в наш век, право, точно порода другая... Тогда люди были как-то об одной идее, а теперь нервнее, развитее, сенситивнее, как-то о двух, о трех идеях зараз... теперешний человек шире, — и, клянусь, это-то и мешает ему быть таким односоставным человеком, как в тех веках... Я... я это единственно к тому сказал, а не...

— Понимаю; за наивность, с которою вы не согласились со мной, вы теперь лезете утешать меня, ха-ха! Вы совершенное дитя, князь. Однако ж я замечаю, что вы всё третируете меня, как... как фарфоровую чашку... Ничего, ничего, я не сержусь. Во всяком случае у нас очень смешной разговор вышел; вы совершенное иногда дитя, князь. Знайте, впрочем, что я, может быть, и получше желал быть чем-нибудь, чем Остерманом; для Остермана не стоило бы воскресать из мертвых... А впрочем, я вижу, что мне надо как можно скорее умирать, не то я сам... Оставьте меня. До свидания! Ну, хорошо, ну, скажите мне сами, ну, как, по-вашему: как мне всего лучше умереть?.. Чтобы вышло как можно... добродетельнее то есть? Ну, говорите!

— Пройдите мимо нас и простите нам наше счастье! — проговорил князь тихим голосом.

— Ха-ха-ха! Так я и думал! Непременно чего-нибудь ждал в этом роде! Однако же вы... однако же вы... Ну, ну! Красноречивые люди! До свиданья, до свиданья!

VI

О вечернем собрании на даче Епанчиных, на которое ждали Белоконскую, Варвара Ардалионовна тоже совершенно верно сообщила брату; гостей ждали именно в тот же день вечером; но опять-таки она выразилась об этом несколько резче, чем следовало. Правда, дело устроилось слишком поспешно и даже с некоторым, совсем бы ненужным, волнением, и именно потому, что в этом семействе «всё делалось так, как ни у кого». Всё объяснялось нетерпеливостью «не желавшей более сомневаться» Лизаветы Прокофьевны и горячими содроганиями обоих родительских сердец о счастии любимой дочери. К тому же Белоконская и в самом деле скоро уезжала; а так как ее протекция действительно много значила в свете и так как надеялись, что она к князю будет благосклонна, то родители и рассчитывали, что «свет» примет жениха Аглаи прямо из рук всемощной «старухи», а стало быть, если и будет в этом что-нибудь странное, то под таким покровительством покажется гораздо менее странным. В том-то и состояло всё дело, что родители никак не были в силах сами решить: «есть ли, и на сколько именно во всем этом деле есть странного? Или нет совсем странного?» Дружеское и откровенное мнение людей авторитетных и компетентных именно годилось бы в настоящий момент, когда, благодаря Аглае, еще ничто не было решено окончательно. Во всяком же случае, рано или поздно, князя надо было ввести в свет, о котором он не имел ни малейшего понятия. Короче, его намерены были «показать». Вечер проектировался, однако же, запросто; ожидались одни только «друзья дома», в самом малом числе. Кроме Белоконской, ожидали одну даму, жену весьма важного барина и сановника. Из молодых людей рассчитывали чуть ли не на одного Евгения Павловича; он должен был явиться, сопровождая Белоконскую.

О том, что будет Белоконская, князь услыхал еще чуть ли не за три дня до вечера; о званом же вечере узнал только накануне. Он, разумеется, заметил и хлопотливый вид членов семейства, и даже, по некоторым намекающим и озабоченным с ним заговариваниям, проник, что боятся за впечатление, которое он может произвести. Но у Епанчиных, как-то у всех до единого, составилось понятие, что он, по простоте своей, ни за что не в состоянии сам догадаться о том, что за него так беспокоятся. Потому, глядя на него, все внутренно тосковали. Впрочем, он и в самом деле почти не придавал никакого значения предстоящему событию; он был занят совершенно другим: Аглая с каждым часом становилась всё капризнее и мрачнее — это его убивало. Когда он узнал, что ждут и Евгения Павловича, то очень обрадовался и сказал, что давно желал его видеть. Почему-то эти слова никому не понравились; Аглая вышла в досаде из комнаты и только поздно вечером, часу в двенадцатом, когда князь уже уходил, она улучила случай сказать ему несколько слов наедине, провожая его.

— Я бы желала, чтобы вы завтра весь день не приходили к нам, а пришли бы вечером, когда уже соберутся эти... гости. Вы знаете, что будут гости?

Она заговорила нетерпеливо и усиленно сурово; в первый раз она заговорила об этом «вечере». Для нее тоже мысль о гостях была почти нестерпима; всё это заметили. Может быть, ей и ужасно хотелось бы поссориться за это с родителями, но гордость и стыдливость помешали заговорить. Князь тотчас же понял, что и она за него боится (и не хочет признаться, что боится), и вдруг сам испугался.

— Да, я приглашен, — ответил он.

Она видимо затруднялась продолжением.

— С вами можно говорить о чем-нибудь серьезно? Хоть раз в жизни? — рассердилась она вдруг чрезвычайно, не зная за что и не в силах сдержать себя.

— Можно, и я вас слушаю; я очень рад, — бормотал князь.

Аглая промолчала опять с минуту и начала с видимым отвращением:

— Я не захотела с ними спорить об этом; в иных случаях их не вразумишь. Отвратительны мне были всегда правила, какие иногда у maman бывают. Я про папашу не говорю, с него нечего и спрашивать. Maman, конечно, благородная женщина; осмельтесь ей предложить что-нибудь низкое, и увидите. Ну, а пред этою... дрянью — преклоняется! Я не про Белоконскую одну говорю: дрянная старушонка и дрянная характером, да умна и их всех в руках умеет держать, — хоть тем хороша. О, низость! И смешно: мы всегда были люди среднего круга, самого среднего, какого только можно быть; зачем же лезть в тот великосветский круг? Сестры туда же; это князь Щ. всех смутил. Зачем вы радуетесь, что Евгений Павлыч будет?

— Послушайте, Аглая, — сказал князь, — мне кажется, вы за меня очень боитесь, чтоб я завтра не срезался... в этом обществе?

— За вас? Боюсь? — вся вспыхнула Аглая. — Отчего мне бояться за вас, хоть бы вы... хоть бы вы совсем осрамились? Что мне? И как вы можете такие слова употреблять? Что значит «срезался»? Это дрянное слово, пошлое.

— Это... школьное слово.

— Ну да, школьное слово! Дрянное слово! Вы намерены, кажется, говорить завтра все такими словами. Подыщите еще побольше дома в вашем лексиконе таких слов: то-то эффект произведете! Жаль, что вы, кажется, умеете войти хорошо; где это вы научились? Вы сумеете взять и выпить прилично чашку чаю, когда на вас все будут нарочно смотреть?

— Я думаю, что сумею.

— Это жаль; а то бы я посмеялась. Разбейте по крайней мере китайскую вазу в гостиной! Она дорого стоит: пожалуйста, разбейте; она дареная, мамаша с ума сойдет и при всех заплачет, — так она ей дорога. Сделайте какой-нибудь жест, как вы всегда делаете, ударьте и разбейте. Сядьте нарочно подле.

— Напротив, постараюсь сесть как можно дальше: спасибо, что предупреждаете.

— Стало быть, заранее боитесь, что будете большие жесты делать. Я бьюсь об заклад, что вы о какой-нибудь «теме» заговорите, о чем-нибудь серьезном, ученом, возвышенном? Как это будет... прилично!

— Я думаю, это было бы глупо... если некстати.

— Слушайте, раз навсегда, — не вытерпела наконец Аглая, — если вы заговорите о чем-нибудь вроде смертной казни, или об экономическом состоянии России, или о том, что «мир спасет красота», то... я, конечно, порадуюсь и посмеюсь очень, но... предупреждаю вас заранее: не кажитесь мне потом на глаза! Слышите: я серьезно говорю! На этот раз я уж серьезно говорю!

Она действительно *серьезно* проговорила свою угрозу, так что даже что-то необычайное послышалось в ее словах и проглянуло в ее взгляде, чего прежде никогда не замечал князь и что, уж конечно, не походило на шутку.

— Ну, вы сделали так, что я теперь непременно «заговорю» и даже... может быть... и вазу разобью. Давеча я ничего не боялся, а теперь всего боюсь. Я непременно срежусь.

— Так молчите. Сидите и молчите.

— Нельзя будет; я уверен, что я от страха заговорю и от страха разобью вазу. Может быть, я упаду на гладком полу, или что-нибудь в этом роде выйдет, потому что со мной уж случалось; мне это будет сниться всю ночь сегодня; зачем вы заговорили!

Аглая мрачно на него посмотрела.

— Знаете что: я лучше завтра совсем не приду! Отрапортуюсь больным, и кончено! — решил он наконец.

Аглая топнула ногой и даже побледнела от гнева.

— Господи! Да видано ли где-нибудь это! Он не придет, когда нарочно для него же и... о боже! Вот удовольствие иметь дело с таким... бестолковым человеком, как вы!

— Ну, я приду, приду! — поскорее перебил князь. — И даю вам честное слово, что просижу весь вечер ни слова не говоря. Уж я так сделаю.

— Прекрасно сделаете. Вы сейчас сказали: «отрапортуюсь больным»; откуда вы берете в самом деле этакие выражения? Что у вас за охота говорить со мной такими словами? Дразните вы меня, что ли?

— Виноват; это тоже школьное слово; не буду. Я очень хорошо понимаю, что вы... за меня боитесь... (да не сердитесь же!) и я ужасно рад этому. Вы не поверите, как я теперь боюсь и — как радуюсь вашим словам. Но весь этот страх, клянусь вам, всё это мелочь и вздор. Ей-богу, Аглая! А радость останется. Я ужасно люблю, что вы такой ребенок, такой хороший и добрый ребенок! Ах, как вы прекрасны можете быть, Аглая!

Аглая конечно бы рассердилась, и уже хотела, но вдруг какое-то неожиданное для нее самой чувство захватило всю ее душу в одно мгновение.

— А вы не попрекнете меня за теперешние грубые слова... когда-нибудь... после? — вдруг спросила она.

— Что вы, что вы! И чего вы опять вспыхнули? Вот и опять смотрите мрачно! Вы слишком мрачно стали иногда смотреть, Аглая, как никогда не смотрели прежде. Я знаю, отчего это...

— Молчите, молчите!

— Нет, лучше сказать. Я давно хотел сказать; я уже сказал, но... этого мало, потому что вы мне не поверили. Между нами все-таки стоит одно существо...

— Молчите, молчите, молчите, молчите! — вдруг перебила Аглая, крепко схватив его за руку и чуть не в ужасе смотря на него. В эту минуту ее кликнули; точно обрадовавшись, она бросила его и убежала.

Князь был всю ночь в лихорадке. Странно, уже несколько ночей сряду с ним была лихорадка. В этот же раз, в полубреду, ему пришла мысль: что, если завтра, при всех, с ним случится припадок? Ведь бывали же с ним припадки наяву? Он леденел от этой мысли; всю ночь он представлял себя в каком-то чудном и неслыханном обществе, между какими-то странными людьми. Главное то, что он «заговорил»; он знал, что не надо говорить, но он всё время говорил, он в чем-то их уговаривал. Евгений Павлович и Ипполит были тоже в числе гостей и казались в чрезвычайной дружбе.

Он проснулся в девятом часу, с головною болью, с беспорядком в мыслях, с странными впечатлениями. Ему ужасно почему-то захотелось видеть Рогожина; видеть и много говорить с ним, — о чем именно, он и сам не знал; потом он уже совсем решился было пойти зачем-то к Ипполиту. Что-то смутное было в его сердце, до того, что приключения, случившиеся с ним в это утро, произвели на него хотя и чрезвычайно сильное, но все-таки какое-то неполное впечатление. Одно из этих приключений состояло в визите Лебедева.

Лебедев явился довольно рано, в начале десятого, и почти совсем хмельной. Хоть и не заметлив был князь в последнее время, но ему как-то в глаза бросилось, что со времени переселения от них генерала Иволгина, вот уже три дня, Лебедев очень дурно повел себя. Он стал как-то вдруг чрезвычайно сален и запачкан, галстук его сбивался на сторону, а воротник сюртука был надорван. У себя он даже бушевал, и это было слышно через дворик; Вера приходила раз в слезах и что-то рассказывала. Представ теперь, он как-то очень странно заговорил, бия себя в грудь, и в чем-то винился...

— Получил... получил возмездие за измену и подлость мою... Пощечину получил! — заключил он наконец трагически.

— Пощечину! От кого?.. И так спозаранку?

— Спозаранку? — саркастически улыбнулся Лебедев. — Время тут ничего не значит... даже и для возмездия физического... но я нравственную... нравственную пощечину получил, а не физическую!

Он вдруг уселся без церемонии и начал рассказывать. Рассказ его был очень бессвязен; князь было поморщился и хотел уйти, но вдруг несколько слов поразили его. Он остолбенел от удивления... Странные вещи рассказал господин Лебедев.

Сначала дело шло, по-видимому, о каком-то письме; произнесено было имя Аглаи Ивановны. Потом вдруг Лебедев с горечью начал обвинять самого князя; можно было понять, что он обижен князем. Сначала, дескать, князь почтил его

своею доверенностью в делах с известным «персонажем» (с Настасьей Филипповной); но потом совсем разорвал с ним и отогнал его от себя со срамом, и
даже до такой обидной степени, что в последний раз с грубостью будто бы отклонил «невинный вопрос о ближайших переменах в доме». С пьяными слезами
признавался Лебедев, что «после этого он уже никак не мог перенести, тем паче,
что многое знал... очень многое... и от Рогожина, и от Настасьи Филипповны, и
от приятельницы Настасьи Филипповны, и от Варвары Ардалионовны... са-
мой-с... и от... и от самой даже Аглаи Ивановны, можете вы это вообразить-с,
чрез посредство Веры-с, через дочь мою любимую Веру, единородную... да-с... а
впрочем, не единородную, ибо у меня их три. А кто уведомлял письмами Лизавету Прокофьевну, даже в наиглубочайшем секрете-с, хе-хе! Кто отписывал ей
про все отношения и... про движения персонажа Настасьи Филипповны,
хе-хе-хе! Кто, кто сей аноним, позвольте спросить?».

— Неужто вы? — вскричал князь.

— Именно, — с достоинством ответил пьяница, — и сегодня же в половине
девятого, всего полчаса... нет-с, три четверти уже часа, как известил благороднейшую мать, что имею ей передать одно приключение... значительное. Запиской известил, чрез девушку, с заднего крыльца-с. Приняла.

— Вы видели сейчас Лизавету Прокофьевну? — спросил князь, едва веря
ушам своим.

— Видел сейчас и получил пощечину... нравственную. Воротила письмо назад, даже шваркнула не распечатанное... а меня прогнала в три шеи... впрочем,
только нравственно, а не физически... а впрочем, почти что и физически, немного недостало!

— Какое письмо она вам шваркнула не распечатанное?

— А разве... хе-хе-хе! Да ведь я еще вам не сказал! А я думал, что уж сказал...
Я одно такое письмецо получил, для передачи-с...

— От кого? Кому?

Но некоторые «объяснения» Лебедева чрезвычайно трудно было разобрать и
хоть что-нибудь в них понять. Князь, однако же, сообразил сколько мог, что письмо было передано рано утром, чрез служанку, Вере Лебедевой, для передачи
по адресу... «так же как и прежде... так же как и прежде, известному персонажу и
от того же лица-с... (ибо одну из них я обозначаю названием «лица»-с, а другую
лишь только «персонажа», для унижения и для различия; ибо есть великая разница между невинною и высокоблагородною генеральскою девицей и... каме-
лией-с) итак, письмо было от «лица»-с, начинающего с буквы *А*...»

— Как это можно? Настасье Филипповне? Вздор! — вскричал князь.

— Было, было-с, а не ей, так Рогожину-с, всё равно, Рогожину-с... и даже
господину Терентьеву было, для передачи, однажды-с, от лица с буквы *А*, —
подмигнул и улыбнулся Лебедев.

Так как он часто сбивался с одного на другое и позабывал, о чем начинал говорить, то князь затих, чтобы дать ему высказаться. Но все-таки было чрезвычайно неясно: чрез него ли именно шли письма или чрез Веру? Если он сам уверял, что «к Рогожину всё равно, что к Настасье Филипповне», то, значит, вернее, что не чрез него шли они, если только были письма. Случай же, каким
образом попалось к нему теперь письмо, остался решительно необъясненным;
вернее всего надо было предположить, что он как-нибудь похитил его у Веры...
тихонько украл и отнес с каким-то намерением к Лизавете Прокофьевне. Так
сообразил и понял наконец князь.

— Вы с ума сошли! — вскричал он в чрезвычайном смятении.

— Не совсем, многоуважаемый князь, — не без злости ответил Лебедев, — правда, я хотел было вам вручить, вам, в ваши собственные руки, чтоб услужить... но рассудил лучше там услужить и обо всем объявить благороднейшей матери... так как и прежде однажды письмом известил, анонимным; и когда написал давеча на бумажке, предварительно, прося приема, в восемь часов двадцать минут, тоже подписался: «ваш тайный корреспондент»; тотчас допустили, немедленно, даже с усиленною поспешностью, задним ходом... к благороднейшей матери.

— Ну?..

— А там уж известно-с, чуть не прибила-с; то есть чуть-чуть-с, так что даже, можно считать, почти что и прибила-с. А письмо мне шваркнула. Правда, хотела было у себя удержать, — видел, заметил, — но раздумала и шваркнула: «Коли тебе, такому, доверили передать, так и передай...» Обиделась даже. Уж коли предо мной не постыдилась сказать, то, значит, обиделась. Характером вспыльчивы!

— Где же письмо-то теперь?

— Да всё у меня же, вот-с.

И он передал князю записку Аглаи к Гавриле Ардалионовичу, которую тот с торжеством, в это же утро, два часа спустя, показал сестре.

— Это письмо не может оставаться у вас.

— Вам, вам! Вам и приношу-с, — с жаром подхватил Лебедев, — теперь опять ваш, весь ваш, с головы до сердца, слуга-с, после мимолетной измены-с! Казните сердце, пощадите бороду, как сказал Томас Морус... в Англии и в Великобритании-с. Mea culpa, mea culpa[1], как говорит римская папа... то есть он римский папа, а я его называю «римская папа».

— Это письмо должно быть сейчас отослано, — захлопотал князь, — я передам.

— А не лучше ли, а не лучше ли, благовоспитаннейший князь, а не лучше ли-с... эфтово-с!

Лебедев сделал странную, умильную гримасу; он ужасно завозился вдруг на месте, точно его укололи вдруг иголкой, и, лукаво подмигивая глазами, делал и показывал что-то руками.

— Что такое? — грозно спросил князь.

— Предварительно бы вскрыть-с! — прошептал он умилительно и как бы конфиденциально.

Князь вскочил в такой ярости, что Лебедев пустился было бежать; но, добежав до двери, приостановился, выжидая, не будет ли милости.

— Эх, Лебедев! Можно ли, можно ли доходить до такого низкого беспорядка, до которого вы дошли? — вскричал князь горестно. Черты Лебедева прояснились.

— Низок, низок! — приблизился он тотчас же, со слезами, бия себя в грудь.

— Ведь это мерзости!

— Именно мерзости-с. Настоящее слово-с!

— И что у вас за повадка так... странно поступать? Ведь вы... просто шпион! Почему вы писали аноним и тревожили... такую благороднейшую и добрейшую женщину? Почему, наконец, Аглая Ивановна не имеет права писать кому ей

---

[1] Согрешил, согрешил (*лат.*).

угодно? Что вы, жаловаться, что ли, ходили сегодня? Что вы надеялись получить? Что подвинуло вас доносить?

— Единственно из приятного любопытства и... из услужливости благородной души, да-с! — бормотал Лебедев. — Теперь же весь ваш, весь опять! Хоть повесьте!

— Вы таким, как теперь, и являлись к Лизавете Прокофьевне? — с отвращением полюбопытствовал князь.

— Нет-с... свежее-с... и даже приличнее-с; это я уже после унижения достиг... сего вида-с.

— Ну, хорошо, оставьте меня.

Впрочем, эту просьбу надо было повторить несколько раз, прежде чем гость решился наконец уйти. Уже совсем отворив дверь, он опять воротился, дошел до средины комнаты на цыпочках и снова начал делать знаки руками, показывая, как вскрывают письмо; проговорить же свой совет словами он не осмелился; затем вышел, тихо и ласково улыбаясь.

Всё это было чрезвычайно тяжело услышать. Из всего выставлялся один главный и чрезвычайный факт: то, что Аглая была в большой тревоге, в большой нерешимости, в большой муке почему-то («от ревности», прошептал про себя князь). Выходило тоже, что ее, конечно, смущали и люди недобрые, и уж очень странно было, что она им так доверялась. Конечно, в этой неопытной, но горячей и гордой головке созревали какие-то особенные планы, может быть и пагубные и... ни на что не похожие. Князь был чрезвычайно испуган и в смущении своем не знал, на что решиться. Надо было непременно что-то предупредить, он это чувствовал. Он еще раз поглядел на адрес запечатанного письма: о, тут для него не было сомнений и беспокойств, потому что он верил; его другое беспокоило в этом письме: он не верил Гавриле Ардалионовичу. И, однако же, он сам было решился передать ему это письмо, лично, и уже вышел для этого из дому, но на дороге раздумал. Почти у самого дома Птицына, как нарочно, попался Коля, и князь поручил ему передать письмо в руки брата, как бы прямо от самой Аглаи Ивановны. Коля не расспрашивал и доставил, так что Ганя и не воображал, что письмо прошло чрез столько станций. Воротясь домой, князь попросил к себе Веру Лукьяновну, рассказал ей, что надо, и успокоил ее, потому что она до сих пор всё искала письмо и плакала. Она пришла в ужас, когда узнала, что письмо унес отец. (Князь узнал от нее уже потом, что она не раз служила в секрете Рогожину и Аглае Ивановне; ей и в голову не приходило, что тут могло быть что-нибудь во вред князю...)

А князь стал, наконец, до того расстроен, что когда, часа два спустя, к нему прибежал посланный от Коли с известием о болезни отца, то, в первую минуту, он почти не мог понять, в чем дело. Но это же происшествие и восстановило его, потому что сильно отвлекло. Он пробыл у Нины Александровны (куда, разумеется, перенесли больного) почти вплоть до самого вечера. Он не принес почти никакой пользы, но есть люди, которых почему-то приятно видеть подле себя в иную тяжелую минуту. Коля был ужасно поражен, плакал истерически, но, однако же, всё время был на побегушках: бегал за доктором и сыскал троих, бегал в аптеку, в цирюльню. Генерала оживили, но не привели в себя; доктора выражались, что «во всяком случае пациент в опасности». Варя и Нина Александровна не отходили от больного; Ганя был смущен и потрясен, но не хотел всходить наверх и даже боялся увидеть больного; он ломал себе руки, и в бессвязном разговоре с князем ему удалось выразиться, что вот, дескать, «такое несчастье и, как нарочно, в такое время!». Князю показалось, что он понимает, про какое именно время тот говорит. Ипполита князь уже не застал в доме Птицына. К вечеру прибежал Лебедев, который, после утреннего «объяснения», спал до сих пор без просыпу. Теперь он был почти трезв и плакал над больным настоящими слезами, точно над родным своим братом. Он винился вслух, не объясняя, однако же, в чем дело, и приставал к Нине Александровне, уверяя ее поминутно, что «это он, он сам причиной, и никто как он... единственно из приятного любопытства, и что «усопший» (так он почему-то упорно называл еще живого генерала) был даже гениальнейший человек!» Он особенно серьезно настаивал на гениальности, точно от этого могла произойти в эту минуту какая-нибудь необыкновенная польза. Нина Александровна, видя искренние слезы его, проговорила ему наконец безо всякого упрека и чуть ли даже не с лаской: «Ну, бог с вами, ну, не плачьте, ну, Бог вас простит!» Лебедев был до того поражен этими словами и тоном их, что во весь этот вечер не хотел уже и отходить от Нины Александровны (и во все следующие дни, до самой смерти генерала, он почти с утра до ночи проводил время в их доме). В продолжение дня два раза приходил к Нине Александровне посланный от Лизаветы Прокофьевны узнать о здоровье больного. Когда же вечером, в девять часов, князь явился в гостиную Епанчиных, уже наполненную гостями, Лизавета Прокофьевна тотчас же начала расспрашивать его о больном, с участием и подробно, и с важностью ответила Белоконской на ее вопрос: «Кто таков больной и кто такая Нина Александровна?» Князю это очень понравилось. Сам он, объясняясь с Лизаветой Прокофьевной, говорил «прекрасно», как выражались потом сестры Аглаи; «скромно, тихо, без лишних слов, без жестов, с достоинством; вошел прекрасно; одет был превосходно», и не только не «упал на гладком полу», как боялся накануне, но видимо произвел на всех даже приятное впечатление.

С своей стороны, усевшись и осмотревшись, он тотчас же заметил, что всё это собрание отнюдь не походило на вчерашние призраки, которыми его напугала Аглая, или на кошмары, которые ему снились ночью. В первый раз в жизни он видел уголок того, что называется страшным именем «света». Он давно уже вследствие некоторых особенных намерений, соображений и влечений своих, жаждал проникнуть в этот заколдованный круг людей, и потому был сильно заинтересован первым впечатлением. Это первое впечатление его было даже очаровательное. Как-то тотчас и вдруг ему показалось, что все эти люди как будто так и родились, чтоб быть вместе; что у Епанчиных нет никакого «вечера» в этот вечер и никаких званых гостей, что всё это самые «свои люди» и что он сам как будто давно уже был их преданным другом и единомышленником и воротился к ним теперь после недавней разлуки. Обаяние изящных манер, простоты и кажущегося чистосердечия было почти волшебное. Ему и в мысль не могло прийти, что всё это простосердечие и благородство, остроумие и высокое собственное достоинство есть, может быть, только великолепная художественная выделка. Большинство гостей состояло даже, несмотря на внушающую наружность, из довольно пустых людей, которые, впрочем, и сами не знали, в самодовольстве своем, что многое в них хорошее — одна выделка, в которой притом они не виноваты, ибо она досталась им бессознательно и по наследству. Этого князь даже и подозревать не хотел под обаянием прелести своего первого впечатления. Он видел, например, что этот старик, этот важный сановник, который по летам годился бы ему в деды, даже прерывает свой разговор, чтобы выслушать его, такого молодого и неопытного человека, и не только выслушивает его, но видимо ценит его мнение, так ласков с ним, так искренно добродушен, а между тем они чужие и видятся всего в первый раз. Может быть, на горячую восприимчивость князя подействовала наиболее утонченность этой вежливости. Может быть, он и заранее был слишком расположен и даже подкуплен к счастливому впечатлению.

А между тем все эти люди, — хотя, конечно, были «друзьями дома» и между собой, — были, однако же, далеко не такими друзьями ни дома, ни между собой, какими принял их князь, только что его представили и познакомили с ними. Тут были люди, которые никогда и ни за что не признали бы Епанчиных хоть сколько-нибудь себе равными. Тут были люди даже совершенно ненавидевшие друг друга: старуха Белоконская всю жизнь свою «презирала» жену «старичка сановника», а та, в свою очередь, далеко не любила Лизавету Прокофьевну. Этот «сановник», муж ее, почему-то покровитель Епанчиных с самой их молодости, председательствовавший тут же, был до того громадным лицом в глазах Ивана Федоровича, что тот, кроме благоговения и страху, ничего не мог ощущать в его присутствии, и даже презирал бы себя искренно, если бы хоть одну минуту почел себя ему равным, а его не Юпитером Олимпийским. Были тут люди, не встречавшиеся друг с другом по нескольку лет и не ощущавшие друг к другу ничего, кроме равнодушия, если не отвращения, но встретившиеся теперь, как будто вчера еще только виделись в самой дружеской и приятной компании. Впрочем, собрание было немногочисленное. Кроме Белоконской и «старичка сановника», в самом деле важного лица, кроме его супруги, тут был, во-первых, один очень солидный военный генерал, барон или граф, с немецким именем, — человек чрезвычайной молчаливости, с репутацией удивительного знания правительственных дел и чуть ли даже не с репутацией учености, — один из тех олимпийцев-администраторов, которые знают всё, «кроме разве самой России», человек, говорящий в пять лет по одному «замечательному по глубине своей» изречению, но, впрочем, такому, которое непременно входит в поговорку и о котором узнается даже в самом чрезвычайном кругу; один из тех начальствующих чиновников, которые обыкновенно после чрезвычайно продолжительной (даже до странности) .службы умирают в больших чинах, на прекрасных местах и с большими деньгами, хотя и без больших подвигов и даже с некоторою враждебностью к подвигам. Этот генерал был непосредственный начальник Ивана Федоровича по службе и которого тот, по горячности своего благородного сердца и даже по особенному самолюбию, тоже считал своим благодетелем, но который отнюдь не считал себя благодетелем Ивана Федоровича, относился к нему совершенно спокойно, хотя и с удовольствием пользовался многоразличными его услугами, и сейчас же заместил бы его другим чиновником, если б это потребовалось какими-нибудь соображениями, даже вовсе и не высшими. Тут был еще один пожилой, важный барин, как будто даже и родственник Лизаветы Прокофьевны, хотя это было решительно несправедливо; человек в хорошем чине и звании, человек богатый и родовой, плотный собою и очень хорошего здоровья, большой говорун и даже имевший репутацию человека недовольного (хотя, впрочем, в самом позволительном смысле слова), человека даже желчного (но и это в нем было приятно), с замашками английских аристократов и с английскими вкусами (относительно, например, кровавого ростбифа, лошадиной упряжки, лакеев и пр.). Он был большим другом «сановника», развлекал его, и, кроме того, Лизавета Прокофьевна, почему-то, питала одну странную мысль, что этот пожилой господин (человек несколько легкомысленный и отчасти любитель женского пола) вдруг да и вздумает осчастливить Александру своим предложением. За этим, самым высшим и солидным, слоем собрания следовал слой более молодых гостей, хотя и блестящих тоже весьма изящными качествами. Кроме князя Щ. и Евгения Павловича, к этому слою принадлежал и известный очаровательный князь N., бывший обольститель и победитель женских сердец во всей Европе, человек теперь уже лет сорока пяти, всё еще прекрасной наружности, удивительно умевший рассказывать, человек с состоянием, несколько, впрочем, расстроенным и, по привычке, проживавший более за границей. Тут были, наконец, люди, как будто составлявшие даже третий особенный слой и которые не принадлежали сами по себе к «заповедному кругу» общества, но которых, так же как и Епанчиных, можно было иногда встретить почему-то в этом «заповедном» круге. По некоторому такту, принятому ими за правило, Епанчины любили смешивать, в редких случаях бывавших у них званых собраний, общество высшее с людьми слоя более низшего, с избранными представителями «среднего рода людей». Епанчиных даже хвалили за это и относились об них, что они понимают свое место и люди с тактом, а Епанчины гордились таким об них мнением. Одним из представителей этого среднего рода людей был в этот вечер один техник, полковник, серьезный человек, весьма близкий приятель князю Щ. и им же введенный к Епанчиным, человек, впрочем, в обществе молчаливый и носивший на большом указательном пальце правой руки большой и видный перстень, по всей вероятности пожалованный. Тут был, наконец, даже один литератор-поэт, из немцев, но русский поэт, и сверх того совершенно приличный, так что его можно было без опасения ввести в хорошее общество. Он был счастливой наружности, хотя почему-то несколько отвратительной, лет тридцати восьми, одевался безукоризненно, принадлежал к семейству немецкому, в высшей степени буржуазному, но и в высшей степени почтенному; умел пользоваться разными случаями, пробиться в покровительство высоких людей и удержаться в их благосклонности. Когда-то он перевел с немецкого какое-то важное сочинение какого-то важного немецкого поэта, в стихах умел посвятить свой перевод, умел похвастаться дружбой с одним знаменитым, но умершим русским поэтом (есть целый слой писателей, чрезвычайно любящих приписываться печатно в дружбу к великим, но умершим писателям) и введен был очень недавно к Епанчиным женой «старичка сановника». Эта барыня слыла за покровительницу литераторов и ученых и действительно одному или двум писателям доставила даже пенсион, чрез посредство высокопоставленных лиц, у которых имела значение. А значение в своем роде она имела. Это была дама лет сорока пяти (стало быть, весьма молодая жена для такого старого старичка, как ее муж), бывшая красавица, любившая и теперь, по мании, свойственной многим сорокапятилетним дамам, одеваться слишком уже пышно; ума была небольшого, а знания литературы весьма сомнительного. Но покровительство литераторам было в ней такого же рода манией, как пышно одеваться. Ей посвящалось много сочинений и переводов; два-три писателя, с ее позволения, напечатали свои, писанные ими к ней, письма о чрезвычайно важных предметах... И вот всё-то это общество князь принял за самую чистую монету, за чистейшее золото, без лигатуры. Впрочем, все эти люди были тоже, как нарочно, в самом счастливом настроении в этот вечер и весьма довольны собой. Все они до единого знали, что делают Епанчиным своим посещением великую честь. Но, увы, князь и не подозревал таких тонкостей. Он не подозревал, например, что Епанчины, имея в предположении такой важный шаг, как решение судьбы их дочери, не посмели бы не показать его, князя Льва Николаевича, старичку сановнику, признанному покровителю их семейства. Старичок же сановник, хотя, с своей стороны, совершенно спокойно бы перенес известие даже о самом ужасном несчастии с Епанчиными — непременно бы обиделся, если б Епанчины помолвили свою дочь без его совета и, так сказать, без его спросу. Князь N., этот милый, этот бесспорно остроумный и такого высокого чистосердечия человек, был на высшей степени убеждения, что он — нечто вроде солнца, взошедшего в эту ночь над гостиной Епанчиных. Он считал их бесконечно ниже себя, и именно эта простодушная и благородная мысль и порождала в нем его удивительно милую развязность и дружелюбность к этим же самым Епанчиным. Он знал очень хорошо, что в этот вечер должен непременно что-нибудь рассказать, для очарования общества, и готовился к этому даже с некоторым вдохновением. Князь Лев Николаевич, выслушав потом этот рассказ, сознавал, что не слыхал никогда ничего подобного такому блестящему юмору в такой удивительной веселости и наивности, почти трогательной в устах такого Дон-Жуана, как князь N. А между тем, если б он только ведал, как этот самый рассказ стар, изношен; как заучен наизусть и как уже истрепался и надоел во всех гостиных, и только у невинных Епанчиных являлся опять за новость, за внезапное, искреннее и блестящее воспоминание блестящего и прекрасного человека! Даже, наконец, немчик-поэтик, хоть и держал себя необыкновенно любезно и скромно, но и тот чуть не считал себя делающим честь этому дому своим посещением. Но князь не заметил оборотной стороны, не замечал никакой подкладки. Этой беды Аглая и не предвидела. Сама она была удивительно хороша собой в этот вечер. Все три барышни были приодеты, хоть и не очень пышно, и даже как-то особенно причесаны. Аглая сидела с Евгением Павловичем и необыкновенно дружески с ним разговаривала и шутила. Евгений Павлович держал себя как бы несколько солиднее, чем в другое время, тоже, может быть, из уважения к сановникам. Его, впрочем, в свете уже давно знали; это был там уже свой человек, хотя и молодой человек. В этот вечер он явился к Епанчиным с крепом на шляпе, и Белоконская похвалила его за этот креп: другой светский племянник, при подобных обстоятельствах, может быть, и не надел бы по таком дяде крепа. Лизавета Прокофьевна тоже была этим довольна, но вообще она казалась как-то уж слишком озабоченною. Князь заметил, что Аглая раза два на него внимательно посмотрела и, кажется, осталась им довольною. Мало-помалу он становился ужасно счастлив. Давешние «фантастические» мысли и опасения его (после разговора с Лебедевым) казались ему теперь при внезапных, но частых припоминаниях, таким несбыточным, невозможным и даже смешным сном! (И без того первым, хотя и бессознательным, желанием и влечением его, давеча и во весь день, было — как-нибудь сделать так, чтобы не поверить этому сну!) Говорил он мало, и то только на вопросы, и, наконец, совсем замолк, сидел и всё слушал, но видимо утопая в наслаждении. Мало-помалу в нем самом подготовилось нечто вроде какого-то вдохновения, готового вспыхнуть при случае... Заговорил же он случайно, тоже отвечая на вопрос, и, казалось, вовсе без особых намерений...

VII

Пока он с наслаждением засматривался на Аглаю, весело разговаривавшую с князем N. и Евгением Павловичем, вдруг пожилой барин-англоман, занимавший «сановника» в другом углу и рассказывавший ему о чем-то с одушевлением, произнес имя Николая Андреевича Павлищева. Князь быстро повернулся в их сторону и стал слушать.

Дело шло о нынешних порядках и о каких-то беспорядках по помещичьим имениям в —ской губернии. Рассказы англомана заключали в себе, должно быть, что-нибудь и веселое, потому что старичок начал наконец смеяться желчному задору рассказчика. Он рассказывал плавно и как-то брюзгливо растягивая слова, с нежными ударениями на гласные буквы, почему он принужден был, и именно теперешними порядками, продать одно великолепное свое имение в —ской губернии и даже, не нуждаясь особенно в деньгах, за полцены, и в то же время сохранить имение разоренное, убыточное и с процессом, и даже за него приплатить. «Чтоб избежать еще процесса и с павлищенским участком, я от них убежал. Еще одно или два такие наследства, и ведь я разорен. Мне там, впрочем, три тысячи десятин превосходной земли доставалось!»

— Ведь вот... Иван-то Петрович покойному Николаю Андреевичу Павлищеву родственник... ты ведь искал, кажется, родственников-то, — проговорил вполголоса князю Иван Федорович, вдруг очутившийся подле и заметивший чрезвычайное внимание князя к разговору. До сих пор он занимал своего генерала-начальника, но давно уже замечал исключительное уединение Льва Николаевича и стал беспокоиться; ему захотелось ввести его до известной степени в разговор и таким образом второй раз показать и отрекомендовать «высшим лицам».

— Лев Николаевич воспитанник Николая Андреича Павлищева, после смерти своих родителей, — ввернул он, встретив взгляд Ивана Петровича.

— О-чень при-ятно, — заметил тот, — и очень помню даже. Давеча, когда нас Иван Федорыч познакомил, я вас тотчас признал, и даже в лицо. Вы, право, мало изменились на вид, хоть я вас видел только ребенком, лет десяти или одиннадцати вы были. Что-то эдакое, напоминающее в чертах...

— Вы меня видели ребенком? — спросил князь с каким-то необыкновенным удивлением.

— О, очень уже давно, — продолжал Иван Петрович, — в Златоверховом, где вы проживали тогда у моих кузин. Я прежде довольно часто заезжал в Златоверхово, — вы меня не помните? О-чень может быть, что не помните... Вы были тогда... в какой-то болезни были тогда, так что я даже раз на вас подивился...

— Ничего не помню! — с жаром подтвердил князь.

Еще несколько слов объяснения, крайне спокойного со стороны Ивана Петровича и удивительно взволнованного со стороны князя, и оказалось, что две барыни, пожилые девушки, родственницы покойного Павлищева, проживавшие в его имении Златоверховом и которым князь поручен был на воспитание, были в свою очередь кузинами Ивану Петровичу. Иван Петрович тоже, как и все, почти ничего не мог объяснить из причин, по которым Павлищев так заботился о маленьком князе, своем приемыше. «Да и забыл тогда об этом поинтересоваться», но все-таки оказалось, что у него превосходная память, потому что он даже припомнил, как строга была к маленькому воспитаннику старшая кузина, Марфа Никитишна, «так, что я с ней даже побранился раз из-за вас за систему воспитания, потому что всё розги и розги больному ребенку — ведь это... согласитесь сами...» — и как, напротив, нежна была к бедному мальчику младшая кузина, Наталья Никитишна... «Обе они теперь, — пояснил он дальше, — проживают уже в —ской губернии (вот не знаю только, живы ли теперь?), где им от Павлищева досталось весьма и весьма порядочное маленькое имение. Марфа Никитишна, кажется, в монастырь хотела пойти; впрочем, не утверждаю; может, я о другом о ком слышал... да, это я про докторшу намедни слышал...»

Князь выслушал это с глазами, блестевшими от восторга и умиления. С необыкновенным жаром возвестил он, в свою очередь, что никогда не простит себе, что в эти шесть месяцев поездки своей во внутренние губернии он не улучил случая отыскать и навестить своих бывших воспитательниц. «Он каждый день хотел ехать и всё был отвлечен обстоятельствами... но что теперь он дает себе слово... непременно... хотя бы в —скую губернию... Так вы знаете Наталью Никитишну? Какая прекрасная, какая святая душа! Но и Марфа Никитишна... простите меня, но вы, кажется, ошибаетесь в Марфе Никитишне! Она была строга, но... ведь нельзя же было не потерять терпение... с таким идиотом, каким я тогда был (хи-хи!). Ведь я был тогда совсем идиот, вы не поверите (ха-ха!). Впрочем... впрочем, вы меня тогда видели и... Как же это я вас не помню, скажите пожалуйста? Так вы... ах, боже мой, так неужели же вы в самом деле родственник Николаю Андреичу Павлищеву?»

— У-ве-ряю вас, — улыбнулся Иван Петрович, оглядывая князя.

— О, я ведь не потому сказал, чтоб я... сомневался... и, наконец, в этом разве можно сомневаться (хе-хе!)... хоть сколько-нибудь?.. То есть даже хоть сколько-нибудь!! (Хе-хе!) Но я к тому, что покойный Николай Андреич Павлищев был такой превосходный человек! Великодушнейший человек, право, уверяю вас!

Князь не то чтобы задыхался, а, так сказать, «захлебывался от прекрасного сердца», как выразилась об этом на другой день утром Аделаида, в разговоре с женихом своим, князем Щ.

— Ах, боже мой! — рассмеялся Иван Петрович, — почему же я не могу быть родственником даже и ве-ли-кодушному человеку?

— Ах, боже мой! — вскричал князь, конфузясь, торопясь и воодушевляясь всё больше и больше, — я... я опять сказал глупость, но... так и должно было быть, потому что я... я... я, впрочем, опять не к тому! Да и что теперь во мне, скажите пожалуйста, при таких интересах... при таких огромных интересах! И в сравнении с таким великодушнейшим человеком, — потому что ведь, ей-богу, он был великодушнейший человек, не правда ли? Не правда ли?

Князь даже весь дрожал. Почему он вдруг так растревожился, почему пришел в такой умиленный восторг, совершенно ни с того, ни с сего и, казалось, нисколько не в меру с предметом разговора, — это трудно было бы решить. В таком уж он был настроении и даже чуть ли не ощущал в эту минуту к кому-то и за что-то самой горячей и чувствительной благодарности, — может быть, даже к Ивану Петровичу, а чуть ли и не ко всем гостям вообще. Слишком уж он «рассчастливился». Иван Петрович стал на него наконец заглядываться гораздо пристальнее; пристально очень рассматривал его и «сановник». Белоконская устремила на князя гневный взор и сжала губы. Князь N., Евгений Павлович, князь Щ., девицы — все прервали разговор и слушали. Казалось, Аглая была испугана,

Лизавета же Прокофьевна просто струсила. Странны были и они, дочки с маменькой: они же предположили и решили, что князю бы лучше просидеть вечер молча; но только что увидали его в углу, в полнейшем уединении и совершенно довольного своею участью, как тотчас же и растревожились. Александра уж хотела пойти к нему и осторожно, через всю комнату, присоединиться к их компании, то есть к компании князя N., подле Белоконской. И вот только что князь сам заговорил, они еще более растревожились.

— Что превосходнейший человек, то вы правы, — внушительно и уже не улыбаясь, произнес Иван Петрович, — да, да... это был человек прекрасный! Прекрасный и достойный, — прибавил он, помолчав. — Достойный даже, можно сказать, всякого уважения, — прибавил он еще внушительнее после третьей остановки, — и... и очень даже приятно видеть с вашей стороны...

— Не с этим ли Павлищевым история вышла какая-то... странная... с аббатом... с аббатом... забыл, с каким аббатом, только все тогда что-то рассказывали, — произнес, как бы припоминая, «сановник».

— С аббатом Гуро, иезуитом, — напомнил Иван Петрович, — да-с, вот-с превосходнейшие-то люди наши и достойнейшие-то! Потому что все-таки человек был родовой, с состоянием, камергер и если бы... продолжал служить... И вот бросает вдруг службу и всё, чтобы перейти в католицизм и стать иезуитом, да еще чуть не открыто, с восторгом каким-то. Право, кстати умер... да; тогда все говорили...

Князь был вне себя.

— Павлищев... Павлищев перешел в католицизм? Быть этого не может! — вскричал он в ужасе.

— Ну, «быть не может»! — солидно прошамкал Иван Петрович, — это уж много сказать и, согласитесь, мой милый князь, сами... Впрочем, вы так цените покойного... действительно, человек был добрейший, чему я и приписываю, в главных чертах, успех этого пройдохи Гуро. Но вы меня спросите, меня, сколько хлопот и возни у меня потом было по этому делу... и именно с этим самым Гуро! Представьте, — обратился он вдруг к старичку, — они даже претензии по завещанию хотели выставить, и мне даже приходилось тогда прибегать к самым то есть энергическим мерам... чтобы вразумить... потому что мастера дела! У-ди-вительные! Но, слава богу, это происходило в Москве, я тотчас к графу, и мы их... вразумили...

— Вы не поверите, как вы меня огорчили и поразили! — вскричал опять князь.

— Жалею; но в сущности всё это, собственно говоря, пустяки и пустяками бы кончилось, как и всегда; я уверен. Прошлым летом, — обратился он опять к старичку, — графиня К. тоже, говорят, пошла в какой-то католический монастырь за границей; наши как-то не выдерживают, если раз поддадутся этим... пронырам... особенно за границей.

— Это всё от нашей, я думаю... усталости, — авторитетно промямлил старичок, — ну, и манера у них проповедовать... изящная, своя... и напугать умеют. Меня тоже в тридцать втором году, в Вене, напугали, уверяю вас; только я не поддался и убежал от них, ха-ха!

— Я слышала, что ты тогда, батюшка, с красавицей графиней Левицкой из Вены в Париж убежал, свой пост бросил, а не от иезуита, — вставила вдруг Белоконская.

— Ну, да ведь от иезуита же, все-таки выходит, что от иезуита! — подхватил старичок, рассмеявшись при приятном воспоминании. — Вы, кажется, очень религиозны, что так редко встретишь теперь в молодом человеке, — ласково обратился он к князю Льву Николаевичу, слушавшему раскрыв рот и всё еще пораженному; старичку видимо хотелось разузнать князя ближе; по некоторым причинам он стал очень интересовать его.

— Павлищев был светлый ум и христианин, истинный христианин, — произнес вдруг князь, — как же мог он подчиниться вере... нехристианской? Католичество — всё равно что вера нехристианская! — прибавил он вдруг, засверкав глазами и смотря пред собой, как-то вообще обводя глазами всех вместе.

— Ну, это слишком, — пробормотал старичок и с удивлением поглядел на Ивана Федоровича.

— Как так это католичество вера нехристианская? — повернулся на стуле Иван Петрович. — А какая же?

— Нехристианская вера, во-первых! — в чрезвычайном волнении и не в меру резко заговорил опять князь, — это во-первых, а во-вторых, католичество римское даже хуже самого атеизма, таково мое мнение! Да, таково мое мнение! Атеизм только проповедует нуль, а католицизм идет дальше: он искаженного Христа проповедует, им же оболганного и поруганного, Христа противоположного! Он антихриста проповедует, клянусь вам, уверяю вас! Это мое личное и давнишнее убеждение, и оно меня самого измучило... Римский католицизм верует, что без всемирной государственной власти церковь не устоит на земле, и кричит: «Non possumus!»[1] По-моему, римский католицизм даже и не вера, а решительно продолжение Западной Римской империи, и в нем всё подчинено этой мысли, начиная с веры. Папа захватил землю, земной престол и взял меч; с тех пор всё так и идет, только к мечу прибавили ложь, пронырство, обман, фанатизм, суеверие, злодейство, играли самыми святыми, правдивыми, простодушными, пламенными чувствами народа, всё, всё променяли за деньги, за низкую земную власть. И это не учение антихристово?! Как же было не выйти от них атеизму? Атеизм от них вышел, из самого римского католичества! Атеизм, прежде всего, с них самих начался: могли ли они веровать себе сами? Он укрепился из отвращения к ним; он порождение их лжи и бессилия духовного! Атеизм! У нас не веруют еще только сословия исключительные, как великолепно выразился намедни Евгений Павлович, корень потерявшие; а там, в Европе, уже страшные массы самого народа начинают не веровать, — прежде от тьмы и от лжи, а теперь уже из фанатизма, из ненависти к церкви и ко христианству.

Князь остановился перевести дух. Он ужасно скоро говорил. Он был бледен и задыхался. Все переглядывались; но наконец старичок откровенно рассмеялся. Князь N. вынул лорнет и, не отрываясь, рассматривал князя. Немчик-поэт выполз из угла и подвинулся поближе к столу, улыбаясь зловещею улыбкой.

— Вы очень пре-у-вели-чи-ваете, — протянул Иван Петрович с некоторою скукой и даже как будто чего-то совестясь, — в тамошней церкви тоже есть представители, достойные всякого уважения и до-бро-детельные...

---

[1] «Не можем!» (*лат.*)

— Я никогда и не говорил об отдельных представителях церкви. Я о римском католичестве в его сущности говорил, я о Риме говорю. Разве может церковь совершенно исчезнуть? Я никогда этого не говорил!

— Согласен, но всё это известно и даже — не нужно и... принадлежит богословию...

— О нет, о нет! Не одному богословию, уверяю вас, что нет! Это гораздо ближе касается нас, чем вы думаете. В этом-то вся и ошибка наша, что мы не можем еще видеть, что это дело не исключительно одно только богословское! Ведь и социализм порождение католичества и католической сущности! Он тоже, как и брат его атеизм, вышел из отчаяния, в противоположность католичеству в смысле нравственном, чтобы заменить собой потерянную нравственную власть религии, чтоб утолить жажду духовную возжаждавшего человечества и спасти его не Христом, а тоже насилием! Это тоже свобода чрез насилие, это тоже объединение чрез меч и кровь! «Не смей веровать в Бога, не смей иметь собственности, не смей иметь личности, fraternité ou la mort[1], два миллиона голов!» По делам их вы узнаете их — это сказано! И не думайте, чтоб это было всё так невинно и бесстрашно для нас; о, нам нужен отпор, и скорей, скорей! Надо, чтобы воссиял в отпор Западу наш Христос, которого мы сохранили и которого они и не знали! Не рабски попадаясь на крючок иезуитам, а нашу русскую цивилизацию им неся, мы должны теперь стать пред ними, и пусть не говорят у нас, что проповедь их изящна, как сейчас сказал кто-то...

— Но позвольте же, позвольте же, — забеспокоился ужасно Иван Петрович, озираясь кругом и даже начиная трусить, — все ваши мысли, конечно, похвальны и полны патриотизма, но всё это в высшей степени преувеличено и... даже лучше об этом оставить...

— Нет, не преувеличено, скорей уменьшено; именно уменьшено; потому что я не в силах выразиться, но...

— По-зволь-те же!

Князь замолчал. Он сидел, выпрямившись на стуле, и неподвижно, огненным взглядом глядел на Ивана Петровича.

— Мне кажется, что вас слишком уже поразил случай с вашим благодетелем, — ласково и не теряя спокойствия, заметил старичок, — вы воспламенены... может быть, уединением. Если бы вы пожили больше с людьми, а в свете, я надеюсь, вам будут рады, как замечательному молодому человеку, то, конечно, успокоите ваше одушевление и увидите, что всё это гораздо проще... и к тому же такие редкие случаи... происходят, по моему взгляду, отчасти от нашего пресыщения, а отчасти от... скуки...

— Именно, именно так, — вскричал князь, — великолепнейшая мысль! Именно «от скуки, от нашей скуки», не от пресыщения, а, напротив, от жажды... не от пресыщения, вы в этом ошиблись! Не только от жажды, но даже от воспаления, от жажды горячешной! И... и не думайте, что это в таком маленьком виде, что можно только смеяться; извините меня, надо уметь предчувствовать! Наши как доберутся до берега, как уверуют, что это берег, то уж так обрадуются ему, что немедленно доходят до последних столпов; отчего это? Вы вот дивитесь на Павлищева, вы всё приписываете его сумасшествию или доброте, но это не так! И не нас одних, а всю Европу дивит, в таких случаях, русская страстность наша: у нас коль в католичество перейдет, то уж непременно иезуитом станет, да еще из самых подземных; коль атеистом станет, то непременно нач-

---

[1] братство или смерть (*франц.*).

нет требовать искоренения веры в Бога насилием, то есть, стало быть, и мечом! Отчего это, отчего разом такое исступление? Неужто не знаете? Оттого, что он отечество нашел, которое здесь просмотрел, и обрадовался; берег, землю нашел и бросился ее целовать! Не из одного ведь тщеславия, не всё ведь от одних скверных, тщеславных чувств происходят русские атеисты и русские иезуиты, а и из боли духовной, из жажды духовной, из тоски по высшему делу, по крепкому берегу, по родине, в которую веровать перестали, потому что никогда ее и не знали! Атеистом же так легко сделаться русскому человеку, легче, чем всем остальным во всем мире! И наши не просто становятся атеистами, а непременно *уверуют* в атеизм, как бы в новую веру, никак и не замечая, что уверовали в нуль. Такова наша жажда! «Кто почвы под собой не имеет, тот и Бога не имеет». Это не мое выражение. Это выражение одного купца из старообрядцев, с которым я встретился, когда ездил. Он, правда, не так выразился, он сказал: «Кто от родной земли отказался, тот и от Бога своего отказался». Ведь подумать только, что у нас образованнейшие люди в хлыстовщину даже пускались... Да и чем, впрочем, в таком случае хлыстовщина хуже, чем нигилизм, иезуитизм, атеизм? Даже, может, и поглубже еще! Но вот до чего доходила тоска!.. Откройте жаждущим и воспаленным Колумбовым спутникам берег Нового Света, откройте русскому человеку русский Свет, дайте отыскать ему это золото, это сокровище, сокрытое от него в земле! Покажите ему в будущем обновление всего человечества и воскресение его, может быть, одною только русскою мыслью, русским Богом и Христом, и увидите, какой исполин могучий и правдивый, мудрый и кроткий вырастет пред изумленным миром, изумленным и испуганным, потому что они ждут от нас одного лишь меча, меча и насилия, потому что они представить себе нас не могут, судя по себе, без варварства. И это до сих пор, и это чем дальше, тем больше! И...

Но тут вдруг случилось одно событие, и речь оратора прервалась самым неожиданным образом.

Вся эта горячешная тирада, весь этот наплыв страстных и беспокойных слов и восторженных мыслей, как бы толкавшихся в какой-то суматохе и перескакивавших одна через другую, всё это предрекало что-то опасное, что-то особенное в настроении так внезапно вскипевшего, по-видимому ни с того ни с сего, молодого человека. Из присутствующих в гостиной все знавшие князя боязливо (а иные и со стыдом) дивились его выходке, столь не согласовавшейся со всегдашнею и даже робкою его сдержанностью, с редким и особенным тактом его в иных случаях и с инстинктивным чутьем высших приличий. Понять не могли, отчего это вышло: не известие же о Павлищеве было причиной. В дамском углу смотрели на него, как на помешавшегося, а Белоконская призналась потом, что «еще минуту, и она уже хотела спасаться». «Старички» почти потерялись от первого изумления; генерал-начальник недовольно и строго смотрел со своего стула. Техник-полковник сидел в совершенной неподвижности. Немчик даже побледнел, но всё еще улыбался своею фальшивой улыбкой, поглядывая на других: как другие отзовутся? Впрочем, всё это и «весь скандал» могли бы разрешиться самым обыкновенным и естественным способом, может быть, даже чрез минуту; удивленный чрезвычайно, но раньше прочих спохватившийся Иван Федорович уже несколько раз пробовал было остановить князя; не достигнув успеха, он пробирался теперь к нему с целями твердыми и решительными. Еще минута, и, если уж так бы понадобилось, то он, может быть, решился бы дружески вывести князя, под предлогом его болезни, что, может быть, и действительно было правда и чему очень верил про себя Иван Федорович... Но дело обернулось другим образом.

Еще вначале, как только князь вошел в гостиную, он сел как можно дальше от китайской вазы, которою так напугала его Аглая. Можно ли поверить, что после вчерашних слов Аглаи в него вселилось какое-то неизгладимое убеждение, какое-то удивительное и невозможное предчувствие, что он непременно и завтра же разобьет эту вазу, как бы ни сторонился от нее, как бы ни избегал беды! Но это было так. В продолжение вечера другие сильные, но светлые впечатления стали наплывать в его душу; мы уже говорили об этом. Он забыл свое предчувствие. Когда он услышал о Павлищеве и Иван Федорович подвел и показал его снова Ивану Петровичу, он пересел ближе к столу и прямо попал на кресло подле огромной, прекрасной китайской вазы, стоявшей на пьедестале, почти рядом с его локтем, чуть-чуть позади.

При последних словах своих он вдруг встал с места, неосторожно махнул рукой, как-то двинул плечом — и... раздался всеобщий крик! Ваза покачнулась, сначала как бы в нерешимости: не упасть ли на голову которому-нибудь из старичков, но вдруг склонилась в противоположную сторону, в сторону едва отскочившего в ужасе немчика, и рухнула на пол. Гром, крик, драгоценные осколки, рассыпавшиеся по ковру, испуг, изумление — о, что было с князем, то трудно, да почти и не надо изображать! Но не можем не упомянуть об одном странном ощущении, поразившем его именно в это самое мгновение и вдруг ему выяснившемся из толпы всех других смутных и странных ощущений: не стыд, не скандал, не страх, не внезапность поразили его больше всего, а сбывшееся пророчество! Что именно было в этой мысли такого захватывающего, он не мог бы и разъяснить себе; он только чувствовал, что поражен до сердца, и стоял в испуге, чуть не мистическом. Еще мгновение, и как будто всё пред ним расширилось, вместо ужаса — свет и радость, восторг; стало спирать дыхание, и... но мгновение прошло. Слава богу, это было не то! Он перевел дух и осмотрелся кругом.

Он долго как бы не понимал суматохи, кипевшей кругом него, то есть понимал совершенно и всё видел, но стоял как бы особенным человеком, ни в чем не принимавшим участия, и который, как невидимка в сказке, пробрался в комнату и наблюдает посторонних, но интересных ему людей. Он видел, как убирали осколки, слышал быстрые разговоры, видел Аглаю, бледную и странно смотревшую на него, очень странно: в глазах ее совсем не было ненависти, нисколько не было гнева; она смотрела на него испуганным, но таким симпатичным взглядом, а на других таким сверкающим взглядом... сердце его вдруг сладко заныло. Наконец он увидел со странным изумлением, что все уселись и даже смеются, точно ничего и не случилось! Еще минута, и смех увеличился: смеялись уже на него глядя, на его остолбенелое онемение, но смеялись дружески, весело; многие с ним заговаривали и говорили так ласково, во главе всех Лизавета Прокофьевна: она говорила смеясь и что-то очень, очень доброе. Вдруг он почувствовал, что Иван Федорович дружески треплет его по плечу; Иван Петрович тоже смеялся; но еще лучше, еще привлекательнее и симпатичнее был старичок; он взял князя за руку и, слегка пожимая, слегка ударяя по ней ладонью другой руки, уговаривал его опомниться, точно маленького испуганного мальчика, что ужасно понравилось князю, и, наконец, посадил его вплоть возле себя. Князь с наслаждением вглядывался в его лицо и всё еще не в силах был почему-то заговорить, ему дух спирало; лицо старика ему так нравилось.

— Как? — пробормотал он наконец, — вы прощаете меня в самом деле? И... вы, Лизавета Прокофьевна?

Смех усилился, у князя выступили на глазах слезы; он не верил себе и был очарован.

— Конечно, ваза была прекрасная. Я ее помню здесь уже лет пятнадцать, да... пятнадцать... — произнес было Иван Петрович.

— Ну, вот беда какая! И человеку конец приходит, а тут из-за глиняного горшка! — громко сказала Лизавета Прокофьевна. — Неужели уж ты так испугался, Лев Николаич? — даже с боязнью прибавила она. — Полно, голубчик, полно; пугаешь ты меня в самом деле.

— И за *всё* прощаете? За *всё*, кроме вазы? — встал было князь вдруг с места, но старичок тотчас же опять притянул его за руку. Он не хотел упускать его.

— C'est très curieux et c'est très sérieux![1] — шепнул он через стол Ивану Петровичу, впрочем довольно громко; князь, может, и слышал.

— Так я вас никого не оскорбил? Вы не поверите, как я счастлив от этой мысли; но так и должно быть! Разве мог я здесь кого-нибудь оскорбить? Я опять оскорблю вас, если так подумаю.

— Успокойтесь, мой друг, это — преувеличение. И вам вовсе не за что так благодарить; это чувство прекрасное, но преувеличенное.

— Я вас не благодарю, я только... любуюсь вами, я счастлив, глядя на вас; может быть, я говорю глупо, но — мне говорить надо, надо объяснить... даже хоть из уважения к самому себе.

Всё в нем было порывисто, смутно и лихорадочно; очень может быть, что слова, которые он выговаривал, были часто не те, которые он хотел сказать. Взглядом он как бы спрашивал: можно ли ему говорить? Взгляд его упал на Белоконскую.

— Ничего, батюшка, продолжай, продолжай, только не задыхайся, — заметила она, — ты и давеча с одышки начал, и вот до чего дошел; а говорить не бойся; эти господа и почуднее тебя видывали, не удивишь, а ты еще и не бог знает как мудрен, только вот вазу-то разбил да напугал.

Князь, улыбаясь, ее выслушал.

— Ведь это вы, — обратился он вдруг к старичку, — ведь это вы студента Подкумова и чиновника Швабрина три месяца назад от ссылки спасли?

Старичок даже покраснел немного и пробормотал, что надо бы успокоиться.

— Ведь это я про вас слышал, — обратился он тотчас же к Ивану Петровичу, — в —ской губернии, что вы погоревшим мужикам вашим, уже вольным и наделавшим вам неприятностей, даром дали лесу обстроиться?

— Ну, это пре-у-ве-личение, — пробормотал Иван Петрович, впрочем приятно приосанившись; но на этот раз он был совершенно прав, что «это преувеличение»: это был только неверный слух, дошедший до князя.

— А вы, княгиня, — обратился он вдруг к Белоконской со светлою улыбкой, — разве не вы, полгода назад, приняли меня в Москве как родного сына, по письму Лизаветы Прокофьевны, и действительно, как родному сыну, один совет дали, который я никогда не забуду. Помните?

— Что ты на стены-то лезешь? — досадливо проговорила Белоконская. — Человек ты добрый, да смешной: два гроша тебе дадут, а ты благодаришь, точно жизнь спасли. Ты думаешь, это похвально, ан это противно.

---

[1] Это очень любопытно и очень серьезно! (*франц.*)

Она было уже совсем рассердилась, но вдруг рассмеялась, и на этот раз добрым смехом. Просветлело лицо и Лизаветы Прокофьевны; просиял и Иван Федорович.

— Я говорил, что Лев Николаевич человек... человек... одним словом, только бы вот не задыхался, как княгиня заметила... — пробормотал генерал в радостном упоении, повторяя поразившие его слова Белоконской.

Одна Аглая была как-то грустна; но лицо ее всё еще пылало, может быть и негодованием.

— Он, право, очень мил, — пробормотал опять старичок Ивану Петровичу.

— Я вошел сюда с мукой в сердце, — продолжал князь всё с каким-то возраставшим смятением, всё быстрее и быстрее, всё чуднее и одушевленнее, — я... я боялся вас, боялся и себя. Всего более себя. Возвращаясь сюда, в Петербург, я дал себе слово непременно увидеть наших первых людей, старших, исконных, к которым сам принадлежу, между которыми сам из первых по роду. Ведь я теперь с такими же князьями, как сам, сижу, ведь так? Я хотел вас узнать, и это было надо; очень, очень надо!.. Я всегда слышал про вас слишком много дурного, больше, чем хорошего, о мелочности и исключительности ваших интересов, об отсталости, о мелкой образованности, о смешных привычках, — о, ведь так много о вас пишут и говорят! Я с любопытством шел сюда сегодня, со смятением: мне надо было видеть самому и лично убедиться: действительно ли весь этот верхний слой русских людей уж никуда не годится, отжил свое время, иссяк исконного жизнью и только способен умереть, но всё еще в мелкой завистливой борьбе с людьми... будущими, мешая им, не замечая, что сам умирает? Я и прежде не верил этому мнению вполне, потому что у нас и сословия-то высшего никогда не бывало, разве придворное, по мундиру, или... по случаю, а теперь уж и совсем исчезло, ведь так, ведь так?

— Ну, это вовсе не так, — язвительно рассмеялся Иван Петрович.

— Ну, опять застучал! — не утерпела и проговорила Белоконская.

— Laissez le dire[1], он весь даже дрожит, — предупредил опять старичок вполголоса.

Князь был решительно вне себя.

— И что ж? Я увидел людей изящных, простодушных, умных; я увидел старца, который ласкает и выслушивает мальчика, как я; вижу людей, способных понимать и прощать, людей русских и добрых, почти таких же добрых и сердечных, каких я встретил там, почти не хуже. Судите же, как радостно я был удивлен! О, позвольте мне это высказать! Я много слышал и сам очень верил, что в свете всё манера, всё дряхлая форма, а сущность иссякла; но ведь я сам теперь вижу, что этого быть не может у нас; это где-нибудь, а только не у нас. Неужели же вы все теперь иезуиты и обманщики? Я слышал, как давеча рассказывал князь N.: разве это не простодушный, не вдохновенный юмор, разве это не истинное добродушие? Разве такие слова могут выходить из уст человека... мертвого, с иссохшим сердцем и талантом? Разве мертвецы могли бы обойтись со мной, как вы обошлись? Разве это не материал... для будущего, для надежд? Разве такие люди могут не понять и отстать?

— Еще раз прошу, успокойтесь, мой милый, мы обо всем этом в другой раз, и я с удовольствием... — усмехнулся «сановник».

Иван Петрович крякнул и поворотился в своих креслах; Иван Федорович зашевелился; генерал-начальник разговаривал с супругой сановника, не обращая

---

[1] Дайте ему говорить (*франц.*).

уже ни малейшего внимания на князя; но супруга сановника часто вслушивалась и поглядывала.

— Нет, знаете, лучше уж мне говорить! — с новым лихорадочным порывом продолжал князь, как-то особенно доверчиво и даже конфиденциально обращаясь к старичку. — Мне Аглая Ивановна запретила вчера говорить и даже темы назвала, о которых нельзя говорить; она знает, что я в них смешон! Мне двадцать седьмой год, а ведь я знаю, что я как ребенок. Я не имею права выражать мою мысль, я это давно говорил; я только в Москве, с Рогожиным, говорил откровенно... Мы с ним Пушкина читали, всего прочли; он ничего не знал, даже имени Пушкина... Я всегда боюсь моим смешным видом скомпрометировать мысль и *главную идею*. Я не имею жеста. Я имею жест всегда противоположный, а это вызывает смех и унижает идею. Чувства меры тоже нет, а это главное; это даже самое главное... Я знаю, что мне лучше сидеть и молчать. Когда я упрусь и замолчу, то даже очень благоразумным кажусь, и к тому же обдумываю. Но теперь мне лучше говорить. Я потому заговорил, что вы так прекрасно на меня глядите; у вас прекрасное лицо! Я вчера Аглае Ивановне слово дал, что весь вечер буду молчать.

— Vraiment?[1] — улыбнулся старичок.

— Но я думаю минутами, что я и не прав, что так думаю: искренность ведь стоит жеста, так ли? Так ли?

— Иногда.

— Я хочу всё объяснить, всё, всё, всё! О да! Вы думаете, я утопист? Идеолог? О нет, у меня, ей-богу, всё такие простые мысли... Вы не верите? Вы улыбаетесь? Знаете, что я подл иногда, потому что веру теряю; давеча я шел сюда и думал: «Ну, как я с ними заговорю? С какого слова надо начать, чтоб они хоть что-нибудь поняли?» Как я боялся, но за вас я боялся больше, ужасно, ужасно! А между тем мог ли я бояться, не стыдно ли было бояться? Что в том, что на одного передового такая бездна отсталых и недобрых? В том-то и радость моя, что я теперь убежден, что вовсе не бездна, а всё живой материал! Нечего смущаться и тем, что мы смешны, не правда ли? Ведь это действительно так, мы смешны, легкомысленны, с дурными привычками, скучаем, глядеть не умеем, понимать не умеем, мы ведь все таковы, все, и вы, и я, и они! Ведь вы вот не оскорбляетесь же тем, что я в глаза говорю вам, что вы смешны? А коли так, то разве вы не материал? Знаете, по-моему, быть смешным даже иногда хорошо, да и лучше: скорее простить можно друг другу, скорее и смириться; не всё же понимать сразу, не прямо же начинать с совершенства! Чтобы достичь совершенства, надо прежде многого не понимать! А слишком скоро поймем, так, пожалуй, и не хорошо поймем. Это я вам говорю, вам, которые уже так много умели понять и... не понять. Я теперь не боюсь за вас; вы ведь не сердитесь, что вам такие слова говорит такой мальчик? Вы смеетесь, Иван Петрович? Вы думаете: я за *тех* боялся, *их* адвокат, демократ, равенства оратор? — засмеялся он истерически (он поминутно смеялся коротким и восторженным смехом). — Я боюсь за вас, за вас всех и за всех нас вместе. Я ведь сам князь исконный и с князьями сижу. Я чтобы спасти всех нас говорю, чтобы не исчезло сословие даром, в потемках, ни о чем не догадавшись, за всё бранясь и всё проиграв. Зачем исчезать и уступать другим место, когда можно остаться передовыми и старшими? Будем передовыми, так будем и старшими. Станем слугами, чтоб быть старшинами.

---

[1] Неужели? (*франц.*)

Он стал порываться вставать с кресла, но старичок его постоянно удерживал, с возраставшим, однако ж, беспокойством смотря на него.

— Слушайте! Я знаю, что говорить нехорошо: лучше просто пример, лучше просто начать... я уже начал... и — и неужели в самом деле можно быть несчастным? О, что такое мое горе и моя беда, если я в силах быть счастливым? Знаете, я не понимаю, как можно проходить мимо дерева и не быть счастливым, что видишь его? Говорить с человеком и не быть счастливым, что любишь его! О, я только не умею высказать... а сколько вещей на каждом шагу таких прекрасных, которые даже самый потерявшийся человек находит прекрасными? Посмотрите на ребенка, посмотрите на Божию зарю, посмотрите на травку, как она растет, посмотрите в глаза, которые на вас смотрят и вас любят...

Он давно уже стоял, говоря. Старичок уже испуганно смотрел на него. Лизавета Прокофьевна вскрикнула: «Ах, боже мой!», прежде всех догадавшись, и всплеснула руками. Аглая быстро подбежала к нему, успела принять его в свои руки и с ужасом, с искаженным болью лицом, услышала дикий крик «духа сотрясшего и повергшего» несчастного. Больной лежал на ковре. Кто-то успел поскорее подложить ему под голову подушку.

Этого никто не ожидал. Чрез четверть часа князь N., Евгений Павлович, старичок попробовали оживить опять вечер, но еще чрез полчаса уже все разъехались. Было высказано много сочувственных слов, много сетований, несколько мнений. Иван Петрович выразился, между прочим, что «молодой человек сла-вя-нофил, или в этом роде, но что, впрочем, это не опасно». Старичок ничего не высказал. Правда, уже потом, на другой и на третий день, все несколько и посердились; Иван Петрович даже обиделся, но немного. Начальник-генерал некоторое время был несколько холоден к Ивану Федоровичу. «Покровитель» семейства, сановник, тоже кое-что промямлил с своей стороны отцу семейства в назидание, причем лестно выразился, что очень и очень интересуется судьбой Аглаи. Он был человек и в самом деле несколько добрый; но в числе причин его любопытства относительно князя, в течение вечера, была и давнишняя история князя с Настасьей Филипповной; об этой истории он кое-что слышал и очень даже интересовался, хотел бы даже и расспросить.

Белоконская, уезжая с вечера, сказала Лизавете Прокофьевне:

— Что ж, и хорош и дурен; а коли хочешь мое мнение знать, то больше дурен. Сама видишь, какой человек, больной человек!

Лизавета Прокофьевна решила про себя окончательно, что жених «невозможен», и за ночь дала себе слово, что «покамест она жива, не быть князю мужем ее Аглаи». С этим и встала поутру. Но поутру же, в первом часу, за завтраком, она впала в удивительное противоречие самой себе.

На один, чрезвычайно, впрочем, осторожный, спрос сестер Аглая вдруг ответила холодно, но заносчиво, точно отрезала:

— Я никогда никакого слова не давала ему, никогда в жизни не считала его моим женихом. Он мне такой же посторонний человек, как и всякий.

Лизавета Прокофьевна вдруг вспыхнула.

— Этого я не ожидала от тебя, — проговорила она с огорчением, — жених он невозможный, я знаю, и слава богу, что так сошлось; но от тебя-то я таких слов не ждала! Я думала, другое от тебя будет. Я бы тех всех вчерашних прогнала, а его оставила, вот он какой человек!..

Тут она вдруг остановилась, испугавшись сама того, что сказала. Но если бы знала она, как была несправедлива в эту минуту к дочери? Уже всё было решено в голове Аглаи; она тоже ждала своего часа, который должен был всё решить, и всякий намек, всякое неосторожное прикосновение глубокою раной раздирали ей сердце.

VIII

И для князя это утро началось под влиянием тяжелых предчувствий; их можно было объяснить его болезненным состоянием, но он был слишком неопределенно грустен, и это было для него всего мучительнее. Правда, пред ним стояли факты яркие, тяжелые и язвительные, но грусть его заходила дальше всего, что он припоминал и соображал; он понимал, что ему не успокоить себя одному. Мало-помалу в нем укоренилось ожидание, что сегодня же с ним случится что-то особенное и окончательное. Припадок, бывший с ним накануне, был из легких; кроме ипохондрии, некоторой тягости в голове и боли в членах, он не ощущал никакого другого расстройства. Голова его работала довольно отчетливо, хотя душа и была больна. Встал он довольно поздно и тотчас же ясно припомнил вчерашний вечер; хоть и не совсем отчетливо, но все-таки припомнил и то, как через полчаса после припадка его довели домой. Он узнал, что уже являлся к нему посланный от Епанчиных, узнать об его здоровье. В половине двенадцатого явился другой; это было ему приятно. Вера Лебедева из первых пришла навестить его и прислужить ему. В первую минуту, как она его увидала, она вдруг заплакала, но когда князь тотчас же успокоил ее, — рассмеялась. Его как-то вдруг поразило сильное сострадание к нему этой девушки; он схватил ее руку и поцеловал. Вера вспыхнула.

— Ах, что вы, что вы! — воскликнула она в испуге, быстро отняв свою руку.

Она скоро ушла в каком-то странном смущении. Между прочим, она успела рассказать, что отец ее сегодня, еще чем свет, побежал к «покойнику», как называл он генерала, узнать, не помер ли он за ночь, и что слышно, говорят, наверно скоро помрет. В двенадцатом часу явился домой и к князю и сам Лебедев, но, собственно, «на минуту, чтоб узнать о драгоценном здоровье» и т. д., и, кроме того, наведаться в «шкапчик». Он больше ничего, как ахал и охал, и князь скоро отпустил его, но все-таки тот попробовал порасспросить о вчерашнем припадке, хотя и видно было, что об этом он уже знает в подробностях. За ним забежал Коля, тоже на минуту; этот в самом деле торопился и был в сильной и мрачной тревоге. Он начал с того, что прямо и настоятельно попросил у князя разъяснения всего, что от него скрывали, примолвив, что уже почти всё узнал во вчерашний же день. Он был сильно и глубоко потрясен.

Со всем возможным сочувствием, к какому только был способен, князь рассказал всё дело, восстановив факты в полной точности, и поразил бедного мальчика как громом. Он не мог вымолвить ни слова и молча заплакал. Князь почувствовал, что это было одно из тех впечатлений, которые остаются навсегда и составляют перелом в жизни юноши навеки. Он поспешил передать ему свой взгляд на дело, прибавив, что, по его мнению, может быть, и смерть-то старика происходит, главное, от ужаса, оставшегося в его сердце после проступка, и что к этому не всякий способен. Глаза Коли засверкали, когда он выслушал князя:

— Негодные Ганька, и Варя, и Птицын! Я с ними не буду ссориться, но у нас разные дороги с этой минуты! Ах, князь, я со вчерашнего очень много почувствовал нового; это мой урок! Мать я тоже считаю теперь прямо на моих руках; хотя она и обеспечена у Вари, но это всё не то...

Он вскочил, вспомнив, что его ждут, наскоро спросил о состоянии здоровья князя и, выслушав ответ, вдруг с поспешностью прибавил:

— Нет ли и другого чего? Я слышал, вчера... (впрочем, я не имею права), но если вам когда-нибудь и в чем-нибудь понадобится верный слуга, то он перед вами. Кажется, мы оба не совсем-то счастливы, ведь так? Но... я не расспрашиваю, не расспрашиваю...

Он ушел, а князь еще больше задумался: все пророчествуют несчастия, все уже сделали заключения, все глядят, как бы что-то знают, и такое, чего он не знает; Лебедев выспрашивает, Коля прямо намекает, а Вера плачет. Наконец он в досаде махнул рукой: «Проклятая болезненная мнительность», — подумал он. Лицо его просветлело, когда, во втором часу, он увидел Епанчиных, входящих навестить его, «на минутку». Эти уже действительно зашли на минутку. Лизавета Прокофьевна, встав от завтрака, объявила, что гулять пойдут все сейчас и все вместе. Уведомление было дано в форме приказания, отрывисто, сухо, без объяснений. Все вышли, то есть маменька, девицы, князь Щ. Лизавета Прокофьевна прямо направилась в сторону, противоположную той, в которую направлялись каждодневно. Все понимали, в чем дело, и все молчали, боясь раздражить мамашу, а она, точно прячась от упрека и возражений, шла впереди всех, не оглядываясь. Наконец Аделаида заметила, что на прогулке нечего так бежать и что за мамашей не поспеешь.

— Вот что, — обернулась вдруг Лизавета Прокофьевна, — мы теперь мимо него проходим. Как бы там ни думала Аглая и что бы там ни случилось потом, а он нам не чужой, а теперь еще вдобавок и в несчастии и болен; я по крайней мере зайду навестить. Кто хочет со мной, тот иди, кто не хочет — проходи мимо; путь не загорожен.

Все вошли, разумеется. Князь, как следует, поспешил еще раз попросить прощения за вчерашнюю вазу и... скандал.

— Ну, это ничего, — ответила Лизавета Прокофьевна, — вазы не жаль, жаль тебя. Стало быть, сам теперь примечаешь, что был скандал: вот что значит «на другое-то утро...», но и это ничего, потому что всякий теперь видит, что с тебя нечего спрашивать. Ну, до свиданья, однако ж; если в силах, так погуляй и опять засни — мой совет. А вздумаешь, заходи по-прежнему; уверен будь, раз навсегда, что что бы ни случилось, что бы ни вышло, ты все-таки останешься другом нашего дома: моим по крайней мере. За себя-то по крайней мере ответить могу...

На вызов ответили все и подтвердили мамашины чувства. Они ушли, но в этой простодушной поспешности сказать что-нибудь ласковое и ободряющее таилось много жестокого, о чем и не спохватилась Лизавета Прокофьевна. В приглашении приходить «по-прежнему» и в словах «моим по крайней мере» — опять зазвучало что-то предсказывающее. Князь стал припоминать Аглаю; правда, она ему удивительно улыбнулась, при входе и при прощанье, но не сказала ни слова, даже и тогда, когда все заявляли свои уверения в дружбе, хотя раза два пристально на него посмотрела. Лицо ее было бледнее обыкновенного, точно она худо проспала ночь. Князь решил вечером же идти к ним непременно «по-прежнему» и лихорадочно взглянул на часы. Вошла Вера, ровно три минуты спустя по уходе Епанчиных.

— Мне, Лев Николаевич, Аглая Ивановна сейчас словечко к вам потихоньку передала.

Князь так и задрожал.

— Записка?

— Нет-с, на словах; и то едва успела. Просит вас очень весь сегодняшний день ни на одну минуту не отлучаться со двора, вплоть до семи часов повечеру, или даже до девяти, не совсем я тут расслышала.

— Да... для чего же это? Что это значит?

— Ничего этого я не знаю; только велела накрепко передать.

— Так и сказала: «накрепко»?

— Нет-с, прямо не сказала: едва успела, отвернувшись, выговорить, благо я уж сама подскочила. Но уж по лицу видно было, как приказывала: накрепко или нет. Так на меня посмотрела, что у меня сердце замерло...

Несколько расспросов еще, и князь, хотя ничего больше не узнал, но зато еще пуще встревожился. Оставшись один, он лег на диван и стал опять думать. «Может, там кто-нибудь будет у них, до девяти часов, и она опять за меня боится, чтоб я чего при гостях не накуролесил», — выдумал он наконец и опять стал нетерпеливо ждать вечера и глядеть на часы. Но разгадка последовала гораздо раньше вечера и тоже в форме нового визита, разгадка в форме новой, мучительной загадки: ровно полчаса по уходе Епанчиных к нему вошел Ипполит, до того усталый и изнуренный, что, войдя и ни слова ни говоря, как бы без памяти, буквально упал в кресла и мгновенно погрузился в нестерпимый кашель. Он докашлялся до крови. Глаза его сверкали, и красные пятна зарделись на щеках. Князь пробормотал ему что-то, но тот не ответил и еще долго, не отвечая, отмахивался только рукой, чтоб его покамест не беспокоили. Наконец он очнулся.

— Ухожу! — через силу произнес он наконец хриплым голосом.

— Хотите, я вас доведу, — сказал князь, привстав с места, и осекся, вспомнив недавний запрет уходить со двора.

Ипполит засмеялся.

— Я не от вас ухожу, — продолжал он с беспрерывною одышкой и перхотой, — я, напротив, нашел нужным к вам прийти, и за делом... без чего не стал бы беспокоить. Я *туда* ухожу, и в этот раз, кажется, серьезно. Капут! Я не для сострадания, поверьте... я уж и лег сегодня, с десяти часов, чтоб уж совсем не вставать до самого *того* времени, да вот раздумал и встал еще раз, чтобы к вам идти... стало быть, надо.

— Жаль на вас смотреть; вы бы кликнули меня лучше, чем самим трудиться.

— Ну, вот и довольно. Пожалели, стало быть, и довольно для светской учтивости... Да, забыл: ваше-то как здоровье?

— Я здоров. Я вчера был... не очень...

— Слышал, слышал. Вазе досталось китайской; жаль, что меня не было! Я за делом. Во-первых, я сегодня имел удовольствие видеть Гаврилу Ардалионовича на свидании с Аглаей Ивановной, у зеленой скамейки. Подивился на то, до какой степени человеку можно иметь глупый вид. Заметил это самой Аглае Ивановне по уходе Гаврилы Ардалионовича... Вы, кажется, ничему не удивляетесь, князь, — прибавил он, недоверчиво смотря на спокойное лицо князя, — ничему не удивляться, говорят, есть признак большого ума; по-моему, это в равной же мере могло бы служить и признаком большой глупости... Я, впрочем, не на вас намекаю, извините... Я очень несчастлив сегодня в моих выражениях.

— Я еще вчера знал, что Гаврила Ардалионович... — осекся князь, видимо смутившись, хотя Ипполит и досадовал, зачем он не удивляется.

— Знали! Вот это новость! А впрочем, пожалуй, и не рассказывайте... А свидетелем свидания сегодня не были?

— Вы видели, что меня там не было, коли сами там были.

— Ну, может, за кустом где-нибудь просидели. Впрочем, во всяком случае я рад, за вас разумеется, а то я думал уже, что Гавриле Ардалионовичу — предпочтение!

— Я вас прошу не говорить об этом со мной, Ипполит, и в таких выражениях.

— Тем более что уже всё знаете.

— Вы ошибаетесь. Я почти ничего не знаю, и Аглая Ивановна знает наверно, что я ничего не знаю. Я даже и про свидание это ничего ровно не знал... Вы говорите, было свидание? Ну, и хорошо, и оставим это...

— Да как же это, то знали, то не знали? Вы говорите: хорошо и оставим? Ну, нет, не будьте так доверчивы! Особенно коли ничего не знаете. Вы и доверчивы, потому что не знаете. А знаете ли вы, какие расчеты у этих двух лиц, у братца с сестрицей? Это-то, может быть, подозреваете?.. Хорошо, хорошо, я оставлю... — прибавил он, заметив нетерпеливый жест князя, — но я пришел за собственным делом и про это хочу... объясниться. Черт возьми, никак нельзя умереть без объяснений; ужас как я много объясняюсь. Хотите выслушать?

— Говорите, я слушаю.

— И однако ж, я опять переменяю мнение: я все-таки начну с Ганечки. Можете себе представить, что и мне сегодня назначено было тоже прийти на зеленую скамейку. Впрочем, лгать не хочу: я сам настоял на свидании, напросился, тайну открыть обещал. Не знаю, пришел ли я слишком рано (кажется, действительно рано пришел), но только что я занял мое место, подле Аглаи Ивановны, смотрю, являются Гаврила Ардалионович и Варвара Ардалионовна, оба под ручку, точно гуляют. Кажется, оба были очень поражены, меня встретив; не того ожидали, даже сконфузились. Аглая Ивановна вспыхнула и, верьте не верьте, немножко даже потерялась, оттого ли, что я тут был, или просто увидав Гаврилу Ардалионовича, потому что уж ведь слишком хорош, но только вся вспыхнула и дело кончила в одну секунду, очень смешно: привстала, ответила на поклон Гаврилы Ардалионовича, на заигрывающую улыбку Варвары Ардалионовны и вдруг отрезала: «Я только затем, чтобы вам выразить личное мое удовольствие за ваши искренние и дружелюбные чувства, и если буду в них нуждаться, то поверьте...» Тут она откланялась, и оба они ушли, — не знаю, в дураках или с торжеством; Ганечка, конечно, в дураках; он ничего не разобрал и покраснел как рак (удивительнее у него иногда выражение лица!), но Варвара Ардалионовна, кажется, поняла, что надо поскорее улепетывать и что уж и этого слишком довольно от Аглаи Ивановны, и утащила брата. Она умнее его и, я уверен, теперь торжествует. Я же приходил поговорить с Аглаей Ивановной, чтоб условиться насчет свидания с Настасьей Филипповной.

— С Настасьей Филипповной! — вскричал князь.

— Ага! Вы, кажется, теряете хладнокровие и начинаете удивляться? Очень рад, что вы на человека хотите походить. За это я вас потешу. Вот что значит услуживать молодым и высоким душой девицам: я сегодня от нее пощечину получил!

— Нр-нравственную? — невольно как-то спросил князь.

— Да, не физическую. Мне кажется, ни у кого рука не подымется на такого, как я, даже и женщина теперь не ударит; даже Ганечка не ударит! Хоть одно время вчера я так и думал, что он на меня наскочит... Бьюсь об заклад, что знаю, о чем вы теперь думаете? Вы думаете: «Положим, его не надо бить, зато задушить его можно подушкой или мокрой тряпкой во сне, — даже должно...» У вас на лице написано, что вы это думаете, в эту самую секунду.

— Никогда я этого не думал! — с отвращением проговорил князь.

— Не знаю, мне ночью снилось сегодня, что меня задушил мокрою тряпкой... один человек... ну, я вам скажу кто: представьте себе — Рогожин! Как вы думаете, можно задушить мокрою тряпкой человека?

— Не знаю.

— Я слышал, что можно. Хорошо, оставим. Ну, за что же я сплетник? За что она сплетником меня обругала сегодня? И заметьте себе, когда уже всё до последнего словечка выслушала и даже переспросила... Но таковы женщины! Для нее же я в сношения с Рогожиным вошел, с интересным человеком; для ее же интереса ей личное свидание с Настасьей Филипповной устроил. Уж не за то ли, что я самолюбие задел, намекнув, что она «объедкам» Настасьи Филипповны обрадовалась? Да я это в ее же интересах всё время ей толковал, не отпираюсь, два письма ей написал в этом роде, и вот сегодня третье, свидание... Я ей давеча с того и начал, что это унизительно с ее стороны... Да к тому же и слово-то об «объедках» собственно не мое, а чужое; по крайней мере, у Ганечки все говорили; да она же и сама подтвердила. Ну, так за что же я у ней сплетник? Вижу, вижу: вам ужасно смешно теперь, на меня глядя, и бьюсь об заклад, что вы ко мне глупые стихи примериваете:

И может быть, на мой закат печальный
Блеснет любовь улыбкою прощальной.

Ха-ха-ха! — залился он вдруг истерическим смехом и закашлялся. — Заметьте себе, — прохрипел он сквозь кашель, — каков Ганечка: говорит про «объедки», а сам-то теперь чем желает воспользоваться!

Князь долго молчал; он был в ужасе.

— Вы сказали про свиданье с Настасьей Филипповной? — пробормотал он наконец.

— Э, да неужели и вправду вам неизвестно, что сегодня будет свидание Аглаи Ивановны с Настасьей Филипповной, для чего Настасья Филипповна и выписана из Петербурга нарочно, чрез Рогожина, по приглашению Аглаи Ивановны и моими стараниями, и находится теперь, вместе с Рогожиным, весьма недалеко от вас, в прежнем доме, у той госпожи, у Дарьи Алексеевны... очень двусмысленной госпожи, подруги своей, и туда-то, сегодня, в этот двусмысленный дом, и направится Аглая Ивановна для приятельского разговора с Настасьей Филипповной и для разрешения разных задач. Арифметикой заниматься хотят. Не знали? Честное слово?

— Это невероятно!

— Ну и хорошо, коли невероятно; впрочем, откуда же вам знать? Хотя здесь муха пролетит — и уже известно: таково местечко! Но я вас, однако же, предупредил, и вы можете быть мне благодарны. Ну, до свиданья — на том свете, вероятно. Да вот еще что: я хоть и подличал пред вами, потому... для чего же я стану свое терять, рассудите на милость? В вашу пользу, что ли? Ведь я ей исповедь мою посвятил (вы этого не знали?). Да еще как приняла-то! Хе-хе! Но уж пред нею-то я не подличал, пред ней-то уж ни в чем не виноват; она же меня осрами-ла и подвела... А впрочем, и пред вами не виноват ничем; если там и упоминал насчет этих «объедков» и всё в этом смысле, то зато теперь вам и день, и час, и адрес свидания сообщаю, и всю эту игру открываю... с досады, разумеется, а не из великодушия. Прощайте, я болтлив, как заика или как чахоточный; смотрите же, принимайте меры и скорее, если вы только стоите названия человеческого. Свидание сегодня повечеру, это верно.

Ипполит направился к двери, но князь крикнул ему, и тот остановился в дверях.

— Стало быть, Аглая Ивановна, по-вашему, сама придет сегодня к Настасье Филипповне? — спросил князь. Красные пятна выступили на щеках и на лбу его.

— В точности не знаю, но, вероятно, так, — ответил Ипполит, полуогляды-ваясь, — да иначе, впрочем, и не может быть. Не Настасья же Филипповна к ней? Да и не у Ганечки же; у того у самого почти покойник. Генерал-то каков?

— Уж по одному этому быть не может! — подхватил князь. — Как же она выйдет, если бы даже и хотела? Вы не знаете... обычаев в этом доме: она не мо-жет отлучиться одна к Настасье Филипповне; это вздор!

— Вот видите, князь: никто не прыгает из окошек, а случись пожар, так, по-жалуй, и первейший джентльмен и первейшая дама выпрыгнет из окошка. Коли уж придет нужда, так нечего делать, и к Настасье Филипповне наша барышня отправится. А разве их там никуда не выпускают, ваших барышень-то?

— Нет, я не про то...

— А не про то, так ей стоит только сойти с крыльца и пойти прямо, а там хоть и не возвращаться домой. Есть случаи, что и корабли сжигать иногда можно, и домой можно даже не возвращаться: жизнь не из одних завтраков, да обедов, да князей Щ. состоит. Мне кажется, вы Аглаю Ивановну за барышню или за пан-сионерку какую-то принимаете; я уже про это ей говорил; она, кажется, согла-силась. Ждите часов в семь или в восемь... Я бы на вашем месте послал туда по-сторожить, чтобы уж так ровно ту минуту улучить, когда она с крыльца сойдет. Ну, хоть Колю пошлите; он с удовольствием пошпионит, будьте уверены, для вас то есть... потому что всё ведь это относительно... Ха-ха!

Ипполит вышел. Князю не для чего было просить кого-нибудь шпионить, если бы даже он был и способен на это. Приказание ему Аглаи сидеть дома те-перь почти объяснялось: может быть, она хотела за ним зайти. Правда, может быть, она именно не хотела, чтоб он туда попал, а потому и велела ему дома си-деть... Могло быть и это. Голова его кружилась; вся комната ходила кругом. Он лег на диван и закрыл глаза.

Так или этак, а дело было решительное, окончательное. Нет, князь не считал Аглаю за барышню или за пансионерку; он чувствовал теперь, что давно уже бо-ялся, и именно чего-нибудь в этом роде; но для чего она хочет ее видеть? Озноб проходил по всему телу его; опять он был в лихорадке.

Нет, он не считал ее за ребенка! Его ужасали иные взгляды ее в последнее время, иные слова. Иной раз ему казалось, что она как бы уж слишком крепи-лась, слишком сдерживалась, и он припоминал, что это его пугало. Правда, во все эти дни он старался не думать об этом, гнал тяжелые мысли, но что таилось в этой душе? Этот вопрос давно его мучил, хотя он и верил в эту душу. И вот всё это должно было разрешиться и обнаружиться сегодня же. Мысль ужасная! И опять — «эта женщина»! Почему ему всегда казалось, что эта женщина явится именно в самый последний момент и разорвет всю судьбу его как гнилую нитку? Что ему всегда казалось это, в этом он готов был теперь поклясться, хотя был почти в полубреду. Если он старался забыть о *ней* в последнее время, то единственно потому, что боялся ее. Что же: любил он эту женщину или ненавидел? Этого вопроса он ни разу не задал себе сегодня; тут сердце его было чисто: он знал, кого он любил... Он не столько свидания их обеих боялся, не странности, не причины этого свидания, ему неизвестной, не разрешения его чем бы то ни было, — он самой Настасьи Филипповны боялся. Он вспомнил уже потом, чрез несколько дней, что в эти лихорадочные часы почти всё время представлялись ему ее глаза, ее взгляд, слышались ее слова — странные какие-то слова, хоть и немного потом осталось у него в памяти после этих лихорадочных и тоскливых часов. Едва запомнил он, например, как Вера принесла ему обедать и он обедал, не помнил, спал ли он после обеда или нет? Он знал только, что начал совершенно ясно всё отличать в этот вечер только с той минуты, когда Аглая вдруг вошла к нему на террасу и он вскочил с дивана и вышел на средину комнаты ее встретить: было четверть восьмого. Аглая была одна-одинешенька, одета просто и как бы наскоро, в легоньком бурнусике. Лицо ее было бледно, как и давеча, а глаза сверкали ярким и сухим блеском; такого выражения глаз он никогда не знал у нее. Она внимательно его оглядела.

— Вы совершенно готовы, — заметила она тихо и как бы спокойно, — одеты и шляпа в руках; стало быть, вас предупредили, и я знаю кто: Ипполит?

— Да, он мне говорил... — пробормотал князь почти полумертвый.

— Пойдемте же: вы знаете, что вы должны меня сопровождать непременно. Вы ведь настолько в силах, я думаю, чтобы выйти?

— Я в силах, но... разве это возможно?

Он оборвался в одно мгновение и уже ничего не мог вымолвить более. Это была единственная попытка его остановить безумную, а затем он сам пошел за нею, как невольник. Как ни были смутны его мысли, он все-таки понимал, что она и без него пойдет *туда*, а стало быть, он во всяком случае должен был идти за нею. Он угадывал, какой силы ее решимость; не ему было остановить этот дикий порыв. Они шли молчаливо, всю дорогу почти не сказали ни слова. Он только заметил, что она хорошо знает дорогу, и когда хотел было обойти одним переулком подальше, потому что там дорога была пустыннее, и предложил ей это, она выслушала, как бы напрягая внимание, и отрывисто ответила: «Всё равно!» Когда они уже почти вплоть подошли к дому Дарьи Алексеевны (большому и старому деревянному дому), с крыльца вышла одна пышная барыня и с нею молодая девица; обе сели в ожидавшую у крыльца великолепную коляску, громко смеясь и разговаривая, и ни разу даже и не взглянули на подходивших, точно и не приметили. Только что коляска отъехала, дверь тотчас же отворилась в другой раз, и поджидавший Рогожин впустил князя и Аглаю и запер за ними дверь.

— Во всем доме никого теперь, кроме нас вчетвером, — заметил он вслух и странно посмотрел на князя.

В первой же комнате ждала и Настасья Филипповна, тоже одетая весьма просто и вся в черном; она встала навстречу, но не улыбнулась и даже князю не подала руки.

Пристальный и беспокойный ее взгляд нетерпеливо устремился на Аглаю. Обе сели поодаль одна от другой, Аглая на диване в углу комнаты, Настасья Филипповна у окна. Князь и Рогожин не садились, да их и не пригласили садиться.

Князь с недоумением и как бы с болью опять поглядел на Рогожина, но тот улыбался всё прежнею своею улыбкой. Молчание продолжалось еще несколько мгновений.

Какое-то зловещее ощущение прошло наконец по лицу Настасьи Филипповны; взгляд ее становился упорен, тверд и почти ненавистен, ни на одну минуту не отрывался он от гостьи. Аглая видимо была смущена, но не робела. Войдя, она едва взглянула на свою соперницу и покамест всё время сидела потупив глаза, как бы в раздумье. Раза два, как бы нечаянно, она окинула взглядом комнату; отвращение видимо изобразилось в ее лице, точно она боялась здесь замараться. Она машинально оправляла свою одежду и даже с беспокойством переменила однажды место, подвигаясь к углу дивана. Вряд ли она и сама сознавала все свои движения; но бессознательность еще усиливала их обиду. Наконец она твердо и прямо поглядела в глаза Настасьи Филипповны и тотчас же ясно прочла всё, что сверкало в озлобившемся взгляде ее соперницы. Женщина поняла женщину; Аглая вздрогнула.

— Вы, конечно, знаете, зачем я вас приглашала, — выговорила она наконец, но очень тихо и даже остановившись раза два на этой коротенькой фразе.

— Нет, ничего не знаю, — ответила Настасья Филипповна сухо и отрывисто.

Аглая покраснела. Может быть, ей вдруг показалось ужасно странно и невероятно, что она сидит теперь с этою женщиной, в доме «этой женщины» и нуждается в ее ответе. При первых звуках голоса Настасьи Филипповны как бы содрогание прошло по ее телу. Всё это, конечно, очень хорошо заметила «эта женщина».

— Вы всё понимаете... но вы нарочно делаете вид, будто не понимаете, — почти прошептала Аглая, угрюмо смотря в землю.

— Для чего же бы это? — чуть-чуть усмехнулась Настасья Филипповна.

— Вы хотите воспользоваться моим положением... что я у вас в доме, — смешно и неловко продолжала Аглая.

— В этом положении виноваты вы, а не я! — вспыхнула вдруг Настасья Филипповна. — Не вы мною приглашены, а я вами, и до сих пор не знаю зачем?

Аглая надменно подняла голову:

— Удержите ваш язык; я не этим вашим оружием пришла с вами сражаться...

— А! Стало быть, вы все-таки пришли «сражаться»? Представьте, я, однако же, думала, что вы... остроумнее...

Обе смотрели одна на другую, уже не скрывая злобы. Одна из этих женщин была та самая, которая еще так недавно писала к другой такие письма. И вот всё рассеялось от первой встречи и с первых слов. Что же? В эту минуту, казалось, никто из всех четверых находившихся в этой комнате и не находил этого странным. Князь, который еще вчера не поверил бы возможности увидеть это даже во сне, теперь стоял, смотрел и слушал, как бы всё это он давно уже предчувствовал. Самый фантастический сон обратился вдруг в самую яркую и резко обозначившуюся действительность. Одна из этих женщин до того уже презирала в это мгновение другую и до того желала ей это высказать (может быть, и приходила-то только для этого, как выразился на другой день Рогожин), что, как ни фантастична была эта другая, с своим расстроенным умом и больною душой, никакая заранее предвзятая идея не устояла бы, казалось, против ядовитого, чисто женского презрения ее соперницы. Князь был уверен, что Настасья Филипповна не заговорит сама о письмах; по сверкающим взглядам ее он догадался, чего могут ей стоить теперь эти письма; но он отдал бы полжизни, чтобы не заговаривала о них теперь и Аглая.

Но Аглая как бы вдруг скрепилась и разом овладела собой.

— Вы не так поняли, — сказала она, — я с вами не пришла... ссориться, хотя я вас не люблю. Я... я пришла к вам... с человеческою речью. Призывая вас, я уже решила, о чем буду вам говорить, и от решения не отступлюсь, хотя бы вы и совсем меня не поняли. Тем для вас будет хуже, а не для меня. Я хотела вам ответить на то, что вы мне писали, и ответить лично, потому что мне это казалось удобнее. Выслушайте же мой ответ на все ваши письма: мне стало жаль князя Льва Николаевича в первый раз в тот самый день, когда я с ним познакомилась и когда потом узнала обо всем, что произошло на вашем вечере. Мне потому его стало жаль, что он такой простодушный человек и по простоте своей поверил, что может быть счастлив... с женщиной... такого характера. Чего я боялась за него, то и случилось: вы не могли его полюбить, измучили его и кинули. Вы потому его не могли любить, что слишком горды... нет, не горды, я ошиблась, а потому, что вы тщеславны... даже и не это: вы себялюбивы до... сумасшествия, чему доказательством служат и ваши письма ко мне. Вы его, такого простого, не могли полюбить, и даже, может быть, про себя презирали и смеялись над ним, могли полюбить только один свой позор и беспрерывную мысль о том, что вы опозорены и что вас оскорбили. Будь у вас меньше позору или не будь его вовсе, вы были бы несчастнее... (Аглая с наслаждением выговаривала эти слишком уж поспешно выскакивавшие, но давно уже приготовленные и обдуманные слова, тогда еще обдуманные, когда и во сне не представлялось теперешнего свидания; она ядовитым взглядом следила за эффектом их на искаженном от волнения лице Настасьи Филипповны.) Вы помните, — продолжала она, — тогда он написал мне письмо; он говорит, что вы про это письмо знаете и даже читали его? По этому письму я всё поняла, и верно поняла; он недавно мне подтвердил это сам, то есть всё, что я теперь вам говорю, слово в слово даже. После письма я стала ждать. Я угадала, что вы должны приехать сюда, потому что вам нельзя же быть без Петербурга: вы еще слишком молоды и хороши собой для провинции... Впрочем, это тоже не мои слова, — прибавила она, ужасно покраснев, и с этой минуты краска уже не сходила с ее лица, вплоть до самого окончания речи. — Когда я увидала опять князя, мне стало ужасно за него больно и обидно. Не смейтесь; если вы будете смеяться, то вы не достойны это понять...

— Вы видите, что я не смеюсь, — грустно и строго проговорила Настасья Филипповна.

— Впрочем, мне всё равно, смейтесь, как вам угодно. Когда я стала его спрашивать сама, он мне сказал, что давно уже вас не любит, что даже воспоминание о вас ему мучительно, но что ему вас жаль, и что когда он припоминает о вас, то его сердце точно «пронзено навеки». Я вам должна еще сказать, что я ни одного человека не встречала в жизни подобного ему по благородному простодушию и безграничной доверчивости. Я догадалась после его слов, что всякий, кто захочет, тот и может его обмануть, и кто бы ни обманул его, он потом всякому простит, и вот за это-то я его и полюбила...

Аглая остановилась на мгновение, как бы пораженная, как бы самой себе не веря, что она могла выговорить такое слово; но в то же время почти беспредельная гордость засверкала в ее взгляде; казалось, ей теперь было уже всё равно, хотя бы даже «эта женщина» засмеялась сейчас над вырвавшимся у нее признанием.

— Я вам всё сказала, и уж, конечно, вы теперь поняли, чего я от вас хочу?

— Может быть, и поняла; но скажите сами, — тихо ответила Настасья Филипповна.

Гнев загорелся в лице Аглаи.

— Я хотела от вас узнать, — твердо и раздельно произнесла она, — по какому праву вы вмешиваетесь в его чувства ко мне? По какому праву вы осмелились ко мне писать письма? По какому праву вы заявляете поминутно, ему и мне, что вы его любите, после того как сами же его кинули и от него с такою обидой и... позором убежали?

— Я не заявляла ни ему, ни вам, что его люблю, — с усилием выговорила Настасья Филипповна, — и... вы правы, я от него убежала... — прибавила она едва слышно.

— Как не заявляли «ни ему, ни мне»? — вскричала Аглая. — А письма-то ваши? Кто вас просил нас сватать и меня уговаривать идти за него? Разве это не заявление? Зачем вы к нам напрашиваетесь? Я сначала было подумала, что вы хотите, напротив, отвращение во мне к нему поселить тем, что к нам замешались, и чтоб я его бросила, и потом только догадалась, в чем дело: вам просто вообразилось, что вы высокий подвиг делаете всеми этими кривляниями... Ну, могли ли вы его любить, если так любите свое тщеславие? Зачем вы просто не уехали отсюда, вместо того чтобы мне смешные письма писать? Зачем вы не выходите теперь за благородного человека, который вас так любит и сделал вам честь, предложив свою руку? Слишком ясно зачем: выйдете за Рогожина, какая же тогда обида останется? Даже слишком уж много чести получите! Про вас Евгений Павлыч сказал, что вы слишком много поэм прочли и «слишком много образованны для вашего... положения»; что вы книжная женщина и белоручка; прибавьте ваше тщеславие, вот и все ваши причины...

— А вы не белоручка?

Слишком поспешно, слишком обнаженно дошло дело до такой неожиданной точки, неожиданной, потому что Настасья Филипповна, отправляясь в Павловск, еще мечтала о чем-то, хотя, конечно, предполагала скорее дурное, чем хорошее; Аглая же решительно была увлечена порывом в одну минуту, точно падала с горы, и не могла удержаться пред ужасным наслаждением мщения. Настасье Филипповне даже странно было так увидеть Аглаю; она смотрела на нее и точно себе не верила, и решительно не нашлась в первое мгновение. Была ли она женщина, прочитавшая много поэм, как предположил Евгений Павлович, или просто была сумасшедшая, как уверен был князь, во всяком случае эта женщина, — иногда с такими циническими и дерзкими приемами, — на самом деле была гораздо стыдливее, нежнее и доверчивее, чем бы можно было о ней заключить. Правда, в ней было много книжного, мечтательного, затворившегося в себе, и фантастического, но зато сильного и глубокого... Князь понимал это; страдание выразилось в лице его. Аглая это заметила и задрожала от ненависти.

— Как вы смеете так обращаться ко мне? — проговорила она с невыразимым высокомерием, отвечая на замечание Настасьи Филипповны.

— Вы, вероятно, ослышались, — удивилась Настасья Филипповна. — Как обращалась я к вам?

— Если вы хотели быть честною женщиной, то отчего вы не бросили тогда вашего обольстителя, Тоцкого, просто... без театральных представлений? — сказала вдруг Аглая ни с того ни с сего.

— Что вы знаете о моем положении, чтобы сметь судить меня? — вздрогнула Настасья Филипповна, ужасно побледнев.

— Знаю то, что вы не пошли работать, а ушли с богачом Рогожиным, чтобы падшего ангела из себя представить. Не удивляюсь, что Тоцкий от падшего ангела застрелиться хотел!

— Оставьте! — с отвращением и как бы чрез боль проговорила Настасья Филипповна. — Вы так же меня поняли, как... горничная Дарьи Алексеевны, которая с женихом своим намедни у мирового судилась. Та бы лучше вас поняла...

— Вероятно, честная девушка и живет своим трудом. Почему вы-то с таким презрением относитесь к горничной?

— Я не к труду с презрением отношусь, а к вам, когда вы об труде говорите.

— Захотела быть честною, так в прачки бы шла.

Обе поднялись и бледные смотрели друг на друга.

— Аглая, остановитесь! Ведь это несправедливо, — вскричал князь, как потерянный. Рогожин уже не улыбался, но слушал, сжав губы и скрестив руки.

— Вот, смотрите на нее, — говорила Настасья Филипповна, дрожа от озлобления, — на эту барышню! И я ее за ангела почитала! Вы без гувернантки ко мне пожаловали, Аглая Ивановна?.. А хотите... хотите, я вам скажу сейчас, прямо, без прикрас, зачем вы ко мне пожаловали? Струсили, оттого и пожаловали.

— Вас струсила? — спросила Аглая, вне себя от наивного и дерзкого изумления, что та смела с нею так заговорить.

— Конечно, меня! Меня боитесь, если решились ко мне прийти. Кого боишься, того не презираешь. И подумать, что я вас уважала, даже до этой самой минуты! А знаете, почему вы боитесь меня и в чем теперь ваша главная цель? Вы хотели сами лично удостовериться: больше ли он меня, чем вас, любит или нет, потому что вы ужасно ревнуете...

— Он мне уже сказал, что вас ненавидит... — едва пролепетала Аглая.

— Может быть; может быть, я и не стою его, только... только солгали вы, я думаю! Не может он меня ненавидеть, и не мог он так сказать! Я, впрочем, готова вам простить... во внимание к вашему положению... только все-таки я о вас лучше думала; думала, что вы и умнее, да и получше даже собой, ей-богу!.. Ну, возьмите же ваше сокровище... вот он, на вас глядит, опомниться не может, берите его себе, но под условием: ступайте сейчас же прочь! Сию же минуту!..

Она упала в кресла и залилась слезами. Но вдруг что-то новое заблистало в глазах ее; она пристально и упорно посмотрела на Аглаю и встала с места:

— А хочешь, я сейчас... при-ка-жу, слышишь ли? только ему при-ка-жу, и он тотчас же бросит тебя и останется при мне навсегда, и женится на мне, а ты побежишь домой одна? Хочешь, хочешь? — крикнула она как безумная, может быть почти сама не веря, что могла выговорить такие слова.

Аглая в испуге бросилась было к дверям, но остановилась в дверях, как бы прикованная, и слушала.

— Хочешь, я прогоню Рогожина? Ты думала, что я уж и повенчалась с Рогожиным для твоего удовольствия? Вот сейчас при тебе крикну: «Уйди, Рогожин!», а князю скажу: «Помнишь, что ты обещал?» Господи! Да для чего же я себя так унизила пред ними? Да не ты ли же, князь, меня сам уверял, что пойдешь за мною, что бы ни случилось со мной, и никогда меня не покинешь; что ты меня любишь и всё мне прощаешь и меня у... ува... Да, ты и это говорил! И я, чтобы только тебя развязать, от тебя убежала, а теперь не хочу! За что она со мной как с беспутной поступила? Беспутная ли я, спроси у Рогожина, он тебе скажет! Теперь, когда она опозорила меня, да еще в твоих же глазах, и ты от меня отвернешься, а ее под ручку с собой уведешь? Да будь же ты проклят после того за то, что я в тебя одного поверила. Уйди, Рогожин, тебя не нужно! — кричала она почти без памяти, с усилием выпуская слова из груди, с исказившимся лицом и с запекшимися губами, очевидно, сама не веря ни на каплю своей фанфаронаде, но в то же время хоть секунду еще желая продлить мгновение и обмануть себя. Порыв был так силен, что, может быть, она бы и умерла, так по крайней мере показалось князю. — Вот он, смотри! — прокричала она наконец Аглае, указывая рукой на князя. — Если он сейчас не подойдет ко мне, не возьмет меня и не бросит тебя, то бери же его себе, уступаю, мне его не надо!..

И она и Аглая остановились как бы в ожидании, и обе как помешанные смотрели на князя. Но он, может быть, и не понимал всей силы этого вызова, даже наверно можно сказать. Он только видел пред собой отчаянное, безумное лицо, от которого, как проговорился он раз Аглае, у него «пронзено навсегда сердце». Он не мог более вынести и с мольбой и упреком обратился к Аглае, указывая на Настасью Филипповну:

— Разве это возможно! Ведь она... такая несчастная!

Но только это и успел выговорить, онемев под ужасным взглядом Аглаи. В этом взгляде выразилось столько страдания и в то же время бесконечной ненависти, что он всплеснул руками, вскрикнул и бросился к ней, но уже было поздно! Она не перенесла даже и мгновения его колебания, закрыла руками лицо, вскрикнула: «Ах, боже мой!» — и бросилась вон из комнаты, за ней Рогожин, чтоб отомкнуть ей задвижку у дверей на улицу.

Побежал и·князь, но на пороге обхватили его руками. Убитое, искаженное лицо Настасьи Филипповны глядело на него в упор, и посиневшие губы шевелились, спрашивая:

— За ней? За ней?..

Она упала без чувств ему на руки. Он поднял ее, внес в комнату, положил в кресла и стал над ней в тупом ожидании. На столике стоял стакан с водой; воротившийся Рогожин схватил его и брызнул ей в лицо воды; она открыла глаза и с минуту ничего не понимала; но вдруг осмотрелась, вздрогнула, вскрикнула и бросилась к князю.

— Мой! Мой! — вскричала она. — Ушла гордая барышня? Ха-ха-ха! — смеялась она в истерике, — ха-ха-ха! Я его этой барышне отдавала! Да зачем? Для чего? Сумасшедшая! Сумасшедшая!.. Поди прочь, Рогожин, ха-ха-ха!

Рогожин пристально посмотрел на них, не сказал ни слова, взял свою шляпу и вышел. Чрез десять минут князь сидел подле Настасьи Филипповны, не отрываясь смотрел на нее и гладил ее по головке и по лицу, обеими руками, как малое дитя. Он хохотал на ее хохот и готов был плакать на ее слезы. Он ничего не говорил, но пристально вслушивался в ее порывистый, восторженный и бессвязный лепет, вряд ли понимал что-нибудь, но тихо улыбался, и чуть только ему казалось, что она начинала опять тосковать или плакать, упрекать или жаловаться, тотчас же начинал ее опять гладить по головке и нежно водить руками по ее щекам, утешая и уговаривая ее, как ребенка.

IX

Прошло две недели после события, рассказанного в последней главе, и положение действующих лиц нашего рассказа до того изменилось, что нам чрезвычайно трудно приступать к продолжению без особых объяснений. И, однако, мы чувствуем, что должны ограничиться простым изложением фактов, по возможности без особых объяснений, и по весьма простой причине: потому что сами, во многих случаях, затрудняемся объяснить происшедшее. Такое предуведомление с нашей стороны должно показаться весьма странным и неясным читателю: как рассказывать то, о чем не имеешь ни ясного понятия, ни личного мнения? Чтобы не ставить себя еще в более фальшивое положение, лучше постараемся объясниться на примере, и, может быть, благосклонный читатель поймет, в чем именно мы затрудняемся, тем более что этот пример не будет отступлением, а, напротив, прямым и непосредственным продолжением рассказа.

Две недели спустя, то есть уже в начале июля, и в продолжение этих двух недель, история нашего героя, и особенно последнее приключение этой истории, обращаются в странный, весьма увеселительный, почти невероятный и в то же время почти наглядный анекдот, распространяющийся мало-помалу по всем улицам, соседним с дачами Лебедева, Птицына, Дарьи Алексеевны, Епанчиных, короче сказать, почти по всему городу и даже по окрестностям его. Почти всё общество — туземцы, дачники, приезжающие на музыку, — все принялись рассказывать одну и ту же историю, на тысячу разных вариаций, о том, как один князь, произведя скандал в честном и известном доме и отказавшись от девицы из этого дома, уже невесты своей, увлекся известною лореткой, порвал все прежние связи и, несмотря ни на что, несмотря на угрозы, несмотря на всеобщее негодование публики, намеревается обвенчаться на днях с опозоренною женщиной, здесь же в Павловске, открыто, публично, подняв голову и смотря всем прямо в глаза. Анекдот до того становился изукрашен скандалами, до того много вмешано было в него известных и значительных лиц, до того придано было ему разных фантастических и загадочных оттенков, а с другой стороны, он представлялся в таких неопровержимых и наглядных фактах, что всеобщее любопытство и сплетни были, конечно, очень извинительны. Самое тонкое, хитрое и в то же время правдоподобное толкование оставалось за несколькими серьезными сплетниками, из того слоя разумных людей, которые всегда, в каждом обществе, спешат прежде всего уяснить другим событие, в чем находят свое призвание, а нередко и утешение. По их толкованию, молодой человек, хорошей фамилии, князь, почти богатый, дурачок, но демократ, и помешавшийся на современном нигилизме, обнаруженном господином Тургеневым, почти не умеющий говорить по-русски, влюбился в дочь генерала Епанчина и достиг того, что его приняли в доме как жениха. Но подобно тому французу-семинаристу, о котором только что напечатан был анекдот и который нарочно допустил посвятить себя в сан священника, нарочно сам просил этого посвящения, исполнил все обряды, все поклонения, лобызания, клятвы и пр., чтобы на другой же день публично объявить письмом своему епископу, что он, не веруя в Бога, считает бесчестным обманывать народ и кормиться от него даром, а потому слагает с себя вчерашний сан, а письмо свое печатает в либеральных газетах, — подобно этому атеисту сфальшивил будто бы в своем роде и князь. Рассказывали, будто он нарочно ждал торжественного званого вечера у родителей своей невесты, на котором он был представлен весьма многим значительным лицам, чтобы вслух и при всех заявить свой образ мыслей, обругать почтенных сановников, отказаться от своей невесты публично и с оскорблением, и, сопротивляясь выводившим его слугам, разбить прекрасную китайскую вазу. К этому прибавляли, в виде современной характеристики нравов, что бестолковый молодой человек действительно любил свою невесту, генеральскую дочь, но отказался от нее единственно из нигилизма и ради предстоящего скандала, чтобы не отказать себе в удовольствии жениться пред всем светом на потерянной женщине и тем доказать, что в его убеждении нет ни потерянных, ни добродетельных женщин, а есть только одна свободная женщина; что он в светское и старое разделение не верит, а верует в один только «женский вопрос». Что, наконец, потерянная женщина в глазах его даже еще несколько выше, чем не потерянная. Это объяснение показалось весьма вероятным и было принято большинством дачников, тем более что подтверждалось ежедневными фактами. Правда, множество вещей оставались неразъясненными: рассказывали, что бедная девушка до того любила своего жениха, по некоторым — «обольстителя», что прибежала к нему на другой же день, как он ее бросил и когда он сидел у своей любовницы; другие уверяли, напротив, что она им же была нарочно завлечена к любовнице, единственно из нигилизма, то есть для срама и оскорбления. Как бы то ни было, а интерес события возрастал ежедневно, тем более что не оставалось ни малейшего сомнения в том, что скандальная свадьба действительно совершится.

И вот, если бы спросили у нас разъяснения, — не насчет нигилистических оттенков события, а просто лишь насчет того, в какой степени удовлетворяет назначенная свадьба действительным желаниям князя, в чем именно состоят в настоящую минуту эти желания, как именно определить состояние духа нашего героя в настоящий момент и прочее и прочее в этом же роде, то мы, признаемся, были бы в большом затруднении ответить. Мы знаем только одно, что свадьба назначена действительно и что сам князь уполномочил Лебедева, Келлера и какого-то знакомого Лебедева, которого тот представил князю на этот случай, принять на себя все хлопоты по этому делу, как церковные, так и хозяйственные; что денег велено было не жалеть, что торопила и настаивала на свадьбе Настасья Филипповна; что шафером князя назначен был Келлер, по собственной его пламенной просьбе, а к Настасье Филипповне — Бурдовский, принявший это назначение с восторгом, и что день свадьбы назначен был в начале июля. Но кроме этих, весьма точных, обстоятельств, нам известны и еще некоторые факты, которые решительно нас сбивают с толку, именно потому, что противоречат с предыдущими. Мы крепко подозреваем, например, что, уполномочив Лебедева и прочих принять на себя все хлопоты, князь чуть ли не забыл в тот же самый день, что у него есть и церемониймейстер, и шафера, и свадьба и что если он и распорядился поскорее, передав другим хлопоты, то единственно для того, чтоб уж самому и не думать об этом и даже, может быть, поскорее забыть об этом. О чем же думал он сам в таком случае, о чем хотел помнить и к чему стремился? Сомнения нет тоже, что тут не было над ним никакого насилия (со стороны, например, Настасьи Филипповны), что Настасья Филипповна действительно непременно пожелала скорей свадьбы и что она свадьбу выдумала, а вовсе не князь; но князь согласился свободно; даже как-то рассеянно и вроде того, как если бы попросили у него какую-нибудь довольно обыкновенную вещь. Таких странных фактов пред нами очень много, но они не только не разъясняют, а, по нашему мнению, даже затемняют истолкование дела, сколько бы их ни приводили; но, однако, представим еще пример.

Так, нам совершенно известно, что в продолжение этих двух недель князь целые дни и вечера проводил вместе с Настасьей Филипповной; что она брала его с собой на прогулки, на музыку; что он разъезжал с нею каждый день в коляске; что он начинал беспокоиться о ней, если только час не видел ее (стало быть, по всем признакам, любил ее искренно); что слушал ее с тихою и кроткою улыбкой, о чем бы она ему ни говорила, по целым часам, и сам ничего почти не говоря. Но мы знаем также, что он в эти же дни, несколько раз, и даже много раз, вдруг отправлялся к Епанчиным, не скрывая этого от Настасьи Филиппповны, отчего та приходила чуть не в отчаяние. Мы знаем, что у Епанчиных, пока они оставались в Павловске, его не принимали, в свидании с Аглаей Ивановной ему постоянно отказывали; что он уходил, ни слова не говоря, а на другой же день шел к ним опять, как бы совершенно позабыв о вчерашнем отказе, и, разумеется, получал новый отказ. Нам известно также, что час спустя после того, как Аглая Ивановна выбежала от Настасьи Филипповны, а может, даже и раньше часу, князь уже был у Епанчиных, конечно в уверенности найти там Аглаю, и что появление его у Епанчиных произвело тогда чрезвычайное смущение и страх в доме, потому что Аглая домой еще не возвратилась и от него только в первый раз я услышали, что она уходила с ним к Настасье Филипповне. Рассказывали, что Лизавета Прокофьевна, дочери и даже князь Щ. обошлись тогда с князем чрезвычайно жестко, неприязненно и что тогда же и отказали ему, в горячих выражениях, и в знакомстве и в дружбе, особенно когда Варвара Ардалионовна вдруг явилась к Лизавете Прокофьевне и объявила, что Аглая Ивановна уже с час как у ней в доме, в положении ужасном, и домой, кажется, идти не хочет. Это последнее известие поразило Лизавету Прокофьевну более всего и было совершенно справедливо: выйдя от Настасьи Филипповны, Аглая действительно скорей согласилась бы умереть, чем показаться теперь на глаза своим домашним, и потому кинулась к Нине Александровне. Варвара же Ардалионовна тотчас нашла с своей стороны необходимым уведомить обо всем этом, нимало не медля, Лизавету Прокофьевну. И мать и дочери, все тотчас же бросились к Нине Александровне, за ними сам отец семейства, Иван Федорович, только что явившийся домой; за ними же поплелся и князь Лев Николаевич, несмотря на изгнание и жесткие слова; но, по распоряжению Варвары Ардалионовны, его и там не пустили к Аглае. Дело кончилось, впрочем, тем, что, когда Аглая увидала мать и сестер, плачущих над нею и нисколько ее не упрекающих, то бросилась к ним в объятия и тотчас же воротилась с ними домой. Рассказывали, хотя слухи были и не совершенно точные, что Гавриле Ардалионовичу и тут ужасно не посчастливилось; что, улучив время, когда Варвара Ардалионовна бегала к Лизавете Прокофьевне, он, наедине с Аглаей, вздумал было заговорить о любви своей; что, слушая его, Аглая, несмотря на всю свою тоску и слезы, вдруг расхохоталась и вдруг предложила ему странный вопрос: сожжет ли он, в доказательство своей любви, свой палец сейчас же на свечке? Гаврила Ардалионович был, говорили, ошеломлен предложением и до того не нашелся, выразил до того чрезвычайное недоумение в своем лице, что Аглая расхохоталась на него как в истерике и убежала от него наверх к Нине Александровне, где уже и нашли ее родители. Этот анекдот дошел до князя чрез Ипполита, на другой день. Уже не встававший с постели Ипполит нарочно послал за князем, чтобы передать ему это известие.

Как дошел до Ипполита этот слух, нам неизвестно, но когда и князь услышал о свечке и о пальце, то рассмеялся так, что даже удивил Ипполита; потом вдруг задрожал и залился слезами... Вообще он был в эти дни в большом беспокойстве и в необыкновенном смущении, неопределенном и мучительном. Ипполит утверждал прямо, что находит его не в своем уме; но этого еще никак нельзя было сказать утвердительно.

Представляя все эти факты и отказываясь их объяснить, мы вовсе не желаем оправдать нашего героя в глазах наших читателей. Мало того, мы вполне готовы разделить и самое негодование, которое он возбудил к себе даже в друзьях своих. Даже Вера Лебедева некоторое время негодовала на него; даже Коля негодовал; негодовал даже Келлер, до того времени, как выбран был в шафера, не говоря уже о самом Лебедеве, который даже начал интриговать против князя, и тоже от негодования, и даже весьма искреннего. Но об этом мы скажем после. Вообще же мы вполне и в высшей степени сочувствуем некоторым, весьма сильным и даже глубоким по своей психологии словам Евгения Павловича, которые тот прямо и без церемонии высказал князю в дружеском разговоре, на шестой или на седьмой день после события у Настасьи Филипповны. Заметим кстати, что не только сами Епанчины, но и все принадлежавшие прямо или косвенно к дому Епанчиных, нашли нужным совершенно порвать с князем всякие отношения. Князь Щ., например, даже отвернулся, встретив князя, и не отдал ему поклона. Но Евгений Павлович не побоялся скомпрометировать себя, посетив князя, несмотря на то, что опять стал бывать у Епанчиных каждый день и был принят даже с видимым усилением радушия. Он пришел к князю ровно на другой день после выезда всех Епанчиных из Павловска. Входя, он уже знал обо всех распространившихся в публике слухах, даже, может, и сам им отчасти способствовал. Князь ему ужасно обрадовался и тотчас же заговорил об Епанчиных; такое простодушное и прямое начало совершенно развязало и Евгения Павловича, так что и он без обиняков приступил прямо к делу.

Князь еще и не знал, что Епанчины выехали; он был поражен, побледнел; но чрез минуту покачал головой, в смущении и в раздумье, и сознался, что «так и должно было быть»; затем быстро осведомился, «куда же выехали?».

Евгений Павлович между тем пристально его наблюдал, и всё это, то есть быстрота вопросов, простодушие их, смущение и в то же время какая-то странная откровенность, беспокойство и возбуждение, — всё это немало удивило его. Он, впрочем, любезно и подробно сообщил обо всем князю: тот многого еще не знал, и это был первый вестник из дома. Он подтвердил, что Аглая действительно была больна и трое суток почти напролет не спала все ночи, в жару; что теперь ей легче и она вне всякой опасности, но в положении нервном, истерическом... «Хорошо еще, что в доме полнейший мир! О прошедшем стараются не намекать даже и промежду себя, не только при Аглае. Родители уже переговорили между собой о путешествии за границу, осенью, тотчас после свадьбы Аделаиды; Аглая молча приняла первые заговаривания об этом». Он, Евгений Павлович, тоже, может быть, за границу поедет. Даже князь Щ., может быть, соберется, месяца на два, с Аделаидой, если позволят дела. Сам генерал останется. Переехали все теперь в Колмино, их имение, верстах в двадцати от Петербурга, где поместительный господский дом. Белоконская еще не уезжала в Москву и даже, кажется, нарочно осталась. Лизавета Прокофьевна сильно настаивала на том, что нет возможности оставаться в Павловске после всего происшедшего;

он, Евгений Павлович, сообщал ей каждодневно о слухах по городу. На елагинской даче тоже не нашли возможным поселиться.

— Ну, да и в самом деле, — прибавил Евгений Павлович, — согласитесь сами, можно ли выдержать... особенно зная всё, что у вас здесь ежечасно делается, в вашем доме, князь, и после ежедневных ваших посещений *туда*, несмотря на отказы...

— Да, да, да, вы правы, я хотел видеть Аглаю Ивановну... — закачал опять головою князь.

— Ах, милый князь, — воскликнул вдруг Евгений Павлович с одушевлением и с грустью, — как могли вы тогда допустить... всё, что произошло? Конечно, конечно, всё это было для вас так неожиданно... Я согласен, что вы должны были потеряться и... не могли же вы остановить безумную девушку, это было не в ваших силах! Но ведь должны же вы были понять, до какой степени серьезно и сильно эта девушка... к вам относилась. Она не захотела делиться с другой, и вы... и вы могли покинуть и разбить такое сокровище!

— Да, да, вы правы; да, я виноват, — заговорил опять князь в ужасной тоске, — и знаете: ведь она одна, одна только Аглая смотрела так на Настасью Филипповну... Остальные никто ведь так не смотрели.

— Да тем-то и возмутительно всё это, что тут и серьезного не было ничего! — вскричал Евгений Павлович, решительно увлекаясь. — Простите меня, князь, но... я... я думал об этом, князь; я много передумал; я знаю всё, что происходило прежде, я знаю всё, что было полгода назад, всё, и — всё это было не серьезно! Всё это было одно только головное увлечение, картина, фантазия, дым, и только одна испуганная ревность совершенно неопытной девушки могла принять это за что-то серьезное!

Тут Евгений Павлович, уже совершенно без церемонии, дал волю всему своему негодованию. Разумно и ясно и, повторяем, с чрезвычайною даже психологией, развернул он пред князем картину всех бывших собственных отношений князя к Настасье Филипповне. Евгений Павлович и всегда владел даром слова; теперь же достиг даже красноречия. «С самого начала, — провозгласил он, — началось у вас ложью; что ложью началось, то ложью и должно было кончиться; это закон природы. Я не согласен, и даже в негодовании, когда вас, — ну, там кто-нибудь, — называют идиотом; вы слишком умны для такого названия; но вы и настолько странны, чтобы не быть как все люди, согласитесь сами. Я решил, что фундамент всего происшедшего составился, во-первых, из вашей, так сказать, врожденной неопытности (заметьте, князь, это слово «врожденной»), потом из необычайного вашего простодушия; далее из феноменального отсутствия чувства меры (в чем вы несколько раз уже сознавались сами) и, наконец, из огромной, наплывной массы головных убеждений, которые вы, со всею необычайною честностью вашею, принимаете до сих пор за убеждения истинные, природные и непосредственные! Согласитесь сами, князь, что в ваши отношения к Настасье Филипповне с самого начала легло нечто *условно-демократическое* (я выражаюсь для краткости), так сказать, обаяние «женского вопроса» (чтобы выразиться еще короче). Я ведь в точности знаю всю эту странную скандальную сцену, происшедшую у Настасьи Филипповны, когда Рогожин принес свои деньги. Хотите, я разберу вам вас самих как по пальцам, покажу вам вас же самого как в зеркале, до такой точности я знаю, в чем было дело и почему оно так обернулось! Вы, юноша, жаждали в Швейцарии родины, стремились в Россию, как в страну неведомую, но обетованную; прочли много книг о

России, книг, может быть, превосходных, но для вас вредных; явились с первым пылом жажды деятельности, так сказать, набросились на деятельность! И вот, в тот же день, вам передают грустную и подымающую сердце историю об обиженной женщине, передают вам, то есть рыцарю, девственнику — и о женщине! В тот же день вы видите эту женщину; вы околдованы ее красотой, фантастическою, демоническою красотой (я ведь согласен, что она красавица). Прибавьте нервы, прибавьте вашу падучую, прибавьте нашу петербургскую, потрясающую нервы, оттепель; прибавьте весь этот день, в незнакомом и почти фантастическом для вас городе, день встреч и сцен, день неожиданных знакомств, день самой неожиданной действительности, день трех красавиц Епанчиных и в их числе Аглаи; прибавьте усталость, головокружение; прибавьте гостиную Настасьи Филипповны и тон этой гостиной, и... чего же вы могли ожидать от себя самого в ту минуту, как вы думаете?»

— Да, да; да, да, — качал головою князь, начиная краснеть, — да, это почти что ведь так; и знаете, я действительно почти всю ночь накануне не спал, в вагоне, и всю запрошлую ночь, и очень был расстроен...

— Ну да, конечно, к чему же я и клоню? — продолжал, горячась, Евгений Павлович. — Ясное дело, что вы, так сказать в упоении восторга, набросились на возможность заявить публично великодушную мысль, что вы, родовой князь и чистый человек, не считаете бесчестною женщину, опозоренную не по ее вине, а по вине отвратительного великосветского развратника. О господи, да ведь это понятно! Но не в том дело, милый князь, а в том, была ли тут правда, была ли истина в вашем чувстве, была ли натура или один только головной восторг? Как вы думаете: во храме прощена была женщина, такая же женщина, но ведь не сказано же ей было, что она хорошо делает, достойна всяких почестей и уважения? Разве не подсказал вам самим здравый смысл, чрез три месяца, в чем было дело? Да пусть она теперь невинна, — я настаивать не буду, потому что не хочу, — но разве все ее приключения могут оправдать такую невыносимую, бесовскую гордость ее, такой наглый, такой алчный ее эгоизм? Простите, князь, я увлекаюсь, но...

— Да, всё это может быть; может быть, вы и правы.... — забормотал опять князь, — она действительно очень раздражена, и вы правы, конечно, но...

— Сострадания достойна? Это хотите вы сказать, добрый мой князь? Но ради сострадания и ради ее удовольствия разве можно было опозорить другую, высокую и чистую девушку, унизить ее в *тех* надменных, в тех ненавистных глазах? Да до чего же после того будет доходить сострадание? Ведь это невероятное преувеличение! Да разве можно, любя девушку, так унизить ее пред ее же соперницей, бросить ее для другой, в глазах той же другой, после того как уже сами сделали ей честное предложение... а ведь вы сделали ей предложение, вы высказали ей это при родителях и при сестрах! После этого честный ли вы человек, князь, позвольте вас спросить? И... и разве вы не обманули божественную девушку, уверив, что любили ее?

— Да, да, вы правы, ах, я чувствую, что я виноват! — проговорил князь в невыразимой тоске.

— Да разве этого довольно? — вскричал Евгений Павлович в негодовании, — разве достаточно только вскричать: «Ах, я виноват!» Виноваты, а сами упорствуете! И где у вас сердце было тогда, ваше «христианское»-то сердце! Ведь вы видели же ее лицо в ту минуту: что она, меньше ли страдала, чем *та*, чем *ваша* другая, разлучница? Как же вы видели и допустили? Как?

— Да... ведь я и не допускал... — пробормотал несчастный князь.

— Как не допускали?

— Я, ей-богу, ничего не допускал. Я до сих пор не понимаю, как всё это сделалось... я — я побежал тогда за Аглаей Ивановной, а Настасья Филипповна упала в обморок; а потом меня всё не пускают до сих пор к Аглае Ивановне.

— Всё равно! Вы должны были бежать за Аглаей, хотя бы другая и в обмороке лежала!

— Да... да, я должен был... она ведь умерла бы! Она бы убила себя, вы ее не знаете, и... всё равно, я бы всё рассказал потом Аглае Ивановне, и... Видите, Евгений Павлович, я вижу, что вы, кажется, всего не знаете. Скажите, зачем меня не пускают к Аглае Ивановне? Я бы ей всё объяснил. Видите: обе они говорили тогда не про то, совсем не про то, потому так у них и вышло... Я никак не могу вам этого объяснить; но я, может быть, и объяснил бы Аглае... Ах, боже мой, боже мой! Вы говорите про ее лицо в ту минуту, как она тогда выбежала... о, боже мой, я помню! Пойдемте, пойдемте! — потащил он вдруг за рукав Евгения Павловича, торопливо вскакивая с места.

— Куда?

— Пойдемте к Аглае Ивановне, пойдемте сейчас!..

— Да ведь ее же в Павловске нет, я говорил, и зачем идти?

— Она поймет, она поймет! — бормотал, князь, складывая в мольбе свои руки, — она поймет, что всё это не *то*, а совершенно, совершенно другое!

— Как совершенно другое? Ведь вот вы все-таки женитесь? Стало быть, упорствуете... Женитесь вы или нет?

— Ну, да... женюсь; да, женюсь!

— Так как же не то?

— О нет, не то, не то! Это, это всё равно, что я женюсь, это ничего!

— Как всё равно и ничего? Не пустяки же ведь и это? Вы женитесь на любимой женщине, чтобы составить ее счастье, а Аглая Ивановна это видит и знает, так как же всё равно?

— Счастье? О нет! Я так только просто женюсь; она хочет; да и что в том, что я женюсь: я... Ну, да это всё равно! Только она непременно умерла бы. Я вижу теперь, что этот брак с Рогожиным был сумасшествие! Я теперь всё понял, чего прежде не понимал, и видите: когда они обе стояли тогда одна против другой, то я тогда лица Настасьи Филипповны не мог вынести... Вы не знаете, Евгений Павлович (понизил он голос таинственно), я этого никому не говорил никогда, даже Аглае, но я не могу лица Настасьи Филипповны выносить... Вы давеча правду говорили про этот тогдашний вечер у Настасьи Филипповны; но тут было еще одно, что вы пропустили, потому что не знаете: я смотрел на *ее лицо*! Я еще утром, на портрете, не мог его вынести... Вот у Веры, у Лебедевой, совсем другие глаза; я... я боюсь ее лица! — прибавил он с чрезвычайным страхом.

— Боитесь?

— Да; она — сумасшедшая! — прошептал он, бледнея.

— Вы наверно это знаете? — спросил Евгений Павлович с чрезвычайным любопытством.

— Да, наверно; теперь уже наверно; теперь, в эти дни, совсем уже наверно узнал!

— Что же вы над собой делаете? — в испуге вскричал Евгений Павлович. — Стало быть, вы женитесь с какого-то страху? Тут понять ничего нельзя... Даже и не любя, может быть?

— О, нет, я люблю ее всей душой! Ведь это... дитя; теперь она дитя, совсем дитя! О, вы ничего не знаете!

— И в то же время уверяли в своей любви Аглаю Ивановну?

— О, да, да!

— Как же? Стало быть, обеих хотите любить?

— О, да, да!

— Помилуйте, князь, что вы говорите, опомнитесь!

— Я без Аглаи... я непременно должен ее видеть! Я... я скоро умру во сне; я думал, что я нынешнюю ночь умру во сне. О, если б Аглая знала, знала бы всё... то есть непременно всё. Потому что тут надо знать всё, это первое дело! Почему мы никогда не можем *всего* узнать про другого, когда это надо, когда этот другой виноват!.. Я, впрочем, не знаю, что говорю, я запутался; вы ужасно поразили меня... И неужели у ней и теперь такое лицо, как тогда, когда она выбежала? О, да, я виноват! Вероятнее всего, что я во всем виноват! Я еще не знаю, в чем именно, но я виноват... Тут есть что-то такое, чего я не могу вам объяснить, Евгений Павлович, и слов не имею, но... Аглая Ивановна поймет! О, я всегда верил, что она поймет.

— Нет, князь, не поймет! Аглая Ивановна любила как женщина, как человек, а не как... отвлеченный дух. Знаете ли что, бедный мой князь: вернее всего, что вы ни ту, ни другую никогда не любили!

— Я не знаю... может быть, может быть; вы во многом правы, Евгений Павлович. Вы чрезвычайно умны, Евгений Павлович; ах, у меня голова начинает опять болеть, пойдемте к ней! Ради бога, ради бога!

— Да говорю же вам, что ее в Павловске нет, она в Колмине.

— Поедемте в Колмино, поедемте сейчас!

— Это не-воз-можно! — протянул Евгений Павлович, вставая.

— Послушайте, я напишу письмо; отвезите письмо!

— Нет, князь, нет! Избавьте от таких поручений, не могу!

Они расстались. Евгений Павлович ушел с убеждениями странными: и по его мнению выходило, что князь несколько не в своем уме. И что такое значит это *лицо*, которого он боится и которое так любит! И в то же время ведь он действительно, может быть, умрет без Аглаи, так что, может быть, Аглая никогда и не узнает, что он ее до такой степени любит! Ха-ха! И как это любить двух? Двумя разными любвями какими-нибудь? Это интересно... бедный идиот! И что с ним будет теперь?

X

Князь, однако же, не умер до своей свадьбы, ни наяву, ни «во сне», как предсказывал Евгению Павловичу. Может, он и в самом деле спал нехорошо и видел дурные сны; но днем, с людьми, казался добрым и даже довольным, иногда только очень задумчивым, но это когда бывал один. Со свадьбой спешили; она пришлась около недели спустя после посещения Евгения Павловича. При такой поспешности даже самые лучшие друзья князя, если б он имел таковых, должны были бы разочароваться в своих усилиях «спасти» несчастного сумасброда. Ходили слухи, будто бы в визите Евгения Павловича были отчасти виновны генерал Иван Федорович и супруга его, Лизавета Прокофьевна. Но если б они оба, по безмерной доброте своего сердца, и могли пожелать спасти жалкого безумца от бездны, то, конечно, должны были ограничиться только одною этою слабою попыткой; ни положение их, ни даже, может быть, сердечное расположение (что натурально) не могли соответствовать более серьезным усилиям. Мы упоминали, что даже и окружавшие князя отчасти восстали против него. Вера Лебедева, впрочем, ограничилась одними слезами наедине да еще тем, что больше сидела у себя дома и меньше заглядывала к князю, чем прежде. Коля в это время хоронил своего отца; старик умер от второго удара, дней восемь спустя после первого. Князь принял большое участие в горе семейства и в первые дни по нескольку часов проводил у Нины Александровны; был на похоронах и в церкви. Многие заметили, что публика, бывшая в церкви, с невольным шепотом встречала и провожала князя; то же бывало и на улицах и в саду: когда он проходил или проезжал, раздавался говор, называли его, указывали, слышалось имя Настасьи Филипповны. Ее искали и на похоронах, но на похоронах ее не было. Не было на похоронах и капитанши, которую успел-таки остановить и сократить вовремя Лебедев. Отпевание произвело на князя впечатление сильное и болезненное; он шепнул Лебедеву еще в церкви, в ответ на какой-то его вопрос, что в первый раз присутствует при православном отпевании и только в детстве помнит еще другое отпевание в какой-то деревенской церкви.

— Да-с, точно ведь и не тот самый человек лежит, во гробе-то-с, которого мы еще так недавно к себе председателем посадили, помните-с? — шепнул Лебедев князю. — Кого ищете-с?

— Так, ничего, мне показалось...

— Не Рогожина?

— Разве он здесь?

— В церкви-с.

— То-то мне как будто его глаза показались, — пробормотал князь в смущении, — да что ж... зачем он? Приглашен?

— И не думали-с. Он ведь и не знакомый совсем-с. Здесь ведь всякие-с, публика-с. Да чего вы так изумились? Я его теперь часто встречаю; раза четыре уже в последнюю неделю здесь встречал, в Павловске.

— Я его ни разу еще не видал... с того времени, — пробормотал князь.

Так как Настасья Филипповна тоже ни разу еще не сообщала ему о том, что встречала «с тех пор» Рогожина, то князь и заключил теперь, что Рогожин нарочно почему-нибудь на глаза не кажется. Весь этот день он был в сильной задумчивости; Настасья же Филипповна была необыкновенно весела весь тот день и в тот вечер.

Коля, помирившийся с князем еще до смерти отца, предложил ему пригласить в шафера (так как дело было насущное и неотлагательное) Келлера и Бурдовского. Он ручался за Келлера, что тот будет вести себя прилично, а может быть, и «пригодится», а про Бурдовского и говорить было нечего, человек тихий и скромный. Нина Александровна и Лебедев замечали князю, что если уж решена свадьба, то по крайней мере зачем в Павловске, да еще в дачный, в модный сезон, зачем так публично? Не лучше ли в Петербурге и даже на дому? Князю слишком ясно было, к чему клонились все эти страхи; но он ответил коротко и просто, что таково непременное желание Настасьи Филипповны.

Назавтра явился к князю и Келлер, повещенный о том, что он шафер. Прежде чем войти, он остановился в дверях и, как только увидел князя, поднял кверху правую руку с разогнутым указательным пальцем и прокричал в виде клятвы:

— Не пью!

Затем подошел к князю, крепко сжал и потряс ему обе руки и объявил, что, конечно, он вначале, как услышал, был враг, что и провозгласил за бильярдом, и не почему другому, как потому, что прочил за князя и ежедневно, с нетерпением друга, ждал видеть за ним не иначе как принцессу де Роган; но теперь видит сам, что князь мыслит по крайней мере в двенадцать раз благороднее, чем все они «вместе взятые»! Ибо ему нужны не блеск, не богатство и даже не почесть, а только — истина! Симпатии высоких особ слишком известны, а князь слишком высок своим образованием, чтобы не быть высокою особой, говоря вообще! «Но сволочь и всякая шушера судят иначе; в городе, в домах, в собраниях, на дачах, на музыке, в распивочных, за бильярдами только и толку, только и крику, что о предстоящем событии. Слышал, что хотят даже шаривари устроить под окнами, и это, так сказать, в первую ночь! Если вам нужен, князь, пистолет честного человека, то с полдюжины благородных выстрелов готов обменять, прежде чем вы подниметесь на другое утро с медового ложа». Советовал тоже, в опасении большого прилива жаждущих, по выходе из церкви, пожарную трубу на дворе приготовить; но Лебедев воспротивился: «Дом, говорит, на щепки разнесут, в случае пожарной-то трубы».

— Этот Лебедев интригует против вас, князь, ей-богу! Они хотят вас под казенную опеку взять, можете вы себе это представить, со всем, со свободною волей и с деньгами, то есть с двумя предметами, отличающими каждого из нас от четвероногого! Слышал, доподлинно слышал! Одна правда истинная!

Князь припомнил, что как будто и сам он что-то в этом роде уже слышал, но, разумеется, не обратил внимания. Он и теперь только рассмеялся и тут же опять забыл. Лебедев действительно некоторое время хлопотал; расчеты этого человека всегда зарождались как бы по вдохновению и от излишнего жару усложнялись, разветвлялись и удалялись от первоначального пункта во все стороны; вот почему ему мало что и удавалось в его жизни. Когда он пришел потом, почти уже в день свадьбы, к князю каяться (у него была непременная привычка приходить всегда каяться к тем, против кого он интриговал, и особенно если не удавалось), то объявил ему, что он рожден Талейраном и неизвестно каким образом остался лишь Лебедевым. Затем обнаружил пред ним всю игру, причем заинтересовал князя чрезвычайно. По словам его, он начал с того, что принялся искать покровительства высоких особ, на которых бы в случае надобности ему опереться, и ходил к генералу Ивану Федоровичу. Генерал Иван Федорович был в недоумении, очень желал добра «молодому человеку», но объявил, что «при всем желании спасти, ему здесь действовать неприлично». Лизавета Прокофьевна ни слышать, ни видеть его не захотела; Евгений Павлович и князь Щ. только руками отмахивались. Но он, Лебедев, духом не упал и советовался с одним тонким юристом, почтенным старичком, большим ему приятелем и почти благодетелем; тот заключил, что дело совершенно возможное, лишь бы были свидетели компетентные умственного расстройства и совершенного помешательства, да при этом, главное, покровительство высоких особ. Лебедев не уныл и тут и однажды привел к князю даже доктора, тоже почтенного старичка, дачника, с Анной на шее, единственно для того, чтоб осмотреть, так сказать, самую местность, ознакомиться с князем и покамест не официально, но, так сказать, дружески сообщить о нем свое заключение. Князь помнил это посещение к нему доктора; он помнил, что Лебедев еще накануне приставал к нему, что он нездоров, и когда князь решительно отказался от медицины, то вдруг явился с доктором, под предлогом, что сейчас они оба от господина Терентьева, которому очень худо, и что доктор имеет кое-что сообщить о больном князю. Князь похвалил Лебедева и принял доктора с чрезвычайным радушием. Тотчас же разговорились о больном Ипполите; доктор попросил рассказать подробнее тогдашнюю сцену самоубийства, и князь совершенно увлек его своим рассказом и объяснением события. Заговорили о петербургском климате, о болезни самого князя, о Швейцарии, о Шнейдере. Изложением системы лечения Шнейдера и рассказами князь до того заинтересовал доктора, что тот просидел два часа; при этом курил превосходные сигары князя, а со стороны Лебедева явилась превкусная наливка, которую принесла Вера, причем доктор, женатый и семейный человек, пустился перед Верой в особые комплименты, чем и возбудил в ней глубокое негодование. Расстались друзьями. Выйдя от князя, доктор сообщил Лебедеву, что если всё таких брать в опеку, так кого же бы приходилось делать опекунами? На трагическое же изложение, со стороны Лебедева, предстоящего вскорости события доктор лукаво и коварно качал головой и, наконец, заметил, что, не говоря уже о том, «мало ли кто на ком женится», «обольстительная особа, сколько он по крайней мере слышал, кроме непомерной красоты, что уже одно может увлечь человека с состоянием, обладает и капиталами, от Тоцкого и от Рогожина, жемчугами и бриллиантами, шалями и мебелями, а потому предстоящий выбор не только не выражает со стороны дорогого князя, так сказать, особенной, бьющей в очи глупости, но даже свидетельствует о хитрости тонкого светского ума и расчета, а стало быть, способствует к заключению противоположному и для князя совершенно приятному»... Эта мысль поразила и Лебедева; с тем он и остался, и теперь, прибавил он князю, «теперь, кроме преданности и пролития крови, ничего от меня не увидите; с тем и явился».

Развлекал в эти последние дни князя и Ипполит; он слишком часто присылал за ним. Они жили недалеко, в маленьком домике; маленькие дети, брат и сестра Ипполита, были по крайней мере тем рады даче, что спасались от больного в сад; бедная же капитанша оставалась во всей его воле и вполне его жертвой; князь должен был их делить и мирить ежедневно, и больной продолжал называть его своею «нянькой», в то же время как бы не смея и не презирать его за его роль примирителя. Он был в чрезвычайной претензии на Колю за то, что тот почти не ходил к нему, оставаясь сперва с умиравшим отцом, а потом с овдовевшею матерью. Наконец он поставил целью своих насмешек ближайший брак князя с Настасьей Филипповной и кончил тем, что оскорбил князя и вывел его наконец из себя: тот перестал посещать его. Через два дня приплелась поутру капитанша и в слезах просила князя пожаловать к ним, не то *тот* ее сгложет. Она прибавила, что он желает открыть большой секрет. Князь пошел. Ипполит желал помириться, заплакал и после слез, разумеется, еще пуще озлобился, но только трусил выказать злобу. Он был очень плох, и по всему было видно, что теперь уже умрет скоро. Секрета не было никакого, кроме одних чрезвычайных, так сказать, задыхающихся от волнения (может быть, выделанного) просьб «беречься Рогожина». «Это человек такой, который своего не уступит; это, князь, не нам с вами чета: этот если захочет, то уж не дрогнет...» и пр. и пр. Князь стал расспрашивать подробнее, желал добиться каких-нибудь фактов; но фактов не было никаких, кроме личных ощущений и впечатлений Ипполита. К чрезвычайному удовлетворению своему, Ипполит кончил тем, что напугал наконец князя ужасно. Сначала князь не хотел отвечать на некоторые особенные его вопросы и только улыбался на советы: «бежать даже хоть за границу; русские священники есть везде, и там обвенчаться можно». Но наконец Ипполит кончил следующею мыслью: «Я ведь боюсь лишь за Аглаю Ивановну: Рогожин знает, как вы ее любите; любовь за любовь; вы у него отняли Настасью Филипповну, он убьет Аглаю Ивановну; хоть она теперь и не ваша, а все-таки ведь вам тяжело будет, не правда ли?» Он достиг цели: князь ушел от него сам не свой.

Эти предостережения о Рогожине пришлись уже накануне свадьбы. В этот же вечер, в последний раз пред венцом, виделся князь и с Настасьей Филипповной; но Настасья Филипповна не в состоянии была успокоить его и даже, напротив, в последнее время всё более и более усиливала его смущение. Прежде, то есть несколько дней назад, она, при свиданиях с ним, употребляла все усилия, чтобы развеселить его, боялась ужасно его грустного вида; пробовала даже петь ему; всего же чаще рассказывала ему всё, что могла запомнить смешного. Князь всегда почти делал вид, что очень смеется, а иногда и в самом деле смеялся блестящему уму и светлому чувству, с которым она иногда рассказывала, когда увлекалась, а она увлекалась часто. Видя же смех князя, видя произведенное на него впечатление, она приходила в восторг и начинала гордиться собой. Но теперь грусть и задумчивость ее возрастали почти с каждым часом. Мнения его о Настасье Филипповне были установлены, не то, разумеется, всё в ней показалось бы ему теперь загадочным и непонятным. Но он искренно верил, что она может еще воскреснуть. Он совершенно справедливо сказал Евгению Павловичу, что искренно и вполне ее любит, и в любви его к ней заключалось действительно как бы влечение к какому-то жалкому и больному ребенку, которого трудно и даже невозможно оставить на свою волю. Он не объяснял никому своих чувств к ней и даже не любил говорить об этом, если и нельзя было миновать разговора; с самою же Настасьей Филипповной они никогда, сидя вместе, не рассуждали «о чувстве», точно оба слово себе такое дали. В их обыкновенном, веселом и оживленном разговоре мог всякий участвовать. Дарья Алексеевна рассказывала потом, что всё это время только любовалась и радовалась на них глядя.

Но этот же взгляд его на душевное и умственное состояние Настасьи Филипповны избавлял его отчасти и от многих других недоумений. Теперь это была совершенно иная женщина, чем та, какую он знал месяца три назад. Он уже не задумывался теперь, например, почему она тогда бежала от брака с ним, со слезами, с проклятиями и упреками, а теперь настаивает сама скорее на свадьбе? «Стало быть, уж не боится, как тогда, что браком с ним составит его несчастье», — думал князь. Такая быстро возродившаяся уверенность в себе, на его взгляд, не могла быть в ней натуральною. Не из одной же ненависти к Аглае, опять-таки, могла произойти эта уверенность: Настасья Филипповна несколько глубже умела чувствовать. Не из страху же перед участью с Рогожиным? Одним словом, тут могли иметь участие и все эти причины вместе с прочим; но для него было всего яснее, что тут именно то, что он подозревает уже давно, и что бедная, больная душа не вынесла. Всё это, хоть и избавляло, в своем роде, от недоумений, не могло дать ему ни спокойствия, ни отдыха во всё это время. Иногда он как бы старался ни о чем не думать; на брак он, кажется, и в самом деле смотрел как бы на какую-то неважную формальность; свою собственную судьбу он слишком дешево ценил. Что же касается до возражений, до разговоров, вроде разговора с Евгением Павловичем, то тут он решительно бы ничего не мог ответить и чувствовал себя вполне не компетентным, а потому и удалялся от всякого разговора в этом роде.

Он, впрочем, заметил, что Настасья Филипповна слишком хорошо знала и понимала, что значила для него Аглая. Она только не говорила, но он видел ее «лицо» в то время, когда она заставала его иногда, еще вначале, собирающимся к Епанчиным. Когда выехали Епанчины, она точно просияла. Как ни был он незаметлив и недогадлив, но его стала было беспокоить мысль, что Настасья Филипповна решится на какой-нибудь скандал, чтобы выжить Аглаю из Павловска. Шум и грохот по всем дачам о свадьбе был, конечно, отчасти поддержан Настасьей Филипповной для того, чтобы раздражить соперницу. Так как Епанчиных трудно было встретить, то Настасья Филипповна, посадив однажды в свою коляску князя, распорядилась проехать с ним мимо самых окон их дачи. Это было для князя ужасным сюрпризом; он спохватился, по своему обыкновению, когда уже нельзя было поправить дела и когда коляска уже проезжала мимо самых окон. Он не сказал ничего, но после этого был два дня сряду болен; Настасья Филипповна уже не повторяла более опыта. В последние дни пред свадьбой она сильно стала задумываться; она кончала всегда тем, что побеждала свою грусть и становилась опять весела, но как-то тише, не так шумно, не так счастливо весела, как прежде, еще так недавно. Князь удвоил свое внимание. Любопытно было ему, что она никогда не заговаривала с ним о Рогожине. Только раз, дней за пять до свадьбы, к нему вдруг прислали от Дарьи Алексеевны, чтоб он шел немедля, потому что с Настасьей Филипповной очень дурно. Он нашел ее в состоянии, похожем на совершенное помешательство: она вскрикивала, дрожала, кричала, что Рогожин спрятан в саду, у них же в доме, что она его сейчас видела, что он ее убьет ночью... зарежет! Целый день она не могла успокоиться. Но в тот же вечер, когда князь на минуту зашел к Ипполиту, капитанша, только что возвратившаяся из города, куда ездила по каким-то своим делишкам, рассказала, что к ней в Петербурге заходил сегодня на квартиру Рогожин и расспрашивал о Павловске. На вопрос князя, когда именно заходил Рогожин, капитанша назвала почти тот самый час, в который видела будто бы его сегодня, в своем саду, Настасья Филипповна. Дело объяснялось простым миражем; Настасья Филипповна сама ходила к капитанше подробнее справиться и была чрезвычайно утешена.

Накануне свадьбы князь оставил Настасью Филипповну в большом одушевлении: из Петербурга прибыли от модистки завтрашние наряды, венчальное платье, головной убор и прочее и прочее. Князь и не ожидал, что она будет до такой степени возбуждена нарядами; сам он всё хвалил, и от похвал его она становилась еще счастливее. Но она проговорилась: она уже слышала, что в городе негодование, и что действительно устраивается какими-то повесами шаривари, с музыкой и чуть ли не со стихами, нарочно сочиненными, и что всё это чуть ли не одобряется и остальным обществом. И вот ей именно захотелось теперь еще больше поднять пред ними голову, затмить всех вкусом и богатством своего наряда, — «пусть же кричат, пусть свистят, если осмелятся!». От одной мысли об этом у ней сверкали глаза. Была у ней еще одна тайная мечта, но вслух она ее не высказывала: ей мечталось, что Аглая, или по крайней мере кто-нибудь из посланных ею, будет тоже в толпе, инкогнито, в церкви, будет смотреть и видеть, и она про себя приготовлялась. Рассталась она с князем вся занятая этими мыслями, часов в одиннадцать вечера; но еще не пробило и полуночи, как прибежали к князю от Дарьи Алексеевны, чтобы «шел скорее, что очень худо». Князь застал невесту запертою в спальне, в слезах, в отчаянии, в истерике; она долго ничего не слыхала, что говорили ей сквозь запертую дверь, наконец отворила, впустила одного князя, заперла за ним дверь и пала пред ним на колени. (Так, по крайней мере, передавала потом Дарья Алексеевна, успевшая кое-что подглядеть.)

— Что я делаю! Что я делаю! Что я с тобой-то делаю! — восклицала она, судорожно обнимая его ноги.

Князь целый час просидел с нею; мы не знаем, про что они говорили. Дарья Алексеевна рассказывала, что они расстались через час примиренно и счастливо. Князь присылал еще раз в эту ночь осведомиться, но Настасья Филипповна уже заснула. Наутро, еще до пробуждения ее, являлись еще два посланные к Дарье Алексеевне от князя, и уже третьему посланному поручено было передать, что «около Настасьи Филипповны теперь целый рой модисток и парикмахеров из Петербурга, что вчерашнего и следу нет, что она занята, как только может быть занята своим нарядом такая красавица пред венцом, и что теперь, именно в сию минуту, идет чрезвычайный конгресс о том, что именно надеть из бриллиантов и как надеть?» Князь успокоился совершенно.

Весь последующий анекдот об этой свадьбе рассказывался людьми знающими следующим образом и, кажется, верно:

Венчание назначено было в восемь часов пополудни; Настасья Филипповна готова была еще в семь. Уже с шести часов начали мало-помалу собираться толпы зевак кругом дачи Лебедева, но особенно у дома Дарьи Алексеевны; с семи часов начала наполняться и церковь. Вера Лебедева и Коля были в ужаснейшем страхе за князя; у них, однако, было много хлопот дома: они распоряжались в комнатах князя приемом и угощением. Впрочем, после венца почти и не предполагалось никакого собрания; кроме необходимых лиц, присутствующих при бракосочетании, приглашены были Лебедевым Птицыны, Ганя, доктор с Анной на шее, Дарья Алексеевна. Когда князь полюбопытствовал у Лебедева, для чего он вздумал позвать доктора, «почти вовсе незнакомого», то Лебедев самодовольно отвечал: «Орден на шее, почтенный человек-с, для виду-с», — и рассмешил князя. Келлер и Бурдовский, во фраках и в перчатках, смотрели очень прилично; только Келлер всё еще смущал немного князя и своих доверителей некоторыми откровенными наклонностями к битве и смотрел на зевак, собиравшихся около дома, очень враждебно. Наконец, в половине восьмого, князь отправился в церковь, в карете. Заметим кстати, что он сам нарочно не хотел пропустить ни одного из принятых обычаев и обыкновений; всё делалось гласно, явно, открыто и «как следует». В церкви, пройдя кое-как сквозь толпу, при беспрерывном шепоте и восклицаниях публики, под руководством Келлера, бросавшего направо и налево грозные взгляды, князь скрылся на время в алтаре, а Келлер отправился за невестой, где у крыльца дома Дарьи Алексеевны нашел толпу не только вдвое или втрое погуще, чем у князя, но даже, может быть, и втрое поразвязнее. Подымаясь на крыльцо, он услышал такие восклицания, что не мог выдержать и уже совсем было обратился к публике с намерением произнести надлежащую речь, но, к счастию, был остановлен Бурдовским и самою Дарьей Алексеевной, выбежавшею с крыльца; они подхватили и увели его силой в комнаты. Келлер был раздражен и торопился. Настасья Филипповна поднялась, взглянула еще раз в зеркало, заметила, с «кривою» улыбкой, как передавал потом Келлер, что она «бледна как мертвец», набожно поклонилась образу и вышла на крыльцо. Гул голосов приветствовал ее появление. Правда, в первое мгновение послышался смех, аплодисменты, чуть не свистки; но через мгновение же раздались и другие голоса:

— Экая красавица! — кричали в толпе.

— Не она первая, не она и последняя!

— Венцом всё прикрывается, дураки!

— Нет, вы найдите-ка такую раскрасавицу, ура! — кричали ближайшие.

— Княгиня! За такую княгиню я бы душу продал! — закричал какой-то канцелярист. — «Ценою жизни ночь мою!..»

Настасья Филипповна вышла действительно бледная как платок; но большие черные глаза ее сверкали на толпу как раскаленные угли; этого-то взгляда толпа и не вынесла; негодование обратилось в восторженные крики. Уже отворились дверцы кареты, уже Келлер подал невесте руку, как вдруг она вскрикнула и бросилась с крыльца прямо в народ. Все провожавшие ее оцепенели от изумления, толпа раздвинулась пред нею, и в пяти, в шести шагах от крыльца показался вдруг Рогожин. Его-то взгляд и поймала в толпе Настасья Филипповна. Она добежала до него как безумная и схватила его за обе руки.

— Спаси меня! Увези меня! Куда хочешь, сейчас!

Рогожин подхватил ее почти на руки и чуть не поднес к карете. Затем, в один миг, вынул из портмоне сторублевую и протянул ее к кучеру.

— На железную дорогу, а поспеешь к машине, так еще сторублевую!

И сам прыгнул в карету за Настасьей Филипповной и затворил дверцы. Кучер не сомневался ни одной минуты и ударил по лошадям. Келлер сваливал потом на нечаянность: «Еще одна секунда, и я бы нашелся, я бы не допустил!» — объяснял он, рассказывая приключение. Он было схватил с Бурдовским другой экипаж, тут же случившийся, и бросился было в погоню, но раздумал, уже дорогой, что «во всяком случае поздно! Силой не воротишь!»

— Да и князь не захочет! — решил потрясенный Бурдовский.

А Рогожин и Настасья Филипповна доскакали до станции вовремя. Выйдя из кареты, Рогожин, почти садясь на машину, успел еще остановить одну проходившую девушку в старенькой, но приличной темной мантильке и в фуляровом платочке, накинутом на голову.

— Угодно пятьдесят рублей за вашу мантилью! — протянул он вдруг деньги девушке. Покамест та успела изумиться, пока еще собиралась понять, он уже всунул ей в руку пятидесятирублевую, снял мантилью с платком и накинул всё на плечи и на голову Настасье Филипповне. Слишком великолепный наряд ее бросался в глаза, остановил бы внимание в вагоне, и потом только поняла девушка, для чего у нее купили, с таким для нее барышом, ее старую, ничего не стоившую рухлядь.

Гул о приключении достиг в церковь с необыкновенною быстротой. Когда Келлер проходил к князю, множество людей, совершенно ему незнакомых, бросались его расспрашивать. Шел громкий говор, покачиванья головами, даже смех; никто не выходил из церкви, все ждали, как примет известие жених. Он побледнел, но принял известие тихо, едва слышно проговорив: «Я боялся; но я все-таки не думал, что будет это...» — и потом, помолчав немного, прибавил: «Впрочем... в ее состоянии... это совершенно в порядке вещей». Такой отзыв уже сам Келлер называл потом «беспримерною философией». Князь вышел из церкви, по-видимому, спокойный и бодрый; так по крайней мере многие заметили и потом рассказывали. Казалось, ему очень хотелось добраться до дому и остаться поскорей одному; но этого ему не дали. Вслед за ним вошли в комнату некоторые из приглашенных, между прочими Птицын, Гаврила Ардалионович и с ними доктор, который тоже не располагал уходить. Кроме того, весь дом был буквально осажден праздною публикой. Еще с террасы услыхал князь, как Келлер и Лебедев вступили в жестокий спор с некоторыми, совершенно неизвестными, хотя на вид и чиновными людьми, во что бы то ни стало желавшими войти на террасу. Князь подошел к спорившим, осведомился в чем дело и, вежливо отстранив Лебедева и Келлера, деликатно обратился к одному уже седому и плотному господину, стоявшему на ступеньках крыльца во главе нескольких других желающих, и пригласил его сделать честь удостоить его своим посещением. Господин законфузился, но, однако ж, пошел; за ним другой, третий. Из всей толпы выискалось человек семь-восемь посетителей, которые и вошли, стараясь сделать это как можно развязнее; но более охотников не оказалось, и вскоре, в толпе же, стали осуждать выскочек. Вошедших усадили, начался разговор, стали подавать чай, — всё это чрезвычайно прилично, скромно, к некоторому удивлению вошедших. Было, конечно, несколько попыток подвеселить разговор и навести на «надлежащую» тему; произнесено было несколько нескромных вопросов, сделано несколько «лихих» замечаний. Князь отвечал всем так просто и радушно и в то же время с таким достоинством, с такою доверчивостью к порядочности своих гостей, что нескромные вопросы затихли сами собою. Мало-помалу разговор начал становиться почти серьезным. Один господин, привязавшись к слову, вдруг поклялся, в чрезвычайном негодовании, что не продаст имения, что бы там ни случилось; что, напротив, будет ждать и выждет и что «предприятия лучше денег»; «вот-с, милостивый государь, в чем состоит моя экономическая система-с, можете узнать-с». Так как он обращался к князю, то князь с жаром похвалил его, несмотря на то, что Лебедев шептал ему на ухо, что у этого господина ни кола ни двора и никогда никакого имения не бывало. Прошел почти час, чай отпили, и после чаю гостям стало наконец совестно еще дольше сидеть. Доктор и седой господин с жаром простились с князем; да и все прощались с жаром и с шумом. Произносились пожелания и мнения, вроде того, что «горевать нечего и что, может быть, оно всё этак и к лучшему», и прочее. Были, правда, попытки спросить шампанского, но старшие из гостей остановили младших. Когда все разошлись, Келлер нагнулся к Лебедеву и сообщил ему: «Мы бы с тобой затеяли крик, подрались, осрамились, притянули бы полицию; а он, вон, друзей себе приобрел новых, да еще каких; я их знаю!» Лебедев, который был довольно «готов», вздохнул и произнес: «Утаил от премудрых и разумных и открыл младенцам, я это говорил еще и прежде про него, но теперь прибавляю, что и самого младенца Бог сохранил, спас от бездны, он и все святые его!»

Наконец, около половины одиннадцатого, князя оставили одного, у него болела голова; всех позже ушел Коля, помогший ему переменить подвенечное одеяние на домашнее платье. Они расстались горячо. Коля не распространялся о событии, но обещался прийти завтра пораньше. Он же засвидетельствовал потом, что князь ни о чем не предупредил его в последнее прощанье, стало быть, и от него даже скрывал свои намерения. Скоро во всем доме почти никого не осталось: Бурдовский ушел к Ипполиту, Келлер и Лебедев куда-то отправились. Одна только Вера Лебедева оставалась еще некоторое время в комнатах, приводя их наскоро из праздничного в обыкновенный вид. Уходя, она заглянула к князю. Он сидел за столом, опершись на него обоими локтями и закрыв руками голову. Она тихо подошла к нему и тронула его за плечо; князь в недоумении посмотрел на нее и почти с минуту как бы припоминал; но припомнив и всё сообразив, он вдруг пришел в чрезвычайное волнение. Всё, впрочем, разрешилось чрезвычайною и горячею просьбой к Вере, чтобы завтра утром, с первой машиной, в семь часов, постучались к нему в комнату. Вера обещалась; князь начал с жаром просить ее никому об этом не сообщать; она пообещалась и в этом, и, наконец, когда уже совсем отворила дверь, чтобы выйти, князь остановил ее еще в третий раз, взял за руки, поцеловал их, потом поцеловал ее самое в лоб и с каким-то «необыкновенным» видом выговорил ей: «До завтра!» Так по крайней мере передавала потом Вера. Она ушла в большом за него страхе. Поутру она несколько ободрилась, когда в восьмом часу, по уговору, постучалась в его дверь и возвестила ему, что машина в Петербург уйдет через четверть часа; ей показалось, что он отворил ей совершенно бодрый, и даже с улыбкой. Он почти не раздевался ночью, но, однако же, спал. По его мнению, он мог возвратиться сегодня же. Выходило, стало быть, что одной ей он нашел возможным и нужным сообщить в эту минуту, что отправляется в город.

XI

Час спустя он уже был в Петербурге, а в десятом часу звонил к Рогожину. Он вошел с парадного входа, и ему долго не отворяли. Наконец отворилась дверь из квартиры старушки Рогожиной, и показалась старенькая, благообразная служанка.

— Парфена Семеновича дома нет, — возвестила она из двери, — вам кого?

— Парфена Семеновича.

— Их дома нет-с.

Служанка осматривала князя с диким любопытством.

— По крайней мере скажите, ночевал ли он дома? И... один ли воротился вчера?

Служанка продолжала смотреть, но не отвечала.

— Не было ли с ним, вчера, здесь... ввечеру... Настасьи Филипповны?

— А позвольте спросить, вы кто таков сами изволите быть?

— Князь Лев Николаевич Мышкин, мы очень хорошо знакомы.

— Их нету дома-с.

Служанка потупила глаза.

— А Настасьи Филипповны?

— Ничего я этого не знаю-с.

— Постойте, постойте! Когда же воротится?

— И этого не знаем-с.

Двери затворились.

Князь решил зайти через час. Заглянув во двор, он повстречал дворника.

— Парфен Семенович дома?

— Дома-с.

— Как же мне сейчас сказали, что нет дома?

— У него сказали?

— Нет, служанка, от матушки ихней, а к Парфену Семеновичу я звонил, никто не отпер.

— Может, и вышел, — решил дворник, — ведь не сказывается. А иной раз и ключ с собой унесет, по три дня комнаты запертые стоят.

— Вчера ты наверно знаешь, что дома был?

— Был. Иной раз с парадного хода зайдет, и не увидишь.

— А Настасьи Филипповны с ним вчера не было ли?

— Этого не знаем-с. Жаловать-то не часто изволит; кажись бы, знамо было, кабы пожаловала.

Князь вышел и некоторое время ходил в раздумье по тротуару. Окна комнат, занимаемых Рогожиным, были все заперты; окна половины, занятой его матерью, почти все были отперты; день был ясный, жаркий; князь перешел через улицу на противоположный тротуар и остановился взглянуть еще раз на окна: не только они были заперты, но почти везде были опущены белые сторы.

Он стоял с минуту, и — странно — вдруг ему показалось, что край одной сторы приподнялся и мелькнуло лицо Рогожина, мелькнуло и исчезло в то же мгновение. Он подождал еще и уже решил было идти и звонить опять, но раздумал и отложил на час: «А кто знает, может, оно только померещилось...»

Главное, он спешил теперь в Измайловский полк, на бывшую недавно квартиру Настасьи Филипповны. Ему известно было, что она, переехав, по его просьбе, три недели назад из Павловска, поселилась в Измайловском полку у одной бывшей своей доброй знакомой, вдовы-учительши, семейной и почтенной дамы, которая отдавала от себя хорошую меблированную квартиру, чем почти и жила. Вероятнее всего, что Настасья Филипповна, переселяясь опять в Павловск, оставила квартиру за собой; по крайней мере весьма вероятно, что она ночевала в этой квартире, куда, конечно, доставил ее вчера Рогожин. Князь взял извозчика. Дорогой ему пришло в голову, что отсюда и следовало бы начать, потому что невероятно, чтоб она приехала прямо ночью к Рогожину. Тут припомнились ему и слова дворника, что Настасья Филипповна не часто изволила жаловать. Если и без того не часто, то с какой стати теперь останавливаться у Рогожина? Ободряя себя этими утешениями, князь приехал наконец в Измайловский полк ни жив ни мертв.

К совершенному поражению его, у учительши не только не слыхали ни вчера, ни сегодня о Настасье Филипповне, но на него самого выбежали смотреть как на чудо. Всё многочисленное семейство учительши, — всё девочки и погодки, начиная с пятнадцати до семи лет, — высыпало вслед за матерью и окружило его, разинув на него рты. За ними вышла тощая, желтая тетка их, в черном платке, и, наконец, показалась бабушка семейства, старенькая старушка в очках. Учительша очень просила войти и сесть, что князь и исполнил. Он тотчас догадался, что им совершенно известно, кто он такой, и что они отлично знают, что вчера должна была быть его свадьба, и умирают от желания расспросить и о свадьбе и о том чуде, что вот он спрашивает у них о той, которая должна бы быть теперь не иначе как с ним вместе, в Павловске, но деликатятся. В кратких чертах он удовлетворил их любопытство насчет свадьбы. Начались удивления, ахи и вскрикивания, так что он принужден был рассказать почти и всё остальное, в главных чертах разумеется. Наконец совет премудрых и волновавшихся дам решил, что надо непременно и прежде всего достучаться к Рогожину и узнать от него обо всем положительно. Если же его нет дома (о чем узнать наверно) или он не захочет сказать, то съездить в Семеновский полк, к одной даме, немке, знакомой Настасьи Филипповны, которая живет с матерью: может быть, Настасья Филипповна, в своем волнении и желая скрыться, заночевала у них. Князь встал совершенно убитый; они рассказывали потом, что он «ужасно как побледнел»; действительно, у него почти подсекались ноги. Наконец сквозь ужасную трескотню голосов он различил, что они уговариваются действовать вместе с ним и спрашивают его городской адрес. Адреса у него не оказалось; посоветовали где-нибудь остановиться в гостинице. Князь подумал и дал адрес своей прежней гостиницы, той самой, где с ним недель пять назад был припадок. Затем отправился опять к Рогожину.

На этот раз не только не отворили у Рогожина, но не отворилась даже и дверь в квартиру старушки. Князь сошел к дворнику и насилу отыскал его на дворе; дворник был чем-то занят и едва отвечал, едва даже глядел, но все-таки объявил положительно, что Парфен Семенович «вышел с самого раннего утра, уехал в Павловск и домой сегодня не будет».

— Я подожду; может, он к вечеру будет?

— А может, и неделю не будет, кто его знает.

— Стало быть, все-таки ночевал же сегодня?

— Ночевал-то он ночевал...

Всё это было подозрительно и нечисто. Дворник, очень могло быть, успел в этот промежуток получить новые инструкции: давеча даже был болтлив, а теперь просто отворачивается. Но князь решил еще раз зайти часа через два и даже постеречь у дома, если надо будет, а теперь оставалась еще надежда у немки, и он поскакал в Семеновский полк.

Но у немки его даже и не поняли. По некоторым промелькнувшим словечкам он даже мог догадаться, что красавица немка, недели две тому назад, рассорилась с Настасьей Филипповной, так что во все эти дни о ней ничего не слыхала, и всеми силами давала теперь знать, что и не интересуется слышать, «хотя бы она за всех князей в мире вышла». Князь поспешил выйти. Ему пришла, между прочим, мысль, что она, может быть, уехала, как тогда, в Москву, а Рогожин, разумеется, за ней, а может, и с ней. «По крайней мере хоть какие-нибудь следы отыскать!» Он вспомнил, однако, что ему нужно остановиться в трактире, и поспешил на Литейную; там тотчас же отвели ему нумер. Коридорный осведомился, не желает ли он закусить; он в рассеянии ответил, что желает, и, спохватившись, ужасно бесился на себя, что закуска задержала его лишних полчаса, и только потом догадался, что его ничто не связывало оставить поданную закуску и не закусывать. Странное ощущение овладело им в этом тусклом и душном коридоре, ощущение, мучительно стремившееся осуществиться в какую-то мысль; но он всё не мог догадаться, в чем состояла эта новая напрашивающаяся мысль. Он вышел наконец сам не свой из трактира; голова его кружилась; но — куда, однако же, ехать? Он бросился опять к Рогожину.

Рогожин не возвращался; на звон не отпирали; он позвонил к старушке Рогожиной; отперли и тоже объявили, что Парфена Семеновича нет и, может, дня три не будет. Смущало князя то, что его по-прежнему с таким диким любопытством осматривали. Дворника на этот раз он совсем не нашел. Он вышел, как давеча, на противоположный тротуар, смотрел на окна и ходил на мучительном зное с полчаса, может и больше; на этот раз ничего не шевельнулось; окна не отворились, белые сторы были неподвижны. Ему окончательно пришло в голову, что, наверно, и давеча ему только так померещилось, что даже и окна, по всему видно, были так тусклы и так давно не мыты, что трудно было бы различить, если бы даже и в самом деле посмотрел кто-нибудь сквозь стекла. Обрадовавшись этой мысли, он поехал опять в Измайловский полк к учительше.

Там его уже ждали. Учительша уже перебывала в трех, в четырех местах и даже заезжала к Рогожину: ни слуху ни духу. Князь выслушал молча, вошел в комнату, сел на диван и стал смотреть на всех, как бы не понимая, о чем ему говорят. Странно: то был он чрезвычайно заметлив, то вдруг становился рассеян до невозможности. Всё семейство заявляло потом, что это был «на удивление» странный человек в этот день, так что, «может, тогда уже всё и обозначилось». Он наконец поднялся и попросил, чтоб ему показали комнаты Настасьи Филипповны. Это были две большие, светлые, высокие комнаты, весьма порядочно меблированные и не дешево стоившие. Все эти дамы рассказывали потом, что князь осматривал в комнатах каждую вещь, увидал на столике развернутую книгу из библиотеки для чтения, французский роман «Madame Bovary», заметил, загнул страницу, на которой была развернута книга, попросил позволения взять ее с собой и тут же, не выслушав возражения, что книга из библиотеки, положил ее себе в карман. Сел у отворенного окна и, увидав ломберный столик, исписанный мелом, спросил: кто играл? Они рассказали ему, что играла Настасья Филипповна каждый вечер с Рогожиным в дураки, в преферанс, в мельники, в вист, в свои козыри — во все игры, и что карты завелись только в самое последнее время, по переезде из Павловска в Петербург, потому что Настасья Филипповна всё жаловалась, что скучно и что Рогожин сидит целые вечера, молчит и говорить ни о чем не умеет, и часто плакала; и вдруг на другой вечер Рогожин вынимает из кармана карты; тут Настасья Филипповна рассмеялась, и стали играть. Князь спросил: где карты, в которые играли? Но карт не оказалось; карты привозил всегда сам Рогожин в кармане, каждый день по новой колоде, и потом увозил с собой.

Эти дамы посоветовали съездить еще раз к Рогожину и еще раз покрепче постучаться, но не сейчас, а уже вечером: «Может, что и окажется». Сама же учительша вызвалась между тем съездить до вечера в Павловск к Дарье Алексеевне: не знают ли там чего? Князя просили пожаловать часов в десять вечера, во всяком случае, чтобы сговориться на завтрашний день. Несмотря на все утешения и обнадеживания, совершенное отчаяние овладело душой князя. В невыразимой тоске дошел он пешком до своего трактира. Летний, пыльный, душный Петербург давил его как в тисках; он толкался между суровым или пьяным народом, всматривался без цели в лица, может быть, прошел гораздо больше, чем следовало; был уже совсем почти вечер, когда он вошел в свой нумер. Он решил отдохнуть немного и потом идти опять к Рогожину, как советовали, сел на диван, облокотился обоими локтями на стол и задумался.

Бог знает, сколько времени, и бог знает, о чем он думал. Многого он боялся и чувствовал, больно и мучительно, что боится ужасно. Пришла ему в голову Вера Лебедева; потом подумалось, что, может, Лебедев и знает что-нибудь в этом деле, а если не знает, то может узнать и скорее, и легче его. Потом вспомнился ему Ипполит и то, что Рогожин к Ипполиту ездил. Потом вспомнился сам Рогожин: недавно на отпевании, потом в парке, потом — вдруг здесь в коридоре, когда он спрятался тогда в углу и ждал его с ножом. Глаза его теперь ему вспоминались, глаза, смотревшие тогда в темноте. Он вздрогнул: давешняя напрашивавшаяся мысль вдруг вошла ему теперь в голову.

Она состояла отчасти в том, что если Рогожин в Петербурге, то хотя бы он и скрывался на время, а все-таки непременно кончит тем, что придет к нему, к князю, с добрым или с дурным намерением, пожалуй, хоть как тогда. По крайней мере, если бы Рогожину почему-нибудь понадобилось прийти, то ему некуда больше идти, как сюда, опять в этот же коридор. Адреса он не знает; стало быть, очень может подумать, что князь в прежнем трактире остановился; по крайней мере попробует здесь поискать... если уж очень понадобится. А почему знать, может быть, ему и очень понадобится?

Так он думал, и мысль эта казалась ему почему-то совершенно возможною. Он ни за что бы не дал себе отчета, если бы стал углубляться в свою мысль: «Почему, например, он так вдруг понадобится Рогожину и почему даже быть того не может, чтоб они наконец не сошлись?» Но мысль была тяжелая: «Если ему хорошо, то он не придет, — продолжал думать князь, — он скорее придет, если ему нехорошо; а ему ведь наверно нехорошо...»

Конечно, при таком убеждении, следовало бы ждать Рогожина дома, в нумере; но он как будто не мог вынести своей новой мысли, вскочил, схватил шляпу и побежал. В коридоре было уже почти совсем темно: «Что, если он вдруг теперь выйдет из того угла и остановит меня у лестницы?» — мелькнуло ему, когда он подходил к знакомому месту. Но никто не вышел. Он спустился под ворота, вышел на тротуар, подивился густой толпе народа, высыпавшего с закатом солнца на улицу (как и всегда в Петербурге в каникулярное время), и пошел по направлению к Гороховой. В пятидесяти шагах от трактира, на первом перекрестке, в толпе, кто-то вдруг тронул его за локоть и вполголоса проговорил над самым ухом:

— Лев Николаевич, ступай, брат, за мной, надоть.

Это был Рогожин.

Странно: князь начал ему вдруг, с радости, рассказывать, лепеча и почти не договаривая слов, как он ждал его сейчас в коридоре, в трактире.

— Я там был, — неожиданно ответил Рогожин, — пойдем.

Князь удивился ответу, но он удивился спустя уже по крайней мере две минуты, когда сообразил. Сообразив ответ, он испугался и стал приглядываться к Рогожину. Тот уже шел почти на полшага впереди, смотря прямо пред собой и не взглядывая ни на кого из встречных, с машинальною осторожностию давая всем дорогу.

— Зачем же ты меня в нумере не спросил... коли был в трактире? — спросил вдруг князь.

Рогожин остановился, посмотрел на него, подумал и, как бы совсем не поняв вопроса, сказал:

— Вот что, Лев Николаевич, ты иди здесь прямо, вплоть до дому, знаешь? А я пойду по той стороне. Да поглядывай, чтобы нам вместе...

Сказав это, он перешел через улицу, ступил на противоположный тротуар, поглядел, идет ли князь, и, видя, что он стоит и смотрит на него во все глаза, махнул ему рукой к стороне Гороховой и пошел, поминутно поворачиваясь взглянуть на князя и приглашая его за собой. Он был видимо ободрен, увидев, что князь понял его и не переходит к нему с другого тротуара. Князю пришло в голову, что Рогожину надо кого-то высмотреть и не пропустить на дороге и что потому он и перешел на другой тротуар. «Только зачем же он не сказал, кого смотреть надо?» Так прошли они шагов пятьсот, и вдруг князь начал почему-то дрожать; Рогожин хоть и реже, но не переставал оглядываться; князь не выдержал и поманил его рукой. Тот тотчас же перешел к нему через улицу.

— Настасья Филипповна разве у тебя?

— У меня.

— А давеча это ты в окно на меня из-за гардины смотрел?

— Я...

— Как же ты...

Но князь не знал, что спросить дальше и чем окончить вопрос; к тому же сердце его так стучало, что и говорить трудно было. Рогожин тоже молчал и смотрел на него по-прежнему, то есть как бы в задумчивости.

— Ну, я пойду, — сказал он вдруг, приготовляясь опять переходить, — а ты себе иди. Пусть мы на улице розно будем... так нам лучше... по разным сторонам... увидишь.

Когда наконец они повернули с двух разных тротуаров в Гороховую и стали подходить к дому Рогожина, у князя стали опять подсекаться ноги, так что почти трудно было уж и идти. Было уже около десяти часов вечера. Окна на половине старушки стояли, как и давеча, отпертые, у Рогожина запертые, и в сумерках как бы еще заметнее становились на них белые спущенные сторы. Князь подошел к дому с противоположного тротуара; Рогожин же с своего тротуара ступил на крыльцо и махал ему рукой. Князь перешел к нему на крыльцо.

— Про меня и дворник не знает теперь, что я домой воротился. Я сказался давеча, что в Павловск еду, и у матушки тоже сказал, — прошептал он с хитрою и почти довольною улыбкой, — мы войдем, и не услышит никто.

В руках его уже был ключ. Поднимаясь по лестнице, он обернулся и погрозил князю, чтобы тот шел тише, тихо отпер дверь в свои комнаты, впустил князя, осторожно прошел за ним, запер дверь за собой и положил ключ в карман.

— Пойдем, — произнес он шепотом.

Он еще с тротуара на Литейной заговорил шепотом. Несмотря на всё свое наружное спокойствие, он был в какой-то глубокой внутренней тревоге. Когда вошли в залу, пред самым кабинетом, он подошел к окну и таинственно поманил к себе князя:

— Вот ты как давеча ко мне зазвонил, я тотчас здесь и догадался, что это ты самый и есть; подошел к дверям на цыпочках и слышу, что ты с Пафнутьевной разговариваешь, а я уж той чем свет заказал: если ты, или от тебя кто, али кто бы то ни был начнет ко мне стукать, так чтобы не сказываться ни под каким видом; а особенно если ты сам придешь меня спрашивать, и имя твое ей объявил. А потом, как ты вышел, мне пришло в голову: что, если он тут теперь стоит и выглядывает али сторожит чего с улицы? Подошел я к этому самому окну, отвернул гардину-то, глядь, а ты там стоишь, прямо на меня смотришь... Вот как это дело было.

— Где же... Настасья Филипповна? — выговорил князь задыхаясь.

— Она... здесь, — медленно проговорил Рогожин, как бы капельку выждав ответить.

— Где же?

Рогожин поднял глаза на князя и пристально посмотрел на него:

— Пойдем...

Он всё говорил шепотом и не торопясь, медленно и по-прежнему как-то странно задумчиво. Даже когда про стору рассказывал, то как будто рассказом своим хотел высказать что-то другое, несмотря на всю экспансивность рассказа.

Вошли в кабинет. В этой комнате, с тех пор как был в ней князь, произошла некоторая перемена: через всю комнату протянута была зеленая, штофная, шелковая занавеска, с двумя входами по обоим концам, и отделяла от кабинета альков, в котором устроена была постель Рогожина. Тяжелая занавеска была спущена и входы закрыты. Но в комнате было очень темно; летние «белые» петербургские ночи начинали темнеть, и если бы не полная луна, то в темных комнатах Рогожина, с опущенными сторами, трудно было бы что-нибудь разглядеть. Правда, можно было еще различать лица, хотя очень неотчетливо. Лицо Рогожина было бледно, по обыкновению; глаза смотрели на князя пристально, с сильным блеском, но как-то неподвижно.

— Ты бы свечку зажег? — сказал князь.

— Нет, не надо, — ответил Рогожин и, взяв князя за руку, нагнул его к стулу; сам сел напротив, придвинув стул так, что почти соприкасался с князем коленями. Между ними, несколько сбоку, приходился маленький круглый столик. — Садись, посидим пока! — сказал он, словно уговаривая посидеть. С минуту молчали. — Я так и знал, что ты в эфтом же трактире остановишься, — заговорил он, как иногда, приступая к главному разговору, начинают с посторонних подробностей, не относящихся прямо к делу, — как в коридор зашел, то и подумал: а ведь, может, и он сидит, меня ждет теперь, как я его, в эту же самую минуту? У учительши-то был?

— Был, — едва мог выговорить князь от сильного биения сердца.

— Я и об том подумал. Еще разговор пойдет, думаю... а потом еще думаю: я его ночевать сюда приведу, так чтоб эту ночь вместе...

— Рогожин! Где Настасья Филипповна? — прошептал вдруг князь и встал, дрожа всеми членами. Поднялся и Рогожин.

— Там, — шепнул он, кивнув головой на занавеску.

— Спит? — шепнул князь.

Опять Рогожин посмотрел на него пристально, как давеча.

— Аль уж пойдем!.. Только ты... ну, да пойдем!

Он приподнял портьеру, остановился и оборотился опять к князю.

— Входи! — кивал он за портьеру, приглашая проходить вперед. Князь прошел.

— Тут темно, — сказал он.

— Видать! — пробормотал Рогожин.

— Я чуть вижу... кровать.

— Подойди ближе-то, — тихо предложил Рогожин.

Князь шагнул еще ближе, шаг, другой, и остановился. Он стоял и всматривался минуту или две; оба, во всё время, у кровати ничего не выговорили; у князя билось сердце так, что, казалось, слышно было в комнате, при мертвом молчании комнаты. Но он уже пригляделся, так что мог различать всю постель; на ней кто-то спал, совершенно неподвижным сном; не слышно было ни малейшего шелеста, ни малейшего дыхания. Спавший был закрыт с головой белою простыней, но члены как-то неясно обозначались; видно только было, по возвышению, что лежит протянувшись человек. Кругом в беспорядке, на постели, в ногах, у самой кровати на креслах, на полу даже, разбросана была снятая одежда, богатое белое шелковое платье, цветы, ленты. На маленьком столике, у изголовья, блистали снятые и разбросанные бриллианты. В ногах сбиты были в комок какие-то кружева, и на белевших кружевах, выглядывая из-под простыни, обозначался кончик обнаженной ноги; он казался как бы выточенным из мрамора и ужасно был неподвижен. Князь глядел и чувствовал, что, чем больше он глядит, тем еще мертвее и тише становится в комнате. Вдруг зажужжала проснувшаяся муха, пронеслась над кроватью и затихла у изголовья. Князь вздрогнул.

— Выйдем, — тронул его за руку Рогожин.

Они вышли, уселись опять в тех же стульях, опять один против другого. Князь дрожал всё сильнее и сильнее и не спускал своего вопросительного взгляда с лица Рогожина.

— Ты вот, я замечаю, Лев Николаевич, дрожишь, — проговорил наконец Рогожин, — почти так, как когда с тобой бывает твое расстройство, помнишь, в Москве было? Или как раз было перед припадком. И не придумаю, что теперь с тобой буду делать...

Князь вслушивался, напрягая все силы, чтобы понять, и всё спрашивая взглядом.

— Это ты? — выговорил он наконец, кивнув головой на портьеру.

— Это... я... — прошептал Рогожин и потупился.

Помолчали минут пять.

— Потому, — стал продолжать вдруг Рогожин, как будто и не прерывал речи, — потому как если твоя болезнь, и припадок, и крик теперь, то, пожалуй, с улицы аль со двора кто и услышит, и догадаются, что в квартире ночуют люди; станут стучать, войдут... потому они все думают, что меня дома нет. Я и свечи не зажег, чтобы с улицы аль со двора не догадались. Потому, когда меня нет, я и ключи увожу, и никто без меня по три, по четыре дня и прибирать не входит, таково мое заведение. Так вот, чтоб не узнали, что мы заночуем...

— Постой, — сказал князь, — я давеча и дворника и старушку спрашивал: не ночевала ли Настасья Филипповна? Они, стало быть, уже знают.

— Знаю, что ты спрашивал. Я Пафнутьевне сказал, что вчера заехала Настасья Филипповна и вчера же в Павловск уехала, а что у меня десять минут пробыла. И не знают они, что она ночевала, — никто. Вчера мы так же вошли, совсем потихоньку, как сегодня с тобой. Я еще про себя подумал дорогой, что она не захочет потихоньку входить, — куды! Шепчет, на цыпочках прошла, платье обобрала около себя, чтобы не шумело, в руках несет, мне сама пальцем на лестнице грозит, — это она тебя всё пужалась. На машине как сумасшедшая совсем была, всё от страху, и сама сюда ко мне пожелала заночевать; я думал сначала на квартиру к учительше везти, — куды! «Там он меня, говорит, чем свет разыщет, а ты меня скроешь, а завтра чем свет в Москву», а потом в Орел куда-то хотела. И ложилась, всё говорила, что в Орел поедем...

— Постой; что же ты теперь, Парфен, как же хочешь?

— Да вот сумлеваюсь на тебя, что ты всё дрожишь. Ночь мы здесь заночуем, вместе. Постели, окромя той, тут нет, а я так придумал, что с обоих диванов подушки снять, и вот тут, у занавески, рядом и постелю, и тебе и мне, так чтобы вместе. Потому, коли войдут, станут осматривать али искать, ее тотчас увидят и вынесут. Станут меня опрашивать, я расскажу, что я, и меня тотчас отведут. Так пусть уж она теперь тут лежит, подле нас, подле меня и тебя...

— Да, да! — с жаром подтвердил князь.

— Значит, не признаваться и выносить не давать.

— Н-ни за что! — решил князь, — ни-ни-ни!

— Так я и порешил, чтобы ни за что, парень, и никому не отдавать! Ночью проночуем тихо. Я сегодня только на час один и из дому вышел, поутру, а то всё при ней был. Да потом повечеру за тобой пошел. Боюсь вот тоже еще, что душно и дух пойдет. Слышишь ты дух или нет?

— Может, и слышу, не знаю. К утру наверно пойдет.

— Я ее клеенкой накрыл, хорошею, американскою клеенкой, а сверх клеенки уж простыней, и четыре стклянки ждановской жидкости откупоренной поставил, там и теперь стоят.

— Это как там... в Москве?

— Потому, брат, дух. А она ведь как лежит... К утру, как посветлеет, посмотри. Что ты, и встать не можешь? — с боязливым удивлением спросил Рогожин, видя, что князь так дрожит, что и подняться не может.

— Ноги нейдут, — пробормотал князь, — это от страху, это я знаю... Пройдет страх, я и стану...

— Постой же, я пока нам постель постелю, и пусть уж ты ляжешь... и я с тобой... и будем слушать... потому я, парень, еще не знаю... я, парень, еще всего не знаю теперь, так и тебе заранее говорю, чтобы ты всё про это заранее знал...

Бормоча эти неясные слова, Рогожин начал стлать постели. Видно было, что он эти постели, может, еще утром про себя придумал. Прошлую ночь он сам ложился на диване. Но на диване двоим рядом нельзя было лечь, а он непременно хотел постлать теперь рядом, вот почему и стащил теперь, с большими усилиями, через всю комнату, к самому входу за занавеску, разнокалиберные подушки с обоих диванов. Кое-как постель устроилась; он подошел к князю, нежно и восторженно взял его за руку, приподнял и подвел к постели; но оказалось, что князь и сам мог ходить; значит, «страх проходил»; и однако же, он все-таки продолжал дрожать.

— Потому оно, брат, — начал вдруг Рогожин, уложив князя на левую, лучшую подушку и протянувшись сам с правой стороны, не раздеваясь и закинув обе руки за голову, — ноне жарко, и, известно, дух... Окна я отворять боюсь; а есть у матери горшки с цветами, много цветов, и прекрасный от них такой дух; думал перенести, да Пафнутьевна догадается, потому она любопытная.

— Она любопытная, — поддакнул князь.

— Купить разве, пукетами и цветами всю обложить? Да, думаю, жалко будет, друг, в цветах-то!

— Слушай... — спросил князь, точно запутываясь, точно отыскивая, что именно надо спросить, и как бы тотчас же забывая, — слушай, скажи мне: чем ты ее? Ножом? Тем самым?

— Тем самым...

— Стой еще! Я, Парфен, еще хочу тебя спросить... я много буду тебя спрашивать, обо всем... но ты лучше мне сначала скажи, с первого начала, чтоб я знал: хотел ты убить ее перед моей свадьбой, перед венцом, на паперти, ножом? Хотел или нет?

— Не знаю, хотел или нет... — сухо ответил Рогожин, как бы даже несколько подивившись на вопрос и не уразумевая его.

— Ножа с собой никогда в Павловск не привозил?

— Никогда не привозил. Я про нож этот только вот что могу тебе сказать, Лев Николаевич, — прибавил он, помолчав, — я его из запертого ящика ноне утром достал, потому что всё дело было утром, в четвертом часу. Он у меня всё в книге заложен лежал... И... и вот еще что мне чудно: совсем нож как бы на полтора... али даже на два вершка прошел... под самую левую грудь... а крови всего этак с пол-ложки столовой на рубашку вытекло; больше не было...

— Это, это, это, — приподнялся вдруг князь в ужасном волнении, — это, это я знаю, это я читал... это внутреннее излияние называется... Бывает, что даже и ни капли. Это коль удар прямо в сердце...

— Стой, слышишь? — быстро перебил вдруг Рогожин и испуганно присел на подстилке, — слышишь?

— Нет! — так же быстро и испуганно выговорил князь, смотря на Рогожина.

— Ходит! Слышишь? В зале...

Оба стали слушать.

— Слышу, — твердо прошептал князь.

— Ходит?

— Ходит.

— Затворить али нет дверь?

— Затворить...

Дверь затворили, и оба опять улеглись. Долго молчали.

— Ах, да! — зашептал вдруг князь прежним взволнованным и торопливым шепотом, как бы поймав опять мысль и ужасно боясь опять потерять ее, даже привскочив на постели, — да... я ведь хотел... эти карты! карты... Ты, говорят, с нею в карты играл?

— Играл, — сказал Рогожин после некоторого молчания.

— Где же... карты?

— Здесь карты... — выговорил Рогожин, помолчав еще больше, — вот...

Он вынул игранную, завернутую в бумажку колоду из кармана и протянул к князю. Тот взял, но как бы с недоумением. Новое, грустное и безотрадное чувство сдавило ему сердце; он вдруг понял, что в эту минуту, и давно уже, всё говорит не о том, о чем надо ему говорить, и делает всё не то, что бы надо делать, и что вот эти карты, которые он держит в руках и которым он так обрадовался, ничему, ничему не помогут теперь. Он встал и всплеснул руками. Рогожин лежал неподвижно и как бы не слыхал и не видал его движения; но глаза его ярко блистали сквозь темноту и были совершенно открыты и неподвижны. Князь сел на стул и стал со страхом смотреть на него. Прошло с полчаса; вдруг Рогожин громко и отрывисто закричал и захохотал, как бы забыв, что надо говорить шепотом:

— Офицера-то, офицера-то... помнишь, как она офицера того, на музыке, хлестнула, помнишь, ха-ха-ха! Еще кадет... кадет... кадет подскочил...

Князь вскочил со стула в новом испуге. Когда Рогожин затих (а он вдруг затих), князь тихо нагнулся к нему, уселся с ним рядом и с сильно бьющимся сердцем, тяжело дыша, стал его рассматривать. Рогожин не поворачивал к нему головы и как бы даже и забыл о нем. Князь смотрел и ждал; время шло, начинало светать. Рогожин изредка и вдруг начинал иногда бормотать, громко, резко и бессвязно; начинал вскрикивать и смеяться; князь протягивал к нему тогда свою дрожащую руку и тихо дотрогивался до его головы, до его волос, гладил их и гладил его щеки... больше он ничего не мог сделать! Он сам опять начал дрожать, и опять как бы вдруг отнялись его ноги. Какое-то совсем новое ощущение томило его сердце бесконечною тоской. Между тем совсем рассвело; наконец он прилег на подушку, как бы совсем уже в бессилии и в отчаянии, и прижался своим лицом к бледному и неподвижному лицу Рогожина; слезы текли из его глаз на щеки Рогожина, но, может быть, он уж и не слыхал тогда своих собственных слез и уже не знал ничего о них...

По крайней мере, когда, уже после многих часов, отворилась дверь и вошли люди, то они застали убийцу в полном беспамятстве и горячке. Князь сидел подле него неподвижно на подстилке и тихо, каждый раз при взрывах крика или бреда больного, спешил провесть дрожащею рукой по его волосам и щекам, как бы лаская и унимая его. Но он уже ничего не понимал, о чем его спрашивали, и не узнавал вошедших и окруживших его людей. И если бы сам Шнейдер явился теперь из Швейцарии взглянуть на своего бывшего ученика и пациента, то и он, припомнив то состояние, в котором бывал иногда князь в первый год лечения своего в Швейцарии, махнул бы теперь рукой и сказал бы, как тогда: «Идиот!»

XII
ЗАКЛЮЧЕНИЕ

Учительша, прискакав в Павловск, явилась прямо к расстроенной со вчерашнего дня Дарье Алексеевне и, рассказав ей всё, что знала, напугала ее окончательно. Обе дамы немедленно решились войти в сношения с Лебедевым, тоже бывшим в волнении в качестве друга своего жильца и в качестве хозяина квартиры. Вера Лебедева сообщила всё, что знала. По совету Лебедева решили отправиться в Петербург всем троим для скорейшего предупреждения того, «что очень могло случиться». Таким образом вышло, что на другое уже утро, часов около одиннадцати, квартира Рогожина была отперта при полиции, при Лебедеве, при дамах и при братце Рогожина, Семене Семеновиче Рогожине, квартировавшем во флигеле. Успеху дела способствовало всего более показание дворника, что он видел вчера ввечеру Парфена Семеновича с гостем, вошедших с крыльца и как бы потихоньку. После этого показания уже не усомнились сломать двери, не отворявшиеся по звонку.

Рогожин выдержал два месяца воспаления в мозгу, а когда выздоровел — следствие и суд. Он дал во всем прямые, точные и совершенно удовлетворительные показания, вследствие которых князь, с самого начала, от суда был устранен. Рогожин был молчалив во время своего процесса. Он не противоречил ловкому и красноречивому своему адвокату, ясно и логически доказывавшему, что совершившееся преступление было следствием воспаления мозга, начавшегося еще задолго до преступления вследствие огорчений подсудимого. Но он ничего не прибавил от себя в подтверждение этого мнения и по-прежнему, ясно и точно, подтвердил и припомнил все малейшие обстоятельства совершившегося события. Он был осужден, с допущением облегчительных обстоятельств, в Сибирь, в каторгу, на пятнадцать лет, и выслушал свой приговор сурово, безмолвно и «задумчиво». Всё огромное состояние его, кроме некоторой, сравнительно говоря, весьма малой доли, истраченной в первоначальном кутеже, перешло к братцу его, Семену Семеновичу, к большому удовольствию сего последнего. Старушка Рогожина продолжает жить на свете и как будто вспоминает иногда про любимого сына Парфена, но не ясно: Бог спас ее ум и сердце от сознания ужаса, посетившего грустный дом ее.

Лебедев, Келлер, Ганя, Птицын и многие другие лица нашего рассказа живут по-прежнему, изменились мало, и нам почти нечего о них передать. Ипполит скончался в ужасном волнении и несколько раньше, чем ожидал, недели две спустя после смерти Настасьи Филипповны. Коля был глубоко поражен происшедшим; он окончательно сблизился со своею матерью. Нина Александровна боится за него, что он не по летам задумчив; из него, может быть, выйдет человек хороший. Между прочим, отчасти по его старанию, устроилась и дальнейшая судьба князя: давно уже отличил он, между всеми лицами, которых узнал в последнее время, Евгения Павловича Радомского; он первый пошел к нему и передал ему все подробности совершившегося события, какие знал, и о настоящем положении князя. Он не ошибся: Евгений Павлович принял самое горячее участие в судьбе несчастного «идиота», и вследствие его стараний и попечений князь попал опять за границу в швейцарское заведение Шнейдера. Сам Евгений Павлович, выехавший за границу, намеревающийся очень долго прожить в Европе и откровенно называющий себя «совершенно лишним человеком в России», — довольно часто, по крайней мере в несколько месяцев раз, посещает своего больного друга у Шнейдера; но Шнейдер всё более и более хмурится и качает головой; он намекает на совершенное повреждение умственных органов; он не говорит еще утвердительно о неизлечимости, но позволяет себе самые грустные намеки. Евгений Павлович принимает это очень к сердцу, а у него есть сердце, что он доказал уже тем, что получает письма от Коли и даже отвечает иногда на эти письма. Но кроме того, стала известна и еще одна странная черта его характера; и так как эта черта хорошая, то мы и поспешим ее обозначить: после каждого посещения Шнейдерова заведения Евгений Павлович, кроме Коли, посылает и еще одно письмо одному лицу в Петербург, с самым подробнейшим и симпатичным изложением состояния болезни князя в настоящий момент. Кроме самого почтительного изъявления преданности, в письмах этих начинают иногда появляться (и всё чаще и чаще) некоторые откровенные изложения взглядов, понятий, чувств, — одним словом, начинает проявляться нечто похожее на чувства дружеские и близкие. Это лицо, состоящее в переписке (хотя все-таки довольно редкой) с Евгением Павловичем и заслужившее настолько его внимание и уважение, есть Вера Лебедева. Мы никак не могли узнать в точности, каким образом могли завязаться подобные отношения; завязались они, конечно, по поводу всё той же истории с князем, когда Вера Лебедева была поражена горестью до того, что даже заболела; но при каких подробностях произошло знакомство и дружество, нам неизвестно. Упомянули же мы об этих письмах наиболее с тою целью, что в некоторых из них заключались сведения о семействе Епанчиных и, главное, об Аглае Ивановне Епанчиной. Про нее уведомлял Евгений Павлович в одном довольно нескладном письме из Парижа, что она, после короткой и необычайной привязанности к одному эмигранту, польскому графу, вышла вдруг за него замуж, против желания своих родителей, если и давших наконец согласие, то потому, что дело угрожало каким-то необыкновенным скандалом. Затем, почти после полугодового молчания, Евгений Павлович уведомил свою корреспондентку, опять в длинном и подробном письме, о том, что он, во время последнего своего приезда к профессору Шнейдеру, в Швейцарию, съехался у него со всеми Епанчиными (кроме, разумеется, Ивана Федоровича, который, по делам, остается в Петербурге) и князем Щ. Свидание было странное; Евгения Павловича встретили они все с каким-то восторгом; Аделаида и Александра сочли себя почему-то даже благодарными ему за его «ангельское попечение о несчастном князе». Лизавета Прокофьевна, увидав князя в его больном и униженном состоянии, заплакала от всего сердца. По-видимому, ему уже всё было прощено. Князь Щ. сказал при этом несколько счастливых и умных истин. Евгению Павловичу показалось, что он и Аделаида еще не совершенно сошлись друг с другом; но в будущем казалось неминуемым совершенно добровольное и сердечное подчинение пылкой Аделаиды уму и опыту князя Щ. К тому же и уроки, вынесенные семейством, страшно на нее подействовали и, главное, последний случай с Аглаей и эмигрантом-графом. Всё, чего трепетало семейство, уступая этому графу Аглаю, всё уже осуществилось в полгода, с прибавкой таких сюрпризов, о которых даже и не мыслили. Оказалось, что этот граф даже и не граф, а если и эмигрант действительно, то с какою-то темною и двусмысленною историей. Пленил он Аглаю необычайным благородством своей истерзавшейся страданиями по отчизне души, и до того пленил, что та, еще до выхода замуж, стала членом какого-то заграничного комитета по восстановлению Польши и, сверх того, попала в католическую исповедальню какого-то знаменитого патера, овладевшего ее умом до исступления. Колоссальное состояние графа, о котором он представлял Лизавете Прокофьевне и князю Щ. почти неопровержимые сведения, оказалось совершенно небывалым. Мало того, в какие-нибудь полгода после брака граф и друг его, знаменитый исповедник, успели совершенно поссорить Аглаю с семейством, так что те ее несколько месяцев уже и не видали... Одним словом, много было бы чего рассказать, но Лизавета Прокофьевна, ее дочери и даже князь Щ. были до того уже поражены всем этим «террором», что даже боялись и упоминать об иных вещах в разговоре с Евгением Павловичем, хотя и знали, что он и без них хорошо знает историю последних увлечений Аглаи Ивановны. Бедной Лизавете Прокофьевне хотелось бы в Россию, и, по свидетельству Евгения Павловича, она желчно и пристрастно критиковала ему всё заграничное: «Хлеба нигде испечь хорошо не умеют, зиму, как мыши в подвале, мерзнут, — говорила она, — по крайней мере вот здесь, над этим бедным, хоть по-русски поплакала», — прибавила она, в волнении указывая на князя, совершенно ее не узнававшего. «Довольно увлекаться-то, пора и рассудку послужить. И всё это, и вся эта заграница, и вся эта ваша Европа, всё это одна фантазия, и все мы, за границей, одна фантазия... помяните мое слово, сами увидите!» — заключила она чуть не гневно, расставаясь с Евгением Павловичем.

БЕСЫ

Хоть убей, следа не видно,
Сбились мы, что делать нам?
В поле бес нас водит, видно,
Да кружит по сторонам.
. . . .
Сколько их, куда их гонят,
Что так жалобно поют?
Домового ли хоронят,
Ведьму ль замуж выдают?

А. Пушкин

Тут же на горе паслось большое стадо свиней, и бесы просили Его, чтобы позволил им
войти в них. Он позволил им. Бесы, вышедши
из человека, вошли в свиней; и бросилось стадо
с крутизны в озеро и потонуло. Пастухи, увидя
происшедшее, побежали и рассказали в городе
и в селениях. И вышли видеть происшедшее и,
пришедши к Иисусу, нашли человека, из которого вышли бесы, сидящего у ног Иисусовых,
одетого и в здравом уме, и ужаснулись. Видевшие же рассказали им, как исцелился бесновавшийся.

Евангелие от Луки. Глава VIII, 32—35

ЧАСТЬ ПЕРВАЯ

Глава первая
ВМЕСТО ВВЕДЕНИЯ:
НЕСКОЛЬКО ПОДРОБНОСТЕЙ ИЗ БИОГРАФИИ
МНОГОЧТИМОГО СТЕПАНА ТРОФИМОВИЧА ВЕРХОВЕНСКОГО

I

Приступая к описанию недавних и столь странных событий, происшедших в нашем, доселе ничем не отличавшемся городе, я принужден, по неумению моему, начать несколько издалека, а именно некоторыми биографическими подробностями о талантливом и многочтимом Степане Трофимовиче Верховенском. Пусть эти подробности послужат лишь введением к предлагаемой хронике, а самая история, которую я намерен описывать, еще впереди.

Скажу прямо: Степан Трофимович постоянно играл между нами некоторую особую и, так сказать, гражданскую роль и любил эту роль до страсти, — так даже, что, мне кажется, без нее и прожить не мог. Не то чтоб уж я его приравнивал к актеру на театре: сохрани боже, тем более что сам его уважаю. Тут всё могло быть делом привычки, или, лучше сказать, беспрерывной и благородной склонности, с детских лет, к приятной мечте о красивой гражданской своей постановке. Он, например, чрезвычайно любил свое положение «гонимого» и, так сказать, «ссыльного». В этих обоих словечках есть своего рода классический блеск, соблазнивший его раз навсегда, и, возвышая его потом постепенно в собственном мнении, в продолжение столь многих лет, довел его наконец до некоторого весьма высокого и приятного для самолюбия пьедестала. В одном сатирическом английском романе прошлого столетия некто Гулливер, возвратясь из страны лилипутов, где люди были всего в какие-нибудь два вершка росту, до того приучился считать себя между ними великаном, что, и ходя по улицам Лондона, невольно кричал прохожим и экипажам, чтоб они пред ним сворачивали и остерегались, чтоб он как-нибудь их не раздавил, воображая, что он всё еще великан, а они маленькие. За это смеялись над ним и бранили его, а грубые кучера даже стегали великана кнутьями; но справедливо ли? Чего не может сделать привычка? Привычка привела почти к тому же и Степана Трофимовича, но еще в более невинном и безобидном виде, если можно так выразиться, потому что прекраснейший был человек.

Я даже так думаю, что под конец его все и везде позабыли; но уже никак ведь нельзя сказать, что и прежде совсем не знали. Бесспорно, что и он некоторое время принадлежал к знаменитой плеяде иных прославленных деятелей нашего прошедшего поколения, и одно время, — впрочем, всего только одну самую маленькую минуточку, — его имя многими тогдашними торопившимися людьми произносилось чуть не наряду с именами Чаадаева, Белинского, Грановского и только что начинавшего тогда за границей Герцена. Но деятельность Степана Трофимовича окончилась почти в ту же минуту, как и началась, — так сказать, от «вихря сошедшихся обстоятельств». И что же? Не только «вихря», но даже и «обстоятельств» совсем потом не оказалось, по крайней мере в этом случае. Я только теперь, на днях, узнал, к величайшему моему удивлению, но зато уже в совершенной достоверности, что Степан Трофимович проживал между нами, в нашей губернии, не только не в ссылке, как принято было у нас думать, но даже и под присмотром никогда не находился. Какова же после этого сила собственного воображения! Он искренно сам верил всю свою жизнь, что в некоторых сферах его постоянно опасаются, что шаги его беспрерывно известны и сочтены и что каждый из трех сменившихся у нас в последние двадцать лет губернаторов, въезжая править губернией, уже привозил с собою некоторую особую и хлопотливую о нем мысль, внушенную ему свыше и прежде всего, при сдаче губернии. Уверь кто-нибудь тогда честнейшего Степана Трофимовича неопровержимыми доказательствами, что ему вовсе нечего опасаться, и он бы непременно обиделся. А между тем это был ведь человек умнейший и даровитейший, человек, так сказать, даже науки, хотя, впрочем, в науке... ну, одним словом, в науке он сделал не так много и, кажется, совсем ничего. Но ведь с людьми науки у нас на Руси это сплошь да рядом случается.

Он воротился из-за границы и блеснул в виде лектора на кафедре университета уже в самом конце сороковых годов. Успел же прочесть всего только несколько лекций, и, кажется, об аравитянах; успел тоже защитить блестящую диссертацию о возникавшем было гражданском и ганзеатическом значении немецкого городка Ганау, в эпоху между 1413 и 1428 годами, а вместе с тем и о тех особенных и неясных причинах, почему значение это вовсе не состоялось. Диссертация эта ловко и больно уколола тогдашних славянофилов и разом доставила ему между ними многочисленных и разъяренных врагов. Потом — впрочем, уже после потери кафедры — он успел напечатать (так сказать, в виде отместки и чтоб указать, кого они потеряли) в ежемесячном и прогрессивном журнале, переводившем из Диккенса и проповедовавшем Жорж Занда, начало одного глубочайшего исследования — кажется, о причинах необычайного нравственного благородства каких-то рыцарей в какую-то эпоху или что-то в этом роде. По крайней мере проводилась какая-то высшая и необыкновенно благородная мысль. Говорили потом, что продолжение исследования было поспешно запрещено и что даже прогрессивный журнал пострадал за напечатанную первую половину. Очень могло это быть, потому что чего тогда не было? Но в данном случае вероятнее, что ничего не было и что автор сам поленился докончить исследование. Прекратил же он свои лекции об аравитянах потому, что перехвачено было как-то и кем-то (очевидно, из ретроградных врагов его) письмо к кому-то с изложением каких-то «обстоятельств», вследствие чего кто-то потребовал от него каких-то объяснений. Не знаю, верно ли, но утверждали еще, что в Петербурге было отыскано в то же самое время какое-то громадное, противоестественное и противогосударственное общество, человек в тринадцать, и чуть не потрясшее здание. Говорили, что будто бы они собирались переводить самого Фурье. Как нарочно, в то же самое время в Москве схвачена была и поэма Степана Трофимовича, написанная им еще лет шесть до сего, в Берлине, в самой первой его молодости, и ходившая по рукам, в списках, между двумя любителями и у одного студента. Эта поэма лежит теперь и у меня в столе; я получил ее, не далее как прошлого года, в собственноручном, весьма недавнем списке, от самого Степана Трофимовича, с его надписью и в великолепном красном сафьянном переплете. Впрочем, она не без поэзии и даже не без некоторого таланта; странная, но тогда (то есть, вернее, в тридцатых годах) в этом роде часто пописывали. Рассказать же сюжет затрудняюсь, ибо, по правде, ничего в нем не понимаю.

Это какая-то аллегория, в лирико-драматической форме и напоминающая вторую часть «Фауста». Сцена открывается хором женщин, потом хором мужчин, потом каких-то сил и в конце всего хором душ, еще не живших, но которым очень бы хотелось пожить. Все эти хоры поют о чем-то очень неопределенном, большею частию о чьем-то проклятии, но с оттенком высшего юмора. Но сцена вдруг переменяется, и наступает какой-то «Праздник жизни», на котором поют даже насекомые, является черепаха с какими-то латинскими сакраментальными словами, и даже, если припомню, пропел о чем-то один минерал, то есть предмет уже вовсе неодушевленный. Вообще же все поют беспрерывно, а если разговаривают, то как-то неопределенно бранятся, но опять-таки с оттенком высшего значения. Наконец, сцена опять переменяется, и является дикое место, а между утесами бродит один цивилизованный молодой человек, который срывает и сосет какие-то травы, и на вопрос феи: зачем он сосет эти травы? — отвечает, что он, чувствуя в себе избыток жизни, ищет забвения и находит его в соке этих трав; но что главное желание его — поскорее потерять ум (желание, может быть, и излишнее). Затем вдруг въезжает неописанной красоты юноша на черном коне, и за ним следует ужасное множество всех народов. Юноша изображает собою смерть, а все народы ее жаждут. И, наконец, уже в самой последней сцене вдруг появляется Вавилонская башня, и какие-то атлеты ее наконец достраивают с песней новой надежды, и когда уже достраивают до самого верху, то обладатель, положим хоть Олимпа, убегает в комическом виде, а догадавшееся человечество, завладев его местом, тотчас же начинает новую жизнь с новым проникновением вещей. Ну, вот эту-то поэму и нашли тогда опасною. Я в прошлом году предлагал Степану Трофимовичу ее напечатать, за совершенною ее, в наше время, невинностью, но он отклонил предложение с видимым неудовольствием. Мнение о совершенной невинности ему не понравилось, и я даже приписываю тому некоторую холодность его со мной, продолжавшуюся целых два месяца. И что же? Вдруг, и почти тогда же, как я предлагал напечатать здесь, — печатают нашу поэму *там*, то есть за границей, в одном из революционных сборников, и совершенно без ведома Степана Трофимовича. Он был сначала испуган, бросился к губернатору и написал благороднейшее оправдательное письмо в Петербург, читал мне его два раза, но не отправил, не зная, кому адресовать. Одним словом, волновался целый месяц; но я убежден, что в таинственных изгибах своего сердца был польщен необыкновенно. Он чуть не спал с экземпляром доставленного ему сборника, а днем прятал его под тюфяк и даже не пускал женщину перестилать постель, и хоть ждал каждый день откуда-то какой-то телеграммы, но смотрел свысока. Телеграммы никакой не пришло. Тогда же он и со мной примирился, что и свидетельствует о чрезвычайной доброте его тихого и незлопамятного сердца.

II

Я ведь не утверждаю, что он совсем нисколько не пострадал; я лишь убедился теперь вполне, что он мог бы продолжать о своих аравитянах сколько ему угодно, дав только нужные объяснения. Но он тогда самбициозничал и с особенною поспешностью распорядился уверить себя раз навсегда, что карьера его разбита на всю его жизнь «вихрем обстоятельств». А если говорить всю правду, то настоящею причиной перемены карьеры было еще прежнее и снова возобновившееся деликатнейшее предложение ему от Варвары Петровны Ставрогиной, супруги генерал-лейтенанта и значительной богачки, принять на себя воспитание и всё умственное развитие ее единственного сына, в качестве высшего педагога и друга, не говоря уже о блистательном вознаграждении. Предложение это было сделано ему в первый раз еще в Берлине, и именно в то самое время, когда он в первый раз овдовел. Первою супругой его была одна легкомысленная девица из нашей губернии, на которой он женился в самой первой и еще безрассудной своей молодости, и, кажется, вынес с этою, привлекательною впрочем, особой много горя, за недостатком средств к ее содержанию и, сверх того, по другим, отчасти уже деликатным причинам. Она скончалась в Париже, быв с ним последние три года в разлуке и оставив ему пятилетнего сына, «плод первой, радостной и еще не омраченной любви», как вырвалось раз при мне у грустившего Степана Трофимовича. Птенца еще с самого начала переслали в Россию, где он и воспитывался всё время на руках каких-то отдаленных теток, где-то в глуши. Степан Трофимович отклонил тогдашнее предложение Варвары Петровны и быстро женился опять, даже раньше году, на одной неразговорчивой берлинской немочке и, главное, без всякой особенной надобности. Но, кроме этой, оказались и другие причины отказа от места воспитателя: его соблазняла гремевшая в то время слава одного незабвенного профессора, и он, в свою очередь, полетел на кафедру, к которой готовился, чтобы испробовать и свои орлиные крылья. И вот теперь, уже с опаленными крыльями, он, естественно, вспомнил о предложении, которое еще и прежде колебало его решение. Внезапная же смерть и второй супруги, не прожившей с ним и году, устроила всё окончательно. Скажу прямо: всё разрешилось пламенным участием и драгоценною, так сказать классическою, дружбой к нему Варвары Петровны, если только так можно о дружбе выразиться. Он бросился в объятия этой дружбы, и дело закрепилось с лишком на двадцать лет. Я употребил выражение «бросился в объятия», но, сохрани бог, кого-нибудь подумать о чем-нибудь лишнем и праздном; эти объятия надо разуметь в одном лишь самом высоконравственном смысле. Самая тонкая и самая деликатнейшая связь соединила эти два столь замечательные существа навеки.

Место воспитателя было принято еще и потому, что и именьице, оставшееся после первой супруги Степана Трофимовича, — очень маленькое, — приходилось совершенно рядом со Скворешниками, великолепным подгородным имением Ставрогиных в нашей губернии. К тому же всегда возможно было, в тиши кабинета и уже не отвлекаясь огромностью университетских занятий, посвятить себя делу науки и обогатить отечественную словесность глубочайшими исследованиями. Исследований не оказалось; но зато оказалось возможным простоять всю остальную жизнь, более двадцати лет, так сказать, «воплощенной укоризной» пред отчизной, по выражению народного поэта:

> Воплощенной укоризною
> . . . .
> Ты стоял перед отчизною,
> Либерал-идеалист.

Но то лицо, о котором выразился народный поэт, может быть, и имело право всю жизнь позировать в этом смысле, если бы того захотело, хотя это и скучно. Наш же Степан Трофимович, по правде, был только подражателем сравнительно с подобными лицами, да и стоять уставал и частенько полеживал на боку. Но хотя и на боку, а воплощенность укоризны сохранялась и в лежачем положении, — надо отдать справедливость, тем более что для губернии было и того достаточно. Посмотрели бы вы на него у нас в клубе, когда он садился за карты. Весь вид его говорил: «Карты! Я сажусь с вами в ералаш! Разве это совместно? Кто ж отвечает за это? Кто разбил мою деятельность и обратил ее в ералаш? Э, погибай Россия!» — и он осанисто козырял с червей.

А по правде, ужасно любил сразиться в карточки, за что, и особенно в последнее время, имел частые и неприятные стычки с Варварой Петровной, тем более что постоянно проигрывал. Но об этом после. Замечу лишь, что это был человек даже совестливый (то есть иногда), а потому часто грустил. В продолжение всей двадцатилетней дружбы с Варварой Петровной он раза по три и по четыре в год регулярно впадал в так называемую между нами «гражданскую скорбь», то есть просто в хандру, но словечко это нравилось многоуважаемой Варваре Петровне. Впоследствии, кроме гражданской скорби, он стал впадать и в шампанское; но чуткая Варвара Петровна всю жизнь охраняла его от всех тривиальных наклонностей. Да он и нуждался в няньке, потому что становился иногда очень странен: в средине самой возвышенной скорби он вдруг зачинал смеяться самым простонароднейшим образом. Находили минуты, что даже о самом себе начинал выражаться в юмористическом смысле. Но ничего так не боялась Варвара Петровна, как юмористического смысла. Это была женщина-классик, женщина-меценатка, действовавшая в видах одних лишь высших соображений. Капитально было двадцатилетнее влияние этой высшей дамы на ее бедного друга. О ней надо бы поговорить особенно, что я и сделаю.

III

Есть дружбы странные: оба друга один другого почти съесть хотят, всю жизнь так живут, а между тем расстаться не могут. Расстаться даже никак нельзя: раскапризившийся и разорвавший связь друг первый же заболеет и, пожалуй, умрет, если это случится. Я положительно знаю, что Степан Трофимович несколько раз, и иногда после самых интимных излияний глаз на глаз с Варварой Петровной, по уходе ее вдруг вскакивал с дивана и начинал колотить кулаками в стену.

Происходило это без малейшей аллегории, так даже, что однажды отбил от стены штукатурку. Может быть, спросят: как мог я узнать такую тонкую подробность? А что, если я сам бывал свидетелем? Что, если сам Степан Трофимович неоднократно рыдал на моем плече, в ярких красках рисуя предо мной всю свою подноготную? (И уж чего-чего при этом не говорил!) Но вот что случалось почти всегда после этих рыданий: назавтра он уже готов был распять самого себя за неблагодарность; поспешно призывал меня к себе или прибегал ко мне сам, единственно чтобы возвестить мне, что Варвара Петровна «ангел чести и деликатности, а он совершенно противоположное». Он не только ко мне прибегал, но неоднократно описывал всё это ей самой в красноречивейших письмах и признавался ей, за своею полною подписью, что не далее как, например, вчера он рассказывал постороннему лицу, что она держит его из тщеславия, завидует его учености и талантам; ненавидит его и боится только выказать свою ненависть явно, в страхе, чтоб он не ушел от нее и тем не повредил ее литературной репутации; что вследствие этого он себя презирает и решился погибнуть насильственною смертью, а от нее ждет последнего слова, которое всё решит, и пр., и пр., всё в этом роде. Можно представить после этого, до какой истерики доходили иногда нервные взрывы этого невиннейшего из всех пятидесятилетних младенцев! Я сам однажды читал одно из таковых его писем, после какой-то между ними ссоры, из-за ничтожной причины, но ядовитой по выполнению. Я ужаснулся и умолял не посылать письма.

— Нельзя... честнее... долг... я умру, если не признаюсь ей во всем, во всем! — отвечал он чуть не в горячке и послал-таки письмо.

В том-то и была разница между ними, что Варвара Петровна никогда бы не послала такого письма. Правда, он писать любил без памяти, писал к ней, даже живя в одном с нею доме, а в истерических случаях и по два письма в день. Я знаю наверное, что она всегда внимательнейшим образом эти письма прочитывала, даже в случае и двух писем в день, и, прочитав, складывала в особый ящичек, помеченные и рассортированные; кроме того, слагала их в сердце своем. Затем, выдержав своего друга весь день без ответа, встречалась с ним как ни в чем не бывало, будто ровно ничего вчера особенного не случилось. Мало-помалу она так его вымуштровала, что он уже и сам не смел напоминать о вчерашнем, а только заглядывал ей некоторое время в глаза. Но она ничего не забывала, а он забывал иногда слишком уж скоро и, ободренный ее же спокойствием, нередко в тот же день смеялся и школьничал за шампанским, если приходили приятели. С каким, должно быть, ядом она смотрела на него в те минуты, а он ничего-то не примечал! Разве через неделю, через месяц или даже через полгода, в какую-нибудь особую минуту, нечаянно вспомнив какое-нибудь выражение из такого письма, а затем и всё письмо, со всеми обстоятельствами, он вдруг сгорал от стыда и до того, бывало, мучился, что заболевал своими припадками холерины. Эти особенные с ним припадки, вроде холерины, бывали в некоторых случаях обыкновенным исходом его нервных потрясений и представляли собою некоторый любопытный в своем роде курьез в его телосложении.

Действительно, Варвара Петровна наверно и весьма часто его ненавидела; но он одного только в ней не приметил до самого конца, того, что стал наконец для нее ее сыном, ее созданием, даже, можно сказать, ее изобретением, стал плотью от плоти ее, и что она держит и содержит его вовсе не из одной только «зависти к его талантам». И как, должно быть, она была оскорбляема такими предположениями! В ней таилась какая-то нестерпимая любовь к нему, среди беспрерывной ненависти, ревности и презрения. Она охраняла его от каждой пылинки, нянчилась с ним двадцать два года, не спала бы целых ночей от заботы, если бы дело коснулось до его репутации поэта, ученого, гражданского деятеля. Она его выдумала и в свою выдумку сама же первая и уверовала. Он был нечто вроде какой-то ее мечты... Но она требовала от него за это действительно многого, иногда даже рабства. Злопамятна же была до невероятности. Кстати уж расскажу два анекдота.

IV

Однажды, еще при первых слухах об освобождении крестьян, когда вся Россия вдруг взликовала и готовилась вся возродиться, посетил Варвару Петровну один проезжий петербургский барон, человек с самыми высокими связями и стоявший весьма близко у дела. Варвара Петровна чрезвычайно ценила подобные посещения, потому что связи ее в обществе высшем, по смерти ее супруга, всё более и более ослабевали, под конец и совсем прекратились. Барон просидел у нее час и кушал чай. Никого других не было, но Степана Трофимовича Варвара Петровна пригласила и выставила. Барон о нем кое-что даже слышал и прежде или сделал вид, что слышал, но за чаем мало к нему обращался. Разумеется, Степан Трофимович в грязь себя ударить не мог, да и манеры его были самые изящные. Хотя происхождения он был, кажется, невысокого, но случилось так, что воспитан был с самого малолетства в одном знатном доме в Москве и, стало быть, прилично; по-французски говорил, как парижанин. Таким образом, барон с первого взгляда должен был понять, какими людьми Варвара Петровна окружает себя, хотя бы и в губернском уединении. Вышло, однако, не так. Когда барон подтвердил положительно совершенную достоверность только что разнесшихся тогда первых слухов о великой реформе, Степан Трофимович вдруг не вытерпел и крикнул *ура!* и даже сделал рукой какой-то жест, изображавший восторг. Крикнул он негромко и даже изящно; даже, может быть, восторг был преднамеренный, а жест нарочно заучен пред зеркалом, за полчаса пред чаем; но, должно быть, у него что-нибудь тут не вышло, так что барон позволил себе чуть-чуть улыбнуться, хотя тотчас же необыкновенно вежливо ввернул фразу о всеобщем и надлежащем умилении всех русских сердец ввиду великого события. Затем скоро уехал и, уезжая, не забыл протянуть и Степану Трофимовичу два пальца. Возвратясь в гостиную, Варвара Петровна сначала молчала минуты три, что-то как бы отыскивая на столе; но вдруг обернулась к Степану Трофимовичу и, бледная, со сверкающими глазами, процедила шепотом:

— Я вам этого никогда не забуду!

На другой день она встретилась со своим другом как ни в чем не бывало; о случившемся никогда не поминала. Но тринадцать лет спустя, в одну трагическую минуту, припомнила и попрекнула его, и так же точно побледнела, как и тринадцать лет назад, когда в первый раз попрекала. Только два раза во всю свою жизнь сказала она ему: «Я вам этого никогда не забуду!» Случай с бароном был уже второй случай; но и первый случай в свою очередь так характерен и, кажется, так много означал в судьбе Степана Трофимовича, что я решаюсь и о нем упомянуть.

Это было в пятьдесят пятом году, весной, в мае месяце, именно после того как в Скворешниках получилось известие о кончине генерал-лейтенанта Ставрогина, старца легкомысленного, скончавшегося от расстройства в желудке, по дороге в Крым, куда он спешил по назначению в действующую армию. Варвара Петровна осталась вдовой и облеклась в полный траур. Правда, не могла она горевать очень много, ибо в последние четыре года жила с мужем в совершенной разлуке, по несходству характеров, и производила ему пенсион. (У самого генерал-лейтенанта было всего только полтораста душ и жалованье, кроме того, знатность и связи; а всё богатство и Скворешники принадлежали Варваре Петровне, единственной дочери одного очень богатого откупщика.) Тем не менее она была потрясена неожиданностию известия и удалилась в полное уединение. Разумеется, Степан Трофимович находился при ней безотлучно.

Май был в полном расцвете; вечера стояли удивительные. Зацвела черемуха. Оба друга сходились каждый вечер в саду и просиживали до ночи в беседке, изливая друг пред другом свои чувства и мысли. Минуты бывали поэтические. Варвара Петровна под впечатлением перемены в судьбе своей говорила больше обыкновенного. Она как бы льнула к сердцу своего друга, и так продолжалось несколько вечеров. Одна странная мысль вдруг осенила Степана Трофимовича: «Не рассчитывает ли неутешная вдова на него и не ждет ли, в конце траурного года, предложения с его стороны?» Мысль циническая; но ведь возвышенность организации даже иногда способствует наклонности к циническим мыслям, уже по одной только многосторонности развития. Он стал вникать и нашел, что походило на то. Он задумался: «Состояние огромное, правда, но...» Действительно, Варвара Петровна не совсем походила на красавицу: это была высокая, желтая, костлявая женщина, с чрезмерно длинным лицом, напоминавшим что-то лошадиное. Всё более и более колебался Степан Трофимович, мучился сомнениями, даже всплакнул раза два от нерешимости (плакал он довольно часто). По вечерам же, то есть в беседке, лицо его как-то невольно стало выражать нечто капризное и насмешливое, нечто кокетливое и в то же время высокомерное. Это как-то нечаянно, невольно делается, и даже чем благороднее человек, тем оно и заметнее. Бог знает как тут судить, но вероятнее, что ничего и не начиналось в сердце Варвары Петровны такого, что могло бы оправдать вполне подозрения Степана Трофимовича. Да и не променяла бы она своего имени Ставрогиной на его имя, хотя бы и столь славное. Может быть, была всего только одна лишь женственная игра с ее стороны, проявление бессознательной женской потребности, столь натуральной в иных чрезвычайных женских случаях. Впрочем, не поручусь; неисследима глубина женского сердца даже и до сегодня! Но продолжаю.

Надо думать, что она скоро про себя разгадала странное выражение лица своего друга; она была чутка и приглядчива, он же слишком иногда невинен. Но вечера шли по-прежнему, и разговоры были так же поэтичны и интересны. И вот однажды, с наступлением ночи, после самого оживленного и поэтического разговора, они дружески расстались, горячо пожав друг другу руки у крыльца флигеля, в котором квартировал Степан Трофимович. Каждое лето он перебирался в этот флигелек, стоявший почти в саду, из огромного барского дома Скворешников. Только что он вошел к себе и, в хлопотливом раздумье, взяв сигару и еще не успев ее закурить, остановился, усталый, неподвижно пред раскрытым окном, приглядываясь к легким, как пух, белым облачкам, скользившим вокруг ясного месяца, как вдруг легкий шорох заставил его вздрогнуть и обернуться. Пред ним опять стояла Варвара Петровна, которую он оставил всего только четыре минуты назад. Желтое лицо ее почти посинело, губы были сжаты и вздрагивали по краям. Секунд десять полных смотрела она ему в глаза молча, твердым, неумолимым взглядом и вдруг прошептала скороговоркой:

— Я никогда вам этого не забуду!

Когда Степан Трофимович, уже десять лет спустя, передавал мне эту грустную повесть шепотом, заперев сначала двери, то клялся мне, что он до того остолбенел тогда на месте, что не слышал и не видел, как Варвара Петровна исчезла. Так как она никогда ни разу потом не намекала ему на происшедшее и всё пошло как ни в чем не бывало, то он всю жизнь наклонен был к мысли, что всё это была одна галлюцинация пред болезнию, тем более что в ту же ночь он и вправду заболел на целых две недели, что, кстати, прекратило и свидания в беседке.

Но, несмотря на мечту о галлюцинации, он каждый день, всю свою жизнь, как бы ждал продолжения и, так сказать, развязки этого события. Он не верил, что оно так и кончилось! А если так, то странно же он должен был иногда поглядывать на своего друга.

V

Она сама сочинила ему даже костюм, в котором он и проходил всю свою жизнь. Костюм был изящен и характерен: длиннополый черный сюртук, почти доверху застегнутый, но щегольски сидевший; мягкая шляпа (летом соломенная) с широкими полями; галстук белый, батистовый, с большим узлом и висячими концами; трость с серебряным набалдашником, при этом волосы до плеч. Он был темно-рус, и волосы его только в последнее время начали немного седеть. Усы и бороду он брил. Говорят, в молодости он был чрезвычайно красив собой. Но, по-моему, и в старости был необыкновенно внушителен. Да и какая же старость в пятьдесят три года? Но, по некоторому гражданскому кокетству, он не только не молодился, но как бы и щеголял солидностию лет своих, и в костюме своем, высокий, сухощавый, с волосами до плеч, походил как бы на патриарха или, еще вернее, на портрет поэта Кукольника, литографированный в тридцатых годах при каком-то издании, особенно когда сидел летом в саду, на лавке, под кустом расцветшей сирени, опершись обеими руками на трость, с раскрытою книгой подле и поэтически задумавшись над закатом солнца. Насчет книг замечу, что под конец он стал как-то удаляться от чтения. Впрочем, это уж под самый конец. Газеты и журналы, выписываемые Варварой Петровной во множестве, он читал постоянно. Успехами русской литературы тож постоянно интересовался, хотя и нисколько не теряя своего достоинства. Увлекся было когда-то изучением высшей современной политики наших внутренних и внешних дел, но вскоре, махнув рукой, оставил предприятие. Бывало и то: возьмет с собою в сад Токевиля, а в кармашке несет спрятанного Поль де Кока. Но, впрочем, это пустяки.

Замечу в скобках и о портрете Кукольника: попалась эта картинка Варваре Петровне в первый раз, когда она находилась, еще девочкой, в благородном пансионе в Москве. Она тотчас же влюбилась в портрет, по обыкновению всех девочек в пансионах, влюбляющихся во что ни попало, а вместе и в своих учителей, преимущественно чистописания и рисования. Но любопытны в этом не свойства девочки, а то, что даже и в пятьдесят лет Варвара Петровна сохраняла эту картинку в числе самых интимных своих драгоценностей, так что и Степану Трофимовичу, может быть, только поэтому сочинила несколько похожий на изображенный на картинке костюм. Но и это, конечно, мелочь.

В первые годы, или, точнее, в первую половину пребывания у Варвары Петровны, Степан Трофимович всё еще помышлял о каком-то сочинении и каждый день серьезно собирался его писать. Но во вторую половину он, должно быть, и зады позабыл. Всё чаще и чаще он говаривал нам: «Кажется, готов к труду, материалы собраны, и вот не работается! Ничего не делается!» — и опускал голову в унынии. Без сомнения, это-то и должно было придать ему еще больше величия в наших глазах, как страдальцу науки; но самому ему хотелось чего-то другого. «Забыли меня, никому я не нужен!» — вырывалось у него не раз. Эта усиленная хандра особенно овладела им в самом конце пятидесятых годов. Варвара Петровна поняла наконец, что дело серьезное. Да и не могла она перенести мысли о том, что друг ее забыт и не нужен. Чтобы развлечь его, а вместе для подновления славы, она свозила его тогда в Москву, где у ней было несколько изящных литературных и ученых знакомств; но оказалось, что и Москва неудовлетворительна.

Тогда было время особенное; наступило что-то новое, очень уж непохожее на прежнюю тишину, и что-то очень уж странное, но везде ощущаемое, даже в Скворешниках. Доходили разные слухи. Факты были вообще известны более или менее, но очевидно было, что кроме фактов явились и какие-то сопровождавшие их идеи, и, главное, в чрезмерном количестве. А это-то и смущало: никак невозможно было примениться и в точности узнать, что именно означали эти идеи? Варвара Петровна, вследствие женского устройства натуры своей, непременно хотела подразумевать в них секрет. Она принялась было сама читать газеты и журналы, заграничные запрещенные издания и даже начавшиеся тогда прокламации (всё это ей доставлялось); но у ней только голова закружилась. Принялась она писать письма: отвечали ей мало, и чем далее, тем непонятнее. Степан Трофимович торжественно приглашен был объяснить ей «все эти идеи» раз навсегда; но объяснениями его она осталась положительно недовольна. Взгляд Степана Трофимовича на всеобщее движение был в высшей степени высокомерный; у него всё сводилось на то, что он сам забыт и никому не нужен. Наконец и о нем вспомянули, сначала в заграничных изданиях, как о ссыльном страдальце, и потом тотчас же в Петербурге, как о бывшей звезде в известном созвездии; даже сравнивали его почему-то с Радищевым. Затем кто-то напечатал, что он уже умер, и обещал его некролог. Степан Трофимович мигом воскрес и сильно приосанился. Всё высокомерие его взгляда на современников разом соскочило, и в нем загорелась мечта: примкнуть к движению и показать свои силы. Варвара Петровна тотчас же вновь и во всё уверовала и ужасно засуетилась. Решено было ехать в Петербург без малейшего отлагательства, разузнать всё на деле, вникнуть лично и, если возможно, войти в новую деятельность всецело и нераздельно. Между прочим, она объявила, что готова основать свой журнал и посвятить ему отныне всю свою жизнь. Увидав, что дошло даже до этого, Степан Трофимович стал еще высокомернее, в дороге же начал относиться к Варваре Петровне почти покровительственно, что она тотчас же сложила в сердце своем. Впрочем, у ней была и другая весьма важная причина к поездке, именно возобновление высших связей. Надо было по возможности напомнить о себе в свете, по крайней мере попытаться. Гласным же предлогом к путешествию было свидание с единственным сыном, оканчивавшим тогда курс наук в петербургском лицее.

VI

Они съездили и прожили в Петербурге почти весь зимний сезон. Всё, однако, к Великому посту лопнуло, как радужный мыльный пузырь. Мечты разлетелись, а сумбур не только не выяснился, но стал еще отвратительнее. Во-первых, высшие связи почти не удались, разве в самом микроскопическом виде и с унизительными натяжками. Оскорбленная Варвара Петровна бросилась было всецело в «новые идеи» и открыла у себя вечера. Она позвала литераторов, и к ней их тотчас же привели во множестве. Потом уже приходили и сами, без приглашения; один приводил другого. Никогда еще она не видывала таких литераторов. Они были тщеславны до невозможности, но совершенно открыто, как бы тем исполняя обязанность. Иные (хотя и далеко не все) являлись даже пьяные, но как бы сознавая в этом особенную, вчера только открытую красоту. Все они чем-то гордились до странности. На всех лицах было написано, что они сейчас только открыли какой-то чрезвычайно важный секрет. Они бранились, вменяя себе это в честь. Довольно трудно было узнать, что именно они написали; но тут были критики, романисты, драматурги, сатирики, обличители. Степан Трофимович проник даже в самый высший их круг, туда, откуда управляли движением. До управляющих было до невероятности высоко, но его они встретили радушно, хотя, конечно, никто из них ничего о нем не знал и не слыхивал кроме того, что он «представляет идею». Он до того маневрировал около них, что и их зазвал раза два в салон Варвары Петровны, несмотря на всё их олимпийство. Эти были очень серьезны и очень вежливы; держали себя хорошо; остальные видимо их боялись; но очевидно было, что им некогда. Явились и две-три прежние литературные знаменитости, случившиеся тогда в Петербурге и с которыми Варвара Петровна давно уже поддерживала самые изящные отношения. Но, к удивлению ее, эти действительные и уже несомненные знаменитости были тише воды, ниже травы, а иные из них просто льнули ко всему этому новому сброду и позорно у него заискивали. Сначала Степану Трофимовичу повезло; за него ухватились и стали его выставлять на публичных литературных собраниях. Когда он вышел в первый раз на эстраду, в одном из публичных литературных чтений, в числе читавших, раздались неистовые рукоплескания, не умолкавшие минут пять. Он со слезами вспоминал об этом девять лет спустя, — впрочем, скорее по художественности своей натуры, чем из благодарности. «Клянусь же вам и пари держу, — говорил он мне сам (но только мне и по секрету), — что никто-то изо всей этой публики знать не знал о мне ровнешенько ничего!» Признание замечательное: стало быть, был же в нем острый ум, если он тогда же, на эстраде, мог так ясно понять свое положение, несмотря на всё свое упоение; и, стало быть, не было в нем острого ума, если он даже девять лет спустя не мог вспомнить о том без ощущения обиды. Его заставили подписаться под двумя или тремя коллективными протестами (против чего — он и сам не знал); он подписался. Варвару Петровну тоже заставили подписаться под каким-то «безобразным поступком», и та подписалась. Впрочем, большинство этих новых людей хоть и посещали Варвару Петровну, но считали себя почему-то обязанными смотреть на нее с презрением и с нескрываемою насмешкой. Степан Трофимович намекал мне потом, в горькие минуты, что она с тех-то пор ему и позавидовала. Она, конечно, понимала, что ей нельзя водиться с этими людьми, но все-таки принимала их с жадностию, со всем женским истерическим нетерпением и, главное, всё чего-то ждала. На вечерах она говорила мало, хотя и могла бы говорить; но она больше вслушивалась. Говорили об уничтожении цензуры и буквы ѣ, о заменении русских букв латинскими, о вчерашней ссылке такого-то, о каком-то скандале в Пассаже, о полезности раздробления России по народностям с вольною федеративною связью, об уничтожении армии и флота, о восстановлении Польши по Днепр, о крестьянской реформе и прокламациях, об уничтожении наследства, семейства, детей и священников, о правах женщины, о доме Краевского, которого никто и никогда не мог простить господину Краевскому, и пр., и пр. Ясно было, что в этом сброде новых людей много мошенников, но несомненно было, что много и честных, весьма даже привлекательных лиц, несмотря на некоторые все-таки удивительные оттенки. Честные были гораздо непонятнее бесчестных и грубых; но неизвестно было, кто у кого в руках. Когда Варвара Петровна объявила свою мысль об издании журнала, то к ней хлынуло еще больше народу, но тотчас же посыпались в глаза обвинения, что она капиталистка и эксплуатирует труд. Бесцеремонность обвинений равнялась только их неожиданности. Престарелый генерал Иван Иванович Дроздов, прежний друг и сослуживец покойного генерала Ставрогина, человек достойнейший (но в своем роде) и которого все мы здесь знаем, до крайности строптивый и раздражительный, ужасно много евший и ужасно боявшийся атеизма, заспорил на одном из вечеров Варвары Петровны с одним знаменитым юношей. Тот ему первым словом: «Вы, стало быть, генерал, если так говорите», то есть в том смысле, что уже хуже генерала он и брани не мог найти. Иван Иванович вспылил чрезвычайно: «Да, сударь, я генерал, и генерал-лейтенант, и служил государю моему, а ты, сударь, мальчишка и безбожник!» Произошел скандал непозволительный. На другой день случай был обличен в печати, и начала собираться коллективная подписка против «безобразного поступка» Варвары Петровны, не захотевшей тотчас же прогнать генерала. В иллюстрированном журнале явилась карикатура, в которой язвительно скопировали Варвару Петровну, генерала и Степана Трофимовича на одной картинке, в виде трех ретроградных друзей; к картинке приложены были и стихи, написанные народным поэтом единственно для этого случая. Замечу от себя, что действительно у многих особ в генеральских чинах есть привычка смешно говорить: «Я служил государю моему...», то есть точно у них не тот же государь, как и у нас, простых государевых подданных, а особенный, ихний.

Оставаться долее в Петербурге было, разумеется, невозможно, тем более что и Степана Трофимовича постигло окончательное fiasco[1]. Он не выдержал и стал заявлять о правах искусства, а над ним стали еще громче смеяться. На последнем чтении своем он задумал подействовать гражданским красноречием, воображая тронуть сердца и рассчитывая на почтение к своему «изгнанию». Он бесспорно согласился в бесполезности и комичности слова «отечество»; согласился и с мыслию о вреде религии, но громко и твердо заявил, что сапоги ниже Пушкина, и даже гораздо. Его безжалостно освистали, так что он тут же, публично, не сойдя с эстрады, расплакался. Варвара Петровна привезла его домой едва живого. «On m'a traité comme un vieux bonnet de coton!»[2] — лепетал он бессмысленно. Она ходила за ним всю ночь, давала ему лавровишневых капель и до рассвета повторяла ему: «Вы еще полезны; вы еще явитесь; вас оценят... в другом месте».

На другой же день, рано утром, явились к Варваре Петровне пять литераторов, из них трое совсем незнакомых, которых она никогда и не видывала. Со строгим видом они объявили ей, что рассмотрели дело о ее журнале и принесли по этому делу решение. Варвара Петровна решительно никогда и никому не поручала рассматривать и решать что-нибудь о ее журнале. Решение состояло в том, чтоб она, основав журнал, тотчас же передала его им вместе с капиталами, на правах свободной ассоциации; сама же чтоб уезжала в Скворешники, не забыв захватить с собою Степана Трофимовича, «который устарел». Из деликатности они соглашались признавать за нею права собственности и высылать ей ежегодно одну шестую чистого барыша. Всего трогательнее было то, что из этих пяти человек наверное четверо не имели при этом никакой стяжательной цели, а хлопотали только во имя «общего дела».

«Мы выехали как одурелые, — рассказывал Степан Трофимович, — я ничего не мог сообразить и, помню, всё лепетал под стук вагона:

Век и Век и Лев Камбек,
Лев Камбек и Век и Век...

---

[1] поражение (*итал.*).

[2] Со мной обошлись как со старым ночным колпаком! (*франц.*)

и черт знает что еще такое, вплоть до самой Москвы. Только в Москве опомнился — как будто и в самом деле что-нибудь другое в ней мог найти? О друзья мои! — иногда восклицал он нам во вдохновении, — вы представить не можете, какая грусть и злость охватывает всю вашу душу, когда великую идею, вами давно уже и свято чтимую, подхватят неумелые и вытащат к таким же дуракам, как и сами, на улицу, и вы вдруг встречаете ее уже на толкучем, неузнаваемую, в грязи, поставленную нелепо, углом, без пропорции, без гармонии, игрушкой у глупых ребят! Нет! В наше время было не так, и мы не к тому стремились. Нет, нет, совсем не к тому. Я не узнаю ничего... Наше время настанет опять и опять направит на твердый путь всё шатающееся, теперешнее. Иначе что же будет?..»

VII

Тотчас же по возвращении из Петербурга Варвара Петровна отправила друга своего за границу: «отдохнуть»; да и надо было им расстаться на время, она это чувствовала. Степан Трофимович поехал с восторгом. «Там я воскресну! — восклицал он. — Там наконец примусь за науку!» Но с первых же писем из Берлина он затянул свою всегдашнюю ноту. «Сердце разбито, — писал он Варваре Петровне, — не могу забыть ничего! Здесь, в Берлине, всё напомнило мне мое старое, прошлое, первые восторги и первые муки. Где она? Где теперь они обе? Где вы, два ангела, которых я никогда не стоил? Где сын мой, возлюбленный сын мой? Где, наконец, я, я сам, прежний я, стальной по силе и непоколебимый, как утес, когда теперь какой-нибудь Andrejeff, un православный шут с бородой, peut briser mon existence en deux[1]» и т. д., и т. д. Что касается до сына Степана Трофимовича, то он видел его всего два раза в своей жизни, в первый раз, когда тот родился, и во второй — недавно в Петербурге, где молодой человек готовился поступить в университет. Всю же свою жизнь мальчик, как уже и сказано было, воспитывался у теток в О—ской губернии (на иждивении Варвары Петровны), за семьсот верст от Скворешников. Что же касается до Andrejeff, то есть Андреева, то это был просто-запросто наш здешний купец, лавочник, большой чудак, археолог-самоучка, страстный собиратель русских древностей, иногда пикировавшийся со Степаном Трофимовичем познаниями, а главное, в направлении. Этот почтенный купец, с седою бородой и в больших серебряных очках, недоплатил Степану Трофимовичу четырехсот рублей за купленные в его именьице (рядом со Скворешниками) несколько десятин лесу на сруб. Хотя Варвара Петровна и роскошно наделила своего друга средствами, отправляя его в Берлин, но на эти четыреста рублей Степан Трофимович, пред поездкой, особо рассчитывал, вероятно на секретные свои расходы, и чуть не заплакал, когда Andrejeff попросил повременить один месяц, имея, впрочем, и право на такую отсрочку, ибо первые взносы денег произвел все вперед чуть не за полгода, по особенной тогдашней нужде Степана Трофимовича. Варвара Петровна с жадностью прочла это первое письмо и, подчеркнув карандашом восклицание: «Где вы обе?», пометила числом и заперла в шкатулку. Он, конечно, вспоминал о своих обеих покойницах женах. Во втором полученном из Берлина письме песня варьировалась: «Работаю по двенадцати часов в сутки («хоть бы по одиннадцати», — проворчала Варвара Петровна), роюсь в библиотеках, сверяюсь, выписываю, бегаю; был у профессоров. Возобновил знакомство с превосходным семейством Дунда-

---

[1] может разбить мою жизнь (*франц.*).

совых. Какая прелесть Надежда Николаевна даже до сих пор! Вам кланяется. Молодой ее муж и все три племянника в Берлине. По вечерам с молодежью беседуем до рассвета, и у нас чуть не афинские вечера, но единственно по тонкости и изяществу; всё благородное: много музыки, испанские мотивы, мечты всечеловеческого обновления, идея вечной красоты, Сикстинская Мадонна, свет с прорезами тьмы, но и в солнце пятна! О друг мой, благородный, верный друг! Я сердцем с вами и ваш, с одной всегда, en tout pays[1] и хотя бы даже dans le pays de Makar et de ses veaux[2], о котором, помните, так часто мы, трепеща, говорили в Петербурге пред отъездом. Вспоминаю с улыбкой. Переехав границу, ощутил себя безопасным, ощущение странное, новое, впервые после столь долгих лет...» и т. д., и т. д.

«Ну, всё вздор! — решила Варвара Петровна, складывая и это письмо. — Коль до рассвета афинские вечера, так не сидит же по двенадцати часов за книгами. Спьяну, что ль, написал? Эта Дундасова как смеет мне посылать поклоны? Впрочем, пусть его погуляет...»

Фраза «dans le pays de Makar et de ses veaux» означала: «куда Макар телят не гонял». Степан Трофимович нарочно глупейшим образом переводил иногда русские пословицы и коренные поговорки на французский язык, без сомнения умея и понять и перевести лучше; но это он делывал из особого рода шику и находил его остроумным.

Но погулял он немного, четырех месяцев не выдержал и примчался в Скворешники. Последние письма его состояли из одних лишь излияний самой чувствительной любви к своему отсутствующему другу и буквально были смочены слезами разлуки. Есть натуры, чрезвычайно приживающиеся к дому, точно комнатные собачки. Свидание друзей было восторженное. Через два дня всё пошло по-старому и даже скучнее старого. «Друг мой, — говорил мне Степан Трофимович через две недели, под величайшим секретом, — друг мой, я открыл ужасную для меня... новость: je suis un простой приживальщик, et rien de plus! Mais r-r-rien de plus!»[3]

VIII

Затем у нас наступило затишье и тянулось почти сплошь все эти девять лет. Истерические взрывы и рыдания на моем плече, продолжавшиеся регулярно, нисколько не мешали нашему благоденствию. Удивляюсь, как Степан Трофимович не растолстел за это время. Покраснел лишь немного его нос и прибавилось благодушия. Мало-помалу около него утвердился кружок приятелей, впрочем постоянно небольшой. Варвара Петровна хоть и мало касалась кружка, но все мы признавали ее нашею патронессой. После петербургского урока она поселилась в нашем городе окончательно; зимой жила в городском своем доме, а летом в подгородном своем имении. Никогда она не имела столько значения и влияния, как в последние семь лет, в нашем губернском обществе, то есть вплоть до назначения к нам нашего теперешнего губернатора. Прежний губернатор наш, незабвенный и мягкий Иван Осипович, приходился ей близким род-

---

[1] в любой стране (*франц.*).

[2] в стране Макара и его телят (*франц.*).

[3] я всего лишь простой приживальщик, и ничего больше! Да, н-н-ничего больше! (*франц.*)

ственником и был когда-то ею облагодетельствован. Супруга его трепетала при одной мысли не угодить Варваре Петровне, а поклонение губернского общества дошло до того, что напоминало даже нечто греховное. Было, стало быть, хорошо и Степану Трофимовичу. Он был членом клуба, осанисто проигрывал и заслужил почет, хотя многие смотрели на него только как на «ученого». Впоследствии, когда Варвара Петровна позволила ему жить в другом доме, нам стало еще свободнее. Мы собирались у него раза по два в неделю; бывало весело, особенно когда он не жалел шампанского. Вино забиралось в лавке того же Андреева. Расплачивалась по счету Варвара Петровна каждые полгода, и день расплаты почти всегда бывал днем холерины.

Стариннейшим членом кружка был Липутин, губернский чиновник, человек уже немолодой, большой либерал и в городе слывший атеистом. Женат он был во второй раз на молоденькой и хорошенькой, взял за ней приданое и, кроме того, имел трех подросших дочерей. Всю семью держал в страхе божием и взаперти, был чрезмерно скуп и службой скопил себе домик и капитал. Человек был беспокойный, притом в маленьком чине; в городе его мало уважали, а в высшем круге не принимали. К тому же он был явный и не раз уже наказанный сплетник, и наказанный больно, раз одним офицером, а в другой раз почтенным отцом семейства, помещиком. Но мы любили его острый ум, любознательность, его особенную злую веселость. Варвара Петровна не любила его, но он всегда как-то умел к ней подделаться.

Не любила она и Шатова, всего только в последний год ставшего членом кружка. Шатов был прежде студентом и был исключен после одной студенческой истории из университета; в детстве же был учеником Степана Трофимовича, а родился крепостным Варвары Петровны, от покойного камердинера ее Павла Федорова, и был ею облагодетельствован. Не любила она его за гордость и неблагодарность и никак не могла простить ему, что он по изгнании из университета не приехал к ней тотчас же; напротив, даже на тогдашнее нарочное письмо ее к нему ничего не ответил и предпочел закабалиться к какому-то цивилизованному купцу учить детей. Вместе с семьей этого купца он выехал за границу, скорее в качестве дядьки, чем гувернера; но уж очень хотелось ему тогда за границу. При детях находилась еще и гувернантка, бойкая русская барышня, поступившая в дом тоже пред самым выездом и принятая более за дешевизну. Месяца через два купец ее выгнал «за вольные мысли». Поплелся за нею и Шатов и вскорости обвенчался с нею в Женеве. Прожили они вдвоем недели с три, а потом расстались, как вольные и ничем не связанные люди; конечно, тоже и по бедности. Долго потом скитался он один по Европе, жил бог знает чем; говорят, чистил на улицах сапоги и в каком-то порте был носильщиком. Наконец, с год тому назад вернулся к нам в родное гнездо и поселился со старухой теткой, которую и схоронил через месяц. С сестрой своею Дашей, тоже воспитанницей Варвары Петровны, жившею у ней фавориткой на самой благородной ноге, он имел самые редкие и отдаленные сношения. Между нами был постоянно угрюм и неразговорчив; но изредка, когда затрогивали его убеждения, раздражался болезненно и был очень невоздержан на язык. «Шатова надо сначала связать, а потом уж с ним рассуждать», — шутил иногда Степан Трофимович; но он любил его. За границей Шатов радикально изменил некоторые из прежних социалистических своих убеждений и перескочил в противоположную крайность. Это было одно из тех идеальных русских существ, которых вдруг поразит какая-нибудь сильная идея и тут же разом точно придавит их собою, иногда даже навеки. Справиться с нею они никогда не в силах, а уверуют страстно, и вот вся жизнь их проходит потом как бы в последних корчах под свалившимся на них и наполовину совсем уже раздавившим их камнем. Наружностью Шатов вполне соответствовал своим убеждениям: он был неуклюж, белокур, космат, низкого роста, с широкими плечами, толстыми губами, с очень густыми, нависшими белобрысыми бровями, с нахмуренным лбом, с неприветливым, упорно потупленным и как бы чего-то стыдящимся взглядом. На волосах его вечно оставался один такой вихор, который ни за что не хотел пригладиться и стоял торчком. Лет ему было двадцать семь или двадцать восемь. «Я не удивляюсь более, что жена от него сбежала», — отнеслась Варвара Петровна однажды, пристально к нему приглядевшись. Старался он одеваться чистенько, несмотря на чрезвычайную свою бедность. К Варваре Петровне опять не обратился за помощию, а пробивался чем бог пошлет; занимался и у купцов. Раз сидел в лавке, потом совсем было уехал на пароходе с товаром, приказчичьим помощником, но заболел пред самою отправкой. Трудно представить себе, какую нищету способен он был переносить, даже и не думая о ней вовсе. Варвара Петровна после его болезни переслала ему секретно и анонимно сто рублей. Он разузнал, однако же, секрет, подумал, деньги принял и пришел к Варваре Петровне поблагодарить. Та с жаром приняла его, но он и тут постыдно обманул ее ожидания: просидел всего пять минут, молча, тупо уставившись в землю и глупо улыбаясь, и вдруг, не дослушав ее и на самом интересном месте разговора, встал, поклонился как-то боком, косолапо, застыдился в прах, кстати уж задел и грохнул об пол ее дорогой наборный рабочий столик, разбил его и вышел, едва живой от позора. Липутин очень укорял его потом за то, что он не отвергнул тогда с презрением эти сто рублей, как от бывшей его деспотки помещицы, и не только принял, а еще благодарить потащился. Жил он уединенно, на краю города, и не любил, если кто-нибудь даже из нас заходил к нему. На вечера к Степану Трофимовичу являлся постоянно и брал у него читать газеты и книги.

Являлся на вечера и еще один молодой человек, некто Виргинский, здешний чиновник, имевший некоторое сходство с Шатовым, хотя, по-видимому, и совершенно противоположный ему во всех отношениях; но это тоже был «семьянин». Жалкий и чрезвычайно тихий молодой человек, впрочем лет уже тридцати, с значительным образованием, но больше самоучка. Он был беден, женат, служил и содержал тетку и сестру своей жены. Супруга его да и все дамы были самых последних убеждений, но всё это выходило у них несколько грубовато, именно — тут была «идея, попавшая на улицу», как выразился когда-то Степан Трофимович по другому поводу. Они всё брали из книжек и, по первому даже слуху из столичных прогрессивных уголков наших, готовы были выбросить за окно всё что угодно, лишь бы только советовали выбрасывать. Madame Виргинская занималась у нас в городе повивальною профессией; в девицах она долго жила в Петербурге. Сам Виргинский был человек редкой чистоты сердца, и редко я встречал более честный душевный огонь. «Я никогда, никогда не отстану от этих светлых надежд», — говаривал он мне с сияющими глазами. О «светлых надеждах» он говорил всегда тихо, с сладостию, полушепотом, как бы секретно. Он был довольно высокого роста, но чрезвычайно тонок и узок в плечах, с необыкновенно жиденькими, рыжеватого оттенка волосиками. Все высокомерные насмешки Степана Трофимовича над некоторыми из его мнений он принимал кротко, возражал же ему иногда очень серьезно и во многом ставил его в тупик. Степан Трофимович обращался с ним ласково, да и вообще ко всем нам относился отечески.

— Все вы из «недосиженных», — шутливо замечал он Виргинскому, — все
подобные вам, хотя в вас, Виргинский, я и не замечал той огра-ни-чен-ности,
какую встречал в Петербурге chez ces séminaristes[1], но все-таки вы «недосижен-
ные». Шатову очень хотелось бы высидеться, но и он недосиженный.

— А я? — спрашивал Липутин.

— А вы просто золотая средина, которая везде уживется... по-своему.

Липутин обижался.

Рассказывали про Виргинского, и, к сожалению, весьма достоверно, что супруга его, не пробыв с ним и году в законном браке, вдруг объявила ему, что он
отставлен и что она предпочитает Лебядкина. Этот Лебядкин, какой-то заезжий, оказался потом лицом весьма подозрительным и вовсе даже не был отставным штабс-капитаном, как сам титуловал себя. Он только умел крутить усы,
пить и болтать самый неловкий вздор, какой только можно вообразить себе.
Этот человек пренеделикатно тотчас же к ним переехал, обрадовавшись чужому
хлебу, ел и спал у них и стал, наконец, третировать хозяина свысока. Уверяли,
что Виргинский, при объявлении ему женой отставки, сказал ей: «Друг мой, до
сих пор я только любил тебя, теперь уважаю», но вряд ли в самом деле произнесено было такое древнеримское изречение; напротив, говорят, навзрыд плакал.
Однажды, недели две после отставки, все они, всем «семейством», отправились
за город, в рощу, кушать чай вместе с знакомыми. Виргинский был как-то лихо-
радочно-весело настроен и участвовал в танцах; но вдруг и без всякой предвари-
тельной ссоры схватил гиганта Лебядкина, канканировавшего соло, обеими руками за волосы, нагнул и начал таскать его с визгами, криками и слезами. Ги-
гант до того струсил, что даже не защищался и всё время, как его таскали, почти
не прерывал молчания; но после таски обиделся со всем пылом благородного
человека. Виргинский всю ночь на коленях умолял жену о прощении; но прощения не вымолил, потому что все-таки не согласился пойти извиниться пред
Лебядкиным; кроме того, был обличен в скудости убеждений и в глупости; последнее потому, что, объясняясь с женщиной, стоял на коленях. Штабс-капитан
вскоре скрылся и явился опять в нашем городе только в самое последнее время,
с своею сестрой и с новыми целями; но о нем впереди. Немудрено, что бедный
«семьянин» отводил у нас душу и нуждался в нашем обществе. О домашних делах своих он никогда, впрочем, у нас не высказывался. Однажды только, возвращаясь со мною от Степана Трофимовича, заговорил было отдаленно о своем положении, но тут же, схватив меня за руку, пламенно воскликнул:

— Это ничего; это только частный случай; это нисколько, нисколько не помешает «общему делу»!

Являлись к нам в кружок и случайные гости; ходил жидок Лямшин, ходил
капитан Картузов. Бывал некоторое время один любознательный старичок, но
помер. Привел было Липутин ссыльного ксендза Слоньцевского, и некоторое
время его принимали по принципу, но потом и принимать не стали.

IX

Одно время в городе передавали о нас, что кружок наш рассадник вольнодумства, разврата и безбожия; да и всегда крепился этот слух. А между тем у нас
была одна самая невинная, милая, вполне русская веселенькая либеральная

---

[1] у этих семинаристов (*франц.*).

болтовня. «Высший либерализм» и «высший либерал», то есть либерал без всякой цели, возможны только в одной России. Степану Трофимовичу, как и всякому остроумному человеку, необходим был слушатель, и, кроме того, необходимо было сознание о том, что он исполняет высший долг пропаганды идей. А наконец, надобно же было с кем-нибудь выпить шампанского и обменяться за вином известного сорта веселенькими мыслями о России и «русском духе», о Боге вообще и о «русском Боге» в особенности; повторить в сотый раз всем известные и всеми натверженные русские скандалезные анекдотцы. Не прочь мы были и от городских сплетен, причем доходили иногда до строгих высоконравственных приговоров. Впадали и в общечеловеческое, строго рассуждали о будущей судьбе Европы и человечества; докторально предсказывали, что Франция после цезаризма разом ниспадет на степень второстепенного государства, и совершенно были уверены, что это ужасно скоро и легко может сделаться. Папе давным-давно предсказали мы роль простого митрополита в объединенной Италии и были совершенно убеждены, что весь этот тысячелетний вопрос, в наш век гуманности, промышленности и железных дорог, одно только плевое дело. Но ведь «высший русский либерализм» иначе и не относится к делу. Степан Трофимович говаривал иногда об искусстве, и весьма хорошо, но несколько отвлеченно. Вспоминал иногда о друзьях своей молодости, — всё о лицах, намеченных в истории нашего развития, — вспоминал с умилением и благоговением, но несколько как бы с завистью. Если уж очень становилось скучно, то жидок Лямшин (маленький почтамтский чиновник), мастер на фортепиано, садился играть, а в антрактах представлял свинью, грозу, роды с первым криком ребенка и пр., и пр.; для того только и приглашался. Если уж очень подпивали, — а это случалось, хотя и не часто, — то приходили в восторг, и даже раз хором, под аккомпанемент Лямшина, пропели «Марсельезу», только не знаю, хорошо ли вышло. Великий день девятнадцатого февраля мы встретили восторженно и задолго еще начали осушать в честь его тосты. Это было еще давно-давно, тогда еще не было ни Шатова, ни Виргинского, и Степан Трофимович еще жил в одном доме с Варварой Петровной. За несколько времени до великого дня Степан Трофимович повадился было бормотать про себя известные, хотя несколько неестественные стихи, должно быть сочиненные каким-нибудь прежним либеральным помещиком:

> Идут мужики и несут топоры,
> Что-то страшное будет.

Кажется, что-то в этом роде, буквально не помню. Варвара Петровна раз подслушала и крикнула ему: «Вздор, вздор!» — и вышла во гневе. Липутин, при этом случившийся, язвительно заметил Степану Трофимовичу:

— А жаль, если господам помещикам бывшие их крепостные и в самом деле нанесут на радостях некоторую неприятность.

И он черкнул указательным пальцем вокруг своей шеи.

— Cher ami[1], — благодушно заметил ему Степан Трофимович, — поверьте, что *это* (он повторил жест вокруг шеи) нисколько не принесет пользы ни нашим помещикам, ни всем нам вообще. Мы и без голов ничего не сумеем устроить, несмотря на то что наши головы всего более и мешают нам понимать.

---

[1] Дорогой друг (*франц.*).

Замечу, что у нас многие полагали, что в день манифеста будет нечто необычайное, в том роде, как предсказывал Липутин, и всё ведь так называемые знатоки народа и государства. Кажется, и Степан Трофимович разделял эти мысли, и до того даже, что почти накануне великого дня стал вдруг проситься у Варвары Петровны за границу; одним словом, стал беспокоиться. Но прошел великий день, прошло и еще некоторое время, и высокомерная улыбка появилась опять на устах Степана Трофимовича. Он высказал пред нами несколько замечательных мыслей о характере русского человека вообще и русского мужичка в особенности.

— Мы, как торопливые люди, слишком поспешили с нашими мужичками, — заключил он свой ряд замечательных мыслей, — мы их ввели в моду, и целый отдел литературы, несколько лет сряду, носился с ними как с новооткрытою драгоценностью. Мы надевали лавровые венки на вшивые головы. Русская деревня, за всю тысячу лет, дала нам лишь одного комаринского. Замечательный русский поэт, не лишенный притом остроумия, увидев в первый раз на сцене великую Рашель, воскликнул в восторге: «Не променяю Рашель на мужика!» Я готов пойти дальше: я и всех русских мужичков отдам в обмен за одну Рашель. Пора взглянуть трезвее и не смешивать нашего родного сиволапого дегтя с bouquet de l'impératrice[1].

Липутин тотчас же согласился, но заметил, что покривить душой и похвалить мужичков все-таки было тогда необходимо для направления; что даже дамы высшего общества заливались слезами, читая «Антона Горемыку», а некоторые из них так даже из Парижа написали в Россию своим управляющим, чтоб от сей поры обращаться с крестьянами как можно гуманнее.

Случилось, и как нарочно сейчас после слухов об Антоне Петрове, что и в нашей губернии, и всего-то в пятнадцати верстах от Скворешников, произошло некоторое недоразумение, так что сгоряча послали команду. В этот раз Степан Трофимович до того взволновался, что даже и нас напугал. Он кричал в клубе, что войска надо больше, чтобы призвали из другого уезда по телеграфу; бегал к губернатору и уверял его, что он тут ни при чем; просил, чтобы не замешали его как-нибудь, по старой памяти, в дело, и предлагал немедленно написать о его заявлении в Петербург, кому следует. Хорошо, что всё это скоро прошло и разрешилось ничем; но только я подивился тогда на Степана Трофимовича.

Года через три, как известно, заговорили о национальности и зародилось «общественное мнение». Степан Трофимович очень смеялся.

— Друзья мои, — учил он нас, — наша национальность, если и в самом деле «зародилась», как они там теперь уверяют в газетах, — то сидит еще в школе, в немецкой какой-нибудь петершуле, за немецкою книжкой и твердит свой вечный немецкий урок, а немец-учитель ставит ее на колени, когда понадобится. За учителя-немца хвалю; но вероятнее всего, что ничего не случилось и ничего такого не зародилось, а идет всё как прежде шло, то есть под покровительством Божиим. По-моему, и довольно бы для России, pour notre sainte Russie[2]. Притом же все эти всеславянства и национальности — всё это слишком старо, чтобы быть новым. Национальность, если хотите, никогда и не являлась у нас иначе как в виде клубной барской затеи, и вдобавок еще московской. Я, разумеется, не про Игорево время говорю. И, наконец, всё от праздности. У нас всё от праздности, и доброе и хорошее. Всё от нашей барской, милой, образованной, прихот-

---

[1] «букетом императрицы» (*франц.*).

[2] а для нашей святой Руси (*франц.*).

ливой праздности! Я тридцать тысяч лет про это твержу. Мы своим трудом жить не умеем. И что они там развозились теперь с каким-то «зародившимся» у нас общественным мнением, — так вдруг, ни с того ни с сего, с неба соскочило? Неужто не понимают, что для приобретения мнения первее всего надобен труд, собственный труд, собственный почин в деле, собственная практика! Даром никогда ничего не достанется. Будем трудиться, будем и свое мнение иметь. А так как мы никогда не будем трудиться, то и мнение иметь за нас будут те, кто вместо нас до сих пор работал, то есть всё та же Европа, всё те же немцы — двухсотлетние учителя Паши. К тому же Россия есть слишком великое недоразумение, чтобы нам одним его разрешить, без немцев и без труда. Вот уже двадцать лет, как я бью в набат и зову к труду! Я отдал жизнь на этот призыв и, безумец, веровал! Теперь уже не верую, но звоню и буду звонить до конца, до могилы; буду дергать веревку, пока не зазвонят к моей панихиде!

Увы! мы только поддакивали. Мы аплодировали учителю нашему, да с каким еще жаром! А что, господа, не раздается ли и теперь, подчас сплошь да рядом, такого же «милого», «умного», «либерального» старого русского вздора?

В Бога учитель наш веровал. «Не понимаю, почему меня все здесь выставляют безбожником? — говаривал он иногда, — я в Бога верую, mais distinguons[1], я верую, как в существо, себя лишь во мне сознающее. Не могу же я веровать, как моя Настасья (служанка) или как какой-нибудь барин, верующий «на всякий случай», — или как наш милый Шатов, — впрочем, нет, Шатов не в счет, Шатов верует насильно, как московский славянофил. Что же касается до христианства, то, при всем моем искреннем к нему уважении, я — не христианин. Я скорее древний язычник, как великий Гете или как древний грек. И одно уже то, что христианство не поняло женщину, — что так великолепно развила Жорж Занд в одном из своих гениальных романов. Насчет же поклонений, постов и всего прочего, то не понимаю, кому какое до меня дело? Как бы ни хлопотали здесь наши доносчики, а иезуитом я быть не желаю. В сорок седьмом году Белинский, будучи за границей, послал к Гоголю известное свое письмо и в нем горячо укорял того, что тот верует «в какого-то бога». Entre nous soit dit[2], ничего не могу вообразить себе комичнее того мгновения, когда Гоголь (тогдашний Гоголь!) прочел это выражение и... всё письмо! Но, откинув смешное, и так как я все-таки с сущностию дела согласен, то скажу и укажу: вот были люди! Сумели же они любить свой народ, сумели же пострадать за него, сумели же пожертвовать для него всем и сумели же в то же время не сходиться с ним, когда надо, не потворствовать ему в известных понятиях. Не мог же в самом деле Белинский искать спасения в постном масле или в редьке с горохом!..»

Но тут вступался Шатов.

— Никогда эти ваши люди не любили народа, не страдали за него и ничем для него не пожертвовали, как бы ни воображали это сами, себе в утеху! — угрюмо проворчал он, потупившись и нетерпеливо повернувшись на стуле.

— Это они-то не любили народа! — завопил Степан Трофимович. — О, как они любили Россию!

— Ни России, ни народа! — завопил и Шатов, сверкая глазами. — Нельзя любить то, чего не знаешь, а они ничего в русском народе не смыслили! Все они, и вы вместе с ними, просмотрели русский народ сквозь пальцы, а Белинский особенно; уж из того самого письма его к Гоголю это видно. Белинский,

---

[1] но надо различать (*франц.*).
[2] Между нами говоря (*франц.*).

точь-в-точь как Крылова Любопытный, не приметил слона в кунсткамере, а всё внимание свое устремил на французских социальных букашек; так и покончил на них. А ведь он еще, пожалуй, всех вас умнее был! Вы мало того что просмотрели народ, — вы с омерзительным презрением к нему относились, уж по тому одному, что под народом вы воображали себе один только французский народ, да и то одних парижан, и стыдились, что русский народ не таков. И это голая правда! А у кого нет народа, у того нет и Бога! Знайте наверно, что все те, которые перестают понимать свой народ и теряют с ним свои связи, тотчас же, по мере того, теряют и веру отеческую, становятся или атеистами, или равнодушными. Верно говорю! Это факт, который оправдается. Вот почему и вы все и мы все теперь — или гнусные атеисты, или равнодушная, развратная дрянь, и ничего больше! И вы тоже, Степан Трофимович, я вас нисколько не исключаю, даже на ваш счет и говорил, знайте это!

Обыкновенно, проговорив подобный монолог (а с ним это часто случалось), Шатов схватывал свой картуз и бросался к дверям, в полной уверенности, что уж теперь всё кончено и что он совершенно и навеки порвал свои дружеские отношения к Степану Трофимовичу. Но тот всегда успевал остановить его вовремя.

— А не помириться ль нам, Шатов, после всех этих милых словечек? — говаривал он, благодушно протягивая ему с кресел руку.

Неуклюжий, но стыдливый Шатов нежностей не любил. Снаружи человек был грубый, но про себя, кажется, деликатнейший. Хоть и терял часто меру, но первый страдал от того сам. Проворчав что-нибудь под нос на призывные слова Степана Трофимовича и потоптавшись, как медведь, на месте, он вдруг неожиданно ухмылялся, откладывал свой картуз и садился на прежний стул, упорно смотря в землю. Разумеется, приносилось вино, и Степан Трофимович провозглашал какой-нибудь подходящий тост, например хоть в память которого-нибудь из прошедших деятелей.

Глава вторая
ПРИНЦ ГАРРИ. СВАТОВСТВО

I

На земле существовало еще одно лицо, к которому Варвара Петровна была привязана не менее как к Степану Трофимовичу, — единственный сын ее, Николай Всеволодович Ставрогин. Для него-то и приглашен был Степан Трофимович в воспитатели. Мальчику было тогда лет восемь, а легкомысленный генерал Ставрогин, отец его, жил в то время уже в разлуке с его мамашей, так что ребенок возрос под одним только ее попечением. Надо отдать справедливость Степану Трофимовичу, он умел привязать к себе своего воспитанника. Весь секрет его заключался в том, что он и сам был ребенок. Меня тогда еще не было, а в истинном друге он постоянно нуждался. Он не задумался сделать своим другом такое маленькое существо, едва лишь оно капельку подросло. Как-то так естественно сошлось, что между ними не оказалось ни малейшего расстояния. Он не раз пробуждал своего десяти- или одиннадцатилетнего друга ночью, единственно чтоб излить пред ним в слезах свои оскорбленные чувства или открыть ему какой-нибудь домашний секрет, не замечая, что это совсем уже непозволительно. Они бросались друг другу в объятия и плакали. Мальчик знал про свою мать, что она его очень любит, но вряд ли очень любил ее сам. Она мало с ним говорила, редко в чем его очень стесняла, но пристально следящий за ним ее взгляд он всегда как-то болезненно ощущал на себе. Впрочем, во всем деле обучения и нравственного развития мать вполне доверяла Степану Трофимовичу. Тогда еще она вполне в него веровала. Надо думать, что педагог несколько расстроил нервы своего воспитанника. Когда его, по шестнадцатому году, повезли в лицей, то он был тщедушен и бледен, странно тих и задумчив. (Впоследствии он отличался чрезвычайною физическою силой.) Надо полагать тоже, что друзья плакали, бросаясь ночью взаимно в объятия, не всё об одних каких-нибудь домашних анекдотцах. Степан Трофимович сумел дотронуться в сердце своего друга до глубочайших струн и вызвать в нем первое, еще неопределенное ощущение той вековечной, священной тоски, которую иная избранная душа, раз вкусив и познав, уже не променяет потом никогда на дешевое удовлетворение. (Есть и такие любители, которые тоской этой дорожат более самого радикального удовлетворения, если б даже таковое и было возможно.) Но во всяком случае хорошо было, что птенца и наставника, хоть и поздно, а развели в разные стороны.

Из лицея молодой человек в первые два года приезжал на вакацию. Во время поездки в Петербург Варвары Петровны и Степана Трофимовича он присутствовал иногда на литературных вечерах, бывавших у мамаши, слушал и наблюдал. Говорил мало и всё по-прежнему был тих и застенчив. К Степану Трофимовичу относился с прежним нежным вниманием, но уже как-то сдержаннее: о высоких предметах и о воспоминаниях прошлого видимо удалялся с ним заговаривать. Кончив курс, он, по желанию мамаши, поступил в военную службу и вскоре был зачислен в один из самых видных гвардейских кавалерийских полков. Показаться мамаше в мундире он не приехал и редко стал писать из Петербурга. Денег Варвара Петровна посылала ему не жалея, несмотря на то что после реформы доход с ее имений упал до того, что в первое время она и половины прежнего дохода не получала. У ней, впрочем, накоплен был долгою экономией некоторый, не совсем маленький капитал. Ее очень интересовали успехи сына в высшем петербургском обществе. Что не удалось ей, то удалось молодому офицеру, богатому и с надеждами. Он возобновил такие знакомства, о которых она и мечтать уже не могла, и везде был принят с большим удовольствием. Но очень скоро начали доходить к Варваре Петровне довольно странные слухи: молодой человек как-то безумно и вдруг закутил. Не то чтоб он играл или очень пил; рассказывали только о какой-то дикой разнузданности, о задавленных рысаками людях, о зверском поступке с одною дамой хорошего общества, с которою он был в связи, а потом оскорбил ее публично. Что-то даже слишком уж откровенно грязное было в этом деле. Прибавляли сверх того, что он какой-то бретер, привязывается и оскорбляет из удовольствия оскорбить. Варвара Петровна волновалась и тосковала. Степан Трофимович уверял ее, что это только первые, буйные порывы слишком богатой организации, что море уляжется и что всё это похоже на юность принца Гарри, кутившего с Фальстафом, Пойнсом и мистрис Квикли, описанную у Шекспира. Варвара Петровна на этот раз не крикнула: «Вздор, вздор!», как повадилась в последнее время покрикивать очень часто на Степана Трофимовича, а, напротив, очень прислушалась, велела растолковать себе подробнее, сама взяла Шекспира и с чрезвычайным вниманием прочла бессмертную хронику. Но хроника ее не успокоила, да и сходства она не так много нашла. Она лихорадочно ждала ответов на несколько своих писем. Ответы не замедлили; скоро было получено роковое известие, что принц Гарри имел почти разом две дуэли, кругом был виноват в обеих, убил одного из своих противников наповал, а другого искалечил и вследствие таковых деяний был отдан под суд. Дело кончилось разжалованием в солдаты, с лишением прав и ссылкой на службу в один из пехотных армейских полков, да и то еще по особенной милости.

В шестьдесят третьем году ему как-то удалось отличиться; ему дали крестик и произвели в унтер-офицеры, а затем как-то уж скоро и в офицеры. Во всё это время Варвара Петровна отправила, может быть, до сотни писем в столицу с просьбами и мольбами. Она позволила себе несколько унизиться в таком необычайном случае. После производства молодой человек вдруг вышел в отставку, в Скворешники опять не приехал, а к матери совсем уже перестал писать. Узнали наконец, посторонними путями, что он опять в Петербурге, но что в прежнем обществе его уже не встречали вовсе; он куда-то как бы спрятался. Доискались, что он живет в какой-то странной компании, связался с каким-то отребьем петербургского населения, с какими-то бессапожными чиновниками, отставными военными, благородно просящими милостыню, пьяницами, посещает их грязные семейства, дни и ночи проводит в темных трущобах и бог знает в каких закоулках, опустился, оборвался и что, стало быть, это ему нравится. Денег у матери он не просил; у него было свое именьице — бывшая деревенька генерала Ставрогина, которое хоть что-нибудь да давало же доходу и которое, по слухам, он сдал в аренду одному саксонскому немцу. Наконец мать умолила его к ней приехать, и принц Гарри появился в нашем городе. Тут-то я в первый раз и разглядел его, а дотоле никогда не видывал.

Это был очень красивый молодой человек, лет двадцати пяти, и, признаюсь, поразил меня. Я ждал встретить какого-нибудь грязного оборванца, испитого от разврата и отдающего водкой. Напротив, это был самый изящный джентльмен из всех, которых мне когда-либо приходилось видеть, чрезвычайно хорошо одетый, державший себя так, как мог держать себя только господин, привыкший к самому утонченному благообразию. Не я один был удивлен: удивлялся и весь город, которому, конечно, была уже известна вся биография господина Ставрогина, и даже с такими подробностями, что невозможно было представить, откуда они могли получиться, и, что всего удивительнее, из которых половина оказалась верною. Все наши дамы были без ума от нового гостя. Они резко разделились на две стороны — в одной обожали его, а в другой ненавидели до кровомщения; но без ума были и те и другие. Одних особенно прельщало, что на душе его есть, может быть, какая-нибудь роковая тайна; другим положительно нравилось, что он убийца. Оказалось тоже, что он был весьма порядочно образован; даже с некоторыми познаниями. Познаний, конечно, не много требовалось, чтобы нас удивить; но он мог судить и о насущных, весьма интересных темах, и, что всего драгоценнее, с замечательною рассудительностию. Упомяну как странность: все у нас, чуть не с первого дня, нашли его чрезвычайно рассудительным человеком. Он был не очень разговорчив, изящен без изысканности, удивительно скромен и в то же время смел и самоуверен, как у нас никто. Наши франты смотрели на него с завистью и совершенно пред ним стушевывались. Поразило меня тоже его лицо: волосы его были что-то уж очень черны, светлые глаза его что-то уж очень спокойны и ясны, цвет лица что-то уж очень нежен и бел, румянец что-то уж слишком ярок и чист, зубы как жемчужины, губы как коралловые, — казалось бы, писаный красавец, а в то же время как будто и отвратителен. Говорили, что лицо его напоминает маску; впрочем, многое говорили, между прочим, и о чрезвычайной телесной его силе. Росту он был почти высокого. Варвара Петровна смотрела на него с гордостию, но постоянно с беспокойством. Он прожил у нас с полгода — вяло, тихо, довольно угрюмо; являлся в обществе и с неуклонным вниманием исполнял весь наш губернский этикет. Губернатору, по отцу, он был сродни и в доме его принят как близкий родственник. Но прошло несколько месяцев, и вдруг зверь показал свои когти.

Кстати замечу в скобках, что милый, мягкий наш Иван Осипович, бывший наш губернатор, был несколько похож на бабу, но хорошей фамилии и со связями, — чем и объясняется то, что он просидел у нас столько лет, постоянно отмахиваясь руками от всякого дела. По хлебосольству его и гостеприимству ему бы следовало быть предводителем дворянства старого доброго времени, а не губернатором в такое хлопотливое время, как наше. В городе постоянно говорили, что управляет губернией не он, а Варвара Петровна. Конечно, это было едко сказано, но, однако же, — решительная ложь. Да и мало ли было на этот счет потрачено у нас остроумия. Напротив, Варвара Петровна, в последние годы, особенно и сознательно устранила себя от всякого высшего назначения, несмотря на чрезвычайное уважение к ней всего общества, и добровольно заключилась в строгие пределы, ею самою себе поставленные. Вместо высших назначений она вдруг начала заниматься хозяйством и в два-три года подняла доходность своего имения чуть не на прежнюю степень. Вместо прежних поэтических порывов (поездки в Петербург, намерения издавать журнал и пр.) она стала копить и скупиться. Даже Степана Трофимовича отдалила от себя, позволив ему нанимать квартиру в другом доме (о чем тот давно уже приставал к ней сам под разными предлогами). Мало-помалу Степан Трофимович стал называть ее прозаическою женщиной или еще шутливее: «своим прозаическим другом». Разумеется, эти шутки он позволял себе не иначе как в чрезвычайно почтительном виде и долго выбирая удобную минуту.

Все мы, близкие, понимали, — а Степан Трофимович чувствительнее всех нас, — что сын явился пред нею теперь как бы в виде новой надежды и даже в виде какой-то новой мечты. Страсть ее к сыну началась со времени удач его в петербургском обществе и особенно усилилась с той минуты, когда получено было известие о разжаловании его в солдаты. А между тем она очевидно боялась его и казалась пред ним словно рабой. Заметно было, что она боялась чего-то неопределенного, таинственного, чего и сама не могла бы высказать, и много раз неприметно и пристально приглядывалась к Nicolas, что-то соображая и разгадывая... и вот — зверь вдруг выпустил свои когти.

II

Наш принц вдруг, ни с того ни с сего, сделал две-три невозможные дерзости разным лицам, то есть главное именно в том состояло, что дерзости эти совсем неслыханные, совершенно ни на что не похожие, совсем не такие, какие в обыкновенном употреблении, совсем дрянные и мальчишнические, и черт знает для чего, совершенно без всякого повода. Один из почтеннейших старшин нашего клуба, Павел Павлович Гаганов, человек пожилой и даже заслуженный, взял невинную привычку ко всякому слову с азартом приговаривать: «Нет-с, меня не проведут за нос!» Оно и пусть бы. Но однажды в клубе, когда он, по какому-то горячему поводу, проговорил этот афоризм собравшейся около него кучке клубных посетителей (и всё людей не последних), Николай Всеволодович, стоявший в стороне один и к которому никто и не обращался, вдруг подошел к Павлу Павловичу, неожиданно, но крепко ухватил его за нос двумя пальцами и успел протянуть за собою по зале два-три шага. Злобы он не мог иметь никакой на господина Гаганова. Можно было подумать, что это чистое школьничество, разумеется непростительнейшее; и, однако же, рассказывали потом, что он в самое мгновение операции был почти задумчив, «точно как бы с ума сошел»; но это уже долго спустя припомнили и сообразили. Сгоряча все сначала запомнили только второе мгновение, когда он уже наверно всё понимал в настоящем виде и не только не смутился, но, напротив, улыбался злобно и весело, «без малейшего раскаяния». Шум поднялся ужаснейший; его окружили. Николай Всеволодович повертывался и посматривал кругом, не отвечая никому и с любопытством приглядываясь к восклицавшим лицам. Наконец, вдруг как будто задумался опять, — так по крайней мере передавали, — нахмурился, твердо подошел к оскорбленному Павлу Павловичу и скороговоркой, с видимою досадой, пробормотал:

— Вы, конечно, извините... Я, право, не знаю, как мне вдруг захотелось... глупость...

Небрежность извинения равнялась новому оскорблению. Крик поднялся еще пуще. Николай Всеволодович пожал плечами и вышел.

Всё это было очень глупо, не говоря уже о безобразии — безобразии рассчитанном и умышленном, как казалось с первого взгляда, а стало быть, составлявшем умышленное, до последней степени наглое оскорбление всему нашему обществу. Так и было это всеми понято. Начали с того, что немедленно и единодушно исключили господина Ставрогина из числа членов клуба; затем порешили от лица всего клуба обратиться к губернатору и просить его немедленно (не дожидаясь, пока дело начнется формально судом) обуздать вредного буяна, столичного «бретера, вверенною ему административною властию, и тем оградить спокойствие всего порядочного круга нашего города от вредных посягновений». С злобною невинностью прибавляли при этом, что, «может быть, и на господина Ставрогина найдется какой-нибудь закон». Именно эту фразу приготовляли губернатору, чтоб уколоть его за Варвару Петровну. Размазывали с наслаждением. Губернатора, как нарочно, не случилось тогда в городе; он уехал неподалеку крестить ребенка у одной интересной и недавней вдовы, оставшейся после мужа в интересном положении; но знали, что он скоро воротится. В ожидании же устроили почтенному и обиженному Павлу Павловичу целую овацию: обнимали и целовали его; весь город перебывал у него с визитом. Проектировали даже в честь его по подписке обед, и только по усиленной его же просьбе оставили эту мысль, — может быть, смекнув наконец, что человека все-таки протащили за нос и что, стало быть, очень-то уж торжествовать нечего.

И, однако, как же это случилось? Как могло это случиться? Замечательно именно то обстоятельство, что никто у нас, в целом городе, не приписал этого дикого поступка сумасшествию. Значит, от Николая Всеволодовича, и от умного, наклонны были ожидать таких же поступков. С своей стороны, я даже до сих пор не знаю, как объяснить, несмотря даже на вскоре последовавшее событие, казалось бы всё объяснившее и всех, по-видимому, умиротворившее. Прибавлю тоже, что четыре года спустя Николай Всеволодович на мой осторожный вопрос насчет этого прошедшего случая в клубе ответил нахмурившись: «Да, я был тогда не совсем здоров». Но забегать вперед нечего.

Любопытен был для меня и тот взрыв всеобщей ненависти, с которою все у нас накинулись тогда на «буяна и столичного бретера». Непременно хотели видеть наглый умысел и рассчитанное намерение разом оскорбить всё общество. Подлинно не угодил человек никому и, напротив, всех вооружил, — а чем бы, кажется? До последнего случая он ни разу ни с кем не поссорился и никого не оскорбил, а уж вежлив был так, как кавалер с модной картинки, если бы только тот мог заговорить. Полагаю, что за гордость его ненавидели. Даже наши дамы, начавшие обожанием, вопили теперь против него еще пуще мужчин.

Варвара Петровна была ужасно поражена. Она призналась потом Степану Трофимовичу, что всё это она давно предугадывала, все эти полгода каждый день, и даже именно в «этом самом роде» — признание замечательное со стороны родной матери. «Началось!» — подумала она содрогаясь. На другое утро после рокового вечера в клубе она приступила, осторожно, но решительно, к объяснению с сыном, а между тем вся так и трепетала, бедная, несмотря на решимость. Она всю ночь не спала и даже ходила рано утром совещаться к Степану Трофимовичу и у него заплакала, чего никогда еще с нею при людях не случалось. Ей хотелось, чтобы Nicolas по крайней мере хоть что-нибудь ей сказал, хоть объясниться бы удостоил. Nicolas, всегда столь вежливый и почтительный с матерью, слушал ее некоторое время насупившись, но очень серьезно; вдруг встал, не ответив ни слова, поцеловал у ней ручку и вышел. А в тот же день, вечером, как нарочно, подоспел и другой скандал, хотя и гораздо послабее и пообыкновеннее первого, но тем не менее, благодаря всеобщему настроению, весьма усиливший городские вопли.

Именно подвернулся наш приятель Липутин. Он явился к Николаю Всеволодовичу тотчас после объяснения того с мамашей и убедительно просил его сделать честь пожаловать к нему в тот же день на вечеринку по поводу дня рождения его жены. Варвара Петровна уже давно с содроганием смотрела на такое низкое направление знакомств Николая Всеволодовича, но заметить ему ничего не смела на этот счет. Он уже и кроме того завел несколько знакомств в этом третьестепенном слое нашего общества и даже еще ниже, — но уж такую имел наклонность. У Липутина же в доме до сих пор еще не был, хотя с ним самим и встречался. Он угадал, что Липутин зовет его теперь вследствие вчерашнего скандала в клубе и что он, как местный либерал, от этого скандала в восторге, искренно думает, что так и надо поступать с клубными старшинами и что это очень хорошо. Николай Всеволодович рассмеялся и обещал приехать.

Гостей набралось множество; народ был неказистый, но разбитной. Самолюбивый и завистливый Липутин всего только два раза в год созывал гостей, но уж в эти разы не скупился. Самый почетнейший гость, Степан Трофимович, по болезни не приехал. Подавали чай, стояла обильная закуска и водка; играли на трех столах, а молодежь в ожидании ужина затеяла под фортепиано танцы. Николай Всеволодович поднял мадам Липутину — чрезвычайно хорошенькую дамочку, ужасно пред ним робевшую, — сделал с нею два тура, уселся подле, разговорил, рассмешил ее. Заметив наконец, какая она хорошенькая, когда смеется, он вдруг, при всех гостях, обхватил ее за талию и поцеловал в губы, раза три сряду, в полную сласть. Испуганная бедная женщина упала в обморок. Николай Всеволодович взял шляпу, подошел к оторопевшему среди всеобщего смятения супругу, глядя на него сконфузился и сам и, пробормотав ему наскоро: «Не сердитесь», вышел. Липутин побежал за ним в переднюю, собственноручно подал ему шубу и с поклонами проводил с лестницы. Но завтра же как раз подоспело довольно забавное прибавление к этой, в сущности невинной, истории, говоря сравнительно, — прибавление, доставившее с тех пор Липутину некоторый даже почет, которым он и сумел воспользоваться в полную свою выгоду.

Часов в десять утра в доме госпожи Ставрогиной явилась работница Липутина, Агафья, развязная, бойкая и румяная бабенка, лет тридцати, посланная им с поручением к Николаю Всеволодовичу и непременно желавшая «повидать их самих-с». У него очень болела голова, но он вышел. Варваре Петровне удалось присутствовать при передаче поручения.

— Сергей Васильич (то есть Липутин), — бойко затараторила Агафья, — перво-наперво приказали вам очень кланяться и о здоровье спросить-с, как после вчерашнего изволили почивать и как изволите теперь себя чувствовать, после вчерашнего-с?

Николай Всеволодович усмехнулся.

— Кланяйся и благодари, да скажи ты своему барину от меня, Агафья, что он самый умный человек во всем городе.

— А они против этого приказали вам отвечать-с, — еще бойчее подхватила Агафья, — что они и без вас про то знают и вам того же желают.

— Вот! да как он мог узнать про то, что я тебе скажу?

— Уж не знаю, каким это манером узнали-с, а когда я вышла и уж весь проулок прошла, слышу, они меня догоняют без картуза-с: «Ты, говорят, Агафьюшка, если, по отчаянии, прикажут тебе: «Скажи, дескать, своему барину, что он умней во всем городе», так ты им тотчас на то не забудь: «Сами оченно хорошо про то знаем-с и вам того же самого желаем-с...»

III

Наконец произошло объяснение и с губернатором. Милый, мягкий наш Иван Осипович только что воротился и только что успел выслушать горячую клубную жалобу. Без сомнения, надо было что-нибудь сделать, но он смутился. Гостеприимный наш старичок тоже как будто побаивался своего молодого родственника. Он решился, однако, склонить его извиниться пред клубом и пред обиженным, но в удовлетворительном виде, и если потребуется, то и письменно; а затем мягко уговорить его нас оставить, уехав, например, для любознательности в Италию и вообще куда-нибудь за границу. В зале, куда вышел он принять на этот раз Николая Всеволодовича (в другие разы прогуливавшегося, на правах родственника, по всему дому невозбранно), воспитанный Алеша Телятников, чиновник, а вместе с тем и домашний у губернатора человек, распечатывал в углу у стола пакеты; а в следующей комнате, у ближайшего к дверям залы окна, поместился один заезжий, толстый и здоровый полковник, друг и бывший сослуживец Ивана Осиповича, и читал «Голос», разумеется не обращая никакого внимания на то, что происходило в зале; даже и сидел спиной. Иван Осипович заговорил отдаленно, почти шепотом, но всё несколько путался. Nicolas смотрел очень нелюбезно, совсем не по-родственному, был бледен, сидел потупившись и слушал сдвинув брови, как будто преодолевая сильную боль.

— Сердце у вас доброе, Nicolas, и благородное, — включил, между прочим, старичок, — человек вы образованнейший, вращались в кругу высшем, да и здесь доселе держали себя образцом и тем успокоили сердце дорогой нам всем матушки вашей... И вот теперь всё опять является в таком загадочном и опасном для всех колорите! Говорю как друг вашего дома, как искренно любящий вас пожилой и вам родной человек, от которого нельзя обижаться... Скажите, что побуждает вас к таким необузданным поступкам, вне всяких принятых условий и мер? Что могут означать такие выходки, подобно как в бреду?

Nicolas слушал с досадой и с нетерпением. Вдруг как бы что-то хитрое и насмешливое промелькнуло в его взгляде.

— Я вам, пожалуй, скажу, что побуждает, — угрюмо проговорил он и, оглядевшись, наклонился к уху Ивана Осиповича. Воспитанный Алеша Телятников отдалился еще шага на три к окну, а полковник кашлянул за «Голосом». Бедный Иван Осипович поспешно и доверчиво протянул свое ухо; он до крайности был любопытен. И вот тут-то и произошло нечто совершенно невозможное, а с другой стороны, и слишком ясное в одном отношении. Старичок вдруг почувствовал, что Nicolas, вместо того чтобы прошептать ему какой-нибудь интересный секрет, вдруг прихватил зубами и довольно крепко стиснул в них верхнюю часть его уха. Он задрожал, и дух его прервался.

— Nicolas, что за шутки! — простонал он машинально, не своим голосом.

Алеша и полковник еще не успели ничего понять, да им и не видно было и до конца казалось, что те шепчутся; а между тем отчаянное лицо старика их тревожило. Они смотрели выпуча глаза друг на друга, не зная, броситься ли им на помощь, как было условлено, или еще подождать. Nicolas заметил, может быть, это и притиснул ухо побольнее.

— Nicolas, Nicolas! — простонала опять жертва, — ну... пошутил и довольно...

Еще мгновение, и, конечно, бедный умер бы от испуга; но изверг помиловал и выпустил ухо. Весь этот смертный страх продолжался с полную минуту, и со стариком после того приключился какой-то припадок. Но через полчаса Nicolas был арестован и отведен, покамест, на гауптвахту, где и заперт в особую каморку, с особым часовым у дверей. Решение было резкое, но наш мягкий начальник до того рассердился, что решился взять на себя ответственность даже пред самой Варварой Петровной. Ко всеобщему изумлению, этой даме, поспешно и в раздражении прибывшей к губернатору для немедленных объяснений, было отказано у крыльца в приеме; с тем она и отправилась, не выходя из кареты, обратно домой, не веря самой себе.

И наконец-то всё объяснилось! В два часа пополуночи арестант, дотоле удивительно спокойный и даже заснувший, вдруг зашумел, стал неистово бить кулаками в дверь, с неестественною силой оторвал от оконца в дверях железную решетку, разбил стекло и изрезал себе руки. Когда караульный офицер прибежал с командой и ключами и велел отпереть каземат, чтобы броситься на взбесившегося и связать его, то оказалось, что тот был в сильнейшей белой горячке; его перевезли домой к мамаше. Всё разом объяснилось. Все три наши доктора дали мнение, что и за три дня пред сим больной мог уже быть как в бреду и хотя и владел, по-видимому, сознанием и хитростию, но уже не здравым рассудком и волей, что, впрочем, подтверждалось и фактами. Выходило таким образом, что Липутин раньше всех догадался. Иван Осипович, человек деликатный и чувствительный, очень сконфузился; но любопытно, что он считал, стало быть, Николая Всеволодовича способным на всякий сумасшедший поступок в полном рассудке. В клубе тоже устыдились и недоумевали, как это они все слона не приметили и упустили единственное возможное объяснение всем чудесам. Явились, разумеется, и скептики, но продержались не долго.

Nicolas пролежал с лишком два месяца. Из Москвы был выписан известный врач для консилиума; весь город посетил Варвару Петровну. Она простила. Когда, к весне, Nicolas совсем уже выздоровел и, без всякого возражения, согласился на предложение мамаши съездить в Италию, то она же и упросила его сделать всем у нас прощальные визиты и при этом, сколько возможно и где надо, извиниться. Nicolas согласился с большою охотой. В клубе известно было, что он имел с Павлом Павловичем Гагановым деликатнейшее объяснение у того в доме, которым тот остался совершенно доволен. Разъезжая по визитам, Nicolas был очень серьезен и несколько даже мрачен. Все приняли его, по-видимому, с полным участием, но все почему-то конфузились и рады были тому, что он уезжает в Италию. Иван Осипович даже прослезился, но почему-то не решился обнять его даже и при последнем прощании. Право, некоторые у нас так и остались в уверенности, что негодяй просто насмеялся над всеми, а болезнь — это что-нибудь так. Заехал он и к Липутину.

— Скажите, — спросил он его, — каким образом вы могли заране угадать то, что я скажу о вашем уме, и снабдить Агафью ответом?

— А таким образом, — засмеялся Липутин, — что ведь и я вас за умного человека почитаю, а потому и ответ ваш заране мог предузнать.

— Все-таки замечательное совпадение. Но, однако, позвольте! вы, стало быть, за умного же человека меня почитали, когда присылали Агафью, а не за сумасшедшего?

— За умнейшего и за рассудительнейшего, а только вид такой подал, будто верю про то, что вы не в рассудке... Да и сами вы о моих мыслях немедленно тогда догадались и мне, чрез Агафью, патент на остроумие выслали.

— Ну, тут вы немного ошибаетесь; я в самом деле... был нездоров... — пробормотал Николай Всеволодович нахмурившись. — Ба! — вскричал он, — да неужели вы и в самом деле думаете, что я способен бросаться на людей в полном рассудке? Да для чего же бы это?

Липутин скрючился и не сумел ответить. Nicolas несколько побледнел, или так только показалось Липутину.

— Во всяком случае, у вас очень забавное настроение мыслей, — продолжал Nicolas, — а про Агафью я, разумеется, понимаю, что вы ее обругать меня присылали.

— Не на дуэль же было вас вызывать-с?

— Ах да, бишь! Я ведь слышал что-то, что вы дуэли не любите...

— Что с французского-то переводить! — опять скрючился Липутин.

— Народности придерживаетесь?

Липутин еще более скрючился.

— Ба, ба! что я вижу! — вскричал Nicolas, вдруг заметив на самом видном месте, на столе, том Консидерана. — Да уж не фурьерист ли вы? Ведь чего доброго! Так разве это не тот же перевод с французского? — засмеялся он, стуча пальцами в книгу.

— Нет, это не с французского перевод! — с какою-то даже злобой привскочил Липутин, — это со всемирно-человеческого языка будет перевод-с, а не с одного только французского! С языка всемирно-человеческой социальной республики и гармонии, вот что-с! А не с французского одного!..

— Фу, черт, да такого и языка совсем нет! — продолжал смеяться Nicolas.

Иногда даже мелочь поражает исключительно и надолго внимание. О господине Ставрогине вся главная речь впереди; но теперь отмечу, ради курьеза, что из всех впечатлений его, за всё время, проведенное им в нашем городе, всего резче отпечаталась в его памяти невзрачная и чуть не подленькая фигурка губернского чиновничишка, ревнивца и семейного грубого деспота, скряги и процентщика, запиравшего остатки от обеда и огарки на ключ, и в то же время яростного сектатора бог знает какой будущей «социальной гармонии», упивавшегося по ночам восторгами пред фантастическими картинами будущей фаланстеры, в ближайшее осуществление которой в России и в нашей губернии он верил как в свое собственное существование. И это там, где сам же он скопил себе «домишко», где во второй раз женился и взял за женой деньжонки, где, может быть, на сто верст кругом не было ни одного человека, начиная с него первого, хоть бы с виду только похожего на будущего члена «всемирно-общечеловеческой социальной республики и гармонии».

«Бог знает как эти люди делаются!» — думал Nicolas в недоумении, припоминая иногда неожиданного фурьериста.

IV

Наш принц путешествовал три года с лишком, так что в городе почти о нем позабыли. Нам же известно было чрез Степана Трофимовича, что он изъездил всю Европу, был даже в Египте и заезжал в Иерусалим; потом примазался где-то к какой-то ученой экспедиции в Исландию и действительно побывал в Исландии. Передавали тоже, что он одну зиму слушал лекции в одном немецком университете. Он мало писал к матери — раз в полгода и даже реже; но Варвара Петровна не сердилась и не обижалась. Раз установившиеся отношения с сыном она приняла безропотно и с покорностию, но, уж конечно, каждый день во все эти три года беспокоилась, тосковала и мечтала о своем Nicolas непрерывно. Ни мечтаний, ни жалоб своих не сообщала никому. Даже от Степана Трофимовича, по-видимому, несколько отдалилась. Она создавала какие-то планы про себя и, кажется, сделалась еще скупее, чем прежде, и еще пуще стала копить и сердиться за карточные проигрыши Степана Трофимовича.

Наконец, в апреле нынешнего года она получила письмо из Парижа, от генеральши Прасковьи Ивановны Дроздовой, подруги своего детства. В письме своем Прасковья Ивановна, — с которою Варвара Петровна не видалась и не переписывалась лет уже восемь, — уведомляла ее, что Николай Всеволодович коротко сошелся с их домом и подружился с Лизой (единственною ее дочерью) и намерен сопровождать их летом в Швейцарию, в Vernex-Montreux, несмотря на то что в семействе графа К... (весьма влиятельного в Петербурге лица), пребывающего теперь в Париже, принят как родной сын, так что почти живет у графа. Письмо было краткое и обнаруживало ясно свою цель, хотя кроме вышеозначенных фактов никаких выводов не заключало. Варвара Петровна долго не думала, мигом решилась и собралась, захватила с собою свою воспитанницу Дашу (сестру Шатова) и в половине апреля покатила в Париж и потом в Швейцарию. Воротилась она в июле одна, оставив Дашу у Дроздовых; сами же Дроздовы, по привезенному ею известию, обещали явиться к нам в конце августа..

Дроздовы были тоже помещики нашей губернии, но служба генерала Ивана Ивановича (бывшего приятеля Варвары Петровны и сослуживца ее мужа) постоянно мешала им навестить когда-нибудь их великолепное поместье. По смерти же генерала, приключившейся в прошлом году, неутешная Прасковья Ивановна отправилась с дочерью за границу, между прочим и с намерением употребить виноградное лечение, которое и располагала совершить в Vernex-Montreux во вторую половину лета. По возвращении же в отечество намеревалась поселиться в нашей губернии навсегда. В городе у нее был большой дом, много уже лет стоявший пустым, с заколоченными окнами. Люди были богатые. Прасковья Ивановна, в первом супружестве госпожа Тушина, была, как и пансионская подруга ее Варвара Петровна, тоже дочерью откупщика прошедшего времени и тоже вышла замуж с большим приданым. Отставной штаб-ротмистр Тушин и сам был человек со средствами и с некоторыми способностями. Умирая, он завещал своей семилетней и единственной дочери Лизе хороший капитал. Теперь, когда Лизавете Николаевне было уже около двадцати двух лет, за нею смело можно было считать до двухсот тысяч рублей одних ее собственных денег, не говоря уже о состоянии, которое должно было ей достаться со временем после матери, не имевшей детей во втором супружестве. Варвара Петровна была, по-видимому, весьма довольна своею поездкой. По ее мнению, она успела сговориться с Прасковьей Ивановной удовлетворительно и тотчас же по приезде сообщила всё Степану Трофимовичу; даже была с ним весьма экспансивна, что давно уже с нею не случалось.

— Ура! — вскричал Степан Трофимович и прищелкнул пальцами.

Он был в полном восторге, тем более что всё время разлуки с своим другом провел в крайнем унынии. Уезжая за границу, она даже с ним не простилась как следует и ничего не сообщила из своих планов «этой бабе», опасаясь, может быть, чтоб он чего не разболтал. Она сердилась на него тогда за значительный карточный проигрыш, внезапно обнаружившийся. Но еще в Швейцарии почувствовала сердцем своим, что брошенного друга надо по возвращении вознаградить, тем более что давно уже сурово с ним обходилась. Быстрая и таинственная разлука поразила и истерзала робкое сердце Степана Трофимовича, и, как нарочно, разом подошли и другие недоумения. Его мучило одно весьма значительное и давнишнее денежное обязательство, которое без помощи Варвары Петровны никак не могло быть удовлетворено. Кроме того, в мае нынешнего года окончилось наконец губернаторствование нашего доброго, мягкого Ивана Осиповича; его сменили, и даже с неприятностями. Затем, в отсутствие Варвары Петровны, произошел и въезд нашего нового начальника, Андрея Антоновича фон Лембке; вместе с тем тотчас же началось и заметное изменение в отношениях почти всего нашего губернского общества к Варваре Петровне, а стало быть, и к Степану Трофимовичу. По крайней мере он уже успел собрать несколько неприятных, хотя и драгоценных наблюдений и, кажется, очень оробел один без Варвары Петровны. Он с волнением подозревал, что о нем уже донесли новому губернатору, как о человеке опасном. Он узнал положительно, что некоторые из наших дам намеревались прекратить к Варваре Петровне визиты. О будущей губернаторше (которую ждали у нас только к осени) повторяли, что она хотя, слышно, и гордячка, но зато уже настоящая аристократка, а не то что «какая-нибудь наша несчастная Варвара Петровна». Всем откудова-то было достоверно известно с подробностями, что новая губернаторша и Варвара Петровна уже встречались некогда в свете и расстались враждебно, так что одно уже напоминание о госпоже фон Лембке производит будто бы на Варвару Петровну впечатление болезненное. Бодрый и победоносный вид Варвары Петровны, презрительное равнодушие, с которым она выслушала о мнениях наших дам и о волнении общества, воскресили упавший дух робевшего Степана Трофимовича и мигом развеселили его. С особенным, радостно-угодливым юмором стал было он ей расписывать про въезд нового губернатора.

— Вам, excellente amie[1], без всякого сомнения известно, — говорил он, кокетничая и щегольски растягивая слова, — что такое значит русский администратор, говоря вообще, и что значит русский администратор внове, то есть новоиспеченный, новопоставленный... Ces interminables mots russes!..[2] Но вряд ли могли вы узнать практически, что такое значит административный восторг и какая именно это штука?

— Административный восторг? Не знаю, что такое.

— То есть... Vous savez, chez nous... En un mot[3], поставьте какую-нибудь самую последнюю ничтожность у продажи каких-нибудь дрянных билетов на железную дорогу, и эта ничтожность тотчас же сочтет себя вправе смотреть на вас Юпитером, когда вы пойдете взять билет, pour vous montrer son pouvoir[4]. «Дай-ка, дескать, я покажу над тобою мою власть...» И это в них до административного восторга доходит... En un mot, я вот прочел, что какой-то дьячок в одной из наших заграничных церквей, — mais c'est très curieux[5], — выгнал, то есть выгнал буквально, из церкви одно замечательное английское семейство, les dames charmantes[6], пред самым началом великопостного богослужения, — vous savez ces chants et le livre de Job...[7] — единственно под тем предлогом, что «шататься иностранцам по русским церквам есть непорядок и чтобы приходили в показанное время...», и довел до обморока... Этот дьячок был в припадке административного восторга, et il a montré son pouvoir...[8]

— Сократите, если можете, Степан Трофимович.

— Господин фон Лембке поехал теперь по губернии. En un mot, этот Андрей Антонович, хотя и русский немец православного исповедания и даже — уступлю ему это — замечательно красивый мужчина, из сорокалетних...

— С чего вы взяли, что красивый мужчина? У него бараньи глаза.

— В высшей степени. Но уж я уступаю, так и быть, мнению наших дам...

— Перейдемте, Степан Трофимович, прошу вас! Кстати, вы носите красные галстуки, давно ли?

— Это я... я только сегодня...

— А делаете ли вы ваш моцион? Ходите ли ежедневно по шести верст прогуливаться, как вам предписано доктором?

— Не... не всегда.

— Так я и знала! Я в Швейцарии еще это предчувствовала! — раздражительно вскричала она. — Теперь вы будете не по шести, а по десяти верст ходить! Вы ужасно опустились, ужасно, уж-жасно! Вы не то что постарели, вы одряхлели... вы поразили меня, когда я вас увидела давеча, несмотря на ваш красный гал-

---

[1] добрейший друг (*франц.*).
[2] Эти нескончаемые русские слова!.. (*франц.*)
[3] Вы знаете, у нас..., Одним словом (*франц.*).
[4] чтоб показать вам свою власть (*франц.*).
[5] однако это весьма любопытно (*франц.*).
[6] прелестных дам (*франц.*).
[7] вы знаете эти псалмы и книгу Иова (*франц.*).
[8] и он показал свою власть (*франц.*).

стук... quelle idée rouge![1] Продолжайте о фон Лембке, если в самом деле есть что
сказать, и кончите когда-нибудь, прошу вас; я устала.

— En un mot, я только ведь хотел сказать, что это один из тех начинающих в
сорок лет администраторов, которые до сорока лет прозябают в ничтожестве и
потом вдруг выходят в люди посредством внезапно приобретенной супруги или
каким-нибудь другим, не менее отчаянным средством... То есть он теперь
уехал... то есть я хочу сказать, что про меня тотчас же нашептали в оба уха, что я
развратитель молодежи и рассадник губернского атеизма... Он тотчас же начал
справляться.

— Да правда ли?

— Я даже меры принял. Когда про вас «до-ло-жили», что вы «управляли губернией», vous savez[2], — он позволил себе выразиться, что «подобного более не
будет».

— Так и сказал?

— Что «подобного более не будет», и avec cette morgue...[3] Супругу, Юлию
Михайловну, мы узрим здесь в конце августа, прямо из Петербурга.

— Из-за границы. Мы там встретились.

— Vraiment?[4]

— В Париже и в Швейцарии. Она Дроздовым родня.

— Родня? Какое замечательное совпадение! Говорят, честолюбива и... с большими будто бы связями?

— Вздор, связишки! До сорока пяти лет просидела в девках без копейки, а
теперь выскочила за своего фон Лембке, и, конечно, вся ее цель теперь его в
люди вытащить. Оба интриганы.

— И, говорят, двумя годами старше его?

— Пятью. Мать ее в Москве хвост обшлепала у меня на пороге; на балы ко
мне, при Всеволоде Николаевиче, как из милости напрашивалась. А эта, бывало, всю ночь одна в углу сидит без танцев, со своею бирюзовою мухой на лбу,
так что я уж в третьем часу, только из жалости, ей первого кавалера посылаю. Ей
тогда двадцать пять лет уже было, а ее всё как девчонку в коротеньком платьице
вывозили. Их пускать к себе стало неприлично.

— Эту муху я точно вижу.

— Я вам говорю, я приехала и прямо на интригу наткнулась. Вы ведь читали
сейчас письмо Дроздовой, что могло быть яснее? Что же застаю? Сама же эта
дура Дроздова, — она всегда только дурой была, — вдруг смотрит вопросительно: зачем, дескать, я приехала? Можете представить, как я была удивлена! Гляжу, а тут финтит эта Лембке и при ней этот кузен, старика Дроздова племянник, — всё ясно! Разумеется, я мигом всё переделала и Прасковья опять на моей
стороне, но интрига, интрига!

— Которую вы, однако же, победили. О, вы Бисмарк!

— Не будучи Бисмарком, я способна, однако же, рассмотреть фальшь и глупость, где встречу. Лембке — это фальшь, а Прасковья — глупость. Редко я
встречала более раскисшую женщину, и вдобавок ноги распухли, и вдобавок добра. Что может быть глупее глупого добряка?

[1] что за дикая выдумка! (франц.)
[2] вы знаете (франц.).
[3] с таким высокомерием (франц.).
[4] Неужели? (франц.)

— Злой дурак, ma bonne amie[1], злой дурак еще глупее, — благородно оппонировал Степан Трофимович.

— Вы, может быть, и правы, вы ведь Лизу помните?

— Charmante enfant![2]

— Но теперь уже не enfant, а женщина, и женщина с характером. Благородная и пылкая, и люблю в ней, что матери не спускает, доверчивой дуре. Тут из-за этого кузена чуть не вышла история.

— Ба, да ведь и в самом деле он Лизавете Николаевне совсем не родня... Виды, что ли, имеет?

— Видите, это молодой офицер, очень неразговорчивый, даже скромный. Я всегда желаю быть справедливою. Мне кажется, он сам против всей этой интриги и ничего не желает, а финтила только Лембке. Очень уважал Nicolas. Вы понимаете, всё дело зависит от Лизы, но я ее в превосходных отношениях к Nicolas оставила, и он сам обещался мне непременно приехать к нам в ноябре. Стало быть, интригует тут одна Лембке, а Прасковья только слепая женщина. Вдруг говорит мне, что все мои подозрения — фантазия; я в глаза ей отвечаю, что она дура. Я на Страшном суде готова подтвердить. И если бы не просьбы Nicolas, чтоб я оставила до времени, то я бы не уехала оттуда, не обнаружив эту фальшивую женщину. Она у графа К. чрез Nicolas заискивала, она сына с матерью хотела разделить. Но Лиза на нашей стороне, а с Прасковьей я сговорилась. Вы знаете, ей Кармазинов родственник?

— Как? Родственник мадам фон Лембке?

— Ну да, ей. Дальний.

— Кармазинов, нувеллист?

— Ну да, писатель, чего вы удивляетесь? Конечно, он сам себя почитает великим. Надутая тварь! Она с ним вместе приедет, а теперь там с ним носится. Она намерена что-то завести здесь, литературные собрания какие-то. Он на месяц приедет, последнее имение продавать здесь хочет. Я чуть было не встретилась с ним в Швейцарии и очень того не желала. Впрочем, надеюсь, что меня-то он удостоит узнать. В старину ко мне письма писал, в доме бывал. Я бы желала, чтобы вы получше одевались, Степан Трофимович; вы с каждым днем становитесь так неряшливы... О, как вы меня мучаете! Что вы теперь читаете?

— Я... я...

— Понимаю. По-прежнему приятели, по-прежнему попойки, клуб и карты и репутация атеиста. Мне эта репутация не нравится, Степан Трофимович. Я бы не желала, чтобы вас называли атеистом, особенно теперь не желала бы. Я и прежде не желала, потому что ведь всё это одна только пустая болтовня. Надо же наконец сказать.

— Mais, ma chère...[3]

— Слушайте, Степан Трофимович, во всем ученом я, конечно, пред вами невежда, но я ехала сюда и много о вас думала. Я пришла к одному убеждению.

— К какому же?

— К такому, что не мы одни с вами умнее всех на свете, а есть и умнее нас.

— И остроумно и метко. Есть умнее, значит, есть и правее нас, стало быть, и мы можем ошибаться, не так ли? Mais, ma bonne amie, положим, я ошибусь, но ведь имею же я мое всечеловеческое, всегдашнее, верховное право свободной

---

[1] мой добрый друг (*франц.*).

[2] Прелестное дитя! (*франц.*)

[3] Но, моя милая (*франц.*).

совести? Имею же я право не быть ханжой и изувером, если того хочу, а за это, естественно, буду разными господами ненавидим до скончания века. Et puis, comme on trouve toujours plus de moines que de raison[1], и так как я совершенно с этим согласен...

— Как, как вы сказали?

— Я сказал: on trouve toujours plus de moines que de raison, и так как я с этим...

— Это, верно, не ваше; вы, верно, откудова-нибудь взяли?

— Это Паскаль сказал.

— Так я и думала... что не вы! Почему вы сами никогда так не скажете, так коротко и метко, а всегда так длинно тянете? Это гораздо лучше, чем давеча про административный восторг...

— Ma foi, chère...[2] почему? Во-первых, потому, вероятно, что я все-таки не Паскаль, et puis...[3] во-вторых, мы, русские, ничего не умеем на своем языке сказать... По крайней мере до сих пор ничего еще не сказали...

— Гм! Это, может быть, и неправда. По крайней мере вы бы записывали и запоминали такие слова, знаете, в случае разговора... Ах, Степан Трофимович, я с вами серьезно, серьезно ехала говорить!

— Chère, chère amie![4]

— Теперь, когда все эти Лембки, все эти Кармазиновы... О боже, как вы опустились! О, как вы меня мучаете!.. Я бы желала, чтоб эти люди чувствовали к вам уважение, потому что они пальца вашего, вашего мизинца не сто́ят, а вы как себя держите? Что они увидят? Что я им покажу? Вместо того чтобы благородно стоять свидетельством, продолжать собою пример, вы окружаете себя какою-то сволочью, вы приобрели какие-то невозможные привычки, вы одряхлели, вы не можете обойтись без вина и без карт, вы читаете одного только Поль де Кока и ничего не пишете, тогда как все они там пишут; всё ваше время уходит на болтовню. Можно ли, позволительно ли дружиться с такою сволочью, как ваш неразлучный Липутин?

— Почему же он *мой* и *неразлучный*? — робко протестовал Степан Трофимович.

— Где он теперь? — строго и резко продолжала Варвара Петровна.

— Он... он вас беспредельно уважает и уехал в С—к, после матери получить наследство.

— Он, кажется, только и делает, что деньги получает. Что Шатов? Всё то же?

— Irascible, mais bon[5].

— Терпеть не могу вашего Шатова; и зол, и о себе много думает!

— Как здоровье Дарьи Павловны?

— Вы это про Дашу? Что это вам вздумалось? — любопытно поглядела на него Варвара Петровна. — Здорова, у Дроздовых оставила... Я в Швейцарии что-то про вашего сына слышала, дурное, а не хорошее.

— Oh, c'est une histoire bien bête! Je vous attendais, ma bonne amie, pour vous raconter...[6]

— Довольно, Степан Трофимович, дайте покой; измучилась. Успеем наговориться, особенно про дурное. Вы начинаете брызгаться, когда засмеетесь, это

---

[1] И затем, так как монахов всегда встречаешь чаще, чем здравый смысл (*франц.*).

[2] Право же, дорогая (*франц.*).

[3] и затем (*франц.*).

[4] Милый, милый друг! (*франц.*)

[5] Раздражителен, но добр (*франц.*).

уже дряхлость какая-то! И как странно вы теперь стали смеяться... Боже, сколько у вас накопилось дурных привычек! Кармазинов к вам не поедет! А тут и без
того всему рады... Вы всего себя теперь обнаружили. Ну довольно, довольно,
устала! Можно же, наконец, пощадить человека!

Степан Трофимович «пощадил человека», но удалился в смущении.

V

Дурных привычек действительно завелось у нашего друга немало, особенно
в самое последнее время. Он видимо и быстро опустился, и это правда, что он
стал неряшлив. Пил больше, стал слезливее и слабее нервами; стал уж слишком
чуток к изящному. Лицо его получило странную способность изменяться необыкновенно быстро, с самого, например, торжественного выражения на самое
смешное и даже глупое. Не выносил одиночества и беспрерывно жаждал, чтоб
его поскорее развлекли. Надо было непременно рассказать ему какую-нибудь
сплетню, городской анекдот, и притом ежедневно новое. Если же долго никто
не приходил, то он тоскливо бродил по комнатам, подходил к окну, в задумчивости жевал губами, вздыхал глубоко, а под конец чуть не хныкал. Он всё что-то
предчувствовал, боялся чего-то, неожиданного, неминуемого; стал пуглив; стал
большое внимание обращать на сны.

Весь день этот и вечер провел он чрезвычайно грустно, послал за мной,
очень волновался, долго говорил, долго рассказывал, но всё довольно бессвязно. Варвара Петровна давно уже знала, что он от меня ничего не скрывает. Мне
показалось, наконец, что его заботит что-то особенное и такое, чего, пожалуй,
он и сам не может представить себе. Обыкновенно прежде, когда мы сходились
наедине и он начинал мне жаловаться, то всегда почти, после некоторого времени, приносилась бутылочка и становилось гораздо утешнее. В этот раз вина не
было, и он видимо подавлял в себе неоднократное желание послать за ним.

— И чего она всё сердится! — жаловался он поминутно, как ребенок. — Tous
les hommes de génie et de progrès en Russie étaient, sont et seront toujours des картежники et des пьяницы, qui boivent en zapoï...[1] а я еще вовсе не такой картежник
и не такой пьяница... Укоряет, зачем я ничего не пишу? Странная мысль!.. Зачем я лежу? Вы, говорит, должны стоять «примером и укоризной». Mais, entre
nous soit dit[2], что же и делать человеку, которому предназначено стоять «укоризной», как не лежать, — знает ли она это?

И, наконец, разъяснилась мне та главная, особенная тоска, которая так не-
отвязчиво в этот раз его мучила. Много раз в этот вечер подходил он к зеркалу и
подолгу пред ним останавливался. Наконец повернулся от зеркала ко мне и с
каким-то странным отчаянием проговорил:

— Mon cher, je suis[3] un опустившийся человек!

Да, действительно, до сих пор, до самого этого дня, он в одном только оставался постоянно уверенным, несмотря на все «новые взгляды» и на все «переме-

---

[6] О, это довольно глупая история! Я вас ожидал, мой добрый друг, чтобы вам рассказать... (*франц.*)

[1] Все одаренные и передовые люди в России были, есть и будут всегда картежники и
пьяницы, которые пьют запоем (*франц.*).

[2] Но, между нами говоря (*франц.*).

[3] Мой милый, я (*франц.*).

ны идей» Варвары Петровны, именно в том, что он всё еще обворожителен для ее женского сердца, то есть не только как изгнанник или как славный ученый, но и как красивый мужчина. Двадцать лет коренилось в нем это льстивое и успокоительное убеждение, и, может быть, из всех его убеждений ему всего тяжелее было бы расстаться с этим. Предчувствовал ли он в тот вечер, какое колоссальное испытание готовилось ему в таком близком будущем?

VI

Приступлю теперь к описанию того отчасти забавного случая, с которого, по-настоящему, и начинается моя хроника.

В самом конце августа возвратились наконец и Дроздовы. Появление их немногим предшествовало приезду давно ожидаемой всем городом родственницы их, нашей новой губернаторши, и вообще произвело замечательное впечатление в обществе. Но обо всех этих любопытных событиях скажу после; теперь же ограничусь лишь тем, что Прасковья Ивановна привезла так нетерпеливо ожидавшей ее Варваре Петровне одну самую хлопотливую загадку: Nicolas расстался с ними еще в июле и, встретив на Рейне графа К., отправился с ним и с семейством его в Петербург. (NB. У графа все три дочери невесты.)

— От Лизаветы, по гордости и по строптивости ее, я ничего не добилась, — заключила Прасковья Ивановна, — но видела своими глазами, что у ней с Николаем Всеволодовичем что-то произошло. Не знаю причин, но, кажется, придется вам, друг мой Варвара Петровна, спросить о причинах вашу Дарью Павловну. По-моему, так Лиза была обижена. Рада-радешенька, что привезла вам наконец вашу фаворитку и сдаю с рук на руки: с плеч долой.

Произнесены были эти ядовитые слова с замечательным раздражением. Видно было, что «раскисшая женщина» заранее их приготовила и вперед наслаждалась их эффектом. Но не Варвару Петровну можно было озадачивать сентиментальными эффектами и загадками. Она строго потребовала самых точных и удовлетворительных объяснений. Прасковья Ивановна немедленно понизила тон и даже кончила тем, что расплакалась и пустилась в самые дружеские излияния. Эта раздражительная, но сентиментальная дама, тоже как и Степан Трофимович, беспрерывно нуждалась в истинной дружбе, и главнейшая ее жалоба на дочь ее, Лизавету Николаевну, состояла именно в том, что «дочь ей не друг».

Но из всех ее объяснений и излияний оказалось точным лишь одно то, что действительно между Лизой и Nicolas произошла какая-то размолвка, но какого рода была эта размолвка, — о том Прасковья Ивановна, очевидно, не сумела составить себе определенного понятия. От обвинений же, взводимых на Дарью Павловну, она не только совсем под конец отказалась, но даже особенно просила не давать давешним словам ее никакого значения, потому что сказала она их «в раздражении». Одним словом, всё выходило очень неясно, даже подозрительно. По рассказам ее, размолвка началась от «строптивого и насмешливого» характера Лизы; «гордый же Николай Всеволодович хоть и сильно был влюблен, но не мог насмешек перенести и сам стал насмешлив».

— Вскоре затем познакомились мы с одним молодым человеком, кажется, вашего «профессора» племянник, да и фамилия та же...

— Сын, а не племянник, — поправила Варвара Петровна. Прасковья Ивановна и прежде никогда не могла упомнить фамилии Степана Трофимовича и всегда называла его «профессором».

— Ну, сын так сын, тем лучше, а мне ведь и всё равно. Обыкновенный молодой человек, очень живой и свободный, но ничего такого в нем нет. Ну, тут уж сама Лиза поступила нехорошо, молодого человека к себе приблизила из видов, чтобы в Николае Всеволодовиче ревность возбудить. Не осуждаю я этого очень-то: дело девичье, обыкновенное, даже милое. Только Николай Всеволодович, вместо того чтобы приревновать, напротив, сам с молодым человеком подружился, точно и не видит ничего, али как будто ему всё равно. Лизу-то это и взорвало. Молодой человек вскорости уехал (спешил очень куда-то), а Лиза стала при всяком удобном случае к Николаю Всеволодовичу придираться. Заметила она, что тот с Дашей иногда говорит, ну и стала беситься, тут уж и мне, матушка, житья не стало. Раздражаться мне доктора запретили, и так это хваленое озеро ихнее мне надоело, только зубы от него разболелись, такой ревматизм получила. Печатают даже про то, что от Женевского озера зубы болят: свойство такое. А тут Николай Всеволодович вдруг от графини письмо получил и тотчас же от нас и уехал, в один день собрался. Простились-то они по-дружески, да и Лиза, провожая его, стала очень весела и легкомысленна и много хохотала. Только напускное всё это. Уехал он, — стала очень задумчива, да и поминать о нем совсем перестала и мне не давала. Да и вам бы я советовала, милая Варвара Петровна, ничего теперь с Лизой насчет этого предмета не начинать, только делу повредите. А будете молчать, она первая сама с вами заговорит; тогда более узнаете. По-моему, опять сойдутся, если только Николай Всеволодович не замедлит приехать, как обещал.

— Напишу ему тотчас же. Коли всё было так, то пустая размолвка; всё вздор! Да и Дарью я слишком знаю; вздор.

— Про Дашеньку я, покаюсь, — согрешила. Одни только обыкновенные были разговоры, да и то вслух. Да уж очень меня, матушка, всё это тогда расстроило. Да и Лиза, видела я, сама же с нею опять сошлась с прежнею лаской...

Варвара Петровна в тот же день написала к Nicolas и умоляла его хоть одним месяцем приехать раньше положенного им срока. Но все-таки оставалось тут для нее нечто неясное и неизвестное. Она продумала весь вечер и всю ночь. Мнение «Прасковьи» казалось ей слишком невинным и сентиментальным. «Прасковья всю жизнь была слишком чувствительна, с самого еще пансиона, — думала она, — не таков Nicolas, чтоб убежать из-за насмешек девчонки. Тут другая причина, если точно размолвка была. Офицер этот, однако, здесь, с собой привезли, и в доме у них как родственник поселился. Да и насчет Дарьи Прасковья слишком уж скоро повинилась: верно, что-нибудь про себя оставила, чего не хотела сказать...»

К утру у Варвары Петровны созрел проект разом покончить по крайней мере хоть с одним недоумением — проект замечательный по своей неожиданности. Что было в сердце ее, когда она создала его? — трудно решить, да и не возьмусь я растолковывать заранее все противоречия, из которых он состоял. Как хроникер, я ограничиваюсь лишь тем, что представляю события в точном виде, точно так, как они произошли, и не виноват, если они покажутся невероятными. Но, однако, должен еще раз засвидетельствовать, что подозрений на Дашу у ней к утру никаких не осталось, а по правде, никогда и не начиналось; слишком она была в ней уверена. Да и мысли она не могла допустить, чтоб ее Nicolas мог увлечься ее... «Дарьей». Утром, когда Дарья Павловна за чайным столиком разливала чай, Варвара Петровна долго и пристально в нее всматривалась и, может быть в двадцатый раз со вчерашнего дня, с уверенностию произнесла про себя:

— Всё вздор!

Заметила только, что у Даши какой-то усталый вид и что она еще тише прежнего, еще апатичнее. После чаю, по заведенному раз навсегда обычаю, обе сели за рукоделье. Варвара Петровна велела ей дать себе полный отчет о ее заграничных впечатлениях, преимущественно о природе, жителях, городах, обычаях, их искусстве, промышленности, — обо всем, что успела заметить. Ни одного вопроса о Дроздовых и о жизни с Дроздовыми. Даша, сидевшая подле нее за рабочим столиком и помогавшая ей вышивать, рассказывала уже с полчаса своим ровным, однообразным, но несколько слабым голосом.

— Дарья, — прервала ее вдруг Варвара Петровна, — ничего у тебя нет такого особенного, о чем хотела бы ты сообщить?

— Нет, ничего, — капельку подумала Даша и взглянула на Варвару Петровну своими светлыми глазами.

— На душе, на сердце, на совести?

— Ничего, — тихо, но с какою-то угрюмою твердостию повторила Даша.

— Так я и знала! Знай, Дарья, что я никогда не усомнюсь в тебе. Теперь сиди и слушай. Перейди на этот стул, садись напротив, я хочу всю тебя видеть. Вот так. Слушай, — хочешь замуж?

Даша отвечала вопросительным длинным взглядом, не слишком, впрочем, удивленным.

— Стой, молчи. Во-первых, есть разница в летах, большая очень; но ведь ты лучше всех знаешь, какой это вздор. Ты рассудительна, и в твоей жизни не должно быть ошибок. Впрочем, он еще красивый мужчина... Одним словом, Степан Трофимович, которого ты всегда уважала. Ну?

Даша посмотрела еще вопросительнее и на этот раз не только с удивлением, но и заметно покраснела.

— Стой, молчи; не спеши! Хоть у тебя и есть деньги, по моему завещанию, но умри я, что с тобой будет, хотя бы и с деньгами? Тебя обманут и деньги отнимут, ну и погибла. А за ним ты жена известного человека. Смотри теперь с другой стороны: умри я сейчас, — хоть я и обеспечу его, — что с ним будет? А на тебя-то уж я понадеюсь. Стой, я не договорила: он легкомыслен, мямля, жесток, эгоист, низкие привычки, но ты его цени, во-первых, уж потому, что есть и гораздо хуже. Ведь не за мерзавца же какого я тебя сбыть с рук хочу, ты уж не подумала ли чего? А главное, потому что я прошу, потому и будешь ценить, — оборвала она вдруг раздражительно, — слышишь? Что же ты уперлась?

Даша всё молчала и слушала.

— Стой, подожди еще. Он баба — но ведь тебе же лучше. Жалкая, впрочем, баба; его совсем не стоило бы любить женщине. Но его стоит за беззащитность его любить, и ты люби его за беззащитность. Ты ведь меня понимаешь? Понимаешь?

Даша кивнула головой утвердительно.

— Я так и знала, меньше не ждала от тебя. Он тебя любить будет, потому что должен, должен; он обожать тебя должен! — как-то особенно раздражительно взвизгнула Варвара Петровна. — А впрочем, он и без долгу в тебя влюбится, я ведь знаю его. К тому же я сама буду тут. Не беспокойся, я всегда буду тут. Он станет на тебя жаловаться, он клеветать на тебя начнет, шептаться будет о тебе с первым встречным, будет ныть, вечно ныть; письма тебе будет писать из одной комнаты в другую, в день по два письма, но без тебя все-таки не проживет, а в этом и главное. Заставь слушаться; не сумеешь заставить — дура будешь. Повеситься захочет, грозить будет — не верь; один только вздор! Не верь, а все-таки держи ухо востро, не ровен час и повесится: с этакими-то и бывает; не от силы, а от слабости вешаются; а потому никогда не доводи до последней черты, — и это первое правило в супружестве. Помни тоже, что он поэт. Слушай, Дарья: нет выше счастья, как собою пожертвовать. И к тому же ты мне сделаешь большое удовольствие, а это главное. Ты не думай, что я по глупости сейчас сбрендила; я понимаю, что говорю. Я эгоистка, будь и ты эгоисткой. Я ведь не неволю; всё в твоей воле, как скажешь, так и будет. Ну, что ж уселась, говори что-нибудь!

— Мне ведь всё равно, Варвара Петровна, если уж непременно надобно замуж выйти, — твердо проговорила Даша.

— Непременно? Ты на что это намекаешь? — строго и пристально посмотрела на нее Варвара Петровна.

Даша молчала, ковыряя в пяльцах иголкой.

— Ты хоть и умна, но ты сбрендила. Это хоть и правда, что я непременно теперь тебя вздумала замуж выдать, но это не по необходимости, а потому только, что мне так придумалось, и за одного только Степана Трофимовича. Не будь Степана Трофимовича, я бы и не подумала тебя сейчас выдавать, хоть тебе уж и двадцать лет... Ну?

— Я как вам угодно, Варвара Петровна.

— Значит, согласна! Стой, молчи, куда торопишься, я не договорила: по завещанию тебе от меня пятнадцать тысяч рублей положено. Я их теперь же тебе выдам, после венца. Из них восемь тысяч ты ему отдашь, то есть не ему, а мне. У него есть долг в восемь тысяч; я и уплачу, но надо, чтоб он знал, что твоими деньгами. Семь тысяч останутся у тебя в руках, отнюдь ему не давай ни рубля никогда. Долгов его не плати никогда. Раз заплатишь — потом не оберешься. Впрочем, я всегда буду тут. Вы будете получать от меня ежегодно по тысяче двести рублей содержания, а с экстренными тысячу пятьсот, кроме квартиры и стола, которые тоже от меня будут, точно так, как и теперь он пользуется. Прислугу только свою заведите. Годовые деньги я тебе буду все разом выдавать, прямо тебе на руки. Но будь и добра: иногда выдай и ему что-нибудь, и приятелям ходить позволяй, раз в неделю, а если чаще, то гони. Но я сама буду тут. А коли умру, пенсион ваш не прекратится до самой его смерти, слышишь, до *его* только смерти, потому что это его пенсион, а не твой. А тебе, кроме теперешних семи тысяч, которые у тебя останутся в целости, если не будешь сама глупа, еще восемь тысяч в завещании оставлю. И больше тебе от меня ничего не будет; надо, чтобы ты знала. Ну, согласна, что ли? Скажешь ли, наконец, что-нибудь?

— Я уже сказала, Варвара Петровна.

— Вспомни, что твоя полная воля, как захочешь, так и будет.

— Только позвольте, Варвара Петровна, разве Степан Трофимович вам уже говорил что-нибудь?

— Нет, он ничего не говорил и не знает, но... он сейчас заговорит!

Она мигом вскочила и набросила на себя свою черную шаль. Даша опять немного покраснела и вопросительным взглядом следила за нею. Варвара Петровна вдруг обернулась к ней с пылающим от гнева лицом.

— Дура ты! — накинулась она на нее, как ястреб, — дура неблагодарная! Что у тебя на уме? Неужто ты думаешь, что я скомпрометирую тебя хоть чем-нибудь, хоть на столько вот! Да он сам на коленках будет ползать просить, он должен от счастья умереть, вот как это будет устроено! Ты ведь знаешь же, что я тебя в обиду не дам! Или ты думаешь, что он тебя за эти восемь тысяч возьмет, а я бегу теперь тебя продавать? Дура, дура, все вы дуры неблагодарные! Подай зонтик!

И она полетела пешком по мокрым кирпичным тротуарам и по деревянным мосткам к Степану Трофимовичу.

VII

Это правда, что «Дарью» она не дала бы в обиду; напротив, теперь-то и считала себя ее благодетельницей. Самое благородное и безупречное негодование загорелось в душе ее, когда, надевая шаль, она поймала на себе смущенный и недоверчивый взгляд своей воспитанницы. Она искренно любила ее с самого ее детства. Прасковья Ивановна справедливо назвала Дарью Павловну ее фавориткой. Давно уже Варвара Петровна решила раз навсегда, что «Дарьин характер не похож на братнин» (то есть на характер брата ее, Ивана Шатова), что она тиха и кротка, способна к большому самопожертвованию, отличается преданностью, необыкновенною скромностью, редкою рассудительностью и, главное, благодарностию. До сих пор, по-видимому, Даша оправдывала все ее ожидания. «В этой жизни не будет ошибок», — сказала Варвара Петровна, когда девочке было еще двенадцать лет, и так как она имела свойство привязываться упрямо и страстно к каждой пленившей ее мечте, к каждому своему новому предначертанию, к каждой мысли своей, показавшейся ей светлою, то тотчас же и решила воспитывать Дашу как родную дочь. Она немедленно отложила ей капитал и пригласила в дом гувернантку, мисс Кригс, которая и прожила у них до шестнадцатилетнего возраста воспитанницы, но ей вдруг почему-то было отказано. Ходили учителя из гимназии, между ними один настоящий француз, который и обучил Дашу по-французски. Этому тоже было отказано вдруг, точно прогнали. Одна бедная заезжая дама, вдова из благородных, обучала на фортепиано. Но главным педагогом был все-таки Степан Трофимович. По-настоящему, он первый и открыл Дашу: он стал обучать тихого ребенка еще тогда, когда Варвара Петровна о ней и не думала. Опять повторю: удивительно, как к нему привязывались дети! Лизавета Николаевна Тушина училась у него с восьми лет до одиннадцати (разумеется, Степан Трофимович учил ее без вознаграждения и ни за что бы не взял его от Дроздовых). Но он сам влюбился в прелестного ребенка и рассказывал ей какие-то поэмы об устройстве мира, земли, об истории человечества. Лекции о первобытных народах и о первобытном человеке были занимательнее арабских сказок. Лиза, которая млела за этими рассказами, чрезвычайно смешно передразнивала у себя дома Степана Трофимовича. Тот узнал про это и раз подглядел ее врасплох. Сконфуженная Лиза бросилась к нему в объятия и заплакала. Степан Трофимович тоже, от восторга. Но Лиза скоро уехала, и осталась одна Даша. Когда к Даше стали ходить учителя, то Степан Трофимович оставил с нею свои занятия и мало-помалу совсем перестал обращать на нее внимание. Так продолжалось долгое время. Раз, когда уже ей было семнадцать лет, он был вдруг поражен ее миловидностию. Это случилось за столом у Варвары Петровны. Он заговорил с молодою девушкой, был очень доволен ее ответами и кончил предложением прочесть ей серьезный и обширный курс истории русской литературы. Варвара Петровна похвалила и поблагодарила его за прекрасную мысль, а Даша была в восторге. Степан Трофимович стал особенно приготовляться к лекциям, и наконец они наступили. Начали с древнейшего периода; первая лекция прошла увлекательно; Варвара Петровна присутствовала. Когда Степан Трофимович кончил и, уходя, объявил ученице, что в следующий раз приступит к разбору «Слова о полку Игореве», Варвара Петровна вдруг встала и объявила, что лекций больше не будет. Степан Трофимович покоробился, но смолчал, Даша вспыхнула; тем и кончилась, однако же, затея. Произошло это ровно за три года до теперешней неожиданной фантазии Варвары Петровны.

Бедный Степан Трофимович сидел один и ничего не предчувствовал. В грустном раздумье давно уже поглядывал он в окно, не подойдет ли кто из знакомых. Но никто не хотел подходить. На дворе моросило, становилось холодно; надо было протопить печку; он вздохнул. Вдруг страшное видение предстало его очам: Варвара Петровна в такую погоду и в такой неурочный час к нему! И пешком! Он до того был поражен, что забыл переменить костюм и принял ее как был, в своей всегдашней розовой ватной фуфайке.

— Ma bonne amie!.. — слабо крикнул он ей навстречу.

— Вы одни, я рада: терпеть не могу ваших друзей! Как вы всегда накурите; господи, что за воздух! Вы и чай не допили, а на дворе двенадцатый час! Ваше блаженство — беспорядок! Ваше наслаждение — сор! Что это за разорванные бумажки на полу? Настасья, Настасья! Что делает ваша Настасья? Отвори, матушка, окна, форточки, двери, всё настежь. А мы в залу пойдемте; я к вам за делом. Да подмети ты хоть раз в жизни, матушка!

— Сорят-с! — раздражительно-жалобным голоском пропищала Настасья.

— А ты мети, пятнадцать раз в день мети! Дрянная у вас зала (когда вышли в залу). Затворите крепче двери, она станет подслушивать. Непременно надо обои переменить. Я ведь вам присылала обойщика с образчиками, что же вы не выбрали? Садитесь и слушайте. Садитесь же, наконец, прошу вас. Куда же вы? Куда же вы? Куда же вы!

— Я... сейчас, — крикнул из другой комнаты Степан Трофимович, — вот я и опять!

— А, вы переменили костюм! — насмешливо оглядела она его. (Он накинул сюртук сверх фуфайки.) —Этак действительно будет более подходить... к нашей речи. Садитесь же, наконец, прошу вас.

Она объяснила ему всё сразу, резко и убедительно. Намекнула и о восьми тысячах, которые были ему до зарезу нужны. Подробно рассказала о приданом. Степан Трофимович таращил глаза и трепетал. Слышал всё, но ясно не мог сообразить. Хотел заговорить, но всё обрывался голос. Знал только, что всё так и будет, как она говорит, что возражать и не соглашаться дело пустое, а он женатый человек безвозвратно.

— Mais, ma bonne amie[1], в третий раз и в моих летах... и с таким ребенком! — проговорил он наконец. — Mais c'est une enfant![2]

— Ребенок, которому двадцать лет, слава богу! Не вертите, пожалуйста, зрачками, прошу вас, вы не на театре. Вы очень умны и учены, но ничего не

---

[1] Но, мой добрый друг (*франц.*).

[2] Но ведь это ребенок! (*франц.*)

понимаете в жизни, за вами постоянно должна нянька ходить. Я умру, и что с вами будет? А она будет вам хорошею нянькой; это девушка скромная, твёрдая, рассудительная; к тому же я сама буду тут, не сейчас же умру. Она домоседка, она ангел кротости. Эта счастливая мысль мне ещё в Швейцарии приходила. Понимаете ли вы, если я сама вам говорю, что она ангел кротости! — вдруг яростно вскричала она. — У вас сор, она заведёт чистоту, порядок, всё будет как зеркало... Э, да неужто же вы мечтаете, что я ещё кланяться вам должна с таким сокровищем, исчислять все выгоды, сватать! Да вы должны бы на коленях... О, пустой, пустой, малодушный человек!

— Но... я уже старик!

— Что значат ваши пятьдесят три года! Пятьдесят лет не конец, а половина жизни. Вы красивый мужчина, и сами это знаете. Вы знаете тоже, как она вас уважает. Умри я, что с нею будет? А за вами она спокойна, и я спокойна. У вас значение, имя, любящее сердце; вы получаете пенсион, который я считаю своею обязанностию. Вы, может быть, спасёте её, спасёте! Во всяком случае, честь доставите. Вы сформируете её к жизни, разовьёте её сердце, направите мысли. Нынче сколько погибают оттого, что дурно направлены мысли! К тому времени поспеет ваше сочинение, и вы разом о себе напомните.

— Я именно, — пробормотал он, уже польщённый ловкою лестью Варвары Петровны, — я именно собираюсь теперь присесть за мои «Рассказы из испанской истории»...

— Ну, вот видите, как раз и сошлось.

— Но... она? Вы ей говорили?

— О ней не беспокойтесь, да и нечего вам любопытствовать. Конечно, вы должны её сами просить, умолять сделать вам честь, понимаете? Но не беспокойтесь, я сама буду тут. К тому же вы её любите...

У Степана Трофимовича закружилась голова; стены пошли кругом. Тут была одна страшная идея, с которою он никак не мог сладить.

— Excellente amie! — задрожал вдруг его голос, — я... я никогда не мог вообразить, что вы решитесь выдать меня... за другую... женщину!

— Вы не девица, Степан Трофимович; только девиц выдают, а вы сами женитесь, — ядовито прошипела Варвара Петровна.

— Oui, j'ai pris un mot pour un autre. Mais... c'est égal[1], — уставился он на неё с потерянным видом.

— Вижу, что c'est égal, — презрительно процедила она, — господи! да с ним обморок! Настасья, Настасья! воды!

Но до воды не дошло. Он очнулся. Варвара Петровна взяла свой зонтик.

— Я вижу, что с вами теперь нечего говорить...

— Oui, oui, je suis incapable[2].

— Но к завтраму вы отдохнёте и обдумаете. Сидите дома, если что случится, дайте знать, хотя бы ночью. Писем не пишите, и читать не буду. Завтра же в это время приду сама, одна, за окончательным ответом, и надеюсь, что он будет удовлетворителен. Постарайтесь, чтобы никого не было и чтобы сору не было, а это на что похоже? Настасья, Настасья!

Разумеется, назавтра он согласился; да и не мог не согласиться. Тут было одно особое обстоятельство...

---

[1] Да, я оговорился. Но... это всё равно (*франц.*).

[2] Да, да, я не в состоянии (*франц.*).

VIII

Так называемое у нас имение Степана Трофимовича (душ пятьдесят по старинному счету и смежное со Скворешниками) было вовсе не его, а принадлежало первой его супруге, а стало быть, теперь их сыну, Петру Степановичу Верховенскому. Степан Трофимович только опекунствовал, а потому, когда птенец оперился, действовал по формальной от него доверенности на управление имением. Сделка для молодого человека была выгодная: он получал с отца в год до тысячи рублей в виде дохода с имения, тогда как оно при новых порядках не давало и пятисот (а может быть, и того менее). Бог знает как установились подобные отношения. Впрочем, всю эту тысячу целиком высылала Варвара Петровна, а Степан Трофимович ни единым рублем в ней не участвовал. Напротив, весь доход с землицы оставлял у себя в кармане и, кроме того, разорил ее вконец, сдав ее в аренду какому-то промышленнику и, тихонько от Варвары Петровны, продав на сруб рощу, то есть главную ее ценность. Эту рощицу он уже давно продавал урывками. Вся она стоила по крайней мере тысяч восемь, а он взял за нее только пять. Но он иногда слишком много проигрывал в клубе, а просить у Варвары Петровны боялся. Она скрежетала зубами, когда наконец обо всем узнала. И вдруг теперь сынок извещал, что приедет сам продать свои владения во что бы ни стало, а отцу поручал неотлагательно позаботиться о продаже. Ясное дело, что при благородстве и бескорыстии Степана Трофимовича ему стало совестно пред ce cher enfant[1] (которого он в последний раз видел целых девять лет тому назад, в Петербурге, студентом). Первоначально всё имение могло стоить тысяч тринадцать или четырнадцать, теперь вряд ли кто бы дал за него и пять. Без сомнения, Степан Трофимович имел полное право, по смыслу формальной доверенности, продать лес и, поставив в счет тысячерублевый невозможный ежегодный доход, столько лет высылавшийся аккуратно, сильно оградить себя при расчете. Но Степан Трофимович был благороден, со стремлениями высшими. В голове его мелькнула одна удивительно красивая мысль: когда приедет Петруша, вдруг благородно выложить на стол самый высший maximum цены, то есть даже пятнадцать тысяч, без малейшего намека на высылавшиеся до сих пор суммы, и крепко-крепко, со слезами, прижать к груди ce cher fils[2], чем и покончить все счеты. Отдаленно и осторожно начал он развертывать эту картинку пред Варварой Петровной. Он намекал, что это даже придаст какой-то особый, благородный оттенок их дружеской связи... их «идее». Это выставило бы в таком бескорыстном и великодушном виде прежних отцов и вообще прежних людей сравнительно с новою легкомысленною и социальною молодежью. Много еще он говорил, но Варвара Петровна всё отмалчивалась. Наконец сухо объявила ему, что согласна купить их землю и даст за нее maximum цены, то есть тысяч шесть, семь (и за четыре можно было купить). Об остальных же восьми тысячах, улетевших с рощей, не сказала ни слова.

Это случилось за месяц до сватовства. Степан Трофимович был поражен и начал задумываться. Прежде еще могла быть надежда, что сынок, пожалуй, и совсем не приедет, — то есть надежда, судя со стороны, по мнению кого-нибудь постороннего. Степан же Трофимович, как отец, с негодованием отверг бы самую мысль о подобной надежде. Как бы там ни было, но до сих пор о Петруше

---

[1] этим дорогим ребенком (*франц.*).
[2] этого дорогого сына (*франц.*).

доходили к нам всё такие странные слухи. Сначала, кончив курс в университете, лет шесть тому назад, он слонялся в Петербурге без дела. Вдруг получилось у нас известие, что он участвовал в составлении какой-то подметной прокламации и притянут к делу. Потом, что он очутился вдруг за границей, в Швейцарии, в Женеве, — бежал чего доброго.

— Удивительно мне это, — проповедовал нам тогда Степан Трофимович, сильно сконфузившийся, — Петруша c'est une si pauvre tête![1] Он добр, благороден, очень чувствителен, и я так тогда, в Петербурге, порадовался, сравнив его с современною молодежью, но c'est un pauvre sire tout de même...[2] И, знаете, всё от той же недосиженности, сентиментальности! Их пленяет не реализм, а чувствительная, идеальная сторона социализма, так сказать, религиозный оттенок его, поэзия его... с чужого голоса, разумеется. И, однако, мне-то, мне каково! У меня здесь столько врагов, *там* еще более, припишут влиянию отца... Боже! Петруша двигателем! В какие времена мы живем!

Петруша выслал, впрочем, очень скоро свой точный адрес из Швейцарии для обычной ему высылки денег: стало быть, не совсем же был эмигрантом. И вот теперь, пробыв за границей года четыре, вдруг появляется опять в своем отечестве и извещает о скором своем прибытии: стало быть, ни в чем не обвинен. Мало того, даже как будто кто-то принимал в нем участие и покровительствовал ему. Он писал теперь с юга России, где находился по чьему-то частному, но важному поручению и об чем-то там хлопотал. Всё это было прекрасно, но, однако, где же взять остальные семь-восемь тысяч, чтобы составить приличный maximum цены за имение? А что, если подымется крик и вместо величественной картины дойдет до процесса? Что-то говорило Степану Трофимовичу, что чувствительный Петруша не отступится от своих интересов. «Почему это, я заметил, — шепнул мне раз тогда Степан Трофимович, — почему это все эти отчаянные социалисты и коммунисты в то же время и такие неимоверные скряги приобретатели, собственники, и даже так, что чем больше он социалист, чем дальше пошел, тем сильнее и собственник... почему это? Неужели тоже от сентиментальности?» Я не знаю, есть ли правда в этом замечании Степана Трофимовича; я знаю только, что Петруша имел некоторые сведения о продаже рощи и о прочем, а Степан Трофимович знал, что тот имеет эти сведения. Мне случалось тоже читать и Петрушины письма к отцу; писал он до крайности редко, раз в год и еще реже. Только в последнее время, уведомляя о близком своем приезде, прислал два письма, почти одно за другим. Все письма его были коротенькие, сухие, состояли из одних лишь распоряжений, и так как отец с сыном еще с самого Петербурга были, по-модному, на *ты*, то и письма Петруши решительно имели вид тех старинных предписаний прежних помещиков из столиц их дворовым людям, поставленным ими в управляющие их имений. И вдруг теперь эти восемь тысяч, разрешающие дело, вылетают из предложения Варвары Петровны, и при этом она дает ясно почувствовать, что они ниоткуда более и не могут вылететь. Разумеется, Степан Трофимович согласился.

Он тотчас же по ее уходе прислал за мной, а от всех других заперся на весь день. Конечно, поплакал, много и хорошо говорил, много и сильно сбивался, сказал случайно каламбур и остался им доволен, потом была легкая холерина, — одним словом, всё произошло в порядке. После чего он вытащил портрет своей уже двадцать лет тому назад скончавшейся немочки и жалобно начал взывать:

---

[1] такой недалекий! (*франц.*)
[2] это всё же жалкий человек (*франц.*).

«Простишь ли ты меня?» Вообще он был как-то сбит с толку. С горя мы немножко и выпили. Впрочем, он скоро и сладко заснул. Наутро мастерски повязал себе галстук, тщательно оделся и часто подходил смотреться в зеркало. Платок спрыснул духами, впрочем лишь чуть-чуть, и, только завидел Варвару Петровну в окно, поскорей взял другой платок, а надушенный спрятал под
подушку.

— И прекрасно! — похвалила Варвара Петровна, выслушав его согласие. —
Во-первых, благородная решимость, а во-вторых, вы вняли голосу рассудка, которому вы так редко внимаете в ваших частных делах. Спешить, впрочем, нечего, — прибавила она, разглядывая узел его белого галстука, — покамест молчите,
и я буду молчать. Скоро день вашего рождения; я буду у вас вместе с нею. Сделайте вечерний чай и, пожалуйста, без вина и без закусок; впрочем, я сама всё
устрою. Пригласите ваших друзей, — впрочем, мы вместе сделаем выбор. Накануне вы с нею переговорите, если надо будет; а на вашем вечере мы не то что
объявим или там сговор какой-нибудь сделаем, а только так намекнем или дадим знать, безо всякой торжественности. А там недели через две и свадьба, по
возможности без всякого шума... Даже обоим вам можно бы и уехать на время,
тотчас из-под венца, хоть в Москву например. Я тоже, может быть, с вами поеду... А главное, до тех пор молчите.

Степан Трофимович был удивлен. Он заикнулся было, что невозможно же
ему так, что надо же переговорить с невестой, но Варвара Петровна раздражительно на него накинулась:

— Это зачем? Во-первых, ничего еще, может быть, и не будет...

— Как не будет! — пробормотал жених, совсем уже ошеломленный.

— Так. Я еще посмотрю... А впрочем, всё так будет, как я сказала, и не беспокойтесь, я сама ее приготовлю. Вам совсем незачем. Всё нужное будет сказано
и сделано, а вам туда незачем. Для чего? Для какой роли? И сами не ходите и писем не пишите. И ни слуху ни духу, прошу вас. Я тоже буду молчать.

Она решительно не хотела объясняться и ушла видимо расстроенная. Кажется, чрезмерная готовность Степана Трофимовича поразила ее. Увы, он решительно не понимал своего положения, и вопрос еще не представился ему с некоторых других точек зрения. Напротив, явился какой-то новый тон, что-то победоносное и легкомысленное. Он куражился.

— Это мне нравится! — восклицал он, останавливаясь предо мной и разводя
руками. — Вы слышали? Она хочет довести до того, чтоб я, наконец, не захотел.
Ведь я тоже могу терпение потерять и... не захотеть! «Сидите, и нечего вам туда
ходить», но почему я, наконец, непременно должен жениться? Потому только,
что у ней явилась смешная фантазия? Но я человек серьезный и могу не захотеть
подчиняться праздным фантазиям взбалмошной женщины! У меня есть обязанности к моему сыну и... и к самому себе! Я жертву приношу — понимает ли она
это? Я, может быть, потому согласился, что мне наскучила жизнь и мне всё равно. Но она может меня раздражить, и тогда мне будет уже не всё равно; я оби-
жусь и откажусь. Et enfin, le ridicule...[1] Что скажут в клубе? Что скажет... Липутин? «Может, ничего еще и не будет» — каково! Но ведь это верх! Это уж... это
что же такое? — Je suis un forçat, un Badinguet[2], un припертый к стене человек!..

---

[1] И наконец, это смехотворно... (*франц.*)
[2] Я каторжник, Баденге (*франц.*).

И в то же время какое-то капризное самодовольствие, что-то легкомысленно-игривое проглядывало среди всех этих жалобных восклицаний. Вечером мы опять выпили.

Глава третья
ЧУЖИЕ ГРЕХИ

I

Прошло с неделю, и дело начало несколько раздвигаться.

Замечу вскользь, что в эту несчастную неделю я вынес много тоски, оставаясь почти безотлучно подле бедного сосватанного друга моего в качестве ближайшего его конфидента. Тяготил его, главное, стыд, хотя мы в эту неделю никого не видали и всё сидели одни; но он стыдился даже и меня, и до того, что чем более сам открывал мне, тем более и досадовал на меня за это. По мнительности же подозревал, что всё уже всем известно, всему городу, и не только в клубе, но даже в своем кружке боялся показаться. Даже гулять выходил, для необходимого моциону, только в полные сумерки, когда уже совершенно темнело.

Прошла неделя, а он всё еще не знал, жених он или нет, и никак не мог узнать об этом наверно, как ни бился. С невестой он еще не видался, даже не знал, невеста ли она ему; даже не знал, есть ли тут во всем этом хоть что-нибудь серьезное! К себе почему-то Варвара Петровна решительно не хотела его допустить. На одно из первоначальных писем его (а он написал их к ней множество) она прямо ответила ему просьбой избавить ее на время от всяких с ним сношений, потому что она занята, а имея и сама сообщить ему много очень важного, нарочно ждет для этого более свободной, чем теперь, минуты, и сама даст ему *со временем* знать, когда к ней можно будет прийти. Письма же обещала присылать обратно нераспечатанными, потому что это «одно только баловство». Эту записку я сам читал; он же мне и показывал.

И, однако, все эти грубости и неопределенности, всё это было ничто в сравнении с главною его заботой. Эта забота мучила его чрезвычайно, неотступно; от нее он худел и падал духом. Это было нечто такое, чего он уже более всего стыдился и о чем никак не хотел заговорить даже со мной; напротив, при случае лгал и вилял предо мной, как маленький мальчик; а между тем сам же посылал за мною ежедневно, двух часов без меня пробыть не мог, нуждаясь во мне, как в воде или в воздухе.

Такое поведение оскорбляло несколько мое самолюбие. Само собою разумеется, что я давно уже угадал про себя эту главную тайну его и видел всё насквозь. По глубочайшему тогдашнему моему убеждению, обнаружение этой тайны, этой главной заботы Степана Трофимовича, не прибавило бы ему чести, и потому я, как человек еще молодой, несколько негодовал на грубость чувств его и на некрасивость некоторых его подозрений. Сгоряча — и, признаюсь, от скуки быть конфидентом — я, может быть, слишком обвинял его. По жестокости моей я добивался его собственного признания предо мною во всем, хотя, впрочем, и допускал, что признаваться в иных вещах, пожалуй, и затруднительно. Он тоже меня насквозь понимал, то есть ясно видел, что я понимаю его насквозь и даже злюсь на него, и сам злился на меня за то, что я злюсь на него и понимаю его насквозь. Пожалуй, раздражение мое было мелко и глупо; но взаимное уединение чрезвычайно иногда вредит истинной дружбе. С известной точки он верно понимал некоторые стороны своего положения и даже весьма тонко определял его в тех пунктах, в которых таиться не находил нужным.

— О, такова ли она была тогда! — проговаривался он иногда мне о Варваре Петровне. — Такова ли она была прежде, когда мы с нею говорили... Знаете ли вы, что тогда она умела еще говорить? Можете ли вы поверить, что у нее тогда были мысли, свои мысли. Теперь всё переменилось! Она говорит, что всё это одна только старинная болтовня! Она презирает прежнее... Теперь она какой-то приказчик, эконом, ожесточенный человек, и всё сердится...

— За что же ей теперь сердиться, когда вы исполнили ее требование? — возразил я ему.

Он тонко посмотрел на меня.

— Cher ami, если б я не согласился, она бы рассердилась ужасно, ужа-а-сно! но все-таки менее, чем теперь, когда я согласился.

Этим словечком своим он остался доволен, и мы распили в тот вечер бутылочку. Но это было только мгновение; на другой день он был ужаснее и угрюмее, чем когда-либо.

Но всего более досадовал я на него за то, что он не решался даже пойти сделать необходимый визит приехавшим Дроздовым, для возобновления знакомства, чего, как слышно, они и сами желали, так как спрашивали уже о нем, о чем и он тосковал каждодневно. О Лизавете Николаевне он говорил с каким-то непонятным для меня восторгом. Без сомнения, он вспоминал в ней ребенка, которого так когда-то любил; но, кроме того, он, неизвестно почему, воображал, что тотчас же найдет подле нее облегчение всем своим настоящим мукам и даже разрешит свои важнейшие сомнения. В Лизавете Николаевне он предполагал встретить какое-то необычайное существо. И все-таки к ней не шел, хотя и каждый день собирался. Главное было в том, что мне самому ужасно хотелось тогда быть ей представленным и отрекомендованным, в чем мог я рассчитывать единственно на одного лишь Степана Трофимовича. Чрезвычайное впечатление производили на меня тогда частые встречи мои с нею, разумеется на улице, — когда она выезжала прогуливаться верхом, в амазонке и на прекрасном коне, в сопровождении так называемого родственника ее, красивого офицера, племянника покойного генерала Дроздова. Ослепление мое продолжалось одно лишь мгновение, и я сам очень скоро потом сознал всю невозможность моей мечты, — но хоть мгновение, а оно существовало действительно, а потому можно себе представить, как негодовал я иногда в то время на бедного друга моего за его упорное затворничество.

Все наши еще с самого начала были официально предуведомлены о том, что Степан Трофимович некоторое время принимать не будет и просит оставить его в совершенном покое. Он настоял на циркулярном предуведомлении, хотя я и отсоветовал. Я же и обошел всех, по его просьбе, и всем наговорил, что Варвара Петровна поручила нашему «старику» (так все мы между собою звали Степана Трофимовича) какую-то экстренную работу, привести в порядок какую-то переписку за несколько лет; что он заперся, а я ему помогаю, и пр., и пр. К одному только Липутину я не успел зайти и всё откладывал, — а вернее сказать, я боялся зайти. Я знал вперед, что он ни одному слову моему не поверит, непременно вообразит себе, что тут секрет, который собственно от него одного хотят скрыть, и только что я выйду от него, тотчас же пустится по всему городу разузнавать и сплетничать. Пока я всё это себе представлял, случилось так, что я нечаянно столкнулся с ним на улице. Оказалось, что он уже обо всем узнал от наших, мною только что предуведомленных. Но, странное дело, он не только не любопытствовал и не расспрашивал о Степане Трофимовиче, а, напротив, сам еще прервал меня, когда я стал было извиняться, что не зашел к нему раньше, и тотчас же перескочил на другой предмет. Правда, у него накопилось, что рассказать; он был в чрезвычайно возбужденном состоянии духа и обрадовался тому, что поймал во мне слушателя. Он стал говорить о городских новостях, о приезде губернаторши «с новыми разговорами», об образовавшейся уже в клубе оппозиции, о том, что все кричат о новых идеях и как это ко всем пристало, и пр., и пр. Он проговорил с четверть часа, и так забавно, что я не мог оторваться. Хотя я терпеть его не мог, но сознаюсь, что у него был дар заставить себя слушать, и особенно когда он очень на что-нибудь злился. Человек этот, по-моему, был настоящий и прирожденный шпион. Он знал во всякую минуту все самые последние новости и всю подноготную нашего города, преимущественно по части мерзостей, и дивиться надо было, до какой степени он принимал к сердцу вещи, иногда совершенно до него не касавшиеся. Мне всегда казалось, что главною чертой его характера была зависть. Когда я, в тот же вечер, передал Степану Трофимовичу о встрече утром с Липутиным и о нашем разговоре, — тот, к удивлению моему, чрезвычайно взволновался и задал мне дикий вопрос: «Знает Липутин или нет?» Я стал ему доказывать, что возможности не было узнать так скоро, да и не от кого; но Степан Трофимович стоял на своем.

— Вот верьте или нет, — заключил он под конец неожиданно, — а я убежден, что ему не только уже известно всё со всеми подробностями о *нашем* положении, но что он и еще что-нибудь сверх того знает, что-нибудь такое, чего ни вы, ни я еще не знаем, а может быть, никогда и не узнаем, или узнаем, когда уже будет поздно, когда уже нет возврата!..

Я промолчал, но слова эти на многое намекали. После того целых пять дней мы ни слова не упоминали о Липутине; мне ясно было, что Степан Трофимович очень жалел о том, что обнаружил предо мною такие подозрения и проговорился.

II

Однажды поутру, — то есть на седьмой или восьмой день после того как Степан Трофимович согласился стать женихом, — часов около одиннадцати, когда я спешил, по обыкновению, к моему скорбному другу, дорогой произошло со мной приключение.

Я встретил Кармазинова, «великого писателя», как величал его Липутин. Кармазинова я читал с детства. Его повести и рассказы известны всему прошлому и даже нашему поколению; я же упивался ими; они были наслаждением моего отрочества и моей молодости. Потом я несколько охладел к его перу; повести с направлением, которые он всё писал в последнее время, мне уже не так понравились, как первые, первоначальные его создания, в которых было столько непосредственной поэзии; а самые последние сочинения его так даже вовсе мне не нравились.

Вообще говоря, если осмелюсь выразить и мое мнение в таком щекотливом деле, все эти наши господа таланты средней руки, принимаемые, по обыкновению, при жизни их чуть не за гениев, — не только исчезают чуть не бесследно и как-то вдруг из памяти людей, когда умирают, но случается, что даже и при жизни их, чуть лишь подрастет новое поколение, сменяющее то, при котором они действовали, — забываются и пренебрегаются всеми непостижимо скоро. Как-то это вдруг у нас происходит, точно перемена декорации на театре. О, тут совсем не то, что с Пушкиными, Гоголями, Мольерами, Вольтерами, со всеми этими деятелями, приходившими сказать свое новое слово! Правда и то, что и сами эти господа таланты средней руки, на склоне почтенных лет своих, обыкновенно самым жалким образом у нас исписываются, совсем даже и не замечая того. Нередко оказывается, что писатель, которому долго приписывали чрезвычайную глубину идей и от которого ждали чрезвычайного и серьезного влияния на движение общества, обнаруживает под конец такую жидкость и такую крохотность своей основной идейки, что никто даже и не жалеет о том, что он так скоро умел исписаться. Но седые старички не замечают того и сердятся. Самолюбие их, именно под конец их поприща, принимает иногда размеры, достойные удивления. Бог знает за кого они начинают принимать себя, — по крайней мере за богов. Про Кармазинова рассказывали, что он дорожит связями своими с сильными людьми и с обществом высшим чуть не больше души своей. Рассказывали, что он вас встретит, обласкает, прельстит, обворожит своим простодушием, особенно если вы ему почему-нибудь нужны и, уж разумеется, если вы предварительно были ему зарекомендованы. Но при первом князе, при первой графине, при первом человеке, которого он боится, он почтет священнейшим долгом забыть вас с самым оскорбительным пренебрежением, как щепку, как муху, тут же, когда вы еще не успели от него выйти; он серьезно считает это самым высоким и прекрасным тоном. Несмотря на полную выдержку и совершенное знание хороших манер, он до того, говорят, самолюбив, до такой истерики, что никак не может скрыть своей авторской раздражительности даже и в тех кругах общества, где мало интересуются литературой. Если же случайно кто-нибудь озадачивал его своим равнодушием, то он обижался болезненно и старался отмстить.

С год тому назад я читал в журнале статью его, написанную с страшною претензией на самую наивную поэзию, и при этом на психологию. Он описывал гибель одного парохода где-то у английского берега, чему сам был свидетелем, и видел, как спасали погибавших и вытаскивали утопленников. Вся статья эта, довольно длинная и многоречивая, написана была единственно с целию выставить себя самого. Так и читалось между строками: «Интересуйтесь мною, смотрите, каков я был в эти минуты. Зачем вам это море, буря, скалы, разбитые щепки корабля? Я ведь достаточно описал вам всё это моим могучим пером. Чего вы смотрите на эту утопленницу с мертвым ребенком в мертвых руках? Смотрите лучше на меня, как я не вынес этого зрелища и от него отвернулся. Вот я стал спиной; вот я в ужасе и не в силах оглянуться назад; я жмурю глаза — не правда ли, как это интересно?» Когда я передал мое мнение о статье Кармазинова Степану Трофимовичу, он со мной согласился.

Когда пошли у нас недавние слухи, что приедет Кармазинов, я, разумеется, ужасно пожелал его увидать и, если возможно, с ним познакомиться. Я знал, что мог бы это сделать чрез Степана Трофимовича; они когда-то были друзьями. И вот вдруг я встречаюсь с ним на перекрестке. Я тотчас узнал его; мне уже его показали дня три тому назад, когда он проезжал в коляске с губернаторшей.

Это был очень невысокий, чопорный старичок, лет, впрочем, не более пятидесяти пяти, с довольно румяным личиком, с густыми седенькими локончиками, выбившимися из-под круглой цилиндрической шляпы и завивавшимися около чистеньких, розовеньких, маленьких ушков его. Чистенькое личико его было не совсем красиво, с тонкими, длинными, хитро сложенными губами, с несколько мясистым носом и с востренькими, умными, маленькими глазками. Он был одет как-то ветхо, в каком-то плаще внакидку, какой, например, носили бы в этот сезон где-нибудь в Швейцарии или в Северной Италии. Но по крайней мере все мелкие вещицы его костюма: запоночки, воротнички, пуговки, черепаховый лорнет на черной тоненькой ленточке, перстенек — непременно были такие же, как и у людей безукоризненно хорошего тона. Я уверен, что летом он ходит непременно в каких-нибудь цветных прюнелевых ботиночках с перламутровыми пуговками сбоку. Когда мы столкнулись, он приостановился на повороте улицы и осматривался со вниманием. Заметив, что я любопытно смотрю на него, он медовым, хотя несколько крикливым голоском спросил меня:

— Позвольте узнать, как мне ближе выйти на Быкову улицу?

— На́ Быкову улицу? Да это здесь, сейчас же, — вскричал я в необыкновенном волнении. — Всё прямо по этой улице и потом второй поворот налево.

— Очень вам благодарен.

Проклятие на эту минуту: я, кажется, оробел и смотрел подобострастно! Он мигом всё это заметил и, конечно, тотчас же всё узнал, то есть узнал, что мне уже известно, кто он такой, что я его читал и благоговел пред ним с самого детства, что я теперь оробел и смотрю подобострастно. Он улыбнулся, кивнул еще раз головой и пошел прямо, как я указал ему. Не знаю, для чего я поворотил за ним назад; не знаю, для чего я пробежал подле него десять шагов. Он вдруг опять остановился.

— А не могли бы вы мне указать, где здесь всего ближе стоят извозчики? — прокричал он мне опять.

Скверный крик; скверный голос!

— Извозчики? извозчики всего ближе отсюда... у собора стоят, там всегда стоят, — и вот я чуть было не повернулся бежать за извозчиком. Я подозреваю, что он именно этого и ждал от меня. Разумеется, я тотчас же опомнился и остановился, но движение мое он заметил очень хорошо и следил за мною всё с тою же скверною улыбкой. Тут случилось то, чего я никогда не забуду.

Он вдруг уронил крошечный сак, который держал в своей левой руке. Впрочем, это был не сак, а какая-то коробочка, или, вернее, какой-то портфельчик, или, еще лучше, ридикюльчик, вроде старинных дамских ридикюлей, впрочем, не знаю, что это было, но знаю только, что я, кажется, бросился его поднимать.

Я совершенно убежден, что я его не поднял, но первое движение, сделанное мною, было неоспоримо; скрыть его я уже не мог и покраснел как дурак. Хитрец тотчас же извлек из обстоятельства всё, что ему можно было извлечь.

— Не беспокойтесь, я сам, — очаровательно проговорил он, то есть когда уже вполне заметил, что я не подниму ему ридикюль, поднял его, как будто предупреждая меня, кивнул еще раз головой и отправился своею дорогой, оставив меня в дураках. Было всё равно, как бы я сам поднял. Минут с пять я считал себя вполне и навеки опозоренным; но, подойдя к дому Степана Трофимовича, я вдруг расхохотался. Встреча показалась мне так забавною, что я немедленно решил потешить рассказом Степана Трофимовича и изобразить ему всю сцену даже в лицах.

III

Но на этот раз, к удивлению моему, я застал его в чрезвычайной перемене. Он, правда, с какой-то жадностию набросился на меня, только что я вошел, и стал меня слушать, но с таким растерянным видом, что сначала, видимо, не понимал моих слов. Но только что я произнес имя Кармазинова, он совершенно вдруг вышел из себя.

— Не говорите мне, не произносите! — воскликнул он чуть не в бешенстве, — вот, вот смотрите, читайте! читайте!

Он выдвинул ящик и выбросил на стол три небольшие клочка бумаги, писанные наскоро карандашом, все от Варвары Петровны. Первая записка была от третьего дня, вторая от вчерашнего, а последняя пришла сегодня, всего час назад; содержания самого пустого, все о Кармазинове, и обличали суетное и честолюбивое волнение Варвары Петровны от страха, что Кармазинов забудет ей сделать визит. Вот первая, от третьего дня (вероятно, была и от четвертого дня, а может быть, и от пятого):

«Если он наконец удостоит вас сегодня, то обо мне, прошу, ни слова. Ни малейшего намека. Не заговаривайте и не напоминайте.
В. С.»

Вчерашняя:

«Если он решится наконец сегодня утром вам сделать визит, всего благороднее, я думаю, совсем не принять его. Так по-моему, не знаю, как по-вашему.
В. С.»

Сегодняшняя, последняя:

«Я убеждена, что у вас сору целый воз и дым столбом от табаку. Я вам пришлю Марью и Фомушку; они в полчаса приберут. А вы не мешайте и посидите в кухне, пока прибирают. Посылаю бухарский ковер и две китайские вазы: давно собиралась вам подарить, и сверх того моего Теньера (на время). Вазы можно поставить на окошко, а Теньера повесьте справа над портретом Гете, там виднее и по утрам всегда свет. Если он наконец появится, примите утонченно вежливо, но постарайтесь говорить о пустяках, об чем-нибудь ученом, и с таким видом, как будто вы вчера только расстались. Обо мне ни слова. Может быть, зайду взглянуть у вас вечером.
В. С.

P. S. Если и сегодня не приедет, то совсем не приедет».

Я прочел и удивился, что он в таком волнении от таких пустяков. Взглянув на него вопросительно, я вдруг заметил, что он, пока я читал, успел переменить свой всегдашний белый галстук на красный. Шляпа и палка его лежали на столе. Сам же был бледен, и даже руки его дрожали.

— Я знать не хочу ее волнений! — исступленно вскричал он, отвечая на мой вопросительный взгляд. — Je m'en fiche![1] Она имеет дух волноваться о Кармазинове, а мне на мои письма не отвечает! Вот, вот нераспечатанное письмо мое,

---

[1] Мне наплевать на это! (*франц.*)

которое она вчера воротила мне, вот тут на столе, под книгой, под «L'homme qui rit»[1]. Какое мне дело, что она убивается о Ни-ко-леньке! Je m'en fiche et je proclame ma liberté. Au diable le Karmazinoff! Au diable la Lembke![2] Я вазы спрятал в переднюю, а Теньера в комод, а от нее потребовал, чтоб она сейчас же приняла меня. Слышите: потребовал! Я послал ей такой же клочок бумаги, карандашом, незапечатанный, с Настасьей, и жду. Я хочу, чтобы Дарья Павловна сама объявила мне из своих уст и пред лицом неба, или по крайней мере пред вами. Vous me seconderez, n'est ce pas, comme ami et témoin[3]. Я не хочу краснеть, я не хочу лгать, я не хочу тайн, я не допущу тайн в этом деле! Пусть мне во всем признаются, откровенно, простодушно, благородно, и тогда... тогда я, может быть, удивлю всё поколение великодушием!.. Подлец я или нет, милостивый государь? — заключил он вдруг, грозно смотря на меня, как будто я-то и считал его подлецом.

Я попросил его выпить воды; я еще не видал его в таком виде. Всё время, пока говорил, он бегал из угла в угол по комнате, но вдруг остановился предо мной в какой-то необычайной позе.

— Неужели вы думаете, — начал он опять с болезненным высокомерием, оглядывая меня с ног до головы, — неужели вы можете предположить, что я, Степан Верховенский, не найду в себе столько нравственной силы, чтобы, взяв мою коробку, — нищенскую коробку мою! — и взвалив ее на слабые плечи, выйти за ворота и исчезнуть отсюда навеки, когда того потребует честь и великий принцип независимости? Степану Верховенскому не в первый раз отражать деспотизм великодушием, хотя бы и деспотизм сумасшедшей женщины, то есть самый обидный и жестокий деспотизм, какой только может осуществиться на свете, несмотря на то что вы сейчас, кажется, позволили себе усмехнуться словам моим, милостивый государь мой! О, вы не верите, что я смогу найти в себе столько великодушия, чтобы суметь кончить жизнь у купца гувернером или умереть с голоду под забором! Отвечайте, отвечайте немедленно: верите вы или не верите?

Но я смолчал нарочно. Я даже сделал вид, что не решаюсь обидеть его ответом отрицательным, но не могу отвечать утвердительно. Во всем этом раздражении было нечто такое, что решительно обижало меня, и не лично, о нет! Но... я потом объяснюсь.

Он даже побледнел.

— Может быть, вам скучно со мной, Г—в (это моя фамилия), и вы бы желали... не приходить ко мне вовсе? — проговорил он тем тоном бледного спокойствия, который обыкновенно предшествует какому-нибудь необычайному взрыву. Я вскочил в испуге; в то же мгновение вошла Настасья и молча протянула Степану Трофимовичу бумажку, на которой написано было что-то карандашом. Он взглянул и перебросил мне. На бумажке рукой Варвары Петровны написаны были всего только два слова: «Сидите дома».

Степан Трофимович молча схватил шляпу и палку и быстро пошел из комнаты; я машинально за ним. Вдруг голоса и шум чьих-то скорых шагов послышались в коридоре. Он остановился как пораженный громом.

— Это Липутин, и я пропал! — прошептал он, схватив меня за руку.

В ту же минуту в комнату вошел Липутин.

---

[1] «Человек, который смеется» (*франц.*).

[2] Мне наплевать на это, и я заявляю о своей свободе. К черту этого Кармазинова! К черту эту Лембке! (*франц.*)

[3] Вы, не правда ли, мне не откажете в содействии, как друг и свидетель (*франц.*).

IV

Почему бы он пропал от Липутина, я не знал, да и цены не придавал слову; я всё приписывал нервам. Но все-таки испуг его был необычайный, и я решился пристально наблюдать.

Уж один вид входившего Липутина заявлял, что на этот раз он имеет особенное право войти, несмотря на все запрещения. Он вел за собою одного неизвестного господина, должно быть приезжего. В ответ на бессмысленный взгляд остолбеневшего Степана Трофимовича он тотчас же и громко воскликнул:

— Гостя веду, и особенного! Осмеливаюсь нарушить уединение. Господин Кириллов, замечательнейший инженер-строитель. А главное, сынка вашего знают, многоуважаемого Петра Степановича; очень коротко-с; и поручение от них имеют. Вот только что пожаловали.

— О поручении вы прибавили, — резко заметил гость, — поручения совсем не бывало, а Верховенского я, вправде, знаю. Оставил в Х—ской губернии, десять дней пред нами.

Степан Трофимович машинально подал руку и указал садиться; посмотрел на меня, посмотрел на Липутина и вдруг, как бы опомнившись, поскорее сел сам, но всё еще держа в руке шляпу и палку и не замечая того.

— Ба, да вы сами на выходе! А мне-то ведь сказали, что вы совсем прихворнули от занятий.

— Да, я болен, и вот теперь хотел гулять, я... — Степан Трофимович остановился, быстро откинул на диван шляпу и палку и — покраснел.

Я между тем наскоро рассматривал гостя. Это был еще молодой человек, лет около двадцати семи, прилично одетый, стройный и сухощавый брюнет, с бледным, несколько грязноватого оттенка лицом и с черными глазами без блеску. Он казался несколько задумчивым и рассеянным, говорил отрывисто и как-то не грамматически, как-то странно переставлял слова и путался, если приходилось составить фразу подлиннее. Липутин совершенно заметил чрезвычайный испуг Степана Трофимовича и видимо был доволен. Он уселся на плетеном стуле, который вытащил чуть не на средину комнаты, чтобы находиться в одинаковом расстоянии между хозяином и гостем, разместившимися один против другого на двух противоположных диванах. Востёрые глаза его с любопытством шныряли по всем углам.

— Я... давно уже не видал Петрушу... Вы за границей встретились? — пробормотал кое-как Степан Трофимович гостю.

— И здесь и за границей.

— Алексей Нилыч сами только что из-за границы, после четырехлетнего отсутствия, — подхватил Липутин, — ездили для усовершенствования себя в своей специальности, и к нам прибыли, имея основание надеяться получить место при постройке нашего железнодорожного моста, и теперь ответа ожидают. Они с господами Дроздовыми, с Лизаветой Николаевной знакомы чрез Петра Степановича.

Инженер сидел, как будто нахохлившись, и прислушивался с неловким нетерпением. Мне показалось, что он был на что-то сердит.

— Они и с Николаем Всеволодовичем знакомы-с.

— Знаете и Николая Всеволодовича? — осведомился Степан Трофимович.

— Знаю и этого.

— Я... я чрезвычайно давно уже не видал Петрушу и... так мало нахожу себя вправе называться отцом... c'est le mot[1]; я... как же вы его оставили?

— Да так и оставил... он сам приедет, — опять поспешил отделаться господин Кириллов. Решительно, он сердился.

— Приедет! Наконец-то я... видите ли, я слишком давно уже не видал Петрушу! — завяз на этой фразе Степан Трофимович. — Жду теперь моего бедного мальчика, пред которым... о, пред которым я так виноват! То есть я, собственно, хочу сказать, что, оставляя его тогда в Петербурге, я... одним словом, я считал его за ничто, quelque chose dans ce genre[2]. Мальчик, знаете, нервный, очень чувствительный и... боязливый. Ложась спать, клал земные поклоны и крестил подушку, чтобы ночью не умереть... je m'en souviens. Enfin[3], чувства изящного никакого, то есть чего-нибудь высшего, основного, какого-нибудь зародыша будущей идеи... c'était comme un petit idiot[4]. Впрочем, я сам, кажется, спутался, извините, я... вы меня застали...

— Вы серьезно, что он подушку крестил? — с каким-то особенным любопытством вдруг осведомился инженер.

— Да, крестил...

— Нет, я так; продолжайте.

Степан Трофимович вопросительно поглядел на Липутина.

— Я очень вам благодарен за ваше посещение, но, признаюсь, я теперь... не в состоянии... Позвольте, однако, узнать, где квартируете?

— В Богоявленской улице, в доме Филиппова.

— Ах, это там же, где Шатов живет, — заметил я невольно.

— Именно, в том же самом доме, — воскликнул Липутин, — только Шатов наверху стоит, в мезонине, а они внизу поместились, у капитана Лебядкина. Они и Шатова знают и супругу Шатова знают. Очень близко с нею за границей встречались.

— Comment![5] Так неужели вы что-нибудь знаете об этом несчастном супружестве de ce pauvre ami[6] и эту женщину? — воскликнул Степан Трофимович, вдруг увлекшись чувством. — Вас первого человека встречаю, лично знающего; и если только...

— Какой вздор! — отрезал инженер, весь вспыхнув. — Как вы, Липутин, прибавляете! Никак я не видал жену Шатова; раз только издали, а вовсе не близко... Шатова знаю. Зачем же вы прибавляете разные вещи?

Он круто повернулся на диване, захватил свою шляпу, потом опять отложил и, снова усевшись по-прежнему, с каким-то вызовом уставился своими черными вспыхнувшими глазами на Степана Трофимовича. Я никак не мог понять такой странной раздражительности.

— Извините меня, — внушительно заметил Степан Трофимович, — я понимаю, что это дело может быть деликатнейшим...

— Никакого тут деликатнейшего дела нет, и даже это стыдно, а я не вам кричал, что «вздор», а Липутину, зачем он прибавляет. Извините меня, если на свое имя приняли. Я Шатова знаю, а жену его совсем не знаю... совсем не знаю!

---

[1] именно так (*франц.*).

[2] что-то в этом роде (*франц.*).

[3] я помню это. Наконец (*франц.*).

[4] он походил на идиотика (*франц.*).

[5] Как! (*франц.*)

[6] этого бедного друга (*франц.*).

— Я понял, понял, и если настаивал, то потому лишь, что очень люблю нашего бедного друга, notre irascible ami[1], и всегда интересовался... Человек этот слишком круто изменил, на мой взгляд, свои прежние, может быть слишком молодые, но все-таки правильные мысли. И до того кричит теперь об notre sainte Russie разные вещи, что я давно уже приписываю этот перелом в его организме — иначе назвать не хочу — какому-нибудь сильному семейному потрясению и именно неудачной его женитьбе. Я, который изучил мою бедную Россию как два мои пальца, а русскому народу отдал всю мою жизнь, я могу вас заверить, что он русского народа не знает, и вдобавок...

— Я тоже совсем не знаю русского народа и... вовсе нет времени изучать! — отрезал опять инженер и опять круто повернулся на диване. Степан Трофимович осекся на половине речи.

— Они изучают, изучают, — подхватил Липутин, — они уже начали изучение и составляют любопытнейшую статью о причинах участившихся случаев самоубийства в России и вообще о причинах, учащающих или задерживающих распространение самоубийства в обществе. Дошли до удивительных результатов.

Инженер страшно взволновался.

— Это вы вовсе не имеете права, — гневно забормотал он, — я вовсе не статью. Я не стану глупостей. Я вас конфиденциально спросил, совсем нечаянно. Тут не статья вовсе; я не публикую, а вы не имеете права...

Липутин видимо наслаждался.

— Виноват-с, может быть, и ошибся, называя ваш литературный труд статьей. Они только наблюдения собирают, а до сущности вопроса или, так сказать, до нравственной его стороны совсем не прикасаются, и даже самую нравственность совсем отвергают, а держатся новейшего принципа всеобщего разрушения для добрых окончательных целей. Они уже больше чем сто миллионов голов требуют для водворения здравого рассудка в Европе, гораздо больше, чем на последнем конгрессе мира потребовали. В этом смысле Алексей Нилыч дальше всех пошли.

Инженер слушал с презрительною и бледною улыбкой. С полминуты все помолчали.

— Всё это глупо, Липутин, — проговорил наконец господин Кириллов с некоторым достоинством. — Если я нечаянно сказал вам несколько пунктов, а вы подхватили, то как хотите. Но вы не имеете права, потому что я никогда никому не говорю. Я презираю чтобы говорить... Если есть убеждения, то для меня ясно... а это вы глупо сделали. Я не рассуждаю об тех пунктах, где совсем кончено. Я терпеть не могу рассуждать. Я никогда не хочу рассуждать...

— И, может быть, прекрасно делаете, — не утерпел Степан Трофимович.

— Я вам извиняюсь, но я здесь ни на кого не сержусь, — продолжал гость горячею скороговоркой, — я четыре года видел мало людей... Я мало четыре года разговаривал и старался не встречать, для моих целей, до которых нет дела, четыре года. Липутин это нашел и смеется. Я понимаю и не смотрю. Я не обидлив, а только досадно на его свободу. А если я с вами не излагаю мыслей, — заключил он неожиданно и обводя всех нас твердым взглядом, — то вовсе не с тем, что боюсь от вас доноса правительству; это нет; пожалуйста, не подумайте пустяков в этом смысле...

---

[1] нашего раздражительного друга (*франц.*).

На эти слова уже никто ничего не ответил, а только переглянулись. Даже сам Липутин позабыл хихикнуть.

— Господа, мне очень жаль, — с решимостью поднялся с дивана Степан Трофимович, — но я чувствую себя нездоровым и расстроенным. Извините.

— Ах, это чтоб уходить, — спохватился господин Кириллов, схватывая картуз, — это хорошо, что сказали, а то я забывчив.

Он встал и с простодушным видом подошел с протянутою рукой к Степану Трофимовичу.

— Жаль, что вы нездоровы, а я пришел.

— Желаю вам всякого у нас успеха, — ответил Степан Трофимович, доброжелательно и неторопливо пожимая его руку. — Понимаю, что если вы, по вашим словам, так долго прожили за границей, чуждаясь для своих целей людей, и — забыли Россию, то, конечно, вы на нас, коренных русаков, поневоле должны смотреть с удивлением, а мы равномерно на вас. Mais cela passera[1]. В одном только я затрудняюсь: вы хотите строить наш мост и в то же время объявляете, что стоите за принцип всеобщего разрушения. Не дадут вам строить наш мост!

— Как? Как это вы сказали... ах черт! — воскликнул пораженный Кириллов и вдруг рассмеялся самым веселым и ясным смехом. На мгновение лицо его приняло самое детское выражение и, мне показалось, очень к нему идущее. Липутин потирал руки в восторге от удачного словца Степана Трофимовича. А я всё дивился про себя: чего Степан Трофимович так испугался Липутина и почему вскричал «я пропал», услыхав его.

V

Мы все стояли на пороге в дверях. Был тот миг, когда хозяева и гости обмениваются наскоро последними и самыми любезными словечками, а затем благополучно расходятся.

— Это всё оттого они так угрюмы сегодня, — ввернул вдруг Липутин, совсем уже выходя из комнаты и, так сказать, на лету, — оттого, что с капитаном Лебядкиным шум у них давеча вышел из-за сестрицы. Капитан Лебядкин ежедневно свою прекрасную сестрицу, помешанную, нагайкой стегает, настоящей казацкой-с, по утрам и по вечерам. Так Алексей Нилыч в том же доме флигель даже заняли, чтобы не участвовать. Ну-с, до свиданья.

— Сестру? Больную? Нагайкой? — так и вскрикнул Степан Трофимович, — точно его самого вдруг охлестнули нагайкой. — Какую сестру? Какой Лебядкин?

Давешний испуг воротился в одно мгновение.

— Лебядкин? А, это отставной капитан; прежде он только штабс-капитаном себя называл...

— Э, какое мне дело до чина! Какую сестру? Боже мой... вы говорите: Лебядкин? Но ведь у нас был Лебядкин...

— Тот самый и есть, *наш* Лебядкин, вот, помните, у Виргинского?

— Но ведь тот с фальшивыми бумажками попался?

— А вот и воротился, уж почти три недели и при самых особенных обстоятельствах.

— Да ведь это негодяй!

---

[1] Но это пройдет (*франц.*).

— Точно у нас и не может быть негодяя? — осклабился вдруг Липутин, как бы ощупывая своими вороватенькими глазками Степана Трофимовича.

— Ах, боже мой, я совсем не про то... хотя, впрочем, о негодяе с вами совершенно согласен, именно с вами. Но что ж дальше, дальше? Что вы хотели этим сказать?.. Ведь вы непременно что-то хотите этим сказать!

— Да всё это такие пустяки-с... то есть этот капитан, по всем видимостям, уезжал от нас тогда не для фальшивых бумажек, а единственно затем только, чтоб эту сестрицу свою разыскать, а та будто бы от него пряталась в неизвестном месте; ну а теперь привез, вот и вся история. Чего вы точно испугались, Степан Трофимович? Впрочем, я всё с его же пьяной болтовни говорю, а трезвый он и сам об этом прималчивает. Человек раздражительный и, как бы так сказать, военно-эстетический, но дурного только вкуса. А сестрица эта не только сумасшедшая, но даже хромоногая. Была будто бы кем-то обольщена в своей чести, и за это вот господин Лебядкин, уже многие годы, будто бы с обольстителя ежегодную дань берет, в вознаграждение благородной обиды, так по крайней мере из его болтовни выходит — а по-моему, пьяные только слова-с. Просто хвастается. Да и делается это гораздо дешевле. А что суммы у него есть, так это совершенно уж верно; полторы недели назад на босу ногу ходил, а теперь, сам видел, сотни в руках. У сестрицы припадки какие-то ежедневные, визжит она, а он-то ее «в порядок приводит» нагайкой. В женщину, говорит, надо вселять уважение. Вот не пойму, как еще Шатов над ними уживается. Алексей Нилыч только три денька и простояли с ними, еще с Петербурга были знакомы, а теперь флигелек от беспокойства занимают.

— Это всё правда? — обратился Степан Трофимович к инженеру.

— Вы очень болтаете, Липутин, — пробормотал тот гневно.

— Тайны, секреты! Откуда у нас вдруг столько тайн и секретов явилось! — не сдерживая себя, восклицал Степан Трофимович.

Инженер нахмурился, покраснел, вскинул плечами и пошел было из комнаты.

— Алексей Нилыч даже нагайку вырвали-с, изломали и в окошко выбросили, и очень поссорились, — прибавил Липутин.

— Зачем вы болтаете, Липутин, это глупо, зачем? — мигом повернулся опять Алексей Нилыч.

— Зачем же скрывать, из скромности, благороднейшие движения своей души, то есть вашей души-с, я не про свою говорю.

— Как это глупо... и совсем не нужно... Лебядкин глуп и совершенно пустой — и для действия бесполезный и... совершенно вредный. Зачем вы болтаете разные вещи? Я ухожу.

— Ах, как жаль! — воскликнул Липутин с ясною улыбкой. — А то бы я вас, Степан Трофимович, еще одним анекдотцем насмешил-с. Даже и шел с тем намерением, чтобы сообщить, хотя вы, впрочем, наверно уж и сами слышали. Ну, да уж в другой раз, Алексей Нилыч так торопятся... До свиданья-с. С Варварой Петровной анекдотик-то вышел, насмешила она меня третьего дня, нарочно за мной посылала, просто умора. До свиданья-с.

Но уж тут Степан Трофимович так и вцепился в него: он схватил его за плечи, круто повернул назад в комнату и посадил на стул. Липутин даже струсил.

— Да как же-с? — начал он сам, осторожно смотря на Степана Трофимовича с своего стула. — Вдруг призвали меня и спрашивают «конфиденциально», как я думаю в собственном мнении: помешан ли Николай Всеволодович или в своем уме? Как же не удивительно?

— Вы с ума сошли! — пробормотал Степан Трофимович и вдруг точно вышел из себя: — Липутин, вы слишком хорошо знаете, что только затем и пришли, чтобы сообщить какую-нибудь мерзость в этом роде и... еще что-нибудь хуже!

В один миг припомнилась мне его догадка о том, что Липутин знает в нашем деле не только больше нашего, но и еще что-нибудь, чего мы сами никогда не узнаем.

— Помилуйте, Степан Трофимович! — бормотал Липутин будто бы в ужасном испуге, — помилуйте...

— Молчите и начинайте! Я вас очень прошу, господин Кириллов, тоже воротиться и присутствовать, очень прошу! Садитесь. А вы, Липутин, начинайте прямо, просто... и без малейших отговорок!

— Знал бы только, что это вас так фраппирует, так я бы совсем и не начал-с... А я-то ведь думал, что вам уже всё известно от самой Варвары Петровны!

— Совсем вы этого не думали! Начинайте, начинайте же, говорят вам!

— Только сделайте одолжение, присядьте уж и сами, а то что же я буду сидеть, а вы в таком волнении будете передо мною... бегать. Нескладно выйдет-с.

Степан Трофимович сдержал себя и внушительно опустился в кресло. Инженер пасмурно наставился в землю. Липутин с неистовым наслаждением смотрел на них.

— Да что же начинать... так сконфузили...

VI

— Вдруг третьего дня присылают ко мне своего человека: просят, дескать, побывать вас завтра в двенадцать часов. Можете представить? Я дело бросил и вчера ровнешенько в полдень звоню. Вводят меня прямо в гостиную; подождал с минутку — вышли; посадили, сами напротив сели. Сижу и верить отказываюсь; сами знаете, как она меня всегда третировала! Начинают прямо без извонротов, по их всегдашней манере: «Вы помните, говорит, что четыре года назад Николай Всеволодович, будучи в болезни, сделал несколько странных поступков, так что недоумевал весь город, пока всё объяснилось. Один из этих поступков касался вас лично. Николай Всеволодович тогда к вам заезжал по выздоровлении и по моей просьбе. Мне известно тоже, что он и прежде несколько раз с вами разговаривал. Скажите откровенно и прямодушно, как вы... (тут замялись немного) — как вы находили тогда Николая Всеволодовича... Как вы смотрели на него вообще... какое мнение о нем могли составить и... теперь имеете?..»

Тут уж совершенно замялись, так что даже переждали полную минутку, и вдруг покраснели. Я перепугался. Начинают опять не то чтобы трогательным, к ним это нейдет, а таким внушительным очень тоном:

«Я желаю, говорит, чтобы вы меня хорошо и безошибочно, говорит, поняли. Я послала теперь за вами, потому что считаю вас прозорливым и остроумным человеком, способным составить верное наблюдение (каковы комплименты!). Вы, говорит, поймете, конечно, и то, что с вами говорит мать... Николай Всеволодович испытал в жизни некоторые несчастия и многие перевороты. Всё это, говорит, могло повлиять на настроение ума его. Разумеется, говорит, я не говорю про помешательство, этого никогда быть не может! (твердо и с гордостию высказано). Но могло быть нечто странное, особенное, некоторый оборот мыслей, наклонность к некоторому особому воззрению (всё это точные слова их, и я подивился, Степан Трофимович, с какою точностию Варвара Петровна умеет объяснить дело. Высокого ума дама!). По крайней мере, говорит, я сама заметила в нем некоторое постоянное беспокойство и стремление к особенным наклонностям. Но я мать, а вы человек посторонний, значит, способны, при вашем уме, составить более независимое мнение. Умоляю вас, наконец (так и было выговорено: умоляю), сказать мне всю правду, безо всяких ужимок, и если вы при этом дадите мне обещание не забыть потом никогда, что я говорила с вами конфиденциально, то можете ожидать моей совершенной и впредь всегдашней готовности отблагодарить вас при всякой возможности». Ну-с, каково-с!

— Вы... вы так фраппировали меня... — пролепетал Степан Трофимович, — что я вам не верю...

— Нет, заметьте, заметьте, — подхватил Липутин, как бы и не слыхав Степана Трофимовича, — каково же должно быть волнение и беспокойство, когда с таким вопросом обращаются с такой высоты к такому человеку, как я, да еще снисходят до того, что сами просят секрета. Это что же-с? Уж не получили ли известий каких-нибудь о Николае Всеволодовиче неожиданных?

— Я не знаю... известий никаких... я несколько дней не видался, но... но замечу вам... — лепетал Степан Трофимович, видимо едва справляясь со своими мыслями, — но замечу вам, Липутин, что если вам передано конфиденциально, а вы теперь при всех...

— Совершенно конфиденциально! Да разрази меня бог, если я... А коли здесь... так ведь что же-с? Разве мы чужие, взять даже хоть бы и Алексея Нилыча?

— Я такого воззрения не разделяю; без сомнения, мы здесь трое сохраним секрет, но вас, четвертого, я боюсь и не верю вам ни в чем!

— Да что вы это-с? Да я пуще всех заинтересован, ведь мне вечная благодарность обещана! А вот я именно хотел, по сему же поводу, на чрезвычайно странный случай один указать, более, так сказать, психологический, чем просто странный. Вчера вечером, под влиянием разговора у Варвары Петровны (сами можете представить, какое впечатление на меня произвело), обратился я к Алексею Нилычу с отдаленным вопросом: вы, говорю, и за границей и в Петербурге еще прежде знали Николая Всеволодовича; как вы, говорю, его находите относительно ума и способностей? Они и отвечают этак лаконически, по их манере, что, дескать, тонкого ума и со здравым суждением, говорят, человек. А не заметили ли вы в течение лет, говорю, некоторого, говорю, как бы уклонения идей, или особенного оборота мыслей, или некоторого, говорю, как бы, так сказать, помешательства? Одним словом, повторяю вопрос самой Варвары Петровны. Представьте же себе: Алексей Нилыч вдруг задумались и сморщились вот точно так, как теперь: «Да, говорят, мне иногда казалось нечто странное». Заметьте при этом, что если уж Алексею Нилычу могло показаться нечто странное, то что же на самом-то деле может оказаться, а?

— Правда это? — обратился Степан Трофимович к Алексею Нилычу.

— Я желал бы не говорить об этом, — отвечал Алексей Нилыч, вдруг подымая голову и сверкая глазами, — я хочу оспорить ваше право, Липутин. Вы никакого не имеете права на этот случай про меня. Я вовсе не говорил моего всего мнения. Я хоть и знаком был в Петербурге, но это давно, а теперь хоть и встретил, но мало очень знаю Николая Ставрогина. Прошу вас меня устранить и... и всё это похоже на сплетню.

Липутин развел руками в виде угнетенной невинности.

— Сплетник! Да уж не шпион ли? Хорошо вам, Алексей Нилыч, критиковать, когда вы во всем себя устраняете. А вы вот не поверите, Степан Трофимович, чего уж, кажется-с, капитан Лебядкин, ведь уж, кажется, глуп как... то есть стыдно только сказать как глуп; есть такое одно русское сравнение, означающее степень; а ведь и он себя от Николая Всеволодовича обиженным почитает, хотя и преклоняется пред его остроумием: «Поражен, говорит, этим человеком: премудрый змий» (собственные слова). А я ему (всё под тем же вчерашним влиянием и уже после разговора с Алексеем Нилычем): а что, говорю, капитан, как вы полагаете с своей стороны, помешан ваш премудрый змий или нет? Так, верите ли, точно я его вдруг сзади кнутом охлестнул, без его позволения; просто привскочил с места: «Да, говорит... да, говорит, только это, говорит, не может повлиять...»; на что повлиять — не досказал; да так потом горестно задумался, так задумался, что и хмель соскочил. Мы в Филипповом трактире сидели-с. И только через полчаса разве ударил вдруг кулаком по столу: «Да, говорит, пожалуй, и помешан, только это не может повлиять...» — и опять не досказал, на что повлиять. Я вам, разумеется, только экстракт разговора передаю, но ведь мысль-то понятна; кого ни спроси, всем одна мысль приходит, хотя бы прежде никому и в голову не входила: «Да, говорят, помешан; очень умен, но, может быть, и помешан».

Степан Трофимович сидел в задумчивости и усиленно соображал.

— А почему Лебядкин знает?

— А об этом не угодно ли у Алексея Нилыча справиться, который меня сейчас здесь шпионом обозвал. Я шпион и — не знаю, а Алексей Нилыч знают всю подноготную и молчат-с.

— Я ничего не знаю или мало, — с тем же раздражением отвечал инженер, — вы Лебядкина пьяным поите, чтоб узнавать. Вы и меня сюда привели, чтоб узнать и чтоб я сказал. Стало быть, вы шпион!

— Я еще его не поил-с, да и денег таких он не стоит, со всеми его тайнами, вот что они для меня значат, не знаю, как для вас. Напротив, это он деньгами сыплет, тогда как двенадцать дней назад ко мне приходил пятнадцать копеек выпрашивать, и это он меня шампанским поит, а не я его. Но вы мне мысль подаете, и коли надо будет, то и я его напою, и именно чтобы разузнать, и, может, и разузнаю-с... секретики все ваши-с, — злобно отгрызнулся Липутин.

Степан Трофимович в недоумении смотрел на обоих спорщиков. Оба сами себя выдавали и, главное, не церемонились. Мне подумалось, что Липутин привел к нам этого Алексея Нилыча именно с целью втянуть его в нужный разговор чрез третье лицо, любимый его маневр.

— Алексей Нилыч слишком хорошо знают Николая Всеволодовича, — раздражительно продолжал он, — но только скрывают-с. А что вы спрашиваете про капитана Лебядкина, то тот раньше всех нас с ним познакомился, в Петербурге, лет пять или шесть тому, в ту малоизвестную, если можно так выразиться, эпоху жизни Николая Всеволодовича, когда еще он и не думал нас здесь приездом своим осчастливить. Наш принц, надо заключить, довольно странный тогда выбор знакомства в Петербурге около себя завел. Тогда вот и с Алексеем Нилычем, кажется, познакомились.

— Берегитесь, Липутин, предупреждаю вас, что Николай Всеволодович скоро сам сюда хотел быть, а он умеет за себя постоять.

— Так меня-то за что же-с? Я первый кричу, что тончайшего и изящнейшего ума человек, и Варвару Петровну вчера в этом смысле совсем успокоил. «Вот в характере его, говорю ей, не могу поручиться». Лебядкин тоже в одно слово вчера: «От характера его, говорит, пострадал». Эх, Степан Трофимович, хорошо вам кричать, что сплетни да шпионство, и заметьте, когда уже сами от меня всё выпытали, да еще с таким чрезмерным любопытством. А вот Варвара Петровна, так та прямо вчера в самую точку: «Вы, говорит, лично заинтересованы были в деле, потому к вам и обращаюсь». Да еще же бы нет-с! Какие уж тут цели, когда я личную обиду при всем обществе от его превосходительства скушал! Кажется, имею причины и не для одних сплетен поинтересоваться. Сегодня жмет вам руку, а завтра ни с того ни с сего, за хлеб-соль вашу, вас же бьет по щекам при всем честном обществе, как только ему полюбится. С жиру-с! А главное у них женский пол: мотыльки и храбрые петушки! Помещики с крылушками, как у древних амуров, Печорины-сердцееды! Вам хорошо, Степан Трофимович, холостяку завзятому, так говорить и за его превосходительство меня сплетником называть. А вот женились бы, так как вы и теперь еще такой молодец из себя, на хорошенькой да на молоденькой, так, пожалуй, от нашего принца двери крючком заложите да баррикады в своем же доме выстроите! Да чего уж тут: вот только будь эта mademoiselle Лебядкина, которую секут кнутьями, не сумасшедшая и не кривоногая, так, ей-богу, подумал бы, что она-то и есть жертва страстей нашего генерала и что от этого самого и пострадал капитан Лебядкин «в своем фамильном достоинстве», как он сам выражается. Только разве вкусу их изящному противоречит, да для них и то не беда. Всякая ягодка в ход идет, только чтобы попалась под известное их настроение. Вы вот про сплетни, а разве я это кричу, когда уж весь город стучит, а я только слушаю да поддакиваю: поддакивать-то не запрещено-с.

— Город кричит? Об чем же кричит город?

— То есть это капитан Лебядкин кричит в пьяном виде на весь город, ну, а ведь это не всё ли равно, что вся площадь кричит? Чем же я виноват? Я интересуюсь только между друзей-с, потому что я все-таки здесь считаю себя между друзей-с, — с невинным видом обвел он нас глазами. — Тут случай вышел-с, сообразите-ка: выходит, что его превосходительство будто бы выслали еще из Швейцарии с одною наиблагороднейшею девицей и, так сказать, скромною сиротой, которую я имею честь знать, триста рублей для передачи капитану Лебядкину. А Лебядкин немного спустя получил точнейшее известие, от кого не скажу, но тоже от наиблагороднейшего лица, а стало быть достовернейшего, что не триста рублей, а тысяча была выслана!.. Стало быть, кричит Лебядкин, девица семьсот рублей у меня утащила, и вытребовать хочет чуть не полицейским порядком, по крайней мере угрожает и на весь город стучит...

— Это подло, подло от вас! — вскочил вдруг инженер со стула.

— Да ведь вы сами же и есть это наиблагороднейшее лицо, которое подтвердило Лебядкину от имени Николая Всеволодовича, что не триста, а тысяча рублей были высланы. Ведь мне сам капитан сообщил в пьяном виде.

— Это... это несчастное недоумение. Кто-нибудь ошибся, и вышло... Это вздор, а вы подло!..

— Да и я хочу верить, что вздор, и с прискорбием слушаю, потому что, как хотите, наиблагороднейшая девушка замешана, во-первых, в семистах рублях, а во-вторых, в очевидных интимностях с Николаем Всеволодовичем. Да ведь его превосходительству что стоит девушку благороднейшую осрамить или чужую жену обесславить, подобно тому как тогда со мной казус вышел-с? Подвернется им полный великодушия человек, они и заставят его прикрыть своим честным именем чужие грехи. Так точно и я ведь вынес-с; я про себя говорю-с...

— Берегитесь, Липутин! — привстал с кресел Степан Трофимович и побледнел.

— Не верьте, не верьте! Кто-нибудь ошибся, а Лебядкин пьян... — восклицал инженер в невыразимом волнении, — всё объяснится, а я больше не могу... и считаю низостью... и довольно, довольно!

Он выбежал из комнаты.

— Так что же вы? Да ведь и я с вами! — всполохнулся Липутин, вскочил и побежал вслед за Алексеем Нилычем.

VII

Степан Трофимович постоял с минуту в раздумье, как-то не глядя посмотрел на меня, взял свою шляпу, палку и тихо пошел из комнаты. Я опять за ним, как и давеча. Выходя из ворот, он, заметив, что я провожаю его, сказал:

— Ах да, вы можете служить свидетелем... de l'accident. Vous m'accompagnerez, n'est-ce pas?[1]

— Степан Трофимович, неужели вы опять туда? Подумайте, что может выйти?

С жалкою и потерянною улыбкой, — улыбкой стыда и совершенного отчаяния, и в то же время какого-то странного восторга, прошептал он мне, на миг приостанавливаясь:

— Не могу же я жениться на «чужих грехах»!

Я только и ждал этого слова. Наконец-то это заветное, скрываемое от меня словцо было произнесено после целой недели виляний и ужимок. Я решительно вышел из себя:

— И такая грязная, такая... низкая мысль могла появиться у вас, у Степана Верховенского, в вашем светлом уме, в вашем добром сердце и... еще до Липутина!

Он посмотрел на меня, не ответил и пошел тою же дорогой. Я не хотел отставать. Я хотел свидетельствовать пред Варварой Петровной. Я бы простил ему, если б он поверил только Липутину, по бабьему малодушию своему, но теперь уже ясно было, что он сам всё выдумал еще гораздо прежде Липутина, а Липутин только теперь подтвердил его подозрения и подлил масла в огонь. Он не задумался заподозрить девушку с самого первого дня, еще не имея никаких оснований, даже липутинских. Деспотические действия Варвары Петровны он объяснил себе только отчаянным желанием ее поскорее замазать свадьбой с почтенным человеком дворянские грешки ее бесценного Nicolas! Мне непременно хотелось, чтоб он был наказан за это.

— O! Dieu qui est si grand et si bon![2] О, кто меня успокоит! — воскликнул он, пройдя еще шагов сотню и вдруг остановившись.

— Пойдемте сейчас домой, и я вам всё объясню! — вскричал я, силой поворачивая его к дому.

---

[1] происшествия. Вы меня будете сопровождать, не правда ли? (*франц.*)

[2] О Боже, великий и милостивый! (*франц.*)

— Это он! Степан Трофимович, это вы? Вы? — раздался свежий, резвый, юный голос, как какая-то музыка подле нас.

Мы ничего не видали, а подле нас вдруг появилась наездница, Лизавета Николаевна, со своим всегдашним провожатым. Она остановила коня.

— Идите, идите же скорее! — звала она громко и весело. — Я двенадцать лет не видала его и узнала, а он... Неужто не узнаете меня?

Степан Трофимович схватил ее руку, протянутую к нему, и благоговейно поцеловал ее. Он глядел на нее как бы с молитвой и не мог выговорить слова.

— Узнал и рад! Маврикий Николаевич, он в восторге, что видит меня! Что же вы не шли все две недели? Тетя убеждала, что вы больны и что вас нельзя потревожить; но ведь я знаю, тетя лжет. Я всё топала ногами и вас бранила, но я непременно, непременно хотела, чтобы вы сами первый пришли, потому и не посылала. Боже, да он нисколько не переменился! — рассматривала она его, наклоняясь с седла, — он до смешного не переменился! Ах нет, есть морщинки, много морщинок у глаз и на щеках, и седые волосы есть, но глаза те же! А я переменилась? Переменилась? Но что же вы всё молчите?

Мне вспомнился в это мгновение рассказ о том, что она была чуть не больна, когда ее увезли одиннадцати лет в Петербург; в болезни будто бы плакала и спрашивала Степана Трофимовича.

— Вы... я... — лепетал он теперь обрывавшимся от радости голосом, — я сейчас вскричал: «Кто успокоит меня!» — и раздался ваш голос... Я считаю это чудом et je commence à croire[1].

— En Dieu? En Dieu, qui est là-haut et qui est si grand et si bon?[2] Видите, я все ваши лекции наизусть помню. Маврикий Николаевич, какую он мне тогда веру преподавал en Dieu, qui est si grand et si bon! А помните ваши рассказы о том, как Колумб открывал Америку и как все закричали: «Земля, земля!» Няня Алена Фроловна говорит, что я после того ночью бредила и во сне кричала: «Земля, земля!» А помните, как вы мне историю принца Гамлета рассказывали? А помните, как вы мне описывали, как из Европы в Америку бедных эмигрантов перевозят? И всё-то неправда, я потом всё узнала, как перевозят, но как он мне хорошо лгал тогда, Маврикий Николаевич, почти лучше правды! Чего вы так смотрите на Маврикия Николаевича? Это самый лучший и самый верный человек на всем земном шаре, и вы его непременно должны полюбить, как меня! Il fait tout ce que je veux[3]. Но, голубчик Степан Трофимович, стало быть, вы опять несчастны, коли среди улицы кричите о том, кто вас успокоит? Несчастны, ведь так? Так?

— Теперь счастлив...

— Тетя обижает? — продолжала она не слушая, — всё та же злая, несправедливая и вечно нам бесценная тетя! А помните, как вы бросались ко мне в объятия в саду, а я вас утешала и плакала, — да не бойтесь же Маврикия Николаевича; он про вас всё, всё знает, давно, вы можете плакать на его плече сколько угодно, и он сколько угодно будет стоять!.. Приподнимите шляпу, снимите совсем на минутку, протяните голову, станьте на цыпочки, я вас сейчас поцелую в лоб, как в последний раз поцеловала, когда мы прощались. Видите, та барышня из окна на нас любуется... Ну, ближе, ближе. Боже, как он поседел!

И она, принагнувшись в седле, поцеловала его в лоб.

---

[1] и начинаю веровать (*франц.*).

[2] В Бога? В Бога Всевышнего, который так велик и так милостив? (*франц.*).

[3] Он делает всё, что я хочу (*франц.*).

— Ну, теперь к вам домой! Я знаю, где вы живете. Я сейчас, сию минуту буду у вас. Я вам, упрямцу, сделаю первый визит и потом на целый день вас к себе затащу. Ступайте же, приготовьтесь встречать меня.

И она ускакала с своим кавалером. Мы воротились. Степан Трофимович сел на диван и заплакал.

— Dieu! Dieu![1] — восклицал он, — enfin une minute de bonheur![2]

Не более как через десять минут она явилась по обещанию, в сопровождении своего Маврикия Николаевича.

— Vous et le bonheur, vous arrivez en même temps![3] — поднялся он ей навстречу.

— Вот вам букет; сейчас ездила к madame Шевалье, у ней всю зиму для именинниц букеты будут. Вот вам и Маврикий Николаевич, прошу познакомиться. Я хотела было пирог вместо букета, но Маврикий Николаевич уверяет, что это не в русском духе.

Этот Маврикий Николаевич был артиллерийский капитан, лет тридцати трех, высокого росту господин, красивой и безукоризненно порядочной наружности, с внушительною и на первый взгляд даже строгою физиономией, несмотря на его удивительную и деликатнейшую доброту, о которой всякий получал понятие чуть не с первой минуты своего с ним знакомства. Он, впрочем, был молчалив, казался очень хладнокровен и на дружбу не напрашивался. Говорили потом у нас многие, что он недалек; это было не совсем справедливо.

Я не стану описывать красоту Лизаветы Николаевны. Весь город уже кричал об ее красоте, хотя некоторые наши дамы и девицы с негодованием не соглашались с кричавшими. Были из них и такие, которые уже возненавидели Лизавету Николаевну, и, во-первых, за гордость: Дроздовы почти еще не начинали делать визитов, что оскорбляло, хотя виной задержки действительно было болезненное состояние Прасковьи Ивановны. Во-вторых, ненавидели ее за то, что она родственница губернаторши; в-третьих, за то, что она ежедневно прогуливается верхом. У нас до сих пор никогда еще не бывало амазонок; естественно, что появление Лизаветы Николаевны, прогуливавшейся верхом и еще не сделавшей визитов, должно было оскорблять общество. Впрочем, все уже знали, что она ездит верхом по приказанию докторов, и при этом едко говорили об ее болезненности. Она действительно была больна. Что выдавалось в ней с первого взгляда — это ее болезненное, нервное, беспрерывное беспокойство. Увы! бедняжка очень страдала, и всё объяснилось впоследствии. Теперь, вспоминая прошедшее, я уже не скажу, что она была красавица, какою казалась мне тогда. Может быть, она была даже и совсем нехороша собой. Высокая, тоненькая, но гибкая и сильная, она даже поражала неправильностью линий своего лица. Глаза ее были поставлены как-то по-калмыцки, криво; была бледна, скулиста, смугла и худа лицом; но было же нечто в этом лице побеждающее и привлекающее! Какое-то могущество сказывалось в горящем взгляде ее темных глаз; она являлась «как победительница и чтобы победить». Она казалась гордою, а иногда даже дерзкою; не знаю, удавалось ли ей быть доброю; но я знаю, что она ужасно хотела и мучилась тем, чтобы заставить себя быть несколько доброю. В этой натуре, конечно, было много прекрасных стремлений и самых справедливых начинаний; но всё в ней как бы вечно искало своего уровня и не находило его, всё было в ха-

---

[1] Боже! Боже! (*франц.*)
[2] наконец одно мгновение счастья! (*франц.*)
[3] Вы и счастье, вы являетесь одновременно! (*франц.*)

осе, в волнении, в беспокойстве. Может быть, она уже со слишком строгими требованиями относилась к себе, никогда не находя в себе силы удовлетворить этим требованиям.

Она села на диван и оглядывала комнату.

— Почему мне в этакие минуты всегда становится грустно, разгадайте, учёный человек? Я всю жизнь думала, что бог знает как буду рада, когда вас увижу, и всё припомню, и вот совсем как будто не рада, несмотря на то что вас люблю... Ах, боже, у него висит мой портрет! Дайте сюда, я его помню, помню!

Превосходный миниатюрный портрет акварелью двенадцатилетней Лизы был выслан Дроздовыми Степану Трофимовичу из Петербурга еще лет девять назад. С тех пор он постоянно висел у него на стене.

— Неужто я была таким хорошеньким ребенком? Неужто это мое лицо?

Она встала и с портретом в руках посмотрелась в зеркало.

— Поскорей возьмите! — воскликнула она, отдавая портрет. — Не вешайте теперь, после, не хочу и смотреть на него. — Она села опять на диван. — Одна жизнь прошла, началась другая, потом другая прошла — началась третья, и всё без конца. Все концы, точно как ножницами, обрезывает. Видите, какие я старые вещи рассказываю, а ведь сколько правды!

Она, усмехнувшись, посмотрела на меня; уже несколько раз она на меня взглядывала, но Степан Трофимович в своем волнении и забыл, что обещал меня представить.

— А зачем мой портрет висит у вас под кинжалами? И зачем у вас столько кинжалов и сабель?

У него действительно висели на стене, не знаю для чего, два ятагана накрест, а над ними настоящая черкесская шашка. Спрашивая, она так прямо на меня посмотрела, что я хотел было что-то ответить, но осекся. Степан Трофимович догадался наконец и меня представил.

— Знаю, знаю, — сказала она, — я очень рада. Мама́ об вас тоже много слышала. Познакомьтесь и с Маврикием Николаевичем, это прекрасный человек. Я об вас уже составила смешное понятие: ведь вы конфидент Степана Трофимовича?

Я покраснел.

— Ах, простите, пожалуйста, я совсем не то слово сказала; вовсе не смешное, а так... (Она покраснела и сконфузилась.) Впрочем, что же стыдиться того, что вы прекрасный человек? Ну, пора нам, Маврикий Николаевич! Степан Трофимович, через полчаса чтобы вы у нас были. Боже, сколько мы будем говорить! Теперь уж я ваш конфидент, и обо всем, *обо всем*, понимаете?

Степан Трофимович тотчас же испугался.

— О, Маврикий Николаевич всё знает, его не конфузьтесь!

— Что же знает?

— Да чего вы! — вскричала она в изумлении. — Ба, да ведь и правда, что они скрывают! Я верить не хотела. Дашу тоже скрывают. Тетя давеча меня не пустила к Даше, говорит, что у ней голова болит.

— Но... но как вы узнали?

— Ах, боже, так же, как и все. Эка мудрость!

— Да разве все?..

— Ну да как же? Мамаша, правда, сначала узнала через Алену Фроловну, мою няню; ей ваша Настасья прибежала сказать. Ведь вы говорили же Настасье? Она говорит, что вы ей сами говорили.

— Я... я говорил однажды... — пролепетал Степан Трофимович, весь покраснев, — но... я лишь намекнул... j'étais si nerveux et malade et puis...[1]

Она захохотала.

— А конфидента под рукой не случилось, а Настасья подвернулась, — ну и довольно! А у той целый город кумушек! Ну да полноте, ведь это всё равно; ну пусть знают, даже лучше. Скорее же приходите, мы обедаем рано... Да, забыла, — уселась она опять, — слушайте, что такое Шатов?

— Шатов? Это брат Дарьи Павловны...

— Знаю, что брат, какой вы, право! — перебила она в нетерпении. — Я хочу знать, что он такое, какой человек?

— C'est un pense-creux d'ici. C'est le meilleur et le plus irascible homme du monde...[2]

— Я сама слышала, что он какой-то странный. Впрочем, не о том. Я слышала, что он знает три языка, и английский, и может литературною работой заниматься. В таком случае у меня для него много работы; мне нужен помощник, и чем скорее, тем лучше. Возьмет он работу или нет? Мне его рекомендовали...

— О, непременно, et vous ferez un bienfait...[3]

— Я вовсе не для bienfait, мне самой нужен помощник.

— Я довольно хорошо знаю Шатова, — сказал я, — и если вы мне поручите передать ему, то я сию минуту схожу.

— Передайте ему, чтоб он завтра утром пришел в двенадцать часов. Чудесно! Благодарю вас. Маврикий Николаевич, готовы?

Они уехали. Я, разумеется, тотчас же побежал к Шатову.

— Mon ami![4] — догнал меня на крыльце Степан Трофимович, — непременно будьте у меня в десять или в одиннадцать часов, когда я вернусь. О, я слишком, слишком виноват пред вами и... пред всеми, пред всеми.

VIII

Шатова я не застал дома; забежал через два часа — опять нет. Наконец, уже в восьмом часу я направился к нему, чтоб или застать его, или оставить записку; опять не застал. Квартира его была заперта, а он жил один, безо всякой прислуги. Мне было подумалось, не толкнуться ли вниз, к капитану Лебядкину, чтобы спросить о Шатове; но тут было тоже заперто, и ни слуху, ни свету оттуда, точно пустое место. Я с любопытством прошел мимо дверей Лебядкина, под влиянием давешних рассказов. В конце концов я решил зайти завтра пораньше. Да и на записку, правда, я не очень надеялся; Шатов мог пренебречь, он был такой упрямый, застенчивый. Проклиная неудачу и уже выходя из ворот, я вдруг наткнулся на господина Кириллова; он входил в дом и первый узнал меня. Так как он сам начал расспрашивать, то я и рассказал ему всё в главных чертах и что у меня есть записка.

— Пойдемте, — сказал он, — я всё сделаю.

---

[1] я был так взволнован и болен, и к тому же... (*франц.*)

[2] Это местный фантазер. Это лучший и самый раздражительный человек на свете... (*франц.*)

[3] и вы совершите благодеяние (*франц.*).

[4] Друг мой! (*франц.*)

Я вспомнил, что он, по словам Липутина, занял с утра деревянный флигель на дворе. В этом флигеле, слишком для него просторном, квартировала с ним вместе какая-то старая глухая баба, которая ему и прислуживала. Хозяин дома в другом новом доме своем и в другой улице содержал трактир, а эта старуха, кажется родственница его, осталась смотреть за всем старым домом. Комнаты во флигеле были довольно чисты, но обои грязны. В той, куда мы вошли, мебель была сборная, разнокалиберная и совершенный брак: два ломберных стола, комод ольхового дерева, большой тесовый стол из какой-нибудь избы или кухни, стулья и диван с решетчатыми спинками и с твердыми кожаными подушками. В углу помещался старинный образ, пред которым баба еще до нас затеплила лампадку, а на стенах висели два больших тусклых масляных портрета: один покойного императора Николая Павловича, снятый, судя по виду, еще в двадцатых годах столетия; другой изображал какого-то архиерея.

Господин Кириллов, войдя, засветил свечу и из своего чемодана, стоявшего в углу и еще не разобранного, достал конверт, сургуч и хрустальную печатку.

— Запечатайте вашу записку и надпишите конверт.

Я было возразил, что не надо, но он настоял. Надписав конверт, я взял фуражку.

— А я думал, вы чаю, — сказал он, — я чай купил. Хотите?

Я не отказался. Баба скоро внесла чай, то есть большущий чайник горячей воды, маленький чайник с обильно заваренным чаем, две большие каменные, грубо разрисованные чашки, калач и целую глубокую тарелку колотого сахару.

— Я чай люблю, — сказал он, — ночью; много, хожу и пью; до рассвета. За границей чай ночью неудобно.

— Вы ложитесь на рассвете?

— Всегда; давно. Я мало ем; всё чай. Липутин хитер, но нетерпелив.

Меня удивило, что он хотел разговаривать; я решился воспользоваться минутой.

— Давеча вышли неприятные недоразумения, — заметил я.

Он очень нахмурился.

— Это глупость; это большие пустяки. Тут всё пустяки, потому что Лебядкин пьян. Я Липутину не говорил, а только объяснил пустяки; потому что тот переврал. У Липутина много фантазии, вместо пустяков горы выстроил. Я вчера Липутину верил.

— А сегодня мне? — засмеялся я.

— Да ведь вы уже про всё знаете давеча. Липутин или слаб, или нетерпелив, или вреден, или... завидует.

Последнее словцо меня поразило.

— Впрочем, вы столько категорий наставили, немудрено, что под которую-нибудь и подойдет.

— Или ко всем вместе.

— Да, и это правда. Липутин — это хаос! Правда, он врал давеча, что вы хотите какое-то сочинение писать?

— Почему же врал? — нахмурился он опять, уставившись в землю.

Я извинился и стал уверять, что не выпытываю. Он покраснел.

— Он правду говорил; я пишу. Только это всё равно.

С минуту помолчали; он вдруг улыбнулся давешнею детскою улыбкой.

— Он это про головы сам выдумал, из книги, и сам сначала мне говорил, и понимает худо, а я только ищу причины, почему люди не смеют убить себя; вот и всё. И это всё равно.

— Как не смеют? Разве мало самоубийств?

— Очень мало.

— Неужели вы так находите?

Он не ответил, встал и в задумчивости начал ходить взад и вперед.

— Что же удерживает людей, по-вашему, от самоубийства? — спросил я.

Он рассеянно посмотрел, как бы припоминая, об чем мы говорили.

— Я... я еще мало знаю... два предрассудка удерживают, две вещи; только две; одна очень маленькая, другая очень большая. Но и маленькая тоже очень большая.

— Какая же маленькая-то?

— Боль.

— Боль? Неужто это так важно... в этом случае?

— Самое первое. Есть два рода: те, которые убивают себя или с большой грусти, или со злости, или сумасшедшие, или там всё равно... те вдруг. Те мало о боли думают, а вдруг. А которые с рассудка — те много думают.

— Да разве есть такие, что с рассудка?

— Очень много. Если б предрассудка не было, было бы больше; очень много; все.

— Ну уж и все?

Он промолчал.

— Да разве нет способов умирать без боли?

— Представьте, — остановился он предо мною, — представьте камень такой величины, как с большой дом; он висит, а вы под ним; если он упадет на вас, на голову — будет вам больно?

— Камень с дом? Конечно, страшно.

— Я не про страх; будет больно?

— Камень с гору, миллион пудов? Разумеется, ничего не больно.

— А станьте вправду, и пока висит, вы будете очень бояться, что больно. Всякий первый ученый, первый доктор, все, все будут очень бояться. Всякий будет знать, что не больно, и всякий будет очень бояться, что больно.

— Ну, а вторая причина, большая-то?

— Тот свет.

— То есть наказание?

— Это всё равно. Тот свет; один тот свет.

— Разве нет таких атеистов, что совсем не верят в тот свет?

Опять он промолчал.

— Вы, может быть, по себе судите?

— Всякий не может судить как по себе, — проговорил он покраснев. — Вся свобода будет тогда, когда будет всё равно, жить или не жить. Вот всему цель.

— Цель? Да тогда никто, может, и не захочет жить?

— Никто, — произнес он решительно.

— Человек смерти боится, потому что жизнь любит, вот как я понимаю, — заметил я, — и так природа велела.

— Это подло, и тут весь обман! — Глаза его засверкали. — Жизнь есть боль, жизнь есть страх, и человек несчастен. Теперь всё боль и страх. Теперь человек жизнь любит, потому что боль и страх любит. И так сделали. Жизнь дается теперь за боль и страх, и тут весь обман. Теперь человек еще не тот человек. Будет новый человек, счастливый и гордый. Кому будет всё равно, жить или не жить, тот будет новый человек. Кто победит боль и страх, тот сам Бог будет. А тот Бог не будет.

— Стало быть, тот Бог есть же, по-вашему?

— Его нет, но он есть. В камне боли нет, но в страхе от камня есть боль. Бог есть боль страха смерти. Кто победит боль и страх, тот сам станет Бог. Тогда новая жизнь, тогда новый человек, всё новое... Тогда историю будут делить на две части: от гориллы до уничтожения Бога и от уничтожения Бога до...

— До гориллы?

— ...До перемены земли и человека физически. Будет Богом человек и переменится физически. И мир переменится, и дела переменятся, и мысли, и все чувства. Как вы думаете, переменится тогда человек физически?

— Если будет всё равно, жить или не жить, то все убьют себя, и вот в чем, может быть, перемена будет.

— Это всё равно. Обман убьют. Всякий, кто хочет главной свободы, тот должен сметь убить себя. Кто смеет убить себя, тот тайну обмана узнал. Дальше нет свободы; тут всё, а дальше нет ничего. Кто смеет убить себя, тот Бог. Теперь всякий может сделать, что Бога не будет и ничего не будет. Но никто еще ни разу не сделал.

— Самоубийц миллионы были.

— Но всё не затем, всё со страхом и не для того. Не для того, чтобы страх убить. Кто убьет себя только для того, чтобы страх убить, тот тотчас Бог станет.

— Не успеет, может быть, — заметил я.

— Это всё равно, — ответил он тихо, с покойною гордостью, чуть не с презрением. — Мне жаль, что вы как будто смеетесь, — прибавил он через полминуты.

— А мне странно, что вы давеча были так раздражительны, а теперь так спокойны, хотя и горячо говорите.

— Давеча? Давеча было смешно, — ответил он с улыбкой, — я не люблю бранить и никогда не смеюсь, — прибавил он грустно.

— Да, невесело вы проводите ваши ночи за чаем. — Я встал и взял фуражку.

— Вы думаете? — улыбнулся он с некоторым удивлением. — Почему же? Нет, я... я не знаю, — смешался он вдруг, — не знаю, как у других, и я так чувствую, что не могу, как всякий. Всякий думает и потом сейчас о другом думает. Я не могу о другом, я всю жизнь об одном. Меня Бог всю жизнь мучил, — заключил он вдруг с удивительною экспансивностью.

— А скажите, если позволите, почему вы не так правильно по-русски говорите? Неужели за границей в пять лет разучились?

— Разве я неправильно? Не знаю. Нет, не потому, что за границей. Я так всю жизнь говорил... мне всё равно.

— Еще вопрос более деликатный: я совершенно вам верю, что вы не склонны встречаться с людьми и мало с людьми говорите. Почему вы со мной теперь разговорились?

— С вами? Вы давеча хорошо сидели, и вы... впрочем, всё равно... вы на моего брата очень похожи, много, чрезвычайно, — проговорил он покраснев, — он семь лет умер; старший, очень, очень много.

— Должно быть, имел большое влияние на ваш образ мыслей.

— Н-нет, он мало говорил; он ничего не говорил. Я вашу записку отдам.

Он проводил меня с фонарем до ворот, чтобы запереть за мной. «Разумеется, помешанный», — решил я про себя. В воротах произошла новая встреча.

IX

Только что я занес ногу за высокий порог калитки, вдруг чья-то сильная рука схватила меня за грудь.

— Кто сей? — взревел чей-то голос, — друг или недруг? Кайся!

— Это наш, наш! — завизжал подле голосок Липутина, — то господин Г—в, классического воспитания и в связях с самым высшим обществом молодой человек.

— Люблю, коли с обществом, кла-сси-чес... значит, о-бразо-о-ваннейший... отставной капитан Игнат Лебядкин, к услугам мира и друзей... если верны, если верны, подлецы!

Капитан Лебядкин, вершков десяти росту, толстый, мясистый, курчавый, красный и чрезвычайно пьяный, едва стоял предо мной и с трудом выговаривал слова. Я, впрочем, его и прежде видал издали.

— А, и этот! — взревел он опять, заметив Кириллова, который всё еще не уходил с своим фонарем; он поднял было кулак, но тотчас опустил его. — Прощаю за ученость! Игнат Лебядкин — образо-о-ваннейший...

> Любви пылающей граната
> Лопнула в груди Игната.
> И вновь заплакал горькой мукой
> По Севастополю безрукий.

— Хоть в Севастополе не был и даже не безрукий, но каковы же рифмы! — лез он ко мне с своею пьяною рожей.

— Им некогда, некогда, они домой пойдут, — уговаривал Липутин, — они завтра Лизавете Николаевне перескажут.

— Лизавете!.. — завопил он опять, — стой-нейди! Варьянт:

> И порхает звезда на коне
> В хороводе других амазонок;
> Улыбается с лошади мне
> Ари-сто-кратический ребенок.

«Звезде-амазонке».

— Да ведь это же гимн! Это гимн, если ты не осел! Бездельники не понимают! Стой! — уцепился он за мое пальто, хотя я рвался изо всех сил в калитку. — Передай, что я рыцарь чести, а Дашка... Дашку я двумя пальцами... крепостная раба и не смеет...

Тут он упал, потому что я с силой вырвался у него из рук и побежал по улице. Липутин увязался за мной.

— Его Алексей Нилыч подымут. Знаете ли, что я сейчас от него узнал? — болтал он впопыхах. — Стишки-то слышали? Ну, вот он эти самые стихи к «Звезде-амазонке» запечатал и завтра посылает к Лизавете Николаевне за своею полною подписью. Каков!

— Бьюсь об заклад, что вы его сами подговорили.

— Проиграете! — захохотал Липутин. — Влюблен, влюблен как кошка, а знаете ли, что началось ведь с ненависти. Он до того сперва возненавидел Лизавету Николаевну за то, что она ездит верхом, что чуть не ругал ее вслух на улице; да и ругал же! Еще третьего дня выругал, когда она проезжала, — к счастью, не расслышала, и вдруг сегодня стихи! Знаете ли, что он хочет рискнуть предложение? Серьезно, серьезно!

— Я вам удивляюсь, Липутин, везде-то вы вот, где только этакая дрянь заведется, везде-то вы тут руководите! — проговорил я в ярости.

— Однако же вы далеко заходите, господин Г—в; не сердчишко ли у нас екнуло, испугавшись соперника, — а?

— Что-о-о? — закричал я, останавливаясь.

— А вот же вам в наказание и ничего не скажу дальше! А ведь как бы вам хотелось услышать? Уж одно то, что этот дуралей теперь не простой капитан, а помещик нашей губернии, да еще довольно значительный, потому что Николай Всеволодович ему всё свое поместье, бывшие свои двести душ на днях продали, и вот же вам бог, не лгу! сейчас узнал, но зато из наивернейшего источника. Ну, а теперь дощупывайтесь-ка сами; больше ничего не скажу; до свиданья-с!

X

Степан Трофимович ждал меня в истерическом нетерпении. Уже с час как он воротился. Я застал его как бы пьяного; первые пять минут по крайней мере я думал, что он пьян. Увы, визит к Дроздовым сбил его с последнего толку.

— Mon ami, я совсем потерял мою нитку... Lise... я люблю и уважаю этого ангела по-прежнему; именно по-прежнему; но, мне кажется, они ждали меня обе, единственно чтобы кое-что выведать, то есть попросту вытянуть из меня, а там и ступай себе с богом... Это так.

— Как вам не стыдно! — вскричал я, не вытерпев.

— Друг мой, я теперь совершенно один. Enfin, c'est ridicule[1]. Представьте, что и там всё это напичкано тайнами. Так на меня и накинулись об этих носах и ушах и еще о каких-то петербургских тайнах. Они ведь обе только здесь в первый раз проведали об этих здешних историях с Nicolas четыре года назад: «Вы тут были, вы видели, правда ли, что он сумасшедший?» И откуда эта идея вышла, не понимаю. Почему Прасковье непременно так хочется, чтобы Nicolas оказался сумасшедшим? Хочется этой женщине, хочется! Ce Maurice[2], или, как его, Маврикий Николаевич, brave homme tout de même[3], но неужели в его пользу, и после того как сама же первая писала из Парижа к cette pauvre amie...[4] Enfin, эта Прасковья, как называет ее cette chère amie[5], это тип, это бессмертной памяти Гоголева Коробочка, но только злая Коробочка, задорная Коробочка и в бесконечно увеличенном виде.

— Да ведь это сундук выйдет; уж и в увеличенном?

— Ну, в уменьшенном, всё равно, только не перебивайте, потому что у меня всё это вертится. Там они совсем расплевались; кроме Lise; та всё еще: «Тетя, тетя», но Lise хитра, и тут еще что-то есть. Тайны. Но со старухой рассорились. Cette pauvre[6] тетя, правда, всех деспотирует... а тут и губернаторша, и непочтительность общества, и «непочтительность» Кармазинова; а тут вдруг эта мысль о помешательстве, ce Lipoutine, ce que je ne comprends pas[7], и-и, говорят, голову

---

[1] Наконец, это смешно (*франц.*).

[2] Этот Маврикий (*франц.*).

[3] славный малый все-таки (*франц.*).

[4] этому бедному другу (*франц.*).

[5] этот дорогой друг (*франц.*).

[6] Эта бедная (*франц.*).

[7] этот Липутин, всё то, чего я не понимаю (*франц.*).

уксусом обмочила, а тут и мы с вами, с нашими жалобами и с нашими письмами... О, как я мучил ее, и в такое время! Je suis un ingrat![1] Вообразите, возвращаюсь и нахожу от нее письмо; читайте, читайте! О, как неблагородно было с моей стороны.

Он подал мне только что полученное письмо от Варвары Петровны. Она, кажется, раскаялась в утрешнем своем: «Сидите дома». Письмецо было вежливое, но все-таки решительное и немногословное. Послезавтра, в воскресенье, она просила к себе Степана Трофимовича ровно в двенадцать часов и советовала привести с собой кого-нибудь из друзей своих (в скобках стояло мое имя). С своей стороны, обещалась позвать Шатова, как брата Дарьи Павловны. «Вы можете получить от нее окончательный ответ, довольно ли с вас будет? Этой ли формальности вы так добивались?»

— Заметьте эту раздражительную фразу в конце о формальности. Бедная, бедная, друг всей моей жизни! Признаюсь, это *внезапное* решение судьбы меня точно придавило... Я, признаюсь, всё еще надеялся, а теперь tout est dit[2], я уж знаю, что кончено; c'est terrible[3]. О, кабы не было совсем этого воскресенья, а всё по-старому: вы бы ходили, а я бы тут...

— Вас сбили с толку все эти давешние липутинские мерзости, сплетни.

— Друг мой, вы сейчас попали в другое больное место, вашим дружеским пальцем. Эти дружеские пальцы вообще безжалостны, а иногда бестолковы, pardon[4], но, вот верите ли, а я почти забыл обо всем этом, о мерзостях-то, то есть я вовсе не забыл, но я, по глупости моей, всё время, пока был у Lise, старался быть счастливым и уверял себя, что я счастлив. Но теперь... о, теперь я про эту великодушную, гуманную, терпеливую к моим подлым недостаткам женщину, — то есть хоть и не совсем терпеливую, но ведь и сам-то я каков, с моим пустым, скверным характером! Ведь я блажной ребенок, со всем эгоизмом ребенка, но без его невинности. Она двадцать лет ходила за мной, как нянька, cette pauvre тетя, как грациозно называет ее Lise... И вдруг, после двадцати лет, ребенок захотел жениться, жени да жени, письмо за письмом, а у ней голова в уксусе и... и вот и достиг, в воскресенье женатый человек, шутка сказать... И чего сам настаивал, ну зачем я письма писал? Да, забыл: Lise боготворит Дарью Павловну, говорит по крайней мере; говорит про нее: «C'est un ange[5], но только несколько скрытный». Обе советовали, даже Прасковья... впрочем, Прасковья не советовала. О, сколько яду заперто в этой Коробочке! Да и Lise, собственно, не советовала: «К чему вам жениться; довольно с вас и ученых наслаждений». Хохочет. Я ей простил ее хохот, потому что у ней у самой скребет на сердце. Вам, однако, говорят они, без женщины невозможно. Приближаются ваши немощи, а она вас укроет, или как там... Ma foi[6], я и сам, всё это время с вами сидя, думал про себя, что Провидение посылает ее на склоне бурных дней моих и что она меня укроет, или как там... enfin[7], понадобится в хозяйстве. Вон у меня такой сор, вон, смотрите, всё это валяется, давеча велел прибрать, и книга на полу. La pauvre amie всё сердилась, что у меня сор... О, теперь уж не будет раздаваться голос ее! Vingt

[1] Я неблагодарный человек! (*франц.*)
[2] всё решено (*франц.*).
[3] это ужасно (*франц.*).
[4] простите (*франц.*).
[5] Это ангел (*франц.*).
[6] Право (*франц.*).
[7] наконец (*франц.*).

ans!¹ И-и у них, кажется, анонимные письма, вообразите, Nicolas продал будто бы Лебядкину имение. C'est un monstre; et enfin², кто такой Лебядкин? Lise слушает, слушает, ух как она слушает! Я простил ей ее хохот, я видел, с каким лицом она слушала, и ce Maurice... я бы не желал быть в его теперешней роли, brave homme tout de même, но несколько застенчив; впрочем, бог с ним...

Он замолчал; он устал и сбился и сидел, понурив голову, смотря неподвижно в пол усталыми глазами. Я воспользовался промежутком и рассказал о моем посещении дома Филиппова, причем резко и сухо выразил мое мнение, что действительно сестра Лебядкина (которую я не видал) могла быть когда-то какой-нибудь жертвой Nicolas, в загадочную пору его жизни, как выражался Липутин, и что очень может быть, что Лебядкин почему-нибудь получает с Nicolas деньги, но вот и всё. Насчет же сплетен о Дарье Павловне, то всё это вздор, всё это натяжки мерзавца Липутина, и что так по крайней мере с жаром утверждает Алексей Нилыч, которому нет оснований не верить. Степан Трофимович прослушал мои уверения с рассеянным видом, как будто до него не касалось. Я кстати упомянул и о разговоре моем с Кирилловым и прибавил, что Кириллов, может быть, сумасшедший.

— Он не сумасшедший, но это люди с коротенькими мыслями, — вяло и как бы нехотя промямлил он. — Ces gens-là supposent la nature et la société humaine autres que Dieu ne les a faites et qu'elles ne sont réelement³. С ними заигрывают, но по крайней мере не Степан Верховенский. Я видел их тогда в Петербурге, avec cette chère amie (о, как я тогда оскорблял ее!), и не только их ругательств, — я даже их похвал не испугался. Не испугаюсь и теперь, mais parlons d'autre chose...⁴ я, кажется, ужасных вещей наделал; вообразите, я отослал Дарье Павловне вчера письмо и... как я кляну себя за это!

— О чем же вы писали?

— О друг мой, поверьте, что всё это с таким благородством. Я уведомил ее, что я написал к Nicolas, еще дней пять назад, и тоже с благородством.

— Понимаю теперь! — вскричал я с жаром. — И какое право имели вы их так сопоставить?

— Но, mon cher, не давите же меня окончательно, не кричите на меня; я и то весь раздавлен, как... как таракан, и, наконец, я думаю, что всё это так благородно. Предположите, что там что-нибудь действительно было... en Suisse...⁵ или начиналось. Должен же я спросить сердца их предварительно, чтобы... enfin, чтобы не помешать сердцам и не стать столбом на их дороге... Я единственно из благородства.

— О боже, как вы глупо сделали! — невольно сорвалось у меня.

— Глупо, глупо! — подхватил он даже с жадностию. — Никогда ничего не сказали вы умнее, c'était bête, mais que faire, tout est dit⁶. Всё равно женюсь, хоть и на «чужих грехах», так к чему же было и писать? Не правда ли?

— Вы опять за то же!

---

¹ Двадцать лет! (*франц.*)

² Это чудовище; и наконец (*франц.*).

³ Эти люди представляют себе природу и человеческое общество иными, чем их сотворил Бог и чем они являются в действительности (*франц.*).

⁴ но поговорим о другом (*франц.*).

⁵ в Швейцарии (*франц.*).

⁶ это было глупо, но что делать, всё решено (*франц.*).

— О, теперь меня не испугаете вашим криком, теперь пред вами уже не тот Степан Верховенский; тот похоронен; enfin, tout est dit[1]. Да и чего кричите вы? Единственно потому, что не сами женитесь и не вам придется носить известное головное украшение. Опять вас коробит? Бедный друг мой, вы не знаете женщину, а я только и делал, что изучал ее. «Если хочешь победить весь мир, победи себя», — единственно, что удалось хорошо сказать другому такому же, как и вы, романтику, Шатову, братцу супруги моей. Охотно у него заимствую его изречение. Ну, вот и я готов победить себя, и женюсь, а между тем что́ завоюю вместо целого-то мира? О друг мой, брак — это нравственная смерть всякой гордой души, всякой независимости. Брачная жизнь развратит меня, отнимет энергию, мужество в служении делу, пойдут дети, еще, пожалуй, не мои, то есть разумеется, не мои; мудрый не боится заглянуть в лицо истине... Липутин предлагал давеча спастись от Nicolas баррикадами; он глуп, Липутин. Женщина обманет само всевидящее око. Le bon Dieu[2], создавая женщину, уж конечно, знал, чему подвергался, но я уверен, что она сама помешала ему и сама заставила себя создать в таком виде и... с такими атрибутами; иначе кто же захотел наживать себе такие хлопоты даром? Настасья, я знаю, может, и рассердится на меня за вольнодумство, но... Enfin, tout est dit.

Он не был бы сам собою, если бы обошелся без дешевенького, каламбурного вольнодумства, так процветавшего в его время, по крайней мере теперь утешил себя каламбурчиком, но ненадолго.

— О, почему бы совсем не быть этому послезавтра, этому воскресенью! — воскликнул он вдруг, но уже в совершенном отчаянии, — почему бы не быть хоть одной этой неделе без воскресенья — si le miracle existe?[3] Ну что бы стоило Провидению вычеркнуть из календаря хоть одно воскресенье, ну хоть для того, чтобы доказать атеисту свое могущество, et que tout soit dit![4] О, как я любил ее! двадцать лет, все двадцать лет, и никогда-то она не понимала меня!

— Но про кого вы говорите; и я вас не понимаю! — спросил я с удивлением.

— Vingt ans! И ни разу не поняла меня, о, это жестоко! И неужели она думает, что я женюсь из страха, из нужды? О позор! тетя, тетя, я для тебя!.. О, пусть узнает она, эта тетя, что она единственная женщина, которую я обожал двадцать лет! Она должна узнать это, иначе не будет, иначе только силой потащат меня под этот ce qu'on appelle le[5] венец!

Я в первый раз слышал это признание и так энергически высказанное. Не скрою, что мне ужасно хотелось засмеяться. Я был не прав.

— Один, один он мне остался теперь, одна надежда моя! — всплеснул он вдруг руками, как бы внезапно пораженный новою мыслию, — теперь один только он, мой бедный мальчик, спасет меня и — о, что же он не едет! О сын мой, о мой Петруша... и хоть я недостоин названия отца, а скорее тигра, но... laissez-moi, mon ami[6], я немножко полежу, чтобы собраться с мыслями. Я так устал, так устал, да и вам, я думаю, пора спать, voyez-vous[7], двенадцать часов...

---

[1] словом, всё решено (*франц.*).
[2] Господь Бог (*франц.*).
[3] если чудеса бывают (*франц.*).
[4] и пусть всё будет кончено (*франц.*).
[5] так называемый (*франц.*).
[6] оставьте меня, мой друг (*франц.*).
[7] вы видите (*франц.*).

Глава четвертая
ХРОМОНОЖКА

I

Шатов не заупрямился и, по записке моей, явился в полдень к Лизавете Николаевне. Мы вошли почти вместе; я тоже явился сделать мой первый визит. Они все, то есть Лиза, мама́ и Маврикий Николаевич, сидели в большой зале и спорили. Мама́ требовала, чтобы Лиза сыграла ей какой-то вальс на фортепиано, и когда та начала требуемый вальс, то стала уверять, что вальс не тот. Маврикий Николаевич, по простоте своей, заступился за Лизу и стал уверять, что вальс тот самый; старуха со злости расплакалась. Она была больна и с трудом даже ходила. У ней распухли ноги, и вот уже несколько дней только и делала, что капризничала и ко всем придиралась, несмотря на то что Лизу всегда побаивалась. Приходу нашему обрадовались. Лиза покраснела от удовольствия и, проговорив мне merci, конечно за Шатова, пошла к нему, любопытно его рассматривая.

Шатов неуклюже остановился в дверях. Поблагодарив его за приход, она подвела его к мама́.

— Это господин Шатов, про которого я вам говорила, а это вот господин Г—в, большой друг мне и Степану Трофимовичу. Маврикий Николаевич вчера тоже познакомился.

— А который профессор?

— А профессора вовсе и нет, мама́.

— Нет, есть, ты сама говорила, что будет профессор; верно, вот этот, — она брезгливо указала на Шатова.

— Вовсе никогда я вам не говорила, что будет профессор. Господин Г—в служит, а господин Шатов — бывший студент.

— Студент, профессор, всё одно из университета. Тебе только бы спорить. А швейцарский был в усах и с бородкой.

— Это мама́ сына Степана Трофимовича всё профессором называет, — сказала Лиза и увела Шатова на другой конец залы на диван. — Когда у ней ноги распухнут, она всегда такая, вы понимаете, больная, — шепнула она Шатову, продолжая рассматривать его всё с тем же чрезвычайным любопытством и особенно его вихор на голове.

— Вы военный? — обратилась ко мне старуха, с которою меня так безжалостно бросила Лиза.

— Нет-с, я служу...

— Господин Г—в большой друг Степана Трофимовича, — отозвалась тотчас же Лиза.

— Служите у Степана Трофимовича? Да ведь и он профессор?

— Ах, мама́, вам, верно, и ночью снятся профессора, — с досадой крикнула Лиза.

— Слишком довольно и наяву. А ты вечно чтобы матери противоречить. Вы здесь, когда Николай Всеволодович приезжал, были, четыре года назад?

Я отвечал, что был.

— А англичанин тут был какой-нибудь вместе с вами?

— Нет, не был.

Лиза засмеялась.

— А, видишь, что и не было совсем англичанина, стало быть, враки. И Варвара Петровна и Степан Трофимович оба врут. Да и все врут. Это тетя и вчера Степан Трофимович нашли будто бы сходство у Николая Всеволодовича с принцем Гарри, у Шекспира в «Генрихе IV», и мама́ на это говорит, что не было англичанина, — объяснила нам Лиза.

— Коли Гарри не было, так и англичанина не было. Один Николай Всеволодович куролесил.

— Уверяю вас, что это мама́ нарочно, — нашла нужным объяснить Шатову Лиза, — она очень хорошо про Шекспира знает. Я ей сама первый акт «Отелло» читала; но она теперь очень страдает. Мама́, слышите, двенадцать часов бьет, вам лекарство принимать пора.

— Доктор приехал, — появилась в дверях горничная.

Старуха привстала и начала звать собачку: «Земирка, Земирка, пойдем хоть ты со мной».

Скверная, старая, маленькая собачонка Земирка не слушалась и залезла под диван, где сидела Лиза.

— Не хочешь? Так и я тебя не хочу. Прощайте, батюшка, не знаю вашего имени-отчества, — обратилась она ко мне.

— Антон Лаврентьевич...

— Ну всё равно, у меня в одно ухо вошло, в другое вышло. Не провожайте меня, Маврикий Николаевич, я только Земирку звала. Слава богу, еще и сама хожу, а завтра гулять поеду.

Она сердито вышла из залы.

— Антон Лаврентьевич, вы тем временем поговорите с Маврикием Николаевичем, уверяю вас, что вы оба выиграете, если поближе познакомитесь, — сказала Лиза и дружески усмехнулась Маврикию Николаевичу, который так весь и просиял от ее взгляда. Я, нечего делать, остался говорить с Маврикием Николаевичем.

II

Дело у Лизаветы Николаевны до Шатова, к удивлению моему, оказалось в самом деле только литературным. Не знаю почему, но мне всё думалось, что она звала его за чем-то другим. Мы, то есть я с Маврикием Николаевичем, видя, что от нас не таятся и говорят очень громко, стали прислушиваться; потом и нас пригласили в совет. Всё состояло в том, что Лизавета Николаевна давно уже задумала издание одной полезной, по ее мнению, книги, но по совершенной неопытности нуждалась в сотруднике. Серьезность, с которою она принялась объяснять Шатову свой план, даже меня изумила. «Должно быть, из новых, — подумал я, — недаром в Швейцарии побывала». Шатов слушал со вниманием, уткнув глаза в землю и без малейшего удивления тому, что светская рассеянная барышня берется за такие, казалось бы, не подходящие ей дела.

Литературное предприятие было такого рода. Издается в России множество столичных и провинциальных газет и других журналов, и в них ежедневно сообщается о множестве происшествий. Год отходит, газеты повсеместно складываются в шкапы или сорятся, рвутся, идут на обертки и колпаки. Многие опубликованные факты производят впечатление и остаются в памяти публики, но потом с годами забываются. Многие желали бы потом справиться, но какой же труд разыскивать в этом море листов, часто не зная ни дня, ни места, ни даже года случившегося происшествия? А между тем, если бы совокупить все эти факты за целый год в одну книгу, по известному плану и по известной мысли, с оглавлениями, указаниями, с разрядом по месяцам и числам, то такая совокупность в одно целое могла бы обрисовать всю характеристику русской жизни за весь год, несмотря даже на то, что фактов публикуется чрезвычайно малая доля в сравнении со всем случившимся.

— Вместо множества листов выйдет несколько толстых книг, вот и всё, — заметил Шатов.

Но Лизавета Николаевна горячо отстаивала свой замысел, несмотря на трудность и неумелость высказаться. Книга должна быть одна, даже не очень толстая, — уверяла она. Но, положим, хоть и толстая, но ясная, потому что главное в плане и в характере представления фактов. Конечно, не всё собирать и перепечатывать. Указы, действия правительства, местные распоряжения, законы — всё это хоть и слишком важные факты, но в предполагаемом издании этого рода факты можно совсем выпустить. Можно многое выпустить и ограничиться лишь выбором происшествий, более или менее выражающих нравственную личную жизнь народа, личность русского народа в данный момент. Конечно, всё может войти: курьезы, пожары, пожертвования, всякие добрые и дурные дела, всякие слова и речи, пожалуй, даже известия о разливах рек, пожалуй, даже и некоторые указы правительства, но изо всего выбирать только то, что рисует эпоху; всё войдет с известным взглядом, с указанием, с намерением, с мыслию, освещающею всё целое, всю совокупность. И наконец, книга должна быть любопытна даже для легкого чтения, не говоря уже о том, что необходима для справок! Это была бы, так сказать, картина духовной, нравственной, внутренней русской жизни за целый год. «Нужно, чтобы все покупали, нужно, чтобы книга обратилась в настольную, — утверждала Лиза, — я понимаю, что всё дело в плане, а потому к вам и обращаюсь», — заключила она. Она очень разгорячилась, и, несмотря на то что объяснялась темно и неполно, Шатов стал понимать.

— Значит, выйдет нечто с направлением, подбор фактов под известное направление, — пробормотал он, всё еще не поднимая головы.

— Отнюдь нет, не надо подбирать под направление, и никакого направления не надо. Одно беспристрастие — вот направление.

— Да направление и не беда, — зашевелился Шатов, — да и нельзя его избежать, чуть лишь обнаружится хоть какой-нибудь подбор. В подборе фактов и будет указание, как их понимать. Ваша идея недурна.

— Так возможна, стало быть, такая книга? — обрадовалась Лиза.

— Надо посмотреть и сообразить. Дело это — огромное. Сразу ничего не выдумаешь. Опыт нужен. Да и когда издадим книгу, вряд ли еще научимся, как ее издавать. Разве после многих опытов; но мысль наклевывается. Мысль полезная.

Он поднял наконец глаза, и они даже засияли от удовольствия, так он был заинтересован.

— Это вы сами выдумали? — ласково и как бы стыдливо спросил он у Лизы.

— Да ведь выдумать не беда, план беда, — улыбалась Лиза, — я мало понимаю, и не очень умна, и преследую только то, что мне самой ясно...

— Преследуете?

— Вероятно, не то слово? — быстро осведомилась Лиза.

— Можно и это слово; я ничего.

— Мне показалось еще за границей, что можно и мне быть чем-нибудь полезною. Деньги у меня свои и даром лежат, почему же и мне не поработать для общего дела? К тому же мысль как-то сама собой вдруг пришла; я нисколько ее не выдумывала и очень ей обрадовалась; но сейчас увидала, что нельзя без сотрудника, потому что ничего сама не умею. Сотрудник, разумеется, станет и соиздателем книги. Мы пополам: ваш план и работа, моя первоначальная мысль и средства к изданию. Ведь окупится книга?

— Если откопаем верный план, то книга пойдет.

— Предупреждаю вас, что я не для барышей, но очень желаю расходу книги и буду горда барышами.

— Ну, а я тут при чем?

— Да ведь я же вас и зову в сотрудники... пополам. Вы план выдумаете.

— Почем же вы знаете, что я в состоянии план выдумать?

— Мне о вас говорили, и здесь я слышала... я знаю, что вы очень умны и... занимаетесь делом и... думаете много; мне о вас Петр Степанович Верховенский в Швейцарии говорил, — торопливо прибавила она. — Он очень умный человек, не правда ли?

Шатов мгновенным, едва скользнувшим взглядом посмотрел на нее, но тотчас же опустил глаза.

— Мне и Николай Всеволодович о вас тоже много говорил...

Шатов вдруг покраснел.

— Впрочем, вот газеты, — торопливо схватила Лиза со стула приготовленную и перевязанную пачку газет, — я здесь попробовала на выбор отметить факты, подбор сделать и нумера поставила... вы увидите.

Шатов взял сверток.

— Возьмите домой, посмотрите, вы ведь где живете?

— В Богоявленской улице, в доме Филиппова.

— Я знаю. Там тоже, говорят, кажется какой-то капитан живет подле вас, господин Лебядкин? — всё по-прежнему торопилась Лиза.

Шатов с пачкой в руке, на отлете, как взял, так и просидел целую минуту без ответа, смотря в землю.

— На эти дела вы бы выбрали другого, а я вам вовсе не годен буду, — проговорил он наконец, как-то ужасно странно понизив голос, почти шепотом.

Лиза вспыхнула.

— Про какие дела вы говорите? Маврикий Николаевич! — крикнула она, — пожалуйте сюда давешнее письмо.

Я тоже за Маврикием Николаевичем подошел к столу.

— Посмотрите это, — обратилась она вдруг ко мне, в большом волнении развертывая письмо. — Видали ли вы когда что-нибудь похожее? Пожалуйста, прочтите вслух; мне надо, чтоб и господин Шатов слышал.

С немалым изумлением прочел я вслух следующее послание:

«Совершенству девицы Тушиной.

Милостивая государыня,
    Елизавета Николаевна!

> О, как мила она,
> Елизавета Тушина,
> Когда с родственником на дамском седле летает,
> А локон ее с ветрами играет,
> Или когда с матерью в церкви падает ниц,
> И зрится румянец благоговейных лиц!
> Тогда брачных и законных наслаждений желаю
> И вслед ей, вместе с матерью, слезу посылаю.

Составил неученый за спором.

Милостивая государыня!

Всех более жалею себя, что в Севастополе не лишился руки для славы, не быв там вовсе, а служил всю кампанию по сдаче подлого провианта, считая низостью. Вы богиня в древности, а я ничто и догадался о беспредельности. Смотрите как на стихи, но не более, ибо стихи все-таки вздор и оправдывают то, что в прозе считается дерзостью. Может ли солнце рассердиться на инфузорию, если та сочинит ему из капли воды, где их множество, если в микроскоп? Даже самый клуб человеколюбия к крупным скотам в Петербурге при высшем обществе, сострадая по праву собаке и лошади, презирает краткую инфузорию, не упоминая о ней вовсе, потому что не доросла. Не дорос и я. Мысль о браке показалась бы уморительною; но скоро буду иметь бывшие двести душ чрез человеконенавистника, которого презирайте. Могу многое сообщить и вызываюсь по документам даже в Сибирь. Не презирайте предложения. Письмо от инфузории разуметь в стихах.

Капитан Лебядкин, покорнейший друг и имеет досуг».

— Это писал человек в пьяном виде и негодяй! — вскричал я в негодовании. — Я его знаю!

— Это письмо я получила вчера, — покраснев и торопясь стала объяснять нам Лиза, — я тотчас же и сама поняла, что от какого-нибудь глупца, и до сих пор еще не показала maman, чтобы не расстроить ее еще более. Но если он будет опять продолжать, то я не знаю, как сделать. Маврикий Николаевич хочет сходить запретить ему. Так как я на вас смотрела как на сотрудника, — обратилась она к Шатову, — и так как вы там живете, то я и хотела вас расспросить, чтобы судить, чего еще от него ожидать можно.

— Пьяный человек и негодяй, — пробормотал как бы нехотя Шатов.

— Что ж, он всё такой глупый?

— И, нет, он не глупый совсем, когда не пьяный.

— Я знал одного генерала, который писал точь-в-точь такие стихи, — заметил я смеясь.

— Даже и по этому письму видно, что себе на уме, — неожиданно ввернул молчаливый Маврикий Николаевич.

— Он, говорят, с какой-то сестрой? — спросила Лиза.

— Да, с сестрой.

— Он, говорят, ее тиранит, правда это?

Шатов опять поглядел на Лизу, насупился и, проворчав: «Какое мне дело!» — подвинулся к дверям.

— Ах, постойте, — тревожно вскричала Лиза, — куда же вы? Нам так много еще остается переговорить...

— О чем же говорить? Я завтра дам знать...

— Да о самом главном, о типографии! Поверьте же, что я не в шутку, а серьезно хочу дело делать, — уверяла Лиза всё в возрастающей тревоге. — Если решим издавать, то где же печатать? Ведь это самый важный вопрос, потому что в Москву мы для этого не поедем, а в здешней типографии невозможно для такого издания. Я давно решилась завести свою типографию, на ваше хоть имя, и мама́, я знаю, позволит, если только на ваше имя...

— Почему же вы знаете, что я могу быть типографщиком? — угрюмо спросил Шатов.

— Да мне еще Петр Степанович в Швейцарии именно на вас указал, что вы можете вести типографию и знакомы с делом. Даже записку хотел от себя к вам дать, да я забыла.

Шатов, как припоминаю теперь, изменился в лице. Он постоял еще несколько секунд и вдруг вышел из комнаты.

Лиза рассердилась.

— Он всегда так выходит? — повернулась она ко мне.

Я пожал было плечами, но Шатов вдруг воротился, прямо подошел к столу и положил взятый им сверток газет:

— Я не буду сотрудником, не имею времени...

— Почему же, почему же? Вы, кажется, рассердились? — огорченным и умоляющим голосом спрашивала Лиза.

Звук ее голоса как будто поразил его; несколько мгновений он пристально в нее всматривался, точно желая проникнуть в самую ее душу.

— Всё равно, — пробормотал он тихо, — я не хочу...

И ушел совсем. Лиза была совершенно поражена, даже как-то совсем и не в меру; так показалось мне.

— Удивительно странный человек! — громко заметил Маврикий Николаевич.

III

Конечно, «странный», но во всем этом было чрезвычайно много неясного. Тут что-то подразумевалось. Я решительно не верил этому изданию; потом это глупое письмо, но в котором слишком ясно предлагался какой-то донос «по документам» и о чем все они промолчали, а говорили совсем о другом; наконец, эта типография и внезапный уход Шатова именно потому, что заговорили о типографии. Всё это навело меня на мысль, что тут еще прежде меня что-то произошло и о чем я не знаю; что, стало быть, я лишний и что всё это не мое дело. Да и пора было уходить, довольно было для первого визита. Я подошел откланяться Лизавете Николаевне.

Она, кажется, и забыла, что я в комнате, и стояла всё на том же месте у стола, очень задумавшись, склонив голову и неподвижно смотря в одну выбранную на ковре точку.

— Ах и вы, до свидания, — пролепетала она привычно-ласковым тоном. — Передайте мой поклон Степану Трофимовичу и уговорите его прийти ко мне поскорей. Маврикий Николаевич, Антон Лаврентьевич уходит. Извините, мама́ не может выйти с вами проститься...

Я вышел и даже сошел уже с лестницы, как вдруг лакей догнал меня на крыльце:

— Барыня очень просили воротиться...

— Барыня или Лизавета Николаевна?

— Оне-с.

Я нашел Лизу уже не в той большой зале, где мы сидели, а в ближайшей приемной комнате. В ту залу, в которой остался теперь Маврикий Николаевич один, дверь была притворена наглухо.

Лиза улыбнулась мне, но была бледна. Она стояла посреди комнаты в видимой нерешимости, в видимой борьбе; но вдруг взяла меня за руку и молча, быстро подвела к окну.

— Я немедленно хочу *ее* видеть, — прошептала она, устремив на меня горячий, сильный, нетерпеливый взгляд, не допускающий и тени противоречия, — я должна *ее* видеть собственными глазами и прошу вашей помощи.

Она была в совершенном исступлении и — в отчаянии.

— Кого вы желаете видеть, Лизавета Николаевна? — осведомился я в испуге.

— Эту Лебядкину, эту хромую... Правда, что она хромая?

Я был поражен.

— Я никогда не видал ее, но я слышал, что она хромая, вчера еще слышал, — лепетал я с торопливою готовностью и тоже шепотом.

— Я должна ее видеть непременно. Могли бы вы это устроить сегодня же?

Мне стало ужасно ее жалко.

— Это невозможно, и к тому же я совершенно не понимал бы, как это сделать, — начал было я уговаривать, — я пойду к Шатову...

— Если вы не устроите к завтраму, то я сама к ней пойду, одна, потому что Маврикий Николаевич отказался. Я надеюсь только на вас, и больше у меня нет никого; я глупо говорила с Шатовым... Я уверена, что вы совершенно честный и, может быть, преданный мне человек, только устройте.

У меня явилось страстное желание помочь ей во всем.

— Вот что я сделаю, — подумал я капельку, — я пойду сам и сегодня наверно, *наверно* ее увижу! Я так сделаю, что увижу, даю вам честное слово; но только — позвольте мне ввериться Шатову.

— Скажите ему, что у меня такое желание и что я больше ждать не могу, но что я его сейчас не обманывала. Он, может быть, ушел потому, что он очень честный и ему не понравилось, что я как будто обманывала. Я не обманывала; я в самом деле хочу издавать и основать типографию...

— Он честный, честный, — подтверждал я с жаром.

— Впрочем, если к завтраму не устроится, то я сама пойду, что бы ни вышло и хотя бы все узнали.

— Я раньше как к трем часам не могу у вас завтра быть, — заметил я, несколько опомнившись.

— Стало быть, в три часа. Стало быть, правду я предположила вчера у Степана Трофимовича, что вы — несколько преданный мне человек? — улыбнулась она, торопливо пожимая мне на прощанье руку и спеша к оставленному Маврикию Николаевичу.

Я вышел, подавленный моим обещанием, и не понимал, что такое произошло. Я видел женщину в настоящем отчаянии, не побоявшуюся скомпрометировать себя доверенностию почти к незнакомому ей человеку. Ее женственная улыбка в такую трудную для нее минуту и намек, что она уже заметила вчера мои чувства, точно резнул меня по сердцу; но мне было жалко, жалко, — вот и всё! Секреты ее стали для меня вдруг чем-то священным, и если бы даже мне стали открывать их теперь, то я бы, кажется, заткнул уши и не захотел слушать ничего дальше. Я только нечто предчувствовал... И, однако ж, я совершенно не понимал, каким образом я что-нибудь тут устрою. Мало того, я все-таки и теперь не знал, что именно надо устроить: свиданье, но какое свиданье? Да и как их свести? Вся надежда была на Шатова, хотя я и мог знать заранее, что он ни в чем не поможет. Но я все-таки бросился к нему.

IV

Только вечером, уже в восьмом часу, я застал его дома. К удивлению моему, у него сидели гости — Алексей Нилыч и еще один полузнакомый мне господин, некто Шигалев, родной брат жены Виргинского.

Этот Шигалев, должно быть, уже месяца два как гостил у нас в городе; не знаю, откуда приехал; я слышал про него только, что он напечатал в одном прогрессивном петербургском журнале какую-то статью. Виргинский познакомил меня с ним случайно, на улице. В жизнь мою я не видал в лице человека такой мрачности, нахмуренности и пасмурности. Он смотрел так, как будто ждал разрушения мира, и не то чтобы когда-нибудь, по пророчествам, которые могли бы и не состояться, а совершенно определенно, так-этак послезавтра утром, ровно в двадцать пять минут одиннадцатого. Мы, впрочем, тогда почти ни слова и не сказали, а только пожали друг другу руки с видом двух заговорщиков. Всего более поразили меня его уши неестественной величины, длинные, широкие и толстые, как-то особенно врозь торчавшие. Движения его были неуклюжи и медленны. Если Липутин и мечтал когда-нибудь, что фаланстера могла бы осуществиться в нашей губернии, то этот наверное знал день и час, когда это сбудется. Он произвел на меня впечатление зловещее; встретив же его у Шатова теперь, я подивился, тем более что Шатов и вообще был до гостей не охотник.

Еще с лестницы слышно было, что они разговаривают очень громко, все трое разом, и, кажется, спорят; но только что я появился, все замолчали. Они спорили стоя, а теперь вдруг все сели, так что и я должен был сесть. Глупое молчание не нарушалось минуты три полных. Шигалев хотя и узнал меня, но сделал вид, что не знает, и наверно не по вражде, а так. С Алексеем Нилычем мы слегка раскланялись, но молча и почему-то не пожали друг другу руки. Шигалев начал, наконец, смотреть на меня строго и нахмуренно, с самою наивною уверенностию, что я вдруг встану и уйду. Наконец Шатов привстал со стула, и все тоже вдруг вскочили. Они вышли не прощаясь, только Шигалев уже в дверях сказал провожавшему Шатову:

— Помните, что вы обязаны отчетом.

— Наплевать на ваши отчеты, и никакому черту я не обязан, — проводил его Шатов и запер дверь на крюк. — Кулики! — сказал он, поглядев на меня и как-то криво усмехнувшись.

Лицо у него было сердитое, и странно мне было, что он сам заговорил. Обыкновенно случалось прежде, всегда, когда я заходил к нему (впрочем, очень редко), что он нахмуренно садился в угол, сердито отвечал и только после долгого времени совершенно оживлялся и начинал говорить с удовольствием. Зато, прощаясь, опять, всякий раз, непременно нахмуривался и выпускал вас, точно выживал от себя своего личного неприятеля.

— Я у этого Алексея Нилыча вчера чай пил, — заметил я, — он, кажется, помешан на атеизме.

— Русский атеизм никогда дальше каламбура не заходил, — проворчал Шатов, вставляя новую свечу вместо прежнего огарка.

— Нет, этот, мне показалось, не каламбурщик; он и просто говорить, кажется, не умеет, не то что каламбурить.

— Люди из бумажки; от лакейства мысли всё это, — спокойно заметил Шатов, присев в углу на стуле и упершись обеими ладонями в колени. — Ненависть тоже тут есть, — произнес он, помолчав с минуту, — они первые были бы страшно несчастливы, если бы Россия как-нибудь вдруг перестроилась, хотя бы даже на их лад, и как-нибудь вдруг стала безмерно богата и счастлива. Некого было бы им тогда ненавидеть, не на кого плевать, не над чем издеваться! Тут одна только животная, бесконечная ненависть к России, в организм въевшаяся... И никаких невидимых миру слез из-под видимого смеха тут нету! Никогда еще не было сказано на Руси более фальшивого слова, как про эти незримые слезы! — вскричал он почти с яростью.

— Ну уж это вы бог знает что! — засмеялся я.

— А вы — «умеренный либерал», — усмехнулся и Шатов. — Знаете, — подхватил он вдруг, — я, может, и сморозил про «лакейство мысли»; вы, верно, мне тотчас же скажете: «Это ты родился от лакея, а я не лакей».

— Вовсе я не хотел сказать... что вы!

— Да вы не извиняйтесь, я вас не боюсь. Тогда я только от лакея родился, а теперь и сам стал лакеем, таким же, как и вы. Наш русский либерал прежде всего лакей и только и смотрит, как бы кому-нибудь сапоги вычистить.

— Какие сапоги? Что за аллегория?

— Какая тут аллегория! Вы, я вижу, смеетесь... Степан Трофимович правду сказал, что я под камнем лежу, раздавлен, да не задавлен, и только корчусь; это он хорошо сравнил.

— Степан Трофимович уверяет, что вы помешались на немцах, — смеялся я, — мы с немцев всё же что-нибудь да стащили себе в карман.

— Двугривенный взяли, а сто рублей своих отдали.

С минуту мы помолчали.

— А это он в Америке себе належал.

— Кто? Что належал?

— Я про Кириллова. Мы с ним там четыре месяца в избе на полу пролежали.

— Да разве вы ездили в Америку? — удивился я. — Вы никогда не говорили.

— Чего рассказывать. Третьего года мы отправились втроем на эмигрантском пароходе в Американские Штаты на последние деньжишки, «чтобы испробовать на себе жизнь американского рабочего и таким образом *личным* опытом проверить на себе состояние человека в самом тяжелом его общественном положении». Вот с какою целию мы отправились.

— Господи! — засмеялся я. — Да вы бы лучше для этого куда-нибудь в губернию нашу отправились в страдную пору, «чтоб испытать личным опытом», а то понесло в Америку!

— Мы там нанялись в работники к одному эксплуататору; всех нас, русских, собралось у него человек шесть — студенты, даже помещики из своих поместий, даже офицеры были, и всё с тою же величественною целью. Ну и работали, мокли, мучились, уставали, наконец я и Кириллов ушли — заболели, не выдержали. Эксплуататор-хозяин нас при расчете обсчитал, вместо тридцати долларов по условию заплатил мне восемь, а ему пятнадцать; тоже и бивали нас там не раз. Ну тут-то без работы мы и пролежали с Кирилловым в городишке на полу четыре месяца рядом; он об одном думал, а я о другом.

— Неужто хозяин вас бил, это в Америке-то? Ну как, должно быть, вы ругали его!

— Ничуть. Мы, напротив, тотчас решили с Кирилловым, что «мы, русские, пред американцами маленькие ребятишки и нужно родиться в Америке или по крайней мере сжиться долгими годами с американцами, чтобы стать с ними в уровень». Да что: когда с нас за копеечную вещь спрашивали по доллару, то мы платили не только с удовольствием, но даже с увлечением. Мы всё хвалили: спиритизм, закон Линча, револьверы, бродяг. Раз мы едем, а человек полез в мой карман, вынул мою головную щетку и стал причесываться; мы только переглянулись с Кирилловым и решили, что это хорошо и что это нам очень нравится...

— Странно, что это у нас не только заходит в голову, но и исполняется, — заметил я.

— Люди из бумажки, — повторил Шатов.

— Но, однако ж, переплывать океан на эмигрантском пароходе, в неизвестную землю, хотя бы и с целью «узнать личным опытом» и т. д. — в этом, ей-богу, есть как будто какая-то великодушная твердость... Да как же вы оттуда выбрались?

— Я к одному человеку в Европу написал, и он мне прислал сто рублей.

Шатов, разговаривая, всё время по обычаю своему упорно смотрел в землю, даже когда и горячился. Тут же вдруг поднял голову:

— А хотите знать имя человека?

— Кто же таков?

— Николай Ставрогин.

Он вдруг встал, повернулся к своему липовому письменному столу и начал на нем что-то шарить. У нас ходил неясный, но достоверный слух, что жена его некоторое время находилась в связи с Николаем Ставрогиным в Париже и именно года два тому назад, значит, когда Шатов был в Америке, — правда, уже давно после того, как оставила его в Женеве. «Если так, то зачем же его дернуло теперь с именем вызваться и размазывать?» — подумалось мне.

— Я еще ему до сих пор не отдал, — оборотился он ко мне вдруг опять и, поглядев на меня пристально, уселся на прежнее место в углу и отрывисто спросил совсем уже другим голосом: — Вы, конечно, зачем-то пришли; что вам надо?

Я тотчас же рассказал всё, в точном историческом порядке, и прибавил, что хоть я теперь и успел одуматься после давешней горячки, но еще более спутался: понял, что тут что-то очень важное для Лизаветы Николаевны, крепко желал бы помочь, но вся беда в том, что не только не знаю, как сдержать данное ей обещание, но даже не понимаю теперь, что именно ей обещал. Затем внушительно подтвердил ему еще раз, что она не хотела и не думала его обманывать, что тут вышло какое-то недоразумение и что она очень огорчена его необыкновенным давешним уходом.

Он очень внимательно выслушал.

— Может быть, я, по моему обыкновению, действительно давеча глупость сделал... Ну, если она сама не поняла, отчего я так ушел, так... ей же лучше.

Он встал, подошел к двери, приотворил ее и стал слушать на лестницу.

— Вы желаете эту особу сами увидеть?

— Этого-то и надо, да как это сделать? — вскочил я обрадовавшись.

— А просто пойдемте, пока одна сидит. Он придет, так изобьет ее, коли узнает, что мы приходили. Я часто хожу потихоньку. Я его давеча прибил, когда он опять ее бить начал.

— Что вы это?

— Именно; за волосы от нее отволок; он было хотел меня за это отколотить, да я испугал его, тем и кончилось. Боюсь, пьяный воротится, припомнит — крепко ее за то исколотит.

Мы тотчас же сошли вниз.

V

Дверь к Лебядкиным была только притворена, а не заперта, и мы вошли свободно. Всё помещение их состояло из двух гаденьких небольших комнаток, с закоптелыми стенами, на которых буквально висели клочьями грязные обои. Тут когда-то несколько лет содержалась харчевня, пока хозяин Филиппов не перенес ее в новый дом. Остальные, бывшие под харчевней, комнаты были теперь заперты, а эти две достались Лебядкину. Мебель состояла из простых лавок и тесовых столов, кроме одного лишь старого кресла без ручки. Во второй комнате в углу стояла кровать под ситцевым одеялом, принадлежавшая mademoiselle Лебядкиной, сам же капитан, ложась на ночь, валился каждый раз на пол, нередко в чем был. Везде было накрошено, насорено, намочено; большая, толстая, вся мокрая тряпка лежала в первой комнате посреди пола и тут же, в той же луже, старый истоптанный башмак. Видно было, что тут никто ничем не занимается; печи не топятся, кушанье не готовится; самовара даже у них не было, как подробнее рассказал Шатов. Капитан приехал с сестрой совершенно нищим и, как говорил Липутин, действительно сначала ходил по иным домам побираться; но, получив неожиданно деньги, тотчас же запил и совсем ошалел от вина, так что ему было уже не до хозяйства.

Mademoiselle Лебядкина, которую я так желал видеть, смирно и неслышно сидела во второй комнате в углу, за тесовым кухонным столом, на лавке. Она нас не окликнула, когда мы отворяли дверь, не двинулась даже с места. Шатов говорил, что у них и дверь не запирается, а однажды так настежь в сени всю ночь и простояла. При свете тусклой тоненькой свечки в железном подсвечнике я разглядел женщину лет, может быть, тридцати, болезненно-худощавую, одетую в темное старенькое ситцевое платье, с ничем не прикрытою длинною шеей и с жиденькими темными волосами, свернутыми на затылке в узелок, толщиной в кулачок двухлетнего ребенка. Она посмотрела на нас довольно весело; кроме подсвечника, пред нею на столе находилось маленькое деревенское зеркальце, старая колода карт, истрепанная книжка какого-то песенника и немецкая белая булочка, от которой было уже раз или два откушено. Заметно было, что mademoiselle Лебядкина белится и румянится и губы чем-то мажет. Сурмит тоже брови, и без того длинные, тонкие и темные. На узком и высоком лбу ее, несмотря на белила, довольно резко обозначались три длинные морщинки. Я уже знал, что она хромая, но в этот раз при нас она не вставала и не ходила. Когда-нибудь, в первой молодости, это исхудавшее лицо могло быть и недурным; но тихие, ласковые, серые глаза ее были и теперь еще замечательны; что-то мечтательное и искреннее светилось в ее тихом, почти радостном взгляде. Эта тихая, спокойная радость, выражавшаяся и в улыбке ее, удивила меня после всего, что я слышал о казацкой нагайке и о всех бесчинствах братца. Странно, что вместо тяжелого и даже боязливого отвращения, ощущаемого обыкновенно в присутствии всех подобных, наказанных Богом существ, мне стало почти приятно смотреть на нее с первой же минуты, и только разве жалость, но отнюдь не отвращение, овладела мною потом.

— Вот так и сидит, и буквально по целым дням одна-одинешенька, и не двинется, гадает или в зеркальце смотрится, — указал мне на нее с порога Шатов, — он ведь ее и не кормит. Старуха из флигеля принесет иной раз чего-нибудь Христа ради; как это со свечой ее одну оставляют!

К удивлению моему, Шатов говорил громко, точно бы ее и не было в комнате.

— Здравствуй, Шатушка! — приветливо проговорила mademoiselle Лебядкина.

— Я тебе, Марья Тимофеевна, гостя привел, — сказал Шатов.

— Ну, гостю честь и будет. Не знаю, кого ты привел, что-то не помню этакого, — поглядела она на меня пристально из-за свечки и тотчас же опять обратилась к Шатову (а мною уже больше совсем не занималась во всё время разговора, точно бы меня и не было подле нее). — Соскучилось, что ли, одному по светелке шагать? — засмеялась она, причем открылись два ряда превосходных зубов ее.

— И соскучилось, и тебя навестить захотелось.

Шатов подвинул к столу скамейку, сел и меня посадил с собой рядом.

— Разговору я всегда рада, только все-таки смешон ты мне, Шатушка, точно ты монах. Когда ты чесался-то? Дай я тебя еще причешу, — вынула она из кармана гребешок, — небось с того раза, как я причесала, и не притронулся?

— Да у меня и гребенки-то нет, — засмеялся Шатов.

— Вправду? Так я тебе свою подарю, не эту, а другую, только напомни.

С самым серьезным видом принялась она его причесывать, провела даже сбоку пробор, откинулась немножко назад, поглядела, хорошо ли, и положила гребенку опять в карман.

— Знаешь что, Шатушка, — покачала она головой, — человек ты, пожалуй, и рассудительный, а скучаешь. Странно мне на всех вас смотреть; не понимаю я, как это люди скучают. Тоска не скука. Мне весело.

— И с братцем весело?

— Это ты про Лебядкина? Он мой лакей. И совсем мне всё равно, тут он или нет. Я ему крикну: «Лебядкин, принеси воды, Лебядкин, подавай башмаки», — он и бежит; иной раз согрешишь, смешно на него станет.

— И это точь-в-точь так, — опять громко и без церемонии обратился ко мне Шатов, — она его третирует совсем как лакея; сам я слышал, как она кричала ему: «Лебядкин, подай воды», и при этом хохотала; в том только разница, что он не бежит за водой, а бьет ее за это; но она нисколько его не боится. У ней какие-то припадки нервные, чуть не ежедневные, и ей память отбивают, так что она после них всё забывает, что сейчас было, и всегда время перепутывает. Вы думаете, она помнит, как мы вошли; может, и помнит, но уж наверно переделала всё по-своему и нас принимает теперь за каких-нибудь иных, чем мы есть, хоть и помнит, что я Шатушка. Это ничего, что я громко говорю; тех, которые не с нею говорят, она тотчас же перестает слушать и тотчас же бросается мечтать про себя; именно бросается. Мечтательница чрезвычайная; по восьми часов, по целому дню сидит на месте. Вот булка лежит, она ее, может, с утра только раз закусила, а докончит завтра. Вот в карты теперь гадать начала...

— Гадаю-то я гадаю, Шатушка, да не то как-то выходит, — подхватила вдруг Марья Тимофеевна, расслышав последнее словцо, и, не глядя, протянула левую руку к булке (тоже, вероятно, расслышав и про булку). Булочку она наконец захватила, но, продержав несколько времени в левой руке и увлекшись возникшим вновь разговором, положила, не примечая, опять на стол, не откусив ни разу. — Всё одно выходит: дорога, злой человек, чье-то коварство, смертная постеля, откудова-то письмо, нечаянное известие —

враки всё это, я думаю, Шатушка, как по-твоему? Коли люди врут, почему картам не врать? — смешала она вдруг карты. — Это самое я матери Прасковье раз говорю, почтенная она женщина, забегала ко мне всё в келью в карты погадать, потихоньку от мать-игуменьи. Да и не одна она забегала. Ахают они, качают головами, судят-рядят, а я-то смеюсь: «Ну где вам, говорю, мать Прасковья, письмо получить, коли двенадцать лет оно не приходило?» Дочь у ней куда-то в Турцию муж завез, и двенадцать лет ни слуху ни духу. Только сижу я это назавтра вечером за чаем у мать-игуменьи (княжеского рода она у нас), сидит у ней какая-то тоже барыня заезжая, большая мечтательница, и сидит один захожий монашек афонский, довольно смешной человек, по моему мнению. Что ж ты думаешь, Шатушка, этот самый монашек в то самое утро матери Прасковье из Турции от дочери письмо принес, — вот тебе и валет бубновый — нечаянное-то известие! Пьем мы это чай, а монашек афонский и говорит мать-игуменье: «Всего более, благословенная мать-игуменья, благословил Господь вашу обитель тем, что такое драгоценное, говорит, сокровище сохраняете в недрах ее». — «Какое это сокровище?» — спрашивает мать-игуменья. «А мать Лизавету блаженную». А Лизавета эта блаженная в ограде у нас вделана в стену, в клетку в сажень длины и в два аршина высоты, и сидит она там за железною решеткой семнадцатый год, зиму и лето в одной посконной рубахе и всё аль соломинкой, али прутиком каким ни на есть в рубашку свою, в холстину тычет, и ничего не говорит, и не чешется, и не моется семнадцать лет. Зимой тулупчик просунут ей да каждый день корочку хлебца и кружку воды. Богомольцы смотрят, ахают, воздыхают, деньги кладут. «Вот нашли сокровище, — отвечает мать-игуменья (рассердилась; страх не любила Лизавету), — Лизавета с одной только злобы сидит, из одного своего упрямства, и всё одно притворство». Не понравилось мне это; сама я хотела тогда затвориться: «А по-моему, говорю, Бог и природа есть всё одно». Они мне все в один голос: «Вот на!» Игуменья рассмеялась, зашепталась о чем-то с барыней, подозвала меня, приласкала, а барыня мне бантик розовый подарила, хочешь, покажу? Ну, а монашек стал мне тут же говорить поучение, да так это ласково и смиренно говорил и с таким, надо быть, умом; сижу я и слушаю. «Поняла ли?» — спрашивает. «Нет, говорю, ничего я не поняла, и оставьте, говорю, меня в полном покое». Вот с тех пор они меня одну в полном покое оставили, Шатушка. А тем временем и шепни мне, из церкви выходя, одна наша старица, на покаянии у нас жила за пророчество: «Богородица что́ есть, как мнишь?» — «Великая мать, отвечаю, упование рода человеческого». — «Так, говорит, Богородица — великая мать сыра земля есть, и великая в том для человека заключается радость. И всякая тоска земная и всякая слеза земная — радость нам есть; а как напоишь слезами своими под собой землю на пол-аршина в глубину, то тотчас же о всем и возрадуешься. И никакой, никакой, говорит, горести твоей больше не будет, таково, говорит, есть пророчество». Запало мне тогда это слово. Стала я с тех пор на молитве, творя земной поклон, каждый раз землю целовать, сама целую и плачу. И вот я тебе скажу, Шатушка: ничего-то нет в этих слезах дурного; и хотя бы и горя у тебя никакого не было, всё равно слезы твои от одной радости побегут. Сами слезы бегут, это верно. Уйду я, бывало, на берег к озеру: с одной стороны наш монастырь, а с другой — наша Острая гора, так и зовут ее горой Острою. Взойду я на эту гору, обращусь я лицом к востоку, припаду к земле, плачу, плачу и не помню, сколько времени плачу, и не помню я тогда и не знаю я тогда ничего. Встану потом, обращусь назад, а солнце заходит, да такое большое, да пышное, да славное, — любишь ты на солнце смотреть, Шатушка? Хорошо, да грустно. Повернусь я опять назад к востоку, а тень-то, тень-то от нашей горы далеко по озеру, как стрела, бежит, узкая, длинная-длинная и на версту дальше, до самого на озере острова, и тот каменный остров совсем как есть пополам его перережет, и как перережет пополам, тут и солнце совсем зайдет, и всё вдруг погаснет. Тут и я начну совсем тосковать, тут вдруг и память придет, боюсь сумраку, Шатушка. И всё больше о своем ребеночке плачу...

— А разве был? — подтолкнул меня локтем Шатов, всё время чрезвычайно прилежно слушавший.

— А как же: маленький, розовенький, с крошечными такими ноготочками, и только вся моя тоска в том, что не помню я, мальчик аль девочка. То мальчик вспомнится, то девочка. И как родила я тогда его, прямо в батист да в кружево завернула, розовыми его ленточками обвязала, цветочками обсыпала, снарядила, молитву над ним сотворила, некрещеного понесла, и несу это я его через лес, и боюсь я лесу, и страшно мне, и всего больше я плачу о том, что родила я его, а мужа не знаю.

— А может, и был? — осторожно спросил Шатов.

— Смешон ты мне, Шатушка, с своим рассуждением. Был-то, может, и был, да что в том, что был, коли его всё равно что и не было? Вот тебе и загадка нетрудная, отгадай-ка! — усмехнулась она.

— Куда же ребенка-то снесла?

— В пруд снесла, — вздохнула она.

Шатов опять подтолкнул меня локтем.

— А что, коли и ребенка у тебя совсем не было и всё это один только бред, а?

— Трудный ты вопрос задаешь мне, Шатушка, — раздумчиво и безо всякого удивления такому вопросу ответила она, — на этот счет я тебе ничего не скажу, может, и не было; по-моему, одно только твое любопытство; я ведь всё равно о нем плакать не перестану, не во сне же я видела? — И крупные слезы засветились в ее глазах. — Шатушка, Шатушка, а правда, что жена от тебя сбежала? — положила она ему вдруг обе руки на плечи и жалостливо посмотрела на него. — Да ты не сердись, мне ведь и самой тошно. Знаешь, Шатушка, я сон какой видела: приходит он опять ко мне, манит меня, выкликает: «Кошечка, говорит, моя, кошечка, выйди ко мне!» Вот я «кошечке»-то пуще всего и обрадовалась: любит, думаю.

— Может, и наяву придет, — вполголоса пробормотал Шатов.

— Нет, Шатушка, это уж сон... не прийти ему наяву. Знаешь песню:

> Мне не надобен нов-высок терем,
> Я останусь в этой келейке,
> Уж я стану жить-спасатися,
> За тебя Богу молитися.

Ох, Шатушка, Шатушка, дорогой ты мой, что ты никогда меня ни о чем не спросишь?

— Да ведь не скажешь, оттого и не спрашиваю.

— Не скажу, не скажу, хоть зарежь меня, не скажу, — быстро подхватила она, — жги меня, не скажу. И сколько бы я ни терпела, ничего не скажу, не узнают люди!

— Ну вот видишь, всякому, значит, свое, — еще тише проговорил Шатов, всё больше и больше наклоняя голову.

— А попросил бы, может, и сказала бы; может, и сказала бы! — восторженно повторила она. — Почему не попросишь? Попроси, попроси меня хорошенько, Шатушка, может, я тебе и скажу; умоли меня, Шатушка, так чтоб я сама согласилась... Шатушка, Шатушка!

Но Шатушка молчал; с минуту продолжалось общее молчание. Слезы тихо текли по ее набеленным щекам; она сидела, забыв свои обе руки на плечах Шатова, но уже не смотря на него.

— Э, что мне до тебя, да и грех, — поднялся вдруг со скамьи Шатов. — Привстаньте-ка! — сердито дернул он из-под меня скамью и, взяв, поставил ее на прежнее место.

— Придет, так чтоб не догадался; а нам пора.

— Ах, ты всё про лакея моего! — засмеялась вдруг Марья Тимофеевна. — Боишься! Ну, прощайте, добрые гости; а послушай одну минутку, что я скажу. Давеча пришел это сюда этот Нилыч с Филипповым, с хозяином, рыжая бородища, а мой-то на ту пору на меня налетел. Как хозяин-то схватит его, как дернет по комнате, а мой-то кричит: «Не виноват, за чужую вину терплю!» Так, веришь ли, все мы как были, так и покатились со смеху...

— Эх, Тимофевна, да ведь это я был заместо рыжей-то бороды, ведь это я его давеча за волосы от тебя отволок; а хозяин к вам третьего дня приходил браниться с вами, ты и смешала.

— Постой, ведь и в самом деле смешала, может, и ты. Ну, чего спорить о пустяках; не всё ли ему равно, кто его оттаскает, — засмеялась она.

— Пойдемте, — вдруг дернул меня Шатов, — ворота заскрипели; застанет нас, изобьет ее.

И не успели мы еще взбежать на лестницу, как раздался в воротах пьяный крик и посыпались ругательства. Шатов, впустив меня к себе, запер дверь на замок.

— Посидеть вам придется с минуту, если не хотите истории. Вишь, кричит как поросенок, должно быть, опять за порог зацепился; каждый-то раз растянется.

Без истории, однако, не обошлось.

VI

Шатов стоял у запертой своей двери и прислушивался на лестницу; вдруг отскочил.

— Сюда идет, я так и знал! — яростно прошептал он. — Пожалуй, до полночи теперь не отвяжется.

Раздалось несколько сильных ударов кулаком в двери.

— Шатов, Шатов, отопри! — завопил капитан, — Шатов, друг!..

> Я пришел к тебе с приветом,
> Р-рассказать, что солнце встало,
> Что оно гор-р-рьячим светом
> По... лесам... затр-р-репетало.
> Рассказать тебе, что я проснулся, черт тебя дери,
> Весь пр-р-роснулся под... ветвями....

Точно под розгами, ха-ха!

> Каждая птичка... просит жажды.
> Рассказать, что пить я буду,
> Пить... не знаю, пить что буду.

Ну, да и черт побери с глупым любопытством! Шатов, понимаешь ли ты, как хорошо жить на свете!

— Не отвечайте, — шепнул мне опять Шатов.

— Отвори же! Понимаешь ли ты, что есть нечто высшее, чем драка... между человечеством; есть минуты блага-а-родного лица... Шатов, я добр; я прощу тебя... Шатов, к черту прокламации, а?

Молчание.

— Понимаешь ли ты, осел, что я влюблен, я фрак купил, посмотри, фрак любви, пятнадцать целковых; капитанская любовь требует светских приличий... Отвори! — дико заревел он вдруг и неистово застучал опять кулаками.

— Убирайся к черту! — заревел вдруг и Шатов.

— Р-р-раб! Раб крепостной, и сестра твоя раба и рабыня... вор-ровка!

— А ты свою сестру продал.

— Врешь! Терплю напраслину, когда могу одним объяснением... понимаешь ли, кто она такова?

— Кто? — с любопытством подошел вдруг к дверям Шатов.

— Да ты понимаешь ли?

— Да уж пойму, ты скажи, кто?

— Я смею сказать! Я всегда всё смею в публике сказать!..

— Ну, навряд смеешь, — поддразнил Шатов и кивнул мне головой, чтоб я слушал.

— Не смею?

— По-моему, не смеешь.

— Не смею?

— Да ты говори, если барских розог не боишься... Ты ведь трус, а еще капитан!

— Я... я... она... она есть... — залепетал капитан дрожащим, взволнованным голосом.

— Ну? — подставил ухо Шатов.

Наступило молчание по крайней мере на полминуты.

— Па-а-адлец! — раздалось наконец за дверью, и капитан быстро отретировался вниз, пыхтя как самовар, с шумом оступаясь на каждой ступени.

— Нет, он хитер, и пьяный не проговорится, — отошел от двери Шатов.

— Что же это такое? — спросил я.

Шатов махнул рукой, отпер дверь и стал опять слушать на лестницу; долго слушал, даже сошел вниз потихоньку несколько ступеней. Наконец воротился.

— Не слыхать ничего, не дрался; значит, прямо повалился дрыхнуть. Вам пора идти.

— Послушайте, Шатов, что же мне теперь заключить изо всего этого?

— Э, заключайте что хотите! — ответил он усталым и брезгливым голосом и сел за свой письменный стол.

Я ушел. Одна невероятная мысль всё более и более укреплялась в моем воображении. С тоской думал я о завтрашнем дне...

VII

Этот «завтрашний день», то есть то самое воскресенье, в которое должна была уже безвозвратно решиться участь Степана Трофимовича, был одним из знаменательнейших дней в моей хронике. Это был день неожиданностей, день развязок прежнего и завязок нового, резких разъяснений и еще пущей путаницы. Утром, как уже известно читателю, я обязан был сопровождать моего друга к Варваре Петровне, по ее собственному назначению, а в три часа пополудни я уже должен был быть у Лизаветы Николаевны, чтобы рассказать ей — я сам не знал о чем, и способствовать ей — сам не знал в чем. И между тем всё разрешилось так, как никто бы не предположил. Одним словом, это был день удивительно сошедшихся случайностей.

Началось с того, что мы со Степаном Трофимовичем, явившись к Варваре Петровне ровно в двенадцать часов, как она назначила, не застали ее дома; она еще не возвращалась от обедни. Бедный друг мой был так настроен, или, лучше сказать, так расстроен, что это обстоятельство тотчас же сразило его: почти в бессилии опустился он на кресло в гостиной. Я предложил ему стакан воды; но, несмотря на бледность свою и даже на дрожь в руках, он с достоинством отказался. Кстати, костюм его отличался на этот раз необыкновенною изысканностию: почти бальное, батистовое с вышивкой белье, белый галстук, новая шляпа в руках, свежие соломенного цвета перчатки и даже, чуть-чуть, духи. Только что мы уселись, вошел Шатов, введенный камердинером, ясное дело, тоже по официальному приглашению. Степан Трофимович привстал было протянуть ему руку, но Шатов, посмотрев на нас обоих внимательно, поворотил в угол, уселся там и даже не кивнул нам головой. Степан Трофимович опять испуганно поглядел на меня.

Так просидели мы еще несколько минут в совершенном молчании. Степан Трофимович начал было вдруг мне что-то очень скоро шептать, но я не расслушал; да и сам он от волнения не докончил и бросил. Вошел еще раз камердинер поправить что-то на столе; а вернее — поглядеть на нас. Шатов вдруг обратился к нему с громким вопросом:

— Алексей Егорыч, не знаете, Дарья Павловна с ней отправилась?

— Варвара Петровна изволили поехать в собор одне-с, а Дарья Павловна изволили остаться у себя наверху, и не так здоровы-с, — назидательно и чинно доложил Алексей Егорыч.

Бедный друг мой опять бегло и тревожно со мной переглянулся, так что я, наконец, стал от него отворачиваться. Вдруг у подъезда прогремела карета, и некоторое отдаленное движение в доме возвестило нам, что хозяйка воротилась. Все мы привскочили с кресел, но опять неожиданность: послышался шум многих шагов, значило, что хозяйка возвратилась не одна, а это действительно было уже несколько странно, так как сама она назначила нам этот час. Послышалось наконец, что кто-то входил до странности скоро, точно бежал, а так не могла входить Варвара Петровна. И вдруг она почти влетела в комнату, запыхавшись и в чрезвычайном волнении. За нею, несколько приотстав и гораздо тише, вошла Лизавета Николаевна, а с Лизаветой Николаевной рука в руку — Марья Тимофеевна Лебядкина! Если б я увидел это во сне, то и тогда бы не поверил.

Чтоб объяснить эту совершенную неожиданность, необходимо взять часом назад и рассказать подробнее о необыкновенном приключении, происшедшем с Варварой Петровной в соборе.

Во-первых, к обедне собрался почти весь город, то есть разумея высший слой нашего общества. Знали, что пожалует губернаторша, в первый раз после своего к нам прибытия. Замечу, что у нас уже пошли слухи о том, что она вольнодумка и «новых правил». Всем дамам известно было тоже, что она великолепно и с необыкновенным изяществом будет одета; а потому наряды наших дам отличались на этот раз изысканностью и пышностью. Одна лишь Варвара Петровна была скромно и по-всегдашнему одета во всё черное; так бессменно одевалась она в продолжение последних четырех лет. Прибыв в собор, она поместилась на обычном своем месте, налево, в первом ряду, и ливрейный лакей положил пред нею бархатную подушку для коленопреклонений, одним словом, всё по-обыкновенному. Но заметили тоже, что на этот раз она во всё продолжение службы как-то чрезвычайно усердно молилась; уверяли даже потом, когда всё припомнили, что даже слезы стояли в глазах ее. Кончилась наконец обедня, и наш протоиерей, отец Павел, вышел сказать торжественную проповедь. У нас любили его проповеди и ценили их высоко; уговаривали его даже напечатать, но он всё не решался. На этот раз проповедь вышла как-то особенно длинна.

И вот во время уже проповеди подкатила к собору одна дама на легковых извозчичьих дрожках прежнего фасона, то есть на которых дамы могли сидеть только сбоку, придерживаясь за кушак извозчика и колыхаясь от толчков экипажа, как полевая былинка от ветра. Эти ваньки в нашем городе до сих пор еще разъезжают. Остановясь у угла собора, — ибо у врат стояло множество экипажей и даже жандармы, — дама соскочила с дрожек и подала ваньке четыре копейки серебром.

— Что ж, мало разве, Ваня! — вскрикнула она, увидав его гримасу. — У меня всё, что есть, — прибавила она жалобно.

— Ну, да бог с тобой, не рядясь садил, — махнул рукой ванька и поглядел на нее, как бы думая: «Да и грех тебя обижать-то»; затем, сунув за пазуху кожаный кошель, тронул лошадь и укатил, напутствуемый насмешками близ стоявших извозчиков. Насмешки и даже удивление сопровождали и даму всё время, пока она пробиралась к соборным вратам между экипажами и ожидавшим скорого выхода господ лакейством. Да и действительно было что-то необыкновенное и неожиданное для всех в появлении такой особы вдруг откуда-то на улице средь народа. Она была болезненно худа и прихрамывала, крепко набелена и нарумянена, с совершенно оголенною длинною шеей, без платка, без бурнуса, в одном только стареньком темном платье, несмотря на холодный и ветреный, хотя и ясный сентябрьский день; с совершенно открытою головой, с волосами, подвязанными в крошечный узелок на затылке, в которые с правого боку воткнута была одна только искусственная роза, из таких, которыми украшают вербных херувимов. Такого вербного херувима в венке из бумажных роз я именно заметил вчера в углу, под образами, когда сидел у Марьи Тимофеевны. К довершению всего дама шла хоть и скромно опустив глаза, но в то же время весело и лукаво улыбаясь. Если б она еще капельку промедлила, то ее бы, может быть, и не пропустили в собор... Но она успела проскользнуть, а войдя во храм, протиснулась незаметно вперед.

Хотя проповедь была на половине и вся сплошная толпа, наполнявшая храм, слушала ее с полным и беззвучным вниманием, но все-таки несколько глаз с любопытством и недоумением покосились на вошедшую. Она упала на церковный помост, склонив на него свое набеленное лицо, лежала долго и, по-видимому, плакала; но, подняв опять голову и привстав с колен, очень скоро оправилась и развлеклась. Весело, с видимым чрезвычайным удовольствием, стала скользить она глазами по лицам, по стенам собора; с особенным любопытством вглядывалась в иных дам, приподымаясь для этого даже на цыпочки, и даже раза два засмеялась, как-то странно при этом хихикая. Но проповедь кончилась, и вынесли крест. Губернаторша пошла к кресту первая, но, не дойдя двух шагов, приостановилась, видимо желая уступить дорогу Варваре Петровне, с своей стороны подходившей слишком уж прямо и как бы не замечая никого впереди себя. Необычайная учтивость губернаторши, без сомнения, заключала в себе явную и остроумную в своем роде колкость; так все поняли; так поняла, должно быть, и Варвара Петровна; но по-прежнему никого не замечая и с самым непоколебимым видом достоинства приложилась она ко кресту и тотчас же направилась к выходу. Ливрейный лакей расчищал пред ней дорогу, хотя и без того все расступались. Но у самого выхода, на паперти, тесно сбившаяся кучка людей на мгновение загородила путь. Варвара Петровна приостановилась, и вдруг странное, необыкновенное существо, женщина с бумажной розой на голове, протиснувшись между людей, опустилась пред нею на колени. Варвара Петровна, которую трудно было чем-нибудь озадачить, особенно в публике, поглядела важно и строго.

Поспешу заметить здесь, по возможности вкратце, что Варвара Петровна хотя и стала в последние годы излишне, как говорили, расчетлива и даже скупенька, но иногда не жалела денег собственно на благотворительность. Она состояла членом одного благотворительного общества в столице. В недавний голодный год она отослала в Петербург, в главный комитет для приема пособий потерпевшим, пятьсот рублей, и об этом у нас говорили. Наконец, в самое последнее время, пред назначением нового губернатора, она было совсем уже основала местный дамский комитет для пособия самым беднейшим родильницам в городе и в губернии. У нас сильно упрекали ее в честолюбии; но известная стремительность характера Варвары Петровны и в то же время настойчивость чуть не восторжествовали над препятствиями; общество почти уже устроилось, а первоначальная мысль всё шире и шире развивалась в восхищенном уме основательницы: она уже мечтала об основании такого же комитета в Москве, о постепенном распространении его действий по всем губерниям. И вот, с внезапною переменой губернатора, всё приостановилось; а новая губернаторша, говорят, уже успела высказать в обществе несколько колких и, главное, метких и дельных возражений насчет будто бы непрактичности основной мысли подобного комитета, что, разумеется с прикрасами, было уже передано Варваре Петровне. Один Бог знает глубину сердец, но полагаю, что Варвара Петровна даже с некоторым удовольствием приостановилась теперь в самых соборных вратах, зная, что мимо должна сейчас же пройти губернаторша, а затем и все, и «пусть сама увидит, как мне всё равно, что бы она там ни подумала и что бы ни сострила еще насчет тщеславия моей благотворительности. Вот же вам всем!»

— Что вы, милая, о чем вы просите? — внимательнее всмотрелась Варвара Петровна в коленопреклоненную пред нею просительницу. Та глядела на нее ужасно оробевшим, застыдившимся, но почти благоговейным взглядом и вдруг усмехнулась с тем же странным хихиканьем. — Что она? Кто она? — Варвара Петровна обвела кругом присутствующих повелительным и вопросительным взглядом. Все молчали. — Вы несчастны? Вы нуждаетесь в вспоможении?

— Я нуждаюсь... я приехала... — лепетала «несчастная» прерывавшимся от волнения голосом. — Я приехала только, чтобы вашу ручку поцеловать... — и опять хихикнула. С самым детским взглядом, с каким дети ласкаются, что-нибудь выпрашивая, потянулась она схватить ручку Варвары Петровны, но, как бы испугавшись, вдруг отдёрнула свои руки назад.

— Только за этим и прибыли? — улыбнулась Варвара Петровна с сострадательною улыбкой, но тотчас же быстро вынула из кармана свой перламутровый портмоне, а из него десятирублёвую бумажку и подала незнакомке. Та взяла. Варвара Петровна была очень заинтересована и, видимо, не считала незнакомку какою-нибудь простонародною просительницей.

— Вишь, десять рублей дала, — проговорил кто-то в толпе.

— Ручку-то пожалуйте, — лепетала «несчастная», крепко прихватив пальцами левой руки за уголок полученную десятирублёвую бумажку, которую свивало ветром. Варвара Петровна почему-то немного нахмурилась и с серьёзным, почти строгим видом протянула руку; та с благоговением поцеловала её. Благодарный взгляд её заблистал каким-то даже восторгом. Вот в это-то самое время подошла губернаторша и прихлынула целая толпа наших дам и старших сановников. Губернаторша поневоле должна была на минутку приостановиться в тесноте; многие остановились.

— Вы дрожите, вам холодно? — заметила вдруг Варвара Петровна и, сбросив с себя свой бурнус, на лету подхваченный лакеем, сняла с плеч свою чёрную (очень не дешёвую) шаль и собственными руками окутала обнажённую шею всё ещё стоявшей на коленях просительницы. — Да встаньте же, встаньте с колен, прошу вас! — Та встала. — Где вы живёте? Неужели никто, наконец, не знает, где она живёт? — снова нетерпеливо оглянулась кругом Варвара Петровна. Но прежней кучки уже не было; виднелись всё знакомые, светские лица, разглядывавшие сцену, одни с строгим удивлением, другие с лукавым любопытством и в то же время с невинною жаждой скандальчика, а третьи начинали даже посмеиваться.

— Кажется, это Лебядкиных-с, — выискался наконец один добрый человек с ответом на запрос Варвары Петровны, наш почтенный и многими уважаемый купец Андреев, в очках, с седою бородой, в русском платье и с круглою цилиндрическою шляпой, которую держал теперь в руках, — они у Филипповых в доме проживают, в Богоявленской улице.

— Лебядкин? Дом Филиппова? Я что-то слышала... благодарю вас, Никон Семёныч, но кто этот Лебядкин?

— Капитаном прозывается, человек, надо бы так сказать, неосторожный. А это, уж за верное, их сестрица. Она, полагать надо, из-под надзору теперь ушла, — сбавив голос, проговорил Никон Семёныч и значительно взглянул на Варвару Петровну.

— Понимаю вас; благодарю, Никон Семёныч. Вы, милая моя, госпожа Лебядкина?

— Нет, я не Лебядкина.

— Так, может быть, ваш брат Лебядкин?

— Брат мой Лебядкин.

— Вот что я сделаю, я вас теперь, моя милая, с собой возьму, а от меня вас уже отвезут к вашему семейству; хотите ехать со мной?

— Ах, хочу! — всплеснула ладошками госпожа Лебядкина.

— Тетя, тетя? Возьмите и меня с собой к вам! — раздался голос Лизаветы Николаевны. Замечу, что Лизавета Николаевна прибыла к обедне вместе с губернаторшей, а Прасковья Ивановна, по предписанию доктора, поехала тем временем покататься в карете, а для развлечения увезла с собой и Маврикия Николаевича. Лиза вдруг оставила губернаторшу и подскочила к Варваре Петровне.

— Милая моя, ты знаешь, я всегда тебе рада, но что скажет твоя мать? — начала было осанисто Варвара Петровна, но вдруг смутилась, заметив необычайное волнение Лизы.

— Тетя, тетя, непременно теперь с вами, — умоляла Лиза, целуя Варвару Петровну.

— Mais qu'avez-vous donc, Lise![1] — с выразительным удивлением проговорила губернаторша.

— Ах, простите, голубчик, chère cousine[2], я к тете, — на лету повернулась Лиза к неприятно удивленной своей chère cousine и поцеловала ее два раза.

— И maman тоже скажите, чтобы сейчас же приезжала за мной к тете; maman непременно, непременно хотела заехать, она давеча сама говорила, я забыла вас предуведомить, — трещала Лиза, — виновата, не сердитесь, Julie... chère cousine... тетя, я готова! Если вы, тетя, меня не возьмете, то я за вашею каретой побегу и закричу, — быстро и отчаянно прошептала она совсем на ухо Варваре Петровне; хорошо еще, что никто не слыхал. Варвара Петровна даже на шаг отшатнулась и пронзительным взглядом посмотрела на сумасшедшую девушку. Этот взгляд всё решил: она непременно положила взять с собой Лизу!

— Этому надо положить конец, — вырвалось у ней. — Хорошо, я с удовольствием беру тебя, Лиза, — тотчас же громко прибавила она, — разумеется, если Юлия Михайловна согласится тебя отпустить, — с открытым видом и с прямодушным достоинством повернулась она прямо к губернаторше.

— О, без сомнения я не захочу лишить ее этого удовольствия, тем более что я сама... — с удивительною любезностью залепетала вдруг Юлия Михайловна, — я сама... хорошо знаю, какая на наших плечиках фантастическая всевластная головка... — Юлия Михайловна очаровательно улыбнулась.

— Благодарю вас чрезвычайно, — отблагодарила вежливым и осанистым поклоном Варвара Петровна.

— И мне тем более приятно, — почти уже с восторгом продолжала свой лепет Юлия Михайловна, даже вся покраснев от приятного волнения, — что, кроме удовольствия быть у вас, Лизу увлекает теперь такое прекрасное, такое, могу сказать, высокое чувство... сострадание... (она взглянула на «несчастную»)... и... на самой паперти храма...

— Такой взгляд делает вам честь, — великолепно одобрила Варвара Петровна. Юлия Михайловна стремительно протянула свою руку, и Варвара Петровна с полною готовностью дотронулась до нее своими пальцами. Всеобщее впечатление было прекрасное, лица некоторых присутствовавших просияли удовольствием, показалось несколько сладких и заискивающих улыбок.

Одним словом, всему городу вдруг ясно открылось, что это не Юлия Михайловна пренебрегала до сих пор Варварой Петровной и не сделала ей визита, а сама Варвара Петровна, напротив, «держала в границах Юлию Михайловну,

---

[1] Да что с вами, Лиза! (*франц.*)
[2] дорогая кузина (*франц.*).

тогда как та пешком бы, может, побежала к ней с визитом, если бы только была уверена, что Варвара Петровна ее не прогонит». Авторитет Варвары Петровны поднялся до чрезвычайности.

— Садитесь же, милая, — указала Варвара Петровна mademoiselle Лебядкиной на подъехавшую карету; «несчастная» радостно побежала к дверцам, у которых подхватил ее лакей. — Как! Вы хромаете! — вскричала Варвара Петровна совершенно как в испуге и побледнела. (Все тогда это заметили, но не поняли...)

Карета покатилась. Дом Варвары Петровны находился очень близко от собора. Лиза сказывала мне потом, что Лебядкина смеялась истерически все эти три минуты переезда, а Варвара Петровна сидела «как будто в каком-то магнетическом сне», собственное выражение Лизы.

Глава пятая
ПРЕМУДРЫЙ ЗМИЙ

I

Варвара Петровна позвонила в колокольчик и бросилась в кресла у окна.

— Сядьте здесь, моя милая, — указала она Марье Тимофеевне место, посреди комнаты, у большого круглого стола. — Степан Трофимович, что это такое? Вот, вот, смотрите на эту женщину, что это такое?

— Я... я... — залепетал было Степан Трофимович...

Но явился лакей.

— Чашку кофею, сейчас, особенно и как можно скорее! Карету не откладывать.

— Mais, chère et excellente amie, dans quelle inquiétude...[1] — замирающим голосом воскликнул Степан Трофимович.

— Ах! по-французски, по-французски! Сейчас видно, что высший свет! — хлопнула в ладоши Марья Тимофеевна, в упоении приготовляясь послушать разговор по-французски. Варвара Петровна уставилась на нее почти в испуге.

Все мы молчали и ждали какой-нибудь развязки. Шатов не поднимал головы, а Степан Трофимович был в смятении, как будто во всем виноватый; пот выступил на его висках. Я взглянул на Лизу (она сидела в углу, почти рядом с Шатовым). Ее глаза зорко перебегали от Варвары Петровны к хромой женщине и обратно; на губах ее кривилась улыбка, но нехорошая. Варвара Петровна видела эту улыбку. А между тем Марья Тимофеевна увлеклась совершенно: она с наслаждением и нимало не конфузясь рассматривала прекрасную гостиную Варвары Петровны — меблировку, ковры, картины на стенах, старинный расписной потолок, большое бронзовое распятие в углу, фарфоровую лампу, альбомы, вещицы на столе.

— Так и ты тут, Шатушка! — воскликнула она вдруг, — представь, я давно тебя вижу, да думаю: не он! Как он сюда проедет! — и весело рассмеялась.

— Вы знаете эту женщину? — тотчас обернулась к нему Варвара Петровна.

— Знаю-с, — пробормотал Шатов, тронулся было на стуле, но остался сидеть.

— Что же вы знаете? Пожалуйста, поскорей!

---

[1] Но, дорогой и добрейший друг, в каком беспокойстве... (*франц.*)

— Да что... — ухмыльнулся он ненужной улыбкой и запнулся... — сами видите.

— Что вижу? Да ну же, говорите что-нибудь!

— Живет в том доме, где я... с братом... офицер один.

— Ну?

Шатов запнулся опять.

— Говорить не стоит... — промычал он и решительно смолк. Даже покраснел от своей решимости.

— Конечно, от вас нечего больше ждать! — с негодованием оборвала Варвара Петровна. Ей ясно было теперь, что все что-то знают и между тем все чего-то трусят и уклоняются пред ее вопросами, хотят что-то скрыть от нее.

Вошел лакей и поднес ей на маленьком серебряном подносе заказанную особо чашку кофе, но тотчас же, по ее мановению, направился к Марье Тимофеевне.

— Вы, моя милая, очень озябли давеча, выпейте поскорей и согрейтесь.

— Merci, — взяла чашку Марья Тимофеевна и вдруг прыснула со смеху над тем, что сказала лакею merci. Но, встретив грозный взгляд Варвары Петровны, оробела и поставила чашку на стол.

— Тетя, да уж вы не сердитесь ли? — пролепетала она с какою-то легкомысленною игривостью.

— Что-о-о? — вспрянула и выпрямилась в креслах Варвара Петровна. — Какая я вам тетя? Что вы подразумевали?

Марья Тимофеевна, не ожидавшая такого гнева, так и задрожала вся мелкою конвульсивною дрожью, точно в припадке, и отшатнулась на спинку кресел.

— Я... я думала, так надо, — пролепетала она, смотря во все глаза на Варвару Петровну, — так вас Лиза звала.

— Какая еще Лиза?

— А вот эта барышня, — указала пальчиком Марья Тимофеевна.

— Так вам она уже Лизой стала?

— Вы так сами ее давеча звали, — ободрилась несколько Марья Тимофеевна. — А во сне я точно такую же красавицу видела, — усмехнулась она как бы нечаянно.

Варвара Петровна сообразила и несколько успокоилась; даже чуть-чуть улыбнулась последнему словцу Марьи Тимофеевны. Та, поймав улыбку, встала с кресел и, хромая, робко подошла к ней.

— Возьмите, забыла отдать, не сердитесь за неучтивость, — сняла она вдруг с плеч своих черную шаль, надетую на нее давеча Варварой Петровной.

— Наденьте ее сейчас же опять и оставьте навсегда при себе. Ступайте и сядьте, пейте ваш кофе и, пожалуйста, не бойтесь меня, моя милая, успокойтесь. Я начинаю вас понимать.

— Chere amie... — позволил было себе опять Степан Трофимович.

— Ах, Степан Трофимович, тут и без вас всякий толк потеряешь, пощадите хоть вы... Пожалуйста, позвоните вот в этот звонок, подле вас, в девичью.

Наступило молчание. Взгляд ее подозрительно и раздражительно скользил по всем нашим лицам. Явилась Агаша, любимая ее горничная.

— Клетчатый мне платок, который я в Женеве купила. Что делает Дарья Павловна?

— Оне-с не совсем здоровы-с.

— Сходи и попроси сюда. Прибавь, что очень прошу, хотя бы и нездорова.

В это мгновение из соседних комнат опять послышался какой-то необычный шум шагов и голосов, подобный давешнему, и вдруг на пороге показалась запыхавшаяся и «расстроенная» Прасковья Ивановна, Маврикий Николаевич поддерживал ее под руку.

— Ох, батюшки, насилу доплелась; Лиза, что ты, сумасшедшая, с матерью делаешь! — взвизгнула она, кладя в этот взвизг, по обыкновению всех слабых, но очень раздражительных особ, всё, что накопилось раздражения. — Матушка, Варвара Петровна, я к вам за дочерью!

Варвара Петровна взглянула на нее исподлобья, полуприветала навстречу и, едва скрывая досаду, проговорила:

— Здравствуй, Прасковья Ивановна, сделай одолжение, садись. Я так и знала ведь, что приедешь.

II

Для Прасковьи Ивановны в таком приеме не могло заключаться ничего неожиданного. Варвара Петровна и всегда, с самого детства, третировала свою бывшую пансионскую подругу деспотически и, под видом дружбы, чуть не с презрением. Но в настоящем случае и положение дел было особенное. В последние дни между обоими домами пошло на совершенный разрыв, о чем уже и было мною вскользь упомянуто. Причины начинающегося разрыва покамест были еще для Варвары Петровны таинственны, а стало быть, еще пуще обидны; но главное в том, что Прасковья Ивановна успела принять пред нею какое-то необычайно высокомерное положение. Варвара Петровна, разумеется, была уязвлена, а между тем и до нее уже стали доходить некоторые странные слухи, тоже чрезмерно ее раздражавшие, и именно своею неопределенностью. Характер Варвары Петровны был прямой и гордо открытый, с наскоком, если так позволительно выразиться. Пуще всего она не могла выносить тайных, прячущихся обвинений и всегда предпочитала войну открытую. Как бы то ни было, но вот уже пять дней как обе дамы не виделись. Последний визит был со стороны Варвары Петровны, которая и уехала «от Дроздихи» обиженная и смущенная. Я без ошибки могу сказать, что Прасковья Ивановна вошла теперь в наивном убеждении, что Варвара Петровна почему-то должна пред нею струсить; это видно было уже по выражению лица ее. Но, видно, тогда-то и овладевал Варварой Петровной бес самой заносчивой гордости, когда она чуть-чуть лишь могла заподозрить, что ее почему-либо считают униженною. Прасковья же Ивановна, как и многие слабые особы, сами долго позволяющие себя обижать без протеста, отличалась необыкновенным азартом нападения при первом выгодном для себя обороте дела. Правда, теперь она была нездорова, а в болезни становилась всегда раздражительнее. Прибавлю, наконец, что все мы, находившиеся в гостиной, не могли особенно стеснить нашим присутствием обеих подруг детства, если бы между ними возгорелась ссора; мы считались людьми своими и чуть не подчиненными. Я не без страха сообразил это тогда же. Степан Трофимович, не садившийся с самого прибытия Варвары Петровны, в изнеможении опустился на стул, услыхав взвизг Прасковьи Ивановны, и с отчаянием стал ловить мой взгляд. Шатов круто повернулся на стуле и что-то даже промычал про себя. Мне кажется, он хотел встать и уйти. Лиза чуть-чуть было привстала, но тотчас же опять опустилась на место, даже не обратив должного внимания на взвизг своей матери, но не от «строптивости характера», а потому что, очевидно, вся была под властью какого-то другого могучего впечатления. Она смотрела теперь куда-то в воздух, почти рассеянно, и даже на Марью Тимофеевну перестала обращать прежнее внимание.

III

— Ох, сюда! — указала Прасковья Ивановна на кресло у стола и тяжело в него опустилась с помощию Маврикия Николаевича. — Не села б у вас, матушка, если бы не ноги! — прибавила она надрывным голосом.

Варвара Петровна приподняла немного голову, с болезненным видом прижимая пальцы правой руки к правому виску и видимо ощущая в нем сильную боль (tic douloureux[1]).

— Что так, Прасковья Ивановна, почему бы тебе и не сесть у меня? Я от покойного мужа твоего всю жизнь искреннею приязнию пользовалась, а мы с тобой еще девчонками вместе в куклы в пансионе играли.

Прасковья Ивановна замахала руками:

— Уж так и знала! Вечно про пансион начнете, когда попрекать собираетесь, — уловка ваша. А по-моему, одно красноречие. Терпеть не могу этого вашего пансиона.

— Ты, кажется, слишком уж в дурном расположении приехала; что твои ноги? Вот тебе кофе несут, милости просим, кушай и не сердись.

— Матушка, Варвара Петровна, вы со мной точно с маленькою девочкой. Не хочу я кофею, вот!

И она задирчиво махнула рукой подносившему ей кофей слуге. (От кофею, впрочем, и другие отказались, кроме меня и Маврикия Николаевича. Степан Трофимович взял было, но отставил чашку на стол. Марье Тимофеевне хоть и очень хотелось взять другую чашку, она уж и руку протянула, но одумалась и чинно отказалась, видимо довольная за это собой.)

Варвара Петровна криво улыбнулась.

— Знаешь что, друг мой Прасковья Ивановна, ты, верно, опять что-нибудь вообразила себе, с тем вошла сюда. Ты всю жизнь одним воображением жила. Ты вот про пансион разозлилась; а помнишь, как ты приехала и весь класс уверила, что за тебя гусар Шаблыкин посватался, и как madame Lefebure тебя тут же изобличила во лжи. А ведь ты и не лгала, просто навоображала себе для утехи. Ну, говори: с чем ты теперь? Что еще вообразила, чем недовольна?

— А вы в пансионе в попа влюбились, что закон Божий преподавал, — вот вам, коли до сих пор в вас такая злопамятность, — ха-ха-ха!

Она желчно расхохоталась и раскашлялась.

— А-а, ты не забыла про попа... — ненавистно глянула на нее Варвара Петровна.

Лицо ее позеленело. Прасковья Ивановна вдруг приосанилась.

— Мне, матушка, теперь не до смеху; зачем вы мою дочь при всем городе в ваш скандал замешали, вот зачем я приехала!

— В мой скандал? — грозно выпрямилась вдруг Варвара Петровна.

---

[1] болезненный тик (*франц.*).

— Мама́, я вас тоже очень прошу быть умереннее, — проговорила вдруг Лизавета Николаевна.

— Как ты сказала? — приготовилась было опять взвизгнуть мамаша, но вдруг осела пред засверкавшим взглядом дочки.

— Как вы могли, мама́, сказать про скандал? — вспыхнула Лиза. — Я поехала сама, с позволения Юлии Михайловны, потому что хотела узнать историю этой несчастной, чтобы быть ей полезною.

— «Историю этой несчастной»! — со злобным смехом протянула Прасковья Ивановна. — Да стать ли тебе мешаться в такие «истории»? Ох, матушка! Довольно нам вашего деспотизма! — бешено повернулась она к Варваре Петровне. — Говорят, правда ли, нет ли, весь город здешний замуштровали, да, видно, пришла и на вас пора!

Варвара Петровна сидела выпрямившись, как стрела, готовая выскочить из лука. Секунд десять строго и неподвижно смотрела на Прасковью Ивановну.

— Ну, моли Бога, Прасковья, что все здесь свои, — выговорила она наконец с зловещим спокойствием, — много ты сказала лишнего.

— А я, мать моя, светского мнения не так боюсь, как иные; это вы, под видом гордости, пред мнением света трепещете. А что тут свои люди, так для вас же лучше, чем если бы чужие слышали.

— Поумнела ты, что ль, в эту неделю?

— Не поумнела я в эту неделю, а, видно, правда наружу вышла в эту неделю.

— Какая правда наружу вышла в эту неделю? Слушай, Прасковья Ивановна, не раздражай ты меня, объяснись сию минуту, прошу тебя честью: какая правда наружу вышла и что ты под этим подразумеваешь?

— Да вот она, вся-то правда сидит! — указала вдруг Прасковья Ивановна пальцем на Марью Тимофеевну, с тою отчаянною решимостью, которая уже не заботится о последствиях, только чтобы теперь поразить. Марья Тимофеевна, всё время смотревшая на нее с веселым любопытством, радостно засмеялась при виде устремленного на нее пальца гневливой гостьи и весело зашевелилась в креслах.

— Господи Иисусе Христе, рехнулись они все, что ли! — воскликнула Варвара Петровна и, побледнев, откинулась на спинку кресла.

Она так побледнела, что произошло даже смятение. Степан Трофимович бросился к ней первый; я тоже приблизился; даже Лиза встала с места, хотя и осталась у своего кресла; но всех более испугалась сама Прасковья Ивановна: она вскрикнула, как могла приподнялась и почти завопила плачевным голосом:

— Матушка, Варвара Петровна, простите вы мою злобную дурость! Да воды-то хоть подайте ей кто-нибудь!

— Не хнычь, пожалуйста, Прасковья Ивановна, прошу тебя, и отстранитесь, господа, сделайте одолжение, не надо воды! — твердо, хоть и негромко выговорила побледневшими губами Варвара Петровна.

— Матушка! — продолжала Прасковья Ивановна, капельку успокоившись, — друг вы мой, Варвара Петровна, я хоть и виновата в неосторожных словах, да уж раздражили меня пуще всего безыменные письма эти, которыми меня какие-то людишки бомбардируют; ну и писали бы к вам, коли про вас же пишут, а у меня, матушка, дочь!

Варвара Петровна безмолвно смотрела на нее широко открытыми глазами и слушала с удивлением. В это мгновение неслышно отворилась в углу боковая дверь, и появилась Дарья Павловна. Она приостановилась и огляделась кругом;

ее поразило наше смятение. Должно быть, она не сейчас различила и Марью Тимофеевну, о которой никто ее не предуведомил. Степан Трофимович первый заметил ее, сделал быстрое движение, покраснел и громко для чего-то возгласил: «Дарья Павловна!», так что все глаза разом обратились на вошедшую.

— Как, так это-то ваша Дарья Павловна! — воскликнула Марья Тимофеевна. — Ну, Шатушка, не похожа на тебя твоя сестрица! Как же мой-то этакую прелесть крепостною девкой Дашкой зовет!

Дарья Павловна меж тем приблизилась уже к Варваре Петровне; но, пораженная восклицанием Марьи Тимофеевны, быстро обернулась и так и осталась пред своим стулом, смотря на юродивую длинным, приковавшимся взглядом.

— Садись, Даша, — проговорила Варвара Петровна с ужасающим спокойствием, — ближе, вот так; ты можешь и сидя видеть эту женщину. Знаешь ты ее?

— Я никогда ее не видала, — тихо ответила Даша и, помолчав, тотчас прибавила: — должно быть, это больная сестра одного господина Лебядкина.

— И я вас, душа моя, в первый только раз теперь увидала, хотя давно уже с любопытством желала познакомиться, потому что в каждом жесте вашем вижу воспитание, — с увлечением прокричала Марья Тимофеевна. — А что мой лакей бранится, так ведь возможно ли, чтобы вы у него деньги взяли, такая воспитанная и милая? Потому что вы милая, милая, милая, это я вам от себя говорю! — с восторгом заключила она, махая пред собою своею ручкой.

— Понимаешь ты что-нибудь? — с гордым достоинством спросила Варвара Петровна.

— Я всё понимаю-с...

— Про деньги слышала?

— Это, верно, те самые деньги, которые я, по просьбе Николая Всеволодовича, еще в Швейцарии, взялась передать этому господину Лебядкину, ее брату.

Последовало молчание.

— Тебя Николай Всеволодович сам просил передать?

— Ему очень хотелось переслать эти деньги, всего триста рублей, господину Лебядкину. А так как он не знал его адреса, а знал лишь, что он прибудет к нам в город, то и поручил мне передать, на случай, если господин Лебядкин приедет.

— Какие же деньги... пропали? Про что эта женщина сейчас говорила?

— Этого уж я не знаю-с; до меня тоже доходило, что господин Лебядкин говорил про меня вслух, будто я не всё ему доставила; но я этих слов не понимаю. Было триста рублей, я и переслала триста рублей.

Дарья Павловна почти совсем уже успокоилась. И вообще замечу, трудно было чем-нибудь надолго изумить эту девушку и сбить ее с толку, — что бы она там про себя ни чувствовала. Проговорила она теперь все свои ответы не торопясь, тотчас же отвечая на каждый вопрос с точностию, тихо, ровно, безо всякого следа первоначального внезапного своего волнения и без малейшего смущения, которое могло бы свидетельствовать о сознании хотя бы какой-нибудь за собою вины. Взгляд Варвары Петровны не отрывался от нее всё время, пока она говорила. С минуту Варвара Петровна подумала.

— Если, — произнесла она наконец с твердостию и видимо к зрителям, хотя и глядела на одну Дашу, — если Николай Всеволодович не обратился со своим поручением даже ко мне, а просил тебя, то, конечно, имел свои причины так поступить. Не считаю себя вправе о них любопытствовать, если из них делают для меня секрет. Но уже одно твое участие в этом деле совершенно меня за них успокоивает, знай это, Дарья, прежде всего. Но видишь ли, друг мой, ты и с чистою совестью могла, по незнанию света, сделать какую-нибудь неосторожность; и сделала ее, приняв на себя сношения с каким-то мерзавцем. Слухи, распущенные этим негодяем, подтверждают твою ошибку. Но я разузнаю о нем, и так как защитница твоя я, то сумею за тебя заступиться. А теперь это всё надо кончить.

— Лучше всего, когда он к вам придет, — подхватила вдруг Марья Тимофеевна, высовываясь из своего кресла, — то пошлите его в лакейскую. Пусть он там на залавке в свои козыри с ними поиграет, а мы будем здесь сидеть кофей пить. Чашку-то кофею еще можно ему послать, но я глубоко его презираю.

И она выразительно мотнула головой.

— Это надо кончить, — повторила Варвара Петровна, тщательно выслушав Марью Тимофеевну, — прошу вас, позвоните, Степан Трофимович.

Степан Трофимович позвонил и вдруг выступил вперед, весь в волнении.

— Если... если я... — залепетал он в жару, краснея, обрываясь и заикаясь, — если я тоже слышал самую отвратительную повесть или, лучше сказать, клевету, то... в совершенном негодовании... enfin, c'est un homme perdu et quelque chose comme un forçat évadé...[1]

Он оборвал и не докончил; Варвара Петровна, прищурившись, оглядела его с ног до головы. Вошел чинный Алексей Егорович.

— Карету, — приказала Варвара Петровна, — а ты, Алексей Егорыч, приготовься отвезти госпожу Лебядкину домой, куда она тебе сама укажет.

— Господин Лебядкин некоторое время сами их внизу ожидают-с и очень просили о себе доложить-с.

— Это невозможно, Варвара Петровна, — с беспокойством выступил вдруг всё время невозмутимо молчавший Маврикий Николаевич, — если позволите, это не такой человек, который может войти в общество, это... это... это невозможный человек, Варвара Петровна.

— Повременить, — обратилась Варвара Петровна к Алексею Егорычу, и тот скрылся.

— C'est un homme malhonnête et je crois même que c'est un forçat évadé ou quelque chose dans ce genre[2], — пробормотал опять Степан Трофимович, опять покраснел и опять оборвался.

— Лиза, ехать пора, — брезгливо возгласила Прасковья Ивановна и приподнялась с места. Ей, кажется, жаль уже стало, что она давеча, в испуге, сама себя обозвала дурой. Когда говорила Дарья Павловна, она уже слушала с высокомерною складкой на губах. Но всего более поразил меня вид Лизаветы Николаевны с тех пор, как вошла Дарья Павловна: в ее глазах засверкали ненависть и презрение, слишком уж нескрываемые.

— Повремени одну минутку, Прасковья Ивановна, прошу тебя, — остановила Варвара Петровна, всё с тем же чрезмерным спокойствием, — сделай одолжение, присядь, я намерена всё высказать, а у тебя ноги болят. Вот так, благодарю тебя. Давеча я вышла из себя и сказала тебе несколько нетерпеливых слов. Сделай одолжение, прости меня; я сделала глупо и первая каюсь, потому что во всем люблю справедливость. Конечно, тоже из себя выйдя, ты упомянула о каком-то анониме. Всякий анонимный извет достоин презрения уже потому, что он не подписан. Если ты понимаешь иначе, я тебе не завидую. Во всяком случае, я бы не полезла на твоем месте за такою дрянью в карман, я не

---

[1] словом, это погибший человек и что-то вроде беглого каторжника... (*франц.*)

[2] Это человек бесчестный, и я полагаю даже, что он беглый каторжник или что-то в этом роде (*франц.*).

стала бы мараться. А ты вымаралась. Но так как ты уже начала сама, то скажу тебе, что и я получила дней шесть тому назад тоже анонимное, шутовское письмо. В нем какой-то негодяй уверяет меня, что Николай Всеволодович сошел с ума и что мне надо бояться какой-то хромой женщины, которая «будет играть в судьбе моей чрезвычайную роль», я запомнила выражение. Сообразив и зная, что у Николая Всеволодовича чрезвычайно много врагов, я тотчас же послала за одним здесь человеком, за одним тайным и самым мстительным и презренным из всех врагов его, и из разговоров с ним мигом убедилась в презренном происхождении анонима. Если и тебя, моя бедная Прасковья Ивановна, беспокоили *из-за меня* такими же презренными письмами и, как ты выразилась, «бомбардировали», то, конечно, первая жалею, что послужила невинною причиной. Вот и всё, что я хотела тебе сказать в объяснение. С сожалением вижу, что ты так устала и теперь вне себя. К тому же я непременно решилась *впустить* сейчас этого подозрительного человека, про которого Маврикий Николаевич выразился не совсем идущим словом: что его невозможно *принять*. Особенно Лизе тут нечего будет делать. Подойди ко мне, Лиза, друг мой, и дай мне еще раз поцеловать тебя.

Лиза перешла комнату и молча остановилась пред Варварой Петровной. Та поцеловала ее, взяла за руки, отдалила немного от себя, с чувством на нее посмотрела, потом перекрестила и опять поцеловала ее.

— Ну, прощай, Лиза (в голосе Варвары Петровны послышались почти слезы), — верь, что не перестану любить тебя, что бы ни сулила тебе судьба отныне... Бог с тобою. Я всегда благословляла святую десницу его...

Она что-то хотела еще прибавить, но скрепила себя и смолкла. Лиза пошла было к своему месту, всё в том же молчании и как бы в задумчивости, но вдруг остановилась пред мамашей.

— Я, мама́, еще не поеду, а останусь на время у тети, — проговорила она тихим голосом, но в этих тихих словах прозвучала железная решимость.

— Бог ты мой, что такое! — возопила Прасковья Ивановна, бессильно всплеснув руками. Но Лиза не ответила и как бы даже не слышала; она села в прежний угол и опять стала смотреть куда-то в воздух.

Что-то победоносное и гордое засветилось в лице Варвары Петровны.

— Маврикий Николаевич, я к вам с чрезвычайною просьбой, сделайте мне одолжение, сходите взглянуть на этого человека внизу, и если есть хоть какая-нибудь возможность его *впустить*, то приведите его сюда.

Маврикий Николаевич поклонился и вышел. Через минуту он привел господина Лебядкина.

IV

Я как-то говорил о наружности этого господина: высокий, курчавый, плотный парень, лет сорока, с багровым, несколько опухшим и обрюзглым лицом, со вздрагивающими при каждом движении головы щеками, с маленькими, кровяными, иногда довольно хитрыми глазками, в усах, в бакенбардах и с зарождающимся мясистым кадыком, довольно неприятного вида. Но всего более поражало в нем то, что он явился теперь во фраке и в чистом белье. «Есть люди, которым чистое белье даже неприлично-с», как возразил раз когда-то Липутин на шутливый упрек ему Степана Трофимовича в неряшестве. У капитана были и перчатки черные, из которых правую, еще не надеванную, он держал в руке, а левая, туго напяленная и не застегнувшаяся, до половины прикрывала его мясистую левую лапу, в которой он держал совершенно новую, глянцевитую и, наверно, в первый еще раз служившую круглую шляпу. Выходило, стало быть, что вчерашний «фрак любви», о котором он кричал Шатову, существовал действительно. Всё это, то есть и фрак и белье, было припасено (как узнал я после) по совету Липутина, для каких-то таинственных целей. Сомнения не было, что и приехал он теперь (в извозчичьей карете) непременно тоже по постороннему наущению и с чью-нибудь помощью; один он не успел бы догадаться, а равно одеться, собраться и решиться в какие-нибудь три четверти часа, предполагая даже, что сцена на соборной паперти стала ему тотчас известною. Он был не пьян, но в том тяжелом, грузном, дымном состоянии человека, вдруг проснувшегося после многочисленных дней запоя. Кажется, стоило бы только покачнуть его раза два рукой за плечо, и он тотчас бы опять охмелел.

Он было разлетелся в гостиную, но вдруг споткнулся в дверях о ковер. Марья Тимофеевна так и померла со смеху. Он зверски поглядел на нее и вдруг сделал несколько быстрых шагов к Варваре Петровне.

— Я приехал, сударыня... — прогремел было он как в трубу.

— Сделайте мне одолжение, милостивый государь, — выпрямилась Варвара Петровна, — возьмите место вот там, на том стуле. Я вас услышу и оттуда, а мне отсюда виднее будет на вас смотреть.

Капитан остановился, тупо глядя пред собой, но, однако, повернулся и сел на указанное место, у самых дверей. Сильная в себе неуверенность, а вместе с тем наглость и какая-то беспрерывная раздражительность сказывались в выражении его физиономии. Он трусил ужасно, это было видно, но страдало и его самолюбие, и можно было угадать, что из раздраженного самолюбия он может решиться, несмотря на трусость, даже на всякую наглость, при случае. Он видимо боялся за каждое движение своего неуклюжего тела. Известно, что самое главное страдание всех подобных господ, когда они каким-нибудь чудным случаем появляются в обществе, составляют их собственные руки и ежеминутно сознаваемая невозможность куда-нибудь прилично деваться с ними. Капитан замер на стуле с своею шляпой и перчатками в руках и не сводя бессмысленного взгляда своего со строгого лица Варвары Петровны. Ему, может быть, и хотелось бы внимательнее осмотреться кругом, но он пока еще не решался. Марья Тимофеевна, вероятно найдя фигуру его опять ужасно смешною, захохотала снова, но он не шевельнулся. Варвара Петровна безжалостно долго, целую минуту выдержала его в таком положении, беспощадно его разглядывая.

— Сначала позвольте узнать ваше имя от вас самих? — мерно и выразительно произнесла она.

— Капитан Лебядкин, — прогремел капитан, — я приехал, сударыня... — шевельнулся было он опять.

— Позвольте! — опять остановила Варвара Петровна. — Эта жалкая особа, которая так заинтересовала меня, действительно ваша сестра?

— Сестра, сударыня, ускользнувшая из-под надзора, ибо она в таком положении...

Он вдруг запнулся и побагровел.

— Не примите превратно, сударыня, — сбился он ужасно, — родной брат не станет марать... в таком положении — это значит не в таком положении... в смысле, пятнающем репутацию... на последних порах...

Он вдруг оборвал.

— Милостивый государь! — подняла голову Варвара Петровна.

— Вот в каком положении! — внезапно заключил он, ткнув себя пальцем в средину лба. Последовало некоторое молчание.

— И давно она этим страдает? — протянула несколько Варвара Петровна.

— Сударыня, я приехал отблагодарить за выказанное на паперти великодушие по-русски, по-братски...

— По-братски?

— То есть не по-братски, а единственно в том смысле, что я брат моей сестре, сударыня, и поверьте, сударыня, — зачастил он, опять побагровев, — что я не так необразован, как могу показаться с первого взгляда в вашей гостиной. Мы с сестрой ничто, сударыня, сравнительно с пышностию, которую здесь замечаем. Имея к тому же клеветников. Но до репутации Лебядкин горд, сударыня, и... и... я приехал отблагодарить... Вот деньги, сударыня!

Тут он выхватил из кармана бумажник, рванул из него пачку кредиток и стал перебирать их дрожащими пальцами в неистовом припадке нетерпения. Видно было, что ему хотелось поскорее что-то разъяснить, да и очень надо было; но, вероятно чувствуя сам, что возня с деньгами придает ему еще более глупый вид, он потерял последнее самообладание: деньги никак не хотели сосчитаться, пальцы путались, и, к довершению срама, одна зеленая депозитка, выскользнув из бумажника, полетела зигзагами на ковер.

— Двадцать рублей, сударыня, — вскочил он вдруг с пачкой в руках и со вспотевшим от страдания лицом; заметив на полу вылетевшую бумажку, он нагнулся было поднять ее, но, почему-то устыдившись, махнул рукой.

— Вашим людям, сударыня, лакею, который подберет; пусть помнит Лебядкину!

— Я этого никак не могу позволить, — торопливо и с некоторым испугом проговорила Варвара Петровна.

— В таком случае...

Он нагнулся, поднял, побагровел и, вдруг приблизясь к Варваре Петровне, протянул ей отсчитанные деньги.

— Что это? — совсем уже, наконец, испугалась она и даже попятилась в креслах. Маврикий Николаевич, я и Степан Трофимович шагнули каждый вперед.

— Успокойтесь, успокойтесь, я не сумасшедший, ей-богу, не сумасшедший! — в волнении уверял капитан на все стороны.

— Нет, милостивый государь, вы с ума сошли.

— Сударыня, это вовсе не то, что вы думаете! Я, конечно, ничтожное звено... О, сударыня, богаты чертоги ваши, но бедны они у Марии Неизвестной, сестры моей, урожденной Лебядкиной, но которую назовем пока Марией Неизвестной, пока, сударыня, только *пока*, ибо навечно не допустит сам Бог! Сударыня, вы дали ей десять рублей, и она приняла, но потому, что от *вас*, сударыня! Слышите, сударыня! ни от кого в мире не возьмет эта Неизвестная Мария, иначе содрогнется во гробе штаб-офицер ее дед, убитый на Кавказе, на глазах самого Ермолова, но от вас, сударыня, от вас всё возьмет. Но одною рукой возьмет, а другою протянет вам уже двадцать рублей, в виде пожертвования в один из столичных комитетов благотворительности, где вы, сударыня, состоите членом... так как и сами вы, сударыня, публиковались в «Московских ведомостях», что у вас состоит здешняя, по нашему городу, книга благотворительного общества, в которую всякий может подписываться...

Капитан вдруг оборвал; он дышал тяжело, как после какого-то трудного подвига. Всё это насчет комитета благотворительности, вероятно, было заранее подготовлено, может быть также под редакцией Липутина. Он еще пуще вспотел; буквально капли пота выступали у него на висках. Варвара Петровна пронзительно в него всматривалась.

— Эта книга, — строго проговорила она, — находится всегда внизу у швейцара моего дома, там вы можете подписать ваше пожертвование, если захотите. А потому прошу вас спрятать теперь ваши деньги и не махать ими по воздуху. Вот так. Прошу вас тоже занять ваше прежнее место. Вот так. Очень жалею, милостивый государь, что я ошиблась насчет вашей сестры и подала ей на бедность, когда она так богата. Не понимаю одного только, почему от меня одной она может взять, а от других ни за что не захочет. Вы так на этом настаивали, что я желаю совершенно точного объяснения.

— Сударыня, это тайна, которая может быть похоронена лишь во гробе! — отвечал капитан.

— Почему же? — как-то не так уже твердо спросила Варвара Петровна.

— Сударыня, сударыня!..

Он мрачно примолк, смотря в землю и приложив правую руку к сердцу. Варвара Петровна ждала, не сводя с него глаз.

— Сударыня! — взревел он вдруг, — позволите ли сделать вам один вопрос, только один, но открыто, прямо, по-русски, от души?

— Сделайте одолжение.

— Страдали вы, сударыня, в жизни?

— Вы просто хотите сказать, что от кого-нибудь страдали или страдаете.

— Сударыня, сударыня! — вскочил он вдруг опять, вероятно и не замечая того и ударяя себя в грудь, — здесь, в этом сердце, накипело столько, столько, что удивится сам Бог, когда обнаружится на Страшном суде!

— Гм, сильно сказано.

— Сударыня, я, может быть, говорю языком раздражительным...

— Не беспокойтесь, я сама знаю, когда вас надо будет остановить.

— Могу ли предложить вам еще вопрос, сударыня?

— Предложите еще вопрос.

— Можно ли умереть единственно от благородства своей души?

— Не знаю, не задавала себе такого вопроса.

— Не знаете! Не задавали себе такого вопроса!! — прокричал он с патетическою иронией. — А коли так, коли так:

Молчи, безнадежное сердце! —

и он неистово стукнул себя в грудь.

Он уже опять заходил по комнате. Признак этих людей — совершенное бессилие сдержать в себе свои желания; напротив, неудержимое стремление тотчас же их обнаружить, со всею даже неопрятностью, чуть только они зародятся. Попав не в свое общество, такой господин обыкновенно начинает робко, но уступите ему на волосок, и он тотчас же перескочит на дерзости. Капитан уже горячился, ходил, махал руками, не слушал вопросов, говорил о себе шибко, шибко, так что язык его иногда подвертывался, и, не договорив, он перескакивал на другую фразу. Правда, едва ли он был совсем трезв; тут сидела тоже Лизавета Николаевна, на которую он не взглянул ни разу, но присутствие которой, кажется, страшно кружило его. Впрочем, это только уже предположение. Существовала же, стало быть, причина, по которой Варвара Петровна, преодолевая отвращение, решилась выслушивать такого человека. Прасковья Ивановна просто тряслась от страха, правда не совсем, кажется, понимая, в чем дело. Степан Трофимович дрожал тоже, но, напротив, потому что наклонен был всегда понимать с излишком. Маврикий Николаевич стоял в позе всеобщего сберегателя. Лиза была бледненькая и, не отрываясь, смотрела широко раскрытыми глазами на дикого капитана. Шатов сидел в прежней позе; но что страннее всего, Марья Тимофеевна не только перестала смеяться, но сделалась ужасно грустна. Она облокотилась правою рукой на стол и длинным грустным взглядом следила за декламировавшим братцем своим. Одна лишь Дарья Павловна казалась мне спокойною.

— Всё это вздорные аллегории, — рассердилась наконец Варвара Петровна, — вы не ответили на мой вопрос: «Почему?» Я настоятельно жду ответа.

— Не ответил «почему?». Ждете ответа на «почему?» — переговорил капитан подмигивая. — Это маленькое словечко «почему» разлито во всей вселенной с самого первого дня миросоздания, сударыня, и вся природа ежеминутно кричит своему творцу: «Почему?» — и вот уже семь тысяч лет не получает ответа. Неужто отвечать одному капитану Лебядкину, и справедливо ли выйдет, сударыня?

— Это всё вздор и не то! — гневалась и теряла терпение Варвара Петровна, — это аллегории; кроме того, вы слишком пышно изволите говорить, милостивый государь, что я считаю дерзостью.

— Сударыня, — не слушал капитан, — я, может быть, желал бы называться Эрнестом, а между тем принужден носить грубое имя Игната, — почему это, как вы думаете? Я желал бы называться князем де Монбаром, а между тем я только Лебядкин, от лебедя, — почему это? Я поэт, сударыня, поэт в душе, и мог бы получать тысячу рублей от издателя, а между тем принужден жить в лохани, почему, почему? Сударыня! По-моему, Россия есть игра природы, не более!

— Вы решительно ничего не можете сказать определеннее?

— Я могу вам прочесть пиесу «Таракан», сударыня!

— Что-о-о?

— Сударыня, я еще не помешан! Я буду помешан, буду, наверно, но я еще не помешан! Сударыня, один мой приятель — бла-го-роднейшее лицо — написал одну басню Крылова, под названием «Таракан», — могу я прочесть ее?

— Вы хотите прочесть какую-то басню Крылова?

— Нет, не басню Крылова хочу я прочесть, а мою басню, собственную, мое сочинение! Поверьте же, сударыня, без обиды себе, что я не до такой степени уже необразован и развращен, чтобы не понимать, что Россия обладает великим баснописцем Крыловым, которому министром просвещения воздвигнут памятник в Летнем саду, для игры в детском возрасте. Вы вот спрашиваете, сударыня: «Почему?» Ответ на дне этой басни, огненными литерами!

— Прочтите вашу басню.

> Жил на свете таракан,
> Таракан от детства,
> И потом попал в стакан,
> Полный мухоедства...

— Господи, что такое? — воскликнула Варвара Петровна.

— То есть когда летом, — заторопился капитан, ужасно махая руками, с раздражительным нетерпением автора, которому мешают читать, — когда летом в стакан налезут мухи, то происходит мухоедство, всякий дурак поймет, не перебивайте, не перебивайте, вы увидите, вы увидите... (Он всё махал руками.)

> Место занял таракан,
> Мухи возроптали.
> «Полон очень наш стакан», —
> К Юпитеру закричали.
>
> Но пока у них шел крик,
> Подошел Никифор,
> Бла-го-роднейший старик...

Тут у меня еще не докончено, но всё равно, словами! — трещал капитан. — Никифор берет стакан и, несмотря на крик, выплескивает в лохань всю комедию, и мух и таракана, что давно надо было сделать. Но заметьте, заметьте, сударыня, таракан не ропщет! Вот ответ на ваш вопрос: «Почему?» — вскричал он торжествуя: — «Та-ра-кан не ропщет!» Что же касается до Никифора, то он изображает природу, — прибавил он скороговоркой и самодовольно заходил по комнате.

Варвара Петровна рассердилась ужасно.

— А в каких деньгах, позвольте вас спросить, полученных будто бы от Николая Всеволодовича и будто бы вам недоданных, вы осмелились обвинить одно лицо, принадлежащее к моему дому?

— Клевета! — взревел Лебядкин, трагически подняв правую руку.

— Нет, не клевета.

— Сударыня, есть обстоятельства, заставляющие сносить скорее фамильный позор, чем провозгласить громко истину. Не проговорится Лебядкин, сударыня!

Он точно ослеп; он был во вдохновении; он чувствовал свою значительность; ему наверно что-то такое представлялось. Ему уже хотелось обидеть, как-нибудь нагадить, показать свою власть.

— Позвоните, пожалуйста, Степан Трофимович, — попросила Варвара Петровна.

— Лебядкин хитер, сударыня! — подмигнул он со скверною улыбкой, — хитер, но есть и у него препона, есть и у него преддверие страстей! И это преддверие — старая боевая гусарская бутылка, воспетая Денисом Давыдовым. Вот когда он в этом преддверии, сударыня, тут и случается, что он отправит письмо в стихах, ве-ли-колепнейшее, но которое желал бы потом возвратить обратно слезами всей своей жизни, ибо нарушается чувство прекрасного. Но вылетела птичка, не поймаешь за хвост! Вот в этом-то преддверии, сударыня, Лебядкин мог проговорить насчет и благородной девицы, в виде благородного негодования возмущенной обидами души, чем и воспользовались клеветники его. Но хитер Лебядкин, сударыня! и напрасно сидит над ним зловещий волк, ежеминутно подливая и ожидая конца: не проговорится Лебядкин, и на две бутылки вместо ожидаемого оказывается каждый раз — Хитрость Лебядкина! Но довольно, о, довольно! Сударыня, ваши великолепные чертоги могли бы принадлежать благороднейшему из лиц, но таракан не ропщет! Заметьте же, заметьте наконец, что не ропщет, и познайте великий дух!

В это мгновение снизу из швейцарской раздался звонок, и почти тотчас же появился несколько замешкавший на звон Степана Трофимовича Алексей Его-рыч. Старый чинный слуга был в каком-то необыкновенно возбужденном состоянии.

— Николай Всеволодович изволили сию минуту прибыть и идут сюда-с, — произнес он в ответ на вопросительный взгляд Варвары Петровны.

Я особенно припоминаю ее в то мгновение: сперва она побледнела, но вдруг глаза ее засверкали. Она выпрямилась в креслах с видом необычной решимости. Да и все были поражены. Совершенно неожиданный приезд Николая Всеволо-довича, которого ждали у нас разве что через месяц, был странен не одною своею неожиданностью, а именно роковым каким-то совпадением с настоящею минутой. Даже капитан остановился как столб среди комнаты, разинув рот и с ужасно глупым видом смотря на дверь.

И вот из соседней залы, длинной и большой комнаты, раздались скорые приближающиеся шаги, маленькие шаги, чрезвычайно частые; кто-то как будто катился, и вдруг влетел в гостиную — совсем не Николай Всеволодович, а совершенно не знакомый никому молодой человек.

V

Позволю себе приостановиться и хотя несколько беглыми штрихами очертить это внезапно появляющееся лицо.

Это был молодой человек лет двадцати семи или около, немного повыше среднего роста, с жидкими белокурыми, довольно длинными волосами и с клочковатыми, едва обозначавшимися усами и бородкой. Одетый чисто и даже по моде, но не щегольски; как будто с первого взгляда сутуловатый и мешкова-тый, но, однако ж, совсем не сутуловатый и даже развязный. Как будто какой-то чудак, и, однако же, все у нас находили потом его манеры весьма приличными, а разговор всегда идущим к делу.

Никто не скажет, что он дурен собой, но лицо его никому не нравится. Голо-ва его удлинена к затылку и как бы сплюснута с боков, так что лицо его кажется вострым. Лоб его высок и узок, но черты лица мелки; глаз вострый, носик малень-кий и востренький, губы длинные и тонкие. Выражение лица словно болез-ненное, но это только кажется. У него какая-то сухая складка на щеках и около скул, что придает ему вид как бы выздоравливающего после тяжкой болезни. И, однако же, он совершенно здоров, силен и даже никогда не был болен.

Он ходит и движется очень торопливо, но никуда не торопится. Кажется, ничто не может привести его в смущение; при всяких обстоятельствах и в каком угодно обществе он останется тот же. В нем большое самодовольство, но сам он его в себе не примечает нисколько.

Говорит он скоро, торопливо, но в то же время самоуверенно, и не лезет за словом в карман. Его мысли спокойны, несмотря на торопливый вид, отчетли-вы и окончательны, — и это особенно выдается. Выговор у него удивительно ясен; слова его сыплются, как ровные, крупные зернушки, всегда подобранные и всегда готовые к вашим услугам. Сначала это вам и нравится, но потом станет противно, и именно от этого слишком уже ясного выговора, от этого бисера вечно готовых слов. Вам как-то начинает представляться, что язык у него во рту, должно быть, какой-нибудь особенной формы, какой-нибудь необыкновенно длинный и тонкий, ужасно красный и с чрезвычайно вост熱рым, беспрерывно и невольно вертящимся кончиком.

Ну вот этот-то молодой человек и влетел теперь в гостиную, и, право, мне до сих пор кажется, что он заговорил еще из соседней залы и так и вошел говоря. Он мигом очутился пред Варварой Петровной.

— ...Представьте же, Варвара Петровна, — сыпал он как бисером, — я вхожу и думаю застать его здесь уже с четверть часа; он полтора часа как приехал; мы сошлись у Кириллова; он отправился, полчаса тому, прямо сюда и велел мне тоже сюда приходить через четверть часа...

— Да кто? Кто велел вам сюда приходить? — допрашивала Варвара Петровна.

— Да Николай же Всеволодович! Так неужели вы в самом деле только сию минуту узнаете? Но багаж же его по крайней мере должен давно прибыть, как же вам не сказали? Стало быть, я первый и возвещаю. За ним можно было бы, однако, послать куда-нибудь, а впрочем, наверно он сам сейчас явится, и, кажется, именно в то самое время, которое как раз ответствует некоторым его ожиданиям и, сколько я по крайней мере могу судить, его некоторым расчетам. — Тут он обвел глазами комнату и особенно внимательно остановил их на капитане. — Ах, Лизавета Николаевна, как я рад, что встречаю вас с первого же шагу, очень рад пожать вашу руку, — быстро подлетел он к ней, чтобы подхватить протянувшуюся к нему ручку весело улыбнувшейся Лизы, — и, сколько замечаю, многоуважаемая Прасковья Ивановна тоже не забыла, кажется, своего «профессора» и даже на него не сердится, как всегда сердилась в Швейцарии. Но как, однако ж, здесь ваши ноги, Прасковья Ивановна, и справедливо ли приговорил вам швейцарский консилиум климат родины?... как-с? примочки? это очень, должно быть, полезно. Но как я жалел, Варвара Петровна (быстро повернулся он опять), что не успел вас застать тогда за границей и засвидетельствовать вам лично мое уважение, притом же так много имел сообщить... Я уведомлял сюда моего старика, но он, по своему обыкновению, кажется...

— Петруша! — вскричал Степан Трофимович, мгновенно выходя из оцепенения; он сплеснул руками и бросился к сыну. — Pierre, mon enfant[1], а ведь я не узнал тебя! — сжал он его в объятиях, и слезы покатились из глаз его.

— Ну, не шали, не шали, без жестов, ну и довольно, довольно, прошу тебя, — торопливо бормотал Петруша, стараясь освободиться из объятий.

— Я всегда, всегда был виноват пред тобой!

— Ну и довольно; об этом мы после. Так ведь и знал, что зашалишь. Ну будь же немного потрезвее, прошу тебя.

— Но ведь я не видал тебя десять лет!

— Тем менее причин к излияниям...

— Mon enfant!

— Ну верю, верю, что любишь, убери свои руки. Ведь ты мешаешь другим... Ах, вот и Николай Всеволодович, да не шали же, прошу тебя, наконец!

Николай Всеволодович действительно был уже в комнате; он вошел очень тихо и на мгновение остановился в дверях, тихим взглядом окидывая собрание.

Как и четыре года назад, когда в первый раз я увидал его, так точно и теперь я был поражен с первого на него взгляда. Я нимало не забыл его; но, кажется, есть такие физиономии, которые всегда, каждый раз, когда появляются, как бы приносят с собой нечто новое, еще не примеченное в них вами, хотя бы вы сто

---

[1] Петя, дитя мое (*франц.*).

раз прежде встречались. По-видимому, он был всё тот же, как и четыре года назад: так же изящен, так же важен, так же важно входил, как и тогда, даже почти так же молод. Легкая улыбка его была так же официально ласкова и так же самодовольна; взгляд так же строг, вдумчив и как бы рассеян. Одним словом, казалось, мы вчера только расстались. Но одно поразило меня: прежде хоть и считали его красавцем, но лицо его действительно «походило на маску», как выражались некоторые из злоязычных дам нашего общества. Теперь же, — теперь же, не знаю почему, он с первого же взгляда показался мне решительным, неоспоримым красавцем, так что уже никак нельзя было сказать, что лицо его походит на маску. Не оттого ли, что он стал чуть-чуть бледнее, чем прежде, и, кажется, несколько похудел? Или, может быть, какая-нибудь новая мысль светилась теперь в его взгляде?

— Николай Всеволодович! — вскричала, вся выпрямившись и не сходя с кресел, Варвара Петровна, останавливая его повелительным жестом, — остановись на одну минуту!

Но чтоб объяснить тот ужасный вопрос, который вдруг последовал за этим жестом и восклицанием, — вопрос, возможности которого я даже и в самой Варваре Петровне не мог бы предположить, — я попрошу читателя вспомнить, что́ такое был характер Варвары Петровны во всю ее жизнь и необыкновенную стремительность его в иные чрезвычайные минуты. Прошу тоже сообразить, что, несмотря на необыкновенную твердость души и на значительную долю рассудка и практического, так сказать даже хозяйственного, такта, которыми она обладала, все-таки в ее жизни не переводились такие мгновения, которым она отдавалась вдруг вся, всецело и, если позволительно так выразиться, совершенно без удержу. Прошу взять, наконец, во внимание, что настоящая минута действительно могла быть для нее из таких, в которых вдруг, как в фокусе, сосредоточивается вся сущность жизни, — всего прожитого, всего настоящего и, пожалуй, будущего. Напомню еще вскользь и о полученном ею анонимном письме, о котором она давеча так раздражительно проговорилась Прасковье Ивановне, причем, кажется, умолчала о дальнейшем содержании письма; а в нем-то, может быть, и заключалась разгадка возможности того ужасного вопроса, с которым она вдруг обратилась к сыну.

— Николай Всеволодович, — повторила она, отчеканивая слова твердым голосом, в котором зазвучал грозный вызов, — прошу вас, скажите сейчас же, не сходя с этого места: правда ли, что эта несчастная, хромая женщина, — вот она, вон там, смотрите на нее! — правда ли, что она... законная жена ваша?

Я слишком помню это мгновение; он не смигнул даже глазом и пристально смотрел на мать; ни малейшего изменения в лице его не последовало. Наконец он медленно улыбнулся какой-то снисходящей улыбкой и, не ответив ни слова, тихо подошел к мамаше, взял ее руку, почтительно поднес к губам и поцеловал. И до того было сильно всегдашнее, неодолимое влияние его на мать, что она и тут не посмела отдернуть руки. Она только смотрела на него, вся обратясь в вопрос, и весь вид ее говорил, что еще один миг, и она не вынесет неизвестности.

Но он продолжал молчать. Поцеловав руку, он еще раз окинул взглядом всю комнату и, по-прежнему не спеша, направился прямо к Марье Тимофеевне. Очень трудно описывать физиономии людей в некоторые мгновения. Мне, например, запомнилось, что Марья Тимофеевна, вся замирая от испуга, поднялась к нему навстречу и сложила, как бы умоляя его, пред собою руки; а вместе с тем вспоминается и восторг в ее взгляде, какой-то безумный восторг, почти исказивший ее черты, — восторг, который трудно людьми выносится. Может, было и то и другое, и испуг и восторг; но помню, что я быстро к ней придвинулся (я стоял почти подле), мне показалось, что она сейчас упадет в обморок.

— Вам нельзя быть здесь, — проговорил ей Николай Всеволодович ласковым, мелодическим голосом, и в глазах его засветилась необыкновенная нежность. Он стоял пред нею в самой почтительной позе, и в каждом движении его сказывалось самое искреннее уважение. Бедняжка стремительным полушепотом, задыхаясь, пролепетала ему:

— А мне можно... сейчас... стать пред вами на колени?

— Нет, этого никак нельзя, — великолепно улыбнулся он ей, так что и она вдруг радостно усмехнулась. Тем же мелодическим голосом и нежно уговаривая ее, точно ребенка, он с важностью прибавил: — Подумайте о том, что вы девушка, а я хоть и самый преданный друг ваш, но всё же вам посторонний человек, не муж, не отец, не жених. Дайте же руку вашу и пойдемте; я провожу вас до кареты и, если позволите, сам отвезу вас в ваш дом.

Она выслушала и как бы в раздумье склонила голову.

— Пойдемте, — сказала она, вздохнув и подавая ему руку.

Но тут с нею случилось маленькое несчастие. Должно быть, она неосторожно как-нибудь повернулась и ступила на свою больную, короткую ногу, — словом, она упала всем боком на кресло и, не будь этих кресел, полетела бы на пол. Он мигом подхватил ее и поддержал, крепко взял под руку и с участием, осторожно повел к дверям. Она видимо была огорчена своим падением, смутилась, покраснела и ужасно застыдилась. Молча смотря в землю, глубоко прихрамывая, она заковыляла за ним, почти повиснув на его руке. Так они и вышли. Лиза, я видел, для чего-то вдруг привскочила с кресла, пока они выходили, и неподвижным взглядом проследила их до самых дверей. Потом молча села опять, но в лице ее было какое-то судорожное движение, как будто она дотронулась до какого-то гада.

Пока шла вся эта сцена между Николаем Всеволодовичем и Марьей Тимофеевной, все молчали в изумлении; муху бы можно услышать; но только что они вышли, все вдруг заговорили.

VI

Говорили, впрочем, мало, а более восклицали. Я немножко забыл теперь, как это всё происходило тогда по порядку, потому что вышла сумятица. Воскликнул что-то Степан Трофимович по-французски и сплеснул руками, но Варваре Петровне было не до него. Даже проборматал что-то отрывисто и скоро Маврикий Николаевич. Но всех более горячился Петр Степанович; он в чем-то отчаянно убеждал Варвару Петровну, с большими жестами, но я долго не мог понять. Обращался и к Прасковье Ивановне и к Лизавете Николаевне, даже мельком сгоряча крикнул что-то отцу, — одним словом, очень вертелся по комнате. Варвара Петровна, вся раскрасневшись, вскочила было с места и крикнула Прасковье Ивановне: «Слышала, слышала ты, что он здесь ей сейчас говорил?» Но та уж и отвечать не могла, а только проборматала что-то, махнув рукой. У бедной была своя забота: она поминутно поворачивала голову к Лизе и смотрела на нее в безотчетном страхе, а встать и уехать и думать уже не смела, пока не подымется дочь. Тем временем капитан, наверно, хотел улизнуть, это я подметил. Он был в сильном и несомненном испуге, с самого того мгновения, как появился Николай Всеволодович; но Петр Степанович схватил его за руку и не дал уйти.

— Это необходимо, необходимо, — сыпал он своим бисером Варваре Петровне, всё продолжая ее убеждать. Он стоял пред нею, а она уже опять сидела в креслах и, помню, с жадностию его слушала; он таки добился того и завладел ее вниманием. — Это необходимо. Вы сами видите, Варвара Петровна, что тут недоразумение, и на вид много чудного, а между тем дело ясное, как свечка, и простое, как палец. Я слишком понимаю, что никем не уполномочен рассказывать и имею, пожалуй, смешной вид, сам напрашиваясь. Но, во-первых, сам Николай Всеволодович не придает этому делу никакого значения, и, наконец, всё же есть случаи, в которых трудно человеку решиться на личное объяснение самому, а надо непременно, чтобы взялось за это третье лицо, которому легче высказать некоторые деликатные вещи. Поверьте, Варвара Петровна, что Николай Всеволодович нисколько не виноват, не ответив на ваш давешний вопрос тотчас же, радикальным объяснением, несмотря на то что дело плевое; я знаю его еще с Петербурга. К тому же весь анекдот делает только честь Николаю Всеволодовичу, если уж непременно надо употребить это неопределенное слово «честь»...

— Вы хотите сказать, что вы были свидетелем какого-то случая, от которого произошло... это недоумение? — спросила Варвара Петровна.

— Свидетелем и участником, — поспешно подтвердил Петр Степанович.

— Если вы дадите мне слово, что это не обидит деликатности Николая Всеволодовича, в известных мне чувствах его ко мне, от которой он ни-че-го не скрывает... и если вы так притом уверены, что этим даже сделаете ему удовольствие...

— Непременно удовольствие, потому-то и сам вменяю себе в особенное удовольствие. Я убежден, что он сам бы меня просил.

Довольно странно было и вне обыкновенных приемов это навязчивое желание этого вдруг упавшего с неба господина рассказывать чужие анекдоты. Но он поймал Варвару Петровну на удочку, дотронувшись до слишком наболевшего места. Я еще не знал тогда характера этого человека вполне, а уж тем более его намерений.

— Вас слушают, — сдержанно и осторожно возвестила Варвара Петровна, несколько страдая от своего снисхождения.

— Вещь короткая; даже, если хотите, по-настоящему это и не анекдот, — посыпался бисер. — Впрочем, романист от безделья мог бы испечь роман. Довольно интересная вещица, Прасковья Ивановна, и я уверен, что Лизавета Николаевна с любопытством выслушает, потому что тут много если не чудных, то причудливых вещей. Лет пять тому, в Петербурге, Николай Всеволодович узнал этого господина, — вот этого самого господина Лебядкина, который стоит разиня рот и, кажется, собирался сейчас улизнуть. Извините, Варвара Петровна. Я вам, впрочем, не советую улепетывать, господин отставной чиновник бывшего провиантского ведомства (видите, я отлично вас помню). И мне и Николаю Всеволодовичу слишком известны ваши здешние проделки, в которых, не забудьте это, вы должны будете дать отчет. Еще раз прошу извинения, Варвара Петровна. Николай Всеволодович называл тогда этого господина своим Фальстафом; это, должно быть (пояснил он вдруг), какой-нибудь бывший характер, burlesque[1], над которым все смеются и который

---

[1] шутовской (*франц.*).

сам позволяет над собою всем смеяться, лишь бы платили деньги. Николай Всеволодович вел тогда в Петербурге жизнь, так сказать, насмешливую, — другим словом не могу определить ее, потому что в разочарование этот человек не впадет, а делом он и сам тогда пренебрегал заниматься. Я говорю про одно лишь тогдашнее время, Варвара Петровна. У Лебядкина этого была сестра, — вот эта самая, что сейчас здесь сидела. Братец и сестрица не имели своего угла и скитались по чужим. Он бродил под арками Гостиного двора, непременно в бывшем мундире, и останавливал прохожих с виду почище, а что наберет — пропивал. Сестрица же кормилась как птица небесная. Она там в углах помогала и за нужду прислуживала. Содом был ужаснейший; я миную картину этой угловой жизни, — жизни, которой из чудачества предавался тогда и Николай Всеволодович. Я только про тогдашнее время, Варвара Петровна; а что касается до «чудачества», то это его собственное выражение. Он многое от меня не скрывает. Mademoiselle Лебядкина, которой одно время слишком часто пришлось встречать Николая Всеволодовича, была поражена его наружностью. Это был, так сказать, бриллиант на грязном фоне ее жизни. Я плохой описатель чувств, а потому пройду мимо; но ее тотчас же подняли дрянные людишки на смех, и она загрустила. Там вообще над нею смеялись, но прежде она вовсе не замечала того. Голова ее уже и тогда была не в порядке, но тогда все-таки не так, как теперь. Есть основание предположить, что в детстве, через какую-то благодетельницу, она чуть было не получила воспитания. Николай Всеволодович никогда не обращал на нее ни малейшего внимания и играл больше в старые замасленные карты по четверть копейки в преферанс с чиновниками. Но раз, когда ее обижали, он (не спрашивая причины) схватил одного чиновника за шиворот и спустил изо второго этажа в окно. Никаких рыцарских негодований в пользу оскорбленной невинности тут не было; вся операция произошла при общем смехе, и смеялся всех больше Николай Всеволодович сам; когда же всё кончилось благополучно, то помирились и стали пить пунш. Но угнетенная невинность сама про то не забыла. Разумеется, кончилось окончательным сотрясением ее умственных способностей. Повторяю, я плохой описатель чувств, но тут главное мечта. А Николай Всеволодович, как нарочно, еще более раздражал мечту: вместо того чтобы рассмеяться, он вдруг стал обращаться к mademoiselle Лебядкиной с неожиданным уважением. Кириллов, тут бывший (чрезвычайный оригинал, Варвара Петровна, и чрезвычайно отрывистый человек; вы, может быть, когда-нибудь его увидите, он теперь здесь), ну так вот, этот Кириллов, который, по обыкновению, всё молчит, а тут вдруг разгорячился, заметил, я помню, Николаю Всеволодовичу, что тот третирует эту госпожу как маркизу и тем окончательно ее добивает. Прибавлю, что Николай Всеволодович несколько уважал этого Кириллова. Что же, вы думаете, он ему ответил: «Вы полагаете, господин Кириллов, что я смеюсь над нею; разуверьтесь, я в самом деле ее уважаю, потому что она всех нас лучше». И, знаете, таким серьезным тоном сказал. Между тем в эти два-три месяца он, кроме «здравствуйте» да «прощайте», в сущности, не проговорил с ней ни слова. Я, тут бывший, наверно помню, что она до того уже, наконец, дошла, что считала его чем-то вроде жениха своего, не смеющего ее «похитить» единственно потому, что у него много врагов и семейных препятствий или что-то в этом роде. Много тут было смеху! Кончилось тем, что, когда Николаю Всеволодовичу пришлось тогда отправляться сюда, он, уезжая, распорядился о ее содержании и, кажется, довольно значительном ежегодном пенсионе, рублей в триста по крайней мере, если не более. Одним словом, положим, всё это с его стороны баловство, фантазия преждевременно уставшего человека, — пусть даже, наконец, как говорил Кириллов, это был новый этюд пресыщенного человека с целью узнать, до чего можно довести сумасшедшую калеку. «Вы, говорит, нарочно выбрали самое последнее существо, калеку, покрытую вечным позором и побоями, — и вдобавок зная, что это существо умирает к вам от комической любви своей, — и вдруг вы нарочно принимаетесь ее морочить, единственно для того, чтобы посмотреть, что из этого выйдет!» Чем, наконец, так особенно виноват человек в фантазиях сумасшедшей женщины, с которой, заметьте, он вряд ли две фразы во всё время выговорил! Есть вещи, Варвара Петровна, о которых не только нельзя умно говорить, но о которых и начинать-то говорить неумно. Ну пусть, наконец, чудачество — но ведь более-то уж ничего нельзя сказать; а между тем теперь вот из этого сделали историю... Мне отчасти известно, Варвара Петровна, о том, что здесь происходит.

Рассказчик вдруг оборвал и повернулся было к Лебядкину, но Варвара Петровна остановила его; она была в сильнейшей экзальтации.

— Вы кончили? — спросила она.

— Нет еще; для полноты мне надо бы, если позволите, допросить тут кое в чем вот этого господина... Вы сейчас увидите, в чем дело, Варвара Петровна.

— Довольно, после, остановитесь на минуту, прошу вас. О, как я хорошо сделала, что допустила вас говорить!

— И заметьте, Варвара Петровна, — встрепенулся Петр Степанович, — ну мог ли Николай Всеволодович сам объяснить вам это всё давеча, в ответ на ваш вопрос, — может быть, слишком уж категорический?

— О да, слишком!

— И не прав ли я был, говоря, что в некоторых случаях третьему человеку гораздо легче объяснить, чем самому заинтересованному!

— Да, да... Но в одном вы ошиблись и, с сожалением вижу, продолжаете ошибаться.

— Неужели? В чем это?

— Видите... А впрочем, если бы вы сели, Петр Степанович.

— О, как вам угодно, я и сам устал, благодарю вас.

Он мигом выдвинул кресло и повернул его так, что очутился между Варварой Петровной с одной стороны, Прасковьей Ивановной у стола с другой и лицом к господину Лебядкину, с которого он ни на минутку не спускал своих глаз.

— Вы ошибаетесь в том, что называете это «чудачеством»...

— О, если только это...

— Нет, нет, нет, подождите, — остановила Варвара Петровна, очевидно приготовляясь много и с упоением говорить. Петр Степанович, лишь только заметил это, весь обратился во внимание. — Нет, это было нечто высшее чудачества и, уверяю вас, нечто даже святое! Человек гордый и рано оскорбленный, дошедший до той «насмешливости», о которой вы так метко упомянули, — одним словом, принц Гарри, как великолепно сравнил тогда Степан Трофимович и что было бы совершенно верно, если б он не походил еще более на Гамлета, по крайней мере по моему взгляду.

— Et vous avez raison[1], — с чувством и веско отозвался Степан Трофимович.

---

[1] И вы совершенно правы (*франц.*).

— Благодарю вас, Степан Трофимович, вас я особенно благодарю и именно за вашу всегдашнюю веру в Nicolas, в высокость его души и призвания. Эту веру вы даже во мне подкрепляли, когда я падала духом.

— Chère, chère... — Степан Трофимович шагнул было уже вперед, но приостановился, рассудив, что прерывать опасно.

— И если бы всегда подле Nicolas (отчасти пела уже Варвара Петровна) находился тихий, великий в смирении своем Горацио, — другое прекрасное выражение ваше, Степан Трофимович, — то, может быть, он давно уже был бы спасен от грустного и «внезапного демона иронии», который всю жизнь терзал его. (О демоне иронии опять удивительное выражение ваше, Степан Трофимович.) Но у Nicolas никогда не было ни Горацио, ни Офелии. У него была лишь одна его мать, но что же может сделать мать одна и в таких обстоятельствах? Знаете, Петр Степанович, мне становится даже чрезвычайно понятным, что такое существо, как Nicolas, мог являться даже и в таких грязных трущобах, про которые вы рассказывали. Мне так ясно представляется теперь эта «насмешливость» жизни (удивительно меткое выражение ваше!), эта ненасытимая жажда контраста, этот мрачный фон картины, на котором он является как бриллиант, по вашему же опять сравнению, Петр Степанович. И вот он встречает там всеми обиженное существо, калеку и полупомешанную, и в то же время, может быть, с благороднейшими чувствами!

— Гм, да, положим.

— И вам после этого непонятно, что он не смеется над нею, как все! О люди! Вам непонятно, что он защищает ее от обидчиков, окружает ее уважением, «как маркизу» (этот Кириллов, должно быть, необыкновенно глубоко понимает людей, хотя и он не понял Nicolas!). Если хотите, тут именно через этот контраст и вышла беда; если бы несчастная была в другой обстановке, то, может быть, и не дошла бы до такой умоисступленной мечты. Женщина, женщина только может понять это, Петр Степанович, и как жаль, что вы... то есть не то, что вы не женщина, а по крайней мере на этот раз, чтобы понять!

— То есть в том смысле, что чем хуже, тем лучше, я понимаю, понимаю, Варвара Петровна. Это вроде как в религии: чем хуже человеку жить или чем забитее или беднее весь народ, тем упрямее мечтает он о вознаграждении в раю, а если при этом хлопочет еще сто тысяч священников, разжигая мечту и на ней спекулируя, то... я понимаю вас, Варвара Петровна, будьте покойны.

— Это, положим, не совсем так, но скажите, неужели Nicolas, чтобы погасить эту мечту в этом несчастном организме (для чего Варвара Петровна тут употребила слово «организм», я не мог понять), неужели он должен был сам над нею смеяться и с нею обращаться, как другие чиновники? Неужели вы отвергаете то высокое сострадание, ту благородную дрожь всего организма, с которою Nicolas вдруг строго отвечает Кириллову: «Я не смеюсь над нею». Высокий, святой ответ!

— Sublime[1], — пробормотал Степан Трофимович.

— И заметьте, он вовсе не так богат, как вы думаете; богата я, а не он, а он у меня тогда почти вовсе не брал.

— Я понимаю, понимаю всё это, Варвара Петровна, — несколько уже нетерпеливо шевелился Петр Степанович.

— О, это мой характер! Я узнаю себя в Nicolas. Я узнаю эту молодость, эту возможность бурных, грозных порывов... И если мы когда-нибудь сблизимся с

---

[1] Возвышенно (*франц.*).

вами, Петр Степанович, чего я с моей стороны желаю так искренно, тем более что вам уже так обязана, то вы, может быть, поймете тогда...

— О, поверьте, я желаю, с моей стороны, — отрывисто пробормотал Петр Степанович.

— Вы поймете тогда тот порыв, по которому в этой слепоте благородства вдруг берут человека даже недостойного себя во всех отношениях, человека, глубоко не понимающего вас, готового вас измучить при всякой первой возможности, и такого-то человека, наперекор всему, воплощают вдруг в какой-то идеал, в свою мечту, совокупляют на нем все надежды свои, преклоняются пред ним, любят его всю жизнь, совершенно не зная за что, — может быть, именно за то, что он недостоин того... О, как я страдала всю жизнь, Петр Степанович!

Степан Трофимович с болезненным видом стал ловить мой взгляд; но я вовремя увернулся.

— ...И еще недавно, недавно — о, как я виновата пред Nicolas!.. Вы не поверите, они измучили меня со всех сторон, все, все, и враги, и людишки, и друзья; друзья, может быть, больше врагов. Когда мне прислали первое презренное анонимное письмо, Петр Степанович, то, вы не поверите этому, у меня недостало, наконец, презрения, в ответ на всю эту злость... Никогда, никогда не прощу себе моего малодушия!

— Я уже слышал кое-что вообще о здешних анонимных письмах, — оживился вдруг Петр Степанович, — и я вам их разыщу, будьте покойны.

— Но вы не можете вообразить, какие здесь начались интриги! — они измучили даже нашу бедную Прасковью Ивановну — а ее-то уж по какой причине? Я, может быть, слишком виновата пред тобой сегодня, моя милая Прасковья Ивановна, — прибавила она в великодушном порыве умиления, но не без некоторой победоносной иронии.

— Полноте, матушка, — пробормотала та нехотя, — а по-моему, это бы всё надо кончить; слишком говорено... — и она опять робко поглядела на Лизу, но та смотрела на Петра Степановича.

— А это бедное, это несчастное существо, эту безумную, утратившую всё и сохранившую одно сердце, я намерена теперь сама усыновить, — вдруг воскликнула Варвара Петровна, — это долг, который я намерена свято исполнить. С этого же дня беру ее под мою защиту!

— И это даже будет очень хорошо-с в некотором смысле, — совершенно оживился Петр Степанович. — Извините, я давеча не докончил. Я именно о покровительстве. Можете представить, что, когда уехал тогда Николай Всеволодович (я начинаю с того именно места, где остановился, Варвара Петровна), этот господин, вот этот самый господин Лебядкин мигом вообразил себя вправе распорядиться пенсионом, назначенным его сестрице, без остатка; и распорядился. Я не знаю в точности, как это было тогда устроено Николаем Всеволодовичем, но через год, уж из-за границы, он, узнав о происходившем, принужден был распорядиться иначе. Опять не знаю подробностей, он их сам расскажет, но знаю только, что интересную особу поместили где-то в отдаленном монастыре, весьма даже комфортно, но под дружеским присмотром — понимаете? На что же, вы думаете, решается господин Лебядкин? Он употребляет сперва все усилия, чтобы разыскать, где скрывают от него оброчную статью, то есть сестрицу, недавно только достигает цели, берет ее из монастыря, предъявив какое-то на нее право, и привозит ее прямо сюда. Здесь он ее не кормит, бьет, тиранит, наконец получает каким-то путем от Николая Всеволо-

довича значительную сумму, тотчас же пускается пьянствовать, а вместо благодарности кончает дерзким вызовом Николаю Всеволодовичу, бессмыслен-
ными требованиями, угрожая, в случае неплатежа пенсиона впредь ему прямо
в руки, судом. Таким образом, добровольный дар Николая Всеволодовича он
принимает за дань, — можете себе представить? Господин Лебядкин, правда
ли *всё* то, что я здесь сейчас говорил?

Капитан, до сих пор стоявший молча и потупив глаза, быстро шагнул два
шага вперед и весь побагровел.

— Петр Степанович, вы жестоко со мной поступили, — проговорил он, точно оборвал.

— Как это жестоко и почему-с? Но позвольте, мы о жестокости или о мягкости после, а теперь я прошу вас только ответить на первый вопрос: правда ли *всё*
то, что я говорил, или нет? Если вы находите, что неправда, то вы можете немедленно сделать свое заявление.

— Я... вы сами знаете, Петр Степанович... — пробормотал капитан, осекся и
замолчал. Надо заметить, что Петр Степанович сидел в креслах, заложив ногу на
ногу, а капитан стоял пред ним в самой почтительной позе.

Колебания господина Лебядкина, кажется, очень не понравились Петру
Степановичу; лицо его передернулось какой-то злобной судорогой.

— Да вы уже в самом деле не хотите ли что-нибудь заявить? — тонко поглядел он на капитана. — В таком случае сделайте одолжение, вас ждут.

— Вы знаете сами, Петр Степанович, что я не могу ничего заявлять.

— Нет, я этого не знаю, в первый раз даже слышу; почему так вы не можете
заявлять?

Капитан молчал, опустив глаза в землю.

— Позвольте мне уйти, Петр Степанович, — проговорил он решительно.

— Но не ранее того, как вы дадите какой-нибудь ответ на мой первый вопрос: правда *всё*, что я говорил?

— Правда-с, — глухо проговорил Лебядкин и вскинул глазами на мучителя.
Даже пот выступил на висках его.

— *Всё* правда?

— Всё правда-с.

— Не найдете ли вы что-нибудь прибавить, заметить? Если чувствуете, что
мы несправедливы, то заявите это; протестуйте, заявляйте вслух ваше неудовольствие.

— Нет, ничего не нахожу.

— Угрожали вы недавно Николаю Всеволодовичу?

— Это... это, тут было больше вино, Петр Степанович. (Он поднял вдруг голову.) Петр Степанович! Если фамильная честь и не заслуженный сердцем позор возопиют меж людей, то тогда, неужели и тогда виноват человек? — взревел
он, вдруг забывшись по-давешнему.

— А вы теперь трезвы, господин Лебядкин? — пронзительно поглядел на
него Петр Степанович.

— Я... трезв.

— Что это такое значит фамильная честь и не заслуженный сердцем позор?

— Это я про никого, я никого не хотел. Я про себя... — провалился опять капитан.

— Вы, кажется, очень обиделись моими выражениями про вас и ваше поведение? Вы очень раздражительны, господин Лебядкин. Но позвольте, я ведь еще

ничего не начинал про ваше поведение, в его настоящем виде. Я начну говорить про ваше поведение, в его настоящем виде. Я начну говорить, это очень может случиться, но я ведь еще не начинал в *настоящем* виде.

Лебядкин вздрогнул и дико уставился на Петра Степановича.

— Петр Степанович, я теперь лишь начинаю просыпаться!

— Гм. И это я вас разбудил?

— Да, это вы меня разбудили, Петр Степанович, а я спал четыре года под висевшей тучей. Могу я наконец удалиться, Петр Степанович?

— Теперь можете, если только сама Варвара Петровна не найдет необходимым...

Но та замахала руками.

Капитан поклонился, шагнул два шага к дверям, вдруг остановился, приложил руку к сердцу, хотел было что-то сказать, не сказал и быстро побежал вон. Но в дверях как раз столкнулся с Николаем Всеволодовичем; тот посторонился; капитан как-то весь вдруг съежился пред ним и так и замер на месте, не отрывая от него глаз, как кролик от удава. Подождав немного, Николай Всеволодович слегка отстранил его рукой и вошел в гостиную.

VII

Он был весел и спокоен. Может, что-нибудь с ним случилось сейчас очень хорошее, еще нам неизвестное; но он, казалось, был даже чем-то особенно доволен.

— Простишь ли ты меня, Nicolas? — не утерпела Варвара Петровна и поспешно встала ему навстречу.

Но Nicolas решительно рассмеялся.

— Так и есть! — воскликнул он добродушно и шутливо. — Вижу, что вам уже всё известно. А я, как вышел отсюда, и задумался в карете: «По крайней мере надо было хоть анекдот рассказать, а то кто же так уходит?» Но как вспомнил, что у вас остается Петр Степанович, то и забота соскочила.

Говоря, он бегло осматривался кругом.

— Петр Степанович рассказал нам одну древнюю петербургскую историю из жизни одного причудника, — восторженно подхватила Варвара Петровна, — одного капризного и сумасшедшего человека, но всегда высокого в своих чувствах, всегда рыцарски благородного...

— Рыцарски? Неужто у вас до того дошло? — смеялся Nicolas. — Впрочем, я очень благодарен Петру Степановичу на этот раз за его торопливость (тут он обменялся с ним мгновенным взглядом). Надобно вам узнать, maman, что Петр Степанович — всеобщий примиритель; это его роль, болезнь, конек, и я особенно рекомендую его вам с этой точки. Догадываюсь, о чем он вам тут настрочил. Он именно строчит, когда рассказывает; в голове у него канцелярия. Заметьте, что в качестве реалиста он не может солгать и что истина ему дороже успеха... разумеется, кроме тех особенных случаев, когда успех дороже истины. (Говоря это, он всё осматривался.) Таким образом, вы видите ясно, maman, что не вам у меня прощения просить и что если есть тут где-нибудь сумасшествие, то, конечно, прежде всего с моей стороны, и, значит, в конце концов я все-таки помешанный, — надо же поддержать свою здешнюю репутацию...

Тут он нежно обнял мать.

— Во всяком случае, дело это теперь кончено и рассказано, а стало быть, можно и перестать о нем, — прибавил он, и какая-то сухая, твердая нотка прозвучала в его голосе. Варвара Петровна поняла эту нотку; но экзальтация ее не проходила, даже напротив.

— Я никак не ждала тебя раньше как через месяц, Nicolas!

— Я, разумеется, вам всё объясню, maman, а теперь...

И он направился к Прасковье Ивановне.

Но та едва повернула к нему голову, несмотря на то что с полчаса назад была ошеломлена при первом его появлении. Теперь же у ней были новые хлопоты: с самого того мгновения, как вышел капитан и столкнулся в дверях с Николаем Всеволодовичем, Лиза вдруг принялась смеяться, — сначала тихо, порывисто, но смех разрастался всё более и более, громче и явственнее. Она раскраснелась. Контраст с ее недавним мрачным видом был чрезвычайный. Пока Николай Всеволодович разговаривал с Варварой Петровной, она раза два поманила к себе Маврикия Николаевича, будто желая ему что-то шепнуть; но лишь только тот наклонялся к ней, мигом заливалась смехом; можно было заключить, что она именно над бедным Маврикием Николаевичем и смеется. Она, впрочем, видимо старалась скрепиться и прикладывала платок к губам. Николай Всеволодович с самым невинным и простодушным видом обратился к ней с приветствием.

— Вы, пожалуйста, извините меня, — ответила она скороговоркой, — вы... вы, конечно, видели Маврикия Николаевича... Боже, как вы непозволительно высоки ростом, Маврикий Николаевич!

И опять смех. Маврикий Николаевич был роста высокого, но вовсе не так уж непозволительно.

— Вы... давно приехали? — пробормотала она, опять сдерживаясь, даже конфузясь, но со сверкающими глазами.

— Часа два с лишком, — ответил Nicolas, пристально к ней присматриваясь. Замечу, что он был необыкновенно сдержан и вежлив, но, откинув вежливость, имел совершенно равнодушный вид, даже вялый.

— А где будете жить?

— Здесь.

Варвара Петровна тоже следила за Лизой, но ее вдруг поразила одна мысль.

— Где ж ты был, Nicolas, до сих пор, все эти два часа с лишком? — подошла она. — Поезд приходит в десять часов.

— Я сначала завез Петра Степановича к Кириллову. А Петра Степановича я встретил в Матвееве (за три станции), в одном вагоне и доехали.

— Я с рассвета в Матвееве ждал, — подхватил Петр Степанович, — у нас задние вагоны соскочили ночью с рельсов, чуть ног не поломали.

— Ноги сломали! — вскричала Лиза. — Мама́, мама́, а мы с вами хотели ехать на прошлой неделе в Матвеево, вот бы тоже ноги сломали!

— Господи помилуй! — перекрестилась Прасковья Ивановна.

— Мама́, мама́, милая ма, вы не пугайтесь, если я в самом деле обе ноги сломаю; со мной это так может случиться, сами же говорите, что я каждый день скачу верхом сломя голову. Маврикий Николаевич, будете меня водить хромую? — захохотала она опять. — Если это случится, я никому не дам себя водить, кроме вас, смело рассчитывайте. Ну, положим, что я только одну ногу сломаю... Ну будьте же любезны, скажите, что почтете за счастье.

— Что уж за счастье с одною ногой? — серьезно нахмурился Маврикий Николаевич.

— Зато вы будете водить, один вы, никому больше!

— Вы и тогда меня водить будете, Лизавета Николаевна, — еще серьезнее проворчал Маврикий Николаевич.

— Боже, да ведь он хотел сказать каламбур! — почти в ужасе воскликнула Лиза. — Маврикий Николаевич, не смейте никогда пускаться на этот путь! Но только до какой же степени вы эгоист! Я убеждена, к чести вашей, что вы сами на себя теперь клевещете; напротив: вы с утра до ночи будете меня тогда уверять, что я стала без ноги интереснее! Одно непоправимо — вы безмерно высоки ростом, а без ноги я стану премаленькая, как же вы меня поведете под руку, мы будем не пара!

И она болезненно рассмеялась. Остроты и намеки были плоски, но ей, очевидно, было не до славы.

— Истерика! — шепнул мне Петр Степанович. — Поскорее бы воды стакан.

Он угадал; через минуту все суетились, принесли воды. Лиза обнимала свою мама́, горячо целовала ее, плакала на ее плече и тут же, опять откинувшись и засматривая ей в лицо, принималась хохотать. Захныкала наконец и мама́. Варвара Петровна увела их обеих поскорее к себе, в ту самую дверь, из которой вышла к нам давеча Дарья Павловна. Но пробыли они там недолго, минуты четыре, не более...

Я стараюсь припомнить теперь каждую черту этих последних мгновений этого достопамятного утра. Помню, что когда мы остались одни, без дам (кроме одной Дарьи Павловны, не тронувшейся с места), Николай Всеволодович обошел нас и перездоровался с каждым, кроме Шатова, продолжавшего сидеть в своем углу и еще больше, чем давеча, наклонившегося в землю. Степан Трофимович начал было с Николаем Всеволодовичем о чем-то чрезвычайно остроумном, но тот поспешно направился к Дарье Павловне. Но на дороге почти силой перехватил его Петр Степанович и утащил к окну, где и начал о чем-то быстро шептать ему, по-видимому об очень важном, судя по выражению лица и по жестам, сопровождавшим шепот. Николай же Всеволодович слушал очень лениво и рассеянно, с своей официальною усмешкой, а под конец даже и нетерпеливо, и всё как бы порывался уйти. Он ушел от окна, именно когда воротились наши дамы; Лизу Варвара Петровна усадила на прежнее место, уверяя, что им минут хоть десять надо непременно повременить и отдохнуть и что свежий воздух вряд ли будет сейчас полезен на больные нервы. Очень уж она ухаживала за Лизой и сама села с ней рядом. К ним немедленно подскочил освободившийся Петр Степанович и начал быстрый и веселый разговор. Вот тут-то Николай Всеволодович и подошел наконец к Дарье Павловне неспешною походкой своей; Даша так и заколыхалась на месте при его приближении и быстро привскочила в видимом смущении и с румянцем во всё лицо.

— Вас, кажется, можно поздравить... или еще нет? — проговорил он с какой-то особенною складкой в лице.

Даша что-то ему ответила, но трудно было расслышать.

— Простите за нескромность, — возвысил он голос, — но ведь вы знаете, я был нарочно извещен. Знаете вы об этом?

— Да, я знаю, что вы были нарочно извещены.

— Надеюсь, однако, что я не помешал ничему моим поздравлением, — засмеялся он, — и если Степан Трофимович...

— С чем, с чем поздравить? — подскочил вдруг Петр Степанович, — с чем вас поздравить, Дарья Павловна? Ба! Да уж не с тем ли самым? Краска ваша свидетельствует, что я угадал. В самом деле, с чем же поздравлять наших прекрасных и благонравных девиц и от каких поздравлений они всего больше краснеют? Ну-с, примите и от меня, если я угадал, и заплатите пари: помните, в Швейцарии бились об заклад, что никогда не выйдете замуж... Ах да, по поводу Швейцарии — что ж это я? Представьте, наполовину затем и ехал, а чуть не забыл: скажи ты мне, — быстро повернулся он к Степану Трофимовичу, — ты-то когда же в Швейцарию?

— Я... в Швейцарию? — удивился и смутился Степан Трофимович.

— Как? разве не едешь? Да ведь ты тоже женишься... ты писал?

— Pierre! — воскликнул Степан Трофимович.

— Да что Pierre... Видишь, если тебе это приятно, то я летел заявить тебе, что я вовсе не против, так как ты непременно желал моего мнения как можно скорее; если же (сыпал он) тебя надо «спасать», как ты тут же пишешь и умоляешь, в том же самом письме, то опять-таки я к твоим услугам. Правда, что он женится, Варвара Петровна? — быстро повернулся он к ней. — Надеюсь, что я не нескромничаю; сам же пишет, что весь город знает и все поздравляют, так что он, чтоб избежать, выходит лишь по ночам. Письмо у меня в кармане. Но поверите ли, Варвара Петровна, что я ничего в нем не понимаю! Ты мне только одно скажи, Степан Трофимович, поздравлять тебя надо или «спасать»? Вы не поверите, рядом с самыми счастливыми строками у него отчаяннейшие. Во-первых, просит у меня прощения; ну, положим, это в их нравах... А впрочем, нельзя не сказать: вообразите, человек в жизни видел меня два раза, да и то нечаянно, и вдруг теперь, вступая в третий брак, воображает, что нарушает этим ко мне какие-то родительские обязанности, умоляет меня за тысячу верст, чтоб я не сердился и разрешил ему! Ты, пожалуйста, не обижайся, Степан Трофимович, черта времени, я широко смотрю и не осуждаю, и это, положим, тебе делает честь и т. д., и т. д., но опять-таки главное в том, что главного-то не понимаю. Тут что-то о каких-то «грехах в Швейцарии». Женюсь, дескать, по грехам, или из-за чужих грехов, или как у него там, — одним словом, «грехи». «Девушка, говорит, перл и алмаз», ну и, разумеется, «он недостоин» — их слог; но из-за каких-то там грехов или обстоятельств «принужден идти к венцу и ехать в Швейцарию», а потому «бросай всё и лети спасать». Понимаете ли вы что-нибудь после этого? А впрочем... а впрочем, я по выражению лиц замечаю (повертывался он с письмом в руках, с невинною улыбкой всматриваясь в лица), что, по моему обыкновению, я, кажется, в чем-то дал маху... по глупой моей откровенности или, как Николай Всеволодович говорит, торопливости. Я ведь думал, что мы тут свои, то есть твои свои, Степан Трофимович, твои свои, а я-то, в сущности, чужой, и вижу... и вижу, что все что-то знают, а я-то вот именно чего-то и не знаю.

Он всё продолжал осматриваться.

— Степан Трофимович так и написал вам, что женится на «чужих грехах, совершенных в Швейцарии», и чтобы вы летели «спасать его», этими самыми выражениями? — подошла вдруг Варвара Петровна, вся желтая, с искривившимся лицом, со вздрагивающими губами.

— То есть, видите ли-с, если тут чего-нибудь я не понял, — как бы испугался и еще пуще заторопился Петр Степанович, — то виноват, разумеется, он, что так пишет. Вот письмо. Знаете, Варвара Петровна, письма бесконечные и беспрерывные, а в последние два-три месяца просто письмо за письмом, и, признаюсь, я, наконец, иногда не дочитывал. Ты меня прости, Степан Трофимович, за мое глупое признание, но ведь согласись, пожалуйста, что хоть ты и ко мне адресовал, а писал ведь более для потомства, так что тебе ведь и всё равно... Ну, ну, не обижайся; мы-то с тобой все-таки свои! Но это письмо, Варвара Петровна, это письмо я дочитал. Эти «грехи»-с — эти «чужие грехи» — это, наверно, какие-нибудь наши собственные грешки и, об заклад бьюсь, самые невиннейшие, но из-за которых вдруг нам вздумалось поднять ужасную историю с благородным оттенком — именно ради благородного оттенка и подняли. Тут, видите ли, что-нибудь по счетной части у нас прихрамывает — надо же, наконец, сознаться. Мы, знаете, в карточки очень повадливы... а впрочем, это лишнее, это совсем уже лишнее, виноват, я слишком болтлив, но, ей-богу, Варвара Петровна, он меня напугал, и я действительно приготовился отчасти «спасать» его. Мне, наконец, и самому совестно. Что я, с ножом к горлу, что ли, лезу к нему? Кредитор неумолимый я, что ли? Он что-то пишет тут о приданом... А впрочем, уж женишься ли ты, полно, Степан Трофимович? Ведь и это станется, ведь мы наговорим, наговорим, а более для слога... Ах, Варвара Петровна, я ведь вот уверен, что вы, пожалуй, осуждаете меня теперь, и именно тоже за слог-с...

— Напротив, напротив, я вижу, что вы выведены из терпения, и, уж конечно, имели на то причины, — злобно подхватила Варвара Петровна.

Она со злобным наслаждением выслушала все «правдивые» словоизвержения Петра Степановича, очевидно игравшего роль (какую — не знал я тогда, но роль была очевидная, даже слишком уж грубовато сыгранная).

— Напротив, — продолжала она, — я вам слишком благодарна, что вы заговорили; без вас я бы так и не узнала. В первый раз в двадцать лет я раскрываю глаза. Николай Всеволодович, вы сказали сейчас, что и вы были нарочно извещены: уж не писал ли и к вам Степан Трофимович в этом же роде?

— Я получил от него невиннейшее и... и... очень благородное письмо...

— Вы затрудняетесь, ищете слов — довольно! Степан Трофимович, я ожидаю от вас чрезвычайного одолжения, — вдруг обратилась она к нему с засверкавшими глазами, — сделайте мне милость, оставьте нас сейчас же, а впредь не переступайте через порог моего дома.

Прошу припомнить недавнюю «экзальтацию», еще и теперь не прошедшую. Правда, и виноват же был Степан Трофимович! Но вот что решительно изумило меня тогда: то, что он с удивительным достоинством выстоял и под «обличениями» Петруши, не думая прерывать их, и под «проклятием» Варвары Петровны. Откудова взялось у него столько духа? Я узнал только одно, что он несомненно и глубоко оскорблен был давешнею первою встречей с Петрушей, именно давешними объятиями. Это было глубокое и *настоящее* уже горе, по крайней мере на его глаза, его сердцу. Было у него и другое горе в ту минуту, а именно язвительное собственное сознание в том, что он сподличал; в этом он мне сам потом признавался со всею откровенностью. А ведь *настоящее*, несомненное горе даже феноменально легкомысленного человека способно иногда сделать солидным и стойким, ну хоть на малое время; мало того, от истинного, настоящего горя даже дураки иногда умнели, тоже, разумеется, на время; это уж свойство такое горя. А если так, то что же могло произойти с таким человеком, как Степан Трофимович? Целый переворот — конечно, тоже на время.

Он с достоинством поклонился Варваре Петровне и не вымолвил слова (правда, ему ничего и не оставалось более). Он так и хотел было совсем уже выйти, но не утерпел и подошел к Дарье Павловне. Та, кажется, это предчувствовала, потому что тотчас же сама, вся в испуге, начала говорить, как бы спеша предупредить его:

— Пожалуйста, Степан Трофимович, ради бога, ничего не говорите, — начала она горячею скороговоркой, с болезненным выражением лица и поспешно протягивая ему руку, — будьте уверены, что я вас всё так же уважаю... и всё так же ценю и... думайте обо мне тоже хорошо, Степан Трофимович, и я буду очень, очень это ценить...

Степан Трофимович низко, низко ей поклонился.

— Воля твоя, Дарья Павловна, ты знаешь, что во всем этом деле твоя полная воля! Была и есть, и теперь и впредь, — веско заключила Варвара Петровна.

— Ба, да и я теперь всё понимаю! — ударил себя по лбу Петр Степанович. — Но... но в какое же положение я был поставлен после этого? Дарья Павловна, пожалуйста, извините меня!.. Что ты наделал со мной после этого, а? — обратился он к отцу.

— Pierre, ты бы мог со мной выражаться иначе, не правда ли, друг мой? — совсем даже тихо промолвил Степан Трофимович.

— Не кричи, пожалуйста, — замахал Pierre руками, — поверь, что всё это старые, больные нервы, и кричать ни к чему не послужит. Скажи ты мне лучше, ведь ты мог бы предположить, что я с первого шага заговорю: как же было не предуведомить.

Степан Трофимович проницательно посмотрел на него:

— Pierre, ты, который так много знаешь из того, что здесь происходит, неужели ты и вправду об этом деле так-таки ничего не знал, ничего не слыхал?

— Что-о-о? Вот люди! Так мы мало того что старые дети, мы еще злые дети? Варвара Петровна, вы слышали, что́ он говорит?

Поднялся шум; но тут разразилось вдруг такое приключение, которого уж никто не мог ожидать.

VIII

Прежде всего упомяну, что в последние две-три минуты Лизаветой Николаевной овладело какое-то новое движение; она быстро шепталась о чем-то с мама́ и с наклонившимся к ней Маврикием Николаевичем. Лицо ее было тревожно, но в то же время выражало решимость. Наконец встала с места, видимо торопясь уехать и торопя мама́, которую начал приподымать с кресел Маврикий Николаевич. Но, видно, не суждено им было уехать, не досмотрев всего до конца.

Шатов, совершенно всеми забытый в своем углу (неподалеку от Лизаветы Николаевны) и, по-видимому, сам не знавший, для чего он сидел и не уходил, вдруг поднялся со стула и через всю комнату, неспешным, но твердым шагом направился к Николаю Всеволодовичу, прямо смотря ему в лицо. Тот еще издали заметил его приближение и чуть-чуть усмехнулся; но когда Шатов подошел к нему вплоть, то перестал усмехаться.

Когда Шатов молча пред ним остановился, не спуская с него глаз, все вдруг это заметили и затихли, позже всех Петр Степанович; Лиза и мама́ остановились посреди комнаты. Так прошло секунд пять; выражение дерзкого недоумения сменилось в лице Николая Всеволодовича гневом, он нахмурил брови, и вдруг...

И вдруг Шатов размахнулся своею длинною, тяжелою рукою и изо всей силы ударил его по щеке. Николай Всеволодович сильно качнулся на месте.

Шатов и ударил-то по-особенному, вовсе не так, как обыкновенно принято давать пощечины (если только можно так выразиться), не ладонью, а всем кулаком, а кулак у него был большой, веский, костлявый, с рыжим пухом и с веснушками. Если б удар пришелся по носу, то раздробил бы нос. Но пришелся он по щеке, задев левый край губы и верхних зубов, из которых тотчас же потекла кровь.

Кажется, раздался мгновенный крик, может быть, вскрикнула Варвара Петровна — этого не припомню, потому что всё тотчас же опять как бы замерло. Впрочем, вся сцена продолжалась не более каких-нибудь десяти секунд.

Тем не менее в эти десять секунд произошло ужасно много.

Напомню опять читателю, что Николай Всеволодович принадлежал к тем натурам, которые страха не ведают. На дуэли он мог стоять под выстрелом противника хладнокровно, сам целить и убивать до зверства спокойно. Если бы кто ударил его по щеке, то, как мне кажется, он бы и на дуэль не вызвал, а тут же, тотчас же убил бы обидчика; он именно был из таких, и убил бы с полным сознанием, а вовсе не вне себя. Мне кажется даже, что он никогда и не знал тех ослепляющих порывов гнева, при которых уже нельзя рассуждать. При бесконечной злобе, овладевавшей им иногда, он все-таки всегда мог сохранять полную власть над собой, а стало быть, и понимать, что за убийство не на дуэли его непременно сошлют в каторгу; тем не менее он все-таки убил бы обидчика, и без малейшего колебания.

Николая Всеволодовича я изучал всё последнее время и, по особым обстоятельствам, знаю о нем теперь, когда пишу это, очень много фактов. Я, пожалуй, сравнил бы его с иными прошедшими господами, о которых уцелели теперь в нашем обществе некоторые легендарные воспоминания. Рассказывали, например, про декабриста Л—на, что он всю жизнь нарочно искал опасности, упивался ощущением ее, обратил его в потребность своей природы; в молодости выходил на дуэль ни за что; в Сибири с одним ножом ходил на медведя, любил встречаться в сибирских лесах с беглыми каторжниками, которые, замечу мимоходом, страшнее медведя. Сомнения нет, что эти легендарные господа способны были ощущать, и даже, может быть, в сильной степени, чувство страха, — иначе были бы гораздо спокойнее и ощущение опасности не обратили бы в потребность своей природы. Но побеждать в себе трусость — вот что, разумеется, их прельщало. Беспрерывное упоение победой и сознание, что нет над тобой победителя, — вот что их увлекало. Этот Л—н еще прежде ссылки некоторое время боролся с голодом и тяжким трудом добывал себе хлеб единственно из-за того, что ни за что не хотел подчиниться требованиям своего богатого отца, которые находил несправедливыми. Стало быть, многосторонне понимал борьбу; не с медведями только и не на одних дуэлях ценил в себе стойкость и силу характера.

Но все-таки с тех пор прошло много лет, и нервозная, измученная и раздвоившаяся природа людей нашего времени даже и вовсе не допускает теперь потребности тех непосредственных и цельных ощущений, которых так искали тогда иные, беспокойные в своей деятельности, господа доброго старого времени. Николай Всеволодович, может быть, отнесся бы к Л—ну свысока, даже назвал бы его вечно храбрящимся трусом, петушком, — правда, не стал бы высказываться вслух. Он бы и на дуэли застрелил противника, и на медведя сходил бы, если бы только надо было, и от разбойника отбился бы в лесу — так же успешно и так же бесстрашно, как и Л—н, но зато уж безо всякого ощущения наслаждения, а единственно по неприятной необходимости, вяло, лениво, даже со скукой. В злобе, разумеется, выходил прогресс против Л—на, даже против Лермонтова. Злобы в Николае Всеволодовиче было, может быть, больше, чем в тех обоих вместе, но злоба эта была холодная, спокойная и, если можно так выразиться, *разумная*, стало быть, самая отвратительная и самая страшная, какая может быть. Еще раз повторяю: я и тогда считал его и теперь считаю (когда уже всё кончено) именно таким человеком, который, если бы получил удар в лицо или подобную равносильную обиду, то немедленно убил бы своего противника, тотчас же, тут же на месте и без вызова на дуэль.

И однако же, в настоящем случае произошло нечто иное и чудное.

Едва только он выпрямился после того, как так позорно качнулся набок, чуть не на целую половину роста, от полученной пощечины, и не затих еще, казалось, в комнате подлый, как бы мокрый какой-то звук от удара кулака по лицу, как тотчас же он схватил Шатова обеими руками за плечи; но тотчас же, в тот же почти миг, отдернул свои обе руки назад и скрестил их у себя за спиной. Он молчал, смотрел на Шатова и бледнел как рубашка. Но странно, взор его как бы погасал. Через десять секунд глаза его смотрели холодно и — я убежден, что не лгу, — спокойно. Только бледен он был ужасно. Разумеется, я не знаю, что было внутри человека, я видел снаружи. Мне кажется, если бы был такой человек, который схватил бы, например, раскаленную докрасна железную полосу и зажал в руке, с целию измерить свою твердость, и затем, в продолжение десяти секунд, побеждал бы нестерпимую боль и кончил тем, что ее победил, то человек этот, кажется мне, вынес бы нечто похожее на то, что испытал теперь, в эти десять секунд, Николай Всеволодович.

Первый из них опустил глаза Шатов, и, видимо, потому, что принужден был опустить. Затем медленно повернулся и пошел из комнаты, но вовсе уж не тою походкой, которою подходил давеча. Он уходил тихо, как-то особенно неуклюже приподняв сзади плечи, понурив голову и как бы рассуждая о чем-то сам с собой. Кажется, он что-то шептал. До двери дошел осторожно, ни за что не зацепив и ничего не опрокинув, дверь же приотворил на маленькую щелочку, так что пролез в отверстие почти боком. Когда пролезал, то вихор его волос, стоявший торчком на затылке, был особенно заметен.

Затем, прежде всех криков, раздался один страшный крик. Я видел, как Лизавета Николаевна схватила было свою мама́ за плечо, а Маврикия Николаевича за руку и раза два-три рванула их за собой, увлекая из комнаты, но вдруг вскрикнула и со всего росту упала на пол в обмороке. До сих пор я как будто еще слышу, как стукнулась она о ковер затылком.

ЧАСТЬ ВТОРАЯ

Глава первая
НОЧЬ

I

Прошло восемь дней. Теперь, когда уже всё прошло и я пишу хронику, мы уже знаем, в чем дело; но тогда мы еще ничего не знали, и естественно, что нам представлялись странными разные вещи. По крайней мере мы со Степаном Трофимовичем в первое время заперлись и с испугом наблюдали издали. Я-то кой-куда еще выходил и по-прежнему приносил ему разные вести, без чего он и пробыть не мог.

Нечего и говорить, что по городу пошли самые разнообразные слухи, то есть насчет пощечины, обморока Лизаветы Николаевны и прочего случившегося в то воскресенье. Но удивительно нам было то: через кого это всё могло так скоро и точно выйти наружу? Ни одно из присутствовавших тогда лиц не имело бы, кажется, ни нужды, ни выгоды нарушить секрет происшедшего. Прислуги тогда не было; один Лебядкин мог бы что-нибудь разболтать, не столько по злобе, потому что вышел тогда в крайнем испуге (а страх к врагу уничтожает и злобу к нему), а единственно по невоздержанности. Но Лебядкин, вместе с сестрицей, на другой же день пропал без вести; в доме Филиппова его не оказалось, он переехал неизвестно куда и точно сгинул. Шатов, у которого я хотел было справиться о Марье Тимофеевне, заперся и, кажется, все эти восемь дней просидел у себя на квартире, даже прервав свои занятия в городе. Меня он не принял. Я было зашел к нему во вторник и стукнул в дверь. Ответа не получил, но уверенный, по несомненным данным, что он дома, постучался в другой раз. Тогда он, соскочив, по-видимому, с постели, подошел крупными шагами к дверям и крикнул мне во весь голос: «Шатова дома нет». Я с тем и ушел.

Мы со Степаном Трофимовичем, не без страха за смелость предположения, но обоюдно ободряя друг друга, остановились наконец на одной мысли: мы решили, что виновником разошедшихся слухов мог быть один только Петр Степанович, хотя сам он некоторое время спустя, в разговоре с отцом, уверял, что застал уже историю во всех устах, преимущественно в клубе, и совершенно известною до мельчайших подробностей губернаторше и ее супругу. Вот что еще замечательно: на второй же день, в понедельник ввечеру, я встретил Липутина, и он уже знал всё до последнего слова, стало быть, несомненно, узнал из первых.

Многие из дам (и из самых светских) любопытствовали и о «загадочной хромоножке» — так называли Марью Тимофеевну. Нашлись даже пожелавшие непременно увидать ее лично и познакомиться, так что господа, поспешившие припрятать Лебядкиных, очевидно, поступили и кстати. Но на первом плане все-таки стоял обморок Лизаветы Николаевны, и этим интересовался «весь свет», уже по тому одному, что дело прямо касалось Юлии Михайловны, как родственницы Лизаветы Николаевны и ее покровительницы. И чего-чего не болтали! Болтовне способствовала и таинственность обстановки: оба дома были заперты наглухо; Лизавета Николаевна, как рассказывали, лежала в белой горячке; то же утверждали и о Николае Всеволодовиче, с отвратительными подробностями о выбитом будто бы зубе и о распухшей от флюса щеке его. Говорили даже по уголкам, что у нас, может быть, будет убийство, что Ставрогин не таков, чтобы снести такую обиду, и убьет Шатова, но таинственно, как в корсиканской вендетте. Мысль эта нравилась; но большинство нашей светской молодежи выслушивало всё это с презрением и с видом самого пренебрежительного равнодушия, разумеется напускного. Вообще древняя враждебность нашего общества к Николаю Всеволодовичу обозначилась ярко. Даже солидные люди стремились обвинить его, хотя и сами не знали в чем. Шепотом рассказывали, что будто бы он погубил честь Лизаветы Николаевны и что между ними была интрига в Швейцарии. Конечно, осторожные люди сдерживались, но все, однако же, слушали с аппетитом. Были и другие разговоры, но не общие, а частные, редкие и почти закрытые, чрезвычайно странные и о существовании которых я упоминаю лишь для предупреждения читателей, единственно ввиду дальнейших событий моего рассказа. Именно: говорили иные, хмуря брови и бог знает на каком основании, что Николай Всеволодович имеет какое-то особенное дело в нашей губернии, что он чрез графа К. вошел в Петербурге в какие-то высшие отношения, что он даже, может быть, служит и чуть ли не снабжен от кого-то какими-то поручениями. Когда очень уж солидные и сдержанные люди на этот слух улыбались, благоразумно замечая, что человек, живущий скандалами и начинающий у нас с флюса, не похож на чиновника, то им шепотом замечали, что служит он не то чтоб официально, а, так сказать, конфиденциально и что в таком случае самою службой требуется, чтобы служащий как можно менее походил на чиновника. Такое замечание производило эффект; у нас известно было, что на земство нашей губернии смотрят в столице с некоторым особым вниманием. Повторю, эти слухи только мелькнули и исчезли бесследно, до времени, при первом появлении Николая Всеволодовича; но замечу, что причиной многих слухов было отчасти несколько кратких, но злобных слов, неясно и отрывисто произнесенных в клубе недавно возвратившимся из Петербурга отставным капитаном гвардии Артемием Павловичем Гагановым, весьма крупным помещиком нашей губернии и уезда, столичным светским человеком и сыном покойного Павла Павловича Гаганова, того самого почтенного старшины, с которым Николай Всеволодович имел, четыре с лишком года тому назад, то необычайное по своей грубости и внезапности столкновение, о котором я уже упоминал прежде, в начале моего рассказа.

Всем тотчас же стало известно, что Юлия Михайловна сделала Варваре Петровне чрезвычайный визит и что у крыльца дома ей объявили, что «по нездоровью не могут принять». Также и то, что дня через два после своего визита Юлия Михайловна посылала узнать о здоровье Варвары Петровны нарочного. Наконец, принялась везде «защищать» Варвару Петровну, конечно лишь в самом высшем смысле, то есть, по возможности, в самом неопределенном. Все же первоначальные торопливые намеки о воскресной истории выслушала строго и холодно, так что в последующие дни, в ее присутствии, они уже не возобновлялись. Таким образом и укрепилась везде мысль, что Юлии Михайловне известна не только вся эта таинственная история, но и весь ее таинственный смысл до мельчайших подробностей, и не как посторонней, а как соучастнице. Замечу кстати, что она начала уже приобретать у нас, помаленьку, то высшее влияние, которого так несомненно добивалась и жаждала, и уже начинала видеть себя «окруженною». Часть общества признала за нею практический ум и такт... но об этом после. Ее же покровительством объяснялись отчасти и весьма быстрые успехи Петра Степановича в нашем обществе, — успехи, особенно поразившие тогда Степана Трофимовича.

Мы с ним, может быть, и преувеличивали. Во-первых, Петр Степанович перезнакомился почти мгновенно со всем городом, в первые же четыре дня после своего появления. Появился он в воскресенье, а во вторник я уже встретил его в коляске с Артемием Павловичем Гагановым, человеком гордым, раздражительным и заносчивым, несмотря на всю его светскость, и с которым, по характеру его, довольно трудно было ужиться. У губернатора Петр Степанович был тоже принят прекрасно, до того, что тотчас же стал в положение близкого или, так сказать, обласканного молодого человека; обедал у Юлии Михайловны почти ежедневно. Познакомился он с нею еще в Швейцарии, но в быстром успехе его в доме его превосходительства действительно заключалось нечто любопытное. Все-таки он слыл же когда-то заграничным революционером, правда ли, нет ли, участвовал в каких-то заграничных изданиях и конгрессах, «что можно даже из газет доказать», как злобно выразился мне при встрече Алеша Телятников, теперь, увы, отставной чиновничек, а прежде тоже обласканный молодой человек в доме старого губернатора. Но тут стоял, однако же, факт: бывший революционер явился в любезном отечестве не только без всякого беспокойства, но чуть ли не с поощрениями; стало быть, ничего, может, и не было. Липутин шепнул мне раз, что, по слухам, Петр Степанович будто бы где-то принес покаяние и получил отпущение, назвав несколько прочих имен, и таким образом, может, и успел уже заслужить вину, обещая и впредь быть полезным отечеству. Я передал эту ядовитую фразу Степану Трофимовичу, и тот, несмотря на то что был почти не в состоянии соображать, сильно задумался. Впоследствии обнаружилось, что Петр Степанович приехал к нам с чрезвычайно почтенными рекомендательными письмами, по крайней мере привез одно к губернаторше от одной чрезвычайно важной петербургской старушки, муж которой был одним из самых значительных петербургских старичков. Эта старушка, крестная мать Юлии Михайловны, упоминала в письме своем, что и граф К. хорошо знает Петра Степановича, чрез Николая Всеволодовича, обласкал его и находит «достойным молодым человеком, несмотря на бывшие заблуждения». Юлия Михайловна до крайности ценила свои скудные и с таким трудом поддерживаемые связи с «высшим миром» и, уж конечно, была рада письму важной старушки; но все-таки оставалось тут нечто как бы и особенное. Даже супруга своего поставила к Петру Степановичу в отношения почти фамилиарные, так что господин фон Лембке жаловался... но об этом тоже после. Замечу тоже для памяти, что и великий писатель весьма благосклонно отнесся к Петру Степановичу и тотчас же пригласил его к себе. Такая поспешность такого надутого собою человека кольнула Степана Трофимовича больнее всего; но я объяснил себе иначе: зазывая к себе нигилиста, господин Кармазинов, уж конечно, имел в виду сношения его с прогрессивными юношами обеих столиц. Великий писатель болезненно трепетал пред новейшею революционною молодежью и, воображая, по незнанию дела, что в руках ее ключи русской будущности, унизительно к ним подлизывался, главное потому, что они не обращали на него никакого внимания.

II

Петр Степанович забежал раза два и к родителю, и, к несчастию моему, оба раза в мое отсутствие. В первый раз посетил его в среду, то есть на четвертый лишь день после той первой встречи, да и то по делу. Кстати, расчет по имению окончился у них как-то неслышно и невидно. Варвара Петровна взяла всё на себя и всё выплатила, разумеется приобретя землицу, а Степана Трофимовича только уведомила о том, что всё кончено, и уполномоченный Варвары Петровны, камердинер ее Алексей Егорович, поднес ему что-то подписать, что он и исполнил молча и с чрезвычайным достоинством. Замечу по поводу достоинства, что я почти не узнавал нашего прежнего старичка в эти дни. Он держал себя как никогда прежде, стал удивительно молчалив, даже не написал ни одного письма Варваре Петровне с самого воскресенья, что я счел бы чудом, а главное, стал спокоен. Он укрепился на какой-то окончательной и чрезвычайной идее, придававшей ему спокойствие, это было видно. Он нашел эту идею, сидел и чего-то ждал. Сначала, впрочем, был болен, особенно в понедельник; была холерина. Тоже и без вестей пробыть не мог во всё время; но лишь только я, оставляя факты, переходил к сути дела и высказывал какие-нибудь предположения, то он тотчас же начинал махать на меня руками, чтоб я перестал. Но оба свидания с сынком все-таки болезненно на него подействовали, хотя и не поколебали. В оба эти дня, после свиданий, он лежал на диване, обмотав голову платком, намоченным в уксусе; но в высшем смысле продолжал оставаться спокойным.

Иногда, впрочем, он и не махал на меня руками. Иногда тоже казалось мне, что принятая таинственная решимость как бы оставляла его и что он начинал бороться с каким-то новым соблазнительным наплывом идей. Это было мгновениями, но я отмечаю их. Я подозревал, что ему очень бы хотелось опять заявить себя, выйдя из уединения, предложить борьбу, задать последнюю битву.

— Cher, я бы их разгромил! — вырвалось у него в четверг вечером, после второго свидания с Петром Степановичем, когда он лежал, протянувшись на диване, с головой, обернутою полотенцем.

До этой минуты он во весь день еще ни слова не сказал со мной.

— «Fils, fils chéri»[1] и так далее, я согласен, что все эти выражения вздор, кухарочный словарь, да и пусть их, я сам теперь вижу. Я его не кормил и не поил, я отослал его из Берлина в —скую губернию, грудного ребенка, по почте, ну и так далее, я согласен... «Ты, говорит, меня не поил и по почте выслал, да еще здесь ограбил». Но, несчастный, кричу ему, ведь болел же я за тебя сердцем всю мою жизнь, хотя и по почте! Il rit[2]. Но я согласен, согласен... пусть по почте, — закончил он как в бреду.

— Passons[3], — начал он опять через пять минут. — Я не понимаю Тургенева. У него Базаров это какое-то фиктивное лицо, не существующее вовсе; они же первые и отвергли его тогда, как ни на что не похожее. Этот Базаров это какая-то неясная смесь Ноздрева с Байроном, c'est le mot[4]. Посмотрите на них внимательно: они кувыркаются и визжат от радости, как щенки на солнце, они счастливы, они победители! Какой тут Байрон!.. И притом какие будни! Какая

---

[1] «Сын, возлюбленный сын» (*франц.*).

[2] Он смеется (*франц.*).

[3] Оставим это (*франц.*).

[4] именно так (*франц.*).

кухарочная раздражительность самолюбия, какая пошленькая жаждишка faire du bruit autour de son nom[1], не замечая, что son nom... О карикатура! Помилуй, кричу ему, да неужто ты себя такого, как есть, людям взамен Христа предложить желаешь? Il rit. Il rit beaucoup, il rit trop[2]. У него какая-то странная улыбка. У его матери не было такой улыбки. Il rit toujours[3].

Опять наступило молчание.

— Они хитры; в воскресенье они сговорились... — брякнул он вдруг.

— О, без сомнения, — вскричал я, навострив уши, — всё это стачка и сшито белыми нитками, и так дурно разыграно.

— Я не про то. Знаете ли, что всё это было нарочно сшито белыми нитками, чтобы заметили те... кому надо. Понимаете это?

— Нет, не понимаю.

— Tant mieux. Passons[4]. Я очень раздражен сегодня.

— Да зачем же вы с ним спорили, Степан Трофимович? — проговорил я укоризненно.

— Je voulais convertir[5]. Конечно, смейтесь. Cette pauvre тетя, elle entendra de belles choses![6] О друг мой, поверите ли, что я давеча ощутил себя патриотом! Впрочем, я всегда сознавал себя русским... да настоящий русский и не может быть иначе, как мы с вами. Il y a là dedans quelque chose d'aveugle et de louche[7].

— Непременно, — ответил я.

— Друг мой, настоящая правда всегда неправдоподобна, знаете ли вы это? Чтобы сделать правду правдоподобнее, нужно непременно подмешать к ней лжи. Люди всегда так и поступали. Может быть, тут есть, чего мы не понимаем. Как вы думаете, есть тут, чего мы не понимаем, в этом победоносном визге? Я бы желал, чтобы было. Я бы желал.

Я промолчал. Он тоже очень долго молчал.

— Говорят, французский ум... — залепетал он вдруг точно в жару, — это ложь, это всегда так и было. Зачем клеветать на французский ум? Тут просто русская лень, наше унизительное бессилие произвести идею, наше отвратительное паразитство в ряду народов. Ils sont tout simplement des paresseux[8], а не французский ум. О, русские должны бы быть истреблены для блага человечества, как вредные паразиты! Мы вовсе, вовсе не к тому стремились; я ничего не понимаю. Я перестал понимать! Да понимаешь ли, кричу ему, понимаешь ли, что если у вас гильотина на первом плане и с таким восторгом, то это единственно потому, что рубить головы всего легче, а иметь идею всего труднее! Vous êtes des paresseux! Votre drapeau est une guenille, une impuissance[9]. Эти телеги, или как там: «стук телег, подвозящих хлеб человечеству», полезнее Сикстинской Мадонны, или как у них там... une bêtise dans ce genre[10]. Но понимаешь ли, кричу ему, понимаешь ли ты, что человеку кроме счастья, так же точно и совершенно во столько

---

[1] поднимать шум вокруг своего имени (*франц.*).

[2] Он смеется. Он много, слишком много смеется (*франц.*).

[3] Он всегда смеется (*франц.*).

[4] Тем лучше. Оставим это (*франц.*).

[5] Я хотел переубедить (*франц.*).

[6] А эта бедная тетя, хорошенькие вещи она услышит! (*франц.*)

[7] Тут скрывается что-то слепое и подозрительное (*франц.*).

[8] Они попросту лентяи (*франц.*).

[9] Вы лентяи! Ваше знамя — тряпка, воплощение бессилия (*франц.*).

[10] какая-то глупость в этом роде (*франц.*).

же, необходимо и несчастие! Il rit. Ты, говорит, здесь бонмо отпускаешь, «нежа свои члены (он пакостнее выразился) на бархатном диване...» И заметьте, эта наша привычка на *ты* отца с сыном: хорошо, когда оба согласны, ну, а если ругаются? С минуту опять помолчали.

— Cher, — заключил он вдруг, быстро приподнявшись, — знаете ли, что это непременно чем-нибудь кончится?

— Уж конечно, — сказал я.

— Vous ne comprenez pas. Passons[1]. Но... обыкновенно на свете кончается ничем, но здесь будет конец, непременно, непременно!

Он встал, прошелся по комнате в сильнейшем волнении и, дойдя опять до дивана, бессильно повалился на него.

В пятницу утром Петр Степанович уехал куда-то в уезд и пробыл до понедельника. Об отъезде его я узнал от Липутина, и тут же, как-то к разговору, узнал от него, что Лебядкины, братец и сестрица, оба где-то за рекой, в Горшечной слободке. «Я же и перевозил», — прибавил Липутин и, прервав о Лебядкиных, вдруг возвестил мне, что Лизавета Николаевна выходит за Маврикия Николаевича, и хоть это и не объявлено, но помолвка была и дело покончено. Назавтра я встретил Лизавету Николаевну верхом в сопровождении Маврикия Николаевича, выехавшую в первый раз после болезни. Она сверкнула на меня издали глазами, засмеялась и очень дружески кивнула головой. Всё это я передал Степану Трофимовичу; он обратил некоторое внимание лишь на известие о Лебядкиных.

А теперь, описав наше загадочное положение в продолжение этих восьми дней, когда мы еще ничего не знали, приступлю к описанию последующих событий моей хроники и уже, так сказать, с знанием дела, в том виде, как всё это открылось и объяснилось теперь. Начну именно с восьмого дня после того воскресенья, то есть с понедельника вечером, потому что, в сущности, с этого вечера и началась «новая история».

III

Было семь часов вечера, Николай Всеволодович сидел один в своем кабинете — комнате, им еще прежде излюбленной, высокой, устланной коврами, уставленной несколько тяжелою, старинного фасона мебелью. Он сидел в углу на диване, одетый как бы для выхода, но, казалось, никуда не собирался. На столе пред ним стояла лампа с абажуром. Бока и углы большой комнаты оставались в тени. Взгляд его был задумчив и сосредоточен, не совсем спокоен; лицо усталое и несколько похудевшее. Болен он был действительно флюсом; но слух о выбитом зубе был преувеличен. Зуб только шатался, но теперь снова окреп; была тоже рассечена изнутри верхняя губа, но и это зажило. Флюс же не проходил всю неделю лишь потому, что больной не хотел принять доктора и вовремя дать разрезать опухоль, а ждал, пока нарыв сам прорвется. Он не только доктора, но и мать едва допускал к себе, и то на минуту, один раз на дню и непременно в сумерки, когда уже становилось темно, а огня еще не подавали. Не принимал он тоже и Петра Степановича, который, однако же, по два и по три раза в день забегал к Варваре Петровне, пока оставался в городе. И вот наконец в понедельник, возвратясь поутру после своей трехдневной отлучки, обегав весь го-

---

[1] Вы не понимаете. Оставим это (*франц.*).

род и отобедав у Юлии Михайловны, Петр Степанович к вечеру явился наконец к нетерпеливо ожидавшей его Варваре Петровне. Запрет был снят, Николай Всеволодович принимал. Варвара Петровна сама подвела гостя к дверям кабинета; она давно желала их свиданья, а Петр Степанович дал ей слово забежать к ней от Nicolas и пересказать. Робко постучалась она к Николаю Всеволодовичу и, не получая ответа, осмелилась приотворить дверь вершка на два.

— Nicolas, могу я ввести к тебе Петра Степановича? — тихо и сдержанно спросила она, стараясь разглядеть Николая Всеволодовича из-за лампы.

— Можно, можно, конечно можно! — громко и весело крикнул сам Петр Степанович, отворил дверь своею рукой и вошел.

Николай Всеволодович не слыхал стука в дверь, а расслышал лишь только робкий вопрос мамаши, но не успел на него ответить. Пред ним в эту минуту лежало только что прочитанное им письмо, над которым он сильно задумался. Он вздрогнул, заслышав внезапный окрик Петра Степановича, и поскорее накрыл письмо попавшимся под руку пресс-папье, но не совсем удалось: угол письма и почти весь конверт выглядывали наружу.

— Я нарочно крикнул изо всей силы, чтобы вы успели приготовиться, — торопливо, с удивительною наивностью прошептал Петр Степанович, подбегая к столу, и мигом уставился на пресс-папье и на угол письма.

— И, конечно, успели подглядеть, как я прятал от вас под пресс-папье только что полученное мною письмо, — спокойно проговорил Николай Всеволодович, не трогаясь с места.

— Письмо? Бог с вами и с вашим письмом, мне что! — воскликнул гость, — но... главное, — зашептал он опять, обертываясь к двери, уже запертой, и кивая в ту сторону головой.

— Она никогда не подслушивает, — холодно заметил Николай Всеволодович.

— То есть если б и подслушивала! — мигом подхватил, весело возвышая голос и усаживаясь в кресло, Петр Степанович. — Я ничего против этого, я только теперь бежал поговорить наедине... Ну, наконец-то я к вам добился! Прежде всего, как здоровье? Вижу, что прекрасно, и завтра, может быть, вы явитесь, — а?

— Может быть.

— Разрешите их наконец, разрешите меня! — неистово зажестикулировал он с шутливым и приятным видом. — Если б вы знали, что я должен был им наболтать. А впрочем, вы знаете. — Он засмеялся.

— Всего не знаю. Я слышал только от матери, что вы очень... двигались.

— То есть я ведь ничего определенного, — вскинулся вдруг Петр Степанович, как бы защищаясь от ужасного нападения, — знаете, я пустил в ход жену Шатова, то есть слухи о ваших связях в Париже, чем и объяснялся, конечно, тот случай в воскресенье... вы не сердитесь?

— Убежден, что вы очень старались.

— Ну, я только этого и боялся. А впрочем, что ж это значит: «очень старались»? Это ведь упрек. Впрочем, вы прямо ставите, я всего больше боялся, идя сюда, что вы не захотите прямо поставить.

— Я ничего и не хочу прямо ставить, — проговорил Николай Всеволодович с некоторым раздражением, но тотчас же усмехнулся.

— Я не про то; не про то, не ошибитесь, не про то! — замахал руками Петр Степанович, сыпля словами как горохом и тотчас же обрадовавшись раздражительности хозяина. — Я не стану вас раздражать *нашим* делом, особенно в вашем теперешнем положении. Я прибежал только о воскресном случае, и то в самую необходимую меру, потому нельзя же ведь. Я с самыми открытыми объяснениями, в которых нуждаюсь, главное, я, а не вы, — это для вашего самолюбия, но в то же время это и правда. Я пришел, чтобы быть с этих пор всегда откровенным.

— Стало быть, прежде были неоткровенны?

— И вы это знаете сами. Я хитрил много раз... вы улыбнулись, очень рад улыбке, как предлогу для разъяснения; я ведь нарочно вызвал улыбку хвастливым словом «хитрил», для того чтобы вы тотчас же и рассердились: как это я смел подумать, что могу хитрить, а мне чтобы сейчас же объясниться. Видите, видите, как я стал теперь откровенен! Ну-с, угодно вам выслушать?

В выражении лица Николая Всеволодовича, презрительно спокойном и даже насмешливом, несмотря на всё очевидное желание гостя раздражить хозяина нахальностию своих заранее наготовленных и с намерением грубых наивностей, выразилось наконец несколько тревожное любопытство.

— Слушайте же, — завертелся Петр Степанович пуще прежнего. — Отправляясь сюда, то есть вообще сюда, в этот город, десять дней назад, я, конечно, решился взять роль. Самое бы лучшее совсем без роли, свое собственное лицо, не так ли? Ничего нет хитрее, как собственное лицо, потому что никто не поверит. Я, признаться, хотел было взять дурачка, потому что дурачок легче, чем собственное лицо; но так как дурачок все-таки крайность, а крайность возбуждает любопытство, то я и остановился на собственном лице окончательно. Ну-с, какое же мое собственное лицо? Золотая средина: ни глуп, ни умен, довольно бездарен и с луны соскочил, как говорят здесь благоразумные люди, не так ли?

— Что ж, может быть и так, — чуть-чуть улыбнулся Николай Всеволодович.

— А, вы согласны — очень рад; я знал вперед, что это ваши собственные мысли... Не беспокойтесь, не беспокойтесь, я не сержусь и вовсе не для того определил себя в таком виде, чтобы вызвать ваши обратные похвалы: «Нет, дескать, вы не бездарны, нет, дескать, вы умны»... А, вы опять улыбаетесь!.. Я опять попался. Вы не сказали бы: «вы умны», ну и положим; я всё допускаю. Passons, как говорит папаша, и, в скобках, не сердитесь на мое многословие. Кстати, вот и пример: я всегда говорю много, то есть много слов, и тороплюсь, и у меня всегда не выходит. А почему я говорю много слов и у меня не выходит? Потому что говорить не умею. Те, которые умеют хорошо говорить, те коротко говорят. Вот, стало быть, у меня и бездарность, — не правда ли? Но так как этот дар бездарности у меня уже есть натуральный, так почему мне им не воспользоваться искусственно? Я и пользуюсь. Правда, собираясь сюда, я было подумал сначала молчать; но ведь молчать — большой талант, и, стало быть, мне неприлично, а во-вторых, молчать все-таки ведь опасно; ну, я и решил окончательно, что лучше всего говорить, но именно по-бездарному, то есть много, много, много, очень торопиться доказывать и под конец всегда спутаться в своих собственных доказательствах, так чтобы слушатель отошел от вас без конца, разведя руки, а всего бы лучше плюнув. Выйдет, во-первых, что вы уверили в своем простодушии, очень надоели и были непоняты — все три выгоды разом! Помилуйте, кто после этого станет вас подозревать в таинственных замыслах? Да всякий из них лично обидится на того, кто скажет, что я с тайными замыслами. А я к тому же иногда рассмешу — а это уж драгоценно. Да они мне теперь всё простят уже за то одно, что мудрец, издававший там прокламации, оказался здесь глупее их самих, не так ли? По вашей улыбке вижу, что одобряете.

Николай Всеволодович вовсе, впрочем, не улыбался, а, напротив, слушал нахмуренно и несколько нетерпеливо.

— А? Что? Вы, кажется, сказали «всё равно»? — затрещал Петр Степанович (Николай Всеволодович вовсе ничего не говорил). — Конечно, конечно; уверяю вас, что я вовсе не для того, чтобы вас товариществом компрометировать. А знаете, вы ужасно сегодня вскидчивы; я к вам прибежал с открытою и веселою душой, а вы каждое мое словцо в лыко ставите; уверяю же вас, что сегодня ни о чем щекотливом не заговорю, слово даю, и на все ваши условия заранее согласен!

Николай Всеволодович упорно молчал.

— А? Что? Вы что-то сказали? Вижу, вижу, что я опять, кажется, сморозил; вы не предлагали условий, да и не предложите, верю, верю, ну успокойтесь; я и сам ведь знаю, что мне не стоит их предлагать, так ли? Я за вас вперед отвечаю и — уж конечно, от бездарности; бездарность и бездарность... Вы смеетесь? А? Что?

— Ничего, — усмехнулся наконец Николай Всеволодович, — я припомнил сейчас, что действительно обозвал вас как-то бездарным, но вас тогда не было, значит, вам передали... Я бы вас просил поскорее к делу.

— Да я ведь у дела и есть, я именно по поводу воскресенья! — залепетал Петр Степанович. — Ну чем, чем я был в воскресенье, как по-вашему? Именно торопливою срединною бездарностию, и я самым бездарнейшим образом овладел разговором силой. Но мне всё простили, потому что я, во-первых, с луны, это, кажется, здесь теперь у всех решено; а во-вторых, потому, что милую историйку рассказал и всех вас выручил, так ли, так ли?

— То есть именно так рассказали, чтобы оставить сомнение и выказать нашу стачку и подтасовку, тогда как стачки не было, и я вас ровно ни о чем не просил.

— Именно, именно! — как бы в восторге подхватил Петр Степанович. — Я именно так и делал, чтобы вы всю пружину эту заметили; я ведь для вас, главное, и ломался, потому что вас ловил и хотел компрометировать. Я, главное, хотел узнать, в какой степени вы боитесь.

— Любопытно, почему вы так теперь откровенны?

— Не сердитесь, не сердитесь, не сверкайте глазами... Впрочем, вы не сверкаете. Вам любопытно, почему я так откровенен? Да именно потому, что всё теперь переменилось, кончено, прошло и песком заросло. Я вдруг переменил об вас свои мысли. Старый путь кончен совсем; теперь я уже никогда не стану вас компрометировать старым путем, теперь новым путем.

— Переменили тактику?

— Тактики нет. Теперь во всем ваша полная воля, то есть хотите сказать *да*, а хотите — скажете *нет*. Вот моя новая тактика. А о *нашем* деле не заикнусь до тех самых пор, пока сами не прикажете. Вы смеетесь? На здоровье; я и сам смеюсь. Но я теперь серьезно, серьезно, серьезно, хотя тот, кто так торопится, конечно, бездарен, не правда ли? Всё равно, пусть бездарен, а я серьезно, серьезно.

Он действительно проговорил серьезно, совсем другим тоном и в каком-то особенном волнении, так что Николай Всеволодович поглядел на него с любопытством.

— Вы говорите, что обо мне мысли переменили? — спросил он.

— Я переменил об вас мысли в ту минуту, как вы после Шатова взяли руки назад, и довольно, довольно, пожалуйста, без вопросов, больше ничего теперь не скажу.

Он было вскочил, махая руками, точно отмахиваясь от вопросов; но так как вопросов не было, а уходить было незачем, то он и опустился опять в кресла, несколько успокоившись.

— Кстати, в скобках, — затараторил он тотчас же, — здесь одни болтают, будто вы его убьете, и пари держат, так что Лембке думал даже тронуть полицию, но Юлия Михайловна запретила... Довольно, довольно об этом, я только, чтоб известить. Кстати опять: я Лебядкиных в тот же день переправил, вы знаете; получили мою записку с их адресом?

— Получил тогда же.

— Это уж я не по «бездарности», это я искренно, от готовности. Если вышло бездарно, то зато было искренно.

— Да, ничего, может, так и надо... — раздумчиво промолвил Николай Всеволодович. — Только записок больше ко мне не пишите, прошу вас.

— Невозможно было, всего одну.

— Так Липутин знает?

— Невозможно было; но Липутин, сами знаете, не смеет... Кстати, надо бы к нашим сходить, то есть к ним, а не к *нашим*, а то вы опять лыко в строку. Да не беспокойтесь, не сейчас, а когда-нибудь. Сейчас дождь идет. Я им дам знать, они соберутся, и мы вечером. Они так и ждут, разиня рты, как галчаты в гнезде, какого мы им привезли гостинцу? Горячий народ. Книжки вынули, спорить собираются. Виргинский — общечеловек, Липутин — фурьерист, при большой наклонности к полицейским делам; человек, я вам скажу, дорогой в одном отношении, но требующий во всех других строгости; и, наконец, тот, с длинными ушами, тот свою собственную систему прочитает. И, знаете, они обижены, что я к ним небрежно и водой их окачиваю, хе-хе! А сходить надо непременно.

— Вы там каким-нибудь шефом меня представили? — как можно небрежнее выпустил Николай Всеволодович. Петр Степанович быстро посмотрел на него.

— Кстати, — подхватил он, как бы не расслышав и поскорей заминая, — я ведь по два, по три раза являлся к многоуважаемой Варваре Петровне и тоже много принужден был говорить.

— Воображаю.

— Нет, не воображайте, я просто говорил, что вы не убьете, ну и там прочие сладкие вещи. И вообразите: она на другой день уже знала, что я Марью Тимофеевну за реку переправил; это вы ей сказали?

— Не думал.

— Так и знал, что не вы. Кто ж бы мог, кроме вас? Интересно.

— Липутин, разумеется.

— Н-нет, не Липутин, — пробормотал, нахмурясь, Петр Степанович, — это я знаю, кто. Тут похоже на Шатова... Впрочем, вздор, оставим это! Это, впрочем, ужасно важно... Кстати, я всё ждал, что ваша матушка так вдруг и брякнет мне главный вопрос... Ах да, все дни сначала она была страшно угрюма, а вдруг сегодня приезжаю — вся так и сияет. Это что же?

— Это она потому, что я сегодня ей слово дал через пять дней к Лизавете Николаевне посвататься, — проговорил вдруг Николай Всеволодович с неожиданною откровенностью.

— А, ну... да, конечно, — пролепетал Петр Степанович; как бы замявшись, — там слухи о помолвке, вы знаете? Верно, однако. Но вы правы, она из-под венца прибежит, стоит вам только кликнуть. Вы не сердитесь, что я так?

— Нет, не сержусь.

— Я замечаю, что вас сегодня ужасно трудно рассердить, и начинаю вас бояться. Мне ужасно любопытно, как вы завтра явитесь. Вы, наверно, много штук приготовили. Вы не сердитесь на меня, что я так?

Николай Всеволодович совсем не ответил, что совсем уже раздражило Петра Степановича.

— Кстати, это вы серьезно мамаше насчет Лизаветы Николаевны? — спросил он.

Николай Всеволодович пристально и холодно посмотрел на него.

— А, понимаю, чтобы только успокоить, ну да.

— А если бы серьезно? — твердо спросил Николай Всеволодович.

— Что ж, и с Богом, как в этих случаях говорится, делу не повредит (видите, я не сказал: нашему делу, вы словцо *наше* не любите), а я... а я что ж, я к вашим услугам, сами знаете.

— Вы думаете?

— Я ничего, ничего не думаю, — заторопился, смеясь, Петр Степанович, — потому что знаю, вы о своих делах сами наперед обдумали и что у вас всё придумано. Я только про то, что я серьезно к вашим услугам, всегда и везде и во всяком случае, то есть во всяком, понимаете это?

Николай Всеволодович зевнул.

— Надоел я вам, — вскочил вдруг Петр Степанович, схватывая свою круглую, совсем новую шляпу и как бы уходя, а между тем всё еще оставаясь и продолжая говорить беспрерывно, хотя и стоя, иногда шагая по комнате и в одушевленных местах разговора ударяя себя шляпой по коленке. — Я думал еще повеселить вас Лембками, — весело вскричал он.

— Нет уж, после бы. Как, однако, здоровье Юлии Михайловны?

— Какой это у вас у всех, однако, светский прием: вам до ее здоровья всё равно, что до здоровья серой кошки, а между тем спрашиваете. Я это хвалю. Здорова и вас уважает до суеверия, до суеверия многого от вас ожидает. О воскресном случае молчит и уверена, что вы всё сами победите одним появлением. Ей-богу, она воображает, что вы уж бог знает что можете. Впрочем, вы теперь загадочное и романическое лицо, пуще чем когда-нибудь — чрезвычайно выгодное положение. Все вас ждут до невероятности. Я вот уехал — было горячо, а теперь еще пуще. Кстати, спасибо еще раз за письмо. Они все графа К. боятся. Знаете, они считают вас, кажется, за шпиона? Я поддакиваю, вы не сердитесь?

— Ничего.

— Это ничего; это в дальнейшем необходимо. У них здесь свои порядки. Я, конечно, поощряю; Юлия Михайловна во главе, Гаганов тоже... Вы смеетесь? Да ведь я с тактикой: я вру, вру, а вдруг и умное слово скажу, именно тогда, когда они все его ищут. Они окружат меня, а я опять начну врать. На меня уже все махнули; «со способностями, говорят, но с луны соскочил». Лембке меня в службу зовет, чтоб я выправился. Знаете, я его ужасно третирую, то есть компрометирую, так и лупит глаза. Юлия Михайловна поощряет. Да, кстати, Гаганов на вас ужасно сердится. Вчера в Духове говорил мне о вас прескверно. Я ему тотчас же всю правду, то есть, разумеется, не всю правду. Я у него целый день в Духове прожил. Славное имение, хороший дом.

— Так он разве и теперь в Духове? — вдруг вскинулся Николай Всеволодович, почти вскочив и сделав сильное движение вперед.

— Нет, меня же и привез сюда давеча утром, мы вместе воротились, — проговорил Петр Степанович, как бы совсем не заметив мгновенного волнения Николая Всеволодовича. — Что это, я книгу уронил, — нагнулся он поднять задетый им кипсек. — «Женщины Бальзака», с картинками, — развернул он вдруг, — не читал. Лембке тоже романы пишет.

— Да? — спросил Николай Всеволодович, как бы заинтересовавшись.

— На русском языке, потихоньку разумеется. Юлия Михайловна знает и позволяет. Колпак; впрочем, с приемами; у них это выработано. Экая строгость форм, экая выдержанность! Вот бы нам что-нибудь в этом роде.

— Вы хвалите администрацию?

— Да еще же бы нет! Единственно, что в России есть натурального и достигнутого... не буду, не буду, — вскинулся он вдруг, — я не про то, о деликатном ни слова. Однако прощайте, вы какой-то зеленый.

— Лихорадка у меня.

— Можно поверить, ложитесь-ка. Кстати: здесь скопцы есть в уезде, любопытный народ... Впрочем, потом. А впрочем, вот еще анекдотик: тут по уезду пехотный полк. В пятницу вечером я в Б—цах с офицерами пил. Там ведь у нас три приятеля, vous comprenez?[1] Об атеизме говорили и, уж разумеется, Бога раскассировали. Рады, визжат. Кстати, Шатов уверяет, что если в России бунт начинать, то чтобы непременно начать с атеизма. Может, и правда. Один седой бурбон капитан сидел, сидел, всё молчал, ни слова не говорил, вдруг становится среди комнаты и, знаете, громко так, как бы сам с собой: «Если Бога нет, то какой же я после того капитан?» Взял фуражку, развел руки и вышел.

— Довольно цельную мысль выразил, — зевнул в третий раз Николай Всеволодович.

— Да? Я не понял; вас хотел спросить. Ну, что бы вам еще: интересная фабрика Шпигулиных; тут, как вы знаете, пятьсот рабочих, рассадник холеры, не чистят пятнадцать лет и фабричных усчитывают; купцы-миллионеры. Уверяю вас, что между рабочими иные об Internationale[2] имеют понятие. Что, вы улыбнулись? Сами увидите, дайте мне только самый, самый маленький срок! Я уже просил у вас срока, а теперь еще прошу, и тогда... а впрочем, виноват, не буду, не буду, я не про то, не морщитесь. Однако прощайте. Что ж я? — воротился он вдруг с дороги, — совсем забыл, самое главное: мне сейчас говорили, что наш ящик из Петербурга пришел.

— То есть? — посмотрел Николай Всеволодович, не понимая.

— То есть ваш ящик, ваши вещи, с фраками, панталонами и бельем; пришел? Правда?

— Да, мне что-то давеча говорили.

— Ах, так нельзя ли сейчас!..

— Спросите у Алексея.

— Ну завтра, завтра? Там ведь с вашими вещами и мой пиджак, фрак и трое панталон, от Шармера, по вашей рекомендации, помните?

— Я слышал, что вы здесь, говорят, джентльменничаете? — усмехнулся Николай Всеволодович. — Правда, что вы у берейтора верхом хотите учиться?

Петр Степанович улыбнулся искривленною улыбкой.

— Знаете, — заторопился он вдруг чрезмерно, каким-то вздрагивающим и пресекающимся голосом, — знаете, Николай Всеволодович, мы оставим насчет личностей, не так ли, раз навсегда? Вы, разумеется, можете меня презирать ско-

---

[1] вы понимаете? (*франц.*)
[2] Интернационале (*франц.*).

лько угодно, если вам так смешно, но все-таки бы лучше без личностей несколько времени, так ли?

— Хорошо, я больше не буду, — промолвил Николай Всеволодович. Петр Степанович усмехнулся, стукнул по коленке шляпой, ступил с одной ноги на другую и принял прежний вид.

— Здесь иные считают меня даже вашим соперником у Лизаветы Николаевны, как же мне о наружности не заботиться? — засмеялся он. — Это кто же, однако, вам доносит? Гм. Ровно восемь часов; ну, я в путь; я к Варваре Петровне обещал зайти, но спасую, а вы ложитесь и завтра будете бодрее. На дворе дождь и темень, у меня, впрочем, извозчик, потому что на улицах здесь по ночам неспокойно... Ах, как кстати: здесь в городе и около бродит теперь один Федька Каторжный, беглый из Сибири, представьте, мой бывший дворовый человек, которого папаша лет пятнадцать тому в солдаты упек и деньги взял. Очень замечательная личность.

— Вы... с ним говорили? — вскинул глазами Николай Всеволодович.

— Говорил. От меня не прячется. На всё готовая личность, на всё; за деньги разумеется, но есть и убеждения, в своем роде конечно. Ах да, вот и опять кстати: если вы давеча серьезно о том замысле, помните, насчет Лизаветы Николаевны, то возобновляю вам еще раз, что и я тоже на всё готовая личность, во всех родах, каких угодно, и совершенно к вашим услугам... Что это, вы за палку хватаетесь? Ах нет, вы не за палку... Представьте, мне показалось, что вы палку ищете?

Николай Всеволодович ничего не искал и ничего не говорил, но действительно он привстал как-то вдруг, с каким-то странным движением в лице.

— Если вам тоже понадобится что-нибудь насчет господина Гаганова, — брякнул вдруг Петр Степанович, уж прямехонько кивая на пресс-папье, — то, разумеется, я могу всё устроить и убежден, что вы меня не обойдете.

Он вдруг вышел, не дожидаясь ответа, но высунул еще раз голову из-за двери.

— Я потому так, — прокричал он скороговоркой, — что ведь Шатов, например, тоже не имел права рисковать тогда жизнью в воскресенье, когда к вам подошел, так ли? Я бы желал, чтобы вы это заметили.

Он исчез опять, не дожидаясь ответа.

IV

Может быть, он думал, исчезая, что Николай Всеволодович, оставшись один, начнет колотить кулаками в стену, и, уж конечно бы, рад был подсмотреть, если б это было возможно. Но он очень бы обманулся: Николай Всеволодович оставался спокоен. Минуты две он простоял у стола в том же положении, по-видимому очень задумавшись; но вскоре вялая, холодная улыбка выдавилась на его губах. Он медленно уселся на диван, на свое прежнее место в углу, и закрыл глаза, как бы от усталости. Уголок письма по-прежнему выглядывал из-под пресс-папье, но он и не пошевелился поправить.

Скоро он забылся совсем. Варвара Петровна, измучившая себя в эти дни заботами, не вытерпела и по уходе Петра Степановича, обещавшего к ней зайти и не сдержавшего обещания, рискнула сама навестить Nicolas, несмотря на неуказанное время. Ей всё мерещилось: не скажет ли он наконец чего-нибудь окончательно? Тихо, как и давеча, постучалась она в дверь и, опять не получая ответа, отворила сама. Увидав, что Nicolas сидит что-то слишком уж неподвижно, она с бьющимся сердцем осторожно приблизилась сама к дивану. Ее как бы поразило, что он так скоро заснул и что может так спать, так прямо сидя и так неподвижно; даже дыхания почти нельзя было заметить. Лицо было бледное и суровое, но совсем как бы застывшее, недвижимое; брови немного сдвинуты и нахмурены; решительно, он походил на бездушную восковую фигуру. Она простояла над ним минуты три, едва переводя дыхание, и вдруг ее обнял страх; она вышла на цыпочках, приостановилась в дверях, наскоро перекрестила его и удалилась незамеченная, с новым тяжелым ощущением и с новою тоской.

Проспал он долго, более часу, и всё в таком же оцепенении; ни один мускул лица его не двинулся, ни малейшего движения во всем теле не выказалось; брови были всё так же сурово сдвинуты. Если бы Варвара Петровна осталась еще на три минуты, то, наверно бы, не вынесла подавляющего ощущения этой летаргической неподвижности и разбудила его. Но он вдруг сам открыл глаза и, по-прежнему не шевелясь, просидел еще минут десять, как бы упорно и любопытно всматриваясь в какой-то поразивший его предмет в углу комнаты, хотя там ничего не было ни нового, ни особенного.

Наконец раздался тихий, густой звук больших стенных часов, пробивших один раз. С некоторым беспокойством повернул он голову взглянуть на циферблат, но почти в ту же минуту отворилась задняя дверь, выходившая в коридор, и показался камердинер Алексей Егорович. Он нес в одной руке теплое пальто, шарф и шляпу, а в другой серебряную тарелочку, на которой лежала записка.

— Половина десятого, — возгласил он тихим голосом и, сложив принесенное платье в углу на стуле, поднес на тарелке записку, маленькую бумажку, незапечатанную, с двумя строчками карандашом. Пробежав эти строки, Николай Всеволодович тоже взял со стола карандаш, черкнул в конце записки два слова и положил обратно на тарелку.

— Передать тотчас же, как я выйду, и одеваться, — сказал он, вставая с дивана.

Заметив, что на нем легкий бархатный пиджак, он подумал и велел подать себе другой, суконный сюртук, употреблявшийся для более церемонных вечерних визитов. Наконец, одевшись совсем и надев шляпу, он запер дверь, в которую входила к нему Варвара Петровна, и, вынув из-под пресс-папье спрятанное письмо, молча вышел в коридор в сопровождении Алексея Егоровича. Из коридора вышли на узкую каменную заднюю лестницу и спустились в сени, выходившие прямо в сад. В углу в сенях стояли припасенные фонарик и большой зонтик.

— По чрезвычайному дождю грязь по здешним улицам нестерпимая, — доложил Алексей Егорович, в виде отдаленной попытки в последний раз отклонить барина от путешествия. Но барин, развернув зонтик, молча вышел в темный, как погреб, отсырелый и мокрый старый сад. Ветер шумел и качал вершинами полуобнаженных деревьев, узенькие песочные дорожки были топки и скользки. Алексей Егорович шел как был, во фраке и без шляпы, освещая путь шага на три вперед фонариком.

— Не заметно ли будет? — спросил вдруг Николай Всеволодович.

— Из окошек заметно не будет, окромя того, что заранее всё предусмотрено, — тихо и размеренно ответил слуга.

— Матушка почивает?

— Заперлись, по обыкновению последних дней, ровно в девять часов, и узнать теперь для них ничего невозможно. В каком часу вас прикажете ожидать? — прибавил он, осмеливаясь сделать вопрос.

— В час, в половине второго, не позже двух.

— Слушаю-с.

Обойдя извилистыми дорожками весь сад, который оба знали наизусть, они дошли до каменной садовой ограды и тут, в самом углу стены, отыскали маленькую дверцу, выводившую в тесный и глухой переулок, почти всегда запертую, но ключ от которой оказался теперь в руках Алексея Егоровича.

— Не заскрипела бы дверь? — осведомился опять Николай Всеволодович.

Но Алексей Егорович доложил, что вчера еще смазана маслом, «равно и сегодня». Он весь уже успел измокнуть. Отперев дверцу, он подал ключ Николаю Всеволодовичу.

— Если изволили предпринять путь отдаленный, то докладываю, будучи неуверен в здешнем народишке, в особенности по глухим переулкам, а паче всего за рекой, — не утерпел он еще раз. Это был старый слуга, бывший дядька Николая Всеволодовича, когда-то нянчивший его на руках, человек серьезный и строгий, любивший послушать и почитать от Божественного.

— Не беспокойся, Алексей Егорыч.

— Благослови вас Бог, сударь, но при начинании лишь добрых дел.

— Как? — остановился Николай Всеволодович, уже перешагнув в переулок.

Алексей Егорович твердо повторил свое желание; никогда прежде он не решился бы его выразить в таких словах вслух пред своим господином.

Николай Всеволодович запер дверь, положил ключ в карман и пошел по проулку, увязая с каждым шагом вершка на три в грязь. Он вышел наконец в длинную и пустынную улицу на мостовую. Город был известен ему как пять пальцев; но Богоявленская улица была всё еще далеко. Было более десяти часов, когда он остановился наконец пред запертыми воротами темного старого дома Филипповых. Нижний этаж теперь, с выездом Лебядкиных, стоял совсем пустой, с заколоченными окнами, но в мезонине у Шатова светился огонь. Так как не было колокольчика, то он начал бить в ворота рукой. Отворилось оконце, и Шатов выглянул на улицу; темень была страшная, и разглядеть было мудрено; Шатов разглядывал долго, с минуту.

— Это вы? — спросил он вдруг.

— Я, — ответил незваный гость.

Шатов захлопнул окно, сошел вниз и отпер ворота. Николай Всеволодович переступил через высокий порог и, не сказав ни слова, прошел мимо, прямо во флигель к Кириллову.

V

Тут всё было отперто и даже не притворено. Сени и первые две комнаты были темны, но в последней, в которой Кириллов жил и пил чай, сиял свет и слышался смех и какие-то странные вскрикивания. Николай Всеволодович пошел на свет, но, не входя, остановился на пороге. Чай был на столе. Среди комнаты стояла старуха, хозяйская родственница, простоволосая, в одной юбке, в башмаках на босу ногу и в заячьей куцавейке. На руках у ней был полуторагодовой ребенок, в одной рубашонке, с голыми ножками, с разгоревшимися щечками, с белыми всклоченными волосками, только что из колыбели. Он, должно быть, недавно расплакался; слезки стояли еще под глазами; но в эту минуту тянулся ручонками, хлопал в ладошки и хохотал, как хохочут маленькие дети, с захлипом. Пред ним Кириллов бросал о пол большой резиновый красный мяч; мяч отпрыгивал до потолка, падал опять, ребенок кричал: «Мя, мя!» Кириллов ловил «мя» и подавал ему, тот бросал уже сам своими неловкими ручонками, а Кириллов бежал опять подымать. Наконец «мя» закатился под шкаф. «Мя, мя!» — кричал ребенок. Кириллов припал к полу и протянулся, стараясь из-под шкафа достать «мя» рукой. Николай Всеволодович вошел в комнату; ребенок, увидев его, припал к старухе и закатился долгим детским плачем; та тотчас же его вынесла.

— Ставрогин? — сказал Кириллов, приподымаясь с полу с мячом в руках, без малейшего удивления к неожиданному визиту. — Хотите чаю?

Он приподнялся совсем.

— Очень, не откажусь, если теплый, — сказал Николай Всеволодович, — я весь промок.

— Теплый, горячий даже, — с удовольствием подтвердил Кириллов, — садитесь: вы грязны, ничего; пол я потом мокрою тряпкой.

Николай Всеволодович уселся и почти залпом выпил налитую чашку.

— Еще? — спросил Кириллов.

— Благодарю.

Кириллов, до сих пор не садившийся, тотчас же сел напротив и спросил:

— Вы что пришли?

— По делу. Вот прочтите это письмо, от Гаганова; помните, я вам говорил в Петербурге.

Кириллов взял письмо, прочел, положил на стол и смотрел в ожидании.

— Этого Гаганова, — начал объяснять Николай Всеволодович, — как вы знаете, я встретил месяц тому, в Петербурге, в первый раз в жизни. Мы столкнулись раза три в людях. Не знакомясь со мной и не заговаривая, он нашел-таки возможность быть очень дерзким. Я вам тогда говорил; но вот чего вы не знаете: уезжая тогда из Петербурга раньше меня, он вдруг прислал мне письмо, хотя и не такое, как это, но, однако, неприличное в высшей степени и уже тем странное, что в нем совсем не объяснено было повода, по которому оно писано. Я ответил ему тотчас же, тоже письмом, и совершенно откровенно высказал, что, вероятно, он на меня сердится за происшествие с его отцом, четыре года назад, здесь в клубе, и что я с моей стороны готов принести ему всевозможные извинения на том основании, что поступок мой был неумышленный и произошел в болезни. Я просил его взять мои извинения в соображение. Он не ответил и уехал; но вот теперь я застаю его здесь уже совсем в бешенстве. Мне передали несколько публичных отзывов его обо мне, совершенно ругательных и с удивительными обвинениями. Наконец, сегодня приходит это письмо, какого, верно, никто никогда не получал, с ругательствами и с выражениями: «ваша битая рожа». Я пришел, надеясь, что вы не откажетесь в секунданты.

— Вы сказали, письма никто не получал, — заметил Кириллов, — в бешенстве можно; пишут не раз. Пушкин Геккерну написал. Хорошо, пойду. Говорите: как?

Николай Всеволодович объяснил, что желает завтра же и чтобы непременно начать с возобновления извинений и даже с обещания вторичного письма с извинениями, но с тем, однако, что и Гаганов, с своей стороны, обещал бы не писать более писем. Полученное же письмо будет считаться как не бывшее вовсе.

— Слишком много уступок, не согласится, — проговорил Кириллов.

— Я прежде всего пришел узнать, согласитесь ли вы понести туда такие условия?

— Я понесу. Ваше дело. Но он не согласится.

— Знаю, что не согласится.

— Он драться хочет. Говорите, как драться.

— В том и дело, что я хотел бы завтра непременно всё кончить. Часов в девять утра вы у него. Он выслушает и не согласится, но сведет вас с своим секундантом, — положим, часов около одиннадцати. Вы с тем порешите, и затем в час или в два чтобы быть всем на месте. Пожалуйста, постарайтесь так сделать. Оружие, конечно, пистолеты, и особенно вас прошу устроить так: определить барьер в десять шагов; затем вы ставите нас каждого в десяти шагах от барьера, и по данному знаку мы сходимся. Каждый должен непременно дойти до своего барьера, но выстрелить может и раньше, на ходу. Вот и всё, я думаю.

— Десять шагов между барьерами близко, — заметил Кириллов.

— Ну двенадцать, только не больше, вы понимаете, что он хочет драться серьезно. Умеете вы зарядить пистолет?

— Умею. У меня есть пистолеты; я дам слово, что вы из них не стреляли. Его секундант тоже слово про свои; две пары, и мы сделаем чет и нечет, его или нашу?

— Прекрасно.

— Хотите посмотреть пистолеты?

— Пожалуй.

Кириллов присел на корточки пред своим чемоданом в углу, всё еще не разобранным, но из которого вытаскивались вещи по мере надобности. Он вытащил со дна ящик пальмового дерева, внутри отделанный красным бархатом, и из него вынул пару щегольских, чрезвычайно дорогих пистолетов.

— Есть всё: порох, пули, патроны. У меня еще револьвер; постойте.

Он полез опять в чемодан и вытащил другой ящик с шестиствольным американским револьвером.

— У вас довольно оружия, и очень дорогого.

— Очень. Чрезвычайно.

Бедный, почти нищий, Кириллов, никогда, впрочем, и не замечавший своей нищеты, видимо с похвальбой показывал теперь свои оружейные драгоценности, без сомнения приобретенные с чрезвычайными пожертвованиями.

— Вы всё еще в тех же мыслях? — спросил Ставрогин после минутного молчания и с некоторою осторожностью.

— В тех же, — коротко ответил Кириллов, тотчас же по голосу угадав, о чем спрашивают, и стал убирать со стола оружие.

— Когда же? — еще осторожнее спросил Николай Всеволодович, опять после некоторого молчания.

Кириллов между тем уложил оба ящика в чемодан и уселся на прежнее место.

— Это не от меня, как знаете; когда скажут, — пробормотал он, как бы несколько тяготясь вопросом, но в то же время с видимою готовностию отвечать на все другие вопросы. На Ставрогина он смотрел, не отрываясь, своими черными глазами без блеску, с каким-то спокойным, но добрым и приветливым чувством.

— Я, конечно, понимаю застрелиться, — начал опять, несколько нахмурившись, Николай Всеволодович, после долгого, трехминутного задумчивого молчания, — я иногда сам представлял, и тут всегда какая-то новая мысль: если бы сделать злодейство или, главное, стыд, то есть позор, только очень подлый и... смешной, так что запомнят люди на тысячу лет и плевать будут тысячу лет, и вдруг мысль: «Один удар в висок, и ничего не будет». Какое дело тогда до людей и что они будут плевать тысячу лет, не так ли?

— Вы называете, что это новая мысль? — проговорил Кириллов подумав.

— Я... не называю... когда я подумал однажды, то почувствовал совсем новую мысль.

— «Мысль почувствовали»? — переговорил Кириллов. — Это хорошо. Есть много мыслей, которые всегда и которые вдруг станут новые. Это верно. Я много теперь как в первый раз вижу.

— Положим, вы жили на луне, — перебил Ставрогин, не слушая и продолжая свою мысль, — вы там, положим, сделали все эти смешные пакости... Вы знаете наверно отсюда, что там будут смеяться и плевать на ваше имя тысячу лет, вечно, во всю луну. Но теперь вы здесь и смотрите на луну отсюда: какое вам дело здесь до всего того, что вы там наделали и что тамошние будут плевать на вас тысячу лет, не правда ли?

— Не знаю, — ответил Кириллов, — я на луне не был, — прибавил он без всякой иронии, единственно для обозначения факта.

— Чей это давеча ребенок?

— Старухина свекровь приехала; нет, сноха... всё равно. Три дня. Лежит больная, с ребенком; по ночам кричит очень, живот. Мать спит, а старуха приносит; я мячом. Мяч из Гамбурга. Я в Гамбурге купил, чтобы бросать и ловить: укрепляет спину. Девочка.

— Вы любите детей?

— Люблю, — отозвался Кириллов довольно, впрочем, равнодушно.

— Стало быть, и жизнь любите?

— Да, люблю и жизнь, а что?

— Если решились застрелиться.

— Что же? Почему вместе? Жизнь особо, а то особо. Жизнь есть, а смерти нет совсем.

— Вы стали веровать в будущую вечную жизнь?

— Нет, не в будущую вечную, а в здешнюю вечную. Есть минуты, вы доходите до минут, и время вдруг останавливается и будет вечно.

— Вы надеетесь дойти до такой минуты?

— Да.

— Это вряд ли в наше время возможно, — тоже без всякой иронии отозвался Николай Всеволодович, медленно и как бы задумчиво. — В Апокалипсисе ангел клянется, что времени больше не будет.

— Знаю. Это очень там верно; отчетливо и точно. Когда весь человек счастья достигнет, то времени больше не будет, потому что не надо. Очень верная мысль.

— Куда ж его спрячут?

— Никуда не спрячут. Время не предмет, а идея. Погаснет в уме.

— Старые философские места, одни и те же с начала веков, — с каким-то брезгливым сожалением пробормотал Ставрогин.

— Одни и те же! Одни и те же с начала веков, и никаких других никогда! — подхватил Кириллов с сверкающим взглядом, как будто в этой идее заключалась чуть не победа.

— Вы, кажется, очень счастливы, Кириллов?

— Да, очень счастлив, — ответил тот, как бы давая самый обыкновенный ответ.

— Но вы так недавно еще огорчались, сердились на Липутина?

— Гм... я теперь не браню. Я еще не знал тогда, что был счастлив. Видали вы лист, с дерева лист?

— Видал.

— Я видел недавно желтый, немного зеленого, с краев подгнил. Ветром носило. Когда мне было десять лет, я зимой закрывал глаза нарочно и представлял лист — зеленый, яркий с жилками, и солнце блестит. Я открывал глаза и не верил, потому что очень хорошо, и опять закрывал.

— Это что же, аллегория?

— Н-нет... зачем? Я не аллегорию, я просто лист, один лист. Лист хорош. Всё хорошо.

— Всё?

— Всё. Человек несчастлив потому, что не знает, что он счастлив; только потому. Это всё, всё! Кто узнает, тотчас сейчас станет счастлив, сию минуту. Эта свекровь умрет, а девочка останется — всё хорошо. Я вдруг открыл.

— А кто с голоду умрет, а кто обидит и обесчестит девочку — это хорошо?

— Хорошо. И кто размозжит голову за ребенка, и то хорошо; и кто не размозжит, и то хорошо. Всё хорошо, всё. Всем тем хорошо, кто знает, что всё хорошо. Если б они знали, что им хорошо, то им было бы хорошо, но пока они не знают, что им хорошо, то им будет нехорошо. Вот вся мысль, вся, больше нет никакой!

— Когда же вы узнали, что вы так счастливы?

— На прошлой неделе во вторник, нет, в среду, потому что уже была среда, ночью.

— По какому же поводу?

— Не помню, так; ходил по комнате... всё равно. Я часы остановил, было тридцать семь минут третьего.

— В эмблему того, что время должно остановиться?

Кириллов промолчал.

— Они нехороши, — начал он вдруг опять, — потому что не знают, что они хороши. Когда узнают, то не будут насиловать девочку. Надо им узнать, что они хороши, и все тотчас же станут хороши, все до единого.

— Вот вы узнали же, стало быть, вы хороши?

— Я хорош.

— С этим я, впрочем, согласен, — нахмуренно пробормотал Ставрогин.

— Кто научит, что все хороши, тот мир закончит.

— Кто учил, того распяли.

— Он придет, и имя ему человекобог.

— Богочеловек?

— Человекобог, в этом разница.

— Уж не вы ли и лампадку зажигаете?

— Да, это я зажег.

— Уверовали?

— Старуха любит, чтобы лампадку... а ей сегодня некогда, — пробормотал Кириллов.

— А сами еще не молитесь?

— Я всему молюсь. Видите, паук ползет по стене, я смотрю и благодарен ему за то, что ползет.

Глаза его опять загорелись. Он всё смотрел прямо на Ставрогина, взглядом твердым и неуклонным. Ставрогин нахмуренно и брезгливо следил за ним, но насмешки в его взгляде не было.

— Бьюсь об заклад, что когда я опять приду, то вы уж и в Бога уверуете, — проговорил он, вставая и захватывая шляпу.

— Почему? — привстал и Кириллов.

— Если бы вы узнали, что вы в Бога веруете, то вы бы и веровали; но так как вы еще не знаете, что вы в Бога веруете, то вы и не веруете, — усмехнулся Николай Всеволодович.

— Это не то, — обдумал Кириллов, — перевернули мысль. Светская шутка. Вспомните, что вы значили в моей жизни, Ставрогин.

— Прощайте, Кириллов.

— Приходите ночью; когда?

— Да уж вы не забыли ли про завтрашнее?

— Ах, забыл, будьте покойны, не просплю; в девять часов. Я умею просыпаться, когда хочу. Я ложусь и говорю: в семь часов, и проснусь в семь часов; в десять часов — и проснусь в десять часов.

— Замечательные у вас свойства, — поглядел на его бледное лицо Николай Всеволодович.

— Я пойду отопру ворота.

— Не беспокойтесь, мне отопрет Шатов.

— А, Шатов. Хорошо, прощайте.

VI

Крыльцо пустого дома, в котором квартировал Шатов, было незаперто; но, взобравшись в сени, Ставрогин очутился в совершенном мраке и стал искать рукой лестницу в мезонин. Вдруг сверху отворилась дверь и показался свет; Шатов сам не вышел, а только свою дверь отворил. Когда Николай Всеволодович стал на пороге его комнаты, то разглядел его в углу у стола, стоящего в ожидании.

— Вы примете меня по делу? — спросил он с порога.

— Войдите и садитесь, — отвечал Шатов, — заприте дверь, постойте, я сам.

Он запер дверь на ключ, воротился к столу и сел напротив Николая Всеволодовича. В эту неделю он похудел, а теперь, казалось, был в жару.

— Вы меня измучили, — проговорил он потупясь, тихим полушепотом, — зачем вы не приходили?

— Вы так уверены были, что я приду?

— Да, постойте, я бредил... может, и теперь брежу... Постойте.

Он привстал и на верхней из своих трех полок с книгами, с краю, захватил какую-то вещь. Это был револьвер.

— В одну ночь я бредил, что вы придете меня убивать, и утром рано у бездельника Лямшина купил револьвер на последние деньги; я не хотел вам даваться. Потом я пришел в себя... У меня ни пороху, ни пуль; с тех пор так и лежит на полке. Постойте...

Он привстал и отворил было форточку.

— Не выкидывайте, зачем? — остановил Николай Всеволодович. — Он денег стоит, а завтра люди начнут говорить, что у Шатова под окном валяются револьверы. Положите опять, вот так, садитесь. Скажите, зачем вы точно каетесь предо мной в вашей мысли, что я приду вас убить? Я и теперь не мириться пришел, а говорить о необходимом. Разъясните мне, во-первых, вы меня ударили не за связь мою с вашею женой?

— Вы сами знаете, что нет, — опять потупился Шатов.

— И не потому, что поверили глупой сплетне насчет Дарьи Павловны?

— Нет, нет, конечно, нет! Глупость! Сестра мне с самого начала сказала... — с нетерпением и резко проговорил Шатов, чуть-чуть даже топнув ногой.

— Стало быть, и я угадал, и вы угадали, — спокойным тоном продолжал Ставрогин, — вы правы: Марья Тимофеевна Лебядкина — моя законная, обвенчанная со мною жена, в Петербурге, года четыре с половиной назад. Ведь вы меня за нее ударили?

Шатов, совсем пораженный, слушал и молчал.

— Я угадал и не верил, — пробормотал он наконец, странно смотря на Ставрогина.

— И ударили?

Шатов вспыхнул и забормотал почти без связи:

— Я за ваше падение... за ложь. Я не для того подходил, чтобы вас наказать; когда я подходил, я не знал, что ударю... Я за то, что вы так много значили в моей жизни... Я...

— Понимаю, понимаю, берегите слова. Мне жаль, что вы в жару; у меня самое необходимое дело.

— Я слишком долго вас ждал, — как-то весь чуть не затрясся Шатов и привстал было с места, — говорите ваше дело, я тоже скажу... потом...

Он сел.

— Это дело не из той категории, — начал Николай Всеволодович, приглядываясь к нему с любопытством, — по некоторым обстоятельствам я принужден был сегодня же выбрать такой час и идти к вам предупредить, что, может быть, вас убьют.

Шатов дико смотрел на него.

— Я знаю, что мне могла бы угрожать опасность, — проговорил он размеренно, — но вам, вам-то почему это может быть известно?

— Потому что я тоже принадлежу к ним, как и вы, и такой же член их общества, как и вы.

— Вы... вы член общества?

— Я по глазам вашим вижу, что вы всего от меня ожидали, только не этого, — чуть-чуть усмехнулся Николай Всеволодович, — но позвольте, стало быть, вы уже знали, что на вас покушаются?

— И не думал. И теперь не думаю, несмотря на ваши слова, хотя... хотя кто ж тут с этими дураками может в чем-нибудь заручиться! — вдруг вскричал он в бешенстве, ударив кулаком по столу. — Я их не боюсь! Я с ними разорвал. Этот забегал ко мне четыре раза и говорил, что можно... но, — посмотрел он на Ставрогина, — что ж, собственно, вам тут известно?

— Не беспокойтесь, я вас не обманываю, — довольно холодно продолжал Ставрогин, с видом человека, исполняющего только обязанность. — Вы экзаменуете, что мне известно? Мне известно, что вы вступили в это общество за границей, два года тому назад, и еще при старой его организации, как раз пред вашею поездкой в Америку и, кажется, тотчас же после нашего последнего разговора, о котором вы так много написали мне из Америки в вашем письме. Кстати, извините, что я не ответил вам тоже письмом, а ограничился...

— Высылкой денег; подождите, — остановил Шатов, поспешно выдвинул из стола ящик и вынул из-под бумаг радужный кредитный билет, — вот, возьмите, сто рублей, которые вы мне выслали; без вас я бы там погиб. Я долго бы не отдал, если бы не ваша матушка: эти сто рублей подарила она мне девять месяцев назад на бедность, после моей болезни. Но продолжайте, пожалуйста...

Он задыхался.

— В Америке вы переменили ваши мысли и, возвратясь в Швейцарию, хотели отказаться. Они вам ничего не ответили, но поручили принять здесь, в России, от кого-то какую-то типографию и хранить ее до сдачи лицу, которое к вам от них явится. Я не знаю всего в полной точности, но ведь в главном, кажется, так? Вы же, в надежде или под условием, что это будет последним их требованием и что вас после того отпустят совсем, взялись. Всё это, так ли, нет ли, узнал я не от них, а совсем случайно. Но вот чего вы, кажется, до сих пор не знаете: эти господа вовсе не намерены с вами расстаться.

— Это нелепость! — завопил Шатов. — Я объявил честно, что я расхожусь с ними во всем! Это мое право, право совести и мысли... Я не потерплю! Нет силы, которая бы могла...

— Знаете, вы не кричите, — очень серьезно остановил его Николай Всеволодович, — этот Верховенский такой человечек, что, может быть, нас теперь подслушивает, своим или чужим ухом, в ваших же сенях, пожалуй. Даже пьяница Лебядкин чуть ли не обязан был за вами следить, а вы, может быть, за ним, не так ли? Скажите лучше: согласился теперь Верховенский на ваши аргументы или нет?

— Он согласился; он сказал, что можно и что я имею право...

— Ну, так он вас обманывает. Я знаю, что даже Кириллов, который к ним почти вовсе не принадлежит, доставил об вас сведения; а агентов у них много, даже таких, которые и не знают, что служат обществу. За вами всегда надсматривали. Петр Верховенский, между прочим, приехал сюда за тем, чтобы порешить ваше дело совсем, и имеет на то полномочие, а именно: истребить вас в удобную минуту, как слишком много знающего и могущего донести. Повторяю вам, что это наверно; и позвольте прибавить, что они почему-то совершенно убеждены, что вы шпион и если еще не донесли, то донесете. Правда это?

Шатов скривил рот, услыхав такой вопрос, высказанный таким обыкновенным тоном.

— Если б я и был шпион, то кому доносить? — злобно проговорил он, не отвечая прямо. — Нет, оставьте меня, к черту меня! — вскричал он, вдруг схватываясь за первоначальную, слишком потрясшую его мысль, по всем признакам несравненно сильнее, чем известие о собственной опасности. — Вы, вы, Ставрогин, как могли вы затереть себя в такую бесстыдную, бездарную лакейскую нелепость! Вы член их общества! Это ли подвиг Николая Ставрогина! — вскричал он чуть не в отчаянии.

Он даже сплеснул руками, точно ничего не могло быть для него горше и безотраднее такого открытия.

— Извините, — действительно удивился Николай Всеволодович, — но вы, кажется, смотрите на меня как на какое-то солнце, а на себя как на какую-то букашку сравнительно со мной. Я заметил это даже по вашему письму из Америки.

— Вы... вы знаете... Ах, бросим лучше обо мне совсем, совсем! — оборвал вдруг Шатов. — Если можете что-нибудь объяснить о себе, то объясните... На мой вопрос! — повторял он в жару.

— С удовольствием. Вы спрашиваете: как мог я затереться в такую трущобу? После моего сообщения я вам даже обязан некоторою откровенностью по этому делу. Видите, в строгом смысле я к этому обществу совсем не принадлежу, не принадлежал и прежде и гораздо более вас имею права их оставить, потому что и не поступал. Напротив, с самого начала заявил, что я им не товарищ, а если и помогал случайно, то только так, как праздный человек. Я отчасти участвовал в переорганизации общества по новому плану, и только. Но они теперь одумались и решили про себя, что и меня отпустить опасно, и, кажется, я тоже приговорен.

— О, у них всё смертная казнь и всё на предписаниях, на бумагах с печатями, три с половиной человека подписывают. И вы верите, что они в состоянии!

— Тут отчасти вы правы, отчасти нет, — продолжал с прежним равнодушием, даже вяло Ставрогин. — Сомнения нет, что много фантазии, как и всегда в этих случаях: кучка преувеличивает свой рост и значение. Если хотите, то, по-моему, их всего и есть один Петр Верховенский, и уж он слишком добр, что почитает себя только агентом своего общества. Впрочем, основная идея не глупее других в этом роде. У них связи с Internationale; они сумели завести агентов в России, даже наткнулись на довольно оригинальный прием... но, разумеется, только теоретически. Что же касается до их здешних намерений, то ведь движение нашей русской организации такое дело темное и почти всегда такое неожиданное, что действительно у нас всё можно попробовать. Заметьте, что Верховенский человек упорный.

— Этот клоп, невежда, дуралей, не понимающий ничего в России! — злобно вскричал Шатов.

— Вы его мало знаете. Это правда, что вообще все они мало понимают в России, но ведь разве только немножко меньше, чем мы с вами; и притом Верховенский энтузиаст.

— Верховенский энтузиаст?

— О да. Есть такая точка, где он перестает быть шутом и обращается в... полупомешанного. Попрошу вас припомнить одно собственное выражение ваше: «Знаете ли, как может быть силен один человек?» Пожалуйста, не смейтесь, он очень в состоянии спустить курок. Они уверены, что я тоже шпион. Все они, от неуменья вести дело, ужасно любят обвинять в шпионстве.

— Но ведь вы не боитесь?

— Н-нет... Я не очень боюсь... Но ваше дело совсем другое. Я вас предупредил, чтобы вы все-таки имели в виду. По-моему, тут уж нечего обижаться, что опасность грозит от дураков; дело не в их уме: и не на таких, как мы с вами, у них подымалась рука. А впрочем, четверть двенадцатого, — посмотрел он на часы и встал со стула, — мне хотелось бы сделать вам один совсем посторонний вопрос.

— Ради бога! — воскликнул Шатов, стремительно вскакивая с места.

— То есть? — вопросительно посмотрел Николай Всеволодович.

— Делайте, делайте ваш вопрос, ради бога, — в невыразимом волнении повторял Шатов, — но с тем, что и я вам сделаю вопрос. Я умоляю, что вы позволите... я не могу... делайте ваш вопрос!

Ставрогин подождал немного и начал:

— Я слышал, что вы имели здесь некоторое влияние на Марью Тимофеевну и что она любила вас видеть и слушать. Так ли это?

— Да... слушала... — смутился несколько Шатов.

— Я имею намерение на этих днях публично объявить здесь в городе о браке моем с нею.

— Разве это возможно? — прошептал чуть не в ужасе Шатов.

— То есть в каком же смысле? Тут нет никаких затруднений; свидетели брака здесь. Всё это произошло тогда в Петербурге совершенно законным и спокойным образом, а если не обнаруживалось до сих пор, то потому только, что двое единственных свидетелей брака, Кириллов и Петр Верховенский, и, наконец, сам Лебядкин (которого я имею удовольствие считать теперь моим родственником) дали тогда слово молчать.

— Я не про то... Вы говорите так спокойно... но продолжайте! Послушайте, вас ведь не силой принудили к этому браку, ведь нет?

— Нет, меня никто не принуждал силой, — улыбнулся Николай Всеволодович на задорную поспешность Шатова.

— А что она там про ребенка своего толкует? — торопился в горячке и без связи Шатов.

— Про ребенка своего толкует? Ба! Я не знал, в первый раз слышу. У ней не было ребенка и быть не могло: Марья Тимофеевна девица.

— А! Так я и думал! Слушайте!

— Что с вами, Шатов?

Шатов закрыл лицо руками, повернулся, но вдруг крепко схватил за плечо Ставрогина.

— Знаете ли, знаете ли вы по крайней мере, — прокричал он, — для чего вы всё это наделали и для чего решаетесь на такую кару теперь?

— Ваш вопрос умен и язвителен, но я вас тоже намерен удивить: да, я почти знаю, для чего я тогда женился и для чего решаюсь на такую «кару» теперь, как вы выразились.

— Оставим это... об этом после, подождите говорить; будем о главном, о главном: я вас ждал два года.

— Да?

— Я вас слишком давно ждал, я беспрерывно думал о вас. Вы единый человек, который бы мог... Я еще из Америки вам писал об этом.

— Я очень помню ваше длинное письмо.

— Длинное, чтобы быть прочитанным? Согласен; шесть почтовых листов. Молчите, молчите! Скажите: можете вы уделить мне еще десять минут, но теперь же, сейчас же... Я слишком долго вас ждал!

— Извольте, уделю полчаса, но только не более, если это для вас возможно.

— И с тем, однако, — подхватил яростно Шатов, — чтобы вы переменили ваш тон. Слышите, я требую, тогда как должен молить... Понимаете ли вы, что значит требовать, тогда как должно молить?

— Понимаю, что таким образом вы возноситесь над всем обыкновенным для более высших целей, — чуть-чуть усмехнулся Николай Всеволодович, — я с прискорбием тоже вижу, что вы в лихорадке.

— Я уважения прошу к себе, требую! — кричал Шатов, — не к моей личности, — к черту ее, — а к другому, на это только время, для нескольких слов... Мы два существа и сошлись в беспредельности... в последний раз в мире. Оставьте ваш тон и возьмите человеческий! Заговорите хоть раз в жизни голосом человеческим. Я не для себя, а для вас. Понимаете ли, что вы должны простить мне этот удар по лицу уже по тому одному, что я дал вам случай познать при этом вашу беспредельную силу... Опять вы улыбаетесь вашею брезгливою светскою улыбкой. О, когда вы поймете меня! Прочь барича! Поймите же, что я этого требую, требую, иначе не хочу говорить, не стану ни за что!

Исступление его доходило до бреду; Николай Всеволодович нахмурился и как бы стал осторожнее.

— Если я уж остался на полчаса, — внушительно и серьезно промолвил он, — тогда как мне время так дорого, то поверьте, что намерен слушать вас по крайней мере с интересом и... и убежден, что услышу от вас много нового.

Он сел на стул.

— Садитесь! — крикнул Шатов и как-то вдруг сел и сам.

— Позвольте, однако, напомнить, — спохватился еще раз Ставрогин, — что я начал было целую к вам просьбу насчет Марьи Тимофеевны, для нее по крайней мере очень важную...

— Ну? — нахмурился вдруг Шатов с видом человека, которого вдруг перебили на самом важном месте и который хоть и глядит на вас, но не успел еще понять вашего вопроса.

— И вы мне не дали докончить, — договорил с улыбкой Николай Всеволодович.

— Э, ну вздор, потом! — брезгливо отмахнулся рукой Шатов, осмыслив наконец претензию, и прямо перешел к своей главной теме.

VII

— Знаете ли вы, — начал он почти грозно, принагнувшись вперед на стуле, сверкая взглядом и подняв перст правой руки вверх пред собою (очевидно, не примечая этого сам), — знаете ли вы, кто теперь на всей земле единственный народ-«богоносец», грядущий обновить и спасти мир именем нового Бога и кому единому даны ключи жизни и нового слова... Знаете ли вы, кто этот народ и как ему имя?

— По вашему приему я необходимо должен заключить, и, кажется, как можно скорее, что это народ русский...

— И вы уже смеетесь, о племя! — рванулся было Шатов.

— Успокойтесь, прошу вас; напротив, я именно ждал чего-нибудь в этом роде.

— Ждали в этом роде? А самому вам незнакомы эти слова?

— Очень знакомы; я слишком предвижу, к чему вы клоните. Вся ваша фраза и даже выражение народ-«богоносец» есть только заключение нашего с вами разговора, происходившего с лишком два года назад, за границей, незадолго пред вашим отъездом в Америку... По крайней мере, сколько я могу теперь припомнить.

— Это ваша фраза целиком, а не моя. Ваша собственная, а не одно только заключение нашего разговора. «Нашего» разговора совсем и не было: был учитель, вещавший огромные слова, и был ученик, воскресший из мертвых. Я тот ученик, а вы учитель.

— Но если припомнить, вы именно после слов моих как раз и вошли в то общество и только потом уехали в Америку.

— Да, и я вам писал о том из Америки; я вам обо всем писал. Да, я не мог тотчас же оторваться с кровью от того, к чему прирос с детства, на что пошли все восторги моих надежд и все слезы моей ненависти... Трудно менять богов. Я не поверил вам тогда, потому что не хотел верить, и уцепился в последний раз за этот помойный клоак... Но семя осталось и возросло. Серьезно, скажите серьезно, не дочитали письма моего из Америки? Может быть, не читали вовсе?

— Я прочел из него три страницы, две первые и последнюю, и, кроме того, бегло переглядел средину. Впрочем, я всё собирался...

— Э, всё равно, бросьте, к черту! — махнул рукой Шатов. — Если вы отступились теперь от тогдашних слов про народ, то как могли вы их тогда выговорить?.. Вот что давит меня теперь.

— Не шутил же я с вами и тогда; убеждая вас, я, может, еще больше хлопотал о себе, чем о вас, — загадочно произнес Ставрогин.

— Не шутили! В Америке я лежал три месяца на соломе, рядом с одним... несчастным, и узнал от него, что в то же самое время, когда вы насаждали в моем сердце Бога и родину, — в то же самое время, даже, может быть, в те же самые дни, вы отравляли сердце этого несчастного, этого маньяка, Кириллова, ядом... Вы утверждали в нем ложь и клевету и довели разум его до исступления... Подите взгляните на него теперь, это ваше создание... Впрочем, вы видели.

— Во-первых, замечу вам, что сам Кириллов сейчас только сказал мне, что он счастлив и что он прекрасен. Ваше предположение о том, что всё это произошло в одно и то же время, почти верно; ну, и что же из всего этого? Повторяю, я вас, ни того, ни другого, не обманывал.

— Вы атеист? Теперь атеист?

— Да.

— А тогда?

— Точно так же, как и тогда.

— Я не к себе просил у вас уважения, начиная разговор; с вашим умом вы бы могли понять это, — в негодовании пробормотал Шатов.

— Я не встал с первого вашего слова, не закрыл разговора, не ушел от вас, а сижу до сих пор и смирно отвечаю на ваши вопросы и... крики, стало быть, не нарушил еще к вам уважения.

Шатов прервал, махнув рукой:

— Вы помните выражение ваше: «Атеист не может быть русским, атеист тотчас же перестает быть русским», помните это?

— Да? — как бы переспросил Николай Всеволодович.

— Вы спрашиваете? Вы забыли? А между тем это одно из самых точнейших указаний на одну из главнейших особенностей русского духа, вами угаданную. Не могли вы этого забыть? Я напомню вам больше, — вы сказали тогда же: «Не православный не может быть русским».

— Я полагаю, что это славянофильская мысль.

— Нет; нынешние славянофилы от нее откажутся. Нынче народ поумнел. Но вы еще дальше шли: вы веровали, что римский католицизм уже не есть христианство; вы утверждали, что Рим провозгласил Христа, поддавшегося на третье дьяволово искушение, и что, возвестив всему свету, что Христос без царства земного на земле устоять не может, католичество тем самым провозгласило антихриста и тем погубило весь западный мир. Вы именно указывали, что если мучается Франция, то единственно по вине католичества, ибо отвергла смрадного бога римского, а нового не сыскала. Вот что вы тогда могли говорить! Я помню наши разговоры.

— Если б я веровал, то, без сомнения, повторил бы это и теперь; я не лгал, говоря как верующий, — очень серьезно произнес Николай Всеволодович. — Но уверяю вас, что на меня производит слишком неприятное впечатление это повторение прошлых мыслей моих. Не можете ли вы перестать?

— Если бы веровали? — вскричал Шатов, не обратив ни малейшего внимания на просьбу. — Но не вы ли говорили мне, что если бы математически доказали вам, что истина вне Христа, то вы бы согласились лучше остаться со Христом, нежели с истиной? Говорили вы это? Говорили?

— Но позвольте же и мне, наконец, спросить, — возвысил голос Ставрогин, — к чему ведет весь этот нетерпеливый и... злобный экзамен?

— Этот экзамен пройдет навеки и никогда больше не напомнится вам.

— Вы всё настаиваете, что мы вне пространства и времени...

— Молчите! — вдруг крикнул Шатов. — Я глуп и неловок, но погибай мое имя в смешном! Дозволите ли вы мне повторить пред вами всю главную вашу тогдашнюю мысль... О, только десять строк, одно заключение.

— Повторите, если только одно заключение...

Ставрогин сделал было движение взглянуть на часы, но удержался и не взглянул.

Шатов принагнулся опять на стуле и на мгновение даже опять было поднял палец.

— Ни один народ, — начал он, как бы читая по строкам и в то же время продолжая грозно смотреть на Ставрогина, — ни один народ еще не устраивался на началах науки и разума; не было ни разу такого примера, разве на одну минуту, по глупости. Социализм по существу своему уже должен быть атеизмом, ибо именно провозгласил, с самой первой строки, что он установление атеистическое и намерен устроиться на началах науки и разума исключительно. Разум и наука в жизни народов всегда, теперь и с начала веков, исполняли лишь должность второстепенную и служебную; так и будут исполнять до конца веков. Народы слагаются и движутся силой иною, повелевающею и господствующею, но происхождение которой неизвестно и необъяснимо. Эта сила есть сила неутолимого желания дойти до конца и в то же время конец отрицающая. Это есть сила беспрерывного и неустанного подтверждения своего бытия и отрицания смерти. Дух жизни, как говорит Писание, «реки воды живой», иссякновением которых так угрожает Апокалипсис. Начало эстетическое, как говорят философы, начало нравственное, как отождествляют они же. «Искание Бога» — как называю я всего проще. Цель всего движения народного, во всяком народе и во всякий период его бытия, есть единственно лишь искание Бога, Бога своего, непременно собственного, и вера в него как в единого истинного. Бог есть синтетическая личность всего народа, взятого с начала его и до конца. Никогда еще не было, чтоб у всех или у многих народов был один общий Бог, но всегда и у каждого был особый. Признак уничтожения народностей, когда боги начинают становиться общими. Когда боги становятся общими, то умирают боги и вера в них вместе с самими народами. Чем сильнее народ, тем особливее его Бог. Никогда не было еще народа без религии, то есть без понятия о зле и добре. У всякого народа свое собственное понятие о зле и добре и свое собственное зло и добро. Когда начинают у многих народов становиться общими понятия о зле и добре, тогда вымирают народы и тогда самое различие между злом и добром начинает стираться и исчезать. Никогда разум не в силах был определить зло и добро или даже отделить зло от добра, хотя приблизительно; напротив, всегда позорно и жалко смешивал; наука же давала разрешения кулачные. В особенности этим отличалась полунаука, самый страшный бич человечества, хуже мора, голода и войны, неизвестный до нынешнего столетия. Полунаука — это деспот, каких еще не приходило до сих пор никогда. Деспот, имеющий своих жрецов и рабов, деспот, пред которым всё преклонилось с любовью и с суеверием, до сих пор немыслимым, пред которым трепещет даже сама наука и постыдно потакает ему. Всё это ваши собственные слова, Ставрогин, кроме только слов о полунауке; эти мои, потому что я сам только полунаука, а стало быть, особенно ненавижу ее. В ваших же мыслях и даже в самых словах я не изменил ничего, ни единого слова.

— Не думаю, чтобы не изменили, — осторожно заметил Ставрогин, — вы пламенно приняли и пламенно переиначили, не замечая того. Уж одно то, что вы Бога низводите до простого атрибута народности...

Он с усиленным и особливым вниманием начал вдруг следить за Шатовым, и не столько за словами его, сколько за ним самим.

— Низвожу Бога до атрибута народности? — вскричал Шатов. — Напротив, народ возношу до Бога. Да и было ли когда-нибудь иначе? Народ — это тело Божие. Всякий народ до тех только пор и народ, пока имеет своего Бога особого, а всех остальных на свете богов исключает безо всякого примирения; пока верует в то, что своим Богом победит и изгонит из мира всех остальных богов. Так веровали все с начала веков, все великие народы по крайней мере, все сколько-нибудь отмеченные, все стоявшие во главе человечества. Против факта идти нельзя. Евреи жили лишь для того, чтобы дождаться Бога истинного, и оставили миру Бога истинного. Греки боготворили природу и завещали миру свою религию, то есть философию и искусство. Рим обоготворил народ в государстве и завещал народам государство. Франция в продолжение всей своей длинной истории была одним лишь воплощением и развитием идеи римского Бога, и если сбросила наконец в бездну своего римского Бога и ударилась в атеизм, который называется у них покамест социализмом, то единственно потому лишь, что атеизм все-таки здоровее римского католичества. Если великий народ не верует, что в нем одном истина (именно в одном и именно исключительно), если не верует, что он один способен и призван всех воскресить и спасти своею истиной, то он тотчас же перестает быть великим народом и тотчас же обращается в этнографический материал, а не в великий народ. Истинный великий народ никогда не может примириться со второстепенною ролью в человечестве или даже с первостепенною, а непременно и исключительно с первою. Кто теряет эту веру, тот уже не народ. Но истина одна, а стало быть, только единый из народов и может иметь Бога истинного, хотя бы остальные народы и имели своих особых и великих богов. Единый народ-«Богоносец» — это русский народ, и... и... и неужели, неужели вы меня почитаете за такого дурака, Ставрогин, — неистово возопил он вдруг, — который уж и различить не умеет, что слова его в эту минуту или старая, дряхлая дребедень, перемолотая на всех московских славянофильских мельницах, или совершенно новое слово, последнее слово, единственное слово обновления и воскресения, и... и какое мне дело до вашего смеха в эту минуту! Какое мне дело до того, что вы не понимаете меня совершенно, совершенно, ни слова, ни звука!.. О, как я презираю ваш гордый смех и взгляд в эту минуту!

Он вскочил с места; даже пена показалась на губах его.

— Напротив, Шатов, напротив, — необыкновенно серьезно и сдержанно проговорил Ставрогин, не подымаясь с места, — напротив, вы горячими словами вашими воскресили во мне много чрезвычайно сильных воспоминаний. В ваших словах я признаю мое собственное настроение два года назад, и теперь уже я не скажу вам, как давеча, что вы мои тогдашние мысли преувеличили. Мне кажется даже, что они были еще исключительнее, еще самовластнее, и уверяю вас в третий раз, что я очень желал бы подтвердить всё, что вы теперь говорили, даже до последнего слова, но...

— Но вам надо зайца?

— Что-о?

— Ваше же подлое выражение, — злобно засмеялся Шатов, усаживаясь опять, — «чтобы сделать соус из зайца, надо зайца, чтобы уверовать в Бога, надо Бога», это вы в Петербурге, говорят, приговаривали, как Ноздрев, который хотел поймать зайца за задние ноги.

— Нет, тот именно хвалился, что уж поймал его. Кстати, позвольте, однако же, и вас обеспокоить вопросом, тем более что я, мне кажется, имею на него теперь полное право. Скажите мне: ваш-то заяц пойман ли аль еще бегает?

— Не смейте меня спрашивать такими словами, спрашивайте другими, другими! — весь вдруг задрожал Шатов.

— Извольте, другими, — сурово посмотрел на него Николай Всеволодович, — я хотел лишь узнать: веруете вы сами в Бога или нет?

— Я верую в Россию, я верую в ее православие... Я верую в тело Христово... Я верую, что новое пришествие совершится в России... Я верую... — залепетал в исступлении Шатов.

— А в Бога? В Бога?

— Я... я буду веровать в Бога.

Ни один мускул не двинулся в лице Ставрогина. Шатов пламенно, с вызовом смотрел на него, точно сжечь хотел его своим взглядом.

— Я ведь не сказал же вам, что я не верую вовсе! — вскричал он наконец, — я только лишь знать даю, что я несчастная, скучная книга и более ничего покамест, покамест... Но погибай мое имя! Дело в вас, а не во мне... Я человек без таланта и могу только отдать свою кровь и ничего больше, как всякий человек без таланта. Погибай же и моя кровь! Я об вас говорю, я вас два года здесь ожидал... Я для вас теперь полчаса пляшу нагишом. Вы, вы одни могли бы поднять это знамя!..

Он не договорил и как бы в отчаянии, облокотившись на стол, подпер обеими руками голову.

— Я вам только кстати замечу, как странность, — перебил вдруг Ставрогин, — почему это мне все навязывают какое-то знамя? Петр Верховенский тоже убежден, что я мог бы «поднять у них знамя», по крайней мере мне передавали его слова. Он задался мыслию, что я мог бы сыграть для них роль Стеньки Разина «по необыкновенной способности к преступлению», — тоже его слова.

— Как? — спросил Шатов, — «по необыкновенной способности к преступлению»?

— Именно.

— Гм. А правда ли, что вы, — злобно ухмыльнулся он, — правда ли, что вы принадлежали в Петербурге к скотскому сладострастному секретному обществу? Правда ли, что маркиз де Сад мог бы у вас поучиться? Правда ли, что вы заманивали и развращали детей? Говорите, не смейте лгать, — вскричал он, совсем выходя из себя, — Николай Ставрогин не может лгать пред Шатовым, бившим его по лицу! Говорите всё, и если правда, я вас тотчас же, сейчас же убью, тут же на месте!

— Я эти слова говорил, но детей не я обижал, — произнес Ставрогин, но только после слишком долгого молчания. Он побледнел, и глаза его вспыхнули.

— Но вы говорили! — властно продолжал Шатов, не сводя с него сверкающих глаз. — Правда ли, будто вы уверяли, что не знаете различия в красоте между какою-нибудь сладострастною, зверскою штукой и каким угодно подвигом, хотя бы даже жертвой жизнию для человечества? Правда ли, что вы в обоих полюсах нашли совпадение красоты, одинаковость наслаждения?

— Так отвечать невозможно... я не хочу отвечать, — пробормотал Ставрогин, который очень бы мог встать и уйти, но не вставал и не уходил.

— Я тоже не знаю, почему зло скверно, а добро прекрасно, но я знаю, почему ощущение этого различия стирается и теряется у таких господ, как Ставрогины, — не отставал весь дрожавший Шатов, — знаете ли, почему вы тогда женились, так позорно и подло? Именно потому, что тут позор и бессмыслица доходили до гениальности! О, вы не бродите с краю, а смело летите вниз головой. Вы женились по страсти к мучительству, по страсти к угрызениям совести, по сладострастию нравственному. Тут был нервный надрыв... Вызов здравому смыслу был уж слишком прельстителен! Ставрогин и плюгавая, скудоумная, нищая хромоножка! Когда вы прикусили ухо губернатору, чувствовали вы сладострастие? Чувствовали? Праздный, шатающийся барчонок, чувствовали?

— Вы психолог, — бледнел всё больше и больше Ставрогин, — хотя в причинах моего брака вы отчасти ошиблись... Кто бы, впрочем, мог вам доставить все эти сведения, — усмехнулся он через силу, — неужто Кириллов? Но он не участвовал...

— Вы бледнеете?

— Чего, однако же, вы хотите? — возвысил наконец голос Николай Всеволодович. — Я полчаса просидел под вашим кнутом, и по крайней мере вы бы могли отпустить меня вежливо... если в самом деле не имеете никакой разумной цели поступать со мной таким образом.

— Разумной цели?

— Без сомнения. В вашей обязанности по крайней мере было объявить мне, наконец, вашу цель. Я всё ждал, что вы это сделаете, но нашел одну только исступленную злость. Прошу вас, отворите мне ворота.

Он встал со стула. Шатов неистово бросился вслед за ним.

— Целуйте землю, облейте слезами, просите прощения! — вскричал он, схватывая его за плечо.

— Я, однако, вас не убил... в то утро... а взял обе руки назад... — почти с болью проговорил Ставрогин, потупив глаза.

— Договаривайте, договаривайте! вы пришли предупредить меня об опасности, вы допустили меня говорить, вы завтра хотите объявить о вашем браке публично!.. Разве я не вижу по лицу вашему, что вас борет какая-то грозная новая мысль... Ставрогин, для чего я осужден в вас верить во веки веков? Разве мог бы я так говорить с другим? Я целомудрие имею, но я не побоялся моего нагиша, потому что со Ставрогиным говорил. Я не боялся окарикатурить великую мысль прикосновением моим, потому что Ставрогин слушал меня... Разве я не буду целовать следов ваших ног, когда вы уйдете? Я не могу вас вырвать из моего сердца, Николай Ставрогин!

— Мне жаль, что я не могу вас любить, Шатов, — холодно проговорил Николай Всеволодович.

— Знаю, что не можете, и знаю, что не лжете. Слушайте, я всё поправить могу: я достану вам зайца!

Ставрогин молчал.

— Вы атеист, потому что вы барич, последний барич. Вы потеряли различие зла и добра, потому что перестали свой народ узнавать. Идет новое поколение, прямо из сердца народного, и не узнаете его вовсе ни вы, ни Верховенские, сын и отец, ни я, потому что я тоже барич, я, сын вашего крепостного лакея Пашки... Слушайте, добудьте Бога трудом; вся суть в этом, или исчезнете, как подлая плесень; трудом добудьте.

— Бога трудом? Каким трудом?

— Мужицким. Идите, бросьте ваши богатства... А! вы смеетесь, вы боитесь, что выйдет кунштик?

Но Ставрогин не смеялся.

— Вы полагаете, что Бога можно добыть трудом, и именно мужицким? — переговорил он, подумав, как будто действительно встретил что-то новое и серьезное, что стоило обдумать. — Кстати, — перешел он вдруг к новой мысли, — вы мне сейчас напомнили: знаете ли, что я вовсе не богат, так что нечего и бросать? Я почти не в состоянии обеспечить даже будущность Марьи Тимофеевны... Вот что еще: я пришел было вас просить, если можно вам, не оставить и впредь Марью Тимофеевну, так как вы одни могли бы иметь некоторое влияние на ее бедный ум... Я на всякий случай говорю.

— Хорошо, хорошо, вы про Марью Тимофеевну, — замахал рукой Шатов, держа в другой свечу, — хорошо, потом само собой... Слушайте, сходите к Тихону.

— К кому?

— К Тихону. Тихон, бывший архиерей, по болезни живет на покое, здесь в городе, в черте города, в нашем Ефимьевском Богородском монастыре.

— Это что же такое?

— Ничего. К нему ездят и ходят. Сходите; чего вам? Ну чего вам?

— В первый раз слышу и... никогда еще не видывал этого сорта людей. Благодарю вас, схожу.

— Сюда, — светил Шатов по лестнице, — ступайте, — распахнул он калитку на улицу.

— Я к вам больше не приду, Шатов, — тихо проговорил Ставрогин, шагая чрез калитку.

Темень и дождь продолжались по-прежнему.

Глава вторая
НОЧЬ (ПРОДОЛЖЕНИЕ)

I

Он прошел всю Богоявленскую улицу; наконец пошло под гору, ноги ехали в грязи, и вдруг открылось широкое, туманное, как бы пустое пространство — река. Дома обратились в лачужки, улица пропала во множестве беспорядочных закоулков. Николай Всеволодович долго пробирался около заборов, не отдаляясь от берега, но твердо находя свою дорогу и даже вряд ли много о ней думая. Он занят был совсем другим и с удивлением осмотрелся, когда вдруг, очнувшись от глубокого раздумья, увидал себя чуть не на средине нашего длинного, мокрого плашкотного моста. Ни души кругом, так что странно показалось ему, когда внезапно, почти под самым локтем у него, раздался вежливо-фамильярный, довольно, впрочем, приятный голос, с тем услащенно-скандированным акцентом, которым щеголяют у нас слишком цивилизованные мещане или молодые кудрявые приказчики из Гостиного ряда.

— Не позволите ли, милостивый господин, зонтиком вашим заодно позаимствоваться?

В самом деле, какая-то фигура пролезла, или хотела показать только вид, что пролезла, под его зонтик. Бродяга шел с ним рядом, почти «чувствуя его локтем», — как выражаются солдатики. Убавив шагу, Николай Всеволодович принагнулся рассмотреть, насколько это возможно было в темноте: человек росту невысокого и вроде как бы загулявшего мещанинишки; одет не тепло и неприглядно; на лохматой, курчавой голове торчал суконный мокрый картуз с полуоторванным козырьком. Казалось, это был сильный брюнет, сухощавый и смуглый; глаза были большие, непременно черные, с сильным блеском и с желтым отливом, как у цыган; это и в темноте угадывалось. Лет, должно быть, сорока, и не пьян.

— Ты меня знаешь? — спросил Николай Всеволодович.

— Господин Ставрогин, Николай Всеволодович; мне вас на станции, едва лишь машина остановилась, в запрошлое воскресенье показывали. Окромя того, что прежде были наслышаны.

— От Петра Степановича? Ты... ты Федька Каторжный?

— Крестили Федором Федоровичем; доселе природную родительницу нашу имеем в здешних краях-с, старушку божию, к земле растет, за нас ежедневно день и ночь Бога молит, чтобы таким образом своего старушечьего времени даром на печи не терять.

— Ты беглый с каторги?

— Переменил участь. Сдал книги и колокола и церковные дела, потому я был решен вдоль по каторге-с, так оченно долго уж сроку приходилось дожидаться.

— Что здесь делаешь?

— Да вот день да ночь — сутки прочь. Дяденька тоже наш на прошлой неделе в остроге здешнем по фальшивым деньгам скончались, так я, по нем поминки справляя, два десятка камней собакам раскидал, — вот только и дела нашего было пока. Окромя того, Петр Степанович паспортом по всей Расее, чтобы примерно купеческим, облагонадеживают, так тоже вот ожидаю их милости. Потому, говорят, папаша тебя в клубе аглицком в карты тогда проиграл; так я, говорят, несправедливым сие бесчеловечие нахожу. Вы бы мне, сударь, согреться, на чаек, три целковых соблаговолили?

— Значит, ты меня здесь стерег; я этого не люблю. По чьему приказанию?

— Чтобы по приказанию, то этого не было-с ничьего, а я единственно человеколюбие ваше знамши, всему свету известное. Наши доходишки, сами знаете, либо сена клок, либо вилы в бок. Я вон в пятницу натрескался пирога, как Мартын мыла, да с тех пор день не ел, другой погодил, а на третий опять не ел. Воды в реке сколько хошь, в брюхе карасей развел... Так вот не будет ли вашей милости от щедрот; а у меня тут как раз неподалеку кума поджидает, только к ней без рублей не являйся.

— Тебе что же Петр Степанович от меня обещал?

— Они не то чтобы пообещали-с, а говорили на словах-с, что могу, пожалуй, вашей милости пригодиться, если полоса такая, примерно, выйдет, но в чем, собственно, того не объяснили, чтобы в точности, потому Петр Степанович меня, примером, в терпении казацком испытывают и доверенности ко мне никакой не питают.

— Почему же?

— Петр Степаныч — астролом и все божии планиды узнал, а и он критике подвержен. Я пред вами, сударь, как пред Истинным, потому об вас многим наслышаны. Петр Степанович — одно, а вы, сударь, пожалуй что и другое. У того коли сказано про человека: подлец, так уж кроме подлеца он про него ничего и не ведает. Али сказано — дурак, так уж кроме дурака у него тому человеку и звания нет. А я, может, по вторникам да по средам только дурак, а в четверг и умнее его. Вот он знает теперь про меня, что я оченно паспортом скучаю, — потому в Расее никак нельзя без документа, — так уж и думает, что он мою душу заполонил. Петру Степановичу, я вам скажу, сударь, оченно легко жить на свете, потому он человека сам представит себе да с таким и живет. Окромя того больно скуп. Они в том мнении, что я помимо их не посмею вас беспокоить, а я пред вами, сударь, как пред Истинным, — вот уже четвертую ночь вашей милости на сем мосту поджидаю, в том предмете, что и кроме них могу тихими стопами свой собственный путь найти. Лучше, думаю, я уж сапогу поклонюсь, а не лаптю.

— А кто тебе сказал, что я ночью по мосту пойду?

— А уж это, признаться, стороной вышло, больше по глупости капитана Лебядкина, потому они никак чтоб удержать в себе не умеют... Так три-то целковых с вашей милости, примером, за три дня и три ночи, за скуку придутся. А что одежи промокло, так мы уж, из обиды одной, молчим.

— Мне налево, тебе направо; мост кончен. Слушай, Федор, я люблю, чтобы мое слово понимали раз навсегда: не дам тебе ни копейки, вперед мне ни на мосту и нигде не встречайся, нужды в тебе не имею и не буду иметь, а если ты не послушаешься — свяжу и в полицию. Марш!

— Эхма, за компанию по крайности набросьте, веселее было идти-с.

— Пошел!

— Да вы дорогу-то здешнюю знаете ли-с? Ведь тут такие проулки пойдут... я бы мог руководствовать, потому здешний город — это всё равно что черт в корзине нес, да растрес.

— Эй, свяжу! — грозно обернулся Николай Всеволодович.

— Рассудите, может быть, сударь; сироту долго ли изобидеть.

— Нет, ты, видно, уверен в себе!

— Я, сударь, в вас уверен, а не то чтоб оченно в себе.

— Не нужен ты мне совсем, я сказал!

— Да вы-то мне нужны, сударь, вот что-с. Подожду вас на обратном пути, так уж и быть.

— Честное слово даю: коли встречу — свяжу.

— Так я уж и кушачок приготовлю-с. Счастливого пути, сударь, всё под зонтиком сироту обогрели, на одном этом по гроб жизни благодарны будем.

Он отстал. Николай Всеволодович дошел до места озабоченный. Этот с неба упавший человек совершенно был убежден в своей для него необходимости и слишком нагло спешил заявить об этом. Вообще с ним не церемонились. Но могло быть и то, что бродяга не всё лгал и напрашивался на службу в самом деле только от себя, и именно потихоньку от Петра Степановича; а уж это было всего любопытнее.

II

Дом, до которого дошел Николай Всеволодович, стоял в пустынном закоулке между заборами, за которыми тянулись огороды, буквально на самом краю города. Это был совсем уединенный небольшой деревянный домик, только что отстроенный и еще не обшитый тесом. В одном из окошек ставни были нарочно не заперты и на подоконнике стояла свеча — видимо, с целью служить маяком ожидаемому на сегодня позднему гостю. Шагов еще за тридцать Николай Всеволодович отличил стоявшую на крылечке фигуру высокого ростом человека, вероятно хозяина помещения, вышедшего в нетерпении посмотреть на дорогу. Послышался и голос его, нетерпеливый и как бы робкий:

— Это вы-с? Вы-с?

— Я, — отозвался Николай Всеволодович, не раньше как совсем дойдя до крыльца и свертывая зонтик.

— Наконец-то-с! — затоптался и засуетился капитан Лебядкин, — это был он, — пожалуйте зонтичек; очень мокро-с; я его разверну здесь на полу в уголку, милости просим, милости просим.

Дверь из сеней в освещенную двумя свечами комнату была отворена настежь.

— Если бы только не ваше слово о несомненном прибытии, то перестал бы верить.

— Три четверти первого, — посмотрел на часы Николай Всеволодович, вступая в комнату.

— И при этом дождь и такое интересное расстояние... Часов у меня нет, а из окна одни огороды, так что... отстаешь от событий... но, собственно, не в ропот, потому и не смею, не смею, а единственно лишь от нетерпения, снедаемого всю неделю, чтобы наконец... разрешиться.

— Как?

— Судьбу свою услыхать, Николай Всеволодович. Милости просим.

Он склонился, указывая на место у столика пред диваном.

Николай Всеволодович осмотрелся; комната была крошечная, низенькая; мебель самая необходимая, стулья и диван деревянные, тоже совсем новой поделки, без обивки и без подушек, два липовые столика, один у дивана, а другой в углу, накрытый скатертью, чем-то весь заставленный и прикрытый сверху чистейшею салфеткой. Да и вся комната содержалась, по-видимому, в большой чистоте. Капитан Лебядкин дней уже восемь не был пьян; лицо его как-то отекло и пожелтело, взгляд был беспокойный, любопытный и очевидно недоумевающий: слишком заметно было, что он еще сам не знает, каким тоном ему можно заговорить и в какой всего выгоднее было бы прямо попасть.

— Вот-с, — указал он кругом, — живу Зосимой. Трезвость, уединение и нищета — обет древних рыцарей.

— Вы полагаете, что древние рыцари давали такие обеты?

— Может быть, сбился? Увы, мне нет развития! Всё погубил! Верите ли, Николай Всеволодович, здесь впервые очнулся от постыдных пристрастий — ни рюмки, ни капли! Имею угол и шесть дней ощущаю благоденствие совести. Даже стены пахнут смолой, напоминая природу. А что я был, чем я был?

> Ночью дую без ночлега,
> Днем же, высунув язык, —

по гениальному выражению поэта! Но... вы так обмокли... Не угодно ли будет чаю?

— Не беспокойтесь.

— Самовар кипел с восьмого часу, но... потух... как и всё в мире. И солнце, говорят, потухнет в свою очередь... Впрочем, если надо, я сочиню. Агафья не спит.

— Скажите, Марья Тимофеевна...

— Здесь, здесь, — тотчас же подхватил Лебядкин шепотом, — угодно будет взглянуть? — указал он на припертую дверь в другую комнату.

— Не спит?

— О нет, нет, возможно ли? Напротив, еще с самого вечера ожидает и, как только узнала давеча, тотчас же сделала туалет, — скривил было он рот в шутливую улыбочку, но мигом осекся.

— Как она вообще? — нахмурясь, спросил Николай Всеволодович.

— Вообще? Сами изволите знать (он сожалительно вскинул плечами), а теперь... теперь сидит в карты гадает...

— Хорошо, потом; сначала надо кончить с вами.

Николай Всеволодович уселся на стул.

Капитан не посмел уже сесть на диване, а тотчас же придвинул себе другой стул и в трепетном ожидании принагнулся слушать.

— Это что ж у вас там в углу под скатертью? — вдруг обратил внимание Николай Всеволодович.

— Это-с? — повернулся тоже и Лебядкин. — Это от ваших же щедрот, в виде, так сказать, новоселья, взяв тоже во внимание дальнейший путь и естественную усталость, — умилительно подхихикнул он, затем встал с места и на цыпочках, почтительно и осторожно снял со столика в углу скатерть. Под нею оказалась приготовленная закуска: ветчина, телятина, сардины, сыр, маленький зеленоватый графинчик и длинная бутылка бордо; всё было улажено чисто, с знанием дела и почти щегольски.

— Это вы хлопотали?

— Я-с. Еще со вчерашнего дня, и всё, что мог, чтобы сделать честь... Марья же Тимофеевна на этот счет, сами знаете, равнодушна. А главное, от ваших щедрот, ваше собственное, так как вы здесь хозяин, а не я, а я, так сказать, в виде только вашего приказчика, ибо все-таки, все-таки, Николай Всеволодович, все-таки духом я независим! Не отнимите же вы это последнее достояние мое! — докончил он умилительно.

— Гм!.. вы бы сели опять.

— Блага-а-дарен, благодарен и независим! (Он сел.) Ах, Николай Всеволодович, в этом сердце накипело столько, что я не знал, как вас и дождаться! Вот вы теперь разрешите судьбу мою и... той несчастной, а там... там, как бывало прежде, в старину, изолью пред вами всё, как четыре года назад! Удостоивали же вы меня тогда слушать, читали строфы... Пусть меня тогда называли вашим Фальстафом из Шекспира, но вы значили столько в судьбе моей!.. Я же имею теперь великие страхи и от вас одного только и жду и совета и света. Петр Степанович ужасно поступает со мной!

Николай Всеволодович любопытно слушал и пристально вглядывался. Очевидно, капитан Лебядкин хоть и перестал пьянствовать, но все-таки находился далеко не в гармоническом состоянии. В подобных многолетних пьяницах утверждается под конец навсегда нечто нескладное, чадное, что-то как бы поврежденное и безумное, хотя, впрочем, они надувают, хитрят и плутуют почти не хуже других, если надо.

— Я вижу, что вы вовсе не переменились, капитан, в эти с лишком четыре года, — проговорил как бы несколько ласковее Николай Всеволодович. — Видно, правда, что вся вторая половина человеческой жизни составляется обыкновенно из одних только накопленных в первую половину привычек.

— Высокие слова! Вы разрешаете загадку жизни! — вскричал капитан, наполовину плутуя, а наполовину действительно в неподдельном восторге, потому что был большой любитель словечек. — Из всех ваших слов, Николай Всеволодович, я запомнил одно по преимуществу, вы еще в Петербурге его высказали: «Нужно быть действительно великим человеком, чтобы суметь устоять даже против здравого смысла». Вот-с!

— Ну, равно и дураком.

— Так-с, пусть и дураком, но вы всю жизнь вашу сыпали остроумием, а они? Пусть Липутин, пусть Петр Степанович хоть что-нибудь подобное изреки! О, как жестоко поступал со мной Петр Степанович!..

— Но ведь и вы, однако же, капитан, как сами-то вы вели себя?

— Пьяный вид и к тому же бездна врагов моих! Но теперь всё, всё проехало, и я обновляюсь, как змей. Николай Всеволодович, знаете ли, что я пишу мое завещание и что я уже написал его?

— Любопытно. Что же вы оставляете и кому?

— Отечеству, человечеству и студентам. Николай Всеволодович, я прочел в газетах биографию об одном американце. Он оставил всё свое огромное состояние на фабрики и на положительные науки, свой скелет студентам, в тамошнюю академию, а свою кожу на барабан, с тем чтобы денно и нощно выбивать на нем американский национальный гимн. Увы, мы пигмеи сравнительно с полетом мысли Северо-Американских Штатов; Россия есть игра природы, но не ума. Попробуй я завещать мою кожу на барабан, примерно в Акмолинский пехотный полк, в котором имел честь начать службу, с тем чтобы каждый день выбивать на нем пред полком русский национальный гимн, сочтут за либерализм, запретят мою кожу... и потому ограничился одними студентами. Хочу завещать мой скелет в академию, но с тем, с тем, однако, чтобы на лбу его был наклеен на веки веков ярлык со словами: «Раскаявшийся вольнодумец». Вот-с!

Капитан говорил горячо и уже, разумеется, верил в красоту американского завещания, но он был и плут, и ему очень хотелось тоже рассмешить Николая Всеволодовича, у которого он прежде долгое время состоял в качестве шута. Но тот и не усмехнулся, а, напротив, как-то подозрительно спросил:

— Вы, стало быть, намерены опубликовать ваше завещание при жизни и получить за него награду?

— А хоть бы и так, Николай Всеволодович, хоть бы и так? — осторожно вгляделся Лебядкин. — Ведь судьба-то моя какова! Даже стихи перестал писать, а когда-то и вы забавлялись моими стишками, Николай Всеволодович, помните, за бутылкой? Но конец перу. Написал только одно стихотворение, как Гоголь «Последнюю повесть», помните, еще он возвещал России, что она «выпелась» из груди его. Так и я, пропел, и баста.

— Какое же стихотворение?

— «В случае, если б она сломала ногу»!

— Что-о?

Того только и ждал капитан. Стихотворения свои он уважал и ценил безмерно, но тоже, по некоторой плутовской двойственности души, ему нравилось и то, что Николай Всеволодович всегда, бывало, веселился его стишками и хохотал над ними, иногда схватясь за бока. Таким образом достигались две цели — и поэтическая и служебная; но теперь была и третья, особенная и весьма щекотливая цель: капитан, выдвигая на сцену стихи, думал оправдать себя в одном пункте, которого почему-то всего более для себя опасался и в котором всего более ощущал себя провинившимся.

— «В случае, если б она сломала ногу», то есть в случае верховой езды. Фантазия, Николай Всеволодович, бред, но бред поэта: однажды был поражен, проходя, при встрече с наездницей и задал материальный вопрос: «Что бы тогда было?» — то есть в случае. Дело ясное: все искатели на попятный, все женихи прочь, морген фри, нос утри, один поэт остался бы верен с раздавленным в груди сердцем. Николай Всеволодович, даже вошь и та могла бы быть влюблена, и той не запрещено законами. И, однако же, особа была обижена и письмом, и стихами. Даже вы, говорят, рассердились, так ли-с; это скорбно; не хотел даже верить. Ну, кому бы я мог повредить одним воображением? К тому же, честью клянусь, тут Липутин: «Пошли да пошли, всякий человек достоин права переписки», — я и послал.

— Вы, кажется, предлагали себя в женихи?

— Враги, враги и враги!

— Скажите стихи, — сурово перебил Николай Всеволодович.

— Бред, бред прежде всего.

Однако же он выпрямился, протянул руку и начал:

> Краса красот сломала член
> И интересней вдвое стала,
> И вдвое сделался влюблен
> Влюбленный уж немало.

— Ну, довольно, — махнул рукой Николай Всеволодович.

— Мечтаю о Питере, — перескочил поскорее Лебядкин, как будто и не было никогда стихов, — мечтаю о возрождении... Благодетель! Могу ли рассчитывать, что не откажете в средствах к поездке? Я как солнца ожидал вас всю неделю.

— Ну нет, уж извините, у меня совсем почти не осталось средств, да и зачем мне вам деньги давать?..

Николай Всеволодович как будто вдруг рассердился. Сухо и кратко перечислил он все преступления капитана: пьянство, враньё, трату денег, назначавшихся Марье Тимофеевне, то, что её взяли из монастыря, дерзкие письма с угрозами опубликовать тайну, поступок с Дарьей Павловной и пр., и пр. Капитан колыхался, жестикулировал, начинал возражать, но Николай Всеволодович каждый раз повелительно его останавливал.

— И позвольте, — заметил он наконец, — вы всё пишете о «фамильном позоре». Какой же позор для вас в том, что ваша сестра в законном браке со Ставрогиным?

— Но брак под спудом, Николай Всеволодович, брак под спудом, роковая тайна. Я получаю от вас деньги, и вдруг мне задают вопрос: за что эти деньги? Я связан и не могу отвечать, во вред сестре, во вред фамильному достоинству.

Капитан повысил тон: он любил эту тему и крепко на неё рассчитывал. Увы, он и не предчувствовал, как его огорошат. Спокойно и точно, как будто дело шло о самом обыденном домашнем распоряжении, Николай Всеволодович сообщил ему, что на днях, может быть даже завтра или послезавтра, он намерен свой брак сделать повсеместно известным, «как полиции, так и обществу», а стало быть, кончится сам собою и вопрос о фамильном достоинстве, а вместе с тем и вопрос о субсидиях. Капитан вытаращил глаза; он даже и не понял; надо было растолковать ему.

— Но ведь она... полоумная?

— Я сделаю такие распоряжения.

— Но... как же ваша родительница?

— Ну, уж это как хочет.

— Но ведь вы введёте же вашу супругу в ваш дом?

— Может быть и да. Впрочем, это в полном смысле не ваше дело и до вас совсем не относится.

— Как не относится! — вскричал капитан. — А я-то как же?

— Ну, разумеется, вы не войдёте в дом.

— Да ведь я же родственник.

— От таких родственников бегут. Зачем мне давать вам тогда деньги, рассудите сами?

— Николай Всеволодович, Николай Всеволодович, этого быть не может, вы, может быть, ещё рассудите, вы не захотите наложить руки... что подумают, что скажут в свете?

— Очень я боюсь вашего света. Женился же я тогда на вашей сестре, когда захотел, после пьяного обеда, из-за пари на вино, а теперь вслух опубликую об этом... если это меня теперь тешит?

Он произнёс это как-то особенно раздражительно, так что Лебядкин с ужасом начал верить.

— Но ведь я, я-то как, главное ведь тут я!.. Вы, может быть, шутите-с, Николай Всеволодович?

— Нет, не шучу.

— Воля ваша, Николай Всеволодович, а я вам не верю... тогда я просьбу подам.

— Вы ужасно глупы, капитан.

— Пусть, но ведь это всё, что мне остается! — сбился совсем капитан. — Прежде за ее службу там в углах по крайней мере нам квартиру давали, а теперь что же будет, если вы меня совсем бросите?

— Ведь хотите же вы ехать в Петербург переменять карьеру. Кстати, правда, я слышал, что вы намерены ехать с доносом, в надежде получить прощение, объявив всех других?

Капитан разинул рот, выпучил глаза и не отвечал.

— Слушайте, капитан, — чрезвычайно серьезно заговорил вдруг Ставрогин, принагнувшись к столу. До сих пор он говорил как-то двусмысленно, так что Лебядкин, искусившийся в роли шута, до последнего мгновения все-таки был капельку неуверен: сердится ли его барин в самом деле или только подшучивает, имеет ли в самом деле дикую мысль объявить о браке или только играет? Теперь же необыкновенно строгий вид Николая Всеволодовича до того был убедителен, что даже озноб пробежал по спине капитана. — Слушайте и говорите правду, Лебядкин: донесли вы о чем-нибудь или еще нет? Успели вы что-нибудь в самом деле сделать? Не послали ли какого-нибудь письма по глупости?

— Нет-с, ничего не успел и... не думал, — неподвижно смотрел капитан.

— Ну, вы лжете, что не думали. Вы в Петербург для того и проситесь. Если не писали, то не сболтнули ли чего-нибудь кому-нибудь здесь? Говорите правду, я кое-что слышал.

— В пьяном виде Липутину. Липутин изменник. Я открыл ему сердце, — прошептал бедный капитан.

— Сердце сердцем, но не надо же быть и дуралеем. Если у вас была мысль, то держали бы про себя; нынче умные люди молчат, а не разговаривают.

— Николай Всеволодович! — задрожал капитан, — ведь вы сами ни в чем не участвовали, ведь я не на вас...

— Да уж на дойную свою корову вы бы не посмели доносить.

— Николай Всеволодович, посудите, посудите!.. — и в отчаянии, в слезах капитан начал торопливо излагать свою повесть за все четыре года. Это была глупейшая повесть о дураке, втянувшемся не в свое дело и почти не понимавшем его важности до самой последней минуты, за пьянством и за гульбой. Он рассказал, что еще в Петербурге «увлекся спервоначалу, просто по дружбе, как верный студент, хотя и не будучи студентом», и, не зная ничего, «ни в чем не повинный», разбрасывал разные бумажки на лестницах, оставлял десятками у дверей, у звонков, засовывал вместо газет, в театр проносил, в шляпы совал, в карманы пропускал. А потом и деньги стал от них получать, «потому что средства-то, средства-то мои каковы-с!». В двух губерниях по уездам разбрасывал «всякую дрянь». — О, Николай Всеволодович, — восклицал он, — всего более возмущало меня, что это совершенно противно гражданским и преимущественно отечественным законам! Напечатано вдруг, чтобы выходили с вилами и чтобы помнили, что кто выйдет поутру бедным, может вечером воротиться домой богатым, — подумайте-с! Самого содрогание берет, а разбрасываю. Или вдруг пять-шесть строк ко всей России, ни с того ни с сего: «Запирайте скорее церкви, уничтожайте Бога, нарушайте браки, уничтожайте права наследства, берите ножи», и только, и черт знает что дальше. Вот с этою бумажкой, с пятистрочною-то, я чуть не попался, в полку офицеры поколотили, да, дай Бог здоровья, выпустили. А там прошлого года чуть не захватили, как я пятидесятирублевые французской подделки Кораваеву передал; да, слава богу, Короваев как раз пьяный в пруду утонул к тому времени, и меня не успели изобличить. Здесь у Виргинского провозглашал свободу социальной жены. В июне месяце опять в—ском уезде разбрасывал. Говорят, еще заставят... Петр Степанович вдруг дает знать, что я должен слушаться; давно уже угрожает. Ведь как он в воскресенье тогда поступил со мной! Николай Всеволодович, я раб, я червь, но не Бог, тем только и отличаюсь от Державина. Но ведь средства-то, средства-то мои каковы!

Николай Всеволодович прослушал всё любопытно.

— Многого я вовсе не знал, — сказал он, — разумеется, с вами всё могло случиться... Слушайте, — сказал он, подумав, — если хотите, скажите им, ну, там кому знаете, что Липутин соврал и что вы только меня попугать доносом собирались, полагая, что я тоже скомпрометирован, и чтобы с меня таким образом больше денег взыскать... Понимаете?

— Николай Всеволодович, голубчик, неужто же мне угрожает такая опасность? Я только вас и ждал, чтобы вас спросить.

Николай Всеволодович усмехнулся.

— В Петербург вас, конечно, не пустят, хотя б я вам и дал денег на поездку... а впрочем, к Марье Тимофеевне пора, — и он встал со стула.

— Николай Всеволодович, а как же с Марьей-то Тимофеевной?

— Да так, как я сказывал.

— Неужто и это правда?

— Вы всё не верите?

— Неужели вы меня так и сбросите, как старый изношенный сапог?

— Я посмотрю, — засмеялся Николай Всеволодович, — ну, пустите.

— Не прикажете ли, я на крылечке постою-с... чтобы как-нибудь невзначай чего не подслушать... потому что комнатки крошечные.

— Это дело; постойте на крыльце. Возьмите зонтик.

— Зонтик ваш... стóит ли для меня-с? — пересластил капитан.

— Зонтика всякий стóит.

— Разом определяете minimum прав человеческих...

Но он уже лепетал машинально; он слишком был подавлен известиями и сбился с последнего толку. И, однако же, почти тотчас же, как вышел на крыльцо и распустил над собой зонтик, стала наклевываться в легкомысленной и плутоватой голове его опять всегдашняя успокоительная мысль, что с ним хитрят и ему лгут, а коли так, то не ему бояться, а его боятся.

«Если лгут и хитрят, то в чем тут именно штука?» — скреблось в его голове. Провозглашение брака ему казалось нелепостью: «Правда, с таким чудотворцем всё сдеется; для зла людям живет. Ну, а если сам боится, с воскресного-то афронта, да еще так, как никогда? Вот и прибежал уверять, что сам провозгласит, от страха, чтоб я не провозгласил. Эй, не промахнись, Лебядкин! И к чему приходить ночью, крадучись, когда сам желает огласки? А если боится, то, значит, теперь боится, именно сейчас, именно за эти несколько дней... Эй, не свернись, Лебядкин!..

Пугает Петром Степановичем. Ой, жутко, ой, жутко; нет, вот тут так жутко! И дернуло меня сболтнуть Липутину. Черт знает что затевают эти черти, никогда не мог разобрать. Опять заворочались, как пять лет назад. Правда, кому бы я донес? «Не написали ли кому по глупости?» Гм. Стало быть, можно написать, под видом как бы глупости? Уж не совет ли дает? «Вы в Петербург затем едете». Мошенник, мне только приснилось, а уж он и сон отгадал! Точно сам подталкивает ехать. Тут две штуки наверно, одна аль другая: или опять-таки сам боится, потому что накуролесил, или... или ничего не боится сам, а только подталкивает, чтоб я на них всех донес! Ох, жутко, Лебядкин, ох, как бы не промахнуться!..»

Он до того задумался, что позабыл и подслушивать. Впрочем, подслушать было трудно; дверь была толстая, одностворчатая, а говорили очень негромко; доносились какие-то неясные звуки. Капитан даже плюнул и вышел опять, в задумчивости, посвистать на крыльцо.

III

Комната Марьи Тимофеевны была вдвое более той, которую занимал капитан, и меблирована такою же топорною мебелью; но стол пред диваном был накрыт цветною нарядною скатертью; на нем горела лампа; по всему полу был разостлан прекрасный ковер; кровать была отделена длинною, во всю комнату, зеленою занавесью, и, кроме того, у стола находилось одно большое мягкое кресло, в которое, однако, Марья Тимофеевна не садилась. В углу, как и в прежней квартире, помещался образ, с зажженною пред ним лампадкой, а на столе разложены были всё те же необходимые вещицы: колода карт, зеркальце, песенник, даже сдобная булочка. Сверх того, явились две книжки с раскрашенными картинками, одна — выдержки из одного популярного путешествия, приспособленные для отроческого возраста, другая — сборник легоньких нравоучительных и большею частию рыцарских рассказов, предназначенный для елок и институтов. Был еще альбом разных фотографий. Марья Тимофеевна, конечно, ждала гостя, как и предварил капитан; но когда Николай Всеволодович к ней вошел, она спала, полулежа на диване, склонившись на гарусную подушку. Гость неслышно притворил за собою дверь и, не сходя с места, стал рассматривать спящую.

Капитан прилгнул, сообщая о том, что она сделала туалет. Она была в том же темненьком платье, как и в воскресенье у Варвары Петровны. Точно так же были завязаны ее волосы в крошечный узелок на затылке; точно так же обнажена длинная и сухая шея. Подаренная Варварой Петровной черная шаль лежала, бережно сложенная, на диване. По-прежнему была она грубо набелена и нарумянена. Николай Всеволодович не простоял и минуты, она вдруг проснулась, точно почувствовав его взгляд над собою, открыла глаза и быстро выпрямилась. Но, должно быть, что-то странное произошло и с гостем: он продолжал стоять на том же месте у дверей; неподвижно и пронзительным взглядом, безмолвно и упорно всматривался в ее лицо. Может быть, этот взгляд был излишне суров, может быть, в нем выразилось отвращение, даже злорадное наслаждение ее испугом — если только не померещилось так со сна Марье Тимофеевне; но только вдруг, после минутного почти выжидания, в лице бедной женщины выразился совершенный ужас; по нем пробежали судороги, она подняла, сотрясая их, руки и вдруг заплакала, точь-в-точь как испугавшийся ребенок; еще мгновение, и она бы закричала. Но гость опомнился; в один миг изменилось его лицо, и он подошел к столу с самою приветливою и ласковою улыбкой.

— Виноват, напугал я вас, Марья Тимофеевна, нечаянным приходом, со сна, — проговорил он, протягивая ей руку.

Звуки ласковых слов произвели свое действие, испуг исчез, хотя всё еще она смотрела с боязнию, видимо усиливаясь что-то понять. Боязливо протянула и руку. Наконец улыбка робко шевельнулась на ее губах.

— Здравствуйте, князь, — прошептала она, как-то странно в него вглядываясь.

— Должно быть, сон дурной видели? — продолжал он всё приветливее и ласковее улыбаться.

— А вы почему узнали, что я *про это* сон видела?..

И вдруг она опять задрожала и отшатнулась назад, подымая пред собой, как бы в защиту, руку и приготовляясь опять заплакать.

— Оправьтесь, полноте, чего бояться, неужто вы меня не узнали? — уговаривал Николай Всеволодович, но на этот раз долго не мог уговорить; она молча смотрела на него, всё с тем же мучительным недоумением, с тяжелою мыслию в своей бедной голове и всё так же усиливаясь до чего-то додуматься. То потупляла глаза, то вдруг окидывала его быстрым, обхватывающим взглядом. Наконец не то что успокоилась, а как бы решилась.

— Садитесь, прошу вас, подле меня, чтобы можно было мне потом вас разглядеть, — произнесла она довольно твердо, с явною и какою-то новою целью. — А теперь не беспокойтесь, я и сама не буду глядеть на вас, а буду вниз смотреть. Не глядите и вы на меня до тех пор, пока я вас сама не попрошу. Садитесь же, — прибавила она даже с нетерпением.

Новое ощущение видимо овладевало ею всё более и более.

Николай Всеволодович уселся и ждал; наступило довольно долгое молчание.

— Гм! Странно мне это всё, — проборомотала она вдруг чуть не брезгливо, — меня, конечно, дурные сны одолели; только вы-то зачем в этом самом виде приснились?

— Ну, оставим сны, — нетерпеливо проговорил он, поворачиваясь к ней, несмотря на запрещение, и, может быть, опять давешнее выражение мелькнуло в его глазах. Он видел, что ей несколько раз хотелось, и очень бы, взглянуть на него, но что она упорно крепилась и смотрела вниз.

— Слушайте, князь, — возвысила она вдруг голос, — слушайте, князь...

— Зачем вы отвернулись, зачем на меня не смотрите, к чему эта комедия? — вскричал он, не утерпев.

Но она как бы и не слыхала вовсе.

— Слушайте, князь, — повторила она в третий раз твердым голосом, с неприятною, хлопотливою миной в лице. — Как сказали вы мне тогда в карете, что брак будет объявлен, я тогда же испугалась, что тайна кончится. Теперь уж и не знаю; всё думала и ясно вижу, что совсем не гожусь. Нарядиться сумею, принять тоже, пожалуй, могу: эка беда на чашку чая пригласить, особенно коли есть лакеи. Но ведь все-таки как посмотрят со стороны. Я тогда, в воскресенье, многое в том доме утром разглядела. Эта барышня хорошенькая на меня всё время глядела, особенно когда вы вошли. Ведь это вы тогда вошли, а? Мать ее просто смешная светская старушонка. Мой Лебядкин тоже отличился; я, чтобы не рассмеяться, всё в потолок смотрела, хорошо там потолок расписан. Матери *его* игуменьей бы только быть; боюсь я ее, хоть и подарила черную шаль. Должно быть, все они аттестовали тогда меня с неожиданной стороны; я не сержусь, только сижу я тогда и думаю: какая я им родня? Конечно, с графини требуются только душевные качества, — потому что для хозяйственных у ней много лакеев, — да еще какое-нибудь светское кокетство, чтоб уметь принять иностранных путешественников. Но все-таки тогда в воскресенье они смотрели на меня с безнадежностью. Одна Даша ангел. Очень я боюсь, чтоб они не огорчили *его* как-нибудь неосторожным отзывом на мой счет.

— Не бойтесь и не тревожьтесь, — скривил рот Николай Всеволодович.

— Впрочем, ничего мне это не составит, если ему и стыдно за меня будет не-множко, потому тут всегда больше жалости, чем стыда, судя по человеку конеч-но. Ведь он знает, что скорей мне их жалеть, а не им меня.

— Вы, кажется, очень обиделись на них, Марья Тимофеевна?

— Кто, я? нет, — простодушно усмехнулась она. — Совсем-таки нет. По-смотрела я на вас всех тогда: все-то вы сердитесь, все-то вы перессорились; сой-дутся и посмеяться по душе не умеют. Столько богатства и так мало веселья — гнусно мне это всё. Мне, впрочем, теперь никого не жалко, кроме себя самой.

— Я слышал, вам с братом худо было жить без меня?

— Это кто вам сказал? Вздор; теперь хуже гораздо; теперь сны нехороши, а сны нехороши стали потому, что вы приехали. Вы-то, спрашивается, зачем поя-вились, скажите, пожалуйста?

— А не хотите ли опять в монастырь?

— Ну, я так и предчувствовала, что они опять монастырь предложат! Эка не-видаль мне ваш монастырь! Да и зачем я в него пойду, с чем теперь войду? Те-перь уж одна-одинешенька! Поздно мне третью жизнь начинать.

— Вы за что-то очень сердитесь, уж не боитесь ли, что я вас разлюбил?

— Об вас я и совсем не забочусь. Я сама боюсь, чтобы кого очень не разлю-бить.

Она презрительно усмехнулась.

— Виновата я, должно быть, пред *ним* в чем-нибудь очень большом, — при-бавила она вдруг как бы про себя, — вот не знаю только, в чем виновата, вся в этом беда моя ввек. Всегда-то, всегда, все эти пять лет, я боялась день и ночь, что пред ним в чем-то я виновата. Молюсь я, бывало, молюсь и всё думаю про вину мою великую пред ним. Ан вот и вышло, что правда была.

— Да что вышло-то?

— Боюсь только, нет ли тут чего с его стороны, — продолжала она, не отве-чая на вопрос, даже вовсе его не расслышав. — Опять-таки не мог же он сойтись с такими людишками. Графиня съесть меня рада, хоть и в карету с собой поса-дила. Все в заговоре — неужто и он? Неужто и он изменил? (Подбородок и губы ее задрожали.) Слушайте вы: читали вы про Гришку Отрепьева, что на семи со-борах был проклят?

Николай Всеволодович промолчал.

— А впрочем, я теперь поворочусь к вам и буду на вас смотреть, — как бы ре-шилась она вдруг, — поворотитесь и вы ко мне и поглядите на меня, только при-стальнее. Я в последний раз хочу удостовериться.

— Я смотрю на вас уже давно.

— Гм, — проговорила Марья Тимофеевна, сильно всматриваясь, — потол-стели вы очень...

Она хотела было еще что-то сказать, но вдруг опять, в третий раз, давешний испуг мгновенно исказил лицо ее, и опять она отшатнулась, подымая пред со-бою руку.

— Да что с вами? — вскричал Николай Всеволодович почти в бешенстве.

Но испуг продолжался только одно мгновение; лицо ее перекосилось ка-кою-то странною улыбкой, подозрительною, неприятною.

— Я прошу вас, князь, встаньте и войдите, — произнесла она вдруг твердым и настойчивым голосом.

— Как *войдите?* Куда я войду?

— Я все пять лет только и представляла себе, как он войдет. Встаньте сейчас и уйдите за дверь, в ту комнату. Я буду сидеть, как будто ничего не ожидая, и возьму в руки книжку, и вдруг вы войдите после пяти лет путешествия. Я хочу посмотреть, как это будет.

Николай Всеволодович проскрежетал про себя зубами и проворчал что-то неразборчивое.

— Довольно, — сказал он, ударяя ладонью по столу. — Прошу вас, Марья Тимофеевна, меня выслушать. Сделайте одолжение, соберите, если можете, всё ваше внимание. Не совсем же ведь вы сумасшедшая! — прорвался он в нетерпении. — Завтра я объявляю наш брак. Вы никогда не будете жить в палатах, разуверьтесь. Хотите жить со мною всю жизнь, но только очень отсюда далеко? Это в горах, в Швейцарии, там есть одно место... Не беспокойтесь, я никогда вас не брошу и в сумасшедший дом не отдам. Денег у меня достанет, чтобы жить не прося. У вас будет служанка; вы не будете исполнять никакой работы. Всё, что пожелаете из возможного, будет вам доставлено. Вы будете молиться, ходить куда угодно и делать что вам угодно. Я вас не трону. Я тоже с моего места всю жизнь никуда не сойду. Хотите, всю жизнь не буду говорить с вами, хотите, рассказывайте мне каждый вечер, как тогда в Петербурге в углах, ваши повести. Буду вам книги читать, если пожелаете. Но зато так всю жизнь, на одном месте, а место это угрюмое. Хотите? решаетесь? Не будете раскаиваться, терзать меня слезами, проклятиями?

Она прослушала с чрезвычайным любопытством и долго молчала и думала.

— Невероятно мне это всё, — проговорила она наконец насмешливо и брезгливо. — Этак я, пожалуй, сорок лет проживу в тех горах. — Она рассмеялась.

— Что ж, и сорок лет проживем, — очень нахмурился Николай Всеволодович.

— Гм. Ни за что не поеду.

— Даже и со мной?

— А вы что такое, чтоб я с вами ехала? Сорок лет сряду с ним на горе сиди — ишь подъехал. И какие, право, люди нынче терпеливые начались! Нет, не может того быть, чтобы сокол филином стал. Не таков мой князь! — гордо и торжественно подняла она голову.

Его будто осенило.

— С чего вы меня князем зовете и... за кого принимаете? — быстро спросил он.

— Как? разве вы не князь?

— Никогда им и не был.

— Так вы сами, сами, так-таки прямо в лицо, признаётесь, что вы не князь!

— Говорю, никогда не был.

— Господи! — всплеснула она руками, — всего от врагов его ожидала, но такой дерзости — никогда! Жив ли он? — вскричала она в исступлении, надвигаясь на Николая Всеволодовича. — Убил ты его или нет, признавайся!

— За кого ты меня принимаешь? — вскочил он с места с исказившимся лицом; но ее уже было трудно испугать, она торжествовала:

— А кто тебя знает, кто ты таков и откуда ты выскочил! Только сердце мое, сердце чуяло, все пять лет, всю интригу! А я-то сижу, дивлюсь: что за сова слепая подъехала? Нет, голубчик, плохой ты актер, хуже даже Лебядкина. Поклонись от меня графине пониже да скажи, чтобы присылала почище тебя. Наняла она тебя, говори? У ней при милости на кухне состоишь? Весь ваш обман насквозь вижу, всех вас, до одного, понимаю!

Он схватил ее крепко, выше локтя, за руку; она хохотала ему в лицо:

— Похож-то ты очень похож, может, и родственник ему будешь, — хитрый народ! Только мой — ясный сокол и князь, а ты — сыч и купчишка! Мой-то и Богу, захочет, поклонится, а захочет, и нет, а тебя Шатушка (милый он, родимый, голубчик мой!) по щекам отхлестал, мой Лебядкин рассказывал. И чего ты тогда струсил, вошел-то? Кто тебя тогда напугал? Как увидала я твое низкое лицо, когда упала, а ты меня подхватил, — точно червь ко мне в сердце заполз: не *он*, думаю, не *он*! Не постыдился бы сокол мой меня никогда пред светской барышней! О господи! да я уж тем только была счастлива, все пять лет, что сокол мой где-то там, за горами, живет и летает, на солнце взирает... Говори, самозванец, много ли взял? За большие ли деньги согласился? Я бы гроша тебе не дала. Ха-ха-ха! ха-ха-ха!..

— У, идиотка! — проскрежетал Николай Всеволодович, всё еще крепко держа ее за руку.

— Прочь, самозванец! — повелительно вскричала она. — Я моего князя жена, не боюсь твоего ножа!

— Ножа!

— Да, ножа! у тебя нож в кармане. Ты думал, я спала, а я видела: ты как вошел давеча, нож вынимал!

— Что ты сказала, несчастная, какие сны тебе снятся! — возопил он и изо всей силы оттолкнул ее от себя, так что она даже больно ударилась плечами и головой о диван. Он бросился бежать; но она тотчас же вскочила за ним, хромая и прискакивая, вдогонку, и уже с крыльца, удерживаемая изо всех сил перепугавшимся Лебядкиным, успела ему еще прокричать, с визгом и с хохотом, вослед в темноту:

— Гришка От-репь-ев а-на-фе-ма!

IV

«Нож, нож!» — повторял он в неутолимой злобе, широко шагая по грязи и лужам, не разбирая дороги. Правда, минутами ему ужасно хотелось захохотать, громко, бешено; но он почему-то крепился и сдерживал смех. Он опомнился лишь на мосту, как раз на самом том месте, где давеча ему встретился Федька; тот же самый Федька ждал его тут и теперь и, завидев его, снял фуражку, весело оскалил зубы и тотчас же начал о чем-то бойко и весело растабарывать. Николай Всеволодович сначала прошел не останавливаясь, некоторое время даже совсем и не слушал опять увязавшегося за ним бродягу. Его вдруг поразила мысль, что он совершенно забыл про него, и забыл именно в то время, когда сам ежеминутно повторял про себя: «Нож, нож». Он схватил бродягу за шиворот и, со всею накопившеюся злобой, из всей силы ударил его об мост. Одно мгновение тот думал было бороться, но, почти тотчас же догадавшись, что он пред своим противником, напавшим к тому же нечаянно, — нечто вроде соломинки, затих и примолк, даже нисколько не сопротивляясь. Стоя на коленях, придавленный к земле, с вывернутыми на спину локтями, хитрый бродяга спокойно ожидал развязки, совершенно, кажется, не веря в опасность.

Он не ошибся. Николай Всеволодович уже снял было с себя, левою рукой, теплый шарф, чтобы скрутить своему пленнику руки; но вдруг почему-то бросил его и оттолкнул от себя. Тот мигом вскочил на ноги, обернулся, и короткий широкий сапожный нож, мгновенно откуда-то взявшийся, блеснул в его руке.

— Долой нож, спрячь, спрячь сейчас! — *приказал* с нетерпеливым жестом Николай Всеволодович, и нож исчез так же мгновенно, как появился.

Николай Всеволодович опять молча и не оборачиваясь пошел своею дорогой; но упрямый негодяй все-таки не отстал от него, правда теперь уже не растабарывая и даже почтительно наблюдая дистанцию на целый шаг позади. Оба прошли таким образом мост и вышли на берег, на этот раз повернув налево, тоже в длинный и глухой переулок, но которым короче было пройти в центр города, чем давешним путем по Богоявленской улице.

— Правда, говорят, ты церковь где-то здесь в уезде на днях обокрал? — спросил вдруг Николай Всеволодович.

— Я, то есть собственно, помолиться спервоначалу зашел-с, — степенно и учтиво, как будто ничего и не произошло, отвечал бродяга; даже не то что степенно, а почти с достоинством. Давешней «дружеской» фамильярности не было и в помине. Видно было человека делового и серьезного, правда напрасно обиженного, но умеющего забывать и обиды.

— Да как завел меня туда Господь, — продолжал он, — эх, благодать небесная, думаю! По сиротству моему произошло это дело, так как в нашей судьбе совсем нельзя без вспомоществования. И вот, верьте Богу, сударь, себе в убыток, наказал Господь за грехи: за махальницу, да за хлопотницу, да за дьяконов чересседельник всего только двенадцать рублей приобрел. Николая-угодника подбородник, чистый серебряный, задаром пошел: симилёровый, говорят.

— Сторожа зарезал?

— То есть мы вместе и прибирали-с с тем сторожем, да уж потом, под утро, у речки, у нас взаимный спор вышел, кому мешок нести. Согрешил, облегчил его маненечко.

— Режь еще, обокради еще.

— То же самое и Петр Степаныч, как есть в одно слово с вами, советуют-с, потому что они чрезвычайно скупой и жестокосердый насчет вспомоществования человек-с. Окромя того, что уже в Творца небесного, нас из перси земной создавшего, ни на грош не веруют-с, а говорят, что всё одна природа устроила, даже до последнего будто бы зверя, они и не понимают, сверх того, что по нашей судьбе нам, чтобы без благодетельного вспомоществования, совершенно никак нельзя-с. Станешь ему толковать, смотрит как баран на воду, дивишься на него только. Вон, поверите ли-с, у капитана Лебядкина-с, где сейчас изволили посещать-с, когда еще они до вас проживали у Филиппова-с, так иной раз дверь всю ночь настежь не запертая стоит-с, сам спит пьян мертвецки, а деньги у него изо всех карманов на пол сыплются. Своими глазами наблюдать приходилось, потому по нашему обороту, чтобы без вспомоществования, этого никак нельзя-с...

— Как своими глазами? Заходил, что ли, ночью?

— Может, и заходил, только это никому не известно.

— Что ж не зарезал?

— Прикинув на счетах, остепенил себя-с. Потому, раз узнамши доподлинно, что сотни полторы рублев всегда могу вынуть, как же мне пускаться на то, когда и все полторы тысячи могу вынуть, если только пообождав? Потому капитан Лебядкин (своими ушами слышал-с) всегда на вас оченно надеялись в пьяном виде-с, и нет здесь такого трактирного заведения, даже последнего кабака, где бы они не объявляли о том в сем самом виде-с. Так что, слышамши про то из многих уст, я тоже на ваше сиятельство всю мою надежду стал возлагать. Я, сударь, вам как отцу али родному брату, потому Петр Степаныч никогда того от меня не узнают и даже ни единая душа. Так три-то рублика, ваше сиятельство, соблаговолите аль нет-с? Развязали бы вы меня, сударь, чтоб я то есть знал правду истинную, потому нам, чтобы без вспомоществования, никак нельзя-с.

Николай Всеволодович громко захохотал и, вынув из кармана портмоне, в котором было рублей до пятидесяти мелкими кредитками, выбросил ему одну бумажку из пачки, затем другую, третью, четвертую. Федька подхватывал на лету, кидался, бумажки сыпались в грязь, Федька ловил и прикрикивал: «Эх, эх!» Николай Всеволодович кинул в него, наконец, всею пачкой и, продолжая хохотать, пустился по переулку на этот раз уже один. Бродяга остался искать, ерзая на коленках в грязи, разлетевшиеся по ветру и потонувшие в лужах кредитки, и целый час еще можно было слышать в темноте его отрывистые вскрикивания: «Эх, эх!»

Глава третья
ПОЕДИНОК

I

На другой день, в два часа пополудни, предположенная дуэль состоялась. Быстрому исходу дела способствовало неукротимое желание Артемия Павловича Гаганова драться во что бы ни стало. Он не понимал поведения своего противника и был в бешенстве. Целый уже месяц он оскорблял его безнаказанно и всё еще не мог вывести из терпения. Вызов ему был необходим со стороны самого Николая Всеволодовича, так как сам он не имел прямого предлога к вызову. В тайных же побуждениях своих, то есть просто в болезненной ненависти к Ставрогину за фамильное оскорбление четыре года назад, он почему-то совестился сознаться. Да и сам считал такой предлог невозможным, особенно ввиду смиренных извинений, уже два раза предложенных Николаем Всеволодовичем. Он положил про себя, что тот бесстыдный трус; понять не мог, как тот мог снести пощечину от Шатова; таким образом и решился наконец послать то необычайное по грубости своей письмо, которое побудило наконец самого Николая Всеволодовича предложить встречу. Отправив накануне это письмо и в лихорадочном нетерпении ожидая вызова, болезненно рассчитывая шансы к тому, то надеясь, то отчаиваясь, он на всякий случай еще с вечера припас себе секунданта, а именно Маврикия Николаевича Дроздова, своего приятеля, школьного товарища и особенно уважаемого им человека. Таким образом, Кириллов, явившийся на другой день поутру в девять часов с своим поручением, нашел уже почву совсем готовую. Все извинения и неслыханные уступки Николая

Всеволодовича были тотчас же с первого слова и с необыкновенным азартом отвергнуты. Маврикий Николаевич, накануне лишь узнавший о ходе дела, при таких неслыханных предложениях открыл было рот от удивления и хотел тут же настаивать на примирении, но, заметив, что Артемий Павлович, предугадавший его намерения, почти затрясся на своем стуле, смолчал и не произнес ничего. Если бы не слово, данное товарищу, он ушел бы немедленно; остался же в единственной надежде помочь хоть чем-нибудь при самом исходе дела. Кириллов передал вызов; все условия встречи, обозначенные Ставрогиным, были приняты тотчас же буквально, без малейшего возражения. Сделана была только одна прибавка, впрочем очень жестокая, именно: если с первых выстрелов не произойдет ничего решительного, то сходиться в другой раз; если не кончится ничем и в другой, сходиться в третий. Кириллов нахмурился, поторговался насчет третьего раза, но, не выторговав ничего, согласился, с тем, однако ж, что «три раза можно, а четыре никак нельзя». В этом уступили. Таким образом, в два часа пополудни и состоялась встреча в Брыкове, то есть в подгородной маленькой рощице между Скворешниками с одной стороны и фабрикой Шпигулиных — с другой. Вчерашний дождь перестал совсем, но было мокро, сыро и ветрено. Низкие мутные разорванные облака быстро неслись по холодному небу; деревья густо и перекатно шумели вершинами и скрипели на корнях своих; очень было грустное утро.

Гаганов с Маврикием Николаевичем прибыли на место в щегольском шарабане парой, которым правил Артемий Павлович; при них находился слуга. Почти в ту же минуту явились и Николай Всеволодович с Кирилловым, но не в экипаже, а верхами, и тоже в сопровождении верхового слуги. Кириллов, никогда не садившийся на коня, держался в седле смело и прямо, прихватывая правою рукой тяжелый ящик с пистолетами, который не хотел доверить слуге, а левою, по неуменью, беспрерывно крутя и дергая поводья, отчего лошадь мотала головой и обнаруживала желание стать на дыбы, что, впрочем, нисколько не пугало всадника. Мнительный, быстро и глубоко оскорблявшийся Гаганов почел прибытие верховых за новое себе оскорбление, в том смысле, что враги слишком, стало быть, надеялись на успех, коли не предполагали даже нужды в экипаже на случай отвоза раненого. Он вышел из своего шарабана весь желтый от злости и почувствовал, что у него дрожат руки, о чем и сообщил Маврикию Николаевичу. На поклон Николая Всеволодовича не ответил совсем и отвернулся. Секунданты бросили жребий: вышло пистолетам Кириллова. Барьер отмерили, противников расставили, экипаж и лошадей с лакеями отослали шагов на триста назад. Оружие было заряжено и вручено противникам.

Жаль, что надо вести рассказ быстрее и некогда описывать; но нельзя и совсем без отметок. Маврикий Николаевич был грустен и озабочен. Зато Кириллов был совершенно спокоен и безразличен, очень точен в подробностях принятой на себя обязанности, но без малейшей суетливости и почти без любопытства к роковому и столь близкому исходу дела. Николай Всеволодович был бледнее обыкновенного, одет довольно легко, в пальто и белой пуховой шляпе. Он казался очень усталым, изредка хмурился и нисколько не находил нужным скрывать свое неприятное расположение духа. Но Артемий Павлович был в сию минуту всех замечательнее, так что никак нельзя не сказать об нем нескольких слов совсем особенно.

II

Нам не случилось до сих пор упомянуть о его наружности. Это был человек большого роста, белый, сытый, как говорит простонародье, почти жирный, с белокурыми жидкими волосами, лет тридцати трех и, пожалуй, даже с красивыми чертами лица. Он вышел в отставку полковником, и если бы дослужился до генерала, то в генеральском чине был бы еще внушительнее и очень может быть, что вышел бы хорошим боевым генералом.

Нельзя пропустить, для характеристики лица, что главным поводом к его отставке послужила столь долго и мучительно преследовавшая его мысль о сраме фамилии, после обиды, нанесенной отцу его, в клубе, четыре года тому назад, Николаем Ставрогиным. Он считал по совести бесчестным продолжать службу и уверен был про себя, что марает собою полк и товарищей, хотя никто из них и не знал о происшествии. Правда, он и прежде хотел выйти однажды из службы, давно уже, задолго до обиды и совсем по другому поводу, но до сих пор колебался. Как ни странно написать, но этот первоначальный повод или, лучше сказать, позыв к выходу в отставку был манифест 19 февраля об освобождении крестьян. Артемий Павлович, богатейший помещик нашей губернии, даже не так много и потерявший после манифеста, мало того, сам способный убедиться в гуманности меры и почти понять экономические выгоды реформы, вдруг почувствовал себя, с появления манифеста, как бы лично обиженным. Это было что-то бессознательное, вроде какого-то чувства, но тем сильнее, чем безотчетнее. До смерти отца своего он, впрочем, не решался предпринять что-нибудь решительное; но в Петербурге стал известен «благородным» образом своих мыслей многим замечательным лицам, с которыми усердно поддерживал связи. Это был человек, уходящий в себя, закрывающийся. Еще черта: он принадлежал к тем странным, но еще уцелевшим на Руси дворянам, которые чрезвычайно дорожат древностью и чистотой своего дворянского рода и слишком серьезно этим интересуются. Вместе с этим он терпеть не мог русской истории, да и вообще весь русский обычай считал отчасти свинством. Еще в детстве его, в той специальной военной школе для более знатных и богатых воспитанников, в которой он имел честь начать и кончить свое образование, укоренились в нем некоторые поэтические воззрения: ему понравились замки, средневековая жизнь, вся оперная часть ее, рыцарство; он чуть не плакал уже тогда от стыда, что русского боярина времен Московского царства царь мог наказывать телесно, и краснел от сравнений. Этот тугой, чрезвычайно строгий человек, замечательно хорошо знавший свою службу и исполнявший свои обязанности, в душе своей был мечтателем. Утверждали, что он мог бы говорить в собраниях и что имеет дар слова; но, однако, он все свои тридцать три года промолчал про себя. Даже в той важной петербургской среде, в которой он вращался в последнее время, держал себя необыкновенно надменно. Встреча в Петербурге с воротившимся из-за границы Николаем Всеволодовичем чуть не свела его с ума. В настоящий момент, стоя на барьере, он находился в страшном беспокойстве. Ему всё казалось, что еще как-нибудь не состоится дело, малейшее промедление бросало его в трепет. Болезненное впечатление выразилось в его лице, когда Кириллов, вместо того чтобы подать знак для битвы, начал вдруг говорить, правда для проформы, о чем сам заявил во всеуслышание:

— Я только для проформы; теперь, когда уже пистолеты в руках и надо командовать, не угодно ли в последний раз помириться? Обязанность секунданта.

Как нарочно, Маврикий Николаевич, до сих пор молчавший, но с самого вчерашнего дня страдавший про себя за свою уступчивость и потворство, вдруг подхватил мысль Кириллова и тоже заговорил:

— Я совершенно присоединяюсь к словам господина Кириллова... эта мысль, что нельзя мириться на барьере, есть предрассудок, годный для французов... Да я и не понимаю обиды, воля ваша, я давно хотел сказать... потому что ведь предлагаются всякие извинения, не так ли?

Он весь покраснел. Редко случалось ему говорить так много и с таким волнением.

— Я опять подтверждаю мое предложение представить всевозможные извинения, — с чрезвычайною поспешностию подхватил Николай Всеволодович.

— Разве это возможно? — неистово вскричал Гаганов, обращаясь к Маврикию Николаевичу и в исступлении топнув ногой. — Объясните вы этому человеку, если вы секундант, а не враг мой, Маврикий Николаевич (он ткнул пистолетом в сторону Николая Всеволодовича), — что такие уступки только усиление обиды! Он не находит возможным от меня обидеться!.. Он позора не находит уйти от меня с барьера! За кого же он принимает меня после этого, в ваших глазах... а вы еще мой секундант! Вы только меня раздражаете, чтоб я не попал. — Он топнул опять ногой, слюна брызгала с его губ.

— Переговоры кончены. Прошу слушать команду! — изо всей силы вскричал Кириллов. — Раз! Два! Три!

Со словом *три* противники направились друг на друга. Гаганов тотчас же поднял пистолет и на пятом или шестом шаге выстрелил. На секунду приостановился и, уверившись, что дал промах, быстро подошел к барьеру. Подошел и Николай Всеволодович, поднял пистолет, но как-то очень высоко, и выстрелил совсем почти не целясь. Затем вынул платок и замотал в него мизинец правой руки. Тут только увидели, что Артемий Павлович не совсем промахнулся, но пуля его только скользнула по пальцу, по суставной мякоти, не тронув кости; вышла ничтожная царапина. Кириллов тотчас же заявил, что дуэль, если противники не удовлетворены, продолжается.

— Я заявляю, — прохрипел Гаганов (у него пересохло горло), опять обращаясь к Маврикию Николаевичу, — что этот человек (он ткнул опять в сторону Ставрогина) выстрелил нарочно на воздух... умышленно... Это опять обида! Он хочет сделать дуэль невозможною!

— Я имею право стрелять как хочу, лишь бы происходило по правилам, — твердо заявил Николай Всеволодович.

— Нет, не имеет! Растолкуйте ему, растолкуйте! — кричал Гаганов.

— Я совершенно присоединяюсь к мнению Николая Всеволодовича, — возгласил Кириллов.

— Для чего он щадит меня? — бесновался Гаганов, не слушая. — Я презираю его пощаду... Я плюю... Я...

— Даю слово, что я вовсе не хотел вас оскорблять, — с нетерпением проговорил Николай Всеволодович, — я выстрелил вверх потому, что не хочу более никого убивать, вас ли, другого ли, лично до вас не касается. Правда, себя я не считаю обиженным, и мне жаль, что вас это сердит. Но не позволю никому вмешиваться в мое право.

— Если он так боится крови, то спросите, зачем меня вызывал? — вопил Гаганов, всё обращаясь к Маврикию Николаевичу.

— Как же вас было не вызвать? — ввязался Кириллов. — Вы ничего не хотели слушать, как же от вас отвязаться!

— Замечу только одно, — произнес Маврикий Николаевич, с усилием и со страданием обсуждавший дело, — если противник заранее объявляет, что стрелять будет вверх, то поединок действительно продолжаться не может... по причинам деликатным и... ясным...

— Я вовсе не объявлял, что каждый раз буду вверх стрелять! — вскричал Ставрогин, уже совсем теряя терпение. — Вы вовсе не знаете, что у меня на уме и как я опять сейчас выстрелю... я ничем не стесняю дуэли.

— Коли так, встреча может продолжаться, — обратился Маврикий Николаевич к Гаганову.

— Господа, займите ваши места! — скомандовал Кириллов.

Опять сошлись, опять промах у Гаганова и опять выстрел вверх у Ставрогина. Про эти выстрелы вверх можно было бы и поспорить: Николай Всеволодович мог прямо утверждать, что он стреляет как следует, если бы сам не сознался в умышленном промахе. Он наводил пистолет не прямо в небо или в дерево, а все-таки как бы метил в противника, хотя, впрочем, брал на аршин поверх его шляпы. В этот второй раз прицел был даже еще ниже, еще правдоподобнее; но уже Гаганова нельзя было разуверить.

— Опять! — проскрежетал он зубами. — Всё равно! Я вызван и пользуюсь правом. Я хочу стрелять в третий раз... во что бы ни стало.

— Имеете полное право, — отрубил Кириллов. Маврикий Николаевич не сказал ничего. Расставили в третий раз, скомандовали; в этот раз Гаганов дошел до самого барьера и с барьера, с двенадцати шагов, стал прицеливаться. Руки его слишком дрожали для правильного выстрела. Ставрогин стоял с пистолетом, опущенным вниз, и неподвижно ожидал его выстрела.

— Слишком долго, слишком долго прицел! — стремительно прокричал Кириллов. — Стреляйте! стре-ляй-те! — Но выстрел раздался, и на этот раз белая пуховая шляпа слетела с Николая Всеволодовича. Выстрел был довольно меток, тулья шляпы была пробита очень низко; четверть вершка ниже, и всё бы было кончено. Кириллов подхватил и подал шляпу Николаю Всеволодовичу.

— Стреляйте, не держите противника! — прокричал в чрезвычайном волнении Маврикий Николаевич, видя, что Ставрогин как бы забыл о выстреле, рассматривая с Кирилловым шляпу. Ставрогин вздрогнул, поглядел на Гаганова, отвернулся и уже безо всякой на этот раз деликатности выстрелил в сторону, в рощу. Дуэль кончилась. Гаганов стоял как придавленный. Маврикий Николаевич подошел к нему и стал что-то говорить, но тот как будто не понимал. Кириллов, уходя, снял шляпу и кивнул Маврикию Николаевичу головой; но Ставрогин забыл прежнюю вежливость; сделав выстрел в рощу, он даже и не повернулся к барьеру, сунул свой пистолет Кириллову и поспешно направился к лошадям. Лицо его выражало злобу, он молчал. Молчал и Кириллов. Сели на лошадей и поскакали в галоп.

III

— Что вы молчите? — нетерпеливо окликнул он Кириллова уже неподалеку от дома.

— Что вам надо? — ответил тот, чуть не съерзнув с лошади, вскочившей на дыбы.

Ставрогин сдержал себя.

— Я не хотел обидеть этого... дурака, а обидел опять, — проговорил он тихо.

— Да, вы обидели опять, — отрубил Кириллов, — и притом он не дурак.

— Я сделал, однако, всё, что мог.

— Нет.

— Что же надо было сделать?

— Не вызывать.

— Еще снести битье по лицу?

— Да, снести и битье.

— Я начинаю ничего не понимать! — злобно проговорил Ставрогин. — Почему все ждут от меня чего-то, чего от других не ждут? К чему мне переносить то, чего никто не переносит, и напрашиваться на бремена, которых никто не может снести?

— Я думал, вы сами ищете бремени.

— Я ищу бремени?

— Да.

— Вы... это видели?

— Да.

— Это так заметно?

— Да.

Помолчали с минуту. Ставрогин имел очень озабоченный вид, был почти поражен.

— Я потому не стрелял, что не хотел убивать, и больше ничего не было, уверяю вас, — сказал он торопливо и тревожно, как бы оправдываясь.

— Не надо было обижать.

— Как же надо было сделать?

— Надо было убить.

— Вам жаль, что я его не убил?

— Мне ничего не жаль. Я думал, вы хотели убить в самом деле. Не знаете, чего ищете.

— Ищу бремени, — засмеялся Ставрогин.

— Не хотели сами крови, зачем ему давали убивать?

— Если б я не вызвал его, он бы убил меня так, без дуэли.

— Не ваше дело. Может, и не убил бы.

— А только прибил?

— Не ваше дело. Несите бремя. А то нет заслуги.

— Наплевать на вашу заслугу, я ни у кого не ищу ее!

— Я думал, ищете, — ужасно хладнокровно заключил Кириллов.

Въехали во двор дома.

— Хотите ко мне? — предложил Николай Всеволодович.

— Нет, я дома, прощайте. — Он встал с лошади и взял свой ящик под мышку.

— По крайней мере вы-то на меня не сердитесь? — протянул ему руку Ставрогин.

— Нисколько! — воротился Кириллов, чтобы пожать руку. — Если мне легко бремя, потому что от природы, то, может быть, вам труднее бремя, потому что такая природа. Очень нечего стыдиться, а только немного.

— Я знаю, что я ничтожный характер, но я не лезу и в сильные.

— И не лезьте; вы не сильный человек. Приходите пить чай.

Николай Всеволодович вошел к себе сильно смущенный.

IV

Он тотчас же узнал от Алексея Егоровича, что Варвара Петровна, весьма довольная выездом Николая Всеволодовича — первым выездом после восьми дней болезни — верхом на прогулку, велела заложить карету и отправилась одна, «по примеру прежних дней, подышать чистым воздухом, ибо восемь дней, как уже забыли, что означает дышать чистым воздухом».

— Одна поехала или с Дарьей Павловной? — быстрым вопросом перебил старика Николай Всеволодович и крепко нахмурился, услышав, что Дарья Павловна «отказались по нездоровью сопутствовать и находятся теперь в своих комнатах».

— Слушай, старик, — проговорил он, как бы вдруг решаясь, — стереги ее сегодня весь день и, если заметишь, что она идет ко мне, тотчас же останови и передай ей, что несколько дней по крайней мере я ее принять не могу... что я так ее сам прошу... а когда придет время, сам позову, — слышишь?

— Передам-с, — проговорил Алексей Егорович с тоской в голосе опустив глаза вниз.

— Не раньше, однако же, как если ясно увидишь, что она ко мне идет сама.

— Не извольте беспокоиться, ошибки не будет. Через меня до сих пор и происходили посещения; всегда к содействию моему обращались.

— Знаю. Однако же не раньше, как если сама пойдет. Принеси мне чаю, если можешь скорее.

Только что старик вышел, как почти в ту же минуту отворилась та же дверь и на пороге показалась Дарья Павловна. Взгляд ее был спокоен, но лицо бледное.

— Откуда вы? — воскликнул Ставрогин.

— Я стояла тут же и ждала, когда он выйдет, чтобы к вам войти. Я слышала, о чем вы ему наказывали, а когда он сейчас вышел, я спряталась направо за выступ, и он меня не заметил.

— Я давно хотел прервать с вами, Даша... пока... это время. Я вас не мог принять нынче ночью, несмотря на вашу записку. Я хотел вам сам написать, но я писать не умею, — прибавил он с досадой, даже как будто с гадливостью.

— Я сама думала, что надо прервать. Варвара Петровна слишком подозревает о наших сношениях.

— Ну и пусть ее.

— Не надо, чтоб она беспокоилась. Итак, теперь до конца?

— Вы всё еще непременно ждете конца?

— Да, я уверена.

— На свете ничего не кончается.

— Тут будет конец. Тогда кликните меня, я приду. Теперь прощайте.

— А какой будет конец? — усмехнулся Николай Всеволодович.

— Вы не ранены и... не пролили крови? — спросила она, не отвечая на вопрос о конце.

— Было глупо; я не убил никого, не беспокойтесь. Впрочем, вы обо всем услышите сегодня же ото всех. Я нездоров немного.

— Я уйду. Объявления о браке сегодня не будет? — прибавила она с нерешимостью.

— Сегодня не будет; завтра не будет; послезавтра, не знаю, может быть, все помрем, и тем лучше. Оставьте меня, оставьте меня наконец.

— Вы не погубите другую... безумную?

— Безумных не погублю, ни той, ни другой, но разумную, кажется, погублю: я так подл и гадок, Даша, что, кажется, вас в самом деле кликну «в последний конец», как вы говорите, а вы, несмотря на ваш разум, придете. Зачем вы сами себя губите?

— Я знаю, что в конце концов с вами останусь одна я, и... жду того.

— А если я в конце концов вас не кликну и убегу от вас?

— Этого быть не может, вы кликните.

— Тут много ко мне презрения.

— Вы знаете, что не одного презрения.

— Стало быть, презренье все-таки есть?

— Я не так выразилась. Бог свидетель, я чрезвычайно желала бы, чтобы вы никогда во мне не нуждались.

— Одна фраза стоит другой. Я тоже желал бы вас не губить.

— Никогда, ничем вы меня не можете погубить, и сами это знаете лучше всех, — быстро и с твердостью проговорила Дарья Павловна. — Если не к вам, то я пойду в сестры милосердия, в сиделки, ходить за больными, или в книгоноши, Евангелие продавать. Я так решила. Я не могу быть ничьею женой; я не могу жить и в таких домах, как этот. Я не того хочу... Вы всё знаете.

— Нет, я никогда не мог узнать, чего вы хотите; мне кажется, что вы интересуетесь мною, как иные устарелые сиделки интересуются почему-либо одним каким-нибудь больным сравнительно пред прочими, или, еще лучше, как иные богомольные старушонки, шатающиеся по похоронам, предпочитают иные трупики попригляднее пред другими. Что вы на меня так странно смотрите?

— Вы очень больны? — с участием спросила она, как-то особенно в него вглядываясь. — Боже! И этот человек хочет обойтись без меня!

— Слушайте, Даша, я теперь всё вижу привидения. Один бесенок предлагал мне вчера на мосту зарезать Лебядкина и Марью Тимофеевну, чтобы порешить с моим законным браком, и концы чтобы в воду. Задатку просил три целковых, но дал ясно знать, что вся операция стоить будет не меньше как полторы тысячи. Вот это так расчетливый бес! Бухгалтер! Ха-ха!

— Но вы твердо уверены, что это было привидение?

— О нет, совсем уж не привидение! Это просто был Федька Каторжный, разбойник, бежавший из каторги. Но дело не в том; как вы думаете, что я сделал? Я отдал ему все мои деньги из портмоне, и он теперь совершенно уверен, что я ему выдал задаток!

— Вы встретили его ночью, и он сделал вам такое предложение? Да неужто вы не видите, что вы кругом оплетены их сетью!

— Ну пусть их. А знаете, у вас вертится один вопрос, я по глазам вашим вижу, — прибавил он с злобною и раздражительною улыбкой.

Даша испугалась.

— Вопроса вовсе нет и сомнений вовсе нет никаких, молчите лучше! — вскричала она тревожно, как бы отмахиваясь от вопроса.

— То есть вы уверены, что я не пойду к Федьке в лавочку?

— О боже! — всплеснула она руками, — за что вы меня так мучаете?

— Ну, простите мне мою глупую шутку, должно быть, я перенимаю от них дурные манеры. Знаете, мне со вчерашней ночи ужасно хочется смеяться, всё смеяться, беспрерывно, долго, много. Я точно заряжен смехом... Чу! Мать приехала; я узнаю по стуку, когда карета ее останавливается у крыльца.

Даша схватила его руку.

— Да сохранит вас Бог от вашего демона и... позовите, позовите меня скорей!

— О, какой мой демон! Это просто маленький, гаденький, золотушный бесенок с насморком, из неудавшихся. А ведь вы, Даша, опять не смеете говорить чего-то?

Она поглядела на него с болью и укором и повернулась к дверям.

— Слушайте! — вскричал он ей вслед, с злобною, искривленною улыбкой. — Если... ну там, одним словом, *если*... понимаете, ну, если бы даже и в лавочку, и потом я бы вас кликнул, — пришли бы вы после-то лавочки?

Она вышла не оборачиваясь и не отвечая, закрыв руками лицо.

— Придет и после лавочки! — прошептал он подумав, и брезгливое презрение выразилось в лице его: — Сиделка! Гм!.. А впрочем, мне, может, того-то и надо.

Глава четвертая
ВСЕ В ОЖИДАНИИ

I

Впечатление, произведенное во всем нашем обществе быстро огласившеюся историей поединка, было особенно замечательно тем единодушием, с которым все поспешили заявить себя безусловно за Николая Всеволодовича. Многие из бывших врагов его решительно объявили себя его друзьями. Главною причиной такого неожиданного переворота в общественном мнении было несколько слов, необыкновенно метко высказанных вслух одною особой, доселе не высказывавшеюся, и разом придавших событию значение, чрезвычайно заинтересовавшее наше крупное большинство. Случилось это так: как раз на другой же день после события у супруги предводителя дворянства нашей губернии, в тот день именинницы, собрался весь город. Присутствовала или, вернее, первенствовала и Юлия Михайловна, прибывшая с Лизаветой Николаевной, сиявшею красотой и особенною веселостью, что многим из наших дам на этот раз тотчас же показалось особенно подозрительным. Кстати сказать: в помолвке ее с Маврикием Николаевичем не могло уже быть никакого сомнения. На шутливый вопрос одного отставного, но важного генерала, о котором речь ниже, Лизавета Николаевна сама прямо в тот вечер ответила, что она невеста. И что же? Ни одна решительно из наших дам этой помолвке не хотела верить. Все упорно продолжали предполагать какой-то роман, какую-то роковую семейную тайну, совершившуюся в Швейцарии, и почему-то с непременным участием Юлии Михайловны. Трудно сказать, почему так упорно держались все эти слухи или, так сказать, даже мечты и почему именно так непременно приплетали тут Юлию Михайловну. Только что она вошла, все обратились к ней со странными взглядами, преисполненными ожиданий. Надо заметить, что по недавности события и по некоторым обстоятельствам, сопровождавшим его, на вечере о нем говорили еще с некоторою осторожностью, не вслух. К тому же ничего еще не знали о распоряжениях власти. Оба дуэлиста, сколько известно, обеспокоены не были. Все знали, например, что Артемий Павлович рано утром отправился к себе в Духово, без всякой помехи. Между тем все, разумеется, жаждали, чтобы кто-нибудь заговорил вслух первый и тем отворил бы дверь общественному нетерпению. Именно надеялись на вышеупомянутого генерала, и не ошиблись.

Этот генерал, один из самых осанистых членов нашего клуба, помещик не очень богатый, но с бесподобнейшим образом мыслей, старомодный волокита за барышнями, чрезвычайно любил, между прочим, в больших собраниях заговаривать вслух, с генеральскою вескостью, именно о том, о чем все еще говорили осторожным шепотом. В этом состояла его как бы, так сказать, специальная роль в нашем обществе. При этом он особенно растягивал и сладко выговаривал слова, вероятно заимствовав эту привычку у путешествующих за границей русских или у тех прежде богатых русских помещиков, которые наиболее разорились после крестьянской реформы. Степан Трофимович даже заметил однажды, что чем более помещик разорился, тем слаще он подсюсюкивает и растягивает слова. Он и сам, впрочем, сладко растягивал и подсюсюкивал, но не замечал этого за собой.

Генерал заговорил как человек компетентный. Кроме того, что с Артемием Павловичем он состоял как-то в дальней родне, хотя в ссоре и даже в тяжбе, он, сверх того, когда-то сам имел два поединка и даже за один из них сослан был на Кавказ в рядовые. Кто-то упомянул о Варваре Петровне, начавшей уже второй день выезжать «после болезни», и не собственно о ней, а о превосходном подборе ее каретной серой четверни, собственного ставрогинского завода. Генерал вдруг заметил, что он встретил сегодня «молодого Ставрогина» верхом... Все тотчас смолкли. Генерал почмокал губами и вдруг провозгласил, вертя между пальцами золотую, жалованную табатерку:

— Сожалею, что меня не было тут несколько лет назад... то есть я был в Карлсбаде... Гм. Меня очень интересует этот молодой человек, о котором я так много застал тогда всяких слухов. Гм. А что, правда, что он помешан? Тогда кто-то говорил. Вдруг слышу, что его оскорбляет здесь какой-то студент, в присутствии кузин, и он полез от него под стол; а вчера слышу от Степана Высоцкого, что Ставрогин дрался с этим... Гагановым. И единственно с галантною целью подставить свой лоб человеку взбесившемуся; чтобы только от него отвязаться. Гм. Это в нравах гвардии двадцатых годов. Бывает он здесь у кого-нибудь?

Генерал замолчал, как бы ожидая ответа. Дверь общественному нетерпению была отперта.

— Чего же проще? — возвысила вдруг голос Юлия Михайловна, раздраженная тем, что все вдруг точно по команде обратили на нее свои взгляды. — Разве возможно удивление, что Ставрогин дрался с Гагановым и не отвечал студенту? Не мог же он вызвать на поединок бывшего крепостного своего человека!

Слова знаменательные! Простая и ясная мысль, но никому, однако, не приходившая до сих пор в голову. Слова, имевшие необыкновенные последствия. Всё скандальное и сплетническое, всё мелкое и анекдотическое разом отодвинуто было на задний план; выдвигалось другое значение. Объявлялось лицо новое, в котором все ошиблись, лицо почти с идеальною строгостью понятий. Оскорбленный насмерть студентом, то есть человеком образованным и уже не крепостным, он презирает обиду, потому что оскорбитель — бывший крепостной его человек. В обществе шум и сплетни; легкомысленное общество с презрением смотрит на человека, битого по лицу; он презирает мнением общества, не доросшего до настоящих понятий, а между тем о них толкующего.

— А между тем мы с вами, Иван Александрович, сидим и толкуем о правых понятиях-с, — с благородным азартом самообличения замечает один клубный старичок другому.

— Да-с, Петр Михайлович, да-с, — с наслаждением поддакивает другой, — вот и говорите про молодежь.

— Тут не молодежь, Иван Александрович, — замечает подвернувшийся третий, — тут не о молодежи вопрос; тут звезда-с, а не какой-нибудь один из молодежи; вот как понимать это надо.

— А нам того и надобно; оскудели в людях.

Тут главное состояло в том, что «новый человек», кроме того что оказался «несомненным дворянином», был вдобавок и богатейшим землевладельцем губернии, а стало быть, не мог не явиться подмогой и деятелем. Я, впрочем, упоминал и прежде вскользь о настроении наших землевладельцев.

Входили даже в азарт:

— Он мало того что не вызвал студента, он взял руки назад, заметьте это особенно, ваше превосходительство, — выставлял один.

— И в новый суд его не потащил-с, — подбавлял другой.

— Несмотря на то что в новом суде ему за дворянскую *личную* обиду пятнадцать рублей присудили бы-с, хе-хе-хе!

— Нет, это я вам скажу тайну новых судов, — приходил в исступление третий. — Если кто своровал или смошенничал, явно пойман и уличен — беги скорей домой, пока время, и убей свою мать. Мигом во всем оправдают, и дамы с эстрады будут махать батистовыми платочками; несомненная истина!

— Истина, истина!

Нельзя было и без анекдотов. Вспомнили о связях Николая Всеволодовича с графом К. Строгие, уединенные мнения графа К. насчет последних реформ были известны. Известна была и его замечательная деятельность, несколько приостановленная в самое последнее время. И вот вдруг стало всем несомненно, что Николай Всеволодович помолвлен с одною из дочерей графа К., хотя ничто не подавало точного повода к такому слуху. А что касается до каких-то чудесных швейцарских приключений и Лизаветы Николаевны, то даже дамы перестали о них упоминать. Упомянем кстати, что Дроздовы как раз к этому времени успели сделать все доселе упущенные ими визиты. Лизавету Николаевну уже несомненно все нашли самою обыкновенною девушкой, «франтящею» своими больными нервами. Обморок ее в день приезда Николая Всеволодовича объяснили теперь просто испугом при безобразном поступке студента. Даже усиливали прозаичность того самого, чему прежде так стремились придать какой-то фантастический колорит; а об какой-то хромоножке забыли окончательно; стыдились и помнить. «Да хоть бы и сто хромоножек, — кто молод не был!» Ставили на вид почтительность Николая Всеволодовича к матери, подыскивали ему разные добродетели, с благодушием говорили об его учености, приобретенной в четыре года по немецким университетам. Поступок Артемия Павловича окончательно объявили бестактным: «своя своих не позна́ша»; за Юлией же Михайловной окончательно признали высшую проницательность.

Таким образом, когда наконец появился сам Николай Всеволодович, все встретили его с самою наивною серьезностью, во всех глазах, на него устремленных, читались самые нетерпеливые ожидания. Николай Всеволодович тотчас же заключился в самое строгое молчание, чем, разумеется, удовлетворил всех гораздо более, чем если бы наговорил с три короба. Одним словом, всё ему удавалось, он был в моде. В обществе в губернском если кто раз появился, то уж спрятаться никак нельзя. Николай Всеволодович стал по-прежнему исполнять все губернские порядки до утонченности. Веселым его не находили: «Человек претерпел, человек не то, что другие; есть о чем и задуматься». Даже гордость и та брезгливая неприступность, за которую так ненавидели его у нас четыре года назад, теперь уважались и нравились.

Всех более торжествовала Варвара Петровна. Не могу сказать, очень ли тужила она о разрушившихся мечтах насчет Лизаветы Николаевны. Тут помогла, конечно, и фамильная гордость. Странно одно: Варвара Петровна в высшей степени вдруг уверовала, что Nicolas действительно «выбрал» у графа К., но, и что страннее всего, уверовала по слухам, пришедшим к ней, как и ко всем, по ветру; сама же боялась прямо спросить Николая Всеволодовича. Раза два-три, однако, не утерпела и весело исподтишка попрекнула его, что он с нею не так откровенен; Николай Всеволодович улыбался и продолжал молчать. Молчание принимаемо было за знак согласия. И что же: при всем этом она никогда не забывала о хромоножке. Мысль о ней лежала на ее сердце камнем, кошмаром, мучила ее странными привидениями и гаданиями, я всё это совместно и одновременно с мечтами о дочерях графа К. Но об этом еще речь впереди. Разумеется, в обществе к Варваре Петровне стали вновь относиться с чрезвычайным и предупредительным почтением, но она мало им пользовалась и выезжала чрезвычайно редко.

Она сделала, однако, торжественный визит губернаторше. Разумеется, никто более ее не был пленен и очарован вышеприведенными знаменательными словами Юлии Михайловны на вечере у предводительши: они много сняли тоски с ее сердца и разом разрешили многое из того, что так мучило ее с того несчастного воскресенья. «Я не понимала эту женщину!» — изрекла она и прямо, с свойственною ей стремительностью, объявила Юлии Михайловне, что приехала ее *благодарить*. Юлия Михайловна была польщена, но выдержала себя независимо. Она в ту пору уже очень начала себе чувствовать цену, даже, может быть, немного и слишком. Она объявила, например, среди разговора, что никогда ничего не слыхивала о деятельности и учености Степана Трофимовича.

— Я, конечно, принимаю и ласкаю молодого Верховенского. Он безрассуден, но он еще молод; впрочем, с солидными знаниями. Но всё же это не какой-нибудь отставной бывший критик.

Варвара Петровна тотчас же поспешила заметить, что Степан Трофимович вовсе никогда не был критиком, а, напротив, всю жизнь прожил в ее доме. Знаменит же обстоятельствами первоначальной своей карьеры, «слишком известными всему свету», а в самое последнее время — своими трудами по испанской истории; хочет тоже писать о положении теперешних немецких университетов и, кажется, еще что-то о дрезденской Мадонне. Одним словом, Варвара Петровна не захотела уступить Юлии Михайловне Степана Трофимовича.

— О дрезденской Мадонне? Это о Сикстинской? Chère Варвара Петровна, я просидела два часа пред этою картиной и ушла разочарованная. Я ничего не поняла и была в большом удивлении. Кармазинов тоже говорит, что трудно понять. Теперь все ничего не находят, и русские и англичане. Всю эту славу старики прокричали.

— Новая мода, значит?

— А я так думаю, что не надо пренебрегать и нашею молодежью. Кричат, что они коммунисты, а по-моему, надо щадить их и дорожить ими. Я читаю теперь всё — все газеты, коммуны, естественные науки, — всё получаю, потому что надо же наконец знать, где живешь и с кем имеешь дело. Нельзя же всю жизнь прожить на верхах своей фантазии. Я сделала вывод и приняла за правило ласкать молодежь и тем самым удерживать ее на краю. Поверьте, Варвара Петровна, что только мы, общество, благотворным влиянием и именно лаской можем удержать их у бездны, в которую толкает их нетерпимость всех этих старикашек. Впрочем, я рада, что узнала от вас о Степане Трофимовиче. Вы подаете мне мысль: он может быть полезен на нашем литературном чтении. Я, знаете, устраиваю целый день увеселений, по подписке, в пользу бедных гувернанток из нашей губернии. Они рассеяны по России; их насчитывают до шести из одного нашего уезда; кроме того, две телеграфистки, две учатся в академии, остальные желали бы, но не имеют средств. Жребий русской женщины ужасен, Варвара Петровна! Из этого делают теперь университетский вопрос, и даже было заседание государственного совета. В нашей странной России можно делать всё, что угодно. А потому опять-таки лишь одною лаской и непосредственным теплым участием всего общества мы могли бы направить это великое общее дело на истинный путь. О боже, много ли у нас светлых личностей! Конечно, есть, но они рассеяны. Сомкнемтесь же и будем сильнее. Одним словом, у меня будет сначала литературное утро, потом легкий завтрак, потом перерыв и в тот же день вечером бал. Мы хотели начать вечер живыми картинами, но, кажется, много издержек, и потому для публики будут одна или две кадрили в масках и характерных костюмах, изображающих известные литературные направления. Эту шутливую мысль предложил Кармазинов; он много мне помогает. Знаете, он прочтет у нас свою последнюю вещь, еще никому не известную. Он бросает перо и более писать не будет; эта последняя статья есть его прощание с публикой. Прелестная вещица под названием: «Merci». Название французское, но он находит это шутливее и даже тоньше. Я тоже, даже я и присоветовала. Я думаю, Степан Трофимович мог бы тоже прочесть, если покороче и... не так чтоб очень ученое. Кажется, Петр Степанович и еще кто-то что-то такое прочтут. Петр Степанович к вам забежит и сообщит программу; или, лучше, позвольте мне самой завезти к вам.

— А вы позвольте и мне подписаться на вашем листе. Я передам Степану Трофимовичу и сама буду просить его.

Варвара Петровна воротилась домой окончательно привороженная; она стояла горой за Юлию Михайловну и почему-то уже совсем рассердилась на Степана Трофимовича; а тот, бедный, и не знал ничего, сидя дома.

— Я влюблена в нее, я не понимаю, как я могла так ошибаться в этой женщине, — говорила она Николаю Всеволодовичу и забежавшему к вечеру Петру Степановичу.

— А все-таки вам надо помириться со стариком, — доложил Петр Степанович, — он в отчаянии. Вы его совсем сослали на кухню. Вчера он встретил вашу коляску, поклонился, а вы отвернулись. Знаете, мы его выдвинем; у меня на него кой-какие расчеты, и он еще может быть полезен.

— О, он будет читать.

— Я не про одно это. А я и сам хотел к нему сегодня забежать. Так сообщить ему?

— Если хотите. Не знаю, впрочем, как вы это устроите, — проговорила она в нерешимости. — Я была намерена сама объясниться с ним и хотела назначить день и место. — Она сильно нахмурилась.

— Ну, уж назначать день не стоит. Я просто передам.

— Пожалуй, передайте. Впрочем, прибавьте, что я непременно назначу ему день. Непременно прибавьте.

Петр Степанович побежал ухмыляясь. Вообще, сколько припомню, он в это время был как-то особенно зол и даже позволял себе чрезвычайно нетерпеливые выходки чуть не со всеми. Странно, что ему как-то все прощали. Вообще установилось мнение, что смотреть на него надо как-то особенно. Замечу, что он с чрезвычайною злобой отнесся к поединку Николая Всеволодовича. Его это застало врасплох; он даже позеленел, когда ему рассказали. Тут, может быть, страдало его самолюбие: он узнал на другой лишь день, когда всем было известно.

— А ведь вы не имели права драться, — шепнул он Ставрогину на пятый уже день, случайно встретясь с ним в клубе. Замечательно, что в эти пять дней они нигде не встречались, хотя к Варваре Петровне Петр Степанович забегал почти ежедневно.

Николай Всеволодович молча поглядел на него с рассеянным видом, как бы не понимая, в чем дело, и прошел не останавливаясь. Он проходил чрез большую залу клуба в буфет.

— Вы и к Шатову заходили... вы Марью Тимофеевну хотите опубликовать, — бежал он за ним и как-то в рассеянности ухватился за его плечо.

Николай Всеволодович вдруг стряс с себя его руку и быстро к нему оборотился, грозно нахмурившись. Петр Степанович поглядел на него, улыбаясь странною, длинною улыбкой. Всё продолжалось одно мгновение. Николай Всеволодович прошел далее.

II

К старику он забежал тотчас же от Варвары Петровны, и если так поспешил, то единственно из злобы, чтоб отмстить за одну прежнюю обиду, о которой я доселе не имел понятия. Дело в том, что в последнее их свидание, именно на прошлой неделе в четверг, Степан Трофимович, сам, впрочем, начавший спор, кончил тем, что выгнал Петра Степановича палкой. Факт этот он от меня тогда утаил; но теперь, только что вбежал Петр Степанович, с своею всегдашнею усмешкой, столь наивно высокомерною, и с неприятно любопытным, шныряющим по углам взглядом, как тотчас же Степан Трофимович сделал мне тайный знак, чтоб я не оставлял комнату. Таким образом и обнаружились предо мною их настоящие отношения, ибо на этот раз прослушал весь разговор.

Степан Трофимович сидел, протянувшись на кушетке. С того четверга он похудел и пожелтел. Петр Степанович с самым фамильярным видом уселся подле него, бесцеремонно поджав под себя ноги, и занял на кушетке гораздо более места, чем сколько требовало уважение к отцу. Степан Трофимович молча и с достоинством посторонился.

На столе лежала раскрытая книга. Это был роман «Что делать?». Увы, я должен признаться в одном странном малодушии нашего друга: мечта о том, что ему следует выйти из уединения и задать последнюю битву, всё более и более одерживала верх в его соблазненном воображении. Я догадался, что он достал и *изучает* роман единственно с тою целью, чтобы в случае несомненного столкновения с «визжавшими» знать заранее их приемы и аргументы по самому их «катехизису» и, таким образом приготовившись, торжественно их всех опровергнуть в *ее глазах*. О, как мучила его эта книга! Он бросал иногда ее в отчаянии и, вскочив с места, шагал по комнате почти в исступлении.

— Я согласен, что основная идея автора верна, — говорил он мне в лихорадке, — но ведь тем ужаснее! Та же наша идея, именно наша; мы, мы первые насадили ее, возрастили, приготовили, — да и что бы они могли сказать сами нового, после нас! Но, боже, как всё это выражено, искажено, исковеркано! — восклицал он, стуча пальцами по книге. — К таким ли выводам мы устремлялись? Кто может узнать тут первоначальную мысль?

— Просвещаешься? — ухмыльнулся Петр Степанович, взяв книгу со стола и прочтя заглавие. — Давно пора. Я тебе и получше принесу, если хочешь.

Степан Трофимович снова и с достоинством промолчал. Я сидел в углу на диване.

Петр Степанович быстро объяснил причину своего прибытия. Разумеется, Степан Трофимович был поражен не в меру и слушал в испуге, смешанном с чрезвычайным негодованием.

— И эта Юлия Михайловна рассчитывает, что я приду к ней читать!

— То есть они ведь вовсе в тебе не так нуждаются. Напротив, это чтобы тебя обласкать и тем подлизаться к Варваре Петровне. Но, уж само собою, ты не посмеешь отказаться читать. Да и самому-то, я думаю, хочется, — ухмыльнулся он, — у вас у всех, у старичья, адская амбиция. Но послушай, однако, надо, чтобы не так скучно. У тебя там что, испанская история, что ли? Ты мне дня за три дай просмотреть, а то ведь усыпишь, пожалуй.

Торопливая и слишком обнаженная грубость этих колкостей была явно преднамеренная. Делался вид, что со Степаном Трофимовичем как будто и нельзя говорить другим, более тонким языком и понятиями. Степан Трофимович твердо продолжал не замечать оскорблений. Но сообщаемые события производили на него всё более и более потрясающее впечатление.

— И она сама, *сама* велела передать это мне через... *вас*? — спросил он бледнея.

— То есть, видишь ли, она хочет назначить тебе день и место для взаимного объяснения; остатки вашего сентиментальничанья. Ты с нею двадцать лет кокетничал и приучил ее к самым смешным приемам. Но не беспокойся, теперь уж совсем не то; она сама поминутно говорит, что теперь только начала «прозирать». Я ей прямо растолковал, что вся эта ваша дружба есть одно только взаимное излияние помой. Она мне много, брат, рассказала; фу, какую лакейскую должность исполнял ты всё время. Даже я краснел за тебя.

— Я исполнял лакейскую должность? — не выдержал Степан Трофимович.

— Хуже, ты был приживальщиком, то есть лакеем добровольным. Лень трудиться, а на денежки-то у нас аппетит. Всё это и она теперь понимает; по крайней мере ужас, что про тебя рассказала. Ну, брат, как я хохотал над твоими письмами к ней; совестно и гадко. Но ведь вы так развращены, так развращены! В милостыне есть нечто навсегда развращающее — ты явный пример!

— Она тебе показывала мои письма!

— Все. То есть, конечно, где же их прочитать? Фу, сколько ты исписал бумаги, я думаю, там более двух тысяч писем... А знаешь, старик, я думаю, у вас было одно мгновение, когда она готова была бы за тебя выйти? Глупейшим ты образом упустил! Я, конечно, говорю с твоей точки зрения, но все-таки ж лучше, чем теперь, когда чуть не сосватали на «чужих грехах», как шута для потехи, за деньги.

— За деньги! Она, она говорит, что за деньги! — болезненно возопил Степан Трофимович.

— А то как же? Да что ты, я же тебя и защищал. Ведь это единственный твой путь оправдания. Она сама поняла, что тебе денег надо было, как и всякому, и что ты с этой точки, пожалуй, и прав. Я ей доказал, как дважды два, что вы жили на взаимных выгодах: она капиталисткой, а ты при ней сентиментальным шутом. Впрочем, за деньги она не сердится, хоть ты ее и доил, как козу. Ее только злоба берет, что она тебе двадцать лет верила, что ты ее так облапошил на благородстве и заставил так долго лгать. В том, что сама лгала, она никогда не сознается, но за это-то тебе и достанется вдвое. Не понимаю, как ты не догадался, что тебе придется когда-нибудь рассчитаться. Ведь был же у тебя хоть какой-нибудь ум. Я вчера посоветовал ей отдать тебя в богадельню, успокойся, в приличную, обидно не будет; она, кажется, так и сделает. Помнишь последнее письмо твое ко мне в Х—скую губернию, три недели назад?

— Неужели ты ей показал? — в ужасе вскочил Степан Трофимович.

— Ну еще же бы нет! Первым делом. То самое, в котором ты уведомлял, что она тебя эксплуатирует, завидуя твоему таланту, ну и там об «чужих грехах». Ну, брат, кстати, какое, однако, у тебя самолюбие! Я так хохотал. Вообще твои письма прескучные; у тебя ужасный слог. Я их часто совсем не читал, а одно так и теперь валяется у меня нераспечатанным; я тебе завтра пришлю. Но это, это последнее твое письмо — это верх совершенства! Как я хохотал, как хохотал!

— Изверг, изверг! — возопил Степан Трофимович.

— Фу, черт, да с тобой нельзя разговаривать. Послушай, ты опять обижаешься, как в прошлый четверг?

Степан Трофимович грозно выпрямился:

— Как ты смеешь говорить со мной таким языком?

— Каким это языком? Простым и ясным?

— Но скажи же мне наконец, изверг, сын ли ты мой или нет?

— Об этом тебе лучше знать. Конечно, всякий отец склонен в этом случае к ослеплению...

— Молчи, молчи! — весь затрясся Степан Трофимович.

— Видишь ли, ты кричишь и бранишься, как и в прошлый четверг, ты свою палку хотел поднять, а ведь я документ-то тогда отыскал. Из любопытства весь вечер в чемодане прошарил. Правда, ничего нет точного, можешь утешиться. Это только записка моей матери к тому полячку. Но, судя по ее характеру...

— Еще слово, и я надаю тебе пощечин.

— Вот люди! — обратился вдруг ко мне Петр Степанович. — Видите, это здесь у нас уже с прошлого четверга. Я рад, что нынче по крайней мере вы здесь и рассудите. Сначала факт: он упрекает, что я говорю так о матери, но не он ли меня натолкнул на то же самое? В Петербурге, когда я был еще гимназистом, не он ли будил меня по два раза в ночь, обнимал меня и плакал, как баба, и как вы думаете, что рассказывал мне по ночам-то? Вот те же скоромные анекдоты про мою мать! От него я от первого и услыхал.

— О, я тогда это в высшем смысле! О, ты не понял меня. Ничего, ничего ты не понял.

— Но все-таки у тебя подлее, чем у меня, ведь подлее, признайся. Ведь видишь ли, если хочешь, мне всё равно. Я с твоей точки. С моей точки зрения, не беспокойся: я мать не виню; ты так ты, поляк так поляк, мне всё равно. Я не виноват, что у вас в Берлине вышло так глупо. Да и могло ли у вас выйти что-нибудь умней. Ну не смешные ли вы люди после всего! И не всё ли тебе равно, твой ли я сын или нет? Послушайте, — обратился он ко мне опять, — он рубля на меня не истратил всю жизнь, до шестнадцати лет меня не знал совсем, потом здесь ограбил, а теперь кричит, что болел обо мне сердцем всю жизнь, и ломается предо мной, как актер. Да ведь я же не Варвара Петровна, помилуй!

Он встал и взял шляпу.

— Проклинаю тебя отсель моим именем! — протянул над ним руку Степан Трофимович, весь бледный как смерть.

— Эк ведь в какую глупость человек въедет! — даже удивился Петр Степанович. — Ну прощай, старина, никогда не приду к тебе больше. Статью доставь раньше, не забудь, и постарайся, если можешь, без вздоров: факты, факты и факты, а главное, короче. Прощай.

III

Впрочем, тут влияли и посторонние поводы. У Петра Степановича действительно были некоторые замыслы на родителя. По-моему, он рассчитывал довести старика до отчаяния и тем натолкнуть его на какой-нибудь явный скандал, в известном роде. Это нужно было ему для целей дальнейших, посторонних, о которых еще речь впереди. Подобных разных расчетов и предначертаний в ту пору накопилось у него чрезвычайное множество, — конечно, почти всё фантастических. Был у него в виду и другой мученик, кроме Степана Трофимовича. Вообще мучеников было у него немало, как и оказалось впоследствии; но на этого он особенно рассчитывал, и это был сам господин фон Лембке.

Андрей Антонович фон Лембке принадлежал к тому фаворизованному (природой) племени, которого в России числится по календарю несколько сот тысяч и которое, может, и само не знает, что составляет в ней всею своею массой один строго организованный союз. И, уж разумеется, союз не предумышленный и не выдуманный, а существующий в целом племени сам по себе, без слов и без договору, как нечто нравственно обязательное, и состоящий во взаимной поддержке всех членов этого племени одного другим всегда, везде и при каких бы то ни было обстоятельствах. Андрей Антонович имел честь воспитываться в одном из тех высших русских учебных заведений, которые наполняются юношеством из более одаренных связями или богатством семейств. Воспитанники этого заведения почти тотчас же по окончании курса назначались к занятию довольно значительных должностей по одному отделу государственной службы. Андрей Антонович имел одного дядю инженер-подполковника, а другого булочника; но в высшую школу протерся и встретил в ней довольно подобных соплеменников. Был он товарищ веселый; учился довольно тупо, но его все полюбили. И когда, уже в высших классах, многие из юношей, преимущественно русских, научились толковать о весьма высоких современных вопросах, и с таким видом, что вот только дождаться выпуска, и они порешат все дела, — Андрей Антонович всё еще продолжал заниматься самыми невинными школьничествами. Он всех смешил, правда выходками весьма нехитрыми, разве лишь циническими, но поставил это себе целью. То как-нибудь удивительно высморкается, когда преподаватель на лекции обратится к нему с вопросом, — чем рассмешит и товарищей и преподавателя; то в дортуаре изобразит из себя какую-нибудь циническую живую картину, при всеобщих рукоплесканиях; то сыграет, единственно на своем носу (и довольно искусно), увертюру из «Фра-Диаволо». Отличался тоже умышленным неряшеством, находя это почему-то остроумным. В самый последний год он стал пописывать русские стишки. Свой собственный племенной язык знал он весьма неграмматически, как и многие в России этого племени. Эта наклонность к стишкам свела его с одним мрачным и как бы забитым чем-то товарищем, сыном какого-то бедного генерала, из русских, и который считался в заведении великим будущим литератором. Тот отнесся к нему покровительственно. Но случилось так, что по выходе из заведения, уже года три спустя, этот мрачный товарищ, бросивший свое служебное поприще для русской литературы и вследствие того уже щеголявший в разорванных сапогах и стучавший зубами от холода, в летнем пальто в глубокую осень, встретил вдруг случайно у Аничкова моста своего бывшего protégé[1] «Лембку», как все, впрочем, называли того в училище. И что же? Он даже не узнал его с первого взгляда и остановился в удивлении. Пред ним стоял безукоризненно одетый молодой человек, с удивительно отделанными бакенбардами рыжеватого отлива, с пенсне, в лакированных сапогах, в самых свежих перчатках, в широком шармеровском пальто и с портфелем под мышкой. Лембке обласкал товарища, сказал ему адрес и позвал к себе когда-нибудь вечерком. Оказалось тоже, что он уже не «Лембка», а фон Лембке. Товарищ к нему, однако, отправился, может быть, единственно из злобы. На лестнице, довольно некрасивой и совсем уже не парадной, но устланной красным сукном, его встретил и опросил швейцар. Звонко прозвенел наверх колокол. Но вместо богатств, которые посетитель ожидал встретить, он нашел своего «Лембку» в боковой очень маленькой комнатке, имевшей темный и ветхий вид, разгороженной надвое большою темно-зеленою занавесью, меблированной хоть и мягкою, но очень ветхою темно-зеленою мебелью, с темно-зелеными сторами на узких и высоких окнах. Фон Лембке помещался у какого-то очень дальнего родственника, протежировавшего его генерала. Он встретил гостя приветливо, был серьезен и изящно вежлив. Поговорили и о литературе, но в приличных пределах. Лакей в белом галстуке принес жидковатого чаю, с маленьким, кругленьким сухим печеньем. Товарищ из злобы попросил зельтерской воды. Ему подали, но с некоторыми задержками, причем Лембке как бы сконфузился, призывая лишний раз лакея и ему приказывая. Впрочем, сам предложил, не хочет ли гость чего закусить, и видимо был доволен, когда тот отказался и наконец ушел. Просто-запросто Лембке начинал свою карьеру, а у единоплеменного, но важного генерала приживал.

Он в то время вздыхал по пятой дочке генерала, и ему, кажется, отвечали взаимностью. Но Амалию все-таки выдали, когда пришло время, за одного старого заводчика-немца, старого товарища старому генералу. Андрей Антонович не очень плакал, а склеил из бумаги театр. Поднимался занавес, выходили акте-

---

[1] протеже, т. е. опекаемого, покровительствуемого (*франц.*).

ры, делали жесты руками; в ложах сидела публика, оркестр по машинке водил смычками по скрипкам, капельмейстер махал палочкой, а в партере кавалеры и офицеры хлопали в ладоши. Всё было сделано из бумаги, всё выдумано и сработано самим фон Лембке; он просидел над театром полгода. Генерал устроил нарочно интимный вечерок, театр вынесли напоказ, все пять генеральских дочек с новобрачною Амалией, ее заводчик и многие барышни и барыни со своими немцами внимательно рассматривали и хвалили театр; затем танцевали. Лембке был очень доволен и скоро утешился.

Прошли годы, и карьера его устроилась. Он всё служил по видным местам, и всё под начальством единоплеменников, и дослужился наконец до весьма значительного, сравнительно с его летами, чина. Давно уже он желал жениться и давно уже осторожно высматривал. Втихомолку от начальства послал было повесть в редакцию одного журнала, но ее не напечатали. Зато склеил целый поезд железной дороги, и опять вышла преудачная вещица: публика выходила из вокзала, с чемоданами и саками, с детьми и собачками, и входила в вагоны. Кондукторы и служителя расхаживали, звенел колокольчик, давался сигнал, и поезд трогался в путь. Над этою хитрою штукой он просидел целый год. Но все-таки надо было жениться. Круг знакомств его был довольно обширен, всё больше в немецком мире; но он вращался и в русских сферах, разумеется по начальству. Наконец, когда уже стукнуло ему тридцать восемь лет, он получил и наследство. Умер его дядя, булочник, и оставил ему тринадцать тысяч по завещанию. Дело стало за местом. Господин фон Лембке, несмотря на довольно высокий пошиб своей служебной сферы, был человек очень скромный. Он очень бы удовольствовался каким-нибудь самостоятельным казенным местечком, с зависящим от его распоряжений приемом казенных дров, или чем-нибудь сладеньким в этом роде, и так бы на всю жизнь. Но тут, вместо какой-нибудь ожидаемой Минны или Эрнестины, подвернулась вдруг Юлия Михайловна. Карьера его разом поднялась степенью виднее. Скромный и аккуратный фон Лембке почувствовал, что и он может быть самолюбивым.

У Юлии Михайловны, по старому счету, было двести душ, и, кроме того, с ней являлась большая протекция. С другой стороны, фон Лембке был красив, а ей уже за сорок. Замечательно, что он мало-помалу влюбился в нее и в самом деле, по мере того как всё более и более ощущал себя женихом. В день свадьбы утром послал ей стихи. Ей всё это очень нравилось, даже стихи: сорок лет не шутка. Вскорости он получил известный чин и известный орден, а затем назначен был в нашу губернию.

Собираясь к нам, Юлия Михайловна старательно поработала над супругом. По ее мнению, он был не без способностей, умел войти и показаться, умел глубокомысленно выслушать и промолчать, схватил несколько весьма приличных осанок, даже мог сказать речь, даже имел некоторые обрывки и кончики мыслей, схватил лоск новейшего необходимого либерализма. Но все-таки ее беспокоило, что он как-то уж очень мало восприимчив и, после долгого, вечного искания карьеры, решительно начинал ощущать потребность покоя. Ей хотелось перелить в него свое честолюбие, а он вдруг начал клеить кирку: пастор выходил говорить проповедь, молящиеся слушали, набожно сложив пред собою руки, одна дама утирала платочком слезы, один старичок сморкался; под конец звенел органчик, который нарочно был заказан и уже выписан из Швейцарии, несмотря на издержки. Юлия Михайловна даже с каким-то испугом отобрала всю работу, только лишь узнала о ней, и заперла к себе в ящик; взамен того позволила ему писать роман, но потихоньку. С тех пор прямо стала рассчитывать только на одну себя. Беда в том, что тут было порядочное легкомыслие и мало мерки. Судьба слишком уже долго продержала ее в старых девах. Идея за идеей замелькали теперь в ее честолюбивом и несколько раздраженном уме. Она питала замыслы, она решительно хотела управлять губернией, мечтала быть сейчас же окруженною, выбрала направление. Фон Лембке даже несколько испугался, хотя скоро догадался, с своим чиновничьим тактом, что собственно губернаторства пугаться ему вовсе нечего. Первые два, три месяца протекли даже весьма удовлетворительно. Но тут подвернулся Петр Степанович, и стало происходить нечто странное.

Дело в том, что молодой Верховенский с первого шагу обнаружил решительную непочтительность к Андрею Антоновичу и взял над ним какие-то странные права, а Юлия Михайловна, всегда столь ревнивая к значению своего супруга, вовсе не хотела этого замечать; по крайней мере не придавала важности. Молодой человек стал ее фаворитом, ел, пил и почти спал в доме. Фон Лембке стал защищаться, называл его при людях «молодым человеком», покровительственно трепал по плечу, но этим ничего не внушил: Петр Степанович всё как будто смеялся ему в глаза, даже разговаривая, по-видимому, серьезно, а при людях говорил ему самые неожиданные вещи. Однажды, возвратясь домой, он нашел молодого человека у себя в кабинете, спящим на диване без приглашения. Тот объяснил, что зашел, но, не застав дома, «кстати выспался». Фон Лембке был обижен и снова пожаловался супруге; осмеяв его раздражительность, та колко заметила, что он сам, видно, не умеет стать на настоящую ногу; по крайней мере с ней «этот мальчик» никогда не позволяет себе фамильярностей, а впрочем, «он наивен и свеж, хотя и вне рамок общества». Фон Лембке надулся. В тот раз она их помирила. Петр Степанович не то чтобы попросил извинения, а отделался какою-то грубою шуткой, которую в другой раз можно было бы принять за новое оскорбление, но в настоящем случае приняли за раскаяние. Слабое место состояло в том, что Андрей Антонович дал маху с самого начала, а именно сообщил ему свой роман. Вообразив в нем пылкого молодого человека с поэзией и давно уже мечтая о слушателе, он еще в первые дни знакомства прочел ему однажды вечером две главы. Тот выслушал, не скрывая скуки, невежливо зевал, ни разу не похвалил, но, уходя, выпросил себе рукопись, чтобы дома на досуге составить мнение, а Андрей Антонович отдал. С тех пор он рукописи не возвращал, хотя и забегал ежедневно, а на вопрос отвечал только смехом; под конец объявил, что потерял ее тогда же на улице. Узнав о том, Юлия Михайловна рассердилась на своего супруга ужасно.

— Уж не сообщил ли ты ему и о кирке? — всполохнулась она чуть не в испуге.

Фон Лембке решительно начал задумываться, а задумываться ему было вредно и запрещено докторами. Кроме того, что оказывалось много хлопот по губернии, о чем скажем ниже, — тут была особая материя, даже страдало сердце, а не то что одно начальническое самолюбие. Вступая в брак, Андрей Антонович ни за что бы не предположил возможности семейных раздоров и столкновений в будущем. Так всю жизнь воображал он, мечтая о Минне и Эрнестине. Он почувствовал, что не в состоянии переносить семейных громов. Юлия Михайловна объяснилась с ним наконец откровенно.

— Сердиться ты на это не можешь, — сказала она, — уже потому, что ты втрое его рассудительнее и неизмеримо выше на общественной лестнице. В этом мальчике еще много остатков прежних вольнодумных замашек, а по-моему, просто шалость; но вдруг нельзя, а надо постепенно. Надо дорожить нашею молодежью; я действую лаской и удерживаю их на краю.

— Но он черт знает что говорит, — возражал фон Лембке. — Я не могу относиться толерантно, когда он при людях и в моем присутствии утверждает, что правительство нарочно опаивает народ водкой, чтоб его абрютировать и тем удержать от восстания. Представь мою роль, когда я принужден при всех это слушать.

Говоря это, фон Лембке припомнил недавний разговор свой с Петром Степановичем. С невинною целию обезоружить его либерализмом, он показал ему свою собственную интимную коллекцию всевозможных прокламаций, русских и из-за границы, которую он тщательно собирал с пятьдесят девятого года, не то что как любитель, а просто из полезного любопытства. Петр Степанович, угадав его цель, грубо выразился, что в одной строчке иных прокламаций более смысла, чем в целой какой-нибудь канцелярии, «не исключая, пожалуй, и вашей».

Лембке покоробило.

— Но это у нас рано, слишком рано, — произнес он почти просительно, указывая на прокламации.

— Нет, не рано; вот вы же боитесь, стало быть, не рано.

— Но, однако же, тут, например, приглашение к разрушению церквей.

— Отчего же и нет? Ведь вы же умный человек и, конечно, сами не веруете, а слишком хорошо понимаете, что вера вам нужна, чтобы народ абрютировать. Правда честнее лжи.

— Согласен, согласен, я с вами совершенно согласен, но это у нас рано, рано... — морщился фон Лембке.

— Так какой же вы после этого чиновник правительства, если сами согласны ломать церкви и идти с дрекольем на Петербург, а всю разницу ставите только в сроке?

Так грубо пойманный, Лембке был сильно пикирован.

— Это не то, не то, — увлекался он, всё более и более раздражаясь в своем самолюбии, — вы, как молодой человек и, главное, незнакомый с нашими целями, заблуждаетесь. Видите, милейший Петр Степанович, вы называете нас чиновниками от правительства? Так. Самостоятельными чиновниками? Так. Но позвольте, как мы действуем? На нас ответственность, а в результате мы так же служим общему делу, как и вы. Мы только сдерживаем то, что вы расшатываете, и то, что без нас расползлось бы в разные стороны. Мы вам не враги, отнюдь нет, мы вам говорим: идите вперед, прогрессируйте, даже расшатывайте, то есть всё старое, подлежащее переделке; но мы вас, когда надо, и сдержим в необходимых пределах и тем вас же спасем от самих себя, потому что без нас вы бы только расколыхали Россию, лишив ее приличного вида, а наша задача в том и состоит, чтобы заботиться о приличном виде. Прониктесь, что мы и вы взаимно друг другу необходимы. В Англии виги и тории тоже взаимно друг другу необходимы. Что же: мы тории, а вы виги, я именно так понимаю.

Андрей Антонович вошел даже в пафос. Он любил поговорить умно и либерально еще с самого Петербурга, а тут, главное, никто не подслушивал. Петр Степанович молчал и держал себя как-то не по-обычному серьезно. Это еще более подзадорило оратора.

— Знаете ли, что я, «хозяин губернии», — продолжал он, расхаживая по кабинету, — знаете ли, что я по множеству обязанностей не могу исполнить ни одной, а с другой стороны, могу так же верно сказать, что мне здесь нечего делать. Вся тайна в том, что тут всё зависит от взглядов правительства. Пусть правительство основывает там хоть республику, ну там из политики или для усмирения страстей, а с другой стороны, параллельно, пусть усилит губернаторскую власть, и мы, губернаторы, поглотим республику; да что республику: всё, что хотите, поглотим; я по крайней мере чувствую, что готов... Одним словом, пусть правительство провозгласит мне по телеграфу activité dévorante[1], и я даю activité dévorante. Я здесь прямо в глаза сказал: «Милостивые государи, для уравновешения и процветания всех губернских учреждений необходимо одно: усиление губернаторской власти». Видите, надо, чтобы все эти учреждения — земские ли, судебные ли — жили, так сказать, двойственною жизнью, то есть надобно, чтоб они были (я согласен, что это необходимо), ну, а с другой стороны, надо, чтоб их и не было. Всё судя по взгляду правительства. Выйдет такой стих, что вдруг учреждения окажутся необходимыми, и они тотчас же у меня явятся налицо. Пройдет необходимость, и их никто у меня не отыщет. Вот как я понимаю activité dévorante, а ее не будет без усиления губернаторской власти. Мы с вами глаз на глаз говорим. Я, знаете, уже заявил в Петербурге о необходимости особого часового у дверей губернаторского дома. Жду ответа.

— Вам надо двух, — проговорил Петр Степанович.

— Для чего двух? — остановился пред ним фон Лембке.

— Пожалуй, одного-то мало, чтобы вас уважали. Вам надо непременно двух.

Андрей Антонович скривил лицо.

— Вы... вы бог знает что позволяете себе, Петр Степанович. Пользуясь моей добротой, вы говорите колкости и разыгрываете какого-то bourru bienfaisant...[2]

— Ну это как хотите, — пробормотал Петр Степанович, — а все-таки вы нам прокладываете дорогу и приготовляете наш успех.

— То есть кому же нам и какой успех? — в удивлении уставился на него фон Лембке, но ответа не получил.

Юлия Михайловна, выслушав отчет о разговоре, была очень недовольна.

— Но не могу же я, — защищался фон Лембке, — третировать начальнически твоего фаворита, да еще когда глаз на глаз... Я мог проговориться... от доброго сердца.

— От слишком уж доброго. Я не знала, что у тебя коллекция прокламаций, сделай одолжение, покажи.

— Но... но он их выпросил к себе на один день.

— И вы опять дали! — рассердилась Юлия Михайловна. — Что за бестактность!

— Я сейчас пошлю к нему взять.

— Он не отдаст.

— Я потребую! — вскипел фон Лембке и вскочил даже с места. — Кто он, чтобы так его опасаться, и кто я, чтобы не сметь ничего сделать?

— Садитесь и успокойтесь, — остановила Юлия Михайловна, — я отвечу на ваш первый вопрос: он отлично мне зарекомендован, он со способностями и говорит иногда чрезвычайно умные вещи. Кармазинов уверял меня, что он имеет

---

[1] бешеную активность (франц.).
[2] благодетельного грубияна (франц.).

1014 Полное собрание романов. *Том 1*

связи почти везде и чрезвычайное влияние на столичную молодежь. А если я через него привлеку их всех и сгруппирую около себя, то я отвлеку их от погибели, указав новую дорогу их честолюбию. Он предан мне всем сердцем и во всем меня слушается.

— Но ведь пока их ласкать, они могут... черт знает что сделать. Конечно, это идея... — смутно защищался фон Лембке, — но... но вот, я слышу, в —ском уезде появились какие-то прокламации.

— Но ведь этот слух был еще летом, — прокламации, фальшивые ассигнации, мало ли что, однако до сих пор не доставили ни одной. Кто вам сказал?

— Я от фон Блюма слышал.

— Ах, избавьте меня от вашего Блюма и никогда не смейте о нем упоминать!

Юлия Михайловна вскипела и даже с минуту не могла говорить. Фон Блюм был чиновником при губернаторской канцелярии, которого она особенно ненавидела. Об этом ниже.

— Пожалуйста, не беспокойся о Верховенском, — заключила она разговор, — если б он участвовал в каких-нибудь шалостях, то не стал бы так говорить, как он с тобою и со всеми здесь говорит. Фразеры не опасны, и даже, я так скажу, случись что-нибудь, я же первая чрез него и узнаю. Он фанатически, фанатически предан мне.

Замечу, предупреждая события, что если бы не самомнение и честолюбие Юлии Михайловны, то, пожалуй, и не было бы всего того, что успели натворить у нас эти дурные людишки. Тут она во многом ответственна!

Глава пятая
ПРЕД ПРАЗДНИКОМ

I

День праздника, задуманного Юлией Михайловной по подписке в пользу гувернанток нашей губернии, уже несколько раз назначали вперед и откладывали. Около нее вертелись бессменно Петр Степанович, состоявший на побегушках маленький чиновник Лямшин, в óно время посещавший Степана Трофимовича и вдруг попавший в милость в губернаторском доме за игру на фортепиано; отчасти Липутин, которого Юлия Михайловна прочила в редакторы будущей независимой губернской газеты; несколько дам и девиц и, наконец, даже Кармазинов, который хоть и не вертелся, но вслух и с довольным видом объявил, что приятно изумит всех, когда начнется кадриль литературы. Подписчиков и жертвователей объявилось чрезвычайное множество, всё избранное городское общество; но допускались и самые неизбранные, если только являлись с деньгами. Юлия Михайловна заметила, что иногда даже должно допустить смешение сословий, «иначе кто ж их просветит?». Образовался негласный домашний комитет, на котором порешено было, что праздник будет демократический. Чрезмерная подписка манила на расходы; хотели сделать что-то чудесное — вот почему и откладывалось. Всё еще не решались, где устроить вечерний бал: в огромном ли доме предводительши, который та уступала для этого дня, или у Варвары Петровны в Скворешниках? В Скворешники было бы далеконько, но многие из комитета настаивали, что там будет «вольнее». Самой Варваре Петровне слишком хотелось бы, чтобы назначили у нее. Трудно решить, почему эта гордая женщина почти заискивала у Юлии Михайловны. Ей, вероятно, нравилось, что та, в свою очередь, почти принижается пред Николаем Всеволодовичем и любезничает с ним, как ни с кем. Повторю еще раз: Петр Степанович всё время и постоянно, шепотом, продолжал укоренять в губернаторском доме одну пущенную еще прежде идею, что Николай Всеволодович человек, имеющий самые таинственные связи в самом таинственном мире, и что наверно здесь с каким-нибудь поручением.

Странное было тогда настроение умов. Особенно в дамском обществе обозначилось какое-то легкомыслие, и нельзя сказать, чтобы мало-помалу. Как бы по ветру было пущено несколько чрезвычайно развязных понятий. Наступило что-то развеселое, легкое, не скажу чтобы всегда приятное. В моде был некоторый беспорядок умов. Потом, когда всё кончилось, обвиняли Юлию Михайловну, ее круг и влияние; но вряд ли всё произошло от одной только Юлии Михайловны. Напротив, очень многие сначала взапуски хвалили новую губернаторшу за то, что умеет соединить общество и что стало вдруг веселее. Произошло даже несколько скандальных случаев, в которых вовсе уж была не виновата Юлия Михайловна; но все тогда только хохотали и тешились, а останавливать было некому. Устояла, правда, в стороне довольно значительная кучка лиц, с своим особенным взглядом на течение тогдашних дел; но и эти еще тогда не ворчали; даже улыбались.

Я помню, образовался тогда как-то сам собою довольно обширный кружок, центр которого, пожалуй, и вправду что находился в гостиной Юлии Михайловны. В этом интимном кружке, толпившемся около нее, конечно между молодежью, позволялось и даже вошло в правило делать разные шалости — действительно иногда довольно развязные. В кружке было несколько даже очень милых дам. Молодежь устраивала пикники, вечеринки, иногда разъезжали по городу целою кавалькадой, в экипажах и верхами. Искали приключений, даже нарочно подсочиняли и составляли их сами, единственно для веселого анекдота. Город наш третировали они как какой-нибудь город Глупов. Их звали насмешниками или надсмешниками, потому что они мало чем брезгали. Случилось, например, что жена одного местного поручика, очень еще молоденькая брюнеточка, хотя и испитая от дурного содержания у мужа, на одной вечеринке, по легкомыслию, села играть в ералаш по большой, в надежде выиграть себе на мантилью, и вместо выигрыша проиграла пятнадцать рублей. Боясь мужа и не имея чем заплатить, она, припомнив прежнюю смелость, решилась потихоньку попросить взаймы, тут же на вечеринке, у сына нашего городского головы, прескверного мальчишки, истаскавшегося не по летам. Тот не только ей отказал, но еще пошел, хохоча вслух, сказать мужу. Поручик, действительно бедовавший на одном только жалованье, приведя домой супругу, натешился над нею досыта, несмотря на вопли, крики и просьбы на коленях о прощении. Эта возмутительная история возбудила везде в городе только смех, и хотя бедная поручица и не принадлежала к тому обществу, которое окружало Юлию Михайловну, но одна из дам этой «кавалькады», эксцентричная и бойкая личность, знавшая как-то поручицу, заехала к ней и просто-напросто увезла ее к себе в гости. Тут ее тотчас же захватили наши шалуны, заласкали, задарили и продержали дня четыре, не возвращая мужу. Она жила у бойкой дамы и по целым дням разъезжала с нею и со всем разрезвившимся обществом в прогулках по городу, участвовала в увеселениях, в танцах. Ее всё подбивали тащить мужа в суд, завести историю. Уверяли, что все поддержат ее, пойдут свидетельствовать. Муж молчал, не осмеливаясь бороться. Бедняжка смекнула наконец, что закопалась в беду, и еле живая от страха убежала на четвертый день в сумерки от своих покровителей к своему поручику. Неизвестно в точности, что произошло между супругами; но две ставни низенького деревянного домика, в котором поручик нанимал квартиру, не отпирались две недели. Юлия Михайловна посердилась на шалунов, когда обо всем узнала, и была очень недовольна поступком бойкой дамы, хотя та представляла ей же поручицу в первый день ее похищения. Впрочем, об этом скоро забыли.

В другой раз, у одного мелкого чиновника, почтенного с виду семьянина, заезжий из другого уезда молодой человек, тоже мелкий чиновник, высватал дочку, семнадцатилетнюю девочку, красотку, известную в городе всем. Но вдруг узнали, что в первую ночь брака молодой супруг поступил с красоткой весьма невежливо, мстя ей за свою поруганную честь. Лямшин, почти бывший свидетелем дела, потому что на свадьбе запьянствовал и остался в доме ночевать, чуть свет утром обежал всех с веселым известием. Мигом образовалась компания человек в десять, все до одного верхами, иные на наемных казацких лошадях, как, например, Петр Степанович и Липутин, который, несмотря на свою седину, участвовал тогда почти во всех скандальных похождениях нашей ветреной молодежи. Когда молодые показались на улице, на дрожках парой, делая визиты, узаконенные нашим обычаем непременно на другой же день после венца, несмотря ни на какие случайности, — вся эта кавалькада окружила дрожки с веселым смехом и сопровождала их целое утро по городу. Правда, в дома не входили, а ждали на конях у ворот; от особенных оскорблений жениху и невесте удержались, но все-таки произвели скандал. Весь город заговорил. Разумеется, все хохотали. Но тут рассердился фон Лембке и имел с Юлией Михайловной опять оживленную сцену. Та тоже рассердилась чрезвычайно и вознамерилась было отказать шалунам от дому. Но на другой же день всем простила, вследствие увещаний Петра Степановича и нескольких слов Кармазинова. Тот нашел «шутку» довольно остроумною.

— Это в здешних нравах, — сказал он, — по крайней мере характерно и... смело; и, смотрите, все смеются, а негодуете одна вы.

Но были шалости уже нестерпимые, с известным оттенком.

В городе появилась книгоноша, продававшая Евангелие, почтенная женщина, хотя и из мещанского звания. О ней заговорили, потому что о книгоношах только что появились любопытные отзывы в столичных газетах. Опять тот же плут Лямшин, с помощью одного семинариста, праздношатавшегося в ожидании учительского места в школе, подложил потихоньку книгоноше в мешок, будто бы покупая у нее книги, целую пачку соблазнительных мерзких фотографий из-за границы, нарочно пожертвованных для сего случая, как узнали потом, одним весьма почтенным старичком, фамилию которого опускаю, с важным орденом на шее и любившим, по его выражению, «здоровый смех и веселую шутку». Когда бедная женщина стала вынимать святые книги у нас в Гостином ряду, то посыпались и фотографии. Поднялся смех, ропот; толпа стеснилась, стали ругаться, дошло бы и до побоев, если бы не подоспела полиция. Книгоношу заперли в каталажку, и только вечером, стараниями Маврикия Николаевича, с негодованием узнавшего интимные подробности этой гадкой истории, освободили и выпроводили из города. Тут уж Юлия Михайловна решительно прогнала было Лямшина, но в тот же вечер наши целою компанией привели его к ней, с известием, что он выдумал новую особенную штучку на фортепьяно, и уговорили ее лишь выслушать. Штучка в самом деле оказалась забавною, под смешным названием «Франко-прусская война». Начиналась она грозными звуками «Марсельезы»:

Qu'un sang impur abreuve nos sillons![1]

Слышался напыщенный вызов, упоение будущими победами. Но вдруг, вместе с мастерски варьированными тактами гимна, где-то сбоку, внизу, в уголку, но очень близко, послышались гаденькие звуки «Mein lieber Augustin»[2]. «Марсельеза» не замечает их, «Марсельеза» на высшей точке упоения своим величием; но «Augustin» укрепляется, «Augustin» всё нахальнее, и вот такты «Augustin» как-то неожиданно начинают совпадать с тактами «Марсельезы». Та начинает как бы сердиться; она замечает наконец «Augustin», она хочет сбросить ее, отогнать как навязчивую ничтожную муху, но «Mein lieber Augustin» уцепилась крепко; она весела и самоуверенна; она радостна и нахальна; и «Марсельеза» как-то вдруг ужасно глупеет: она уже не скрывает, что раздражена и обижена; это вопли негодования, это слезы и клятвы с простертыми к Провидению руками:

Pas un pouce de notre terrain, pas une pierre de nos forteresses![3]

Но уже она принуждена петь с «Mein lieber Augustin» в один такт. Ее звуки как-то глупейшим образом переходят в «Augustin», она склоняется, погасает. Изредка лишь, прорывом, послышится опять «qu'un sang impur...», но тотчас же преобидно перескочит в гаденький вальс. Она смиряется совершенно: это Жюль Фавр, рыдающий на груди Бисмарка и отдающий всё, всё... Но тут уже свирепеет и «Augustin»: слышатся сиплые звуки, чувствуется безмерно выпитое пиво, бешенство самохвальства, требования миллиардов, тонких сигар, шампанского и заложников; «Augustin» переходит в неистовый рев... Франко-прусская война оканчивается. Наши аплодируют, Юлия Михайловна улыбается и говорит: «Ну как его прогнать?» Мир заключен. У мерзавца действительно был талантик. Степан Трофимович уверял меня однажды, что самые высокие художественные таланты могут быть ужаснейшими мерзавцами и что одно другому не мешает. Был потом слух, что Лямшин украл эту пиеску у одного талантливого и скромного молодого человека, знакомого ему проезжего, который так и остался в неизвестности; но это в сторону. Этот негодяй, который несколько лет вертелся пред Степаном Трофимовичем, представляя на его вечеринках, по востребованию, разных жидков, исповедь глухой бабы или родины ребенка, теперь уморительно карикатурил иногда у Юлии Михайловны, между прочим, и самого Степана Трофимовича, под названием «Либерал сороковых годов». Все покатывались со смеху, так что под конец его решительно нельзя было прогнать: слишком нужным стал человеком. К тому же он раболепно заискивал у Петра Степановича, который в свою очередь приобрел к тому времени уже до странности сильное влияние на Юлию Михайловну...

---

[1] Пусть нечистая кровь напоит наши нивы! (*франц.*)
[2] «Моего милого Августина» (*нем.*).
[3] Ни одной пяди нашей земли, ни одного камня наших крепостей! (*франц.*)

Я не заговорил бы об этом мерзавце особливо, и не стоил бы он того, чтобы на нем останавливаться; но тут произошла одна возмущающая история, в которой он, как уверяют, тоже участвовал, а истории этой я никак не могу обойти в моей хронике.

В одно утро пронеслась по всему городу весть об одном безобразном и возмутительном кощунстве. При входе на нашу огромную рыночную площадь находится ветхая церковь Рождества Богородицы, составляющая замечательную древность в нашем древнем городе. У врат ограды издавна помещалась большая икона Богоматери, вделанная за решеткой в стену. И вот икона была в одну ночь ограблена, стекло киота выбито, решетка изломана и из венца и ризы было вынуто несколько камней и жемчужин, не знаю, очень ли драгоценных. Но главное в том, что кроме кражи совершено было бессмысленное, глумительное кощунство: за разбитым стеклом иконы нашли, говорят, утром живую мышь. Положительно известно теперь, четыре месяца спустя, что преступление совершено было каторжным Федькой, но почему-то прибавляют тут и участие Лямшина. Тогда никто не говорил о Лямшине и совсем не подозревали его, а теперь все утверждают, что это он впустил тогда мышь. Помню, всё наше начальство немного потерялось. Народ толпился у места преступления с утра. Постоянно стояла толпа, хоть не бог знает какая, но все-таки человек во сто. Одни приходили, другие уходили. Подходившие крестились, прикладывались к иконе; стали подавать, и явилось церковное блюдо, а у блюда монах, и только к трем часам пополудни начальство догадалось, что можно народу приказать и не останавливаться толпой, а, помолившись, приложившись и пожертвовав, проходить мимо. На фон Лембке этот несчастный случай произвел самое мрачное впечатление. Юлия Михайловна, как передавали мне, выразилась потом, что с этого зловещего утра она стала замечать в своем супруге то странное уныние, которое не прекращалось у него потом вплоть до самого выезда, два месяца тому назад, по болезни, из нашего города и, кажется, сопровождает его теперь и в Швейцарии, где он продолжает отдыхать после краткого своего поприща в нашей губернии.

Помню, в первом часу пополудни я зашел тогда на площадь; толпа была молчалива и лица важно-угрюмые. Подъехал на дрожках купец, жирный и желтый, вылез из экипажа, отдал земной поклон, приложился, пожертвовал рубль, охая взобрался на дрожки и опять уехал. Подъехала и коляска с двумя нашими дамами в сопровождении двух наших шалунов. Молодые люди (из коих один был уже не совсем молодой) вышли тоже из экипажа и протеснились к иконе, довольно небрежно отстраняя народ. Оба шляп не скинули, а один надвинул на нос пенсне. В народе зароптали, правда глухо, но неприветливо. Молодец в пенсне вынул из портмоне, туго набитого кредитками, медную копейку и бросил на блюдо; оба, смеясь и громко говоря, повернулись к коляске. В эту минуту вдруг подскакала, в сопровождении Маврикия Николаевича, Лизавета Николаевна. Она соскочила с лошади, бросила повод своему спутнику, оставшемуся по ее приказанию на коне, и подошла к образу именно в то время, когда брошена была копейка. Румянец негодования залил ее щеки; она сняла свою круглую шляпу, перчатки, упала на колени пред образом, прямо на грязный тротуар, и благоговейно положила три земных поклона. Затем вынула свой портмоне, но так как в нем оказалось только несколько гривенников, то мигом сняла свои бриллиантовые серьги и положила на блюдо.

— Можно, можно? На украшение ризы? — вся в волнении спросила она монаха.

— Позволительно, — отвечал тот, — всякое даяние благо.

Народ молчал, не выказывая ни порицания, ни одобрения; Лизавета Николаевна села на коня в загрязненном своем платье и ускакала.

II

Два дня спустя после сейчас описанного случая я встретил ее в многочисленной компании, отправлявшейся куда-то в трех колясках, окруженных верховыми. Она поманила меня рукой, остановила коляску и настоятельно потребовала, чтоб я присоединился к их обществу. В коляске нашлось мне место, и она отрекомендовала меня, смеясь, своим спутницам, пышным дамам, а мне пояснила, что все отправляются в чрезвычайно интересную экспедицию. Она хохотала и казалась что-то уж не в меру счастливою. В самое последнее время она стала весела как-то до резвости. Действительно, предприятие было эксцентрическое: все отправлялись за реку, в дом купца Севостьянова, у которого во флигеле, вот уж лет с десять, проживал на покое, в довольстве и в холе, известный не только у нас, но и по окрестным губерниям и даже в столицах Семен Яковлевич, наш блаженный и пророчествующий. Его все посещали, особенно заезжие, добиваясь юродивого слова, поклоняясь и жертвуя. Пожертвования, иногда значительные, если не распоряжался ими тут же сам Семен Яковлевич, были набожно отправляемы в храм Божий, и по преимуществу в наш Богородский монастырь; от монастыря с этою целью постоянно дежурил при Семене Яковлевиче монах. Все ожидали большого веселия. Никто из этого общества еще не видал Семена Яковлевича. Один Лямшин был у него когда-то прежде и уверял теперь, что тот велел его прогнать метлой и пустил ему вслед собственною рукой двумя большими вареными картофелинами. Между верховыми я заметил и Петра Степановича, опять на наемной казацкой лошади, на которой он весьма скверно держался, и Николая Всеволодовича, тоже верхом. Этот не уклонялся иногда от всеобщих увеселений и в таких случаях всегда имел прилично веселую мину, хотя по-прежнему говорил мало и редко. Когда экспедиция поравнялась, спускаясь к мосту, с городскою гостиницей, кто-то вдруг объявил, что в гостинице, в нумере, сейчас только нашли застрелившегося проезжего и ждут полицию. Тотчас же явилась мысль посмотреть на самоубийцу. Мысль поддержали: наши дамы никогда не видали самоубийц. Помню, одна из них сказала тут же вслух, что «всё так уж прискучило, что нечего церемониться с развлечениями, было бы занимательно». Только немногие остались ждать у крыльца; остальные же гурьбой вошли в грязный коридор, и между прочим я, к удивлению, увидал и Лизавету Николаевну. Нумер застрелившегося был отперт, и, разумеется, нас не посмели не пропустить. Это был еще молоденький мальчик, лет девятнадцати, никак не более, очень, должно быть, хорошенький собой, с густыми белокурыми волосами, с правильным овальным обликом, с чистым прекрасным лбом. Он уже окоченел, и беленькое личико его казалось как будто из мрамора. На столе лежала записка, его рукой, чтобы не винили никого в его смерти и что он застрелился потому, что «прокутил» четыреста рублей. Слово «прокутил» так и стояло в записке: в четырех ее строчках нашлось три грамматических ошибки. Тут особенно охал над ним какой-то, по-видимому, сосед его, толстый помещик, стоявший в другом нумере по своим делам. Из слов того оказалось, что мальчик отправлен был семейством, вдовою матерью, сестрами и тетками, из деревни их в город, чтобы, под руководством проживавшей в городе родственницы, сделать разные покупки для приданого старшей сестры, выходившей замуж, и доставить их домой. Ему вверили эти четыреста рублей, накопленные десятилетиями, охая от страха и напутствуя его бесконечными назиданиями, молитвами и крестами. Мальчик доселе был скромен и благонадежен. Приехав три дня тому назад в город, он к родственнице не явился, остановился в гостинице и пошел прямо в клуб — в надежде отыскать где-нибудь в задней комнате какого-нибудь заезжего банкомета или по крайней мере стуколку. Но стуколки в тот вечер не было, банкомета тоже. Возвратясь в нумер уже около полуночи, он потребовал шампанского, гаванских сигар и заказал ужин из шести или семи блюд. Но от шампанского опьянел, от сигары его стошнило, так что до внесенных кушаний и не притронулся, а улегся спать чуть не без памяти. Проснувшись назавтра, свежий как яблоко, тотчас же отправился в цыганский табор, помещавшийся за рекой в слободке, о котором услыхал вчера в клубе, и в гостиницу не являлся два дня. Наконец, вчера, часам к пяти пополудни, прибыл хмельной, тотчас лег спать и проспал до десяти часов вечера. Проснувшись, спросил котлетку, бутылку шато-д'икему и винограду, бумаги, чернил и счет. Никто не заметил в нем ничего особенного; он был спокоен, тих и ласков. Должно быть, он застрелился еще около полуночи, хотя странно, что никто не слыхал выстрела, а хватились только сегодня в час пополудни и, не достучавшись, выломали дверь. Бутылка шато-д'икему была наполовину опорожнена, винограду оставалось тоже с полтарелки. Выстрел был сделан из трехствольного маленького револьвера прямо в сердце. Крови вытекло очень мало; револьвер выпал из рук на ковер. Сам юноша полулежал в углу на диване. Смерть, должно быть, произошла мгновенно; никакого смертного мучения не замечалось в лице; выражение было спокойное, почти счастливое, только бы жить. Все наши рассматривали с жадным любопытством. Вообще в каждом несчастии ближнего есть всегда нечто веселящее посторонний глаз — и даже кто бы вы ни были. Наши дамы рассматривали молча, спутники же отличались остротой ума и высшим присутствием духа. Один заметил, что это наилучший исход и что умнее мальчик и не мог ничего выдумать; другой заключил, что хоть миг, да хорошо пожил. Третий вдруг брякнул: почему у нас так часто стали вешаться и застреливаться, — точно с корней соскочили, точно пол из-под ног у всех выскользнул? На резонера неприветливо посмотрели. Зато Лямшин, ставивший себе за честь роль шута, стянул с тарелки кисточку винограду, за ним, смеясь, другой, а третий протянул было руку и к шато-д'икему. Но остановил прибывший полицеймейстер, и даже попросил «очистить комнату». Так как все уже нагляделись, то тотчас же без спору и вышли, хотя Лямшин и пристал было с чем-то к полицеймейстеру. Всеобщее веселье, смех и резвый говор в остальную половину дороги почти вдвое оживились.

Прибыли к Семену Яковлевичу ровно в час пополудни. Ворота довольно большого купеческого дома стояли настежь, и доступ во флигель был открыт. Тотчас же узнали, что Семен Яковлевич изволит обедать, но принимает. Вся наша толпа вошла разом. Комната, в которой принимал и обедал блаженный, была довольно просторная, в три окна, и разгорожена поперек на две равные части деревянною решеткой от стены до стены, по пояс высотой. Обыкновенные посетители оставались за решеткой, а счастливцы допускались, по указанию блаженного, чрез дверцы решетки в его половину, и он сажал их, если хотел, на свои старые кожаные кресла и на диван; сам же заседал неизменно в старинных истертых вольтеровских креслах. Это был довольно большой, одутловатый, желтый лицом человек, лет пятидесяти пяти, белокурый и лысый, с жидкими волосами, бривший бороду, с раздутою правою щекой и как бы несколько перекосившимся ртом, с большою бородавкой близ левой ноздри, с узенькими глазками и с спокойным, солидным, заспанным выражением лица. Одет был по-немецки, в черный сюртук, но без жилета и без галстука. Из-под сюртука выглядывала довольно толстая, но белая рубашка; ноги, кажется больные, держал в туфлях. Я слышал, что когда-то он был чиновником и имеет чин. Он только что откушал уху из легкой рыбки и принялся за второе свое кушанье — картофель в мундире, с солью. Другого ничего и никогда не вкушал; пил только много чаю, которого был любителем. Около него сновало человека три прислуги, содержавшейся от купца; один из слуг был во фраке, другой похож на артельщика, третий на причетника. Был еще и мальчишка лет шестнадцати, весьма резвый. Кроме прислуги присутствовал и почтенный седой монах с кружкой, немного слишком полный. На одном из столов кипел огромнейший самовар и стоял поднос чуть не с двумя дюжинами стаканов. На другом столе, противоположном, помещались приношения: несколько голов и фунтиков сахару, фунта два чаю, пара вышитых туфлей, фуляровый платок, отрезок сукна, штука холста и пр. Денежные пожертвования почти все поступали в кружку монаха. В комнате было людно — человек до дюжины одних посетителей, из коих двое сидели у Семена Яковлевича за решеткой; то были седенький старичок, богомолец, из «простых», и один маленький, сухенький захожий монашек, сидевший чинно и потупив очи. Прочие посетители все стояли по сю сторону решетки, всё тоже больше из простых, кроме одного толстого купца, приезжего из уездного города, бородача, одетого по-русски, но которого знали за стотысячника; одной пожилой и убогой дворянки и одного помещика. Все ждали своего счастия, не осмеливаясь заговорить сами. Человека четыре стояли на коленях, но всех более обращал на себя внимание помещик, человек толстый, лет сорока пяти, стоявший на коленях у самой решетки, ближе всех на виду, и с благоговением ожидавший благосклонного взгляда или слова Семена Яковлевича. Стоял он уже около часу, а тот всё не замечал.

Наши дамы стеснились у самой решетки, весело и смешливо шушукая. Стоявших на коленях и всех других посетителей оттеснили или заслонили, кроме помещика, который упорно остался на виду, ухватясь даже руками за решетку. Веселые и жадно-любопытные взгляды устремились на Семена Яковлевича, равно как лорнеты, пенсне и даже бинокли; Лямшин, по крайней мере, рассматривал в бинокль. Семен Яковлевич спокойно и лениво окинул всех своими маленькими глазками.

— Миловзоры! миловзоры! — изволил он выговорить сиплым баском и с легким восклицанием.

Все наши засмеялись: «Что значит миловзоры?» Но Семен Яковлевич погрузился в молчание и доедал свой картофель. Наконец утерся салфеткой, и ему подали чаю.

Кушал он чай обыкновенно не один, а наливал и посетителям, но далеко не всякому, обыкновенно указывая сам, кого из них осчастливить. Распоряжения эти всегда поражали своею неожиданностью. Минуя богачей и сановников, приказывал иногда подавать мужику или какой-нибудь ветхой старушонке; другой раз, минуя нищую братию, подавал какому-нибудь одному жирному купцу-богачу. Наливалось тоже разно, одним внакладку, другим вприкуску, а третьим и вовсе без сахара. На этот раз осчастливлены были захожий монашек стаканом внакладку и старичок богомолец, которому дали совсем без сахара. Толстому же монаху с кружкой из монастыря почему-то не поднесли вовсе, хотя тот до сих пор каждый день получал свой стакан.

— Семен Яковлевич, скажите мне что-нибудь, я так давно желала с вами познакомиться, — пропела с улыбкой и прищуриваясь та пышная дама из нашей коляски, которая заметила давеча, что с развлечениями нечего церемониться, было бы занимательно. Семен Яковлевич даже не поглядел на нее. Помещик, стоявший на коленях, звучно и глубоко вздохнул, точно приподняли и опустили большие мехи.

— Внакладку! — указал вдруг Семен Яковлевич на купца-стотысячника; тот выдвинулся вперед и стал рядом с помещиком. — Еще ему сахару! — приказал Семен Яковлевич, когда уже налили стакан; положили еще порцию. — Еще, еще ему! — Положили еще в третий раз и, наконец, в четвертый. Купец беспрекословно стал пить свой сироп.

— Господи! — зашептал и закрестился народ. Помещик опять звучно и глубоко вздохнул.

— Батюшка! Семен Яковлевич! — раздался вдруг горестный, но резкий до того, что трудно было и ожидать, голос убогой дамы, которую наши оттерли к стене. — Целый час, родной, благодати ожидаю. Изреки ты мне, рассуди меня, сироту.

— Спроси, — указал Семен Яковлевич слуге-причетнику. Тот подошел к решетке. — Исполнили ли то, что приказал в прошлый раз Семен Яковлевич? — спросил он вдову тихим и размеренным голосом.

— Какое, батюшка Семен Яковлевич, исполнила, исполнишь с ними! — завопила вдова, — людоеды, просьбу на меня в окружной подают, в Сенат грозят; это на родную-то мать!..

— Дай ей!.. — указал Семен Яковлевич на голову сахару. Мальчишка подскочил, схватил голову и потащил ко вдове.

— Ох, батюшка, велика твоя милость. И куда мне столько? — завопила было вдовица.

— Еще, еще! — награждал Семен Яковлевич.

Притащили еще голову. «Еще, еще», — приказывал блаженный; принесли третью и, наконец, четвертую. Вдовицу обставили сахаром со всех сторон. Монах от монастыря вздохнул: всё это бы сегодня же могло попасть в монастырь, по прежним примерам.

— Да куда мне столько? — приниженно охала вдовица. — Стошнит одну-то!.. Да уж не пророчество ли какое, батюшка?

— Так и есть, пророчество, — проговорил кто-то в толпе.

— Еще ей фунт, еще! — не унимался Семен Яковлевич.

На столе оставалась еще целая голова, но Семен Яковлевич указал подать фунт, и вдове подали фунт.

— Господи, Господи! — вздыхал и крестился народ. — Видимое пророчество.

— Усладите вперед сердце ваше добротой и милостию и потом уже приходите жаловаться на родных детей, кость от костей своих, вот что, должно полагать, означает эмблема сия, — тихо, но самодовольно проговорил толстый, но обне-

сенный чаем монах от монастыря, в припадке раздраженного самолюбия взяв
на себя толкование.

— Да что ты, батюшка, — озлилась вдруг вдовица, — да они меня на аркане в
огонь тащили, когда у Верхишиных загорелось. Они мне мертвую кошку в
укладку заперли, то есть всякое-то бесчинство готовы...

— Гони, гони! — вдруг замахал руками Семен Яковлевич.

Причетник и мальчишка вырвались за решетку. Причетник взял вдову под
руку, и она, присмирев, потащилась к дверям, озираясь на дареные сахарные головы, которые за нею поволок мальчишка.

— Одну отнять, отними! — приказал Семен Яковлевич остававшемуся при
нем артельщику. Тот бросился за уходившими, и все трое слуг воротились через
несколько времени, неся обратно раз подаренную и теперь отнятую у вдовицы
одну голову сахару; она унесла, однако же, три.

— Семен Яковлевич, — раздался чей-то голос сзади у самых дверей, — видел
я во сне птицу, галку, вылетела из воды и полетела в огонь. Что сей сон значит?

— К морозу, — произнес Семен Яковлевич.

— Семен Яковлевич, что же вы мне-то ничего не ответили, я так давно вами
интересуюсь, — начала было опять наша дама.

— Спроси! — указал вдруг, не слушая ее, Семен Яковлевич на помещика,
стоявшего на коленях.

Монах от монастыря, которому указано было спросить, степенно подошел к
помещику.

— Чем согрешили? И не велено ль было чего исполнить?

— Не драться, рукам воли не давать, — сипло отвечал помещик.

— Исполнили? — спросил монах.

— Не могу выполнить, собственная сила одолевает.

— Гони, гони! Метлой его, метлой! — замахал руками Семен Яковлевич. Помещик, не дожидаясь исполнения кары, вскочил и бросился вон из комнаты.

— На месте златницу оставили, — провозгласил монах, подымая с полу по-
луимпериал.

— Вот кому! — ткнул пальцем на стотысячника купца Семен Яковлевич.
Стотысячник не посмел отказаться и взял.

— Злато к злату, — не утерпел монах от монастыря.

— А этому внакладку, — указал вдруг Семен Яковлевич на Маврикия Николаевича. Слуга налил чаю и поднес было ошибкой франту в пенсне.

— Длинному, длинному, — поправил Семен Яковлевич.

Маврикий Николаевич взял стакан, отдал военный полупоклон и на́чал
пить. Не знаю почему, все наши так и покатились со смеху.

— Маврикий Николаевич! — обратилась к нему вдруг Лиза, — тот господин
на коленях ушел, станьте на его место на колени.

Маврикий Николаевич в недоумении посмотрел на нее.

— Прошу вас, вы сделаете мне большое удовольствие. Слушайте, Маврикий
Николаевич, — начала она вдруг настойчивою, упрямою, горячею скороговор-
кой, — непременно станьте, я хочу непременно видеть, как вы будете стоять.
Если не станете — и не приходите ко мне. Непременно хочу, непременно хочу!..

Я не знаю, что она хотела этим сказать; но она требовала настойчиво, неумолимо, точно была в припадке. Маврикий Николаевич растолковывал, как увидим ниже, такие капризные порывы ее, особенно частые в последнее время,
вспышками слепой к нему ненависти, и не то чтоб от злости, — напротив, она

чтила, любила и уважала его, и он сам это знал, — а от какой-то особенной бессознательной ненависти, с которою она никак не могла справиться минутами.

Он молча передал чашку какой-то сзади него стоявшей старушонке, отворил дверцу решетки, без приглашения шагнул в интимную половину Семена Яковлевича и стал среди комнаты на колени, на виду у всех. Думаю, что он слишком был потрясен в деликатной и простой душе своей грубою, глумительною выходкой Лизы, в виду всего общества. Может быть, ему подумалось, что ей станет стыдно за себя, видя его унижение, на котором она так настаивала. Конечно, никто не решился бы исправлять таким наивным и рискованным способом женщину, кроме него. Он стоял на коленях с своею невозмутимою важностью в лице, длинный, нескладный, смешной. Но наши не смеялись; неожиданность поступка произвела болезненный эффект. Все глядели на Лизу.

— Елей, елей! — пробормотал Семен Яковлевич.

Лиза вдруг побледнела, вскрикнула, ахнула и бросилась за решетку. Тут произошла быстрая, истерическая сцена: она изо всех сил стала подымать Маврикия Николаевича с колен, дергая его обеими руками за локоть.

— Вставайте, вставайте! — вскрикивала она как без памяти, — встаньте сейчас, сейчас! Как вы смели стать!

Маврикий Николаевич приподнялся с колен. Она стиснула своими руками его руки выше локтей и пристально смотрела ему в лицо. Страх был в ее взгляде.

— Миловзоры, миловзоры! — повторил еще раз Семен Яковлевич.

Она втащила наконец Маврикия Николаевича обратно за решетку; во всей нашей толпе произошло сильное движение. Дама из нашей коляски, вероятно желая перебить впечатление, в третий раз звонко и визгливо вопросила Семена Яковлевича, по-прежнему с жеманною улыбкой:

— Что же, Семен Яковлевич, неужто не «изречете» и мне чего-нибудь? А я так много на вас рассчитывала.

— В... тебя, в... тебя!.. — произнес вдруг, обращаясь к ней, Семен Яковлевич крайне нецензурное словцо. Слова сказаны были свирепо и с ужасающею отчетливостью. Наши дамы взвизгнули и бросились стремглав бегом вон, кавалеры гомерически захохотали. Тем и кончилась наша поездка к Семену Яковлевичу.

И, однако же, тут, говорят, произошел еще один чрезвычайно загадочный случай, и, признаюсь, для него-то более я и упомянул так подробно об этой поездке.

Говорят, что когда все гурьбой бросились вон, то Лиза, поддерживаемая Маврикием Николаевичем, вдруг столкнулась в дверях, в тесноте, с Николаем Всеволодовичем. Надо сказать, со времени воскресного утра и обморока они оба хоть и встречались не раз, но друг к другу не подходили и ничего между собою не сказали. Я видел, как они столкнулись в дверях: мне показалось, что они оба на мгновение приостановились и как-то странно друг на друга поглядели. Но я мог худо видеть в толпе. Уверяли, напротив, и совершенно серьезно, что Лиза, взглянув на Николая Всеволодовича, быстро подняла руку, так-таки вровень с его лицом, и наверно бы ударила, если бы тот не успел отстраниться. Может быть, ей не понравилось выражение лица его или какая-нибудь усмешка его, особенно сейчас, после такого эпизода с Маврикием Николаевичем. Признаюсь, я сам не видел ничего, но зато все уверяли, что видели, хотя все-то уж никак не могли этого увидеть за суматохой, а разве иные. Только я этому тогда не поверил. Помню, однако, что Николай Всеволодович во всю обратную дорогу был несколько бледен.

III

Почти в то же время и именно в этот же самый день состоялось наконец и свидание Степана Трофимовича с Варварой Петровной, которое та давно держала в уме и давно уже возвестила о нем своему бывшему другу, но почему-то до сих пор всё откладывала. Оно произошло в Скворешниках. Варвара Петровна прибыла в свой загородный дом вся в хлопотах: накануне определено было окончательно, что предстоящий праздник будет дан у предводительши. Но Варвара Петровна тотчас же смекнула в своем быстром уме, что после праздника никто не помешает ей дать свой особый праздник, уже в Скворешниках, и снова созвать весь город. Тогда все могли бы убедиться на деле, чей дом лучше и где умеют лучше принять и с бóльшим вкусом дать бал. Вообще ее узнать нельзя было. Казалось, она точно переродилась и из прежней недоступной «высшей дамы» (выражение Степана Трофимовича) обратилась в самую обыкновенную взбалмошную светскую женщину. Впрочем, это только могло казаться.

Прибыв в пустой дом, она обошла комнаты в сопровождении верного и старинного Алексея Егоровича и Фомушки, человека, видавшего виды и специалиста по декоративному делу. Начались советы и соображения: что из мебели перенести из городского дома; какие вещи, картины; где их расставить; как всего удобнее распорядиться оранжереей и цветами; где сделать новые драпри, где устроить буфет, и один или два? и пр., и пр. И вот, среди самых горячих хлопот, ей вдруг вздумалось послать карету за Степаном Трофимовичем.

Тот был уже давно извещен и готов и каждый день ожидал именно такого внезапного приглашения. Садясь в карету, он перекрестился; решалась судьба его. Он застал своего друга в большой зале, на маленьком диванчике в нише, пред маленьким мраморным столиком, с карандашом и бумагой в руках: Фомушка вымеривал аршином высоту хор и окон, а Варвара Петровна сама записывала цифры и делала на полях отметки. Не отрываясь от дела, она кивнула головой в сторону Степана Трофимовича и, когда тот пробормотал какое-то приветствие, подала ему наскоро руку и указала, не глядя, подле себя место.

«Я сидел и ждал минут пять, «сдавив мое сердце», — рассказывал он мне потом. — Я видел не ту женщину, которую знал двадцать лет. Полнейшее убеждение, что всему конец, придало мне силы, изумившие даже ее. Клянусь, она была удивлена моею стойкостью в этот последний час».

Варвара Петровна вдруг положила карандаш на столик и быстро повернулась к Степану Трофимовичу.

— Степан Трофимович, нам надо говорить о деле. Я уверена, что вы приготовили все ваши пышные слова и разные словечки, но лучше бы к делу прямо, не так ли?

Его передернуло. Она слишком спешила заявить свой тон, что же могло быть далее?

— Подождите, молчите, дайте мне сказать, потом вы, хотя, право, не знаю, что бы вы могли мне ответить? — продолжала она быстрою скороговоркой. — Тысячу двести рублей вашего пенсиона я считаю моею священною обязанностью до конца вашей жизни; то есть зачем священною обязанностью, просто договором, это будет гораздо реальнее, не так ли? Если хотите, мы напишем. На случай моей смерти сделаны особые распоряжения. Но вы получаете от меня теперь, сверх того, квартиру и прислугу и всё содержание. Переведем это на деньги, будет тысяча пятьсот рублей, не так ли? Кладу еще экстренных триста рублей, итого полных три тысячи. Довольно с вас в год? Кажется, не мало? В самых экстренных случаях я, впрочем, буду набавлять. Итак, возьмите деньги, пришлите мне моих людей и живите сами по себе, где хотите, в Петербурге, в Москве, за границей или здесь, только не у меня. Слышите?

— Недавно так же настойчиво и так же быстро передано было мне из тех же уст другое требование, — медленно и с грустною отчетливостью проговорил Степан Трофимович. — Я смирился и... плясал казачка вам в угоду. Oui, la comparaison peut être permise. C'était comme un petit cozak du Don, qui sautait sur sa propre tombe[1]. Теперь...

— Остановитесь, Степан Трофимович. Вы ужасно многоречивы. Вы не плясали, а вы вышли ко мне в новом галстуке, белье, в перчатках, напомаженный и раздушенный. Уверяю вас, что вам очень хотелось самому жениться; это было на вашем лице написано, и поверьте, выражение самое неизящное. Если я не заметила вам тогда же, то единственно из деликатности. Но вы желали, вы желали жениться, несмотря на мерзости, которые вы писали интимно обо мне и о вашей невесте. Теперь вовсе не то. И к чему тут cozak du Don над какою-то вашею могилой? Не понимаю, что за сравнение. Напротив, не умирайте, а живите; живите как можно больше, я очень буду рада.

— В богадельне?

— В богадельне? В богадельню нейдут с тремя тысячами дохода. Ах, припоминаю, — усмехнулась она, — в самом деле, Петр Степанович как-то расшутился раз о богадельне. Ба, это действительно особенная богадельня, о которой стоит подумать. Это для самых почтенных особ, там есть полковники, туда даже теперь хочет один генерал. Если вы поступите со всеми вашими деньгами, то найдете покой, довольство, служителей. Вы там будете заниматься науками и всегда можете составить партию в преферанс...

— Passons[2].

— Passons? — покоробило Варвару Петровну. — Но в таком случае всё; вы извещены, мы живем с этих пор совершенно порознь.

— И всё? Всё, что осталось от двадцати лет? Последнее прощание наше?

— Вы ужасно любите восклицать, Степан Трофимович. Нынче это совсем не в моде. Они говорят грубо, но просто. Дались вам наши двадцать лет! Двадцать лет обоюдного самолюбия, и больше ничего. Каждое письмо ваше ко мне писано не ко мне, а для потомства. Вы стилист, а не друг, а дружба — это только прославленное слово, в сущности: взаимное излияние помой...

— Боже, сколько чужих слов! Затверженные уроки! И на вас уже надели они свой мундир! Вы тоже в радости, вы тоже на солнце; chère, chère, за какое чечевичное варево продали вы им вашу свободу!

— Я не попугай, чтобы повторять чужие слова, — вскипела Варвара Петровна. — Будьте уверены, что у меня свои слова накопились. Что сделали вы для меня в эти двадцать лет? Вы отказывали мне даже в книгах, которые я для вас выписывала и которые, если бы не переплетчик, остались бы неразрезан-

---

[1] Да, такое сравнение допустимо. Как донской казачок, пляшущий на собственной могиле (*франц.*).

[2] Оставим это (*франц.*).

ными. Что давали вы мне читать, когда я, в первые годы, просила вас руководить меня? Всё Капфиг да Капфиг. Вы ревновали даже к моему развитию и брали меры. А между тем над вами же все смеются. Признаюсь, я всегда вас считала только за критика; вы литературный критик, и ничего более. Когда дорогой в Петербург я вам объявила, что намерена издавать журнал и посвятить ему всю мою жизнь, вы тотчас же поглядели на меня иронически и стали вдруг ужасно высокомерны.

— Это было не то, не то... мы тогда боялись преследований...

— Это было то самое, а преследований в Петербурге вы уж никак не могли бояться. Помните, потом в феврале, когда пронеслась весть, вы вдруг прибежали ко мне перепуганный и стали требовать, чтоб я тотчас же дала вам удостоверение, в виде письма, что затеваемый журнал до вас совсем не касается, что молодые люди ходят ко мне, а не к вам, а что вы только домашний учитель, который живет в доме потому, что ему еще недодано жалованье, не так ли? Помните это вы? Вы отменно отличались всю вашу жизнь, Степан Трофимович.

— Это была только одна минута малодушия, минута глаз на глаз, — горестно воскликнул он, — но неужели, неужели же всё порвать из-за таких мелких впечатлений? Неужели же ничего более не уцелело между нами за столь долгие годы?

— Вы ужасно расчетливы; вы всё хотите так сделать, чтоб я еще оставалась в долгу. Когда вы воротились из-за границы, вы смотрели предо мною свысока и не давали мне выговорить слова, а когда я сама поехала и заговорила с вами потом о впечатлении после Мадонны, вы не дослушали и высокомерно стали улыбаться в свой галстук, точно я уж не могла иметь таких же точно чувств, как и вы.

— Это было не то, вероятно не то... J'ai oublié[1].

— Нет, это было то самое, да и хвалиться-то было нечем предо мною, потому что всё это вздор и одна только ваша выдумка. Нынче никто, никто уж Мадонной не восхищается и не теряет на это времени, кроме закоренелых стариков. Это доказано.

— Уж и доказано?

— Она совершенно ни к чему не служит. Эта кружка полезна, потому что в нее можно влить воды; этот карандаш полезен, потому что им можно всё записать, а тут женское лицо хуже всех других лиц в натуре. Попробуйте нарисовать яблоко и положите тут рядом настоящее яблоко — которое вы возьмете? Небось не ошибетесь. Вот к чему сводятся теперь все ваши теории, только что озарил их первый луч свободного исследования.

— Так, так.

— Вы усмехаетесь иронически. А что, например, говорили вы мне о милостыне? А между тем наслаждение от милостыни есть наслаждение надменное и безнравственное, наслаждение богача своим богатством, властию и сравнением своего значения с значением нищего. Милостыня развращает и подающего и берущего и, сверх того, не достигает цели, потому что только усиливает нищенство. Лентяи, не желающие работать, толпятся около дающих, как игроки у игорного стола, надеясь выиграть. А меж тем жалких грошей, которые им бросают, недостает и на сотую долю. Много ль вы роздали в вашу жизнь? Гривен восемь, не более, припомните-ка. Постарайтесь вспомнить, когда вы подавали в

_____
[1] Я забыл (*франц.*).

последний раз; года два назад, а пожалуй, четыре будет. Вы кричите и только делу мешаете. Милостыня и в теперешнем обществе должна быть законом запрещена. В новом устройстве совсем не будет бедных.

— О, какое извержение чужих слов! Так уж и до нового устройства дошло? Несчастная, помоги вам Бог!

— Да, дошло, Степан Трофимович; вы тщательно скрывали от меня все новые идеи, теперь всем уже известные, и делали это единственно из ревности, чтоб иметь надо мною власть. Теперь даже эта Юлия на сто верст впереди меня. Но теперь и я прозрела. Я защищала вас, Степан Трофимович, сколько могла; вас решительно все обвиняют.

— Довольно! — поднялся было он с места, — довольно! И что еще пожелаю вам, неужто раскаяния?

— Сядьте на минуту, Степан Трофимович, мне надо еще вас спросить. Вам передано было приглашение читать на литературном утре; это чрез меня устроилось. Скажите, что именно вы прочтете?

— А вот именно об этой царице цариц, об этом идеале человечества, Мадонне Сикстинской, которая не стоит, по-вашему, стакана или карандаша.

— Так вы не из истории? — горестно изумилась Варвара Петровна. — Но вас слушать не будут. Далась же вам эта Мадонна! Ну что за охота, если вы всех усыпите? Будьте уверены, Степан Трофимович, что я единственно в вашем интересе говорю. То ли дело, если бы вы взяли какую-нибудь коротенькую, но занимательную средневековую придворную историйку, из испанской истории, или, лучше сказать, один анекдот, и наполнили бы его еще анекдотами и острыми словечками от себя. Там были пышные дворы, там были такие дамы, отравления. Кармазинов говорит, что странно будет, если уж и из испанской истории не прочесть чего-нибудь занимательного.

— Кармазинов, этот исписавшийся глупец, ищет для меня темы!

— Кармазинов, этот почти государственный ум! Вы слишком дерзки на язык, Степан Трофимович.

— Ваш Кармазинов — это старая, исписавшаяся, обозленная баба! Chère, chère, давно ли вы так поработились ими, о боже!

— Я и теперь его терпеть не могу за важничание, но я отдаю справедливость его уму. Повторяю, я защищала вас изо всех сил, сколько могла. И к чему непременно заявлять себя смешным и скучным? Напротив, выйдите на эстраду с почтенною улыбкой, как представитель прошедшего века, и расскажите три анекдота, со всем вашим остроумием, так, как вы только умеете иногда рассказать. Пусть вы старик, пусть вы отжившего века, пусть, наконец, отстали от них; но вы сами с улыбкой в этом сознаетесь в предисловии, и все увидят, что вы милый, добрый, остроумный обломок... Одним словом, человек старой соли и настолько передовой, что сам способен оценить во что следует всё безобразие иных понятий, которым до сих пор он следовал. Ну сделайте мне удовольствие, я вас прошу.

— Chère, довольно! Не просите, не могу. Я прочту о Мадонне, но подыму бурю, которая или раздавит их всех, или поразит одного меня!

— Наверно, одного вас, Степан Трофимович.

— Таков мой жребий. Я расскажу о том подлом рабе, о том вонючем и развратном лакее, который первый взмостится на лестницу с ножницами в руках и раздерет Божественный лик великого идеала, во имя равенства, зависти и... пищеварения. Пусть прогремит мое проклятие, и тогда, тогда...

— В сумасшедший дом?

— Может быть. Но во всяком случае, останусь ли я побежденным или победителем, я в тот же вечер возьму мою суму, нищенскую суму мою, оставлю все мои пожитки, все подарки ваши, все пенсионы и обещания будущих благ и уйду пешком, чтобы кончить жизнь у купца гувернером либо умереть где-нибудь с голоду под забором. Я сказал. Alea jacta est![1]

Он приподнялся снова.

— Я была уверена, — поднялась, засверкав глазами, Варвара Петровна, — уверена уже годы, что вы именно на то только и живете, чтобы под конец опозорить меня и мой дом клеветой! Что вы хотите сказать вашим гувернерством у купца или смертью под забором? Злость, клевета, и ничего больше!

— Вы всегда презирали меня; но я кончу как рыцарь, верный моей даме, ибо ваше мнение было мне всегда дороже всего. С этой минуты не принимаю ничего, а чту бескорыстно.

— Как это глупо!

— Вы всегда не уважали меня. Я мог иметь бездну слабостей. Да, я вас объедал; я говорю языком нигилизма; но объедать никогда не было высшим принципом моих поступков. Это случилось так, само собою, я не знаю как... Я всегда думал, что между нами остается нечто высшее еды, и — никогда, никогда не был я подлецом! Итак, в путь, чтобы поправить дело! В поздний путь, на дворе поздняя осень, туман лежит над полями, мерзлый, старческий иней покрывает будущую дорогу мою, а ветер завывает о близкой могиле... Но в путь, в путь, в новый путь:

> Полон чистою любовью,
> Верен сладостной мечте...

О, прощайте, мечты мои! Двадцать лет! Alea jacta est.

Лицо его было обрызгано прорвавшимися вдруг слезами; он взял свою шляпу.

— Я ничего не понимаю по-латыни, — проговорила Варвара Петровна, изо всех сил скрепляя себя.

Кто знает, может быть, ей тоже хотелось заплакать, но негодование и каприз еще раз взяли верх.

— Я знаю только одно, именно, что всё это шалости. Никогда вы не в состоянии исполнить ваших угроз, полных эгоизма. Никуда вы не пойдете, ни к какому купцу, а преспокойно кончите у меня на руках, получая пенсион и собирая ваших ни на что не похожих друзей по вторникам. Прощайте, Степан Трофимович.

— Alea jacta est! — глубоко поклонился он ей и воротился домой еле живой от волнения.

Глава шестая
ПЕТР СТЕПАНОВИЧ В ХЛОПОТАХ

I

День праздника был назначен окончательно, а фон Лембке становился всё грустнее и задумчивее. Он был полон странных и зловещих предчувствий, и это сильно беспокоило Юлию Михайловну. Правда, не всё обстояло благополучно.

---

[1] Жребий брошен! (*лат.*)

Прежний мягкий губернатор наш оставил управление не совсем в порядке; в настоящую минуту надвигалась холера; в иных местах объявился сильный скотский падеж; всё лето свирепствовали по городам и селам пожары, а в народе всё сильнее и сильнее укоренялся глупый ропот о поджогах. Грабительство возросло вдвое против прежних размеров. Но всё бы это, разумеется, было более чем обыкновенно, если бы при этом не было других более веских причин, нарушавших спокойствие доселе счастливого Андрея Антоновича.

Всего более поражало Юлию Михайловну, что он с каждым днем становился молчаливее и, странное дело, скрытнее. И чего бы, кажется, ему было скрывать? Правда, он редко ей возражал и большею частию совершенно повиновался. По ее настоянию были, например, проведены две или три меры, чрезвычайно рискованные и чуть ли не противозаконные, в видах усиления губернаторской власти. Было сделано несколько зловещих потворств с тою же целию; люди, например, достойные суда и Сибири, единственно по ее настоянию были представлены к награде. На некоторые жалобы и запросы положено было систематически не отвечать. Всё это обнаружилось впоследствии. Лембке не только всё подписывал, но даже и не обсуждал вопроса о мере участия своей супруги в исполнении его собственных обязанностей. Зато вдруг начинал временами дыбиться из-за «совершенных пустяков» и удивлял Юлию Михайловну. Конечно, за дни послушания он чувствовал потребность вознаградить себя маленькими минутами бунта. К сожалению, Юлия Михайловна, несмотря на всю свою проницательность, не могла понять этой благородной тонкости в благородном характере. Увы! ей было не до того, и от этого произошло много недоумений.

Мне не стать, да и не сумею я, рассказывать об иных вещах. Об административных ошибках рассуждать тоже не мое дело, да и всю эту административную сторону я устраняю совсем. Начав хронику, я задался другими задачами. Кроме того, многое обнаружится назначенным теперь в нашу губернию следствием, стоит только немножко подождать. Однако все-таки нельзя миновать иных разъяснений.

Но продолжаю о Юлии Михайловне. Бедная дама (я очень сожалею о ней) могла достигнуть всего, что так влекло и манило ее (славы и прочего) вовсе без таких сильных и эксцентрических движений, какими она задалась у нас с самого первого шага. Но, от избытка ли поэзии, от долгих ли грустных неудач первой молодости, она вдруг, с переменой судьбы, почувствовала себя как-то слишком уж особенно призванною, чуть ли не помазанною, «над коей вспыхнул сей язык», а в языке-то этом и заключалась беда; все-таки ведь он не шиньон, который может накрыть каждую женскую голову. Но в этой истине всего труднее уверить женщину; напротив, кто захочет поддакивать, тот и успеет, а поддакивали ей взапуски. Бедняжка разом очутилась игралищем самых различных влияний, в то же время вполне воображая себя оригинальною. Многие мастера погрели около нее руки и воспользовались ее простодушием в краткий срок ее губернаторства. И что за каша выходила тут под видом самостоятельности! Ей нравились и крупное землевладение, и аристократический элемент, и усиление губернаторской власти, и демократический элемент, и новые учреждения, и порядок, и вольнодумство, и социальные идейки, и строгий тон аристократического салона, и развязность чуть не трактирная окружавшей ее молодежи. Она мечтала *дать счастье* и примирить непримиримое, вернее же соединить всех и всё в обожании собственной ее особы. Были у ней и любимцы; Петр Степанович, действуя, между прочим, грубейшею лестью, ей очень нравился. Но он нравился ей и по другой причине, самой диковинной и самой характерно рисующей бедную даму: она всё надеялась, что он укажет ей целый государственный заговор! Как ни трудно это представить, а это было так. Ей почему-то казалось, что в губернии непременно укрывается государственный заговор. Петр Степанович своим молчанием в одних случаях и намеками в других способствовал укоренению ее странной идеи. Она же воображала его в связях со всем, что есть в России революционного, но в то же время ей преданным до обожания. Открытие заговора, благодарность из Петербурга, карьера впереди, воздействие «лаской» на молодежь для удержания ее на краю — всё это вполне уживалось в фантастической ее голове. Ведь спасла же она, покорила же она Петра Степановича (в этом она была почему-то неотразимо уверена), спасет и других. Никто, никто из них не погибнет, она спасет их всех; она их рассортирует; она так о них доложит; она поступит в видах высшей справедливости, и даже, может быть, история и весь русский либерализм благословят ее имя; а заговор все-таки будет открыт. Все выгоды разом.

Но все-таки требовалось, чтобы хоть к празднику Андрей Антонович стал посветлее. Надо было непременно его развеселить и успокоить. С этою целию она командировала к нему Петра Степановича, в надежде повлиять на его уныние каким-нибудь ему известным успокоительным способом. Может быть, даже какими-нибудь сообщениями, так сказать, прямо из первых уст. На его ловкость она вполне надеялась. Петр Степанович уже давно не был в кабинете господина фон Лембке. Он разлетелся к нему именно в ту самую минуту, когда пациент находился в особенно тугом настроении.

II

Произошла одна комбинация, которую господин фон Лембке никак не мог разрешить. В уезде (в том самом, в котором пировал недавно Петр Степанович) один подпоручик подвергся словесному выговору своего ближайшего командира. Случилось это пред всею ротой. Подпоручик был еще молодой человек, недавно из Петербурга, всегда молчаливый и угрюмый, важный с виду, хотя в то же время маленький, толстый и краснощекий. Он не вынес выговора и вдруг бросился на командира с каким-то неожиданным взвизгом, удивившим всю роту, как-то дико наклонив голову; ударил и изо всей силы укусил его в плечо; насилу могли оттащить. Сомнения не было, что сошел с ума, по крайней мере обнаружилось, что в последнее время он замечен был в самых невозможных странностях. Выбросил, например, из квартиры своей два хозяйские образа и один из них изрубил топором; в своей же комнате разложил на подставках, в виде трех налоев, сочинения Фохта, Молешотта и Бюхнера и пред каждым налоем зажигал восковые церковные свечки. По количеству найденных у него книг можно было заключить, что человек он начитанный. Если б у него было пятьдесят тысяч франков, то он уплыл бы, может быть, на Маркизские острова, как тот «кадет», о котором упоминает с таким веселым юмором господин Герцен в одном из своих сочинений. Когда его взяли, то в карманах его и в квартире нашли целую пачку самых отчаянных прокламаций.

Прокламации сами по себе тоже дело пустое и, по-моему, вовсе не хлопотливое. Мало ли мы их видали. Притом же это были и не новые прокламации: такие же точно, как говорили потом, были недавно рассыпаны в Х—ской губернии, а Липутин, ездивший месяца полтора назад в уезд и в соседнюю губернию, уверял, что уже тогда видел там такие же точно листки. Но поразило Андрея Антоновича, главное, то, что управляющий на Шпигулинской фабрике доставил как раз в то же время в полицию две или три пачки совершенно таких же точно листочков, как и у подпоручика, подкинутых ночью на фабрике. Пачки были еще и не распакованы, и никто из рабочих не успел прочесть ни одной. Факт был глупенький, но Андрей Антонович усиленно задумался. Дело представлялось ему в неприятно сложном виде.

В этой фабрике Шпигулиных только что началась тогда та самая «шпигулинская история», о которой так много у нас прокричали и которая с такими вариантами перешла и в столичные газеты. Недели с три назад заболел там и умер один рабочий азиатскою холерой; потом заболело еще несколько человек. Все в городе струсили, потому что холера надвигалась из соседней губернии. Замечу, что у нас были приняты по возможности удовлетворительные санитарные меры для встречи непрошеной гостьи. Но фабрику Шпигулиных, миллионеров и людей со связями, как-то просмотрели. И вот вдруг все стали вопить, что в ней-то и таится корень и рассадник болезни, что на самой фабрике и особенно в помещениях рабочих такая закоренелая нечистота, что если б и не было совсем холеры, то она должна была бы там сама зародиться. Меры, разумеется, были тотчас же приняты, и Андрей Антонович энергически настоял на немедленном их исполнении. Фабрику очистили недели в три, но Шпигулины неизвестно почему ее закрыли. Один брат Шпигулин постоянно проживал в Петербурге, а другой, после распоряжения начальства об очистке, уехал в Москву. Управляющий приступил к расчету работников и, как теперь оказывается, нагло мошенничал. Работники стали роптать, хотели расчета справедливого, по глупости ходили в полицию, впрочем без большого крика и вовсе уж не так волновались. Вот в это-то время и доставлены были Андрею Антоновичу прокламации от управляющего.

Петр Степанович влетел в кабинет не доложившись, как добрый друг и свой человек, да и к тому же с поручением от Юлии Михайловны. Увидев его, фон Лембке угрюмо нахмурился и неприветливо остановился у стола. До этого он расхаживал по кабинету и толковал о чем-то глаз на глаз с чиновником своей канцелярии Блюмом, чрезвычайно неуклюжим и угрюмым немцем, которого привез с собой из Петербурга, несмотря на сильнейшую оппозицию Юлии Михайловны. Чиновник при входе Петра Степановича отступил к дверям, но не вышел. Петру Степановичу даже показалось, что он как-то знаменательно переглянулся с своим начальником.

— Ого, поймал-таки вас, скрытный градоначальник! — возопил, смеясь, Петр Степанович и накрыл ладонью лежавшую на столе прокламацию. — Это умножит вашу коллекцию, а?

Андрей Антонович вспыхнул. Что-то вдруг как бы перекосилось в его лице.

— Оставьте, оставьте сейчас! — вскричал он, вздрогнув от гнева, — и не смейте... сударь...

— Чего вы так? Вы, кажется, сердитесь?

— Позвольте вам заметить, милостивый государь, что я вовсе не намерен отселе терпеть вашего sans façon[1] и прошу вас припомнить...

— Фу, черт, да ведь он и в самом деле!

---

[1] бесцеремонности (*франц.*).

— Молчите же, молчите! — затопал по ковру ногами фон Лембке, — и не смейте...

Бог знает до чего бы дошло. Увы, тут было еще одно обстоятельство помимо всего, совсем не известное ни Петру Степановичу, ни даже самой Юлии Михайловне. Несчастный Андрей Антонович дошел до такого расстройства, что в последние дни про себя стал ревновать свою супругу к Петру Степановичу. В уединении, особенно по ночам, он выносил неприятнейшие минуты.

— А я думал, если человек два дня сряду за полночь читает вам наедине свой роман и хочет вашего мнения, то уж сам по крайней мере вышел из этих официальностей... Меня Юлия Михайловна принимает на короткой ноге; как вас тут распознаешь? — с некоторым даже достоинством произнес Петр Степанович. — Вот вам кстати и ваш роман, — положил он на стол большую, вескую, свернутую в трубку тетрадь, наглухо обернутую синею бумагой.

Лембке покраснел и замялся.

— Где же вы отыскали? — осторожно спросил он с приливом радости, которую сдержать не мог, но сдерживал, однако ж, изо всех сил.

— Вообразите, как была в трубке, так и скатилась за комод. Я, должно быть, как вошел, бросил ее тогда неловко на комод. Только третьего дня отыскали, полы мыли, задали же вы мне, однако, работу!

Лембке строго опустил глаза.

— Две ночи сряду не спал по вашей милости. Третьего дня еще отыскали, а я удержал, всё читал, днем-то некогда, так я по ночам. Ну-с, и — недоволен: мысль не моя. Да наплевать, однако, критиком никогда не бывал, но — оторваться, батюшка, не мог, хоть и недоволен! Четвертая и пятая главы это... это... это... черт знает что такое! И сколько юмору у вас напихано, хохотал. Как вы, однако ж, умеете поднять на смех sans que cela paraisse![1] Ну, там в девятой, десятой, это всё про любовь, не мое дело; эффектно, однако; за письмом Игренева чуть не занюнил, хотя вы его так тонко выставили... Знаете, оно чувствительно, а в то же время вы его как бы фальшивым боком хотите выставить, ведь так? Угадал я или нет? Ну, а за конец просто избил бы вас. Ведь вы что проводите? Ведь это то же прежнее обоготворение семейного счастия, приумножения детей, капиталов, стали жить-поживать да добра наживать, помилуйте! Читателя очаруете, потому что даже я оторваться не мог, да ведь тем сквернее. Читатель глуп по-прежнему, следовало бы его умным людям расталкивать, а вы... Ну да довольно, однако, прощайте. Не сердитесь в другой раз; я пришел было вам два словечка нужных сказать; да вы какой-то такой...

Андрей Антонович между тем взял свой роман и запер на ключ в дубовый книжный шкаф, успев, между прочим, мигнуть Блюму, чтобы тот стушевался. Тот исчез с вытянутым и грустным лицом.

— Я не *какой-то такой*, а я просто... всё неприятности, — пробормотал он нахмурясь, но уже без гнева и подсаживаясь к столу, — садитесь и скажите ваши два слова. Я вас давно не видал, Петр Степанович, и только не влетайте вы вперед с вашею манерой... иногда при делах оно...

— Манеры у меня одни...

— Знаю-с и верю, что вы без намерения, но иной раз находишься в хлопотах... Садитесь же.

Петр Степанович разлегся на диване и мигом поджал под себя ноги.

---

[1] не подавая вида (*франц.*).

III

— Это в каких же вы хлопотах; неужто эти пустяки? — кивнул он на прокламацию. — Я вам таких листков сколько угодно натаскаю, еще в X—ской губернии познакомился.

— То есть в то время, как вы там проживали?

— Ну, разумеется, не в мое отсутствие. Еще она с виньеткой, топор наверху нарисован. Позвольте (он взял прокламацию); ну да, топор и тут; та самая, точнехонько.

— Да, топор. Видите — топор.

— Что ж, топора испугались?

— Я не топора-с... и не испугался-с, но дело это... дело такое, тут обстоятельства.

— Какие? Что с фабрики-то принесли? Хе-хе. А знаете, у вас на этой фабрике сами рабочие скоро будут писать прокламации.

— Как это? — строго уставился фон Лембке.

— Да так. Вы и смотрите на них. Слишком вы мягкий человек, Андрей Антонович; романы пишете. А тут надо бы по-старинному.

— Что такое по-старинному, что за советы? Фабрику вычистили; я велел, и вычистили.

— А между рабочими бунт. Перепороть их сплошь, и дело с концом.

— Бунт? Вздор это; я велел, и вычистили.

— Эх, Андрей Антонович, мягкий вы человек!

— Я, во-первых, вовсе не такой уж мягкий, а во-вторых... — укололся было опять фон Лембке. Он разговаривал с молодым человеком через силу, из любопытства, не скажет ли тот чего новенького.

— А-а, опять старая знакомая! — перебил Петр Степанович, нацелившись на другую бумажку под пресс-папье, тоже вроде прокламации, очевидно заграничной печати, но в стихах. — Ну, эту я наизусть знаю: «Светлая личность»! Посмотрим; ну так, «Светлая личность» и есть. Знаком с этой личностью еще с заграницы. Где откопали?

— Вы говорите, что видели за границей? — встрепенулся фон Лембке.

— Еще бы, четыре месяца назад или даже пять.

— Как много вы, однако, за границей видели, — тонко посмотрел фон Лембке.

Петр Степанович, не слушая, развернул бумажку и прочел вслух стихотворение:

СВЕТЛАЯ ЛИЧНОСТЬ

Он незнатной был породы,
Он возрос среди народа,
Но, гонимый местью царской,
Злобной завистью боярской,
Он обрек себя страданью,
Казням, пыткам, истязанью
И пошел вещать народу
Братство, равенство, свободу.

И, восстанье начиная,
Он бежал в чужие краи
Из царева каземата,
От кнута, щипцов и ката.

А народ, восстать готовый
Из-под участи суровой,
От Смоленска до Ташкента
С нетерпеньем ждал студента.

Ждал его он поголовно,
Чтоб идти беспрекословно
Порешить вконец боярство,
Порешить совсем и царство,
Сделать общими именья
И предать навеки мщенью
Церкви, браки и семейство —
Мира старого злодейство!

Должно быть, у того офицера взяли, а? — спросил Петр Степанович.

— А вы и того офицера изволите знать?

— Еще бы. Я там с ними два дня пировал. Ему так и надо было сойти с ума.

— Он, может быть, и не сходил с ума.

— Не потому ли, что кусаться начал?

— Но, позвольте, если вы видели эти стихи за границей и потом, оказывается, здесь, у того офицера...

— Что? замысловато! Вы, Андрей Антонович, меня, как вижу, экзаменуете? Видите-с, — начал он вдруг с необыкновенною важностью, — о том, что я видел за границей, я, возвратясь, уже кой-кому объяснил, и объяснения мои найдены удовлетворительными, иначе я не осчастливил бы моим присутствием здешнего города. Считаю, что дела мои в этом смысле покончены, и никому не обязан отчетом. И не потому покончены, что я доносчик, а потому, что не мог иначе поступить. Те, которые писали Юлии Михайловне, зная дело, писали обо мне как о человеке честном... Ну, это всё, однако же, к черту, а я вам пришел сказать одну серьезную вещь, и хорошо, что вы этого трубочиста вашего выслали. Дело для меня важное, Андрей Антонович; будет одна моя чрезвычайная просьба к вам.

— Просьба? Гм, сделайте одолжение, я жду, и, признаюсь, с любопытством. И вообще прибавлю, вы меня довольно удивляете, Петр Степанович.

Фон Лембке был в некотором волнении. Петр Степанович закинул ногу за ногу.

— В Петербурге, — начал он, — я насчет многого был откровенен, но насчет чего-нибудь или вот этого, например (он стукнул пальцем по «Светлой личности»), я умолчал, во-первых, потому, что не стоило говорить, а во-вторых, потому, что объявлял только о том, о чем спрашивали. Не люблю в этом смысле сам вперед забегать; в этом и вижу разницу между подлецом и честным человеком, которого просто-запросто накрыли обстоятельства... Ну, одним словом, это в сторону. Ну-с, а теперь... теперь, когда эти дураки... ну, когда это вышло наружу и уже у вас в руках и от вас, я вижу, не укроется — потому что вы человек с глазами и вас вперед не распознаешь, а эти глупцы между тем продолжают, я... я... ну да, я, одним-словом, пришел вас просить спасти одного человека, одного тоже глупца, пожалуй сумасшедшего, во имя его молодости, несчастий, во имя вашей гуманности... Не в романах же одних собственного изделия вы так гуманны! — с грубым сарказмом и в нетерпении оборвал он вдруг речь.

Одним словом, было видно человека прямого, но неловкого и неполитичного, от избытка гуманных чувств и излишней, может быть, щекотливости, главное, человека недалекого, как тотчас же с чрезвычайною тонкостью оценил фон

Лембке и как давно уже об нем полагал, особенно когда в последнюю неделю, один в кабинете, по ночам особенно, ругал его изо всех сил про себя за необъяснимые успехи у Юлии Михайловны.

— За кого же вы просите и что же это всё означает? — сановито осведомился он, стараясь скрыть свое любопытство.

— Это... это... черт... Я не виноват ведь, что в вас верю! Чем же я виноват, что почитаю вас за благороднейшего человека и, главное, толкового... способного то есть понять... черт...

Бедняжка, очевидно, не умел с собой справиться.

— Вы, наконец, поймите, — продолжал он, — поймите, что, называя вам его имя, я вам его ведь предаю; ведь предаю, не так ли? Не так ли?

— Но как же, однако, я могу угадать, если вы не решаетесь высказаться?

— То-то вот и есть, вы всегда подкосите вот этою вашею логикой, черт... ну, черт... эта «светлая личность», этот «студент» — это Шатов... вот вам и всё!

— Шатов? То есть как это Шатов?

— Шатов, это «студент», вот про которого здесь упоминается. Он здесь живет; бывший крепостной человек, ну, вот пощечину дал.

— Знаю, знаю! — прищурился Лембке. — Но, позвольте, в чем же, собственно, он обвиняется и о чем вы-то, главнейше, ходатайствуете?

— Да спасти же его прошу, понимаете! Ведь я его восемь лет тому еще знал, ведь я ему другом, может быть, был, — выходил из себя Петр Степанович. — Ну, да я вам не обязан отчетами в прежней жизни, — махнул он рукой, — всё это ничтожно, всё это три с половиной человека, а с заграничными и десяти не наберется, а главное — я понадеялся на вашу гуманность, на ум. Вы поймете и сами покажете дело в настоящем виде, а не как бог знает что, как глупую мечту сумасбродного человека... от несчастий, заметьте, от долгих несчастий, а не как черт знает там какой небывалый государственный заговор!..

Он почти задыхался.

— Гм. Вижу, что он виновен в прокламациях с топором, — почти величаво заключил Лембке, — позвольте, однако же, если б один, то как мог он их разбросать и здесь, и в провинциях, и даже в X—й губернии и... и, наконец, главнейшее, где взял?

— Да говорю же вам, что их, очевидно, всего-на-всё пять человек, ну, десять, почему я знаю?

— Вы не знаете?

— Да почему мне знать, черт возьми?

— Но вот знали же, однако, что Шатов один из сообщников?

— Эх! — махнул рукой Петр Степанович, как бы отбиваясь от подавляющей прозорливости вопрошателя, — ну, слушайте, я вам всю правду скажу: о прокламациях ничего не знаю, то есть ровнешенько ничего, черт возьми, понимаете, что значит ничего?.. Ну, конечно, тот подпоручик, да еще кто-нибудь, да еще кто-нибудь здесь... ну и, может, Шатов, ну и еще кто-нибудь, ну вот и все, дрянь и мизер... но я за Шатова пришел просить, его спасти надо, потому что это стихотворение — его, его собственное сочинение и за границей через него отпечатано; вот что я знаю наверно, а о прокламациях ровно ничего не знаю.

— Если стихи — его, то, наверно, и прокламации. Какие же, однако, данные заставляют вас подозревать господина Шатова?

Петр Степанович, с видом окончательно выведенного из терпения человека, выхватил из кармана бумажник, а из него записку.

— Вот данные! — крикнул он, бросив ее на стол. Лембке развернул; оказалось, что записка писана, с полгода назад, отсюда куда-то за границу, коротенькая, в двух словах:

«Светлую личность» отпечатать здесь не могу, да и ничего не могу; печатайте за границей.

Ив. Шатов».

Лембке пристально уставился на Петра Степановича. Варвара Петровна правду отнеслась, что у него был несколько бараний взгляд, иногда особенно.

— То есть это вот что, — рванулся Петр Степанович, — значит, что он написал здесь, полгода назад, эти стихи, но здесь не мог отпечатать, ну, в тайной типографии какой-нибудь — и потому просит напечатать за границей... Кажется, ясно?

— Да-с, ясно, но кого же он просит? — вот это еще не ясно, — с хитрейшею иронией заметил Лембке.

— Да Кириллова же, наконец; записка писана к Кириллову за границу... Не знали, что ли? Ведь что досадно, что вы, может быть, предо мною только прикидываетесь, а давным-давно уже сами знаете про эти стихи, и всё! Как же очутились они у вас на столе? Сумели очутиться! За что же вы меня истязуете, если так?

Он судорожно утер платком пот со лба.

— Мне, может, и известно нечто... — ловко уклонился Лембке, — но кто же этот Кириллов?

— Ну да вот инженер приезжий, был секундантом у Ставрогина, маньяк, сумасшедший; подпоручик ваш действительно только, может, в белой горячке, ну, а этот уж совсем сумасшедший, — совсем, в этом гарантирую. Эх, Андрей Антонович, если бы знало правительство, какие это сплошь люди, так на них бы рука не поднялась. Всех как есть целиком на седьмую версту; я еще в Швейцарии да на конгрессах нагляделся.

— Там, откуда управляют здешним движением?

— Да кто управляет-то? три человека с полчеловеком. Ведь, на них глядя, только скука возьмет. И каким это здешним движением? Прокламациями, что ли? Да и кто навербован-то, подпоручики в белой горячке да два-три студента! Вы умный человек, вот вам вопрос: отчего не вербуются к ним люди значительнее, отчего всё студенты да недоросли двадцати двух лет? Да и много ли? Небось миллион собак ищет, а много ль всего отыскали? Семь человек. Говорю вам, скука возьмет.

Лембке выслушал со вниманием, но с выражением, говорившим: «Соловья баснями не накормишь».

— Позвольте, однако же, вот вы изволите утверждать, что записка адресована была за границу; но здесь адреса нет; почему же вам стало известно, что записка адресована к господину Кириллову и, наконец, за границу и... и... что писана она действительно господином Шатовым?

— Так достаньте сейчас руку Шатова да и сверьте. У вас в канцелярии непременно должна отыскаться какая-нибудь его подпись. А что к Кириллову, так мне сам Кириллов тогда же и показал.

— Вы, стало быть, сами...

— Ну да, конечно, стало быть, сам. Мало ли что мне там показывали. А что эти вот стихи, так это будто покойный Герцен написал их Шатову, когда еще тот за границей скитался, будто бы на память встречи, в похвалу, в рекомендацию, ну, черт... а Шатов и распространяет в молодежи. Самого, дескать, Герцена обо мне мнение.

— Те-те-те, — догадался наконец совсем Лембке, — то-то я думаю: прокламация — это понятно, а стихи зачем?

— Да как уж вам не понять. И черт знает для чего я вам разболтал! Слушайте, мне Шатова отдайте, а там черт дери их всех остальных, даже с Кирилловым, который заперся теперь в доме Филиппова, где и Шатов, и таится. Они меня не любят, потому что я воротился... но обещайте мне Шатова, и я вам их всех на одной тарелке подам. Пригожусь, Андрей Антонович! Я эту всю жалкую кучку полагаю человек в девять — в десять. Я сам за ними слежу, от себя-с. Нам уж трое известны: Шатов, Кириллов и тот подпоручик. Остальных я еще только *разглядываю*... впрочем, не совсем близорук. Это как в Х—й губернии; там схвачено с прокламациями два студента, один гимназист, два двадцатилетних дворянина, один учитель и один отставной майор, лет шестидесяти, одуревший от пьянства, вот и всё, и уж поверьте, что всё; даже удивились, что тут и всё. Но надо шесть дней. Я уже смекнул на счетах; шесть дней, и не раньше. Если хотите какого-нибудь результата — не шевелите их еще шесть дней, и я вам их в один узел свяжу; а пошевелите раньше — гнездо разлетится. Но дайте Шатова. Я за Шатова... А всего бы лучше призвать его секретно и дружески, хоть сюда в кабинет, и проэкзаменовать, поднявши пред ним завесу... Да он, наверно, сам вам в ноги бросится и заплачет! Это человек нервный, несчастный; у него жена гуляет со Ставрогиным. Приголубьте его, и он всё сам откроет, но надо шесть дней... А главное, главное — ни полсловечка Юлии Михайловне. Секрет. Можете секрет?

— Как? — вытаращил глаза Лембке, — да разве вы Юлии Михайловне ничего не... открывали?

— Ей? Да сохрани меня и помилуй! Э-эх, Андрей Антонович! Видите-с: я слишком ценю ее дружбу и высоко уважаю... ну и там всё это... но я не промахнусь. Я ей не противоречу, потому что ей противоречить, сами знаете, опасно. Я ей, может, и закинул словечко, потому что она это любит, но чтоб я выдал ей, как вам теперь, имена или там что-нибудь, э-эх, батюшка! Ведь я почему обращаюсь теперь к вам? Потому что вы все-таки мужчина, человек серьезный, с старинною твердою служебною опытностью. Вы видали виды. Вам каждый шаг в таких делах, я думаю, наизусть известен еще с петербургских примеров. А скажи я ей эти два имени, например, и она бы так забарабанила... Ведь она отсюда хочет Петербург удивить. Нет-с, горяча слишком, вот что-с.

— Да, в ней есть несколько этой фуги, — не без удовольствия пробормотал Андрей Антонович, в то же время ужасно жалея, что этот неуч осмеливается, кажется, выражаться об Юлии Михайловне немного уж вольно. Петру же Степановичу, вероятно, казалось, что этого еще мало и что надо еще поддать пару, чтобы польстить и совсем уж покорить «Лембку».

— Именно фуги, — поддакнул он, — пусть она женщина, может быть, гениальная, литературная, но — воробьев она распугает. Шести часов не выдержит, не то что шести дней. Э-эх, Андрей Антонович, не налагайте на женщину срока в шесть дней! Ведь признаете же вы за мною некоторую опытность, то есть в этих делах; ведь знаю же я кое-что, и вы сами знаете, что я могу знать кое-что. Я у вас не для баловства шести дней прошу, а для дела.

— Я слышал... — не решался высказать мысль свою Лембке, — я слышал, что вы, возвратясь из-за границы, где следует изъявили... вроде раскаяния?

— Ну, там что бы ни было.

— Да и я, разумеется, не желаю входить... но мне всё казалось, вы здесь до сих пор говорили совсем в ином стиле, о христианской вере, например, об общественных установлениях и, наконец, о правительстве...

— Мало ли что я говорил. Я и теперь то же говорю, только не так эти мысли следует проводить, как те дураки, вот в чем дело. А то что в том, что укусил в плечо? Сами же вы соглашались со мной, только говорили, что рано.

— Я не про то, собственно, соглашался и говорил, что рано.

— Однако же у вас каждое слово на крюк привешено, хе-хе! осторожный человек! — весело заметил вдруг Петр Степанович. — Слушайте, отец родной, надо же было с вами познакомиться, ну вот потому я в моем стиле и говорил. Я не с одним с вами, а со многими так знакомлюсь. Мне, может, ваш характер надо было распознать.

— Для чего бы вам мой характер?

— Ну почем я знаю, для чего (он опять рассмеялся). Видите ли, дорогой и многоуважаемый Андрей Антонович, вы хитры, но до *этого* еще не дошло и, наверно, не дойдет, понимаете? Может быть, и понимаете? Я хоть и дал, где следует, объяснения, возвратясь из-за границы, и, право, не знаю, почему бы человек известных убеждений не мог действовать в пользу искренних своих убеждений... но мне никто еще *там* не заказывал вашего характера, и никаких подобных» заказов *оттуда* я еще не брал на себя. Вникните сами: ведь мог бы я не вам открыть первому два-то имени, а прямо *туда* махнуть, то есть туда, где первоначальные объяснения давал; и уж если б я старался из-за финансов али там из-за выгоды, то, уж конечно, вышел бы с моей стороны нерасчет, потому что благодарны-то будут теперь вам, а не мне. Я единственно за Шатова, — с благородством прибавил Петр Степанович, — за одного Шатова, по прежней дружбе... ну, а там, пожалуй, когда возьмете перо, чтобы *туда* отписать, ну похвалите меня, если хотите... противоречить не стану, хе-хе! Adieu, однако же, засиделся, и не надо бы столько болтать! — прибавил он не без приятности и встал с дивана.

— Напротив, я очень рад, что дело, так сказать, определяется, — встал и фон Лембке, тоже с любезным видом, видимо под влиянием последних слов. — Я с признательностию принимаю ваши услуги и, будьте уверены, всё, что можно с моей стороны насчет отзыва о вашем усердии...

— Шесть дней, главное, шесть дней сроку, и чтобы в эти дни вы не шевелились, вот что мне надо!

— Пусть.

— Разумеется, я вам рук не связываю, да и не смею. Не можете же вы не следить; только не пугайте гнезда раньше времени, вот в чем я надеюсь на ваш ум и на опытность. А довольно у вас, должно быть, своих-то гончих припасено и всяких там ищеек, хе-хе! — весело и легкомысленно (как молодой человек) брякнул Петр Степанович.

— Не совсем это так, — приятно уклонился Лембке. — Это — предрассудок молодости, что слишком много припасено... Но кстати, позвольте одно словцо: ведь если этот Кириллов был секундантом у Ставрогина, то и господин Ставрогин в таком случае...

— Что Ставрогин?

— То есть если они такие друзья?

— Э, нет, нет, нет! Вот тут маху дали, хоть вы и хитры. И даже меня удивляете. Я ведь думал, что вы насчет этого не без сведений... Гм, Ставрогин — это совершенно противоположное, то есть совершенно... Avis au lecteur[1].

— Неужели! и может ли быть? — с недоверчивостию произнес Лембке. — Мне Юлия Михайловна сообщила, что, по ее сведениям из Петербурга, он человек с некоторыми, так сказать, наставлениями...

— Я ничего не знаю, ничего не знаю, совсем ничего. Adieu. Avis au lecteur! — вдруг и явно уклонился Петр Степанович.

Он полетел к дверям.

— Позвольте, Петр Степанович, позвольте, — крикнул Лембке, — еще одно крошечное дельце, и я вас не задержу.

Он вынул из столового ящика конверт.

— Вот-с один экземплярчик, по той же категории, и я вам тем самым доказываю, что вам в высшей степени доверяю. Вот-с, и каково ваше мнение?

В конверте лежало письмо, — письмо странное, анонимное, адресованное к Лембке и вчера только им полученное. Петр Степанович, к крайней досаде своей, прочел следующее:

«Ваше превосходительство!

Ибо по чину вы так. Сим объявляю в покушении на жизнь генеральских особ и отечества; ибо прямо ведет к тому. Сам разбрасывал непрерывно множество лет. Тоже и безбожие. Приготовляется бунт, а прокламаций несколько тысяч, и за каждой побежит сто человек, высуня язык, если заранее не отобрать начальством, ибо множество обещано в награду, а простой народ глуп, да и водка. Народ, почитая виновника, разоряет того и другого, и, боясь обеих сторон, раскаялся, в чем не участвовал, ибо обстоятельства мои таковы. Если хотите, чтобы донос для спасения отечества, а также церквей и икон, то я один только могу. Но с тем, чтобы мне прощение из Третьего отделения по телеграфу немедленно одному из всех, а другие пусть отвечают. На окошке у швейцара для сигнала в семь часов ставьте каждый вечер свечу. Увидав, поверю и приду облобызать милосердную длань из столицы, но с тем, чтобы пенсион, ибо чем же я буду жить? Вы же не раскаетесь, потому что вам выйдет звезда. Надо потихоньку, а не то свернут голову.

Вашего превосходительства отчаянный человек.

Припадает к стопам

раскаявшийся вольнодумец Incognito».

Фон Лембке объяснил, что письмо очутилось вчера в швейцарской, когда там никого не было.

— Так вы как же думаете? — спросил чуть не грубо Петр Степанович.

— Я бы предположил, что это анонимный пашквиль, в насмешку.

— Вероятнее всего, что так и есть. Вас не надуешь.

— Я главное потому, что так глупо.

— А вы получали здесь еще какие-нибудь пашквили?

— Получал раза два, анонимные.

— Ну, уж разумеется, не подпишут. Разным слогом? Разных рук?

— Разным слогом и разных рук.

---

[1] К сведению читателя (*франц.*). Здесь в смысле: вы предупреждены.

— И шутовские были, как это?

— Да, шутовские, и знаете... очень гадкие.

— Ну, коли уж были, так, наверно, и теперь то же самое.

— А главное потому, что так глупо. Потому что те люди образованные и, наверно, так глупо не напишут.

— Ну да, ну да.

— А что, если это и в самом деле кто-нибудь хочет действительно донести?

— Невероятно, — сухо отрезал Петр Степанович. — Что значит телеграмма из Третьего отделения и пенсион? Пашквиль очевидный.

— Да, да, — устыдился Лембке.

— Знаете что, оставьте-ка это у меня. Я вам наверно разыщу. Раньше, чем тех, разыщу.

— Возьмите, — согласился фон Лембке, с некоторым, впрочем, колебанием.

— Вы кому-нибудь показывали?

— Нет, как можно, никому.

— То есть Юлии Михайловне?

— Ах, боже сохрани, и, ради бога, не показывайте ей сами! — вскричал Лембке в испуге. — Она будет так потрясена... и рассердится на меня ужасно.

— Да, вам же первому и достанется, скажет, что сами заслужили, коли вам так пишут. Знаем мы женскую логику. Ну, прощайте. Я вам, может, даже дня через три этого сочинителя представлю. Главное, уговор!

IV

Петр Степанович был человек, может быть, и неглупый, но Федька Каторжный верно выразился о нем, что он «человека сам сочинит да с ним и живет». Ушел он от фон Лембке вполне уверенный, что по крайней мере на шесть дней того успокоил, а срок этот был ему до крайности нужен. Но идея была ложная, и всё основано было только на том, что он сочинил себе Андрея Антоновича, с самого начала и раз навсегда, совершеннейшим простачком.

Как и каждый страдальчески мнительный человек, Андрей Антонович всяческий раз бывал чрезвычайно и радостно доверчив в первую минуту выхода из неизвестности. Новый оборот вещей представился ему сначала в довольно приятном виде, несмотря на некоторые вновь наступавшие хлопотливые сложности. По крайней мере старые сомнения падали в прах. К тому же он так устал за последние дни, чувствовал себя таким измученным и беспомощным, что душа его поневоле жаждала покоя. Но увы, он уже опять был неспокоен. Долгое житье в Петербурге оставило в душе его следы неизгладимые. Официальная и даже секретная история «нового поколения» ему была довольно известна, — человек был любопытный и прокламации собирал, — но никогда не понимал он в ней самого первого слова. Теперь же был как в лесу: он всеми инстинктами своими предчувствовал, что в словах Петра Степановича заключалось нечто совершенно несообразное, вне всяких форм и условий, — «хотя ведь черт знает что может случиться в этом «новом поколении» и черт знает как это у них там совершается!» — раздумывал он, теряясь в соображениях.

А тут, как нарочно, снова просунул к нему голову Блюм. Всё время посещения Петра Степановича он выжидал недалеко. Блюм этот приходился даже родственником Андрею Антоновичу, дальним, но всю жизнь тщательно и боязливо скрываемым. Прошу прощения у читателя в том, что этому ничтожному лицу отделю здесь хоть несколько слов. Блюм был из странного рода «несчастных» немцев — и вовсе не по крайней своей бездарности, а именно неизвестно почему. «Несчастные» немцы не миф, а действительно существуют, даже в России, и имеют свой собственный тип. Андрей Антонович всю жизнь питал к нему самое трогательное сочувствие и везде, где только мог, по мере собственных своих успехов по службе, выдвигал его на подчиненное, подведомственное ему местечко; но тому нигде не везло. То место оставлялось за штатом, то переменялось начальство, то чуть не упекли его однажды с другими под суд. Был он аккуратен, но как-то слишком, без нужды и во вред себе, мрачен; рыжий, высокий, сгорбленный, унылый, даже чувствительный и, при всей своей приниженности, упрямый и настойчивый, как вол, хотя всегда невпопад. К Андрею Антоновичу питал он с женой и с многочисленными детьми многолетнюю и благоговейную привязанность. Кроме Андрея Антоновича, никто никогда не любил его. Юлия Михайловна сразу его забраковала, но одолеть упорство своего супруга не могла. Это была их первая супружеская ссора, и случилась она тотчас после свадьбы, в самые первые медовые дни, когда вдруг обнаружился пред нею Блюм, до тех пор тщательно от нее припрятанный, с обидною тайной своего к ней родства. Андрей Антонович умолял сложа руки, чувствительно рассказал всю историю Блюма и их дружбы с самого детства, но Юлия Михайловна считала себя опозоренною навеки и даже пустила в ход обмороки. Фон Лембке не уступил ей ни шагу и объявил, что не покинет Блюма ни за что на свете и не отдалит от себя, так что она наконец удивилась и принуждена была позволить Блюма. Решено было только, что родство будет скрываемо еще тщательнее, чем до сих пор, если только это возможно, и что даже имя и отчество Блюма будут изменены, потому что его тоже почему-то звали Андреем Антоновичем. Блюм у нас ни с кем не познакомился, кроме одного только немца-аптекаря, никому не сделал визитов и, по обычаю своему, зажил скупо и уединенно. Ему давно уже были известны и литературные грешки Андрея Антоновича. Он преимущественно призывался выслушивать его роман в секретных чтениях наедине, просиживал по шести часов сряду столбом; потел, напрягал все свои силы, чтобы не заснуть и улыбаться; придя домой, стенал вместе с длинноногою и сухопарою женой о несчастной слабости их благодетеля к русской литературе.

Андрей Антонович со страданием посмотрел на вошедшего Блюма.

— Я прошу тебя, Блюм, оставить меня в покое, — начал он тревожною скороговоркой, очевидно желая отклонить возобновление давешнего разговора, прерванного приходом Петра Степановича.

— И однако ж, это может быть устроено деликатнейше, совершенно негласно; вы же имеете все полномочия, — почтительно, но упорно настаивал на чем-то Блюм, сгорбив спину и придвигаясь всё ближе и ближе мелкими шагами к Андрею Антоновичу.

— Блюм, ты до такой степени предан мне и услужлив, что я всякий раз смотрю на тебя вне себя от страха.

— Вы всегда говорите острые вещи и в удовольствии от сказанного засыпаете спокойно, но тем самым себе повреждаете.

— Блюм, я сейчас убедился, что это вовсе не то, вовсе не то.

— Не из слов ли этого фальшивого, порочного молодого человека, которого вы сами подозреваете? Он вас победил льстивыми похвалами вашему таланту в литературе.

— Блюм, ты не смыслишь ничего; твой проект нелепость, говорю тебе. Мы не найдем ничего, а крик подымется страшный, затем смех, а затем Юлия Михайловна...

— Мы несомненно найдем всё, чего ищем, — твердо шагнул к нему Блюм, приставляя к сердцу правую руку, — мы сделаем осмотр внезапно, рано поутру, соблюдая всю деликатность к лицу и всю предписанную строгость форм закона. Молодые люди, Лямшин и Телятников, слишком уверяют, что мы найдем всё желаемое. Они посещали там многократно. К господину Верховенскому никто внимательно не расположен. Генеральша Ставрогина явно отказала ему в своих благодеяниях, и всякий честный человек, если только есть таковой в этом грубом городе, убежден, что там всегда укрывался источник безверия и социального учения. У него хранятся все запрещенные книги, «Думы» Рылеева, все сочинения Герцена... Я на всякий случай имею приблизительный каталог...

— О боже, эти книги есть у всякого; как ты прост, мой бедный Блюм!

— И многие прокламации, — продолжал Блюм, не слушая замечаний. — Мы кончим тем, что непременно нападем на след настоящих здешних прокламаций. Этот молодой Верховенский мне весьма и весьма подозрителен.

— Но ты смешиваешь отца с сыном. Они не в ладах; сын смеется над отцом явно.

— Это одна только маска.

— Блюм, ты поклялся меня замучить! Подумай, он лицо все-таки здесь заметное. Он был профессором, он человек известный, он раскричится, и тотчас же пойдут насмешки по городу, ну и всё манкируем... и подумай, что будет с Юлией Михайловной!

Блюм лез вперед и не слушал.

— Он был лишь доцентом, всего лишь доцентом, и по чину всего только коллежский асессор при отставке, — ударял он себя рукой в грудь, — знаков отличия не имеет, уволен из службы по подозрению в замыслах против правительства. Он состоял под тайным надзором и, несомненно, еще состоит. И ввиду обнаружившихся теперь беспорядков вы, несомненно, обязаны долгом. Вы же, наоборот, упускаете ваше отличие, потворствуя настоящему виновнику.

— Юлия Михайловна! Убир-райся, Блюм! — вскричал вдруг фон Лембке, заслышавший голос своей супруги в соседней комнате.

Блюм вздрогнул, но не сдался.

— Дозвольте же, дозвольте, — приступал он, еще крепче прижимая обе руки к груди.

— Убир-райся! — проскрежетал Андрей Антонович. — Делай, что хочешь... после... О, боже мой!

Поднялась портьера, и появилась Юлия Михайловна. Она величественно остановилась при виде Блюма, высокомерно и обидчиво окинула его взглядом, как будто одно присутствие этого человека здесь было ей оскорблением. Блюм молча и почтительно отдал ей глубокий поклон и, согбенный от почтения, направился к дверям на цыпочках, расставив несколько врозь свои руки.

Оттого ли, что он и в самом деле понял последнее истерическое восклицание Андрея Антоновича за прямое дозволение поступить так, как он спрашивал, или покривил душой в этом случае для прямой пользы своего благодетеля, слишком уверенный, что конец увенчает дело, — но, как увидим ниже, из этого разговора начальника с своим подчиненным произошла одна самая неожиданная вещь, насмешившая многих, получившая огласку, возбудившая жестокий гнев Юлии Михайловны и всем этим сбившая окончательно с толку Андрея Антоновича, ввергнув его, в самое горячее время, в самую плачевную нерешительность.

V

День для Петра Степановича выдался хлопотливый. От фон Лембке он поскорее побежал в Богоявленскую улицу, но, проходя по Быковой улице, мимо дома, в котором квартировал Кармазинов, он вдруг приостановился, усмехнулся и вошел в дом. Ему ответили: «Ожидают-с», что очень заинтересовало его, потому что он вовсе не предупреждал о своем прибытии.

Но великий писатель действительно его ожидал, и даже еще вчера и третьего дня. Четвертого дня он вручил ему свою рукопись «Merci» (которую хотел прочесть на литературном утре в день праздника Юлии Михайловны) и сделал это из любезности, вполне уверенный, что приятно польстит самолюбию человека, дав ему узнать великую вещь заранее. Петр Степанович давно уже примечал, что этот тщеславный, избалованный и оскорбительно-недоступный для неизбранных господин, этот «почти государственный ум» просто-запросто в нем заискивает, и даже с жадностию. Мне кажется, молодой человек наконец догадался, что тот если и не считал его коноводом всего тайно-революционного в целой России, то по крайней мере одним из самых посвященных в секреты русской революции и имеющим неоспоримое влияние на молодежь. Настроение мыслей «умнейшего в России человека» интересовало Петра Степановича, но доселе он, по некоторым причинам, уклонялся от разъяснений.

Великий писатель квартировал в доме своей сестры, жены камергера и помещицы; оба они, и муж и жена, благоговели пред знаменитым родственником, но в настоящий приезд его находились оба в Москве, к великому их сожалению, так что принять его имела честь старушка, очень дальняя и бедная родственница камергера, проживавшая в доме и давно уже заведовавшая всем домашним хозяйством. Весь дом заходил на цыпочках с приездом господина Кармазинова. Старушка извещала в Москву чуть не каждый день о том, как он почивал и что изволил скушать, а однажды отправила телеграмму с известием, что он, после званого обеда у градского головы, принужден был принять ложку одного лекарства. В комнату к нему она осмеливалась входить редко, хотя он обращался с нею вежливо, впрочем сухо, и говорил с нею только по какой-нибудь надобности. Когда вошел Петр Степанович, он кушал утреннюю свою котлетку с полстаканом красного вина. Петр Степанович уже и прежде бывал у него и всегда заставал его за этою утреннею котлеткой, которую тот и съедал в его присутствии, но ни разу его самого не попотчевал. После котлетки подавалась еще маленькая чашечка кофе. Лакей, внесший кушанье, был во фраке, в мягких неслышных сапогах и в перчатках.

— А-а! — приподнялся Кармазинов с дивана, утираясь салфеткой, и с видом чистейшей радости полез лобызаться — характерная привычка русских людей, если они слишком уж знамениты. Но Петр Степанович помнил по бывшему уже опыту, что он лобызаться-то лезет, а сам подставляет щеку, и потому сделал на сей раз то же самое; обе щеки встретились. Кармазинов, не показывая виду, что заметил это, уселся на диван и с приятностию указал Петру Степановичу на кресло против себя, в котором тот и развалился.

— Вы ведь не... Не желаете ли завтракать? — спросил хозяин, на этот раз изменяя привычке, но с таким, разумеется, видом, которым ясно подсказывался вежливый отрицательный ответ. Петр Степанович тотчас же пожелал завтракать. Тень обидчивого изумления омрачила лицо хозяина, но на один только миг; он нервно позвонил слугу и, несмотря на всё свое воспитание, брезгливо возвысил голос, приказывая подать другой завтрак.

— Вам чего, котлетку или кофею? — осведомился он еще раз.

— И котлетку, и кофею, и вина прикажите еще прибавить, я проголодался, — отвечал Петр Степанович, с спокойным вниманием рассматривая костюм хозяина. Господин Кармазинов был в какой-то домашней куцавеечке на вате, вроде как бы жакеточки, с перламутровыми пуговками, но слишком уж коротенькой, что вовсе и не шло к его довольно сытенькому брюшку и к плотно округленным частям начала его ног; но вкусы бывают различны. На коленях его был развернут до полу шерстяной клетчатый плед, хотя в комнате было тепло.

— Больны, что ли? — заметил Петр Степанович.

— Нет, не болен, но боюсь стать больным в этом климате, — ответил писатель своим крикливым голосом, впрочем нежно скандируя каждое слово и приятно, по-барски, шепелявя, — я вас ждал еще вчера.

— Почему же? я ведь не обещал.

— Да, но у вас моя рукопись. Вы... прочли?

— Рукопись? какая?

Кармазинов удивился ужасно.

— Но вы, однако, принесли ее с собою? — встревожился он вдруг до того, что оставил даже кушать и смотрел на Петра Степановича с испуганным видом.

— Ах, это про эту «Bonjour», что ли...

— «Merci».

— Ну пусть. Совсем забыл и не читал, некогда. Право, не знаю, в карманах нет... должно быть, у меня на столе. Не беспокойтесь, отыщется.

— Нет, уж я лучше сейчас к вам пошлю. Она может пропасть, и, наконец, украсть могут.

— Ну, кому надо! Да чего вы так испугались, ведь у вас, Юлия Михайловна говорила, заготовляется всегда по нескольку списков, один за границей у нотариуса, другой в Петербурге, третий в Москве, потом в банк, что ли, отсылаете.

— Но ведь и Москва сгореть может, а с ней моя рукопись. Нет, я лучше сейчас пошлю.

— Стойте, вот она! — вынул Петр Степанович из заднего кармана пачку почтовых листиков. — Измялась немножко. Вообразите, как взял тогда у вас, так и пролежала всё время в заднем кармане с носовым платком; забыл.

Кармазинов с жадностью схватил рукопись, бережно осмотрел ее, сосчитал листки и с уважением положил покамест подле себя, на особый столик, но так, чтоб иметь ее каждый миг на виду.

— Вы, кажется, не так много читаете? — прошипел он, не вытерпев.

— Нет, не так много.

— А уж по части русской беллетристики — ничего?

— По части русской беллетристики? Позвольте, я что-то читал... «По пути»... или «В путь»... или «На перепутье», что ли, не помню. Давно читал, лет пять. Некогда.

Последовало некоторое молчание.

— Я, как приехал, уверил их всех, что вы чрезвычайно умный человек, и теперь, кажется, все здесь от вас без ума.

— Благодарю вас, — спокойно отозвался Петр Степанович.

Принесли завтрак. Петр Степанович с чрезвычайным аппетитом набросился на котлетку, мигом съел ее, выпил вино и выхлебнул кофе.

«Этот неуч, — в раздумье оглядывал его искоса Кармазинов, доедая последний кусочек и выпивая последний глоточек, — этот неуч, вероятно, понял сейчас всю колкость моей фразы... да и рукопись, конечно, прочитал с жадностию, а только лжет из видов. Но может быть и то, что не лжет, а совершенно искренно глуп. Гениального человека я люблю несколько глупым. Уж не гений ли он какой у них в самом деле, черт его, впрочем, дери».

Он встал с дивана и начал прохаживаться по комнате из угла в угол, для моциону, что исполнял каждый раз после завтрака.

— Скоро отсюда? — спросил Петр Степанович с кресел, закурив папироску.

— Я, собственно, приехал продать имение и завишу теперь от моего управляющего.

— Вы ведь, кажется, приехали потому, что там эпидемии после войны ожидали?

— Н-нет, не совсем потому, — продолжал господин Кармазинов, благодушно скандируя свои фразы и при каждом обороте из угла в другой угол бодро дрыгая правою ножкой, впрочем чуть-чуть. — Я действительно, — усмехнулся он не без яду, — намереваюсь прожить как можно дольше. В русском барстве есть нечто чрезвычайно быстро изнашивающееся, во всех отношениях. Но я хочу износиться как можно позже и теперь перебираюсь за границу совсем; там и климат лучше, и строение каменное, и всё крепче. На мой век Европы хватит, я думаю. Как вы думаете?

— Я почем знаю.

— Гм. Если там действительно рухнет Вавилон и падение его будет великое (в чем я совершенно с вами согласен, хотя и думаю, что на мой век его хватит), то у нас в России и рушиться нечему, сравнительно говоря. Упадут у нас не камни, а все расплывется в грязь. Святая Русь менее всего на свете может дать отпору чему-нибудь. Простой народ еще держится кое-как русским Богом; но русский Бог, по последним сведениям, весьма неблагонадежен и даже против крестьянской реформы едва устоял, по крайней мере сильно покачнулся. А тут железные дороги, а тут вы... уж в русского-то Бога я совсем не верую.

— А в европейского?

— Я ни в какого не верую. Меня оклеветали пред русскою молодежью. Я всегда сочувствовал каждому движению ее. Мне показывали эти здешние прокламации. На них смотрят с недоумением, потому что всех пугает форма, но все, однако, уверены в их могуществе, хотя бы и не сознавая того. Все давно падают, и все давно знают, что не за что ухватиться. Я уже потому убежден в успехе этой таинственной пропаганды, что Россия есть теперь по преимуществу то место в целом мире, где всё что угодно может произойти без малейшего отпору. Я понимаю слишком хорошо, почему русские с состоянием все хлынули за границу, и с каждым годом больше и больше. Тут просто инстинкт. Если кораблю потонуть, то крысы первые из него выселяются. Святая Русь — страна деревянная, нищая и... опасная, страна тщеславных нищих в высших слоях своих, а в огромном большинстве живет в избушках на курьих ножках. Она обрадуется всякому выходу, стоит только растолковать. Одно правительство еще хочет сопротивляться, но машет дубиной в темноте и бьет по своим. Тут всё обречено и приговорено. Россия, как она есть, не имеет будущности. Я сделался немцем и вменяю это себе в честь.

— Нет, вы вот начали о прокламациях; скажите всё, как вы на них смотрите?

— Их все боятся, стало быть, они могущественны. Они открыто обличают обман и доказывают, что у нас не за что ухватиться и не на что опереться. Они говорят громко, когда все молчат. В них всего победительнее (несмотря на форму) эта неслыханная до сих пор смелость засматривать прямо в лицо истине. Эта способность смотреть истине прямо в лицо принадлежит одному только русскому поколению. Нет, в Европе еще не так смелы: там царство каменное, там еще есть на чем опереться. Сколько я вижу и сколько судить могу, вся суть русской революционной идеи заключается в отрицании чести. Мне нравится, что это так смело и безбоязненно выражено. Нет, в Европе еще этого не поймут, а у нас именно на это-то и набросятся. Русскому человеку честь одно только лишнее бремя. Да и всегда было бременем, во всю его историю. Открытым «правом на бесчестье» его скорей всего увлечь можно. Я поколения старого и, признаюсь, еще стою за честь, но ведь только по привычке. Мне лишь нравятся старые формы, положим по малодушию; нужно же как-нибудь дожить век.

Он вдруг приостановился.

«Однако я говорю-говорю, — подумал он, — а он всё молчит и высматривает. Он пришел затем, чтоб я задал ему прямой вопрос. А я и задам».

— Юлия Михайловна просила меня как-нибудь обманом у вас выпытать, какой это сюрприз вы готовите к балу послезавтра? — вдруг спросил Петр Степанович.

— Да, это действительно будет сюрприз и я действительно изумлю... — приосанился Кармазинов, — но я не скажу вам, в чем секрет.

Петр Степанович не настаивал.

— Здесь есть какой-то Шатов, — осведомился великий писатель, — и, вообразите, я его не видал.

— Очень хорошая личность. А что?

— Так, он про что-то там говорит. Ведь это он по щеке ударил Ставрогина?

— Он.

— А о Ставрогине как вы полагаете?

— Не знаю; волокита какой-то.

Кармазинов возненавидел Ставрогина, потому что тот взял привычку не замечать его вовсе.

— Этого волокиту, — сказал он, хихикая, — если у нас осуществится когда-нибудь то, о чем проповедуют в прокламациях, вероятно, вздернут первого на сук.

— Может, и раньше, — вдруг сказал Петр Степанович.

— Так и следует, — уже не смеясь и как-то слишком серьезно поддакнул Кармазинов.

— А вы уж это раз говорили, и, знаете, я ему передал.

— Как, неужто передали? — рассмеялся опять Кармазинов.

— Он сказал, что если его на сук, то вас довольно и высечь, но только не из чести, а больно, как мужика секут.

Петр Степанович взял шляпу и встал с места. Кармазинов протянул ему на прощание обе руки.

— А что, — пропищал он вдруг медовым голоском и с какою-то особенною интонацией, всё еще придерживая его руки в своих, — что, если назначено осуществиться всему тому... о чем замышляют, то... когда это могло бы произойти?

— Почем я знаю, — несколько грубо ответил Петр Степанович. Оба пристально смотрели друг другу в глаза.

— Примерно? приблизительно? — еще слаще пропищал Кармазинов.

— Продать имение успеете и убраться тоже успеете, — еще грубее пробормотал Петр Степанович. Оба еще пристальнее смотрели друг на друга.

Произошла минута молчания.

— К началу будущего мая начнется, а к Покрову всё кончится, — вдруг проговорил Петр Степанович.

— Благодарю вас искренно, — проникнутым голосом произнес Кармазинов, сжав ему руки.

«Успеешь, крыса, выселиться из корабля! — думал Петр Степанович, выходя на улицу. — Ну, коли уж этот «почти государственный ум» так уверенно осведомляется о дне и часе и так почтительно благодарит за полученное сведение, то уж нам-то в себе нельзя после того сомневаться. (Он усмехнулся.) Гм. А он в самом деле у них не глуп и... всего только переселяющаяся крыса; такая не донесет!»

Он побежал в Богоявленскую улицу, в дом Филиппова.

VI

Петр Степанович прошел сперва к Кириллову. Тот был, по обыкновению, один и в этот раз проделывал среди комнаты гимнастику, то есть, расставив ноги, вертел каким-то особенным образом над собою руками. На полу лежал мяч. На столе стоял неприбранный утренний чай, уже холодный. Петр Степанович постоял с минуту на пороге.

— Вы, однако ж, о здоровье своем сильно заботитесь, — проговорил он громко и весело, входя в комнату, — какой славный, однако же, мяч, фу, как отскакивает; он тоже для гимнастики?

Кириллов надел сюртук.

— Да, тоже для здоровья, — проборомотал он сухо, — садитесь.

— Я на минуту. А впрочем, сяду. Здоровье здоровьем, но я пришел напомнить об уговоре. Приближается «в некотором смысле» наш срок-с, — заключил он с неловким вывертом.

— Какой уговор?

— Как какой уговор? — всполохнулся Петр Степанович, даже испугался.

— Это не уговор и не обязанность, я ничем не вязал себя, с вашей стороны ошибка.

— Послушайте, что же вы это делаете? — вскочил уж совсем Петр Степанович.

— Свою волю.

— Какую?

— Прежнюю.

— То есть как же это понять? Значит ли, что вы в прежних мыслях?

— Значит. Только уговору нет и не было, и я ничем не вязал. Была одна моя воля и теперь одна моя воля.

Кириллов объяснялся резко и брезгливо.

— Я согласен, согласен, пусть воля, лишь бы эта воля не изменилась, — уселся опять с удовлетворенным видом Петр Степанович. — Вы сердитесь за слова. Вы что-то очень стали последнее время сердиты; я потому избегал посещать. Впрочем, был совершенно уверен, что не измените.

— Я вас очень не люблю; но совершенно уверены можете быть. Хоть и не признаю измены и неизмены.

— Однако знаете, — всполохнулся опять Петр Степанович, — надо бы опять поговорить толком, чтобы не сбиться. Дело требует точности, а вы меня ужасно как горошите. Позволяете поговорить?

— Говорите, — отрезал Кириллов, смотря в угол.

— Вы давно уже положили лишить себя жизни... то есть у вас такая была идея. Так, что ли, я выразился? Нет ли какой ошибки?

— У меня и теперь такая же идея.

— Прекрасно. Заметьте при этом, что вас никто не принуждал к тому.

— Еще бы; как вы говорите глупо.

— Пусть, пусть; я очень глупо выразился. Без сомнения, было бы очень глупо к тому принуждать; я продолжаю: вы были членом Общества еще при старой организации и открылись тогда же одному из членов Общества.

— Я не открывался, а просто сказал.

— Пусть. И смешно бы было в этом «открываться», что за исповедь? Вы просто сказали, и прекрасно.

— Нет, не прекрасно, потому что вы очень мямлите. Я вам не обязан никаким отчетом, и мыслей моих вы не можете понимать. Я хочу лишить себя жизни потому, что такая у меня мысль, потому что я не хочу страха смерти, потому... потому что вам нечего тут знать... Чего вы? Чай хотите пить? Холодный. Дайте я вам другой стакан принесу.

Петр Степанович действительно схватился было за чайник и искал порожней посудины. Кириллов сходил в шкаф и принес чистый стакан.

— Я сейчас у Кармазинова завтракал, — заметил гость, — потом слушал, как он говорил, и вспотел, а сюда бежал — тоже вспотел, смерть хочется пить.

— Пейте. Чай холодный хорошо.

Кириллов опять уселся на стул и опять уперся глазами в угол.

— В Обществе произошла мысль, — продолжал он тем же голосом, — что я могу быть тем полезен, если убью себя, и что когда вы что-нибудь тут накутите и будут виновных искать, то я вдруг застрелюсь и оставлю письмо, что это я всё сделал, так что вас целый год подозревать не могут.

— Хоть несколько дней; и день один дорог.

— Хорошо. В этом смысле мне сказали, чтоб я, если хочу, подождал. Я сказал, что подожду, пока скажут срок от Общества, потому что мне всё равно.

— Да, но вспомните, что вы обязались, когда будете сочинять предсмертное письмо, то не иначе как вместе со мной, и, прибыв в Россию, будете в моем... ну, одним словом, в моем распоряжении, то есть на один только этот случай, разумеется, а во всех других вы, конечно, свободны, — почти с любезностию прибавил Петр Степанович.

— Я не обязался, а согласился, потому что мне всё равно.

— И прекрасно, прекрасно, я нисколько не имею намерения стеснять ваше самолюбие, но...

— Тут не самолюбие.

— Но вспомните, что вам собрали сто двадцать талеров на дорогу, стало быть, вы брали деньги.

— Совсем нет, — вспыхнул Кириллов, — деньги не с тем. За это не берут.

— Берут иногда.

— Врете вы. Я заявил письмом из Петербурга, а в Петербурге заплатил вам сто двадцать талеров, вам в руки... и они туда отосланы, если только вы не задержали у себя.

— Хорошо, хорошо, я ни в чем не спорю, отосланы. Главное, что вы в тех же мыслях, как прежде.

— В тех самых. Когда вы придете и скажете «пора», я всё исполню. Что, очень скоро?

— Не так много дней... Но помните, записку мы сочиняем вместе, в ту же ночь.

— Хоть и днем. Вы сказали, надо взять на себя прокламации?

— И кое-что еще.

— Я не всё возьму на себя.

— Чего же не возьмете? — всполохнулся опять Петр Степанович.

— Чего не захочу; довольно. Я не хочу больше о том говорить.

Петр Степанович скрепился и переменил разговор.

— Я о другом, — предупредил он, — будете вы сегодня вечером у наших? Виргинский именинник, под тем предлогом и соберутся.

— Не хочу.

— Сделайте одолжение, будьте. Надо. Надо внушить и числом и лицом... У вас лицо... ну, одним словом, у вас лицо фатальное.

— Вы находите? — рассмеялся Кириллов. — Хорошо, приду; только не для лица. Когда?

— О, пораньше, в половине седьмого. И знаете, вы можете войти, сесть и ни с кем не говорить, сколько бы там их ни было. Только, знаете, не забудьте захватить с собою бумагу и карандаш.

— Это зачем?

— Ведь вам всё равно; а это моя особенная просьба. Вы только будете сидеть, ни с кем ровно не говоря, слушать и изредка делать как бы отметки; ну хоть рисуйте что-нибудь.

— Какой вздор, зачем?

— Ну коли вам всё равно; ведь вы всё говорите, что вам всё равно.

— Нет, зачем?

— А вот затем, что тот член от Общества, ревизор, засел в Москве, а я там кой-кому объявил, что, может быть, посетит ревизор; и они будут думать, что вы-то и есть ревизор, а так как вы уже здесь три недели, то еще больше удивятся.

— Фокусы. Никакого ревизора у вас нет в Москве.

— Ну пусть нет, черт его и дери, вам-то какое дело и чем это вас затруднит? Сами же член Общества.

— Скажите им, что я ревизор; я буду сидеть и молчать, а бумагу и карандаш не хочу.

— Да почему?

— Не хочу.

Петр Степанович разозлился, даже позеленел, но опять скрепил себя, встал и взял шляпу.

— *Этот* у вас? — произнес он вдруг вполголоса.

— У меня.

— Это хорошо. Я скоро его выведу, не беспокойтесь.

— Я не беспокоюсь. Он только ночует. Старуха в больнице, сноха померла; я два дня один. Я ему показал место в заборе, где доска вынимается; он пролезет, никто не видит.

— Я его скоро возьму.

— Он говорит, что у него много мест ночевать.

— Он врет, его ищут, а здесь пока незаметно. Разве вы с ним пускаетесь в разговоры?

— Да, всю ночь. Он вас очень ругает. Я ему ночью Апокалипсис читал, и чай. Очень слушал; даже очень, всю ночь.

— А, черт, да вы его в христианскую веру обратите!

— Он и то христианской веры. Не беспокойтесь, зарежет. Кого вы хотите зарезать?

— Нет, он не для того у меня; он для другого... А Шатов про Федьку знает?

— Я с Шатовым ничего не говорю и не вижу.

— Злится, что ли?

— Нет, не злимся, а только отворачиваемся. Слишком долго вместе в Америке пролежали.

— Я сейчас к нему зайду.

— Как хотите.

— Мы со Ставрогиным к вам тоже, может, зайдем оттуда, этак часов в десять.

— Приходите.

— Мне с ним надо поговорить о важном... Знаете, подарите-ка мне ваш мяч; к чему вам теперь? Я тоже для гимнастики. Я вам, пожалуй, заплачу деньги.

— Возьмите так.

Петр Степанович положил мяч в задний карман.

— А я вам не дам ничего против Ставрогина, — пробормотал вслед Кириллов, выпуская гостя. Тот с удивлением посмотрел на него, но не ответил.

Последние слова Кириллова смутили Петра Степановича чрезвычайно; он еще не успел их осмыслить, но еще на лестнице к Шатову постарался переделать свой недовольный вид в ласковую физиономию. Шатов был дома и немного болен. Он лежал на постели, впрочем одетый.

— Вот неудача! — вскричал Петр Степанович с порога. — Серьезно больны? Ласковое выражение его лица вдруг исчезло; что-то злобное засверкало в глазах.

— Нисколько, — нервно привскочил Шатов, — я вовсе не болен, немного голова...

Он даже потерялся; внезапное появление такого гостя решительно испугало его.

— Я именно по такому делу, что хворать не следует, — начал Петр Степанович быстро и как бы властно, — позвольте сесть (он сел), а вы садитесь опять на вашу койку, вот так. Сегодня под видом дня рождения Виргинского соберутся у него из наших; другого, впрочем, оттенка не будет вовсе, приняты меры. Я приду с Николаем Ставрогиным. Вас бы я, конечно, не потащил туда, зная ваш теперешний образ мыслей... то есть в том смысле, чтобы вас там не мучить, а не из того, что мы думаем, что вы донесете. Но вышло так, что вам придется идти. Вы там встретите тех самых, с которыми окончательно и порешим, каким образом вам оставить Общество и кому сдать, что у вас находится. Сделаем неприметно; я вас отведу куда-нибудь в угол; народу много, а всем незачем знать. Признаться, мне пришлось-таки из-за вас язык поточить; но теперь, кажется, и они согласны, с тем, разумеется, чтобы вы сдали типографию и все бумаги. Тогда ступайте себе на все четыре стороны.

Шатов выслушал нахмуренно и злобно. Нервный недавний испуг оставил его совсем.

— Я не признаю никакой обязанности давать черт знает кому отчет, — проговорил он наотрез, — никто меня не может отпускать на волю.

— Не совсем. Вам многое было доверено. Вы не имели права прямо разрывать. И, наконец, вы никогда не заявляли о том ясно, так что вводили их в двусмысленное положение.

— Я, как приехал сюда, заявил ясно письмом.

— Нет, не ясно, — спокойно оспаривал Петр Степанович, — я вам прислал, например, «Светлую личность», чтобы здесь напечатать и экземпляры сложить до востребования где-нибудь тут у вас; тоже две прокламации. Вы воротили с письмом двусмысленным, ничего не обозначающим.

— Я прямо отказался печатать.

— Да, но не прямо. Вы написали: «Не могу», но не объяснили, по какой причине. «Не могу» не значит «не хочу». Можно было подумать, что вы просто от материальных причин не можете. Так это и поняли и сочли, что вы все-таки согласны продолжать связь с Обществом, а стало быть, могли опять вам что-нибудь доверить, следовательно, себя компрометировать. Здесь они говорят, что вы просто хотели обмануть, с тем чтобы, получив какое-нибудь важное сообщение, донести. Я вас защищал изо всех сил и показал ваш письменный ответ в две строки, как документ в вашу пользу. Но и сам должен был сознаться, перечитав теперь, что эти две строчки неясны и вводят в обман.

— А у вас так тщательно сохранилось это письмо?

— Это ничего, что оно у меня сохранилось; оно и теперь у меня.

— Ну и пускай, черт!.. — яростно вскричал Шатов. — Пускай ваши дураки считают, что я донес, какое мне дело! Я бы желал посмотреть, что вы мне можете сделать?

— Вас бы отметили и при первом успехе революции повесили.

— Это когда вы захватите верховную власть и покорите Россию?

— Вы не смейтесь. Повторяю, я вас отстаивал. Так ли, этак, а все-таки я вам явиться сегодня советую. К чему напрасные слова из-за какой-то фальшивой гордости? Не лучше ли расстаться дружелюбно? Ведь уж во всяком случае вам придется сдавать станок и буквы и старые бумажки, вот о том и поговорим.

— Приду, — проворчал Шатов, в раздумье понурив голову. Петр Степанович искоса рассматривал его с своего места. — Ставрогин будет? — спросил вдруг Шатов, подымая голову.

— Будет непременно.

— Хе-хе!

Опять с минуту помолчали. Шатов брезгливо и раздражительно ухмылялся.

— А эта ваша подлая «Светлая личность», которую я не хотел здесь печатать, напечатана?

— Напечатана.

— Гимназистов уверять, что вам сам Герцен в альбом написал?

— Сам Герцен.

Опять помолчали минуты с три. Шатов встал наконец с постели.

— Ступайте вон от меня, я не хочу сидеть вместе с вами.

— Иду, — даже как-то весело проговорил Петр Степанович, немедленно подымаясь, — одно только слово: Кириллов, кажется, один-одинешенек теперь во флигеле, без служанки?

— Один-одинешенек. Ступайте, я не могу оставаться в одной с вами комнате.

«Ну, хорош же ты теперь! — весело обдумывал Петр Степанович, выходя на улицу, — хорош будешь и вечером, а мне именно такого тебя теперь надо, и лучше желать нельзя, лучше желать нельзя! Сам русский Бог помогает!»

VII

Вероятно, он очень много хлопотал в этот день по разным побегушкам — и, должно быть, успешно, — что и отозвалось в самодовольном выражении его физиономии, когда вечером, ровно в шесть часов, он явился к Николаю Всеволодовичу. Но к тому его не сейчас допустили; с Николаем Всеволодовичем только что заперся в кабинете Маврикий Николаевич. Это известие мигом его озаботило. Он уселся у самых дверей кабинета, с тем чтобы ждать выхода гостя. Разговор был слышен, но слов нельзя было уловить. Визит продолжался недолго; вскоре послышался шум, раздался чрезвычайно громкий и резкий голос, вслед за тем отворилась дверь и вышел Маврикий Николаевич с совершенно бледным лицом. Он не заметил Петра Степановича и быстро прошел мимо. Петр Степанович тотчас же вбежал в кабинет.

Не могу обойти подробного отчета об этом, чрезвычайно кратком свидании двух «соперников», — свидании, по-видимому невозможном при сложившихся обстоятельствах, но, однако же, состоявшемся.

Произошло это так: Николай Всеволодович дремал в своем кабинете после обеда на кушетке, когда Алексей Егорович доложил о приходе неожиданного гостя. Услышав возвещенное имя, он вскочил даже с места и не хотел верить. Но вскоре улыбка сверкнула на губах его, — улыбка высокомерного торжества и в то же время какого-то тупого недоверчивого изумления. Вошедший Маврикий Николаевич, кажется, был поражен выражением этой улыбки, по крайней мере вдруг приостановился среди комнаты, как бы не решаясь: идти ли дальше или воротиться? Хозяин тотчас же успел изменить свое лицо и с видом серьезного недоумения шагнул ему навстречу. Тот не взял протянутой ему руки, неловко придвинул стул и, не сказав ни слова, сел еще прежде хозяина, не дождавшись приглашения. Николай Всеволодович уселся наискось на кушетке и, всматриваясь в Маврикия Николаевича, молчал и ждал.

— Если можете, то женитесь на Лизавете Николаевне, — подарил вдруг Маврикий Николаевич, и, что было всего любопытнее, никак нельзя было узнать по интонации голоса, что это такое: просьба, рекомендация, уступка или приказание.

Николай Всеволодович продолжал молчать; но гость, очевидно, сказал уже всё, для чего пришел, и глядел в упор, ожидая ответа.

— Если не ошибаюсь (впрочем, это слишком верно), Лизавета Николаевна уже обручена с вами, — проговорил наконец Ставрогин.

— Помолвлена и обручилась, — твердо и ясно подтвердил Маврикий Николаевич.

— Вы... поссорились?.. Извините меня, Маврикий Николаевич.

— Нет, она меня «любит и уважает», ее слова. Ее слова драгоценнее всего.

— В этом нет сомнения.

— Но знайте, что если она будет стоять у самого налоя под венцом, а вы ее кликнете, то она бросит меня и всех и пойдет к вам.

— Из-под венца?

— И после венца.

— Не ошибаетесь ли?

— Нет. Из-под беспрерывной к вам ненависти, искренней и самой полной, каждое мгновение сверкает любовь и... безумие... самая искренняя и безмерная любовь и — безумие! Напротив, из-за любви, которую она ко мне чувствует, тоже искренно, каждое мгновение сверкает ненависть, — самая великая! Я бы никогда не мог вообразить прежде все эти... метаморфозы.

— Но я удивляюсь, как могли вы, однако, прийти и располагать рукой Лизаветы Николаевны? Имеете ли вы на то право? Или она вас уполномочила?

Маврикий Николаевич нахмурился и на минуту потупил голову.

— Ведь это только одни слова с вашей стороны, — проговорил он вдруг, — мстительные и торжествующие слова: я уверен, вы понимаете недосказанное в строках, и неужели есть тут место мелкому тщеславию? Мало вам удовлетворения? Неужели надо размазывать, ставить точки над i. Извольте, я поставлю точки, если вам так нужно мое унижение: права я не имею, полномочие невозможно; Лизавета Николаевна ни о чем не знает, а жених ее потерял последний ум и достоин сумасшедшего дома, и в довершение сам приходит вам об этом рапортовать. На всем свете только вы одни можете сделать ее счастливою, и только я один — несчастною. Вы ее оспариваете, вы ее преследуете, но, не знаю почему, не женитесь. Если это любовная ссора, бывшая за границей, и, чтобы пресечь ее, надо принести меня в жертву, — приносите. Она слишком несчастна, и я не могу того вынести. Мои слова не позволение, не предписание, а потому и самолюбию вашему нет оскорбления. Если бы вы хотели взять мое место у налоя, то могли это сделать безо всякого позволения с моей стороны, и мне, конечно, нечего было приходить к вам с безумием. Тем более что и свадьба наша после теперешнего моего шага уже никак невозможна. Не могу же я вести ее к алтарю подлецом? То, что я делаю здесь, и то, что я предаю ее вам, может быть, непримиримейшему ее врагу, на мой взгляд, такая подлость, которую я, разумеется, не перенесу никогда.

— Застрелитесь, когда нас будут венчать?

— Нет, позже гораздо. К чему марать моею кровью ее брачную одежду. Может, я и совсем не застрелюсь, ни теперь, ни позже.

— Говоря так, желаете, вероятно, меня успокоить?

— Вас? Один лишний брызг крови что для вас может значить?

Он побледнел, и глаза его засверкали. Последовало минутное молчание.

— Извините меня за предложенные вам вопросы, — начал вновь Ставрогин, — некоторые из них я не имел никакого права вам предлагать, но на один из них я имею, кажется, полное право: скажите мне, какие данные заставили вас заключить о моих чувствах к Лизавете Николаевне? Я разумею о той степени этих чувств, уверенность в которой позволила вам прийти ко мне и... рискнуть таким предложением.

— Как? — даже вздрогнул немного Маврикий Николаевич, — разве вы не домогались? Не домогаетесь и не хотите домогаться?

— Вообще о чувствах моих к той или другой женщине я не могу говорить вслух третьему лицу, да и кому бы то ни было, кроме той одной женщины. Извините, такова уж странность организма. Но взамен того я скажу вам всю остальную правду: я женат, и жениться или «домогаться» мне уже невозможно.

Маврикий Николаевич был до того изумлен, что отшатнулся на спинку кресла и некоторое время смотрел неподвижно на лицо Ставрогина.

— Представьте, я никак этого не подумал, — пробормотал он, — вы сказали тогда, в то утро, что не женаты... я так и поверил, что не женаты...

Он ужасно бледнел; вдруг он ударил изо всей силы кулаком по столу.

— Если вы после такого признания не оставите Лизавету Николаевну и сделаете ее несчастною сами, то я убью вас палкой, как собаку под забором!

Он вскочил и быстро вышел из комнаты. Вбежавший Петр Степанович застал хозяина в самом неожиданном расположении духа.

— А, это вы! — громко захохотал Ставрогин; хохотал он, казалось, одной только фигуре Петра Степановича, вбежавшего с таким стремительным любопытством.

— Вы у дверей подслушивали? Постойте, с чем это вы прибыли? Ведь я что-то вам обещал... А, ба! Помню: к «нашим»! Идем, очень рад, и ничего вы не могли придумать теперь более кстати.

Он схватил шляпу, и оба немедля вышли из дому.

— Вы заранее смеетесь, что увидите «наших»? — весело юлил Петр Степанович, то стараясь шагать рядом с своим спутником по узкому кирпичному тротуару, то сбегая даже на улицу, в самую грязь, потому что спутник совершенно не замечал, что идет один по самой средине тротуара, а стало быть, занимает его весь одною своею особой.

— Нисколько не смеюсь, — громко и весело отвечал Ставрогин, — напротив, убежден, что у вас там самый серьезный народ.

— «Угрюмые тупицы», как вы изволили раз выразиться.

— Ничего нет веселее иной угрюмой тупицы.

— А, это вы про Маврикия Николаевича! Я убежден, что он вам сейчас невесту приходил уступать, а? Это я его подуськал косвенно, можете себе представить. А не уступит, так мы у него сами возьмем — а?

Петр Степанович, конечно, знал, что рискует, пускаясь в такие выверты, но уж когда он сам бывал возбужден, то лучше желал рисковать хоть на всё, чем оставлять себя в неизвестности. Николай Всеволодович только рассмеялся.

— А вы всё еще рассчитываете мне помогать? — спросил он.

— Если кликнете. Но знаете что, есть один самый лучший путь.

— Знаю ваш путь.

— Ну нет, это покамест секрет. Только помните, что секрет денег стоит.

— Знаю, сколько и стоит, — проворчал про себя Ставрогин, но удержался и замолчал.

— Сколько? что вы сказали? — встрепенулся Петр Степанович.

— Я сказал: ну вас к черту и с секретом! Скажите мне лучше, кто у вас там? Я знаю, что мы на именины идем, но кто там именно?

— О, в высшей степени всякая всячина! Даже Кириллов будет.

— Всё члены кружков?

— Черт возьми, как вы торопитесь! Тут и одного кружка еще не состоялось.

— Как же вы разбросали столько прокламаций?

— Там, куда мы идем, членов кружка всего четверо. Остальные, в ожидании, шпионят друг за другом взапуски и мне переносят. Народ благонадежный. Всё это материал, который надо организовать, да и убираться. Впрочем, вы сами устав писали, вам нечего объяснять.

— Что ж, трудно, что ли, идет? Заколодило?

— Идет? Как не надо легче. Я вас посмешу: первое, что ужасно действует, — это мундир. Нет ничего сильнее мундира. Я нарочно выдумываю чины и должности: у меня секретари, тайные соглядатаи, казначеи, председатели, регистраторы, их товарищи — очень нравится и отлично принялось. Затем следующая сила, разумеется, сентиментальность. Знаете, социализм у нас распространяется преимущественно из сентиментальности. Но тут беда, вот эти кусающиеся подпоручики; нет-нет да и нарвешься. Затем следуют чистые мошенники; ну эти, пожалуй, хороший народ, иной раз выгодны очень, но на них много времени идет, неусыпный надзор требуется. Ну и наконец, самая главная сила — цемент, всё связующий, — это стыд собственного мнения. Вот это так сила! И кто это работал, кто этот «миленький» трудился, что ни одной-то собственной идеи не осталось ни у кого в голове! За стыд почитают.

— А коли так, из чего вы хлопочете?

— А коли лежит просто, рот разевает на всех, так как же его не стибрить! Будто серьезно не верите, что возможен успех? Эх, вера-то есть, да надо хотенья. Да, именно с этакими и возможен успех. Я вам говорю, он у меня в огонь пойдет, стоит только прикрикнуть на него, что недостаточно либерален. Дураки попрекают, что я всех здесь надул центральным комитетом и «бесчисленными разветвлениями». Вы сами раз этим меня корили, а какое тут надувание: центральный комитет — я да вы, а разветвлений будет сколько угодно.

— И всё этакая-то сволочь!

— Материал. Пригодятся и эти.

— А вы на меня всё еще рассчитываете?

— Вы начальник, вы сила; я у вас только сбоку буду, секретарем. Мы, знаете, сядем в ладью, вёселки кленовые, паруса шелковые, на корме сидит красна девица, свет Лизавета Николаевна... или как там у них, черт, поется в этой песне...

— Запнулся! — захохотал Ставрогин. — Нет, я вам скажу лучше присказку. Вы вот высчитываете по пальцам, из каких сил кружки составляются? Всё это чиновничество и сентиментальность — всё это клейстер хороший, но есть одна штука еще получше: подговорите четырех членов кружка укокошить пятого, под видом того, что тот донесет, и тотчас же вы их всех пролитою кровью, как одним узлом, свяжете. Рабами вашими станут, не посмеют бунтовать и отчетов спрашивать. Ха-ха-ха!

«Однако же ты... однако же ты мне эти слова должен выкупить, — подумал про себя Петр Степанович, — и даже сегодня же вечером. Слишком ты много уж позволяешь себе».

Так или почти так должен был задуматься Петр Степанович. Впрочем, уж подходили к дому Виргинского.

— Вы, конечно, меня там выставили каким-нибудь членом из-за границы, в связях с Internationale, ревизором? — спросил вдруг Ставрогин.

— Нет, не ревизором; ревизором будете не вы; но вы член-учредитель из-за границы, которому известны важнейшие тайны, — вот ваша роль. Вы, конечно, станете говорить?

— Это с чего вы взяли?

— Теперь обязаны говорить.

Ставрогин даже остановился в удивлении среди улицы, недалеко от фонаря. Петр Степанович дерзко и спокойно выдержал его взгляд. Ставрогин плюнул и пошел далее.

— А вы будете говорить? — вдруг спросил он Петра Степановича.

— Нет, уж я вас послушаю.

— Черт вас возьми! Вы мне в самом деле даете идею!

— Какую? — выскочил Петр Степанович.

— Там-то я, пожалуй, поговорю, но зато потом вас отколочу, и, знаете, хорошо отколочу.

— Кстати, я давеча сказал про вас Кармазинову, что будто вы говорили про него, что его надо высечь, да и не просто из чести, а как мужика секут, больно.

— Да я этого никогда не говорил, ха-ха!

— Ничего. Se non è vero...[1]

— Ну спасибо, искренно благодарю.

— Знаете еще, что говорит Кармазинов: что в сущности наше учение есть отрицание чести и что откровенным правом на бесчестье всего легче русского человека за собой увлечь можно.

— Превосходные слова! Золотые слова! — вскричал Ставрогин. — Прямо в точку попал! Право на бесчестье — да это все к нам прибегут, ни одного там не останется! А слушайте, Верховенский, вы не из высшей полиции, а?

— Да ведь кто держит в уме такие вопросы, тот их не выговаривает.

— Понимаю, да ведь мы у себя.

— Нет, покамест не из высшей полиции. Довольно, пришли. Сочините-ка вашу физиономию, Ставрогин; я всегда сочиняю, когда к ним вхожу. Побольше мрачности, и только, больше ничего не надо; очень нехитрая вещь.

Глава седьмая
У НАШИХ

I

Виргинский жил в собственном доме, то есть в доме своей жены, в Муравьиной улице. Дом был деревянный, одноэтажный, и посторонних жильцов в нем не было. Под видом дня рождения хозяина собралось гостей человек до пятнадцати; но вечеринка совсем не походила на обыкновенную провинциальную именинную вечеринку. Еще с самого начала своего сожития супруги Виргинские положили взаимно, раз навсегда, что собирать гостей в именины совершенно глупо, да и «нечему вовсе радоваться». В несколько лет они как-то успели совсем отдалить себя от общества. Он, хотя и человек со способностями и вовсе не «какой-нибудь бедный», казался всем почему-то чудаком, полюбившим уединение и сверх того говорившим «надменно». Сама же madame Виргинская, занимавшаяся повивальною профессией, уже тем одним стояла ниже всех на общественной лестнице; даже ниже попадьи, несмотря на офицерский чин мужа. Соответственного же ее званию смирения не примечалось в ней вовсе. А после глупейшей и непростительно откровенной связи ее, из принципа, с каким-то мошенником, капитаном Лебядкиным, даже самые снисходительные из наших дам отвернулись от нее с замечательным пренебрежением. Но madame

---

[1] Если и не правда... (*итал.*)

Виргинская приняла всё так, как будто ей того и надо было. Замечательно, что те же самые строгие дамы, в случаях интересного своего положения, обращались по возможности к Арине Прохоровне (то есть к Виргинской), минуя остальных трех акушерок нашего города. Присылали за нею даже из уезда к помещицам — до того все веровали в ее знание, счастье и ловкость в решительных случаях. Кончилось тем, что она стала практиковать единственно только в самых богатых домах; деньги же любила до жадности. Ощутив вполне свою силу, она под конец уже нисколько не стесняла себя в характере. Может быть, даже нарочно на практике в самых знатных домах пугала слабонервных родильниц каким-нибудь неслыханным нигилистическим забвением приличий или, наконец, насмешками над «всем священным», и именно в те минуты, когда «священное» наиболее могло бы пригодиться. Наш штаб-лекарь Розанов, он же и акушер, положительно засвидетельствовал, что однажды, когда родильница в муках вопила и призывала всемогущее имя Божие, именно одно из таких вольнодумств Арины Прохоровны, внезапных, «вроде выстрела из ружья», подействовав на больную испугом, способствовало быстрейшему ее разрешению от бремени. Но хоть и нигилистка, а в нужных случаях Арина Прохоровна вовсе не брезгала не только светскими, но и стародавними, самыми предрассудочными обычаями, если таковые могли принести ей пользу. Ни за что не пропустила бы она, например, крестин повитого ею младенца, причем являлась в зеленом шелковом платье со шлейфом, а шиньон расчесывала в локоны и в букли, тогда как во всякое другое время доходила до самоуслаждения в своем неряшестве. И хотя во время совершения таинства сохраняла всегда «самый наглый вид», так что конфузила причет, но по совершении обряда шампанское непременно выносила сама (для того и являлась, и рядилась), и попробовали бы вы, взяв бокал, не положить ей «на кашу».

Собравшиеся на этот раз к Виргинскому гости (почти все мужчины) имели какой-то случайный и экстренный вид. Не было ни закуски, ни карт. Посреди большой гостиной комнаты, оклеенной отменно старыми голубыми обоями, сдвинуты были два стола и покрыты большою скатертью, не совсем, впрочем, чистою, а на них кипели два самовара. Огромный поднос с двадцатью пятью стаканами и корзина с обыкновенным французским белым хлебом, изрезанным на множество ломтей, вроде как в благородных мужских и женских пансионах для воспитанников, занимали конец стола. Чай разливала тридцатилетняя дева, сестра хозяйки, безбровая и белобрысая, существо молчаливое и ядовитое, но разделявшее новые взгляды, и которой ужасно боялся сам Виргинский в домашнем быту. Всех дам в комнате было три: сама хозяйка, безбровая ее сестрица и родная сестра Виргинского, девица Виргинская, как раз только что прикатившая из Петербурга. Арина Прохоровна, видная дама лет двадцати семи, собою недурная, несколько растрепанная, в шерстяном непраздничном платье зеленоватого оттенка, сидела, обводя смелыми очами гостей и как бы спеша проговорить своим взглядом: «Видите, как я совсем ничего не боюсь». Прибывшая девица Виргинская, тоже недурная собой, студентка и нигилистка, сытенькая и плотненькая, как шарик, с очень красными щеками и низенького роста, поместилась подле Арины Прохоровны, еще почти в дорожном своем костюме, с каким-то свертком бумаг в руке, и разглядывала гостей нетерпеливыми прыгающими глазами. Сам Виргинский в этот вечер был несколько нездоров, однако же вышел посидеть в креслах за чайным столом. Все гости тоже сидели, и в этом чинном размещении на стульях вокруг стола предчувствовалось заседание. Видимо, все чего-то ждали, а в ожидании вели хотя и громкие, но как бы посторонние речи. Когда появились Ставрогин и Верховенский, всё вдруг затихло.

Но позволю себе сделать некоторое пояснение для определенности.

Я думаю, что все эти господа действительно собрались тогда в приятной надежде услышать что-нибудь особенно любопытное, и собрались предуведомленные. Они представляли собою цвет самого ярко-красного либерализма в нашем древнем городе и были весьма тщательно подобраны Виргинским для этого «заседания». Замечу еще, что некоторые из них (впрочем, очень немногие) прежде совсем не посещали его. Конечно, большинство гостей не имело ясного понятия, для чего их предуведомляли. Правда, все они принимали тогда Петра Степановича за приехавшего заграничного эмиссара, имеющего полномочия; эта идея как-то сразу укоренилась и, натурально, льстила. А между тем в этой собравшейся кучке граждан, под видом празднования именин, уже находились некоторые, которым были сделаны и определенные предложения. Петр Верховенский успел слепить у нас «пятерку», наподобие той, которая уже была у него заведена в Москве и еще, как оказалось теперь, в нашем уезде между офицерами. Говорят, тоже была одна у него и в Х—ской губернии. Эти пятеро избранных сидели теперь за общим столом и весьма искусно умели придать себе вид самых обыкновенных людей, так что никто их не мог узнать. То были, — так как теперь это не тайна, — во-первых, Липутин, затем сам Виргинский, длинноухий Шигалев — брат госпожи Виргинской, Лямшин и, наконец, некто Толкаченко — странная личность, человек уже лет сорока и славившийся огромным изучением народа, преимущественно мошенников и разбойников, ходивший нарочно по кабакам (впрочем, не для одного изучения народного) и щеголявший между нами дурным платьем, смазными сапогами, прищуренно-хитрым видом и народными фразами с завитком. Раз или два еще прежде Лямшин приводил его к Степану Трофимовичу на вечера, где, впрочем, он особенного эффекта не произвел. В городе появлялся он временами, преимущественно когда бывал без места, а служил по железным дорогам. Все эти пятеро деятелей составили свою первую кучку с теплою верой, что она лишь единица между сотнями и тысячами таких же пятерок, как и ихняя, разбросанных по России, и что все зависят от какого-то центрального, огромного, но тайного места, которое в свою очередь связано органически с европейскою всемирною революцией. Но, к сожалению, я должен признаться, что между ними даже и в то уже время начал обнаруживаться разлад. Дело в том, что они хоть и ждали еще с весны Петра Верховенского, возвещенного им сперва Толкаченкой, а потом приехавшим Шигалевым, хоть и ждали от него чрезвычайных чудес и хоть и пошли тотчас же все, без малейшей критики и по первому его зову, в кружок, но только что составили пятерку, все как бы тотчас же и обиделись, и именно, я полагаю, за быстроту своего согласия. Пошли они, разумеется, из великодушного стыда, чтобы не сказали потом, что они не посмели пойти; но все-таки Петр Верховенский должен бы был оценить их благородный подвиг и по крайней мере рассказать им в награждение какой-нибудь самый главный анекдот. Но Верховенский вовсе не хотел удовлетворить их законного любопытства и лишнего ничего не рассказывал; вообще третировал их с замечательною строгостью и даже небрежностью. Это решительно раздражило, и член Шигалев уже подбивал остальных «потребовать отчета», но, разумеется, не теперь у Виргинского, где собралось столько посторонних.

По поводу посторонних у меня тоже есть одна мысль, что вышеозначенные члены первой пятерки наклонны были подозревать в этот вечер в числе гостей Виргинского еще членов каких-нибудь им неизвестных групп, тоже заведенных в городе, по той же тайной организации и тем же самым Верховенским, так что в конце концов все собравшиеся подозревали друг друга и один пред другим принимали разные осанки, что и придавало всему собранию весьма сбивчивый и даже отчасти романический вид. Впрочем, тут были люди и вне всякого подозрения. Так, например, один служащий майор, близкий родственник Виргинского, совершенно невинный человек, которого и не приглашали, но который сам пришел к имениннику, так что никак нельзя было его не принять. Но именинник все-таки был спокоен, потому что майор «никак не мог донести»; ибо, несмотря на всю свою глупость, всю жизнь любил сновать по всем местам, где водятся крайние либералы; сам не сочувствовал, но послушать очень любил. Мало того, был даже компрометирован: случилось так, что чрез его руки, в молодости, прошли целые склады «Колокола» и прокламаций, и хоть он их даже развернуть боялся, но отказаться распространять их почел бы за совершенную подлость — и таковы иные русские люди даже и до сего дня. Остальные гости или представляли собою тип придавленного до желчи благородного самолюбия, или тип первого благороднейшего порыва пылкой молодости. То были два или три учителя, из которых один хромой, лет уже сорока пяти, преподаватель в гимназии, очень ядовитый и замечательно тщеславный человек, и два или три офицера. Из последних один очень молодой артиллерист, всего только на днях приехавший из одного учебного военного заведения, мальчик молчаливый и еще не успевший составить знакомства, вдруг очутился теперь у Виргинского с карандашом в руках и, почти не участвуя в разговоре, поминутно отмечал что-то в своей записной книжке. Все это видели, но все почему-то старались делать вид, что не примечают. Был еще тут праздношатающийся семинарист, который с Лямшиным подсунул книгоноше мерзостные фотографии, крупный парень с развязною, но в то же время недоверчивою манерой, с бессменно обличительною улыбкой, а вместе с тем и со спокойным видом торжествующего совершенства, заключенного в нем самом. Был, не знаю для чего, и сын нашего городского головы, тот самый скверный мальчишка, истаскавшийся не по летам и о котором я уже упоминал, рассказывая историю маленькой поручицы. Этот весь вечер молчал. И, наконец, в заключение, один гимназист, очень горячий и взъерошенный мальчик лет восемнадцати, сидевший с мрачным видом оскорбленного в своем достоинстве молодого человека и видимо страдая за свои восемнадцать лет. Этот крошка был уже начальником самостоятельной кучки заговорщиков, образовавшейся в высшем классе гимназии, что и обнаружилось, ко всеобщему удивлению, впоследствии. Я не упомянул о Шатове: он расположился тут же в заднем углу стола, несколько выдвинув из ряду свой стул, смотрел в землю, мрачно молчал, от чаю и хлеба отказался и всё время не выпускал из рук свой картуз, как бы желая тем заявить, что он не гость, а пришел по делу, и когда захочет, встанет и уйдет. Недалеко от него поместился и Кириллов, тоже очень молчаливый, но в землю не смотрел, а, напротив, в упор рассматривал каждого говорившего своим неподвижным взглядом без блеску и выслушивал всё без малейшего волнения или удивления. Некоторые из гостей, никогда не видавшие его прежде, разглядывали его задумчиво и украдкой. Неизвестно, знала ли что-нибудь сама madame Виргинская о существовавшей пятерке? Полагаю, что знала всё, и именно от супруга. Студентка же, конечно, ни в чем не участвовала, но у ней была своя забота; она намеревалась прогостить всего только день или два, а затем отправиться дальше и дальше, по всем университетским городам, чтобы «принять участие в страданиях бедных студентов и возбудить их к протесту». Она везла с собою несколько сот экземпляров литографированного воззвания и, кажется, собственного сочинения. Замечательно, что гимназист возненавидел ее с первого взгляда почти до кровомщения, хотя и видел ее в первый раз в жизни, а она равномерно его. Майор приходился ей родным дядей и встретил ее сегодня в первый раз после десяти лет. Когда вошли Ставрогин и Верховенский, щеки ее были красны, как клюква: она только что разбранилась с дядей за убеждения по женскому вопросу.

II

Верховенский замечательно небрежно развалился на стуле в верхнем углу стола, почти ни с кем не поздоровавшись. Вид его был брезгливый и даже надменный. Ставрогин раскланялся вежливо, но, несмотря на то что все только их и ждали, все как по команде сделали вид, что их почти не примечают. Хозяйка строго обратилась к Ставрогину, только что он уселся.

— Ставрогин, хотите чаю?

— Дайте, — ответил тот.

— Ставрогину чаю, — скомандовала она разливательнице, — а вы хотите? (Это уж к Верховенскому.)

— Давайте, конечно, кто ж про это гостей спрашивает? Да дайте и сливок, у вас всегда такую мерзость дают вместо чаю; а еще в доме именинник.

— Как, и вы признаете именины? — засмеялась вдруг студентка. — Сейчас о том говорили.

— Старо, — проворчал гимназист с другого конца стола.

— Что такое старо? Забывать предрассудки не старо, хотя бы самые невинные, а, напротив, к общему стыду, до сих пор еще ново, — мигом заявила студентка, так и дернувшись вперед со стула. — К тому же нет невинных предрассудков, — прибавила она с ожесточением.

— Я только хотел заявить, — заволновался гимназист ужасно, — что предрассудки хотя, конечно, старая вещь и надо истреблять, но насчет именин все уже знают, что глупости и очень старо, чтобы терять драгоценное время, и без того уже всем светом потерянное, так что можно бы употребить свое остроумие на предмет более нуждающийся...

— Слишком долго тянете, ничего не поймешь, — прокричала студентка.

— Мне кажется, что всякий имеет право голоса наравне с другим, и если я желаю заявить мое мнение, как и всякий другой, то...

— У вас никто не отнимает права вашего голоса, — резко оборвала уже сама хозяйка, — вас только приглашают не мямлить, потому что вас никто не может понять.

— Однако же позвольте заметить, что вы меня не уважаете; если я и не мог докончить мысль, то это не оттого, что у меня нет мыслей, а скорее от избытка мыслей... — чуть не в отчаянии пробормотал гимназист и окончательно спутался.

— Если не умеете говорить, то молчите, — хлопнула студентка.

Гимназист даже привскочил со стула.

— Я только хотел заявить, — прокричал он, весь горя от стыда и боясь осмотреться вокруг, — что вам только хотелось выскочить с вашим умом потому, что вошел господин Ставрогин, — вот что!

— Ваша мысль грязна и безнравственна и означает всё ничтожество вашего развития. Прошу более ко мне не относиться, — протрещала студентка.

— Ставрогин, — начала хозяйка, — до вас тут кричали сейчас о правах семейства, — вот этот офицер (она кивнула на родственника своего, майора). И, уж конечно, не я стану вас беспокоить таким старым вздором, давно порешенным. Но откуда, однако, могли взяться права и обязанности семейства в смысле того предрассудка, в котором теперь представляются? Вот вопрос. Ваше мнение?

— Как откуда могли взяться? — переспросил Ставрогин.

— То есть мы знаем, например, что предрассудок о Боге произошел от грома и молнии, — вдруг рванулась опять студентка, чуть не вскакивая глазами на Ставрогина, — слишком известно, что первоначальное человечество, пугаясь грома и молнии, обоготворило невидимого врага, чувствуя пред ним свою слабость. Но откуда произошел предрассудок о семействе? Откуда могло взяться само семейство?

— Это не совсем то же самое... — хотела было остановить хозяйка.

— Я полагаю, что ответ на такой вопрос нескромен, — отвечал Ставрогин.

— Как так? — дернулась вперед студентка.

Но в учительской группе послышалось хихиканье, которому тотчас же отозвались с другого конца Лямшин и гимназист, а за ними сиплым хохотом и родственник майор.

— Вам бы писать водевили, — заметила хозяйка Ставрогину.

— Слишком не к чести вашей относится, не знаю, как вас зовут, — отрезала в решительном негодовании студентка.

— А ты не выскакивай! — брякнул майор. — Ты барышня, тебе должно скромно держать себя, а ты ровно на иголку села.

— Извольте молчать и не смейте обращаться ко мне фамильярно с вашими пакостными сравнениями. Я вас в первый раз вижу и знать вашего родства не хочу.

— Да ведь я ж тебе дядя; я тебя на руках еще грудного ребенка таскал!

— Какое мне дело, что бы вы там ни таскали. Я вас тогда не просила таскать, значит, вам, господин неучтивый офицер, самому тогда доставляло удовольствие. И позвольте мне заметить, что вы не смеете говорить мне *ты*, если не от гражданства, и я вам раз навсегда запрещаю.

— Вот все они так! — стукнул майор кулаком по столу, обращаясь к сидевшему напротив Ставрогину. — Нет-с, позвольте, я либерализм и современность люблю и люблю послушать умные разговоры, но, предупреждаю, — от мужчин. Но от женщин, но вот от современных этих разлетаек — нет-с, это боль моя! Ты не вертись! — крикнул он студентке, которая порывалась со стула. — Нет, я тоже слова прошу, я обижен-с.

— Вы только мешаете другим, а сами ничего не умеете сказать, — с негодованием проворчала хозяйка.

— Нет, уж я выскажу, — горячился майор, обращаясь к Ставрогину. — Я на вас, господин Ставрогин, как на нового вошедшего человека рассчитываю, хотя и не имею чести вас знать. Без мужчин они пропадут, как мухи, — вот мое мнение. Весь их женский вопрос — это один только недостаток оригинальности. Уверяю же вас, что женский этот весь вопрос выдумали им мужчины, сдуру, сами на свою шею, — слава только Богу, что я не женат! Ни малейшего разнообразия-с, узора простого не выдумают; и узоры за них мужчины выдумывают! Вот-с, я ее на руках носил, с ней, десятилетней, мазурку танцевал, сегодня она приехала, натурально лечу обнять, а она мне со второго слова объявляет, что Бога нет. Да хоть бы с третьего, а не со второго слова, а то спешит! Ну, положим, умные люди не веруют, так ведь это от ума, а ты-то, говорю, пузырь, ты что в Боге понимаешь? Ведь тебя студент научил, а научил бы лампадки зажигать, ты бы и зажигала.

— Вы всё лжете, вы очень злой человек, а я давеча доказательно выразила вам вашу несостоятельность, — ответила студентка с пренебрежением и как бы презирая много объясняться с таким человеком. — Я вам именно говорила давеча, что нас всех учили по катехизису: «Если будешь почитать своего отца и своих родителей, то будешь долголетним и тебе дано будет богатство». Это в десяти заповедях. Если Бог нашел необходимым за любовь предлагать награду, стало быть, ваш Бог безнравствен. Вот в каких словах я вам давеча доказала, и не со второго слова, а потому что вы заявили права свои. Кто ж виноват, что вы тупы и до сих пор не понимаете. Вам обидно и вы злитесь — вот вся разгадка вашего поколения.

— Дурында! — проговорил майор.

— А вы дурак.

— Ругайся!

— Но позвольте, Капитон Максимович, ведь вы сами же говорили мне, что в Бога не веруете, — пропищал с конца стола Липутин.

— Что ж, что я говорил, я другое дело! я, может, и верую, но только не совсем. Я хоть и не верую вполне, но все-таки не скажу, что Бога расстрелять надо. Я, еще в гусарах служа, насчет Бога задумывался. Во всех стихах принято, что гусар пьет и кутит; так-с, я, может, и пил, но, верите ли, вскочишь ночью с постели в одних носках и давай кресты крестить пред образом, чтобы Бог веру послал, потому что я и тогда не мог быть спокойным: есть Бог или нет? До того оно мне солоно доставалось! Утром, конечно, развлечешься, и опять вера как будто пропадет, да и вообще я заметил, что днем всегда вера несколько пропадает.

— А не будет ли у вас карт? — зевнул во весь рот Верховенский, обращаясь к хозяйке.

— Я слишком, слишком сочувствую вашему вопросу! — рванулась студентка, рдея в негодовании от слов майора.

— Теряется золотое время, слушая глупые разговоры, — отрезала хозяйка и взыскательно посмотрела на мужа.

Студентка подобралась:

— Я хотела заявить собранию о страдании и о протесте студентов, а так как время тратится в безнравственных разговорах...

— Ничего нет ни нравственного, ни безнравственного! — тотчас же не вытерпел гимназист, как только начала студентка.

— Это я знала, господин гимназист, гораздо прежде, чем вас тому научили.

— А я утверждаю, — остервенился тот, — что вы — приехавший из Петербурга ребенок, с тем чтобы нас всех просветить, тогда как мы и сами знаем. О заповеди: «Чти отца твоего и матерь твою», которую вы не умели прочесть, и что она безнравственна, — уже с Белинского всем в России известно.

— Кончится ли это когда-нибудь? — решительно проговорила madame Виргинская мужу. Как хозяйка, она краснела за ничтожество разговоров, особенно заметив несколько улыбок и даже недоумение между новопозванными гостями.

— Господа, — возвысил вдруг голос Виргинский, — если бы кто пожелал начать о чем-нибудь более идущем к делу или имеет что заявить, то я предлагаю приступить, не теряя времени.

— Осмелюсь сделать один вопрос, — мягко проговорил доселе молчавший и особенно чинно сидевший хромой учитель, — я желал бы знать, составляем ли мы здесь, теперь, какое-нибудь заседание или просто мы собрание обыкновенных смертных, пришедших в гости? Спрашиваю более для порядку и чтобы не находиться в неведении.

«Хитрый» вопрос произвел впечатление; все переглянулись, каждый как бы ожидая один от другого ответа, и вдруг все как по команде обратили взгляды на Верховенского и Ставрогина.

— Я просто предлагаю вотировать ответ на вопрос: «Заседание мы или нет?» — проговорила madame Виргинская.

— Совершенно присоединяюсь к предложению, — отозвался Липутин, — хотя оно и несколько неопределенно.

— И я присоединяюсь, и я, — послышались голоса.

— И мне кажется, действительно будет более порядку, — скрепил Виргинский.

— Итак, на голоса! — объявила хозяйка. — Лямшин, прошу вас, сядьте за фортепьяно: вы и оттуда можете подать ваш голос, когда начнут вотировать.

— Опять! — крикнул Лямшин. — Довольно я вам барабанил.

— Я вас прошу настойчиво, сядьте играть; вы не хотите быть полезным делу?

— Да уверяю же вас, Арина Прохоровна, что никто не подслушивает. Одна ваша фантазия. Да и окна высоки, да и кто тут поймет что-нибудь, если б и подслушивал.

— Мы и сами-то не понимаем, в чем дело, — проворчал чей-то голос.

— А я вам говорю, что предосторожность всегда необходима. Я на случай, если бы шпионы, — обратилась она с толкованием к Верховенскому, — пусть услышат с улицы, что у нас именины и музыка.

— Э, черт! — выругался Лямшин, сел за фортепьяно и начал барабанить вальс, зря и чуть не кулаками стуча по клавишам.

— Тем, кто желает, чтобы было заседание, я предлагаю поднять правую руку вверх, — предложила madame Виргинская.

Одни подняли, другие нет. Были и такие, что подняли и опять взяли назад. Взяли назад и опять подняли.

— Фу, черт! я ничего не понял, — крикнул один офицер.

— И я не понимаю, — крикнул другой.

— Нет, я понимаю, — крикнул третий, — если *да*, то руку вверх.

— Да что *да*-то значит?

— Значит, заседание.

— Нет, не заседание.

— Я вотировал заседание, — крикнул гимназист, обращаясь к madame Виргинской.

— Так зачем же вы руку не подняли?

— Я всё на вас смотрел, вы не подняли, так и я не поднял.

— Как глупо, я потому, что я предлагала, потому и не подняла. Господа, предлагаю вновь обратно: кто хочет заседание, пусть сидит и не подымает руки, а кто не хочет, тот пусть подымет правую руку.

— Кто не хочет? — переспросил гимназист.

— Да вы это нарочно, что ли? — крикнула в гневе madame Виргинская.

— Нет-с, позвольте, кто хочет или кто не хочет, потому что это надо точнее определить? — раздались два-три голоса.

— Кто не хочет, *не* хочет.

— Ну да, но что надо делать, подымать или не подымать, если *не* хочет? — крикнул офицер.

— Эх, к конституции-то мы еще не привыкли! — заметил майор.

— Господин Лямшин, сделайте одолжение, вы так стучите, никто не может расслышать, — заметил хромой учитель.

— Да ей-богу же, Арина Прохоровна, никто не подслушивает, — вскочил Лямшин. — Да не хочу же играть! Я к вам в гости пришел, а не барабанить!

— Господа, — предложил Виргинский, — отвечайте все голосом: заседание мы или нет?

— Заседание, заседание! — раздалось со всех сторон.

— А если так, то нечего и вотировать, довольно. Довольны ли вы, господа, надо ли еще вотировать?

— Не надо, не надо, поняли!

— Может быть, кто не хочет заседания?

— Нет, нет, все хотим.

— Да что такое заседание? — крикнул голос. Ему не ответили.

— Надо выбрать президента, — крикнули с разных сторон.

— Хозяина, разумеется хозяина!

— Господа, коли так, — начал выбранный Виргинский, — то я предлагаю давешнее первоначальное мое предложение: если бы кто пожелал начать о чем-нибудь более идущем к делу или имеет что заявить, то пусть приступит, не теряя времени.

Общее молчание. Взгляды всех вновь обратились на Ставрогина и Верховенского.

— Верховенский, вы не имеете ничего заявить? — прямо спросила хозяйка.

— Ровно ничего, — потянулся он, зевая, на стуле. — Я, впрочем, желал бы рюмку коньяку.

— Ставрогин, вы не желаете?

— Благодарю, я не пью.

— Я говорю, желаете вы говорить или нет, а не про коньяк.

— Говорить, об чем? Нет, не желаю.

— Вам принесут коньяку, — ответила она Верховенскому.

Поднялась студентка. Она уже несколько раз подвскакивала.

— Я приехала заявить о страданиях несчастных студентов и о возбуждении их повсеместно к протесту...

Но она осеклась; на другом конце стола явился уже другой конкурент, и все взоры обратились к нему. Длинноухий Шигалев с мрачным и угрюмым видом медленно поднялся с своего места и меланхолически положил толстую и чрезвычайно мелко исписанную тетрадь на стол. Он не садился и молчал. Многие с замешательством смотрели на тетрадь, но Липутин, Виргинский и хромой учитель были, казалось, чем-то довольны.

— Прошу слова, — угрюмо, но твердо заявил Шигалев.

— Имеете, — разрешил Виргинский.

Оратор сел, помолчал с полминуты и произнес важным голосом:

— Господа...

— Вот коньяк! — брезгливо и презрительно отрубила родственница, разливавшая чай, уходившая за коньяком и ставя его теперь пред Верховенским вместе с рюмкой, которую принесла в пальцах, без подноса и без тарелки.

Прерванный оратор с достоинством приостановился.

— Ничего, продолжайте, я не слушаю, — крикнул Верховенский, наливая себе рюмку.

— Господа, обращаясь к вашему вниманию, — начал вновь Шигалев, — и, как увидите ниже, испрашивая вашей помощи в пункте первостепенной важности, я должен произнести предисловие.

— Арина Прохоровна, нет у вас ножниц? — спросил вдруг Петр Степанович.

— Зачем вам ножниц? — выпучила та на него глаза.

— Забыл ногти обстричь, три дня собираюсь, — промолвил он, безмятежно рассматривая свои длинные и нечистые ногти.

Арина Прохоровна вспыхнула, но девице Виргинской как бы что-то понравилось.

— Кажется, я их здесь на окне давеча видела, — встала она из-за стола, пошла, отыскала ножницы и тотчас же принесла с собой. Петр Степанович даже не посмотрел на нее, взял ножницы и начал возиться с ними. Арина Прохоровна поняла, что это реальный прием, и устыдилась своей обидчивости. Собрание переглядывалось молча. Хромой учитель злобно и завистливо наблюдал Верховенского. Шигалев стал продолжать:

— Посвятив мою энергию на изучение вопроса о социальном устройстве будущего общества, которым заменится настоящее, я пришел к убеждению, что все созидатели социальных систем, с древнейших времен до нашего 187... года, были мечтатели, сказочники, глупцы, противоречившие себе, ничего ровно не понимавшие в естественной науке и в том странном животном, которое называется человеком. Платон, Руссо, Фурье, колонны из алюминия — всё это годится разве для воробьев, а не для общества человеческого. Но так как будущая общественная форма необходима именно теперь, когда все мы наконец собираемся действовать, чтоб уже более не задумываться, то я и предлагаю собственную мою систему устройства мира. Вот она! — стукнул он по тетради. — Я хотел изложить собранию мою книгу по возможности в сокращенном виде; но вижу, что потребуется еще прибавить множество изустных разъяснений, а потому всё изложение потребует по крайней мере десяти вечеров, по числу глав моей книги. (Послышался смех.) Кроме того, объявляю заранее, что система моя не окончена. (Смех опять.) Я запутался в собственных данных, и мое заключение в прямом противоречии с первоначальной идеей, из которой я выхожу. Выходя из безграничной свободы, я заключаю безграничным деспотизмом. Прибавлю, однако ж, что, кроме моего разрешения общественной формулы, не может быть никакого.

Смех разрастался сильней и сильней, но смеялись более молодые и, так сказать, мало посвященные гости. На лицах хозяйки, Липутина и хромого учителя выразилась некоторая досада.

— Если вы сами не сумели слепить свою систему и пришли к отчаянию, то нам-то тут чего делать? — осторожно заметил один офицер.

— Вы правы, господин служащий офицер, — резко оборотился к нему Шигалев, — и всего более тем, что употребили слово «отчаяние». Да, я приходил к отчаянию; тем не менее всё, что изложено в моей книге, — незаменимо, и другого выхода нет; никто ничего не выдумает. И потому спешу, не теряя времени, пригласить всё общество, по выслушании моей книги в продолжение десяти вечеров, заявить свое мнение. Если же члены не захотят меня слушать, то разойдемся в самом начале, — мужчины чтобы заняться государственною службой, женщины в свои кухни, потому что, отвергнув книгу мою, другого выхода они не найдут. Ни-ка-кого! Упустив же время, повредят себе, так как потом неминуемо к тому же воротятся.

Началось движение: «Что он, помешанный, что ли?» — раздались голоса.

— Значит, всё дело в отчаянии Шигалева, — заключил Лямшин, — а насущный вопрос в том: быть или не быть ему в отчаянии?

— Близость Шигалева к отчаянию есть вопрос личный, — заявил гимназист.

— Я предлагаю вотировать, насколько отчаяние Шигалева касается общего дела, а с тем вместе, стоит ли слушать его или нет? — весело решил офицер.

— Тут не то-с, — ввязался, наконец, хромой. Вообще он говорил с некоторой как бы насмешливою улыбкой, так что, пожалуй, трудно было и разобрать, искренно он говорит или шутит. — Тут, господа, не то-с. Господин Шигалев слишком серьезно предан своей задаче и притом слишком скромен. Мне книга его известна. Он предлагает, в виде конечного разрешения вопроса, — разделение человечества на две неравные части. Одна десятая доля получает свободу личности и безграничное право над остальными девятью десятыми. Те же должны потерять личность и обратиться вроде как в стадо и при безграничном повиновении достигнуть рядом перерождений первобытной невинности, вроде как бы первобытного рая, хотя, впрочем, и будут работать. Меры, предлагаемые автором для отнятия у девяти десятых человечества воли и переделки его в стадо, посредством перевоспитания целых поколений, — весьма замечательны, основаны на естественных данных и очень логичны. Можно не согласиться с иными выводами, но в уме и в знаниях автора усумниться трудно. Жаль, что условие десяти вечеров совершенно несовместимо с обстоятельствами, а то бы мы могли услышать много любопытного.

— Неужели вы серьезно? — обратилась к хромому madame Виргинская, в некоторой даже тревоге. — Если этот человек, не зная, куда деваться с людьми, обращает их девять десятых в рабство? Я давно подозревала его.

— То есть вы про вашего братца? — спросил хромой.

— Родство? Вы смеетесь надо мною или нет?

— И, кроме того, работать на аристократов и повиноваться им, как богам, — это подлость! — яростно заметила студентка.

— Я предлагаю не подлость, а рай, земной рай, и другого на земле быть не может, — властно заключил Шигалев.

— А я бы вместо рая, — вскричал Лямшин, — взял бы этих девять десятых человечества, если уж некуда с ними деваться, и взорвал их на воздух, а оставил бы только кучку людей образованных, которые и начали бы жить-поживать по-ученому.

— Так может говорить только шут! — вспыхнула студентка.

— Он шут, но полезен, — шепнула ей madame Виргинская.

— И, может быть, это было бы самым лучшим разрешением задачи! — горячо оборотился Шигалев к Лямшину. — Вы, конечно, и не знаете, какую глубокую вещь удалось вам сказать, господин веселый человек. Но так как ваша идея почти невыполнима, то и надо ограничиться земным раем, если уж так это назвали.

— Однако порядочный вздор! — как бы вырвалось у Верховенского. Впрочем, он, совершенно равнодушно и не подымая глаз, продолжал обстригать свои ногти.

— Почему же вздор-с? — тотчас же подхватил хромой, как будто так и ждал от него первого слова, чтобы вцепиться. — Почему же именно вздор? Господин Шигалев отчасти фанатик человеколюбия; но вспомните, что у Фурье, у Кабета особенно и даже у самого Прудона есть множество самых деспотических и самых фантастических предрешений вопроса. Господин Шигалев даже, может быть, гораздо трезвее их разрешает дело. Уверяю вас, что, прочитав книгу его, почти невозможно не согласиться с иными вещами. Он, может быть, менее всех удалился от реализма, и его земной рай есть почти настоящий, тот самый, о потере которого вздыхает человечество, если только он когда-нибудь существовал.

— Ну, я так и знал, что нарвусь, — проборматал опять Верховенский.

— Позвольте-с, — вскипал всё более и более хромой, — разговоры и суждения о будущем социальном устройстве — почти настоятельная необходимость всех мыслящих современных людей. Герцен всю жизнь только о том и заботился. Белинский, как мне достоверно известно, проводил целые вечера с своими друзьями, дебатируя и предрешая заранее даже самые мелкие, так сказать кухонные, подробности в будущем социальном устройстве.

— Даже с ума сходят иные, — вдруг заметил майор.

— Все-таки хоть до чего-нибудь договориться можно, чем сидеть и молчать в виде диктаторов, — прошипел Липутин, как бы осмеливаясь наконец начать нападение.

— Я не про Шигалева сказал, что вздор, — промямлил Верховенский. — Видите, господа, — приподнял он капельку глаза, — по-моему, все эти книги, Фурье, Кабеты, все эти «права на работу», шигалевщина — всё это вроде романов, которых можно написать сто тысяч. Эстетическое препровождение времени. Я понимаю, что вам здесь в городишке скучно, вы и бросаетесь на писаную бумагу.

— Позвольте-с, — задергался на стуле хромой, — мы хоть и провинциалы и, уж конечно, достойны тем сожаления, но, однако же, знаем, что на свете покамест ничего такого нового не случилось, о чем бы нам плакать, что проглядели. Нам вот предлагают, чрез разные подкидные листки иностранной фактуры, сомкнуться и завести кучки с единственною целию всеобщего разрушения, под тем предлогом, что как мир ни лечи, всё не вылечишь, а срезав радикально сто миллионов голов и тем облегчив себя, можно вернее перескочить через канавку. Мысль прекрасная, без сомнения, но по крайней мере столь же несовместимая с действительностию, как и «шигалевщина», о которой вы сейчас отнеслись так презрительно.

— Ну, да я не для рассуждений приехал, — промахнулся значительным словцом Верховенский и, как бы вовсе не замечая своего промаха, подвинул к себе свечу, чтобы было светлее.

— Жаль-с, очень жаль, что не для рассуждений приехали, и очень жаль, что вы так теперь заняты своим туалетом.

— А чего вам мой туалет?

— Сто миллионов голов так же трудно осуществить, как и переделать мир пропагандой. Даже, может быть, и труднее, особенно если в России, — рискнул опять Липутин.

— На Россию-то теперь и надеются, — проговорил офицер.

— Слышали мы и о том, что надеются, — подхватил хромой. — Нам известно, что на наше прекрасное отечество обращен таинственный index[1] как на страну, наиболее способную к исполнению великой задачи. Только вот что-с: в случае постепенного разрешения задачи пропагандой я хоть что-нибудь лично выигрываю, ну хоть приятно поболтаю, а от начальства так и чин получу за услуги социальному делу. А во-вторых, в быстром-то разрешении, посредством ста миллионов голов, мне-то, собственно, какая будет награда? Начнешь пропагандировать, так еще, пожалуй, язык отрежут.

— Вам непременно отрежут, — сказал Верховенский.

— Видите-с. А так как при самых благоприятных обстоятельствах раньше пятидесяти лет, ну тридцати, такую резню не докончишь, потому что ведь не бараны же те-то, пожалуй, и не дадут себя резать, — то не лучше ли, собравши свой скарб, переселиться куда-нибудь за тихие моря на тихие острова и закрыть там свои глаза безмятежно? Поверьте-с, — постучал он значительно пальцем по столу, — вы только эмиграцию такою пропагандой вызовете, а более ничего-с!

Он закончил, видимо торжествуя. Это была сильная губернская голова. Липутин коварно улыбался, Виргинский слушал несколько уныло, остальные все с чрезвычайным вниманием следили за спором, особенно дамы и офицеры. Все понимали, что агента ста миллионов голов приперли к стене, и ждали, что из этого выйдет.

— Это вы, впрочем, хорошо сказали, — еще равнодушнее, чем прежде, даже как бы со скукой промямлил Верховенский. — Эмигрировать — мысль хорошая. Но все-таки если, несмотря на все явные невыгоды, которые вы предчувствуете, солдат на общее дело является всё больше и больше с каждым днем, то и без вас обойдется. Тут, батюшка, новая религия идет взамен старой, оттого так много солдат и является, и дело это крупное. А вы эмигрируйте! И знаете, я вам советую в Дрезден, а не на тихие острова. Во-первых, это город, никогда не видавший никакой эпидемии, а так как вы человек развитый, то, наверно, смерти боитесь; во-вторых, близко от русской границы, так что можно скорее получать из любезного отечества доходы; в-третьих, заключает в себе так называемые сокровища искусств, а вы человек эстетический, бывший учитель словесности, кажется; ну и наконец, заключает в себе свою собственную карманную Швейцарию — это уж для поэтических вдохновений, потому, наверно, стишки пописываете. Одним словом, клад в табатерке!

Произошло движение; особенно офицеры зашевелились. Еще мгновение, и все бы разом заговорили. Но хромой раздражительно накинулся на приманку:

— Нет-с, мы еще, может быть, и не уедем от общего дела! Это надо понимать-с...

— Как так, вы разве пошли бы в пятерку, если б я вам предложил? — брякнул вдруг Верховенский и положил ножницы на стол.

Все как бы вздрогнули. Загадочный человек слишком вдруг раскрылся. Даже прямо про «пятерку» заговорил.

— Всякий чувствует себя честным человеком и не уклонится от общего дела, — закривился хромой, — но...

— Нет-с, тут уж дело не в *но*, — властно и резко перебил Верховенский. — Я объявляю, господа, что мне нужен прямой ответ. Я слишком понимаю, что я, прибыв сюда и собрав вас сам вместе, обязан вам объяснениями (опять неожи-

---

[1] перст (*лат.*).

данное раскрытие), но я не могу дать никаких, прежде чем не узнаю, какого образа мыслей вы держитесь. Минуя разговоры — потому что не тридцать же лет опять болтать, как болтали до сих пор тридцать лет, — я вас спрашиваю, что вам милее: медленный ли путь, состоящий в сочинении социальных романов и в канцелярском предрешении судеб человеческих на тысячи лет вперед на бумаге, тогда как деспотизм тем временем будет глотать жареные куски, которые вам сами в рот летят и которые вы мимо рта пропускаете, или вы держитесь решения скорого, в чем бы оно ни состояло, но которое наконец развяжет руки и даст человечеству на просторе самому социально устроиться, и уже на деле, а не на бумаге? Кричат: «Сто миллионов голов», — это, может быть, еще и метафора, но чего их бояться, если при медленных бумажных мечтаниях деспотизм в какие-нибудь во сто лет съест не сто, а пятьсот миллионов голов? Заметьте еще, что неизлечимый больной всё равно не вылечится, какие бы ни прописывали ему на бумаге рецепты, а, напротив, если промедлить, до того загниет, что и нас заразит, перепортит все свежие силы, на которые теперь еще можно рассчитывать, так что мы все наконец провалимся. Я согласен совершенно, что либерально и красноречиво болтать чрезвычайно приятно, а действовать — немного кусается... Ну, да впрочем, я говорить не умею; я прибыл сюда с сообщениями, а потому прошу всю почтенную компанию не то что вотировать, а прямо и просто заявить, что вам веселее: черепаший ли ход в болоте или на всех парах через болото?

— Я положительно за ход на парах! — крикнул в восторге гимназист.

— Я тоже, — отозвался Лямшин.

— В выборе, разумеется, нет сомнения, — пробормотал один офицер, за ним другой, за ним еще кто-то. Главное, всех поразило, что Верховенский с «сообщениями» и сам обещал сейчас говорить.

— Господа, я вижу, что почти все решают в духе прокламаций, — проговорил он, озирая общество.

— Все, все, — раздалось большинство голосов.

— Я, признаюсь, более принадлежу к решению гуманному, — проговорил майор, — но так как уж все, то и я со всеми.

— Выходит, стало быть, что и вы не противоречите? — обратился Верховенский к хромому.

— Я не то чтобы... — покраснел было несколько тот, — но я если и согласен теперь со всеми, то единственно, чтобы не нарушить...

— Вот вы все таковы! Полгода спорить готов для либерального красноречия, а кончит ведь тем, что вотирует со всеми! Господа, рассудите, однако, правда ли, что вы все готовы? (К чему готовы? — вопрос неопределенный, но ужасно заманчивый.)

— Конечно, все... — раздались заявления. Все, впрочем, поглядывали друг на друга.

— А может, потом и обидитесь, что скоро согласились? Ведь это почти всегда так у вас бывает.

Заволновались в различном смысле, очень заволновались. Хромой налетел на Верховенского.

— Позвольте вам, однако, заметить, что ответы на подобные вопросы обусловливаются. Если мы и дали решение, то заметьте, что все-таки вопрос, заданный таким странным образом...

— Каким странным образом?

— Таким, что подобные вопросы не так задаются.

— Научите, пожалуйста. А знаете, я так ведь и уверен был, что вы первый обидитесь.

— Вы из нас вытянули ответ на готовность к немедленному действию, а какие, однако же, права вы имели так поступать? Какие полномочия, чтобы задавать такие вопросы?

— Так вы об этом раньше бы догадались спросить! Зачем же вы отвечали? Согласились, да и спохватились.

— А по-моему, легкомысленная откровенность вашего главного вопроса дает мне мысль, что вы вовсе не имеете ни полномочий, ни прав, а лишь от себя любопытствовали.

— Да вы про что, про что? — вскричал Верховенский, как бы начиная очень тревожиться.

— А про то, что аффилиации, какие бы ни были, делаются по крайней мере глаз на глаз, а не в незнакомом обществе двадцати человек! — брякнул хромой. Он высказался весь, но уже слишком был раздражен.

Верховенский быстро оборотился к обществу с отлично подделанным встревоженным видом.

— Господа, считаю долгом всем объявить, что всё это глупости и разговор наш далеко зашел. Я еще ровно никого не аффильировал, и никто про меня не имеет права сказать, что я аффильирую, а мы просто говорили о мнениях. Так ли? Но так или этак, а вы меня очень тревожите, — повернулся он опять к хромому, — я никак не думал, что здесь о таких почти невинных вещах надо говорить глаз на глаз. Или вы боитесь доноса? Неужели между нами может заключаться теперь доносчик?

Волнение началось чрезвычайное; все заговорили.

— Господа, если бы так, — продолжал Верховенский, — то ведь всех более компрометировал себя я, а потому предложу ответить на один вопрос, разумеется, если захотите. Вся ваша полная воля.

— Какой вопрос? какой вопрос? — загалдели все.

— А такой вопрос, что после него станет ясно: оставаться нам вместе или молча разобрать наши шапки и разойтись в свои стороны.

— Вопрос, вопрос?

— Если бы каждый из нас знал о замышленном политическом убийстве, то пошел ли бы он донести, предвидя все последствия, или остался бы дома, ожидая событий? Тут взгляды могут быть разные. Ответ на вопрос скажет ясно — разойтись нам или оставаться вместе, и уже далеко не на один этот вечер. Позвольте обратиться к вам первому, — обернулся он к хромому.

— Почему же ко мне первому?

— Потому что вы всё и начали. Сделайте одолжение, не уклоняйтесь, ловкость тут не поможет. Но, впрочем, как хотите; ваша полная воля.

— Извините, но подобный вопрос даже обиден.

— Нет уж, нельзя ли поточнее.

— Агентом тайной полиции никогда не бывал-с, — скривился тот еще более.

— Сделайте одолжение, точнее, не задерживайте.

Хромой до того озлился, что даже перестал отвечать. Молча, злобным взглядом из-под очков в упор смотрел он на истязателя.

— Да или нет? Донесли бы или не донесли? — крикнул Верховенский.

— Разумеется, *не* донесу! — крикнул вдвое сильнее хромой.

— И никто не донесет, разумеется, не донесет, — послышались многие голоса.

— Позвольте обратиться к вам, господин майор, донесли бы вы или не донесли? — продолжал Верховенский. — И заметьте, я нарочно к вам обращаюсь.

— Не донесу-с.

— Ну, а если бы вы знали, что кто-нибудь хочет убить и ограбить другого, обыкновенного смертного, ведь вы бы донесли, предуведомили?

— Конечно-с, но ведь это гражданский случай, а тут донос политический. Агентом тайной полиции не бывал-с.

— Да и никто здесь не бывал, — послышались опять голоса. — Напрасный вопрос. У всех один ответ. Здесь не доносчики!

— Отчего встает этот господин? — крикнула студентка.

— Это Шатов. Отчего вы встали, Шатов? — крикнула хозяйка.

Шатов встал действительно; он держал свою шапку в руке и смотрел на Верховенского. Казалось, он хотел ему что-то сказать, но колебался. Лицо его было бледно и злобно, но он выдержал, не проговорил ни слова и молча пошел вон из комнаты.

— Шатов, ведь это для вас же невыгодно! — загадочно крикнул ему вслед Верховенский.

— Зато тебе выгодно, как шпиону и подлецу! — прокричал ему в дверях Шатов и вышел совсем.

Опять крики и восклицания.

— Вот она, проба-то! — крикнул голос.

— Пригодилась! — крикнул другой.

— Не поздно ли пригодилась-то? — заметил третий.

— Кто его приглашал? — Кто принял? — Кто таков? — Кто такой Шатов? — Донесет или не донесет? — сыпались вопросы.

— Если бы доносчик, он бы прикинулся, а то он наплевал да и вышел, — заметил кто-то.

— Вот и Ставрогин встает, Ставрогин тоже не отвечал на вопрос, — крикнула студентка.

Ставрогин действительно встал, а с ним вместе с другого конца стола поднялся и Кириллов.

— Позвольте, господин Ставрогин, — резко обратилась к нему хозяйка, — мы все здесь ответили на вопрос, между тем как вы молча уходите?

— Я не вижу надобности отвечать на вопрос, который вас интересует, — пробормотал Ставрогин.

— Но мы себя компрометировали, а вы нет, — закричало несколько голосов.

— А мне какое дело, что вы себя компрометировали? — засмеялся Ставрогин, но глаза его сверкали.

— Как какое дело? Как какое дело? — раздались восклицания. Многие вскочили со стульев.

— Позвольте, господа, позвольте, — кричал хромой, — ведь и господин Верховенский не отвечал на вопрос, а только его задавал.

Замечание произвело эффект поразительный. Все переглянулись. Ставрогин громко засмеялся в глаза хромому и вышел, а за ним Кириллов. Верховенский выбежал вслед за ними в переднюю.

— Что вы со мной делаете? — пролепетал он, схватив Ставрогина за руку и изо всей силы стиснув ее в своей. Тот молча вырвал руку.

— Будьте сейчас у Кириллова, я приду... Мне необходимо, необходимо!

— Мне нет необходимости, — отрезал Ставрогин.

— Ставрогин будет, — покончил Кириллов. — Ставрогин, вам есть необходимость. Я вам там покажу.

Они вышли.

Глава восьмая
ИВАН-ЦАРЕВИЧ

Они вышли. Петр Степанович бросился было в «заседание», чтоб унять хаос, но, вероятно рассудив, что не стоит возиться, оставил всё и через две минуты уже летел по дороге вслед за ушедшими. На бегу ему припомнился переулок, которым можно было еще ближе пройти к дому Филиппова; увязая по колена в грязи, он пустился по переулку и в самом деле прибежал в ту самую минуту, когда Ставрогин и Кириллов проходили в ворота.

— Вы уже здесь? — заметил Кириллов. — Это хорошо. Входите.

— Как же вы говорили, что живете один? — спросил Ставрогин, проходя в сенях мимо наставленного и уже закипавшего самовара.

— Сейчас увидите, с кем я живу, — пробормотал Кириллов, — входите.

Едва вошли, Верховенский тотчас же вынул из кармана давешнее анонимное письмо, взятое у Лембке, и положил пред Ставрогиным. Все трое сели. Ставрогин молча прочел письмо.

— Ну? — спросил он.

— Этот негодяй сделает как по писаному, — пояснил Верховенский. — Так как он в вашем распоряжении, то научите, как поступить. Уверяю вас, что он, может быть, завтра же пойдет к Лембке.

— Ну и пусть идет.

— Как пусть? Особенно если можно обойтись.

— Вы ошибаетесь, он от меня не зависит. Да и мне всё равно; мне он ничем не угрожает, а угрожает лишь вам.

— И вам.

— Не думаю.

— Но вас могут другие не пощадить, неужто не понимаете? Слушайте, Ставрогин, это только игра на словах. Неужто вам денег жалко?

— А надо разве денег?

— Непременно, тысячи две или minimum полторы. Дайте мне завтра или даже сегодня, и завтра к вечеру я спроважу его вам в Петербург, того-то ему и хочется. Если хотите, с Марьей Тимофеевной — это заметьте.

Было в нем что-то совершенно сбившееся, говорил он как-то неосторожно, вырывались слова необдуманные. Ставрогин присматривался к нему с удивлением.

— Мне незачем отсылать Марью Тимофеевну.

— Может быть, даже и не хотите? — иронически улыбнулся Петр Степанович.

— Может быть, и не хочу.

— Одним словом, будут или не будут деньги? — в злобном нетерпении и как бы властно крикнул он на Ставрогина. Тот оглядел его серьезно.

— Денег не будет.

— Эй, Ставрогин! Вы что-нибудь знаете или что-нибудь уже сделали? Вы — кутите!

Лицо его искривилось, концы губ вздрогнули, и он вдруг рассмеялся каким-то совсем беспредметным, ни к чему не идущим смехом.

— Ведь вы от отца вашего получили же деньги за имение, — спокойно заметил Николай Всеволодович. — Maman выдала вам тысяч шесть или восемь за Степана Трофимовича. Вот и заплатите полторы тысячи из своих. Я не хочу, наконец, платить за чужих, я и так много роздал, мне это обидно... — усмехнулся он сам на свои слова.

— А, вы шутить начинаете...

Ставрогин встал со стула, мигом вскочил и Верховенский и машинально стал спиной к дверям, как бы загораживая выход. Николай Всеволодович уже сделал жест, чтоб оттолкнуть его от двери и выйти, но вдруг остановился.

— Я вам Шатова не уступлю, — сказал он. Петр Степанович вздрогнул; оба глядели друг на друга. — Я вам давеча сказал, для чего вам Шатова кровь нужна, — засверкал глазами Ставрогин. — Вы этою мазью ваши кучки слепить хотите. Сейчас вы отлично выгнали Шатова: вы слишком знали, что он не сказал бы: «не донесу», а солгать пред вами почел бы низостью. Но я-то, я-то для чего вам теперь понадобился? Вы ко мне пристаете почти что с заграницы. То, чем вы это объясняли мне до сих пор, один только бред. Меж тем вы клоните, чтоб я, отдав полторы тысячи Лебядкину, дал тем случай Федьке его зарезать. Я знаю, у вас мысль, что мне хочется зарезать заодно и жену. Связав меня преступлением, вы, конечно, думаете получить надо мною власть, ведь так? Для чего вам власть? На кой черт я вам понадобился? Раз навсегда рассмотрите ближе: ваш ли я человек, и оставьте меня в покое.

— К вам Федька сам приходил? — одышливо проговорил Верховенский.

— Да, он приходил; его цена тоже полторы тысячи... Да вот он сам подтвердит, вон стоит... — протянул руку Ставрогин.

Петр Степанович быстро обернулся. На пороге, из темноты, выступила новая фигура — Федька, в полушубке, но без шапки, как дома. Он стоял и посмеивался, скаля свои ровные белые зубы. Черные с желтым отливом глаза его осторожно шмыгали по комнате, наблюдая господ. Он чего-то не понимал; его, очевидно, сейчас привел Кириллов, и к нему-то обращался его вопросительный взгляд; стоял он на пороге, но переходить в комнату не хотел.

— Он здесь у вас припасен, вероятно, чтобы слышать наш торг или видеть даже деньги в руках, ведь так? — спросил Ставрогин и, не дожидаясь ответа, пошел вон из дому. Верховенский нагнал его у ворот почти в сумасшествии.

— Стой! Ни шагу! — крикнул он, хватая его за локоть. Ставрогин рванул руку, но не вырвал. Бешенство овладело им: схватив Верховенского за волосы левою рукой, он бросил его изо всей силы об земь и вышел в ворота. Но он не прошел еще тридцати шагов, как тот опять нагнал его. — Помиримтесь, помиримтесь, — прошептал он ему судорожным шепотом.

Николай Всеволодович вскинул плечами, но не остановился и не оборотился.

— Слушайте, я вам завтра же приведу Лизавету Николаевну, хотите? Нет? Что же вы не отвечаете? Скажите, чего вы хотите, я сделаю. Слушайте: я вам отдам Шатова, хотите?

— Стало быть, правда, что вы его убить положили? — вскричал Николай Всеволодович.

— Ну зачем вам Шатов? Зачем? — задыхающейся скороговоркой продолжал исступленный, поминутно забегая вперед и хватаясь за локоть Ставрогина, вероятно и не замечая того. — Слушайте: я вам отдам его, помиримтесь. Ваш счет велик, но... помиримтесь!

Ставрогин взглянул на него наконец и был поражен. Это был не тот взгляд, не тот голос, как всегда или как сейчас там в комнате; он видел почти другое лицо. Интонация голоса была не та: Верховенский молил, упрашивал. Это был еще не опомнившийся человек, у которого отнимают или уже отняли самую драгоценную вещь.

— Да что с вами? — вскричал Ставрогин. Тот не ответил, но бежал за ним и глядел на него прежним умоляющим, но в то же время и непреклонным взглядом.

— Помиримтесь! — прошептал он еще раз. — Слушайте, у меня в сапоге, как у Федьки, нож припасен, но я с вами помирюсь.

— Да на что я вам, наконец, черт! — вскричал в решительном гневе и изумлении Ставрогин. — Тайна, что ль, тут какая? Что я вам за талисман достался?

— Слушайте, мы сделаем смуту, — бормотал тот быстро и почти как в бреду. — Вы не верите, что мы сделаем смуту? Мы сделаем такую смуту, что всё поедет с основ. Кармазинов прав, что не за что ухватиться. Кармазинов очень умен. Всего только десять таких же кучек по России, и я неуловим.

— Это таких же всё дураков, — нехотя вырвалось у Ставрогина.

— О, будьте поглупее, Ставрогин, будьте поглупее сами! Знаете, вы вовсе ведь не так и умны, чтобы вам этого желать: вы боитесь, вы не верите, вас пугают размеры. И почему они дураки? Они не такие дураки; нынче у всякого ум не свой. Нынче ужасно мало особливых умов. Виргинский — это человек чистейший, чище таких, как мы, в десять раз; ну и пусть его, впрочем. Липутин мошенник, но я у него одну точку знаю. Нет мошенника, у которого бы не было своей точки. Один Лямшин безо всякой точки, зато у меня в руках. Еще несколько таких кучек, у меня повсеместно паспорты и деньги, хотя бы это? Хотя бы это одно? И сохранные места, и пусть ищут. Одну кучку вырвут, а на другой сядут. Мы пустим смуту... Неужто вы не верите, что нас двоих совершенно достаточно?

— Возьмите Шигалева, а меня бросьте в покое...

— Шигалев гениальный человек! Знаете ли, что это гений вроде Фурье; но смелее Фурье, но сильнее Фурье; я им займусь. Он выдумал «равенство»!

«С ним лихорадка, и он бредит; с ним что-то случилось очень особенное», — посмотрел на него еще раз Ставрогин. Оба шли, не останавливаясь.

— У него хорошо в тетради, — продолжал Верховенский, — у него шпионство. У него каждый член общества смотрит один за другим и обязан доносом. Каждый принадлежит всем, а все каждому. Все рабы и в рабстве равны. В крайних случаях клевета и убийство, а главное — равенство. Первым делом понижается уровень образования, наук и талантов. Высокий уровень наук и талантов доступен только высшим способностям, не надо высших способностей! Высшие способности всегда захватывали власть и были деспотами. Высшие способности не могут не быть деспотами и всегда развращали более, чем приносили пользы; их изгоняют или казнят. Цицерону отрезывается язык, Копернику выкалывают глаза, Шекспир побивается каменьями — вот шигалевщина! Рабы должны быть равны: без деспотизма еще не бывало ни свободы, ни равенства, но в стаде должно быть равенство, и вот шигалевщина! Ха-ха-ха, вам странно? Я за шигалевщину!

Ставрогин старался ускорить шаг и добраться поскорее домой. «Если этот человек пьян, то где же он успел напиться, — приходило ему на ум. — Неужели коньяк?»

— Слушайте, Ставрогин: горы сравнять — хорошая мысль, не смешная. Я за Шигалева! Не надо образования, довольно науки! И без науки хватит материалу на тысячу лет, но надо устроиться послушанию. В мире одного только недостает: послушания. Жажда образования есть уже жажда аристократическая. Чуть-чуть семейство или любовь, вот уже и желание собственности. Мы уморим желание: мы пустим пьянство, сплетни, донос; мы пустим неслыханный разврат; мы всякого гения потушим в младенчестве. Всё к одному знаменателю, полное равенство. «Мы научились ремеслу, и мы честные люди, нам не надо ничего другого» — вот недавний ответ английских рабочих. Необходимо лишь необходимое — вот девиз земного шара отселе. Но нужна и судорога; об этом позаботимся мы, правители. У рабов должны быть правители. Полное послушание, полная безличность, но раз в тридцать лет Шигалев пускает и судорогу, и все вдруг начинают поедать друг друга, до известной черты, единственно чтобы не было скучно. Скука есть ощущение аристократическое; в шигалевщине не будет желаний. Желание и страдание для нас, а для рабов шигалевщина.

— Себя вы исключаете? — сорвалось опять у Ставрогина.

— И вас. Знаете ли, я думал отдать мир папе. Пусть он выйдет пеш и бос и покажется черни: «Вот, дескать, до чего меня довели!» — и всё повалит за ним, даже войско. Папа вверху, мы кругом, а под нами шигалевщина. Надо только, чтобы с папой Internationale согласилась; так и будет. А старикашка согласится мигом. Да другого ему и выхода нет, вот помяните мое слово, ха-ха-ха, глупо? Говорите, глупо или нет?

— Довольно, — пробормотал Ставрогин с досадой.

— Довольно! Слушайте, я бросил папу! К черту шигалевщину! К черту папу! Нужно злобу дня, а не шигалевщину, потому что шигалевщина ювелирская вещь. Это идеал, это в будущем. Шигалев ювелир и глуп, как всякий филантроп. Нужна черная работа, а Шигалев презирает черную работу. Слушайте: папа будет на Западе, а у нас, у нас будете вы!

— Отстаньте от меня, пьяный человек! — пробормотал Ставрогин и ускорил шаг.

— Ставрогин, вы красавец! — вскричал Петр Степанович почти в упоении. — Знаете ли, что вы красавец! В вас всего дороже то, что вы иногда про это не знаете. О, я вас изучил! Я на вас часто сбоку, из угла гляжу! В вас даже есть простодушие и наивность, знаете ли вы это? Еще есть, есть! Вы, должно быть, страдаете, и страдаете искренно, от того простодушия. Я люблю красоту. Я нигилист, но люблю красоту. Разве нигилисты красоту не любят? Они только идолов не любят, ну а я люблю идола! Вы мой идол! Вы никого не оскорбляете, и вас все ненавидят; вы смотрите всем ровней, и вас все боятся, это хорошо. К вам никто не подойдет вас потрепать по плечу. Вы ужасный аристократ. Аристократ, когда идет в демократию, обаятелен! Вам ничего не значит пожертвовать жизнью, и своею и чужою. Вы именно таков, какого надо. Мне, мне именно такого надо, как вы. Я никого, кроме вас, не знаю. Вы предводитель, вы солнце, а я ваш червяк...

Он вдруг поцеловал у него руку. Холод прошел по спине Ставрогина, и он в испуге вырвал свою руку. Они остановились.

— Помешанный! — прошептал Ставрогин.

— Может, и брежу, может, и брежу! — подхватил тот скороговоркой, — но я выдумал первый шаг. Никогда Шигалеву не выдумать первый шаг. Много Шигалевых! Но один, один только человек в России изобрел первый шаг и знает, как его сделать. Этот человек я. Что вы глядите на меня? Мне вы, вы надобны, без вас я нуль. Без вас я муха, идея в стклянке, Колумб без Америки.

Ставрогин стоял и пристально глядел в его безумные глаза.

— Слушайте, мы сначала пустим смуту, — торопился ужасно Верховенский, поминутно схватывая Ставрогина за левый рукав. — Я уже вам говорил: мы проникнем в самый народ. Знаете ли, что мы уж и теперь ужасно сильны? Наши не те только, которые режут и жгут да делают классические выстрелы или кусаются. Такие только мешают. Я без дисциплины ничего не понимаю. Я ведь мошенник, а не социалист, ха-ха! Слушайте, я их всех сосчитал: учитель, смеющийся с детьми над их Богом и над их колыбелью, уже наш. Адвокат, защищающий образованного убийцу тем, что он развитее своих жертв и, чтобы денег добыть, не мог не убить, уже наш. Школьники, убивающие мужика, чтоб испытать ощущение, наши. Присяжные, оправдывающие преступников сплошь, наши. Прокурор, трепещущий в суде, что он недостаточно либерален, наш, наш. Администраторы, литераторы, о, наших много, ужасно много, и сами того не знают! С другой стороны, послушание школьников и дурачков достигло высшей черты; у наставников раздавлен пузырь с желчью; везде тщеславие размеров непомерных, аппетит зверский, неслыханный... Знаете ли, знаете ли, сколько мы одними готовыми идейками возьмем? Я поехал — свирепствовал тезис Littré, что преступление есть помешательство; приезжаю — и уже преступление не помешательство, а именно здравый-то смысл и есть, почти долг, по крайней мере благородный протест. «Ну как развитому убийце не убить, если ему денег надо!» Но это лишь ягодки. Русский Бог уже спасовал пред «дешовкой». Народ пьян, матери пьяны, дети пьяны, церкви пусты, а на судах: «двести розог, или тащи ведро». О, дайте взрасти поколению! Жаль только, что некогда ждать, а то пусть бы они еще попьянее стали! Ах, как жаль, что нет пролетариев! Но будут, будут, к этому идет...

— Жаль тоже, что мы поглупели, — пробормотал Ставрогин и двинулся прежнею дорогой.

— Слушайте, я сам видел ребенка шести лет, который вел домой пьяную мать, а та его ругала скверными словами. Вы думаете, я этому рад? Когда в наши руки попадет, мы, пожалуй, и вылечим... если потребуется, мы на сорок лет в пустыню выгоним... Но одно или два поколения разврата теперь необходимо; разврата неслыханного, подленького, когда человек обращается в гадкую, трусливую, жестокую, себялюбивую мразь, — вот чего надо! А тут еще «свеженькой кровушки», чтоб попривык. Чего вы смеетесь? Я себе не противоречу. Я только филантропам и шигалевщине противоречу, а не себе. Я мошенник, а не социалист. Ха-ха-ха! Жаль только, что времени мало. Я Кармазинову обещал в мае начать, а к Покрову кончить. Скоро? Ха-ха! Знаете ли, что я вам скажу, Ставрогин: в русском народе до сих пор не было цинизма, хоть он и ругался скверными словами. Знаете ли, что этот раб крепостной больше себя уважал, чем Кармазинов себя? Его драли, а он своих богов отстоял, а Кармазинов не отстоял.

— Ну, Верховенский, я в первый раз слушаю вас, и слушаю с изумлением, — промолвил Николай Всеволодович, — вы, стало быть, и впрямь не социалист, а какой-нибудь политический... честолюбец?

— Мошенник, мошенник. Вас заботит, кто я такой? Я вам скажу сейчас, кто я такой, к тому и веду. Недаром же я у вас руку поцеловал. Но надо, чтоб и народ уверовал, что мы знаем, чего хотим, а что те только «машут дубиной и бьют по своим». Эх, кабы время! Одна беда — времени нет. Мы провозгласим разрушение... почему, почему, опять-таки, эта идейка так обаятельна! Но надо, надо косточки поразмять. Мы пустим пожары... Мы пустим легенды... Тут каждая шелудивая «кучка» пригодится. Я вам в этих же самых кучках таких охотников отыщу, что на всякий выстрел пойдут да еще за честь благодарны останутся. Ну-с, и начнется смута! Раскачка такая пойдет, какой еще мир не видал... Затуманится Русь, заплачет земля по старым богам... Ну-с, тут-то мы и пустим... Кого?

— Кого?

— Ивана-Царевича.

— Кого-о?

— Ивана-Царевича; вас, вас!

Ставрогин подумал с минуту.

— Самозванца? — вдруг спросил он, в глубоком удивлении смотря на иступленного. — Э! так вот наконец ваш план.

— Мы скажем, что он «скрывается», — тихо, каким-то любовным шепотом проговорил Верховенский, в самом деле как будто пьяный. — Знаете ли вы, что значит это словцо: «Он скрывается»? Но он явится, явится. Мы пустим легенду получше, чем у скопцов. Он есть, но никто не видал его. О, какую легенду можно пустить! А главное — новая сила идет. А ее-то и надо, по ней-то и плачут. Ну что в социализме: старые силы разрушил, а новых не внес. А тут сила, да еще какая, неслыханная! Нам ведь только на раз рычаг, чтобы землю поднять. Всё подымется!

— Так это вы серьезно на меня рассчитывали? — усмехнулся злобно Ставрогин.

— Чего вы смеетесь, и так злобно? Не пугайте меня. Я теперь как ребенок, меня можно до смерти испугать одною вот такою улыбкой. Слушайте, я вас никому не покажу, никому: так надо. Он есть, но никто не видал его, он скрывается. А знаете, что можно даже и показать из ста тысяч одному, например. И пойдет по всей земле: «Видели, видели». И Ивана Филипповича Бога Саваофа видели, как он в колеснице на небо вознесся пред людьми, «собственными» глазами видели. А вы не Иван Филиппович; вы красавец, гордый, как Бог, ничего для себя не ищущий, с ореолом жертвы, «скрывающийся». Главное, легенду! Вы их победите, взглянете и победите. Новую правду несет и «скрывается». А тут мы два-три соломоновских приговора пустим. Кучки-то, пятерки-то — газет не надо! Если из десяти тысяч одну только просьбу удовлетворить, то все пойдут с просьбами. В каждой волости каждый мужик будет знать, что есть, дескать, где-то такое дупло, куда просьбы опускать указано. И застонет стоном земля: «Новый правый закон идет», и взволнуется море, и рухнет балаган, и тогда подумаем, как бы поставить строение каменное. В первый раз! Строить *мы* будем, мы, одни мы!

— Неистовство! — проговорил Ставрогин.

— Почему, почему вы не хотите? Боитесь? Ведь я потому и схватился за вас, что вы ничего не боитесь. Неразумно, что ли? Да ведь я пока еще Колумб без Америки; разве Колумб без Америки разумен?

Ставрогин молчал. Меж тем пришли к самому дому и остановились у подъезда.

— Слушайте, — наклонился к его уху Верховенский, — я вам без денег; я кончу завтра с Марьей Тимофеевной... без денег, и завтра же приведу к вам Лизу. Хотите Лизу, завтра же?

«Что он, вправду помешался?» — улыбнулся Ставрогин. Двери крыльца отворились.

— Ставрогин, наша Америка? — схватил в последний раз его за руку Верховенский.

— Зачем? — серьезно и строго проговорил Николай Всеволодович.

— Охоты нет, так я и знал! — вскричал тот в порыве неистовой злобы. — Врете вы, дрянной, блудливый, изломанный барчонок, не верю, аппетит у вас волчий!.. Поймите же, что ваш счет теперь слишком велик, и не могу же я от вас отказаться! Нет на земле иного, как вы! Я вас с заграницы выдумал; выдумал, на вас же глядя. Если бы не глядел я на вас из угла, не пришло бы мне ничего в голову!..

Ставрогин, не отвечая, пошел вверх по лестнице.

— Ставрогин! — крикнул ему вслед Верховенский, — даю вам день... ну два... ну три; больше трех не могу, а там — ваш ответ!

Глава девятая
СТЕПАНА ТРОФИМОВИЧА ОПИСА́ЛИ

Между тем произошло у нас приключение, меня удивившее, а Степана Трофимовича потрясшее. Утром в восемь часов прибегала от него ко мне Настасья, с известием, что барина «описали». Я сначала ничего не мог понять: добился только, что «описали» чиновники, пришли и взяли бумаги, а солдат завязал в узел и «отвез в тачке». Известие было дикое. Я тотчас же поспешил к Степану Трофимовичу.

Я застал его в состоянии удивительном: расстроенного и в большом волнении, но в то же время с несомненно торжествующим видом. На столе, среди комнаты, кипел самовар и стоял налитый, но не тронутый и забытый стакан чаю. Степан Трофимович слонялся около стола и заходил во все углы комнаты, не давая себе отчета в своих движениях. Он был в своей обыкновенной красной фуфайке, но, увидев меня, поспешил надеть свой жилет и сюртук, чего прежде никогда не делал, когда кто из близких заставал его в этой фуфайке. Он тотчас же и горячо схватил меня за руку.

— Enfin un ami![1] (Он вздохнул полною грудью.) Cher, я к вам к одному послал, и никто ничего не знает. Надо велеть Настасье запереть двери и не впускать никого, кроме, разумеется, тех... Vous comprenez?[2]

Он с беспокойством смотрел на меня, как бы ожидая ответа. Разумеется, я бросился расспрашивать и кое-как из несвязной речи, с перерывами и ненужными вставками, узнал, что в семь часов утра к нему «вдруг» пришел губернаторский чиновник...

— Pardon, j'ai oublié son nom. Il n'est pas du pays[3], но, кажется, его привез Лембке, quelque chose de bête et d'allemand dans la physionomie. Il s'appelle Rosenthal[4].

— Не Блюм ли?

---

[1] Наконец-то друг! (*франц.*)

[2] Вы понимаете? (*франц.*)

[3] Виноват, я забыл его имя. Он нездешний (*франц.*).

[4] в выражении лица что-то тупое и немецкое. Его зовут Розенталь (*франц.*).

— Блюм. Именно он так и назвался. Vous le connaissez? Quelque chose d'hébéte et de très content dans la figure, pourtant très sévère, roide et sérieux[1]. Фигура из полиции, из повинующихся, je m'y connais[2]. Я спал еще, и, вообразите, он попросил меня «взглянуть» на мои книги и рукописи, oui, je m'en souviens, il a employé ce mot[3]. Он меня не арестовал, а только книги... Il se tenait à distance[4] и когда начал мне объяснять о приходе, то имел вид, что я... enfin, il avait l'air de croire que je tomberai sur lui immédiatement et que je commencerai à le battre comme plâtre. Tous ces gens du bas étage sont comme ça[5], когда имеют дело с порядочным человеком. Само собою, я тотчас всё понял. Voilà vingt ans que je m'y prépare[6]. Я ему отпер все ящики и передал все ключи; сам и подал, я ему всё подал. J'étais digne et calme[7]. Из книг он взял заграничные издания Герцена, переплетенный экземпляр «Колокола», четыре списка моей поэмы, et, enfin, tout ça[8]. Затем бумаги и письма et quelques une de mes ébauches historiques, critiques et politiques[9]. Всё это они понесли. Настасья говорит, что солдат в тачке свез и фартуком накрыли; oui, c'est cela[10], фартуком.

Это был бред. Кто мог что-нибудь тут понять? Я вновь забросал его вопросами: один ли Блюм приходил или нет? от чьего имени? по какому праву? как он смел? чем объяснил?

— Il était seul, bien seul[11], впрочем, и еще кто-то был dans l'antichambre, oui, je m'en souviens, et puis...[12] Впрочем, и еще кто-то, кажется, был, а в сенях стоял сторож. Надо спросить у Настасьи; она всё это лучше знает. J'étais surexcité, voyez-vous. Il parlait, il parlait... un tas de choses;[13] впрочем, он очень мало говорил, а это всё я говорил... Я рассказал мою жизнь, разумеется, с одной этой точки зрения... J'étais surexcité, mais digne, je vous l'assure[14]. Боюсь, впрочем, что я, кажется, заплакал. Тачку они взяли у лавочника, рядом.

— О боже, как могло всё это сделаться! Но ради бога, говорите точнее, Степан Трофимович, ведь это сон, что вы рассказываете!

— Cher, я и сам как во сне... Savez-vous, il a prononcé le nom de Teliatnikoff[15], и я думаю, что вот этот-то и прятался в сенях. Да, вспомнил, он предлагал прокурора и, кажется, Дмитрия Митрича... qui me doit encore quinze roubles de ералаш soit dit en passant. Enfin, je n'ai pas trop compris[16]. Но я их перехитрил, и какое мне

---

[1] Вы его знаете? Что-то тупое и очень самодовольное во внешности, в то же время очень суровый, неприступный и важный (*франц.*).

[2] я в этом кое-что смыслю (*франц.*).

[3] да, я вспоминаю, он употребил это слово (*франц.*).

[4] Он держался на расстоянии (*франц.*).

[5] короче, он как будто думал, что я немедленно брошусь на него и начну его нещадно бить. Все эти люди низшего состояния таковы (*франц.*).

[6] Вот уже двадцать лет, как я подготовляю себя к этому (*франц.*).

[7] Я держал себя спокойно и с достоинством (*франц.*).

[8] и, словом, всё это (*франц.*).

[9] и кое-какие из моих исторических, критических и политических набросков (*франц.*).

[10] да, именно так (*франц.*).

[11] Он был один, совсем один (*франц.*).

[12] в передней, да, я вспоминаю, и потом ... (*франц.*)

[13] Я был, видите ли, слишком возбужден. Он говорил, говорил ... кучу вещей (*франц.*).

[14] Я был слишком возбужден, но, уверяю вас, держался с достоинством (*франц.*).

[15] Знаете, он упомянул имя Телятникова (*франц.*).

[16] который мне, между прочим, еще должен пятнадцать рублей в ералаш. Словом, я не совсем понял (*франц.*).

дело до Дмитрия Митрича. Я, кажется, очень стал просить его скрыть, очень просил, очень, боюсь даже, что унизился, comment croyez-vous? Enfin il a consenti[1]. Да, вспомнил, это он сам просил, что будет лучше, чтобы скрыть, потому что он пришел только «взглянуть», et rien de plus[2], и больше ничего, ничего... и что если ничего не найдут, то и ничего не будет. Так что мы и кончили всё en amis, je suis tout-à-fait content[3].

— Помилуйте, да ведь он предлагал вам известный в таких случаях порядок и гарантии, а вы же сами и отклонили! — вскричал я в дружеском негодовании.

— Нет, этак лучше, без гарантии. И к чему скандал? Пускай до поры до времени en amis...[4] Вы знаете, в нашем городе, если узнают... mes ennemis... et puis à quoi bon ce procureur, ce cochon de notre procureur, qui deux fois m'a manqué de politesse et qu'on a rossé à plaisir l'autre année chez cette charmante et belle Наталья Павловна, quand il se cacha dans son boudoir. Et puis, mon ami[5], не возражайте мне и не обескураживайте, прошу вас, потому что нет ничего несноснее, когда человек несчастен, а ему тут-то и указывают сто друзей, как он сглупил. Садитесь, однако, и пейте чай, и признаюсь, я очень устал... не прилечь ли мне и не приложить ли уксусу к голове, как вы думаете?

— Непременно, — вскричал я, — в даже бы льду. Вы очень расстроены. Вы бледны, и руки трясутся. Лягте, отдохните и подождите рассказывать. Я посижу подле и подожду.

Он не решался лечь, но я настоял. Настасья принесла в чашке уксусу, я намочил полотенце и приложил к его голове. Затем Настасья стала на стул и полезла зажигать в углу лампадку пред образом. Я с удивлением это заметил; да и лампадки прежде никогда не бывало, а теперь вдруг явилась.

— Это я давеча распорядился, только что те ушли, — пробормотал Степан Трофимович, хитро посмотрев на меня, — quand on a de ces choses-là dans sa chambre et qu'on vient vous arrêter[6], то это внушает, и должны же они доложить, что видели...

Кончив с лампадкой, Настасья стала в дверях, приложила правую ладонь к щеке и начала смотреть на него с плачевным видом.

— Eloignez-la[7] под каким-нибудь предлогом, — кивнул он мне с дивана, — терпеть я не могу этой русской жалости, et puis ça m'embête[8].

Но она ушла сама. Я заметил, что он всё озирался к дверям и прислушивался в переднюю.

— Il faut être prêt, voyez-vous[9], — значительно взглянул он на меня, — chaque moment...[10] придут, возьмут, и фью — исчез человек!

— Господи! Кто придет? Кто вас возьмет?

---

[1] как вы полагаете? Наконец он согласился (*франц.*).

[2] и ничего больше (*франц.*).

[3] по-дружески, я совершенно доволен (*франц.*).

[4] на дружеских началах (*франц.*).

[5] мои враги ... и затем к чему этот прокурор, эта свинья прокурор наш, который два раза был со мной невежлив и которого в прошлом году с удовольствием поколотили у этой очаровательной и прекрасной Натальи Павловны, когда он спрятался в ее будуаре. И затем, мой друг (*франц.*).

[6] когда у тебя в комнате такие вещи и приходят тебя арестовать (*франц.*).

[7] Удалите ее (*франц.*).

[8] и потом, это мне докучает (*франц.*).

[9] Нужно, видите ли, быть готовым (*франц.*).

[10] каждую минуту (*франц.*).

— Voyez-vous, mon cher[1], я прямо спросил его, когда он уходил: что со мной теперь сделают?

— Вы бы уж лучше спросили, куда сошлют! — вскричал я в том же негодовании.

— Я это и подразумевал, задавая вопрос, но он ушел и ничего не ответил. Voyez-vous: насчет белья, платья, теплого платья особенно, это уж как они сами хотят, велят взять — так, а то так и в солдатской шинели отправят. Но я тридцать пять рублей (понизил он вдруг голос, озираясь на дверь, в которую вышла Настасья) тихонько просунул в прореху в жилетном кармане, вот тут, пощупайте... Я думаю, жилета они снимать не станут, а для виду в портмоне оставил семь рублей, «всё, дескать, что имею». Знаете, тут мелочь и сдача медными на столе, так что они не догадаются, что я деньги спрятал, а подумают, что тут всё. Ведь бог знает где сегодня придется ночевать.

Я поник головой при таком безумии. Очевидно, ни арестовать, ни обыскивать так нельзя было, как он передавал, и, уж конечно, он сбивался. Правда, всё это случилось тогда, еще до теперешних последних законов. Правда и то, что ему предлагали (по его же словам) более правильную процедуру, но он *перехитрил* и отказался... Конечно, прежде, то есть еще так недавно, губернатор и мог в крайних случаях... Но какой же опять тут мог быть такой крайний случай? Вот что сбивало меня с толку.

— Тут, наверно, телеграмма из Петербурга была, — сказал вдруг Степан Трофимович.

— Телеграмма! Про вас? Это за сочинения-то Герцена да за вашу поэму, с ума вы сошли, да за что тут арестовать?

Я просто озлился. Он сделал гримасу и видимо обиделся — не за окрик мой, а за мысль, что не за что было арестовать.

— Кто может знать в наше время, за что его могут арестовать?.. — загадочно пробормотал он. Дикая, нелепейшая идея мелькнула у меня в уме.

— Степан Трофимович, скажите мне как другу, — вскричал я, — как истинному другу, я вас не выдам: принадлежите вы к какому-нибудь тайному обществу или нет?

И вот, к удивлению моему, он и тут был не уверен: участвует он или нет в каком-нибудь тайном обществе.

— Ведь как это считать, voyez-vous...

— Как «как считать»?

— Когда принадлежишь всем сердцем прогрессу и... кто может заручиться: думаешь, что не принадлежишь, ан, смотришь, окажется, что к чему-нибудь и принадлежишь.

— Как это можно, тут да или нет?

— Cela date de Pétersbourg[2], когда мы с нею хотели там основать журнал. Вот где корень. Мы тогда ускользнули, и они нас забыли, а теперь вспомнили. Cher, cher, разве вы не знаете! — воскликнул он болезненно. — У нас возьмут, посадят в кибитку, и марш в Сибирь на весь век, или забудут в каземате...

И он вдруг заплакал, горячими, горячими слезами. Слезы так и хлынули. Он закрыл глаза своим красным фуляром и рыдал, рыдал минут пять, конвульсивно. Меня всего передернуло. Этот человек, двадцать лет нам пророчество-

---

[1] Видите ли, мой милый (*франц.*).

[2] Это началось в Петербурге (*франц.*).

вавший, наш проповедник, наставник, патриарх, Кукольник, так высоко и величественно державший себя над всеми нами, пред которым мы так от души преклонялись, считая за честь, — и вдруг он теперь рыдал, рыдал, как крошечный, нашаливший мальчик в ожидании розги, за которою отправился учитель. Мне ужасно стало жаль его. В «кибитку» он, очевидно, верил, как в то, что я сидел подле него, и ждал ее именно в это утро, сейчас, сию минуту, и всё это за сочинения Герцена да за какую-то свою поэму! Такое полнейшее, совершеннейшее незнание обыденной действительности было и умилительно и как-то противно.

Он наконец плакать перестал, встал с дивана и начал опять ходить по комнате, продолжая со мною разговор, но поминутно поглядывая в окошко и прислушиваясь в переднюю. Разговор наш продолжался бессвязно. Все уверения мои и успокоения отскакивали как от стены горох. Он мало слушал, но все-таки ему ужасно нужно было, чтоб я его успокоивал и без умолку говорил в этом смысле. Я видел, что он не мог теперь без меня обойтись и ни за что бы не отпустил от себя. Я остался, и мы просидели часа два с лишком. В разговоре он вспомнил, что Блюм захватил с собою две найденные у него прокламации.

— Как прокламации! — испугался я сдуру. — Разве вы...

— Э, мне подкинули десять штук, — ответил он досадливо (он со мною говорил то досадливо и высокомерно, то ужасно жалобно и приниженно), — но я с восьмью уже распорядился, а Блюм захватил только две...

И он вдруг покраснел от негодования.

— Vous me mettez avec ces gens-là![1] Неужто вы полагаете, что я могу быть с этими подлецами, с подметчиками, с моим сыном Петром Степановичем, avec ces esprits-forts de lâcheté?[2] О боже!

— Ба, да не смешали ли вас как-нибудь... Впрочем, вздор, быть не может! — заметил я.

— Savez-vous[3], — вырвалось у него вдруг, — я чувствую минутами, que je ferai là-bas quelque esclandre[4]. О, не уходите, не оставляйте меня одного! Ma carrière est finie aujourd'hui, je le sens[5]. Я, знаете, я, может быть, брошусь и укушу там кого-нибудь, как тот подпоручик...

Он посмотрел на меня странным взглядом — испуганным и в то же время как бы и желающим испугать. Он действительно всё более и более раздражался на кого-то и на что-то, по мере того как проходило время и не являлись «кибитки»; даже злился. Вдруг Настасья, зашедшая зачем-то из кухни в переднюю, задела и уронила там вешалку. Степан Трофимович задрожал и помертвел на месте; но когда дело обозначилось, он чуть не завизжал на Настасью и, топоча ногами, прогнал ее обратно на кухню. Минуту спустя он проговорил, смотря на меня в отчаянии:

— Я погиб! Cher, — сел он вдруг подле меня и жалко-жалко посмотрел мне пристально в глаза, — cher, я не Сибири боюсь, клянусь вам, о, je vous jure[6] (даже слезы проступили в глазах его), я другого боюсь...

---

[1] Вы меня ставите на одну доску с этими людьми! (*франц.*)
[2] с этими вольнодумцами от подлости! (*франц.*)
[3] Знаете ли (*франц.*).
[4] что я произведу там какой-нибудь скандал (*франц.*).
[5] Мой жизненный путь сегодня закончен, я это чувствую (*франц.*).
[6] я вам клянусь (*франц.*).

Я догадался уже по виду его, что он хочет сообщить мне наконец что-то чрезвычайное, но что до сих пор он, стало быть, удерживался сообщить.

— Я позора боюсь, — прошептал он таинственно.

— Какого позора? да ведь напротив! Поверьте, Степан Трофимович, что всё это сегодня же объяснится и кончится в вашу пользу...

— Вы так уверены, что меня простят?

— Да что такое «простят»! Какие слова! Что вы сделали такого? Уверяю же вас, что вы ничего не сделали!

— Qu'en savez-vous[1]; вся моя жизнь была... cher... Они всё припомнят... а если ничего и не найдут, так *тем хуже*, — прибавил он вдруг неожиданно.

— Как тем хуже?

— Хуже.

— Не понимаю.

— Друг мой, друг мой, ну пусть в Сибирь, в Архангельск, лишение прав, — погибать так погибать! Но... я другого боюсь (опять шепот, испуганный вид и таинственность).

— Да чего, чего?

— Высекут, — произнес он и с потерянным видом посмотрел на меня.

— Кто вас высечет? Где? Почему? — вскричал я, испугавшись, не сходит ли он с ума.

— Где? Ну, там... где это делается.

— Да где это делается?

— Э, cher, — зашептал он почти на ухо, — под вами вдруг раздвигается пол, вы опускаетесь до половины... Это всем известно.

— Басни! — вскричал я, догадавшись, — старые басни, да неужто вы верили до сих пор? — Я расхохотался.

— Басни! С чего-нибудь да взялись же эти басни; сеченый не расскажет. Я десять тысяч раз представлял себе в воображении!

— Да вас-то, вас-то за что? Ведь вы ничего не сделали?

— Тем хуже, увидят, что ничего не сделал, и высекут.

— И вы уверены, что вас за тем в Петербург повезут!

— Друг мой, я сказал уже, что мне ничего не жаль, ma carrière est finie[2]. С того часа в Скворешниках, как она простилась со мною, мне не жаль моей жизни... но позор, позор, que dira-t-elle[3], если узнает?

Он с отчаянием взглянул на меня и, бедный, весь покраснел. Я тоже опустил глаза.

— Ничего она не узнает, потому что ничего с вами не будет. Я с вами точно в первый раз в жизни говорю, Степан Трофимович, до того вы меня удивили в это утро.

— Друг мой, да ведь это не страх. Но пусть даже меня простят, пусть опять сюда привезут и ничего не сделают — и вот тут-то я и погиб. Elle me soupçonnera toute sa vie...[4] меня, меня, поэта, мыслителя, человека, которому она поклонялась двадцать два года!

— Ей и в голову не придет.

---

[1] Что вы об этом знаете (*франц.*).
[2] Мой жизненный путь закончен (*франц.*).
[3] что скажет она (*франц.*).
[4] Она будет меня подозревать всю свою жизнь... (*франц.*)

— Придет, — прошептал он с глубоким убеждением. — Мы с ней несколько раз о том говорили в Петербурге, в Великий пост, пред выездом, когда оба боялись... Elle me soupçonnera toute sa vie... и как разуверить? Выйдет невероятно. Да и кто здесь в городишке поверит, c'est invraisemblable... Et puis les femmes...[1] Она обрадуется. Она будет очень огорчена, очень, искренно, как истинный друг, но втайне — обрадуется... Я дам ей оружие против меня на всю жизнь. О, погибла моя жизнь! Двадцать лет такого полного счастия с нею... и вот!

Он закрыл лицо руками.

— Степан Трофимович, не дать ли вам знать сейчас же Варваре Петровне о происшедшем? — предложил я.

— Боже меня упаси! — вздрогнул он и вскочил с места. — Ни за что, никогда, после того, что было сказано при прощанье в Скворешниках, ни-ког-да!

Глаза его засверкали.

Мы просидели, я думаю, еще час или более, всё чего-то ожидая, — уж такая задалась идея. Он прилег опять, даже закрыл глаза и минут двадцать пролежал, не говоря ни слова, так что я подумал даже, что он заснул или в забытьи. Вдруг он стремительно приподнялся, сорвал с головы полотенце, вскочил с дивана, бросился к зеркалу, дрожащими руками повязал галстук и громовым голосом крикнул Настасью, приказывая подать себе пальто, новую шляпу и палку.

— Я не могу терпеть более, — проговорил он обрывающимся голосом, — не могу, не могу!.. Иду сам.

— Куда? — вскочил я тоже.

— К Лембке. Cher, я должен, я обязан. Это долг. Я гражданин и человек, а не щепка, я имею права, я хочу моих прав... Я двадцать лет не требовал моих прав, всю жизнь преступно забывал о них... но теперь я их потребую. Он должен мне всё сказать, всё. Он получил телеграмму. Он не смеет меня мучить, не то арестуй, арестуй, арестуй!

Он восклицал с какими-то взвизгами и топал ногами.

— Я вас одобряю, — сказал я нарочно как можно спокойнее, хотя очень за него боялся, — право, это лучше, чем сидеть в такой тоске, но я не одобряю вашего настроения; посмотрите, на кого вы похожи и как вы пойдете туда. Il faut être digne et calme avec Lembke[2]. Действительно, вы можете теперь броситься и кого-нибудь там укусить.

— Я предаю себя сам. Я иду прямо в львиную пасть...

— Да и я пойду с вами.

— Я ожидал от вас не менее, принимаю вашу жертву, жертву истинного друга, но до дому, только до дому: вы не должны, вы не вправе компрометировать себя далее моим сообществом. О, croyez-moi, je serai calme![3] Я сознаю себя в эту минуту à la hauteur de tout ce qu'il y a de plus sacré...[4]

— Я, может быть, и в дом с вами войду, — прервал я его. — Вчера меня известили из их глупого комитета, чрез Высоцкого, что на меня рассчитывают и приглашают на этот завтрашний праздник в число распорядителей, или как их... в число тех шести молодых людей, которые назначены смотреть за подносами, ухаживать за дамами, отводить гостям место и носить бант из белых с пунсовы-

---

[1] это неправдоподобно... И затем женщины... (*франц.*)
[2] С Лембке нужно держать себя достойно и спокойно (*франц.*).
[3] О, поверьте мне, я буду спокоен! (*франц.*)
[4] на высоте всего, что только есть самого святого (*франц.*).

ми лент на левом плече. Я хотел отказаться, но теперь почему мне не войти в дом под предлогом объясниться с самой Юлией Михайловной... Вот так мы и войдем с вами вместе.

Он слушал, кивая головой, но ничего, кажется, не понял. Мы стояли на пороге.

— Cher, — протянул он руку в угол к лампадке, — cher, я никогда этому не верил, но... пусть, пусть! (Он перекрестился.) Allons![1]

«Ну, так-то лучше, — подумал я, выходя с ним на крыльцо, — дорогой поможет свежий воздух, и мы поутихнем, воротимся домой и ляжем почивать...»

Но я рассчитывал без хозяина. Дорогой именно как раз случилось приключение, еще более потрясшее и окончательно направившее Степана Трофимовича... так что я, признаюсь, даже и не ожидал от нашего друга такой прыти, какую он вдруг в это утро выказал. Бедный друг, добрый друг!

Глава десятая
ФЛИБУСТЬЕРЫ. РОКОВОЕ УТРО

I

Происшествие, случившееся с нами дорогой, было тоже из удивительных. Но надо рассказать всё в порядке. Часом раньше того, как мы со Степаном Трофимовичем вышли на улицу, по городу проходила и была многими с любопытством замечена толпа людей, рабочих с Шпигулинской фабрики, человек в семьдесят, может и более. Она проходила чинно, почти молча, в нарочном порядке. Потом утверждали, что эти семьдесят были выборные от всех фабричных, которых было у Шпигулиных до девятисот и, за отсутствием хозяев, искать у него управы на хозяйского управляющего, который, закрывая фабрику и отпуская рабочих, нагло обсчитал их всех, — факт, не подверженный теперь никакому сомнению. Другие до сих пор у нас отвергают выбор, утверждая, что семидесяти человек слишком было бы много для выборных, а что просто эта толпа состояла из наиболее обиженных и приходили они просить лишь сами за себя, так что общего фабричного «бунта», о котором потом так прогремели, совсем никакого не было. Третьи с азартом уверяют, что семьдесят эти человек были не простые бунтовщики, а решительно политические, то есть, будучи из самых буйных, были возбуждены, сверх того, не иначе как подметными грамотами. Одним словом, было ли тут чье влияние или подговор — до сих пор в точности неизвестно. Мое же личное мнение, это — что подметных грамот рабочие совсем не читали, а если б и прочли, так не поняли бы из них ни слова, уже по тому одному, что пишущие их, при всей обнаженности их стиля, пишут крайне неясно. Но так как фабричным приходилось в самом деле туго, — а полиция, к которой они обращались, не хотела войти в их обиду, — то что же естественнее было их мысли идти скопом к «самому генералу», если можно, то даже с бумагой на голове, выстроиться чинно перед его крыльцом и, только что он покажется, броситься всем на колени и возопить как бы к самому Провидению? По-моему, тут не надо ни бунта, ни даже выборных, ибо это средство старое, историческое; русский на-

---

[1] Идемте! (*франц.*)

род искони любил разговор с «самим генералом», собственно из одного уж удовольствия и даже чем бы сей разговор ни оканчивался.

И потому я совершенно убежден, что хотя Петр Степанович, Липутин, может, и еще кто-нибудь, даже, пожалуй, и Федька, и шмыгали предварительно между фабричными (так как на это обстоятельство действительно существуют довольно твердые указания) и говорили с ними, но наверно не более как с двумя, с тремя, ну с пятью, лишь для пробы, и что из этого разговора ничего не вышло. Что же касается до бунта, то если и поняли что-нибудь из их пропаганды фабричные, то наверно тотчас же перестали и слушать, как о деле глупом и вовсе не подходящем. Другое дело Федька: этому, кажется, посчастливилось более, чем Петру Степановичу. В последовавшем три дня спустя городском пожаре, как несомненно теперь обнаружилось, действительно вместе с Федькой участвовали двое фабричных, и потом, спустя месяц, схвачены были еще трое бывших фабричных в уезде, тоже с поджогом и грабежом. Но если Федька и успел их переманить к прямой, непосредственной деятельности, то опять-таки единственно сих пятерых, ибо о других ничего не слышно было подобного.

Как бы там ни было, но рабочие пришли наконец всею толпою на площадку пред губернаторским домом и выстроились чинно и молча. Затем разинули рты на крыльцо и начали ждать. Говорили мне, что они будто бы, едва стали, тотчас же и сняли шапки, то есть, может, за полчаса до появления хозяина губернии, которого, как нарочно, не случилось в ту минуту дома. Полиция тотчас же показалась, сначала в отдельных явлениях, а потом и в возможном комплекте; начала, разумеется, грозно, повелевая разойтись. Но рабочие стали в упор, как стадо баранов, дошедшее до забора, и отвечали лаконически, что они к «самому енералу»; видна была твердая решимость. Неестественные окрики прекратились; их быстро сменила задумчивость, таинственная распорядительность шепотом и суровая хлопотливая забота, сморщившая брови начальства. Полицеймейстер предпочел выждать прибытия самого фон Лембке. Это вздор, что он прилетел на тройке во весь опор и еще с дрожек будто бы начал драться. Он у нас действительно летал и любил летать в своих дрожках с желтым задком, и по мере того как «до разврата доведенные пристяжные» сходили всё больше и больше с ума, приводя в восторг всех купцов из Гостиного ряда, он подымался на дрожках, становился во весь рост, придерживаясь за нарочно приделанный сбоку ремень, и, простирая правую руку в пространство, как на монументах, обозревал таким образом город. Но в настоящем случае он не дрался, и хотя не мог же он, слетая с дрожек, обойтись без крепкого словца, но сделал это, единственно чтобы не потерять популярности. Еще более вздор, что приведены были солдаты со штыками и что по телеграфу дано было знать куда-то о присылке артиллерии и казаков: это сказки, которым не верят теперь сами изобретатели. Вздор тоже, что привезены были пожарные бочки с водой, из которых обливали народ. Просто-запросто Илья Ильич крикнул, разгорячившись, что ни один у него сух из воды не выйдет; вероятно, из этого и сделали бочки, которые и перешли таким образом в корреспонденции столичных газет. Самый верный вариант, надо полагать, состоял в том, что толпу оцепили на первый раз всеми случившимися под рукой полицейскими, а к Лембке послали нарочного, пристава первой части, который и полетел на полицеймейстерских дрожках по дороге в Скворешники, зная, что туда, назад тому полчаса, отправился фон Лембке в своей коляске...

Но, признаюсь, для меня все-таки остается нерешенный вопрос: каким образом пустую, то есть обыкновенную, толпу просителей — правда, в семьдесят человек — так-таки с первого приема, с первого шагу обратили в бунт, угрожавший потрясением основ? Почему сам Лембке накинулся на эту идею, когда явился через двадцать минут вслед за нарочным? Я бы так предположил (но опять-таки личным мнением), что Илье Ильичу, покумившемуся с управляющим, было даже выгодно представить фон Лембке эту толпу в этом свете, и именно чтоб не доводить его до настоящего разбирательства дела; а надоумил его к тому сам же Лембке. В последние два дня он имел с ним два таинственных и экстренных разговора, весьма, впрочем, сбивчивых, но из которых Илья Ильич все-таки усмотрел, что начальство крепко уперлось на идее о прокламациях и о подговоре шпигулинских кем-то к социальному бунту, и до того уперлось, что, пожалуй, само пожалело бы, если бы подговор оказался вздором. «Как-нибудь отличиться в Петербурге хотят, — подумал наш хитрый Илья Ильич, выходя от фон Лембке, — ну что ж, нам и на руку».

Но я убежден, что бедный Андрей Антонович не пожелал бы бунта даже для собственного отличия. Это был чиновник крайне исполнительный, до самой своей женитьбы пребывавший в невинности! Да и он ли был виноват, что вместо невинных казенных дров и столь же невинной Минхен сорокалетняя княжна вознесла его до себя? Я почти положительно знаю, что вот с этого-то рокового утра и начались первые явные следы того состояния, которое и привело, говорят, бедного Андрея Антоновича в то известное особое заведение в Швейцарии, где он будто бы теперь собирается с новыми силами. Но если только допустить, что именно с этого утра обнаружились явные факты *чего-нибудь*, то возможно, по-моему, допустить, что и накануне уже могли случиться проявления подобных же фактов, хотя бы и не так явные. Мне известно, по слухам самым интимнейшим (ну предположите, что сама Юлия Михайловна впоследствии, и уже не в торжестве, а *почти* раскаиваясь, — ибо женщина никогда *вполне* не раскается — сообщила мне частичку этой истории), — известно мне, что Андрей Антонович пришел к своей супруге накануне, уже глубокою ночью, в третьем часу утра, разбудил ее и потребовал выслушать «свой ультиматум». Требование было до того настойчивое, что она принуждена была встать с своего ложа, в негодовании и в папильотках, и, усевшись на кушетке, хотя и с саркастическим презрением, а все-таки выслушать. Тут только в первый раз поняла она, как далеко хватил ее Андрей Антонович, и про себя ужаснулась. Ей бы следовало наконец опомниться и смягчиться, но она скрыла свой ужас и уперлась еще упорнее прежнего. У нее (как и у всякой, кажется, супруги) была своя манера с Андреем Антоновичем, уже не однажды испытанная и не раз доводившая его до исступления. Манера Юлии Михайловны состояла в презрительном молчании, на час, на два, на сутки, и чуть ли не на трое суток, — в молчании во что бы ни стало, что бы он там ни говорил, что бы ни делал, даже если бы полез в окошко броситься из третьего этажа, — манера нестерпимая для чувствительного человека! Наказывала ли Юлия Михайловна своего супруга за его промахи в последние дни и за ревнивую зависть его как градоначальника к ее административным способностям; негодовала ли на его критику ее поведения с молодежью и со всем нашим обществом, без понимания ее тонких и дальновидных политических целей; сердилась ли за тупую и бессмысленную ревность его к Петру Степановичу, — как бы там ни было, но она решилась и теперь не смягчаться, даже несмотря на три часа ночи и еще

невиданное ею волнение Андрея Антоновича. Расхаживая вне себя взад и вперед и во все стороны по коврам ее будуара, он изложил ей всё, всё, правда, безо
всякой связи, но зато всё накипевшее, ибо — «перешло за пределы». Он начал
с того, что над ним все смеются и его «водят за нос». «Наплевать на выражение! — привзвизгнул он тотчас же, подхватив ее улыбку, — пусть «за нос», но
ведь это правда!..» «Нет, сударыня, настала минута; знайте, что теперь не до
смеху и не до приемов женского кокетства. Мы не в будуаре жеманной дамы, а
как бы два отвлеченные существа на воздушном шаре, встретившиеся, чтобы
высказать правду». (Он, конечно, сбивался и не находил правильных форм для
своих, впрочем, верных мыслей.) «Это вы, вы, сударыня, вывели меня из
прежнего состояния, я принял это место лишь для вас, для вашего честолюбия... Вы улыбаетесь саркастически? Не торжествуйте, не торопитесь. Знайте,
сударыня, знайте, что я бы мог, что я бы сумел справиться с этим местом, и не
то что с одним этим местом, а с десятью такими местами, потому что имею
способности; но с вами, сударыня, но при вас — нельзя справиться; ибо я при
вас не имею способностей. Два центра существовать не могут, а вы их устроили два — один у меня, а другой у себя в будуаре, — два центра власти, сударыня, но я того не позволю, не позволю!! В службе, как и в супружестве, один
центр, а два невозможны... Чем отплатили вы мне? — восклицал он далее. —
Наше супружество состояло лишь в том, что вы всё время, ежечасно доказывали мне, что я ничтожен, глуп и даже подл, а я всё время, ежечасно и унизительно принужден был доказывать вам, что я не ничтожен, совсем не глуп и пора-
жаю всех своим благородством, — ну не унизительно ли это с обеих сторон?»
Тут он начал скоро и часто топотать по ковру обеими ногами, так что Юлия
Михайловна принуждена была приподняться с суровым достоинством. Он быстро стих, но зато перешел в чувствительность и начал рыдать (да, рыдать),
ударяя себя в грудь, почти целые пять минут, всё более и более вне себя от глубочайшего молчания Юлии Михайловны. Наконец, окончательно дал маху и
проговорился, что ревнует ее к Петру Степановичу. Догадавшись, что сглупил
свыше меры, — рассвирепел до ярости и закричал, что «не позволит отвергать
Бога»; что он разгонит ее «беспардонный салон без веры»; что градоначальник
даже обязан верить в Бога, «а стало быть, и жена его»; что молодых людей он не
потерпит; что «вам, вам, сударыня, следовало бы из собственного достоинства
позаботиться о муже и стоять за его ум, даже если б он был и с плохими способностями (а я вовсе не с плохими способностями!), а между тем вы-то и есть
причина, что все меня здесь презирают, вы-то их всех и настроили!..» Он кричал, что женский вопрос уничтожит, что душок этот выкурит, что нелепый
праздник по подписке для гувернанток (черт их дери!) он завтра же запретит и
разгонит; что первую встретившуюся гувернантку он завтра же утром выгонит
из губернии «с казаком-с!». «Нарочно, нарочно!» — привзвизгивал он. «Знаете
ли, знаете ли, — кричал он, — что на фабрике подговаривают людей ваши негодяи и что мне это известно? Знаете ли, что разбрасывают нарочно прокламации, на-роч-но-с! Знаете ли, что мне известны имена четырех негодяев и что я
схожу с ума, схожу окончательно, окончательно!!!..» Но тут Юлия Михайловна
вдруг прервала молчание и строго объявила, что она давно сама знает о преступных замыслах и что всё это глупость, что он слишком серьезно принял, и
что касается до шалунов, то она не только тех четверых знает, но и всех (она
солгала); но что от этого совсем не намерена сходить с ума, а, напротив, еще
более верует в свой ум и надеется всё привести к гармоническому окончанию:

ободрить молодежь, образумить ее, вдруг и неожиданно доказать им, что их замыслы известны, и затем указать им на новые цели для разумной и более светлой деятельности. О, что сталось в ту минуту с Андреем Антоновичем! Узнав, что Петр Степанович опять надул его и так грубо над ним насмеялся, что ей он открыл гораздо больше и прежде, чем ему, и что, наконец, может быть, сам-то Петр Степанович и есть главный зачинщик всех преступных замыслов, — он пришел в исступление. «Знай, бестолковая, но ядовитая женщина, — воскликнул он, разом порывая все цепи, — знай, что я недостойного твоего любовника сейчас же арестую, закую в кандалы и препровожу в равелин или — или выпрыгну сам сейчас в твоих глазах из окошка!» На эту тираду Юлия Михайловна, позеленев от злобы, разразилась немедленно хохотом, долгим, звонким, с переливом и перекатами, точь-в-точь как на французском театре, когда парижская актриса, выписанная за сто тысяч и играющая кокеток, смеется в глаза над мужем, осмелившимся приревновать ее. Фон Лембке бросился было к окну, но вдруг остановился как вкопанный, сложил на груди руки и, бледный как мертвец, зловещим взглядом посмотрел на смеющуюся. «Знаешь ли, знаешь ли, Юля... — проговорил он задыхаясь, умоляющим голосом, — знаешь ли, что и я могу что-нибудь сделать?» Но при новом, еще сильнейшем взрыве хохота, последовавшем за его последними словами, он стиснул зубы, застонал и вдруг бросился — не в окно — а на свою супругу, занеся над нею кулак! Он не опустил его, — нет, трижды нет; но зато пропал тут же на месте. Не слыша под собою ног, добежал он к себе в кабинет, как был, одетый, бросился ничком на постланную ему постель, судорожно закутался весь с головой в простыню и так пролежал часа два, — без сна, без размышлений, с камнем на сердце и с тупым, неподвижным отчаянием в душе. Изредка вздрагивал он всем телом мучительною лихорадочною дрожью. Вспоминались ему какие-то несвязные вещи, ни к чему не подходящие: то он думал, например, о старых стенных часах, которые были у него лет пятнадцать назад в Петербурге и от которых отвалилась минутная стрелка; то о развеселом чиновнике Мильбуа и как они с ним в Александровском парке поймали раз воробья, а поймав, вспомнили, смеясь на весь парк, что один из них уже коллежский асессор. Я думаю, он заснул часов в семь утра, не заметив того, спал с наслаждением, с прелестными снами. Проснувшись около десяти часов, он вдруг дико вскочил с постели, разом вспомнил всё и плотно ударил себя ладонью по лбу: ни завтрака, ни Блюма, ни полицеймейстера, ни чиновника, явившегося напомнить, что члены —ского собрания ждут его председательства в это утро, он не принял, он ничего не слышал и не хотел понимать, а побежал как шальной на половину Юлии Михайловны. Там Софья Антроповна, старушка из благородных, давно уже проживавшая у Юлии Михайловны, растолковала ему, что та еще в десять часов изволила отправиться в большой компании, в трех экипажах, к Варваре Петровне Ставрогиной в Скворешники, чтоб осмотреть тамошнее место для будущего, уже второго, замышляемого праздника, через две недели, и что так еще три дня тому было условлено с самою Варварой Петровной. Пораженный известием, Андрей Антонович возвратился в кабинет и стремительно приказал лошадей. Даже едва мог дождаться. Душа его жаждала Юлии Михайловны — взглянуть только на нее, побыть около нее пять минут; может быть, она на него взглянет, заметит его, улыбнется по-прежнему, простит — о-о! «Да что же лошади?» Машинально развернул он лежавшую на столе толстую книгу (иногда он загадывал так по книге, развертывая наудачу и читая на правой странице, сверху, три строки). Вышло: «Tout est pour le mieux dans le meilleur des mondes possibles». Voltaire, «Candide»[1]. Он плюнул и побежал садиться: «В Скворешники!» Кучер рассказывал, что барин погонял всю дорогу, но только что стали подъезжать к господскому дому, он вдруг велел повернуть и везти опять в город: «Поскорей, пожалуйста, поскорей». Не доезжая городского вала, «они мне велели снова остановить, вышли из экипажа и прошли через дорогу в поле; думал, что по какой ни есть слабости, а они стали и начали цветочки рассматривать и так время стояли, чудно, право, совсем уже я усумнился». Так показывал кучер. Я припоминаю в то утро погоду: был холодный и ясный, но ветреный сентябрьский день; пред зашедшим за дорогу Андреем Антоновичем расстилался суровый пейзаж обнаженного поля с давно уже убранным хлебом; завывавший ветер колыхал какие-нибудь жалкие остатки умиравших желтых цветочков... Хотелось ли ему сравнить себя и судьбу свою с чахлыми и побитыми осенью и морозом цветочками? Не думаю. Даже думаю наверно, что нет и что он вовсе и не помнил ничего про цветочки, несмотря на показания кучера и подъехавшего в ту минуту на полицеймейстерских дрожках пристава первой части, утверждавшего потом, что он действительно застал начальство с пучком желтых цветов в руке. Этот пристав — восторженно-административная личность, Василий Иванович Флибустьеров, был еще недавним гостем в нашем городе, но уже отличился и прогремел своею непомерною ревностью, своим каким-то наскоком во всех приемах по исполнительной части и прирожденным нетрезвым состоянием. Соскочив с дрожек и не усумнившись нимало при виде занятий начальства, с сумасшедшим, но убежденным видом, он залпом доложил, что «в городе неспокойно».

— А? что? — обернулся к нему Андрей Антонович, с лицом строгим, но без малейшего удивления или какого-нибудь воспоминания о коляске и кучере, как будто у себя в кабинете.

— Пристав первой части Флибустьеров, ваше превосходительство. В городе бунт.

— Флибустьеры? — переговорил Андрей Антонович в задумчивости.

— Точно так, ваше превосходительство. Бунтуют шпигулинские.

— Шпигулинские!..

Что-то как бы напомнилось ему при имени «шпигулинские». Он даже вздрогнул и поднял палец ко лбу: «шпигулинские!» Молча, но всё еще в задумчивости, пошел он, не торопясь, к коляске, сел и велел в город. Пристав на дрожках за ним.

Я воображаю, что ему смутно представлялись дорогою многие весьма интересные вещи, на многие темы, но вряд ли он имел какую-нибудь твердую идею или какое-нибудь определенное намерение при въезде на площадь пред губернаторским домом. Но только лишь завидел он выстроившуюся и твердо стоявшую толпу «бунтовщиков», цепь городовых, бессильного (а может быть, и нарочно бессильного) полицеймейстера и общее устремленное к нему ожидание, как вся кровь прилила к его сердцу. Бледный, он вышел из коляски.

— Шапки долой! — проговорил он едва слышно и задыхаясь. — На колени! — взвизгнул он неожиданно, неожиданно для самого себя, и вот в этой-то неожиданности и заключалась, может быть, вся последовавшая развязка дела. Это как на горах на Масленице; ну можно ли, чтобы санки, слетевшие сверху, остановились посредине горы? Как назло себе, Андрей Антонович всю жизнь

---

[1] «Всё к лучшему в этом лучшем из возможных миров». Вольтер, «Кандид» (*франц.*).

отличался ясностью характера и ни на кого никогда не кричал и не топал ногами; а с таковыми опаснее, если раз случится, что их санки почему-нибудь вдруг
сорвутся с горы. Всё пред ним закружилось.

— Флибустьеры! — провопил он еще визгливее и нелепее, и голос его пресекся. Он стал, еще не зная, что он будет делать, но зная и ощущая всем существом своим, что непременно сейчас что-то сделает.

«Господи!» — послышалось из толпы. Какой-то парень начал креститься;
три, четыре человека действительно хотели было стать на колени, но другие
подвинулись всею громадой шага на три вперед и вдруг все разом загалдели:
«Ваше превосходительство... рядили по сорока... управляющий... ты не моги говорить» и т. д., и т. д. Ничего нельзя было разобрать.

Увы! Андрей Антонович не мог разбирать: цветочки еще были в руках его.
Бунт ему был очевиден, как давеча кибитки Степану Трофимовичу. А между
толпою выпучивших на него глаза «бунтовщиков» так и сновал пред ним
«возбуждавший» их Петр Степанович, не покидавший его ни на один момент
со вчерашнего дня, — Петр Степанович, ненавидимый им Петр Степанович...

— Розог! — крикнул он еще неожиданнее.

Наступило мертвое молчание.

Вот как произошло это в самом начале, судя по точнейшим сведениям и по
моим догадкам. Но далее сведения становятся не так точны, равно как и мои догадки. Имеются, впрочем, некоторые факты.

Во-первых, розги явились как-то уж слишком поспешно; очевидно, были
в ожидании припасены догадливым полицеймейстером. Наказаны, впрочем,
были всего двое, не думаю, чтобы даже трое; на этом настаиваю. Сущая выдумка, что наказаны были все или по крайней мере половина людей. Вздор
тоже, что будто бы какая-то проходившая мимо бедная, но благородная дама
была схвачена и немедленно для чего-то высечена; между тем я сам читал об
этой даме спустя в корреспонденции одной из петербургских газет. Многие
говорили у нас о какой-то кладбищенской богаделенке, Авдотье Петровне
Тарапыгиной, что будто бы она, возвращаясь из гостей назад в свою богадельню и проходя по площади, протеснилась между зрителями, из естественно-
го любопытства, и, видя происходящее, воскликнула: «Экой страм!» — и
плюнула. За это ее будто бы подхватили и тоже «отрапортовали». Об этом
случае не только напечатали, но даже устроили у нас в городе сгоряча ей подписку. Я сам подписал двадцать копеек. И что же? Оказывается теперь, что
никакой такой богаделенки Тарапыгиной совсем у нас и не было! Я сам ходил
справляться в их богадельню на кладбище: ни о какой Тарапыгиной там и не
слыхивали; мало того, очень обиделись, когда я рассказал им ходивший слух.
Я же потому, собственно, упоминаю об этой несуществовавшей Авдотье Петровне, что со Степаном Трофимовичем чуть-чуть не случилось того же, что и
с нею (в случае, если б та существовала в действительности); даже, может
быть, с него-то как-нибудь и взялся весь этот нелепый слух о Тарапыгиной,
то есть просто в дальнейшем развитии сплетни взяли да и переделали его в
какую-то Тарапыгину. Главное, не понимаю, каким образом он от меня уско-
льзнул, только что мы с ним вышли на площадь. Предчувствуя что-то очень
недоброе, я хотел было обвести его кругом площади прямо к губернаторско-
му крыльцу, но залюбопытствовался сам и остановился лишь на одну минуту
расспросить какого-то первого встречного, и вдруг смотрю, Степана Трофи-

мовича уж нет подле меня. По инстинкту тотчас же бросился я искать его в самом опасном месте; мне почему-то предчувствовалось, что и у него санки полетели с горы. И действительно, он отыскался уже в самом центре события. Помню, я схватил его за руку; но он тихо и гордо посмотрел на меня с непомерным авторитетом:

— Cher, — произнес он голосом, в котором задрожала какая-то надорванная струна. — Если уж все они тут, на площади, при нас так бесцеремонно распоряжаются, то чего же ждать хоть от *этого*... если случится ему действовать самостоятельно.

И он, дрожа от негодования и с непомерным желанием вызова, перевел свой грозный обличительный перст на стоявшего в двух шагах и выпучившего на нас глаза Флибустьерова.

— *Этого*! — воскликнул тот, невзвидя света. — Какого этого? А ты кто? — подступил он, сжав кулак. — Ты кто? — проревел он бешено, болезненно и отчаянно (замечу, что он отлично знал в лицо Степана Трофимовича). Еще мгновение, и, конечно, он схватил бы его за шиворот; но, к счастию, Лембке повернул на крик голову. С недоумением, но пристально посмотрел он на Степана Трофимовича, как бы что-то соображая, и вдруг нетерпеливо замахал рукой. Флибустьеров осекся. Я потащил Степана Трофимовича из толпы. Впрочем, может быть, он уже и сам желал отступить.

— Домой, домой, — настаивал я, — если нас не прибили, то, конечно, благодаря Лембке.

— Идите, друг мой, я виновен, что вас подвергаю. У вас будущность и карьера своего рода, а я — mon heure a sonné[1].

Он твердо ступил на крыльцо губернаторского дома. Швейцар меня знал; я объявил, что мы оба к Юлии Михайловне. В приемной зале мы уселись и стали ждать. Я не хотел оставлять моего друга, но лишним находил еще что-нибудь ему говорить. Он имел вид человека, обрекшего себя вроде как бы на верную смерть за отечество. Расселись мы не рядом, а по разным углам, я ближе ко входным дверям, он далеко напротив, задумчиво склонив голову и обеими руками слегка опираясь на трость. Широкополую шляпу свою он придерживал в левой руке. Мы просидели так минут десять.

II

Лембке вдруг вошел быстрыми шагами, в сопровождении полицеймейстера, рассеянно поглядел на нас и, не обратив внимания, прошел было направо в кабинет, но Степан Трофимович стал пред ним и заслонил дорогу. Высокая, совсем непохожая на других фигура Степана Трофимовича произвела впечатление; Лембке остановился.

— Кто это? — пробормотал он в недоумении, как бы с вопросом к полицеймейстеру, нимало, впрочем, не повернув к нему головы и всё продолжая осматривать Степана Трофимовича.

— Отставной коллежский асессор Степан Трофимов Верховенский, ваше превосходительство, — ответил Степан Трофимович, осанисто наклоняя голову. Его превосходительство продолжал всматриваться, впрочем весьма тупым взглядом.

---

[1] мой час пробил (*франц.*).

— О чем? — и он с начальническим лаконизмом, брезгливо и нетерпеливо повернул к Степану Трофимовичу ухо, приняв его наконец за обыкновенного просителя с какою-нибудь письменною просьбой.

— Был сегодня подвергнут домашнему обыску чиновником, действовавшим от имени вашего превосходительства; потому желал бы...

— Имя? имя? — нетерпеливо спросил Лембке, как бы вдруг о чем-то догадавшись. Степан Трофимович еще осанистее повторил свое имя.

— А-а-а! Это... это тот рассадник... Милостивый государь, вы заявили себя с такой точки... Вы профессор? Профессор?

— Когда-то имел честь прочесть несколько лекций юношеству — ского университета.

— Ю-но-шеству! — как бы вздрогнул Лембке, хотя, бьюсь об заклад, еще мало понимал, о чем идет дело и даже, может быть, с кем говорит. — Я, милостивый государь мой, этого не допущу-с, — рассердился он вдруг ужасно. — Я юношества не допускаю. Это всё прокламации. Это наскок на общество, милостивый государь, морской наскок, флибустьерство... О чем изволите просить?

— Напротив, ваша супруга просила меня читать завтра на ее празднике. Я же не прошу, а пришел искать прав моих...

— На празднике? Праздника не будет. Я вашего праздника не допущу-с! Лекций? лекций? — вскричал он бешено.

— Я бы очень желал, чтобы вы говорили со мной повежливее, ваше превосходительство, не топали ногами и не кричали на меня, как на мальчика.

— Вы, может быть, понимаете, с кем говорите? — покраснел Лембке.

— Совершенно, ваше превосходительство.

— Я ограждаю собою общество, а вы его разрушаете. Разрушаете! Вы... Я, впрочем, об вас припоминаю: это вы состояли гувернером в доме генеральши Ставрогиной?

— Да, я состоял... гувернером... в доме генеральши Ставрогиной.

— И в продолжение двадцати лет составляли рассадник всего, что теперь накопилось... все плоды... Кажется, я вас сейчас видел на площади. Бойтесь, однако, милостивый государь, бойтесь; ваше направление мыслей известно. Будьте уверены, что я имею в виду. Я, милостивый государь, лекций ваших не могу допустить, не могу-с. С такими просьбами обращайтесь не ко мне.

Он опять хотел было пройти.

— Повторяю, что вы изволите ошибаться, ваше превосходительство: это ваша супруга просила меня прочесть — не лекцию, а что-нибудь литературное на завтрашнем празднике. Но я и сам теперь от чтения отказываюсь. Покорнейшая просьба моя объяснить мне, если возможно: каким образом, за что и почему я подвергнут был сегодняшнему обыску? У меня взяли некоторые книги, бумаги, частные, дорогие для меня письма и повезли по городу в тачке...

— Кто обыскивал? — встрепенулся и опомнился совершенно Лембке и вдруг весь покраснел. Он быстро обернулся к полицеймейстеру. В сию минуту в дверях показалась согбенная, длинная, неуклюжая фигура Блюма.

— А вот этот самый чиновник, — указал на него Степан Трофимович. Блюм выступил вперед с виноватым, но вовсе не сдающимся видом.

— Vous ne faites que des bêtises[1], — с досадой и злобой бросил ему Лембке и вдруг как бы весь преобразился и разом пришел в себя. — Извините... — проле-

---

[1] Вы делаете одни только глупости (*франц.*).

петал он с чрезвычайным замешательством и краснея как только можно, — это всё... всё это была одна лишь, вероятно, неловкость, недоразумение... одно лишь недоразумение.

— Ваше превосходительство, — заметил Степан Трофимович, — в молодости я был свидетелем одного характерного случая. Раз в театре, в коридоре, некто быстро приблизился к кому-то и дал тому при всей публике звонкую пощечину. Разглядев тотчас же, что пострадавшее лицо было вовсе не то, которому назначалась его пощечина, а совершенно другое, лишь несколько на то похожее, он, со злобой и торопясь, как человек, которому некогда терять золотого времени, произнес точь-в-точь как теперь ваше превосходительство: «Я ошибся... извините, это недоразумение, одно лишь недоразумение». И когда обиженный человек все-таки продолжал обижаться и закричал, то с чрезвычайною досадой заметил ему: «Ведь говорю же вам, что это недоразумение, чего же вы еще кричите!»

— Это... это, конечно, очень смешно... — криво улыбнулся Лембке, — но... но неужели вы не видите, как я сам несчастен?

Он почти вскрикнул и... и, кажется, хотел закрыть лицо руками.

Это неожиданное болезненное восклицание, чуть не рыдание, было нестерпимо. Это, вероятно, была минута первого полного, со вчерашнего дня, яркого сознания всего происшедшего — и тотчас же затем отчаяния, полного, унизительного, предающегося; кто знает, — еще мгновение, и он, может быть, зарыдал бы на всю залу. Степан Трофимович сначала дико посмотрел на него, потом вдруг склонил голову и глубоко проникнутым голосом произнес:

— Ваше превосходительство, не беспокойте себя более моею сварливою жалобой и велите только возвратить мне мои книги и письма...

Его прервали. В это самое мгновение с шумом возвратилась Юлия Михайловна со всею сопровождавшею ее компанией. Но тут мне хотелось бы описать как можно подробнее.

III

Во-первых, все разом, из всех трех колясок, толпой вступили в приемную. Вход в покои Юлии Михайловны был особый, прямо с крыльца, налево; но на сей раз все направились через залу — и, я полагаю, именно потому, что тут находился Степан Трофимович и что всё с ним случившееся, равно как и всё о шпигулинских, уже было возвещено Юлии Михайловне при въезде в город. Успел возвестить Лямшин, за какую-то провинность оставленный дома и не участвовавший в поездке и таким образом раньше всех всё узнавший. С злобною радостью бросился он на наемной казачьей клячонке по дороге в Скворешники, навстречу возвращавшейся кавалькаде, с веселыми известиями. Я думаю, Юлия Михайловна, несмотря на всю свою высшую решимость, все-таки немного сконфузилась, услыхав такие удивительные новости; впрочем, вероятно, на одно только мгновение. Политическая, например, сторона вопроса не могла ее озаботить: Петр Степанович уже раза четыре внушал ей, что шпигулинских буянов надо бы всех пересечь, а Петр Степанович, с некоторого времени, действительно стал для нее чрезвычайным авторитетом. «Но... все-таки он мне за это заплатит», — наверно, подумала она про себя, причем *он*, конечно, относилось к супругу. Мельком замечу, что Петр Степанович на этот раз в общей поездке тоже, как нарочно, не участвовал, и с самого утра его никто нигде не видал. Упомяну еще, кстати, что Варвара Петровна, приняв у себя гостей, возвратилась вместе с ними в город (в одной коляске с Юлией Михайловной), с целью участвовать непременно в последнем заседании комитета о завтрашнем празднике. Ее, конечно, должны были тоже заинтересовать известия, сообщенные Лямшиным о Степане Трофимовиче, а может быть, даже и взволновать.

Расплата с Андреем Антоновичем началась немедленно. Увы, он почувствовал это с первого взгляда на свою прекрасную супругу. С открытым видом, с обворожительною улыбкой, быстро приблизилась она к Степану Трофимовичу, протянула ему прелестно гантированную ручку и засыпала его самыми лестными приветствиями, — как будто у ней только и заботы было во всё это утро, что поскорей подбежать и обласкать Степана Трофимовича за то, что видит его наконец в своем доме. Ни одного намека об утрешнем обыске; точно как будто она еще ничего не знала. Ни одного слова мужу, ни одного взгляда в его сторону, — как будто того и не было в зале. Мало того, Степана Трофимовича тотчас же властно конфисковала и увела в гостиную, — точно и не было у него никаких объяснений с Лембке, да и не стоило их продолжать, если б и были. Опять повторяю: мне кажется, что, несмотря на весь свой высокий тон, Юлия Михайловна в сем случае дала еще раз большого маху. Особенно помог ей тут Кармазинов (участвовавший в поездке по особой просьбе Юлии Михайловны и таким образом, хотя косвенно, сделавший наконец визит Варваре Петровне, чем та, по малодушию своему, была совершенно восхищена). Еще из дверей (он вошел позже других) закричал он, завидев Степана Трофимовича, и полез к нему с объятиями, перебивая даже Юлию Михайловну.

— Сколько лет, сколько зим! Наконец-то... Excellent ami[1].

Он стал целоваться и, разумеется, подставил щеку. Потерявшийся Степан Трофимович принужден был облобызать ее.

— Cher, — говорил он мне уже вечером, припоминая всё о тогдашнем дне, — я подумал в ту минуту: кто из нас подлее? Он ли, обнимающий меня с тем, чтобы тут же унизить, я ли, презирающий его и его щеку и тут же ее лобызающий, хотя и мог отвернуться... тьфу!

— Ну расскажите же, расскажите всё, — мямлил и сюсюкал Кармазинов, как будто так и можно было взять и рассказать ему всю жизнь за двадцать пять лет. Но это глупенькое легкомыслие было в «высшем» тоне.

— Вспомните, что мы виделись с вами в последний раз в Москве, на обеде в честь Грановского, и что с тех пор прошло двадцать четыре года... — начал было очень резонно (а стало быть, очень не в высшем тоне) Степан Трофимович.

— Ce cher homme[2], — крикливо и фамильярно перебил Кармазинов, слишком уж дружески сжимая рукой его плечо, — да отведите же нас поскорее к себе, Юлия Михайловна, он там сядет и всё расскажет.

— А между тем я с этою раздражительною бабой никогда и близок-то не был, — трясясь от злобы, всё тогда же вечером, продолжал мне жаловаться Сте-

---

[1] Добрейший друг (*франц.*).

[2] Дражайший (*франц.*).

пан Трофимович. — Мы были почти еще юношами, и уже тогда я начинал его ненавидеть... равно как и он меня, разумеется...

Салон Юлии Михайловны быстро наполнился. Варвара Петровна была в особенно возбужденном состоянии, хотя и старалась казаться равнодушною, но я уловил ее два-три ненавистных взгляда на Кармазинова и гневных на Степана Трофимовича, — гневных заранее, гневных из ревности, из любви: если бы Степан Трофимович на этот раз как-нибудь оплошал и дал себя срезать при всех Кармазинову, то, мне кажется, она тотчас бы вскочила и прибила его. Я забыл сказать, что тут же находилась и Лиза, и никогда еще я не видал ее более радостною, беспечно веселою и счастливою. Разумеется, был и Маврикий Николаевич. Затем в толпе молодых дам и полураспущенных молодых людей, составлявших обычную свиту Юлии Михайловны и между которыми эта распущенность принималась за веселость, а грошовый цинизм за ум, я заметил два-три новых лица: какого-то заезжего, очень юлившего поляка, какого-то немца-доктора, здорового старика, громко и с наслаждением смеявшегося поминутно собственным своим лицам, и, наконец, какого-то очень молодого князька из Петербурга, автоматической фигуры, с осанкой государственного человека и в ужасно длинных воротничках. Но видно было, что Юлия Михайловна очень ценила этого гостя и даже беспокоилась за свой салон...

— Cher monsieur Karmazinoff [1], — заговорил Степан Трофимович, картинно усевшись на диване и начав вдруг сюсюкать не хуже Кармазинова, — cher monsieur Karmazinoff, жизнь человека нашего прежнего времени и известных убеждений, хотя бы и в двадцатипятилетний промежуток, должна представляться однообразною...

Немец громко и отрывисто захохотал, точно заржал, очевидно полагая, что Степан Трофимович сказал что-то ужасно смешное. Тот с выделанным изумлением посмотрел на него, не произведя, впрочем, на того никакого эффекта. Посмотрел и князь, повернувшись к немцу всеми своими воротничками и наставив пенсне, хотя и без малейшего любопытства.

— ...Должна представляться однообразною, — нарочно повторил Степан Трофимович, как можно длиннее и бесцеремоннее растягивая каждое слово. — Такова была и моя жизнь за всю эту четверть столетия, et comme on trouve partout plus de moines que de raison [2], и так как я с этим совершенно согласен, то и вышло, что я во всю эту четверть столетия...

— C'est charmant, les moines [3], — прошептала Юлия Михайловна, повернувшись к сидевшей подле Варваре Петровне.

Варвара Петровна ответила гордым взглядом. Но Кармазинов не вынес успеха французской фразы и быстро и крикливо перебил Степана Трофимовича.

— Что до меня, то я на этот счет успокоен и сижу вот уже седьмой год в Карльсруэ. И когда прошлого года городским советом положено было проложить новую водосточную трубу, то я почувствовал в своем сердце, что этот карльсруйский водосточный вопрос милее и дороже для меня всех вопросов моего милого отечества... за всё время так называемых здешних реформ.

— Принужден сочувствовать, хотя бы и против сердца, — вздохнул Степан Трофимович, многозначительно наклоняя голову.

---

[1] Дорогой господин Кармазинов (*франц.*).

[2] и так как монахов везде встречаешь чаще, чем здравый смысл (*франц.*).

[3] Это прелестно, о монахах (*франц.*).

Юлия Михайловна торжествовала: разговор становился и глубоким, и с направлением.

— Труба для стока нечистот? — громко осведомился доктор.

— Водосточная, доктор, водосточная, и я даже тогда помогал им писать проект.

Доктор с треском захохотал. За ним многие, и уже на этот раз в глаза доктору, который этого не приметил и ужасно был доволен, что все смеются.

— Позвольте не согласиться с вами, Кармазинов, — поспешила вставить Юлия Михайловна. — Карльсруэ своим чередом, но вы любите мистифировать, и мы на этот раз вам не поверим. Кто из русских людей, из писателей, выставил столько самых современных типов, угадал столько самых современных вопросов, указал именно на те главные современные пункты, из которых составляется тип современного деятеля? Вы, один вы, и никто другой. Уверяйте после того в вашем равнодушии к родине и в страшном интересе к карльсруйской водосточной трубе! Ха-ха!

— Да, я, конечно, — засюсюкал Кармазинов, — выставил в типе Погожева все недостатки славянофилов, а в типе Никодимова все недостатки западников...

— Уж будто и *все*, — прошептал тихонько Лямшин.

— Но я делаю это вскользь, лишь бы как-нибудь убить неотвязчивое время и... удовлетворить всяким этим неотвязчивым требованиям соотечественников.

— Вам, вероятно, известно, Степан Трофимович, — восторженно продолжала Юлия Михайловна, — что завтра мы будем иметь наслаждение услышать прелестные строки... одно из самых последних изящнейших беллетристических вдохновений Семена Егоровича, оно называется «Merci». Он объявляет в этой пиесе, что писать более не будет, не станет ни за что на свете, если бы даже ангел с неба или, лучше сказать, всё высшее общество его упрашивало изменить решение. Одним словом, кладет перо на всю жизнь, и это грациозное «Merci» обращено к публике в благодарность за тот постоянный восторг, которым она сопровождала столько лет его постоянное служение честной русской мысли.

Юлия Михайловна была на верху блаженства.

— Да, я распрощаюсь; скажу свое «Merci» и уеду, и там... в Карльсруэ... закрою глаза свои, — начал мало-помалу раскисать Кармазинов.

Как многие из наших великих писателей (а у нас очень много великих писателей), он не выдерживал похвал и тотчас же начинал слабеть, несмотря на свое остроумие. Но я думаю, что это простительно. Говорят, один из наших Шекспиров прямо так и брякнул в частном разговоре, что, «дескать, нам, *великим людям*, иначе и нельзя» и т. д., да еще и не заметил того.

— Там, в Карльсруэ, я закрою глаза свои. Нам, великим людям, остается, сделав свое дело, поскорее закрывать глаза, не ища награды. Сделаю так и я.

— Дайте адрес, и я приеду к вам в Карльсруэ на вашу могилу, — безмерно расхохотался немец.

— Теперь мертвых и по железным дорогам пересылают, — неожиданно проговорил кто-то из незначительных молодых людей.

Лямшин так и завизжал от восторга. Юлия Михайловна нахмурилась. Вошел Николай Ставрогин.

— А мне сказали, что вас взяли в часть? — громко проговорил он, обращаясь прежде всех к Степану Трофимовичу.

— Нет, это был всего только *частный* случай, — скаламбурил Степан Трофимович.

— Но надеюсь, что он не будет иметь ни малейшего влияния на мою просьбу, — опять подхватила Юлия Михайловна, — я надеюсь, что вы, невзирая на эту несчастную неприятность, о которой я не имею до сих пор понятия, не обманете наших лучших ожиданий и не лишите нас наслаждения услышать ваше чтение на литературном утре.

— Я не знаю, я... теперь...

— Право, я так несчастна, Варвара Петровна... и представьте, именно когда я так жаждала поскорее узнать лично одного из самых замечательных и независимых русских умов, и вот вдруг Степан Трофимович изъявляет намерение от нас удалиться.

— Похвала произнесена так громко, что я, конечно, должен был бы не расслышать, — отчеканил Степан Трофимович, — но не верю, чтобы моя бедная личность была так необходима завтра для вашего праздника. Впрочем, я...

— Да вы его избалуете! — прокричал Петр Степанович, быстро вбегая в комнату. — Я только лишь взял его в руки, и вдруг в одно утро — обыск, арест, полицейский хватает его за шиворот, а вот теперь его убаюкивают дамы в салоне градоправителя! Да у него каждая косточка ноет теперь от восторга; ему и во сне не снился такой бенефис. То-то начнет теперь на социалистов доносить!

— Быть не может, Петр Степанович. Социализм слишком великая мысль, чтобы Степан Трофимович не сознавал того, — с энергией заступилась Юлия Михайловна.

— Мысль великая, но исповедующие не всегда великаны, et brisons-là, mon cher[1], — заключил Степан Трофимович, обращаясь к сыну и красиво приподымаясь с места.

Но тут случилось самое неожиданное обстоятельство. Фон Лембке уже несколько времени находился в салоне, но как бы никем не примеченный, хотя все видели, как он вошел. Настроенная на прежнюю идею, Юлия Михайловна продолжала его игнорировать. Он поместился около дверей и мрачно, с строгим видом прислушивался к разговорам. Заслышав намеки об утренних происшествиях, он стал как-то беспокойно повертываться, уставился было на князя, видимо пораженный его торчащими вперед, густо накрахмаленными воротничками; потом вдруг точно вздрогнул, заслышав голос и завидев вбежавшего Петра Степановича, и, только что Степан Трофимович успел проговорить свою сентенцию о социалистах, вдруг подошел к нему, толкнув по дороге Лямшина, который тотчас же отскочил с выделанным жестом и изумлением, потирая плечо и представляясь, что его ужасно больно ушибли.

— Довольно! — проговорил фон Лембке, энергически схватив испуганного Степана Трофимовича за руку и изо всех сил сжимая ее в своей. — Довольно, флибустьеры нашего времени определены. Ни слова более. Меры приняты...

Он проговорил громко, на всю комнату, заключил энергически. Произведенное впечатление было болезненное. Все почувствовали нечто неблагополучное. Я видел, как Юлия Михайловна побледнела. Эффект завершился глупою случайностью. Объявив, что меры приняты, Лембке круто повернулся и быстро пошел из комнаты, но с двух шагов запнулся за ковер, клюнулся носом вперед и чуть было не упал. На мгновение он остановился, поглядел на то место, о которое запнулся, и, вслух проговорив: «Переменить», вышел в дверь.

---

[1] и на этом кончим, мой милый (*франц.*).

Юлия Михайловна побежала вслед за ним. С ее выходом поднялся шум, в котором трудно было что-нибудь разобрать. Говорили, что «расстроен», другие, что «подвержен». Третьи показывали пальцем около лба; Лямшин в уголку наставил два пальца выше лба. Намекали на какие-то домашние происшествия, всё шепотом разумеется. Никто не брался за шляпу, а все ожидали. Я не знаю, что успела сделать Юлия Михайловна, но минут через пять она воротилась, стараясь изо всех сил казаться спокойною. Она отвечала уклончиво, что Андрей Антонович немного в волнении, но что это ничего, что с ним это еще с детства, что она знает «гораздо лучше» и что завтрашний праздник, конечно, развеселит его. Затем еще несколько лестных, но единственно для приличия, слов Степану Трофимовичу и громкое приглашение членам комитета теперь же, сейчас, открыть заседание. Тут только стали было не участвовавшие в комитете собираться домой; но болезненные приключения этого рокового дня еще не окончились...

Еще в самую ту минуту, как вошел Николай Всеволодович, я заметил, что Лиза быстро и пристально на него поглядела и долго потом не отводила от него глаз, — до того долго, что под конец это возбудило внимание. Я видел, что Маврикий Николаевич нагнулся к ней сзади и, кажется, хотел было что-то ей пошептать, но, видно, переменил намерение и быстро выпрямился, оглядывая всех как виноватый. Возбудил любопытство и Николай Всеволодович: лицо его было бледнее обыкновенного, а взгляд необычайно рассеян. Бросив свой вопрос Степану Трофимовичу при входе, он как бы забыл о нем тотчас же, и, право, мне кажется, так и забыл подойти к хозяйке. На Лизу не взглянул ни разу, — не потому, что не хотел, а потому, утверждаю это, что и ее тоже вовсе не замечал. И вдруг, после некоторого молчания, последовавшего за приглашением Юлии Михайловны открыть, не теряя времени, последнее заседание, — вдруг раздался звонкий, намеренно громкий голос Лизы. Она позвала Николая Всеволодовича:

— Николай Всеволодович, мне какой-то капитан, называющий себя вашим родственником, братом вашей жены, по фамилии Лебядкин, всё пишет неприличные письма и в них жалуется на вас, предлагая мне открыть какие-то про вас тайны. Если он в самом деле ваш родственник, то запретите ему меня обижать и избавьте от неприятностей.

Страшный вызов послышался в этих словах, все это поняли. Обвинение было явное, хотя, может быть, и для нее самой внезапное. Похоже было на то, когда человек, зажмуря глаза, бросается с крыши.

Но ответ Николая Ставрогина был еще изумительнее.

Во-первых, уже то было странно, что он вовсе не удивился и выслушал Лизу с самым спокойным вниманием. Ни смущения, ни гнева не отразилось в лице его. Просто, твердо, даже с видом полной готовности ответил он на роковой вопрос:

— Да, я имею несчастие состоять родственником этого человека. Я муж его сестры, урожденной Лебядкиной, вот уже скоро пять лет. Будьте уверены, что я передам ему ваши требования в самом скорейшем времени, и отвечаю, что более он не будет вас беспокоить.

Никогда не забуду ужаса, изобразившегося в лице Варвары Петровны. С безумным видом привстала она со стула, приподняв пред собою, как бы защищаясь, правую руку. Николай Всеволодович посмотрел на нее, на Лизу, на зрителей и вдруг улыбнулся с беспредельным высокомерием; не торопясь вышел он из комнаты. Все видели, как Лиза вскочила с дивана, только лишь повернулся Николай Всеволодович уходить, и явно сделала движение бежать за ним, но опомнилась и не побежала, а тихо вышла, тоже не сказав никому ни слова и ни на кого не взглянув, разумеется в сопровождении бросившегося за нею Маврикия Николаевича...

О шуме и речах в городе в этот вечер не упоминаю. Варвара Петровна заперлась в своем городском доме, а Николай Всеволодович, говорили, прямо проехал в Скворешники, не видавшись с матерью. Степан Трофимович посылал меня вечером к «cette chère amie» вымолить ему разрешение явиться к ней, но меня не приняли. Он был поражен ужасно, плакал. «Такой брак! Такой брак! Такой ужас в семействе», — повторял он поминутно. Однако вспоминал и про Кармазинова и ужасно бранил его. Энергически приготовлялся и к завтрашнему чтению и — художественная натура! — приготовлялся пред зеркалом и припоминал все свои острые словца и каламбурчики за всю жизнь, записанные отдельно в тетрадку, чтобы вставить в завтрашнее чтение.

— Друг мой, я это для великой идеи, — говорил он мне, очевидно оправдываясь. — Cher ami, я двинулся с двадцатипятилетнего места и вдруг поехал, куда — не знаю, но я поехал...

ЧАСТЬ ТРЕТЬЯ

Глава первая
ПРАЗДНИК. ОТДЕЛ ПЕРВЫЙ

I

Праздник состоялся, несмотря ни на какие недоумения прошедшего «шпигулинского» дня. Я думаю, что если бы даже Лембке умер в ту самую ночь, то праздник все-таки бы состоялся наутро, — до того много соединяла с ним какого-то особенного значения Юлия Михайловна. Увы, она до последней минуты находилась в ослеплении и не понимала настроения общества. Никто под конец не верил, что торжественный день пройдет без какого-нибудь колоссального приключения, без «развязки», как выражались иные, заранее потирая руки. Многие, правда, старались принять самый нахмуренный и политический вид; но, вообще говоря, непомерно веселит русского человека всякая общественная скандальная суматоха. Правда, было у нас нечто и весьма посерьезнее одной лишь жажды скандала: было всеобщее раздражение, что-то неутолимо злобное; казалось, всем всё надоело ужасно. Воцарился какой-то всеобщий сбивчивый цинизм, цинизм через силу, как бы с натуги. Только дамы не сбивались, и то в одном только пункте: в беспощадной ненависти к Юлии Михайловне. В этом сошлись все дамские направления. А та, бедная, и не подозревала; она до последнего часу всё еще была уверена, что «окружена» и что ей всё еще «преданы фанатически».

Я уже намекал о том, что у нас появились разные людишки. В смутное время колебания или перехода всегда и везде появляются разные людишки. Я не про тех так называемых «передовых» говорю, которые всегда спешат прежде всех (главная забота) и хотя очень часто с глупейшею, но всё же с определенною более или менее целью. Нет, я говорю лишь про сволочь. Во всякое переходное время подымается эта сволочь, которая есть в каждом обществе, и уже не только безо всякой цели, но даже не имея и признака мысли, а лишь выражая собою изо всех сил беспокойство и нетерпение. Между тем эта сволочь, сама не зная того, почти всегда подпадает под команду той малой кучки «передовых», которые действуют с определенною целью, и та направляет весь этот сор куда ей угодно, если только сама не состоит из совершенных идиотов, что, впрочем, тоже случается. У нас вот говорят теперь, когда уже всё прошло, что Петром Степановичем управляла Интернационалка, а Петр Степанович Юлией Михайловной, а та уже регулировала по его команде всякую сволочь. Солиднейшие из наших умов дивятся теперь на себя: как это они тогда вдруг оплошали? В чем состояло наше смутное время и от чего к чему был у нас переход — я не знаю, да и никто, я думаю, не знает — разве вот некоторые посторонние гости. А между тем дряннейшие людишки получили вдруг перевес, стали громко критиковать всё священное, тогда как прежде и рта не смели раскрыть, а первейшие люди, до тех пор так благополучно державшие верх, стали вдруг их слушать, а сами молчать; а иные так позорнейшим образом подхихикивать. Какие-то Лямшины, Телятниковы, помещики Тентетниковы, доморощенные сопляки Радищевы, скорбно, но надменно улыбающиеся жидишки, хохотуны заезжие путешественники, поэты с направлением из столицы, поэты взамен направления и таланта в поддевках и смазных сапогах, майоры и полковники, смеющиеся над бессмысленностию своего звания и за лишний рубль готовые тотчас же снять свою шпагу и улизнуть в писаря на железную дорогу; генералы, перебежавшие в адвокаты; развитые посредники, развивающиеся купчики, бесчисленные семинаристы, женщины, изображающие собою женский вопрос, — всё это вдруг у нас взяло полный верх, и над кем же? Над клубом, над почтенными сановниками, над генералами на деревянных ногах, над строжайшим и неприступнейшим нашим дамским обществом. Уж если Варвара Петровна, до самой катастрофы с ее сынком, состояла чуть не на посылках у всей этой сволочи, то другим из наших Минерв отчасти и простительна их тогдашняя одурь. Теперь всё приписывают, как я уже и сказал, Интернационалке. Идея эта до того укрепилась, что в этом смысле доносят даже наехавшим посторонним. Еще недавно советник Кубриков, шестидесяти двух лет и со Станиславом на шее, пришел безо всякого зову и проникнутым голосом объявил, что в продолжение целых трех месяцев несомненно состоял под влиянием Интернационалки. Когда же, со всем уважением к его летам и заслугам, пригласили его объясниться удовлетворительнее, то он хотя и не мог представить никаких документов, кроме того, что «ощущал всеми своими чувствами», но тем не менее твердо остался при своем заявлении, так что его уже более не допрашивали.

Повторю еще раз. Сохранилась и у нас маленькая кучка особ осторожных, уединившихся в самом начале и даже затворившихся на замок. Но какой замок устоит пред законом естественным? В самых осторожнейших семействах так же точно растут девицы, которым необходимо потанцевать. И вот все эти особы тоже кончили тем, что подписались на гувернанток. Бал же предполагался такой блистательный, непомерный; рассказывали чудеса; ходили слухи о заезжих князьях с лорнетами, о десяти распорядителях, всё молодых кавалерах, с бантами на левом плече; о петербургских каких-то двигателях; о том, что Кармазинов, для приумножения сбору, согласился прочесть «Merci» в костюме гувернантки нашей губернии; о том, что будет «кадриль литературы», тоже вся в костюмах, и каждый костюм будет изображать собою какое-нибудь направление. Наконец, в костюме же пропляшет и какая-то «честная русская мысль», — что уже само собою представляло совершенную новость. Как же было не подписаться? Все подписались.

II

Праздничный день по программе был разделен на две части: на литературное утро, с полудня до четырех, и потом на бал, с девяти часов во всю ночь. Но в самом этом распоряжении уже таились зародыши беспорядка. Во-первых, с самого начала в публике укрепился слух о завтраке, сейчас после литературного утра или даже во время оного, при нарочно устроенном для того перерыве, — о завтраке, разумеется, даровом, входящем в программу, и с шампанским. Огромная цена билета (три рубля) способствовала укоренению слуха. «А то стал бы я по-пустому подписываться? Праздник предполагается сутки, ну и корми. Народ проголодается», — вот как у нас рассуждали. Я должен признаться, что сама же Юлия Михайловна и укоренила этот пагубный слух чрез свое легкомыслие. С месяц назад, еще под первым обаянием великого замысла, она лепетала о своем празднике первому встречному, а о том, что у нее будут провозглашены тосты, послала даже в одну из столичных газет. Ее, главное, прельщали тогда эти тосты: она сама хотела провозгласить их и в ожидании всё сочиняла их. Они должны были разъяснить наше главное знамя (какое? бьюсь об заклад, бедняжка так ничего и не сочинила), перейти в виде корреспонденции в столичные газеты, умилить и очаровать высшее начальство, а затем разлететься по всем губерниям, возбуждая удивление и подражание. Но для тостов необходимо шампанское, а так как шампанское нельзя же пить натощак, то, само собою, необходим стал и завтрак. Потом, когда уже ее усилиями устроился комитет и приступили к делу серьезнее, то ей тотчас же и ясно было доказано, что если мечтать о пирах, то на гувернанток очень мало останется, даже и при богатейшем сборе. Вопрос представил таким образом два исхода: вальтасаровский пир и тосты, и рублей девяносто на гувернанток, или — осуществление значительного сбора при празднике, так сказать, только для формы. Комитет, впрочем, только хотел задать страху, сам же, конечно, придумал третье решение, примиряющее и благоразумное, то есть весьма порядочный праздник во всех отношениях, только без шампанского, и таким образом в остатке сумма весьма приличная, гораздо больше девяноста рублей. Но Юлия Михайловна не согласилась; ее характер презирал мещанскую средину. Она тут же положила, что если первая мысль неосуществима, то немедленно и всецело броситься в обратную крайность, то есть осуществить колоссальный сбор на зависть всем губерниям. «Должна же наконец понять публика, — заключила она свою пламенную комитетскую речь, — что достижение общечеловеческих целей несравненно возвышеннее минутных наслаждений телесных, что праздник в сущности есть только провозглашение великой идеи, а потому должно удовольствоваться самым экономическим, немецким балком, единственно для аллегории и если уж совсем без этого несносного бала обойтись невозможно!» — до того она вдруг возненавидела его. Но ее наконец успокоили. Тогда-то, например, выдумали и предложили «кадриль литературы» и прочие эстетические вещи, для замещения ими наслаждений телесных. Тогда же и Кармазинов окончательно согласился прочесть «Merci» (а до тех пор только томил и мямлил) и тем истребить даже самую идею еды в умах нашей невоздержной публики. Таким образом опять-таки бал становился великолепнейшим торжеством, хотя и не в том уже роде. А чтобы не уходить совсем в облака, решили, что в начале бала можно будет подать чаю с лимоном и кругленьким печением, потом оршад и лимонад, а под конец даже и мороженое, но и только. Для тех же, которые непременно всегда и везде ощущают голод и, главное, жажду, — можно открыть в конце анфилады комнат особый буфет, которым и займется Прохорыч (главный клубный повар), и — впрочем, под строжайшим надзором комитета — будет подавать, что угодно, но за особую плату, а для того нарочно объявить в дверях залы надписью, что буфет — вне программы. Но утром положили совсем не открывать буфета, чтобы не помешать чтению, несмотря на то что буфет назначался за пять комнат до белой залы, в которой Кармазинов согласился прочесть «Merci». Любопытно, что этому событию, то есть чтению «Merci», кажется придали в комитете слишком уже колоссальное значение, и даже самые практические люди. Что же до людей поэтических, то предводительша, например, объявила Кармазинову, что она после чтения велит тотчас же вделать в стену своей белой залы мраморную доску с золотою надписью, что такого-то числа и года, здесь, на сем месте, великий русский и европейский писатель, кладя перо, прочел «Мерси» и таким образом в первый раз простился с русскою публикой в лице представителей нашего города, и что эту надпись все уже прочтут на бале, то есть всего только пять часов спустя после того, как будет прочитано «Мерси». Я наверно знаю, что Кармазинов-то, главное, и потребовал, чтобы буфета утром не было, пока он будет читать, ни под каким видом, несмотря на замечания иных комитетских, что это не совсем в наших нравах.

В таком положении были дела, когда в городе всё еще продолжали верить в вальтасаровский пир, то есть в буфет от комитета; верили до последнего часа. Даже барышни мечтали о множестве конфет и варенья и еще чего-то неслыханного. Все знали, что сбор осуществился богатейший, что ломится весь город, что едут из уездов и недостает билетов. Известно было тоже, что сверх положенной цены состоялись и значительные пожертвования: Варвара Петровна, например, заплатила за свой билет триста рублей и отдала на украшение залы все цветы из своей оранжереи. Предводительша (член комитета) дала дом и освещение; клуб — музыку и прислугу и на весь день уступил Прохорыча. Были и еще пожертвования, хотя и не столь крупные, так что даже приходила мысль сбавить первоначальную цену билета с трех рублей на два. Комитет действительно сперва опасался, что по три рубля не поедут барышни, и предлагал устроить как-нибудь билеты посемейные, а именно, чтобы каждое семейство платило за одну лишь барышню, а все остальные барышни, принадлежащие к этой фамилии, хотя бы в числе десяти экземпляров, входили даром. Но все опасения оказались напрасными: напротив, барышни-то и явились. Даже самые беднейшие чиновники привезли своих девиц, и слишком ясно, не будь у них девиц, им самим и в мысль не пришло бы подписаться. Один ничтожнейший секретарь привез всех своих семерых дочерей, не считая, разумеется, супруги, и еще племянницу, и каждая из этих особ держала в руке входной трехрублевый билет. Можно, однако, представить, какая была в городе революция! Взять уже то, что так как праздник был разделен на два отделения, то и костюмов дамских потребовалось по два на каждую — утренний для чтения и бальный для танцев. Многие из среднего класса, как оказалось потом, заложили к этому дню всё, даже семейное белье, даже простыни и чуть ли не тюфяки нашим жидам, которых, как нарочно, вот уже два года ужасно много укрепилось в нашем городе и наезжает чем дальше, тем больше. Почти все чиновники забрали вперед жалованье, а иные помещики продали необходимый скот, и всё только чтобы привезти маркизами своих барышень и быть никого не хуже. Великолепие костюмов на сей раз было по нашему месту неслыханное. Город еще за две недели был начинен семейными анекдотами, которые все тотчас же переносились ко двору Юлии Михайловны нашими зубоскалами. Стали ходить семейные карикатуры. Я сам видел в альбоме Юлии Михайловны несколько в этом роде рисунков. Обо всем этом стало слишком хорошо известно там, откуда выходили анекдоты; вот почему, мне кажется, и наросла такая ненависть в семействах к Юлии Михайловне в самое последнее время. Теперь все бранятся и, вспоминая, скрежещут зубами. Но ясно было еще заране, что не угоди тогда в чем-нибудь комитет, оплошай в чем-нибудь бал, и взрыв негодования будет неслыханный. Вот почему всяк про себя и ожидал скандала; а если уж так его ожидали, то как мог он не осуществиться?

Ровно в полдень загремел оркестр. Будучи в числе распорядителей, то есть в числе двенадцати «молодых людей с бантом», я сам своими глазами видел, как начался этот позорной памяти день. Началось с непомерной давки у входа. Как это случилось, что всё оплошало с самого первого шагу, начиная с полиции? Я настоящую публику не виню: отцы семейств не только не теснились и никого не теснили, несмотря на чины свои, но, напротив, говорят, сконфузились еще на улице, видя необычайный по нашему городу напор толпы, которая осаждала подъезд и рвалась на приступ, а не просто входила. Меж тем экипажи всё подъезжали и наконец запрудили улицу. Теперь, когда пишу, я имею твердые данные утверждать, что некоторые из мерзейшей сволочи нашего города были просто проведены Лямшиным и Липутиным без билетов, а может быть, и еще кое-кем, состоявшими в распорядителях, как и я. По крайней мере, явились даже совсем неизвестные личности, съехавшиеся из уездов и еще откуда-то. Эти дикари, только лишь вступали в залу, тотчас же в одно слово (точно их подучили) осведомлялись, где буфет, и, узнав, что нет буфета, безо всякой политики и с необычною до сего времени у нас дерзостию начинали браниться. Правда, иные из них пришли пьяные. Некоторые были поражены, как дикие, великолепием залы предводительши, так как ничего подобного никогда не видывали, и, входя, на минуту затихали и осматривались разиня рот. Эта большая Белая зала, хотя и ветхой уже постройки, была в самом деле великолепна: огромных размеров, в два света, с расписанным по-старинному и отделанным под золото потолком, с хорами, с зеркальными простенками, с красною по белому драпировкою, с мраморными статуями (какими ни на есть, но всё же статуями), с старинною, тяжелою, наполеоновского времени мебелью, белою с золотом и обитою красным бархатом. В описываемый момент в конце залы возвышалась высокая эстрада для имеющих читать литераторов, а вся зала сплошь была уставлена, как партер театра, стульями с широкими проходами для публики. Но после первых минут удивления начинались самые бессмысленные вопросы и заявления. «Мы, может быть, еще и не хотим чтения... Мы деньги заплатили... Публика нагло обманута... Мы хозяева, а не Лембки!..» Одним словом, точно их для этого и впустили. Особенно вспоминаю одно столкновение, в котором отличился вчерашний заезжий князек, бывший вчера утром у Юлии Михайловны, в стоячих воротничках и с видом деревянной куклы. Он тоже, по неотступной ее просьбе, согласился пришпилить к своему левому плечу бант и стать нашим товарищем-распорядителем. Оказалось, что эта немая восковая фигура на пружинах умела если не говорить, то в своем роде действовать. Когда к нему пристал один рябой колоссальный отставной капитан, опираясь на целую кучку всякой толпившейся за ним сволочи: куда пройти в буфет? — он мигнул квартальному. Указание было немедленно выполнено: несмотря на брань пьяного капитана, его вытащили из залы. Меж тем начала наконец появляться и «настоящая» публика и тремя длинными нитями потянулась по трем проходам между стульями. Беспорядочный элемент стал утихать, но у публики, даже у самой «чистой», был недовольный и изумленный вид; иные же из дам просто были испуганы.

Наконец разместились; утихла и музыка. Стали сморкаться, осматриваться. Ожидали с слишком уже торжественным видом — что уже само по себе всегда дурной признак. Но «Лембок» еще не было. Шелки, бархаты, бриллианты сияли и горели со всех сторон; по воздуху разнеслось благовоние. Мужчины были при всех орденах, а старички так даже в мундирах. Явилась наконец и предводительша, вместе с Лизой. Никогда еще Лиза не была так ослепительно прелестна, как в это утро и в таком пышном туалете. Волосы ее были убраны в локонах, глаза сверкали, на лице сияла улыбка. Она видимо произвела эффект; ее осматривали, про нее шептались. Говорили, что она ищет глазами Ставрогина, но ни Ставрогина, ни Варвары Петровны не было. Я не понял тогда выражения ее лица: почему столько счастья, радости, энергии, силы было в этом лице? Я припоминал вчерашний случай и становился в тупик. Но «Лембков», однако, всё еще не было. Это была уже ошибка. Я после узнал, что Юлия Михайловна до последней минуты ожидала Петра Степановича, без которого в последнее время и ступить не могла, несмотря на то что никогда себе в этом не сознавалась. Замечу в скобках, что Петр Степанович накануне, в последнем комитетском заседании, отказался от распорядительского банта, чем очень ее огорчил, даже до слез. К удивлению, а потом и к чрезвычайному ее смущению (о чем объявляю вперед), он исчез на всё утро и на литературное чтение совсем не явился, так что до самого вечера его никто не встречал. Наконец публика начала обнаруживать явное нетерпение. На эстраде тоже никто не показывался. В задних рядах начали аплодировать, как в театре. Старики и барыни хмурились: «Лембки», очевидно, уже слишком важничали. Даже в лучшей части публики начался нелепый шепот о том, что праздника, пожалуй, и в самом деле не будет, что сам Лембке, пожалуй, и в самом деле так нездоров, и пр., и пр. Но, слава богу, Лембке наконец явились: он вел ее под руку; я, признаюсь, и сам ужасно опасался за их появление. Но басни, стало быть, падали, и правда брала свое. Публика как будто отдохнула. Сам Лембке, казалось, был в полном здоровье, как, помню, заключили и все, потому что можно представить, сколько на него обратилось взглядов. Замечу для характеристики, что и вообще очень мало было таких из нашего высшего общества, которые предполагали, что Лембке чем-нибудь таким нездоров; деяния же его находили совершенно нормальными и даже так, что вчерашнюю утрешнюю историю на площади приняли с одобрением. «Так-то бы и сначала, — говорили сановники. — А то приедут филантропами, а кончат всё тем же, не замечая, что оно для самой филантропии необходимо», — так по крайней мере рассудили в клубе. Осуждали только, что он при этом погорячился. «Это надо бы хладнокровнее, ну да человек внове», — говорили знатоки. С такою же жадностью все взоры обратились и к Юлии Михайловне. Конечно, никто не вправе требовать от меня как от рассказчика слишком точных подробностей касательно одного пункта: тут тайна, тут женщина; но я знаю только одно: ввечеру вчерашнего дня она вошла в кабинет Андрея Антоновича и пробыла с ним гораздо позже полуночи. Андрей Антонович был прощен и утешен. Супруги согласились во всем, всё было забыто, и когда, в конце объяснения, фон Лембке все-таки стал на колени, с ужасом вспоминая о главном заключительном эпизоде запрошлой ночи, то прелестная ручка, а за нею и уста супруги заградили пламенные излияния покаянных речей рыцарски деликатного, но ослабленного умилением человека. Все видели на лице ее счастье. Она шла с открытым видом и в великолепном костюме. Казалось, она была на верху желаний; праздник — цель и венец ее политики — был осуществлен. Приходя до своих мест, пред самою эстрадой, оба Лембке раскланивались и отвечали на поклоны. Они тотчас же были окружены. Предводительница встала им навстречу... Но тут случилось одно скверное недоразумение: оркестр ни с того ни с сего грянул туш, — не какой-нибудь марш, а просто столовый туш, как у нас в клубе за столом, когда на официальном обеде пьют чье-нибудь здоровье. Я теперь знаю, что об этом постарался Лямшин в своем качестве распорядителя, будто бы в честь входящих «Лембок». Конечно, он мог всегда отговориться тем, что сделал по глупости или по чрезмерной ревности... Увы, я еще не знал тогда, что они об отговорках уже не заботились и с сегодняшним днем всё заканчивали. Но тушем не кончилось: вместе с досадным недоумением и улыбками публики вдруг в конце залы и на хорах раздалось *ура*, тоже как бы в честь Лембке. Голосов было немного, но, признаюсь, они продолжались некоторое время. Юлия Михайловна вспыхнула, глаза ее засверкали. Лембке остановился у своего места и, обернувшись в сторону кричавших, величественно и строго оглядывал залу... Его поскорее посадили. Я опять со страхом приметил на его лице ту опасную улыбку, с которою он стоял вчера поутру в гостиной своей супруги и смотрел на Степана Трофимовича, прежде чем к нему подошел. Мне показалось, что и теперь в его лице какое-то зловещее выражение и, что хуже всего, несколько комическое, — выражение существа, приносящего, так и быть, себя в жертву, чтобы только угодить высшим целям своей супруги... Юлия Михайловна наскоро поманила меня к себе и прошептала, чтоб я бежал к Кармазинову и умолял его начинать. И вот, только что я успел повернуться, произошла другая мерзость, но только гораздо сквернее первой. На эстраде, на пустой эстраде, куда до сей минуты обращались все взоры и все ожидания и где только и видели небольшой стол, пред ним стул, а на столе стакан воды на серебряном подносике, — на пустой эстраде вдруг мелькнула колоссальная фигура капитана Лебядкина во фраке и в белом галстуке. Я так был поражен, что не поверил глазам своим. Капитан, казалось, сконфузился и приостановился в углублении эстрады. Вдруг в публике послышался крик: «Лебядкин! ты?» Глупая красная рожа капитана (он был совершенно пьян) при этом оклике раздвинулась широкою тупою улыбкой. Он поднял руку, потер ею лоб, тряхнул своею мохнатою головой и, как будто решившись на всё, шагнул два шага вперед и — вдруг фыркнул смехом, не громким, но заливчатым, длинным, счастливым, от которого заколыхалась вся его дебелая масса и съежились глазки. При этом виде чуть не половина публики засмеялась, двадцать человек зааплодировали. Публика серьезная мрачно переглядывалась; всё, однако, продолжалось не более полуминуты. На эстраду вдруг взбежали Липутин с своим распорядительским бантом и двое слуг; они осторожно подхватили капитана под руки, а Липутин что-то пошептал ему. Капитан нахмурился, пробормотал: «А ну, коли так», махнул рукой, повернул к публике свою огромную спину и скрылся с провожатыми. Но мгновение спустя Липутин опять вскочил на эстраду. На губах его была самая сладчайшая из всегдашних его улыбок, обыкновенно напоминающих уксус с сахаром, а в руках листок почтовой бумаги. Мелкими, но частыми шагами подошел он к переднему краю эстрады.

— Господа, — обратился он к публике, — по недосмотру произошло комическое недоразумение, которое и устранено; но я с надеждою взял на себя поручение и глубокую, самую почтительную просьбу одного из местных здешних наших стихотворцев... Проникнутый гуманною и высокою целью... несмотря на свой вид... тою самою целью, которая соединила нас всех... отереть слезы бедных образованных девушек нашей губернии... этот господин, то есть я хочу сказать этот здешний поэт... при желании сохранить инкогнито... очень желал бы видеть свое стихотворение прочитанным пред началом бала... то есть я хотел сказать — чтения. Хотя это стихотворение не в программе и не входит... потому что полчаса, как доставлено... но *нам* (кому нам? Я слово в слово привожу эту отрывистую и сбивчивую речь) показалось, что по замечательной наивности чувства, соединенного с замечательною тоже веселостью, стихотворение могло бы быть прочитано, то есть не как нечто серьезное, а как нечто подходящее к торжеству... Одним словом, к идее... Тем более что несколько строк... и хотел просить разрешения благосклоннейшей публики.

— Читайте! — рявкнул голос в конце залы.

— Так читать-с?

— Читайте, читайте! — раздалось много голосов.

— Я прочту-с, с позволения публики, — покривился опять Липутин всё с тою же сахарною улыбкой. Он все-таки как бы не решался, и мне даже показалось, что он в волнении. При всей дерзости этих людей все-таки иногда они спотыкаются. Впрочем, семинарист не споткнулся бы, а Липутин всё же принадлежал к обществу прежнему.

— Я предупреждаю, то есть имею честь предупредить, что это все-таки не то чтоб ода, как писались прежде на праздники, а это почти, так сказать, шутка, но при несомненном чувстве, соединенном с игривою веселостью и, так сказать, при самореальнейшей правде.

— Читай, читай!

Он развернул бумажку. Разумеется, его никто не успел остановить. К тому же он являлся с своим распорядительским бантом. Звонким голосом он продекламировал:

— Отечественной гувернантке здешних мест от поэта с праздника.

> Здравствуй, здравствуй, гувернантка!
> Веселись и торжествуй,
> Ретроградка иль жорж-зандка,
> Всё равно теперь ликуй!

— Да это Лебядкина! Лебядкина и есть! — отозвалось несколько голосов. Раздался смех и даже аплодисмент, хотя и немногочисленный.

> Учишь ты детей сопливых
> По-французски букварю
> И подмигивать готова,
> Чтобы взял, хоть понмарю!

— Ура! ура!

> Но в наш век реформ великих
> Не возьмет и пономарь:
> Надо, барышня, «толиких»,
> Или снова за букварь.

— Именно, именно, вот это реализм, без «толиких» ни шагу!

> Но теперь, когда, пируя,
> Мы собрали капитал
> И приданое, танцуя,
> Шлем тебе из этих зал, —
>
> Ретроградка иль жорж-зандка,
> Всё равно теперь ликуй!
> Ты с приданым, гувернантка,
> Плюй на всё и торжествуй!

Признаюсь, я не верил ушам своим. Тут была такая явная наглость, что возможности не было извинить Липутина даже глупостью. А Липутин уж как был не глуп. Намерение было ясное, для меня по крайней мере: как будто торопились беспорядком. Некоторые стихи этого идиотского стихотворения, например самый последний, были такого рода, что никакая глупость не могла бы его допустить. Липутин, кажется, и сам почувствовал, что слишком много взял на себя: совершив свой подвиг, он так опешил от собственной дерзости, что даже не уходил с эстрады и стоял, как будто желая что-то еще прибавить. Он, верно, предполагал, что выйдет как-нибудь в другом роде; но даже кучка безобразников, аплодировавшая во время выходки, вдруг замолкла, тоже как бы опешившая. Глупее всего, что многие из них приняли всю выходку патетически, то есть вовсе не за пасквиль, а действительно за реальную правду насчет гувернантки, за стишки с направлением. Но излишняя развязность стихов поразила наконец и их. Что же до всей публики, то вся зала не только была скандализована, но видимо обиделась. Я не ошибаюсь, передавая впечатление. Юлия Михайловна говорила потом, что еще мгновение, и она бы упала в обморок. Один из самых наипочтеннейших старичков поднял свою старушку, и оба вышли из залы под провожавшими их тревожными взглядами публики. Кто знает, может быть, пример увлек бы и еще некоторых, если бы в ту минуту не явился на эстраду сам Кармазинов, во фраке и в белом галстуке и с тетрадью в руке. Юлия Михайловна обратила на него восторженный взгляд, как на избавителя... Но я уже был за кулисами; мне надо было Липутина.

— Это вы нарочно! — проговорил я, хватая его в негодовании за руку.

— Я, ей-богу, никак не думал, — скорчился он, тотчас же начиная лгать и прикидываться несчастным, — стишки только что сейчас принесли, я и подумал, что как веселая шутка...

— Вовсе вы этого не подумали. Неужто вы находите эту бездарную дрянь веселою шуткой?

— Да-с, нахожу-с.

— Вы просто лжете, и вовсе вам не сейчас принесли. Вы сами это сочинили с Лебядкиным вместе, может быть еще вчера, для скандалу. Последний стих непременно ваш, про пономаря тоже. Почему он вышел во фраке? Значит, вы его и читать готовили, если б он не напился пьян.

Липутин холодно и язвительно посмотрел на меня.

— Вам-то что за дело? — спросил он вдруг с странным спокойствием.

— Как что? Вы тоже носите этот бант... Где Петр Степанович?

— Не знаю; здесь где-нибудь; а что?

— А то, что я теперь вижу насквозь. Это просто заговор против Юлии Михайловны, чтоб оскандалить день...

Липутин опять искоса посмотрел на меня.

— Да вам-то что? — ухмыльнулся он, пожал плечами и отошел в сторону.

Меня как бы обдало. Все мои подозрения оправдывались. А я-то еще надеялся, что ошибаюсь! Что мне было делать? Я было думал посоветоваться со Степаном Трофимовичем, но тот стоял пред зеркалом, примеривал разные улыбки и беспрерывно справлялся с бумажкой, на которой у него были сделаны отметки. Ему сейчас после Кармазинова следовало выходить, и разговаривать со мною он уже был не в состоянии. Бежать к Юлии Михайловне? Но к той было рано: той надо было гораздо покрепче урок, чтоб исцелить ее от убеждения в «окруженности» и во всеобщей к ней «фанатической преданности». Она бы мне не поверила и сочла духовидцем. Да и чем она могла помочь? «Э, — подумал я, — да ведь и в самом деле мне-то что за дело, сниму бант и уйду домой, *когда начнется*». Я так и произнес «когда начнется», я это помню.

Но надо было идти слушать Кармазинова. Оглянувшись в последний раз за кулисами, я заметил, что тут шныряет-таки довольно постороннего народа и даже женщин, выходят и уходят. Эти «за кулисы» было довольно узкое пространство, отгороженное от публики наглухо занавесью и сообщавшееся сзади через коридор с другими комнатами. Тут наши читавшие ожидали своей очереди. Но меня особенно поразил в это мгновение следующий после Степана Трофимовича лектор. Это был тоже какой-то вроде профессора (я и теперь не знаю в точности, кто он такой), удалившийся добровольно из какого-то заведения после какой-то студенческой истории и заехавший зачем-то в наш город всего только несколько дней назад. Его тоже рекомендовали Юлии Михайловне, и она приняла его с благоговением. Я знаю теперь, что он был у ней всего только на одном вечере до чтения, весь тот вечер промолчал, двусмысленно улыбался шуткам и тону компании, окружавшей Юлию Михайловну, и на всех произвел впечатление неприятное надменным и в то же время до пугливости обидчивым своим видом. Это сама Юлия Михайловна его завербовала читать. Теперь он ходил из угла в угол и тоже, как и Степан Трофимович, шептал про себя, но смотрел в землю, а не в зеркало. Улыбок не примерял, хотя часто и плотоядно улыбался. Ясно, что и с ним тоже нельзя было говорить. Ростом он был мал, лет сорока на вид, лысый и плешивый, с седоватою бородкой, одет прилично. Но всего интереснее было, что он с каждым поворотом подымал вверх свой правый кулак, мотал им в воздухе над головою и вдруг опускал его вниз, как будто разбивая в прах какого-то сопротивника. Этот фокус проделывал он поминутно. Мне стало жутко. Поскорее побежал я слушать Кармазинова.

III

В зале опять носилось что-то неладное. Объявляю заранее: я преклоняюсь пред величием гения; но к чему же эти господа наши гении в конце своих славных лет поступают иногда совершенно как маленькие мальчики? Ну что же в том, что он Кармазинов и вышел с осанкою пятерых камергеров? Разве можно продержать на одной статье такую публику, как наша, целый час? Вообще я сделал замечание, что будь разгений, но в публичном легком литературном чтении нельзя занимать собою публику более двадцати минут безнаказанно. Правда, выход великого гения встречен был до крайности почтительно. Даже самые строгие старички изъявили одобрение и любопытство, а дамы так даже некоторый восторг. Аплодисмент, однако, был коротенький, и как-то недружный, сбившийся. Зато в задних рядах ни единой выходки, до самого того мгновения, когда господин Кармазинов заговорил, да и тут почти ничего не вышло особенно дурного, а так, как будто недоразумение. Я уже прежде упоминал, что у него был слишком крикливый голос, несколько даже женственный, и притом с настоящим благородным дворянским присюсюкиванием. Только лишь произнес он несколько слов, вдруг кто-то громко позволил себе засмеяться, — вероятно, какой-нибудь неопытный дурачок, не видавший еще ничего светского, и притом при врожденной смешливости. Но демонстрации не было ни малейшей; напротив, дураку же и зашикали, и он уничтожился. Но вот господин Кармазинов, жеманясь и тонируя, объявляет, что он «сначала ни за что не соглашался читать» (очень надо было объявлять!). «Есть, дескать, такие строки, которые до того выпеваются из сердца, что и сказать нельзя, так что этакую святыню никак нельзя нести в публику» (ну так зачем же понес?); «но так как его упросили, то он и понес, и так как, сверх того, он кладет перо навеки и поклялся более ни за что не писать, то уж так и быть, написал эту последнюю вещь; и так как он поклялся ни за что и ничего никогда не читать в публике, то уж так и быть, прочтет эту последнюю статью публике» и т. д., и т. д. — всё в этом роде.

Но всё бы это ничего, и кто не знает авторских предисловий? Хотя замечу, при малой образованности нашей публики и при раздражительности задних рядов это всё могло повлиять. Ну не лучше ли было бы прочитать маленькую повесть, крошечный рассказик в том роде, как он прежде писывал, — то есть хоть обточенно и жеманно, но иногда с остроумием? Этим было бы всё спасено. Нет-с, не тут-то было! Началась рацея! Боже, чего тут не было! Положительно скажу, что даже столичная публика доведена была бы до столбняка, не только наша. Представьте себе почти два печатных листа самой жеманной и бесполезной болтовни; этот господин вдобавок читал еще как-то свысока, пригорюнясь, точно из милости, так что выходило даже с обидой для нашей публики. Тема... Но кто ее мог разобрать, эту тему? Это был какой-то отчет о каких-то впечатлениях, о каких-то воспоминаниях. Но чего? Но об чем? Как ни хмурились наши губернские лбы целую половину чтения, ничего не могли одолеть, так что вторую половину прослушали лишь из учтивости. Правда, много говорилось о любви, о любви гения к какой-то особе, но, признаюсь, это вышло несколько неловко. К небольшой толстенькой фигурке гениального писателя как-то не шло бы рассказывать, на мой взгляд, о своем первом поцелуе... И, что опять-таки обидно, эти поцелуи происходили как-то не так, как у всего человечества. Тут непременно кругом растет дрок (непременно дрок или какая-нибудь такая трава, о которой надобно справляться в ботанике). При этом на небе непременно какой-то фиолетовый оттенок, которого, конечно, никто никогда не примечал из смертных, то есть и все видели, но не умели приметить, а «вот, дескать, я поглядел и описываю вам, дуракам, как самую обыкновенную вещь». Дерево, под которым уселась интересная пара, непременно какого-нибудь оранжевого цвета. Сидят они где-то в Германии. Вдруг они видят Помпея или Кассия накануне сражения, и обоих пронизывает холод восторга. Какая-то русалка запищала в кустах. Глюк заиграл в тростнике на скрипке. Пиеса, которую он играл, названа en toutes lettres[1], но никому не известна, так что об ней надо справляться в музыкальном словаре. Меж тем заклубился туман, так заклубился, так заклубился, что более похож был на миллион подушек, чем на туман. И вдруг всё исчезает, и великий гений переправляется зимой в оттепель через Волгу. Две с половиною страницы переправы, но все-таки попадает в прорубь. Гений тонет, — вы думаете, утонул? И не думал; это всё для того, что когда он уже совсем утопал и захлебывался, то пред ним мелькнула льдинка, крошечная льдинка с горошинку, но чистая и прозрачная, «как замороженная слеза», и в этой льдинке отразилась Германия или, лучше сказать, небо Германии, и радужною игрой своею отражение напомнило ему ту самую слезу, которая, «помнишь, скатилась из глаз твоих, когда мы сидели под изумрудным деревом и ты воскликнула радостно: "Нет преступления!" "Да, — сказал я сквозь слезы, — но коли так, то ведь нет и пра-

---

[1] полностью (*франц.*).

ведников". Мы зарыдали и расстались навеки». — Она куда-то на берег моря, он в какие-то пещеры; и вот он спускается, спускается, три года спускается в Москве под Сухаревою башней, и вдруг в самых недрах земли, в пещере находит лампадку, а пред лампадкой схимника. Схимник молится. Гений приникает к крошечному решетчатому оконцу и вдруг слышит вздох. Вы думаете, это схимник вздохнул? Очень ему надо вашего схимника! Нет-с, просто-запросто этот вздох «напомнил ему ее первый вздох, тридцать семь лет назад», когда, «помнишь, в Германии, мы сидели под агатовым деревом, и ты сказала мне: "К чему любить? Смотри, кругом растет вохра, и я люблю, но перестанет расти вохра, и я разлюблю"». Тут опять заклубился туман, явился Гофман, просвистала из Шопена русалка, и вдруг из тумана, в лавровом венке, над кровлями Рима появился Анк Марций. «Озноб восторга охватил наши спины, и мы расстались навеки» и т. д., и т. д. Одним словом, я, может, и не так передаю и передать не умею, но смысл болтовни был именно в этом роде. И наконец, что за позорная страсть у наших великих умов к каламбурам в высшем смысле! Великий европейский философ, великий ученый, изобретатель, труженик, мученик — все эти труждающиеся и обремененные для нашего русского великого гения решительно вроде поваров у него на кухне. Он барин, а они являются к нему с колпаками в руках и ждут приказаний. Правда, он надменно усмехается и над Россией, и ничего нет приятнее ему, как объявить банкротство России во всех отношениях пред великими умами Европы, но что касается его самого, — нет-с, он уже над этими великими умами Европы возвысился; все они лишь материал для его каламбуров. Он берет чужую идею, приплетает к ней ее антитез, и каламбур готов. Есть преступление, нет преступления; правды нет, праведников нет; атеизм, дарвинизм, московские колокола... Но увы, он уже не верит в московские колокола; Рим, лавры... но он даже не верит в лавры... Тут казенный припадок байроновской тоски, гримаса из Гейне, что-нибудь из Печорина, — и пошла, и пошла, засвистала машина... «А впрочем, похвалите, похвалите, я ведь это ужасно люблю; я ведь это только так говорю, что кладу перо; подождите, я еще вам триста раз надоем, читать устанете...»

Разумеется, кончилось не так ладно; но то худо, что с него-то и началось. Давно уже началось шарканье, сморканье, кашель и всё то, что бывает, когда на литературном чтении литератор, кто бы он ни был, держит публику более двадцати минут. Но гениальный писатель ничего этого не замечал. Он продолжал сюсюкать и мямлить, знать не зная публики, так что все стали приходить в недоумение. Как вдруг в задних рядах послышался одинокий, но громкий голос:

— Господи, какой вздор!

Это выскочило невольно и, я уверен, безо всякой демонстрации. Просто устал человек. Но господин Кармазинов приостановился, насмешливо поглядел на публику и вдруг просюсюкал с осанкою уязвленного камергера:

— Я, кажется, вам, господа, надоел порядочно?

Вот в том-то и вина его, что он первый заговорил; ибо, вызывая таким образом на ответ, тем самым дал возможность всякой сволочи тоже заговорить и, так сказать, даже законно, тогда как если б удержался, то посморкались-посморкались бы, и сошло бы как-нибудь... Может быть, он ждал аплодисмента в ответ на свой вопрос; но аплодисмента не раздалось; напротив, все как будто испугались, съежились и притихли.

— Вы вовсе никогда не видали Анк Марция, это всё слог, — раздался вдруг один раздраженный, даже как бы наболевший голос.

— Именно, — подхватил сейчас же другой голос, — нынче нет привидений, а естественные науки. Справьтесь с естественными науками.

— Господа, я менее всего ожидал таких возражений, — ужасно удивился Кармазинов. Великий гений совсем отвык в Карльсруэ от отечества.

— В наш век стыдно считать, что мир стоит на трех рыбах, — протрещала вдруг одна девица. — Вы, Кармазинов, не могли спускаться в пещеры к пустыннику. Да и кто говорит теперь про пустынников?

— Господа, всего более удивляет меня, что это так серьезно. Впрочем... впрочем, вы совершенно правы. Никто более меня не уважает реальную правду...

Он хоть и улыбался иронически, но сильно был поражен. Лицо его так и выражало: «Я ведь не такой, как вы думаете, я ведь за вас, только хвалите меня, хвалите больше, как можно больше, я это ужасно люблю...»

— Господа, — прокричал он наконец, уже совсем уязвленный, — я вижу, что моя бедная поэмка не туда попала. Да и сам я, кажется, не туда попал.

— Метил в ворону, а попал в корову, — крикнул во всё горло какой-то дурак, должно быть пьяный, и на него, уж конечно, не надо бы обращать внимания. Правда, раздался непочтительный смех.

— В корову, говорите вы? — тотчас же подхватил Кармазинов. Голос его становился всё крикливее. — Насчет ворон и коров я позволю себе, господа, удержаться. Я слишком уважаю даже всякую публику, чтобы позволить себе сравнения, хотя бы и невинные; но я думал...

— Однако вы, милостивый государь, не очень бы... — прокричал кто-то из задних рядов.

— Но я полагал, что, кладя перо и прощаясь с читателем, буду выслушан...

— Нет, нет, мы желаем слушать, желаем, — раздалось несколько осмеливших наконец голосов из первого ряда.

— Читайте, читайте! — подхватило несколько восторженных дамских голосов, и наконец-то прорвался аплодисмент, правда мелкий, жиденький. Кармазинов криво улыбнулся и привстал с места.

— Поверьте, Кармазинов, что все считают даже за честь... — не удержалась даже сама предводительша.

— Господин Кармазинов, — раздался вдруг один свежий юный голос из глубины залы. Это был голос очень молоденького учителя уездного училища, прекрасного молодого человека, тихого и благородного, у нас недавнего еще гостя. Он даже привстал с места. — Господин Кармазинов, если б я имел счастие так полюбить, как вы нам описали, то, право, я не поместил бы про мою любовь в статью, назначенную для публичного чтения...

Он даже весь покраснел.

— Господа, — прокричал Кармазинов, — я кончил. Я опускаю конец и удаляюсь. Но позвольте мне прочесть только шесть заключительных строк.

«Да, друг читатель, прощай! — начал он тотчас же по рукописи и уже не садясь в кресла. — Прощай, читатель; даже не очень настаиваю на том, чтобы мы расстались друзьями: к чему в самом деле тебя беспокоить? Даже брани, о, брани меня, сколько хочешь, если тебе это доставит какое-нибудь удовольствие. Но лучше всего, если бы мы забыли друг друга навеки. И если бы все вы, читатели, стали вдруг настолько добры, что, стоя на коленях, начали упрашивать со слезами: «Пиши, о, пиши для нас, Кармазинов, — для отечества, для потомства, для лавровых венков», то и тогда бы я вам ответил, разумеется поблагодарив со всею учтивостью: «Нет уж, довольно мы повозились друг с другом, милые соотечественники, merci! Пора нам в разные стороны! Merci, merci, merci».

Кармазинов церемонно поклонился и весь красный, как будто его сварили, отправился за кулисы.

— И вовсе никто не будет стоять на коленях; дикая фантазия.

— Экое ведь самолюбие!

— Это только юмор, — поправил было кто-то потолковее.

— Нет, уж избавьте от вашего юмора.

— Однако ведь это дерзость, господа.

— По крайней мере теперь-то хоть кончил.

— Эк скуки наташили!

Но все эти невежественные возгласы задних рядов (не одних, впрочем, задних) были заглушены аплодисментом другой части публики. Вызывали Кармазинова. Несколько дам, имея во главе Юлию Михайловну и предводительшу, столпились у эстрады. В руках Юлии Михайловны явился роскошный лавровый венок, на белой бархатной подушке, в другом венке из живых роз.

— Лавры! — произнес Кармазинов с тонкою и несколько язвительною усмешкой. — Я, конечно, тронут и принимаю этот заготовленный заранее, но еще не успевший увянуть венок с живым чувством; но уверяю вас, mesdames, я настолько вдруг сделался реалистом, что считаю в наш век лавры гораздо уместнее в руках искусного повара, чем в моих...

— Да повара-то полезнее, — прокричал тот самый семинарист, который был в «заседании» у Виргинского. Порядок несколько нарушился. Из многих рядов повскочили, чтобы видеть церемонию с лавровым венком.

— Я за повара теперь еще три целковых придам, — громко подхватил другой голос, слишком даже громко, громко с настойчивостью.

— И я.

— И я.

— Да неужели здесь нет буфета?

— Господа, это просто обман...

Впрочем, надо признаться, что все эти разнузданные господа еще сильно боялись наших сановников, да и пристава, бывшего в зале. Кое-как, минут в десять, все опять разместились, но прежнего порядка уже не восстановлялось. И вот в этот-то начинающийся хаос и попал бедный Степан Трофимович...

IV

Я, однако, сбегал к нему еще раз за кулисы и успел предупредить, вне себя, что, по моему мнению, всё лопнуло и что лучше ему вовсе не выходить, а сейчас же уехать домой, отговорившись хоть холериной, а я бы тоже скинул бант и с ним отправился. Он в это мгновение проходил уже на эстраду, вдруг остановился, оглядел меня высокомерно с головы до ног и торжественно произнес:

— Почему же вы считаете меня, милостивый государь, способным на подобную низость?

Я отступил. Я убежден был как дважды два, что без катастрофы он оттуда не выйдет. Между тем как я стоял в полном унынии, предо мною мелькнула опять фигура приезжего профессора, которому очередь была выходить после Степана Трофимовича и который давеча всё поднимал вверх и опускал со всего размаху кулак. Он всё еще так же расхаживал взад и вперед, углубившись в себя и бормоча что-то себе под нос с ехидною, но торжествующею улыбкой. Я как-то почти без намерения (дернуло же меня и тут) подошел и к нему.

— Знаете, — сказал я, — по многим примерам, если читающий держит публику более двадцати минут, то она уже не слушает. Полчаса никакая даже знаменитость не продержится...

Он вдруг остановился и даже как бы весь затрясся от обиды. Необъятное высокомерие выразилось в его лице.

— Не беспокойтесь, — пробормотал он презрительно и прошел мимо. В эту минуту раздался в зале голос Степана Трофимовича.

«Э, чтобы вас всех!» — подумал я и побежал в залу.

Степан Трофимович уселся в кресла, еще среди остававшегося беспорядка. В передних рядах его, видимо, встретили нерасположенные взгляды. (В клубе его в последнее время как-то перестали любить и гораздо меньше прежнего уважали.) Впрочем, и то уж было хорошо, что не шикали. Странная была у меня идея еще со вчерашнего дня: мне всё казалось, что его тотчас же освищут, лишь только он покажется. А между тем его не сейчас даже и приметили за некоторым остававшимся беспорядком. И на что мог надеяться этот человек, если уж с Кармазиновым так поступили? Он был бледен; десять лет не являлся он пред публикой. По волнению и по всему, слишком мне в нем знакомому, для меня ясно было, что и сам он смотрит на теперешнее появление свое на эстраде как на решение судьбы своей или вроде того. Вот этого-то я и боялся. Дорог мне был этот человек. И что же сталось со мной, когда он отверз уста и я услышал его первую фразу!

— Господа! — произнес он вдруг, как бы решившись на всё и в то же время почти срывавшимся голосом. — Господа! Еще сегодня утром лежала предо мною одна из недавно разбросанных здесь беззаконных бумажек, и я в сотый раз задавал себе вопрос: «В чем ее тайна?»

Вся зала разом притихла, все взгляды обратились к нему, иные с испугом. Нечего сказать, умел заинтересовать с первого слова. Даже из-за кулис выставились головы; Липутин и Лямшин с жадностию прислушивались. Юлия Михайловна опять замахала мне рукой:

— Остановите, во что бы ни стало остановите! — прошептала она в тревоге. Я только пожал плечами; разве можно было остановить человека *решившегося*? Увы, я понял Степана Трофимовича.

— Эге, о прокламациях! — зашептали в публике; вся зала шевельнулась.

— Господа, я разрешил всю тайну. Вся тайна их эффекта — в их глупости! (Глаза его засверкали.) — Да, господа, будь это глупость умышленная, подделанная из расчета, — о, это было бы даже гениально! Но надо отдать им полную справедливость: они ничего не подделали. Это самая обнаженная, самая простодушная, самая коротенькая глупость, — c'est la bêtise dans son essence la plus pure, quelque chose comme un simple chimique[1]. Будь это хоть каплю умнее высказано, и всяк увидал бы тотчас всю нищету этой коротенькой глупости. Но теперь все останавливаются в недоумении: никто не верит, чтоб это было так первоначально глупо. «Не может быть, чтоб тут ничего больше не было», — говорит себе всякий и ищет секрета, видит тайну, хочет прочесть между строчками — эффект достигнут! О, никогда еще глупость не получала такой торжественной

---

[1] это глупость в ее самой чистейшей сущности, нечто вроде химического элемента (*франц.*).

награды, несмотря на то что так часто ее заслуживала... Ибо, en parenthese[1], глупость, как и высочайший гений, одинаково полезны в судьбах человечества...

— Каламбуры сороковых годов! — послышался чей-то, весьма, впрочем, скромный, голос, но вслед за ним всё точно сорвалось; зашумели и загалдели.

— Господа, ура! Я предлагаю тост за глупость! — прокричал Степан Трофимович, уже в совершенном исступлении, бравируя залу.

Я подбежал к нему как бы под предлогом налить ему воды.

— Степан Трофимович, бросьте, Юлия Михайловна умоляет...

— Нет, бросьте вы меня, праздный молодой человек! — накинулся он на меня во весь голос. Я убежал. — Messieurs![2] — продолжал он, — к чему волнение, к чему крики негодования, которые слышу? Я пришел с оливною ветвию. Я принес последнее слово, ибо в этом деле обладаю последним словом, — и мы помиримся.

— Долой! — кричали одни.

— Тише, дайте сказать, дайте высказаться, — вопила другая часть. Особенно волновался юный учитель, который, раз осмелившись заговорить, как будто уже не мог остановиться.

— Messieurs, последнее слово этого дела — есть всепрощение. Я, отживший старик, я объявляю торжественно, что дух жизни веет по-прежнему и живая сила не иссякла в молодом поколении. Энтузиазм современной юности так же чист и светел, как и наших времен. Произошло лишь одно: перемещение целей, замещение одной красоты другою! Все недоумение лишь в том, что прекраснее: Шекспир или сапоги, Рафаэль или петролей?

— Это донос? — ворчали одни.

— Компрометирующие вопросы!

— Agent-provocateur![3]

— А я объявляю, — в последней степени азарта провизжал Степан Трофимович, — а я объявляю, что Шекспир и Рафаэль — выше освобождения крестьян, выше народности, выше социализма, выше юного поколения, выше химии, выше почти всего человечества, ибо они уже плод, настоящий плод всего человечества и, может быть, высший плод, какой только может быть! Форма красоты уже достигнутая, без достижения которой я, может, и жить-то не соглашусь... О боже! — всплеснул он руками, — десять лет назад я точно так же кричал в Петербурге, с эстрады, точно то же и теми словами, и точно так же они не понимали ничего, смеялись и шикали, как теперь; коротенькие люди, чего вам недостает, чтобы понять? Да знаете ли, знаете ли вы, что без англичанина еще можно прожить человечеству, без Германии можно, без русского человека слишком возможно, без науки можно, без хлеба можно, без одной только красоты невозможно, ибо совсем нечего будет делать на свете! Вся тайна тут, вся история тут! Сама наука не простоит минуты без красоты, — знаете ли вы про это, смеющиеся, — обратится в хамство, гвоздя не выдумаете!.. Не уступлю! — нелепо прокричал он в заключение и стукнул изо всей силы по столу кулаком.

Но покамест он визжал без толку и без порядку, нарушался порядок и в зале. Многие повскочили с мест, иные хлынули вперед, ближе к эстраде. Вообще всё это произошло гораздо быстрее, чем я описываю, и мер не успели принять. Может, тоже и не хотели.

_____

[1] между прочим (*франц.*).

[2] Господа! (*франц.*)

[3] Агент-провокатор! (*франц.*)

— Хорошо вам на всем на готовом, баловники! — проревел у самой эстрады тот же семинарист, с удовольствием скаля зубы на Степана Трофимовича. Тот заметил и подскочил к самому краю:

— Не я ли, не я ли сейчас объявил, что энтузиазм в молодом поколении так же чист и светел, как был, и что оно погибает, ошибаясь лишь в формах прекрасного! Мало вам? И если взять, что провозгласил это убитый, оскорбленный отец, то неужели, — о коротенькие, — неужели можно стать выше в беспристрастии и спокойствии взгляда?.. Неблагодарные... несправедливые... для чего, для чего вы не хотите мириться!..

И он вдруг зарыдал истерически. Он утирал пальцами текущие слезы. Плечи и грудь его сотрясались от рыданий... Он забыл всё на свете.

Решительный испуг охватил публику, почти все встали с мест. Быстро вскочила и Юлия Михайловна, схватив под руку супруга и подымая его с кресел... Скандал выходил непомерный.

— Степан Трофимович! — радостно проревел семинарист. — Здесь в городе и в окрестностях бродит теперь Федька Каторжный, беглый с каторги. Он грабит и недавно еще совершил новое убийство. Позвольте спросить: если б вы его пятнадцать лет назад не отдали в рекруты в уплату за карточный долг, то есть попросту не проиграли в картишки, скажите, попал бы он в каторгу? резал бы людей, как теперь, в борьбе за существование? Что скажете, господин эстетик?

Я отказываюсь описывать последовавшую сцену. Во-первых, раздался неистовый аплодисмент. Аплодировали не все, какая-нибудь пятая доля залы, но аплодировали неистово. Вся остальная публика хлынула к выходу, но так как аплодировавшая часть публики всё теснилась вперед к эстраде, то и произошло всеобщее замешательство. Дамы вскрикивали, некоторые девицы заплакали и просились домой. Лембке, стоя у своего места, дико и часто озирался кругом. Юлия Михайловна совсем потерялась — в первый раз во время своего у нас поприща. Что же до Степана Трофимовича, то в первое мгновение он, казалось, буквально был раздавлен словами семинариста; но вдруг поднял обе руки, как бы распростирая их над публикой, и завопил:

— Отрясаю прах ног моих и проклинаю... Конец... конец...

И, повернувшись, он побежал за кулисы, махая и грозя руками.

— Он оскорбил общество!.. Верховенского! — заревели неистовые. Хотели даже броситься за ним в погоню. Унять было невозможно, по крайней мере в ту минуту, и — вдруг окончательная катастрофа как бомба разразилась над собранием и треснула среди его: третий чтец, тот маньяк, который всё махал кулаком за кулисами, вдруг выбежал на сцену.

Вид его был совсем сумасшедший. С широкою, торжествующею улыбкой, полной безмерной самоуверенности, осматривал он взволнованную залу и, казалось, сам был рад беспорядку. Его нимало не смущало, что ему придется читать в такой суматохе, напротив, видимо радовало. Это было так очевидно, что сразу обратило на себя внимание.

— Это еще что? — раздались вопросы, — это еще кто? Тс! что он хочет сказать?

— Господа! — закричал изо всей силы маньяк, стоя у самого края эстрады и почти таким же визгливо-женственным голосом, как и Кармазинов, но только без дворянского присюсюкивания. — Господа! Двадцать лет назад, накануне войны с пол-Европой, Россия стояла идеалом в глазах всех статских и тайных советников. Литература служила в цензуре; в университетах преподавалась шагистика;

войско обратилось в балет, а народ платил подати и молчал под кнутом крепостного права. Патриотизм обратился в дранье взяток с живого и с мертвого. Не бравшие взяток считались бунтовщиками, ибо нарушали гармонию. Березовые рощи истреблялись на помощь порядку. Европа трепетала... Но никогда Россия, во всю бестолковую тысячу лет своей жизни, не доходила до такого позора...

Он поднял кулак, восторженно и грозно махая им над головой, и вдруг яростно опустил его вниз, как бы разбивая в прах противника. Неистовый вопль раздался со всех сторон, грянул оглушительный аплодисман. Аплодировала уже чуть не половина залы; увлекались невиннейше: бесчестилась Россия всенародно, публично, и разве можно было не реветь от восторга?

— Вот это дело! Вот так дело! Ура! Нет, это уж не эстетика!

Маньяк продолжал в восторге:

— С тех пор прошло двадцать лет. Университеты открыты и приумножены. Шагистика обратилась в легенду; офицеров недостает до комплекта тысячами. Железные дороги поели все капиталы и облегли Россию как паутиной, так что лет через пятнадцать, пожалуй, можно будет куда-нибудь и съездить. Мосты горят только изредка, а города сгорают правильно, в установленном порядке по очереди, в пожарный сезон. На судах соломоновские приговоры, а присяжные берут взятки единственно лишь в борьбе за существование, когда приходится умирать им с голоду. Крепостные на воле и лупят друг друга розгачами вместо прежних помещиков. Моря и океаны водки испиваются на помощь бюджету, а в Новгороде, напротив древней и бесполезной Софии, — торжественно воздвигнут бронзовый колоссальный шар на память тысячелетию уже минувшего беспорядка и бестолковщины. Европа хмурится и вновь начинает беспокоиться... Пятнадцать лет реформ! А между тем никогда Россия, даже в самые карикатурные эпохи своей бестолковщины, не доходила...

Последних слов даже нельзя было и расслышать за ревом толпы. Видно было, как он опять поднял руку и победоносно еще раз опустил ее. Восторг перешел все пределы: вопили, хлопали в ладоши, даже иные из дам кричали: «Довольно! Лучше ничего не скажете!» Были как пьяные. Оратор обводил всех глазами и как бы таял в собственном торжестве. Я видел мельком, что Лембке в невыразимом волнении кому-то что-то указывал. Юлия Михайловна, вся бледная, торопливо говорила о чем-то подбежавшему к ней князю... Но в эту минуту целая толпа, человек в шесть, лиц более или менее официальных, ринулась из-за кулис на эстраду, подхватила оратора и повлекла за кулисы. Не понимаю, как мог он от них вырваться, но он вырвался, вновь подскочил к самому краю и успел еще прокричать что было мочи, махая своим кулаком:

— Но никогда Россия еще не доходила...

Но уже его тащили вновь. Я видел, как человек пятнадцать, может быть, ринулись его освобождать за кулисы, но не через эстраду, а сбоку, разбивая легкую загородку, так что та наконец и упала... Я видел потом, не веря глазам своим, что на эстраду вдруг откуда-то вскочила студентка (родственница Виргинского), с тем же своим свертком под мышкой, так же одетая, такая же красная, такая же сытенькая, окруженная двумя-тремя женщинами, двумя-тремя мужчинами, в сопровождении смертельного врага своего гимназиста. Я успел даже расслышать фразу:

— Господа, я приехала, чтоб заявить о страданиях несчастных студентов и возбудить их повсеместно к протесту.

Но я бежал. Свой бант я спрятал в карман и задними ходами, мне известными, выбрался из дому на улицу. Прежде всего, конечно, к Степану Трофимовичу.

Глава вторая
ОКОНЧАНИЕ ПРАЗДНИКА

I

Он меня не принял. Он заперся и писал. На мой повторительный стук и зов отвечал сквозь двери:

— Друг мой, я всё покончил, кто может требовать от меня более?

— Вы ничего не кончили, а только способствовали, что всё провалилось. Ради бога, без каламбуров, Степан Трофимович; отворяйте. Надо принять меры; к вам еще могут прийти и вас оскорбить...

Я считал себя вправе быть особенно строгим и даже взыскательным. Я боялся, чтоб он не предпринял чего-нибудь еще безумнее. Но, к удивлению моему, встретил необыкновенную твердость:

— Не оскорбляйте же меня первый. Благодарю вас за всё прежнее, но повторяю, что я всё покончил с людьми, с добрыми и злыми. Я пишу письмо к Дарье Павловне, которую так непростительно забывал до сих пор. Завтра снесите его, если хотите, а теперь «merci».

— Степан Трофимович, уверяю вас, что дело серьезнее, чем вы думаете. Вы думаете, что вы там кого-нибудь раздробили? Никого вы не раздробили, а сами разбились, как пустая стклянка (о, я был груб и невежлив; вспоминаю с огорчением!). К Дарье Павловне вам решительно писать незачем... и куда вы теперь без меня денетесь? Что смыслите вы на практике? Вы, верно, еще что-нибудь замышляете? Вы только еще раз пропадете, если опять что-нибудь замышляете...

Он встал и подошел к самым дверям.

— Вы пробыли с ними недолго, а заразились их языком и тоном, Dieu vous pardonne, mon ami, et Dieu vous garde[1]. Но я всегда замечал в вас зачатки порядочности, и вы, может быть, еще одумаетесь, — après le temps[2] разумеется, как и все мы, русские люди. Насчет замечания вашего о моей непрактичности напомню вам одну мою давнишнюю мысль: что у нас в России целая бездна людей тем и занимаются, что всего яростнее и с особенным надоеданием, как мухи летом, нападают на чужую непрактичность, обвиняя в ней всех и каждого, кроме только себя. Cher, вспомните, что я в волнении, и не мучьте меня. Еще раз вам merci за всё, и расстанемся друг с другом, как Кармазинов с публикой, то есть забудем друг друга как можно великодушнее. Это он схитрил, что так слишком уж упрашивал о забвении своих бывших читателей; quant á moi[3], я не так самолюбив и более всего надеюсь на молодость вашего неискушенного сердца: где вам долго помнить бесполезного старика? «Живите больше», мой друг, как пожелала мне в прошлые именины Настасья (ces pauvres gens ont quelquefois des mots charmants et pleins de philosophie[4]). Не желаю вам много счастия — наскучит; не желаю и беды; а вслед за народною философией повторю просто: «Живите больше» и постарайтесь как-нибудь не очень скучать; это тщетное пожелание прибавлю уже

---

[1] да простит вас Бог, мой друг, и да хранит он вас (*франц.*).

[2] со временем (*франц.*).

[3] что касается меня (*франц.*).

[4] у этих бедных людей бывают иногда прелестные выражения, полные философского смысла (*франц.*).

от себя. Ну, прощайте, и прощайте серьезно. Да не стойте у моих дверей, я не отопру.

Он отошел, и я более ничего не добился. Несмотря на «волнение», он говорил плавно, неспешно, с весом и видимо стараясь внушить. Конечно, он на меня несколько досадовал и косвенно мстил мне, ну, может, еще за вчерашние «кибитки» и «раздвигающиеся половицы». Публичные же слезы сего утра, несмотря на некоторого рода победу, ставили его, он знал это, в несколько комическое положение, а не было человека, столь заботящегося о красоте и о строгости форм в сношениях с друзьями, как Степан Трофимович. О, я не виню его! Но эта-то щепетильность и саркастичность, удержавшиеся в нем, несмотря на все потрясения, меня тогда и успокоили: человек, так мало, по-видимому, изменившийся против всегдашнего, уж конечно, не расположен в ту минуту к чему-нибудь трагическому или необычайному. Так я тогда рассудил и, боже мой, как ошибся! Слишком многое я упустил из виду...

Предупреждая события, приведу несколько первых строк этого письма к Дарье Павловне, которое та действительно назавтра же получила.

«Mon enfant[1], рука моя дрожит, но я всё закончил. Вас не было в последней схватке моей с людьми; вы не приехали на это «чтение», и хорошо сделали. Но вам расскажут, что в нашей обнищавшей характерами России встал один бодрый человек и, несмотря на смертные угрозы, сыпавшиеся со всех сторон, сказал этим дурачкам их правду, то есть что они дурачки. О, ce sont des pauvres petits vauriens et rien de plus, des petits дурачки — voilè le mot![2] Жребий брошен; я ухожу из этого города навеки и не знаю куда. Все, кого любил, от меня отвернулись. Но вы, вы, создание чистое и наивное, вы, кроткая, которой судьба едва не соединилась с моею, по воле одного капризного и самовластного сердца, вы, может быть, с презрением смотревшая, когда я проливал мои малодушные слезы накануне несостоявшегося нашего брака; вы, которая не можете, кто бы вы ни были, смотреть на меня иначе как на лицо комическое, о, вам, вам последний крик моего сердца, вам последний мой долг, вам одной! Не могу же оставить вас навеки с мыслию обо мне как о неблагодарном глупце, невеже и эгоисте, как, вероятно, и утверждает вам обо мне ежедневно одно неблагодарное и жестокое сердце, которое, увы, не могу забыть...»

И так далее, и так далее, всего четыре страницы большого формата.

Стукнув в ответ на его «не отопру» три раза в дверь кулаком и прокричав ему вслед, что он сегодня же три раза пришлет за мной Настасью, но я уже сам не пойду, я бросил его и побежал к Юлии Михайловне.

II

Здесь я очутился свидетелем сцены возмутительной: бедную женщину обманывали в глаза, а я ничего не мог сделать. В самом деле, что мог я сказать ей? Я уже успел несколько опомниться и рассудить, что у меня всего лишь какие-то ощущения, подозрительные предчувствия, а более ведь ничего. Я застал ее в слезах, почти в истерике, за одеколонными примочками, за стаканом воды. Перед нею стоял Петр Степанович, говоривший без умолку, и князь, молчавший,

---

[1] Дитя мое (*франц.*).

[2] это жалкие мелкие негодяи и больше ничего, жалкие дурачки — именно так! (*франц.*)

как будто его заперли на замок. Она со слезами и вскрикиваниями укоряла Петра Степановича за «отступничество». Меня сразу поразило, что всю неудачу, весь позор этого утра, одним словом всё, она приписывала одному лишь отсутствию Петра Степановича.

В нем же я заметил одну важную перемену: он был как будто чем-то слишком уж озабочен, почти серьезен. Обыкновенно он никогда не казался серьезным, всегда смеялся, даже когда злился, а злился он часто. О, он и теперь был зол, говорил грубо, небрежно, с досадой и нетерпением. Он уверял, что заболел головною болью и рвотой на квартире у Гаганова, к которому забежал случайно ранним утром. Увы, бедной женщине так хотелось быть еще обманутою! Главный вопрос, который я застал на столе, состоял в том: быть или не быть балу, то есть всей второй половине праздника? Юлия Михайловна ни за что не соглашалась явиться на бал после «давешних оскорблений», другими словами, всеми силами желала быть к тому принужденною, и непременно им, Петром Степановичем. Она глядела на него как на оракула, и, кажется, если б он сейчас ушел, то слегла бы в постель. Но он и не хотел уходить: ему самому надо было изо всех сил, чтобы бал состоялся сегодня и чтоб Юлия Михайловна непременно была на нем...

— Ну, чего плакать! Вам непременно надо сцену? На ком-нибудь злобу сорвать? Ну и рвите на мне, только скорее, потому что время идет, а надо решиться. Напортили чтением, скрасим балом. Вот и князь того же мнения. Да-с, не будь князя, чем бы у вас там кончилось?

Князь был вначале против бала (то есть против появления Юлии Михайловны на бале, бал же во всяком случае должен был состояться), но после двух-трех таких ссылок на его мнение он стал мало-помалу мычать в знак согласия.

Удивила меня тоже уж слишком необыкновенная невежливость тона Петра Степановича. О, я с негодованием отвергаю низкую сплетню, распространившуюся уже потом, о каких-то будто бы связях Юлии Михайловны с Петром Степановичем. Ничего подобного не было и быть не могло. Взял он над нею лишь тем, что поддакивал ей изо всех сил с самого начала в ее мечтах влиять на общество и на министерство, вошел в ее планы, сам сочинял их ей, действовал грубейшею лестью, опутал ее с головы до ног и стал ей необходим, как воздух.

Увидев меня, она вскричала, сверкая глазами:

— Вот спросите его, он тоже всё время не отходил от меня, как и князь. Скажите, не явно ли, что всё это заговор, низкий, хитрый заговор, чтобы сделать всё, что только можно злого, мне и Андрею Антоновичу? О, они уговорились! У них был план. Это партия, целая партия!

— Далеко махнули, как и всегда. Вечно в голове поэма. Я, впрочем, рад господину... (он сделал вид, что забыл мое имя), он нам скажет свое мнение.

— Мое мнение, — поторопился я, — во всем согласно с мнением Юлии Михайловны. Заговор слишком явный. Я принес вам эти ленты, Юлия Михайловна. Состоится или не состоится бал, — это, конечно, не мое дело, потому что не моя власть; но роль моя как распорядителя кончена. Простите мою горячность, но я не могу действовать в ущерб здравому смыслу и убеждению.

— Слышите, слышите! — всплеснула она руками.

— Слышу-с и вот что скажу вам, — обратился он ко мне, — я полагаю, что все вы чего-то такого съели, от чего все в бреду. По-моему, ничего не произошло, ровно ничего такого, чего не было прежде и чего не могло быть всегда в здешнем городе. Какой заговор? Вышло некрасиво, глупо до позора, но где же заговор? Это против Юлии-то Михайловны, против ихней-то баловницы, покровительницы, прощавшей им без пути все их школьничества? Юлия Михайловна! О чем я вам долбил весь месяц без умолку? О чем предупреждал? Ну на что, на что вам был весь этот народ? Надо было связаться с людишками! Зачем, для чего? Соединять общество? Да разве они соединятся, помилосердуйте!

— Когда же вы предупреждали меня? Напротив, вы одобряли, вы даже требовали... Я, признаюсь, до того удивлена... Вы сами ко мне приводили многих странных людей.

— Напротив, я спорил с вами, а не одобрял, а водить — это точно водил, но когда уже они сами налезли дюжинами, и то только в последнее время, чтобы составить «кадриль литературы», а без этих хамов не обойдешься. Но только бьюсь об заклад, сегодня десяток-другой таких же других хамов без билетов провели!

— Непременно, — подтвердил я.

— Вот видите, вы уже соглашаетесь. Вспомните, какой был в последнее время здесь тон, то есть во всем городишке? Ведь это обратилось в одно только нахальство, бесстыдство; ведь это был скандал с трезвоном без перерыву. А кто поощрял? Кто авторитетом своим прикрывал? Кто всех с толку сбил? Кто всю мелюзгу разозлил? Ведь у вас в альбоме все здешние семейные тайны воспроизведены. Не вы ли гладили по головке ваших поэтов и рисовальщиков? Не вы ли давали целовать ручку Лямшину? Не в вашем ли присутствии семинарист действительного статского советника обругал, а его дочери дегтярными сапожищами платье испортил? Чего ж вы удивляетесь, что публика против вас настроена?

— Но ведь это всё вы, вы же сами! О боже мой!

— Нет-с, я вас предостерегал, мы ссорились, слышите ли, мы ссорились!

— Да вы в глаза лжете.

— Ну да уж конечно, вам это ничего не стоит сказать. Вам теперь надо жертву, на ком-нибудь злобу сорвать; ну и рвите на мне, я сказал. Я лучше к вам обращусь, господин... (Он всё не мог вспомнить моего имени.) Сочтем по пальцам: я утверждаю, что, кроме Липутина, никакого заговора не было, ни-ка-кого! Я докажу, но анализируем сначала Липутина. Он вышел со стихами дурака Лебядкина — что ж это, по-вашему, заговор? Да знаете ли, что Липутину это просто остроумным могло показаться? Серьезно, серьезно, остроумным. Он просто вышел с целию всех насмешить и развеселить, а покровительницу Юлию Михайловну первую, вот и всё. Не верите? Ну не в тоне ли это всего того, что было здесь целый месяц? И, хотите, всё скажу: ей-богу, при других обстоятельствах, пожалуй бы, и прошло! Шутка грубая, ну там сальная, что ли, а ведь смешная, ведь смешная?

— Как! Вы считаете поступок Липутина остроумным? — в страшном негодовании вскричала Юлия Михайловна. — Этакую глупость, этакую бестактность, эту низость, подлость, этот умысел, о, вы это нарочно! Вы сами с ними после этого в заговоре!

— Непременно, сзади сидел, спрятался, всю машинку двигал! Да ведь если б я участвовал в заговоре, — вы хоть это поймите! — так не кончилось бы одним Липутиным! Стало быть, я, по-вашему, сговорился и с папенькой, чтоб он нарочно такой скандал произвел? Ну-с, кто виноват, что папашу допустили читать? Кто вас вчера останавливал, еще вчера, вчера?

— Oh, hier il avait tant d'esprit[1], я так рассчитывала, и притом у него манеры: я думала, он и Кармазинов... и вот!

— Да-с, и вот. Но, несмотря на весь tant d'esprit, папенька подгадил, а если б я сам знал вперед, что он так подгадит, то, принадлежа к несомненному заговору против вашего праздника, я бы уж, без сомнения, вас не стал вчера уговаривать не пускать козла в огород, так ли-с? А между тем я вас вчера отговаривал, — отговаривал потому, что предчувствовал. Всё предусмотреть, разумеется, возможности не было: он, наверно, и сам не знал, еще за минуту, чем выпалит. Эти нервные старички разве похожи на людей! Но еще можно спасти: пошлите к нему завтра же, для удовлетворения публики, административным порядком и со всеми онёрами, двух докторов, узнать о здоровье, даже сегодня бы можно, и прямо в больницу, на холодные примочки. По крайней мере все рассмеются и увидят, что обижаться нечем. Я об этом еще сегодня же на бале возвещу, так как я сын. Другое дело Кармазинов, тот вышел зеленым ослом и протащил свою статью целый час, — вот уж этот, без сомнения, со мной в заговоре! Дай, дескать, уж и я нагажу, чтобы повредить Юлии Михайловне!

— О, Кармазинов, quelle honte![2] Я сгорела, сгорела со стыда за нашу публику!

— Ну-с, я бы не сгорел, а его самого изжарил. Публика-то ведь права. А кто опять виноват в Кармазинове? Навязывал я вам его или нет? Участвовал в его обожании или нет? Ну да черт с ним, а вот третий маньяк, политический, ну это другая статья. Тут уж все дали маху, а не мой один заговор.

— Ах, не говорите, это ужасно, ужасно! В этом я, я одна виновата!

— Конечно-с, но уж тут я вас оправдаю. Э, кто за ними усмотрит, за откровенными! От них и в Петербурге не уберегутся. Ведь он вам был рекомендован; да еще как! Так согласитесь, что вы теперь даже обязаны появиться на бале. Ведь это штука важная, ведь вы его сами на кафедру взвели. Вы именно должны теперь публично заявить, что вы с этим не солидарны, что молодец уже в руках полиции, а что вы были необъяснимым образом обмануты. Вы должны объявить с негодованием, что вы были жертвою сумасшедшего человека. Потому что ведь это сумасшедший, и больше ничего. О нем так и доложить надо. Я этих кусающихся терпеть не могу. Я, пожалуй, сам еще пуще говорю, но ведь не с кафедры же. А они теперь как раз кричат про сенатора.

— Про какого сенатора? Кто кричит?

— Видите ли, я сам ничего не понимаю. Вам, Юлия Михайловна, ничего не известно про какого-нибудь сенатора?

— Сенатора?

— Видите ли, они убеждены, что сюда назначен сенатор, а что вас сменяют из Петербурга. Я от многих слышал.

— И я слышал, — подтвердил я.

— Кто это говорил? — вся вспыхнула Юлия Михайловна.

— То есть кто заговорил первый? Почем я знаю. А так, говорят. Масса говорит. Вчера особенно говорили. Все как-то уж очень серьезны, хоть ничего не разберешь. Конечно, кто поумнее и покомпетентнее — не говорят, но и из тех иные прислушиваются.

— Какая низость! И... какая глупость!

— Ну так вот именно вам теперь и явиться, чтобы показать этим дуракам.

---

[1] О, вчера он был так остроумен (*франц.*).

[2] какой стыд! (*франц.*)

— Признаюсь, я сама чувствую, что я даже обязана, но... что, если ждет другой позор? Что, если не соберутся? Ведь никто не приедет, никто, никто!

— Экой пламень! Это они-то не приедут? А платья нашитые, а костюмы девиц? Да я от вас после этого как от женщины отрекаюсь. Вот человекознание!

— Предводительша не будет, не будет!

— Да что тут, наконец, случилось! Почему не приедут? — вскричал он наконец в злобном нетерпении.

— Бесславие, позор — вот что случилось. Было я не знаю что, но такое, после чего мне войти невозможно.

— Почему? Да вы-то, наконец, чем виноваты? С чего вы берете вину на себя? Не виновата ли скорее публика, ваши старцы, ваши отцы семейств? Они должны были негодяев и шелопаев сдержать, — потому что тут ведь одни шелопаи да негодяи, и ничего серьезного. Ни в каком обществе и нигде одною полицией не управишься. У нас каждый требует, входя, чтоб за ним особого кварташку отрядили его оберегать. Не понимают, что общество оберегает само себя. А что у нас делают отцы семейств, сановники, жены, девы в подобных обстоятельствах? Молчат и дуются. Даже настолько, чтобы шалунов сдержать, общественной инициативы недостает.

— Ах, это золотая правда! Молчат, дуются и... озираются.

— А коли правда, вам тут ее и высказать, вслух, гордо, строго. Именно показать, что вы не разбиты. Именно этим старичкам и матерям. О, вы сумеете, у вас есть дар, когда голова ясна. Вы их сгруппируете — и вслух, и вслух. А потом корреспонденцию в «Голос» и в «Биржевые». Постойте, я сам за дело возьмусь, я вам всё устрою. Разумеется, побольше внимания, наблюдать буфет; просить князя, просить господина... Не можете же вы нас оставить, monsieur, когда именно надо всё вновь начинать. Ну и, наконец, вы под руку с Андреем Антоновичем. Как здоровье Андрея Антоновича?

— О, как несправедливо, как неверно, как обидно судили вы всегда об этом ангельском человеке! — вдруг, с неожиданным порывом и чуть не со слезами, вскричала Юлия Михайловна, поднося платок к глазам. Петр Степанович в первое мгновение даже осекся:

— Помилуйте, я... да я что же... я всегда...

— Вы никогда, никогда! Никогда вы не отдавали ему справедливости!

— Никогда не поймешь женщину! — проворчал Петр Степанович с кривою усмешкой.

— Это самый правдивый, самый деликатный, самый ангельский человек! Самый добрый человек!

— Помилуйте, да я что ж насчет доброты... я всегда отдавал насчет доброты...

— Никогда! Но оставим. Я слишком неловко вступилась. Давеча этот иезуит предводительша закинула тоже несколько саркастических намеков о вчерашнем.

— О, ей теперь не до намеков о вчерашнем, у ней нынешнее. И чего вы так беспокоитесь, что она на бал не приедет? Конечно, не приедет, коли въехала в такой скандал. Может, она и не виновата, а все-таки репутация; ручки грязны.

— Что такое, я не пойму: почему руки грязны? — с недоумением посмотрела Юлия Михайловна.

— То есть я ведь не утверждаю, но в городе уже звонят, что она-то и сводила.

— Что такое? Кого сводила?

— Э, да вы разве еще не знаете? — вскричал он с удивлением, отлично подделанным, — да Ставрогина и Лизавету Николаевну!

— Как? Что? — вскричали мы все.

— Да неужто же не знаете? Фью! Да ведь тут трагироманы произошли: Лизавета Николаевна прямо из кареты предводительши изволила пересесть в карету
Ставрогина и улизнула с «сим последним» в Скворешники среди бела дня. Всего
час назад, часу нет.

Мы остолбенели. Разумеется, кинулись расспрашивать далее, но, к удивлению, он хоть и был сам, «нечаянно», свидетелем, ничего, однако же, не мог рассказать обстоятельно. Дело происходило будто бы так: когда предводительша
подвезла Лизу и Маврикия Николаевича, с «чтения», к дому Лизиной матери
(всё больной ногами), то недалеко от подъезда, шагах в двадцати пяти, в сторонке, ожидала чья-то карета. Когда Лиза выпрыгнула на подъезд, то прямо побежала к этой карете; дверца отворилась, захлопнулась; Лиза крикнула Маврикию
Николаевичу: «Пощадите меня!» — и карета во всю прыть понеслась в Скворешники. На торопливые вопросы наши: «Было ли тут условие? Кто сидел в карете?» — Петр Степанович отвечал, что ничего не знает; что, уж конечно, было
условие, но что самого Ставрогина в карете не разглядел; могло быть, что сидел
камердинер, старичок Алексей Егорыч. На вопрос: «Как же вы тут очутились? И
почему наверно знаете, что поехала в Скворешники?» — он ответил, что случился тут потому, что проходил мимо, а увидав Лизу, даже подбежал к карете (и
все-таки не разглядел, кто в карете, при его-то любопытстве!), а что Маврикий
Николаевич не только не пустился в погоню, но даже не попробовал остановить
Лизу, даже своею рукой придержал кричавшую во весь голос предводительшу:
«Она к Ставрогину, она к Ставрогину!» Тут я вдруг вышел из терпения и в бешенстве закричал Петру Степановичу:

— Это ты, негодяй, всё устроил! Ты на это и утро убил. Ты Ставрогину помогал, ты приехал в карете, ты посадил... ты, ты, ты! Юлия Михайловна, это враг
ваш, он погубит и вас! Берегитесь!

И я опрометью выбежал из дому.

Я до сих пор не понимаю и сам дивлюсь, как это я тогда ему крикнул. Но я
совершенно угадал: всё почти так и произошло, как я ему высказал, что и оказалось впоследствии. Главное, слишком заметен был тот очевидно фальшивый
прием, с которым он сообщил известие. Он не сейчас рассказал, придя в дом,
как первую и чрезвычайную новость, а сделал вид, что мы будто уж знаем и без
него, — что невозможно было в такой короткий срок. А если бы и знали, всё
равно не могли бы молчать о том, пока он заговорит. Не мог он тоже слышать,
что в городе уже «звонят» про предводительшу, опять-таки по краткости срока.
Кроме того, рассказывая, он раза два как-то подло и ветрено улыбнулся, вероятно считая нас уже за вполне обманутых дураков. Но мне было уже не до него;
главному факту я верил и выбежал от Юлии Михайловны вне себя. Катастрофа
поразила меня в самое сердце. Мне было больно почти до слез; да, может быть,
я и плакал. Я совсем не знал, что предпринять. Бросился к Степану Трофимовичу, но досадный человек опять не отпер. Настасья уверяла меня с благоговейным шепотом, что лег почивать, но я не поверил. В доме Лизы мне удалось расспросить слуг; они подтвердили о бегстве, но ничего не знали сами. В доме происходила тревога; с больною барыней начались обмороки; а при ней находился
Маврикий Николаевич. Мне показалось невозможным вызвать Маврикия Николаевича. О Петре Степановиче, на расспросы мои, подтвердили, что он шны-

рял в доме все последние дни, иногда по два раза на день. Слуги были грустны и говорили о Лизе с какою-то особенною почтительностию; ее любили. Что она погибла, погибла совсем, — в этом я не сомневался, но психологической стороны дела я решительно не понимал, особенно после вчерашней сцены ее с Ставрогиным. Бегать по городу и справляться в знакомых, злорадных домах, где уже весть, конечно, теперь разнеслась, казалось мне противным, да и для Лизы унизительным. Но странно, что я забежал к Дарье Павловне, где, впрочем, меня не приняли (в ставрогинском доме никого не принимали со вчерашнего дня); не знаю, что бы мог я сказать ей и для чего забегал? От нее направился к ее брату. Шатов выслушал угрюмо и молча. Замечу, что я застал его еще в небывалом мрачном настроении; он был ужасно задумчив и выслушал меня как бы через силу. Он почти ничего не сказал и стал ходить взад и вперед, из угла в угол, по своей каморке, больше обыкновенного топая сапогами. Когда же я сходил уже с лестницы, крикнул мне вслед, чтоб я зашел к Липутину: «Там всё узнаете». Но к Липутину я не зашел, а воротился уже далеко с дороги опять к Шатову и, полурастворив дверь, не входя, предложил ему лаконически и безо всяких объяснений: не сходит ли он сегодня к Марье Тимофеевне? На это Шатов выбранился, и я ушел. Записываю, чтобы не забыть, что в тот же вечер он нарочно ходил на край города к Марье Тимофеевне, которую давненько не видал. Он нашел ее в возможно добром здоровье и расположении, а Лебядкина мертвецки пьяным, спавшим на диване в первой комнате. Было это ровно в девять часов. Так сам он мне передавал уже назавтра, встретясь со мной впопыхах на улице. Я же в десятом часу вечера решился сходить на бал, но уже не в качестве «молодого человека распорядителя» (да и бант мой остался у Юлии Михайловны), а из непреодолимого любопытства прислушаться (не расспрашивая): как говорят у нас в городе обо всех этих событиях вообще? Да и на Юлию Михайловну хотелось мне поглядеть, хотя бы издали. Я очень упрекал себя, что так выбежал от нее давеча.

III

Вся эта ночь с своими почти нелепыми событиями и с страшною «развязкой» наутро мерещится мне до сих пор как безобразный, кошмарный сон и составляет — для меня по крайней мере — самую тяжелую часть моей хроники. Я хотя и опоздал на бал, но все-таки приехал к его концу, — так быстро суждено было ему окончиться. Был уже одиннадцатый час, когда я достиг подъезда дома предводительши, где та же давешняя Белая зала, в которой происходило чтение, уже была, несмотря на малый срок, прибрана и приготовлена служить главною танцевальною залой, как предполагалось, для всего города. Но как ни был я худо настроен в пользу бала еще давеча утром, — всё же я не предчувствовал полной истины: ни единого семейства из высшего круга не явилось; даже чиновники чуть-чуть позначительнее манкировали, — а уж это была чрезвычайно сильная черта. Что до дам и девиц, то давешние расчеты Петра Степановича (теперь уже очевидно коварные) оказались в высшей степени неправильными: съехалось чрезвычайно мало; на четырех мужчин вряд ли приходилась одна дама, да и какие дамы! «Какие-то» жены полковых обер-офицеров, разная почтамтская и чиновничья мелюзга, три лекарши с дочерьми, две-три помещицы из бедненьких, семь дочерей и одна племянница того секретаря, о котором я как-то упоминал выше, купчихи, — того ли ожидала Юлия Михайловна? Даже купцы наполовину не съехались. Что до мужчин, то, несмотря на компактное отсутствие всей нашей знати, масса их все-таки была густа, но производила двусмысленное и подозрительное впечатление. Конечно, тут было несколько весьма тихих и почтительных офицеров со своими женами, несколько самых послушных отцов семейств, как всё тот же, например, секретарь, отец своих семи дочерей. Весь этот смирный мелкотравчатый люд явился, так сказать, «по неизбежности», как выразился один из этих господ. Но, с другой стороны, масса бойких особ и, кроме того, масса таких лиц, которых я и Петр Степанович заподозрили давеча как впущенных без билетов, казалось, еще увеличилась против давешнего. Все они пока сидели в буфете и, являясь, так и проходили прямо в буфет, как в заранее условленное место. Так по крайней мере мне показалось. Буфет помещался в конце анфилады комнат, в просторной зале, где водворился Прохорыч со всеми обольщениями клубной кухни и с заманчивою выставкой закусок и выпивок. Я заметил тут несколько личностей чуть не в прорванных сюртуках, в самых сомнительных, слишком не в бальных костюмах, очевидно вытрезвленных с непомерным трудом и на малое время и бог знает откуда взятых, каких-то иногородних. Мне, конечно, было известно, что по идее Юлии Михайловны предположено было устроить бал самый демократический, «не отказывая даже и мещанам, если бы случилось, что кто-нибудь из таковых внесет за билет». Эти слова она смело могла выговорить в своем комитете, в полной уверенности, что никому из мещан нашего города, сплошь нищих, не придет в голову взять билет. Но все-таки я усумнился, чтоб этих мрачных и почти оборванных сертучников можно было впустить, несмотря на весь демократизм комитета. Но кто же их впустил и с какою целью? Липутин и Лямшин были уже лишены своих распорядительских бантов (хотя и присутствовали на бале, участвуя в «кадрили литературы»); но место Липутина занял, к удивлению моему, тот давешний семинарист, который всего более оскандалил «утро» схваткой со Степаном Трофимовичем, а место Лямшина — сам Петр Степанович; чего же можно было ожидать в таком случае? Я старался прислушаться к разговорам. Иные мнения поражали своею дикостью. Утверждали, например, в одной кучке, что всю историю Ставрогина с Лизой обделала Юлия Михайловна и за это взяла со Ставрогина деньги. Называли даже сумму. Утверждали, что даже и праздник устроила она с этою целью; потому-то де половина города и не явилась, узнав, в чем дело, а сам Лембке был так фраппирован, что «расстроился в рассудке», и она теперь его «водит» помешанного. Тут много было и хохоту, сиплого, дикого и себе на уме. Все страшно тоже критиковали бал, а Юлию Михайловну ругали безо всякой церемонии. Вообще болтовня была беспорядочная, отрывистая, хмельная и беспокойная, так что трудно было сообразиться и что-нибудь вывести. Тут же в буфете приютился и просто веселый люд, даже было несколько дам из таких, которых уже ничем не удивишь и не испугаешь, прелюбезных и развеселых, большею частию всё офицерских жен, с своими мужьями. Они устроились на отдельных столиках компаниями и чрезвычайно весело пили чай. Буфет обратился в теплое пристанище чуть не для половины съехавшейся публики. И однако, через несколько времени вся эта масса должна была нахлынуть в залу; страшно было и подумать.

А пока в Белой зале с участием князя образовались три жиденькие кадрильки. Барышни танцевали, а родители на них радовались. Но и тут многие из этих почтенных особ уже начинали обдумывать, как бы им, повеселив своих девиц, убраться посвоевременнее, а не тогда, «когда начнется». Решительно все уверены были, что непременно начнется. Трудно было бы мне изобразить душевное состояние самой Юлии Михайловны. Я с нею не заговаривал, хотя и подходил довольно близко. На мой поклон при входе она не ответила, не заметив меня (действительно не заметив). Лицо ее было болезненное, взгляд презрительный и высокомерный, но блуждающий и тревожный. Она с видимым мучением преодолевала себя, — для чего и для кого? Ей следовало непременно уехать и, главное, увезти супруга, а она оставалась! Уже по лицу ее можно было заметить, что глаза ее «совершенно открылись» и что ей нечего больше ждать. Она даже не подзывала к себе и Петра Степановича (тот, кажется, и сам ее избегал; я видел его в буфете, он был чрезмерно весел). Но она все-таки оставалась на бале и ни на миг не отпускала от себя Андрея Антоновича. О, она до самого последнего мгновения с самым искренним негодованием отвергла бы всякий намек на его здоровье, даже давеча утром. Но теперь глаза ее и на этот счет должны были открыться. Что до меня, то мне с первого взгляда показалось, что Андрей Антонович смотрит хуже, чем давеча утром. Казалось, он был в каком-то забвении и не совсем сознавал, где находится. Иногда вдруг оглядывался с неожиданною строгостью, например раза два на меня. Один раз попробовал о чем-то заговорить, начал вслух и громко и не докончил, произведя почти испуг в одном смиренном старичке чиновнике, случившемся подле него. Но даже и эта смиренная половина публики, присутствовавшая в Белой зале, мрачно и боязливо сторонилась от Юлии Михайловны, бросая в то же время чрезвычайно странные взгляды на ее супруга, взгляды, слишком не гармонировавшие, по своей пристальности и откровенности, с напуганностью этих людей.

«Вот эта-то черта меня и пронзила, и я вдруг начала догадываться об Андрее Антоновиче», — признавалась потом мне самому Юлия Михайловна.

Да, она опять была виновата! Вероятно, давеча, когда после моего бегства порешено было с Петром Степановичем быть балу и быть на бале, — вероятно, она опять ходила в кабинет уже окончательно «потрясенного» на «чтении» Андрея Антоновича, опять употребила все свои обольщения и привлекла его с собой. Но как мучилась, должно быть, теперь! И все-таки не уезжала! Гордость ли ее мучила, или просто она потерялась — не знаю. Она с унижением и с улыбками, при всем своем высокомерии, пробовала заговорить с иными дамами, но те тотчас терялись, отделывались односложными, недоверчивыми «да-с» и «нет-с» и видимо ее избегали.

Из бесспорных сановников нашего города очутился тут на бале лишь один — тот самый важный отставной генерал, которого я уже раз описывал и который у предводительши после дуэли Ставрогина с Гагановым «отворил дверь общественному нетерпению». Он важно расхаживал по залам, присматривался и прислушивался и старался показать вид, что приехал более для наблюдения нравов, чем для несомненного удовольствия. Он кончил тем, что совсем пристроился к Юлии Михайловне и не отходил от нее ни шагу, видимо стараясь ее ободрить и успокоить. Без сомнения, это был человек добрейший, очень сановитый и до того уже старый, что от него можно было вынести даже и сожаление. Но сознаться себе самой, что этот старый болтун осмеливается ее сожалеть и почти протежировать, понимая, что делает ей честь своим присутствием, было очень досадно. А генерал не отставал и всё болтал без умолку.

— Город, говорят, не стоит без семи праведников... семи, кажется, не помню по-ло-жен-ного числа. Не знаю, сколько из этих семи... несомненных праведников нашего города... имели честь посетить ваш бал, но, несмотря на их присутствие, я начинаю чувствовать себя не безопасным. Vous me pardonnerez, charmante dame, n'est-ce pas?[1] Говорю ал-ле-го-ри-чески, но сходил в буфет и рад, что цел вернулся... Наш бесценный Прохорыч там не на месте, и, кажется, к утру его палатку снесут. Впрочем, смеюсь. Я только жду, какая это будет «кадриль ли-те-ратуры», а там в постель. Простите старого подагрика, я ложусь рано, да и вам бы советовал ехать «спатиньки», как говорят aux enfants[2]. А я ведь приехал для юных красавиц... которых, конечно, нигде не могу встретить в таком богатом комплекте, кроме здешнего места... Все из-за реки, а я туда не езжу. Жена одного офицера... кажется, егерского... очень даже недурна, очень и... и сама это знает. Я с плутовочкой разговаривал; бойка и... ну и девочки тоже свежи; но и только; кроме свежести, ничего. Впрочем, я с удовольствием. Есть бутончики; только губы толсты. Вообще в русской красоте женских лиц мало той правильности и... и несколько на блин сводится... Vous me pardonnerez, n'est-ce pas...[3] при хороших, впрочем, глазках... смеющихся глазках. Эти бутончики года по два своей юности о-ча-ро-вательны, даже по три... ну а там расплываются навеки... производя в своих мужьях тот печальный ин-диф-фе-рентизм, который столь способствует развитию женского вопроса... если только я правильно понимаю этот вопрос... Гм. Зала хороша; комнаты убраны недурно. Могло быть хуже. Музыка могла быть гораздо хуже... не говорю — должна быть. Дурной эффект, что мало дам вообще. О нарядах не у-по-ми-наю. Дурно, что этот в серых брюках так откровенно позволяет себе кан-ка-ни-ровать. Я прощу, если он с радости и так как он здешний аптекарь... но в одиннадцатом часу все-таки рано и для аптекаря... Там в буфете двое подрались и не были выведены. В одиннадцатом часу еще должно выводить драчунов, каковы бы ни были нравы публики... не говорю в третьем часу, тут уже необходима уступка общественному мнению, — и если только этот бал доживет до третьего часу. Варвара Петровна слова, однако, не сдержала и не дала цветов. Гм, ей не до цветов, pauvre mère![4] А бедная Лиза, вы слышали? Говорят, таинственная история и... и опять на арене Ставрогин... Гм. Я бы спать поехал... совсем клюю носом. А когда же эта «кадриль ли-те-ра-туры»?

Наконец началась и «кадриль литературы». В городе, в последнее время, чуть только начинался где-нибудь разговор о предстоящем бале, непременно сейчас же сводили на эту «кадриль литературы», и так как никто не мог представить, что это такое, то и возбуждала она непомерное любопытство. Опаснее ничего не могло быть для успеха, и — каково же было разочарование!

Отворились боковые двери Белой залы, до тех пор запертые, и вдруг появилось несколько масок. Публика с жадностью их обступила. Весь буфет до последнего человека разом ввалился в залу. Маски расположились танцевать. Мне удалось протесниться на первый план, и я пристроился как раз сзади Юлии Михайловны, фон Лембке и генерала. Тут подскочил к Юлии Михайловне пропадавший до сих пор Петр Степанович.

— Я всё в буфете и наблюдаю, — прошептал он с видом виноватого школьника, впрочем нарочно подделанным, чтобы еще более ее раздразнить. Та вспыхнула от гнева.

---

[1] Вы меня простите, прелестнейшая, не правда ли? (*франц.*)
[2] детям (*франц.*).
[3] Вы меня простите, не правда ли (*франц.*).
[4] бедная мать! (*франц.*)

— Хоть бы теперь-то вы меня не обманывали, наглый человек! — вырвалось у ней почти громко, так что в публике услышали. Петр Степанович отскочил, чрезвычайно довольный собой.

Трудно было бы представить более жалкую, более пошлую, более бездарную и пресную аллегорию, как эта «кадриль литературы». Ничего нельзя было придумать менее подходящего к нашей публике; а между тем придумывал ее, говорят, Кармазинов. Правда, устраивал Липутин, советуясь с тем самым хромым учителем, который был на вечере у Виргинского. Но Кармазинов все-таки давал идею и даже сам, говорят, хотел нарядиться и взять какую-то особую и самостоятельную роль. Кадриль состояла из шести пар жалких масок, — даже почти и не масок, потому что они были в таких же платьях, как и все. Так, например, один пожилой господин, невысокого роста, во фраке, — одним словом, так, как все одеваются, — с почтенною седою бородой (подвязанною, и в этом состоял весь костюм), танцуя, толокся на одном месте с солидным выражением в лице, часто и мелко семеня ногами и почти не сдвигаясь с места. Он издавал какие-то звуки умеренным, но охрипшим баском, и вот эта-то охриплость голоса и должна была означать одну из известных газет. Напротив этой маски танцевали два какие-то гиганта Х и Z, и эти буквы были у них пришпилены на фраках, но что означали эти Х и Z, так и осталось неразъясненным. «Честная русская мысль» изображалась в виде господина средних лет, в очках, во фраке, в перчатках и — в кандалах (в настоящих кандалах). Под мышкой этой мысли был портфель с каким-то «делом». Из кармана выглядывало распечатанное письмо из-за границы, заключавшее в себе удостоверение, для всех сомневающихся, в честности «честной русской мысли». Всё это досказывалось распорядителями уже изустно, потому что торчавшее из кармана письмо нельзя же было прочесть. В приподнятой правой руке «честная русская мысль» держала бокал, как будто желая провозгласить тост. По обе стороны ее и с нею рядом семенили две стриженые нигилистки, а vis-a-vis[1] танцевал какой-то тоже пожилой господин, во фраке, но с тяжелою дубиной в руке и будто бы изображал собою не петербургское, но грозное издание: «Прихлопну — мокренько будет». Но, несмотря на свою дубину, он никак не мог снести пристально устремленных на него очков «честной русской мысли» и старался глядеть по сторонам, а когда делал pas de deux[2], то изгибался, вертелся и не знал, куда деваться, — до того, вероятно, мучила его совесть... Впрочем, не упомню всех этих тупеньких выдумок; всё было в таком же роде, так что, наконец, мне стало мучительно стыдно. И вот именно то же самое впечатление как бы стыда отразилось и на всей публике, даже на самых угрюмых физиономиях, явившихся из буфета. Некоторое время все молчали и смотрели в сердитом недоумении. Человек в стыде обыкновенно начинает сердиться и наклонен к цинизму. Мало-помалу загудела наша публика:

— Это что ж такое? — пробормотал в одной кучке один буфетник.

— Глупость какая-то.

— Какая-то литература. «Голос» критикуют.

— Да мне-то что.

Из другой кучки:

— Ослы!

— Нет, они не ослы, а ослы-то мы.

— Почему ты осел?

---

[1] напротив (*франц.*).

[2] па де дё (*франц.*).

— Да я не осел.

— А коль уж ты не осел, так я и подавно.

Из третьей кучки:

— Надавать бы всем киселей, да и к черту!

— Растрясти весь зал!

Из четвертой:

— Как не совестно Лембкам смотреть?

— Почему им совестно? Ведь тебе не совестно?

— Да и мне совестно, а он губернатор.

— А ты свинья.

— В жизнь мою не видывала такого самого обыкновенного бала, — ядовито проговорила подле самой Юлии Михайловны одна дама, очевидно с желанием быть услышанною. Эта дама была лет сорока, плотная и нарумяненная, в ярком шелковом платье; в городе ее почти все знали, но никто не принимал. Была она вдова статского советника, оставившего ей деревянный дом и скудный пенсион, но жила хорошо и держала лошадей. Юлии Михайловне, месяца два назад, сделала визит первая, но та не приняла ее.

— Так точно и предвидеть было возможно-с, — прибавила она, нагло заглядывая в глаза Юлии Михайловне.

— А если могли предвидеть, то зачем же пожаловали? — не стерпела Юлия Михайловна.

— Да по наивности-с, — мигом отрезала бойкая дама и вся так и всполохнулась (ужасно желая сцепиться); но генерал стал между ними:

— Chere dame[1], — наклонился он к Юлии Михайловне, — право бы уехать. Мы их только стесняем, а без нас они отлично повеселятся. Вы всё исполнили, открыли им бал, ну и оставьте их в покое... Да и Андрей Антонович не совсем, кажется, чувствует себя у-до-вле-тво-ри-тельно... Чтобы не случилось беды?

Но уже было поздно.

Андрей Антонович всё время кадрили смотрел на танцующих с каким-то гневливым недоумением, а когда начались отзывы в публике, начал беспокойно озираться кругом. Тут в первый раз бросились ему в глаза некоторые буфетные личности; взгляд его выразил чрезвычайное удивление. Вдруг раздался громкий смех над одною проделкой в кадрили: издатель «грозного непетербургского издания», танцевавший с дубиной в руках, почувствовав окончательно, что не может вынести на себе очков «честной русской мысли», и не зная, куда от нее деваться, вдруг, в последней фигуре, пошел навстречу очкам вверх ногами, что, кстати, и должно было обозначать постоянное извращение вверх ногами здравого смысла в «грозном непетербургском издании». Так как один Лямшин умел ходить вверх ногами, то он и взялся представлять издателя с дубиной. Юлия Михайловна решительно не знала, что будут ходить вверх ногами. «От меня это утаили, утаили», — повторяла она мне потом в отчаянии и негодовании. Хохот толпы приветствовал, конечно, не аллегорию, до которой никому не было дела, а просто хождение вверх ногами во фраке с фалдочками. Лембке вскипел и затрясся.

— Негодяй! — крикнул он, указывая на Лямшина. — Схватить мерзавца, обернуть... обернуть его ногами... головой... чтоб голова вверху... вверху!

Лямшин вскочил на ноги. Хохот усиливался.

---

[1] Дорогая (*франц.*).

— Выгнать всех мерзавцев, которые смеются! — предписал вдруг Лембке. Толпа загудела и загрохотала.

— Этак нельзя, ваше превосходительство.

— Публику нельзя ругать-с.

— Сам дурак! — раздался голос откуда-то из угла.

— Флибустьеры! — крикнул кто-то из другого конца.

Лембке быстро обернулся на крик и весь побледнел. Тупая улыбка показалась на его губах, — как будто он что-то вдруг понял и вспомнил.

— Господа, — обратилась Юлия Михайловна к надвигавшейся толпе, в то же время увлекая за собою мужа, — господа, извините Андрея Антоновича, Андрей Антонович нездоров... извините... простите его, господа!

Я именно слышал, как она сказала: «простите». Сцена была очень быстра. Но я решительно помню, что часть публики уже в это самое время устремилась вон из зала, как бы в испуге, именно после этих слов Юлии Михайловны. Я даже запоминаю один истерический женский крик сквозь слезы:

— Ах, опять как давеча!

И вдруг в эту уже начавшуюся почти давку опять ударила бомба, именно «опять как давеча»:

— Пожар! Всё Заречье горит!

Не помню только, где впервые раздался этот ужасный крик: в залах ли, или, кажется, кто-то вбежал с лестницы из передней, но вслед за тем наступила такая тревога, что и рассказать не возьмусь. Больше половины собравшейся на бал публики были из Заречья — владетели тамошних деревянных домов или их обитатели. Бросились к окнам, мигом раздвинули гардины, сорвали шторы. Заречье пылало. Правда, пожар только еще начался, но пылало в трех совершенно разных местах, — это-то и испугало.

— Поджог! Шпигулинские! — вопили в толпе.

Я упомнил несколько весьма характерных восклицаний:

— Так и предчувствовало мое сердце, что подожгут, все эти дни оно чувствовало!

— Шпигулинские, шпигулинские, некому больше!

— Нас и собрали тут нарочно, чтобы там поджечь!

Этот последний, самый удивительный крик был женский, неумышленный, невольный крик погоревшей Коробочки. Всё хлынуло к выходу. Не стану описывать давки в передней при разборе шуб, платков и салопов, визга испуганных женщин, плача барышень. Вряд ли было какое воровство, но не удивительно, что при таком беспорядке некоторые так и уехали без теплой одежды, не отыскав своего, о чем долго потом рассказывалось в городе с легендами и прикрасами. Лембке и Юлия Михайловна были почти сдавлены толпою в дверях.

— Всех остановить! Не выпускать ни одного! — вопил Лембке, грозно простирая руку навстречу теснившимся. — Всем поголовно строжайший обыск, немедленно!

Из залы посыпались крепкие ругательства.

— Андрей Антонович! Андрей Антонович! — восклицала Юлия Михайловна в совершенном отчаянии.

— Арестовать первую! — крикнул тот, грозно наводя на нее свой перст. — Обыскать первую! Бал устроен с целью поджога...

Она вскрикнула и упала в обморок (о, уж конечно, в настоящий обморок). Я, князь и генерал бросились на помощь; были и другие, которые нам помогли в эту трудную минуту, даже из дам. Мы вынесли несчастную из этого ада в карету; но она очнулась, лишь подъезжая к дому, и первый крик ее был опять об Андрее Антоновиче. С разрушением всех ее фантазий пред нею остался один только Андрей Антонович. Послали за доктором. Я прождал у нее целый час, князь тоже; генерал в припадке великодушия (хотя и очень перепугался сам) хотел не отходить всю ночь от «постели несчастной», но через десять минут заснул в зале, еще в ожидании доктора, в креслах, где мы его так и оставили.

Полицеймейстер, поспешивший с бала на пожар, успел вывести вслед за нами Андрея Антоновича и хотел было усадить его в карету к Юлии Михайловне, убеждая изо всех сил его превосходительство «взять покой». Но, не понимаю почему, не настоял. Конечно, Андрей Антонович не хотел и слышать о покое и рвался на пожар; но это был не резон. Кончилось тем, что он же и повез его на пожар в своих дрожках. Потом рассказывал, что Лембке всю дорогу жестикулировал и «такие идеи выкрикивали, что по необычайности невозможно было исполнить-с». Впоследствии так и доложено было, что его превосходительство в те минуты уже состояли от «внезапности испуга» в белой горячке.

Нечего рассказывать, как кончился бал. Несколько десятков гуляк, а с ними даже несколько дам осталось в залах. Полиции никакой. Музыку не отпустили и уходивших музыкантов избили. К утру всю «палатку Прохорыча» снесли, пили без памяти, плясали комаринского без цензуры, комнаты изгадили, и только на рассвете часть этой ватаги, совсем пьяная, подоспела на догоравшее пожарище на новые беспорядки... Другая же половина так и заночевала в залах, в мертвопьяном состоянии, со всеми последствиями, на бархатных диванах и на полу. Поутру, при первой возможности, их вытащили за ноги на улицу. Тем и кончилось празднество в пользу гувернанток нашей губернии.

IV

Пожар испугал нашу заречную публику именно тем, что поджог был очевидный. Замечательно, что при первом крике «горим» сейчас же раздался и крик, что «поджигают шпигулинские». Теперь уже слишком хорошо известно, что и в самом деле трое шпигулинских участвовали в поджоге, но — и только; все остальные с фабрики совершенно оправданы и общим мнением и официально. Кроме тех трех негодяев (из коих один пойман и сознался, а двое по сю пору в бегах), несомненно участвовал в поджоге и Федька Каторжный. Вот и всё, что покамест известно в точности о происхождении пожара; совсем другое дело догадки. Чем руководствовались эти три негодяя, были или нет кем направлены? На всё это очень трудно ответить даже теперь.

Огонь, благодаря сильному ветру, почти сплошь деревянным постройкам Заречья и, наконец, поджогу с трех концов, распространился быстро и охватил целый участок с неимоверною силой (впрочем, поджог надо считать скорее с двух концов: третий был захвачен и потушен почти в ту же минуту, как вспыхнуло, о чем ниже). Но в столичных корреспонденциях все-таки преувеличили нашу беду: сгорело не более (а может, и менее) одной четвертой доли всего Заречья, говоря примерно. Наша пожарная команда, хотя и слабая сравнительно с пространством и населением города, действовала, однако, весьма аккуратно и самоотверженно. Но немного бы она сделала, даже и при дружном содействии обывателей, если бы не переменившийся к утру ветер, вдруг упавший пред самым рассветом. Когда я, всего час спустя после бегства с бала, пробрался в Заречье, огонь был уже в полной силе. Целая улица, параллельная реке, пылала. Было светло как днем. Не стану описывать в подробности картину пожара: кто ее на Руси не знает? В ближайших проулках от пылавшей улицы суета и теснота стояли непомерные. Тут огня ждали наверно, и жители вытаскивали имущество, но всё еще не отходили от своих жилищ, а в ожидании сидели на вытащенных сундуках и перинах, каждый под своими окнами. Часть мужского населения была в тяжкой работе, безжалостно рубила заборы и даже сносила целые лачуги, стоявшие ближе к огню и под ветром. Плакали лишь проснувшиеся ребятишки да выли, причитывая, женщины, уже успевшие вытащить свою рухлядь. Неуспевшие пока молча и энергически вытаскивались. Искры и гальки разлетались далеко; их тушили по возможности. На самом пожаре теснились зрители, сбежавшиеся со всех концов города. Иные помогали тушить, другие глазели как любители. Большой огонь по ночам всегда производит впечатление раздражающее и веселящее; на этом основаны фейерверки; но там огни располагаются по изящным, правильным очертаниям и, при полной своей безопасности, производят впечатление игривое и легкое, как после бокала шампанского. Другое дело настоящий пожар: тут ужас и всё же как бы некоторое чувство личной опасности, при известном веселящем впечатлении ночного огня, производят в зрителе (разумеется, не в самом погоревшем обывателе) некоторое сотрясение мозга и как бы вызов к его собственным разрушительным инстинктам, которые, увы! таятся во всякой душе, даже в душе самого смиренного и семейного титулярного советника... Это мрачное ощущение почти всегда упоительно. «Я, право, не знаю, можно ли смотреть на пожар без некоторого удовольствия?» Это, слово в слово, сказал мне Степан Трофимович, возвратясь однажды с одного ночного пожара, на который попал случайно, и под первым впечатлением зрелища. Разумеется, тот же любитель ночного огня бросится и сам в огонь спасать погоревшего ребенка или старуху; но ведь это уже совсем другая статья.

Теснясь вслед за любопытною толпой, я без расспрашиваний добрел до главнейшего и опаснейшего пункта, где и увидел наконец Лембке, которого отыскивал по поручению самой Юлии Михайловны. Положение его было удивительное и чрезвычайное. Он стоял на обломках забора; налево от него, шагах в тридцати, высился черный скелет уже совсем почти догоревшего двухэтажного деревянного дома, с дырьями вместо окон в обоих этажах, с провалившеюся крышей и с пламенем, всё еще змеившимся кое-где по обугленным бревнам. В глубине двора, шагах в двадцати от погоревшего дома, начинал пылать флигель, тоже двухэтажный, и над ним изо всех сил старались пожарные. Направо пожарные и народ отстаивали довольно большое деревянное строение, еще не загоревшееся, но уже несколько раз загоравшееся, и которому неминуемо суждено было сгореть. Лембке кричал и жестикулировал лицом к флигелю и отдавал приказания, которых никто не исполнял. Я было подумал, что его так тут и бросили и совсем от него отступились. По крайней мере густая и чрезвычайно разнородная толпа, его окружавшая, в которой вместе со всяким людом были и господа и даже соборный протопоп, хотя и слушали его с любопытством и удивлением, но никто из них с ним не заговаривал и не пробовал его отвести. Лембке, бледный, с сверкающими глазами, произносил самые удивительные вещи; к довершению был без шляпы и уже давно потерял ее.

— Всё поджог! Это нигилизм! Если что пылает, то это нигилизм! — услышал я чуть не с ужасом, и хотя удивляться было уже нечему, но наглядная действительность всегда имеет в себе нечто потрясающее.

— Ваше превосходительство, — очутился подле него квартальный, — если бы вы соизволили испробовать домашний покой-с... А то здесь даже и стоять опасно для вашего превосходительства.

Этот квартальный, как я узнал потом, нарочно был оставлен при Андрее Антоновиче полицеймейстером, с тем чтобы за ним наблюдать и изо всех сил стараться увезти его домой, а в случае опасности так даже подействовать силой, — поручение, очевидно, свыше сил исполнителя.

— Слезы погоревших утрут, но город сожгут. Это всё четыре мерзавца, четыре с половиной. Арестовать мерзавца! Он тут один, а четыре с половиной им оклеветаны. Он втирается в честь семейств. Для зажигания домов употребили гувернанток. Это подло, подло! Ай, что он делает! — крикнул он, заметив вдруг на кровле пылавшего флигеля пожарного, под которым уже прогорела крыша и кругом вспыхивал огонь. — Стащить его, стащить, он провалится, он загорится, тушите его... Что он там делает?

— Тушит, ваше превосходительство.

— Невероятно. Пожар в умах, а не на крышах домов. Стащить его и бросить всё! Лучше бросить, лучше бросить! Пусть уж само как-нибудь! Ай, кто еще плачет? Старуха! Кричит старуха, зачем забыли старуху?

Действительно, в нижнем этаже пылавшего флигеля кричала забытая старуха, восьмидесятилетняя родственница купца, хозяина горевшего дома. Но ее не забыли, а она сама воротилась в горевший дом, пока было можно, с безумною целью вытащить из угловой каморки, еще уцелевшей, свою перину. Задыхаясь в дыму и крича от жару, потому что загорелась и каморка, она все-таки изо всех сил старалась просунуть сквозь выбитое в раме стекло дряхлыми руками свою перину. Лембке бросился к ней на помощь. Все видели, как он подбежал к окну, ухватился за угол перины и изо всех сил стал дергать ее из окна. Как на грех, с крыши слетела в этот самый момент выломанная доска и ударила в несчастного. Она не убила его, задев лишь на лету концом по шее, но поприще Андрея Антоновича кончилось, по крайней мере у нас; удар сбил его с ног, и он упал без памяти.

Наступил наконец угрюмый, мрачный рассвет. Пожар уменьшился; после ветра настала вдруг тишина, а потом пошел мелкий медленный дождь, как сквозь сито. Я уже был в другой части Заречья, далеко от того места, где упал Лембке, и тут в толпе услышал очень странные разговоры. Обнаружился один странный факт: совсем на краю квартала, на пустыре, за огородами, не менее как в пятидесяти шагах от других строений, стоял один только что отстроенный небольшой деревянный дом, и этот-то уединенный дом загорелся чуть не прежде всех, при самом начале пожара. Если б и сгорел, то за расстоянием не мог бы передать огня ни одному из городских строений, и обратно — если бы сгорело всё Заречье, то один этот дом мог бы уцелеть, даже при каком бы то ни было ветре. Выходило, что он запылал отдельно и самостоятельно и, стало быть, неспроста. Но главное состояло в том, что сгореть он не успел и внутри его, к рассвету, обнаружены были удивительные дела. Хозяин этого нового дома, мещанин, живший в ближайшей слободке, только что увидел пожар в своем новом доме, бросился к нему и успел его отстоять, раскидав с помощью соседей зажженные дрова, сложенные у боковой стены. Но в доме жили жильцы — известный в городе капитан с сестрицей и при них пожилая работница, и вот эти-то жильцы, капитан, сестра его и работница, все трое были в эту ночь зарезаны и, очевидно, ограблены. (Вот сюда-то и отлучался полицеймейстер с пожара, когда Лембке спасал перину.) К утру известие распространилось, и огромная масса всякого люда и даже погоревшие из Заречья хлынули на пустырь к новому дому. Трудно было и пройти, до того столпились. Мне тотчас рассказали, что капитана нашли с перерезанным горлом, на лавке, одетого, и что зарезали его, вероятно, мертвецки пьяного, так что он и не услышал, а крови из него вышло «как из быка»; что сестра его Марья Тимофеевна вся «истыкана» ножом, а лежала на полу в дверях, так что, верно, билась и боролась с убийцей уже наяву. У служанки, тоже, верно, проснувшейся, пробита была совсем голова. По рассказам хозяина, капитан еще накануне утром заходил к нему нетрезвый, похвалялся и показывал много денег, рублей до двухсот. Старый истрепанный зеленый капитанский бумажник найден на полу пустой; но сундук Марьи Тимофеевны не тронут, и риза серебряная на образе тоже не тронута; из капитанского платья тоже всё оказалось цело. Видно было, что вор торопился и человек был, капитанские дела знавший, приходил за одними деньгами и знал, где они лежат. Если бы не прибежал в ту же минуту хозяин, то дрова, разгоревшись, наверно бы сожгли дом, «а по обгоревшим трупам трудно было бы правду узнать».

Так передавалось дело. Прибавлялось и еще сведение: что квартиру эту снял для капитана и сестры его сам господин Ставрогин, Николай Всеволодович, сынок генеральши Ставрогиной, сам и нанимать приходил, очень уговаривал, потому что хозяин отдавать не хотел и дом назначал для кабака, но Николай Всеволодович за ценой не постоял и за полгода вперед выдали.

— Горели неспроста, — слышалось в толпе.

Но большинство молчало. Лица были мрачны, но раздражения большого, видимого, я не заметил. Кругом, однако же, продолжались истории о Николае Всеволодовиче и о том, что убитая — его жена, что вчера он из первого здешнего дома, у генеральши Дроздовой, сманил к себе девицу, дочь, «нечестным порядком», и что жаловаться на него будут в Петербург, а что жена зарезана, то это, видно, для того, чтоб на Дроздовой ему жениться. Скворешники были не более как в двух с половиною верстах, и, помню, мне подумалось: не дать ли туда знать? Впрочем, я не заметил, чтоб особенно кто-нибудь поджигал толпу, не хочу грешить, хотя и мелькнули предо мной две-три рожи из «буфетных», очутившиеся к утру на пожаре и которых я тотчас узнал. Но особенно припоминаю одного худощавого, высокого парня, из мещан, испитого, курчавого, точно сажей вымазанного, слесаря, как узнал я после. Он был не пьян, но, в противоположность мрачно стоявшей толпе, был как бы вне себя. Он всё обращался к народу, хотя и не помню слов его. Всё, что он говорил связного, было не длиннее, как: «Братцы, что ж это? Да неужто так и будет?» — и при этом размахивал руками.

Глава третья
ЗАКОНЧЕННЫЙ РОМАН

I

Из большой залы в Скворешниках (той самой, в которой состоялось последнее свидание Варвары Петровны и Степана Трофимовича) пожар был как на ладони. На рассвете, часу в шестом утра, у крайнего окна справа стояла

Лиза и пристально глядела на потухавшее зарево. Она была одна в комнате. Платье было на ней вчерашнее, праздничное, в котором она явилась на чтении, — светло-зеленое, пышное, всё в кружевах, но уже измятое, надетое наскоро и небрежно. Заметив вдруг неплотно застегнутую грудь, она покраснела, торопливо оправила платье, схватила с кресел еще вчера брошенный ею при входе красный платок и накинула на шею. Пышные волосы в разбившихся локонах выбились из-под платка на правое плечо. Лицо ее было усталое, озабоченное, но глаза горели из-под нахмуренных бровей. Она вновь подошла к окну и прислонилась горячим лбом к холодному стеклу. Отворилась дверь, и вошел Николай Всеволодович.

— Я отправил нарочного верхом, — сказал он, — через десять минут всё узнаем, а пока люди говорят, что сгорела часть Заречья, ближе к набережной, по правую сторону моста. Загорелось еще в двенадцатом часу; теперь утихает.

Он не подошел к окну, а остановился сзади нее в трех шагах; но она к нему не повернулась.

— По календарю еще час тому должно светать, а почти как ночь, — проговорила она с досадой.

— Всё врут календари, — заметил было он с любезною усмешкой, но, устыдившись, поспешил прибавить: — по календарю жить скучно, Лиза.

И замолчал окончательно, досадуя на новую сказанную пошлость; Лиза криво улыбнулась.

— Вы в таком грустном настроении, что даже слов со мной не находите. Но успокойтесь, вы сказали кстати: я всегда живу по календарю, каждый мой шаг рассчитан по календарю. Вы удивляетесь?

Она быстро повернулась от окна и села в кресла.

— Садитесь и вы, пожалуйста. Нам недолго быть вместе, и я хочу говорить всё, что мне угодно... Почему бы и вам не говорить всё, что вам угодно?

Николай Всеволодович сел рядом с нею и тихо, почти боязливо взял ее за руку.

— Что значит этот язык, Лиза? Откуда он вдруг? Что значит «нам немного быть вместе»? Вот уже вторая фраза загадочная в полчаса, как ты проснулась.

— Вы принимаетесь считать мои загадочные фразы? — засмеялась она. — А помните, я вчера, входя, мертвецом отрекомендовалась? Вот это вы нашли нужным забыть. Забыть или не приметить.

— Не помню, Лиза. Зачем мертвецом? Надо жить...

— И замолчали? У вас совсем пропало красноречие. Я прожила мой час на свете, и довольно. Помните вы Христофора Ивановича?

— Нет, не помню, — нахмурился он.

— Христофора Ивановича, в Лозанне? Он вам ужасно надоел. Он отворял дверь и всегда говорил: «Я на минутку», а просидит весь день. Я не хочу походить на Христофора Ивановича и сидеть весь день.

Болезненное впечатление отразилось в лице его.

— Лиза, мне больно за этот надломанный язык. Эта гримаса вам дорого стоит самой. К чему она? Для чего?

Глаза его загорелись.

— Лиза, — воскликнул он, — клянусь, я теперь больше люблю тебя, чем вчера, когда ты вошла ко мне!

— Какое странное признание! Зачем тут вчера и сегодня, и обе мерки?

— Ты не оставишь меня, — продолжал он почти с отчаянием, — мы уедем вместе, сегодня же, так ли? Так ли?

— Ай, не жмите руку так больно! Куда нам ехать вместе сегодня же? Куда-нибудь опять «воскресать»? Нет, уж довольно проб... да и медленно для меня; да и неспособна я; слишком для меня высоко. Если ехать, то в Москву, и там делать визиты и самим принимать — вот мой идеал, вы знаете; я от вас не скрыла, еще в Швейцарии, какова я собою. Так как нам невозможно ехать в Москву и делать визиты, потому что вы женаты, так и нечего о том говорить.

— Лиза! Что же такое было вчера?

— Было то, что было.

— Это невозможно! Это жестоко!

— Так что ж, что жестоко, и снесите, коли жестоко.

— Вы мстите мне за вчерашнюю фантазию... — пробормотал он, злобно усмехнувшись. Лиза вспыхнула.

— Какая низкая мысль!

— Так зачем же вы дарили мне... «столько счастья»? Имею я право узнать?

— Нет, уж обойдитесь как-нибудь без прав; не завершайте низость вашего предположения глупостью. Вам сегодня не удается. Кстати, уж не боитесь ли вы и светского мнения и что вас за это «столько счастья» осудят? О, коли так, ради бога, не тревожьте себя. Вы ни в чем тут не причина и никому не в ответе. Когда я отворяла вчера вашу дверь, вы даже не знали, кто это входит. Тут именно одна моя фантазия, как вы сейчас выразились, и более ничего. Вы можете всем смело и победоносно смотреть в глаза.

— Твои слова, этот смех, вот уже час, насылают на меня холод ужаса. Это «счастье», о котором ты так неистово говоришь, стоит мне... всего. Разве я могу теперь потерять тебя? Клянусь, я любил тебя вчера меньше. Зачем же ты у меня всё отнимаешь сегодня? Знаешь ли ты, чего она стоила мне, эта новая надежда? Я жизнью за нее заплатил.

— Своею или чужой?

Он быстро приподнялся.

— Что это значит? — проговорил он, неподвижно смотря на нее.

— Своею или моею жизнью заплатили, вот что я хотела спросить. Или вы совсем теперь понимать перестали? — вспыхнула Лиза. — Чего вы так вдруг вскочили? Зачем на меня глядите с таким видом? Вы меня пугаете. Чего вы всё боитесь? Я уж давно заметила, что вы боитесь, именно теперь, именно сейчас... Господи, как вы бледнеете!

— Если ты что-нибудь знаешь, Лиза, то клянусь, *я* не знаю... и вовсе не *о том* сейчас говорил, говоря, что жизнью заплатил...

— Я вас совсем не понимаю, — проговорила она, боязливо запинаясь.

Наконец медленная, задумчивая усмешка показалась на его губах. Он тихо сел, положил локти на колени и закрыл руками лицо.

— Дурной сон и бред... Мы говорили о двух разных вещах.

— Я совсем не знаю, о чем вы говорили... Неужели вчера вы не знали, что я сегодня от вас уйду, знали иль нет? Не лгите, знали или нет?

— Знал... — тихо вымолвил он.

— Ну так чего же вам: знали и оставили «мгновение» за собой. Какие же тут счеты?

— Скажи мне всю правду, — вскричал он с глубоким страданием, — когда вчера ты отворила мою дверь, знала ты сама, что отворяешь ее на один только час?

Она ненавистно на него поглядела:

— Правда, что самый серьезный человек может задавать самые удивительные вопросы. И чего вы так беспокоитесь? Неужто из самолюбия, что вас женщина первая бросила, а не вы ее? Знаете, Николай Всеволодович, я, пока у вас, убедилась, между прочим, что вы ужасно ко мне великодушны, а я вот этого-то и не могу у вас выносить.

Он встал с места и прошел несколько шагов по комнате.

— Хорошо, пусть так должно кончиться... Но как могло это всё случиться?

— Вот забота! И главное, что вы это сами знаете как по пальцам и понимаете лучше всех на свете и сами рассчитывали. Я барышня, мое сердце в опере воспитывалось, вот с чего и началось, вся разгадка.

— Нет.

— Тут нет ничего, что может растерзать ваше самолюбие, и всё совершенная правда. Началось с красивого мгновения, которого я не вынесла. Третьего дня, когда я вас всенародно «обидела», а вы мне ответили таким рыцарем, я приехала домой и тотчас догадалась, что вы потому от меня бегали, что женаты, а вовсе не из презрения ко мне, чего я в качестве светской барышни всего более опасалась. Я поняла, что меня же вы, безрассудную, берегли, убегая. Видите, как я ценю ваше великодушие. Тут подскочил Петр Степанович и тотчас же мне всё объяснил. Он мне открыл, что вас колеблет великая мысль, пред которою мы оба с ним совершенно ничто, но что я все-таки у вас поперек дороги. Он и себя тут причел; он непременно хотел втроем и говорил префантастические вещи, про ладью и про кленовые весла из какой-то русской песни. Я его похвалила, сказала ему, что он поэт, и он принял за самую неразменную монету. А так как я и без того давно знала, что меня всего на один миг только хватит, то взяла и решилась. Ну вот и всё, и довольно, и, пожалуйста, больше без объяснений. Пожалуй, еще поссоримся. Никого не бойтесь, я всё на себя беру. Я дурная, капризная, я оперною ладьей соблазнилась, я барышня... А знаете, я все-таки думала, что вы ужасно как меня любите. Не презирайте дуру и не смейтесь за эту слезинку, что сейчас упала, Я ужасно люблю плакать «себя жалеючи». Ну, довольно, довольно. Я ни на что не способна, и вы ни на что не способны; два щелчка с обеих сторон, тем и утешимся. По крайней мере самолюбие не страдает.

— Сон и бред! — вскричал Николай Всеволодович, ломая руки и шагая по комнате. — Лиза, бедная, что ты сделала над собою?

— Обожглась на свечке и больше ничего. Уж не плачете ли и вы? Будьте приличнее, будьте бесчувственнее...

— Зачем, зачем ты пришла ко мне?

— Но вы не понимаете, наконец, в какое комическое положение ставите сами себя пред светским мнением такими вопросами?

— Зачем ты себя погубила, так уродливо и так глупо, и что теперь делать?

— И это Ставрогин, «кровопийца Ставрогин», как называет вас здесь одна дама, которая в вас влюблена! Слушайте, я ведь вам уже сказала: я разочла мою жизнь на один только час и спокойна. Разочтите и вы так свою... впрочем, вам не для чего; у вас так еще много будет разных «часов» и «мгновений».

— Столько же, сколько у тебя; даю тебе великое слово мое, ни часу более, как у тебя!

Он всё ходил и не видал ее быстрого, пронзительного взгляда, вдруг как бы озарившегося надеждой. Но луч света погас в ту же минуту.

— Если бы ты знала цену моей теперешней *невозможной* искренности, Лиза, если б я только мог открыть тебе...

— Открыть? Вы хотите мне что-то открыть? Сохрани меня боже от ваших открытий! — прервала она почти с испугом.

Он остановился и ждал с беспокойством.

— Я вам должна признаться, у меня тогда, еще с самой Швейцарии, укрепилась мысль, что у вас что-то есть на душе ужасное, грязное и кровавое, и... и в то же время такое, что ставит вас в ужасно смешном виде. Берегитесь мне открывать, если правда: я вас засмею. Я буду хохотать над вами всю вашу жизнь... Ай, вы опять бледнеете? Не буду, не буду, я сейчас уйду, — вскочила она со стула с брезгливым и презрительным движением.

— Мучь меня, казни меня, срывай на мне злобу, — вскричал он в отчаянии. — Ты имеешь полное право! Я знал, что я не люблю тебя, и погубил тебя. Да, «я оставил мгновение за собой»; я имел надежду... давно уже... последнюю... Я не мог устоять против света, озарившего мое сердце, когда ты вчера вошла ко мне, сама, одна, первая. Я вдруг поверил... Я, может быть, верую еще и теперь.

— За такую благородную откровенность отплачу вам тем же: не хочу я быть вашею сердобольною сестрой. Пусть я, может быть, и в самом деле в сиделки пойду, если не сумею умереть кстати сегодня же; но хоть пойду, да не к вам, хотя и вы, конечно, всякого безногого и безрукого стоите. Мне всегда казалось, что вы заведете меня в какое-нибудь место, где живет огромный злой паук в человеческий рост, и мы там всю жизнь будем на него глядеть и его бояться. В том и пройдет наша взаимная любовь. Обратитесь к Дашеньке; та с вами поедет куда хотите.

— А вы ее и тут не могли не вспомнить?

— Бедная собачка! Кланяйтесь ей. Знает она, что вы еще в Швейцарии ее себе под старость определили? Какая заботливость! Какая предусмотрительность! Ай, кто это?

В глубине залы чуть-чуть отворилась дверь; чья-то голова просунулась и торопливо спряталась.

— Это ты, Алексей Егорыч? — спросил Ставрогин.

— Нет, это всего только я, — высунулся опять до половины Петр Степанович. — Здравствуйте, Лизавета Николаевна; во всяком случае с добрым утром. Так и знал, что найду вас обоих в этой зале. Я совершенно на одно мгновение, Николай Всеволодович, — во что бы то ни стало спешил на пару слов... необходимейших... всего только парочку!

Ставрогин пошел, но с трех шагов воротился к Лизе.

— Если сейчас что-нибудь услышишь, Лиза, то знай: я виновен.

Она вздрогнула и пугливо посмотрела на него; но он поспешно вышел.

II

Комната, из которой выглянул Петр Степанович, была большая овальная прихожая. Тут до него сидел Алексей Егорыч, но он его выслал. Николай Всеволодович притворил за собою дверь в залу и остановился в ожидании. Петр Степанович быстро и пытливо оглядел его.

— Ну?

— То есть если вы уже знаете, — заторопился Петр Степанович, казалось желая вскочить глазами в душу, — то, разумеется, никто из нас ни в чем не виноват, и прежде всех вы, потому что это такое стечение... совпадение случаев... одним еловом, юридически до вас не может коснуться, и я летел предуведомить.

— Сгорели? Зарезаны?

— Зарезаны, но не сгорели, это-то и скверно, но я вам даю честное слово, что я и тут не виновен, как бы вы ни подозревали меня, — потому что, может быть, подозреваете, а? Хотите всю правду: видите, у меня действительно мелькала мысль, — сами же вы ее мне подсказали, не серьезно, а дразня меня (потому что не стали же бы вы серьезно подсказывать), — но я не решался, и не решился бы ни за что, ни за сто рублей, — да тут и выгод-то никаких, то есть для меня, для меня... (Он ужасно спешил и говорил как трещотка.) Но вот какое совпадение обстоятельств: я из своих (слышите, из своих, ваших не было ни рубля, и, главное, вы это сами знаете) дал этому пьяному дурачине Лебядкину двести тридцать рублей, третьего дня, еще с вечера, — слышите, третьего дня, а не вчера после «чтения», заметьте это: это весьма важное совпадение, потому что я ведь ничего не знал тогда наверно, поедет или нет к вам Лизавета Николаевна; дал же собственные деньги единственно потому, что вы третьего дня отличились, вздумали всем объявить вашу тайну. Ну, там я не вхожу... ваше дело... рыцарь... но, признаюсь, удивился, как дубиной по лбу. Но так как мне эти трагедии наскучили вельми, — и заметьте, я говорю серьезно, хоть и употребляю славянские выражения, — так как всё это вредит, наконец, моим планам, то я и дал себе слово спровадить Лебядкиных во что бы ни стало и без вашего ведома в Петербург, тем более что и сам он туда порывался. Одна ошибка: дал деньги от вашего имени; ошибка или нет? Может, и не ошибка, а? Слушайте же теперь, слушайте, как это всё обернулось... — В горячке речи он приблизился к Ставрогину вплоть и стал было хватать его за лацкан сюртука (ей-богу, может быть, нарочно). Ставрогин сильным движением ударил его по руке.

— Ну чего ж вы... полноте... этак руку сломаете... тут главное в том, как это обернулось, — затрещал он вновь, нимало даже не удивившись удару. — Я с вечера выдаю деньги, с тем чтоб он и сестрица завтра чём свет отправлялись; поручаю это дельце подлецу Липутину, чтобы сам посадил и отправил. Но мерзавцу Липутину понадобилось сошкольничать с публикой — может быть, слышали? На «чтении»? Слушайте же, слушайте: оба пьют, сочиняют стихи, из которых половина липутинских; тот его одевает во фрак, меня между тем уверяет, что уже отправил с утра, а его бережет где-то в задней каморке, чтобы выпихнуть на эстраду. Но тот быстро и неожиданно напивается. Затем известный скандал, затем его доставляют домой полумертвого, а Липутин у него вынимает тихонько двести рублей, оставляя мелочь. Но, к несчастью, оказывается, что тот уже утром эти двести рублей тоже из кармана вынимал, хвастался и показывал где не следует. А так как Федька того и ждал, а у Кириллова кое-что слышал (помните, ваш намек?), то и решился воспользоваться. Вот и вся правда. Я рад по крайней мере, что Федька денег не нашел, а ведь на тысячу, подлец, рассчитывал! Торопился и пожара, кажется, сам испугался... Верите, мне этот пожар как поленом по голове. Нет, это черт знает что такое! Это такое самовластие... Вот видите, я пред вами, столького от вас ожидая, ничего не потаю: ну да, у меня уже давно эта идейка об огне созревала, так как она столь народна и популярна; но ведь я берег ее на критический час, на то драгоценное мгновение, когда мы все вста-

нем и... А они вдруг вздумали своевластно и без приказу теперь, в такое мгновение, когда именно надо бы притаиться да в кулак дышать! Нет, это такое самовластие!.. одним словом, я еще ничего не знаю, тут говорят про двух шпигулинских... но если тут есть и *наши*, если хоть один из них тут погрел свои руки —
горе тому! Вот видите, что значит хоть капельку распустить! Нет, эта демократическая сволочь с своими пятерками — плохая опора; тут нужна одна великолепная, кумирная, деспотическая воля, опирающаяся на нечто не случайное и вне
стоящее... Тогда и пятерки поджмут хвосты повиновения и с подобострастием
пригодятся при случае. Но во всяком случае, хоть там теперь и кричат во все
трубы, что Ставрогину надо было жену сжечь, для того и город сгорел, но...

— А уж кричат во все трубы?

— То есть еще вовсе нет, и, признаюсь, я ровно ничего не слыхал, но ведь с
народом что поделаешь, особенно с погорелыми: Vox populi vox Dei[1]. Долго ли
глупейший слух по ветру пустить?.. Но ведь, в сущности, вам ровно нечего опасаться. Юридически вы совершенно правы, по совести тоже, — ведь вы не хотели же? Не хотели? Улик никаких, одно совпадение... Разве вот Федька припомнит ваши тогдашние неосторожные слова у Кириллова (и зачем вы их тогда сказали?), но ведь это вовсе ничего не доказывает, а Федьку мы сократим. Я
сегодня же его сокращаю...

— А трупы совсем не сгорели?

— Нимало; эта каналья ничего не сумела устроить как следует. Но я рад по
крайней мере, что вы так спокойны... потому что хоть вы и ничем тут не виноваты, ни даже мыслью, но ведь все-таки. И притом согласитесь, что всё это отлично обертывает ваши дела: вы вдруг свободный вдовец и можете сию минуту жениться на прекрасной девице с огромными деньгами, которая, вдобавок, уже в
ваших руках. Вот что может сделать простое, грубое совпадение обстоятельств — а?

— Вы угрожаете мне, глупая голова?

— Ну полноте, полноте, уж сейчас и глупая голова, и что за тон? Чем бы радоваться, а вы... Я нарочно летел, чтобы скорей предуведомить... Да и чем мне
вам угрожать? Очень мне вас надо из-за угроз-то! Мне надо вашу добрую волю, а
не из страху. Вы свет и солнце... Это я вас изо всей силы боюсь, а не вы меня! Я
ведь не Маврикий Николаевич... И представьте, я лечу сюда на беговых дрожках, а Маврикий Николаевич здесь у садовой вашей решетки, на заднем углу
сада... в шинели, весь промок, должно быть всю ночь сидел! Чудеса! до чего могут люди с ума сходить!

— Маврикий Николаевич? Правда?

— Правда, правда. Сидит у садовой решетки. Отсюда, — отсюда в шагах
трехстах, я думаю. Я поскорее мимо него, но он меня видел. Вы не знали? В таком случае очень рад, что не забыл передать. Вот этакой-то всего опаснее на
случай, если с ним револьвер, и, наконец, ночь, слякоть, естественная раздражительность, — потому что ведь каковы же его обстоятельства-то, ха-ха! Как вы
думаете, зачем он сидит?

— Лизавету Николаевну, разумеется, ждет.

— Во-от! Да с чего она к нему выйдет? И... в такой дождь... вот дурак-то!

— Она сейчас к нему выйдет.

— Эге! Вот известие! Стало быть... Но послушайте, ведь теперь совершенно
изменились ее дела: к чему теперь ей Маврикий? Ведь вы свободный вдовец и

---

[1] Глас народа — глас Божий (*лат.*).

можете завтра же на ней жениться? Она еще не знает, — предоставьте мне, и я вам тотчас же всё обделаю. Где она, надо и ее обрадовать.

— Обрадовать?

— Еще бы, идем.

— А вы думаете, она про эти трупы не догадается? — как-то особенно прищурился Ставрогин.

— Конечно не догадается, — решительным дурачком подхватил Петр Степанович, — потому что ведь юридически... Эх, вы! Да хоть бы и догадалась! У женщин всё это так отлично стушевывается, вы еще не знаете женщин! Кроме того, что ей теперь вся выгода за вас выйти, потому что ведь все-таки она себя оскандалила, кроме того, я ей про «ладью» наговорил: я именно увидел, что «ладьей»-то на нее и подействуешь, стало быть, вот какого она калибра девица. Не беспокойтесь, она так через эти трупики перешагнет, что лю-ли! — тем более что вы совершенно, совершенно невинны, не правда ли? Она только прибережет эти трупики, чтобы вас потом уколоть, этак на второй годик супружества. Всякая женщина, идя к венцу, в этом роде чем-нибудь запасается из мужнина старого, но ведь тогда... что через год-то будет? Ха-ха-ха!

— Если вы на беговых дрожках, то довезите ее сейчас до Маврикия Николаевича. Она сейчас сказала, что терпеть меня не может и от меня уйдет, и, конечно, не возьмет от меня экипажа.

— Во-от! Да неужто вправду уезжает? Отчего бы это могло произойти? — глуповато посмотрел Петр Степанович.

— Догадалась как-нибудь, в эту ночь, что я вовсе ее не люблю... о чем, конечно, всегда знала.

— Да разве вы ее не любите? — подхватил Петр Степанович с видом беспредельного удивления. — А коли так, зачем же вы ее вчера, как вошла, у себя оставили и как благородный человек не уведомили прямо, что не любите? Это ужасно подло с вашей стороны; да и в каком же подлом виде вы меня пред нею поставили?

Ставрогин вдруг рассмеялся.

— Я на обезьяну мою смеюсь, — пояснил он тотчас же.

— А! догадались, что я распаясничался, — ужасно весело рассмеялся и Петр Степанович, — я чтобы вас рассмешить! Представьте, я ведь тотчас же, как вы вышли ко мне, по лицу догадался, что у вас «несчастье». Даже, может быть, полная неудача, а? Ну, бьюсь же об заклад, — вскричал он, почти захлебываясь от восторга, — что вы всю ночь просидели в зале рядышком на стульях и о каком-нибудь высочайшем благородстве проспорили всё драгоценное время... Ну простите, простите; мне что: я ведь еще вчера знал наверно, что у вас глупостью кончится. Я вам привез ее единственно, чтобы вас позабавить и чтобы доказать, что со мною вам скучно не будет; триста раз пригожусь в этом роде; я вообще люблю быть приятен людям. Если же теперь она вам не нужна, на что я и рассчитывал, с тем и ехал, то...

— Так это вы для одной моей забавы ее привезли?

— А то зачем же?

— А не затем, чтобы заставить меня жену убить?

— Во-от, да разве вы убили? Что за трагический человек!

— Всё равно, вы убили.

— Да разве я убил? Говорю же вам, я тут ни при капле. Однако вы начинаете меня беспокоить...

— Продолжайте, вы сказали: «Если теперь она вам не нужна, то...»

— То предоставьте мне, разумеется! Я отлично ее выдам за Маврикия Николаевича, которого, между прочим, вовсе не я у саду посадил, не возьмите еще
этого в голову. Я ведь его боюсь теперь. Вот вы говорите: на беговых дрожках, а я
так-таки мимо пролепетнул... право, если с ним револьвер?.. Хорошо, что я свой
захватил. Вот он (он вынул из кармана револьвер, показал и тотчас же опять
спрятал) — захватил за дальностью пути... Впрочем, я вам это мигом слажу: у
ней именно теперь сердчишко по Маврикию ноет... должно по крайней мере
ныть... и знаете — ей-богу, мне ее даже несколько жалко! Сведу с Маврикием, и
она тотчас про вас начнет вспоминать, — ему вас хвалить, а его в глаза бранить, — сердце женщины! Ну вот вы опять смеетесь? Я ужасно рад, что вы так
развеселились. Ну что ж, идем. Я прямо с Маврикия и начну, а про тех... про
убитых... знаете, не промолчать ли теперь? Всё равно потом узнает.

— Об чем узнает? Кто убит? Что вы сказали про Маврикия Николаевича? —
отворила вдруг дверь Лиза.

— А! вы подслушивали?

— Что вы сказали сейчас про Маврикия Николаевича? Он убит?

— А! стало быть, вы не расслышали! Успокойтесь, Маврикий Николаевич
жив и здоров, в чем можете мигом удостовериться, потому что он здесь у дороги,
у садовой решетки... и, кажется, всю ночь просидел; промок, в шинели... Я ехал,
он меня видел.

— Это неправда. Вы сказали «убит»... Кто убит? — настаивала она с мучительною недоверчивостью.

— Убита только моя жена, ее брат Лебядкин и их служанка, — твердо заявил
Ставрогин.

Лиза вздрогнула и ужасно побледнела.

— Зверский, странный случай, Лизавета Николаевна, глупейший случай
грабежа, — тотчас затрещал Петр Степанович, — одного грабежа, пользуясь пожаром; дело разбойника Федьки Каторжного и дурака Лебядкина, который всем
показывал свои деньги... я с тем и летел... как камнем по лбу. Ставрогин едва
устоял, когда я сообщил. Мы здесь советовались: сообщить вам сейчас или нет?

— Николай Всеволодович, правду он говорит? — едва вымолвила Лиза.

— Нет, неправду.

— Как неправду! — вздрогнул Петр Степанович. — Это еще что!

— Господи, я с ума сойду! — вскричала Лиза.

— Да поймите же по крайней мере, что он сумасшедший теперь человек! —
кричал изо всей силы Петр Степанович. — Ведь все-таки жена его убита. Видите, как он бледен... Ведь он с вами же всю ночь пробыл, ни на минуту не отходил, как же его подозревать?

— Николай Всеволодович, скажите как пред Богом, виноваты вы или нет, а
я, клянусь, вашему слову поверю, как Божьему, и на край света за вами пойду, о,
пойду! Пойду как собачка...

— Из-за чего же вы терзаете ее, фантастическая вы голова! — остервенился
Петр Степанович. — Лизавета Николаевна, ей-ей, столкните меня в ступе, он невинен, напротив, сам убит и бредит, вы видите. Ни в чем, ни в чем, даже мыслью
неповинен!.. Всё только дело разбойников, которых, наверно, через неделю ра-
зыщут и накажут плетьми... Тут Федька Каторжный и шпигулинские, об этом
весь город трещит, потому и я.

— Так ли? Так ли? — вся трепеща ждала последнего себе приговора Лиза.

— Я не убивал и был против, но я знал, что они будут убиты, и не остановил убийц. Ступайте от меня, Лиза, — вымолвил Ставрогин и пошел в залу.

Лиза закрыла лицо руками и пошла из дому. Петр Степанович бросился было за нею, но тотчас воротился в залу.

— Так вы так-то? Так вы так-то? Так вы ничего не боитесь? — накинулся он на Ставрогина в совершенном бешенстве, бормоча несвязно, почти слов не находя, с пеною у рта.

Ставрогин стоял среди залы и не отвечал ни слова. Он захватил левою рукой слегка клок своих волос и потерянно улыбался. Петр Степанович сильно дернул его за рукав.

— Пропали вы, что ли? Так вы вот за что принялись? На всех донесете, а сами в монастырь уйдете или к черту... Но ведь я вас всё равно укокошу, хоть бы вы и не боялись меня!

— А, это вы трещите? — разглядел его наконец Ставрогин. — Бегите, — очнулся он вдруг, — бегите за нею, велите карету, не покидайте ее... Бегите, бегите же! Проводите до дому, чтобы никто не знал и чтоб она туда не ходила... на тела... на тела... в карету силой посадите. Алексей Егорыч! Алексей Егорыч!

— Стойте, не кричите! Она уж теперь в объятиях у Маврикия... Не сядет Маврикий в вашу карету... Стойте же! Тут дороже кареты!

Он выхватил опять револьвер; Ставрогин серьезно посмотрел на него.

— А что ж, убейте, — проговорил он тихо, почти примирительно.

— Фу, черт, какую ложь натащит на себя человек! — так и затрясся Петр Степанович. — Ей-богу бы убить! Подлинно она плюнуть на вас должна была!.. Какая вы «ладья», старая вы, дырявая дровяная барка на слом!.. Ну хоть из злобы, хоть из злобы теперь вам очнуться! Э-эх! Ведь уж всё бы вам равно, коли сами себе пулю в лоб просите?

Ставрогин странно усмехнулся.

— Если бы вы не такой шут, я бы, может, и сказал теперь: да... Если бы только хоть каплю умнее...

— Я-то шут, но не хочу, чтобы вы, главная половина моя, были шутом! Понимаете вы меня?

Ставрогин понимал, один только он, может быть. Был же изумлен Шатов, когда Ставрогин сказал ему, что в Петре Степановиче есть энтузиазм.

— Ступайте от меня теперь к черту, а к завтраму я что-нибудь выдавлю из себя. Приходите завтра.

— Да? Да?

— Почем я знаю!.. К черту, к черту!

И ушел вон из залы.

— А пожалуй, еще к лучшему, — пробормотал про себя Петр Степанович, пряча револьвер.

III

Он бросился догонять Лизавету Николаевну. Та еще недалеко отошла, всего несколько шагов от дому. Ее задержал было Алексей Егорович, следовавший за нею и теперь, на шаг позади, во фраке, почтительно преклонившись и без шляпы. Он неотступно умолял ее дождаться экипажа; старик был испуган и почти плакал.

— Ступай, барин чаю просит, некому подать, — оттолкнул его Петр Степанович и прямо взял под руку Лизавету Николаевну.

Та не вырвала руки, но, кажется, была не при всем рассудке, еще не опомнилась.

— Во-первых, вы не туда, — залепетал Петр Степанович, — нам надо сюда, а не мимо сада; а во-вторых, во всяком случае пешком невозможно, до вас три версты, а у вас и одежи нет. Если бы вы капельку подождали. Я ведь на беговых, лошадь тут на дворе, мигом подам, посажу и доставлю, так что никто не увидит.

— Какой вы добрый... — ласково проговорила Лиза.

— Помилуйте, в подобном случае всякий гуманный человек на моем месте также...

Лиза поглядела на него и удивилась.

— Ах, боже мой, а я думала, что тут всё еще тот старик!

— Послушайте, я ужасно рад, что вы это так принимаете, потому что всё это предрассудок ужаснейший, и если уж на то пошло, то не лучше ли я этому старику сейчас велю обработать карету, всего десять минут, а мы воротимся и под крыльцом подождем, а?

— Я прежде хочу... где эти убитые?

— А, ну вот еще фантазия! Я так и боялся... Нет, мы уж эту дрянь лучше оставим в стороне; да и нечего вам смотреть.

— Я знаю, где они, я этот дом знаю.

— Ну что ж, что знаете! Помилуйте, дождь, туман (вот, однако ж, обязанность священную натащил!)... Слушайте, Лизавета Николаевна, одно из двух: или вы со мной на дрожках, тогда подождите и ни шагу вперед, потому что если еще шагов двадцать, то нас непременно заметит Маврикий Николаевич.

— Маврикий Николаевич! Где? Где?

— Ну, а если вы с ним хотите, то я, пожалуй, вас еще немного проведу и укажу его, где сидит, а сам уж слуга покорный; я к нему не хочу теперь подходить.

— Он ждет меня, боже! — вдруг остановилась она, и краска разлилась по ее лицу.

— Но помилуйте, если он человек без предрассудков! Знаете, Лизавета Николаевна, это всё не мое дело; я совершенно тут в стороне, и вы это сами знаете; но я ведь вам все-таки желаю добра... Если не удалась наша «ладья», если оказалось, что это всего только старый, гнилой баркас, годный на слом...

— Ах, чудесно! — вскричала Лиза.

— Чудесно, а у самой слезы текут. Тут нужно мужество. Надо ни в чем не уступать мужчине. В наш век, когда женщина... фу, черт (едва не отплевался Петр Степанович)! А главное, и жалеть не о чем: может, оно и отлично обернется. Маврикий Николаевич человек... одним словом, человек чувствительный, хотя и неразговорчивый, что, впрочем, тоже хорошо, конечно при условии, если он без предрассудков...

— Чудесно, чудесно! — истерически рассмеялась Лиза.

— А, ну, черт... Лизавета Николаевна, — опикировался вдруг Петр Степанович, — я ведь, собственно, тут для вас же... мне ведь что... Я вам услужил вчера, когда вы сами того захотели, а сегодня... Ну, вот отсюда видно Маврикия Николаевича, вон он сидит, нас не видит. Знаете, Лизавета Николаевна, читали вы «Полиньку Сакс»?

— Что такое?

— Есть такая повесть, «Полинька Сакс». Я еще студентом читал... Там какой-то чиновник, Сакс, с большим состоянием, арестовал на даче жену за неверность... А, ну, черт, наплевать! Вот увидите, что Маврикий Николаевич еще до дому сделает вам предложение. Он нас еще не видит.

— Ах, пусть не видит! — вскричала вдруг Лиза как безумная. — Уйдемте, уйдемте! В лес, в поле!

И она побежала назад.

— Лизавета Николаевна, это уж такое малодушие! — бежал за нею Петр Степанович. — И к чему вы не хотите, чтоб он вас видел? Напротив, посмотрите ему прямо и гордо в глаза... Если вы что-нибудь насчет *того*... девичьего... то ведь это такой предрассудок, такая отсталость... Да куда же вы, куда же вы? Эх, бежит! Воротимтесь уж лучше к Ставрогину, возьмем мои дрожки... Да куда же вы? Там поле... ну, упала!..

Он остановился. Лиза летела как птица, не зная куда, и Петр Степанович уже шагов на пятьдесят отстал от нее. Она упала, споткнувшись о кочку. В ту же минуту сзади, в стороне, раздался ужасный крик, крик Маврикия Николаевича, который видел ее бегство и падение и бежал к ней чрез поле. Петр Степанович в один миг отретировался в ворота ставрогинского дома, чтобы поскорее сесть на свои дрожки.

А Маврикий Николаевич, в страшном испуге, уже стоял подле поднявшейся Лизы, склонясь над нею и держа ее руку в своих руках. Вся невероятная обстановка этой встречи потрясла его разум, и слезы текли по его лицу. Он видел ту, пред которою столь благоговел, безумно бегущею чрез поле, в такой час, в такую погоду, в одном платье, в этом пышном вчерашнем платье, теперь измятом, загрязненном от падения... Он не мог сказать слова, снял свою шинель и дрожавшими руками стал укрывать ее плечи. Вдруг он вскрикнул, почувствовав, что она прикоснулась губами к его руке.

— Лиза! — вскричал он, — я ничего не умею, но не отгоняйте меня от себя!

— О да, пойдемте скорей отсюда, не оставляйте меня! — и, сама схватив его за руку, она повлекла его за собой. — Маврикий Николаевич, — испуганно понизила она вдруг голос, — я там всё храбрилась, а здесь смерти боюсь. Я умру, очень скоро умру, но я боюсь, боюсь умирать... — шептала она, крепко сжимая его руку.

— О, хоть бы кто-нибудь! — в отчаянии оглядывался он кругом, — хоть бы какой проезжий! Вы промочите ноги, вы... потеряете рассудок!

— Ничего, ничего, — ободряла она его, — вот так, при вас я меньше боюсь, держите меня за руку, ведите меня... Куда мы теперь, домой? Нет, я хочу сначала видеть убитых. Они, говорят, зарезали его жену, а он говорит, что он сам зарезал; ведь это неправда, неправда? Я хочу видеть сама зарезанных... за меня... из-за них он в эту ночь разлюбил меня... Я увижу и всё узнаю. Скорей, скорей, я знаю этот дом... там пожар... Маврикий Николаевич, друг мой, не прощайте меня, бесчестную! Зачем меня прощать? Чего вы плачете? Дайте мне пощечину и убейте здесь в поле, как собаку!

— Никто вам теперь не судья, — твердо произнес Маврикий Николаевич, — прости вам Бог, а я ваш судья меньше всех!

Но странно было бы описывать их разговор. А между тем оба шли рука в руку, скоро, спеша, словно полоумные. Они направлялись прямо на пожар. Маврикий Николаевич всё еще не терял надежды встретить хоть какую-нибудь телегу, но никто не попадался. Мелкий, тонкий дождь проницал всю окрестность, поглощая всякий отблеск и всякий оттенок и обращая всё в одну дымную, свинцовую, безразличную массу. Давно уже был день, а казалось, всё еще не рассвело. И вдруг из этой дымной, холодной мглы вырезалась фигура, странная и нелепая, шедшая им навстречу. Воображая теперь, думаю, что я бы не поверил глазам, если б даже был на месте Лизаветы Николаевны; а между тем она радостно вскрикнула и тотчас узнала подходившего человека. Это был Степан Трофимович. Как он ушел, каким образом могла осуществиться безумная, головная идея его бегства — о том впереди. Упомяну лишь, что в это утро он был уже в лихорадке, но и болезнь не остановила его: он твердо шагал по мокрой земле; видно было, что обдумал предприятие, как только мог это сделать лучше, один при всей своей кабинетной неопытности. Одет был «по-дорожному», то есть шинель в рукава, а подпоясан широким кожаным лакированным поясом с пряжкой, при этом высокие новые сапоги и панталоны в голенищах. Вероятно, он так давно уже воображал себе дорожного человека, а пояс и высокие сапоги с блестящими гусарскими голенищами, в которых он не умел ходить, припас еще несколько дней назад. Шляпа с широкими полями, гарусный шарф, плотно обматывавший шею, палка в правой руке, а в левой чрезвычайно маленький, но чрезмерно туго набитый саквояж довершали костюм. Вдобавок, в той же правой руке распущенный зонтик. Эти три предмета — зонтик, палку и саквояж — было очень неловко нести всю первую версту, а со второй и тяжело.

— Неужто это в самом деле вы? — вскричала Лиза, оглядывая его в скорбном удивлении, сменившем первый порыв ее бессознательной радости.

— Lise! — вскричал и Степан Трофимович, бросаясь к ней тоже почти в бреду. — Chère, chère, неужто и вы... в таком тумане? Видите: зарево! Vous êtes malheureuse, n'est-ce pas?[1] Вижу, вижу, не рассказывайте, но не расспрашивайте и меня. Nous sommes tous malheureux, mais il faut les pardonner tons. Pardonnons, Lise[2], и будем свободны навеки. Чтобы разделаться с миром и стать свободным вполне — il faut pardonner, pardonner et pardonner![3]

— Но зачем вы становитесь на колени?

— Затем, что, прощаясь с миром, хочу, в вашем образе, проститься и со всем моим прошлым! — Он заплакал и поднес обе ее руки к своим заплаканным глазам. — Становлюсь на колена пред всем, что было прекрасно в моей жизни, лобызаю и благодарю! Теперь я разбил себя пополам: там — безумец, мечтавший взлететь на небо, vingt deux ans![4] Здесь — убитый и озябший старик-гувернер... chez ce marchand, s'il existe pourtant ce marchand...[5] Но как вы измокли, Lise! — вскричал он, вскакивая на ноги, почувствовав, что промокли и его колени на мокрой земле, — и как это можно, вы в таком платье?.. и пешком, и в таком поле... Вы плачете? Vous êtes malheureuse?[6] Ба, я что-то слышал... Но откуда же вы теперь? — с боязливым видом ускорял он вопросы, в глубоком недоумении посматривая на Маврикия Николаевича, — mais savez-vous l'heure qu'il est![7]

— Степан Трофимович, слышали вы что-нибудь там про убитых людей... Это правда? Правда?

---

[1] Вы несчастны, не правда ли? (*франц.*)

[2] Мы все несчастны, но нужно их простить всех. Простим, Лиза (*франц.*).

[3] нужно прощать, прощать и прощать! (*франц.*)

[4] двадцать два года! (*франц.*)

[5] у этого купца, если только он существует, этот купец... (*франц.*)

[6] Вы несчастны? (*франц.*)

[7] но знаете ли вы, который теперь час? (*франц.*)

— Эти люди! Я видел зарево их деяний всю ночь. Они не могли кончить иначе... (Глаза его вновь засверкали.) Бегу из бреду, горячечного сна, бегу искать
Россию, existe-t-elle la Russie? Bah, c'est vous, cher capitaine!¹ Никогда не сомневался, что встречу вас где-нибудь при высоком подвиге... Но возьмите мой зонтик и — почему же непременно пешком? Ради бога, возьмите хоть зонтик, а я
всё равно где-нибудь найму экипаж. Ведь я потому пешком, что Stasie (то есть
Настасья) раскричалась бы на всю улицу, если б узнала, что я уезжаю; я и уско-
льзнул сколь возможно incognito. Я не знаю, там в «Голосе» пишут про повсеместные разбои, но ведь не может же, я думаю, быть, что сейчас, как вышел на дорогу, тут и разбойник? Chère Lise², вы, кажется, сказали, что кто-то кого-то
убил? O mon Dieu³, с вами дурно!

— Идем, идем! — вскричала как в истерике Лиза, опять увлекая за собою
Маврикия Николаевича. — Постойте, Степан Трофимович, — воротилась она
вдруг к нему, — постойте, бедняжка, дайте я вас перекрещу. Может быть, вас бы
лучше связать, но я уж лучше вас перекрещу. Помолитесь и вы за «бедную»
Лизу — так, немножко, не утруждайте себя очень. Маврикий Николаевич, отдайте этому ребенку его зонтик, отдайте непременно. Вот так... Пойдемте же!
Пойдемте же!

Прибытие их к роковому дому произошло именно в то самое мгновение,
когда сбившаяся пред домом густая толпа уже довольно наслушалась о Ставрогине и о том, как выгодно было ему зарезать жену. Но все-таки, повторяю,
огромное большинство продолжало слушать молча и неподвижно. Выходили из
себя лишь пьяные горланы да люди «срывающиеся», вроде как тот махавший
руками мещанин. Его все знали как человека даже тихого, но он вдруг как бы
срывался и куда-то летел, если что-нибудь известным образом поражало его. Я
не видел, как прибыли Лиза и Маврикий Николаевич. Впервой я заметил Лизу,
остолбенев от изумления, уже далеко от меня в толпе, а Маврикия Николаевича
даже сначала и не разглядел. Кажется, был такой миг, что он от нее отстал шага
на два за теснотой или его оттерли. Лиза, прорывавшаяся сквозь толпу, не видя
и не замечая ничего кругом себя, словно горячечная, словно убежавшая из боль-
ницы, разумеется, слишком скоро обратила на себя внимание: громко заговорили и вдруг завопили. Тут кто-то крикнул: «Это ставрогинская!» И с другой стороны: «Мало что убьют, глядеть придут!» Вдруг я увидел, что над ее головой, сзади, поднялась и опустилась чья-то рука; Лиза упала. Раздался ужасный крик
Маврикия Николаевича, рванувшегося на помощь и ударившего изо всех сил
заслонявшего от него Лизу человека. Но в тот же самый миг обхватил его сзади
обеими руками тот мещанин. Несколько времени нельзя было ничего разглядеть в начавшейся свалке. Кажется, Лиза поднялась, но опять упала от другого
удара. Вдруг толпа расступилась, и образовался небольшой пустой круг около
лежавшей Лизы, а окровавленный, обезумевший Маврикий Николаевич стоял
над нею, крича, плача и ломая руки. Не помню в полной точности, как происходило дальше; помню только, что Лизу вдруг понесли. Я бежал за нею; она была
еще жива и, может быть, еще в памяти. Из толпы схватили мещанина и еще трех
человек. Эти трое до сих пор отрицают всякое свое участие в злодеянии, упорно
уверяя, что их захватили ошибкой; может, они и правы. Мещанин, хоть и явно
уличенный, но, как человек без толку, до сих пор еще не может разъяснить об-

¹ существует ли она, Россия? Ба, это вы, дорогой капитан! (*франц.*)
² Дорогая Лиза (*франц.*).
³ О Боже мой (*франц.*).

стоятельно происшедшего. Я тоже, как очевидец, хотя и отдаленный, должен был дать на следствии мое показание: я заявил, что всё произошло в высшей степени случайно, через людей, хотя, может быть, и настроенных, но мало сознававших, пьяных и уже потерявших нитку. Такого мнения держусь и теперь.

Глава четвертая
ПОСЛЕДНЕЕ РЕШЕНИЕ

I

В это утро Петра Степановича многие видели; видевшие упомянули, что он был в чрезвычайно возбужденном состоянии. В два часа пополудни он забегал к Гаганову, всего за день прибывшему из деревни и у которого собрался полон дом посетителей, много и горячо говоривших о только что происшедших событиях. Петр Степанович говорил больше всех и заставил себя слушать. Его всегда считали у нас за «болтливого студента с дырой в голове», но теперь он говорил об Юлии Михайловне, а при всеобщей суматохе тема была захватывающая. Он сообщил о ней, в качестве ее недавнего и интимнейшего конфидента, много весьма новых и неожиданных подробностей; нечаянно (и, конечно, неосторожно) сообщил несколько ее личных отзывов о всем известных в городе лицах, чем тут же кольнул самолюбия. Выходило у него неясно и сбивчиво, как у человека не хитрого, но который поставлен, как честный человек, в мучительную необходимость разъяснить разом целую гору недоумений и который, в простодушной своей неловкости, сам не знает, с чего начать и чем кончить. Довольно тоже неосторожно проскользнуло у него, что Юлии Михайловне была известна вся тайна Ставрогина и что она-то и вела всю интригу. Она-де и его, Петра Степановича, подвела, потому что он сам был влюблен в эту несчастную Лизу, а между тем его так «подвернули», что он же *почти* проводил ее в карете к Ставрогину. «Да, да, хорошо вам, господа, смеяться, а если б я только знал, если б знал, чем это кончится!» — заключил он. На разные тревожные вопросы о Ставрогине он прямо заявил, что катастрофа с Лебядкиным, по его мнению, чистый случай и виновен во всем сам Лебядкин, показывавший деньги. Он это особенно хорошо разъяснил. Один из слушателей как-то заметил ему, что он напрасно «представляется»; что он ел, пил, чуть не спал в доме Юлии Михайловны, а теперь первый же ее и чернит, и что это вовсе не так красиво, как он полагает. Но Петр Степанович тотчас же защитил себя: «Я ел и пил не потому, что у меня не было денег, и не виноват, что меня туда приглашали. Позвольте мне самому судить, насколько мне быть за то благодарным».

Вообще впечатление осталось в его пользу: «Пусть он малый нелепый и, конечно, пустой, но ведь чем же он виноват в глупостях Юлии Михайловны? Напротив, выходит, что он же ее останавливал...»

Около двух часов разнеслось вдруг известие, что Ставрогин, о котором было столько речей, уехал внезапно с полуденным поездом в Петербург. Это очень заинтересовало; многие нахмурились. Петр Степанович был до того поражен, что, рассказывают, даже переменился в лице и странно вскричал: «Да кто же мог его выпустить?» Он тотчас убежал от Гаганова. Однако же его видели еще в двух или трех домах.

Около сумерок он нашел возможность проникнуть и к Юлии Михайловне, хотя и с величайшим трудом, потому что та решительно не хотела принять его. Только три недели спустя узнал я об этом обстоятельстве от нее же самой, пред выездом ее в Петербург. Она не сообщила подробностей, но заметила с содроганием, что он «изумил ее тогда вне всякой меры». Полагаю, что он просто напугал ее угрозой сообщничества, в случае если б ей надумалось «говорить». Необходимость же попугать тесно связывалась с его тогдашними замыслами, ей, разумеется, неизвестными, и только потом, дней пять спустя, догадалась она, почему он так сомневался в ее молчании и так опасался новых взрывов ее негодования...

В восьмом часу вечера, когда уже совсем стемнело, на краю города, в Фомином переулке, в маленьком покривившемся домике, в квартире прапорщика Эркеля, собрались *наши* в полном комплекте, впятером. Общее собрание назначено было тут самим Петром Степановичем; но он непростительно опоздал, и члены ждали его уже час. Этот прапорщик Эркель был тот самый заезжий офицерик, который на вечере у Виргинского просидел всё время с карандашом в руках и с записною книжкой пред собою. В город он прибыл недавно, нанимал уединенно в глухом переулке у двух сестер, старух мещанок, и скоро должен был уехать; собраться у него было всего неприметнее. Этот странный мальчик отличался необыкновенною молчаливостью; он мог просидеть десять вечеров сряду в шумной компании и при самых необыкновенных разговорах, сам не говоря ни слова, а напротив, с чрезвычайным вниманием следя своими детскими глазами за говорившими и слушая. Лицо у него было прехорошенькое и даже как бы умное. К пятерке он не принадлежал; наши предполагали, что он имел какие-то и откуда-то особые поручения, чисто по исполнительной части. Теперь известно, что у него не было никаких поручений, да и вряд ли сам он понимал свое положение. Он только преклонился пред Петром Степановичем, встретив его незадолго. Если б он встретился с каким-нибудь преждевременно развращенным монстром и тот под каким-нибудь социально-романическим предлогом подбил его основать разбойничью шайку и для пробы велел убить и ограбить первого встречного мужика, то он непременно бы пошел и послушался. У него была где-то больная мать, которой он отсылал половину своего скудного жалованья, — и как, должно быть, она целовала эту бедную белокурую головку, как дрожала за нее, как молилась о ней! Я потому так много о нем распространяюсь, что мне его очень жаль.

Наши были возбуждены. Происшествия прошлой ночи их поразили, и, кажется, они перетрусили. Простой, хотя и систематический скандал, в котором они так усердно до сих пор принимали участие, развязался для них неожиданно. Ночной пожар, убийство Лебядкиных, буйство толпы над Лизой — всё это были такие сюрпризы, которых они не предполагали в своей программе. Они с жаром обвиняли двигавшую их руку в деспотизме и неоткровенности. Одним словом, пока ждали Петра Степановича, они так настроили себя взаимно, что опять решились окончательно спросить у него категорического объяснения, а если он еще раз, как это уже и было, уклонится, то разорвать даже и пятерку, но с тем, чтобы вместо нее основать новое тайное общество «пропаганды идей», и уже от себя, на началах равноправных и демократических. Липутин, Шигалев и знаток народа особенно поддерживали эту мысль; Лямшин помалчивал, хотя и с согласным видом. Виргинский колебался и желал выслушать сначала Петра Степановича. Положили выслушать Петра Степановича; но тот всё еще не приходил; такая небрежность еще больше подлила яду. Эркель совершенно молчал и распорядился лишь подать чаю, который принес от хозяек собственноручно в стаканах на подносе, не внося самовара и не впуская служанки.

Петр Степанович явился только в половине девятого. Быстрыми шагами подошел он к круглому столу пред диваном, за которым разместилась компания; шапку оставил в руках и от чаю отказался. Вид имел злой, строгий и высокомерный. Должно быть, тотчас же заметил по лицам, что «бунтуют».

— Прежде чем раскрою рот, выкладывайте свое, вы что-то подобрались, — заметил он, с злобною усмешкой обводя глазами физиономии.

Липутин начал «от лица всех» и вздрагивавшим от обиды голосом заявил, «что если так продолжать, то можно самому разбить лоб-с». О, они вовсе не боятся разбивать свои лбы и даже готовы, но единственно лишь для общего дела. (Общее шевеление и одобрение.) А потому пусть будут и с ними откровенны, чтоб им всегда знать заранее, «а то что ж будет?». (Опять шевеление, несколько гортанных звуков.) Так действовать унизительно и опасно... Мы вовсе не потому, что боимся, а если действует один, а остальные только пешки, то один наврет, и все попадутся. (Восклицания: да, да! Общая поддержка.)

— Черт возьми, чего же вам надо?

— А какое отношение с общим делом, — закипел Липутин, — имеют интрижки господина Ставрогина? Пусть он там принадлежит каким-то таинственным образом к центру, если только в самом деле существует этот фантастический центр, да мы-то этого знать не хотим-с. А между тем совершилось убийство, возбуждена полиция; по нитке и до клубка дойдут.

— Попадетесь вы со Ставрогиным, и мы попадемся, — прибавил знаток народа.

— И совсем бесполезно для общего дела, — уныло закончил Виргинский.

— Что за вздор! Убийство — дело случая, сделано Федькой для грабежа.

— Гм. Странное, однако же, совпадение-с, — скорчился Липутин.

— А если хотите, произошло чрез вас же.

— Это как через нас?

— Во-первых, вы, Липутин, сами в этой интриге участвовали, а во-вторых и главное, вам приказано было отправить Лебядкина и выданы деньги, а вы что сделали? Если б отправили, так ничего бы и не было.

— Да не вы ли сами дали идею, что хорошо бы было выпустить его читать стихи?

— Идея не приказание. Приказание было отправить.

— Приказание. Довольно странное слово... Напротив, вы именно приказали остановить отправку.

— Вы ошиблись и выказали глупость и своеволие. А убийство — дело Федьки, и действовал он один, из грабежа. Вы слышали, что звонят, и поверили. Вы струсили. Ставрогин не так глуп, а доказательство — он уехал в двенадцать часов дня, после свидания с вице-губернатором; если бы что-нибудь было, его бы не выпустили в Петербург среди бела дня.

— Да ведь мы вовсе не утверждаем, что господин Ставрогин сам убивал, — ядовито и не стесняясь подхватил Липутин, — он мог даже и не знать-с, равно как и я; а вам самим слишком хорошо известно, что я ничего не знал-с, хотя тут же влез как баран в котел.

— Кого же вы обвиняете? — мрачно посмотрел Петр Степанович.

— А тех самых, кому надобно города сжигать-с.

— Хуже всего то, что вы вывертываетесь. Впрочем, не угодно ли прочесть и показать другим; это только для сведения.

Он вынул из кармана анонимное письмо Лебядкина к Лембке и передал Липутину. Тот прочел, видимо удивился и задумчиво передал соседу; письмо быстро обошло круг.

— Действительно ли это рука Лебядкина? — заметил Шигалев.

— Его рука, — заявили Липутин и Толкаченко (то есть знаток народа).

— Я только для сведения и зная, что вы так расчувствовались о Лебядкине, — повторил Петр Степанович, принимая назад письмо, — таким образом, господа, какой-нибудь Федька совершенно случайно избавляет нас от опасного человека. Вот что иногда значит случай! Не правда ли, поучительно?

Члены быстро переглянулись.

— А теперь, господа, пришел и мой черед спрашивать, — приосанился Петр Степанович. — Позвольте узнать, с какой стати вы изволили зажечь город без позволения?

— Это что! Мы, мы город зажгли? Вот уж с больной-то головы! — раздались восклицания.

— Я понимаю, что вы уж слишком заигрались, — упорно продолжал Петр Степанович, — но ведь это не скандальчики с Юлией Михайловной. Я собрал вас сюда, господа, чтобы разъяснить вам ту степень опасности, которую вы так глупо на себя натащили и которая слишком многому и кроме вас угрожает.

— Позвольте, мы, напротив, вам же намерены были сейчас заявить о той степени деспотизма и неравенства, с которыми принята была, помимо членов, такая серьезная и вместе с тем странная мера, — почти с негодованием заявил молчавший до сих пор Виргинский.

— Итак, вы отрицаетесь? А я утверждаю, что сожгли вы, вы одни, и никто другой. Господа, не лгите, у меня точные сведения. Своеволием вашим вы подвергли опасности даже общее дело. Вы всего лишь один узел бесконечной сети узлов и обязаны слепым послушанием центру. Между тем трое из вас подговаривали к пожару шпигулинских, не имея на то ни малейших инструкций, и пожар состоялся.

— Кто трое? Кто трое из нас?

— Третьего дня в четвертом часу ночи вы, Толкаченко, подговаривали Фомку Завьялова в «Незабудке».

— Помилуйте, — привскочил тот, — я едва одно слово сказал, да и то без намерения, а так, потому что его утром секли, и тотчас бросил, вижу — слишком пьян. Если бы вы не напомнили, я бы совсем и не вспомнил. От слова не могло загореться.

— Вы похожи на того, который бы удивился, что от крошечной искры взлетел на воздух весь пороховой завод.

— Я говорил шепотом и в углу, ему на ухо, как могли вы узнать? — сообразил вдруг Толкаченко.

— Я там сидел под столом. Не беспокойтесь, господа, я все ваши шаги знаю. Вы ехидно улыбаетесь, господин Липутин? А я знаю, например, что вы четвертого дня исщипали вашу супругу, в полночь, в вашей спальне, ложась спать.

Липутин разинул рот и побледнел.

(Потом стало известно, что он о подвиге Липутина узнал от Агафьи, липутинской служанки, которой с самого начала платил деньги за шпионство, о чем только после разъяснилось.)

— Могу ли я констатировать факт? — поднялся вдруг Шигалев.

— Констатируйте.

Шигалев сел и подобрался:

— Сколько я понял, да и нельзя не понять, вы сами, вначале и потом еще раз, весьма красноречиво, — хотя и слишком теоретически, — развивали картину России, покрытой бесконечною сетью узлов. С своей стороны, каждая из действующих кучек, делая прозелитов и распространяясь боковыми отделениями в бесконечность, имеет в задаче систематическою обличительною пропагандой беспрерывно ронять значение местной власти, произвести в селениях недоумение, зародить цинизм и скандалы, полное безверие во что бы то ни было, жажду лучшего и, наконец, действуя пожарами, как средством народным по преимуществу, ввергнуть страну, в предписанный момент, если надо, даже в отчаяние. Ваши ли это слова, которые я старался припомнить буквально? Ваша ли это программа действий, сообщенная вами в качестве уполномоченного из центрального, но совершенно неизвестного до сих пор и почти фантастического для нас комитета?

— Верно, только вы очень тянете.

— Всякий имеет право своего слова. Давая нам угадывать, что отдельных узлов всеобщей сети, уже покрывшей Россию, состоит теперь до нескольких сотен, и развивая предположение, что если каждый сделает свое дело успешно, то вся Россия, к данному сроку, по сигналу...

— Ах, черт возьми, и без вас много дела! — повернулся в креслах Петр Степанович.

— Извольте, я сокращу и кончу лишь вопросом: мы уже видели скандалы, видели недовольство населений, присутствовали и участвовали в падении здешней администрации и, наконец, своими глазами увидели пожар. Чем же вы недовольны? Не ваша ли это программа? В чем можете вы нас обвинять?

— В своеволии! — яростно крикнул Петр Степанович. — Пока я здесь, вы не смели действовать без моего позволения. Довольно. Готов донос, и, может быть, завтра же или сегодня в ночь вас перехватят. Вот вам. Известие верное.

Тут уже все разинули рты.

— Перехватят не только как подстрекателей в поджоге, но и как пятерку. Доносчику известна вся тайна сети. Вот что вы напрокудили!

— Наверно, Ставрогин! — крикнул Липутин.

— Как... почему Ставрогин? — как бы осекся вдруг Петр Степанович. — Э, черт, — спохватился он тотчас же, — это Шатов! Вам, кажется, всем уже теперь известно, что Шатов в свое время принадлежал делу. Я должен открыть, что, следя за ним чрез лиц, которых он не подозревает, я, к удивлению, узнал, что для него не тайна и устройство сети, и... одним словом, всё. Чтобы спасти себя от обвинения в прежнем участии, он донесет на всех. До сих пор он всё еще колебался, и я щадил его. Теперь вы этим пожаром его развязали: он потрясен и уже не колеблется. Завтра же мы будем арестованы, как поджигатели и политические преступники.

— Верно ли? Почему Шатов знает?

Волнение было неописанное.

— Всё совершенно верно. Я не вправе вам объявить пути мои и как открывал, но вот что покамест я могу для вас сделать: чрез одно лицо я могу подействовать на Шатова, так что он, совершенно не подозревая, задержит донос, — но ее более как на сутки. Дальше суток не могу. Итак, вы можете считать себя обеспеченными до послезавтраго утра.

Все молчали.

— Да отправить же его наконец к черту! — первый крикнул Толкаченко.

— И давно бы надо сделать! — злобно ввернул Лямшин, стукнув кулаком по столу.

— Но как сделать? — пробормотал Липутин.

Петр Степанович тотчас же подхватил вопрос и изложил свой план. Он состоял в том, чтобы завлечь Шатова, для сдачи находившейся у него тайной типографии, в то уединенное место, где она закопана, завтра, в начале ночи, и — «уж там и распорядиться». Он вошел во многие нужные подробности, которые мы теперь опускаем, и разъяснил обстоятельно те настоящие двусмысленные отношения Шатова к центральному обществу, о которых уже известно читателю.

— Всё так, — нетвердо заметил Липутин, — но так как опять... новое приключение в том же роде... то слишком уж поразит умы.

— Без сомнения, — подтвердил Петр Степанович, — но и это предусмотрено. Есть средство вполне отклонить подозрение.

И он с прежнею точностью рассказал о Кириллове, о его намерении застрелиться и о том, как он обещал ждать сигнала, а умирая, оставить записку и принять на себя всё, что ему продиктуют. (Одним словом, всё, что уже известно читателю.)

— Твердое его намерение лишить себя жизни — философское, а по-моему, сумасшедшее — стало известно *там* (продолжал разъяснять Петр Степанович). *Там* не теряют ни волоска, ни пылинки, всё идет в пользу общего дела. Предвидя пользу и убедившись, что намерение его совершенно серьезное, ему предложили средства доехать до России (он для чего-то непременно хотел умереть в России), дали поручение, которое он обязался исполнить (и исполнил), и, сверх того, обязали его уже известным вам обещанием кончить с собою лишь тогда, когда ему скажут. Он всё обещал. Заметьте, что он принадлежит делу на особых основаниях и желает быть полезным; больше я вам открыть не могу. Завтра, *после Шатова*, я продиктую ему записку, что причина смерти Шатова он. Это будет очень вероятно: они были друзьями и вместе ездили в Америку, там поссорились, и всё это будет в записке объяснено... и... и даже, судя по обстоятельствам, можно будет и еще кое-что продиктовать Кириллову, например о прокламациях и, пожалуй, отчасти пожар. Об этом, впрочем, я подумаю. Не беспокойтесь, он без предрассудков; всё подпишет.

Раздались сомнения. Повесть показалась фантастическою. О Кириллове, впрочем, все более или менее несколько слышали; Липутин же более всех.

— Вдруг он раздумает и не захочет, — сказал Шигалев, — так или этак, а все-таки он сумасшедший, стало быть, надежда неточная.

— Не беспокойтесь, господа, он захочет, — отрезал Петр Степанович. — По уговору, я обязан предупредить его накануне, значит, сегодня же. Я приглашаю Липутина идти сейчас со мною к нему и удостовериться, а он вам, господа, возвратясь, сообщит, если надо сегодня же, правду ли я вам говорил или нет. Впрочем, — оборвал он вдруг с непомерным раздражением, как будто вдруг почувствовал, что слишком много чести так убеждать и так возиться с такими людишками, — впрочем, действуйте как вам угодно. Если вы не решитесь, то союз расторгнут, — но единственно по факту вашего непослушания и измены. Таким образом, мы с этой минуты все врозь. Но знайте, что в таком случае вы, кроме неприятности шатовского доноса и последствий его, навлекаете на себя и еще одну маленькую неприятность, о которой было твердо заявлено при образовании союза. Что до меня касается, то, я, господа, не очень-то вас боюсь... Не подумайте, что я уж так с вами связан... Впрочем, это всё равно.

— Нет, мы решаемся, — заявил Лямшин.

— Другого выхода нет, — пробормотал Толкаченко, — и если только Липутин подтвердит про Кириллова, то...

— Я против; я всеми силами души моей протестую против такого кровавого решения! — встал с места Виргинский.

— Но? — спросил Петр Степанович.

— Что *но?*

— Вы сказали *но...* и я жду.

— Я, кажется, не сказал *но...* Я только хотел сказать, что если решаются, то...

— То?

Виргинский замолчал.

— Я думаю, можно пренебрегать собственною безопасностью жизни, — отворил вдруг рот Эркель, — но если может пострадать общее дело, то, я думаю, нельзя сметь пренебрегать собственною безопасностью жизни...

Он сбился и покраснел. Как ни были все заняты каждый своим, но все посматривали на него с удивлением, до такой степени было неожиданно, что он тоже мог заговорить.

— Я за общее дело, — произнес вдруг Виргинский.

Все поднялись с мест. Порешено было завтра в полдень еще раз сообщиться вестями, хотя и не сходясь всем вместе, и уже окончательно условиться. Объявлено было место, где зарыта типография, розданы роли и обязанности. Липутин и Петр Степанович немедленно отправились вместе к Кириллову.

II

В то, что Шатов донесет, наши все поверили; но в то, что Петр Степанович играет ими как пешками, — тоже верили. А затем все знали, что завтра все-таки явятся в комплекте на место, и судьба Шатова решена. Чувствовали, что вдруг как мухи попали в паутину к огромному пауку; злились, но тряслись от страха.

Петр Степанович несомненно был виноват пред ними: всё бы могло обойтись гораздо согласнее и *легче,* если б он позаботился хоть на капельку скрасить действительность. Вместо того чтобы представить факт в приличном свете, чем-нибудь римско-гражданским или вроде того, он только выставил грубый страх и угрозу собственной шкуре, что было уже просто невежливо. Конечно, во всем борьба за существование, и другого принципа нет, это всем известно, но ведь все-таки...

Но Петру Степановичу некогда было шевелить римлян; он сам был выбит из рельсов. Бегство Ставрогина ошеломило и придавило его. Он солгал, что Ставрогин виделся с вице-губернатором; то-то и есть, что тот уехал, не видавшись ни с кем, даже с матерью, — и уж действительно было странно, что его даже не беспокоили. (Впоследствии начальство принуждено было дать на это особый ответ.) Петр Степанович разузнавал целый день, но покамест ничего не узнал, и никогда он так не тревожился. Да и мог ли, мог ли он так, разом, отказаться от

Ставрогина! Вот почему он и не мог быть слишком нежным с нашими. К тому же они ему руки связывали: у него уже решено было немедленно скакать за Ставрогиным, а между тем задерживал Шатов, надо было окончательно скрепить пятерку, на всякий случай. «Не бросать же ее даром, пожалуй и пригодится». Так, я полагаю, он рассуждал.

А что до Шатова, то он совершенно был уверен, что тот донесет. Он всё налгал, что говорил *нашим* о доносе: никогда он не видал этого доноса и не слыхал о нем, но был уверен в нем как дважды два. Ему именно казалось, что Шатов ни за что не перенесет настоящей минуты — смерти Лизы, смерти Марьи Тимофеевны — и именно теперь наконец решится. Кто знает, может, он и имел какие-нибудь данные так полагать. Известно тоже, что он ненавидел Шатова лично; между ними была когда-то ссора, а Петр Степанович никогда не прощал обиды. Я даже убежден, что это-то и было главнейшею причиной.

Тротуары у нас узенькие, кирпичные, а то так и мостки. Петр Степанович шагал посредине тротуара, занимая его весь и не обращая ни малейшего внимания на Липутина, которому не оставалось рядом места, так что тот должен был поспевать или на шаг позади, или, чтоб идти разговаривая рядом, сбежать на улицу в грязь. Петр Степанович вдруг вспомнил, как он еще недавно семенил точно так же по грязи, чтобы поспеть за Ставрогиным, который, как и он теперь, шагал посредине, занимая весь тротуар. Он припомнил всю эту сцену, и бешенство захватило ему дух.

Но и Липутину захватывало дух от обиды. Пусть Петр Степанович обращается с *нашими* как угодно, но с ним? Ведь он более всех наших *знает*, ближе всех стоит к делу, интимнее всех приобщен к нему и до сих пор хоть косвенно, но беспрерывно участвовал в нем. О, он знал, что Петр Степанович даже и теперь мог его погубить в *крайнем случае*. Но Петра Степановича он уже возненавидел давно, и не за опасность, а за высокомерие его обращения. Теперь, когда приходилось решаться на такое дело, он злился более всех наших, вместе взятых. Увы, он знал, что непременно «как раб» будет завтра же первым на месте, да еще всех остальных приведет, и если бы мог теперь, до завтра, как-нибудь убить Петра Степановича, то непременно бы убил.

Погруженный в свои ощущения, он молчал и трусил за своим мучителем. Тот, казалось, забыл о нем; изредка только неосторожно и невежливо толкал его локтем. Вдруг Петр Степанович на самой видной из наших улиц остановился и вошел в трактир.

— Это куда же? — вскипел Липутин, — да ведь это трактир.

— Я хочу съесть бифштекс.

— Помилуйте, это всегда полно народу.

— Ну и пусть.

— Но... мы опоздаем. Уж десять часов.

— Туда нельзя опоздать.

— Да ведь я опоздаю! Они меня ждут обратно.

— Ну и пусть; только глупо вам к ним являться. Я с вашею возней сегодня не обедал. А к Кириллову чем позднее, тем вернее.

Петр Степанович взял особую комнату. Липутин гневливо и обидчиво уселся в кресла в сторонке и смотрел, как он ест. Прошло полчаса и более. Петр Степанович не торопился, ел со вкусом, звонил, требовал другой горчицы, потом пива, и всё не говорил ни слова. Он был в глубокой задумчивости. Он мог делать два дела — есть со вкусом и быть в глубокой задумчивости. Липутин до того наконец возненавидел его, что не в силах был от него оторваться. Это было нечто вроде нервного припадка. Он считал каждый кусок бифштекса, который тот отправлял в свой рот, ненавидел его за то, как он разевает его, как он жует, как он, смакуя, обсасывает кусок пожирнее, ненавидел самый бифштекс. Наконец, стало как бы мешаться в его глазах; голова слегка начала кружиться; жар поочередно с морозом пробегал по спине.

— Вы ничего не делаете, прочтите, — перебросил ему вдруг бумажку Петр Степанович. Липутин приблизился к свечке. Бумажка была мелко исписана, скверным почерком и с помарками на каждой строке. Когда он осилил ее, Петр Степанович уже расплатился и уходил. На тротуаре Липутин протянул ему бумажку обратно.

— Оставьте у себя; после скажу. А впрочем, что вы скажете?

Липутин весь вздрогнул.

— По моему мнению... подобная прокламация... одна лишь смешная нелепость.

Злоба прорвалась; он почувствовал, что как будто его подхватили и понесли.

— Если мы решимся, — дрожал он весь мелкою дрожью, — распространять подобные прокламации, то нашею глупостью и непониманием дела заставим себя презирать-с.

— Гм. Я думаю иначе, — твердо шагал Петр Степанович.

— А я иначе; неужели вы это сами сочинили?

— Это не ваше дело.

— Я думаю тоже, что и стишонки «Светлая личность», самые дряннейшие стишонки, какие только могут быть, и никогда не могли быть сочинены Герценом.

— Вы врете; стихи хороши.

— Я удивляюсь, например, и тому, — всё несся, скача и играя духом, Липутин, — что нам предлагают действовать так, чтобы всё провалилось. Это в Европе натурально желать, чтобы всё провалилось, потому что там пролетариат, а мы здесь только любители и, по-моему, только пылим-с.

— Я думал, вы фурьерист.

— У Фурье не то, совсем не то-с.

— Знаю, что вздор.

— Нет, у Фурье не вздор... Извините меня, никак не могу поверить, чтобы в мае месяце было восстание.

Липутин даже расстегнулся, до того ему было жарко.

— Ну довольно, а теперь, чтобы не забыть, — ужасно хладнокровно перескочил Петр Степанович, — этот листок вы должны будете собственноручно набрать и напечатать. Шатова типографию мы выроем, и ее завтра же примете вы. В возможно скором времени вы наберете и оттиснете сколько можно более экземпляров, и затем всю зиму разбрасывать. Средства будут указаны. Надо как можно более экземпляров, потому что у вас потребуют из других мест.

— Нет-с, уж извините, я не могу взять на себя такую... Отказываюсь.

— И однако же, возьмете. Я действую по инструкции центрального комитета, а вы должны повиноваться.

— А я считаю, что заграничные наши центры забыли русскую действительность и нарушили всякую связь, а потому только бредят... Я даже думаю, что вместо многих сотен пятерок в России мы только одна и есть, а сети никакой совсем нет, — задохнулся наконец Липутин.

— Тем презреннее для вас, что вы, не веря делу, побежали за ним... и бежите теперь за мной, как подлая собачонка.

— Нет-с, не бегу. Мы имеем полное право отстать и образовать новое общество.

— Дур-рак! — грозно прогремел вдруг Петр Степанович, засверкав глазами.

Оба стояли некоторое время друг против друга. Петр Степанович повернулся и самоуверенно направился прежнею дорогой.

В уме Липутина пронеслось, как молния: «Повернусь и пойду назад: если теперь не повернусь, никогда не пойду назад». Так думал он ровно десять шагов, но на одиннадцатом одна новая и отчаянная мысль загорелась в его уме: он не повернулся и не пошел назад.

Пришли к дому Филиппова, но, еще не доходя, взяли проулком, или, лучше сказать, неприметною тропинкой вдоль забора, так что некоторое время пришлось пробираться по крутому откосу канавки, на котором нельзя было ноги сдержать и надо было хвататься за забор. В самом темном углу покривившегося забора Петр Степанович вынул доску; образовалось отверстие, в которое он тотчас же и пролез. Липутин удивился, но пролез в свою очередь; затем доску вставили по-прежнему. Это был тот самый тайный ход, которым лазил к Кириллову Федька.

— Шатов не должен знать, что мы здесь, — строго прошептал Петр Степанович Липутину.

III

Кириллов, как всегда в этот час, сидел на своем кожаном диване за чаем. Он не привстал навстречу, но как-то весь вскинулся и тревожно поглядел на входивших.

— Вы не ошиблись, — сказал Петр Степанович, — я за тем самым.

— Сегодня?

— Нет, нет, завтра... около этого времени!

И он поспешно подсел к столу, с некоторым беспокойством приглядываясь ко встревожившемуся Кириллову. Тот, впрочем, уже успокоился и смотрел по-всегдашнему.

— Вот эти всё не верят. Вы не сердитесь, что я привел Липутина?

— Сегодня не сержусь, а завтра хочу один.

— Но не раньше, как я приду, а потому при мне.

— Я бы хотел не при вас.

— Вы помните, что обещали написать и подписать всё, что я продиктую.

— Мне всё равно. А теперь долго будете?

— Мне надо видеться с одним человеком и остается с полчаса, так уж как хотите, а эти полчаса я просижу.

Кириллов промолчал. Липутин поместился между тем в сторонке, под портретом архиерея. Давешняя отчаянная мысль всё более и более овладевала его умом. Кириллов почти не замечал его. Липутин знал теорию Кириллова еще прежде и смеялся над ним всегда; но теперь молчал и мрачно глядел вокруг себя.

— А я бы не прочь и чаю, — подвинулся Петр Степанович, — сейчас ел бифштекс и так и рассчитывал у вас чай застать.

— Пейте, пожалуй.

— Прежде вы сами потчевали, — кисловато заметил Петр Степанович.

— Это всё равно. Пусть и Липутин пьет.

— Нет-с, я... не могу.

— Не хочу или не могу? — быстро обернулся Петр Степанович.

— Я у них не стану-с, — с выражением отказался Липутин. Петр Степанович нахмурил брови.

— Пахнет мистицизмом; черт вас знает, что вы все за люди!

Никто ему не ответил; молчали целую минуту.

— Но я знаю одно, — резко прибавил он вдруг, — что никакие предрассудки не остановят каждого из нас исполнить свою обязанность.

— Ставрогин уехал? — спросил Кириллов.

— Уехал.

— Это он хорошо сделал.

Петр Степанович сверкнул было глазами, но придержался.

— Мне всё равно, как вы думаете, лишь бы каждый сдержал свое слово.

— Я сдержу свое слово.

— Впрочем, я и всегда был уверен, что вы исполните ваш долг, как независимый и прогрессивный человек.

— А вы смешны.

— Это пусть, я очень рад рассмешить. Я всегда рад, если могу угодить.

— Вам очень хочется, чтоб я застрелил себя, и боитесь, если вдруг нет?

— То есть, видите ли, вы сами соединили ваш план с нашими действиями. Рассчитывая на ваш план, мы уже кое-что предприняли, так что вы уж никак не могли бы отказаться, потому что нас подвели.

— Права никакого.

— Понимаю, понимаю, ваша полная воля, а мы ничто, но только чтоб эта полная ваша воля совершилась.

— И я должен буду взять на себя все ваши мерзости?

— Послушайте, Кириллов, вы не трусите ли? Если хотите отказаться, объявите сейчас же.

— Я не трушу.

— Я потому, что вы очень уж много спрашиваете.

— Скоро вы уйдете?

— Опять спрашиваете?

Кириллов презрительно оглядел его.

— Вот, видите ли, — продолжал Петр Степанович, всё более и более сердясь и беспокоясь и не находя надлежащего тона, — вы хотите, чтоб я ушел, для уединения, чтобы сосредоточиться; но всё это опасные признаки для вас же, для вас же первого. Вы хотите много думать. По-моему, лучше бы не думать, а так. И вы, право, меня беспокоите.

— Мне только одно очень скверно, что в ту минуту будет подле меня гадина, как вы.

— Ну, это-то всё равно. Я, пожалуй, в то время выйду и постою на крыльце. Если вы умираете и так неравнодушны, то... всё это очень опасно. Я выйду на крыльцо, и предположите, что я ничего не понимаю и что я безмерно ниже вас человек.

— Нет, вы не безмерно; вы со способностями, но очень много не понимаете, потому что вы низкий человек.

— Очень рад, очень рад. Я уже сказал, что очень рад доставить развлечение... в такую минуту.

— Вы ничего не понимаете.

— То есть я... во всяком случае я слушаю с уважением.

— Вы ничего не можете; вы даже теперь мелкой злобы спрятать не можете, хоть вам и невыгодно показывать. Вы меня разозлите, и я вдруг захочу еще полгода.

Петр Степанович посмотрел на часы.

— Я ничего никогда не понимал в вашей теории, но знаю, что вы не для нас ее выдумали, стало быть, и без нас исполните. Знаю тоже, что не вы съели идею, а вас съела идея, стало быть, и не отложите.

— Как? Меня съела идея?

— Да.

— А не я съел идею? Это хорошо. У вас есть маленький ум. Только вы дразните, а я горжусь.

— И прекрасно, и прекрасно. Это именно так и надо, чтобы вы гордились.

— Довольно; вы допили, уходите.

— Черт возьми, придется, — привстал Петр Степанович. — Однако все-таки рано. Послушайте, Кириллов, у Мясничихи застану я того человека, понимаете? Или и она наврала?

— Не застанете, потому что он здесь, а не там.

— Как здесь, черт возьми, где?

— Сидит в кухне, ест и пьет.

— Да как он смел? — гневно покраснел Петр Степанович. — Он обязан был ждать... вздор! У него ни паспорта, ни денег!

— Не знаю. Он пришел проститься; одет и готов. Уходит и не воротится. Он говорил, что вы подлец, и не хочет ждать ваших денег.

— А-а! Он боится, что я... ну, да я и теперь могу его, если... Где он, в кухне?

Кириллов отворил боковую дверь в крошечную темную комнату; из этой комнаты тремя ступенями вниз сходили в кухню, прямо в ту отгороженную каморку, в которой обыкновенно помещалась кухаркина кровать. Здесь-то в углу, под образами, и сидел теперь Федька за тесовым непокрытым столом. На столе пред ним помещался полуштоф, на тарелке хлеб и на глиняной посудине холодный кусок говядины с картофелем. Он закусывал с прохладой и был уже вполпьяна, но сидел в тулупе и, очевидно, совсем готовый в поход. За перегородкой закипал самовар, но не для Федьки, а сам Федька обязательно раздувал и наставлял его, вот уже с неделю или более, каждую ночь для «Алексея Нилыча-с, ибо оченно привыкли, чтобы чай по ночам-с». Я сильно думаю, что говядину с картофелем, за неимением кухарки, зажарил для Федьки еще с утра сам Кириллов.

— Это что ты выдумал? — вкатился вниз Петр Степанович. — Почему не ждал, где приказано?

И он с размаху стукнул по столу кулаком.

Федька приосанился.

— Ты постой, Петр Степанович, постой, — щеголевато отчеканивая каждое слово, заговорил он, — ты первым долгом здесь должен понимать, что ты на благородном визите у господина Кириллова, Алексея Нилыча, у которого всегда сапоги чистить можешь, потому он пред тобой образованный ум, а ты всего только — тьфу!

И он щеголевато отплевался в сторону сухим плевком. Видна была надменность, решимость и некоторое весьма опасное напускное спокойное резонерство до первого взрыва. Но Петру Степановичу уже некогда было замечать опасности, да и не сходилось с его взглядом на вещи. Происшествия и неудачи дня совсем его закружили... Липутин с любопытством выглядывал вниз, с трех ступеней, из темной каморки.

— Хочешь или не хочешь иметь верный паспорт и хорошие деньги на проезд куда сказано? Да или нет?

— Видишь, Петр Степанович, ты меня с самого первоначалу зачал обманывать, потому как ты выходишь передо мною настоящий подлец. Всё равно как поганая человечья вошь, — вот я тебя за кого почитаю. Ты мне за неповинную кровь большие деньги сулил и за господина Ставрогина клятву давал, несмотря на то что выходит одно лишь твое неучтивство. Я как есть ни одной каплей не участвовал, не то что полторы тысячи, а господин Ставрогин тебя давеча по щекам отхлестали, что уже и нам известно. Теперь ты мне сызнова угрожаешь и деньги сулишь, на какое дело — молчишь. А я сумлеваюсь в уме, что в Петербург меня шлешь, чтоб господину Ставрогину, Николаю Всеволодовичу, чем ни на есть по злобе своей отомстить, надеясь на мое легковерие. И из этого ты выходишь первый убивец. И знаешь ли ты, чего стал достоин уже тем одним пунктом, что в самого Бога, творца истинного, перестал по разврату своему веровать? Всё одно что идолопоклонник, и на одной линии с татарином или мордвой состоишь. Алексей Нилыч, будучи философом, тебе истинного Бога, творца создателя, многократно объяснял и о сотворении мира, равно и будущих судеб и преображения всякой твари и всякого зверя из книги Апокалипсиса. Но ты, как бестолковый идол, в глухоте и немоте упорствуешь и прапорщика Эркелева к тому же самому привел, как тот самый злодей-соблазнитель, называемый атеист...

— Ах ты, пьяная харя! Сам образа обдирает, да еще Бога проповедует!

— Я, видишь, Петр Степанович, говорю тебе это верно, что обдирал; но я только зеньчуг поснимал, и почем ты знаешь, может, и моя слеза пред горнилом Всевышнего в ту самую минуту преобразилась, за некую обиду мою, так как есть точь-в-точь самый сей сирота, не имея насущного даже пристанища. Ты знаешь ли по книгам, что некогда в древние времена некоторый купец, точь-в-точь с таким же слезным воздыханием и молитвой, у Пресвятой Богородицы с сияния перл похитил и потом всенародно с коленопреклонением всю сумму к самому подножию возвратил, и матерь-заступница пред всеми людьми его пеленой осенила, так что по этому предмету даже в ту пору чудо вышло и в государственные книги всё точь-в-точь через начальство велено записать. А ты пустил мышь, значит, надругался над самым Божиим перстом. И не будь ты природный мой господин, которого я, еще отроком бывши, на руках наших нашивал, то как есть тебя теперича порешил бы, даже с места сего не сходя!

Петр Степанович вошел в чрезмерный гнев:

— Говори, виделся ты сегодня со Ставрогиным?

— Это ты никогда не смеешь меня чтобы допрашивать. Господин Ставрогин как есть в удивлении пред тобою стоит и ниже́ пожеланием своим участвовал, не только распоряжением каким али деньгами. Ты меня дерзнул.

— Деньги ты получишь, и две тысячи тоже получишь, в Петербурге, на месте, все целиком, и еще получишь.

— Ты, любезнейший, врешь, и смешно мне тебя даже видеть, какой ты есть легковерный ум. Господин Ставрогин пред тобою как на лествице состоит, а ты на них снизу, как глупая собачонка, тявкаешь, тогда как они на тебя сверху и плюнуть-то за большую честь почитают.

— А знаешь ли ты, — остервенился Петр Степанович, — что я тебя, мерзавца, ни шагу отсюда не выпущу и прямо в полицию передам?

Федька вскочил на ноги и яростно сверкнул глазами. Петр Степанович выхватил револьвер. Тут произошла быстрая и отвратительная сцена: прежде чем Петр Степанович мог направить револьвер, Федька мгновенно извернулся и изо всей силы ударил его по щеке. В тот же миг послышался другой ужасный удар, затем третий, четвертый, всё по щеке. Петр Степанович ошалел, выпучил глаза, что-то пробормотал и вдруг грохнулся со всего росту на пол.

— Вот вам, берите его! — с победоносным вывертом крикнул Федька; мигом схватил картуз, из-под лавки узелок и был таков. Петр Степанович хрипел в беспамятстве. Липутин даже подумал, что совершилось убийство. Кириллов опрометью сбежал в кухню.

— Водой его! — вскрикнул он и, зачерпнув железным ковшом в ведре, вылил ему на голову. Петр Степанович пошевелился, приподнял голову, сел и бессмысленно смотрел пред собою.

— Ну, каково? — спросил Кириллов.

Тот, пристально и всё еще не узнавая, глядел на него; но, увидев выставившегося из кухни Липутина, улыбнулся своею гадкою улыбкой и вдруг вскочил, захватив с полу револьвер.

— Если вы вздумаете завтра убежать, как подлец Ставрогин, — исступленно накинулся он на Кириллова, весь бледный, заикаясь и неточно выговаривая слова, — то я вас на другом конце шара... повешу как муху... раздавлю... понимаете!

И он наставил Кириллову револьвер прямо в лоб; но почти в ту же минуту, опомнившись наконец совершенно, отдернул руку, сунул револьвер в карман и, не сказав более ни слова, побежал из дому. Липутин за ним. Вылезли в прежнюю лазейку и опять прошли откосом, придерживаясь за забор. Петр Степанович быстро зашагал по переулку, так что Липутин едва поспевал. У первого перекрестка вдруг остановился.

— Ну? — с вызовом повернулся он к Липутину.

Липутин помнил револьвер и еще весь трепетал от бывшей сцены; но ответ как-то сам вдруг и неудержимо соскочил с его языка:

— Я думаю... я думаю, что «от Смоленска до Ташкента вовсе уж не с таким нетерпением ждут студента».

— А видели, что пил Федька на кухне?

— Что пил? Водку пил.

— Ну так знайте, что он в последний раз в жизни пил водку. Рекомендую запомнить для дальнейших соображений. А теперь убирайтесь к черту, вы до завтра не нужны... Но смотрите у меня: не глупить!

Липутин бросился сломя голову домой.

IV

У него давно уже был припасен паспорт на чужое имя. Дико даже подумать, что этот аккуратный человечек, мелкий тиран семьи, во всяком случае чиновник (хотя и фурьерист) и, наконец, прежде всего капиталист и процентщик, —

давным-давно уже возымел про себя фантастическую мысль припасти на всякий случай этот паспорт, чтобы с помощью его улизнуть за границу, *если...* допускал же он возможность этого *если!* хотя, конечно, он и сам никогда не мог формулировать, что именно могло бы обозначать это *если...*

Но теперь оно вдруг само формулировалось, и в самом неожиданном роде. Та отчаянная идея, с которою он вошел к Кириллову, после «дурака», выслушанного от Петра Степановича на тротуаре, состояла в том, чтобы завтра же чем свет бросить всё и экспатрироваться за границу! Кто не поверит, что такие фантастические вещи случаются в нашей обыденной действительности и теперь, тот пусть справится с биографией всех русских настоящих эмигрантов за границей. Ни один не убежал умнее и реальнее. Всё то же необузданное царство призраков и более ничего.

Прибежав домой, он начал с того, что заперся, достал сак и судорожно начал укладываться. Главная забота его состояла о деньгах и о том, сколько и как он их успеет спасти. Именно спасти, ибо, по понятиям его, медлить нельзя было уже ни часу и чем свет надо было находиться на большой дороге. Не знал он тоже, как он сядет в вагон; он смутно решился сесть где-нибудь на второй или на третьей большой станции от города, до нее же добраться хоть и пешком. Таким образом, инстинктивно и машинально, с целым вихрем мыслей в голове, возился он над саком и — вдруг остановился, бросил всё и с глубоким стоном протянулся на диване.

Он ясно почувствовал и вдруг сознал, что бежит-то он, пожалуй, бежит, но что разрешить вопрос *до* или *после* Шатова ему придется бежать? — он уже совершенно теперь не в силах; что теперь он только грубое, бесчувственное тело, инерционная масса, но что им движет посторонняя ужасная сила и что хоть у него и есть паспорт за границу, хоть бы и мог он убежать от Шатова (а иначе для чего бы было так торопиться?), но что бежит он не до Шатова, не от Шатова, а именно *после* Шатова, и что уже так это решено, подписано и запечатано. В нестерпимой тоске, ежеминутно трепеща и удивляясь на самого себя, стеная и замирая попеременно, дожил он кое-как, запершись и лежа на диване, до одиннадцати часов утра следующего дня, и вот тут-то вдруг и последовал ожидаемый толчок, вдруг направивший его решимость. В одиннадцать часов, только что он отперся и вышел к домашним, он вдруг от них же узнал, что разбойник, беглый каторжный Федька, наводивший на всех ужас, грабитель церквей, недавний убийца и поджигатель, за которым следила и которого всё не могла схватить наша полиция, найден чем свет утром убитым, в семи верстах от города, на повороте с большой дороги на проселок, к Захарьину, и что о том говорит уже весь город. Тотчас же сломя голову бросился он из дому узнавать подробности и узнал, во-первых, что Федька, найденный с проломленною головой, был по всем признакам ограблен и, во-вторых, что полиция уже имела сильные подозрения и даже некоторые твердые данные заключить, что убийцей его был шпигулинский Фомка, тот самый, с которым он несомненно резал и зажег у Лебядкиных, и что ссора между ними произошла уже дорогой из-за утаенных будто бы Федькой больших денег, похищенных у Лебядкина... Липутин пробежал и в квартиру Петра Степановича и успел узнать с заднего крыльца, потаенно, что Петр Степанович хоть и воротился домой вчера, этак уже около часу пополуночи, но всю ночь преспокойно изволил почивать у себя дома вплоть до восьми часов утра. Разумеется, не могло быть сомнения, что в смерти разбойника Федьки ровно ничего не было необыкновенного и что таковые развязки именно всего чаще случаются в подобных карьерах, но совпадение роковых слов: «что Федька в последний раз в этот вечер пил водку», с немедленным оправданием пророчества было до того знаменательно, что Липутин вдруг перестал колебаться. Толчок был дан; точно камень упал на него и придавил навсегда. Воротясь домой, он молча ткнул свой сак ногой под кровать, а вечером в назначенный час первым из всех явился на условленное место для встречи Шатова, правда всё еще с своим паспортом в кармане...

Глава пятая
ПУТЕШЕСТВЕННИЦА

I

Катастрофа с Лизой и смерть Марьи Тимофеевны произвели подавляющее впечатление на Шатова. Я уже упоминал, что в то утро я его мельком встретил, он показался мне как бы не в своем уме. Между прочим, сообщил, что накануне вечером, часов в девять (значит, часа за три до пожара), был у Марьи Тимофеевны. Он ходил поутру взглянуть на трупы, но, сколько знаю, в то утро показаний не давал нигде никаких. Между тем к концу дня в душе его поднялась целая буря и... и, кажется, могу сказать утвердительно, был такой момент в сумерки, что он хотел встать, пойти и — объявить всё. Что такое было это *всё* — про то он сам знал. Разумеется, ничего бы не достиг, а предал бы просто себя. У него не было никаких доказательств, чтоб изобличить только что совершившееся злодеяние, да и сам он имел об нем лишь смутные догадки, только для него одного равнявшиеся полному убеждению. Но он готов был погубить себя, лишь бы только «раздавить мерзавцев», — собственные его слова. Петр Степанович отчасти верно предугадал в нем этот порыв и сам знал, что сильно рискует, откладывая исполнение своего нового ужасного замысла до завтра. С его стороны тут было, по обыкновению, много самонадеянности и презрения ко всем этим «людишкам», а к Шатову в особенности. Он презирал Шатова уже давно за его «плаксивое идиотство», как выражался он о нем еще за границей, и твердо надеялся справиться с таким нехитрым человеком, то есть не выпускать его из виду во весь этот день и пресечь ему путь при первой опасности. И однако спасло «мерзавцев» еще на малое время лишь одно совершенно неожиданное, а ими совсем не предвиденное обстоятельство...

Часу в восьмом вечера (это именно в то самое время, когда *наши* собрались у Эркеля, ждали Петра Степановича, негодовали и волновались) Шатов, с головною болью и в легком ознобе, лежал, протянувшись, на своей кровати, в темноте, без свечи; мучился недоумением, злился, решался, никак не мог решиться окончательно и с проклятием предчувствовал, что всё это, однако, ни к чему не поведет. Мало-помалу он забылся на миг легким сном и видел во сне что-то похожее на кошмар; ему приснилось, что он опутан на своей кровати веревками, весь связан и не может шевельнуться, а между тем раздаются по всему дому страшные удары в забор, в ворота, в его дверь, во флигеле у Кириллова, так что весь дом дрожит, и какой-то отдаленный, знакомый, но мучительный для него голос жалобно призывает его. Он вдруг очнулся и приподнялся на постели. К удивлению, удары в ворота продолжались, и хоть далеко не так сильные, как представлялось во сне, но частые и упорные, а странный и «мучительный» голос, хотя вовсе не жалобно, а, напротив, нетерпеливо и раздражительно, всё слышался внизу у ворот вперемежку с чьим-то другим, более воздержным и обыкновенным голосом. Он вскочил, отворил форточку и высунул голову.

— Кто там? — окликнул он, буквально коченея от испуга.

— Если вы Шатов, — резко и твердо ответили ему снизу, — то, пожалуйста, благоволите объявить прямо и честно, согласны ли вы впустить меня или нет?

Так и есть; он узнал этот голос!

— Marie!.. Это ты?

— Я, я, Марья Шатова, и уверяю вас, что ни одной минуты более не могу задерживать извозчика.

— Сейчас... я только свечу... — слабо прокричал Шатов. Затем бросился искать спичек. Спички, как обыкновенно в таких случаях, не отыскивались. Уронил подсвечник со свечой на пол, и только что снизу опять послышался нетерпеливый голос, бросил всё и сломя голову полетел вниз по своей крутой лестнице отворять калитку.

— Сделайте одолжение, подержите сак, пока я разделаюсь с этим болваном, — встретила его внизу госпожа Марья Шатова и сунула ему в руки довольно легонький, дешевый ручной сак из парусины, с бронзовыми гвоздиками, дрезденской работы. Сама же раздражительно накинулась на извозчика:

— Смею вас уверить, что вы берете лишнее. Если вы протаскали меня целый лишний час по здешним грязным улицам, то виноваты вы же, потому что сами, стало быть, не знали, где эта глупая улица и этот дурацкий дом. Извольте принять ваши тридцать копеек и убедиться, что ничего больше не получите.

— Эх, барынька, сама ж тыкала на Вознесенску улицу, а эта Богоявленска: Вознесенской-то проулок эвона где отселева. Только мерина запарили.

— Вознесенская, Богоявленская — все эти глупые названия вам больше моего должны быть известны, так как вы здешний обыватель, и к тому же вы несправедливы: я вам прежде всего заявила про дом Филиппова, а вы именно подтвердили, что его знаете. Во всяком случае можете искать на мне завтра в мировом суде, а теперь прошу вас оставить меня в покое.

— Вот, вот еще пять копеек! — стремительно выхватил Шатов из кармана свой пятак и подал извозчику.

— Сделайте одолжение, прошу вас, не смейте этого делать! — вскипела было madame Шатова, но извозчик тронул «мерина», а Шатов, схватив ее за руку, повлек в ворота.

— Скорей, Marie, скорей... это всё пустяки и — как ты измокла! Тише, тут подыматься, — как жаль, что нет огня, — лестница крутая, держись крепче, крепче, ну вот и моя каморка. Извини, я без огня... Сейчас!

Он поднял подсвечник, но спички еще долго не отыскивались. Госпожа Шатова стояла в ожидании посреди комнаты молча и не шевелясь.

— Слава богу, наконец-то! — радостно вскричал он, осветив каморку. Марья Шатова бегло обозрела помещение.

— Мне говорили, что вы скверно живете, но все-таки я думала не так, — брезгливо произнесла она и направилась к кровати. — Ох, устала! — присела она с бессильным видом на жесткую постель. — Пожалуйста, поставьте сак и сядьте сами на стул. Впрочем, как хотите, вы торчите на глазах. Я у вас на время, пока приищу работу, потому что ничего здесь не знаю и денег не имею. Но если вас стесняю, сделайте одолжение, опять прошу, заявите сейчас же, как и обязаны сделать, если вы честный человек. Я все-таки могу что-нибудь завтра продать и заплатить в гостинице, а уж в гостиницу извольте меня проводить сами... Ох, только я устала!

Шатов весь так и затрясся.

— Не нужно, Marie, не нужно гостиницу! Какая гостиница? Зачем, зачем? Он, умоляя, сложил руки.

— Ну, если можно обойтись без гостиницы, то все-таки необходимо разъяснить дело. Вспомните, Шатов, что мы прожили с вами брачно в Женеве две недели и несколько дней, вот уже три года как разошлись, без особенной, впрочем, ссоры. Но не подумайте, чтоб я воротилась что-нибудь возобновлять из прежних глупостей. Я воротилась искать работы, и если прямо в этот город, то потому, что мне всё равно. Я не приехала в чем-нибудь раскаиваться; сделайте одолжение, не подумайте еще этой глупости.

— О Marie! Это напрасно, совсем напрасно! — неясно бормотал Шатов.

— А коли так, коли вы настолько развиты, что можете и это понять, то позволю себе прибавить, что если теперь обратилась прямо к вам и пришла в вашу квартиру, то отчасти и потому, что всегда считала вас далеко не подлецом, а, может быть, гораздо лучше других... мерзавцев!..

Глаза ее засверкали. Должно быть, она много перенесла кое-чего от каких-нибудь «мерзавцев».

— И, пожалуйста, будьте уверены, я над вами вовсе не смеялась сейчас, заявляя вам, что вы добры. Я говорила прямо, без красноречия, да и терпеть не могу. Однако всё это вздор. Я всегда надеялась, что у вас хватит ума не надоедать... Ох, довольно, устала!

И она поглядела на него длинным, измученным, усталым взглядом. Шатов стоял пред ней, через комнату, в пяти шагах, и робко, но как-то обновленно, с каким-то небывалым сиянием в лице ее слушал. Этот сильный и шершавый человек, постоянно шерстью вверх, вдруг весь смягчился и просветлел. В душе его задрожало что-то необычайное, совсем неожиданное. Три года разлуки, три года расторгнутого брака не вытеснили из сердца его ничего. И, может быть, каждый день в эти три года он мечтал о ней, о дорогом существе, когда-то ему сказавшем: «люблю». Зная Шатова, наверно скажу, что никогда бы он не мог допустить в себе даже мечты, чтобы какая-нибудь женщина могла сказать ему: «люблю». Он был целомудрен и стыдлив до дикости, считал себя страшным уродом, ненавидел свое лицо и свой характер, приравнивал себя к какому-то монстру, которого можно возить и показывать лишь на ярмарках. Вследствие всего этого выше всего считал честность, а убеждениям своим предавался до фанатизма, был мрачен, горд, гневлив и несловоохотлив. Но вот это единственное существо, две недели его любившее (он всегда, всегда тому верил!), — существо, которое он всегда считал неизмеримо выше себя, несмотря на совершенно трезвое понимание ее заблуждений; существо, которому он совершенно всё, *всё* мог простить (о том и вопроса быть не могло, а было даже нечто обратное, так что выходило по его, что он сам пред нею во всем виноват), эта женщина, эта Марья Шатова вдруг опять в его доме, опять пред ним... этого почти невозможно было понять! Он так был поражен, в этом событии заключалось для него столько чего-то страшного и вместе с тем столько счастия, что, конечно, он не мог, а может быть, не желал, боялся опомниться. Это был сон. Но когда она поглядела на него этим измученным взглядом, вдруг он понял, что это столь любимое существо страдает, может быть, обижено. Сердце его замерло. Он с болью вгляделся в ее черты: давно уже исчез с этого усталого лица блеск первой молодости. Правда, она всё еще была хороша собой — в его глазах, как и прежде, красавица. (На самом деле это была женщина лет двадцати пяти, довольно сильного сложения, росту выше среднего (выше Шатова), с темно-русыми пышными волосами, с бледным овальным лицом, большими темными глазами, теперь сверкавшими лихорадочным блеском.) Но легкомысленная, наивная и простодушная прежняя энергия, столь ему знакомая, сменилась в ней угрюмою раздражительностию, разочарованием, как бы цинизмом, к которому она еще не привыкла и которым сама тяготилась. Но главное, она была больна, это разглядел он ясно. Несмотря на весь свой страх пред нею, он вдруг подошел и схватил ее за обе руки:

— Marie... знаешь... ты, может быть, очень устала, ради бога, не сердись... Если бы ты согласилась, например, хоть чаю, а? Чай очень подкрепляет, а? Если бы ты согласилась!..

— Чего тут согласилась, разумеется соглашусь, какой вы по-прежнему ребенок. Если можете, дайте. Как у вас тесно! Как у вас холодно!

— О, я сейчас дров, дров... дрова у меня есть! — весь заходил Шатов, — дрова... то есть, но... впрочем, и чаю сейчас, — махнул он рукой, как бы с отчаянною решимостию, и схватил фуражку.

— Куда ж вы? Стало быть, нет дома чаю?

— Будет, будет, будет, сейчас будет всё... я... — Он схватил с полки револьвер. — Я продам сейчас этот револьвер... или заложу...

— Что за глупости и как это долго будет! Возьмите, вот мои деньги, коли у вас нет ничего, тут восемь гривен, кажется; всё. У вас точно в помешанном доме.

— Не надо, не надо твоих денег, я сейчас, в один миг, я и без револьвера...

И он бросился прямо к Кириллову. Это было, вероятно, еще часа за два до посещения Кириллова Петром Степановичем и Липутиным. Шатов и Кириллов, жившие на одном дворе, почти не видались друг с другом, а встречаясь, не кланялись и не говорили: слишком долго уж они «пролежали» вместе в Америке.

— Кириллов, у вас всегда чай; есть у вас чай и самовар?

Кириллов, ходивший по комнате (по обыкновению своему, всю ночь из угла в угол), вдруг остановился и пристально посмотрел на вбежавшего, впрочем без особого удивления.

— Чай есть, сахар есть и самовар есть. Но самовара не надо, чай горячий. Садитесь и пейте просто.

— Кириллов, мы вместе лежали в Америке... Ко мне пришла жена... Я... Давайте чаю... Надо самовар.

— Если жена, то надо самовар. Но самовар после. У меня два. А теперь берите со стола чайник. Горячий, самый горячий. Берите всё; берите сахар; весь. Хлеб... Хлеба много; весь. Есть телятина. Денег рубль.

— Давай, друг, отдам завтра! Ах, Кириллов!

— Это та жена, которая в Швейцарии? Это хорошо. И то, что вы так вбежали, тоже хорошо.

— Кириллов! — вскричал Шатов, захватывая под локоть чайник, а в обе руки сахар и хлеб, — Кириллов! Если б... если б вы могли отказаться от ваших ужасных фантазий и бросить ваш атеистический бред... о, какой бы вы были человек, Кириллов!

— Видно, что вы любите жену после Швейцарии. Это хорошо, если после Швейцарии. Когда надо чаю, приходите опять. Приходите всю ночь, я не сплю совсем. Самовар будет. Берите рубль, вот. Ступайте к жене, я останусь и буду думать о вас и о вашей жене.

Марья Шатова была видимо довольна поспешностию и почти с жадностию принялась за чай, но за самоваром бежать не понадобилось: она выпила всего полчашки и проглотила лишь крошечный кусочек хлебца. От телятины брезгливо и раздражительно отказалась.

— Ты больна, Marie, всё это так в тебе болезненно... — робко заметил Шатов, робко около нее ухаживая.

— Конечно, больна, пожалуйста, сядьте. Где вы взяли чай, если не было?

Шатов рассказал про Кириллова, слегка, вкратце. Она кое-что про него слышала.

— Знаю, что сумасшедший; пожалуйста, довольно; мало, что ли, дураков? Так вы были в Америке? Слышала, вы писали.

— Да, я... в Париж писал.

— Довольно, и пожалуйста, о чем-нибудь другом. Вы по убеждениям славянофил?

— Я... я не то что... За невозможностию быть русским стал славянофилом, — криво усмехнулся он, с натугой человека, сострившего некстати и через силу.

— А вы не русский?

— Нет, не русский.

— Ну, всё это глупости. Сядьте, прошу вас, наконец. Что вы всё туда-сюда? Вы думаете, я в бреду? Может, и буду в бреду. Вы говорите, вас только двое в доме?

— Двое... внизу...

— И всё таких умных. Что внизу? Вы сказали внизу?

— Нет, ничего.

— Что ничего? Я хочу знать.

— Я только хотел сказать, что мы тут теперь двое во дворе, а внизу прежде жили Лебядкины...

— Это та, которую сегодня ночью зарезали? — вскинулась она вдруг. — Слышала. Только что приехала, слышала. У вас был пожар?

— Да, Marie, да, и, может быть, я делаю страшную подлость в сию минуту, что прощаю подлецов... — встал он вдруг и зашагал по комнате, подняв вверх руки как бы в исступлении.

Но Marie не совсем поняла его. Она слушала ответы рассеянно; она спрашивала, а не слушала.

— Славные дела у вас делаются. Ох, как всё подло! Какие все подлецы! Да сядьте же, прошу вас, наконец, о, как вы меня раздражаете! — и в изнеможении она опустилась головой на подушку.

— Marie, я не буду... Ты, может быть, прилегла бы, Marie?

Она не ответила и в бессилии закрыла глаза. Бледное ее лицо стало точно у мертвой. Она заснула почти мгновенно. Шатов посмотрел кругом, поправил свечу, посмотрел еще раз в беспокойстве на ее лицо, крепко сжал пред собой руки и на цыпочках вышел из комнаты в сени. На верху лестницы он уперся лицом в угол и простоял так минут десять, безмолвно и недвижимо. Простоял бы и дольше, но вдруг внизу послышались тихие, осторожные шаги. Кто-то подымался вверх. Шатов вспомнил, что забыл запереть калитку.

— Кто тут? — спросил он шепотом.

Незнакомый посетитель подымался не спеша и не отвечая. Взойдя наверх, остановился; рассмотреть его было в темноте невозможно; вдруг послышался его осторожный вопрос:

— Иван Шатов?

Шатов назвал себя, но немедленно протянул руку, чтоб остановить его; но тот сам схватил его за руку, и — Шатов вздрогнул, как бы прикоснувшись к какому-то страшному гаду.

— Стойте здесь, — быстро прошептал он, — не входите, я не могу вас теперь принять. Ко мне воротилась жена. Я вынесу свечу.

Когда он воротился со свечкой, стоял какой-то молоденький офицерик; имени его он не знал, но где-то видел.

— Эркель, — отрекомендовался тот. — Видели меня у Виргинского.

— Помню; вы сидели и писали. Слушайте, — вскипел вдруг Шатов, исступленно подступая к нему, но говоря по-прежнему шепотом, — вы сейчас мне сделали знак рукой, когда схватили мою руку. Но знайте, я могу наплевать на все эти знаки! Я не признаю... не хочу... Я могу вас спустить сейчас с лестницы, знаете вы это?

— Нет, я этого ничего не знаю и совсем не знаю, за что вы так рассердились, — незлобиво и почти простодушно ответил гость. — Я имею только передать вам нечто и за тем пришел, главное не желая терять времени. У вас станок, вам не принадлежащий и в котором вы обязаны отчетом, как знаете сами. Мне велено потребовать от вас передать его завтра же, ровно в семь часов пополудни, Липутину. Кроме того, велено сообщить, что более от вас ничего никогда не потребуется.

— Ничего?

— Совершенно ничего. Ваша просьба исполняется, и вы навсегда устранены. Это положительно мне велено вам сообщить.

— Кто велел сообщить?

— Те, которые передали мне знак.

— Вы из-за границы?

— Это... это, я думаю, для вас безразлично.

— Э, черт! А почему вы раньше не приходили, если вам велено?

— Я следовал некоторым инструкциям и был не один.

— Понимаю, понимаю, что были не один. Э... черт! А зачем Липутин сам не пришел?

— Итак, я являюсь за вами завтра ровно в шесть часов вечера, и пойдем туда пешком. Кроме нас троих, никого не будет.

— Верховенский будет?

— Нет, его не будет. Верховенский уезжает завтра поутру из города, в одиннадцать часов.

— Так я и думал, — бешено прошептал Шатов и стукнул себя кулаком по бедру, — бежал, каналья!

Он взволнованно задумался. Эркель пристально смотрел на него, молчал и ждал.

— Как же вы возьмете? Ведь это нельзя зараз взять в руки и унести.

— Да и не нужно будет. Вы только укажете место, а мы только удостоверимся, что действительно тут зарыто. Мы ведь знаем только, где это место, самого места не знаем. А вы разве указывали еще кому-нибудь место?

Шатов посмотрел на него.

— Вы-то, вы-то, такой мальчишка, — такой глупенький мальчишка, — вы тоже туда влезли с головой, как баран? Э, да им и надо этакого соку! Ну, ступайте! Э-эх! Тот подлец вас всех надул и бежал.

Эркель смотрел ясно и спокойно, но как будто не понимал.

— Верховенский бежал, Верховенский! — яростно проскрежетал Шатов.

— Да ведь он еще здесь, не уехал. Он только завтра уедет, — мягко и убедительно заметил Эркель. — Я его особенно приглашал присутствовать в качестве свидетеля; к нему моя вся инструкция была (сокровенничал он как молоденький неопытный мальчик). Но он, к сожалению, не согласился, под предлогом отъезда; да и в самом деле что-то спешит.

Шатов еще раз сожалительно вскинул глазами на простачка, но вдруг махнул рукой, как бы подумав: «Стоит жалеть-то».

— Хорошо, приду, — оборвал он вдруг, — а теперь убирайтесь, марш!

— Итак, я ровно в шесть часов, — вежливо поклонился Эркель и не спеша пошел с лестницы.

— Дурачок! — не утерпел крикнуть ему вслед с верху лестницы Шатов.

— Что-с? — отозвался тот уже снизу.

— Ничего, ступайте.

— Я думал, вы что-то сказали.

II

Эркель был такой «дурачок», у которого только главного толку не было в голове, царя в голове; но маленького, подчиненного толку у него было довольно, даже до хитрости. Фанатически, младенчески преданный «общему делу», а в сущности Петру Верховенскому, он действовал по его инструкции, данной ему в то время, когда в заседании у *наших* условились и распределили роли на завтра. Петр Степанович, назначая ему роль посланника, успел поговорить с ним минут десять в сторонке. Исполнительная часть была потребностью этой мелкой, малорассудочной, вечно жаждущей подчинения чужой воле натуры — о, конечно не иначе как ради «общего» или «великого» дела. Но и это было всё равно, ибо маленькие фанатики, подобные Эркелю, никак не могут понять служения идее, иначе как слив ее с самим лицом, по их понятию выражающим эту идею. Чувствительный, ласковый и добрый Эркель, быть может, был самым бесчувственным из убийц, собравшихся на Шатова, и безо всякой личной ненависти, не смигнув глазом, присутствовал бы при его убиении. Ему велено было, например, хорошенько, между прочим, высмотреть обстановку Шатова, во время исполнения своего поручения, и когда Шатов, приняв его на лестнице, сболтнул в жару, всего вероятнее не заметив того, что к нему воротилась жена, — у Эркеля тотчас же достало инстинктивной хитрости не выказать ни малейшего дальнейшего любопытства, несмотря на блеснувшую в уме догадку, что факт воротившейся жены имеет большое значение в успехе их предприятия...

Так в сущности и было: один только этот факт и спас «мерзавцев» от намерения Шатова, а вместе с тем и помог им от него «избавиться»... Во-первых, он взволновал Шатова, выбил его из колеи, отнял от него обычную прозорливость и осторожность. Какая-нибудь идея о своей собственной безопасности менее всего могла прийти теперь в его голову, занятую совсем другим. Напротив, он с увлечением поверил, что Петр Верховенский завтра бежит: это так совпадало с его подозрениями! Возвратясь в комнату, он опять уселся в угол, уперся локтями в колена и закрыл руками лицо. Горькие мысли его мучили...

И вот он снова подымал голову, вставал на цыпочки и шел на нее поглядеть: «Господи! Да у нее завтра же разовьется горячка, к утру, пожалуй уже теперь началась! Конечно, простудилась. Она не привыкла к этому ужасному климату, а тут вагон, третий класс, кругом вихрь, дождь, а у нее такой холодный бурнусик, совсем никакой одежонки... И тут-то ее оставить, бросить без помощи! Сак-то, сак-то какой крошечный, легкий, сморщенный, десять фунтов! Бедная, как она изнурена, сколько вынесла! Она горда, оттого и не жалуется. Но раздражена, раздражена! Это болезнь: и ангел в болезни станет раздражителен. Какой сухой, горячий, должно быть, лоб, как темно под глазами и... и как, однако, прекрасен этот овал лица и эти пышные волосы, как...»

И он поскорее отводил глаза, поскорей отходил, как бы пугаясь одной идеи видеть в ней что-нибудь другое, чем несчастное, измученное существо, которому надо помочь, — «какие уж тут *надежды*! О, как низок, как подл человек!» — и он шел опять в свой угол, садился, закрывал лицо руками и опять мечтал, опять припоминал... и опять мерещились ему надежды.

«Ох, устала, ох, устала!» — припоминал он ее восклицания, ее слабый, надорванный голос. Господи! Бросить ее теперь, а у ней восемь гривен; протянула свой портмоне, старенький, крошечный! Приехала места искать — ну что она понимает в местах, что они понимают в России? Ведь это как блажные дети, всё у них собственные фантазии, ими же созданные; и сердится, бедная, зачем не похожа Россия на их иностранные мечтаньица! О несчастные, о невинные!.. И однако, в самом деле здесь холодно...»

Он вспомнил, что она жаловалась, что он обещался затопить печь. «Дрова тут, можно принести, не разбудить бы только. Впрочем, можно. А как решить насчет телятины? Встанет, может быть, захочет кушать... Ну, это после; Кириллов всю ночь не спит. Чем бы ее накрыть, она так крепко спит, но ей, верно, холодно, ах, холодно!»

И он еще раз подошел на нее посмотреть; платье немного завернулось, и половина правой ноги открылась до колена. Он вдруг отвернулся, почти в испуге, снял с себя теплое пальто и, оставшись в стареньком сюртучишке, накрыл, стараясь не смотреть, обнаженное место.

Зажигание дров, хождение на цыпочках, осматривание спящей, мечты в углу, потом опять осматривание спящей взяли много времени. Прошло два-три часа. И вот в это-то время у Кириллова успели побывать Верховенский и Липутин. Наконец и он задремал в углу. Раздался ее стон; она пробудилась, она звала его; он вскочил как преступник.

— Marie! Я было заснул... Ах, какой я подлец, Marie!

Она привстала, озираясь с удивлением, как бы не узнавая, где находится, и вдруг вся всполошилась в негодовании, в гневе:

— Я заняла вашу постель, я заснула вне себя от усталости; как смели вы не разбудить меня? Как осмелились подумать, что я намерена быть вам в тягость?

— Как мог я разбудить тебя, Marie?

— Могли; должны были! Для вас тут нет другой постели, а я заняла вашу. Вы не должны были ставить меня в фальшивое положение. Или вы думаете, я приехала пользоваться вашими благодеяниями? Сейчас извольте занять вашу постель, а я лягу в углу на стульях...

— Marie, столько нет стульев, да и нечего постлать.

— Ну так просто на полу. Ведь вам же самому придется спать на полу. Я хочу на полу, сейчас, сейчас!

Она встала, хотела шагнуть, но вдруг как бы сильнейшая судорожная боль разом отняла у ней все силы и всю решимость, и она с громким стоном опять упала на постель. Шатов подбежал, но Marie, спрятав лицо в подушки, захватила его руку и изо всей силы стала сжимать и ломать ее в своей руке. Так продолжалось с минуту.

— Marie, голубчик, если надо, тут есть доктор Френцель, мне знакомый, очень... Я бы сбегал к нему.

— Вздор!

— Как вздор? Скажи, Marie, что у тебя болит? А то бы можно припарки... на живот например... Это я и без доктора могу... А то горчичники.

— Что ж это? — странно спросила она, подымая голову и испуганно смотря на него.

— То есть что именно, Marie? — не понимал Шатов, — про что ты спрашиваешь? О боже, я совсем теряюсь, Marie, извини, что ничего не понимаю.

— Эх, отстаньте, не ваше дело понимать. Да и было бы очень смешно... — горько усмехнулась она. — Говорите мне про что-нибудь. Ходите по комнате и говорите. Не стойте подле меня и не глядите на меня, об этом особенно прошу вас в пятисотый раз!

Шатов стал ходить по комнате, смотря в пол и изо всех сил стараясь не взглянуть на нее.

— Тут — не рассердись, Marie, умоляю тебя, — тут есть телятина, недалеко, и чай... Ты так мало давеча скушала...

Она брезгливо и злобно замахала рукой. Шатов в отчаянии прикусил язык.

— Слушайте, я намерена здесь открыть переплетную, на разумных началах ассоциации. Так как вы здесь живете, то как вы думаете: удастся или нет?

— Эх, Marie, у нас и книг-то не читают, да и нет их совсем. Да и станет он книгу переплетать?

— Кто он?

— Здешний читатель и здешний житель вообще, Marie.

— Ну так и говорите яснее, а то: *он,* а кто он — неизвестно. Грамматики не знаете.

— Это в духе языка, Marie, — пробормотал Шатов.

— Ах, подите вы с вашим духом, надоели. Почему здешний житель или читатель не станет переплетать?

— Потому что читать книгу и ее переплетать — это целых два периода развития, и огромных. Сначала он помаленьку читать приучается, веками разумеется, но треплет книгу и валяет ее, считая за несерьезную вещь. Переплет же означает уже и уважение к книге, означает, что он не только читать полюбил, но и за дело признал. До этого периода еще вся Россия не дожила. Европа давно переплетает.

— Это хоть и по-педантски, но по крайней мере неглупо сказано и напоминает мне три года назад; вы иногда были довольно остроумны три года назад.

Она это высказала так же брезгливо, как и все прежние капризные свои фразы.

— Marie, Marie, — в умилении обратился к ней Шатов, — о Marie! Если б ты знала, сколько в эти три года прошло и проехало! Я слышал потом, что ты будто бы презирала меня за перемену убеждений. Кого ж я бросил? Врагов живой жизни; устарелых либералишек, боящихся собственной независимости; лакеев мысли, врагов личности и свободы, дряхлых проповедников мертвечины и тухлятины! Что у них: старчество, золотая средина, самая мещанская, подлая бездарность, завистливое равенство, равенство без собственного достоинства, равенство, как сознает его лакей или как сознавал француз девяносто третьего года... А главное, везде мерзавцы, мерзавцы и мерзавцы!

— Да, мерзавцев много, — отрывисто и болезненно проговорила она. Она лежала протянувшись, недвижимо и как бы боясь пошевелиться, откинувшись головой на подушку, несколько вбок, смотря в потолок утомленным, но горячим взглядом. Лицо ее было бледно, губы высохли и запеклись.

— Ты сознаешь, Marie, сознаешь! — воскликнул Шатов. Она хотела было сделать отрицательный знак головой, и вдруг с нею сделалась прежняя судорога. Опять она спрятала лицо в подушку и опять изо всей силы целую минуту сжимала до боли руку подбежавшего и обезумевшего от ужаса Шатова.

— Marie, Marie! Но ведь это, может быть, очень серьезно, Marie!

— Молчите... Я не хочу, не хочу, — восклицала она почти в ярости, повертываясь опять вверх лицом, — не смейте глядеть на меня, с вашим состраданием! Ходите по комнате, говорите что-нибудь, говорите...

Шатов как потерянный начал было снова что-то бормотать.

— Вы чем здесь занимаетесь? — спросила она, с брезгливым нетерпением перебивая его.

— На контору к купцу одному хожу. Я, Marie, если б особенно захотел, мог бы и здесь хорошие деньги доставать.

— Тем для вас лучше...

— Ах, не подумай чего, Marie, я так сказал...

— А еще что делаете? Что проповедуете? Ведь вы не можете не проповедовать; таков характер!

— Бога проповедую, Marie.

— В которого сами не верите. Этой идеи я никогда не могла понять.

— Оставим, Marie, это потом.

— Что такое была здесь эта Марья Тимофеевна?

— Это тоже мы потом, Marie.

— Не смейте мне делать такие замечания! Правда ли, что смерть эту можно отнести к злодейству... этих людей?

— Непременно так, — проскрежетал Шатов.

Marie вдруг подняла голову и болезненно прокричала:

— Не смейте мне больше говорить об этом, никогда не смейте, никогда не смейте!

И она опять упала на постель в припадке той же судорожной боли; это уже в третий раз, но на этот раз стоны стали громче, обратились в крики.

— О, несносный человек! О, нестерпимый человек! — металась она, уже не жалея себя, отталкивая стоявшего над нею Шатова.

— Marie, я буду что хочешь... я буду ходить, говорить...

— Да неужто вы не видите, что началось?

— Что началось, Marie?

— А почем я знаю? Я разве тут знаю что-нибудь... О, проклятая! О, будь проклято всё заране!

— Marie, если б ты сказала, что́ начинается... а то я... что я пойму, если так?

— Вы отвлеченный, бесполезный болтун. О, будь проклято всё на свете!

— Marie! Marie! '

Он серьезно подумал, что с ней начинается помешательство.

— Да неужели вы, наконец, не видите, что я мучаюсь родами, — приподнялась она, смотря на него со страшною, болезненною, исказившею всё лицо ее злобой. — Будь он заране проклят, этот ребенок!

— Marie, — воскликнул Шатов, догадавшись наконец, в чем дело, — Marie... Но что же ты не сказала заране? — спохватился он вдруг и с энергическою решимостью схватил свою фуражку.

— А я почем знала, входя сюда? Неужто пришла бы к вам? Мне сказали, еще через десять дней! Куда же вы, куда же вы, не смейте!

— За повивального бабкой! я продам револьвер; прежде всего теперь деньги!

— Не смейте ничего, не смейте повивальную бабку, просто бабу, старуху, у меня в портмоне восемь гривен... Родят же деревенские бабы без бабок... А околею, так тем лучше...

— И бабка будет, и старуха будет. Только как я, как я оставлю тебя одну, Marie!

Но, сообразив, что лучше теперь оставить ее одну, несмотря на всё ее иступление, чем потом оставить без помощи, он, не слушая ее стонов, ни гневливых восклицаний и надеясь на свои ноги, пустился сломя голову с лестницы.

III

Прежде всего к Кириллову. Было уже около часу пополуночи. Кириллов стоял посреди комнаты.

— Кириллов, жена родит!

— То есть как?

— Родит, ребенка родит!

— Вы... не ошибаетесь?

— О нет, нет, у ней судороги!.. Надо бабу, старуху какую-нибудь, непременно сейчас... Можно теперь достать? У вас было много старух...

— Очень жаль, что я родить не умею, — задумчиво отвечал Кириллов, — то есть не я родить не умею, а сделать так, чтобы родить, не умею... или... Нет, это я не умею сказать.

— То есть вы не можете сами помочь в родах; но я не про то; старуху, старуху, я прошу бабу, сиделку, служанку!

— Старуха будет, только, может быть, не сейчас. Если хотите, я вместо...

— О, невозможно; я теперь к Виргинской, к бабке.

— Мерзавка!

— О да, Кириллов, да, но она лучше всех! О да, всё это будет без благоговения, без радости, брезгливо, с бранью, с богохульством — при такой великой тайне, появлении нового существа!.. О, она уж теперь проклинает его!..

— Если хотите, я...

— Нет, нет, а пока я буду бегать (о, я притащу Виргинскую!), вы иногда подходите к моей лестнице и тихонько прислушивайтесь, но не смейте входить, вы ее испугаете, ни за что не входите, вы только слушайте... на всякий ужасный случай. Ну, если что крайнее случится, тогда войдите.

— Понимаю. Денег еще рубль. Вот. Я хотел завтра курицу, теперь не хочу. Бегите скорей, бегите изо всей силы. Самовар всю ночь.

Кириллов ничего не знал о намерениях насчет Шатова, да и прежде никогда не знал о всей степени опасности, ему угрожающей. Знал только, что у него какие-то старые счеты с «теми людьми», и хотя сам был в это дело отчасти замешан сообщенными ему из-за границы инструкциями (впрочем, весьма поверхностными, ибо близко он ни в чем не участвовал), но в последнее время он всё бросил, все поручения, совершенно устранил себя от всяких дел, прежде же всего от «общего дела», и предался жизни созерцательной. Петр Верховенский в заседании хотя и позвал Липутина к Кириллову, чтоб удостовериться, что тот примет в данный момент «дело Шатова» на себя, но, однако, в объяснениях с Кирилловым ни слова не сказал про Шатова, даже не намекнул, — вероятно считая неполитичным, а Кириллова даже и неблагонадежным, и оставив до завтра, когда уже всё будет сделано, а Кириллову, стало быть, будет уже «всё равно»; по крайней мере, так рассуждал о Кириллове Петр Степанович. Липутин тоже очень заметил, что о Шатове, несмотря на обещание, ни слова не было упомянуто, но Липутин был слишком взволнован, чтобы протестовать.

Как вихрь бежал Шатов в Муравьиную улицу, проклиная расстояние и не видя ему конца.

Надо было долго стучать у Виргинского: все давно уже спали. Но Шатов изо всей силы и безо всякой церемонии заколотил в ставню. Цепная собака на дворе рвалась и заливалась злобным лаем. Собаки всей улицы подхватили; поднялся собачий гам.

— Что вы стучите и чего вам угодно? — раздался наконец у окна мягкий и несоответственный «оскорблению» голос самого Виргинского. Ставня приотворилась, открылась и форточка.

— Кто там, какой подлец? — злобно провизжал уже совершенно соответственный оскорблению женский голос старой девы, родственницы Виргинского.

— Я, Шатов, ко мне воротилась жена и теперь сейчас родит...

— Ну пусть и родит, убирайтесь!

— Я за Ариной Прохоровной, я не уйду без Арины Прохоровны!

— Не может она ко всякому ходить. По ночам особая практика... Убирайтесь к Макшеевой и не смейте шуметь! — трещал обозленный женский голос. Слышно было, как Виргинский останавливал; но старая дева его отталкивала и не уступала.

— Я не уйду! — прокричал опять Шатов.

— Подождите, подождите же! — прикрикнул наконец Виргинский, осилив деву. — Прошу вас, Шатов, подождать пять минут, я разбужу Арину Прохоровну, и, пожалуйста, не стучите и не кричите... О, как всё это ужасно!

Через пять бесконечных минут явилась Арина Прохоровна.

— К вам жена приехала? — послышался из форточки ее голос, и, к удивлению Шатова, вовсе не злой, а так только по-обыкновенному повелительный; но Арина Прохоровна иначе и не могла говорить.

— Да, жена, и родит.

— Марья Игнатьевна?

— Да, Марья Игнатьевна. Разумеется, Марья Игнатьевна!

Наступило молчание. Шатов ждал. В доме перешептывались.

— Она давно приехала? — спросила опять madame Виргинская.

— Сегодня вечером, в восемь часов. Пожалуйста, поскорей.

Опять пошептались, опять как будто посоветовались.

— Слушайте, вы не ошибаетесь? Она сама вас послала за мной?

— Нет, она не посылала за вами, она хочет бабу, простую бабу, чтобы меня не обременять расходами, но не беспокойтесь, я заплачу.

— Хорошо, приду, заплатите или нет. Я всегда ценила независимые чувства Марьи Игнатьевны, хотя она, может быть, не помнит меня. Есть у вас самые необходимые вещи?

— Ничего нет, но всё будет, будет, будет...

«Есть же и в этих людях великодушие! — думал Шатов, направляясь к Лямшину. — Убеждения и человек — это, кажется, две вещи во многом различные. Я, может быть, много виноват пред ними!.. Все виноваты, все виноваты и... если бы в этом все убедились!..»

У Лямшина пришлось стучать недолго; к удивлению, он мигом отворил форточку, вскочив с постели босой и в белье, рискуя насморком; а он очень был мнителен и постоянно заботился о своем здоровье. Но была особая причина такой чуткости и поспешности: Лямшин трепетал весь вечер и до сих пор еще не мог заснуть от волнения вследствие заседания у *наших*; ему всё мерещилось посещение некоторых незваных и уже совсем нежеланных гостей. Известие о доносе Шатова больше всего его мучило... И вот вдруг, как нарочно, так ужасно громко застучали в окошко!..

Он до того струсил, увидав Шатова, что тотчас же захлопнул форточку и убежал на кровать. Шатов стал неистово стучать и кричать.

— Как вы смеете так стучать среди ночи? — грозно, но замирая от страху, крикнул Лямшин, по крайней мере минуты через две решившись отворить снова форточку и убедившись наконец, что Шатов пришел один.

— Вот вам револьвер; берите обратно, давайте пятнадцать рублей.

— Что это, вы пьяны? Это разбой; я только простужусь. Постойте, я сейчас плед накину.

— Сейчас давайте пятнадцать рублей. Если не дадите, буду стучать и кричать до зари; я у вас раму выбью.

— А я закричу караул, и вас в каталажку возьмут.

— А я немой, что ли? Я не закричу караул? Кому бояться караула, вам или мне?

— И вы можете питать такие подлые убеждения... Я знаю, на что вы намекаете... Стойте, стойте, ради бога, не стучите! Помилуйте, у кого деньги ночью? Ну зачем вам деньги, если вы не пьяны?

— Ко мне жена воротилась. Я вам десять рублей скинул, я ни разу не стрелял; берите револьвер, берите сию минуту.

Лямшин машинально протянул из форточки руку и принял револьвер; подождал и вдруг, быстро выскочив головой из форточки, пролепетал, как бы не помня себя и с ознобом в спине:

— Вы врете, к вам совсем не пришла жена. Это... это вы просто хотите куда-нибудь убежать.

— Дурак вы, куда мне бежать? Это ваш Петр Верховенский пусть бежит, а не я. Я был сейчас у бабки Виргинской, и она тотчас согласилась ко мне прийти. Справьтесь. Жена мучается; нужны деньги; давайте денег!

Целый фейерверк идей блеснул в изворотливом уме Лямшина. Всё вдруг приняло другой оборот, но всё еще страх не давал рассудить.

— Да как же... ведь вы не живете с женой?

— А я вам голову пробью за такие вопросы.

— Ах, бог мой, простите, понимаю, меня только ошеломило... Но я понимаю, понимаю. Но... но — неужели Арина Прохоровна придет? Вы сказали сейчас, что она пошла? Знаете, ведь это неправда. Видите, видите, видите, как вы говорите неправду на каждом шагу.

— Она, наверно, теперь у жены сидит, не задерживайте, я не виноват, что вы глупы.

— Неправда, я не глуп. Извините меня, никак не могу...

И он, совсем уже потерявшись, в третий раз стал опять запирать, но Шатов так завопил, что он мигом опять выставился.

— Но это совершенное посягновение на личность! Чего вы от меня требуете, ну чего, чего? — формулируйте! И заметьте, заметьте себе, среди такой ночи!

— Пятнадцать рублей требую, баранья голова!

— Но я, может, вовсе не хочу брать назад револьвер. Вы не имеете права. Вы купили вещь — и всё кончено, и не имеете права. Я такую сумму ночью ни за что не могу. Где я достану такую сумму?

— У тебя всегда деньги есть; я тебе сбавил десять рублей, но ты известный жиденок.

— Приходите послезавтра, — слышите, послезавтра утром, ровно в двенадцать часов, и я всё отдам, всё, не правда ли?

Шатов в третий раз неистово застучал в раму:

— Давай десять рублей, а завтра чем свет утром пять.

— Нет, послезавтра утром пять, а завтра, ей-богу, не будет. Лучше и не приходите, лучше не приходите.

— Давай десять; о, подлец!

— За что же вы так ругаетесь? Подождите, надобно засветить; вы вот стекло выбили... Кто по ночам так ругается? Вот! — протянул он из окна бумажку.

Шатов схватил — бумажка была пятирублевая.

— Ей-богу, не могу, хоть зарежьте, не могу, послезавтра две могу, а теперь ничего не могу.

— Не уйду! — заревел Шатов.

— Ну вот берите, вот еще, видите еще, а больше не дам. Ну хоть орите во всё горло, не дам, ну хоть что бы там ни было, не дам; не дам и не дам!

Он был в исступлении, в отчаянии, в поту. Две кредитки, которые он еще выдал, были рублевые. Всего скопилось у Шатова семь рублей.

— Ну черт с тобой, завтра приду. Изобью тебя, Лямшин, если не приготовишь восьми рублей.

«А дома-то меня не будет, дурак!» — быстро подумал про себя Лямшин.

— Стойте, стойте! — неистово закричал он вслед Шатову, который уже побежал. — Стойте, воротитесь. Скажите, пожалуйста, это правду вы сказали, что к вам воротилась жена?

— Дурак! — плюнул Шатов и побежал что было мочи домой.

IV

Замечу, что Арина Прохоровна ничего не знала о вчерашних намерениях, принятых в заседании. Виргинский, возвратясь домой, пораженный и ослабевший, не осмелился сообщить ей принятое решение; но все-таки не утерпел и открыл половину, — то есть всё известие, сообщенное Верховенским о непременном намерении Шатова донести; но тут же заявил, что не совсем доверяет известию. Арина Прохоровна испугалась ужасно. Вот почему, когда прибежал за нею Шатов, она, несмотря на то что была утомлена, промаявшись с одною родильницей всю прошлую ночь, немедленно решилась пойти. Она всегда была уверена, что «такая дрянь, как Шатов, способен на гражданскую подлость»; но прибытие Марьи Игнатьевны подводило дело под новую точку зрения. Испуг Шатова, отчаянный тон его просьб, мольбы о помощи обозначали переворот в чувствах предателя: человек, решившийся даже предать себя, чтобы только погубить других, кажется, имел бы другой вид и тон, чем представлялось в действительности. Одним словом, Арина Прохоровна решилась рассмотреть всё сама, своими глазами. Виргинский остался очень доволен ее решимостью — как будто пять пудов с него сняли! У него даже родилась надежда: вид Шатова показался ему в высшей степени несоответственным предположению Верховенского...

Шатов не ошибся; возвратясь, он уже застал Арину Прохоровну у Marie. Она только что приехала, с презрением прогнала Кириллова, торчавшего в низу лестницы; наскоро познакомилась с Marie, которая за прежнюю знакомую ее не признала; нашла ее в «сквернейшем положении», то есть злобною, расстроенною и в «самом малодушном отчаянии», и — в каких-нибудь пять минут одержала решительный верх над всеми ее возражениями.

— Чего вы наладили, что не хотите дорогой акушерки? — говорила она в ту самую минуту, как входил Шатов. — Совершенный вздор, фальшивые мысли от ненормальности вашего положения. С помощью простой какой-нибудь старухи, простонародной бабки, вам пятьдесят шансов кончить худо; а уж тут хлопот и расходов будет больше, чем с дорогою акушеркой. Почему вы знаете, что я дорогая акушерка? Заплатите после, я с вас лишнего не возьму, а за успех поручусь; со мной не умрете, не таких видывала. Да и ребенка хоть завтра же вам отправлю в приют, а потом в деревню на воспитание, тем и дело с концом. А там вы выздоравливаете, принимаетесь за разумный труд и в очень короткий срок вознаграждаете Шатова за помещение и расходы, которые вовсе будут не так велики...

— Я не то... Я не вправе обременять...

— Рациональные и гражданские чувства, но поверьте, что Шатов ничего почти не истратит, если захочет из фантастического господина обратиться хоть капельку в человека верных идей. Стоит только не делать глупостей, не бить в барабан, не бегать высуня язык по городу. Не держать его за руки, так он к утру подымет, пожалуй, всех здешних докторов; поднял же всех собак у меня на улице. Докторов не надо, я уже сказала, что ручаюсь за всё. Старуху, пожалуй, еще можно нанять для прислуги, это ничего не стоит. Впрочем, он и сам может на что-нибудь пригодиться, не на одни только глупости. Руки есть, ноги есть, в аптеку сбегает, без всякого оскорбления ваших чувств благодеянием. Какое черт благодеяние! Разве не он вас привел к этому положению? Разве не он поссорил вас с тем семейством, где вы были в гувернантках, с эгоистическою целью на вас жениться? Ведь мы слышали... Впрочем, он сам сейчас прибежал как ошалелый и накричал на всю улицу. Я ни к кому не навязываюсь и пришла единственно для вас, из принципа, что все наши обязаны солидарностью; я ему заявила это, еще не выходя из дому. Если я, по-вашему, лишняя, то прощайте; только не вышло бы беды, которую так легко устранить.

И она даже поднялась со стула.

Marie была так беспомощна, до того страдала и, надо правду сказать, до того пугалась предстоящего, что не посмела ее отпустить. Но эта женщина стала ей вдруг ненавистна: совсем не о том она говорила, совсем не то было в душе Marie! Но пророчество о возможной смерти в руках неопытной повитухи победило отвращение. Зато к Шатову она стала с этой минуты еще требовательнее, еще беспощаднее. Дошло наконец до того, что запретила ему не только смотреть на себя, но и стоять к себе лицом. Мучения становились сильнее. Проклятия, даже брань становились всё неистовее.

— Э, да мы его вышлем, — отрезала Арина Прохоровна, — на нем лица нет, он только вас пугает; побледнел как мертвец! Вам-то чего, скажите пожалуйста, смешной чудак? Вот комедия!

Шатов не отвечал; он решился ничего не отвечать.

— Видала я глупых отцов в таких случаях, тоже с ума сходят. Но ведь те по крайней мере...

— Перестаньте или бросьте меня, чтоб я околела! Чтобы ни слова не говорили! Не хочу, не хочу! — раскричалась Marie.

— Ни слова не говорить нельзя, если вы сами не лишились рассудка; так я и понимаю об вас в этом положении. По крайней мере надо о деле: скажите, заготовлено у вас что-нибудь? Отвечайте вы, Шатов, ей не до того.

— Скажите, что именно надобно?

— Значит, ничего не заготовлено.

Она высчитала всё необходимо нужное и, надо отдать ей справедливость, ограничилась самым крайне необходимым, до нищенства. Кое-что нашлось у Шатова. Marie вынула ключ и протянула ему, чтоб он поискал в ее саквояже. Так как у него дрожали руки, то он и прокопался несколько дольше, чем следовало, отпирая незнакомый замок. Marie вышла из себя, но когда подскочила Арина Прохоровна, чтоб отнять у него ключ, то ни за что не позволила ей заглянуть в свой сак и с блажным криком и плачем настояла, чтобы сак отпирал один Шатов.

За иными вещами приходилось сбегать к Кириллову. Чуть только Шатов повернулся идти, она тотчас стала неистово звать его назад и успокоилась лишь тогда, когда опрометью воротившийся с лестницы Шатов разъяснил ей, что уходит лишь на минуту, за самым необходимым, и тотчас опять воротится.

— Ну, на вас трудно, барыня, угодить, — рассмеялась Арина Прохоровна, — то стой лицом к стене и не смей на вас посмотреть, то не смей даже и на минутку отлучиться, заплачете. Ведь он этак что-нибудь, пожалуй, подумает. Ну, ну, не блажите, не куксите, я ведь смеюсь.

— Он не смеет ничего подумать.

— Та-та-та, если бы не был в вас влюблен как баран, не бегал бы по улицам высуня язык и не поднял бы по городу всех собак. Он у меня раму выбил.

V

Шатов застал Кириллова, всё еще ходившего из угла в угол по комнате, до того рассеянным, что тот даже забыл о приезде жены, слушал и не понимал.

— Ах да, — вспомнил он вдруг, как бы отрываясь с усилием и только на миг от какой-то увлекавшей его идеи, — да... старуха... Жена или старуха? Постойте: и жена и старуха, так? Помню; ходил; старуха придет, только не сейчас. Берите подушку. Еще что? Да... Постойте, бывают с вами, Шатов, минуты вечной гармонии?

— Знаете, Кириллов, вам нельзя больше не спать по ночам.

Кириллов очнулся и — странно — заговорил гораздо складнее, чем даже всегда говорил; видно было, что он давно уже всё это формулировал и, может быть, записал:

— Есть секунды, их всего зараз приходит пять или шесть, и вы вдруг чувствуете присутствие вечной гармонии, совершенно достигнутой. Это не земное; я не про то, что оно небесное, а про то, что человек в земном виде не может перенести. Надо перемениться физически или умереть. Это чувство ясное и неоспоримое. Как будто вдруг ощущаете всю природу и вдруг говорите: да, это правда. Бог, когда мир создавал, то в конце каждого дня создания говорил: «Да, это правда, это хорошо». Это... это не умиление, а только так, радость. Вы не прощаете ничего, потому что прощать уже нечего. Вы не то что любите, о — тут выше любви! Всего страшнее, что так ужасно ясно и такая радость. Если более пяти секунд — то душа не выдержит и должна исчезнуть. В эти пять секунд я проживаю жизнь и за них отдам всю мою жизнь, потому что стоит. Чтобы выдержать десять секунд, надо перемениться физически. Я думаю, человек должен перестать родить. К чему дети, к чему развитие, коли цель достигнута? В Евангелии сказано, что в воскресении не будут родить, а будут как ангелы Божии. Намек. Ваша жена родит?

— Кириллов, это часто приходит?

— В три дня раз, в неделю раз.

— У вас нет падучей?

— Нет.

— Значит, будет. Берегитесь, Кириллов, я слышал, что именно так падучая начинается. Мне один эпилептик подробно описывал это предварительное ощущение пред припадком, точь-в-точь как вы; пять секунд и он назначал и говорил, что более нельзя вынести. Вспомните Магометов кувшин, не успевший пролиться, пока он облетел на коне своем рай. Кувшин — это те же пять секунд; слишком напоминает вашу гармонию, а Магомет был эпилептик. Берегитесь, Кириллов, падучая!

— Не успеет, — тихо усмехнулся Кириллов.

VI

Ночь проходила. Шатова посылали, бранили, призывали. Marie дошла до последней степени страха за свою жизнь. Она кричала, что хочет жить «непременно, непременно!» и боится умереть. «Не надо, не надо!» — повторяла она. Если бы не Арина Прохоровна, то было бы очень плохо. Мало-помалу она совершенно овладела пациенткой. Та стала слушаться каждого слова ее, каждого окрика, как ребенок. Арина Прохоровна брала строгостью, а не лаской, зато работала мастерски. Стало рассветать. Арина Прохоровна вдруг выдумала, что Шатов сейчас выбегал на лестницу и Богу молился, и стала смеяться. Marie тоже засмеялась злобно, язвительно, точно ей легче было от этого смеха. Наконец Шатова выгнали совсем. Наступило сырое, холодное утро. Он приник лицом к стене, в углу, точь-в-точь как накануне, когда входил Эркель. Он дрожал как лист, боялся думать, но ум его цеплялся мыслию за всё представлявшееся, как бывает во сне. Мечты беспрерывно увлекали его и беспрерывно обрывались, как гнилые нитки. Из комнаты раздались наконец уже не стоны, а ужасные, чисто животные крики, невыносимые, невозможные. Он хотел было заткнуть уши, но не мог и упал на колена, бессознательно повторяя: «Marie, Marie!» И вот наконец раздался крик, новый крик, от которого Шатов вздрогнул и вскочил с колен, крик младенца, слабый, надтреснутый. Он перекрестился и бросился в комнату. В руках у Арины Прохоровны кричало и копошилось крошечными ручками и ножками маленькое, красное, сморщенное существо, беспомощное до ужаса и зависящее, как пылинка, от первого дуновения ветра, но кричавшее и заявлявшее о себе, как будто тоже имело какое-то самое полное право на жизнь... Marie лежала как без чувств, но через минуту открыла глаза и странно, странно поглядела на Шатова: совсем какой-то новый был этот взгляд, какой именно, он еще понять был не в силах, но никогда прежде он не знал и не помнил у ней такого взгляда.

— Мальчик? Мальчик? — болезненным голосом спросила она Арину Прохоровну.

— Мальчишка! — крикнула та в ответ, увертывая ребенка.

На мгновение, когда она уже увертела его и собиралась положить поперек кровати, между двумя подушками, она передала его подержать Шатову. Marie, как-то исподтишка и как будто боясь Арины Прохоровны, кивнула ему. Тот сейчас понял и поднес показать ей младенца.

— Какой... хорошенький... — слабо прошептала она с улыбкой.

— Фу, как он смотрит! — весело рассмеялась торжествующая Арина Прохоровна, заглянув в лицо Шатову. — Экое ведь у него лицо!

— Веселитесь, Арина Прохоровна... Это великая радость... — с идиотски блаженным видом пролепетал Шатов, просиявший после двух слов Marie о ребенке.

— Какая такая у вас там великая радость? — веселилась Арина Прохоровна, суетясь, прибираясь и работая как каторжная.

— Тайна появления нового существа, великая тайна и необъяснимая, Арина Прохоровна, и как жаль, что вы этого не понимаете!

Шатов бормотал бессвязно, чадно и восторженно. Как будто что-то шаталось в его голове и само собою, без воли его, выливалось из души.

— Было двое, и вдруг третий человек, новый дух, цельный, законченный, как не бывает от рук человеческих; новая мысль и новая любовь, даже страшно... И нет ничего выше на свете!

— Эк напорол! Просто дальнейшее развитие организма, и ничего тут нет, никакой тайны, — искренно и весело хохотала Арина Прохоровна. — Этак всякая муха тайна. Но вот что: лишним людям не надо бы родиться. Сначала перекуйте так всё, чтоб они не были лишние, а потом и родите их. А то вот его в приют послезавтра тащить... Впрочем, это так и надо.

— Никогда он не пойдет от меня в приют! — уставившись в пол, твердо произнес Шатов.

— Усыновляете?

— Он и есть мой сын.

— Конечно, он Шатов, по закону Шатов, и нечего вам выставляться благодетелем-то рода человеческого. Не могут без фраз. Ну, ну, хорошо, только вот что, господа, — кончила она наконец прибираться, — мне идти пора. Я еще поутру приду и вечером приду, если надо, а теперь, так как всё слишком благополучно сошло, то надо и к другим сбегать, давно ожидают. Там у вас, Шатов, старуха где-то сидит; старуха-то старухой, но не оставляйте и вы, муженек; посидите подле, авось пригодитесь; Марья-то Игнатьевна, кажется, вас не прогонит... ну, ну, ведь я смеюсь...

У ворот, куда проводил ее Шатов, она прибавила уже ему одному:

— Насмешили вы меня на всю жизнь; денег с вас не возьму; во сне рассмеюсь. Смешнее, как вы в эту ночь, ничего не видывала.

Она ушла совершенно довольная. По виду Шатова и по разговору его оказалось ясно как день, что этот человек «в отцы собирается и тряпка последней руки». Она нарочно забежала домой, хотя прямее и ближе было пройти к другой пациентке, чтобы сообщить об этом Виргинскому.

— Marie, она велела тебе погодить спать некоторое время, хотя это, я вижу, ужасно трудно... — робко начал Шатов. — Я тут у окна посижу и постерегу тебя, а?

И он уселся у окна сзади дивана, так что ей никак нельзя было его видеть. Но не прошло и минуты, она подозвала его и брезгливо попросила поправить подушку. Он стал оправлять. Она сердито смотрела в стену.

— Не так, ох, не так... Что за руки!

Шатов поправил еще.

— Нагнитесь ко мне, — вдруг дико проговорила она, как можно стараясь не глядеть на него.

Он вздрогнул, но нагнулся.

— Еще... не так... ближе, — и вдруг левая рука ее стремительно обхватила его шею, и на лбу своем он почувствовал крепкий, влажный ее поцелуй.

— Marie!

Губы ее дрожали, она крепилась, но вдруг приподнялась и, засверкав глазами, проговорила:

— Николай Ставрогин подлец!

И бессильно, как подрезанная, упала лицом в подушку, истерически зарыдав и крепко сжимая в своей руке руку Шатова.

С этой минуты она уже не отпускала его более от себя, она потребовала, чтоб он сел у ее изголовья. Говорить она могла мало, но всё смотрела на него и улыбалась ему как блаженная. Она вдруг точно обратилась в какую-то дурочку. Всё как будто переродилось. Шатов то плакал, как маленький мальчик, то говорил бог знает что, дико, чадно, вдохновенно; целовал у ней руки; она слушала с упоением, может быть и не понимая, но ласково перебирала ослабевшею рукой его волосы, приглаживала их, любовалась ими. Он говорил ей о Кириллове, о том, как теперь они жить начнут, «вновь и навсегда», о существовании Бога, о том, что все хороши... В восторге опять вынули ребеночка посмотреть.

— Marie, — вскричал он, держа на руках ребенка, — кончено с старым бредом, с позором и мертвечиной! Давай трудиться и на новую дорогу втроем, да, да!.. Ах, да: как же мы его назовем, Marie?

— Его? Как назовем? — переговорила она с удивлением, и вдруг в лице ее изобразилась страшная горесть.

Она сплеснула руками, укоризненно посмотрела на Шатова и бросилась лицом в подушку.

— Marie, что с тобой? — вскричал он с горестным испугом.

— И вы могли, могли... О, неблагодарный!

— Marie, прости, Marie... Я только спросил, как назвать. Я не знаю...

— Иваном, Иваном, — подняла она разгоревшееся и омоченное слезами лицо, — неужели вы могли предположить, что каким-нибудь другим, *ужасным* именем?

— Marie, успокойся, о, как ты расстроена!

— Новая грубость; что вы расстройству приписываете? Бьюсь об заклад, что если б я сказала назвать его... тем ужасным именем, так вы бы тотчас же согласились, даже бы не заметили! О, неблагодарные, низкие, все, все!

Через минуту, разумеется, помирились. Шатов уговорил ее заснуть. Она заснула, но, всё еще не выпуская его руки из своей, просыпалась часто, взглядывала на него, точно боясь, что он уйдет, и опять засыпала.

Кириллов прислал старуху «поздравить» и, кроме того, горячего чаю, только что зажаренных котлет и бульону с белым хлебом для «Марьи Игнатьевны». Больная выпила бульон с жадностью, старуха перепеленала ребенка, Marie заставила и Шатова съесть котлет.

Время проходило. Шатов в бессилии заснул и сам на стуле, головой на подушке Marie. Так застала их сдержавшая слово Арина Прохоровна, весело их разбудила, поговорила о чем надо с Marie, осмотрела ребенка и опять не велела Шатову отходить. Затем, сострив над «супругами» с некоторым оттенком презрения и высокомерия, ушла так же довольная, как и давеча.

Было уже совсем темно, когда проснулся Шатов. Он поскорее зажег свечу и побежал за старухой; но едва ступил с лестницы, как чьи-то тихие, неспешные шаги поднимавшегося навстречу ему человека поразили его. Вошел Эркель.

— Не входите! — прошептал Шатов и, стремительно схватив его за руку, потащил назад к воротам. — Ждите здесь, сейчас выйду, я совсем, совсем позабыл о вас! О, как вы о себе напомнили!

Он так заспешил, что даже не забежал к Кириллову, а вызвал только старуху. Marie пришла в отчаяние и негодование, что он «мог только подумать оставить ее одну».

— Но, — вскричал он восторженно, — это уже самый последний шаг! А там новый путь, и никогда, никогда не вспомянем о старом ужасе!

Кое-как он уговорил ее и обещал вернуться ровно в девять часов; крепко поцеловал ее, поцеловал ребенка и быстро сбежал к Эркелю.

Оба отправлялись в ставрогинский парк в Скворешниках, где года полтора назад, в уединенном месте, на самом краю парка, там, где уже начинался сосновый лес, была зарыта им доверенная ему типография. Место было дикое и пустынное, совсем незаметное, от скворешниковского дома довольно отдаленное. От дома Филиппова приходилось идти версты три с половиной, может и четыре.

— Неужели всё пешком? Я возьму извозчика.

— Очень прошу вас не брать, — возразил Эркель, — они именно на этом настаивали. Извозчик тоже свидетель.

— Ну... черт! Всё равно, только бы кончить, кончить!

Пошли очень скоро.

— Эркель, мальчик вы маленький! — вскричал Шатов, — бывали вы когда-нибудь счастливы?

— А вы, кажется, очень теперь счастливы, — с любопытством заметил Эркель.

Глава шестая
МНОГОТРУДНАЯ НОЧЬ

I

Виргинский в продолжение дня употребил часа два, чтоб обежать всех *наших* и возвестить им, что Шатов наверно не донесет, потому что к нему воротилась жена и родился ребенок, и, «зная сердце человеческое», предположить нельзя, что он может быть в эту минуту опасен. Но, к смущению своему, почти никого не застал дома, кроме Эркеля и Лямшина. Эркель выслушал это молча и ясно смотря ему в глаза; на прямой же вопрос: «Пойдет ли он в шесть часов или нет?» — отвечал с самою ясною улыбкой, что, «разумеется, пойдет».

Лямшин лежал, по-видимому весьма серьезно больной, укутавшись головой в одеяло. Вошедшего Виргинского испугался, и только что тот заговорил, вдруг замахал из-под одеяла руками, умоляя оставить его в покое. Однако о Шатове всё выслушал; а известием, что никого нет дома, был чрезвычайно почему-то поражен. Оказалось тоже, что он уже знал (через Липутина) о смерти Федьки и сам рассказал об этом поспешно и бессвязно Виргинскому, чем в свою очередь поразил того. На прямой же вопрос Виргинского: «Надо идти или нет?» — опять вдруг начал умолять, махая руками, что он «сторона, ничего не знает и чтоб оставили его в покое».

Виргинский воротился домой удрученный и сильно встревоженный; тяжело ему было и то, что он должен был скрывать от семейства; он всё привык открывать жене, и если б не загорелась в воспаленном мозгу его в ту минуту одна новая мысль, некоторый новый, примиряющий план дальнейших действий, то, может быть, он слег бы в постель, как и Лямшин. Но новая мысль его подкрепила, и, мало того, он даже с нетерпением стал ожидать срока и даже ранее, чем надо, двинулся на сборное место.

Это было очень мрачное место, в конце огромного ставрогинского парка. Я потом нарочно ходил туда посмотреть; как, должно быть, казалось оно угрюмым в тот суровый осенний вечер. Тут начинался старый заказной лес; огромные вековые сосны мрачными и неясными пятнами обозначались во мраке. Мрак был такой, что в двух шагах почти нельзя было рассмотреть друг друга, но Петр Степанович, Липутин, а потом Эркель принесли с собою фонари. Неизвестно для чего и когда, в незапамятное время, устроен был тут из диких нетесаных камней какой-то довольно смешной грот. Стол, скамейки внутри грота давно уже сгнили и рассыпались. Шагах в двухстах вправо оканчивался третий пруд парка. Эти три пруда, начинаясь от самого дома, шли, один за другим, с лишком на версту, до самого конца парка. Трудно было предположить, чтобы какой-нибудь шум, крик или даже выстрел мог дойти до обитателей покинутого ставрогинского дома. Со вчерашним выездом Николая Всеволодовича и с отбытием Алексея Егорыча во всем доме осталось не более пяти или шести человек обитателей, характера, так сказать, инвалидного. Во всяком случае почти с полною вероятностью можно было предположить, что если б и услышаны были кем-нибудь из этих уединившихся обитателей вопли или крики о помощи, то возбудили бы лишь страх, но ни один из них не пошевелился бы на помощь с теплых печей и нагретых лежанок.

В двадцать минут седьмого почти уже все, кроме Эркеля, командированного за Шатовым, оказались в сборе. Петр Степанович на этот раз не промедлил; он пришел с Толкаченкой. Толкаченко был нахмурен и озабочен; вся напускная и нахально-хвастливая решимость его исчезла. Он почти не отходил от Петра Степановича и, казалось, вдруг стал неограниченно ему предан; часто и суетливо лез с ним перешептываться; но тот почти не отвечал ему или досадливо бормотал что-нибудь, чтоб отвязаться.

Шигалев и Виргинский явились даже несколько раньше Петра Степановича и при появлении его тотчас же отошли несколько в сторону, в глубоком и явно преднамеренном молчании. Петр Степанович поднял фонарь и осмотрел их с бесцеремонною и оскорбительною внимательностью. «Хотят говорить», — мелькнуло в его голове.

— Лямшина нет? — спросил он Виргинского. — Кто сказал, что он болен?

— Я здесь, — откликнулся Лямшин, вдруг выходя из-за дерева. Он был в теплом пальто и плотно укутан в плед, так что трудно было рассмотреть его физиономию даже и с фонарем.

— Стало быть, только Липутина нет?

И Липутин молча вышел из грота. Петр Степанович опять поднял фонарь.

— Зачем вы туда забились, почему не выходили?

— Я полагаю, что мы все сохраняем право свободы... наших движений, — забормотал Липутин, впрочем вероятно не совсем понимая, что хотел выразить.

— Господа, — возвысил голос Петр Степанович, в первый раз нарушая полушепот, что произвело эффект, — вы, я думаю, хорошо понимаете, что нам нечего теперь размазывать. Вчера всё было сказано и пережевано, прямо и определенно. Но, может быть, как я вижу по физиономиям, кто-нибудь хочет что-нибудь заявить; в таком случае прошу поскорее. Черт возьми, времени мало, а Эркель может сейчас привести его...

— Он непременно приведет его, — для чего-то ввернул Толкаченко.

— Если не ошибаюсь, сначала произойдет передача типографии? — осведомился Липутин, опять как бы не понимая, для чего задает вопрос.

— Ну разумеется, не терять же вещи, — поднял к его лицу фонарь Петр Степанович. — Но ведь вчера все условились, что взаправду принимать не надо. Пусть он укажет только вам точку, где у него тут зарыто; потом сами выроем. Я знаю, что это где-то в десяти шагах от какого-то угла этого грота... Но черт возьми, как же вы это забыли, Липутин? Условлено, что вы встретите его один, а уже потом выйдем мы... Странно, что вы спрашиваете, или вы только так?

Липутин мрачно промолчал. Все замолчали. Ветер колыхал верхушки сосен.

— Я надеюсь, однако, господа, что всякий исполнит свой долг, — нетерпеливо оборвал Петр Степанович.

— Я знаю, что к Шатову пришла жена и родила ребенка, — вдруг заговорил Виргинский, волнуясь, торопясь, едва выговаривая слова и жестикулируя. — Зная сердце человеческое... можно быть уверенным, что теперь он не донесет... потому что он в счастии... Так что я давеча был у всех и никого не застал... так что, может быть, теперь совсем ничего и не надо...

Он остановился: у него пресеклось дыхание.

— Если бы вы, господин Виргинский, стали вдруг счастливы, — шагнул к нему Петр Степанович, — то отложили бы вы — не донос, о том речи нет, а какой-нибудь рискованный гражданский подвиг, который бы замыслили прежде счастья и который бы считали своим долгом и обязанностью, несмотря на риск и потерю счастья?

— Нет, не отложил бы! Ни за что бы не отложил! — с каким-то ужасно нелепым жаром проговорил, весь задвигавшись, Виргинский.

— Вы скорее бы захотели стать опять несчастным, чем подлецом?

— Да, да... Я даже совершенно напротив... захотел бы быть совершенным подлецом... то есть нет... хотя вовсе не подлецом, а, напротив, совершенно несчастным, чем подлецом.

— Ну так знайте, что Шатов считает этот донос своим гражданским подвигом, самым высшим своим убеждением, а доказательство, — что сам же он отчасти рискует пред правительством, хотя, конечно, ему много простят за донос. Этакой уже ни за что не откажется. Никакое счастье не победит; через день опомнится, укоряя себя, пойдет и исполнит. К тому же я не вижу никакого счастья в том, что жена, после трех лет, пришла к нему родить ставрогинского ребенка.

— Но ведь никто не видал доноса, — вдруг и настоятельно произнес Шигалев.

— Донос видел я, — крикнул Петр Степанович, — он есть, и всё это ужасно глупо, господа!

— А я, — вдруг вскипел Виргинский, — я протестую... я протестую изо всех сил... Я хочу... Я вот что хочу: я хочу, когда он придет, все мы выйдем и все его спросим: если правда, то с него взять раскаяние, и если честное слово, то отпустить. Во всяком случае — суд; по суду. А не то чтобы всем спрятаться, а потом кидаться.

— На честное слово рисковать общим делом — это верх глупости! Черт возьми, как это глупо, господа, теперь! И какую вы принимаете на себя роль в минуту опасности?

— Я протестую, я протестую, — заладил Виргинский.

— По крайней мере не орите, сигнала не услышим. Шатов, господа... (Черт возьми, как это глупо теперь!) Я уже вам говорил, что Шатов славянофил, то есть один из самых глупых людей... А впрочем, черт, это всё равно и наплевать! Вы меня только сбиваете с толку!.. Шатов, господа, был озлобленный человек и так как все-таки принадлежал к обществу, хотел или не хотел, то я до последней минуты надеялся, что им можно воспользоваться для общего дела и употребить как озлобленного человека. Я его берег и щадил, несмотря на точнейшие предписания... Я его щадил в сто раз более, чем он стоил! Но он кончил тем, что донес; ну, да черт, наплевать!.. А вот попробуйте кто-нибудь улизнуть теперь! Ни один из вас не имеет права оставить дело! Вы можете с ним хоть целоваться, если хотите, но предать на честное слово общее дело не имеете права! Так поступают свиньи и подкупленные правительством!

— Кто же здесь подкупленные правительством? — профильтровал опять Липутин.

— Вы, может быть. Вы бы уж лучше молчали, Липутин, вы только так говорите, по привычке. Подкупленные, господа, все те, которые трусят в минуту опасности. Из страха всегда найдется дурак, который в последнюю минуту побежит и закричит: «Ай, простите меня, а я всех продам!» Но знайте, господа, что вас уже теперь ни за какой донос не простят. Если и спустят две степени юридически, то все-таки Сибирь каждому, и, кроме того, не уйдете и от другого меча. А другой меч повострее правительственного.

Петр Степанович был в бешенстве и наговорил лишнего. Шигалев твердо шагнул к нему три шага.

— Со вчерашнего вечера я обдумал дело, — начал он уверенно и методически, по-всегдашнему (и мне кажется, если бы под ним провалилась земля, то он и тут не усилил бы интонации и не изменил бы ни одной йоты в методичности своего изложения), — обдумав дело, я решил, что замышляемое убийство есть не только потеря драгоценного времени, которое могло бы быть употреблено более существенным и ближайшим образом, но сверх того представляет собою то пагубное уклонение от нормальной дороги, которое всегда наиболее вредило делу и на десятки лет отклоняло успехи его, подчиняясь влиянию людей легкомысленных и по преимуществу политических, вместо чистых социалистов. Я явился сюда, единственно чтобы протестовать против замышляемого предприятия, для общего назидания, а затем — устранить себя от настоящей минуты, которую вы, не знаю почему, называете минутой вашей опасности. Я ухожу — не из страху этой опасности и не из чувствительности к Шатову, с которым вовсе не хочу целоваться, а единственно потому, что всё это дело, с начала и до конца, буквально противоречит моей программе. Насчет же доноса и подкупа от правительства с моей стороны можете быть совершенно спокойны: доноса не будет.

Он обернулся и пошел.

— Черт возьми, он встретится с ними и предупредит Шатова! — вскричал Петр Степанович и выхватил револьвер. Раздался щелчок взведенного курка.

— Можете быть уверены, — повернулся опять Шигалев, — что, встретив Шатова на дороге, я еще, может быть, с ним раскланяюсь, но предупреждать не стану.

— А знаете ли, что вы можете поплатиться за это, господин Фурье?

— Прошу вас заметить, что я не Фурье. Смешивая меня с этою сладкою, отвлеченною мямлей, вы только доказываете, что рукопись моя хотя и была в руках ваших, но совершенно вам неизвестна. Насчет же вашего мщения скажу вам, что вы напрасно взвели курок; в сию минуту это совершенно для вас невыгодно. Если же вы грозите мне на завтра или на послезавтра, то, кроме лишних хлопот, опять-таки ничего себе не выиграете, застрелив меня: меня убьете, а рано или поздно все-таки придете к моей системе. Прощайте.

В это мгновение шагах в двухстах, из парка, со стороны пруда, раздался свисток. Липутин тотчас же ответил, еще по вчерашнему уговору, тоже свистком (для этого он, не надеясь на свой довольно беззубый рот, еще утром купил на базаре за копейку глиняную детскую свистульку). Эркель успел дорогой предупредить Шатова, что будут свистки, так что у того не зародилось никакого сомнения.

— Не беспокойтесь, я пройду от них в стороне, и они вовсе меня не заметят, — внушительным шепотом предупредил Шигалев и затем, не спеша и не прибавляя шагу, окончательно направился домой через темный парк.

Теперь совершенно известно до малейших подробностей, как произошло это ужасное происшествие. Сначала Липутин встретил Эркеля и Шатова у самого грота; Шатов с ним не раскланялся и не подал руки, но тотчас же торопливо и громко произнес:

— Ну, где же у вас тут заступ и нет ли еще другого фонаря? Да не бойтесь, тут ровно нет никого, и в Скворешниках теперь, хотя из пушек отсюдова пали, не услышат. Это вот здесь, вот тут, на самом этом месте...

И он стукнул ногой действительно в десяти шагах от заднего угла грота, в стороне леса. В эту самую минуту бросился сзади на него из-за дерева Толкаченко, а Эркель схватил его сзади же за локти. Липутин накинулся спереди. Все трое тотчас же сбили его с ног и придавили к земле. Тут подскочил Петр Степанович с своим револьвером. Рассказывают, что Шатов успел повернуть к нему голову и еще мог разглядеть и узнать его. Три фонаря освещали сцену. Шатов вдруг прокричал кратким и отчаянным криком; но ему кричать не дали: Петр Степанович аккуратно и твердо наставил ему револьвер прямо в лоб, крепко в упор и — спустил курок. Выстрел, кажется, был не очень громок, по крайней мере в Скворешниках ничего не слыхали. Слышал, разумеется, Шигалев, вряд ли успевший отойти шагов триста, — слышал и крик и выстрел, но, по его собственному потом свидетельству, не повернулся и даже не остановился. Смерть произошла почти мгновенно. Полную распорядительность — не думаю, чтоб и хладнокровие, — сохранил в себе один только Петр Степанович. Присев на корточки, он поспешно, но твердою рукой обыскал в карманах убитого. Денег не оказалось (портмоне остался под подушкой у Марьи Игнатьевны). Нашлись две-три бумажки, пустые: одна конторская записка, заглавие какой-то книги и один старый заграничный трактирный счет, бог знает почему уцелевший два года в его кармане. Бумажки Петр Степанович переложил в свой карман и, заметив вдруг, что все столпились, смотрят на труп и ничего не делают, начал злостно и невежливо браниться и понукать. Толкаченко и Эркель, опомнившись, побежали и мигом принесли из грота еще с утра запасенные ими там два камня, каждый фунтов по двадцати весу, уже приготовленные, то есть крепко и прочно обвязанные веревками. Так как труп предназначено было снести в ближайший (третий) пруд и в нем погрузить его, то и стали привязывать к нему эти камни, к ногам и к шее. Привязывал Петр Степанович, а Толкаченко и Эркель только держали и подавали по очереди. Эркель подал первый, и пока Петр Степанович, ворча и бранясь, связывал веревкой ноги трупа и привязывал к ним этот первый камень, Толкаченко всё это довольно долгое время продержал свой камень в руках на отвесе, сильно и как бы почтительно наклонившись всем корпусом вперед, чтобы подать без замедления при первом спросе, и ни разу не подумал опустить свою ношу пока на землю. Когда наконец оба камня были привязаны и Петр Степанович поднялся с земли всмотреться в физиономии присутствующих, тогда вдруг случилась одна странность, совершенно неожиданная и почти всех удивившая.

Как уже сказано, почти все стояли и ничего не делали, кроме отчасти Толкаченки и Эркеля. Виргинский хотя и бросился, когда все бросились, к Шатову, но за Шатова не схватился и держать его не помогал. Лямшин же очутился в кучке уже после выстрела. Затем все они в продолжение всей этой, может быть, десятиминутной, возни с трупом как бы потеряли часть своего сознания. Они сгруппировались кругом и, прежде всякого беспокойства и тревоги, ощущали как бы лишь одно удивление. Липутин стоял впереди, у самого трупа. Виргинский — сзади его, выглядывая из-за его плеча с каким-то особенным и как бы посторонним любопытством, даже приподнимаясь на цыпочки, чтобы лучше разглядеть. Лямшин же спрятался за Виргинского и только изредка и опасливо из-за него выглядывал и тотчас же опять прятался. Когда же камни были подвязаны, а Петр Степанович приподнялся, Виргинский вдруг задрожал весь мелкою дрожью, сплеснул руками и горестно воскликнул во весь голос:

— Это не то, не то! Нет, это совсем не то!

Он бы, может быть, и еще что-нибудь прибавил к своему столь позднему восклицанию, но Лямшин ему не дал докончить: вдруг и изо всей силы обхватил он и сжал его сзади и завизжал каким-то невероятным визгом. Бывают сильные моменты испуга, например когда человек вдруг закричит не своим голосом, а каким-то таким, какого и предположить в нем нельзя было раньше, и это бывает иногда даже очень страшно. Лямшин закричал не человеческим, а каким-то звериным голосом. Всё крепче и крепче, с судорожным порывом, сжимая сзади руками Виргинского, он визжал без умолку и без перерыва, выпучив на всех глаза и чрезвычайно раскрыв свой рот, а ногами мелко топотал по земле, точно выбивая по ней барабанную дробь. Виргинский до того испугался, что сам закричал, как безумный, и в каком-то остервенении, до того злобном, что от Виргинского и предположить нельзя было, начал дергаться из рук Лямшина, царапая и колотя его сколько мог достать сзади руками. Эркель помог ему наконец отдернуть Лямшина. Но когда Виргинский отскочил в испуге шагов на десять в сторону, то Лямшин вдруг, увидев Петра Степановича, завопил опять и бросился уже к нему. Запнувшись о труп, он упал через труп на Петра Степановича и уже так крепко обхватил его в своих объятиях, прижимаясь к его груди своею головой, что ни Петр Степанович, ни Толкаченко, ни Липутин в первое мгновение почти ничего не могли сделать. Петр Степанович кричал, ругался, бил его по голове кулаками; наконец, кое-как вырвавшись, выхватил револьвер и наставил его прямо в раскрытый рот всё еще вопившего Лямшина, которого уже крепко схватили за руки Толкаченко, Эркель и Липутин; но Лямшин продолжал визжать, несмотря и на револьвер. Наконец Эркель, скомкав кое-как свой фуляровый платок, ловко вбил его ему в рот, и крик таким образом прекратился. Толкаченко между тем связал ему руки оставшимся концом веревки.

— Это очень странно, — проговорил Петр Степанович, в тревожном удивлении рассматривая сумасшедшего.

Он видимо был поражен.

— Я думал про него совсем другое, — прибавил он в задумчивости.

Пока оставили при нем Эркеля. Надо было спешить с мертвецом: было столько крику, что могли где-нибудь и услышать. Толкаченко и Петр Степанович подняли фонари, подхватили труп под голову; Липутин и Виргинский взялись за ноги и понесли. С двумя камнями ноша была тяжела, а расстояние более двухсот шагов. Сильнее всех был Толкаченко. Он было подал совет идти в ногу, но ему никто не ответил, и пошли как пришлось. Петр Степанович шел справа и, совсем нагнувшись, нес на своем плече голову мертвеца, левою рукой снизу поддерживая камень. Так как Толкаченко целую половину пути не догадался помочь придержать камень, то Петр Степанович наконец с ругательством закричал на него. Крик был внезапный и одинокий; все продолжали нести молча, и только уже у самого пруда Виргинский, нагибаясь под ношей и как бы утомясь от ее тяжести, вдруг воскликнул опять точно таким же громким и плачущим голосом:

— Это не то, нет, нет, это совсем не то!

Место, где оканчивался этот третий, довольно большой скворешниковский пруд и к которому донесли убитого, было одним из самых пустынных и непосещаемых мест парка, особенно в такое позднее время года. Пруд в этом конце, у берега, зарос травой. Поставили фонарь, раскачали труп и бросили в воду. Раздался глухой и долгий звук. Петр Степанович поднял фонарь, за ним выставились и все, с любопытством высматривая, как погрузился мертвец; но ничего уже не было видно: тело с двумя камнями тотчас же потонуло. Крупные струи, пошедшие по поверхности воды, быстро замирали. Дело было кончено.

— Господа, — обратился ко всем Петр Степанович, — теперь мы разойдемся. Без сомнения, вы должны ощущать ту свободную гордость, которая сопряжена с исполнением свободного долга. Если же теперь, к сожалению, встревожены для подобных чувств, то, без сомнения, будете ощущать это завтра, когда уже стыдно будет не ощущать. На слишком постыдное волнение Лямшина я соглашаюсь смотреть как на бред, тем более что он вправду, говорят, еще с утра болен. А вам, Виргинский, один миг свободного размышления покажет, что ввиду интересов общего дела нельзя было действовать на честное слово, а надо именно так, как мы сделали. Последствия вам укажут, что был донос. Я согласен забыть ваши восклицания. Что до опасности, то никакой не предвидится. Никому и в голову не придет подозревать из нас кого-нибудь, особенно если вы сами сумеете повести себя; так что главное дело все-таки зависит от вас же и от полного убеждения, в котором, надеюсь, вы утвердитесь завтра же. Для того, между прочим, вы и сплотились в отдельную организацию свободного собрания единомыслящих, чтобы в общем деле разделить друг с другом, в данный момент, энергию и, если надо, наблюдать и замечать друг за другом. Каждый из вас обязан высшим отчетом. Вы призваны обновить дряхлое и завонявшее от застоя дело; имейте всегда это пред глазами для бодрости. Весь ваш шаг пока в том, чтобы всё рушилось: и государство и его нравственность. Останемся только мы, заранее предназначившие себя для приема власти: умных приобщим к себе, а на глупцах поедем верхом. Этого вы не должны конфузиться. Надо перевоспитать поколение, чтобы сделать достойным свободы. Еще много тысяч предстоит Шатовых. Мы организуемся, чтобы захватить направление; что праздно лежит и само на нас рот пялит, того стыдно не взять рукой. Сейчас я отправлюсь к Кириллову, и к утру получится тот документ, в котором он, умирая, в виде объяснения с правительством, примет всё на себя. Ничего не может быть вероятнее такой комбинации. Во-первых, он враждовал с Шатовым; они жили вместе в Америке, стало быть, имели время поссориться. Известно, что Шатов изменил убеждения; значит, у них вражда из-за убеждений и боязни доноса, — то есть самая непрощающая. Всё это так и будет написано. Наконец, упомянется, что у него, в доме Филиппова, квартировал Федька. Таким образом, всё это совершенно отдалит от вас всякое подозрение, потому что собьет все эти бараньи головы с толку. Завтра, господа, мы уже не увидимся; я на самый короткий срок отлучусь в уезд. Но послезавтра вы получите мои сообщения. Я бы советовал вам собственно завтрашний день просидеть по домам. Теперь мы отправимся все по двое разными дорогами. Вас, Толкаченко, я прошу заняться Лямшиным и отвести его домой. Вы можете на него подействовать и, главное, растолковать, до какой степени он первый себе повредит своим малодушием. В вашем родственнике Шигалеве, господин Виргинский, я, равно как и в вас, не хочу сомневаться: он не донесет. Остается сожалеть о его поступке; но, однако, он еще не заявил, что оставляет общество, а потому хоронить его еще рано. Ну — скорее же, господа; там хоть и бараньи головы, но осторожность все-таки не мешает...

Виргинский отправился с Эркелем. Эркель, сдавая Лямшина Толкаченке, успел подвести его к Петру Степановичу и заявить, что тот опомнился, раскаивается и просит прощения и даже не помнит, что с ним такое было. Петр Степанович отправился один, взяв обходом по ту сторону прудов мимо парка. Эта дорога была самая длинная. К его удивлению, чуть не на половине пути нагнал его Липутин.

— Петр Степанович, а ведь Лямшин донесет!

— Нет, он опомнится и догадается, что первый пойдет в Сибирь, если донесет. Теперь никто не донесет. И вы не донесете.

— А вы?

— Без сомнения, упрячу вас всех, только что шевельнетесь, чтоб изменить, и вы это знаете. Но вы не измените. Это вы за этим-то бежали за мной две версты?

— Петр Степанович, Петр Степанович, ведь мы, может, никогда не увидимся!

— Это с чего вы взяли?

— Скажите мне только одно.

— Ну что? Я, впрочем, желаю, чтоб вы убирались.

— Один ответ, но чтобы верный: одна ли мы пятерка на свете или правда, что есть несколько сотен пятерок? Я в высшем смысле спрашиваю, Петр Степанович.

— Вижу по вашему исступлению. А знаете ли, что вы опаснее Лямшина, Липутин?

— Знаю, знаю, но — ответ, ваш ответ!

— Глупый вы человек! Ведь уж теперь-то, кажется, вам всё бы равно — одна пятерка или тысяча.

— Значит, одна! Так я и знал! — вскричал Липутин. — Я всё время знал, что одна, до самых этих пор...

И, не дождавшись другого ответа, он повернул и быстро исчез в темноте.

Петр Степанович немного задумался.

— Нет, никто не донесет, — проговорил он решительно, — но — кучка должна остаться кучкой и слушаться, или я их... Экая дрянь народ, однако!

II

Он сначала зашел к себе и аккуратно, не торопясь, уложил свой чемодан. Утром в шесть часов отправлялся экстренный поезд. Этот ранний экстренный поезд приходился лишь раз в неделю и установлен был очень недавно, пока лишь в виде пробы. Петр Степанович хотя и предупредил *наших*, что на время удаляется будто бы в уезд, но, как оказалось впоследствии, намерения его были совсем другие. Кончив с чемоданом, он рассчитался с хозяйкой, предуведомленною им заранее, и переехал на извозчике к Эркелю, жившему близко от вокзала. А затем уже, примерно в исходе первого часа ночи, направился к Кириллову, к которому проникнул опять через потаенный Федькин ход.

Настроение духа Петра Степановича было ужасное. Кроме других чрезвычайно важных для него неудовольствий (он всё еще ничего не мог узнать о Ставрогине), он, как кажется — ибо не могу утверждать наверно, — получил в течение дня откуда-то (вероятнее всего из Петербурга) одно секретное уведомление о некоторой опасности, в скором времени его ожидающей. Конечно, об этом времени у нас в городе ходит теперь очень много легенд; но если и известно что-нибудь наверное, то разве тем, кому о том знать надлежит. Я же лишь полагаю в собственном моем мнении, что у Петра Степановича могли быть где-нибудь дела и кроме нашего города, так что он действительно мог получать уведомления. Я даже убежден, вопреки циническому и отчаянному сомнению Липутина, что пятерок у него могло быть действительно две-три и кроме нашей, например в столицах; а если не пятерки, то связи и сношения — и, может быть, даже очень курьезные. Не более как три дня спустя по его отъезде у нас в городе получено было из столицы приказание немедленно заарестовать его — за какие собственно дела, наши или другие, — не знаю. Этот приказ подоспел тогда как раз, чтоб усилить то потрясающее впечатление страха, почти мистического, вдруг овладевшего нашим начальством и упорно дотоле легкомысленным обществом, по обнаружении таинственного и многознаменательного убийства студента Шатова, — убийства, восполнившего меру наших нелепостей, — и чрезвычайно загадочных сопровождавших этот случай обстоятельств. Но приказ опоздал: Петр Степанович находился уже тогда в Петербурге, под чужим именем, где, пронюхав, в чем дело, мигом проскользнул за границу... Впрочем, я ужасно ушел вперед.

Он вошел к Кириллову, имея вид злобный и задорный. Ему как будто хотелось, кроме главного дела, что-то еще лично сорвать с Кириллова, что-то выместить на нем. Кириллов как бы обрадовался его приходу; видно было, что он ужасно долго и с болезненным нетерпением его ожидал. Лицо его было бледнее обыкновенного, взгляд черных глаз тяжелый и неподвижный.

— Я думал, не придете, — тяжело проговорил он из угла дивана, откуда, впрочем, не шевельнулся навстречу. Петр Степанович стал пред ним и, прежде всякого слова, пристально вгляделся в его лицо.

— Значит, всё в порядке, и мы от нашего намерения не отступим, молодец! — улыбнулся он обидно-покровительственною улыбкой. — Ну так что ж, — прибавил он со скверною шутливостью, — если и опоздал, не вам жаловаться: вам же три часа подарил.

— Я не хочу от вас лишних часов в подарок, и ты не можешь дарить мне... дурак!

— Как? — вздрогнул было Петр Степанович, но мигом овладел собой, — вот обидчивость! Э, да мы в ярости? — отчеканил он всё с тем же видом обидного высокомерия. — В такой момент нужно бы скорее спокойствие. Лучше всего считать теперь себя за Колумба, а на меня смотреть как на мышь и мной не обижаться. Я это вчера рекомендовал.

— Я не хочу смотреть на тебя как на мышь.

— Это что же, комплимент? А впрочем, и чай холодный, — значит, всё вверх дном. Нет, тут происходит нечто неблагонадежное. Ба! Да я что-то примечаю там на окне, на тарелке (он подошел к окну). Ого, вареная с рисом курица!.. Но почему ж до сих пор не початая? Стало быть, мы находились в таком настроении духа, что даже и курицу...

— Я ел, и не ваше дело; молчите!

— О, конечно, и притом всё равно. Но для меня-то оно теперь не равно: вообразите, совсем почти не обедал и потому, если теперь эта курица, как полагаю, уже не нужна... а?

— Ешьте, если можете.

— Вот благодарю, а потом и чаю.

Он мигом устроился за столом на другом конце дивана и с чрезвычайною жадностью накинулся на кушанье; но в то же время каждый миг наблюдал свою жертву. Кириллов с злобным отвращением глядел на него неподвижно, словно не в силах оторваться.

— Однако, — вскинулся вдруг Петр Степанович, продолжая есть, — однако о деле-то? Так мы не отступим, а? А бумажка?

— Я определил в эту ночь, что мне всё равно. Напишу. О прокламациях?

— Да, и о прокламациях. Я, впрочем, продиктую. Вам ведь всё равно. Неужели вас могло бы беспокоить содержание в такую минуту?

— Не твое дело.

— Не мое, конечно. Впрочем, всего только несколько строк: что вы с Шатовым разбрасывали прокламации, между прочим с помощью Федьки, скрывавшегося в вашей квартире. Этот последний пункт о Федьке и о квартире весьма важный, самый даже важный. Видите, я совершенно с вами откровенен.

— Шатова? Зачем Шатова? Ни за что про Шатова.

— Вот еще, вам-то что? Повредить ему уже не можете.

— К нему жена пришла. Она проснулась и присылала у меня: где он?

— Она к вам присылала справиться, где он? Гм, это неладно. Пожалуй, опять пришлет; никто не должен знать, что я тут...

Петр Степанович забеспокоился.

— Она не узнает, спит опять; у ней бабка, Арина Виргинская.

— То-то и... не услышит, я думаю? Знаете, запереть бы крыльцо.

— Ничего не услышит. А Шатов если придет, я вас спрячу в ту комнату.

— Шатов не придет; и вы напишете, что вы поссорились за предательство и донос... нынче вечером... и причиной его смерти.

— Он умер! — вскричал Кириллов, вскакивая с дивана.

— Сегодня в восьмом часу вечера или, лучше, вчера в восьмом часу вечера, а теперь уже первый час.

— Это ты убил его!.. И я это вчера предвидел!

— Еще бы не предвидеть! Вот из этого револьвера (он вынул револьвер, по-видимому показать, но уже не спрятал его более, а продолжал держать в правой руке, как бы наготове). Странный вы, однако, человек, Кириллов, ведь вы сами знали, что этим должно было кончиться с этим глупым человеком. Чего же тут еще предвидеть? Я вам в рот разжевывал несколько раз. Шатов готовил донос: я следил; оставить никак нельзя было. Да и вам дана была инструкция следить; вы же сами сообщали мне недели три тому...

— Молчи! Это ты его за то, что он тебе в Женеве плюнул в лицо!

— И за то и еще за другое. За многое другое; впрочем, без всякой злобы. Чего же вскакивать? Чего же фигуры-то строить? Ого! Да мы вот как!..

Он вскочил и поднял пред собою револьвер. Дело в том, что Кириллов вдруг захватил с окна свой револьвер, еще с утра заготовленный и заряженный. Петр Степанович стал в позицию и навел свое оружие на Кириллова. Тот злобно рассмеялся.

— Признайся, подлец, что ты взял револьвер потому, что я застрелю тебя... Но я тебя не застрелю... хотя... хотя...

И он опять навел свой револьвер на Петра Степановича, как бы примериваясь, как бы не в силах отказаться от наслаждения представить себе, как бы он застрелил его. Петр Степанович, всё в позиции, выжидал, выжидал до последнего мгновения, не спуская курка, рискуя сам прежде получить пулю в лоб: от «маньяка» могло статься. Но «маньяк» наконец опустил руку, задыхаясь и дрожа и не в силах будучи говорить.

— Поиграли и довольно, — опустил оружие и Петр Степанович. — Я так и знал, что вы играете; только, знаете, вы рисковали: я мог спустить.

И он довольно спокойно уселся на диван и налил себе чаю, несколько трепетавшею, впрочем, рукой. Кириллов положил револьвер на стол и стал ходить взад и вперед.

— Я не напишу, что убил Шатова и... ничего теперь не напишу. Не будет бумаги!

— Не будет?

— Не будет.

— Что за подлость и что за глупость! — позеленел от злости Петр Степанович. — Я, впрочем, это предчувствовал. Знайте, что вы меня не берете врасплох. Как хотите, однако. Если б я мог вас заставить силой, то я бы заставил. Вы, впрочем, подлец, — всё больше и больше не мог вытерпеть Петр Степанович. — Вы тогда у нас денег просили и наобещали три короба... Только я все-таки не выйду без результата, увижу по крайней мере, как вы сами-то себе лоб раскроите.

— Я хочу, чтобы ты вышел сейчас, — твердо остановился против него Кириллов.

— Нет, уж это никак-с, — схватился опять за револьвер Петр Степанович, — теперь, пожалуй, вам со злобы и с трусости вздумается всё отложить и завтра пойти донести, чтоб опять деньжонок добыть; за это ведь заплатят. Черт вас возьми, таких людишек, как вы, на всё хватит! Только не беспокойтесь, я всё предвидел: я не уйду, не раскроив вам черепа из этого револьвера, как подлецу Шатову, если вы сами струсите и намерение отложите, черт вас дери!

— Тебе хочется непременно видеть и мою кровь?

— Я не по злобе, поймите; мне всё равно. Я потому, чтобы быть спокойным за наше дело. На человека положиться нельзя, сами видите. Я ничего не понимаю, в чем у вас там фантазия себя умертвить. Не я это вам выдумал, а вы сами еще прежде меня и заявили об этом первоначально не мне, а членам за границей. И заметьте, никто из них у вас не выпытывал, никто из них вас и не знал совсем, а сами вы пришли откровенничать, из чувствительности. Ну что ж делать, если на этом был тогда же основан, с вашего же согласия и предложения (заметьте это себе: предложения!), некоторый план здешних действий, которого теперь изменить уже никак нельзя. Вы так себя теперь поставили, что уже слишком мною знаете лишнего. Если сбрендите и завтра доносить отправитесь, так ведь это, пожалуй, нам и невыгодно будет, как вы об этом думаете? Нет-с; вы обязались, вы слово дали, деньги взяли. Этого вы никак не можете отрицать...

Петр Степанович сильно разгорячился, но Кириллов давно уж не слушал. Он опять в задумчивости шагал по комнате.

— Мне жаль Шатова, — сказал он, снова останавливаясь пред Петром Степановичем.

— Да ведь и мне жаль, пожалуй, и неужто...

— Молчи, подлец! — заревел Кириллов, сделав страшное и недвусмысленное движение, — убью!

— Ну, ну, ну, солгал, согласен, вовсе не жаль; ну довольно же, довольно! — опасливо привскочил, выставив вперед руку, Петр Степанович.

Кириллов вдруг утих и опять зашагал.

— Я не отложу; я именно теперь хочу умертвить себя: все подлецы!

— Ну вот это идея; конечно, все подлецы, и так как на свете порядочному человеку мерзко, то...

— Дурак, я тоже такой подлец, как ты, как все, а не порядочный. Порядочного нигде не было.

— Наконец-то догадался. Неужели вы до сих пор не понимали, Кириллов, с вашим умом, что все одни и те же, что нет ни лучше, ни хуже, а только умнее и глупее, и что если все подлецы (что, впрочем, вздор), то, стало быть, и не должно быть неподлеца?

— А! Да ты в самом деле не смеешься? — с некоторым удивлением посмотрел Кириллов. — Ты с жаром и просто... Неужто у таких, как ты, убеждения?

— Кириллов, я никогда не мог понять, за что вы хотите убить себя. Я знаю только, что из убеждения... из твердого. Но если вы чувствуете потребность, так сказать, излить себя, я к вашим услугам... Только надо иметь в виду время...

— Который час?

— Ого, ровно два, — посмотрел на часы Петр Степанович и закурил папиросу.

«Кажется, еще можно сговориться», — подумал он про себя.

— Мне нечего тебе говорить, — пробормотал Кириллов.

— Я помню, что тут что-то о Боге... ведь вы раз мне объясняли; даже два раза. Если вы застрелитесь, то вы станете богом, кажется так?

— Да, я стану богом.

Петр Степанович даже не улыбнулся; он ждал; Кириллов тонко посмотрел на него.

— Вы политический обманщик и интриган, вы хотите свести меня на философию и на восторг и произвести примирение, чтобы разогнать гнев, и, когда помирюсь, упросить записку, что я убил Шатова.

Петр Степанович ответил почти с натуральным простодушием:

— Ну, пусть я такой подлец, только в последние минуты не всё ли вам это равно, Кириллов? Ну за что мы ссоримся, скажите, пожалуйста: вы такой человек, а я такой человек, что ж из этого? И оба вдобавок...

— Подлецы.

— Да, пожалуй и подлецы. Ведь вы знаете, что это только слова.

— Я всю жизнь не хотел, чтоб это только слова. Я потому и жил, что всё не хотел. Я и теперь каждый день хочу, чтобы не слова.

— Что ж, каждый ищет где лучше. Рыба... то есть каждый ищет своего рода комфорта; вот и всё. Чрезвычайно давно известно.

— Комфорта, говоришь ты?

— Ну, стоит из-за слов спорить.

— Нет, ты хорошо сказал; пусть комфорта. Бог необходим, а потому должен быть.

— Ну, и прекрасно.

— Но я знаю, что его нет и не может быть.

— Это вернее.

— Неужели ты не понимаешь, что человеку с такими двумя мыслями нельзя оставаться в живых?

— Застрелиться, что ли?

— Неужели ты не понимаешь, что из-за этого только одного можно застрелить себя? Ты не понимаешь, что может быть такой человек, один человек из тысячи ваших миллионов, один, который не захочет и не перенесет.

— Я понимаю только, что вы, кажется, колеблетесь... Это очень скверно.

— Ставрогина тоже съела идея, — не заметил замечания Кириллов, угрюмо шагая по комнате.

— Как? — навострил уши Петр Степанович, — какая идея? Он вам сам что-нибудь говорил?

— Нет, я сам угадал: Ставрогин если верует, то не верует, что он верует. Если же не верует, то не верует, что он не верует.

— Ну, у Ставрогина есть и другое, поумнее этого... — сварливо пробормотал Петр Степанович, с беспокойством следя за оборотом разговора и за бледным Кирилловым.

«Черт возьми, не застрелится, — думал он, — всегда предчувствовал; мозговой выверт и больше ничего; экая шваль народ!»

— Ты последний, который со мной: я бы не хотел с тобой расстаться дурно, — подарил вдруг Кириллов.

Петр Степанович не сейчас ответил. «Черт возьми, это что ж опять?» — подумал он снова.

— Поверьте, Кириллов, что я ничего не имею против вас, как человека лично, и всегда...

— Ты подлец и ты ложный ум. Но я такой же, как и ты, и застрелю себя, а ты останешься жив.

— То есть вы хотите сказать, что я так низок, что захочу остаться в живых.

Он еще не мог разрешить, выгодно или невыгодно продолжать в такую минуту такой разговор, и решился «предаться обстоятельствам». Но тон превосходства и нескрываемого всегдашнего к нему презрения Кириллова всегда и прежде раздражал его, а теперь почему-то еще больше прежнего. Потому, может быть, что Кириллов, которому через час какой-нибудь предстояло умереть (все-таки Петр Степанович это имел в виду), казался ему чем-то вроде уже полу-человека, чем-то таким, что ему уже никак нельзя было позволить высокомерия.

— Вы, кажется, хвастаетесь предо мной, что застрелитесь?

— Я всегда был удивлен, что все остаются в живых, — не слыхал его замечания Кириллов.

— Гм, положим, это идея, но...

— Обезьяна, ты поддакиваешь, чтобы меня покорить. Молчи, ты не поймешь ничего. Если нет Бога, то я бог.

— Вот я никогда не мог понять у вас этого пункта: почему вы-то бог?

— Если Бог есть, то вся воля его, и из воли его я не могу. Если нет, то вся воля моя, и я обязан заявить своеволие.

— Своеволие? А почему обязаны?

— Потому что вся воля стала моя. Неужели никто на всей планете, кончив Бога и уверовав в своеволие, не осмелится заявить своеволие, в самом полном пункте? Это так, как бедный получил наследство и испугался и не смеет подойти к мешку, почитая себя малосильным владеть. Я хочу заявить своеволие. Пусть один, но сделаю.

— И делайте.

— Я обязан себя застрелить, потому что самый полный пункт моего своеволия — это убить себя самому.

— Да ведь не один же вы себя убиваете; много самоубийц.

— С причиною. Но безо всякой причины, а только для своеволия — один я.

«Не застрелится», — мелькнуло опять у Петра Степановича.

— Знаете что, — заметил он раздражительно, — я бы на вашем месте, чтобы показать своеволие, убил кого-нибудь другого, а не себя. Полезным могли бы стать. Я укажу кого, если не испугаетесь. Тогда, пожалуй, и не стреляйтесь сегодня. Можно сговориться.

— Убить другого будет самым низким пунктом моего своеволия, и в этом весь ты. Я не ты: я хочу высший пункт и себя убью.

«Своим умом дошел», — злобно проворчал Петр Степанович.

— Я обязан неверие заявить, — шагал по комнате Кириллов. — Для меня нет выше идеи, что Бога нет. За меня человеческая история. Человек только и делал, что выдумывал Бога, чтобы жить, не убивая себя; в этом вся всемирная история до сих пор. Я один во всемирной истории не захотел первый раз выдумывать Бога. Пусть узнают раз навсегда.

«Не застрелится», — тревожился Петр Степанович.

— Кому узнавать-то? — поджигал он. — Тут я да вы; Липутину, что ли?

— Всем узнавать; все узнают. Ничего нет тайного, что бы не сделалось явным. Вот *Он* сказал.

И он с лихорадочным восторгом указал на образ Спасителя, пред которым горела лампада. Петр Степанович совсем озлился.

— В *Него*-то, стало быть, всё еще веруете и лампадку зажгли; уж не на «всякий ли случай»?

Тот промолчал.

— Знаете что, по-моему, вы веруете, пожалуй, еще больше попа.

— В кого? В *Него*? Слушай, — остановился Кириллов, неподвижным, исступленным взглядом смотря пред собой. — Слушай большую идею: был на земле один день, и в средине земли стояли три креста. Один на кресте до того веровал, что сказал другому: «Будешь сегодня со мною в раю». Кончился день, оба померли, пошли и не нашли ни рая, ни воскресения. Не оправдывалось сказанное. Слушай: этот человек был высший на всей земле, составлял то, для чего ей жить. Вся планета, со всем, что на ней, без этого человека — одно сумасшествие. Не было ни прежде, ни после *Ему* такого же, и никогда, даже до чуда. В том и чудо, что не было и не будет такого же никогда. А если так, если законы природы не пожалели и *Этого*, даже чудо свое же не пожалели, а заставили и *Его* жить среди лжи и умереть за ложь, то, стало быть, вся планета есть ложь и стоит на лжи и глупой насмешке. Стало быть, самые законы планеты ложь и диаволов водевиль. Для чего же жить, отвечай, если ты человек?

— Это другой оборот дела. Мне кажется, у вас тут две разные причины смешались; а это очень неблагонадежно. Но позвольте, ну, а если вы бог? Если кончилась ложь и вы догадались, что вся ложь оттого, что был прежний Бог?

— Наконец-то ты понял! — вскричал Кириллов восторженно. — Стало быть, можно же понять, если даже такой, как ты, понял! Понимаешь теперь, что всё спасение для всех — всем доказать эту мысль. Кто докажет? Я! Я не понимаю, как мог до сих пор атеист знать, что нет Бога, и не убить себя тотчас же? Сознать, что нет Бога, и не сознать в тот же раз, что сам богом стал, есть нелепость, иначе непременно убьешь себя сам. Если сознаешь — ты царь и уже не убьешь себя сам, а будешь жить в самой главной славе. Но один, тот, кто первый, должен убить себя сам непременно, иначе кто же начнет и докажет? Это я убью себя сам непременно, чтобы начать и доказать. Я еще только бог поневоле, и я несчастен, ибо *обязан* заявить своеволие. Все несчастны потому, что все боятся заявлять своеволие. Человек потому и был до сих пор так несчастен и беден, что боялся заявить самый главный пункт своеволия и своевольничал с краю, как школьник. Я ужасно несчастен, ибо ужасно боюсь. Страх есть проклятие человека... Но я заявлю своеволие, я обязан уверовать, что не верую. Я начну, и кончу, и дверь отворю. И спасу. Только это одно спасет всех людей и в следующем же поколении переродит физически; ибо в теперешнем физическом виде, сколько я думал, нельзя быть человеку без прежнего Бога никак. Я три года искал атрибут божества моего и нашел: атрибут божества моего — Своеволие! Это всё, чем я могу в главном пункте показать непокорность и новую страшную свободу мою. Ибо она очень страшна. Я убиваю себя, чтобы показать непокорность и новую страшную свободу мою.

Лицо его было неестественно бледно, взгляд нестерпимо тяжелый. Он был как в горячке. Петр Степанович подумал было, что он сейчас упадет.

— Давай перо! — вдруг совсем неожиданно крикнул Кириллов в решительном вдохновении. — Диктуй, всё подпишу. И что Шатова убил, подпишу. Диктуй, пока мне смешно. Не боюсь мыслей высокомерных рабов! Сам увидишь, что всё тайное станет явным! А ты будешь раздавлен... Верую! Верую!

Петр Степанович схватился с места и мигом подал чернильницу, бумагу и стал диктовать, ловя минуту и трепеща за успех.

«Я, Алексей Кириллов, объявляю...»

— Стой! Не хочу! Кому объявляю?

Кириллов трясся как в лихорадке. Это объявление и какая-то особенная внезапная мысль о нем, казалось, вдруг поглотила его всего, как будто какой-то исход, куда стремительно ударился, хоть на минутку, измученный дух его:

— Кому объявляю? Хочу знать, кому?

— Никому, всем, первому, который прочтет. К чему определенность? Всему миру!

— Всему миру? Браво! И чтобы не надо раскаяния. Не хочу, чтобы раскаиваться; и не хочу к начальству!

— Да нет же, не надо, к черту начальство! да пишите же, если вы серьезно!.. — истерически прикрикнул Петр Степанович.

— Стой! я хочу сверху рожу с высунутым языком.

— Э, вздор! — озлился Петр Степанович. — И без рисунка можно всё это выразить одним тоном.

— Тоном? Это хорошо. Да, тоном, тоном! Диктуй тоном.

«Я, Алексей Кириллов, — твердо и повелительно диктовал Петр Степанович, нагнувшись над плечом Кириллова и следя за каждою буквой, которую тот выводил трепетавшею от волнения рукой, — я, Кириллов, объявляю, что сегодня ... октября, ввечеру, в восьмом часу, убил студента Шатова, за предательство, в парке, и за донос о прокламациях и о Федьке, который у нас обоих, в доме Филиппова, тайно квартировал и ночевал десять дней. Убиваю же сам себя сегодня из револьвера не потому, что раскаиваюсь и вас боюсь, а потому, что имел за границей намерение прекратить свою жизнь».

— Только? — с удивлением и с негодованием воскликнул Кириллов.

— Ни слова больше! — махнул рукой Петр Степанович, норовя вырвать у него документ.

— Стой! — крепко наложил на бумагу свою руку Кириллов, — стой, вздор! Я хочу, с кем убил. Зачем Федька? А пожар? Я всё хочу и еще изругать хочу, тоном, тоном!

— Довольно, Кириллов, уверяю вас, что довольно! — почти умолял Петр Степанович, трепеща, чтоб он не разодрал бумагу. — Чтобы поверили, надо как можно темнее, именно так, именно одними намеками. Надо правды только уголок показать, ровно настолько, чтоб их раздразнить. Всегда сами себе налгут больше нашего и уж себе-то, конечно, поверят больше, чем нам, а ведь это всего лучше, всего лучше! Давайте; великолепно и так; давайте, давайте!

И он всё старался вырвать бумагу. Кириллов, выпуча глаза, слушал и как бы старался сообразить, но, кажется, он переставал понимать.

— Э, черт! — озлился вдруг Петр Степанович, — да он еще и не подписал! что ж вы глаза-то выпучили, подписывайте!

— Я хочу изругать... — пробормотал Кириллов, однако взял перо и подписался. — Я хочу изругать...

— Подпишите: Vive la république[1], и довольно.

— Браво! — почти заревел от восторга Кириллов. — Vive la république démocratique, sociale et universelle ou la mort!..[2] Нет, нет, не так. — Liberté, égalité, fraternité ou la mort![3] Вот это лучше, это лучше, — написал он с наслаждением под подписью своего имени.

— Довольно, довольно, — всё повторял Петр Степанович.

— Стой, еще немножко... Я, знаешь, подпишу еще раз по-французски: «de Kiriloff, gentilhomme russe et citoyen du monde»[4]. Ха-ха-ха! — залился он хохотом. — Нет, нет, нет, стой, нашел всего лучше, эврика: gentilhomme-séminariste russe et citoyen du monde civilisé![5] — вот что лучше всяких... — вскочил он с дивана и вдруг быстрым жестом схватил с окна револьвер, выбежал с ним в другую комнату и плотно притворил за собою дверь. Петр Степанович постоял с минуту в раздумье, глядя на дверь.

«Если сейчас, так, пожалуй, и выстрелит, а начнет думать — ничего не будет».

Он взял пока бумажку, присел и переглядел ее снова. Редакция объявления опять ему понравилась:

«Чего же пока надо? Надо, чтобы на время совсем их сбить с толку и тем отвлечь. Парк? В городе нет парка, ну и дойдут своим умом, что в Скворешниках. Пока будут доходить, пройдет время, пока искать — опять время, а отыщут труп — значит, правда написана; значит, и всё правда, значит, и про Федьку правда. А что такое Федька? Федька — это пожар, это Лебядкины: значит, всё отсюда, из дому Филипповых, и выходило, а они-то ничего не видали, а они-то всё проглядели, — это уж их совсем закружит! Про *наших* и в голову не войдет; Шатов, да Кириллов, да Федька, да Лебядкин; и зачем они убили друг друга — вот еще им вопросик. Э, черт, да выстрела-то не слышно!..»

Он хоть и читал и любовался редакцией, но каждый миг с мучительным беспокойством прислушивался и — вдруг озлился. Тревожно взглянул он на часы; было позднёнько; и минут десять, как тот ушел... Схватив свечку, он направился к дверям комнаты, в которой затворился Кириллов. У самых дверей ему как раз пришло в голову, что вот и свечка на исходе и минут через двадцать совсем догорит, а другой нет. Он взялся за замок и осторожно прислушался, не слышно было ни малейшего звука; он вдруг отпер дверь и приподнял свечу: что-то заревело и бросилось к нему. Изо всей силы прихлопнул он дверь и опять налег на нее, но уже всё утихло — опять мертвая тишина.

Долго стоял он в нерешимости со свечой в руке. В ту секунду, как отворял, он очень мало мог разглядеть, но, однако, мелькнуло лицо Кириллова, стоявшего в глубине комнаты у окна, и зверская ярость, с которою тот вдруг к нему ки-

---

[1] Да здравствует республика (*франц.*).

[2] Да здравствует демократическая, социальная и всемирная республика или смерть! (*франц.*)

[3] Свобода, равенство, братство или смерть! (*франц.*)

[4] «Кириллов, русский дворянин и гражданин мира» (*франц.*).

[5] русский дворянин-семинарист и гражданин цивилизованного мира (*франц.*).

нулся. Петр Степанович вздрогнул, быстро поставил свечку на стол, приготовил револьвер и отскочил на цыпочках в противоположный угол, так что если бы Кириллов отворил дверь и устремился с револьвером к столу, он успел бы еще прицелиться и спустить курок раньше Кириллова.

В самоубийство Петр Степанович уже совсем теперь не верил! «Стоял среди комнаты и думал, — проходило, как вихрь, в уме Петра Степановича. — К тому же темная, страшная комната... Он заревел и бросился — тут две возможности: или я помешал ему в ту самую секунду, как он спускал курок, или... или он стоял и обдумывал, как бы меня убить. Да, это так, он обдумывал... Он знает, что я не уйду, не убив его, если сам он струсит, — значит, ему надо убить меня прежде, чтобы я не убил его... И опять, опять там тишина! Страшно даже: вдруг отворит дверь... Свинство в том, что он в Бога верует, пуще чем поп... Ни за что не застрелится!.. Этих, которые «своим умом дошли», много теперь развелось. Сволочь! фу, черт, свечка, свечка! Догорит через четверть часа непременно... Надо кончить; во что бы ни стало надо кончить... Что ж, убить теперь можно... С этою бумагой никак не подумают, что я убил. Его можно так сложить и приладить на полу с разряженным револьвером в руке, что непременно подумают, что он сам... Ах черт, как же убить? Я отворю, а он опять бросится и выстрелит прежде меня. Э, черт, разумеется промахнется!»

Так мучился он, трепеща пред неизбежностью замысла и от своей нерешительности. Наконец взял свечу и опять подошел к дверям, приподняв и приготовив револьвер; левою же рукой, в которой держал свечу, налег на ручку замка. Но вышло неловко: ручка щелкнула, произошел звук и скрип. «Прямо выстрелит!» — мелькнуло у Петра Степановича. Изо всей силы толкнул он ногой дверь, поднял свечу и выставил револьвер; но ни выстрела, ни крика... В комнате никого не было.

Он вздрогнул. Комната была непроходная, глухая, и убежать было некуда. Он поднял еще больше свечу и вгляделся внимательно: ровно никого. Вполголоса он окликнул Кириллова, потом в другой раз громче; никто не откликнулся.

«Неужто в окно убежал?»

В самом деле, в одном окне отворена была форточка. «Нелепость, не мог он убежать через форточку». Петр Степанович прошел через всю комнату прямо к окну: «Никак не мог». Вдруг он быстро обернулся, и что-то необычайное сотрясло его.

У противоположной окнам стены, вправо от двери, стоял шкаф. С правой стороны этого шкафа, в углу, образованном стеною и шкафом, стоял Кириллов, и стоял ужасно странно, — неподвижно, вытянувшись, протянув руки по швам, приподняв голову и плотно прижавшись затылком к стене, в самом углу, казалось желая весь стушеваться и спрятаться. По всем признакам, он прятался, но как-то нельзя было поверить. Петр Степанович стоял несколько наискось от угла и мог наблюдать только выдающиеся части фигуры. Он всё еще не решался подвинуться влево, чтобы разглядеть всего Кириллова и понять загадку. Сердце его стало сильно биться... И вдруг им овладело совершенное бешенство: он сорвался с места, закричал и, топая ногами, яростно бросился к страшному месту.

Но, дойдя вплоть, он опять остановился как вкопанный, еще более пораженный ужасом. Его, главное, поразило то, что фигура, несмотря на крик и на бешеный наскок его, даже не двинулась, не шевельнулась ни одним своим членом — точно окаменевшая или восковая, бледность лица ее была неестественная, черные глаза совсем неподвижны и глядели в какую-то точку в пространстве. Петр

Степанович провел свечой сверху вниз и опять вверх, освещая со всех точек и разглядывая это лицо. Он вдруг заметил, что Кириллов хоть и смотрит куда-то пред собой, но искоса его видит и даже, может быть, наблюдает. Тут пришла ему мысль поднести огонь прямо к лицу «этого мерзавца», поджечь и посмотреть, что тот сделает. Вдруг ему почудилось, что подбородок Кириллова шевельнулся и на губах как бы скользнула насмешливая улыбка — точно тот угадал его мысль. Он задрожал и, не помня себя, крепко схватил Кириллова за плечо.

Затем произошло нечто до того безобразное и быстрое, что Петр Степанович никак не мог потом уладить свои воспоминания в каком-нибудь порядке. Едва он дотронулся до Кириллова, как тот быстро нагнул голову и головой же выбил из рук его свечку; подсвечник полетел со звоном на пол, и свеча потухла. В то же мгновение он почувствовал ужасную боль в мизинце своей левой руки. Он закричал, и ему припомнилось только, что он вне себя три раза изо всей силы ударил револьвером по голове припавшего к нему и укусившего ему палец Кириллова. Наконец палец он вырвал и сломя голову бросился бежать из дому, отыскивая в темноте дорогу. Вослед ему из комнаты летели страшные крики:

— Сейчас, сейчас, сейчас, сейчас...

Раз десять. Но он всё бежал и уже выбежал было в сени, как вдруг послышался громкий выстрел. Тут он остановился в сенях в темноте и минут пять соображал; наконец вернулся опять в комнаты. Но надо было добыть свечу. Стоило отыскать направо у шкафа на полу выбитый из рук подсвечник; но чем засветить огарок? В уме его вдруг промелькнуло одно темное воспоминание: ему припомнилось, что вчера, когда он сбежал в кухню, чтоб наброситься на Федьку, то в углу, на полке, он как будто заметил мельком большую красную коробку спичек. Ощупью направился он влево, к кухонной двери, отыскал ее, прошел сенцы и спустился по лестнице. На полке, прямо в том самом месте, которое ему сейчас припомнилось, нашарил он в темноте полную, еще не початую коробку спичек. Не зажигая огня, поспешно воротился он вверх и только лишь около шкафа, на том самом месте, где он бил револьвером укусившего его Кириллова, вдруг вспомнил про свой укушенный палец и в то же мгновение ощутил в нем почти невыносимую боль. Стиснув зубы, он кое-как засветил огарок, вставил его опять в подсвечник и осмотрелся кругом: у окошка с отворенною форточкой, ногами в правый угол комнаты, лежал труп Кириллова. Выстрел был сделан в правый висок, и пуля вышла вверх с левой стороны, пробив череп. Виднелись брызги крови и мозга. Револьвер оставался в опустившейся на пол руке самоубийцы. Смерть должна была произойти мгновенно. Осмотрев всё со всею аккуратностью, Петр Степанович приподнялся и вышел на цыпочках, припер дверь, свечу поставил на стол в первой комнате, подумал и решил не тушить ее, сообразив, что она не может произвести пожара. Взглянув еще раз на лежавший на столе документ, он машинально усмехнулся и затем уже, всё почему-то на цыпочках, пошел из дому. Он пролез опять через Федькин ход и опять аккуратно заделал его за собою.

III

Ровно без десяти минут в шесть часов в вокзале железной дороги, вдоль вытянувшегося, довольно длинного ряда вагонов, прохаживались Петр Степанович и Эркель. Петр Степанович отъезжал, а Эркель прощался с ним. Кладь была сдана, сак отнесен в вагон второго класса, на выбранное место. Первый звонок уже прозвенел, ждали второго. Петр Степанович открыто смотрел по сторонам, наблюдая входивших в вагоны пассажиров. Но близких знакомых не встретилось; всего лишь раза два пришлось ему кивнуть головой — одному купцу, которого он знал отдаленно, и потом одному молодому деревенскому священнику, отъезжавшему за две станции, в свой приход. Эркелю, видимо, хотелось в последние минуты поговорить о чем-нибудь поважнее, — хотя, может быть, он и сам не знал, о чем именно; но он всё не смел начать. Ему всё казалось, что Петр Степанович как будто с ним тяготится и с нетерпением ждет остальных звонков.

— Вы так открыто на всех смотрите, — с некоторою робостью заметил он, как бы желая предупредить.

— Почему ж нет? Мне еще нельзя прятаться. Рано. Не беспокойтесь. Я вот только боюсь, чтобы не наслал черт Липутина; пронюхает и прибежит.

— Петр Степанович, они ненадежны, — решительно высказал Эркель.

— Липутин?

— Все, Петр Степанович.

— Вздор, теперь все связаны вчерашним. Ни один не изменит. Кто пойдет на явную гибель, если не потеряет рассудка?

— Петр Степанович, да ведь они потеряют рассудок.

Эта мысль уже, видимо, заходила в голову и Петру Степановичу, и потому замечание Эркеля еще более его рассердило:

— Не трусите ли и вы, Эркель? Я на вас больше, чем на всех их, надеюсь. Я теперь увидел, чего каждый стоит. Передайте им всё словесно сегодня же, я вам их прямо поручаю. Обегите их с утра. Письменную мою инструкцию прочтите завтра или послезавтра, собравшись, когда они уже станут способны выслушать... но поверьте, что они завтра же будут способны, потому что ужасно струсят и станут послушны, как воск... Главное, вы-то не унывайте.

— Ах, Петр Степанович, лучше, если б вы не уезжали!

— Да ведь я только на несколько дней; я мигом назад.

— Петр Степанович, — осторожно, но твердо вымолвил Эркель, — хотя бы вы и в Петербург. Разве я не понимаю, что вы делаете только необходимое для общего дела.

— Я меньшего и не ждал от вас, Эркель. Если вы догадались, что я в Петербург, то могли понять, что не мог же я сказать им вчера, в тот момент, что так далеко уезжаю, чтобы не испугать. Вы видели сами, каковы они были. Но вы понимаете, что я для дела, для главного и важного дела, для общего дела, а не для того, чтоб улизнуть, как полагает какой-нибудь Липутин.

— Петр Степанович, да хотя бы и за границу, ведь я пойму-с; я пойму, что вам нужно сберечь свою личность, потому что вы — всё, а мы — ничто. Я пойму, Петр Степанович.

У бедного мальчика задрожал даже голос.

— Благодарю вас, Эркель... Ай, вы мне больной палец тронули (Эркель неловко пожал ему руку; больной палец был приглядно перевязан черною тафтой). Но я вам положительно говорю еще раз, что в Петербург я только пронюхать и даже, может быть, всего только сутки, и тотчас обратно сюда. Воротясь, я для виду поселюсь в деревне у Гаганова. Если они полагают в чем-нибудь опасность, то я первый во главе пойду разделить ее. Если же и замедлю в Петербурге, то в тот же миг дам вам знать... известным путем, а вы им.

Раздался второй звонок.

— А, значит, всего пять минут до отъезда. Я, знаете, не желал бы, чтобы здешняя кучка рассыпалась. Я-то не боюсь, обо мне не беспокойтесь; этих узлов общей сети у меня довольно, и мне нечего особенно дорожить; но и лишний узел ничему бы не помешал. Впрочем, я за вас спокоен, хотя и оставляю вас почти одного с этими уродами: не беспокойтесь, не донесут, не посмеют... А-а, и вы сегодня? — крикнул он вдруг совсем другим, веселым голосом одному очень молодому человеку, весело подошедшему к нему поздороваться. — Я не знал, что и вы тоже экстренным. Куда, к мамаше?

Мамаша молодого человека была богатейшая помещица соседней губернии, а молодой человек приходился отдаленным родственником Юлии Михайловны и прогостил в нашем городе около двух недель.

— Нет, я подальше, я в Р... Часов восемь в вагоне прожить предстоит. В Петербург? — засмеялся молодой человек.

— Почему вы предположили, что я так-таки в Петербург? — еще открытее засмеялся и Петр Степанович.

Молодой человек погрозил ему гантированным пальчиком.

— Ну да, вы угадали, — таинственно зашептал ему Петр Степанович, — я с письмами Юлии Михайловны и должен там обегать трех-четырех знаете каких лиц, черт бы их драл, откровенно говоря. Чертова должность!

— Да чего, скажите, она так струсила? — зашептал и молодой человек. — Она даже меня вчера к себе не пустила; по-моему, ей за мужа бояться нечего; напротив, он так приглядно упал на пожаре, так сказать, жертвуя даже жизнью.

— Ну вот подите, — рассмеялся Петр Степанович, — она, видите, боится, что отсюда уже написали... то есть некоторые господа... Одним словом, тут, главное, Ставрогин; то есть князь К... Эх, тут целая история; я, пожалуй, вам дорогой кое-что сообщу — сколько, впрочем, рыцарство позволит... Это мой родственник, прапорщик Эркель, из уезда.

Молодой человек, косивший глаза на Эркеля, притронулся к шляпе; Эркель отдал поклон.

— А знаете, Верховенский, восемь часов в вагоне — ужасный жребий. Тут уезжает с нами в первом классе Берестов, пресмешной один полковник, сосед по имению; женат на Гариной (née de Garine[1]), и, знаете, он из порядочных. Даже с идеями. Пробыл здесь всего двое суток. Отчаянный охотник до ералаша; не затеять ли, а? Четвертого я уже наглядел — Припухлов, наш т—ский купец с бородой, миллионщик, то есть настоящий миллионщик, это я вам говорю... Я вас познакомлю, преинтересный мешок с добром, хохотать будем.

— В ералаш я с превеликим и ужасно люблю в вагоне, но я во втором классе.

— Э, полноте, ни за что! Садитесь с нами. Я сейчас велю вас перенести в первый класс. Обер-кондуктор меня слушается. Что у вас, сак? Плед?

— Чудесно, пойдемте!

Петр Степанович захватил свой сак, плед, книгу и тотчас же с величайшею готовностью перебрался в первый класс. Эркель помогал. Ударил третий звонок.

— Ну, Эркель, — торопливо и с занятым видом протянул в последний раз руку уже из окна вагона Петр Степанович, — я ведь вот сажусь с ними играть.

— Но зачем же объяснять мне, Петр Степанович, я ведь пойму, я всё пойму, Петр Степанович!

---

[1] урожденной Гариной (*франц.*).

— Ну, так до приятнейшего, — отвернулся вдруг тот на оклик молодого человека, который позвал его знакомиться с партнерами. И Эркель уже более не видал своего Петра Степановича!

Он воротился домой весьма грустный. Не то чтоб он боялся того, что Петр Степанович так вдруг их покинул, но... но он так скоро от него отвернулся, когда позвал его этот молодой франт, и... он ведь мог бы ему сказать что-нибудь другое, а не «до приятнейшего», или... или хоть покрепче руку пожать.

Последнее-то и было главное. Что-то другое начинало царапать его бедненькое сердце, чего он и сам еще не понимал, что-то связанное со вчерашним вечером.

Глава седьмая
ПОСЛЕДНЕЕ СТРАНСТВОВАНИЕ СТЕПАНА ТРОФИМОВИЧА

I

Я убежден, что Степан Трофимович очень боялся, чувствуя приближение срока его безумного предприятия. Я убежден, что он очень страдал от страху, особенно в ночь накануне, в ту ужасную ночь. Настасья упоминала потом, что он лег спать уже поздно и спал. Но это ничего не доказывает; приговоренные к смерти, говорят, спят очень крепко и накануне казни. Хотя он и вышел уже при дневном свете, когда нервный человек всегда несколько ободряется (а майор, родственник Виргинского, так даже в Бога переставал веровать, чуть лишь проходила ночь), но я убежден, что он никогда бы прежде без ужаса не мог вообразить себя одного на большой дороге и в таком положении. Конечно, нечто отчаянное в его мыслях, вероятно, смягчило для него на первый раз всю силу того страшного ощущения внезапного одиночества, в котором он вдруг очутился, едва лишь оставил Stasie[1] и свое двадцатилетнее нагретое место. Но всё равно: он и при самом ясном сознании всех ужасов, его ожидающих, все-таки бы вышел на большую дорогу и пошел по ней! Тут было нечто гордое и его восхищавшее, несмотря ни на что. О, он бы мог принять роскошные условия Варвары Петровны и остаться при ее милостях «comme[2] un простой приживальщик»! Но он не принял милости и не остался. И вот он сам оставляет ее и подымает «знамя великой идеи» и идет умереть за него на большой дороге! Именно так должен он был ощущать это; именно так должен был представляться ему его поступок.

Представлялся мне не раз и еще вопрос: почему он именно бежал, то есть бежал ногами, в буквальном смысле, а не просто уехал на лошадях? Я сначала объяснял это пятидесятилетнею непрактичностью и фантастическим уклонением идей под влиянием сильного чувства. Мне казалось, что мысль о подорожной и лошадях (хотя бы и с колокольчиком) должна была представляться ему слишком простою и прозаичною; напротив, пилигримство, хотя бы и с зонтиком, гораздо более красивым и мстительно-любовным. Но ныне, когда всё уже кончилось, я полагаю, что всё это тогда совершилось гораздо проще: во-первых, он побоялся брать лошадей, потому что Варвара Петровна могла проведать и задержать его силой, что наверно и исполнила бы, а он наверно бы подчинился и —

---

[1] Настасью (*франц.*).
[2] как (*франц.*).

прощай тогда великая идея навеки. Во-вторых, чтобы взять подорожную, надо было по крайней мере знать, куда едешь. Но именно знать об этом и составляло самое главное страдание его в ту минуту: назвать и назначить место он ни за что не мог. Ибо, решись он на какой-нибудь город, и вмиг предприятие его стало бы в собственных его глазах и нелепым и невозможным; он это очень предчувствовал. Ну что будет он делать в таком именно городе и почему не в другом? Искать се marchand?[1] Но какого marchand? Тут опять выскакивал этот второй, и уже самый страшный вопрос. В сущности, не было для него ничего страшнее, чем се marchand, которого он так вдруг сломя голову пустился отыскивать и которого, уж разумеется, всего более боялся отыскать в самом деле. Нет, уж лучше просто большая дорога, так просто выйти на нее и пойти и ни о чем не думать, пока только можно не думать. Большая дорога — это есть нечто длинное-длинное, чему не видно конца, — точно жизнь человеческая, точно мечта человеческая. В большой дороге заключается идея; а в подорожной какая идея? В подорожной конец идеи... Vive la grande route[2], а там что Бог даст.

После внезапного и неожиданного свидания с Лизой, которое я уже описал, пустился он еще в большем самозабвении далее. Большая дорога проходила в полуверсте от Скворешников, и — странно — он даже и не приметил сначала, как вступил на нее. Основательно рассуждать или хоть отчетливо сознавать было для него в ту минуту невыносимо. Мелкий дождь то переставал, то опять начинался; но он не замечал и дождя. Не заметил тоже, как закинул себе сак за плечо и как от этого стало ему легче идти. Должно быть, он прошел так версту или полторы, когда вдруг остановился и осмотрелся. Старая, черная и изрытая колеями дорога тянулась пред ним бесконечною нитью, усаженная своими ветлами; направо — голое место, давным-давно сжатые нивы; налево — кусты, а далее за ними лесок. И вдали — вдали едва приметная линия уходящей вкось железной дороги и на ней дымок какого-то поезда; но звуков уже не было слышно. Степан Трофимович немного оробел, но лишь на мгновение. Беспредметно вздохнул он, поставил свой сак подле ветлы и присел отдохнуть. Делая движение садясь, он ощутил в себе озноб и закутался в плед; заметив тут же и дождь, распустил над собою зонтик. Довольно долго сидел он так, изредка шамкая губами и крепко сжав в руке ручку зонтика. Разные образы лихорадочной вереницей неслись пред ним, быстро сменяясь в его уме. «Lise, Lise, — думал он, — а с нею се Maurice...[3] Странные люди... Но что же это за странный был там пожар, и про что они говорили, и какие убитые?.. Мне кажется, Stasie еще ничего не успела узнать и еще ждет меня с кофеем... В карты? Разве я проигрывал в карты людей? Гм... у нас на Руси, во время так называемого крепостного права... Ах боже мой, а Федька?»

Он весь встрепенулся в испуге и осмотрелся кругом: «Ну что, если где-нибудь тут за кустом сидит этот Федька; ведь, говорят, у него где-то тут целая шайка разбойников на большой дороге? О боже, я тогда... Я тогда скажу ему всю правду, что я виноват... и что я десять лет страдал за него, более чем он там в солдатах, и... и я ему отдам портмоне. Гм, j'ai en tout quarante roubles; il prendra les roubles et il me tuera tout de même»[4].

---

[1] этого купца (*франц.*).

[2] Да здравствует большая дорога (*франц.*).

[3] этот Маврикий (*франц.*).

[4] у меня всего-навсего сорок рублей; он возьмет эти рубли и все-таки убьет меня (*франц.*).

От страху он неизвестно почему закрыл зонтик и положил его подле себя. Вдали, по дороге от города, показалась какая-то телега; он с беспокойством начал всматриваться:

«Grace a Dieu[1] это телега, и — едет шагом; это не может быть опасно. Эти здешние заморенные лошаденки... Я всегда говорил о породе... Это Петр Ильич, впрочем, говорил в клубе про породу, а я его тогда обремизил, et puis[2], но что там сзади и... кажется, баба в телеге. Баба и мужик — cela commence à être rassurant[3]. Баба сзади, а мужик впереди — c'est très rassurant[4]. Сзади у них к телеге привязана за рога корова, c'est rassurant au plus haut degré»[5].

Телега поровнялась, довольно прочная и порядочная мужицкая телега. Баба сидела на туго набитом мешке, а мужик на облучке, свесив сбоку ноги в сторону Степана Трофимовича. Сзади в самом деле плелась рыжая корова, привязанная за рога. Мужик и баба выпуча глаза смотрели на Степана Трофимовича, а Степан Трофимович так же точно смотрел на них, но, когда уже пропустил их мимо себя шагов на двадцать, вдруг торопливо встал и пошел догонять. В соседстве телеги ему, естественно, показалось благонадежнее, но, догнав ее, он тотчас же опять забыл обо всем и опять погрузился в свои обрывки мыслей и представлений. Он шагал и, уж конечно, не подозревал, что для мужика и бабы он, в этот миг, составляет самый загадочный и любопытный предмет, какой только можно встретить на большой дороге.

— Вы то есть из каких будете, коли не будет неучтиво спросить? — не вытерпела наконец бабенка, когда Степан Трофимович вдруг, в рассеянности, посмотрел на нее. Бабенка была лет двадцати семи, плотная, чернобровая и румяная, с ласково улыбающимися красными губами, из-под которых сверкали белые ровные зубы.

— Вы... вы ко мне обращаетесь? — с прискорбным удивлением пробормотал Степан Трофимович.

— Из купцов, надо-ть быть, — самоуверенно проговорил мужик. Это был рослый мужичина лет сорока, с широким и неглупым лицом и с рыжеватою окладистою бородой.

— Нет, я не то что купец, я... я... moi c'est autre chose[6], — кое-как отпарировал Степан Трофимович и на всякий случай на капельку приотстал до задка телеги, так что пошел уже рядом с коровой.

— Из господ, надо-ть быть, — решил мужик, услышав нерусские слова, и дернул лошаденку.

— То-то мы и смотрим на вас, точно вы на прогулку вышли? — залюбопытствовала опять бабенка.

— Это... это вы меня спрашиваете?

— Иностранцы заезжие по чугунке иной приезжают, словно не по здешнему месту у вас сапоги такие...

— Сапог военный, — самодовольно и значительно вставил мужик.

— Нет, я не то чтобы военный, я...

---

[1] Слава Богу (*франц.*).
[2] и потом (*франц.*).
[3] это начинает меня успокаивать (*франц.*).
[4] это очень успокоительно (*франц.*).
[5] это успокоительно в высшей степени (*франц.*).
[6] я — совсем другое (*франц.*).

«Любопытная какая бабенка, — злился про себя Степан Трофимович, — и как они меня рассматривают... mais, enfin...[1] Одним словом, странно, что я точно виноват пред ними, а я ничего не виноват пред ними».

Бабенка пошепталась с мужиком.

— Коли вам не обидно, мы, пожалуй, вас подвезем, если только приятно станет.

Степан Трофимович вдруг спохватился:

— Да, да, мои друзья, я с большим удовольствием, потому что очень устал, только как я тут влезу?

«Как это удивительно, — подумал он про себя, — что я так долго шел рядом с этою коровой и мне не пришло в голову попроситься к ним сесть... Эта «действительная жизнь» имеет в себе нечто весьма характерное...»

Мужик, однако, всё еще не останавливал лошадь.

— Да вам куда будет? — осведомился он с некоторою недоверчивостью.

Степан Трофимович не вдруг понял.

— До Хатова, надо-ть быть?

— К Хатову? Нет, не то чтобы к Хатову... И я не совсем знаком; хотя слышал.

— Село Хатово, село, девять верст отселева.

— Село? C'est charmant[2], то-то я как будто бы слышал...

Степан Трофимович всё шел, а его всё еще не сажали. Гениальная догадка мелькнула в его голове:

— Вы, может быть, думаете, что я... Со мной паспорт, и я — профессор, то есть, если хотите, учитель... но главный. Я главный учитель. Oui, c'est comme ça qu'on peut traduire[3]. Я бы очень хотел сесть, и я вам куплю... я вам за это куплю полштофа вина.

— Полтинник с вас, сударь, дорога тяжелая.

— А то нам уж оченно обидно будет, — вставила бабенка.

— Полтинник? Ну хорошо, полтинник. C'est encore mieux, j'ai en tout quarante roubles, mais...[4]

Мужик остановил, и Степана Трофимовича общими усилиями втащили и усадили в телегу, рядом с бабой, на мешок. Вихрь мыслей не покидал его. Порой он сам ощущал про себя, что как-то ужасно рассеян и думает совсем не о том, о чем надо, и дивился тому. Это сознание в болезненной слабости ума мгновениями становилось ему очень тяжело и даже обидно.

— Это... это как же сзади корова? — спросил он вдруг сам бабенку.

— Чтой-то вы, господин, точно не видывали, — рассмеялась баба.

— В городе купили, — ввязался мужик, — своя скотина, поди ты, еще с весны передохла; мор. У нас кругом все попадали, все, половины не осталось, хошь взвой.

И он опять стегнул завязшую в колее лошаденку.

— Да, это бывает у нас на Руси... и вообще мы, русские... ну да, бывает, — не докончил Степан Трофимович.

— Вы коль учителем, то вам что же в Хатове? Али дальше куда?

— Я... то есть я не то чтобы дальше куда... C'est-à-dire[5], я к одному купцу.

---

[1] но, наконец (*франц.*).
[2] Это прелестно (*франц.*).
[3] Да, это именно так можно перевести (*франц.*).
[4] Это еще лучше, у меня всего сорок рублей, но... (*франц.*)
[5] То есть (*франц.*).

— В Спасов, надо-ть быть?

— Да, да, именно в Спасов. Это, впрочем, всё равно.

— Вы коли в Спасов, да пешком, так в ваших сапожках недельку бы шли, — засмеялась бабенка.

— Так, так, и это всё равно, mes amis[1], всё равно, — нетерпеливо оборвал Степан Трофимович.

«Ужасно любопытный народ; бабенка, впрочем, лучше его говорит, и я замечаю, что с девятнадцатого февраля у них слог несколько переменился, и... и какое дело, в Спасов я или не в Спасов? Впрочем, я им заплачу, так чего же они пристают».

— Коли в Спасов, так на праходе, — не отставал мужик.

— Это как есть так, — ввернула бабенка с одушевлением, — потому, коли на лошадях по берегу, — верст тридцать крюку будет.

— Сорок будет.

— К завтраму к двум часам как раз в Устьеве праход застанете, — скрепила бабенка. Но Степан Трофимович упорно замолчал. Замолчали и вопрошатели. Мужик подергивал лошаденку; баба изредка и коротко перекидывалась с ним замечаниями. Степан Трофимович задремал. Он ужасно удивился, когда баба, смеясь, растолкала его и он увидел себя в довольно большой деревне у подъезда одной избы в три окна.

— Задремали, господин?

— Что это? Где это я? Ах, ну! Ну... всё равно, — вздохнул Степан Трофимович и слез с телеги.

Он грустно осмотрелся; странным и ужасно чем-то чуждым показался ему деревенский вид.

— А полтинник-то, я и забыл! — обратился он к мужику с каким-то не в меру торопливым жестом; он, видимо, уже боялся расстаться с ними.

— В комнате рассчитаетесь, пожалуйте, — приглашал мужик.

— Тут хорошо, — ободряла бабенка.

Степан Трофимович ступил на шаткое крылечко.

«Да как же это возможно», — прошептал он в глубоком и пугливом недоумении, однако вошел в избу. «Elle l'a voulu»[2], — вонзилось что-то в его сердце, и он опять вдруг забыл обо всем, даже о том, что вошел в избу.

Это была светлая, довольно чистая крестьянская изба в три окна и в две комнаты; и не то что постоялый двор, а так, приезжая изба, в которой по старой привычке останавливались знакомые проезжие. Степан Трофимович, не конфузясь, прошел в передний угол, забыл поздороваться, уселся и задумался. Между тем чрезвычайно приятное ощущение тепла после трехчасовой сырости на дороге вдруг разлилось по его телу. Даже самый озноб, коротко и отрывисто забегавший по спине его, как это всегда бывает в лихорадке с особенно нервными людьми, при внезапном переходе с холода в тепло, стал ему вдруг как-то странно приятен. Он поднял голову, и сладостный запах горячих блинов, над которыми старалась у печки хозяйка, защекотал его обоняние. Улыбаясь ребячьею улыбкой, он потянулся к хозяйке и вдруг залепетал:

— Это что ж? Это блины? Mais... c'est charmant[3].

— Не пожелаете ли, господин, — тотчас же и вежливо предложила хозяйка.

---

[1] друзья мои (*франц.*).

[2] Она этого хотела (*франц.*).

[3] Но... это прелестно (*франц.*).

— Пожелаю, именно пожелаю, и... я бы вас попросил еще чаю, — оживился Степан Трофимович.

— Самоварчик поставить? Это с большим нашим удовольствием.

На большой тарелке с крупными синими узорами явились блины — известные крестьянские, тонкие, полупшеничные, облитые горячим свежим маслом, вкуснейшие блины. Степан Трофимович с наслаждением попробовал.

— Как жирно и как это вкусно! И если бы только возможно un doigt d'eau de vie[1].

— Уж не водочки ли, господин, пожелали?

— Именно, именно, немножко, un tout petit rien[2].

— На пять копеек, значит?

— На пять — на пять — на пять — на пять, un tout petit rien, — с блаженною улыбочкой поддакивал Степан Трофимович.

Попросите простолюдина что-нибудь для вас сделать, и он вам, если может и хочет, услужит старательно и радушно; но попросите его сходить за водочкой — и обыкновенное спокойное радушие переходит вдруг в какую-то торопливую, радостную услужливость, почти в родственную о вас заботливость. Идущий за водкой, — хотя будете пить только вы, а не он, и он знает это заранее, — всё равно ощущает как бы некоторую часть вашего будущего удовлетворения... Не больше как через три-четыре минуты (кабак был в двух шагах) очутилась пред Степаном Трофимовичем на столе косушка и большая зеленоватая рюмка.

— И это всё мне! — удивился он чрезвычайно. — У меня всегда была водка, но я никогда не знал, что так много на пять копеек.

Он налил рюмку, встал и с некоторою торжественностью перешел через комнату в другой угол, где поместилась его спутница на мешке, чернобровая бабенка, так надоедавшая ему дорогой расспросами. Бабенка законфузилась и стала было отнекиваться, но, высказав всё предписанное приличием, под конец встала, выпила учтиво, в три хлебка, как пьют женщины, и, изобразив чрезвычайное страдание в лице, отдала рюмку и поклонилась Степану Трофимовичу. Он с важностию отдал поклон и воротился за стол даже с гордым видом.

Всё это совершалось в нем по какому-то вдохновению: он и сам, еще за секунду, не знал, что пойдет потчевать бабенку.

«Я в совершенстве, в совершенстве умею обращаться с народом, и я это им всегда говорил», — самодовольно подумал он, наливая себе оставшееся вино из косушки; хотя вышло менее рюмки, но вино живительно согрело его и немного даже бросилось в голову.

«Je suis malade tout à fait, mais ce n'est pas trop mauvais d'être malade»[3].

— Не пожелаете ли приобрести? — раздался подле него тихий женский голос.

Он поднял глаза и, к удивлению, увидел пред собою одну даму — une dame et elle en avait l'air[4] — лет уже за тридцать, очень скромную на вид, одетую по-городскому, в темненькое платье и с большим серым платком на плечах. В лице ее было нечто очень приветливое, немедленно понравившееся Степану Трофимовичу. Она только что сейчас воротилась в избу, в которой оставались ее вещи на лавке, подле самого того места, которое занял Степан Трофимович, — между

---

[1] чуточку водки (*франц.*).

[2] самую малость (*франц.*).

[3] «Я совсем болен, но это не так уж плохо быть больным» (*франц.*).

[4] она именно имела вид дамы (*франц.*).

прочим, портфель, на который, он помнил это, войдя, посмотрел с любопытством, и не очень большой клеенчатый мешок. Из этого-то мешка она вынула две красиво переплетенные книжки с вытесненными крестами на переплетах и поднесла их к Степану Трофимовичу.

— Eh... mais je crois que c'est l'Evangile;[1] с величайшим удовольствием... А, я теперь понимаю... Vous êtes ce qu'on appelle[2] книгоноша; я читал неоднократно... Полтинник?

— По тридцати пяти копеек, — ответила книгоноша.

— С величайшим удовольствием. Je n'ai rien contre l'Evangile, et...[3] Я давно уже хотел перечитать...

У него мелькнуло в ту минуту, что он не читал Евангелия по крайней мере лет тридцать и только разве лет семь назад припомнил из него капельку лишь по Ренановой книге «Vie de Jésus»[4]. Так как у него мелочи не было, то он и вытащил свои четыре десятирублевые билета — всё, что у него было. Хозяйка взялась разменять, и тут только он заметил, всмотревшись, что в избу набралось довольно народу и что все давно уже наблюдают его и, кажется, о нем говорят. Толковали тоже и о городском пожаре, более всех хозяин телеги с коровой, так как он только что вернулся из города. Говорили про поджог, про шпигулинских.

«Ведь вот ничего он не говорил со мной про пожар, когда вез меня, а обо всем говорил», — подумалось что-то Степану Трофимовичу.

— Батюшка, Степан Трофимович, вас ли я, сударь, вижу? Вот уж и не чаял совсем!.. Али не признали? — воскликнул один пожилой малый, с виду вроде старинного дворового, с бритою бородой и одетый в шинель с длинным откидным воротником.

Степан Трофимович испугался, услыхав свое имя.

— Извините, — пробормотал он, — я вас не совсем припоминаю...

— Запамятовали! Да ведь я Анисим, Анисим Иванов. Я у покойного господина Гаганова на службе состоял и вас, сударь, сколько раз с Варварой Петровной у покойницы Авдотьи Сергевны видывал. Я к вам от нее с книжками хаживал и конфеты вам петербургские от нее два раза приносил...

— Ах, да, помню тебя, Анисим, — улыбнулся Степан Трофимович. — Ты здесь и живешь?

— А подле Спасова-с, в В—м монастыре, в посаде у Марфы Сергевны, сестрицы Авдотьи Сергевны, может, изволите помнить, ногу сломали, из коляски выскочили, на бал ехали. Теперь около монастыря проживают, а я при них-с; а теперь вот, изволите видеть, в губернию собрался, своих попроведать...

— Ну да, ну да.

— Вас увидав, обрадовался, милостивы до меня бывали-с, — восторженно улыбался Анисим. — Да куда ж вы, сударь, так это собрались, кажись, как бы одни-одинешеньки... Никогда, кажись, не выезжали одни-с?

Степан Трофимович пугливо посмотрел на него.

— Уж не к нам ли в Спасов-с?

— Да, я в Спасов. Il me semble que tout le monde va à Spassof...[5]

---

[1] Э... да это, кажется, Евангелие (*франц.*).
[2] Вы, что называется, книгоноша (*франц.*).
[3] Я ничего не имею против Евангелия, и... (*франц.*)
[4] «Жизнь Иисуса» (*франц.*).
[5] Мне кажется, что все направляются в Спасов... (*франц.*)

— Да уж не к Федору ли Матвеевичу? То-то вам обрадуются. Ведь уж как в старину уважали вас; теперь даже вспоминают неоднократно...

— Да, да, и к Федору Матвеевичу.

— Надо быть-с, надо быть-с. То-то мужики здесь дивятся, словно, сударь, вас на большой дороге будто бы пешком повстречали. Глупый они народ-с.

— Я... Я это... Я, знаешь, Анисим, я об заклад побился, как у англичан, что я дойду пешком, и я...

Пот пробивался у него на лбу и на висках.

— Надо быть-с, надо быть-с... — вслушивался с безжалостным любопытством Анисим. Но Степан Трофимович не мог дольше вынести. Он так сконфузился, что хотел было встать и уйти из избы. Но подали самовар, и в ту же минуту воротилась выходившая куда-то книгоноша. С жестом спасающего себя человека обратился он к ней и предложил чаю. Анисим уступил и отошел.

Действительно, между мужиками поднималось недоумение:

«Что за человек? Нашли пешком на дороге, говорит, что учитель, одет как бы иностранец, а умом словно малый ребенок, отвечает несуразно, точно бы убежал от кого, и деньги имеет!» Начиналась было мысль возвестить по начальству — «так как при всем том в городе не совсем спокойно». Но Анисим всё это уладил в ту же минуту. Выйдя в сени, он сообщил всем, кто хотел слушать, что Степан Трофимович не то чтоб учитель, а «сами большие ученые и большими науками занимаются, а сами здешние помещики были и живут уже двадцать два года у полной генеральши Ставрогиной, заместо самого главного человека в доме, а почет имеют от всех по городу чрезвычайный. В клубе дворянском по серенькой и по радужной в один вечер оставляли, а чином советник, всё равно что военный подполковник, одним только чином ниже полного полковника будут. А что деньги имеют, так деньгам у них через полную генеральшу Ставрогину счету нет» и пр., и пр.

«Mais c'est une dame, et très comme il faut»[1], — отдыхал от Анисимова нападения Степан Трофимович, с приятным любопытством наблюдая свою соседку книгоношу, пившую, впрочем, чай с блюдечка и вприкуску. «Ce petit morceau de sucre ce n'est rien...[2] В ней есть нечто благородное и независимое и в то же время — тихое. Le comme il faut tout pur[3], но только несколько в другом роде».

Он скоро узнал от нее, что она Софья Матвеевна Улитина и проживает собственно в К., имеет там сестру вдовую, из мещан; сама также вдова, а муж ее, подпоручик за выслугу из фельдфебелей, был убит в Севастополе.

— Но вы еще так молоды, vous n'avez pas trente ans[4].

— Тридцать четыре-с, — улыбнулась Софья Матвеевна.

— Как, вы и по-французски понимаете?

— Немножко-с; я в благородном доме одном прожила после того четыре года и там от детей понаучилась.

Она рассказала, что, после мужа оставшись всего восемнадцати лет, находилась некоторое время в Севастополе «в сестрах», а потом жила по разным местам-с, а теперь вот ходит и Евангелие продает.

---

[1] Да ведь это дама, и вполне приличная (*франц.*).

[2] Этот кусочек сахару — это ничего... (*франц.*)

[3] В высшей степени приличное (*франц.*).

[4] вам нет и тридцати лет (*франц.*).

— Mais mon Dieu[1], это не с вами ли у нас была в городе одна странная, очень даже странная история?

Она покраснела; оказалось, что с нею.

— Ces vauriens, ces malheureux!..[2] — начал было он задрожавшим от негодования голосом; болезненное и ненавистное воспоминание отозвалось в его сердце мучительно. На минуту он как бы забылся.

«Ба, да она опять ушла, — спохватился он, заметив, что ее уже опять нет подле. — Она часто выходит и чем-то занята; я замечаю, что даже встревожена... Bah, je deviens égoïste...»[3]

Он поднял глаза и опять увидал Анисима, но на этот раз уже в самой угрожающей обстановке. Вся изба была полна мужиками, и всех их притащил с собой, очевидно, Анисим. Тут был и хозяин избы, и мужик с коровой, какие-то еще два мужика (оказались извозчики), какой-то еще маленький полупьяный человек, одетый по-мужицки, а между тем бритый, похожий на пропившегося мещанина и более всех говоривший. И все-то они толковали о нем, о Степане Трофимовиче. Мужик с коровой стоял на своем, уверяя, что по берегу верст сорок крюку будет и что непременно надобно на праходе. Полупьяный мещанин и хозяин с жаром возражали:

— Потому, если, братец ты мой, их высокоблагородию, конечно, на праходе через озеро ближе будет; это как есть; да праход-то, по-теперешнему, пожалуй, и не подойдет.

— Доходит, доходит, еще неделю будет ходить, — более всех горячился Анисим.

— Так-то оно так! да неаккуратно приходит, потому время позднее, иной раз в Устьеве по три дня поджидают.

— Завтра будет, завтра к двум часам аккуратно придет. В Спасов еще до вечера аккуратно, сударь, прибудете, — лез из себя Анисим.

«Mais qu'est ce qu'il a cet homme»[4], — трепетал Степан Трофимович, со страхом ожидая своей участи.

Выступили впереди извозчики, стали рядиться; брали до Устьева три рубля. Остальные кричали, что не обидно будет, что это как есть цена и что отселева до Устьева всё лето за эту цену возили.

— Но... здесь тоже хорошо... И я не хочу, — прошамкал было Степан Трофимович.

— Хорошо, сударь, это вы справедливо, в Спасове у нас теперь куды хорошо, и Федор Матвеевич так вами будут обрадованы.

— Mon Dieu, mes amis[5], всё это так для меня неожиданно.

Наконец-то воротилась Софья Матвеевна. Но она села на лавку такая убитая и печальная.

— Не быть мне в Спасове! — проговорила она хозяйке.

— Как, так и вы в Спасов? — встрепенулся Степан Трофимович.

Оказалось, что одна помещица, Надежда Егоровна Светлицына, велела ей еще вчера поджидать себя в Хатове и обещалась довезти до Спасова, да вот и не приехала.

---

[1] Но Боже мой (*франц.*).

[2] Эти негодяи, эти презренные!.. (*франц.*)

[3] Ба, я становлюсь эгоистом (*франц.*).

[4] Но что надо этому человеку (*франц.*).

[5] Боже мой, друзья мои (*франц.*).

— Что я буду теперь делать? — повторяла Софья Матвеевна.

— Mais, ma chère et nouvelle amie[1], ведь и я вас тоже могу довезти, как и помещица, в это, как его, в эту деревню, куда я нанял, а завтра, — ну, а завтра мы вместе в Спасов.

— Да разве вы тоже в Спасов?

— Mais que faire, et je suis enchanté![2] Я вас с чрезвычайною радостью довезу; вон они хотят, я уже нанял... Я кого же из вас нанял? — ужасно захотел вдруг в Спасов Степан Трофимович.

Через четверть часа уже усаживались в крытую бричку: он очень оживленный и совершенно довольный; она с своим мешком и с благодарною улыбкой подле него. Подсаживал Анисим.

— Доброго пути, сударь, — хлопотал он изо всех сил около брички, — вот уж как были вами обрадованы!

— Прощай, прощай, друг мой, прощай.

— Федора Матвеича, сударь, увидите...

— Да, мой друг, да... Федора Петровича... только прощай.

II

— Видите, друг мой, вы позволите мне называть себя вашим другом, n'est-ce pasè[3] — торопливо начал Степан Трофимович, только что тронулась бричка. — Видите, я... J'aime le peuple, c'est indispensable, mais il me semble que je ne l'avais jamais vu de près. Stasie... cela va sans dire qu'elle est aussi du peuple... mais le vrai peuple[4], то есть настоящий, который на большой дороге, мне кажется, ему только и дела, куда я, собственно, еду... Но оставим обиды. Я немного как будто заговариваюсь, но это, кажется, от торопливости.

— Кажется, вы нездоровы-с, — зорко, но почтительно присматривалась к нему Софья Матвеевна.

— Нет, нет, стоит только закутаться, и вообще свежий какой-то ветер, даже уж очень свежий, но мы забудем это. Я, главное, не то бы хотел сказать. Chère et incomparable amie[5], мне кажется, что я почти счастлив, и виною того — вы. Мне счастье невыгодно, потому что я немедленно лезу прощать всех врагов моих...

— Что ж, ведь это очень хорошо-с.

— Не всегда, chere innocente. L'Evangile... Voyez-vous, désormais nous le prêcherons ensemblet[6], и я буду с охотой продавать ваши красивые книжки. Да, я чувствую, что это, пожалуй, идея, quelque chose de très nouveau dans ce genre[7]. Народ религиозен, c'est admis[8], но он еще не знает Евангелия. Я ему изложу его... В изложении устном можно исправить ошибки этой замечательной книги, к кото-

---

[1] Но, мой дорогой и новый друг (*франц.*).

[2] Что же делать, да я в восторге! (*франц.*)

[3] не правда ли? (*франц.*)

[4] Я люблю народ, это необходимо, но мне кажется, что я никогда не видал его вблизи. Настасья... нечего и говорить, она тоже из народа... но настоящий народ (*франц.*).

[5] Дорогой и несравненный друг (*франц.*).

[6] дорогая простушка. Евангелие... Видите ли, отныне мы его будем проповедовать вместе (*франц.*).

[7] нечто совершенно новое в этом роде (*франц.*).

[8] это установлено (*франц.*).

рой я, разумеется, готов отнестись с чрезвычайным уважением. Я буду полезен и на большой дороге. Я всегда был полезен, я всегда говорил *им* это et à cette chère ingrate...[1] О, простим, простим, прежде всего простим всем и всегда... Будем надеяться, что и нам простят. Да, потому что все и каждый один пред другим виноваты. Все виноваты!..

— Вот это, кажется, вы очень хорошо изволили сказать-с.

— Да, да... Я чувствую, что я очень хорошо говорю. Я буду говорить им очень хорошо, но, но что же я хотел было главного сказать? Я всё сбиваюсь и не помню... Позволите ли вы мне не расставаться с вами? Я чувствую, что ваш взгляд и... я удивляюсь даже вашей манере: вы простодушны, вы говорите слово-ерс и опрокидываете чашку на блюдечко... с этим безобразным кусочком; но в вас есть нечто прелестное, и я вижу по вашим чертам... О, не краснейте и не бойтесь меня как мужчину. Chère et incomparable, pour moi une femme c'est tout[2]. Я не могу не жить подле женщины, но только подле... Я ужасно, ужасно сбился... Я никак не могу вспомнить, что я хотел сказать. О, блажен тот, кому Бог посылает всегда женщину, и... и я думаю даже, что я в некотором восторге. И на большой дороге есть высшая мысль! вот — вот что я хотел сказать — про мысль, вот теперь и вспомнил, а то я всё не попадал. И зачем они повезли нас дальше? Там было тоже хорошо, а тут — cela devient trop froid. A propos, j'ai en tout quarante roubles et voilà cet argent[3], возьмите, возьмите, я не умею, я потеряю, и у меня возьмут, и... Мне кажется, что мне хочется спать; у меня что-то в голове вертится. Так вертится, вертится, вертится. О, как вы добры, чем это вы меня накрываете?

— У вас, верно, совершенная лихорадка-с, и я вас одеялом моим накрыла, а только про деньги-с я бы...

— О, ради бога, n'en parlons plus, parce que cela me fait mal[4], о, как вы добры!

Он как-то быстро прервал говорить и чрезвычайно скоро заснул лихорадочным, знобящим сном. Проселок, по которому ехали эти семнадцать верст, был не из гладких, и экипаж жестоко подталкивало. Степан Трофимович часто просыпался, быстро поднимался с маленькой подушки, которую просунула ему под голову Софья Матвеевна, схватывал ее за руку и осведомлялся: «Вы здесь?» — точно опасался, чтоб она не ушла от него. Он уверял ее тоже, что видит во сне какую-то раскрытую челюсть с зубами и что ему это очень противно. Софья Матвеевна была в большом за него беспокойстве.

Извозчики подвезли их прямо к большой избе в четыре окна и с жилыми пристройками на дворе. Проснувшийся Степан Трофимович поспешил войти и прямо прошел во вторую, самую просторную и лучшую комнату дома. Заспанное лицо его приняло самое хлопотливое выражение. Он тотчас же объяснил хозяйке, высокой и плотной бабе, лет сорока, очень черноволосой и чуть не с усами, что требует для себя всю комнату «и чтобы комнату затворить и никого более сюда не впускать, parce que nous avons à parler».

— Oui, j'ai beaucoup à vous dire, chère amie[5]. Я вам заплачу, заплачу! — замахал он хозяйке.

---

[1] и этой дорогой неблагодарной женщине... (*франц.*)

[2] Дорогая и несравненная, для меня женщина — это всё (*франц.*).

[3] становится слишком холодно. Между прочим, у меня всего сорок рублей, и вот эти деньги (*франц.*).

[4] не будем больше говорить об этом, потому что меня это огорчает (*франц.*).

[5] потому что нам надо поговорить. Да, мне нужно много сказать вам, дорогой друг (*франц.*).

Он хоть и торопился, но как-то туго шевелил языком. Хозяйка выслушала неприветливо, но промолчала в знак согласия, в котором, впрочем, предчувствовалось как бы нечто угрожающее. Он ничего этого не приметил и торопливо (он ужасно торопился) потребовал, чтоб она ушла и подала сейчас же как можно скорее обедать, «нимало не медля».

Тут баба с усами не вытерпела:

— Здесь вам не постоялый двор, господин, мы обеда для проезжих не содержим. Раков сварить аль самовар поставить, а больше нет у нас ничего. Рыба свежая завтра лишь будет.

Но Степан Трофимович замахал руками, с гневным нетерпением повторяя: «Заплачу, только скорее, скорее». Порешили на ухе и на жареной курице; хозяйка объявила, что во всей деревне нельзя достать курицу; впрочем, согласилась пойти поискать, но с таким видом, как будто делала необычайное одолжение.

Только что она вышла, Степан Трофимович мигом уселся на диване и посадил подле себя Софью Матвеевну. В комнате были и диван и кресла, но ужасного вида. Вообще вся комната, довольно обширная (с отделением за перегородкой, где стояла кровать), с желтыми, старыми, порвавшимися обоями, с мифологическими ужасными литографиями на стенах, с длинным рядом икон и медных складней в переднем углу, с своею странною сборною мебелью, представляла собою неприглядную смесь чего-то городского и искони крестьянского. Но он даже не взглянул на всё это, даже не поглядел в окошко на огромное озеро, начинавшееся в десяти саженях от избы.

— Наконец мы отдельно, и мы никого не пустим! Я хочу вам всё, всё рассказать с самого начала.

Софья Матвеевна с сильным даже беспокойством остановила его:

— Вам известно ли, Степан Трофимович...

— Comment, vous savez déjà mon nom?[1] — улыбнулся он радостно.

— Я давеча от Анисима Ивановича слышала, как вы с ним разговаривали. А я вот в чем осмелюсь вам с своей стороны...

И она быстро зашептала ему, оглядываясь на запертую дверь, чтобы кто не подслушал, — что здесь, в этой деревне, беда-с. Что все здешние мужики хотя и рыболовы, а что тем собственно и промышляют, что каждым летом с постояльцев берут плату, какую только им вздумается. Деревня эта не проезжая, а глухая, и что потому только и приезжают сюда, что здесь пароход останавливается, и что когда пароход не приходит, потому чуть-чуть непогода, так он ни за что не придет, — то наберется народу за несколько дней, и уж тут все избы по деревне заняты, а хозяева только того и ждут; потому за каждый предмет в три цены берут, и хозяин здешний гордый и надменный, потому что уж очень по здешнему месту богат: у него невод один тысячу рублей стоит.

Степан Трофимович глядел в чрезвычайно одушевившееся лицо Софьи Матвеевны чуть не с укором и несколько раз делал жест, чтоб остановить ее. Но она стала на своем и досказала: по ее словам, она уже была здесь летом с одною «очень благородною госпожой-с» из города и тоже заночевали, пока пароход не приходил, целых даже два дня-с, и что такого горя натерпелись, что вспомнить страшно. «Вот вы, Степан Трофимович, изволили спросить эту комнату для одного себя-с... Я только потому, чтобы предупредить-с... Там, в той комнате, уже есть приезжие, один пожилой человек и один молодой человек, да какая-то госпожа с детьми, а к завтраму полная изба наберется до двух часов, потому что па-

---

[1] Как, вы знаете уже мое имя? (*франц.*)

роход, так как два дня не приходил, так уж наверно завтра придет. Так за особую комнату и за то, что вы вот спросили у них обедать-с, и за обиду всем проезжим они столько с вас потребуют, что и в столицах не слыхано-с...»

Но он страдал, страдал истинно:

— Assez, mon enfant[1], я вас умоляю; nous avons notre argent, et après — et après le bon Dieu[2]. И я даже удивляюсь, что вы, с возвышенностию ваших понятий... Assez, assez, vous me tourmentez[3], — произнес он истерически, — пред нами вся наша будущность, а вы... вы меня пугаете за будущее...

Он тотчас же стал излагать всю историю, до того торопясь, что сначала даже и понять было трудно. Продолжалась она очень долго. Подавали уху, подавали курицу, подали, наконец, самовар, а он всё говорил... Несколько странно и болезненно у него выходило, да ведь и был же он болен. Это было внезапное напряжение умственных сил, которое, конечно, — и это с тоской предвидела Софья Матвеевна во всё время его рассказа, — должно было отозваться тотчас же потом чрезвычайным упадком сил в его уже расстроенном организме. Начал он чуть не с детства, когда «с свежею грудью бежал по полям»; через час только добрался до своих двух женитьб и берлинской жизни. Я, впрочем, не посмею смеяться. Тут было для него действительно нечто высшее и, говоря новейшим языком, почти борьба за существование. Он видел пред собою ту, которую он уже предызбрал себе в будущий путь, и спешил, так сказать, посвятить ее. Его гениальность не должна была более оставаться для нее тайною... Может быть, он сильно насчет Софьи Матвеевны преувеличивал, но он уже избрал ее. Он не мог быть без женщины. Он сам по лицу ее ясно видел, что она совсем почти его не понимает, и даже самого капитального.

«Ce n'est rien, nous attendrons[4], а пока она может понять предчувствием...»

— Друг мой, мне всего только и надо одно ваше сердце! — восклицал он ей, прерывая рассказ, — и вот этот теперешний милый, обаятельный взгляд, каким вы на меня смотрите. О, не краснейте! Я уже вам сказал...

Особенно много было туманного для бедной попавшейся Софьи Матвеевны, когда история перешла чуть не в целую диссертацию о том, как никто и никогда не мог понять Степана Трофимовича и как «гибнут у нас в России таланты». Уж очень было «такое всё умное-с», передавала она потом с унынием. Она слушала с видимым страданием, немного вытаращив глаза. Когда же Степан Трофимович бросился в юмор и в остроумнейшие колкости насчет наших «передовых и господствующих», то она с горя попробовала даже раза два усмехнуться в ответ на его смех, но вышло у ней хуже слез, так что Степан Трофимович даже, наконец, сам сконфузился и тем с бо́льшим азартом и злобой ударил на нигилистов и «новых людей». Тут уж он ее просто испугал, и отдохнула она лишь несколько, самым обманчивым, впрочем, отдыхом, когда собственно начался роман. Женщина всегда женщина, будь хоть монахиня. Она улыбалась, качала головой и тут же очень краснела и потупляла глаза, тем приводя Степана Трофимовича в совершенное восхищение и вдохновение, так что он даже много и прилгнул. Варвара Петровна вышла у него прелестнейшею брюнеткой («восхищавшею Петербург и весьма многие столицы Европы»), а муж ее умер, «сраженный в Севастополе пулей», единственно лишь потому, что чувствовал себя

---

[1] Довольно, дитя мое (*франц.*).
[2] у нас есть деньги, а затем, а затем Бог поможет (*франц.*).
[3] Довольно, довольно, вы меня мучаете (*франц.*).
[4] Это ничего, мы подождем (*франц.*).

недостойным любви ее и уступая сопернику, то есть всё тому же Степану Трофимовичу... «Не смущайтесь, моя тихая, моя христианка! — воскликнул он Софье Матвеевне, почти сам веря всему тому, что рассказывал. — Это было нечто высшее, нечто до того тонкое, что мы оба ни разу даже и не объяснились во всю нашу жизнь». Причиною такого положения вещей являлась в дальнейшем рассказе уже блондинка (если не Дарья Павловна, то я уж и не знаю, кого тут подразумевал Степан Трофимович). Эта блондинка была всем обязана брюнетке и в качестве дальней родственницы выросла в ее доме. Брюнетка, заметив наконец любовь блондинки к Степану Трофимовичу, заключилась сама в себя. Блондинка, с своей стороны, заметив любовь брюнетки к Степану Трофимовичу, тоже заключилась сама в себя. И все трое, изнемогая от взаимного великодушия, промолчали таким образом двадцать лет, заключившись сами в себя. «О, что это была за страсть, что это была за страсть! — восклицал он, всхлипывая в самом искреннем восторге. — Я видел полный расцвет красоты ее (брюнетки), видел «с нарывом в сердце» ежедневно, как она проходила мимо меня, как бы стыдясь красоты своей». (Раз он сказал: «стыдясь своей полноты».) Наконец он убежал, бросив весь этот горячечный двадцатилетний сон. — «Vingt ans!»[1] И вот теперь на большой дороге... Затем, в каком-то воспалительном состоянии мозга, принялся он объяснять Софье Матвеевне, что должна означать сегодняшняя «столь нечаянная и столь роковая встреча их на веки веков». Софья Матвеевна в ужасном смущении встала наконец с дивана; он даже сделал попытку опуститься пред нею на колени, так что она заплакала. Сумерки сгущались; оба пробыли в запертой комнате уже несколько часов...

— Нет, уж лучше вы меня отпустите в ту комнату-с, — лепетала она, — а то, пожалуй, ведь что люди подумают-с.

Она вырвалась наконец; он ее отпустил, дав ей слово сейчас же лечь спать. Прощаясь, пожаловалась, что у него очень болит голова. Софья Матвеевна, еще как входила, оставила свой сак и вещи в первой комнате, намереваясь ночевать с хозяевами; но ей не удалось отдохнуть.

В ночи со Степаном Трофимовичем приключился столь известный мне и всем друзьям его припадок холерины — обыкновенный исход всех нервных напряжений и нравственных его потрясений. Бедная Софья Матвеевна не спала всю ночь. Так как ей, ухаживая за больным, приходилось довольно часто входить и выходить из избы через хозяйскую комнату, то спавшие тут проезжие и хозяйка ворчали и даже начали под конец браниться, когда она вздумала под утро поставить самовар. Степан Трофимович всё время припадка был в полузабытьи; иногда как бы мерещилось ему, что ставят самовар, что его чем-то поят (малиной), греют ему чем-то живот, грудь. Но он чувствовал почти каждую минуту, что *она* была тут подле него; что это она приходила и уходила, снимала его с кровати и опять укладывала на нее. Часам к трем пополуночи ему стало легче; он привстал, спустил ноги с постели и, не думая ни о чем, свалился пред нею на пол. Это было уже не давешнее коленопреклонение; он просто упал ей в ноги и целовал полы ее платья...

— Полноте-с, я совсем не стою-с, — лепетала она, стараясь поднять его на кровать.

— Спасительница моя, — благоговейно сложил он пред нею руки. — Vous êtes noble comme une marquise![2] Я — я негодяй! О, я всю жизнь был бесчестен...

---

[1] Двадцать лет! (*франц.*)
[2] Вы благородны, как маркиза! (*франц.*)

— Успокойтесь, — упрашивала Софья Матвеевна.

— Я вам давеча всё налгал, — для славы, для роскоши, из праздности, — всё, всё до последнего слова, о негодяй, негодяй!

Холерина перешла, таким образом, в другой припадок, истерического самоосуждения. Я уже упоминал об этих припадках, говоря о письмах его к Варваре Петровне. Он вспомнил вдруг о Lise, о вчерашней встрече утром: «Это было так ужасно и — тут, наверно, было несчастье, а я не спросил, не узнал! Я думал только о себе! О, что с нею, не знаете ли вы, что с нею?» — умолял он Софью Матвеевну.

Потом он клялся, что «не изменит», что он *к ней* воротится (то есть к Варваре Петровне). «Мы будем подходить к ее крыльцу (то есть всё с Софьей Матвеевной) каждый день, когда она садится в карету для утренней прогулки, и будем тихонько смотреть... О, я хочу, чтоб она ударила меня в другую щеку; с наслаждением хочу! Я подставлю ей мою другую щеку comme dans votre livre![1] Я теперь, теперь только понял, что значит подставить другую... "ланиту". Я никогда не понимал прежде!»

Для Софьи Матвеевны наступили два страшные дня ее жизни; она и теперь припоминает о них с содроганием. Степан Трофимович заболел так серьезно, что он не мог отправиться на пароходе, который на этот раз явился аккуратно в два часа пополудни; она же не в силах была оставить его одного и тоже не поехала в Спасов. По ее рассказу, он очень даже обрадовался, что пароход ушел.

— Ну и славно, ну и прекрасно, — пробормотал он с постели, — а то я всё боялся, что мы уедем. Здесь так хорошо, здесь лучше всего... Вы меня не оставите? О, вы меня не оставили!

«Здесь», однако, было вовсе не так хорошо. Он ничего не хотел знать из ее затруднений; голова его была полна одними фантазиями. Свою же болезнь он считал чем-то мимолетным, пустяками, и не думал о ней вовсе, а думал только о том, как они пойдут и станут продавать «эти книжки». Он просил ее почитать ему Евангелие.

— Я давно уже не читал... в оригинале. А то кто-нибудь спросит, и я ошибусь; надо тоже все-таки приготовиться.

Она уселась подле него и развернула книжку.

— Вы прекрасно читаете, — прервал он ее с первой же строки. — Я вижу, вижу, что я не ошибся! — прибавил он неясно, но восторженно. И вообще он был в беспрерывном восторженном состоянии. Она прочитала Нагорную проповедь.

— Assez, assez, mon enfant[2], довольно... Неужто вы думаете, что *этого* не довольно!

И он в бессилии закрыл глаза. Он был очень слаб, но еще не терял сознания. Софья Матвеевна поднялась было, полагая, что он хочет заснуть. Но он остановил:

— Друг мой, я всю жизнь мою лгал. Даже когда говорил правду. Я никогда не говорил для истины, а только для себя, я это и прежде знал, но теперь только вижу... О, где те друзья, которых я оскорблял моею дружбой всю мою жизнь? И все, и все! Savez-vous[3], я, может, лгу и теперь; наверно лгу и теперь. Главное в том, что я сам себе верю, когда лгу. Всего труднее в жизни жить и не лгать... и... и собственной лжи не верить, да, да, вот это именно! Но подождите, это всё потом... Мы вместе, вместе! — прибавил он с энтузиазмом.

---

[1] как в вашей книге (*франц.*).
[2] Довольно, довольно, дитя мое (*франц.*).
[3] Знаете ли (*франц.*).

— Степан Трофимович, — робко попросила Софья Матвеевна, — не послать ли в «губернию» за доктором?

Он ужасно был поражен.

— Зачем? Est-ce que je suis si malade? Mais rien de sérieux[1]. И зачем нам посторонние люди? Еще узнают и — что тогда будет? Нет, нет, никто из посторонних, мы вместе, вместе!

— Знаете, — сказал он помолчав, — прочтите мне еще что-нибудь, так, на выбор, что-нибудь, куда глаз попадет.

Софья Матвеевна развернула и стала читать.

— Где развернется, где развернется нечаянно, — повторил он.

— «И ангелу Лаодикийской церкви напиши...»

— Это что? что? Это откуда?

— Это из Апокалипсиса.

— O, je m'en souviens, oui, l'Apocalypse. Lisez, lisez[2], я загадал по книге о нашей будущности, я хочу знать, что вышло; читайте с ангела, с ангела...

— «И ангелу Лаодикийской церкви напиши: так говорит Аминь, свидетель верный и истинный, начало создания Божия. Знаю твои дела; ты ни холоден, ни горяч; о, если б ты был холоден или горяч! Но поелику ты тепл, а не горяч и не холоден, то изверну тебя из уст моих. Ибо ты говоришь: я богат, разбогател, и ни в чем не имею нужды, а не знаешь, что ты несчастен, и жалок, и нищ, и слеп, и наг».

— Это... и это в вашей книге! — воскликнул он, сверкая глазами и приподнимаясь с изголовья. — Я никогда не знал этого великого места! Слышите: скорее холодного, холодного, чем теплого, чем *только* теплого. О, я докажу. Только не оставляйте, не оставляйте меня одного! Мы докажем, мы докажем!

— Да не оставлю же я вас, Степан Трофимович, никогда не оставлю-с! — схватила она его руки и сжала в своих, поднося их к сердцу, со слезами на глазах смотря на него. («Жалко уж очень мне их стало в ту минуту», — передавала она.) Губы его задергались как бы судорожно.

— Однако, Степан Трофимович, как же нам все-таки быть-с? Не дать ли знать кому из ваших знакомых али, может, родных?

Но тут уж он до того испугался, что она и не рада была, что еще раз помянула. Трепеща и дрожа умолял он не звать никого, не предпринимать ничего; брал с нее слово, уговаривал: «Никого, никого! Мы одни, только одни, nous partirons ensemble»[3].

Очень худо было и то, что хозяева тоже стали беспокоиться, ворчали и приставали к Софье Матвеевне. Она им уплатила и постаралась показать деньги; это смягчило на время; но хозяин потребовал «вид» Степана Трофимовича. Больной с высокомерною улыбкой указал на свой маленький сак; в нем Софья Матвеевна отыскала его указ об отставке или что-то в этом роде, по которому он всю жизнь проживал. Хозяин не унялся и говорил, что «надо их куда ни на есть принять, потому у нас не больница, а помрет, так еще, пожалуй, что выйдет; натерпимся». Софья Матвеевна заговорила было и с ним о докторе, но выходило, что если послать в «губернию», то до того могло дорого обойтись, что, уж конечно, надо было оставить о докторе всякую мысль. Она с тоской воротилась к своему больному. Степан Трофимович слабел всё более и более.

---

[1] Неужели же я так болен? Да ведь ничего серьезного (*франц.*).

[2] О, я припоминаю это, да, Апокалипсис. Читайте, читайте (*франц.*).

[3] мы отправимся вместе (*франц.*).

— Теперь прочитайте мне еще одно место... о свиньях, — произнес он вдруг.

— Чего-с? — испугалась ужасно Софья Матвеевна.

— О свиньях... это тут же... ces cochons...[1] я помню, бесы вошли в свиней и все потонули. Прочтите мне это непременно; я вам после скажу, для чего. Я припомнить хочу буквально. Мне надо буквально.

Софья Матвеевна знала Евангелие хорошо и тотчас отыскала от Луки то самое место, которое я и выставил эпиграфом к моей хронике. Приведу его здесь опять:

«Тут же на горе паслось большое стадо свиней, и бесы просили Его, чтобы позволил им войти в них. Он позволил им. Бесы, вышедши из человека, вошли в свиней; и бросилось стадо с крутизны в озеро и потонуло. Пастухи, увидя происшедшее, побежали и рассказали в городе и в селениях. И вышли видеть происшедшее и, пришедши к Иисусу, нашли человека, из которого вышли бесы, сидящего у ног Иисусовых, одетого и в здравом уме, и ужаснулись. Видевшие же рассказали им, как исцелился бесновавшийся».

— Друг мой, — произнес Степан Трофимович в большом волнении, — savez-vous, это чудесное и... необыкновенное место было мне всю жизнь камнем преткновения... dans ce livre...[2] так что я это место еще с детства упомнил. Теперь же мне пришла одна мысль; une comparaison[3]. Мне ужасно много приходит теперь мыслей: видите, это точь-в-точь как наша Россия. Эти бесы, выходящие из больного и входящие в свиней, — это все язвы, все миазмы, вся нечистота, все бесы и все бесенята, накопившиеся в великом и милом нашем больном, в нашей России, за века, за века! Oui, cette Russie, que j'aimais toujours[4]. Но великая мысль и великая воля осенят ее свыше, как и того безумного бесноватого, и выйдут все эти бесы, вся нечистота, вся эта мерзость, загноившаяся на поверхности... и сами будут проситься войти в свиней. Да и вошли уже, может быть! Это мы, мы и те, и Петруша... et les autres avec lui[5], и я, может быть, первый, во главе, и мы бросимся, безумные и взбесившиеся, со скалы в море и все потонем, и туда нам дорога, потому что нас только на это ведь и хватит. Но больной исцелится и «сядет у ног Иисусовых»... и будут все глядеть с изумлением... Милая, vous comprendrez après[6], а теперь это очень волнует меня... Vous comprendrez après... Nous comprendrons ensemble[7].

С ним сделался бред, и он наконец потерял сознание. Так продолжалось и весь следующий день. Софья Матвеевна сидела подле него и плакала, не спала почти совсем уже третью ночь и избегала показываться на глаза хозяевам, которые, она предчувствовала, что-то уже начинали предпринимать. Избавление последовало лишь на третий день. Наутро Степан Трофимович очнулся, узнал ее и протянул ей руку. Она перекрестилась с надеждою. Ему хотелось посмотреть в окно: «Tiens, un lac[8], — проговорил он, — ах, боже мой, я еще и не видал его...» В эту минуту у подъезда избы прогремел чей-то экипаж и в доме поднялась чрезвычайная суматоха.

---

[1] эти свиньи (*франц.*).

[2] вы знаете... в этой книге (*франц.*).

[3] одно сравнение (*франц.*).

[4] Да, Россия, которую я любил всегда (*франц.*).

[5] и другие вместе с ним (*франц.*).

[6] вы поймете потом (*франц.*).

[7] Вы поймете потом... Мы поймем вместе (*франц.*).

[8] Вот как, тут озеро (*франц.*).

III

То была сама Варвара Петровна, прибывшая в четырехместной карете, четверней, с двумя лакеями и с Дарьей Павловной. Чудо совершилось просто: умиравший от любопытства Анисим, прибыв в город, зашел-таки на другой день в дом Варвары Петровны и разболтал прислуге, что встретил Степана Трофимовича одного в деревне, что видели его мужики на большой дороге одного, пешком, а что отправился он в Спасов, на Устьево, уже вдвоем с Софьей Матвеевной. Так как Варвара Петровна, с своей стороны, уже страшно тревожилась и разыскивала, как могла, своего беглого друга, то об Анисиме ей тотчас же доложили. Выслушав его и, главное, о подробностях отъезда в Устьево вместе с какою-то Софьей Матвеевной в одной бричке, она мигом собралась и по горячему следу прикатила сама в Устьево. О болезни его она еще не имела понятия.

Раздался суровый и повелительный ее голос; даже хозяева струсили. Она остановилась лишь осведомиться и расспросить, уверенная, что Степан Трофимович давно уже в Спасове; узнав же, что он тут и болен, в волнении вступила в избу.

— Ну, где тут он? А, это ты! — крикнула она, увидав Софью Матвеевну, как раз в ту самую минуту показавшуюся на пороге из второй комнаты. — Я по твоему бесстыжему лицу догадалась, что это ты. Прочь, негодяйка! Чтобы сейчас духа ее не было в доме! Выгнать ее, не то, мать моя, я тебя в острог навек упрячу. Стеречь ее пока в другом доме. Она уже в городе сидела раз в остроге, еще посидит. И прошу тебя, хозяин, не сметь никого впускать, пока я тут. Я генеральша Ставрогина и занимаю весь дом. А ты, голубушка, мне во всем дашь отчет.

Знакомые звуки потрясли Степана Трофимовича. Он затрепетал. Но она уже вступила за перегородку. Сверкая глазами, подтолкнула она ногой стул и, откинувшись на спинку, прокричала Даше:

— Выйди пока вон, побудь у хозяев. Что за любопытство? Да двери-то покрепче затвори за собой.

Несколько времени она молча и каким-то хищным взглядом всматривалась в испуганное его лицо.

— Ну, как поживаете, Степан Трофимович? Каково погуляли? — вырвалось вдруг у нее с яростною иронией.

— Chère, — залепетал, не помня себя, Степан Трофимович, — я узнал русскую действительную жизнь... Et je prêcherai l'Evangile...[1]

— О бесстыдный, неблагородный человек! — возопила она вдруг, всплеснув руками. — Мало вам было осрамить меня, вы связались... О старый, бесстыжий развратник!

— Chère...

У него пресекся голос, и он ничего не мог вымолвить, а только смотрел, вытаращив глаза от ужаса.

— Кто *она* такая?

— C'est un ange... C'était plus qu'un ange pour moi[2], она всю ночь... О, не кричите, не пугайте ее, chère, chère...

Варвара Петровна вдруг, гремя, вскочила со стула; раздался ее испуганный крик: «Воды, воды!» Он хоть и очнулся, но она всё еще дрожала от страху и,

---

[1] И я буду проповедовать Евангелие... (*франц.*)

[2] Это ангел... Она была для меня больше, чем ангел (*франц.*).

бледная, смотрела на исказившееся его лицо: тут только в первый раз догадалась она о размерах его болезни.

— Дарья, — зашептала она вдруг Дарье Павловне, — немедленно за доктором, за Зальцфишем; пусть едет сейчас Егорыч; пусть наймет здесь лошадей, а из города возьмет другую карету. Чтобы к ночи быть тут.

Даша бросилась исполнять приказание. Степан Трофимович смотрел всё тем же вытаращенным, испуганным взглядом; побелевшие губы его дрожали.

— Подожди, Степан Трофимович, подожди, голубчик! — уговаривала она его как ребенка, — ну подожди же, подожди, вот Дарья воротится и... Ах, боже мой, хозяйка, хозяйка, да приди хоть ты, матушка!

В нетерпении она побежала сама к хозяйке.

— Сейчас, сию минуту *эту* опять назад. Воротить ее, воротить!

К счастию, Софья Матвеевна не успела еще выбраться из дому и только выходила из ворот с своим мешком и узелком. Ее вернули. Она так была испугана, что даже ноги и руки ее тряслись. Варвара Петровна схватила ее за руку, как коршун цыпленка, и стремительно потащила к Степану Трофимовичу.

— Ну, вот она вам. Не съела же я ее. Вы думали, что я ее так и съела.

Степан Трофимович схватил Варвару Петровну за руку, поднес ее к своим глазам и залился слезами, навзрыд, болезненно, припадочно.

— Ну успокойся, успокойся, ну голубчик мой, ну батюшка! Ах, боже мой, да ус-по-кой-тесь же! — крикнула она неистово. — О мучитель, мучитель, вечный мучитель мой!

— Милая, — пролепетал наконец Степан Трофимович, обращаясь к Софье Матвеевне, — побудьте, милая, там, я что-то хочу здесь сказать...

Софья Матвеевна тотчас же поспешила выйти.

— Chérie, chérie...[1] — задыхался он.

— Подождите говорить, Степан Трофимович, подождите немного, пока отдохнете. Вот вода. Да по-дож-ди-те же!

Она села опять на стул. Степан Трофимович крепко держал ее за руку. Долго она не позволяла ему говорить. Он поднес руку ее к губам и стал целовать. Она стиснула зубы, смотря куда-то в угол.

— Je vous aimais![2] — вырвалось у него наконец. Никогда не слыхала она от него такого слова, так выговоренного.

— Гм, — промычала она в ответ.

— Je vous aimais toute ma vie... vingt ans![3]

Она всё молчала — минуты две, три.

— А как к Даше готовился, духами опрыскался... — проговорила она вдруг страшным шепотом. Степан Трофимович так и обомлел. — Новый галстук надел...

Опять молчание минуты на две.

— Сигарку помните?

— Друг мой, — прошамкал было он в ужасе.

— Сигарку, вечером, у окна... месяц светил... после беседки... в Скворешниках? Помнишь ли, помнишь ли, — вскочила она с места, схватив за оба угла его подушку и потрясая ее вместе с его головой. — Помнишь ли, пустой, пустой, бесславный, малодушный, вечно, вечно пустой человек! — шипела она своим

---

[1] Любимая, любимая... (*франц.*)
[2] Я вас любил! (*франц.*)
[3] Я вас любил всю свою жизнь... двадцать лет! (*франц.*)

яростным шепотом, удерживаясь от крику. Наконец бросила его и упала на стул, закрыв руками лицо. — Довольно! — отрезала она, выпрямившись. — Двадцать лет прошло, не воротишь; дура и я.

— Je vous aimais, — сложил он опять руки.

— Да что ты мне всё aimais да aimais! Довольно! — вскочила она опять. — И если вы теперь сейчас не заснете, то я... Вам нужен покой; спать, сейчас спать, закройте глаза. Ах, боже мой, он, может быть, завтракать хочет! Что вы едите? Что он ест? Ах, боже мой, где та? Где она?

Началась было суматоха. Но Степан Трофимович слабым голосом пролепетал, что он действительно бы заснул une heure[1], а там — un bouillon, un thé... enfin, il est si heureux[2]. Он лег и действительно как будто заснул (вероятно, притворился). Варвара Петровна подождала и на цыпочках вышла из-за перегородки.

Она уселась в хозяйской комнате, хозяев выгнала и приказала Даше привести к себе *ту*. Начался серьезный допрос.

— Расскажи теперь, матушка, все подробности; садись подле, так. Ну?

— Я Степана Трофимовича встретила...

— Стой, молчи. Предупреждаю тебя, что если ты что совершь или утаишь, то я из-под земли тебя выкопаю. Ну?

— Я со Степаном Трофимовичем... как только я пришла в Хатово-с... — почти задыхалась Софья Матвеевна...

— Стой, молчи, подожди; чего забарабанила? Во-первых, сама ты что за птица?

Та рассказала ей кое-как, впрочем в самых коротких словах, о себе, начиная с Севастополя. Варвара Петровна выслушала молча, выпрямившись на стуле, строго и упорно смотря прямо в глаза рассказчице.

— Чего ты такая запуганная? Чего ты в землю смотришь? Я люблю таких, которые смотрят прямо и со мною спорят. Продолжай.

Она досказала о встрече, о книжках, о том, как Степан Трофимович потчевал бабу водкой...

— Так, так, не забывай ни малейшей подробности, — ободрила Варвара Петровна. Наконец о том, как поехали и как Степан Трофимович всё говорил, «уже совсем больные-с», а здесь всю жизнь, с самого первоначалу, несколько даже часов рассказывали.

— Расскажи про жизнь.

Софья Матвеевна вдруг запнулась и совсем стала в тупик.

— Ничего я тут не умею сказать-с, — промолвила она чуть не плача, — да и не поняла я почти ничего-с.

— Врешь, — не могла совсем ничего не понять.

— Про одну черноволосую знатную даму долго рассказывали-с, — покраснела ужасно Софья Матвеевна, заметив, впрочем, белокурые волосы Варвары Петровны и совершенное несходство ее с «брюнеткой».

— Черноволосую? Что же именно? Ну говори!

— О том, как эта знатная дама уж очень были в них влюблены-с, во всю жизнь, двадцать целых лет; но всё не смели открыться и стыдились пред ними, потому что уж очень были полны-с...

— Дурак! — задумчиво, но решительно отрезала Варвара Петровна.

Софья Матвеевна совсем уже плакала.

---

[1] часок (*франц.*).

[2] бульону, чаю... наконец, он так счастлив (*франц.*).

— Ничего я тут не умею хорошо рассказать, потому сама в большом страхе за них была и понять не могла, так как они такие умные люди...

— Об уме его не такой вороне, как ты, судить. Руку предлагал?

Рассказчица затрепетала.

— Влюбился в тебя? Говори! Предлагал тебе руку? — прикрикнула Варвара Петровна.

— Почти что так оно было-с, — всплакнула она. — Только я всё это за ничто приняла, по их болезни, — прибавила она твердо, подымая глаза.

— Как тебя зовут: имя-отчество?

— Софья Матвеевна-с.

— Ну так знай ты, Софья Матвеевна, что это самый дрянной, самый пустой человечишко... Господи, господи! За негодяйку меня почитаешь?

Та выпучила глаза.

— За негодяйку, за тиранку? Его жизнь сгубившую?

— Как же это можно-с, когда вы сами плачете-с?

У Варвары Петровны действительно стояли слезы в глазах.

— Ну садись, садись, не пугайся. Посмотри мне еще раз в глаза, прямо; чего закраснелась? Даша, поди сюда, смотри на нее: как ты думаешь, у ней сердце чистое?..

И к удивлению, а может, еще к большему страху Софьи Матвеевны, она вдруг потрепала ее по щеке.

— Жаль только, что дура. Не по летам дура. Хорошо, милая, я тобою займусь. Вижу, что всё это вздор. Живи пока подле, квартиру тебе наймут, а от меня тебе стол и всё... пока спрошу.

Софья Матвеевна заикнулась было в испуге, что ей надо спешить.

— Некуда тебе спешить. Книги твои все покупаю, а ты сиди здесь. Молчи, без отговорок. Ведь если б я не приехала, ты бы всё равно его не оставила?

— Ни за что бы их я не оставила-с, — тихо и твердо промолвила Софья Матвеевна, утирая глаза.

Доктора Зальцфиша привезли уже поздно ночью. Это был весьма почтенный старичок и довольно опытный практик, недавно потерявший у нас, вследствие какой-то амбициозной ссоры с своим начальством, свое служебное место. Варвара Петровна в тот же миг изо всех сил начала ему «протежировать». Он осмотрел больного внимательно, расспросил и осторожно объявил Варваре Петровне, что состояние «страждущего» весьма сомнительно, вследствие происшедшего осложнения болезни, и что надо ожидать «всего даже худшего». Варвара Петровна, в двадцать лет отвыкшая даже от мысли о чем-нибудь серьезном и решительном во всем, что исходило лично от Степана Трофимовича, была глубоко потрясена, даже побледнела:

— Неужто никакой надежды?

— Возможно ли, чтобы не было отнюдь и совершенно никакой надежды, но...

Она не ложилась спать всю ночь и едва дождалась утра. Лишь только больной открыл глаза и пришел в память (он всё пока был в памяти, хотя с каждым часом ослабевал), приступила к нему с самым решительным видом:

— Степан Трофимович, надо всё предвидеть. Я послала за священником. Вы обязаны исполнить долг...

Зная его убеждения, она чрезвычайно боялась отказа. Он посмотрел с удивлением.

— Вздор, вздор! — возопила она, думая, что он уже отказывается. — Теперь не до шалостей. Довольно дурачились.

— Но... разве я так уже болен?

Он задумчиво согласился. И вообще я с большим удивлением узнал потом от Варвары Петровны, что нисколько не испугался смерти. Может быть, просто не поверил и продолжал считать свою болезнь пустяками.

Он исповедовался и причастился весьма охотно. Все, и Софья Матвеевна, и даже слуги, пришли поздравить его с приобщением Святых Тайн. Все до единого сдержанно плакали, смотря на его осунувшееся и изнеможенное лицо и побелевшие, вздрагивавшие губы.

— Oui, mes amis[1], и я удивляюсь только, что вы так... хлопочете. Завтра я, вероятно, встану, и мы... отправимся... Toute cette cérémonie...[2] которой я, разумеется, отдаю всё должное... была...

— Прошу вас, батюшка, непременно остаться с больным, — быстро остановила Варвара Петровна разоблачившегося уже священника. — Как только обнесут чай, прошу вас немедленно заговорить про божественное, чтобы поддержать в нем веру.

Священник заговорил; все сидели или стояли около постели больного.

— В наше греховное время, — плавно начал священник, с чашкой чая в руках, — вера во Всевышнего есть единственное прибежище рода человеческого во всех скорбях и испытаниях жизни, равно как в уповании вечного блаженства, обетованного праведникам...

Степан Трофимович как будто весь оживился; тонкая усмешка скользнула на губах его.

— Mon père, je vous remercie, et vous êtes bien bon, mais...[3]

— Совсем не mais, вовсе не mais! — воскликнула Варвара Петровна, срываясь со стула. — Батюшка, — обратилась она к священнику, — это, это такой человек, это такой человек... его через час опять переисповедать надо будет! Вот какой это человек!

Степан Трофимович сдержанно улыбнулся.

— Друзья мои, — проговорил он, — Бог уже потому мне необходим, что это единственное существо, которое можно вечно любить...

В самом ли деле он уверовал, или величественная церемония совершенного таинства потрясла его и возбудила художественную восприимчивость его натуры, но он твердо и, говорят, с большим чувством произнес несколько слов прямо вразрез многому из его прежних убеждений.

— Мое бессмертие уже потому необходимо, что Бог не захочет сделать неправды и погасить совсем огонь раз возгоревшейся к нему любви в моем сердце. И что дороже любви? Любовь выше бытия, любовь венец бытия, и как же возможно, чтобы бытие было ей неподклонно? Если я полюбил его и обрадовался любви моей — возможно ли, чтоб он погасил и меня и радость мою и обратил нас в нуль? Если есть Бог, то и я бессмертен! Voilà ma profession de foi[4].

— Бог есть, Степан Трофимович, уверяю вас, что есть, — умоляла Варвара Петровна, — отрекитесь, бросьте все ваши глупости хоть раз в жизни! (Она, кажется, не совсем поняла его profession de foi.)

---

[1] Да, друзья мои (*франц.*).

[2] Вся эта церемония (*франц.*).

[3] Батюшка, я вас благодарю, вы очень добры, но... (*франц.*)

[4] Вот мой символ веры (*франц.*).

— Друг мой, — одушевлялся он более и более, хотя голос его часто прерывался, — друг мой, когда я понял... эту подставленную ланиту, я... я тут же и еще кой-что понял... J'ai menti toute ma vie[1], всю, всю жизнь! я бы хотел... впрочем, завтра... Завтра мы все отправимся.

Варвара Петровна заплакала. Он искал кого-то глазами.

— Вот она, она здесь! — схватила она и подвела к нему за руку Софью Матвеевну. Он умиленно улыбнулся.

— О, я бы очень желал опять жить! — воскликнул он с чрезвычайным приливом энергии. — Каждая минута, каждое мгновение жизни должны быть блаженством человеку... должны, непременно должны! Это обязанность самого человека так устроить; это его закон — скрытый, но существующий непременно... О, я бы желал видеть Петрушу... и их всех... и Шатова!

Замечу, что о Шатове еще ничего не знали ни Дарья Павловна, ни Варвара Петровна, ни даже Зальцфиш, последним прибывший из города.

Степан Трофимович волновался более и более, болезненно, не по силам.

— Одна уже всегдашняя мысль о том, что существует нечто безмерно справедливейшее и счастливейшее, чем я, уже наполняет и меня всего безмерным умилением и — славой, — о, кто бы я ни был, что бы ни сделал! Человеку гораздо необходимее собственного счастья знать и каждое мгновение веровать в то, что есть где-то уже совершенное и спокойное счастье, для всех и для всего... Весь закон бытия человеческого лишь в том, чтобы человек всегда мог преклониться пред безмерно великим. Если лишить людей безмерно великого, то не станут они жить и умрут в отчаянии. Безмерное и бесконечное так же необходимо человеку, как и та малая планета, на которой он обитает... Друзья мои, все, все: да здравствует Великая Мысль! Вечная, безмерная Мысль! Всякому человеку, кто бы он ни был, необходимо преклониться пред тем, что есть Великая Мысль. Даже самому глупому человеку необходимо хотя бы нечто великое. Петруша... О, как я хочу увидеть их всех опять! Они не знают, не знают, что и в них заключена всё та же вечная Великая Мысль!

Доктор Зальцфиш не был при церемонии. Войдя внезапно, он пришел в ужас и разогнал собрание, настаивая, чтобы больного не волновали.

Степан Трофимович скончался три дня спустя, но уже в совершенном беспамятстве. Он как-то тихо угас, точно догоревшая свеча. Варвара Петровна, совершив на месте отпевание, перевезла тело своего бедного друга в Скворешники. Могила его в церковной ограде и уже покрыта мраморною плитой. Надпись и решетка оставлены до весны.

Всё отсутствие Варвары Петровны из города продолжалось дней восемь. Вместе с нею, рядом в ее карете, прибыла и Софья Матвеевна, кажется навеки у нее поселившаяся. Замечу, что едва лишь Степан Трофимович потерял сознание (в то же утро), как Варвара Петровна немедленно опять устранила Софью Матвеевну, совсем вон из избы, и ухаживала за больным сама, одна до конца; а только лишь он испустил дух, немедленно позвала ее. Никаких возражений ее, ужасно испуганной предложением (вернее, приказанием) поселиться навеки в Скворешниках, она не хотела слушать.

— Всё вздор! я сама буду с тобой ходить продавать Евангелие. Нет у меня теперь никого на свете!

— У вас, однако, есть сын, — заметил было Зальцфиш.

— Нет у меня сына! — отрезала Варвара Петровна и — словно напророчила.

---

[1] Я лгал всю свою жизнь (*франц.*).

Глава восьмая
ЗАКЛЮЧЕНИЕ

Все совершившиеся бесчинства и преступления обнаружились с чрезвычайною быстротой, гораздо быстрее, чем предполагал Петр Степанович. Началось с того, что несчастная Марья Игнатьевна в ночь убийства мужа проснулась пред рассветом, хватилась его и пришла в неописанное волнение, не видя его подле себя. С ней ночевала нанятая тогда Ариной Прохоровной прислужница. Та никак не могла ее успокоить и, чуть лишь стало светать, побежала за самой Ариной Прохоровной, уверив больную, что та знает, где ее муж и когда он воротится. Между тем и Арина Прохоровна находилась тоже в некоторой заботе: она уже узнала от своего мужа о ночном подвиге в Скворешниках. Он воротился домой часу уже в одиннадцатом ночи, в ужасном состоянии и виде; ломая руки, бросился ничком на кровать и всё повторял, сотрясаясь от конвульсивных рыданий: «Это не то, не то; это совсем не то!» Разумеется, кончил тем, что признался приступившей к нему Арине Прохоровне во всем — впрочем, только ей одной во всем доме. Та оставила его в постели, строго внушив, что «если хочет хныкать, то ревел бы в подушку, чтоб не слыхали, и что дурак он будет, если завтра покажет какой-нибудь вид». Она таки призадумалась и тотчас же начала прибираться на всякий случай: лишние бумаги, книги, даже, может быть, прокламации, успела припрятать или истребить дотла. За всем тем рассудила, что собственно ей, ее сестре, тетке, студентке, а может быть, и вислоухому братцу бояться очень-то нечего. Когда к утру прибежала за ней сиделка, она пошла к Марье Игнатьевне не задумавшись. Ей, впрочем, ужасно хотелось поскорее проведать, верно ли то, что вчера испуганным и безумным шепотом, похожим на бред, сообщил ей супруг о расчетах Петра Степановича, в видах общей пользы, на Кириллова.

Но пришла она к Марье Игнатьевне уже поздно: отправив служанку и оставшись одна, та не вытерпела, встала с постели и, накинув на себя что попало под руку из одежи, кажется очень что-то легкое и к сезону не подходящее, отправилась сама во флигель к Кириллову, соображая, что, может быть, он ей вернее всех сообщит о муже. Можно представить, как подействовало на родильницу то, что она там увидела. Замечательно, что она не прочла предсмертной записки Кириллова, лежавшей на столе, на виду, конечно в испуге проглядев ее вовсе. Она вбежала в свою светелку, схватила младенца и пошла с ним из дома по улице. Утро было сырое, стоял туман. Прохожих в такой глухой улице не встретилось. Она всё бежала, задыхаясь, по холодной и топкой грязи и наконец начала стучаться в дома; в одном доме не отперли, в другом долго не отпирали; она бросила в нетерпении и начала стучаться в третий дом. Это был дом нашего купца Титова. Здесь она наделала большой суматохи, вопила и бессвязно уверяла, что «ее мужа убили». Шатова и отчасти его историю у Титовых несколько знали; поражены были ужасом, что она, по ее словам всего только сутки родивши, бегает в такой одеже и в такой холод по улицам, с едва прикрытым младенцем в руках. Подумали было сначала, что только в бреду, тем более что никак не могли выяснить, кто убит: Кириллов или ее муж? Она, смекнув, что ей не верят, бросилась было бежать дальше, но ее остановили силой, и, говорят, она страшно кричала и билась. Отправились в дом Филиппова, и через два часа самоубийство Кириллова и его предсмертная записка стали известны всему городу. Полиция приступила к родильнице, бывшей еще в памяти; тут-то и оказалось, что она записки Кириллова не читала, а почему именно заключила, что и муж ее убит, — от нее не могли добиться. Она только кричала, что «коли тот убит, так и муж убит; они вместе были!». К полудню она впала в беспамятство, из которого уж и не выходила, и скончалась дня через три. Простуженный ребенок помер еще раньше ее. Арина Прохоровна, не найдя на месте Марьи Игнатьевны и младенца и смекнув, что худо, хотела было бежать домой, но остановилась у ворот и послала сиделку «спросить во флигеле, у господина, не у них ли Марья Игнатьевна и не знает ли он чего о ней?». Посланница воротилась, неистово крича на всю улицу. Убедив ее не кричать и никому не объявлять знаменитым аргументом: «засудят», она улизнула со двора.

Само собою, что ее в то же утро обеспокоили, как бывшую повитуху родильницы; но немногого добились: она очень дельно и хладнокровно рассказала всё, что сама видела и слышала у Шатова, но о случившейся истории отозвалась, что ничего в ней не знает и не понимает.

Можно себе представить, какая по городу поднялась суматоха. Новая «история», опять убийство! Но тут уже было другое: становилось ясно, что есть, действительно есть тайное общество убийц, поджигателей-революционеров, бунтовщиков. Ужасная смерть Лизы, убийство жены Ставрогина, сам Ставрогин, поджог, бал для гувернанток, распущенность вокруг Юлии Михайловны... Даже в исчезновении Степана Трофимовича хотели непременно видеть загадку. Очень, очень шептались про Николая Всеволодовича. К концу дня узнали и об отсутствии Петра Степановича и, странно, о нем менее всего говорили. Но более всего в тот день говорили «о сенаторе». У дома Филиппова почти всё утро стояла толпа. Действительно, начальство было введено в заблуждение запиской Кириллова. Поверили и в убийство Кирилловым Шатова и в самоубийство «убийцы». Впрочем, начальство хоть и потерялось, но не совсем. Слово «парк», например, столь неопределенно помещенное в записке Кириллова, не сбило никого с толку, как рассчитывал Петр Степанович. Полиция тотчас же кинулась в Скворешники, и не по тому одному, что там был парк, которого нигде у нас в другом месте не было, а и по некоторому даже инстинкту, так как все ужасы последних дней или прямо, или отчасти связаны были со Скворешниками. Так по крайней мере я догадываюсь. (Замечу, что Варвара Петровна, рано утром и не зная ни о чем, выехала для поимки Степана Трофимовича.) Тело отыскали в пруде в тот же день к вечеру, по некоторым следам; на самом месте убийства найден был картуз Шатова, с чрезвычайным легкомыслием позабытый убийцами. Наглядное и медицинское исследование трупа и некоторые догадки с первого шагу возбудили подозрение, что Кириллов не мог не иметь товарищей. Выяснилось существование шатово-кирилловского тайного общества, связанного с прокламациями. Кто же были эти товарищи? О *наших* ни об одном в тот день и мысли еще не было. Узнали, что Кириллов жил затворником и до того уединенно, что с ним вместе, как объявлялось в записке, мог квартировать столько дней Федька, которого везде так искали... Главное, томило всех то, что из всей представлявшейся путаницы ничего нельзя было извлечь общего и связующего. Трудно представить, до каких заключений и до какого безначалия мысли дошло бы наконец наше перепуганное до паники общество, если бы вдруг не объяснилось всё разом, на другой же день, благодаря Лямшину.

Он не вынес. С ним случилось то, что даже и Петр Степанович под конец стал предчувствовать. Порученный Толкаченке, а потом Эркелю, он весь следующий день пролежал в постели, по-видимому смирно, отвернувшись к стене и не говоря ни слова, почти не отвечая, если с ним заговаривали. Он ничего, таким образом, не узнал во весь день из происходившего в городе. Но Толкаченке, отлично узнавшему происшедшее, вздумалось к вечеру бросить возложенную на него Петром Степановичем роль при Лямшине и отлучиться из города в уезд, то есть попросту убежать: подлинно, что потеряли рассудок, как напророчил о них о всех Эркель. Замечу кстати, что и Липутин в тот же день исчез из города, еще прежде полудня. Но с этим как-то так произошло, что об исчезновении его узналось начальством лишь только на другой день к вечеру, когда прямо приступили с расспросами к перепуганному его отсутствием, но молчавшему от страха его семейству. Но продолжаю о Лямшине. Лишь только он остался один (Эркель, надеясь на Толкаченку, еще прежде ушел к себе), как тотчас же выбежал из дому и, разумеется, очень скоро узнал о положении дел. Не заходя даже домой, он бросился тоже бежать куда глаза глядят. Но ночь была так темна, а предприятие до того страшное и многотрудное, что, пройдя две-три улицы, он воротился домой и заперся на всю ночь. Кажется, к утру он сделал попытку к самоубийству; но у него не вышло. Просидел он, однако, взаперти почти до полудня и — вдруг побежал к начальству. Говорят, он ползал на коленях, рыдал и визжал, целовал пол, крича, что недостоин целовать даже сапогов стоявших пред ним сановников. Его успокоили и даже обласкали. Допрос тянулся, говорят, часа три. Он объявил всё, всё, рассказал всю подноготную, всё, что знал, все подробности; забегал вперед, спешил признаниями, передавал даже ненужное и без спросу. Оказалось, что он знал довольно и довольно хорошо поставил на вид дело: трагедия с Шатовым и Кирилловым, пожар, смерть Лебядкиных и пр. поступили на план второстепенный. На первый план выступали Петр Степанович, тайное общество, организация, сеть. На вопрос: для чего было сделано столько убийств, скандалов и мерзостей? — он с горячею торопливостью ответил, что «для систематического потрясения основ, для систематического разложения общества и всех начал; для того, чтобы всех обескуражить и изо всего сделать кашу и расшатавшееся таким образом общество, болезненное и раскисшее, циническое и неверующее, но с бесконечною жаждой какой-нибудь руководящей мысли и самосохранения, — вдруг взять в свои руки, подняв знамя бунта и опираясь на целую сеть пятерок, тем временем действовавших, вербовавших и изыскивавших практически все приемы и все слабые места, за которые можно ухватиться». Заключил он, что здесь, в нашем городе, устроена была Петром Степановичем лишь первая проба такого систематического беспорядка, так сказать программа дальнейших действий, и даже для всех пятерок, — и что это уже собственно его (Лямшина) мысль, его догадка и «чтобы непременно попомнили и чтобы всё это поставили на вид, до какой степени он откровенно и благонравно разъясняет дело и, стало быть, очень может пригодиться даже и впредь для услуг начальства». На положительный вопрос: много ли пятерок? — отвечал, что бесконечное множество, что вся Россия покрыта сетью, и хотя не представил доказательств, но, думаю, отвечал совершенно искренно. Представил только печатную программу общества, заграничной печати, и проект развития системы дальнейших действий, написанный хотя и начерно, но собственною рукой Петра Степановича. Оказалось, что о «потрясении основ» Лямшин буквально цитовал по этой бумажке, не забыв даже точек и запятых, хотя и уверял, что это его только собственное соображение. Про Юлию Михайловну он удивительно смешно и даже без спросу, а забегая вперед, выразился, что «она невинна и что ее только одурачили». Но замечательно, что Николая Ставрогина он совершенно выгородил из всякого участия в тайном обществе, из всякого соглашения с Петром Степановичем. (О заветных и весьма смешных надеждах Петра Степановича на Ставрогина Лямшин не имел никакого понятия.) Смерть Лебядкиных, по словам его, была устроена лишь одним Петром Степановичем, без всякого участия Николая Всеволодовича, с хитрою целью втянуть того в преступление и, стало быть, в зависимость от Петра Степановича; но вместо благодарности, на которую несомненно и легкомысленно рассчитывал, Петр Степанович возбудил лишь полное негодование и даже отчаяние в «благородном» Николае Всеволодовиче. Закончил он о Ставрогине, тоже спеша и без спросу, видимо нарочным намеком, что тот чуть ли не чрезвычайно важная птица, но что в этом какой-то секрет; что проживал он у нас, так сказать, incognito, что он с поручениями и что очень возможно, что и опять пожалует к нам из Петербурга (Лямшин уверен был, что Ставрогин в Петербурге), но только уже совершенно в другом виде и в другой обстановке и в свите таких лиц, о которых, может быть, скоро и у нас услышат, и что всё это он слышал от Петра Степановича, «тайного врага Николая Всеволодовича».

Сделаю нотабене. Два месяца спустя Лямшин сознался, что выгораживал тогда Ставрогина нарочно, надеясь на протекцию Ставрогина и на то, что тот в Петербурге выхлопочет ему облегчение двумя степенями, а в ссылку снабдит деньгами и рекомендательными письмами. Из этого признания видно, что он имел действительно чрезмерно преувеличенное понятие о Николае Ставрогине.

В тот же день, разумеется, арестовали и Виргинского, а сгоряча и весь дом. (Арина Прохоровна, ее сестра, тетка и даже студентка теперь давно уже на воле; говорят даже, что и Шигалев будто бы непременно будет выпущен в самом скором времени, так как ни под одну категорию обвиняемых не подходит; впрочем, это всё еще только разговор.) Виргинский сразу и во всем повинился: он лежал больной и был в жару, когда его арестовали. Говорят, он почти обрадовался: «С сердца свалилось», — проговорил он будто бы. Слышно про него, что он дает теперь показания откровенно, но с некоторым даже достоинством и не отступает ни от одной из «светлых надежд» своих, проклиная в то же время политический путь (в противоположность социальному), на который был увлечен так нечаянно и легкомысленно «вихрем сошедшихся обстоятельств». Поведение его при совершении убийства разъясняется в смягчающем для него смысле, кажется и он тоже может рассчитывать на некоторое смягчение своей участи. Так по крайней мере у нас утверждают.

Но вряд ли возможно будет облегчить судьбу Эркеля. Этот с самого ареста своего всё молчит или по возможности извращает правду. Ни одного слова раскаяния до сих пор от него не добились. А между тем он даже в самых строгих судьях возбудил к себе некоторую симпатию — своею молодостью, своею беззащитностью, явным свидетельством, что он только фанатическая жертва политического обольстителя; а более всего обнаружившимся поведением его с матерью, которой он отсылал чуть не половину своего незначительного жалованья. Мать его теперь у нас; это слабая и больная женщина, старушка не по летам; она плачет и буквально валяется в ногах, выпрашивая за сына. Что-то будет, но Эркеля у нас многие жалеют.

Липутина арестовали уже в Петербурге, где он прожил целых две недели. С ним случилось почти невероятное дело, которое даже трудно и объяснить. Говорят, он имел и паспорт на чужое имя, и полную возможность успеть улизнуть за границу, и весьма значительные деньги с собой, а между тем остался в Петербурге и никуда не поехал. Некоторое время он разыскивал Ставрогина и Петра Степановича и вдруг запил и стал развратничать безо всякой меры, как человек, совершенно потерявший всякий здравый смысл и понятие о своем положении. Его и арестовали в Петербурге где-то в доме терпимости и нетрезвого. Носится слух, что теперь он вовсе не теряет духа, в показаниях своих лжет и готовится к предстоящему суду с некоторою торжественностью и надеждою (?). Он намерен даже поговорить на суде. Толкаченко, арестованный где-то в уезде, дней десять спустя после своего бегства, ведет себя несравненно учтивее, не лжет, не виляет, говорит всё, что знает, себя не оправдывает, винится со всею скромностию, но тоже наклонен покраснобайничать; много и с охотою говорит, а когда дело дойдет до знания народа и революционных (?) его элементов, то даже позирует и жаждет эффекта. Он тоже, слышно, намерен поговорить на суде. Вообще он и Липутин не очень испуганы, и это даже странно.

Повторяю, дело это еще не кончено. Теперь, три месяца спустя, общество наше отдохнуло, оправилось, отгулялось, имеет собственное мнение и до того, что даже самого Петра Степановича иные считают чуть не за гения, по крайней мере «с гениальными способностями». «Организация-с!» — говорят в клубе, подымая палец кверху. Впрочем, всё это очень невинно, да и немногие говорят-то. Другие, напротив, не отрицают в нем остроты способностей, но при совершенном незнании действительности, при страшной отвлеченности, при уродливом и тупом развитии в одну сторону, с чрезвычайным происходящим от того легкомыслием. Относительно нравственных его сторон все соглашаются; тут уж никто не спорит.

Право, не знаю, о ком бы еще упомянуть, чтобы не забыть кого. Маврикий Николаевич куда-то совсем уехал. Старуха Дроздова впала в детство... Впрочем, остается рассказать еще одну очень мрачную историю. Ограничусь лишь фактами.

Варвара Петровна по приезде остановилась в городском своем доме. Разом хлынули на нее все накопившиеся известия и потрясли ее ужасно. Она затворилась у себя одна. Был вечер; все устали и рано легли спать.

Поутру горничная передала Дарье Павловне, с таинственным видом, письмо. Это письмо, по ее словам, пришло еще вчера, но поздно, когда все уже почивали, так что она не посмела разбудить. Пришло не по почте, а в Скворешники через неизвестного человека к Алексею Егорычу. А Алексей Егорыч тотчас сам и доставил, вчера вечером, ей в руки, и тотчас же опять уехал в Скворешники.

Дарья Павловна с биением сердца долго смотрела на письмо и не смела распечатать. Она знала от кого: писал Николай Ставрогин. Она прочла надпись на конверте: «Алексею Егорычу с передачею Дарье Павловне, секретно».

Вот это письмо, слово в слово, без исправления малейшей ошибки в слоге русского барича, не совсем доучившегося русской грамоте, несмотря на всю европейскую свою образованность:

«Милая Дарья Павловна,

Вы когда-то захотели ко мне «в сиделки» и взяли обещание прислать за вами, когда будет надо. Я еду через два дня и не ворочусь. Хотите со мной?

Прошлого года я, как Герцен, записался в граждане кантона Ури, и этого никто не знает. Там я уже купил маленький дом. У меня еще есть двенадцать тысяч рублей; мы поедем и будем там жить вечно. Я не хочу никогда никуда выезжать.

Место очень скучно, ущелье; горы теснят зрение и мысль. Очень мрачное. Я потому, что продавался маленький дом. Если вам не понравится, я продам и куплю другой в другом месте.

Я нездоров, но от галюсинаций надеюсь избавиться с тамошним воздухом. Это физически; а нравственно вы всё знаете; только всё ли?

Я вам рассказал многое из моей жизни. Но не всё. Даже вам не всё! Кстати, подтверждаю, что совестью я виноват в смерти жены. Я с вами не виделся после того, а потому подтверждаю. Виноват и пред Лизаветой Николаевной; но тут вы знаете; тут вы всё почти предсказали.

Лучше не приезжайте. То, что я зову вас к себе, есть ужасная низость. Да и зачем вам хоронить со мной вашу жизнь? Мне вы милы, и мне, в тоске, было хорошо подле вас: при вас при одной я мог вслух говорить о себе. Из этого ничего не следует. Вы определили сами «в сиделки» — это ваше выражение; к чему столько жертвовать? Вникните тоже, что я вас не жалею, коли зову, и не уважаю, коли жду. А между тем и зову и жду. Во всяком случае, в вашем ответе нуждаюсь, потому что надо ехать очень скоро. В таком случае уеду один.

Я ничего от Ури не надеюсь; я просто еду. Я не выбирал нарочно угрюмого места. В России я ничем не связан — в ней мне всё так же чужое, как и везде. Правда, я в ней более, чем в другом месте, не любил жить; но даже и в ней ничего не мог возненавидеть!

Я пробовал везде мою силу. Вы мне советовали это, «чтоб узнать себя». На пробах для себя и для показу, как и прежде во всю мою жизнь, она оказывалась беспредельною. На ваших глазах я снес пощечину от вашего брата; я признался в браке публично. Но к чему приложить эту силу — вот чего никогда не видел, не вижу и теперь, несмотря на ваши ободрения в Швейцарии, которым поверил. Я всё так же, как и всегда прежде, могу пожелать сделать доброе дело и ощущаю от того удовольствие; рядом желаю и злого и тоже чувствую удовольствие. Но и то и другое чувство по-прежнему всегда слишком мелко, а очень никогда не бывает. Мои желания слишком несильны; руководить не могут. На бревне можно переплыть реку, а на щепке нет. Это чтобы не подумали вы, что я еду в Ури с какими-нибудь надеждами.

Я по-прежнему никого не виню. Я пробовал большой разврат и истощил в нем силы; но я не люблю и не хотел разврата. Вы за мной в последнее время следили. Знаете ли, что я смотрел даже на отрицающих наших со злобой, от зависти к их надеждам? Но вы напрасно боялись: я не мог быть тут товарищем, ибо не разделял ничего. А для смеху, со злобы, тоже не мог, и не потому, чтобы боялся смешного, — я смешного не могу испугаться, — а потому, что все-таки имею привычки порядочного человека и мне мерзило. Но если б имел к ним злобы и зависти больше, то, может, и пошел бы с ними. Судите, до какой степени мне было легко и сколько я метался!

Друг милый, создание нежное и великодушное, которое я угадал! Может быть, вы мечтаете дать мне столько любви и излить на меня столько прекрасного из прекрасной души вашей, что надеетесь тем самым поставить предо мной наконец и цель? Нет, лучше вам быть осторожнее: любовь моя будет так же мелка, как и я сам, а вы несчастны. Ваш брат говорил мне, что тот, кто теряет связи с своею землей, тот теряет и богов своих, то есть все свои цели. Обо всем можно спорить бесконечно, но из меня вылилось одно отрицание, без всякого великодушия и безо всякой силы. Даже отрицания не вылилось. Всё всегда мелко и вяло. Великодушный Кириллов не вынес идеи и — застрелился; но ведь я вижу, что он был великодушен потому, что не в здравом рассудке. Я никогда не могу потерять рассудок и никогда не могу поверить идее в той степени, как он. Я даже заняться идеей в той степени не могу. Никогда, никогда я не могу застрелиться!

Я знаю, что мне надо бы убить себя, смести себя с земли как подлое насекомое; но я боюсь самоубийства, ибо боюсь показать великодушие. Я знаю, что это будет еще обман, — последний обман в бесконечном ряду обманов. Что же пользы себя обмануть, чтобы только сыграть в великодушие? Негодования и стыда во мне никогда быть не может; стало быть, и отчаяния.

Простите, что так много пишу. Я опомнился, и это нечаянно. Этак ста страниц мало и десяти строк довольно. Довольно и десяти строк призыва «в сиделки».

Я, с тех пор как выехал, живу на шестой станции у смотрителя. С ним я сошелся во время кутежа пять лет назад в Петербурге. Что там я живу, никто не знает. Напишите на его имя. Прилагаю адрес.

Николай Ставрогин».

Дарья Павловна тотчас же пошла и показала письмо Варваре Петровне. Та прочитала и попросила Дашу выйти, чтоб еще одной прочитать; но что-то очень скоро опять позвала ее.

— Поедешь? — спросила она почти робко.

— Поеду, — ответила Даша.

— Собирайся! Едем вместе!

Даша посмотрела вопросительно.

— А что мне теперь здесь делать? Не всё ли равно? Я тоже в Ури запишусь и проживу в ущелье... Не беспокойся, не помешаю.

Начали быстро собираться, чтобы поспеть к полуденному поезду. Но не прошло получаса, как явился из Скворешников Алексей Егорыч. Он доложил, что Николай Всеволодович «вдруг» приехали поутру, с ранним поездом, и находятся в Скворешниках, но «в таком виде, что на вопросы не отвечают, прошли по всем комнатам и заперлись на своей половине...».

— Я помимо их приказания заключил приехать и доложить, — прибавил Алексей Егорыч с очень внушительным видом.

Варвара Петровна пронзительно поглядела на него и не стала расспрашивать. Мигом подали карету. Поехала с Дашей. Пока ехали, часто, говорят, крестилась.

На «своей половине» все двери были отперты, и нигде Николая Всеволодовича не оказалось.

— Уж не в мезонине ли-с? — осторожно произнес Фомушка.

Замечательно, что следом за Варварой Петровной на «свою половину» вошло несколько слуг; а остальные слуги все ждали в зале. Никогда бы они не посмели прежде позволить себе такого нарушения этикета. Варвара Петровна видела и молчала.

Взобрались и в мезонин. Там было три комнаты; но ни в одной никого не нашли.

— Да уж не туда ли пошли-с? — указал кто-то на дверь в светелку. В самом деле, всегда затворенная дверца в светелку была теперь отперта и стояла настежь. Подыматься приходилось чуть не под крышу по деревянной, длинной, очень узенькой и ужасно крутой лестнице. Там была тоже какая-то комнатка.

— Я не пойду туда. С какой стати он полезет туда? — ужасно побледнела Варвара Петровна, озираясь на слуг. Те смотрели на нее и молчали. Даша дрожала.

Варвара Петровна бросилась по лесенке; Даша за нею; но едва вошла в светелку, закричала и упала без чувств.

Гражданин кантона Ури висел тут же за дверцей. На столике лежал клочок бумаги со словами карандашом: «Никого не винить, я сам». Тут же на столике лежал и молоток, кусок мыла и большой гвоздь, очевидно припасенный про запас. Крепкий шелковый снурок, очевидно заранее припасенный и выбранный, на котором повесился Николай Всеволодович, был жирно намылен. Всё означало преднамеренность и сознание до последней минуты.

Наши медики по вскрытии трупа совершенно и настойчиво отвергли помешательство.

ПРИЛОЖЕНИЕ

ПРИЛОЖЕНИЕ

БЕЛЫЕ НОЧИ

Сентиментальный роман
(Из воспоминаний мечтателя)

...Иль был он создан для того,
Чтобы побыть хотя мгновенье
В соседстве сердца твоего?..
Ив. Тургенев

НОЧЬ ПЕРВАЯ

Была чудная ночь, такая ночь, которая разве только и может быть тогда, когда мы молоды, любезный читатель. Небо было такое звездное, такое светлое небо, что, взглянув на него, невольно нужно было спросить себя: неужели же могут жить под таким небом разные сердитые и капризные люди? Это тоже молодой вопрос, любезный читатель, очень молодой, но пошли его вам Господь чаще на душу!.. Говоря о капризных и разных сердитых господах, я не мог не припомнить и своего благонравного поведения во весь этот день. С самого утра меня стала мучить какая-то удивительная тоска. Мне вдруг показалось, что меня, одинокого, все покидают и что все от меня отступаются. Оно, конечно, всякий вправе спросить: кто ж эти все? потому что вот уже восемь лет, как я живу в Петербурге, и почти ни одного знакомства не умел завести. Но к чему мне знакомства? Мне и без того знаком весь Петербург; вот почему мне и показалось, что меня все покидают, когда весь Петербург поднялся и вдруг уехал на дачу. Мне страшно стало оставаться одному, и целых три дня я бродил по городу в глубокой тоске, решительно не понимая, что со мной делается. Пойду ли на Невский, пойду ли в сад, брожу ли по набережной — ни одного лица из тех, кого привык встречать в том же месте, в известный час, целый год. Они, конечно, не знают меня, да я-то их знаю. Я коротко их знаю; я почти изучил их физиономии — и любуюсь на них, когда они веселы, и хандрю, когда они затуманятся. Я почти свел дружбу с одним старичком, которого встречаю каждый божий день, в известный час, на Фонтанке. Физиономия такая важная, задумчивая; все шепчет под нос и махает левой рукой, а в правой у него длинная сучковатая трость с золотым набалдашником. Даже он заметил меня и принимает во мне душевное участие. Случись, что я не буду в известный час на том же месте Фонтанки, я уверен, что на него нападет хандра. Вот отчего мы иногда чуть не кланяемся друг с другом, особенно когда оба в хорошем расположении духа. Намедни, когда мы не видались целые два дня и на третий день встретились, мы уже было и схватились за шляпы, да благо опомнились во время, опустили руки и с участием прошли друг подле друга. Мне тоже и дома знакомы. Когда я иду, каждый как будто забегает вперед меня на улицу, глядит на меня во все окна и чуть не говорит: «Здравствуйте; как ваше здоровье? и я, слава богу, здоров, а ко мне в мае месяце прибавят этаж». Или: «Как ваше здоровье? а меня завтра в починку». Или: «Я чуть не сгорел и притом испугался» и т. д. Из них у меня есть любимцы, есть короткие приятели; один из них намерен лечиться это лето у архитектора. Нарочно буду заходить каждый день, чтоб не залепили как-нибудь, сохрани его Господи!.. Но никогда не забуду истории с одним прехорошеньким светло-розовым домиком. Это был такой миленький каменный домик, так приветливо смотрел на меня, так горделиво смотрел на своих неуклюжих соседей, что мое сердце радовалось, когда мне случалось проходить мимо. Вдруг, на прошлой неделе, я прохожу по улице и, как посмотрел на приятеля — слышу жалобный крик: «А меня красят в желтую краску!» Злодеи! варвары! они не пощадили ничего: ни колонн, ни карнизов, и мой приятель пожелтел, как канарейка. У меня чуть не разлилась желчь по этому случаю, и я еще до сих пор не в силах был повидаться с изуродованным моим бедняком, которого раскрасили под цвет поднебесной империи.

Итак, вы понимаете, читатель, каким образом я знаком со всем Петербургом. Я уже сказал, что меня целые три дня мучило беспокойство, покамест я догадался о причине его. И на улице мне было худо (того нет, этого нет, куда делся такой-то?) — да и дома я был сам не свой. Два вечера добивался я: чего недостает мне в моем углу? отчего так неловко было в нем оставаться? — и с недоумением осматривал я свои зеленые закоптелые стены, потолок, завешанный паутиной, которую с большим успехом разводила Матрена, пересматривал всю свою мебель, осматривал каждый стул, думая, не тут ли беда? (потому что коль у меня хоть один стул стоит не так, как вчера стоял, так я сам не свой) смотрел за окно, и все понапрасну... нисколько не было легче! Я даже вздумал было призвать Матрену и тут же сделал ей отеческий выговор за паутину и вообще за неряшество; но она только посмотрела на меня в удивлении и пошла прочь, не ответив ни слова, так что паутина еще до сих пор благополучно висит на месте. Наконец я только сегодня поутру догадался, в чем дело. Э! да ведь они от меня удирают на дачу! Простите за тривиальное словцо, но мне было не до высокого слога... потому что ведь всё, что только ни было в Петербурге, или переехало, или переезжало на дачу; потому что каждый почтенный господин солидной наружности, нанимавший извозчика, на глаза мои тотчас же обращался в почтенного отца семейства, который после обыденных должностных занятий отправляется налегке в недра своей фамилии, на дачу; потому что у каждого прохожего был теперь уже совершенно особый вид, который чуть-чуть не говорил всякому встречному: «Мы, господа, здесь только так, мимоходом, а вот через два часа мы уедем на дачу». Отворялось ли окно, по которому побарабанили сначала тоненькие, белые, как сахар, пальчики, и высовывалась головка хорошенькой девушки, подзывавшей разносчика с горшками цветов, — мне тотчас же, тут же представлялось, что эти цветы только так покупаются, то есть вовсе не для того, чтоб наслаждаться весной и цветами в душной городской квартире, а что вот очень скоро все переедут на дачу и цветы с собою увезут. Мало того, я уже сделал такие успехи в своем новом, особенном роде открытий, что уже мог безошибочно, по одному виду, обозначить, на какой кто даче живет. Обитатели Каменного и Аптекарского островов или Петергофской дороги отличались изученным изяществом приемов, щегольскими летними костюмами и прекрасными экипажами, в которых они приехали в город. Жители Парголова и там, где подальше, с первого взгляда «внушали» своим благоразумием и солидностью; посетитель Крестовского острова отличался невозмутимо-веселым видом. Удавалось ли мне встретить длинную процессию ломовых извозчиков, лениво шедших с возжами в руках подле возов, нагруженных целыми горами всякой мебели, столов, стульев, диванов турецких и нетурецких и прочим домашним скарбом, на котором, сверх всего этого, зачастую восседала, на самой вершине воза, щедушная кухарка, берегущая барское добро как зеницу ока; смотрел ли я на тяжело нагруженные домашнею утварью лодки, скользившие по Неве иль Фонтанке, до Черной речки иль островов, — воза и лодки удесятерялись, усотерялись в глазах моих; казалось, всё поднялось и поехало, всё переселялось целыми караванами на дачу; казалось, весь Петербург грозил обратиться в пустыню, так что наконец мне стало стыдно, обидно и грустно: мне решительно некуда и незачем было ехать на дачу. Я готов был уйти с каждым возом, уехать с каждым господином почтенной наружности, нанимавшим извозчика; но ни один, решительно никто не пригласил меня; словно забыли меня, словно я для них был и в самом деле чужой!

Я ходил много и долго, так что уже совсем успел, по своему обыкновению, забыть, где я, как вдруг очутился у заставы. Вмиг мне стало весело, и я шагнул за шлагбаум, пошел между засеянных полей и лугов, не слышал усталости, но чувствовал только всем составом своим, что какое-то бремя спадает с души моей. Все проезжие смотрели на меня так приветливо, что решительно чуть не кланялись; все были так рады чему-то, все до одного курили сигары. И я был рад, как еще никогда со мной не случалось. Точно я вдруг очутился в Италии, — так сильно поразила природа меня, полубольного горожанина, чуть не задохнувшегося в городских стенах.

Есть что-то неизъяснимо трогательное в нашей петербургской природе, когда она, с наступлением весны, вдруг выкажет всю мощь свою, все дарованные ей небом силы, опушится, разрядится, упестрится цветами... Как-то невольно напоминает она мне ту девушку, чахлую и хворую, на которую вы смотрите иногда с сожалением, иногда с какою-то сострадательною любовью, иногда же просто не замечаете ее, но которая вдруг, на один миг, как-то нечаянно сделается неизъяснимо, чудно прекрасною, а вы, пораженный, упоенный, невольно спрашиваете себя: какая сила заставила блистать таким огнем эти грустные, задумчивые глаза? что вызвало кровь на эти бледные, похудевшие щеки? что облило страстью эти нежные черты лица? отчего так вздымается эта грудь? что так внезапно вызвало силу, жизнь и красоту на лицо бедной девушки, заставило его заблистать такой улыбкой, оживиться таким сверкающим, искрометным смехом? Вы смотрите кругом, вы кого-то ищете, вы догадываетесь... Но миг проходит, и, может быть, назавтра же вы встретите опять тот же задумчивый и рассеянный взгляд, как и прежде, то же бледное лицо, ту же покорность и робость в движениях и даже раскаяние, даже следы какой-то мертвящей тоски и досады за минутное увлечение... И жаль вам, что так скоро, так безвозвратно завяла мгновенная красота, что так обманчиво и напрасно блеснула она перед вами, — жаль оттого, что даже полюбить ее вам не было времени...

А все-таки моя ночь была лучше дня! Вот как это было:

Я пришел назад в город очень поздно, и уже пробило десять часов, когда я стал подходить к квартире. Дорога моя шла по набережной канала, на которой в этот час не встретишь живой души. Правда, я живу в отдаленнейшей части города. Я шел и пел, потому что, когда я счастлив, я непременно мурлыкаю что-нибудь про себя, как и всякий счастливый человек, у которого нет ни друзей, ни добрых знакомых и которому в радостную минуту не с кем разделить свою радость. Вдруг со мной случилось самое неожиданное приключение.

В сторонке, прислонившись к перилам канала, стояла женщина; облокотившись на решетку, она, по-видимому, очень внимательно смотрела на мутную воду канала. Она была одета в премиленькой желтой шляпке и в кокетливой черной мантильке. «Это девушка, и непременно брюнетка», — подумал я. Она, кажется, не слыхала шагов моих, даже не шевельнулась, когда я прошел мимо, затаив дыхание и с сильно забившимся сердцем. «Странно! — подумал я, — верно, она о чем-нибудь очень задумалась», и вдруг я остановился как вкопанный. Мне послышалось глухое рыдание. Да! я не обманулся: девушка плакала, и через минуту еще и еще всхлипывание. Боже мой! У меня сердце сжалось. И как я ни робок с женщинами, но ведь это была такая минута!.. Я воротился, шагнул к ней и непременно бы произнес: «Сударыня!» — если б только не знал, что это восклицание уже тысячу раз произносилось во всех русских великосветских романах. Это одно и остановило меня. Но покамест я приискивал слово, девушка очнулась, оглянулась, спохватилась, потупилась и скользнула мимо меня по набережной. Я тотчас же пошел вслед за ней, но она догадалась, оставила набережную, перешла через улицу и пошла по тротуару. Я не посмел перейти через улицу. Сердце мое трепетало, как у пойманной птички. Вдруг один случай пришел ко мне на помощь.

По той стороне тротуара, недалеко от моей незнакомки, вдруг появился господин во фраке, солидных лет, но нельзя сказать, чтоб солидной походки. Он шел, пошатываясь и осторожно опираясь об стенку. Девушка же шла, словно стрелка, торопливо и робко, как вообще ходят все девушки, которые не хотят, чтоб кто-нибудь вызвался провожать их ночью домой, и, конечно, качавшийся господин ни за что не догнал бы ее, если б судьба моя не надоумила его поискать искусственных средств. Вдруг, не сказав никому ни слова, мой господин срывается с места и летит со всех ног, бежит, догоняя мою незнакомку. Она шла как ветер, но колыхавшийся господин настигал, настиг, девушка вскрикнула — и... я благословляю судьбу за превосходную сучковатую палку, которая случилась на этот раз в моей правой руке. Я мигом очутился на той стороне тротуара, мигом незваный господин понял, в чем дело, принял в соображение неотразимый резон, замолчал, отстал и только, когда уже мы были очень далеко, протестовал против меня в довольно энергических терминах. Но до нас едва долетели слова его.

— Дайте мне руку, — сказал я моей незнакомке, — и он не посмеет больше к нам приставать.

Она молча подала мне свою руку, еще дрожавшую от волнения и испуга. О незваный господин! как я благословлял тебя в эту минуту! Я мельком взглянул на нее: она была премиленькая и брюнетка — я угадал; на ее черных ресницах еще блестели слезинки недавнего испуга или прежнего горя, — не знаю. Но на губах уже сверкала улыбка. Она тоже взглянула на меня украдкой, слегка покраснела и потупилась.

— Вот видите, зачем же вы тогда отогнали меня? Если б я был тут, ничего бы не случилось...

— Но я вас не знала: я думала, что вы тоже...

— А разве вы теперь меня знаете?

— Немножко. Вот, например, отчего вы дрожите?

— О, вы угадали с первого раза! — отвечал я в восторге, что моя девушка умница: это при красоте никогда не мешает. — Да, вы с первого взгляда угадали, с кем имеете дело. Точно, я робок с женщинами, я в волненье, не спорю, не меньше, как были вы минуту назад, когда этот господин испугал вас... Я в каком-то испуге теперь. Точно сон, а я даже и во сне не гадал, что когда-нибудь буду говорить хоть с какой-нибудь женщиной.

— Как? неужели?..

— Да, если рука моя дрожит, то это оттого, что никогда еще ее не обхватывала такая хорошенькая маленькая ручка, как ваша. Я совсем отвык от женщин; то есть я к ним и не привыкал никогда; я ведь один... Я даже не знаю, как говорить с ними. Вот и теперь не знаю — не сказал ли вам какой-нибудь глупости? Скажите мне прямо; предупреждаю вас, я не обидчив...

— Нет, ничего, ничего; напротив. И если уже вы требуете, чтоб я была откровенна, так я вам скажу, что женщинам нравится такая робость; а если вы хотите знать больше, то и мне она тоже нравится, и я не отгоню вас от себя до самого дома.

— Вы сделаете со мной, — начал я, задыхаясь от восторга, — что я тотчас же перестану робеть, и тогда — прощай все мои средства!..

— Средства? какие средства, к чему? вот это уж дурно.

— Виноват, не буду, у меня с языка сорвалось; но как же вы хотите, чтоб в такую минуту не было желания...

— Понравиться, что ли?

— Ну да; да будьте, ради бога, будьте добры. Посудите, кто я! Ведь вот уж мне двадцать шесть лет, а я никого никогда не видал. Ну, как же я могу хорошо говорить, ловко и кстати? Вам же будет выгоднее, когда все будет открыто, наружу... Я не умею молчать, когда сердце во мне говорит. Ну, да все равно... Поверите ли, ни одной женщины, никогда, никогда! Никакого знакомства! и только мечтаю каждый день, что наконец-то когда-нибудь я встречу кого-нибудь. Ах, если б вы знали, сколько раз я был влюблен таким образом!..

— Но как же, в кого же?

— Да ни в кого, в идеал, в ту, которая приснится во сне. Я создаю в мечтах целые романы. О, вы меня не знаете! Правда, нельзя же без того, я встречал двух-трех женщин, но какие они женщины? это все такие хозяйки, что... Но я вас насмешу, я расскажу вам, что несколько раз думал заговорить, так, запросто, с какой-нибудь аристократкой на улице, разумеется, когда она одна; заговорить, конечно, робко, почтительно, страстно; сказать, что погибаю один, чтоб она не отгоняла меня, что нет средства узнать хоть какую-нибудь женщину; внушить ей, что даже в обязанностях женщины не отвергнуть робкой мольбы такого несчастного человека, как я. Что, наконец, и все, чего я требую, состоит в том только, чтоб сказать мне какие-нибудь два слова братские, с участием, не отогнать меня с первого шага, поверить мне на слово, выслушать, что́ я буду говорить, посмеяться надо мной, если угодно, обнадежить меня, сказать мне два слова, только два слова, потом пусть хоть мы с ней никогда не встречаемся!.. Но вы смеетесь... Впрочем, я для того и говорю...

— Не досадуйте; я смеюсь тому, что вы сами себе враг, и если б вы попробовали, то вам бы и удалось, может быть, хоть бы и на улице дело было; чем проще, тем лучше... Ни одна добрая женщина, если только она не глупа или особенно не сердита на что-нибудь в ту минуту, не решилась бы отослать вас без этих двух слов, которых вы так робко вымаливаете... Впрочем, что я! конечно, приняла бы вас за сумасшедшего. Я ведь судила по себе. Сама-то я много знаю, как люди на свете живут!

— О, благодарю вас, — закричал я, — вы не знаете, что вы для меня теперь сделали!

— Хорошо, хорошо! Но скажите мне, почему вы узнали, что я такая женщина, с которой... ну, которую вы считали достойной... внимания и дружбы... одним словом, не хозяйка, как вы называете. Почему вы решились подойти ко мне?

— Почему? почему? Но вы были одни, тот господин был слишком смел, теперь ночь: согласитесь сами, что это обязанность...

— Нет, нет, еще прежде, там, на той стороне. Ведь вы хотели же подойти ко мне?

— Там, на той стороне? Но я, право, не знаю, как отвечать; я боюсь... Знаете ли, я сегодня был счастлив; я шел, пел; я был за городом; со мной еще никогда не бывало таких счастливых минут. Вы... мне, может быть, показалось... Ну, простите меня, если я напомню: мне показалось, что вы плакали, и я... я не мог слышать это... у меня стеснилось сердце... О боже мой! Ну, да неужели же я не мог потосковать об вас? Неужели же был грех почувствовать к вам братское сострадание?.. Извините, я сказал сострадание... Ну, да, одним словом, неужели я мог вас обидеть тем, что невольно вздумалось мне к вам подойти?..

— Оставьте, довольно, не говорите... — сказала девушка, потупившись и сжав мою руку. — Я сама виновата, что заговорила об этом; но я рада, что не ошиблась в вас... но вот уже я дома; мне нужно сюда, в переулок; тут два шага... Прощайте, благодарю вас...

— Так неужели же, неужели мы больше никогда не увидимся?.. Неужели это так и останется?

— Видите ли, — сказала, смеясь, девушка, — вы хотели сначала только двух слов, а теперь... Но, впрочем, я вам ничего не скажу... Может быть, встретимся...

— Я приду сюда завтра, — сказал я. — О, простите меня, я уже требую...

— Да, вы нетерпеливы... вы почти требуете...

— Послушайте, послушайте! — прервал я ее. — Простите, если я вам скажу опять что-нибудь такое... Но вот что: я не могу не прийти сюда завтра. Я мечтатель; у меня так мало действительной жизни, что я такие минуты, как эту, как теперь, считаю так редко, что не могу не повторять этих минут в мечтаньях. Я промечтаю об вас целую ночь, целую неделю, весь год. Я непременно приду сюда завтра, именно сюда, на это же место, именно в этот час, и буду счастлив, припоминая вчерашнее. Уж это место мне мило. У меня уже есть такие два-три места в Петербурге. Я даже один раз заплакал от воспоминанья, как вы... Почем знать, может быть, и вы, тому назад десять минут, плакали от воспоминанья... Но простите меня, я опять забылся; вы, может быть, когда-нибудь были здесь особенно счастливы...

— Хорошо, — сказала девушка, — я, пожалуй, приду сюда завтра, тоже в десять часов. Вижу, что я уже не могу вам запретить... Вот в чем дело, мне нужно быть здесь; не подумайте, чтоб я вам назначала свидание; я предупреждаю вас, мне нужно быть здесь для себя. Но вот... ну, уж я вам прямо скажу: это будет ничего, если и вы придете; во-первых, могут быть опять неприятности, как сегодня, но это в сторону... одним словом, мне просто хотелось бы вас видеть... чтоб сказать вам два слова. Только, видите ли, вы не осудите меня теперь? не подумайте, что я так легко назначаю свидания... Я бы и назначила, если б... Но пусть это будет моя тайна! Только вперед уговор...

— Уговор! говорите, скажите, скажите все заране; я на все согласен, на все готов, — вскричал я в восторге, — я отвечаю за себя — буду послушен, почтителен... вы меня знаете...

— Именно оттого, что знаю вас, и приглашаю вас завтра, — сказала смеясь девушка. — Я вас совершенно знаю. Но, смотрите, приходите с условием; во-первых (только будьте добры, исполните, что я попрошу, — видите ли, я говорю откровенно), не влюбляйтесь в меня... Это нельзя, уверяю вас. На дружбу я готова, вот вам рука моя... А влюбиться нельзя, прошу вас!

— Клянусь вам, — закричал я, схватив ее ручку...

— Полноте, не клянитесь, я ведь знаю, вы способны вспыхнуть как порох. Не осуждайте меня, если я так говорю. Если б вы знали... У меня тоже никого нет, с кем бы мне можно было слово сказать, у кого бы совета спросить. Конечно, не на улице же искать советников, да вы исключение. Я вас так знаю, как будто уже мы двадцать лет были друзьями... Не правда ли, вы не измените?

— Увидите... только я не знаю, как уж я доживу хотя сутки.

— Спите покрепче; доброй ночи — и помните, что я вам уже вверилась. Но вы так хорошо воскликнули давеча: неужели ж давать отчет в каждом чувстве, даже в братском сочувствии! Знаете ли, это было так хорошо сказано, что у меня тотчас же мелькнула мысль довериться вам...

— Ради бога, но в чем? что?

— До завтра. Пусть это будет покамест тайной. Тем лучше для вас; хоть издали будет на роман похоже. Может быть, я вам завтра же скажу, а может быть, нет... Я еще с вами наперед поговорю, мы познакомимся лучше...

— О, да я вам завтра же все расскажу про себя! Но что это? точно чудо со мной совершается... Где я, боже мой? Ну, скажите, неужели вы недовольны тем, что не рассердились, как бы сделала другая, не отогнали меня в самом начале? Две минуты, и вы сделали меня навсегда счастливым. Да! счастливым; почем знать, может быть, вы меня с собой помирили, разрешили мои сомнения... Может быть, на меня находят такие минуты... Ну, да я вам завтра все расскажу, вы всё узнаете, всё...

— Хорошо, принимаю; вы и начнете...

— Согласен.

— До свиданья!

— До свиданья!

И мы расстались. Я ходил всю ночь; я не мог решиться воротиться домой. Я был так счастлив... до завтра!

НОЧЬ ВТОРАЯ

— Ну, вот и дожили! — сказала она мне, смеясь и пожимая мне обе руки.

— Я здесь уже два часа; вы не знаете, что было со мной целый день!

— Знаю, знаю... но к делу. Знаете, зачем я пришла? Ведь не вздор болтать, как вчера. Вот что: нам нужно вперед умней поступать. Я обо всем этом вчера долго думала.

— В чем же, в чем быть умнее? С моей стороны, я готов; но, право, в жизнь не случалось со мною ничего умнее, как теперь.

— В самом деле? Во-первых, прошу вас, не жмите так моих рук; во-вторых, объявляю вам, что я о вас сегодня долго раздумывала.

— Ну, и чем же кончилось?

— Чем кончилось? Кончилось тем, что нужно всё снова начать, потому что в заключение всего я решила сегодня, что вы еще мне совсем неизвестны, что я вчера поступила как ребенок, как девочка, и, разумеется, вышло так, что всему виновато мое доброе сердце, то есть я похвалила себя, как и всегда кончается, когда мы начнем свое разбирать. И потому, чтоб поправить ошибку, я решила разузнать об вас самым подробнейшим образом. Но так как разузнавать о вас не у кого, то вы и должны мне сами всё рассказать, всю подноготную. Ну, что вы за человек? Поскорее — начинайте же, рассказывайте свою историю.

— Историю! — закричал я, испугавшись, — историю! Но кто вам сказал, что у меня есть моя история? у меня нет истории...

— Так как же вы жили, коль нет истории? — перебила она, смеясь.

— Совершенно без всяких историй! так, жил, как у нас говорится, сам по себе, то есть один совершенно, — один, один вполне, — понимаете, что такое один?

— Да как один? То есть вы никого никогда не видали?

— О нет, видеть-то вижу, — а все-таки я один.

— Что же, вы разве не говорите ни с кем?

— В строгом смысле, ни с кем.

— Да кто же вы такой, объяснитесь! Постойте, я догадываюсь: у вас, верно, есть бабушка, как и у меня. Она слепая и вот уже целую жизнь меня никуда не пускает, так что я почти разучилась совсем говорить. А когда я нашалила тому назад года два, так она видит, что меня не удержишь, взяла призвала меня, да и пришпилила булавкой мое платье к своему — и так мы с тех пор и сидим по целым дням; она чулок вяжет, хоть и слепая; а я подле нее сиди, шей или книжку вслух ей читай — такой странный обычай, что вот уже два года пришпиленная...

— Ах, боже мой, какое несчастье! Да нет же, у меня нет такой бабушки.

— А коль нет, так ка́к это вы можете дома сидеть?..

— Послушайте, вы хотите знать, кто я таков?

— Ну, да, да!

— В строгом смысле слова?

— В самом строгом смысле слова!

— Извольте, я — тип.

— Тип, тип! какой тип? — закричала девушка, захохотав так, как будто ей целый год не удавалось смеяться. — Да с вами превесело! Смотрите: вот здесь есть скамейка; сядем! Здесь никто не ходит, нас никто не услышит, и — начинайте же вашу историю! потому что, уж вы меня не уверите, у вас есть история, а вы только скрываетесь. Во-первых, что это такое тип?

— Тип? тип — это оригинал, это такой смешной человек! — отвечал я, сам расхохотавшись вслед за ее детским смехом. — Это такой характер. Слушайте: знаете вы, что такое мечтатель?

— Мечтатель? позвольте, да как не знать? я сама мечтатель! Иной раз сидишь подле бабушки и чего-чего в голову не войдет. Ну, вот и начнешь мечтать, да так раздумаешься — ну, просто за китайского принца выхожу... А ведь это в другой раз и хорошо — мечтать! Нет, впрочем, бог знает! Особенно если есть и без этого о чем думать, — прибавила девушка на этот раз довольно серьезно.

— Превосходно! Уж коли раз вы выходили за богдыхана китайского, так, стало быть, совершенно поймете меня. Ну, слушайте... Но позвольте: ведь я еще не знаю, как вас зовут?

— Наконец-то! вот рано вспомнили!

— Ах, боже мой! да мне и на ум не пришло, мне было и так хорошо...

— Меня зовут — Настенька.

— Настенька! и только?

— Только! да неужели вам мало, ненасытный вы этакой!

— Мало ли? Много, много, напротив, очень много, Настенька, добренькая вы девушка, коли с первого разу вы для меня стали Настенькой!

— То-то же! ну!

— Ну, вот, Настенька, слушайте-ка, какая тут выходит смешная история.

Я уселся подле нее, принял педантски-серьезную позу и начал словно по писаному:

— Есть, Настенька, если вы того не знаете, есть в Петербурге довольно странные уголки. В эти места как будто не заглядывает то же солнце, которое светит для всех петербургских людей, а заглядывает какое-то другое, новое, как будто нарочно заказанное для этих углов, и светит на всё иным, особенным светом. В этих углах, милая Настенька, выживается как будто совсем другая жизнь, не похожая на ту, которая возле нас кипит, а такая, которая может быть в тридесятом неведомом царстве, а не у нас, в наше серьезное-пресерьезное время. Вот эта-то жизнь и есть смесь чего-то чисто фантастического, горячо-идеального и вместе с тем (увы, Настенька!) тускло-прозаичного и обыкновенного, чтоб не сказать: до невероятности пошлого.

— Фу! Господи боже мой! какое предисловие! Что же это я такое услышу?

— Услышите вы, Настенька (мне кажется, я никогда не устану называть вас Настенькой), услышите вы, что в этих углах проживают странные люди — мечта-

не, свой уголок, а подле милое создание, которое слушает вас в зимний вечер, раскрыв ротик и глазки, как слушаете вы теперь меня, мой маленький ангельчик... Нет, Настенька, что ему, что ему, сладострастному ленивцу, в той жизни, в которую нам так хочется с вами? он думает, что это бедная, жалкая жизнь, не предугадывая, что и для него, может быть, когда-нибудь пробьет грустный час, когда он за один день этой жалкой жизни отдаст все свои фантастические годы, и еще не за радость, не за счастие отдаст, и выбирать не захочет в тот час грусти, раскаяния и невозбранного горя. Но покамест еще не настало оно, это грозное время, — он ничего не желает, потому что он выше желаний, потому что с ним всё, потому что он пресыщен, потому что он сам художник своей жизни и творит ее себе каждый час по новому произволу. И ведь так легко, так натурально создается этот сказочный, фантастический мир! Как будто и впрямь все это не призрак! Право, верить готов в иную минуту, что вся эта жизнь не возбуждения чувства, не мираж, не обман воображения, а что это и впрямь действительное, настоящее, сущее! Отчего ж, скажите, Настенька, отчего же в такие минуты стесняется дух? отчего же каким-то волшебством, по какому-то неведомому произволу ускоряется пульс, брызжут слезы из глаз мечтателя, горят его бледные, увлажненные щеки и такой неотразимой отрадой наполняется все существование его? Отчего же целые бессонные ночи проходят как один миг, в неистощимом веселии и счастии, и когда заря блеснет розовым лучом в окна и рассвет осветит угрюмую комнату своим сомнительным фантастическим светом, как у нас, в Петербурге, наш мечтатель, утомленный, измученный, бросается на постель и засыпает в замираниях от восторга своего болезненно-потрясенного духа и с такою томительно-сладкою болью в сердце? Да, Настенька, обманешься и невольно вчуже поверишь, что страсть настоящая, истинное волнует душу его, невольно поверишь, что есть живое, осязаемое в его бесплотных грезах! И ведь какой обман — вот, например, любовь сошла в его грудь со всею неистощимою радостью, со всеми томительными мучениями... Только взгляните на него и убедитесь! Верите ли вы, на него глядя, милая Настенька, что действительно он никогда не знал той, которую он так любил в своем исступленном мечтании? Неужели он только и видел ее в одних обольстительных призраках и только лишь снилась ему эта страсть? Неужели и впрямь не прошли они рука в руку столько годов своей жизни — одни, вдвоем, отбросив весь мир и соединив каждый свой мир, свою жизнь с жизнью друга? Неужели не она, в поздний час, когда настала разлука, не она лежала, рыдая и тоскуя, на груди его, не слыша бури, разыгравшейся под суровым небом, не слыша ветра, который срывал и уносил слезы с черных ресниц ее? Неужели всё это была мечта — и этот сад, унылый, заброшенный и дикий, с дорожками, заросшими мхом, уединенный, угрюмый, где они так часто ходили вдвоем, надеялись, тосковали, любили, любили друг друга так долго, «так долго и нежно»! И этот странный, прадедовский дом, в котором жила она столько времени уединенно и грустно с старым, угрюмым мужем, вечно молчаливым и желчным, пугавшим их, робких, как детей, уныло и боязливо таивших друг от друга любовь свою? Как они мучились, как боялись они, как невинна, чиста была их любовь и как (уж разумеется, Настенька) злы были люди! И, боже мой, неужели не ее встретил он потом, далеко от берегов своей родины, под чужим небом, полуденным, жарким, в дивном вечном городе, в блеске бала, при громе музыки, в палаццо (непременно в палаццо), потонувшем в море огней, на этом балконе, увитом миртом и розами, где она, узнав его, так поспешно сняла свою маску и, прошептав: «Я свободна», задрожав, бросилась в его объятия, и вскрикнув от восторга, прижавшись друг к другу, они в один миг забыли и горе, и разлуку, и все мучения, и угрюмый дом, и старика, и мрачный сад в дале-

---

тели. Мечтатель — если нужно его подробное определение — не человек, а, знаете, какое-то существо среднего рода. Селится он большею частию где-нибудь в неприступном углу, как будто таится в нем даже от дневного света, и уж если заберется к себе, то так и прирастет к своему углу, как улитка, или, по крайней мере, он очень похож в этом отношении на то занимательное животное, которое и животное и дом вместе, которое называется черепахой. Как вы думаете, отчего он так любит свои четыре стены, выкрашенные непременно зеленою краскою, закоптелые, унылые и непозволительно обкуренные? Зачем этот смешной господин, когда его приходит навестить кто-нибудь из его редких знакомых (а кончает он тем, что знакомые у него все переводятся), зачем этот смешной человек встречает его, так сконфузившись, так изменившись в лице и в таком замешательстве, как будто он только что сделал в своих четырех стенах преступление, как будто он фабриковал фальшивые бумажки или какие-нибудь стишки для отсылки в журнал при анонимном письме, в котором обозначается, что настоящий поэт уже умер и что друг его считает священным долгом опубликовать его вирши? Отчего, скажите мне, Настенька, разговор так не вяжется у этих двух собеседников? отчего ни смех, ни какое-нибудь бойкое словцо не слетает с языка внезапно вошедшего и озадаченного приятеля, который в другом случае очень любит и смех, и бойкое словцо, и разговоры о прекрасном поле, и другие веселые темы? Отчего же, наконец, этот приятель, вероятно недавний знакомый, и при первом визите, — потому что второго в таком случае уже не будет и приятель другой раз не придет, — отчего сам приятель так конфузится, так костенеет, при всем своем остроумии (если только оно есть у него), глядя на опрокинутое лицо хозяина, который в свою очередь уже совсем успел потеряться и сбиться с последнего толка после исполинских, но тщетных усилий разгладить и упестрить разговор, показать и с своей стороны знание светскости, тоже заговорить о прекрасном поле и хоть такою покорностию понравиться бедному, не туда попавшему человеку, который ошибкою пришел к нему в гости? Отчего, наконец, гость вдруг хватается за шляпу и быстро уходит, внезапно вспомнив о самонужнейшем деле, которого никогда не бывало, и кое-как высвобождает свою руку из жарких пожатий хозяина, всячески старающегося показать свое раскаяние и поправить потерянное? Отчего уходящий приятель хохочет, выйдя за дверь, тут же дает самому себе слово никогда не приходить к этому чудаку, хотя этот чудак в сущности и превосходнейший малый, и в то же время никак не может отказать своему воображению в маленькой прихоти: сравнить, хоть отдаленным образом, физиономию своего недавнего собеседника за всё время свидания с видом того несчастного котеночка, которого измяли, застращали и всячески обидели дети, вероломно захватив его в плен, сконфузили в прах, который забился наконец от них под стул, в темноту, и там целый час на досуге принужден ощетиниваться, отфыркиваться и мыть свое обиженное рыльце обеими лапами и долго еще после того враждебно взирать на природу и жизнь и даже на подачку с господского обеда, припасенную для него сострадательною ключницею?

— Послушайте, — перебила Настенька, которая всё время слушала меня в удивлении, открыв глаза и ротик, — послушайте: я совершенно не знаю, отчего всё это произошло и почему именно вы мне предлагаете такие смешные вопросы; но что я знаю наверное, так то, что все эти приключения случились непременно с вами, от слова до слова.

— Без сомнения, — отвечал я с самою серьезной миной.

— Ну, коли без сомнения, так продолжайте, — ответила Настенька, — потому что мне очень хочется знать, чем это кончится.

— Вы хотите знать, Настенька, что такое делал в своем углу наш герой, или, лучше сказать, я, потому что герой всего дела — я, своей собственной скромной особой; вы хотите знать, отчего я так переполошился и потерялся на целый день от неожиданного визита приятеля? Вы хотите знать, отчего я так вспорхнулся, так покраснел, когда отворили дверь в мою комнату, почему я не умел принять гостя и так постыдно погиб под тяжестью собственного гостеприимства?

— Ну да, да! — отвечала Настенька, — в этом и дело. Послушайте: вы прекрасно рассказываете, но нельзя ли рассказывать как-нибудь не так прекрасно? А то вы говорите, точно книгу читаете.

— Настенька! — отвечал я важным и строгим голосом, едва удерживаясь от смеха, — милая Настенька, я знаю, что я рассказываю прекрасно, но — виноват, иначе я рассказывать не умею. Теперь, милая Настенька, теперь я похож на дух царя Соломона, который был тысячу лет в кубышке, под семью печатями, и с которого наконец сняли все эти семь печатей. Теперь, милая Настенька, когда мы сошлись опять после такой долгой разлуки, — потому что я вас давно уже знал, Настенька, потому что я уже давно кого-то искал, а это знак, что я искал именно вас и что нам было суждено теперь свидеться, — теперь в моей голове открылись тысячи клапанов, и я должен пролиться рекою слов, не то я задохнусь. Итак, прошу не перебивать меня, Настенька, а слушать покорно и послушно; иначе — я замолчу.

— Ни-ни-ни! никак! говорите! Теперь я не скажу ни слова.

— Продолжаю: есть, друг мой Настенька, в моем дне один час, который я чрезвычайно люблю. Это тот самый час, когда кончаются почти всякие дела, должности и обязательства и все спешат по домам пообедать, прилечь отдохнуть и тут же, в дороге, изобретают и другие веселые темы, касающиеся вечера, ночи и всего остающегося свободного времени. В этот час и наш герой, — потому что уж позвольте мне, Настенька, рассказывать в третьем лице, затем что в первом лице все это ужасно стыдно рассказывать, — итак, в этот час и наш герой, который тоже был не без дела, шагает за прочими. Но странное чувство удовольствия играет на его бледном, как будто несколько измятом лице. Неравнодушно смотрит он на вечернюю зарю, которая медленно гаснет на холодном петербургском небе. Когда я говорю — смотрит, так я лгу: он не смотрит, но созерцает как-то безотчетно, как будто усталый или занятый в то же время каким-нибудь другим, более интересным предметом, так что разве только мельком, почти невольно, может уделить время на все окружающее. Он доволен, потому что покончил до завтра с досадными для него *делами*, и рад, как школьник, которого выпустили с классной скамьи к любимым играм и шалостям. Посмотрите на него сбоку, Настенька: вы тотчас увидите, что радостное чувство уже счастливо подействовало на его слабые нервы и болезненно раздраженную фантазию. Вот он о чем-то задумался... Вы думаете, об обеде? о сегодняшнем вечере? На что́ он так смотрит? На этого ли господина солидной наружности, который так картинно поклонился даме, прокатившейся мимо него на резвоногих конях в блестящей карете? Нет, Настенька, что́ ему теперь до всей этой мелочи! Он теперь уже богат своею особенною жизнью; он как-то вдруг стал богатым, и прощальный луч потухающего солнца не напрасно так весело сверкнул перед ним и вызвал из согретого сердца целый рой впечатлений. Теперь он едва замечает ту дорогу, на которой прежде самая мелкая мелочь могла поразить его. Теперь «богиня фантазии» (если вы читали Жуковского, милая Настенька) уже заткала прихотливою рукою свою золотую основу и пошла развивать перед ним узоры небывалой, причудливой жизни — и, кто знает, может, перенесла его прихотливой рукою на седьмое

хрустальное небо с превосходного гранитного тротуара, по которому он своsi. Попробуйте остановить его теперь, спросите его вдруг: где он теперь ит, по каким улицам шел? — он наверно бы ничего не припомнил, ни то ходил, ни того, где стоял теперь, и, покраснев с досады, непременно со что-нибудь для спасения приличий. Вот почему он так вздрогнул, чуть н чал и с испугом огляделся кругом, когда одна очень почтенная старушка остановила его посреди тротуара и стала расспрашивать его о дороге, она потеряла. Нахмурясь с досады, шагает он дальше, едва замечая, что прохожий улыбнулся, на него глядя, и обратился ему вслед и что какая маленькая девочка, боязливо уступившая ему дорогу, громко засмея смотрев во все глаза на его широкую созерцательную улыбку и жесты ру все та же фантазия подхватила на своем игривом полете и старушку, и л ных прохожих, и смеющуюся девочку, и мужичков, которые тут же вече своих барках, запрудивших Фонтанку (положим, в это время по ней п наш герой), заткала шаловливо всех и всё в свою канву, как мух в паутин вым приобретением чудак уже вошел к себе в отрадную норку, уже сел уже давно отобедал и очнулся только тогда, когда задумчивая и вечно п Матрена, которая ему прислуживает, уже всё прибрала со стола и по трубку, очнулся и с удивлением вспомнил, что он уже совсем пообедал, льно проглядев, как это сделалось. В комнате потемнело; на душе его грустно; целое царство мечтаний рушилось вокруг него, рушилось без с шума и треска, пронеслось, как сновидение, а он и сам не помнит, что е лось. Но какое-то темное ощущение, от которого слегка заныла и в грудь его, какое-то новое желание соблазнительно щекочет и раздра фантазию и незаметно сзывает целый рой новых призраков. В маленько те царствует тишина; уединение и лень нежат воображение; оно воспла слегка, слегка закипает, как вода в кофейнике старой Матрены, котора тежно возится рядом, в кухне, стряпая свой кухарочный кофе. Вот оно ка прорывается вспышками, вот уже и книга, взятая без цели и наудачу ет из рук моего мечтателя, не дошедшего и до третьей страницы. Воо его снова настроено, возбуждено, и вдруг опять новый мир, новая, оча ная жизнь блеснула перед ним в блестящей своей перспективе. Новый с вое счастие! Новый прием утонченного, сладострастного яда! О, что ему действительной жизни! На его подкупленный взгляд, мы с вами, Наст вем так лениво, медленно, вяло; на его взгляд, мы все так недовольны н дьбою, так томимся нашею жизнью! Да и вправду, смотрите, в самом де первый взгляд всё между нами холодно, угрюмо, точно сердито... «Бе думает мой мечтатель. Да и не диво, что думает! Посмотрите на эти во призраки, которые так очаровательно, так прихотливо, так безбрежно слагаются перед ним в такой волшебной, одушевленной картине, где н плане, первым лицом, уж конечно, он сам, наш мечтатель, своею доро бою. Посмотрите, какие разнообразные приключения, какой бесконеч восторженных грез. Вы спросите, может быть, о чем он мечтает? К спрашивать! да обо всем... об роли поэта, сначала не признанного, а по чанного; о дружбе с Гофманом; Варфоломеевская ночь, Диана Верно ская роль при взятии Казани Иваном Васильевичем, Клара Мовбра Денс, собор прелатов и Гус перед ними, восстание мертвецов в Роберте музыку? кладбищем пахнет!), Минна и Бренда, сражение при Березин поэмы у графини В—й-Д—й, Дантон, Клеопатра ei suoi amanti[1], домик

---

[1] и ее любовники (*итал.*).

кой родине, и скамейку, на которой, с последним страстным поцелуем, она вырывалась из занемевших в отчаянной муке объятий его... О, согласитесь, Настенька, что вспорхнешься, смутишься и покраснеешь, как школьник, только что запихавший в карман украденное из соседнего сада яблоко, когда какой-нибудь длинный, здоровый парень, весельчак и балагур, ваш незваный приятель, отворит вашу дверь и крикнет, как будто ничего не бывало: «А я, брат, сию минуту из Павловска!» Боже мой! старый граф умер, настает неизреченное счастие, — тут люди приезжают из Павловска!

Я патетически замолчал, кончив мои патетические возгласы. Помню, что мне ужасно хотелось как-нибудь через силу захохотать, потому что я уже чувствовал, что во мне зашевелился какой-то враждебный бесенок, что мне уже начинало захватывать горло, подергивать подбородок и что всё более и более влажнели глаза мои... Я ожидал, что Настенька, которая слушала меня, открыв свои умные глазки, захочет всем своим детским, неудержимо-веселым смехом, и уже раскаивался, что зашел далеко, что напрасно рассказал то, что уже давно накипело в моем сердце, о чем я мог говорить как по-писаному, потому что уже давно приготовил я над самим собой приговор, и теперь не удержался, чтоб не прочесть его, признаться, не ожидая, что меня поймут; но, к удивлению моему, она промолчала, погодя немного слегка пожала мне руку и с каким-то робким участием спросила:

— Неужели и в самом деле вы так прожили всю свою жизнь?

— Всю жизнь, Настенька, — отвечал я, — всю жизнь, и, кажется, так и окончу!

— Нет, этого нельзя, — сказала она беспокойно, — этого не будет; этак, пожалуй, и я проживу всю жизнь подле бабушки. Послушайте, знаете ли, что это вовсе нехорошо так жить?

— Знаю, Настенька, знаю! — вскричал я, не удерживая более своего чувства. — И теперь знаю больше, чем когда-нибудь, что я даром потерял все свои лучшие годы! Теперь это я знаю, и чувствую больнее от такого сознания, потому что сам Бог послал мне вас, моего доброго ангела, чтоб сказать мне это и доказать. Теперь, когда я сижу подле вас и говорю с вами, мне уж и страшно подумать о будущем, потому что в будущем — опять одиночество, опять эта затхлая, ненужная жизнь; и о чем мечтать будет мне, когда я уже наяву подле вас был так счастлив! О, будьте благословенны, вы, милая девушка, за то, что не отвергли меня с первого раза, за то, что уже я могу сказать, что я жил хоть два вечера в моей жизни!

— Ох, нет, нет! — закричала Настенька, и слезинки заблистали на глазах ее, — нет, так не будет больше; мы так не расстанемся! Что такое два вечера!

— Ох, Настенька, Настенька! знаете ли, как надолго вы помирили меня с самим собою? знаете ли, что уже я теперь не буду о себе думать так худо, как думал в иные минуты? Знаете ли, что уже я, может быть, не буду более тосковать о том, что сделал преступление и грех в моей жизни, потому что такая жизнь есть преступление и грех? И не думайте, чтоб я вам преувеличивал что-нибудь, ради бога, не думайте этого, Настенька, потому что на меня иногда находят минуты такой тоски, такой тоски... Потому что мне уже начинает казаться в эти минуты, что я никогда не способен начать жить настоящею жизнию; потому что мне уже казалось, что я потерял всякий такт, всякое чутье в настоящем, действительном; потому что, наконец, я проклинал сам себя; потому что после моих фантастических ночей на меня уже находят минуты отрезвления, которые ужасны! Между тем слышишь, как кругом тебя гремит и кружится в жизненном вихре людская толпа, слышишь, видишь, как живут люди, — живут наяву, видишь, что жизнь для них не заказана, что их жизнь не разлетится, как сон, как видение, что их жизнь вечно обновляющаяся, вечно юная и ни один час ее непохож на другой, тогда как уныла и до пошлости однообразна пугливая фантазия, раба тени, идеи, раба первого облака, которое внезапно застелет солнце и сожмет тоскою настоящее петербургское сердце, которое так дорожит своим солнцем, — а уж в тоске какая фантазия! Чувствуешь, что она наконец устает, истощается в вечном напряжении, эта *неистощимая* фантазия, потому что ведь мужаешь, выживаешь из прежних своих идеалов: они разбиваются в пыль, в обломки; если ж нет другой жизни, так приходится строить ее из этих же обломков. А между тем чего-то другого просит и хочет душа! И напрасно мечтатель роется, как в золе, в своих старых мечтаниях, ища в этой золе хоть какой-нибудь искорки, чтоб раздуть ее, возобновленным огнем пригреть похолодевшее сердце и воскресить в нем снова всё, что было прежде так мило, что трогало душу, что кипятило кровь, что вырывало слезы из глаз и так роскошно обманывало! Знаете ли, Настенька, до чего я дошел? знаете ли, что я уже принужден справлять годовщину своих ощущений, годовщину того, что было прежде так мило, чего в сущности никогда не бывало, — потому что эта годовщина справляется всё по тем же глупым, бесплотным мечтаниям, — и делать это, потому что и этих-то глупых мечтаний нет, затем, что нечем их выжить: ведь и мечты выживаются! Знаете ли, что я люблю теперь припомнить и посетить в известный срок те места, где был счастлив когда-то по-своему, люблю построить свое настоящее под лад уже безвозвратно прошедшему и часто брожу как тень, без нужды и без цели, уныло и грустно по петербургским закоулкам и улицам. Какие всё воспоминания! Припоминается, например, что вот здесь ровно год тому назад, ровно в это же время, в этот же час, по этому же тротуару бродил так же одиноко, так же уныло, как и теперь! И припоминаешь, что и тогда мечты были грустны, и хоть и прежде было не лучше, но всё как-то чувствуешь, что как будто и легче, и покойнее было жить, что не было этой черной думы, которая теперь привязалась ко мне; что не было этих угрызений совести, угрызений мрачных, угрюмых, которые ни днем, ни ночью теперь не дают покоя. И спрашиваешь себя: где же мечты твои? и покачиваешь головою, говоришь: как быстро летят годы! И опять спрашиваешь себя: что же ты сделал с своими годами? куда ты схоронил свое лучшее время? Ты жил или нет? Смотри, говоришь себе, смотри, как на свете становится холодно. Еще пройдут годы, и за ними придет угрюмое одиночество, придет с клюкой трясучая старость, а за ними тоска и уныние. Побледнеет твой фантастический мир, замрут, увянут мечты твои и осыплются, как желтые листья с деревьев... О, Настенька! ведь грустно будет оставаться одному, одному совершенно, и даже не иметь чего пожалеть — ничего, ровно ничего... потому что всё, что потерял-то, все это, всё было ничто, глупый, круглый нуль, было одно лишь мечтанье!

— Ну, не разжалобливайте меня больше! — проговорила Настенька, утирая слезинку, которая выкатилась из глаз ее. — Теперь кончено! Теперь мы будем вдвоем; теперь, что ни случись со мной, уж мы никогда не расстанемся. Послушайте. Я простая девушка, я мало училась, хотя мне бабушка и нанимала учителя; но, право, я вас понимаю, потому что всё, что вы мне пересказали теперь, я уж сама прожила, когда бабушка меня пришпилила к платью. Конечно, я бы так нс рассказала хорошо, как вы рассказали, я не училась, — робко прибавила она, потому что всё еще чувствовала какое-то уважение к моей патетической речи и к моему высокому слогу, — но я очень рада, что вы совершенно открылись мне. Теперь я вас знаю, совсем, всего знаю. И знаете что? я вам хочу рассказать и свою историю, всю без утайки, а вы мне после за то дадите совет. Вы очень умный человек; обещаетесь ли вы, что вы дадите мне этот совет?

— Ах, Настенька, — отвечал я, — я хоть и никогда не был советником, и тем более умным советником, но теперь вижу, что если мы всегда будем так жить, то это будет как-то очень умно, и каждый друг другу надает премного умных советов! Ну, хорошенькая моя Настенька, какой же вам совет? Говорите мне прямо; я теперь так весел, счастлив, смел и умен, что за словом не полезу в карман.

— Нет, нет! — перебила Настенька, засмеявшись, — мне нужен не один умный совет, мне нужен совет сердечный, братский, так, как бы вы уже век свой любили меня!

— Идет, Настенька, идет! — закричал я в восторге, — и если б я уже двадцать лет вас любил, то все-таки не любил бы сильнее теперешнего!

— Руку вашу! — сказала Настенька.

— Вот она! — отвечал я, подавая ей руку.

— Итак, начнемте мою историю!

ИСТОРИЯ НАСТЕНЬКИ

— Половину истории вы уже знаете, то есть вы знаете, что у меня есть старая бабушка...

— Если другая половина так же недолга, как и эта... — перебил было я засмеявшись.

— Молчите и слушайте. Прежде всего уговор: не перебивать меня, а не то я, пожалуй, собьюсь. Ну, слушайте же смирно.

Есть у меня старая бабушка. Я к ней попала еще очень маленькой девочкой, потому что у меня умерли и мать и отец. Надо думать, что бабушка была прежде богаче, потому что и теперь вспоминает о лучших днях. Она же меня выучила по-французски и потом наняла мне учителя. Когда мне было пятнадцать лет (а теперь мне семнадцать), учиться мы кончили. Вот в это время я и нашалила; уж что я сделала — я вам не скажу; довольно того, что проступок был небольшой. Только бабушка подозвала меня к себе в одно утро и сказала, что так как она слепа, то за мной не усмотрит, взяла булавку и пришпилила мое платье к своему, да тут и сказала, что так мы будем всю жизнь сидеть, если, разумеется, я не сделаюсь лучше. Одним словом, в первое время отойти никак нельзя было: и работай, и читай, и учись — всё подле бабушки. Я было попробовала схитрить один раз и уговорила сесть на мое место Феклу. Фекла — наша работница, она глуха. Фекла села вместо меня; бабушка в это время заснула в креслах, а я отправилась недалеко к подруге. Ну, худо и кончилось. Бабушка без меня проснулась и о чем-то спросила, думая, что я всё еще сижу смирно на месте. Фекла-то видит, что бабушка спрашивает, а сама не слышит про что, думала, думала, что ей делать, отстегнула булавку да и пустилась бежать...

Тут Настенька остановилась и начала хохотать. Я засмеялся вместе с нею. Она тотчас же перестала.

— Послушайте, вы не смейтесь над бабушкой. Это я смеюсь, оттого что смешно... Что же делать, когда бабушка, право, такая, а только я ее все-таки немножко люблю. Ну, да тогда и досталось мне: тотчас меня опять посадили на место и уж ни-ни, шевельнуться было нельзя.

Ну-с, я вам еще позабыла сказать, что у нас, то есть у бабушки свой дом, то есть маленький домик, всего три окна, совсем деревянный и такой же старый, как бабушка; а наверху мезонин; вот и переехал к нам в мезонин новый жилец...

— Стало быть, был и старый жилец? — заметил я мимоходом.

— Уж конечно, был, — отвечала Настенька, — и который умел молчать лучше вас. Правда, уж он едва языком ворочал. Это был старичок, сухой, немой, слепой, хромой, так что наконец ему стало нельзя жить на свете, он и умер; а затем и понадобился новый жилец, потому что нам без жильца жить нельзя: это с бабушкиным пенсионом почти весь наш доход. Новый жилец как нарочно был молодой человек, нездешний, заезжий. Так как он не торговался, то бабушка и пустила его, а потом и спрашивает «Что, Настенька, наш жилец молодой или нет?» Я солгать не хотела: «Так, говорю, бабушка, не то чтоб совсем молодой, а так, не старик». «Ну, и приятной наружности?» — спрашивает бабушка

Я опять лгать не хочу. «Да, приятной, говорю, наружности бабушка!» А бабушка говорит: «Ах! наказанье, наказанье! Я это, внучка, тебе для того говорю, чтоб ты на него не засматривалась. Экой век какой! поди, такой мелкий жилец, а ведь тоже приятной наружности: не то в старину!»

А бабушке всё бы в старину! И моложе-то она была в старину, и солнце-то было в старину теплее, и сливки в старину не так скоро кисли, — все в старину! Вот я сижу и молчу, а про себя думаю: что же это бабушка сама меня надоумливает, спрашивает, хорош ли, молод ли жилец? Да только так, только подумала, и тут же стала опять петли считать, чулок вязать, а потом совсем позабыла.

Вот раз поутру к нам и приходит жилец, спросить о том, что ему комнату обещали обоями оклеить. Слово за слово, бабушка же болтлива, и говорит: «Сходи, Настенька, ко мне в спальню, принеси счеты». Я тотчас же вскочила, вся, не знаю отчего, покраснела, да и позабыла, что сижу пришпиленная; нет, чтоб тихонько отшпилить, чтобы жилец не видал, — рванулась так, что бабушкино кресло поехало. Как я увидела, что жилец всё теперь узнал про меня, покраснела, стала на месте как вкопанная да вдруг и заплакала, — так стыдно и горько стало в эту минуту, что хоть на свет не глядеть! Бабушка кричит: «Что ж ты стоишь?» — а я еще пуще... Жилец, как увидел, увидел, что мне его стыдно стало, откланялся и тотчас ушел!

С тех пор я, чуть шум в сенях, как мертвая. Вот, думаю, жилец идет, да потихоньку на всякий случай и отшпилю булавку. Только всё был не он, не приходил. Прошло две недели; жилец и присылает сказать с Феклой, что у него книг много французских и что всё хорошие книги, так что можно читать; так не хочет ли бабушка, чтоб я их ей почитала, чтоб не было скучно? Бабушка согласилась с благодарностью, только всё спрашивала, нравственные книги или нет, потому что если книги безнравственные, так тебе, говорит Настенька, читать никак нельзя, ты дурному научишься.

— А чему ж научусь, бабушка? Что там написано?

— А! говорит, описано в них, как молодые люди соблазняют благонравных девиц, как они, под предлогом того, что хотят их взять за себя, увозят их из дому родительского, как потом оставляют этих несчастных девиц на волю судьбы и они погибают самым плачевным образом. Я, — говорит бабушка, — много таких книжек читала, и всё, говорит, так прекрасно описано, что ночь сидишь, тихонько читаешь. Так ты, говорит, Настенька, смотри, их не прочти. Каких это, говорит, он книг прислал?

— А всё Вальтера Скотта романы, бабушка.

— Вальтера Скотта романы! А полно, нет ли тут каких-нибудь шашней? Посмотри-ка, не положил ли он в них какой-нибудь любовной записочки?

— Нет, говорю, бабушка, нет записки.

— Да ты под переплетом посмотри; они иногда в переплет запихают, разбойники!..

— Нет, бабушка, и под переплетом нет ничего.

— Ну то-то же!

Вот мы и начали читать Вальтер-Скотта и в какой-нибудь месяц почти половину прочли. Потом он еще и еще присылал, Пушкина присылал, так что наконец я без книг и быть не могла и перестала думать, как бы выйти за китайского принца.

Так было дело, когда один раз мне случилось повстречаться с нашим жильцом на лестнице. Бабушка за чем-то послала меня. Он остановился, я покраснела, и он покраснел; однако засмеялся, поздоровался, о бабушкином здоровье спросил и говорит: «Что, вы книги прочли?» Я отвечала: «Прочла». «Что же, говорит, вам больше понравилось?» Я и говорю: «Ивангое да Пушкин больше всех понравились». На этот раз тем и кончилось.

Через неделю я ему опять попалась на лестнице. В этот раз бабушка не посылала, а мне самой надо было за чем-то. Был третий час, а жилец в это время домой приходил.«Здравствуйте!» — говорит. Я ему: «Здравствуйте!»

— А что, говорит, вам не скучно целый день сидеть вместе с бабушкой?

Как он это у меня спросил, я, уж не знаю отчего, покраснела, застыдилась, и опять мне стало обидно, видно оттого, что уж другие про это дело расспрашивать стали. Я уж было хотела не отвечать и уйти, да сил не было.

— Послушайте, говорит, вы добрая девушка! Извините, что я с вами так говорю, но, уверяю вас, я вам лучше бабушки вашей желаю добра. У вас подруг нет никаких, к которым бы можно было в гости пойти?

Я говорю, что никаких, что была одна, Машенька, да и та в Псков уехала.

— Послушайте, говорит, хотите со мною в театр поехать?

— В театр? как же бабушка-то?

— Да вы, говорит, тихонько от бабушки...

— Нет, говорю, я бабушку обманывать не хочу. Прощайте-с!

— Ну, прощайте, говорит, а сам ничего не сказал.

Только после обеда и приходит он к нам; сел, долго говорил с бабушкой, расспрашивал, что она, выезжает ли куда-нибудь, есть ли знакомые, — да вдруг и говорит: «А сегодня я было ложу взял в оперу; «Севильского цирюльника» дают, знакомые ехать хотели, да потом отказались, у меня и остался билет на руках».

— «Севильского цирюльника»! — закричала бабушка, — да это тот самый «Цирюльник», которого в старину давали?

— Да, говорит, это тот самый «Цирюльник», — да и взглянул на меня. А я уж всё поняла, покраснела, и у меня сердце от ожидания запрыгало!

— Да как же, говорит бабушка, как не знать. Я сама в старину на домашнем театре Розину играла!

— Так не хотите ли ехать сегодня? — сказал жилец. — У меня билет пропадает же даром

— Да, пожалуй, поедем, говорит бабушка, отчего ж не поехать? А вот у меня Настенька в театре никогда не была

Боже мой, какая радость! Тотчас же мы собрались, снарядились и поехали. Бабушка хоть и слепа, а все-таки ей хотелось музыку слушать, да, кроме того, она старушка добрая: больше меня потешить хотела, сами-то мы никогда бы не собрались. Уж какое было впечатление от «Севильского цирюльника», я вам не скажу, только во весь этот вечер жилец наш так хорошо смотрел на меня, так хорошо говорил, что я тотчас увидела, что он меня хотел испытать поутру, предложив, чтоб я одна с ним поехала. Ну, радость какая! Спать я легла такая гордая, такая веселая, так сердце билось, что сделалась маленькая лихорадка и я всю ночь бредила о «Севильском цирюльнике»

Я думала, что после этого он всё будет заходить чаще и чаще, — не тут-то было. Он почти совсем перестал. Так, один раз в месяц, бывало, зайдет, и то только с тем, чтоб в театр пригласить. Раза два мы опять потом съездили. Только уж этим я была совсем недовольна. Я видела, что ему просто жалко было меня за то, что я у бабушки в таком загоне, а больше-то и ничего. Дальше и дальше, и нашло на меня: и сидеть-то я не сижу, и читать-то я не читаю, и работать не работаю, иногда смеюсь и бабушке что-нибудь назло делаю, другой раз просто плачу. Наконец, я похудела и чуть было не стала больна. Оперный сезон прошел, и жилец к нам совсем перестал заходить; когда же мы встречались — всё на той же лестнице, разумеется, — он так молча поклонится, так серьезно, как будто и говорить не хочет, и уж сойдет совсем на крыльцо, а я всё еще стою на половине лестницы, красная как вишня, потому что у меня вся кровь начала бросаться в голову, когда я с ним повстречаюсь.

Теперь сейчас и конец. Ровно год тому, в мае месяце, жилец к нам приходит и говорит бабушке, что он выхлопотал здесь совсем свое дело и что должно ему опять уехать на год в Москву. Я, как услышала, побледнела и упала на стул как мертвая. Бабушка ничего не заметила, а он, объявив, что уезжает от нас, откланялся нам и ушел.

Что мне делать? Я думала-думала, тосковала-тосковала, да наконец и решилась. Завтра ему уезжать, а я порешила, что всё кончу вечером, когда бабушка уйдет спать. Так и случилось. Я навязала в узелок всё, что было платьев, сколько нужно белья, и с узелком в руках, ни жива ни мертва, пошла в мезонин к нашему жильцу. Думаю, я шла целый час по лестнице. Когда же отворила к нему дверь, он так и вскрикнул, на меня глядя. Он думал, что я привидение, и бросился мне воды подать, потому что я едва стояла на ногах. Сердце так билось, что в голове больно было, и разум мой помутился. Когда же я очнулась, то начала прямо тем, что положила свой узелок к нему на постель, сама села подле, закрылась руками и заплакала в три ручья. Он, кажется, мигом всё понял и стоял передо мной бледный и так грустно глядел на меня, что во мне сердце надорвало.

— Послушайте, — начал он, — послушайте, Настенька, я ничего не могу; я человек бедный; у меня покамест нет ничего, даже места порядочного; как же мы будем жить, если б я и женился на вас?

Мы долго говорили, но я наконец пришла в исступление, сказала, что не могу жить у бабушки, что убегу от нее, что не хочу, чтоб меня булавкой пришпиливали, и что я, как он хочет, поеду с ним в Москву, потому что без него жить не могу. И стыд, и любовь, и гордость — всё разом говорило во мне, и я чуть не в судорогах упала на постель. Я так боялась отказа!

Он несколько минут сидел молча, потом встал, подошел ко мне и взял меня за руку.

— Послушайте, моя добрая, моя милая Настенька! — начал он тоже сквозь слезы, — послушайте. Клянусь вам, что если когда-нибудь я буду в состоянии жениться, то непременно вы составите мое счастие; уверяю, теперь только одни вы можете составить мое счастье. Слушайте: я еду в Москву и пробуду там ровно год. Я надеюсь устроить дела свои. Когда ворочусь, и если вы меня не разлюбите, клянусь вам, мы будем счастливы. Теперь же невозможно, я не могу, я не вправе хоть что-нибудь обещать. Но, повторяю, если через год это не сделается, то хоть когда-нибудь непременно будет; разумеется — в том случае, если вы не предпочтете мне другого, потому что связывать вас каким-нибудь словом я не могу и не смею.

Вот что он сказал мне и назавтра уехал. Положено было сообща бабушке не говорить об этом ни слова. Так он захотел. Ну, вот теперь почти и кончена вся моя история. Прошел ровно год. Он приехал, он уж здесь целые три дня и, и...

— И что же? — закричал я в нетерпении услышать конец.

— И до сих пор не являлся! — отвечала Настенька, как будто собираясь с силами, — ни слуху ни духу...

Тут она остановилась, помолчала немного, опустила голову и вдруг, закрывшись руками, зарыдала так, что во мне сердце перевернулось от этих рыданий. Я никак не ожидал подобной развязки.

— Настенька! — начал я робким и вкрадчивым голосом, — Настенька! ради бога, не плачьте! Почему вы знаете? может быть, его еще нет ...

— Здесь, здесь! — подхватила Настенька. — Он здесь, я это знаю. У нас было условие, тогда еще, в тот вечер, накануне отъезда: когда уже мы сказали всё, что я вам пересказала, и условились, мы вышли сюда гулять, именно на эту набережную. Было десять часов; мы сидели на этой скамейке; я уже не плакала, мне было сладко слушать то, что он говорил... Он сказал, что тотчас же по приезде придет к нам и если я не.откажусь от него, то мы скажем обо всем бабушке. Теперь он приехал, я это знаю, и его нет, нет!

И она снова ударилась в слезы.

— Боже мой! Да разве никак нельзя помочь горю? — закричал я, вскочив со скамейки в совершенном отчаянии. — Скажите, Настенька, нельзя ли будет хоть мне сходить к нему?..

— Разве это возможно? — сказала она, вдруг подняв голову.

— Нет, разумеется, нет! — заметил я, спохватившись. — А вот что: напишите письмо.

— Нет, это невозможно, это нельзя! — отвечала она решительно, но уже потупив голову и не смотря на меня.

— Как нельзя? отчего ж нельзя? — продолжал я, ухватившись за свою идею. — Но, знаете, Настенька, какое письмо! Письмо письму рознь и...Ах, Настенька, это так! Вверьтесь мне, вверьтесь! Я вам не дам дурного совета. Всё это можно устроить! Вы же начали первый шаг — отчего же теперь...

— Нельзя, нельзя! Тогда я как будто навязываюсь...

— Ах, добренькая моя Настенька! — перебил я, не скрывая улыбки, — нет же, нет; вы, наконец, вправе, потому что он вам обещал. Да и по всему я вижу, что он человек деликатный, что он поступил хорошо, — продолжал я, всё более и более восторгаясь от логичности собственных доводов и убеждений, — он как поступил? Он себя связал обещанием. Он сказал, что ни на ком не женится, кроме вас, если только женится; вам же он оставил полную свободу хоть сейчас от него отказаться... В таком случае вы можете сделать первый шаг, вы имеете право, вы имеете перед ним преимущество, хотя бы, например, если б захотели развязать его от данного слова...

— Послушайте, вы как бы написали?

— Что?

— Да это письмо.

— Я бы вот как написал: «Милостивый государь...»

— Это так непременно нужно — милостивый государь?

— Непременно! Впрочем, отчего ж? я думаю...

— Ну, ну! дальше!

— «Милостивый государь!

Извините, что я...» Впрочем, нет, не нужно никаких извинений! Тут самый факт все оправдывает, пишите просто:

«Я пишу к вам. Простите мне мое нетерпение; но я целый год была счастлива надеждой; виновата ли я, что не могу теперь вынести и дня сомнения? Теперь, когда уже вы приехали, может быть, вы уже изменили свои намерения. Тогда это письмо скажет вам, что я не ропщу и не обвиняю вас. Я не обвиняю вас за то, что не властна над вашим сердцем; такова уж судьба моя!

Вы благородный человек. Вы не улыбнетесь и не подосадуете на мои нетерпеливые строки. Вспомните, что их пишет бедная девушка, что она одна, что некому ни научить ее, ни посоветовать ей и что она никогда не умела сама совладеть с своим сердцем. Но простите меня, что в мою душу хотя на один миг закралось сомнение. Вы не способны даже и мысленно обидеть ту, которая вас так любила и любит».

— Да, да! это точно так, как я думала! — закричала Настенька, и радость засияла в глазах ее. — О! вы разрешили мои сомнения, вас мне сам Бог послал! Благодарю, благодарю вас!

— За что? за то, что меня Бог послал? — отвечал я, глядя в восторге на ее радостное личико.

— Да, хоть за то.

— Ах, Настенька! Ведь благодарим же мы иных людей хоть за то, что они живут вместе с нами. Я благодарю вас за то, что вы мне встретились, за то, что целый век мой буду вас помнить!

— Ну, довольно, довольно! А теперь вот что, слушайте-ка: тогда было условие, что как только приедет он, так тотчас даст знать о себе тем, что оставит мне письмо в одном месте, у одних моих знакомых, добрых и простых людей, которые ничего об этом не знают; или если нельзя будет написать ко мне письма, затем что в письме не всегда всё расскажешь, то он в тот же день, как приедет, будет сюда ровно в десять часов, где мы и положили с ним встретиться. О приезде его я уже знаю; но вот уже третий день нет ни письма, ни его. Уйти мне от бабушки поутру никак нельзя. Отдайте письмо мое завтра вы сами тем добрым людям, о которых я вам говорила: они уже перешлют; а если будет ответ, то сами вы принесете его вечером в десять часов.

— Но письмо, письмо! Ведь прежде нужно письмо написать! Так разве послезавтра все это будет.

— Письмо... — отвечала Настенька, немного смешавшись, — письмо... но...

Но она не договорила. Она сначала отвернула от меня свое личико, покраснела, как роза, и вдруг я почувствовал в моей руке письмо, по-видимому уже давно написанное, совсем приготовленное и запечатанное. Какое-то знакомое, милое, грациозное воспоминание пронеслось в моей голове!

— R, o — Ro, s, i — si, n, a — na, — начал я.

— Rosina! — запели мы оба, я, чуть не обнимая ее от восторга, она, покраснев, как только могла покраснеть, и смеясь сквозь слезы, которые, как жемчужинки, дрожали на ее черных ресницах.

— Ну, довольно, довольно! Прощайте теперь! — сказала она скороговоркой. — Вот вам письмо, вот и адрес, куда снести его. Прощайте! до свидания! до завтра!

Она крепко сжала мне обе руки, кивнула головой и мелькнула, как стрела, в свой переулок. Я долго стоял на месте, провожая ее глазами.

«До завтра! до завтра!» — пронеслось в моей голове, когда она скрылась из глаз моих.

НОЧЬ ТРЕТЬЯ

Сегодня был день печальный, дождливый, без просвета, точно будущая старость моя. Меня теснят такие странные мысли, такие темные ощущения, такие еще неясные для меня вопросы толпятся в моей голове, — а как-то нет ни силы, ни хотения их разрешить. Не мне разрешить всё это!

Сегодня мы не увидимся. Вчера, когда мы прощались, облака стали заволакивать небо и подымался туман. Я сказал, что завтра будет дурной день; она не отвечала, она не хотела против себя говорить; для нее этот день и светел и ясен, и ни одна тучка не застелет ее счастия.

— Коли будет дождь, мы не увидимся! — сказала она. — Я не приду.

Я думал, что она и не заметила сегодняшнего дождя, а между тем не пришла. Вчера было наше третье свиданье, наша третья белая ночь...

Однако, как радость и счастие делают человека прекрасным! как кипит сердце любовью! Кажется, хочешь излить всё свое сердце в другое сердце, хочешь, чтоб всё было весело, всё смеялось. И как заразительна эта радость! Вчера в ее словах было столько неги, столько доброты ко мне в сердце... Как она ухаживала за мной, как ласкалась во мне, как ободряла и нежила мое сердце! О, сколько кокетства от счастия! А я... Я принимал всё за чистую монету; я думал, что она...

Но, боже мой, как же мог я это думать? как же мог я быть так слеп, когда уже всё взято другим, всё не мое; когда, наконец, даже эта самая нежность ее, ее забота, ее любовь... да, любовь ко мне, — была не что иное, как радость о скором свидании с другим, желание навязать и мне свое счастие?.. Когда он не пришел, когда мы прождали напрасно, она же нахмурилась, она же заробела и струсила. Все движения ее, все слова ее уже стали не так легки, игривы и веселы. И, странное дело, — она удвоила ко мне свое внимание, как будто инстинктивно желая на меня излить то, чего сама желала себе, за что сама боялась; если б оно не сбылось. Моя Настенька так оробела, так перепугалась, что, кажется, поняла, наконец, что я люблю ее, и сжалилась над моей бедной любовью. Так, когда мы несчастны, мы сильнее чувствуем несчастие других; чувство не разбивается, а сосредоточивается...

Я пришел к ней с полным сердцем и едва дождался свидания. Я не предчувствовал того, что буду теперь ощущать, не предчувствовал, что всё это не так кончится. Она сияла радостью, она ожидала ответа. Ответ был он сам. Он должен был прийти, прибежать на ее зов. Она пришла раньше меня целым часом. Сначала она всему хохотала, всякому слову моему смеялась. Я начал было говорить и умолк.

— Знаете ли, отчего я так рада? — сказала она, — так рада на вас смотреть? так люблю вас сегодня?

— Ну? — спросил я, и сердце мое задрожало.

— Я оттого люблю вас, что вы не влюбились в меня. Ведь вот иной, на вашем месте, стал бы беспокоить, приставать, разохался бы, разболелся, а вы такой милый!

Тут она так сжала мою руку, что я чуть не закричал. Она засмеялась.

— Боже! какой вы друг! — начала она через минуту очень серьезно. — Да вас Бог мне послал! Ну, что бы со мной было, если б вас со мной теперь не было? Какой вы бескорыстный! Как хорошо вы меня любите! Когда я выйду замуж, мы будем очень дружны, больше чем как братья. Я буду вас любить почти так, как его...

Мне стало как-то ужасно грустно в это мгновение; однако ж что-то похожее на смех зашевелилось в душе моей.

— Вы в припадке, — сказал я, — вы трусите; вы думаете, что он не придет.

— Бог с вами! — отвечала она, — если б я была меньше счастлива, я бы, кажется, заплакала от вашего неверия, от ваших упреков. Впрочем, вы меня навели на мысль и задали мне долгую думу; но я подумаю после, а теперь признаюсь вам, что правду вы говорите. Да! я как-то сама не своя; я как-то вся в ожидании и чувствую всё как-то слишком легко. Да полноте, оставим про чувства!..

В это время послышались шаги, и в темноте показался прохожий, который шел к нам навстречу. Мы оба задрожали; она чуть не вскрикнула. Я опустил ее руку и сделал жест, как будто хотел отойти. Но мы обманулись: это был не он.

— Чего вы боитесь? Зачем вы бросили мою руку? — сказала она, подавая мне ее опять. — Ну, что же? мы встретим его вместе. Я хочу, чтоб он видел, как мы любим друг друга.

— Как мы любим друг друга! — закричал я.

«О Настенька, Настенька! — подумал я, — как этим словом ты много сказала! От этакой любви, Настенька, в *иной* час холодеет на сердце и становится тяжело на душе. Твоя рука холодная, моя горячая как огонь. Какая слепая ты, Настенька!.. О! как несносен счастливый человек в иную минуту! Но я не мог на тебя рассердиться!..»

Наконец сердце мое переполнилось.

— Послушайте, Настенька! — закричал я, — знаете ли, что со мной было весь день?

— Ну что, что такое? рассказывайте скорее! Что ж вы до сих пор всё молчали!

— Во-первых, Настенька, когда я исполнил все ваши комиссии, отдал письмо, был у ваших добрых людей, потом... потом я пришел домой и лег спать.

— Только-то? — перебила она засмеявшись.

— Да, почти только-то, — отвечал я скрепя сердце, потому что в глазах моих уже накипали глупые слезы. — Я проснулся за час до нашего свидания, но как будто и не спал. Не знаю, что было со мною. Я шел, чтоб вам это всё рассказать, как будто время для меня остановилось, как будто одно ощущение, одно чувство должно было остаться с этого времени во мне навечно, как будто одна минута должна была продолжаться целую вечность и словно вся жизнь остановилась для меня... Когда я проснулся, мне казалось, что какой-то музыкальный мотив, давно знакомый, где-то прежде слышанный, забытый и сладостный, теперь вспоминался мне. Мне казалось, что он всю жизнь просился из души моей, и только теперь...

— Ах, боже мой, боже мой! — перебила Настенька, — как же это всё так? Я не понимаю ни слова.

— Ах, Настенька! мне хотелось как-нибудь передать вам это странное впечатление... — начал я жалобным голосом, в котором скрывалась еще надежда, хотя весьма отдаленная.

— Полноте, перестаньте, полноте! — заговорила она, и в один миг она догадалась, плутовка!

Вдруг она сделалась как-то необыкновенно говорлива, весела, шаловлива. Она взяла меня под руку, смеялась, хотела, чтоб и я тоже смеялся, и каждое смущенное слово мое отзывалось в ней таким звонким, таким долгим смехом... Я начинал сердиться, она вдруг пустилась кокетничать.

— Послушайте, — начала она, — а ведь мне немножко досадно, что вы не влюбились в меня. Разберите-ка после этого человека! Но все-таки, господин непреклонный, вы не можете не похвалить меня за то, что я такая простая. Я вам всё говорю, всё говорю, какая бы глупость ни промелькнула у меня в голове.

— Слушайте! Это одиннадцать часов, кажется? — сказал я, когда мерный звук колокола загудел с отдаленной городской башни. Она вдруг остановилась, перестала смеяться и начала считать.

— Да, одиннадцать, — сказала она наконец робким, нерешительным голосом.

Я тотчас же раскаялся, что напугал ее, заставил считать часы, и проклял себя за припадок злости. Мне стало за нее грустно, и я не знал, как искупить свое прегрешение. Я начал ее утешать, выискивать причины его отсутствия, подводить разные доводы, доказательства. Никого нельзя было легче обмануть, как ее в эту минуту, да и всякий в эту минуту как-то радостно выслушивает хоть какое бы то ни было утешение и рад-рад, коли есть хоть тень оправдания.

— Да и смешное дело, — начал я, всё более и более горячась и любуясь на необыкновенную ясность своих доказательств, — да и не мог он прийти; вы и меня обманули и завлекли, Настенька, так что я и времени счет потерял... Вы только подумайте: он едва мог получить письмо; положим, ему нельзя прийти, положим, он будет отвечать, так письмо придет не раньше как завтра. Я за ним завтра чем свет схожу и тотчас же дам знать. Предположите, наконец, тысячу вероятностей: ну, его не было дома, когда пришло письмо, и он, может быть, его и до сих пор не читал? Ведь всё может случиться.

— Да, да! — отвечала Настенька, — я и не подумала; конечно, всё может случиться, — продолжала она самым сговорчивым голосом, но в котором, как досадный диссонанс, слышалась какая-то другая, отдаленная мысль. — Вот что вы сделайте, — продолжала она, — вы идите завтра как можно раньше и, если получите что-нибудь, тотчас же дайте мне знать. Вы ведь знаете, где я живу? — И она начала повторять мне свой адрес.

Потом она вдруг стала так нежна, так робка со мною... Она, казалось, слушала внимательно, что я ей говорил; но когда я обратился к ней с каким-то вопросом, она смолчала, смешалась и отворотила от меня головку. Я заглянул ей в глаза — так и есть: она плакала.

— Ну, можно ли, можно ли! Ах, какое вы дитя! Какое ребячество!.. Полноте!

Она попробовала улыбнуться, успокоиться, но подбородок ее дрожал и грудь всё еще колыхалась.

— Я думаю об вас, — сказала она мне после минутного молчания, — вы так добры, что я была бы каменная, если б не чувствовала этого. Знаете ли, что мне пришло теперь в голову? Я вас обоих сравнила. Зачем он — не вы? Зачем он не такой, как вы? Он хуже вас, хоть я и люблю его больше вас.

Я не отвечал ничего. Она, казалось, ждала, чтоб я сказал что-нибудь.

— Конечно, я, может быть, не совсем еще его понимаю, не совсем его знаю. Знаете, я как будто всегда боялась его; он всегда был такой серьезный, такой как будто гордый. Конечно, я знаю, что это он только смотрит так, что в сердце его больше, чем в моем, нежности... Я помню, как он посмотрел на меня тогда, как я, помните, пришла к нему с узелком; но все-таки я его как-то слишком уважаю, а ведь это как будто бы мы и неровня?

— Нет, Настенька, нет, — отвечал я, — это значит, что вы его больше всего на свете любите, и гораздо больше себя самой любите.

— Да, положим, что это так, — отвечала наивная Настенька, — но знаете ли, что мне пришло теперь в голову? Только я теперь не про него буду говорить, а так, вообще; мне уже давно всё это приходило в голову. Послушайте, зачем мы все не так, как бы братья с братьями? Зачем самый лучший человек всегда как будто что-то таит от другого и молчит от него? Зачем прямо, сейчас, не сказать, что есть на сердце, коли знаешь, что не на ветер свое слово скажешь? А то всякий так смотрит, как будто он суровее, чем он есть на самом деле, как будто все боятся оскорбить свои чувства, коли очень скоро выкажут их...

— Ах, Настенька! правду вы говорите; да ведь это происходит от многих причин, — перебил я, сам более чем когда-нибудь в эту минуту стеснявший свои чувства.

— Нет, нет! — отвечала она с глубоким чувством. — Вот вы, например, не таков, как другие! Я, право, не знаю, как бы вам это рассказать, что я чувствую; но мне кажется, вы вот, например... хоть бы теперь... мне кажется, вы чем-то для меня жертвуете, — прибавила она робко, мельком взглянув на меня. — Вы меня простите, если я вам так говорю: я ведь простая девушка; я ведь мало еще видела на свете и, право, не умею иногда говорить, — прибавила она голосом, дрожащим от какого-то затаенного чувства, и стараясь между тем улыбнуться, — но мне только хотелось сказать вам, что я благодарна, что я тоже всё это чувствую ... О, дай вам Бог за это счастия! Вот то, что вы мне насказали тогда о вашем мечтателе, совершенно неправда, то есть, я хочу сказать, совсем до вас не касается. Вы выздоравливаете, вы, право, совсем другой человек, чем как сами себя описали. Если вы когда-нибудь полюбите, то дай вам Бог счастия с нею! А ей я ничего не желаю, потому что она будет счастлива с вами. Я знаю, я сама женщина, и вы должны мне верить, если я вам так говорю...

Она замолкла и крепко пожала руку мне. Я тоже не мог ничего говорить от волнения. Прошло несколько минут.

— Да, видно, что он не придет сегодня! — сказала она наконец, подняв голову. — Поздно!..

— Он придет завтра, — сказал я самым уверительным и твердым голосом.

— Да, — прибавила она, развеселившись, — я сама теперь вижу, что он придет только завтра. Ну, так до свиданья! до завтра! Если будет дождь, я, может быть, не приду. Но послезавтра я приду, непременно приду, что бы со мной ни было; будьте здесь непременно; я хочу вас видеть, я вам все расскажу.

И потом, когда мы прощались, она подала мне руку и сказала, ясно взглянув на меня:

— Ведь мы теперь навсегда вместе, не правда ли?

О! Настенька, Настенька! Если б ты знала, в каком я теперь одиночестве!

Когда пробило девять часов, я не мог усидеть в комнате, оделся и вышел, несмотря на ненастное время. Я был там, сидел на нашей скамейке. Я было пошел в их переулок, но мне стало стыдно, и я воротился, не взглянув на их окна, не дойдя двух шагов до их дома. Я пришел домой в такой тоске, в какой никогда не бывал. Какое сырое, скучное время! Если б была хорошая погода, я бы прогулял там всю ночь...

Но до завтра, до завтра! Завтра она мне всё расскажет.

Однако письма сегодня не было. Но, впрочем, так и должно было быть. Они уже вместе...

НОЧЬ ЧЕТВЕРТАЯ

Боже, как все это кончилось! Чем всё это кончилось!

Я пришел в девять часов. Она была уже там. Я еще издали заметил ее; она стояла, как тогда, в первый раз, облокотясь на перила набережной, и не слыхала, как я подошел к ней.

— Настенька! — окликнул я ее, через силу подавляя свое волнение.

Она быстро обернулась ко мне.

— Ну! — сказала она, — ну! поскорее!

Я смотрел на нее в недоумении.

— Ну, где же письмо? Вы принесли письмо? — повторила она, схватившись рукой за перила.

— Нет, у меня нет письма, — сказал я наконец, — разве он еще не был?

Она страшно побледнела и долгое время смотрела на меня неподвижно. Я разбил последнюю ее надежду.

— Ну, Бог с ним! — проговорила она наконец прерывающимся голосом, — Бог с ним, — если он так оставляет меня.

Она опустила глаза, потом хотела взглянуть на меня, но не могла. Еще несколько минут она пересиливала свое волнение, но вдруг отворотилась, облокотясь на балюстраду набережной, и залилась слезами.

— Полноте, полноте! — заговорил было я, но у меня сил недостало продолжать, на нее глядя, да и что бы я стал говорить?

— Не утешайте меня, — говорила она плача, — не говорите про него, не говорите, что он придет, что он не бросил меня так жестоко, так бесчеловечно, как он это сделал. За что, за что? Неужели что-нибудь было в моем письме, в этом несчастном письме?..

Тут рыдания пресекли ее голос; у меня сердце разрывалось, на нее глядя.

— О, как это бесчеловечно-жестоко! — начала она снова. — И ни строчки, ни строчки! Хоть бы отвечал, что я не нужна ему, что он отвергает меня; а то ни одной строчки в целые три дня! Как легко ему оскорбить, обидеть бедную, беззащитную девушку, которая тем и виновата, что любит его! О, сколько я вытерпела в эти три дня! Боже мой! Боже мой! Как вспомню, что я пришла к нему в первый раз сама, что я перед ним унижалась, плакала, что я вымаливала у него хоть каплю любви... И после этого!.. Послушайте, — заговорила она, обращаясь ко мне, и черные глазки ее засверкали, — да это не так! Это не может быть так; это ненатурально! Или вы, или я обманулись; может быть, он письма не получал? Может быть, он до сих пор ничего не знает? Как же можно, судите сами, скажите мне, ради бога, объясните мне, — я этого не могу понять, — как можно так варварски-грубо поступить, как он поступил со мною! Ни одного слова! Но к последнему человеку на свете бывают сострадательнее. Может быть, он что-нибудь слышал, может быть, кто-нибудь ему насказал обо мне? — закричала она, обратившись ко мне с вопросом. — Как вы думаете?

— Слушайте, Настенька, я пойду завтра к нему от вашего имени.

— Ну!

— Я спрошу его обо всем, расскажу ему всё.

— Ну, ну!

— Вы напишете письмо. Не говорите нет, Настенька, не говорите нет! Я заставлю его уважать ваш поступок, он всё узнает, и если...

— Нет, мой друг, нет, — перебила она. — Довольно! Больше ни слова, ни одного слова от меня, ни строчки — довольно! Я его не знаю, я не люблю его больше, я его по...за...буду...

Она не договорила.

— Успокойтесь, успокойтесь! Сядьте здесь, Настенька, — сказал я, усаживая ее на скамейку.

— Да я спокойна. Полноте! Это так! Это слезы, это просохнет! Что вы думаете, что я сгублю себя, что я утоплюсь?..

Сердце мое было полно; я хотел было заговорить, но не мог.

— Слушайте! — продолжала она, взяв меня за руку, — скажите: вы бы не так поступили? вы бы не бросили той, которая сама к вам пришла, вы бы не бросили ей в глаза бесстыдной насмешки над ее слабым, глупым сердцем? Вы побереги бы ее? Вы бы представили себе, что она была одна, что она не умела усмотреть за собой, что она не умела себя уберечь от любви к вам, что она не виновата, что она, наконец, не виновата... что она ничего не сделала!.. О, боже мой, боже мой!..

— Настенька! — закричал я наконец, не будучи в силах преодолеть свое волнение, — Настенька! вы терзаете меня! Вы язвите сердце мое, вы убиваете меня,

Настенька! Я не могу молчать! Я должен наконец говорить, высказать, что у меня накипело тут, в сердце...

Говоря это, я привстал со скамейки. Она взяла меня за руку и смотрела на меня в удивлении.

— Что с вами? — проговорила она наконец.

— Слушайте! — сказал я решительно. — Слушайте меня, Настенька! Что я буду теперь говорить, всё вздор, всё несбыточно, всё глупо! Я знаю, что этого никогда не может случиться, но не могу же я молчать. Именем того, чем вы теперь страдаете, заранее молю вас, простите меня!..

— Ну, что, что? — говорила она, перестав плакать и пристально смотря на меня, тогда как странное любопытство блистало в ее удивленных глазках, — что с вами?

— Это несбыточно, но я вас люблю, Настенька! вот что! Ну, теперь всё сказано! — сказал я, махнув рукой. — Теперь вы увидите, можете ли вы так говорить со мной, как сейчас говорили, можете ли вы, наконец, слушать то, что я буду вам говорить...

— Ну, что ж, что же? — перебила Настенька, — что ж из этого? Ну, я давно знала, что вы меня любите, но только мне всё казалось, что вы меня так, просто, как-нибудь любите... Ах, боже мой, боже мой!

— Сначала было просто, Настенька, а теперь, теперь... я точно так же, как вы, когда вы пришли к нему тогда с вашим узелком. Хуже, чем как вы, Настенька, потому что он тогда никого не любил, а вы любите.

— Что это вы мне говорите! Я, наконец, вас совсем не понимаю. Но послушайте, зачем же это, то есть не зачем, а почему же это вы так, и так вдруг... Боже! я говорю глупости! Но вы...

И Настенька совершенно смешалась. Щеки ее вспыхнули; она опустила глаза.

— Что ж делать, Настенька, что ж мне делать? я виноват, я употребил во зло... Но нет же, нет, не виноват я, Настенька; я это слышу, чувствую, потому что мое сердце мне говорит, что я прав, потому что я вас ничем не могу обидеть, ничем оскорбить! Я был друг ваш; ну, вот я и теперь друг; я ничему не изменял. Вот у меня теперь слезы текут, Настенька. Пусть их текут, пусть текут — они никому не мешают. Они высохнут, Настенька...

— Да сядьте же, сядьте, — сказала она, сажая меня на скамейку, — ох, боже мой!

— Нет! Настенька, я не сяду; я уже более не могу быть здесь, вы уже меня более не можете видеть; я всё скажу и уйду. Я только хочу сказать, что вы бы никогда не узнали, что я вас люблю. Я бы сохранил свою тайну. Я бы не стал вас терзать теперь, в эту минуту, моим эгоизмом. Нет! но я не мог теперь вытерпеть; вы сами заговорили об этом, вы виноваты.. вы во всем виноваты, а я не виноват. Вы не можете прогнать меня от себя...

— Да нет же, нет, я не отгоняю вас, нет! — говорила Настенька, скрывая, как только могла, свое смущение, бедненькая.

— Вы меня не гоните? нет! а я было сам хотел бежать от вас. Я и уйду, только я все скажу сначала, потому что, когда вы здесь говорили, я не мог усидеть, когда вы здесь плакали, когда вы терзались оттого, ну, оттого (уж я назову это, Настенька), оттого, что вас отвергают, оттого, что оттолкнули вашу любовь, я почувствовал, я услышал, что в моем сердце столько любви для вас, Настенька, столько любви!.. И мне стало так горько, что я не могу помочь вам этой любовью... что сердце разорвалось, и я, я — не мог молчать, я должен был говорить, Настенька, я должен был говорить!..

— Да, да! говорите мне, говорите со мною так! — сказала Настенька с неизъяснимым движением. — Вам, может быть, странно, что я с вами так говорю,но... говорите! я вам после скажу! я вам всё расскажу!

— Вам жаль меня, Настенька; вам просто жаль меня, дружочек мой! Уж что пропало, то пропало! уж что сказано, того не воротишь! Не так ли? Ну, так вы теперь знаете всё. Ну, вот это точка отправления. Ну, хорошо! теперь всё это прекрасно; только послушайте. Когда вы сидели и плакали, я про себя думал (ох, дайте мне сказать, что я думал!), я думал, что (ну, уж конечно, этого не может быть, Настенька), я думал, что вы... я думал, что вы как-нибудь там... ну, совершенно посторонним каким-нибудь образом, уж больше его не любите. Тогда, — я это и вчера и третьего дня уже думал, Настенька, — тогда я бы сделал так, я бы непременно сделал так, что вы бы меня полюбили: ведь вы сказали, ведь вы сами говорили, Настенька, что вы меня уже почти совсем полюбили. Ну, что ж дальше? Ну, вот почти и всё, что я хотел сказать; остается только сказать, что бы тогда было, если б вы меня полюбили, только это, больше ничего! Послушайте же, друг мой, — потому что вы все-таки мой друг, — я, конечно, человек простой, бедный, такой незначительный, только не в том дело (я как-то всё не про то говорю, это от смущения, Настенька), а только я бы вас так любил, так любил, что если б вы еще и любили его и продолжали любить того, которого я не знаю, то все-таки не заметили бы, что моя любовь как-нибудь там для вас тяжела. Вы бы только слышали, вы бы только чувствовали каждую минуту, что подле вас бьется благодарное, благодарное сердце, горячее сердце, которое за вас... Ох, Настенька, Настенька! что вы со мной сделали!..

— Не плачьте же, я не хочу, чтоб вы плакали, — сказала Настенька, быстро вставая со скамейки, — пойдемте, встаньте, пойдемте со мной, не плачьте же, не плачьте, — говорила она, утирая мои слезы своим платком, — ну, пойдемте теперь; я вам, может быть, скажу что-нибудь... Да, уж коли теперь он оставил меня, коль он позабыл меня, хотя я еще и люблю его (не хочу вас обманывать)... но, послушайте, отвечайте мне. Если б я, например, вас полюбила, то есть если б я только... Ох, друг мой, друг мой! как я подумаю, как подумаю, что я вас оскорбляла тогда, что смеялась над вашей любовью, когда вас хвалила за то, что вы не влюбились!.. О, боже! да как же я этого не предвидела, как я не предвидела, как я была так глупа, но... ну, ну, я решилась, я всё скажу...

— Послушайте, Настенька, знаете что? я уйду от вас, вот что! Просто я вас только мучаю. Вот у вас теперь угрызения совести за то, что вы насмехались, а я не хочу, да, не хочу, чтоб вы, кроме вашего горя... я, конечно, виноват, Настенька, но прощайте!

— Стойте, выслушайте меня: вы можете ждать?

— Чего ждать, как?

— Я его люблю; но это пройдет, это должно пройти, это не может не пройти; уж проходит, я слышу... Почем знать, может быть, сегодня же кончится, потому что я его ненавижу, потому что он надо мной насмеялся, тогда как вы плакали здесь вместе со мною, потому что вы не отвергли бы меня, как он, потому что вы любите, а он не любил меня, потому что я вас, наконец, люблю сама... да, люблю! люблю, как вы меня любите; я же ведь сама еще прежде вам это сказала, вы сами слышали, — потому люблю, что вы лучше его, потому, что вы благороднее его, потому, потому, что он...

Волнение бедняжки было так сильно, что она не докончила, положила свою голову мне на плечо, потом на грудь и горько заплакала. Я утешал, уговаривал ее, но она не могла перестать; она все жала мне руку и говорила между рыданьями: «Подождите, подождите; вот я сейчас перестану! Я вам хочу сказать... вы не думайте, чтоб эти слезы, — это так, от слабости, подождите, пока пройдет...» Наконец она перестала, отерла слезы, и мы снова пошли. Я было хотел говорить, но она долго еще всё просила меня подождать. Мы замолчали... Наконец она собралась с духом и начала говорить...

— Вот что, — начала она слабым и дрожащим голосом, но в котором вдруг зазвенело что-то такое, что вонзилось мне прямо в сердце и сладко заныло в нем, — не думайте, что я так непостоянна и ветрена, не думайте, что я могу так легко и скоро позабыть и изменить... Я целый год его любила и Богом клянусь, что никогда, никогда даже мыслью не была ему неверна. Он презрел это; он насмеялся надо мною, — Бог с ним! Но он уязвил меня и оскорбил мое сердце. Я — я не люблю его, потому что я могу любить только то, что великодушно, что понимает меня, что благородно; потому что я сама такова, и он недостоин меня, — ну, Бог с ним! Он лучше сделал, чем когда бы я потом обманулась в своих ожиданиях и узнала, кто он таков... Ну, кончено! Но почем знать, добрый друг мой, — продолжала она, пожимая мне руку, — почем знать, может быть, и вся любовь моя была обман чувств, воображения, может быть, началась она шалостью, пустяками, оттого, что я была под надзором у бабушки? Может быть, я должна любить другого, а не его, не такого человека, другого, который пожалел бы меня и, и... Ну, оставим, оставим это, — перебила Настенька, задыхаясь от волнения, — я вам только хотела сказать... я вам хотела сказать, что если, несмотря на то что я люблю его (нет, любила его), если, несмотря на то, вы еще скажете... если вы чувствуете, что ваша любовь так велика, что может, наконец, вытеснить из моего сердца прежнюю... если вы захотите сжалиться надо мною, если вы не захотите меня оставить одну в моей судьбе, без утешения, без надежды, если вы захотите любить меня всегда, как теперь меня любите, то клянусь, что благодарность... что любовь моя будет наконец достойна вашей любви... Возьмете ли вы теперь мою руку?

— Настенька, — закричал я, задыхаясь от рыданий, — Настенька!.. О Настенька!

— Ну, довольно, довольно! ну,теперь совершенно довольно! заговорила она, едва пересиливая себя, — ну, теперь уже всё сказано; не правда ли? так? Ну, и вы счастливы, и я счастлива; ни слова же об этом больше; подождите; пощадите меня... Говорите о чем-нибудь другом, ради бога!..

— Да, Настенька, да! довольно об этом, теперь я счастлив я... Ну, Настенька, ну, заговорим о другом, поскорее, поскорее заговорим; да! я готов...

И мы не знали, что говорить, мы смеялись, мы плакали, мы говорили тысячи слов без связи и мысли; мы то ходили по тротуару, то вдруг возвращались назад и пускались переходить через улицу; потом останавливались и опять переходили на набережную; мы были как дети...

— Я теперь живу один, Настенька, — заговорил я, — а завтра... Ну, конечно, я, знаете, Настенька, беден, у меня всего тысяча двести, но это ничего...

— Разумеется, нет, а у бабушки пенсион; так она нас не стеснит. Нужно взять бабушку.

— Конечно, нужно взять бабушку... Только вот Матрена...

— Ах, да и у нас тоже Фекла!

— Матрена добрая, только один недостаток: у ней нет воображения, Настенька, совершенно никакого воображения; но это ничего!..

— Всё равно; они обе могут быть вместе; только вы завтра к нам переезжайте.

— Как это? к вам! Хорошо, я готов...

— Да, вы наймите у нас. У нас там, наверху, мезонин; он пустой; жилица была, старушка, дворянка, она съехала, и бабушка, я знаю, хочет молодого человека пустить; я говорю: «Зачем же молодого человека?» А она говорит: «Да так, я уже стара, а только ты не подумай, Настенька, что я за него тебя хочу замуж со-сватать». Я и догадалась, что это для того...

— Ах, Настенька!..

И оба мы засмеялись.

— Ну, полноте же, полноте. А где же вы живете? я и забыла.

— Там, у —ского моста, в доме Баранникова.

— Это такой большой дом?

— Да, такой большой дом.

— Ах, знаю, хороший дом; только вы, знаете, бросьте его и переезжайте к нам поскорее...

— Завтра же, Настенька, завтра же; я там немножко должен за квартиру, да это ничего... Я получу скоро жалованье...

— А знаете, я, может быть, буду уроки давать; сама выучусь и буду давать уроки...

— Ну вот и прекрасно... а я скоро награждение получу, Настенька...

— Так вот вы завтра и будете мой жилец...

— Да, и мы поедем в «Севильского цирюльника», потому что его теперь опять дадут скоро.

— Да, поедем, — сказала смеясь Настенька, — нет, лучше мы будем слушать не «Цирюльника», а что-нибудь другое...

— Ну хорошо, что-нибудь другое; конечно, это будет лучше, а то я не подумал...

Говоря это, мы ходили оба как будто в чаду, в тумане, как будто сами не зна-ли, что с нами делается. То останавливались и долго разговаривали на одном ме-сте, то опять пускались ходить и заходили бог знает куда, и опять смех, опять слезы... То Настенька вдруг захочет домой, я не смею удерживать и захочу прово-дить ее до самого дома; мы пускаемся в путь и вдруг через четверть часа находим себя на набережной у нашей скамейки. То она вздохнет, и снова слезинка набе-жит на глаза; я оробею, похолодею... Но она тут же жмет мою руку и тащит меня снова ходить, болтать, говорить...

— Пора теперь, пора мне домой; я думаю, очень поздно, — сказала наконец Настенька, — полно нам так ребячиться!

— Да, Настенька, только уж я теперь не засну; я домой не пойду.

— Я тоже, кажется, не засну; только вы проводите меня...

— Непременно.

— Но уж теперь мы непременно дойдем до квартиры.

— Непременно, непременно...

— Честное слово?.. потому что ведь нужно же когда-нибудь воротиться до-мой!

— Честное слово, — отвечал я смеясь...

— Ну, пойдемте!

— Пойдемте.

— Посмотрите на небо, Настенька, посмотрите! Завтра будет чудесный день; какое голубое небо, какая луна! Посмотрите: вот это желтое облако теперь засти-лает ее, смотрите, смотрите!.. Нет, оно прошло мимо. Смотрите же, смотрите!..

Но Настенька не смотрела на облако, она стояла молча, как вкопанная; через минуту она стала как-то робко, тесно прижиматься ко мне. Рука ее задрожала в моей руке; я поглядел на нее...Она оперлась на меня еще сильнее.

В эту минуту мимо нас прошел молодой человек. Он вдруг остановился, при-стально посмотрел на нас и потом опять сделал несколько шагов. Сердце во мне задрожало...

— Настенька, — сказал я вполголоса, — кто это, Настенька?

— Это он! — отвечала она шепотом, еще ближе, еще трепетнее прижимаясь ко мне... Я едва устоял на ногах.

— Настенька! Настенька! это ты! — послышался голос за нами, и в ту же минуту молодой человек сделал к нам несколько шагов.

Боже, какой крик! как она вздрогнула! как она вырвалась из рук моих и порхнула к нему навстречу!.. Я стоял и смотрел на них как убитый. Но она едва подала ему руку, едва бросилась в его объятия, как вдруг снова обернулась ко мне, очутилась подле меня, как ветер, как молния, и, прежде чем успел я опомниться, обхватила мою шею обеими руками и крепко, горячо поцеловала меня. Потом, не сказав мне ни слова, бросилась снова к нему, взяла его за руки и повлекла его за собою.

Я долго стоял и глядел им вслед... Наконец оба они исчезли из глаз моих.

УТРО

Мои ночи кончились утром. День был нехороший. Шел дождь и уныло стучал в мои стекла; в комнате было темно, на дворе пасмурно. Голова у меня болела и кружилась; лихорадка прокрадывалась по моим членам.

— Письмо к тебе, батюшка, по городской почте, почтарь принес, — проговорила надо мною Матрена.

— Письмо! от кого? — закричал я, вскакивая со стула.

— А не ведаю, батюшка, посмотри, может, там и написано от кого.

Я сломал печать. Это от нее!

«О, простите, простите меня! — писала мне Настенька, — на коленях умоляю вас, простите меня! Я обманула и вас и себя. Это был сон, призрак... Я изныла за вас сегодня; простите, простите меня!..

Не обвиняйте меня, потому что я ни в чем не изменилась пред вами; я сказала, что буду любить вас, я и теперь вас люблю, больше чем люблю. О боже! если б я могла любить вас обоих разом! О, если б вы были он!»

«О, если б он были вы!» — пролетело в моей голове. Я вспомнил твои же слова, Настенька!

«Бог видит, что бы я теперь для вас сделала! Я знаю, что вам тяжело и грустно. Я оскорбила вас, но вы знаете — коли любишь, долго ли помнишь обиду. А вы меня любите!

Благодарю! да! благодарю вас за эту любовь. Потому что в памяти моей она напечатлелась, как сладкий сон, который долго помнишь после пробуждения; потому что я вечно буду помнить тот миг, когда вы так братски открыли мне свое сердце и так великодушно приняли в дар мое, убитое, чтоб его беречь, лелеять, вылечить его... Если вы простите меня, то память об вас будет возвышена во мне вечным, благодарным чувством к вам, которое никогда не изгладится из души моей... Я буду хранить эту память, буду ей верна, не изменю ей, не изменю своему сердцу: оно слишком постоянно. Оно еще вчера так скоро воротилось к тому, которому принадлежало навеки.

Мы встретимся, вы придете к нам, вы нас не оставите, вы будете вечно другом, братом моим... И когда вы увидите меня, вы подадите мне руку... да? вы подадите мне ее, вы простили меня, не правда ли? Вы меня любите *по-прежнему*?

О, любите меня, не оставляйте меня, потому что я вас так люблю в эту минуту, потому что я достойна любви вашей, потому что я заслужу ее... друг мой милый! На будущей неделе я выхожу за него. Он воротился влюбленный, он никогда не забывал обо мне... Вы не рассердитесь за то, что я об нем написала. Но я хочу прийти к вам вместе с ним; вы его полюбите, не правда ли?..

Простите же, помните и любите вашу

Настеньку».

Я долго перечитывал это письмо; слезы просились из глаз моих. Наконец оно выпало у меня из рук, и я закрыл лицо.

— Касатик! а касатик! — начала Матрена.

— Что, старуха?

— А паутину-то я всю с потолка сняла; теперь хоть женись, гостей созывай, так в ту ж пору...

Я посмотрел на Матрену... Это была еще бодрая, *молодая* старуха, но, не знаю отчего, вдруг она представилась мне с потухшим взглядом, с морщинами на лице, согбенная, дряхлая... Не знаю отчего, мне вдруг представилось, что комната моя постарела так же, как и старуха. Стены и полы облиняли, всё потускнело; паутины развелось еще больше. Не знаю отчего, когда я взглянул в окно, мне показалось, что дом, стоявший напротив, тоже одряхлел и потускнел в свою очередь, что штукатурка на колоннах облупилась и осыпалась, что карнизы почернели и растрескались и стены из темно-желтого яркого цвета стали пегие...

Или луч солнца, внезапно выглянув из-за тучи, опять спрятался под дождевое облако, и всё опять потускнело в глазах моих; или, может быть, передо мною мелькнула так неприветно и грустно вся перспектива моего будущего, и я увидел себя таким, как я теперь, ровно через пятнадцать лет, постаревшим, в той же комнате, так же одиноким, с той же Матреной, которая нисколько не поумнела за все эти годы.

Но чтоб я помнил обиду мою, Настенька! Чтоб я нагнал темное облако на твое ясное, безмятежное счастие, чтоб я, горько упрекнув, нагнал тоску на твое сердце, уязвил его тайным угрызением и заставил его тоскливо биться в минуту блаженства, чтоб я измял хоть один из этих нежных цветков, которые ты вплела в свои черные кудри, когда пошла вместе с ним к алтарю... О, никогда, никогда! Да будет ясно твое небо, да будет светла и безмятежна милая улыбка твоя, да будешь ты благословенна за минуту блаженства и счастия, которое ты дала другому, одинокому, благодарному сердцу!

Боже мой! Целая минута блаженства! Да разве этого мало хоть бы и на всю жизнь человеческую?..

РОМАН В ДЕВЯТИ ПИСЬМАХ

I

(От Петра Иваныча к Ивану Петровичу)

Милостивый государь и драгоценнейший друг,
Иван Петрович!

Вот уже третий день, как я, можно сказать, гоняюсь за вами, драгоценнейший друг мой, имея переговорить о наинужнейшем деле, а нигде не встречаю вас. Жена моя вчера, в бытность нашу у Семена Алексеича, весьма кстати подшутила над вами, говоря, что вас с Татьяной Петровной вышла парочка непоседов. Трех месяцев нет, как женаты, а уже неглижируете домашними своими пенатами. Мы все много смеялись, — от полноты искреннего расположения нашего к вам, разумеется, — но, кроме шуток, бесценнейший мой, задали вы мне хлопот. Говорит мне Семен Алексеич, что не в клубе ли вы Соединенного общества на бале? Оставляю жену у супруги Семена Алексеича, сам же лечу в Соединенное общество. Смех и горе! представьте мое положение: я на бал — и один, без жены! Иван Андреич, встретившийся со мною в швейцарской, увидев меня одного, немедленно заключил (злодей!) о необыкновенной страсти моей к танцевальным собраниям и, подхватив меня под руку, хотел было уже насильно тащить в танцкласс, говоря, что в Соединенном обществе тесно ему, разернуться негде молодецкой душе и что от пачули с резедою у него голова разболелась. Не нахожу ни вас, ни Татьяны Петровны. Иван Андреич уверяет и божится, что вы непременно на «Горе от ума» в Александрынском театре.

Лечу в Александрынский театр: нет и там. Сегодня утром думал вас найти у Чистоганова — не тут-то было. Чистоганов шлет к Перепалкиным — то же самое. Одним словом, измучился совершенно; судите, как я хлопотал! Теперь пишу к вам (нечего делать!). Дело-то мое отнюдь не литературное (вы меня понимаете); лучше бы с глазу на глаз, крайне нужно объясниться с вами, и как можно скорее, и потому прошу ко мне сегодня на чай и на вечернюю беседу вместе с Татьяной Петровной. Моя Анна Михайловна будет крайне обрадована посещением вашим. Истинно, как говорится, по гроб одолжите.

Кстати, бесценнейший друг мой, — коли дело дошло до пера, то все в строку, — нахожусь вынужденным теперь же попенять вам отчасти и даже укорить вас, почтеннейший друг мой, в одной, по-видимому, весьма невинной проделочке, которою вы зло надо мной подшутили... злодей вы, бессовестный человек! Около половины прошедшего месяца вводите вы в дом мой одного знакомого вашего, именно Евгения Николаича, ассюрируете[1] его дружеской и для меня, разумеется, священнейшей рекомендацией вашей; я радуюсь случаю, принимаю молодого человека с распростертыми объятиями и вместе с тем кладу голову в петлю. Петля не петля, а вышла, что называется, штука хорошая.

---

[1] ассюрируете — обеспечиваете (*франц.* assurer).

Объяснять теперь некогда, да на пере и неловко, а только нижайшая просьба до вас, злорадственный друг и приятель, нельзя ли каким-нибудь образом, поделикатнее, в скобках, на ушко, втихомолочку, пошептать вашему молодому человеку, что есть в столице много домов, кроме нашего. Мочи нет, батюшка! Падам до ног[1], как говорит приятель наш Симоневич. Свидимся, я вам все расскажу. Не в том смысле говорю, что молодой человек не взял, например, на фасоне или душевными качествами или в чем-нибудь там другом оплошал. Напротив, он даже малый любезный и милый; но вот погодите, увидимся; а между тем, если встретите его, то шепните ему, ради бога, почтеннейший. Я бы и сам это сделал, но вы знаете, характер такой: не могу, да и только. Вы же рекомендовали его. Впрочем, вечером, во всяком случае, подробнее объяснимся. А теперь до свидания. Остаюсь и проч.

P.S. Маленький у меня уже с неделю прихварывает, и с каждым днем все хуже и хуже. Страдает зубенками; вырезываются. Жена все нянчится с ним и грустит, бедняжка. Приезжайте. Истинно обрадуете нас, драгоценнейший друг мой.

II

(От Ивана Петровича к Петру Иванычу)

Милостивый государь,
Петр Иваныч!

Получаю вчера письмо ваше, читаю и недоумеваю. Ищете меня бог знает в каких местах, а я просто был дома. До десяти часов ожидал Ивана Иваныча Толоконова. Тотчас же беру жену, нанимаю извозчика, трачусь и являюсь к вам временем около половины седьмого. Вас дома нет, а встречает нас ваша супруга. Жду вас до половины одиннадцатого; долее невозможно. Беру жену, трачусь, нанимаю извозчика, завожу ее домой, а сам отправляюсь к Перепалкиным, думая, не встречу ли там, но опять ошибаюсь в расчетах. Приезжаю домой, не сплю всю ночь, беспокоюсь, утром заезжаю к вам три раза, в девять, в десять и в одиннадцать часов, три раза трачусь, нанимаю извозчиков, и опять вы меня оставляете с носом.

Читая же ваше письмо, удивлялся. Пишете о Евгении Николаиче, просите шепнуть и не упоминаете почему. Хвалю осторожность, но бумага бумаге рознь, а я нужных бумаг на папильотки жене не даю. Недоумеваю, наконец, в каком смысле изволили мне это все написать. Впрочем, если на то пошло, то чего же меня-то мешать в это дело? Я носа своего не сую во всякую всячину. Отказать могли сами, вижу только, что объясниться нужно мне с вами короче, решительнее, да к тому же и время проходит. А я стеснен и не знаю, что делать придется, коли негли жировать условиями будете. Дорога на носу, дорога чего-нибудь стоит, а тут еще жена хнычет: сшей ей бархатный капот по модному вкусу. Насчет же Евгения Николаича спешу вам заметить: навел я вчера, не теряя времени, окончательно справки, в бытность мою у Павла Семеныча Перепалкина. У него своих пятьсот душ в Ярославской губернии, да от бабушки есть надежда получить в триста душ подмосковную. Денег же сколько, не знаю, а я думаю, что вам это лучше знать. Окончательно прошу вас назначить мне место свидания. Встретили вчера Ивана Андреича и пишете, что объявил он вам, что

---

[1] падам до ног (польск. Padam do nóg) — честь имею кланяться.

я в Александрынском театре с женою. Я же пишу, что он врет, и тем более ему веры нельзя иметь в подобных делах, что он, не далее как третьего дня, провел свою бабушку на осьмистах рублях ассигнациями. Затем имею честь пребыть.

P.S. Жена моя забеременела; к тому же она пуглива и чувствует подчас меланхолию. В театральные же представления иногда вводят пальбу и искусственно машинами сделанный гром. И потому, боясь испугать жену, в театры ее не вожу. Сам же до театральных представлений охоты большой не имею.

III

(От Петра Иваныча к Ивану Петровичу)

Бесценнейший друг мой,
Иван Петрович!
Виноват, виноват и тысячу раз виноват, но спешу оправдаться. Вчера в шестом часу, и как раз в то самое время как мы с истинным участием сердца о вас вспоминали, прискакал нарочный от дядюшки Степана Алексеича с известием, что с тетушкой худо. Боясь перепугать жену, не говоря ей ни слова, претекстую[1] постороннее нужное дело и еду в дом тетушки. Нахожу ее едва живу. Ровно в пять часов последовал с нею удар, уже третий в два года. Карл Федорыч, медик их дома, объявил, что, может быть, она не проживет и ночи одной. Судите о моем положении, драгоценнейший друг мой. Целую ночь на ногах, в хлопотах и горе! Утром только, истощив свои силы и удрученный телесною и душевною немощью, прилег я у них же на диване, забыл сказать, чтобы вовремя меня разбудили, и проснулся в половине двенадцатого. Тетушке лучше. Еду к жене; она, бедная, истерзалась, ожидая меня. Перехватил кусок кой-чего, обнял малютку, разуверил жену и отправился к вам. Вас нет дома. Нахожу же у вас Евгения Николаича. Отправляюсь домой, беру перо и теперь к вам пишу. Не ропщите и не сердитесь на меня, искренний друг мой. Бейте, рубите голову повинную с плеч, но не лишайте благорасположения вашего. От вашей супруги узнал, что вечером вы у Славяновых. Буду там непременно. С величайшим нетерпением ожидаю вас.
Теперь же остаюсь и т. д.

P.S. Маленький наш повергает нас в истинное отчаяние. Карл Федорыч прописал ему ревеньку. Стонет, вчера не узнавал никого. Сегодня же стал узнавать и лепечет всё — папа, мама, бу... Жена в слезах целое утро.

IV

(От Ивана Петровича к Петру Иванычу)

Милостивый государь мой, Петр Иваныч!
Пишу к вам у вас, в вашей комнате, на вашем бюро; а прежде чем взялся за перо, прождал вас с лишком два часа с половиною. Теперь позвольте мне вам прямо сказать, Петр Иваныч, мое открытое мнение насчет всего этого скаредно-

---

[1] претекстую — ссылаюсь (*франц.* pre'texter).

го обстоятельства. Из вашего последнего письма заключаю, что вас ждут у Славяновых, зовете меня туда, являюсь, сижу пять часов, а вас не бывало. Что ж, я людей смешить, что ли, по-вашему, должен? Позвольте, милостивый государь... Являюсь к вам утром, надеясь застать вас и не подражая таким манером некоторым обманчивым лицам, которые ищут людей бог знает по какие местам, когда их можно застать дома во всякое прилично выбранное время. Дома и духа вашего не было. Не знаю, что удерживает меня теперь высказать вам всю резкую правду. Скажу только то, что вижу вас, кажется, на попятном дворе относительно наших известных условий. И теперь только, соображая все дело, не могу не признаться, что решительно удивляюсь хитростному вашего ума направлению. Ясно вижу теперь, что неблагоприятное намерение свое питали вы с давних пор. Доказательством же такому моему предположению служит то, что вы еще на прошлой неделе, почти непозволительным образом, овладели тем письмом вашим, на имя мое адресованным, в котором сами изложили, хотя и довольно темно и нескладно, условия наши насчет весьма известного вам обстоятельства. Боитесь документов, их уничтожаете, а меня в дураках оставляете. Но я в дураках себя считать не позволю, ибо за такового меня доселе никто не считал, и все насчет этого обстоятельства обо мне с хорошей стороны относились. Открываю глаза. Сбиваете меня с толку, туманите меня Евгением Николаичем, и когда я, с неразгаданным мною доселе письмом вашим от седьмого сего месяца, ищу объясниться с вами, вы назначаете мне ложные свидания, а сами скрываетесь. Не думаете ли вы, милостивый государь, что я всего этого заметить не в силах? Обещаете вознаградить меня за весьма хорошо вам известные услуги относительно рекомендации разных лиц, а между тем, и неизвестно каким образом, устраиваете так, что сами у меня деньги берете без расписки знатными суммами, что было не далее как на прошлой неделе. Теперь же, взяв деньги, скрываетесь, да еще отрекаетесь от услуги моей, вам оказанной относительно Евгения Николаича. Рассчитываете, может быть, на скорый отъезд мой в Симбирск и думаете, что не успеем концов свести с вами. Но объявляю вам торжественно и свидетельствуясь при том честным словом моим, что если пойдет на то, то я нарочно готов буду еще целых два месяца прожить в Петербурге, а дела своего добьюсь, цели достигну и вас отыщу. И мы умеем подчас действовать в пику. В заключение же объявляю вам, что если вы сегодня же не объяснитесь со мною удовлетворительно, сперва на письме, а потом личным образом, с глазу на глаз, и не изложите в вашем письме вновь всех главных условий, существовавших между нами, и не объясните окончательно мыслей ваших насчет Евгения Николаича, то я принужден буду прибегнуть к мерам, вам весьма неблагоприятным и даже самому мне противным.

Позвольте пребыть и т. д.

V

(От Петра Иваныча к Ивану Петровичу)

Ноября 11-го.

Любезнейший, почтеннейший друг мой,
Иван Петрович!

До глубины души моей я был огорчен письмом вашим. И не совестно было вам, дорогой, но несправедливый друг мой, так поступать с лучшим доброжелателем вашим. Поторопиться, не объяснить всего дела и, наконец, оскорбить меня такими обидными подозрениями?! Но спешу отвечать на обвинения ваши. Не застали вы меня, Иван Петрович, вчера потому, что я вдруг и совсем неожиданно позван был к одру умирающей. Тетушка Евфимия Николавна преставилась вчера вечером, в одиннадцать часов пополудни. Общим голосом родственников избран я был распорядителем всей плачевной и горестной церемонии. Дел было столько, что я и поутру сегодня не успел увидеться с вами, ниже уведомить хоть строчкой письма. Скорбею душевно о недоразумении, вышедшем между нами. Слова мои о Евгении Николаевиче, высказанные мною шутливо и мимоходом, приняли вы в совершенно противную сторону, а делу всему дали глубоко обижающий меня смысл. Упоминаете о деньгах и выказываете о них свое беспокойство. Но, не обязуясь, готов удовлетворить всем вашим желаниям и требованиям, хотя здесь, мимоходом, и не могу не напомнить вам, что деньги, триста пятьдесят рублей серебром, взяты мною у вас на прошлой неделе на известных условиях, а не заимообразно. В последнем же случае непременно бы существовала расписка. Не снисхожу до объяснений касательно остальных пунктов, изложенных в вашем письме. Вижу, что это недоразумение, вижу в этом вашу обычную скорость, горячность и прямоту. Знаю, что благодушие и открытый характер ваш не позволят оставаться сомнению в сердце вашем и что, наконец, вы же сами протянете первый мне руку вашу. Вы ошиблись, Иван Петрович, вы крайне ошиблись!

Несмотря на то что письмо ваше глубоко уязвило меня, я первый, и сегодня же готов бы был к вам явиться с повинною, но я нахожусь в таких хлопотах с самого вчерашнего дня, что убит теперь совершенно и едва стою на ногах. К довершению бедствий моих жена слегла в постель; боюсь серьезной болезни. Что же касается до маленького, то ему, слава богу, получше. Но бросаю перо... дела зовут, а их целая куча.

Позвольте, бесценнейший друг мой, пребыть и проч.

VI

(От Ивана Петровича к Петру Иванычу)

Ноября 14-го.

Милостивый мой государь, Петр Иваныч!

Я выждал три дня; употребить постарался их с пользою, — между тем, чувствуя, что вежливость и приличие суть первые украшения всякого человека, с самого последнего письма моего, от десятого числа сего месяца, не напоминал вам о себе ни словом, ни делом, частию для того чтобы дать вам исполнить безмятежно христианский долг относительно тетушки вашей, частию же потому, что для некоторых соображений и изысканий по известному делу имел во времени надобность. Теперь же спешу с вами окончательным и решительным образом объясниться.

Признаюсь вам откровенно, что при чтении первых двух писем ваших я серьезно думал, что вы не понимаете, чего я хочу; вот по какому случаю наиболее искал я свидания с вами и объяснения с глазу на глаз, боялся пера и обвинял себя в неясности способа выражения мыслей моих на бумаге. Известно вам, что воспитания и манеров хороших я не имею и пустозвонного щегольства я чуждаюсь, потому что по горькому опыту познал наконец, сколь обманчива иногда бывает наружность и что под цветами иногда таится змея. Но вы меня понимали; не отвечали же мне так, как следует, потому, что вероломством души своей положили заране изменить своему честному слову и существовавшим между нами приятельским отношениям. Совершенно же доказали вы это гнусным поведением вашим относительно меня в последнее время, поведением, пагубным для моего интереса, чего не ожидал я и чему верить никак не хотел до настоящей минуты; ибо, плененный в самом начале знакомства нашего умными манерами вашими, тонкостию вашего обращения, знанием дел и выгодами, имевшими быть мне от сообщества с вами, я полагал, что нашел истинного друга, приятеля и доброжелателя. Теперь же ясно познал, что есть много людей, под льстивою и блестящею наружностью скрывающих яд в своем сердце, употребляющих ум свой на устроение козней ближнему и на непозволительный обман и потому боящихся пера и бумаги, а вместе с тем и употребляющих слог свой не на пользу ближнего и отечества, а для усыпления и обаяния рассудка тех, кои вошли с ними в разные дела и условия. Вероломство ваше, милостивый государь мой, относительно меня ясно можно видеть из нижеследующего.

Во-первых, когда я в ясных и отчетливых выражениях письма моего изображал вам, милостивый государь мой, свое положение, а вместе с тем спрашивал вас в первом письме моем, что вы хотите разуметь под некоторыми выражениями и намерениями вашими, преимущественно же относительно Евгения Николаича, то вы по большей части старались умалчивать и, возмутив меня раз подозрениями и сомнениями, спокойно сторонились от дела. Потом, наделав со мной таких дел, которых и приличным словом назвать нельзя, стали писать, что вы огорчаетесь. Как это назвать прикажете, милостивый мой государь? Потом, когда каждая минута была для меня дорога и когда вы заставляли меня гоняться за вами на протяжении всей столицы, писали вы под личиною дружбы мне письма, в которых, нарочно умалчивая о деле, говорили о совершенно посторонних вещах: именно о болезнях во всяком случае уважаемой мною вашей супруги и о том, что вашему малютке ревеню дали и что-де по сему случаю у него прорезался зуб. Обо всем этом упоминали вы в каждом письме своем с гнусною и обидною для меня регулярностью. Конечно, готов согласиться, что страдания родного детища терзают душу отца, но для чего же упоминать об этом тогда, когда нужно было совершенно другое, более нужное и интересное. Я молчал и терпел; теперь же, когда время прошло, долгом почел объясниться. Наконец, несколько раз вероломно обманувши меня ложным назначением свиданий, заставили меня играть, по-видимому, роль вашего дурака и потешителя, чем я быть никогда не намерен. Потом, и пригласив меня к себе предварительно и как следует обманув, уведомляете меня, что отозваны были к страдающей тетушке вашей, получившей удар ровно в пять часов, изъясняясь, таким образом, и тут с постыдною точностью. К счастью моему, милостивый мой государь, в эти три дня я успел навесть справки и по ним узнал, что тетушку вашу постиг удар еще накануне осьмого числа, незадолго до полночи. По сему случаю вижу, что вы употребили святость родственных отношений для обмана совершенно посторонних людей. Наконец, в последнем письме своем упоминаете и о смерти родственницы вашей, как бы приключившейся именно в то самое время, когда я должен был явиться к вам для совещаний об известных делах. Но здесь гнусность расчетов и выдумок ваших превосходят даже всякое вероятие, ибо по достовернейшим справкам, к которым по счастливейшему для меня случаю успел я прибегнуть и кстати и вовремя, узнал я, что тетушка ваша скончалась ровно целые сутки спустя после безбожно определенного вами в письме своем срока для кончины ее. Я не кончу, если буду исчислять все признаки, по коим узнал о вашем относительно меня вероломстве. Довольно даже того для беспристрастного наблюдателя, что во всяком письме своем именуете вы меня своим искренним другом и называете любезными именами, что делали, по моему разумению, не для чего иного, как с тем, чтобы усыпить мою совесть.

Приступлю теперь к главному вашему относительно меня обману и вероломству, состоящему именно: в беспрерывном умалчивании в последнее время о всем том, что касается общего нашего интереса, в безбожном похищении письма, в котором, хотя темно и не совсем мне понятно, объяснили вы наши обоюдные условия и соглашения, в варварском насильном займе трехсот пятидесяти рублей серебром, без расписки, сделанном у меня в качестве вашего половинщика; и, наконец, в гнусной клевете на общего знакомого нашего Евгения Николаича. Ясно вижу теперь, что хотелось вам доказать мне, что с него, с позволения сказать, как с козла, нет ни молока, ни шерсти и что он сам ни то ни сё, ни рыба ни мясо, что и поставили ему в порок в письме своем от шестого числа сего месяца. Я же знаю Евгения Николаича как за скромного и благонравного юношу, чем именно может он и прельстить, и сыскать, и заслужить уважение в свете. Известно тоже мне, что вы каждый вечер, в продолжение целых двух недель, клали в карман свой по нескольку десятков, а иногда и до сотни рублей серебром, держа палки и банки[1] Евгению Николаичу. Теперь же вы от этого всего отпираетесь и не только не соглашаетесь возблагодарить меня за старания, но даже присвоили безвозвратно собственные деньги мои, соблазнив меня предварительно качеством вашего половинщика и обольстив меня разными выгодами, имеющими быть на долю мою. Присвоив же теперь беззаконнейшим образом себе мои и Евгения Николаича деньги, возблагодарить меня уклоняетесь, употребляя для сего клевету, которою и очернили безрассудно в глазах моих того, кого я стараниями и усилиями своими ввел в дом ваш. Сами же, напротив, по рассказам приятелей, до сих пор чуть-чуть не лижетесь с ним и выдаете всему свету за первейшего вашего друга, несмотря на то что в свете нет такого последнего дурака, который бы сразу не угадал, к чему клонятся все ваши намерения и что именно значат на деле дружелюбные и приятельские отношения ваши. Я же скажу, что они значат обман, вероломство, забвение приличий и прав человека, богопротивны и всячески порочны. Ставлю себя примером и доказательством. Чем я вас оскорбил и за что вы со мною таким безбожным образом поступили?

Кончаю письмо. Я объяснился. Теперь заключаю: если вы, милостивый мой государь, в наикратчайшее по получении письма сего время не возвратите мне сполна, во-первых, мною вам данной суммы, триста пятьдесят рублей серебром, и, во-вторых, всех за тем следующих мне, по обещанию вашему, сумм, то я прибегну ко всевозможным средствам, чтобы принудить вас к отдаче даже открытою силою, во-вторых, к покровительству законов, и, наконец, объявляю вам, что обладаю кое-какими свидетельствами, которые, оставаясь в руках вашего покорнейшего слуги и почитателя, могут погубить и осквернить ваше имя в глазах целого света.

Позвольте пребыть и проч.

---

[1] ...держа палки и банки... — То есть обыгрывая его в карты. Палки (как и банк) — названия карточной игры.

VII

(От Петра Иваныча к Ивану Петровичу)
Ноября 15-го.

Иван Петрович!

Получив ваше мужицкое и вместе с тем странное послание, я в первую минуту хотел было разорвать его в клочки, — но сохранил для редкости. Впрочем, сердечно сожалею о недоразумениях и неприятностях наших. Отвечать вам я было не хотел. Но заставляет необходимость. Именно сими строками объявить вам нужно, что видеть вас когда-либо в доме моем мне будет весьма неприятно, равно и жене моей: она слаба здоровьем и запах дегтя ей вреден.

Жена моя отсылает вашей супруге книжку ее, оставшуюся у нас, — «Дон-Кихота Ламанчского», с благодарностью. Что же касается до ваших калош, будто бы забытых вами у нас во время последнего посещения, то с сожалением уведомляю вас, что их нигде не нашли. Покамест их ищут; но если их совсем не найдут, тогда я вам куплю новые.

Впрочем, честь имею пребыть и проч.

VIII

Шестнадцатого числа ноября Петр Иваныч получает по городской почте на свое имя два письма. Вскрывая первый пакет, вынимает он записочку, затейливо сложенную, на бледно-розовой бумажке. Рука жены его. Адресовано к Евгению Николаичу, число 2 ноября. В пакете больше ничего не нашлось. Петр Иванович читает:

Милый Eugène! Вчера никак нельзя было. Муж был дома весь вечер. Завтра же приезжай непременно ровно в одиннадцать. В половине одиннадцатого муж отправляется в Царское и воротится в полночь. Я злилась всю ночь. Благодарю за присылку известий и переписки. Какая куча бумаги! Неужели это все она исписала? Впрочем, есть слог; спасибо тебе; вижу, что любишь меня. Не сердись за вчерашнее и приходи завтра, ради бога.

А.

Петр Иваныч распечатывает второе письмо.

Петр Иваныч!

Нога моя и без того бы никогда не была в вашем доме; напрасно изволили даром бумагу марать.

На будущей неделе уезжаю в Симбирск; приятелем бесценнейшим и любезнейшим другом останется у вас Евгений Николаич; желаю удачи, а о калошах не беспокойтесь.

IX

Семнадцатого числа ноября Иван Петрович получает по городской почте на свое имя два письма. Вскрывая первый пакет, вынимает он записочку, небрежно и наскоро написанную. Рука жены его; адресовано к Евгению Николаичу, число 4 августа. В пакете больше ничего не нашлось. Иван Петрович читает:

Прощайте, прощайте, Евгений Николаич! награди вас Господь и за это. Будьте счастливы, а мне доля лютая; страшно! Ваша воля была. Если бы не тетушка, я бы вам вверилась так. Не смейтесь же ни надо мной, ни над тетушкой. Завтра венчают нас. Тетушка рада, что нашелся добрый человек и берет без приданого. Я в первый раз пристально на него поглядела сегодня. Он, кажется, добрый такой. Меня торопят. Прощайте, прощайте... голубчик мой!! Помяните обо мне когда-нибудь; я же вас никогда не забуду. Прощайте. Подпишу и это последнее, как первое мое... помните?

Татьяна.

Во втором письме было следующее.

Иван Петрович! Завтра вы получите калоши новые; я ничего не привык таскать из чужих карманов; также не люблю собирать по улицам лоскутки всякой всячины.

Евгений Николаич на днях уезжает в Симбирск, по делам своего деда, и просил меня похлопотать о попутчике; не хотите ли?

СОДЕРЖАНИЕ

ДОРОГОЙ ЧИТАТЕЛЬ!
Издательство просит отзывы об этой книге
и Ваши предложения по серии
«Полное собрание в одном томе»
присылать по адресу:
125565, Москва, а/я 4,
«Издательство АЛЬФА-КНИГА»
или по e-mail: mvn@armada.ru
Информацию об издательстве и книгах
можно получить на нашем сайте в Интернете:
http://www.armada.ru

Литературно-художественное издание

Полное собрание в двух томах
Федор Михайлович Достоевский
ПОЛНОЕ СОБРАНИЕ РОМАНОВ
В ДВУХ ТОМАХ
Том 1

Заведующий редакцией
В.Н. Маршавин

Ответственный редактор
Е.Г. Басова

Художественный редактор
Н.Г. Безбородов

Технический редактор
А.А. Ершова

Корректор
Н.А. Карелина

Компьютерная верстка
П. Э. Кутепова

Подписано в печать 18.01.10. Формат 60х90/16.
Гарнитура «Ньютон». Печать офсетная.
Бумага офсетная. Усл. печ. л. 80,0. Доп. тираж 6000 экз.
Изд. № 5527. Заказ № 20676.

ООО «Издательство АЛЬФА-КНИГА»
125565, Москва, а/я 4; ул. Расковой, д. 20

Отпечатано по технологии CtP
в ОАО «Печатный двор» им. А. М. Горького
197110, Санкт-Петербург, Чкаловский пр., д. 15.